אנגלי - עברי
עדכני

בעריכת

שמעון זילברמן

עם כללי הגייה
של השפה האנגלית

THE UP-TO-DATE

ENGLISH - HEBREW
DICTIONARY

COMPILED BY

SHIMON ZILBERMAN

With Rules of Pronunciation
of the English Language

THE UP-TO-DATE DICTIONARIES

ISBN-965-90918-0-X
The English-Hebrew Dictionary
60,000 entries

ISBN-965-222-862-1
The English-Hebrew/Hebrew-English Dictionary
82,000 entries

ISBN-965-222-778-1
The Compact
English-Hebrew/Hebrew-English Dictionary
55,000 entries

ISBN-965-222-779-X
The Hebrew-English Dictionary
27,000 entries

Published by Zilberman
P.O.B. 6119 Jerusalem
Tel./Fax 02-6524928

Printed in Israel

הקדמה

מילון זה מיועד לקורא הזקוק למילון אנגלי-עברי מעודכן ורב-ערכים, ועם זאת קל ונוח לטילטול. ואכן המגמה בעריכת המילון הייתה לכלול בו ערכים שימושיים רבים, ובהם גם ביטויים ומונחים חדשים שאינם נמצאים בכל מילון אנגלי-עברי אחר שיצא לאור עד כה, ובד בבד לשמור על גודלו הקומפקטי.

חידוש חשוב מהווים כללי ההגייה של השפה האנגלית המובאים להלן. כללים אלה מקשרים בין כתיב המלה והגייתה; והשולט בהם רוכש לעצמו נכס רב-חשיבות. מאחר שעל רקע כללים אלה, ואגב קריאה מרובה, הוא עשוי לנחש את הגייתן הנכונה של מלים חדשות רבות שייתקל בהן.

נספח למהדורה המעודכנת

נוסף לעדכונים שהוכנסו בגוף המילון, מביא הנספח למילון האנגלי-עברי (עמודים 667 - 690) עוד ערכים, שמרבים להשתמש בהם לאחרונה, בעיקר באמצעי התקשורת. הקורא אשר לא ימצא את המילה האנגלית המבוקשת במילון, עשוי למצוא אותה בנספח זה.

תוכן העניינים

כללי הגייה של השפה האנגלית (במבטא אמריקני)

א. מבוא

כללי ההגייה הבאים מקשרים בין כתיב המלה והגייתה. כלומר, על פי כללים אלה ניתן בדרך כלל לבטא נכונה את המלה בלי להיעזר בתעתיק היגוי. ראוי להדגיש שכללי ההגייה של השפה האנגלית הם רבים ומסובכים, ומהווים נושא לחיבור מקיף. כאן נביא רק את העיקריים שבהם, שרצוי שהקורא יכיר אותם. נציין גם שכללים אלה חלים אומנם על מרבית המלים באנגלית, אבל לא על כולן; ובמילון יובא תעתיק היגוי לכל מלה החורגת מהם.

כללים אלה יפים ברובם גם להגייה הבריטית, אך לשם תיאום עם המילון הובאה ההגייה האמריקנית. ההבדל בין שתי ההגיות הוא בקבוצות הכוללות מלים כגון: tune, hurry, advance, ask.

ב. הגדרות

עיצורים ותנועות

באלפבית האנגלי ישנם 20 עיצורים (consonants) **ו-6 תנועות** (vowels).

העיצורים הם:

b, c, d, f, g, h, j, k, l, m, n, p, q, r, s, t, v, w, x, z.

התנועות הן: a, e, i, o, u, y.

האותיות y ו-w נקראות גם חצאי-תנועות (semivowels)**, ומשמשות לפעמים כעיצורים ולפעמים כתנועות.**

האות e בבואה בסוף מלה ואינה מבוטאת נקראת e סופית (final e)**, ובכללי ההגייה הבאים לא תיחשב כתנועה. דוגמאות:**

face, make, smile, home, fire.

הברות

כל מלה אנגלית מורכבת מהברות (syllables).למשל, המלה table מורכבת מההברות ta-ble; המלה picture מורכבת מההברות pic-ture; המלה yesterday מורכבת מההברות yes-ter-day.

אלפי מלים באנגלית הן בנות הברה אחת בלבד. דוגמאות:

I, you, strange, down.

הברה סגורה והברה פתוחה

הברה המסתיימת בעיצור נקראת הברה סגורה (closed syllable)**. למשל, ההברה pic במלה picture היא הברה סגורה, כי היא מסתיימת בעיצור c.**

הברה המסתיימת בתנועה נקראת הברה פתוחה (open syllable)**. למשל, ההברה ta במלה table היא הברה פתוחה, כי היא מסתיימת בתנועה a.**

הברות מוטעמות

הברות מסויימות במלה מבוטאות ביתר הדגשה מן האחרות. הברות אלה נקראות הברות מוטעמות (stressed syllables)**. סימן ההטעמה העבה (′) בא במילון מיד אחרי ההברה המוטעמת בהטעמה ראשית; סימן ההטעמה הדק (') בא מיד אחרי ההברה המוטעמת בהטעמה מישנית.**

למשל, במלה yesterday **באים סימני ההטעמה אחרי ההברות המוטעמות, כך:** yes′terday'.

מלה בת הברה אחת, דינה כדין הברה מוטעמת, ונראה אותה כאילו סימן ההטעמה בא מיד אחריה. דוגמאות: I, go, spring, strange.

בכללים הבאים, הברה מוטעמת פירושה הברה בעלת הטעמה ראשית או מישנית.

צלילים

האותיות השונות מייצגות צלילים (sounds) של השפה האנגלית. נבחין בשני סוגי צלילים:
צלילים עיצוריים (consonant sounds) המיוצגים בדרך כלל על-ידי העיצורים; וצלילים תנועיים (vowel sounds) המיוצגים בדרך כלל על-ידי התנועות.
ואולם, לא כל עיצור מייצג תמיד צליל עיצורי קבוע; ולא כל תנועה מייצגת תמיד צליל תנועי קבוע. למשל, העיצור c מייצג צליל עיצורי שונה במלים car ו-face. והתנועה u מייצגת צליל תנועי שונה במלים but ו-put. מכאן, שלא נוכל תמיד לדעת את הגיית המלה על פי הכתיב שלה בלבד. לפיכך אנו בונים מערכת סמלים של הצלילים השונים, ומשכתבים את המלה בסמלים אלה, כדי שנדע לבטא אותה נכונה. אנו משתמשים במערכת הסמלים הבאה:

סמלי הצלילים התנועיים

01. (a) as in glad (glad)
02. (e) as in red (red)
03. (i) as in sing (sing)
04. (o) as in hot (hot)
05. (u) as in sun (sun)
06. (oo) as in foot (foot)
07. (ā) as in make (māk)
08. (ē) as in see (sē)
09. (ī) as in smile (smīl)
10. (ō) as in hope (hōp)
11. (ū) as in few (fū)
12. (o͞o) as in fool (fo͞ol)
13. (ä) as in car (kär)
14. (ô) as in all (ôl)
15. (ou) as in now (nou)
16. (oi) as in boy (boi)
17. (û) as in bird (bûrd)
18. (ə) as in about (əbout′)

סמלי הצלילים העיצוריים

01. (b) as in boy (boi)
02. (ch) as in chair (chār)
03. (d) as in glad (glad)
04. (dh) as in that (dhat)
05. (f) as in find (fīnd)
06. (g) as in go (gō)
07. (h) as in hat (hat)
08. (j) as in jam (jam)
09. (k) as in king (king)
10. (l) as in light (līt)
11. (m) as in man (man)
12. (n) as in sun (sun)
13. (ng) as in king (king)
14. (p) as in play (plā)
15. (r) as in rain (rān)
16. (s) as in sit (sit)
17. (sh) as in shine (shīn)
18. (t) as in tell (tel)
19. (th) as in thing (thing)
20. (v) as in love (luv)
21. (w) as in win (win)
22. (y) as in yes (yes)
23. (z) as in zero (zēr′ō)
24. (zh) as in pleasure (plezh′ər)

תנועה קצרה ותנועה ארוכה

הצלילים התנועיים מ-01 עד 06, דהיינו (a, e, i, o, u, oo) נקראים תנועות קצרות (short vowels).
הצלילים התנועיים מ-07 עד 12, דהיינו (ā, ē, ī, ō, ū, o͞o) נקראים תנועות ארוכות (long vowels).

תעתיק היגוי

על פי מערכת הסמלים דלעיל, משוכתבות המלים הבאות כך:
car (kär), face (fās), put (poot), but (but).
שיכתוב המלה בסמלים פונטיים כנ"ל, נקרא תעתיק היגוי (phonetic transcription).
ראוי לציין כי סמל פונטי כנ"ל עשוי לציין וריאציות שונות במעט זו מזו של הצליל שאותו הוא מייצג.

ג. כללי ההגייה

בכללי ההגייה הבאים, **C** מייצג עיצור, ו-**V** מייצג תנועה.
הערה: מתוך הדוגמאות ניתן להבין אם **C** כולל גם את העיצור r, מאחר שלפעמים יש לעיצור זה כללים משלו.

1. כללי הצלילים העיצוריים

1.01 **C** = (**C**)
כלומר, כל עיצור מבוטא בהתאם לסמל הזהה לו. דוגמאות:
book (book), hot (hot), wait (wāt), base (bās), star (stär).

1.02 2**C** = (**C**)
כלומר, עיצור כפול מבוטא כעיצור יחיד. דוגמאות:
press (pres), bot′tle (bot′əl), odd (od), acclaim′ (əklām′), ar′row (ar′ō).

1.03 c = (k)
כלומר, העיצור c מבוטא (k). דוגמאות:
act (akt), car (kär), cry (krī), cool (ko͞ol), cup (kup).

1.04 ce, ci, cy = (s)
כלומר, העיצור c בבואו לפני e או i או y מבוטא (s). דוגמאות:
face (fās), bi′cycle (bī′sikəl), cit′y (sit′i), ac′id (as′id).

1.05 cce, cci, ccy = (ks)
כלומר, העיצור הכפול cc בבואו לפני e או i או y מבוטא (ks). דוגמאות:
ac′cident (ak′sidənt), success′ (səkses′), ac′cent′ (ak′sent′), flac′cid (flak′sid).

1.06 ck, c(k) = (k)
כלומר, הצירוף ck, או הצירוף c ועיצור בעל צליל (k), מבוטאים (k). דוגמאות:
back (bak), acquire′ (əkwīr′), acquaint′ (əkwānt′).

1.07 sce, sci, scy = (s)

כלומר, הצירוף sc בבואו לפני e או i או y מבוטא (s). דוגמאות:
sci′ence (sī′əns), ab′scess′ (ab′ses′), scythe (sīdh), cres′cent (kres′ənt).

1.08 ch, tch = (ch)

כלומר, הצירופים ch ו-tch מבוטאים (ch). דוגמאות:
chair (chār), catch (kach), itch (ich), watch (woch), each (ēch), arch (ärch).

1.09 ge, gi, gy = (j)

כלומר, העיצור g בבואו לפני e או i או y מבוטא (j). דוגמאות:
age (āj), gi′ant (jī′ənt), gyp′sy (jip′si), philol′ogy (filol′əji), gem (jem).

1.10 dg, dj, = (j)

כלומר, הצירופים dg ו-dj מבוטאים (j). דוגמאות:
edge (ej), adjust′ (əjust′), fledg′ling (flej′ling), judge (juj), adja′cent (əjā′sənt).

1.11 gge, ggi, ggy = (g)

כלומר, העיצור הכפול gg גם בבואו לפני e או i או y מבוטא (g).
דוגמאות: dag′ger (dag′ər), bag′gy (bag′i), rig′ging (rig′ing), rug′ged (rug′id).

1.12 n(g), n(k) = (ng)

כלומר, הצירוף n ועיצור בעל צליל (g) או הצירוף n ועיצור בעל צליל (k) מבוטאים (ng). דוגמאות:
king (king), drink (dringk), un′cle (ung′kəl), anx′ious (angk′shəs), van′quish (vang′kwish).
הערה: במילון לא ייתנן תעתיק היגוי ליד מלה החורגת מכלל זה. למשל, המלה uncom′mon הגייתה (unkom′ən) ולא (ungkom′ən).

1.13 ph = (f)

כלומר, הצירוף ph מבוטא (f). דוגמאות:
el′ephant (el′əfənt), pho′to (fō′tō), al′pha (al′fə).

1.14 qu = (kw)

כלומר, הצירוף qu מבוטא (kw). דוגמאות:
liq′uid (lik′wid), queen (kwēn), e′qual (ēk′wəl), square (skwār).

1.15 sh = (sh)

כלומר, הצירוף sh מבוטא (sh). דוגמאות:
shut (shut), brush (brush), shine (shīn), shop (shop).

1.16 th = (th)

כלומר, הצירוף th מבוטא (th). דוגמאות:
thing (thing), meth′od (meth′əd), oath (ōth), south (south), path (path).

1.17 wh = (w, hw)

כלומר, הצירוף wh מבוטא (w) או (hw). דוגמאות:
when (wen, hwen), why (wī, hwī), while (wīl, hwīl), whisper (wis′pər, hwis′pər).

1.171 wr = (r)

כלומר, הצירוף wr מבוטא (r). דוגמאות:
write (rīt), wrong (rông), wrap (rap).

1.18 x = (ks)

כלומר, האות x מבוטאת (ks). דוגמאות:
box (boks), ax (aks), six (siks).

1.19 y- = (y)

כלומר, האות y בבואה בתחילת המלה או בתחילת המרכיב השני של מלה מורכבת מבוטאת (y). דוגמאות:
yes (yes), court′yard′ (kôrt′yärd′).

1.20 kn = (n-)

כלומר, הצירוף kn בבואו בתחילת המלה מבוטא (n). דוגמאות:
know (nō), knee (nē), knot (not).

2. כללי הצלילים התנועיים

2.01 unstressed a, e, o, u = (ə)

כלומר, האותיות ,a, e, o, u בבואן בהברה לא מוטעמת, מבוטאות (ə). דוגמאות: about′ (əbout′), les′son (les′ən), o′pen (ō′pən), cir′cus (sûr′kəs).

הצליל (ə) נקרא שווא (shwä) schwa, והוא מיוצג במילונים אנגלים ע״י e הפוכה. schwa היא מלה שאולה מעברית.

2.02 unstressed i, y = (i)

כלומר, האותיות ,i, y בבואן בהברה לא מוטעמת, מבוטאות (i). דוגמאות: ar′ticle (är′tikəl), bi′cycle (bī′sikəl).

הערה: בהברה לא מוטעמת ובסוף מלה, הסמל (i) מייצג לפעמים גם צליל זהה ל- (ē) ולפעמים גם צליל זהה ל- (ə). לדוגמה:
abil′ity (əbil′iti, əbil′ətē).

2.03 unstressed ia, ie, io, iu = (iə, yə)
כלל זה נובע משני הכללים הקודמים. כלומר הצירופים ia, ie, io, iu, בבואם בהברה לא מוטעמת, מבוטאים (iə) או (yə). דוגמאות:
pe′riod (pēr′iəd), la′bial (lā′biəl), me′dium (mē′diəm), colo′nial (kəlō′niəl), id′iot (id′iət), famil′iar (fəmil′yər), au′dience (ô′diəns), al′ien (āl′yən), mil′lion (mil′yən), bril′liant (bril′yənt).

3.01 a**C′** = (a**C′**)
כלומר, האות a בבואה בהברה מוטעמת וסגורה, מבוטאת (a).
דוגמאות:
man (man), gam′ble (gam′bəl), ask (ask), hand (hand).

3.02 e**C′** = (e**C′**)
כלומר, האות e בבואה בהברה מוטעמת וסגורה, מבוטאת (e).
דוגמאות:
pen (pen), attempt′ (ətempt′), sev′eral (sev′ərəl).

3.03 i**C′**, y**C′** = (i**C′**)
כלומר, האותיות i ו- y בבואן בהברה מוטעמת וסגורה, מבוטאות (i).
דוגמאות:
sit (sit), sim′ple (sim′pəl), admit′ (admit′),
sys′tem (sis′təm), sym′pathy (sim′pəthi), lynch (linch).

3.04 o**C′** = (o**C′**)
כלומר, האות o בבואה בהברה מוטעמת וסגורה, מבוטאת (o).
דוגמאות: hot (hot), shock (shok), bot′tle (bot′əl).

3.05 u**C′** = (u**C′**)
כלומר, האות u בבואה בהברה מוטעמת וסגורה, מבוטאת (u).
דוגמאות: but (but), ug′ly (ug′li), bunch (bunch), sun (sun).

3.06 oo**C′** = (oo**C′**)
כלומר, הצירוף oo בבואו בהברה מוטעמת וסגורה, מבוטא (oo).
דוגמאות: look (look), foot (foot), boor (boor),
poor (poor), wood (wood), good (good), stood (stood).

3.99 **VC′** or oo**C′** = (short vowel)
כלומר לסיכום, תנועה או הצירוף oo בבואם בהברה מוטעמת וסגורה, תנועתם קצרה.

4.01 a′ = (ā′)
כלומר, האות a בבואה בהברה מוטעמת ופתוחה, מבוטאת (ā).
דוגמאות:
ba′by (bā′bi), ta′ble (tā′bəl), la′zy (lā′zi), la′dy (lā′di).

4.02 e′ = (ē′)

כלומר, האות e בבואה בהברה מוטעמת ופתוחה, מבוטאת (ē).
דוגמאות:
se′cret (sē′krit), le′gal (lē′gəl), he′ro (hēr′ō),
se′rious (sēr′iəs), ze′ro (zēr′ō), e′ven (ē′vən).

4.03 i′, y′ = (ī′)

כלומר, האותיות i ו- y בבואן בהברה מוטעמת ופתוחה, מבוטאות (ī).
דוגמאות:
li′on (lī′ən), si′lent (sī′lənt), bī′cycle (bī′sikəl),
I (ī), my (mī), sat′isfy′ (sat′isfī′), ty′rant (tī′rənt).

4.04 o′ = (ō′)

כלומר, האות o בבואה בהברה מוטעמת ופתוחה, מבוטאת (ō).
o′pen (ō′pən), to′tal (tō′təl), ago′ (əgō′). דוגמאות:

4.05 u′ = (ū′)

כלומר, האות u בבואה בהברה מוטעמת ופתוחה, מבוטאת (ū).
(הערה: לפני האות r הצליל מתקצר ל-(yoo)). דוגמאות:
fu′ture (fū′chər), u′sual (ū′zhōōəl),
confu′sion (kənfū′zhən), mu′tual (mū′chōōəl),
cu′rious (kyoor′iəs), fu′ry (fyoor′i).

4.051 (ch)u′, (d)u′, (j)u′, (l)u′, (n)u′, (r)u′,
(s)u′, (sh)u′, (t)u′, (th)u′, (z)u′, = (ōō′)

כלומר, האות u בבואה בהברה מוטעמת ופתוחה, ולאחר אחד מן הצלילים העיצוריים דלעיל, מבוטאת (ōō).
(הערה: לפני האות r הצליל מתקצר ל-(oo)). דוגמאות:
stu′dent (stōōd′ənt), ju′ry (joor′i), nu′meral (nōō′mərəl),
du′rable (door′əbəl), ru′by (rōō′bi), tu′nic (tōō′nik),
lu′rid (loo′rid), matu′rity (məchoor′iti),
su′per (sōō′pər), Zu′lu (zōō′lōō).

4.06 oo′ = (ōō′)

כלומר, הצירוף oo בבואו בהברה מוטעמת ופתוחה, מבוטא (ōō).
too (tōō), poo′dle (pōō′dəl), coo (kōō). דוגמאות:

4.99 V′ or oo′ = (long vowel)

כלומר לסיכום, תנועה או הצירוף oo בבואם בהברה מוטעמת ופתוחה, תנועתם ארוכה.

5.01 aCe = (āC)

כלומר, האות a בבואה לפני עיצור יחיד ו- e סופית, מבוטאת (ā).
דוגמאות:
make (māk), face (fās), dare (dār), declare′ (diklār′).

5.02 eCe = (ēC)
כלומר, האות e בבואה לפני עיצור יחיד ו- e סופית, מבוטאת (ē).
דוגמאות:
complete′ (kəmplēt′), eve (ēv), here (hēr), severe′ (səvēr′).

5.03 iCe, yCe = (īC)
כלומר, האותיות i ו- y בבואן לפני עיצור יחיד ו- e סופית, מבוטאות (ī).
דוגמאות: side (sīd), price (prīs), admire′ (admīr′),
em′pire (em′pīr), style (stīl), type (tīp), tyre (tīr).

5.04 oCe = (ōC)
כלומר, האות o בבואה לפני עיצור יחיד ו- e סופית, מבוטאת (ō).
דוגמאות: bone (bōn), home (hōm).

5.05 uCe = (ūC)
כלומר, האות u בבואה לפני עיצור יחיד ו- e סופית, מבוטאת (ū).
(הערה: לפני האות r הצליל מתקצר ל-(yoo)). דוגמאות:
cute (kūt), refuse′ (rifūz′), pure (pyoor), huge (hūj).

5.051 (ch)uCe, (d)uCe, (j)uCe, (l)uCe, (n)uCe, (r)uCe, (s)uCe, (sh)uCe, (t)uCe, (th)uCe, (z)uCe, = (o͞oC)
כלומר, האות u בבואה לפני עיצור יחיד ו- e סופית ולאחר אחד מן הצלילים העיצוריים דלעיל, מבוטאת (o͞o).
(הערה: לפני האות r הצליל מתקצר ל-(oo)). דוגמאות:
reduce′ (rido͞os′), tune (to͞on), rude (ro͞od), June (jo͞on),
lure (loor), assume′ (əso͞om′), resume′ (rizo͞om′),
sure (shoor), nude (no͞od), chute (sho͞ot).

5.06 ooCe = (o͞oC)
כלומר, הצירוף oo בבואו לפני עיצור יחיד ו- e סופית, מבוטא (o͞o).
דוגמאות: choose (cho͞oz), ooze (o͞oz), groove (gro͞ov).

5.99 VCe or ooCe = (long vowel)
כלומר לסיכום, תנועה או הצירוף oo בבואם לפני עיצור יחיד ו- e סופית (גם בהברה לא מוטעמת), תנועתם ארוכה.

6.01 aCCe′ = (aC′)
כלומר, האות a בבואה בהברה מוטעמת לפני שני עיצורים ו- e סופית, מבוטאת (a). דוגמאות:
lapse (laps), valve (valv), advance′ (ədvans′).

6.02 eCCe′ = (eC′)
כלומר, האות e בבואה בהברה מוטעמת לפני שני עיצורים ו- e סופית, מבוטאת (e). דוגמאות:
defense′ (difens′), edge (ej).

6.03 iCCe′, yCCe′ = (iC′)
כלומר, האותיות i ו- y בבואן בהברה מוטעמת לפני שני עיצורים ו- e סופית, מבוטאות (i). דוגמאות: bridge (brij), since (sins).

6.04 oCCe′ = (oC′)
כלומר, האות o בבואה בהברה מוטעמת לפני שני עיצורים ו- e סופית, מבוטאת (o). דוגמאות: lodge (loj), revolve′ (rivolv′).

6.05 uCCe′ = (uC′)
כלומר, האות u בבואה בהברה מוטעמת לפני שני עיצורים ו- e סופית, מבוטאת (u). דוגמאות: judge (juj), repulse′ (ripuls′).

6.99 VCCe′ = (short vowel)
כלומר לסיכום, תנועה הבאה בהברה מוטעמת לפני שני עיצורים ו- e סופית, היא קצרה.

7.01 ar′, ar′C, arCe′ = (är′)
כלומר, הצירוף ar בהברה מוטעמת, בבואו בסוף מלה או לפני עיצור, מבוטא (är). דוגמאות: mar′ket (mär′kit), ar′ticle (är′tikəl), car (kär), charm (chärm), large (lärj), starve (stärv).

7.02 ar′V, ar′r = (ar′)
כלומר, הצירוף ar בהברה מוטעמת, בבואו לפני תנועה או לפני האות r, מבוטא (ar). דוגמאות: bar′on (bar′ən), ar′id (ar′id), nar′row (nar′ō), car′ry (kar′i), mar′ry (mar′i).

8.01 er′, er′C, erCe′ = (ûr′)
כלומר, הצירוף er בהברה מוטעמת, בבואו בסוף מלה או לפני עיצור, מבוטא (ûr). דוגמאות: per′son (pûr′sən), cer′tain (sûr′tən), her (hûr), verb (vûrb), nerve (nûrv), deserve′ (dizûrv).

8.02 er′V, er′r = (er′)
כלומר, הצירוף er בהברה מוטעמת, בבואו לפני תנועה או לפני האות r, מבוטא (er). דוגמאות: ver′y (ver′i), ter′ror (ter′ər), cer′emo′ny (ser′əmō′ni), ter′rible (ter′ibəl).

9.01 ir′, ir′C, irCe′, yr′, yr′C, yrCe′ = (ûr′)
כלומר, הצירופים ir ו-yr בהברה מוטעמת, בבואם בסוף מלה או לפני עיצור, מבוטאים (ûr). דוגמאות: first (fûrst), dirt′y (dûr′ti), sir (sûr), bird (bûrd), dirge (dûrj), myr′tle (mûr′təl).

9.02 ir′V, ir′r, yr′V, yr′r = (ir′)
כלומר, הצירופים ir ו-yr בהברה מוטעמת, בבואם לפני תנועה או לפני האות r, מבוטאים (ir). דוגמאות:, spir′it (spir′it), Syr′ia (sir′iə), mir′acle (mir′əkəl), pyr′amid′ (pir′əmid′) mir′ror (mir′ər).

10.01 ur′, ur′r, ur′**C**, ur**C**e′ = (ûr′)

כלומר, הצירוף ur בבואו בהברה מוטעמת מבוטא (ûr). דוגמאות:
fur (fûr), turn (tûrn), mur′der (mûr′dər), tur′tle (tûrt′əl), nurse (nûrs), curve (kûrv), bur′row (bûr′ō), hur′ry (hûr′i).

11.01 or′, or′**C**, or**C**e′ = (ôr′)

כלומר, הצירוף or בבואו בהברה מוטעמת, בסוף מלה או לפני עיצור, מבוטא (ôr). דוגמאות: abhor′ (əbhôr′), por′ter (pôr′tər), sort (sôrt), tor′ture (tôr′chər), force (fôrs), horse (hôrs).

11.02 or′**V**, or′r, ore′ = (or′, ōr′, ôr′)

כלומר, הצירוף or בבואו בהברה מוטעמת, לפני תנועה או לפני האות r, או לפני e סופית, מבוטא (or) או (ōr) או (ôr). דוגמאות:
sor′ry (sor′i, sôr′i), more (mōr, môr), or′igin (or′ijin, ôr′ijin).

3. הגיית צירופי תנועות

12.01 ai, ay = (ā)

כלומר, הצירופים ai ו- ay מבוטאים (ā). דוגמאות:
rain (rān), day (dā), air (ār).

12.02 au, aw = (ô)

כלומר, הצירופים au ו- aw מבוטאים (ô). דוגמאות:
cau′tion (kô′shən), law (lô).

12.03 ee, ea = (ē)

כלומר, הצירופים ea ו- ee מבוטאים (ē). דוגמאות:
sea (sē), near (nēr), see (sē), beer (bēr).

12.04 oa = (ō)

כלומר, הצירוף oa מבוטא (ō). דוגמאות:
boat (bōt), coast (kōst), board (bōrd, bôrd).

12.05 ou, ow = (ou)

כלומר, הצירופים ou ו- ow מבוטאים (ou). דוגמאות:
round (round), flour (flour), now (nou).

12.06 oi, oy = (oi)

כלומר, הצירופים oi ו- oy מבוטאים (oi). דוגמאות:
boil (boil), boy (boi).

4. הגיית סיומות

13.01 -**C**le = (-**C**əl)
כלומר, עיצור ו-le בסוף מלה, מבוטאים (-**C**əl). דוגמאות:
a′ble (ā′bəl), bot′tle (bot′əl).

13.02 unstressed -age = (-ij)
כלומר, age בסוף מלה, בהברה לא מוטעמת, מבוטא (-ij). דוגמאות:
man′age (man′ij), vil′lage (vil′ij).

13.021 unstressed -ate (noun, adjective) = (-it)
כלומר, ate בסוף מלה, בהברה לא מוטעמת, במלה המציינת שם או תואר, מבוטא (-it). דוגמאות:
del′icate (del′ikit), mod′erate (mod′ərit), sen′ate (sen′it).
אבל במלה המציינת פועל, או בהברה מוטעמת, ההגייה היא (-āt).
דוגמאות: mod′erate′ (mod′ərāt′), date (dāt), va′cate (vā′kāt).

13.03 -ey, -ie = (-i)
כלומר, -ey או -ie בסוף מלה, מבוטאים (-i). דוגמאות:
mon′ey (mun′i), kid′die (kid′i).

13.04 -ous = (-əs)
כלומר, -ous בסוף מלה, מבוטא (-əs). דוגמאות:
nerv′ous (nûr′vəs), se′rious (sēr′iəs).

13.05 -ism = (-iz′əm)
כלומר, -ism בסוף מלה, מבוטא (-iz′əm). דוגמאות:
re′alism′ (rē′əliz′əm), so′cialism′ (sō′shəliz′əm).

13.06 -tion, -sion = (-shən)
כלומר, -tion או -sion בסוף מלה, מבוטאים (-shən). דוגמאות:
ac′tion (ak′shən), na′tion (nā′shən), ten′sion (ten′shən), mis′sion (mish′ən), posses′sion (pəzesh′ən).

(13.061) -**V**′sion = (-zhən)
כלומר, -sion בסוף מלה אחרי תנועה, מבוטא (-zhən). דוגמאות:
intru′sion (intrōō′zhən), adhe′sion (adhē′zhən), occa′sion (əkā′zhən), divi′sion (divizh′ən), explo′sion (iksplō′zhən).

13.07 -ight = (-īt)
כלומר, -ight בסוף מלה, מבוטא (-īt). דוגמאות:
night (nīt), right (rīt).

13.08 -ign = (-īn)
כלומר, ign- בסוף מלה, מבוטא (īn-). דוגמאות:
align′ (əlīn′), sign (sīn).

13.09 -o = (-ō)
כלומר, o- בסוף מלה, (גם בהברה לא מוטעמת), מבוטא (ō-).
דוגמאות: al′so (ôl′sō), pota′to (pətā′tō).

13.10 -ture = (-chər)
כלומר, ture- בסוף מלה, מבוטא (chər). דוגמאות:
pic′ture (pik′chər), adven′ture (adven′chər).

13.101 -some = (-səm)
כלומר, some- בסוף מלה, מבוטא (səm). דוגמאות:
troublesome (trub′əlsəm), lonesome (lōn′səm).

13.11 -tive = (-tiv)
כלומר, tive- בסוף מלה, מבוטא (tiv). דוגמאות:
ac′tive (ak′tiv), na′tive (nā′tiv).

13.12 -sive = (-siv)
כלומר, sive- בסוף מלה, מבוטא (siv). דוגמאות:
expen′sive (ikspen′siv), pas′sive (pas′iv).

13.13 -cial, -sial, -tial = (-shəl)
כלומר, cial, -sial, -tial- בסוף מלה, מבוטאים (shəl). דוגמאות:
so′cial (sō′shəl), ini′tial (inish′əl),
con′trover′sial (kon′trəvûr′shəl).

(13.14) -tual = (-cho͞oəl)
כלומר, tual- בסוף מלה, מבוטא (cho͞oəl). דוגמאות:
ac′tual (ak′cho͞oəl), mu′tual (mū′cho͞oəl).

(13.15) -all = (-ôl)
כלומר, all- בסוף מלה, מבוטא (ôl). דוגמאות: all (ôl), call (kôl).

(13.151) -cean, -cian, -sian, -tian = (-shən)
כלומר, הסופיות דלעיל מבוטאות (shən). דוגמאות:
o′cean (ō′shən), physi′cian (fizish′ən),
di′eti′tian (dī′ətish′ən), Rus′sian (rush′ən).

(13.152) -ceous, -cious, -tious = (-shəs)
כלומר, הסופיות דלעיל מבוטאות (shəs). דוגמאות:
av′ari′cious (av′ərish′əs), herba′ceous (hûrbā′shəs),
nutri′tious (no͞otrish′shəs).

13.16 -s = (-z)

כלומר, הסופית (-s) מבוטאת (z). דוגמאות:
num′bers (num′bərz), odds (odz).

13.17 (f)s, (k)s, (p)s, (t)s, (th)s = (-s)

כלומר, הסופית (-s) בבואה אחרי אחד הצלילים העיצוריים דלעיל, מבוטאת (s). דוגמאות:
cats (kats), books (books), lips (lips).

13.18 (ch)s, (j)s, (s)s, (sh)s, (z)s, (zh)s = (-iz)

כלומר, הסופית (-s) בבואה אחרי אחד הצלילים העיצוריים דלעיל, מבוטאת (iz). דוגמאות:
pushes (poosh′iz), horses (hôrs′iz), judges (juj′iz), roses (rōz′iz), ashes (ash′iz).

13.19 -ed = (-d)

כלומר, הסופית (-ed) מבוטאת (d). דוגמאות:
tried (trīd), aban′doned (əban′dənd).

13.20 (d)ed, (t)ed = (-id)

כלומר, הסופית (-ed) בבואה אחרי אחד הצלילים העיצוריים דלעיל, מבוטאת (id). דוגמאות:
pointed (poin′tid), needed (nē′did).

13.21 (ch)ed, (f)ed, (k)ed, (p)ed, (s)ed, (sh)ed, (th)ed = (-t)

כלומר, הסופית (-ed) בבואה אחרי אחד הצלילים העיצוריים דלעיל, מבוטאת (t). דוגמאות:
polished (pol′isht), watched (wocht), possessed (pəzest′),
marked (markt), faced (fāst),
stuffed (stuft), shaped (shāpt).

5. הגיית מלה עם סופית

סופיות אינן משנות בדרך כלל את הגיית המלה השורשית. כלומר, הסופיות המצורפות למלה, מותירות בדרך כלל את הגיית המלה הראשית בעינה (כולל ההברות המוטעמות), והשינוי היחידי הוא הצמדת ההגייה של הסופית למלה. דוגמאות:
abatement, (əbāt′mənt), cheerful (chēr′fəl),
gracefully (grās′fəli), bottomless (bot′əmləs).

6. הגיית מלה מורכבת

השפה האנגלית עשירה במלים מורכבות. מלה מורכבת (compound word) היא מלה המורכבת משתי מלים או יותר. מלה מורכבת כתובה לפעמים כמלה אחת, לפעמים כמלה מוקפת (דהיינו כשתי מלים או יותר המחוברות במקף), ולפעמים כמלים נפרדות. דוגמאות:
sunshine, drive-in, post card.

בדרך כלל, במלה מורכבת הכתובה כמלה אחת, באה ההטעמה הראשית על המרכיב הראשון של המלה, וההטעמה המישנית באה על המרכיב השני שלה. לדוגמה: shoestring (sho͞o′string′).

כללי ההגייה והמילון

כללי ההגייה שהובאו לעיל חלים כאמור על רוב המלים באנגלית, אבל לא על כולן. לפיכך לא ניתן במילון תעתיק היגוי לכל מלה, אלא רק למלה שהגייתה (כולה או מקצתה) חורגת מכללים אלו. למשל במלה son ניתן תעתיק היגוי (sun), שלא נבטא (son) בהתאם לכללים.
הכללים בכללי ההגייה המוקפים בסוגריים, הם אלה שלגביהם ניתן תעתיק היגוי במילון, למרות האמור לעיל.

הנקודה הבין-הברתית

הנקודה הבין-הברתית (·) באה לפעמים מיד אחרי הברות בלתי-מוטעמות, כדי לציין שהגיית האותיות a, e, o, u, בהברות אלה אינה שוואית (כפי שניתן להסיק מכלל 2.01 #). כלומר, למרות שההברה אינה מוטעמת, הגיית הצליל התנועי שבה זהה להגיית הצליל בהברה מוטעמת, בהתאם לכללי הגיית הצלילים התנועיים. דוגמאות:
(əmbas′ədər ולא) am·bas′sador (ambas′ədər),
(hətel′ ולא) ho·tel′ (hōtel′).

כמו כן משמשת הנקודה הבין-הברתית כדלהלן:

1. e· = (i)

כלומר, כאשר הנקודה באה אחרי האות e הגייתה (i). דוגמאות:
re·turn′ (ritûrn′), be·have′ (bihāv′).

2. u· = (yə)

כלומר, כאשר הנקודה באה אחרי האות u הגייתה (yə). דוגמאות:
ar′gu·ment, (är′gyəmənt), pop′u·lar (pop′yələr).

לפעמים תבוא הנקודה לשם הבהרת משמעות המלה. דוגמאות:
in·es′timable, dis·com′fort.
יש לציין שבמילון זה, הנקודה הבין-הברתית אינה מציינת בהכרח את החלוקה המקובלת של המלה להברות, אלא מהווה אך ורק מכשיר-עזר להגייה נכונה של המלה.

באנגלית - הצורה השנייה של העבר (The Past Tense) של פוֹעַל רגיל (regular verb) והצורה השלישית שלו (The Past Participle) הן בדרך כלל זהות, ומסתיימות ב-ed- ע״י הוספת ed- או d- לצורה הבסיסית (The Infinitive) של הַפּוֹעַל. לדוגמה: act, acted; love, loved. פּוֹעַל המסתיים בעיצור ו-y אחריו, ה-y משתנה ל-ied-. לדוגמה, cry, cried (לעומת play, played). פּוֹעַל, שהברתו האחרונה מוטעמת, המסתיים בעיצור, תנועה אחת ועיצור אחד, מוכפל בו העיצור האחרון לפני ה-ed-. לדוגמה, commit, committed; stop, stopped; (לעומת open, opened). להלן רשימת הפעלים החורגים מכללים אלו:

Verb	Past tense	Past participle
abide	abode, abided	abode, abided
arise	arose	arisen
awake	awoke, awaked	awoken, awaked
be	was, were	been
bear	bore	borne, (born נולד)
beat	beat	beaten
become	became	become
befall	befell	befallen
begin	began	begun
behold	beheld	beheld
bend	bent	bent
bereave	bereaved, bereft	bereaved, bereft
beseech	besought	besought
beset	beset	beset
bet	bet, betted	bet, betted
bid	bid, bade	bid, bidden
bide	bided, bode	bided
bind	bound	bound
bite	bit	bitten
bleed	bled	bled
bless	blessed, blest	blessed, blest
blow	blew	blown
break	broke	broken
breed	bred	bred
bring	brought	brought
broadcast	broadcast	broadcast
build	built	built
burn	burnt, burned	burnt, burned
burst	burst	burst
buy	bought	bought
cast	cast	cast
catch	caught	caught
chide	chided	chidden, chid
choose	chose	chosen

Verb	Past tense	Past participle
cleave	clove, cleft	cloven, cleft
cling	clung	clung
come	came	come
cost	cost	cost
creep	crept	crept
cut	cut	cut
deal	dealt	dealt
deep-freeze	deep-froze	deep-frozen
dig	dug	dug
dive	dived, dove	dived
do	did	done
draw	drew	drawn
dream	dreamed, dreamt	dreamed, dreamt
drink	drank	drunk
drive	drove	driven
dwell	dwelt, dwelled	dwelt, dwelled
eat	ate	eaten
fall	fell	fallen
feed	fed	fed
feel	felt	felt
fight	fought	fought
find	found	found
flee	fled	fled
fling	flung	flung
fly	flew	flown
forbear	forbore	forborne
forbid	forbad, forbade	forbidden
forecast	forecast, forecasted	forecast, forecasted
foreknow	foreknew	foreknown
foresee	foresaw	foreseen
foretell	foretold	foretold
forget	forgot	forgotten
forgive	forgave	forgiven
forsake	forsook	forsaken
forswear	forswore	forsworn
freeze	froze	frozen
gainsay	gainsaid	gainsaid
get	got	got, gotten
gild	gilded, gilt	gilded, gilt
gird	girded, girt	girded, girt
give	gave	given
go	went	gone
grind	ground	ground

Verb	Past tense	Past participle
grow	grew	grown
hamstring	hamstrung, hamstringed	hamstrung, hamstringed
hang (לתלות אדם)	hanged	hanged
hang (לתלות חפץ)	hung	hung
have	had	had
hear	heard	heard
heave	heaved, hove	heaved, hove
hew	hewed	hewed, hewn
hide	hid	hidden, hid
hit	hit	hit
hold	held	held
hurt	hurt	hurt
inlay	inlaid	inlaid
keep	kept	kept
kneel	knelt, kneeled	knelt, kneeled
knit	knitted, knit	knitted, knit
know	knew	known
lay	laid	laid
lead	led	led
lean	leaned, leant	leaned, leant
leap	leaped, leapt	leaped, leapt
learn	learned, learnt	learned, learnt
leave	left	left
lend	lent	lent
let	let	let
lie (לשכב)	lay	lain
lie (לשקר)	lied	lied
light	lit, lighted	lit, lighted
lose	lost	lost
make	made	made
mean	meant	meant
meet	met	met
miscast	miscast	miscast
misdeal	misdealt	misdealt
misgive	misgave	misgiven
mislay	mislaid	mislaid
mislead	misled	misled
misread	misread	misread
misspell	misspelled, misspelt	misspelled, misspelt
misspend	misspent	misspent
mistake	mistook	mistaken

Verb	Past tense	Past participle
misunderstand	misunderstood	misunderstood
mow	mowed	mowed, mown
outbid	outbid, outbade	outbid, outbidden
outdo	outdid	outdone
outgrow	outgrew	outgrown
outrun	outran	outrun
outshine	outshone	outshone
overbear	overbore	overborne
overcome	overcame	overcome
overdo	overdid	overdone
overhang	overhung	overhung
overhear	overheard	overheard
overlay	overlaid	overlaid
override	overrode	overridden
overrun	overran	overrun
oversee	oversaw	overseen
oversleep	overslept	overslept
overtake	overtook	overtaken
overthrow	overthrew	overthrown
partake	partook	partaken
pay	paid	paid
plead	pled, pleaded	pled, pleaded
prove	proved	proven, proved
put	put	put
read	read	read
rebind	rebound	rebound
rebuild	rebuilt	rebuilt
redo	redid	redone
remake	remade	remade
rend	rent	rent
repay	repaid	repaid
reset	reset	reset
retell	retold	retold
rewind	rewound	rewound
rewrite	rewrote	rewritten
rid	rid, ridded	rid, ridded
ride	rode	ridden
ring	rang	rung
rise	rose	risen
run	ran	run
saw	sawed	sawn, sawed
say	said	said

Verb	Past tense	Past participle
see	saw	seen
seek	sought	sought
sell	sold	sold
send	sent	sent
set	set	set
sew	sewed	sewn, sewed
shake	shook	shaken
shave	shaved	shaved, shaven
shear	sheared	shorn, sheared
shed	shed	shed
shine (לזרוח)	shone	shone
shine (לצחצח)	shined	shined
shoe	shod	shod
shoot	shot	shot
show	showed	shown, showed
shrink	shrank, shrunk	shrunk
shrive	shrove, shrived	shriven, shrived
shut	shut	shut
sing	sang	sung
sink	sank	sunk
sit	sat	sat
slay	slew	slain
sleep	slept	slept
slide	slid	slid
sling	slung	slung
slink	slunk	slunk
slit	slit	slit
smell	smelt, smelled	smelt, smelled
smite	smote	smitten
sow	sowed	sown, sowed
speak	spoke	spoken
speed	sped, speeded	sped, speeded
spell	spelt, spelled	spelt, spelled
spend	spent	spent
spill	spilt, spilled	spilt, spilled
spin	spun, span	spun
spit	spat, spit	spat, spit
split	split	split
spoil	spoilt, spoiled	spoilt, spoiled
spread	spread	spread
spring	sprang, sprung	sprung
stand	stood	stood
steal	stole	stolen

Verb	Past tense	Past participle
stick	stuck	stuck
sting	stung	stung
stink	stank, stunk	stunk
strew	strewed	strewn, strewed
stride	strode	stridden
strike	struck	struck
string	strung	strung
strive	strove, strived	striven, strived
swear	swore	sworn
sweep	swept	swept
swell	swelled	swollen, swelled
swim	swam	swum
swing	swung	swung
take	took	taken
teach	taught	taught
tear	tore	torn
tell	told	told
think	thought	thought
thrive	throve, thrived	thriven, thrived
throw	threw	thrown
thrust	thrust	thrust
tread	trod	trodden
unbend	unbent	unbent
undergo	underwent	undergone
understand	understood	understood
undertake	undertook	undertaken
undo	undid	undone
unwind	unwound	unwound
uphold	upheld	upheld
upset	upset	upset
wake	woke, waked	woken, waked
waylay	waylaid	waylaid
wear	wore	worn
weave	wove	woven
wed	wedded, wed	wedded, wed
weep	wept	wept
win	won	won
wind	winded, wound	winded, wound
withdraw	withdrew	withdrawn
withhold	withheld	withheld
withstand	withstood	withstood
wring	wrung	wrung
write	wrote	written

מוּסָפִית (affix) הִיא הֲבָרָה הַנּוֹסֶפֶת לְמִלָּה (הַנִּקְרֵאת מִלַּת שׁוֹרֶשׁ (root word)) בִּתְחִלָּתָהּ אוֹ בְּסוֹפָהּ, וְאַגַּב כָּךְ מְשַׁנָּה אֶת מַשְׁמָעוּתָהּ, לְעִתִּים תּוֹךְ שִׁנּוּי קַל בַּכְּתִיב שֶׁל מִלַּת הַשּׁוֹרֶשׁ. הֲבָרָה הַנּוֹסֶפֶת בִּתְחִלַּת הַמִּלָּה נִקְרֵאת תְּחִלִּית (prefix); הֲבָרָה הַנּוֹסֶפֶת בְּסוֹף הַמִּלָּה נִקְרֵאת סוֹפִית (suffix). הַשִּׁנּוּיִים שֶׁהַמּוּסָפִיּוֹת יוֹצְרוֹת הֵם מְגֻוָּנִים בְּיוֹתֵר, כְּגוֹן מִפּוֹעַל לְשֵׁם עֶצֶם, מִשֵּׁם תּוֹאַר לְתוֹאַר הַפּוֹעַל, מִמִּלָּה חִיּוּבִית לִשְׁלִילִית, וְכַדּוֹמֶה.

הַמּוּסָפִיּוֹת דִּלְהַלָּן הֵן הַשְּׁכִיחוֹת בְּיוֹתֵר בְּאַנְגְּלִית, וְהַכָּרָתָן תְּסַיֵּעַ לַקּוֹרֵא לְהָבִין מַשְׁמָעוּת מִלִּים רַבּוֹת בַּעֲלוֹת מוּסָפִיּוֹת, אַף אִם לֹא יִמְצָא אוֹתָן בַּמִּלּוֹן.

-ability *sfx.*	(לִיצִירַת שֵׁם-עֶצֶם: אֶפְשָׁרוּת, יְתָכְנוּת, תְּכוּנָה, סְגֻלָּה)
read	(מִלַּת-שׁוֹרֶשׁ) קָרָא
readability	קְרִיאוּת
move	(מִלַּת-שׁוֹרֶשׁ) הֵזִיז
movability	אֶפְשָׁרוּת הַהֲזָזָה, נַיָּדוּת
-able *sfx.*	(לִיצִירַת תּוֹאַר הַשֵּׁם: בַּר-, יָכוֹל, נִתָּן לְ-)
eat	(מִלַּת-שׁוֹרֶשׁ) אָכַל
eatable	אָכִיל, בַּר אֲכִילָה
tolerate	(מִלַּת-שׁוֹרֶשׁ) סָבַל
tolerable	שֶׁנִּתָּן לְסָבְלוֹ, נִסְבָּל
-al *sfx.*	(לִיצִירַת תּוֹאַר הַשֵּׁם: שֶׁל, שַׁיָּךְ לְ-, אוֹפְיָנִי לְ-)
magic	(מִלַּת-שׁוֹרֶשׁ) כְּשָׁפִים
magical	שֶׁל כְּשָׁפִים, קָסוּם
medicine	(מִלַּת-שׁוֹרֶשׁ) רְפוּאָה
medicinal	שֶׁל רְפוּאָה, רְפוּאִי
-al *sfx.*	(לִיצִירַת שֵׁם-עֶצֶם: פְּעוּלָה, תַּהֲלִיךְ, תּוֹצָאָה)
arrive	(מִלַּת-שׁוֹרֶשׁ) הִגִּיעַ
arrival	הַגָּעָה, בִּיאָה
survive	(מִלַּת-שׁוֹרֶשׁ) שָׂרַד
survival	הִשָּׂרְדוּת
-an *sfx.*	(לִיצִירַת תּוֹאַר הַשֵּׁם: שֶׁל, שַׁיָּךְ לְ-; מוּמְחֶה בְּ-)
Mexico	(מִלַּת-שׁוֹרֶשׁ) מֶקְסִיקוֹ
Mexican	מֶקְסִיקָנִי
America	(מִלַּת-שׁוֹרֶשׁ) אֲמֶרִיקָה
American	אֲמֶרִיקָנִי
-ance *sfx.*	(לִיצִירַת שֵׁם-עֶצֶם: פְּעוּלָה, תַּהֲלִיךְ, תּוֹצָאָה, מַצָּב)
appear	(מִלַּת-שׁוֹרֶשׁ) הוֹפִיעַ
appearance	הוֹפָעָה
continue	(מִלַּת-שׁוֹרֶשׁ) הִמְשִׁיךְ
continuance	הֶמְשֵׁכִיּוּת, רֶצֶף
-ant *sfx.*	(לִיצִירַת תּוֹאַר הַשֵּׁם, וְשֵׁם-עֶצֶם: עוֹשֶׂה, פּוֹעֵל, מְהַוֶּה)
please	(מִלַּת-שׁוֹרֶשׁ) גָּרַם הֲנָאָה
pleasant	נָעִים
assist	(מִלַּת-שׁוֹרֶשׁ) עָזַר
assistant	עוֹזֵר, סַיָּע
-ary *sfx.*	(לִיצִירַת תּוֹאַר הַשֵּׁם: שֶׁל, שַׁיָּךְ לְ-, קָשׁוּר לְ-)
second	(מִלַּת-שׁוֹרֶשׁ) שֵׁנִי
secondary	שֶׁל שֵׁנִי, מִשְׁנִי
custom	(מִלַּת-שׁוֹרֶשׁ) מִנְהָג
customary	שֶׁל מִנְהָג, נָהוּג
-ation *sfx.*	(לִיצִירַת שֵׁם-עֶצֶם: פְּעוּלָה, תַּהֲלִיךְ, תּוֹצָאָה, מַצָּב)
contaminate	(מִלַּת-שׁוֹרֶשׁ) זִהֵם
contamination	זִהוּם
operate	(מִלַּת-שׁוֹרֶשׁ) פָּעַל
operation	פְּעוּלָה
co- *pfx.*	עִם, יַחַד, בְּצֵרוּף
exist	(מִלַּת-שׁוֹרֶשׁ) הִתְקַיֵּם
coexist	הִתְקַיֵּם יַחַד
operate	(מִלַּת-שׁוֹרֶשׁ) פָּעַל
cooperate	שִׁתֵּף פְּעוּלָה
-cy *sfx.*	(לִיצִירַת שֵׁם-עֶצֶם: מַצָּב, מַעֲמָד, כְּהוּנָה)
secret	(מִלַּת-שׁוֹרֶשׁ) סוֹד
secrecy	סוֹדִיּוּת
accurate	(מִלַּת-שׁוֹרֶשׁ) מְדוּיָּק
accuracy	דִּיּוּק, דַּיְקָנוּת
de- *pfx.*	הֵפֶךְ, שָׁלַל, בִּטֵּל, סִלֵּק
populate	(מִלַּת-שׁוֹרֶשׁ) אִכְלֵס
depopulate	צִמְצֵם הָאוּכְלוּסִין
control	(מִלַּת-שׁוֹרֶשׁ) פִּקַּח
decontrol	הֵסִיר הַפִּקּוּחַ
dis- *pfx.*	אִי-; לֹא; שָׁלַל, בִּטֵּל
appear	(מִלַּת-שׁוֹרֶשׁ) הוֹפִיעַ

differ (מִלַּת-שׁוֹרֶשׁ) הָיָה שׁוֹנֶה
different שׁוֹנֶה
persist (מִלַּת-שׁוֹרֶשׁ) הִתְמִיד
persistent מַתְמִיד
-er *sfx.* (לִיצִירַת שֵׁם-עֶצֶם:
עוֹשֶׂה, מְבַצֵּעַ; עוֹסֵק בְּ-)
drive (מִלַּת-שׁוֹרֶשׁ) נָהַג
driver נֶהָג
run (מִלַּת-שׁוֹרֶשׁ) רָץ
runner רָץ
-er *sfx.* (לִיצִירַת דַּרְגַּת הַיּוֹתֵר)
cold (מִלַּת-שׁוֹרֶשׁ) קַר
colder קַר יוֹתֵר
strong (מִלַּת-שׁוֹרֶשׁ) חָזָק
stronger חָזָק יוֹתֵר
-ess *sfx.* (לְצִיּוּן מִין נְקֵבָה)
lion (מִלַּת-שׁוֹרֶשׁ) אַרְיֵה
lioness לְבִיאָה
ambassador (מִלַּת-שׁוֹרֶשׁ) שַׁגְרִיר
ambassadress שַׁגְרִירָה
-est *sfx.* (לִיצִירַת דַּרְגַּת הַמּוּפְלָג)
cold (מִלַּת-שׁוֹרֶשׁ) קַר
coldest הַקַּר בְּיוֹתֵר
fast (מִלַּת-שׁוֹרֶשׁ) מָהִיר
fastest הֲכִי מָהִיר
ex- *pfx.* לְשֶׁעָבַר
minister (מִלַּת-שׁוֹרֶשׁ) שַׂר
ex-minister שַׂר לְשֶׁעָבַר
president (מִלַּת-שׁוֹרֶשׁ) נָשִׂיא
ex-president נָשִׂיא לְשֶׁעָבַר
-ful *sfx.* (לִיצִירַת תּוֹאַר הַשֵּׁם,
וְשֵׁם-עֶצֶם: מָלֵא; רַב-;שֶׁל; בַּעַל;
נוֹטֶה לְ-; מְאוּפְיָן בְּ-; מְלוֹא)
help (מִלַּת-שׁוֹרֶשׁ) עָזַר
helpful עוֹזֵר
glass (מִלַּת-שׁוֹרֶשׁ) כּוֹס
glassful מְלוֹא-הַכּוֹס
-hood *sfx.* (לִיצִירַת שֵׁם-עֶצֶם:
מַצָּב, מַעֲמָד, קְבוּצָה)
boy (מִלַּת-שׁוֹרֶשׁ) נַעַר
boyhood נְעוּרִים, יַלְדוּת
priest (מִלַּת-שׁוֹרֶשׁ) כּוֹמֶר
priesthood כְּהוּנָּה, כְּמוּרָה
-ian *sfx.* (לִיצִירַת תּוֹאַר הַשֵּׁם:
שֶׁל, שַׁיָּךְ לְ-; מוּמְחֶה בְּ-)
magic (מִלַּת-שׁוֹרֶשׁ) כְּשָׁפִים

disappear נֶעְלַם
belief (מִלַּת-שׁוֹרֶשׁ) אֱמוּנָה
disbelief חוֹסֶר אֵמוּן
-dom *sfx.* (לִיצִירַת שֵׁם-עֶצֶם:
מַצָּב, מַעֲמָד, כְּהוּנָּה)
king (מִלַּת-שׁוֹרֶשׁ) מֶלֶךְ
kingdom מְלוּכָה, מַמְלָכָה
wise (מִלַּת-שׁוֹרֶשׁ) חָכָם
wisdom חוֹכְמָה
-ed *sfx.* (לְצִיּוּן זְמַן עָבָר)
want (מִלַּת-שׁוֹרֶשׁ) לִרְצוֹת
wanted רָצָה
try (מִלַּת-שׁוֹרֶשׁ) לְנַסּוֹת
tried נִסָּה
-ed *sfx.* (לִיצִירַת תּוֹאַר הַשֵּׁם:
בַּעַל-; מְאוּפְיָן בְּ-)
beard (מִלַּת-שׁוֹרֶשׁ) זָקָן
bearded בַּעַל זָקָן, מְזוּקָּן
talent (מִלַּת-שׁוֹרֶשׁ) כִּשְׁרוֹן
talented בַּעַל כִּשְׁרוֹן
en- *pfx.* (לִיצִירַת פּוֹעַל:
גָּרַם, עָשָׂה לְ-; הִקִּיף בְּ-)
slave (מִלַּת-שׁוֹרֶשׁ) עֶבֶד
enslave שִׁעְבֵּד, עָשָׂה לְעֶבֶד
danger (מִלַּת-שׁוֹרֶשׁ) סַכָּנָה
endanger סִכֵּן
-en *sfx.* (לִיצִירַת תּוֹאַר הַשֵּׁם:
עָשׂוּי; דּוֹמֶה לְ-, כְּמוֹ)
silk (מִלַּת-שׁוֹרֶשׁ) מֶשִׁי
silken מִשְׁיִי; עָשׂוּי מֶשִׁי
wood (מִלַּת-שׁוֹרֶשׁ) עֵץ
wooden עֵצִי; עָשׂוּי עֵץ
-en *sfx.* (לִיצִירַת פּוֹעַל:
גָּרַם, עָשָׂה לְ-; נַעֲשָׂה לְ-)
sharp (מִלַּת-שׁוֹרֶשׁ) חַד
sharpen חִדֵּד
strength (מִלַּת-שׁוֹרֶשׁ) חוֹזֶק
strengthen חִזֵּק; הִתְחַזֵּק
-ence *sfx.* (לִיצִירַת שֵׁם-עֶצֶם:
פְּעוּלָּה, תַּהֲלִיךְ, תּוֹצָאָה, מַצָּב)
confide (מִלַּת-שׁוֹרֶשׁ) סִפֵּר בְּסוֹד
confidence אֵמוּן, סוֹדִיּוּת
refer (מִלַּת-שׁוֹרֶשׁ) הִתְיַחֵס
reference הִתְיַחֲסוּת
-ent *sfx.* (לִיצִירַת תּוֹאַר הַשֵּׁם,
וְשֵׁם-עֶצֶם: עוֹשֶׂה, פּוֹעֵל, מְהַוֶּה)

magician	מְכַשֵּׁף, קוֹסֵם
mathematics	מָתֵימָטִיקָה
mathematician	מָתֵימָטִיקַאי
-ibility *sfx.*	(לִיצִירַת שֵׁם-עֶצֶם:
	אֶפְשָׁרוּת, יְתָכְנוּת, תְּכוּנָה, סְגוּלָה)
flexible	(מִלַּת-שׁוֹרֶשׁ) גָּמִישׁ
flexibility	גְּמִישׁוּת
possible	(מִלַּת-שׁוֹרֶשׁ) אֶפְשָׁרִי
possibility	אֶפְשָׁרוּת
-ible *sfx.*	(לִיצִירַת תּוֹאַר הַשֵּׁם:
	בַּר-, יָכוֹל, נִתָּן לְ-)
resist	(מִלַּת-שׁוֹרֶשׁ) עָמַד בִּפְנֵי
resistible	שֶׁנִּתָּן לַעֲמוֹד בְּפָנָיו
reduce	(מִלַּת-שׁוֹרֶשׁ) הִפְחִית
reducible	בַּר הַפְחָתָה
-ic *sfx.*	(לִיצִירַת תּוֹאַר הַשֵּׁם:
	שֶׁל, בַּעַל; עָשׂוּי)
alcohol	(מִלַּת-שׁוֹרֶשׁ) כּוֹהֶל
alcoholic	כּוֹהֳלִי
athlete	(מִלַּת-שׁוֹרֶשׁ) אַתְלֵט
athletic	אַתְלֵטִי
-ification *sfx.*	(לִיצִירַת שֵׁם-עֶצֶם:
	עֲשִׂיָּה, גְּרִימָה)
beauty	(מִלַּת-שׁוֹרֶשׁ) יֹפִי
beautification	יִפּוּי
null	(מִלַּת-שׁוֹרֶשׁ) בָּטֵל
nullification	בִּטּוּל
-ify *sfx.*	(לִיצִירַת פּוֹעַל:
	עָשָׂה, גָּרַם; נַעֲשָׂה)
beauty	(מִלַּת-שׁוֹרֶשׁ) יֹפִי
beautify	יִפָּה
null	(מִלַּת-שׁוֹרֶשׁ) בָּטֵל
nullify	בִּטֵּל, עָשָׂה לְאַיִן
in-, il-, im-, ir- *pfx.*	חוֹסֶר, אִי-;
	לֹא; בְּלֹא; שְׁלַל, בִּטֵּל
correct	(מִלַּת-שׁוֹרֶשׁ) נָכוֹן
incorrect	לֹא נָכוֹן, מוּטְעֶה
legal	(מִלַּת-שׁוֹרֶשׁ) חוּקִי
illegal	לֹא חוּקִי, בִּלְתִּי לֵיגָלִי
possible	(מִלַּת-שׁוֹרֶשׁ) אֶפְשָׁרִי
impossible	בִּלְתִּי אֶפְשָׁרִי
relevant	(מִלַּת-שׁוֹרֶשׁ) רֶלֶוַנְטִי
irrelevant	לֹא רֶלֶוַנְטִי
-ing *sfx.*	(הוֹוֶה מְמוּשָׁךְ, אוֹ תּוֹאַר)
drink	(מִלַּת-שׁוֹרֶשׁ) שָׁתָה
drinking	שׁוֹתֶה
walk	(מִלַּת-שׁוֹרֶשׁ) הָלַךְ
walking	מְהַלֵּךְ
-ing *sfx.*	(לְצִיּוּן שֵׁם פְּעֻלָּה)
drink	(מִלַּת-שׁוֹרֶשׁ) שָׁתָה
drinking	שְׁתִיָּה
swim	(מִלַּת-שׁוֹרֶשׁ) שָׂחָה
swimming	שְׂחִיָּה
-ish *sfx.*	(לִיצִירַת תּוֹאַר הַשֵּׁם:
	שֶׁל; כְּמוֹ; קְצָת; מַשֶּׁהוּ)
blue	(מִלַּת-שׁוֹרֶשׁ) כָּחוֹל
bluish	כְּחַלְחַל
Jew	(מִלַּת-שׁוֹרֶשׁ) יְהוּדִי
Jewish	שֶׁל יְהוּדִים, יְהוּדִי
-ism *sfx.*	(לִיצִירַת שֵׁם-עֶצֶם:
	פְּעוּלָּה, מַצָּב, טִיפּוּסִיּוּת,
	דּוֹקְטְרִינָה, עִקָּרוֹן)
hero	(מִלַּת-שׁוֹרֶשׁ) גִּבּוֹר
heroism	גְּבוּרָה, הֵרוֹאִיזְם
social	(מִלַּת-שׁוֹרֶשׁ) סוֹצְיָאלִי
socialism	סוֹצְיָאלִיזְם
-ist *sfx.*	(לִיצִירַת שֵׁם-עֶצֶם:
	עוֹשֶׂה; עוֹסֵק בְּ-; דּוֹגֵל בְּ-)
science	(מִלַּת-שׁוֹרֶשׁ) מַדָּע
scientist	מַדְעָן
accompany	(מִלַּת-שׁוֹרֶשׁ) לִוָּה
accompanist	מְלַוֶּה
-ition *sfx.*	(לִיצִירַת שֵׁם-עֶצֶם:
	פְּעוּלָּה, תַּהֲלִיךְ, תּוֹצָאָה, מַצָּב)
compete	(מִלַּת-שׁוֹרֶשׁ) הִתְחָרָה
competition	הִתְחָרוּת
repeat	(מִלַּת-שׁוֹרֶשׁ) חָזַר
repetition	חֲזָרָה, הִשָּׁנוּת
-ity *sfx.*	(לִיצִירַת שֵׁם-עֶצֶם:
	מַצָּב, מַעֲמָד)
inferior	(מִלַּת-שׁוֹרֶשׁ) נָחוּת
inferiority	נְחִיתוּת
curious	(מִלַּת-שׁוֹרֶשׁ) סַקְרָן
curiosity	סַקְרָנוּת
-ive, -tive, -sive *sfx.*	(לִיצִירַת
	תּוֹאַר-הַשֵּׁם: שֶׁל, נוֹטֶה)
act	(מִלַּת-שׁוֹרֶשׁ) פָּעַל
active	אַקְטִיבִי, פָּעִיל
possess	(מִלַּת-שׁוֹרֶשׁ) הָיָה בַּעַל
possessive	שֶׁל בַּעֲלוּת
-ization *sfx.*	(לִיצִירַת
	שֵׁם-עֶצֶם: עֲשִׂיָּה; הֵעָשׂוּת)

fertile (מִלַּת-שׁוֹרֶשׁ) פּוֹרֶה
fertilization הַפְרָאָה, הַפְרָיָה
legal (מִלַּת-שׁוֹרֶשׁ) חוּקִי
legalization לֵיגָלִיזַצְיָה
-ize *sfx.* (לִיצִירַת פּוֹעַל:
עָשָׂה, גָּרַם; נַעֲשָׂה)
legal (מִלַּת-שׁוֹרֶשׁ) חוּקִי
legalize עָשָׂה לְחוּקִי
fertile (מִלַּת-שׁוֹרֶשׁ) פּוֹרֶה
fertilize הִפְרָה
-less *sfx.* בְּלִי, חֲסַר-, נְטוּל
hope (מִלַּת-שׁוֹרֶשׁ) תִּקְוָה
hopeless חֲסַר תִּקְוָה
tree (מִלַּת-שׁוֹרֶשׁ) עֵץ
treeless חֲסַר עֵצִים
-let *sfx.* קָטָן, זָעִיר
book (מִלַּת-שׁוֹרֶשׁ) סֵפֶר
booklet סִפְרוֹן
leaf (מִלַּת-שׁוֹרֶשׁ) עָלֶה
leaflet עַלְעָל, עָלוֹן
-like *sfx.* כְּמוֹ, דוֹמֶה, כַּיָּאֶה לְ-,
child (מִלַּת-שׁוֹרֶשׁ) יֶלֶד
childlike יַלְדוּתִי
lady (מִלַּת-שׁוֹרֶשׁ) גְּבֶרֶת
ladylike כַּיָּאֶה לִגְבֶרֶת
-ly *sfx.* (לִיצִירַת תּוֹאַר הַפּוֹעַל:
בְּאוֹפֶן, בְּצוּרָה)
glad (מִלַּת-שׁוֹרֶשׁ) שָׂמֵחַ
gladly בְּצוּרָה שְׂמֵחָה, בְּשִׂמְחָה
quick (מִלַּת-שׁוֹרֶשׁ) מָהִיר
quickly בְּאוֹפֶן מָהִיר, בִּמְהִירוּת
-ment *sfx.* (לִיצִירַת שֵׁם-עֶצֶם:
פְּעוּלָה, תַּהֲלִיךְ, תּוֹצָאָה, מַצָּב)
improve (מִלַּת-שׁוֹרֶשׁ) שִׁפֵּר
improvement שִׁפּוּר, הִשְׁתַּפְּרוּת
amaze (מִלַּת-שׁוֹרֶשׁ) הִדְהִים
amazement תַּדְהֵמָה
mis- *pfx.* אִי-; לֹא; גָּרוּעַ, לֹא טוֹב,
לֹא נָכוֹן, מוּטְעֶה, לֹא נְכוֹנָה
conduct (מִלַּת-שׁוֹרֶשׁ) הִתְנַהֲגוּת
misconduct הִתְנַהֲגוּת רָעָה
quote (מִלַּת-שׁוֹרֶשׁ) צִטֵּט
misquote צִטֵּט לֹא נָכוֹן
-ness *sfx.* (לִיצִירַת שֵׁם-עֶצֶם:
מַצָּב, מַעֲמָד, פְּעוּלָה, טִיב, תְּכוּנָה)
loud (מִלַּת-שׁוֹרֶשׁ) רָם
loudness רוֹם קוֹל, קוֹלָנִיּוּת
kind (מִלַּת-שׁוֹרֶשׁ) אָדִיב
kindness טוּב לֵב, אֲדִיבוּת
non- *pfx.* אִי-, לֹא, חוֹסֶר
religious (מִלַּת-שׁוֹרֶשׁ) דָּתִי
nonreligious לֹא דָּתִי
payment (מִלַּת-שׁוֹרֶשׁ) תַּשְׁלוּם
nonpayment אִי תַּשְׁלוּם
-or *sfx.* (לִיצִירַת שֵׁם-עֶצֶם:
עוֹשֶׂה, מְבַצֵּעַ; עוֹסֵק בְּ-)
invent (מִלַּת-שׁוֹרֶשׁ) הִמְצִיא
inventor מַמְצִיא
debt (מִלַּת-שׁוֹרֶשׁ) חוֹב
debtor חַיָּב, לוֹוֶה
-ory *sfx.* (לִיצִירַת תּוֹאַר הַשֵּׁם:
שֶׁל, מְשַׁמֵּשׁ כְּ-, שַׁיָּךְ לְ-)
compulsion (מִלַּת-שׁוֹרֶשׁ) כְּפִיָּה
compulsory שֶׁל כְּפִיָּה, כְּפִיָּתִי
contradict (מִלַּת-שׁוֹרֶשׁ) סָתַר
contradictory סוֹתֵר, מְנוּגָּד
-ous *sfx.* (לִיצִירַת תּוֹאַר הַשֵּׁם:
שֶׁל, בַּעַל, מָלֵא, כְּמוֹ)
danger (מִלַּת-שׁוֹרֶשׁ) סַכָּנָה
dangerous מְסוּכָּן, הָרֵה סַכָּנוֹת
fame (מִלַּת-שׁוֹרֶשׁ) פִּרְסוּם
famous מְפוּרְסָם, בַּעַל שֵׁם
out- *pfx.* הַחוּצָה; עָלָה/עָבַר עַל
play (מִלַּת-שׁוֹרֶשׁ) שִׂחֵק
outplay הֵיטִיב לְשַׂחֵק מִן
smart (מִלַּת-שׁוֹרֶשׁ) פִּקֵּחַ
outsmart עָלָה בְּפִקְחוּתוֹ עַל
over- *pfx.* יוֹתֵר מִדַּי; מֵעַל לְ-,
work (מִלַּת-שׁוֹרֶשׁ) עָבַד
overwork עָבַד בְּפָרֶךְ
pay (מִלַּת-שׁוֹרֶשׁ) שִׁלֵּם
overpay שִׁלֵּם יוֹתֵר מִדַּי
pre- *pfx.* קֹדֶם, לִפְנֵי, טְרוֹם
war (מִלַּת-שׁוֹרֶשׁ) מִלְחָמָה
prewar קְדַם-מִלְחַמְתִּי
condition (מִלַּת-שׁוֹרֶשׁ) תְּנַאי
precondition תְּנַאי מוּקְדָּם
re- *pfx.* שׁוּב, שֵׁנִית, מֵחָדָשׁ
decorate (מִלַּת-שׁוֹרֶשׁ) קִשֵּׁט
redecorate קִשֵּׁט מֵחָדָשׁ
connect (מִלַּת-שׁוֹרֶשׁ) קִשֵּׁר
reconnect קִשֵּׁר מֵחָדָשׁ

-s, -es *sfx.*	(לִיצִירַת מִסְפָּר רַבִּים)
horse	(מִלַּת-שׁוֹרֶשׁ) סוּס
horses	סוּסִים
tomato	(מִלַּת-שׁוֹרֶשׁ) עַגְבָנִיָּה
tomatoes	עַגְבָנִיּוֹת
-s, -es *sfx.*	(בְּיָחִיד, נִסְתָּר, הוֹוֶה)
eat	(מִלַּת-שׁוֹרֶשׁ) אָכַל (לֶאֱכוֹל)
eats	(הוּא) אוֹכֵל
go	(מִלַּת-שׁוֹרֶשׁ) הָלַךְ (לָלֶכֶת)
goes	(הוּא) הוֹלֵךְ
self- *pfx.*	עַצְמִי, לְעַצְמוֹ
defense	(מִלַּת-שׁוֹרֶשׁ) הֲגַנָּה
self-defense	הֲגַנָּה עַצְמִית
respect	(מִלַּת-שׁוֹרֶשׁ) כָּבוֹד
self-respect	כָּבוֹד עַצְמִי
-ship *sfx.*	(לִיצִירַת שֵׁם-עֶצֶם: מַצָּב, מַעֲמָד, דַּרְגָּה, אוּמָּנוּת)
friend	(מִלַּת-שׁוֹרֶשׁ) יָדִיד
friendship	יְדִידוּת
hard	(מִלַּת-שׁוֹרֶשׁ) קָשֶׁה
hardship	קוֹשִׁי, מְצוּקָה
-sion *sfx.*	(לִיצִירַת שֵׁם-עֶצֶם: פְּעוּלָּה, תַּהֲלִיךְ, תּוֹצָאָה, מַצָּב)
confess	(מִלַּת-שׁוֹרֶשׁ) הוֹדָה
confession	הוֹדָאָה
invade	(מִלַּת-שׁוֹרֶשׁ) פָּלַשׁ
invasion	פְּלִישָׁה
-some *sfx.*	(לִיצִירַת תּוֹאַר הַשֵּׁם: שֶׁל, עָשׂוּי לְ-, נוֹטֶה)
quarrel	(מִלַּת-שׁוֹרֶשׁ) רִיב
quarrelsome	אִישׁ רִיב
frolic	(מִלַּת-שׁוֹרֶשׁ) עַלִּיזוּת
frolicsome	עַלִּיז
sub- *pfx.*	תַּחַת, מִשְׁנִי, תַּת
divide	(מִלַּת-שׁוֹרֶשׁ) חִלֵּק
subdivide	חִלֵּק לְתַת-חֲלֻקּוֹת
plot	(מִלַּת-שׁוֹרֶשׁ) עֲלִילָה
subplot	עֲלִילַת מִשְׁנֶה
super- *pfx.*	עַל, מֵעַל, סוּפֶּר
natural	(מִלַּת-שׁוֹרֶשׁ) טִבְעִי
supernatural	עַל-טִבְעִי
power	(מִלַּת-שׁוֹרֶשׁ) מַעֲצָמָה
superpower	מַעֲצֶמֶת-עַל
-tion *sfx.*	(לִיצִירַת שֵׁם-עֶצֶם: פְּעוּלָּה, תַּהֲלִיךְ, תּוֹצָאָה, מַצָּב)
object	(מִלַּת-שׁוֹרֶשׁ) הִתְנַגֵּד
objection	הִתְנַגְּדוּת
correct	(מִלַּת-שׁוֹרֶשׁ) תִּקֵּן
correction	תִּקּוּן
un- *pfx.*	אִי-; לֹא; שָׁלֵל, הָפַךְ
afraid	(מִלַּת-שׁוֹרֶשׁ) פּוֹחֵד
unafraid	לֹא פּוֹחֵד
button	(מִלַּת-שׁוֹרֶשׁ) רָכַס, כִּפְתֵּר
unbutton	הִתִּיר אֶת הַכַּפְתּוֹרִים
under- *pfx.*	מִתַּחַת; לֹא מַסְפִּיק, פָּחוֹת מִן, נָמוּךְ מִן
estimate	(מִלַּת-שׁוֹרֶשׁ) הֶעֱרִיךְ
underestimate	מִעֵט בְּעֶרְכּוֹ
world	(מִלַּת-שׁוֹרֶשׁ) עוֹלָם
underworld	הָעוֹלָם הַתַּחְתּוֹן
-ward(s) *sfx.*	לְכִוּוּן, לְעֵבֶר, אֶל
sky	(מִלַּת-שׁוֹרֶשׁ) שָׁמַיִם
skyward	אֶל הַשָּׁמַיִם, לַשְּׁחָקִים
home	(מִלַּת-שׁוֹרֶשׁ) בַּיִת
homeward	הַבַּיְתָה
well- *pfx.*	הֵיטֵב, יָפֶה, כָּרָאוּי
cooked	(מִלַּת-שׁוֹרֶשׁ) מְבוּשָּׁל
well-cooked	מְבוּשָּׁל הֵיטֵב
built	(מִלַּת-שׁוֹרֶשׁ) בָּנוּי
well-built	בָּנוּי כַּהֲלָכָה
-wise *sfx.*	(לִיצִירַת תּוֹאַר הַפּוֹעַל: בְּאוֹפֶן, בְּצוּרָה, בְּכִוּוּן)
clock	(מִלַּת-שׁוֹרֶשׁ) שָׁעוֹן
clockwise	בְּכִוּוּן הַשָּׁעוֹן
contrary	(מִלַּת-שׁוֹרֶשׁ) מְנוּגָּד
contrariwise	בְּנִגּוּד לְכָךְ
-y *sfx.*	(לִיצִירַת תּוֹאַר הַשֵּׁם: שֶׁל, מֵכִיל, מָלֵא, כְּמוֹ)
rain	(מִלַּת-שׁוֹרֶשׁ) גֶּשֶׁם
rainy	גָּשׁוּם
thirst	(מִלַּת-שׁוֹרֶשׁ) צָמָא
thirsty	צָמֵא

קיצורים וראשי תיבות

adj = adjective
adv = adverb
conj = conjunction
interj = interjection
n = noun
p = past tense
& past participle
pl = plural

pp = past participle
pt = past tense
pfx = prefix
prep = preposition
pron = pronoun
sfx = suffix
v = verb

(כּוֹכָבִית) - בִּטּוּי דִּבּוּרִי/סְלֶנְג

A

a *n.* א' (האות הראשונה בא"ב האנגלי)
from a to z מא' ועד ת', הכל
a (ā, ə) *adj&prep.* אחד, כל אחד
many a man אנשים רבים
people of a kind אנשים מאותו סוג
twice a day פעמיים בכל יום
A *n.* לה (צליל)
A-1, A-one מצוין, משובח, סוג א'
A.B. = Bachelor of Arts
aba′ (əbä′) *n.* עביה (גלימה)
aback′ *adv.* אחורנית, לאחור
taken aback מופתע, נדהם
ab′acus *n.* חשבונייה (מכשיר־חישוב), אבאקוס
abaft′ *adv.* לכיוון ירכתי הספינה
aban′don *v.* לנטוש, להפקיר, לוותר על
abandon oneself to grief לשקוע ביגון
abandon the city to the enemy למסור את העיר לאויב
abandoned all hope אמר נואש
abandon *n.* התפרקות, התרת רסן
abandoned *adj.* מופקר; רע, מושחת
abandonment *n.* נטישה, הפקרה
abase′ *v.* להשפיל, לבזות
abasement *n.* השפלה; התבזות
abash′ *v.* להביך, לבלבל
abashment *n.* הבכה, ביזוי
abate′ *v.* להפחית, להקטין; לשכוך, לפוג
abate a nuisance לחסל מיטרד
abatement *n.* הפחתה, הקטנה; הנחה
ab′attoir′ (-twär) *n.* מישחטה, בית מיטבחיים
ab′bé (-bā) *n.* כומר; ראש מינזר
ab′bess *n.* נזירה ראשית
ab′bey *n.* מינזר; כנסייה
ab′bot *n.* ראש מינזר
abbre′viate′ *v.* לקצר, לנטרק
abbre′via′tion *n.* קיצור; ראשי־תיבות
ABC *n.* הא"ב; יסודות, עקרונות
ab′dicate′ *v.* להתפטר; לוותר על
ab′dica′tion *n.* התפטרות (מכהונה)
ab′domen *n.* בטן, כרס
ab•dom′inal *adj.* של הבטן

ab•duct′ *v.* לחטוף (אדם)
ab•duc′tion *n.* חטיפה
abeam′ *adv.* בקו ניצב לאורך הספינה
abed′ *adv.* במיטה, שוכב
aber′rant *adj.* סוטה
ab′erra′tion *n.* סטייה; ליקוי; אברציה
abet′ *v.* לעזור, לסייע, לעודד
aid and abet לסייע (בביצוע פשע)
abey′ance (-bā′-) *n.* דחייה, השעייה, אי־הפעלה, חוסר־תקפות
held in abeyance לא תקף, מוקפא
abhor′ *v.* לתעב, לסלוד מ־
abhor′rence *n.* תיעוב; תועבה
abhor′rent *adj.* נתעב, מתועב
abide′ *v.* להישאר; לגור; לחכות ל־
abide by לקיים, לפעול לפי; לעמוד ב־; לשאת ב־
cannot abide her לא סובל אותה
law-abiding שומר חוק
abid′ing (-bī′d-) *adj.* ניצחי, תמידי
abil′ity *n.* יכולת; כישרון
ab init′io′ (-sh′-) מן ההתחלה
ab′ject′ *adj.* אומלל; נבזה, שפל
ab•jec′tion *n.* השפלה
ab′jura′tion *n.* התכחשות (בשבועה)
ab•jure′ *v.* להישבע לוותר על, להתכחש, לכפור ב־, להתנער מ־
ab•late′ *v.* להסיר בניתוח, לקטוע
ab•la′tion *n.* קטיעה, כריתה; שחיקה
ablaze′ *adj.* בוער, לוהט, מבהיק
a′ble *adj.* יכול, מסוגל; כשרוני, מוכשר
able-bodied *adj.* חסון, בריא
abloom′ (-bloom′) *adj.* פורח
ablu′tion *n.* רחיצת הגוף
a′bly *adv.* בכישרון
ab′ne•ga′tion *n.* הקרבה עצמית
ab•nor′mal *adj.* לא־תקין, אנורמלי
ab′nor•mal′ity *n.* אי־נורמליות
aboard′ *adv.* על הרכבת, על האונייה, על המטוס, על האוטובוס
all aboard! עלו! (לרכבת וכ')
abode′ *n.* דירה, מגורים, בית, מעון
abode = p of abide
abol′ish *v.* לבטל, לחסל
ab′oli′tion (-li-) *n.* ביטול, חיסול

A-bomb (ā′bom′) *n.* פצצה אטומית
abom′inable *adj.* נתעב; *גרוע, רע
abom′inate′ *v.* לתעב, לשנוא
abom′ina′tion *n.* תיעוב; תועבה
ab′orig′inal *adj&n.* קדמון, קיים באיזור מימי קדם
ab′orig′ine (-jini) *n.* תושב קדמון, יליד, אבוריגן
aborn′ing *adv.* באיבו, בהיוולדו
abort′ *v.* להפיל (ולד); להפסיק, לבטל; להיכשל
abor′tion *n.* הפלה; נפל, מיפלצת; כישלון, תוכנית־נפל
abortionist *n.* רופא־הפלות
abor′tive *adj.* כושל, שעלה בתוהו
abound′ *v.* להיות מלא, לשרוץ, לשפוע
about′ *adv&prep.* מסביב; בסביבה; אחורנית; בערך, כמעט; קרוב ל־; על־אודות, ליד
(it's) about time סוף סוף, הגיע הזמן (ש־)
about to עומד ל־, מתכונן ל־
bring about לגרום, להביא
come about לקרות, להתרחש
go about it לטפל בכך
how/what about? מה דעתך (ש־) ?
isn't about to *לא מתכוון כלל ל־
up and about קם, מסתובב
while you are about it ובעודך עוסק בכך
I have no money about me אין כסף בכיסי
about-face *n.* פנייה לאחור; תפנית
about turn תפנית לאחור
above′ (-buv′) *adv&adj.* למעלה, ממעל, לעיל
from above מלמעלה
the above הנ"ל, דלעיל
above *prep.* מעל ל־, יותר מ־
above all מעל לכל, יותר מכל
above oneself יוצא מגדרו; מתנשא
is above such pettiness הוא מעל לקטנוניות כזו
the lecture was above me ההרצאה נשגבה מבינתי
aboveboard *adj.* גלוי, כן, הוגן
above-mentioned *adj.* הנ"ל
above-named *adj.* הנ"ל
ab′racadab′ra *n.* אברקדברה, הבלים
abrade′ *v.* לגרד, לשפשף, לשרוט
abra′sion (-zhən) *n.* שיפשוף; שריטה
abra′sive *adj.* משפשף; שורט; מחוספס, מגרה
abrasive *n.* חומר שיפשוף/ממרט
abreast′ (-rest) *adv.* זה בצד זה
abreast of the times מעודכן
abridge′ *v.* לקצר; לצמצם
abridgement *n.* קיצור
abroach′ *adj.* (ברז) פתוח
abroad′ (-rôd) *adv.* בכל מקום; בחוץ; בחוץ לארץ
from abroad מחוץ לארץ
news spread abroad נפוצו ידיעות
ab′rogate′ *v.* לבטל, לחסל
ab′roga′tion *n.* ביטול, חיסול
abrupt′ *adj.* פתאומי; תלול; מקוטע, מחוסר־קשר; לא אדיב, גס
ab′scess′ *n.* מורסה, פצע מוגלתי
abscessed *adj.* מוגלתי
ab•scis′sa *n.* אבסציסה
ab•scis′sion (-si′zhən) *n.* קטיעה
ab•scond′ *v.* לברוח בחשאי, להתחמק
ab′sence *n.* היעדרות, חוסר, העדר
absence of mind היסח־הדעת
ab′sent *adj.* נעדר; מהורהר
ab•sent′ *v.* להיעדר, להתרחק
absent oneself להיעדר, להיפקד
ab′sentee′ *n.* נעדר, נפקד
ab′sentee′ism′ *n.* היעדרות
ab′sently *adv.* בהיסח הדעת
absent-minded *adj.* שקוע במחשבות
absent without leave נפקד (מהצבא)
ab′sinth(e) *n.* אבסינת (משקה חריף)
ab′solute′ *adj.* מוחלט, אבסולוטי
absolutely *adv.* בהחלט, לגמרי, נחרצות
ab′solu′tion *n.* מחילה, כפרה
ab′solu′tism′ *n.* רודנות
ab•solve′ (-z-) *v.* לפטור, לשחרר, למחול
ab•sorb′ *v.* לספוג, לקלוט
absorbed in שקוע ב־, מתעמק ב־
absorbent *adj.* סופגני
absorbing *adj.* מעניין, מרתק
ab•sorp′tion *n.* ספיגה; השתקעות, התעמקות; (בפיסיקה) בליעה
ab•stain′ *v.* להימנע, להינזר, להדיר עצמו
total abstainer מתנזר (מאלכוהול)
ab•ste′mious *adj.* מסתפק במועט
ab•sten′tion *n.* הימנעות
ab′stinence *n.* הינזרות, פרישות
total abstinence הינזרות ממשקאות
ab′stinent *adj.* מתנזר (מתענוגות)
ab′stract′ *adj.* אבסטראקטי, מופשט

in the abstract כללית, תיאורטית
ab′stract′ *n.* תמצית, קיצור
ab′stract′ *v.* לתמצת, לקצר
ab•stract′ *v.* להוציא, להפריד; *לגנוב
ab•stract′ed *adj.* שקוע במחשבות, מהורהר
abstractedly *adv.* בהיסח־הדעת
ab•strac′tion *n.* הפשטה; מופשטות; אבסטרקציה; היסח־הדעת
ab•struse′ *adj.* עמוק, סתום, שקשה להבינו
ab•surd′ *adj.* אבסורדי, שטותי, מגוחך
ab•surd′ity *n.* אבסורד, שטות
abun′dance *n.* עושר, שפע
abun′dant *adj.* עשיר, מלא; הרבה
abuse′ (-z) *v.* להשתמש לרעה ב־, לנצל; להתעלל ב־; לגדף, לנאץ
abuse′ (-s) *n.* שימוש לרעה; התעללות; שחיתות; לשון גסה, גידופים
abu′sive *adj.* גס, מגדף
abut′ *v.* לגבול ב־, להיות סמוך
abut′ment *n.* יַרְכָּה (מיבנה התומך בגשר)
abys′mal (-z-) *adj.* תהומי
abyss′ *n.* תהום
aca′cia (-shə) *n.* שיטה (עץ)
ac′adem′ic *adj.* אקדמי, לא מעשי; של לימודים; של אקדמיה
academic *n.* אקדמאי, מלומד
ac′adem′icals *n-pl.* תילבושת אקדמית
ac′ademi′cian (-mish′ən) *n.* חבר אקדמיה
acad′emy *n.* אקדמיה, מידרשה
acan′thus *n.* קוציץ (צמח קוצני)
a cappel′la (ä k-) *adv.* מושר ללא ליווי כלי נגינה
a•cau′dal *adj.* חסר־זנב
ac•cede′ *v.* להסכים, להיענות ל־; להיכנס לתפקיד; להצטרף להסכם
ac•cel′erate′ *v.* להאיץ; להגביר מהירות; להחיש
ac•cel′era′tion *n.* תאוצה
ac•cel′era′tor *n.* דוושת־הדלק; מאיץ
ac′cent′ *n.* הטעמה, נגינה; מיבטא, ניב; דגש
accent *v.* להטעים, להדגיש, להבליט
ac•cen′tuate′ (-cho͞oāt) *v.* להדגיש
ac•cen′tua′tion (-cho͞oā′-) *n.* הדגשה, הטעמה
ac•cept′ *v.* לקבל, להסכים, להיענות ל־; לקבל שטר
ac•cep′tabil′ity *n.* התקבלות
acceptable *adj.* מתקבל; רצוי
acceptance *n.* קבלה, התקבלות
ac′cep•ta′tion *n.* משמעות מקובלת
accepted *adj.* מקובל, מוסכם
ac′cess′ *n.* גישה; כניסה; התפרצות, התקף, לגשת אל קובץ
easy of access נוח לגישה
ac•ces′sary *n.* עוזר (לדבר פשע)
ac•ces′sibil′ity *n.* נגישות; פתיחות
ac•ces′sible *adj.* נגיש, ניתן להשיגו; בר־שיכנוע; פתוח
accessible to bribery שחיד
ac•ces′sion *n.* כניסה לתפקיד, הגעה; היענות; תוספת
ac•ces′sory *n.* אביזר; עוזר (לדבר פשע)
ac′cidence *n.* תורת הנטיות
ac′cident *n.* תאונה, תקלה, תקרית
by accident במיקרה
without accident ללא כל פגע
ac′ciden′tal *adj.* מיקרי, לא צפוי, אגבי
accidentally *adv.* במיקרה
accident insurance ביטוח תאונות
accident-prone *adj.* מסתבך בתאונות
acclaim′ *v.* להלל, להרעיף שבחים על; להריע ל־; להכריז עליו כ־
acclaim *n.* תשואות, שבחים
ac′clama′tion *n.* תרועות, קריאות הידד
ac′climate′ *v.* לסגל; להתאקלם
ac′clima′tion *n.* התאקלמות, איקלום
accli′matiza′tion *n.* התאקלמות
accli′matize′ *v.* לסגל; להתאקלם
accliv′ity *n.* מעלֶה, שיפוע
ac′colade′ *n.* תהילה, שבח
accom′modate′ *v.* לאכסן, לארח; להכיל מקום; לעשות טובה/שירות; להסתגל; לסגל, להתאים; לספק, לתת, להעניק
accommodating *adj.* נוח, אדיב, עוזר
accom′moda′tion *n.* דיור, איכסון; התאמה; סיגול; טובה, חסד; פשרה, הסדר; הלוואה; נוחות; נוחיות
accommodations חדרים מרוהטים
accommodation bill שטר טובה
accom′paniment (-kum-) *n.* ליווי
accom′panist (-kum-) *n.* מלַווה מוסיקלי
accom′pany (-kum-) *v.* ללוות; לצרף
accom′plice (-lis) *n.* שותף לפשע
accom′plish *v.* לבצע, להשלים
accomplished *adj.* מושלם; מומחה

accomplished fact עובדה מוגמרת
accomplishment *n.* ביצוע, הגשמה; מעלה, סגולה
easy of **accomplishment** קל לביצוע
accord′ *v.* לתת, להעניק; להתאים, לעלות בקנה אחד עם
accord *n.* הסכם, הסדר; התאמה, תואם
in accord with עולה בקנה אחד עם
of one's own accord מרצונו הטוב
with one accord פה אחד
accord′ance *n.* התאמה, תיאום
in accordance with בהתאם ל־
accord′ing *adv.* לפי, בהתאם ל־
according as כפי, תלוי ב־
according to בהתאם ל־, לפי
accordingly *adv.* לכן; בהתאם
accor′dion *n.* אקורדיון, מפוחון, מפוחית־יד
accost′ (-kôst) *v.* לפנות אל, לגשת אל
account′ *n.* תיאור, דו"ח; הסבר; חישוב, חשבון, חשיבות
bring/call him to account לדרוש ממנו הסבר, להענישו, למוף בו
by all accounts לכל הדעות
give a good account of oneself להוכיח את עצמו
leave out of account לא להביא בחשבון, לשכוח
not on any account בשום פנים לא
of no account חסר־חשיבות
on account על החשבון
on account of בגלל, עקב
on his account למענו, בגללו
on no account בשום פנים לא
on one's own account למען עצמו
on this account על כן, משום כך
put it down to one's account לזקוף זאת לחשבונו
put it to good account לנצל יפה
render an account לשלוח חשבון לתשלום
settle an account לסלק חשבון
take account of להתחשב ב־
take into account להביא בחשבון
account *v.* לחשוב, להתייחס ל־
account for להסביר; למסור דו"ח; להרוג, לצוד
accountable *adj.* אחראי, חייב הסבר
account′ancy *n.* חשבונאות
account′ant *n.* חשבונאי, רואה חשבון
accounting *n.* ניהול חשבונות/ספרים
accou′ter (-ko͞o-) *v.* לצייד, להלביש
accou′terments (-ko͞o-) *n-pl.* חגור
accred′it *v.* לאשר, להכיר ב־; לייחס ל־; למנות/להאמין שגריר, להסמיך
accredited *adj.* מוסמך, מקובל, מואמן
accre′tion *n.* גדילה, צמיחה; התלכדות; תוספת
accru′al *n.* הצטברות
accrue′ (-ro͞o) *v.* להצטבר, לגדול, לצמוח
accul′tura′tion (-′ch-) *n.* אימוץ תרבות זרה
accu′mu•late′ *v.* לצבור; להצטבר
accu′mu•la′tion *n.* צבירה; הצטברות; דחיסה; ערימה
accu′mu•la′tive *adj.* מצטבר
accu′mu•la′tor *n.* מצבר; אוגר
ac′cu•racy *n.* דייקנות
ac′cu•rate *adj.* מדוייק
accurs′ed, accurst′ *adj.* ארור
ac′cu•sa′tion (-z-) *n.* האשמה, אשמה
accu′sative (-z-) *n.* (בדקדוק) יחס הפעול, יחסת־את, אקוזטיב
accu′sato′ry (-z-) *adj.* מאשים
accuse′ (-z) *v.* להאשים
the accused הנאשם, הנאשמים
accusingly *adv.* באצבע מאשימה
accus′tom *v.* להרגיל
accustomed *adj.* רגיל, מורגל
ace *adj.* אס (קלף); ★אלוף, מומחה
ace in the hole "קלף בשרוול"
within an ace of על סף, קרוב
ac′erbate′ *v.* להחמיץ; להציק
acer′bity *n.* חריפות, מרירות
ace′tic *adj.* של חומץ, חמוץ
ac′etone′ *n.* אצטון
acet′ylene′ *n.* אצטילין (גאז)
ache (āk) *v.* לכאוב, לחוש כאב; להשתוקק, להתגעגע
ache *n.* כאב, מכאוב
aches and pains כאבים
achievable *adj.* בר־ביצוע
achieve′ (-chēv) *v.* לבצע, להשלים; להשיג
achievement *n.* הישג, ביצוע; מיבצע
Achilles' heel (əkil′ēz-) עקב־אכילס, נקודת תורפה
achoo′ *interj.* עטשי!
ach′romat′ic (-k-) *adj.* אכרומטי, נטול־צבע
ac′id *adj.* חמוץ, חריף; חד, שנון
acid *n.* חומצה; ★ל.ס.ד.
acid drops סוכריות חמוצות

acid′ify′ *v.* להחמיץ
acid′ity *n.* חמיצות
ac′ido′sis *n.* חמצת (מחלה)
acid test מיבחן מכריע וסופי
acid′ula′ted (-j′-) *adj.* חמצמץ
acid′ulous (-j′-) *adj.* חמצמץ; מר, חריף
ack′-ack′ *n.* *נ.מ., נגד מטוסים
ac•knowl′edge (-nol′ij) *v.* להכיר ב־, להודות ב־; להודות על; לאשר קבלת־; לנופף לשלום
acknowledged *adj.* מוכר, מקובל
acknowledgement *n.* הודאה; הכרה; תודה, אות תודה; אישור
ac′me (-mi) *n.* שיא, פיסגה
ac′ne (-ni) *n.* חזזית, פצעי בגרות
ac′olyte′ *n.* עוזר (לכומר)
ac′onite′ *n.* אקוניטון (תרופה)
a′corn′ *n.* איצטרובל
acous′tic (-kōō-) *adj.* אקוסטי, קולי, שמיעותי
acoustics *n.* אקוסטיקה, תורת הקול; תנאי השמיעה, סגולות האולם
acquaint′ *v.* להכיר, להציג, לוודע
acquaint oneself with להכיר, ללמוד
acquaintance *n.* היכרות, ידיעה; מכר, מודע
make his acquaintance לעשות הכרה עמו, להכירו, להתוודע אליו
acquaintanceship *n.* חוג מכרים
acquainted *adj.* יודע, מודע ל־; מכיר
get acquainted להכיר, להתוודע
ac′quiesce′ (ak′wies′) *v.* לקבל, לא לערער, להסכים
acquiescence *n.* הסכמה
acquiescent *adj.* מסכים
acquire′ *v.* לרכוש, להשיג
acquired taste טעם נרכש (שמתרגלים אליו עם הזמן)
acquirement *n.* רכישה
ac′quisi′tion (-zi-) *n.* רכישה; נכס
acquis′itive (-z-) *adj.* אוהב לרכוש, צורך, אוגר
acquit′ *v.* לשחרר, לזכות, לפטור
acquit oneself להתנהג
acquit′tal *n.* שיחרור, זיכוי
a′cre (-kər) *n.* אקר (מידת שטח)
acreage (ā′kərij) *n.* השטח באקרים
ac′rid *adj.* חריף, מר
ac′rimo′nious *adj.* חריף, מר
ac′rimo′ny *n.* חריפות, מרירות
ac′robat′ *n.* לוליין, אקרובט
ac′robat′ic *adj.* אקרובטי
ac′robat′ics *n.* אקרובטיקה
ac′ronym′ *n.* נוטריקון, ראשי תיבות
acrop′olis *n.* אקרופוליס, מצודה
across′ (-rôs) *prep.* על־פני, מעבר ל־, לרוחב, בהצטלבות עם
across *adv.* מצד לצד; לעבר השני; בעבר השני
across from מול
across-the-board מקיף, כולל
acros′tic (-rôs-) *n.* אקרוסטיכון
act *n.* מעשה, פעולה, אקט; חוק; מערכה במחזה; הופעה, אירוע, מוצג
act of God מעשה־אל, כוח עליון
in the act of בשעת מעשה
put on an act להתנהג במלאכותיות
Acts ספר מעשי השליחים
act *v.* לפעול, לבצע; לשחק במחזה, למלא תפקיד; להעמיד פנים
act as לפעול כ־, לשמש כ־
act out להוציא לפועל; לבטא (מחשבות) בתנועות וכ׳
act up *להציק, לפעול שלא כשורה, להשתובב, להשתולל
act upon לפעול לפי; לפעול על
acting *adj.* ממלא מקום; של מישחק
acting *n.* מישחק, אמנות המישחק
ac′tion *n.* פעולה, מעשה, פעילות; תנועה, מנגנון; תביעה; קרב, מלחמה
actions התנהגות, מעשים
bring an action לפתוח בהליכים
out of action יצא מכלל פעולה
put it in action להפעילו
see action להשתתף בקרב
take action לנקוט פעולה
actionable *adj.* בר־תביעה
action painting ציור מופשט
action stations עמדות קרב
ac′tivate′ *v.* להפעיל
ac′tiva′tion *n.* הפעלה
ac′tive *adj.* פעיל, אקטיבי, נמרץ
active voice בניין פעיל
on active service בשירות סדיר
ac′tivist *n.* אקטיביסט
ac•tiv′ity *n.* פעילות, פעלתנות
ac′tor *n.* שחקן
ac′tress *n.* שחקנית
ac′tual (-chōōəl) *adj.* ממשי, ריאלי
ac′tual′ity (-chōōal-) *n.* ממשות, אקטואליות; עובדה, מציאות
actually *adv.* לאמיתו של דבר, למעשה, ממש

ac′tuar′y (-chōōeri) *n.* אקטואר, שמאי
ac′tuate′ (-chōōāt) *v.* להפעיל, להניע
acu′ity *n.* חריפות, חדות החושים
acu′men *n.* חריפות השכל, פיקחות
acu′minate *adj.* מחודד, בעל עוקץ
ac′u•punc′ture *n.* ריפוי במחטים
acute′ *adj.* חד, חריף; רציני, חמור
acute accent סימן מעל לאות
acute angle זווית חדה
acute sound קול צרחני
ad *n.* מודעה
A.D. = anno Domini לספירת הנוצרים
ad′age *n.* פיתגם, מימרה
ada′gio (-dä′jō) *n.* אדאג'ו, באיטיות
Ad′am *n.* אדם הראשון
not know him from Adam לא להכירו כלל, לא לדעת עליו מאומה
the old Adam יצר הרע
ad′amant *adj.* קשה, עקשן, נחוש, קשוח
ad′aman′tine *n.* קשה, קשוח
Adam's apple פיקת־הגרגרת, תפוח אדם הראשון, שיפוי־כובע
adapt′ *v.* לעבד, לסגל, להתאים
adap′tabil′ity *n.* סגילות, הסתגלות
adaptable *adj.* סגיל, מתאקלם מהר
ad′apta′tion *n.* עיבוד, סיגול
adap′ter, -tor *n.* מַתאֵם, התקן לתיאום שני דברים זה לזה
add *v.* להוסיף; לחבר, לסכם
add fuel to the fire להוסיף שמן למדורה
add in לכלול
add insult to injury לזרות מלח על הפצעים
add together לחבר, לסכם
add up לסכם; ★להתקבל על הדעת
add up to להסתכם ב־, להתפרש כ־
addend′ *n.* (בחשבון) מחובר
adden′dum *n.* תוספת, נספח
ad′der *n.* אפעה (נחש)
addict′ *v.* לגרום להתמכרות
be addicted to להתמכר ל־
ad′dict *n.* מתמכר (לסמים)
addic′tion *n.* התמכרות
addic′tive *adj.* (סמים) משכרים
addi′tion (-di-) *n.* חיבור; תוספת
in addition to נוסף על
additional *adj.* נוסף
ad′ditive *n.* תוספת, תוסף

ad′dle *v.* להתבלבל; לבלבל; להתקלקל
addle-brained *adj.* מבולבל
address′ *v.* לפנות ל־, לדבר אל; למַעֵן, לכתוב מען; להפנות
address oneself to להתמסר (למשימה)
address *n.* נאום, הרצאה; כתובת, מען; צורת התבטאות, התנהגות
addresses חיזורים
form of address צורת פנייה (לאדם)
ad′dress•ee′ *n.* נמען
adduce′ *v.* להביא (הוכחה, דוגמה)
ad′enoid′al *adj.* של פוליפים
ad′enoids *n-pl.* פוליפים
adept′ *adj&n.* מומחה, מיומן
ad′equacy *n.* התאמה, הלימות
ad′equate *adj.* מספיק, מתאים
ad•here′ *v.* להידבק; לדבוק ב־, לדגול, לקיים
adherence *n.* הידבקות; נאמנות
adherent *n.* חסיד, תומך
ad•he′sion (-zhən) *n.* דבקות, קשירות; תמיכה; הסתרכות
ad•he′sive *adj.* דביק
adhesive *n.* דבק
adhesive tape איספלנית
ad hoc′ אד הוק, לשם כך, לזה; (ועדה) מיוחדת, ספציפית
adieu (ədōō′) *interj.* שלום!
ad in′fini′tum עד אין קץ
ad in′terim בינתיים, לעת עתה
ad′ios′ (-ōs′) *interj.* שלום!
ad′ipose′ *adj.* שומני, של שומן
ad′ipos′ity *n.* שומן, שמנוניות
ad′it *n.* כניסה, מבוא
adja′cency *n.* קירבה, סמיכות מקום
adja′cent *adj.* סמוך, קרוב, צמוד
ad′jecti′val (-jik-) *adj.* של תואר השם, תוארי
ad′jective (-jik-) *n.* תואר השם
adjoin′ *v.* להיות סמוך ל־; לנגוע
adjoining *adj.* גובל ב־, סמוך
adjourn′ (əjûrn′) *v.* לדחות, לנעול (ישיבה); להינעל; לעבור (למקום אחר)
adjournment *n.* נעילה, דחייה
adjudge′ *v.* לפסוק, לקבוע, לחרוץ משפט; להעניק
adju′dicate′ *v.* לפסוק, לשפוט, לקבוע
adju′dica′tion *n.* פסיקה, קביעה
ad′junct′ *n.* תוספת, נספח
ad′jura′tion *n.* הפצרה, התחננות
adjure′ *v.* להפציר ב־, להשביע

adjust′ *v.* להתאים, לסגל, לכוונן; להתקין; להסדיר, ליישב
adjustable *adj.* כוונין, מתכוונן
adjuster *n.* קובע; מסדיר, מיישב; מתאם
adjustment *n.* כיוונון; התאמה; תיקון; יישוב־תביעה; כוונּנת
ad′jutant *n.* שליש צבאי; עוזר
ad′-lib′ *v.* ⋆לאלתר, לעשות אילתורים
ad-lib *adj.* ⋆מאולתר, ללא הכנה
ad lib *adv.* ⋆חופשית, ללא הגבלה
ad′man′ *n.* ⋆פירסומאי
ad′mass′ *n.* ההמון, הציבור המושפע מכלי התיקשורת
ad•min′ister *v.* לנהל, לפקח על; לתת, לספק; להוציא לפועל
administer a blow להנחית מכה
administer an oath להשביע
administer medicine לתת תרופה
administer the law להפעיל החוק
administer to לדאוג ל־, לשרת
ad•min′istra′tion *n.* ניהול, מינהל; אמרכלות, אדמיניסטרציה; מתן, סיפוק
ad•min′istra′tive *adj.* מינהלי, הנהלי
ad•min′istra′tor *n.* מנַהל, אדמיניסטרטור, אמרכל, מינהלאי, מוציא לפועל
ad′mirable *adj.* נפלא, מצויין
ad′miral *n.* אדמירל
ad′miralty *n.* אדמירליות
ad′mira′tion *n.* התפעלות; הערצה, מעורר הערצה
ad•mire′ *v.* להתפעל מ־, להלל, להעריץ
admirer *n.* מעריץ, מאהב
ad•mis′sibil′ity *n.* קבילות
ad•mis′sible *adj.* קביל; מתקבל
ad•mis′sion *n.* כניסה, הכנסה; רשות כניסה, דמי כניסה; הודאה
by his own admission על פי הודאתו
ad•mit′ *v.* להכניס, לקבל; להתיר להיכנס; להודות
admit of להותיר מקום, לאפשר, לקבל
ad•mit′tance *n.* כניסה; הכנסה
admittedly *adv.* יש להודות, אין ספק ש־
ad•mix′ *v.* לערבב; להתערבב
ad•mix′ture *n.* תערובת, ערבוב; תוספת
ad•mon′ish *v.* להזהיר, להוכיח, לנזוף
ad′moni′tion (-ni-) *n.* אזהרה, תוכחה
ad•mon′ito′ry *adj.* מזהיר, מוכיח, מתרה

ad nau′se•am (-zi-) עד לזרא
ado (-doo′) *n.* מהומה, התרגשות
without more ado בלי רעש, ללא שהיות מיותרות, בלי הכנות מרובות
ado′be (-bi) *n.* לבינה (מחומר מיובש)
ad′oles′cence *n.* בחרות, התבגרות
ad′oles′cent *adj&n.* מתבגר, נער, נערה
adopt′ *v.* לאמץ, לקבל
adop′tion *adj.* אימוץ
adop′tive *adj.* (הורה) מאמֵץ
ador′able *adj.* חמוד, מקסים; נערץ
ad′ora′tion *n.* הערצה, אהבה
adore′ *v.* להעריץ, לסגוד; ⋆לאהוב
adoring *adj.* מלא הערצה, סוגד
adorn′ *v.* לקשט, לייפות
adornment *n.* קישוט; תכשיט
adre′nal *adj.* של בלוטות הכליות
adren′alin *n.* אדרנלין (הורמון)
adrift′ *adv.* נסחף הנה והנה, נתון לחסדי הגורל
turn adrift לגרש (מהבית)
adroit′ *adj.* זריז, פיקח, מוכשר
ad′ulate′ (aj′-) *v.* להחניף ל־
ad′ula′tion (aj′-) *n.* חנופה
adult′ *adj&n.* בוגר, מבוגר
adul′terate′ *v.* לפגום, למהול
adulterated milk חלב מהול במים
adul′tera′tion *n.* פגימה, מהילה
adul′terer *n.* נואף
adul′teress *n.* נואפת
adul′terous *adj.* של ניאוף, נאפופי
adul′tery *n.* ניאוף
adulthood *n.* בגרות
ad′umbrate′ *v.* לשרטט, לתאר; להטיל צל
ad′umbra′tion *n.* שרטוט, תיאור
ad•vance′ *v.* להתקדם; לקדם, להקדים, להחיש, לתת מקדמה; לייקר; להתייקר
advance the date להקדים התאריך
advance the price להעלות המחיר
advance *n.* התקדמות; מקדמה; קידום
advances חיזורים, פניות
in advance מראש, בראש, לפני
advance *adj.* מוקדם; קדומני
advance booking שריון מקום מראש
advance copy עותק מוקדם
advance party כיתת חלוץ
advanced *adj.* מתקדם; מודרני
advanced in years זקן, בא בימים
advancement *n.* קידום; התקדמות

ad•van'tage *n.* יתרון, רווח, תועלת
be to his advantage להועיל לו
take advantage of לנצל
to advantage באופן הטוב ביותר
turn it to advantage לנצל זאת, להפיק תועלת מכך
I have the advantage of you יש לי יתרון עליך
advantage *v.* להועיל ל־, לעזור ל־
ad'vanta'geous (-'jəs) *adj.* יתרוני, מועיל
ad'vent' *n.* כניסה, הופעה, ביאה
Advent *n.* התגלות ישו
ad'venti'tious (-tish'əs) *n.* מיקרי, לא צפוי
ad•ven'ture *n.* הרפתקה, סיכון
adventurer *n.* הרפתקן, שוחר הרפתקות
adventuress *n.* הרפתקנית
ad•vent'urous (-ch-) *adj.* הרפתקני, נועז
ad'verb' *n.* תואר הפועל
ad•ver'bial *adj.* של תואר הפועל
ad'versar'y (-seri) *n.* יריב, אויב, מתנגד
ad'verse' *adj.* נגדי, מנוגד, עוין
ad•ver'sity *n.* מצוקה, צרה
ad•vert' *v.* לרמוז, להתייחס ל־, להעיר
ad'vert' *n.* *מודעה (בעיתון)
ad'vertise' (-z) *v.* לפרסם (מודעה)
advertise for לבקש בעזרת מודעה
ad'vertise'ment (-tīz'm-) *n.* מודעה, פירסום
advertising *n.* פירסום
ad•vice' *n.* עצה, ייעוץ
advices חדשות, ידיעות, מידע
ad•vi'sabil'ity (-z-) *n.* כדאיות
ad•vi'sable (-z-) *adj.* רצוי, כדאי, מומלץ
ad•vise' (-z) *v.* לעוץ, לייעץ; להודיע
advised *adj.* מכוון, שקול, מחושב
ill-advised לא נבון, לא פיקחי
well-advised נבון, פיקחי
advisedly *adv.* בשיקול דעת, בכוונה
adviser *n.* מייעץ, יועץ
advi'sory (-z-) *adj.* מייעץ
ad'vocacy *n.* תמיכה, סניגוריה, הגנה
ad'vocate *n.* פרקליט, עורך־דין; תומך, חסיד
ad'vocate' *v.* לתמוך ב־, לדגול ב־
adz, adze *n.* קרדום (להקצעת עץ)
ae'gis (ē'-) *n.* חסות, מחסה
under the aegis of בחסות־
ae'on (ē'-) *n.* תקופה, עידן
a'erate' *v.* לאוורר, להכניס גאז
a'era'tion *n.* איוורור
aer'ial (ār-) *adj.* אוורירי, גאזי
aerial *n.* אנטנה, משושה
aerie, aery (ār'i) *n.* קן־נשרים
aero- (תחילית) אווירי
aer'obat'ics (ār-) *n.* אמנות התעופה, אווירובטיקה, להטוטי־טיסה
aer'odrome' (ār-) *n.* שדה־תעופה
aer'o•dy•nam'ics (ār-) *n.* אווירודינמיקה, תנועת האוויר
aer'onau'tics (ār-) *n.* נווטות, טיס, אווירונוטיקה
aer'oplane' (ār-) *n.* אווירון
aer'osol' (ār'əsôl') *n.* מַזלף, מַרסס
aer'o•space' (ār-) *n.* חלל, אטמוספירה
aes'thete' (es-) *n.* אסתטיקן, בעל טעם טוב
aesthet'ic (es-) *adj.* אסתטי, נאה
aesthet'ics (es-) *n.* אסטתיקה, תורת היופי
ae'tiol'ogy (ē'-) *n.* אטיולוגיה, תורת הסיבות (במחלות)
afar' *adv.* רחוק, במרחק
from afar ממרחקים
af'fabil'ity *n.* אדיבות, חביבות
af'fable *adj.* אדיב, נוח, חביב
affair' *n.* עניין, עסק; דבר, משהו; מאורע; פרשת אהבים, רומן
a wonderful affair *משהו נפלא
have an affair לנהל רומן
love affair רומן, פרשת אהבים
mind your own affairs אל תתערב
that is my affair זה ענייני
affair of honor דו־קרב
affect' *v.* להעמיד פנים; לחבב, לאהוב להשתמש ב־, לעשות רושם
affect *v.* להשפיע על, לנגוע ללב, לזעזע; (לגבי מחלה) לתקוף
affected lung ריאה נגועה
af'fecta'tion *n.* העמדת פנים
affected *adj.* מזויף, מלאכותי; נגוע
affecting *adj.* נוגע ללב, מרגש
affec'tion *n.* חיבה; מחלה, מיחוש
affec'tionate (-'shən-) *adj.* אוהב, רוחש חיבה
yours affectionately שלך באהבה
affi'ance *v.* לארס
af'fida'vit *n.* הצהרה בשבועה; תצהיר

affil'iate' *v.* לצרף, לסנף; להסתנף, להתחבר
affil'ia'tion *n.* צירוף; הסתנפות
affiliation order צו בית־משפט (לקביעת אבהות ומתן מזונות)
affin'ity *n.* דימיון; קירבה; חיבה; משיכה
affirm' *v.* לאשר, לטעון, להצהיר (בהן צדק)
af'firma'tion (-fər-) *n.* הצהרה; הן צדק
affirm'ative *adj&n.* חיובי, כן, הן; מחייב (הצעה); חיוב
affix' *v.* לצרף, להדביק, להוסיף
af'fix *n.* מוספית, טפולה
affla'tus *v.* השראה, דחיפה
afflict' *v.* לייסר, לצער, להציק
afflic'tion *n.* סבל, צרה, מכאוב
af'fluence (-lōōəns) *n.* עושר, שפע
af'fluent (-lōōənt) *adj.* עשיר, שופע
affluent *n.* יובל־מים, פלג
afford' *v.* לתת, לספק, להעניק
can afford יכול להרשות לעצמו
affor'est *v.* לייער, לשתול עצים
affor'esta'tion *n.* ייעור
affran'chise (-z) *v.* לשחרר (משיעבוד)
affray' *n.* תיגרה, קטטה, מהומה
affront' (-unt) *v.* להעליב, לפגוע
affront *n.* פגיעה, עלבון
Af'ghan (-gan) *adj.* אפגאני
afield' (-fēld) *adv.* רחוק, הרחק, למרחקים
far afield רחוק, הרחק
afire' *adj.* בוער, לוהט
aflame' *adj.* בוער, לוהט
afloat' *adj.* צף; בים, על המים, באונייה; מוצף; נפוץ, מתהלך; נחלץ מצרה
afoot' *adj.* מתהלך; בהכנה, בפעולה, מתרחש, "מתבשל"
afore' *prep.* לפני
aforementioned *adj.* הנאמר לעיל, הנ"ל
aforesaid *adj.* הנאמר לעיל, הנ"ל
aforethought *adj.* במחשבה תחילה
a' for'tio'ri' על אחת כמה וכמה
afoul' *adj.* מסתבך, מתנגש
run afoul of להסתבך עם, להתנגש
afraid' *adj.* פוחד, חושש
I'm afraid that חוששני ש־
afresh' *adv.* מֵחדש, עוד פעם
Af'rican *n&adj.* אפריקני
Af'ro- של אפריקה, תיסרוקת (מקורזלת)

aft *adv.* לכיוון ירכתי הספינה
af'ter *prep.* אחרי, אחר, מאחורי; בסיגנון, על־פי; על־אודות
a man after my own heart איש כלבבי
after all ככלות הכל; למרות כל
they are after him הם מחפשים אותו, הם מנסים ללכדו
time after time תכופות, שוב ושוב
after *conj.* לאחר ש־, אחרי ש־
after *adj.* הבא, שלאחר מכן, האחורני
in after years בשנים שלאחר מכן
the after deck הסיפון האחורי
after *adv.* אחרי כן
ever after מאז, מני אז
soon after מיד לאחר מכן
afterbirth *n.* שילייה
aftercare *n.* טיפול עוקב, שיקום
aftereffect *n.* תוצאה נדחית
afterglow *n.* דמדומי חמה
afterlife *n.* העולם הבא
af'termath' *n.* תוצאה, תולדה
in the aftermath of בעיקבות, אחרי
aftermost *adj.* אחורני, אחורי ביותר
afternoon (-nōōn) *n.* אחר־הצהריים
afternoons *adv.* מדי יום אחה"צ
afters *n-pl.* ליפתן, קינוח סעודה
aftershave *n.* אפטרשייב, תרחיץ שלאחר־גילוח
aftertaste *n.* טעם לוואי
afterthought *n.* מחשבה שנייה
af'terwards (-z) *adv.* לאחר מכן
again' (-gen) *adv.* עוד פעם, שוב; זאת ועוד, ברם
again and again שוב ושוב
as much again פי שניים, כפליים
be oneself again לשוב לאיתנו
come again ✶חזור, מה אמרת?
now and again מדי פעם
off again on again הפכפך, לא יציב
then again מאידך, ואפשר ש־
time and again שוב ושוב
against' (-genst) *prep.* מול; נגד; לקראת, מפני; על־, נשען על־, ליד־, כלפי־
over against מול
save against old age לחסוך לקראת זיקנה
sit against the wall לשבת ליד הקיר, להישען על הקיר
up against it במצב ביש, במצוקה
agape' *adj.* פעור־פה
ag'ate *n.* אכטיס (אבן טובה)

age *n.* גיל; זיקנה; תקופה, דור
act your age! התנהג כמבוגר!
ages ★עידן ועידנים, תקופה ארוכה
come of age להגיע לבגרות
over/under age זקן/צעיר מדיי
age *v.* להזקין
age bracket מיסגרת גילאים, שנתונים
a′ged *adj.* זקן, בא בימים
the aged הזקנים, הישישים
aged (ājd) *adj.* בן־, שגילו־
aged wine יין ישן, יין משומר
age group קבוצת גילאים, שנתונים
ageing, aging *n.* הזדקנות
ageless *adj.* ניצחי, לא מזקין
age-long *adj.* מדורי־דורות, עתיק
a′gency *n.* סוכנות, מישרד, לישכה
by the agency of באמצעות, בהשפעת
agen′da *n.* סדר היום
a′gent *n.* סוכן, נציג; כוח, גורם
free agent שחקן חופשי/משוחרר
agent provoc′ateur′ (-toor′) סוכן בולשת, סוכן שתול
age-old *adj.* עתיק, מאז ומעולם
agglom′erate *adj.* מגובב, גושי, צבור
agglom′erate′ *v.* לצבור; להצטבר
agglom′era′tion *n.* ערימה, גוש, גיבוב
agglu′tinate′ *v.* להדביק, לאחד
agglu′tina′tion *n.* התלכדות; צירוף, הדבקה, יצירת מלים ע״י צירופים
agglu′tina′tive *adj.* דביק, צירופי
aggran′dize *v.* להגדיל, להרחיב
ag′gravate′ *v.* להרע, לקלקל, להחריף, להחמיר; ★להרגיז, להציק
ag′grava′tion *n.* החמרה, החרפה
ag′gregate *n.* סך הכל; צירוף, גוש; תערובת, אגרגאט
in the aggregate בכללו, בסך הכל
ag′gregate′ *v.* לצבור; להסתכם ב־
ag′grega′tion *n.* קיבוץ, התקבצות
aggres′sion *n.* התגרות, חירחור
aggres′sive *adj.* אגרסיבי, תוקפני, מתגרה; בעל־יוזמה, שאינו נרתע
aggres′sor *n.* תוקפן, מחרחר מלחמה
aggrieve′ (-rēv) *v.* לצער, להעליב, להציק; לקפח
aghast′ (-gast) *adj.* נבעת, מזועזע
ag′ile (aj′əl) *adj.* קל, זריז, מהיר
agil′ity *n.* קלות, זריזות
ag′itate′ *v.* להטריד, להדאיג; לעורר גלים, לנענע; להתסיס; לנהל תעמולה
ag′ita′tion *n.* חרדה, דאגה; נענוע; תסיסה; תעמולה
ag′ita′tor *n.* תעמלן
aglow′ (-ō) *adj.* לוהט, בוער
ag•nos′tic *n&adj.* אגנוסטי, כופר
ag•nos′ticism′ *n.* אגנוסטיות
ago′ *adv.* בעבר; לפני כן
how long ago? לפני כמה זמן? מתי?
long ago לפני זמן רב
agog′ *adj.* מתלהב, נרגש
ag′onize′ *v.* להתייסר, לסבול קשות
agonized *adj.* מיוסר
agonizing *adj.* גורם ייסורים
ag′ony *n.* ייסורים; גסיסה
pile on the agony להפליג בתיאור הסבל
agony column טור מודעות אישיות
ag′ora′ (ägərä′) *n.* אגורה
ag′orapho′bia *n.* בעת־חוץ
agra′rian *adj.* אגרארי, חקלאי
agree′ *v.* להסכים; לחיות בשלום; להתאים, לתאום, להלום
agree with להתאים ל־, לעלות בקנה אחד עם; להיות יפה לבריאותו
agree′able *adj.* נעים; מסכים
agreeably *adv.* בסיפוק, בהנאה
agree′ment *n.* תמימות דעים, הסכמה; הסכם; התאמה, הרמוניה
ag′ricul′tural (-′ch-) *adj.* חקלאי
ag′ricul′ture *n.* חקלאות
agron′omy *n.* אגרונומיה, חקלאות
aground′ *adv.* על שירטון
run aground לעלות על שירטון
a′gue (-gū) *n.* קדחת, צמרמורת
ah (ä) *interj.* אה! קריאה
aha′ (ähä′) *interj.* אה! קריאת שמחה
ahead′ (-hed) *adv.* קדימה, לפנים, בראש; מראש
ahead of לפני
get ahead להתקדם; להצליח
get ahead of לחלוף על פני
go ahead להתקדם; להמשיך
look ahead להסתכל קדימה (לעתיד)
ahem′ *interj.* המ..., ביטוי סתמי
ahoy′ *interj.* הלו! (קריאת ימאים)
aid *v.* לעזור, לסייע ל־
aid *n.* עזרה, סיוע, אמצעי־עזר, עזר
first aid עזרה ראשונה
what is this in aid of? לשם מה זה?
aide *n.* שליש, עוזר
aide-de-camp′ *n.* שליש צבאי
AIDS, Aids (ādz) *n.* איידס (מחלה)
aigret(te)′ *n.* תכשיט־נוצות (על הראש)
ail *v.* להכאיב, להציק; לחלות

what ails you? מה כואב לך?
ai′leron′ *n.* מאזנת (של מטוס)
ail′ment *n.* חולי, מחלה
aim *v.* לכוון; להתכוון; לשאוף, לתכנן
aim *n.* מטרה, כוונה, שאיפה; יעד
take aim at לכוון לעבר־
aimless *n.* חסר מטרה, נטול תכלית
ain't = am not, is not, has not
air *n.* אוויר; רוח; אווירה, הופעה, מראה; מנגינה
airs and graces התנהגות מעושה
by air בדרך האוויר, באוויר
clear the air לטהר את האווירה
give oneself airs להתנפח, להתרברב, "לעשות רוח"
go off the air להפסיק השידור
in the air נפוץ, רווח, מתהלך, מורגש; תלוי ועומד, לא מוכרע; חשוף, גלוי
melt into thin air להתנדף כעשן
on the air משודר (ברדיו)
put on airs להתנפח, "לעשות רוח"
take the air לטייל; להתחיל בשידור
up in the air תלוי ועומד; רוגז, נרגש
walks on air הוא ברקיע השביעי
air לאוורר, לייבש; לנפנף, להבליט, להביע
airbase *n.* בסיס אווירי
airbed *n.* מזרון אוויר
airborne *adj.* מוטס; טס, בטיסה
airbrake *n.* בלם אוויר, מעצור אוויר
airbus *n.* מטוס נוסעים
air-conditioned *adj.* (אולם) ממוזג
air-conditioner *n.* מזגן
air-conditioning *n.* מיזוג אוויר
air-cool *v.* לאוורר, לצנן (מנוע)
aircraft *n.* מטוס; מטוסים
aircraft carrier נושאת מטוסים
aircrew *n.* צוות אוויר
air cushion כרית אוויר
air cushion vehicle רחפה
airdrome *n.* שדה תעופה
airdrop *n.* הצנחה (ממטוסים)
airfield *n.* שדה תעופה
airforce *n.* חיל אוויר
air-frame *n.* שלד־המטוס
air gun רובה־אוויר
air hammer פטיש אוויר
airhostess *n.* דיילת
airily *adv.* בעליזות, בקלילות
airing *n.* איוורור, הבעה בפומבי
airing cupboard ארון ייבוש
airlane *n.* נתיב אוויר
airless *adj.* מחניק, דחוס
airletter *n.* איגרת אוויר
airlift *n.* רכבת אווירית
airline *n.* חברת תעופה
airliner *n.* מטוס נוסעים
airlock *n.* תא אטים (לאוויר); סתימה בצינור
airmail *n.* דואר אוויר
airman *n.* טייס, איש־צוות
air-minded *adj.* חובב תעופה, שוחר טיס
airplane *n.* מטוס, אווירון
airpocket *n.* כיס אוויר
airport *n.* נמל תעופה
air raid התקפה אווירית, הפצצה
air-screw *n.* מדחף
airshaft *n.* פתח־אוויר, ארובה
airship *n.* ספינת־אוויר
airsick *adj.* חולה טיסה
airspace *n.* חלל האוויר, שמי המדינה
air speed מהירות אווירית (בטיסה)
airstrip *n.* מסלול המראה, מימראה
air terminal טרמינל, מסוף
airtight *adj.* אטים, לא חדיר; משכנע
airtight alibi אליבי מוצק
air-to-air *adj.* (טיל) אוויר־אוויר
air-to-ground *adj.* (טיל) אוויר־קרקע
airway *n.* נתיב אוויר
airworthy *adj.* כשיר לטיסה
airy *adj.* מאוורר, אוורירי; ריק, נבוב, שיטחי; עליז, קליל
aisle (īl) *n.* מעבר (בין שורות)
roll in the aisles להתגלגל מצחוק
walk down the aisle להתחתן
aitch *n.* האות H
drop one's aitches לבטא H בלי נשיפה
aitch-bone *n.* עצם האחוריים
ajar′ *adj.* (דלת) פתוחה במקצת
akim′bo *adv.* (ידיים) על המותניים
akin′ *adj.* דומה, קרוב
a la (ä lä) *prep.* באופן, בנוסח, בסיגנון
al′abas′ter *n.* בהט
a la carte (ä′ləkärt′) לפי התפריט, כל מנה לחוד
alack′ *interj.* אהה!
alac′rity *n.* נכונות, להיטות
a la mode′ (ä-) לפי האופנה; מוגש עם גלידה
alarm′ *n.* אזעקה; פעמון־אזעקה; חרדה
take alarm להיתקף חרדה
alarm *v.* להחריד, להפחיד
alarm clock שעון מעורר

alarming *adj.* מעורר חרדה
alarmist *n.* זורע בהלה
alas' *interj.* חבל! אהה!
alb *n.* גלימת כומר (לבנה)
al'batross' *n.* אלבטרוס (עוף ים)
al•be'it (ôl-) *conj.* אף על פי ש־
al•bi'no *n.* לבקן, אלביניסט
al'bum *n.* אלבום; תקליט אריך־נגן
al•bu'men *n.* אלבומין; חלבון
al'chemist (-k-) *n.* אלכימאי
al'chemy (-k-) *n.* אלכימיה
al'cohol' (-hôl) *n.* אלכוהול, כוהל
al'cohol'ic (-hôl-) *adj.* אלכוהולי
alcoholic *n.* שתיין
al'coholism' (-hôl-) *n.* כהלת, אלכוהוליזם
al'cove' *n.* חדרון, חצי חדר, פינה
al'der (ôl-) *n.* אלמון (עץ)
al'derman (ôl-) *n.* חבר מועצת העירייה
ale *n.* שיכר, בירה
alehouse *n.* מיסבאה
alert' *adj.* דרוך, עירני, זריז, מהיר
alert *n.* אזעקה, אתראה, כוננות
on the alert על המשמר, בכוננות
alert *v.* להעמיד על המישמר, להזהיר
alex'ia *n.* עיוורון־מילים
al•fal'fa *n.* אספסת (צמח)
al•fres'co *adj.* בחוץ, באוויר הצח
al'ga *n.* אצה
al'gae (-jē) *n-pl.* אצות
al'gebra *n.* אלגברה
al'gebra'ic *adj.* אלגבראי
a'lias *n&adv.* שם נוסף, כינוי
Tom alias Bob טום הנקרא גם בוב
al'ibi' *n.* אליבי; ∗תירוץ, אמתלה
a'lien *n.* זר, נכרי , חייזר
alien *adj.* זר, שונה, מנוגד, סותר
a'lienate' *v.* להרחיק, לגרום ניכור; להעביר בעלות, להחרים, להפקיע
a'liena'tion *n.* הרחקה; התרחקות; ניכור; העברת בעלות, הפקעה; שיגעון
a'lienist *n.* פסיכיאטר
alight' *v.* לרדת (מסוס, מאוטובוס)
alight on לנחות על; להיתקל ב־
alight *adj.* דולק, לוהט, בוער
align' (əlīn') *v.* לסדר/להסתדר בשורה, ליישר; להיערך; להתייצב לצד־
alignment *n.* יישור; היערכות; מערך
alike' *adj.* דומה, שווה, דומים
alike *adv.* באותה צורה, באופן דומה
al'imen'tary *adj.* עיכולי, מזוני

alimentary canal צינור העיכול
al'imo'ny *n.* (דמי) מזונות
alive' *adj.* בחיים; חי; פעיל, עירני
alive to ער ל־, מודע ל־
alive with שורץ, רוחש, מלא
al'kali' *n.* אלקאלי, בסיס
all (ôl) *adj.* כל, הכל, כולם; כל כולו
of all people דווקא הוא!
on all fours על ידיו ורגליו, על ארבע
with all speed במירב המהירות
I'm all ears "כולי אוזן"
all *adv.* כליל, לגמרי
all alone לבדו, בעצמו
all along במשך כל הזמן
all but כמעט
all for ∗בעד, תומך בהתלהבות ב־
all in ∗עייף, "מת", "סחוט"
all of $1000 $1000 טבין ותקילין
all of a tremble כולו רועד
all one to היינו הך ל־
all over נגמר, נסתיים, תם; בכל מקום; בכל רמ"ח אבריו
all over the world בכל העולם
all right בסדר, בריא ושלם; נכון, כן; ∗ללא כל ספק
all the more הרבה יותר
all the same אף על פי כן
all the same to היינו הך ל־
all the sooner מהר יותר
all there "בסדר גמור", פיקח
all told בסך הכל
all up חסל, נגמר, זה הסוף
not all there "לא בסדר", מטומטם
2 all 2:2 (תוצאת תיקו)
all *pron.* הכל, כולם
above all מעל לכל
after all אחרי ככלות הכל; למרות הכל
all in all בסך הכל, בסיכום
all of כל אחד מ־, הכל, כולם
all very well, but הכל טוב ויפה, אבל
for all על אף, למרות
for all I know למיטב ידיעתי
go all out לפעול במאמץ מרבי
he is all in all to her הוא "הכל" בשבילה
in all בסך הכל
not at all לגמרי לא, "אין בעד מה" (כתשובה על "תודה")
not so bad as all that לא רע עד כדי כך
once and for all אחת ולתמיד
one's all כל רכושו, כל היקר לו

Al′lah (-lə) *n.* אלהים, אללה
allay′ *v.* לשכך, להפיג, להרגיע
all clear ארגעה, צפירת ארגעה
al′lega′tion *n.* הצהרה, טענה, אמירה
allege′ (-lej′) *v.* להצהיר, לטעון
alleged *adj.* החשוד, כפי שאומרים, שהוא כביכול, כאילו
allegedly *adv.* לפי ההאשמות
alle′giance (-jəns) *n.* נאמנות
al′legor′ical *adj.* אלגורי, משלי
al′legorize′ *v.* להמשיל משל, למַשל
al′lego′ry *n.* משל, אלגוריה
al′legret′to *n.* (במוסיקה) אלגרטו
alleg′ro *n.* (במוסיקה) אלגרו, עירני
al′lelu′ia (-yə) *interj.* הללויה!
aller′gic *adj.* אלרגי, רגיש
al′lergy *n.* אלרגיה, רגישות
alle′viate′ *v.* להקל, להפחית, לשכך
alle′via′tion *n.* הקלה, הפחתה
al′ley *n.* סימטה, מישעול
blind alley מבוי סתום
down one's alley ★לטעמו, אוהב זאת
alley cat ★לא צנועה, מתמסרת
alleyway *n.* סימטה, מישעול
alli′ance *n.* ברית, התקשרות
allied′ (-līd′) *adj.* בעל ברית; קשור, קרוב
al′liga′tor *n.* תנין; עור תנין
all-important *adj.* רב־חשיבות
all-in *adj.* כולל, מקיף; (היאבקות) חופשית
allit′era′tion *n.* אליטרציה (שיוויון צלילים בראשי מלים סמוכות)
al′locate′ *v.* להקציב, להקצות
al′loca′tion *n.* הקצבה; מנה
allot′ *v.* להקציב, להקצות
allotment *n.* הקצאה; חלק, מנה; חלקת אדמה (מוחכרת)
all-out *adj.* כולל, שלם, כללי
allow′ *v.* להרשות; לתת, להקציב; להודות, לקבל
allow for לקחת בחשבון, לאפשר
allow of לאפשר, לקבל
allowable *adj.* מותר, חוקי
allowance *n.* קצובה, מענק, דמי כיס; הנחה, הפחתה
make allowances for להתחשב ב־
alloy′ *n.* סגסוגת, מסג, נתך
alloy *v.* לסגסג; לפגום, לקלקל
all-powerful *adj.* כל־יכול, רב־כוח
all-purpose *adj.* רב־תכליתי
all-round *adj.* רב־צדדי
all-rounder *n.* ספורטאי רב־צדדי
all′spice′ (ôl-) *n.* פילפל אנגלי
all-star *adj.* (סרט) עם גדולי הכוכבים
all-time *adj.* שבכל הזמנים
all-time high שיא חדש
allude′ *v.* לרמוז, להזכיר
allure′ *v.* למשוך, לפתות, לשבות לב
allure *n.* משיכה, קסם
allurement *n.* משיכה, פיתוי
allu′sion (-zhən) *n.* רמז, רמיזה
allu′sive *adj.* מרמז, רומז
allu′vial *n.* של סחף, אלוביאלי
ally′ *v.* להתקשר, לבוא בברית; לאחד
ally itself with לבוא בברית עם
ally *n.* בעל ברית, תומך, מסייע
al′ma ma′ter (-mät-) *n.* אלמה מאטר, בית הספר (לגבי בוגריו); הימנון ביה"ס
al′manac′ (ôl-) *n.* אלמנך, לוח שנה, שנתון
al•might′y (ôl-) *adj.* כל־יכול
the Almighty אלוהים
al′mond (ä′m-) *n.* שקד; שקדיה
almond-eyed *adj.* בעל עיניים שקדיות
al′moner *n.* עובד סוציאלי, פקיד סעד
almost (ôl′mōst) *adv.* כמעט
alms (ämz) *n-pl.* נדבה, צדקה
almshouse *n.* בית מחסה
al′oe (-lō) *n.* אלווי (צמח־נוי)
aloft′ (əlôft′) *adv.* למעלה, גבוה
alone′ *adv&adj.* לבד, לבדו; יחיד
let alone קל וחומר
let me alone הנח לי!
let well alone הנח לו כפי שהוא
stands alone יחיד במינו, אין מושלו
along′ (əlông′) *prep.* לאורך
along here לכאן, לכיוון זה
along *adv.* (להדגשת פעולה) הלאה, קדימה; בחברת, יחד
along with בצירוף, יחד עם
come along בוא! הצטרף!
alongside *adv&prep.* לצד, על־יד, קרוב ל־
aloof′ (əlōōf′) *adv.* במרחק, בנפרד, מן הצד
keep aloof from להתרחק מ־
aloof *adj.* צונן, לא ידידותי
aloud′ *adv.* בקול, בקול רם
alp *n.* הר גבוה
al•pac′a *n.* אלפקה, גמל־הצאן
al′penstock′ *n.* מוט הטפסן
al′pha *n.* אלפא, אלף, ראשון

alpha and omega האלף והתיו
al′phabet′ *n.* אלף־בית, הא"ב
al′phabet′ical *adj.* אלפביתי
al′pine *adj.* של הרים, הררי
Al′pinist *n.* אלפיניסט, טפסן, טפס
already (ôlred′i) *adv.* כבר
alright′ = all right (ôl-)
al′so (ôl-) *adv.* גם, גם כן
also-ran *n.* נכשל (בתחרות, בבחירות)
al′tar (ôl-) *n.* מיזבח
lead to the altar להתחתן
altarpiece *n.* קישוט המיזבח
al′ter (ôl-) *v.* לשנות; להשתנות
alterable *adj.* בר־שינוי
al′tera′tion (ôl-) *n.* שינוי, תיקון
al′terca′tion (ôl-) *n.* ריב, ויכוח
al′ter e′go האני האחר; ידיד־נפש
al′ternate′ (ôl-) *v.* לבוא לסירוגין, להתחלף; להחליף, לסדר זה אחר זה
al′ternate (ôl-) *adj.* בא לסירוגין, סירוגי, כל שני, חליפות
alternate days כל יומיים
alternating current זרם חילופין
al′terna′tion (ôl-) *n.* התחלפות
alter′native (ôl-) *n.* ברירה, חלופה, אלטרנטיבה
alternative *adj.* אלטרנטיבי, חילופי
alternatively *adv.* לחלופין
altho (ôldhō′) *conj.* אף על פי ש־
although (ôldhō′) *conj.* אף על פי ש־
al•tim′eter *n.* מד־גובה, מד־רום
al′titude′ *n.* גובה, רום
al′to *n.* אלט (קול)
al′togeth′er (ôl′təgedh′ər) *adv.* לגמרי; בסיכום, בסך הכל
in the altogether ערום, מעורטל
al′tru•ism′ (-troo-) *n.* אלטרואיזם, זולתנות
al′tru•ist (-troo-) *n.* אלטרואיסט, זולתן
al′tru•is′tic (-troo-) *adj.* זולתני
alu′minum *n.* אלומיניום, חמרן
alum′na *n.* בוגרת (של בית ספר)
alum′nus *n.* בוגר (של בית ספר)
al•ve′olar *n.* עיצור שיני
always (ôl′wāz) *adv.* תמיד
A.M. לפני הצהריים
am, I am, I'm אני, הנני
amal′gam *n.* מסג; אמאלגאמה
amal′gamate′ *v.* לאחד, למזג; להתמזג
amal′gama′tion *n.* התמזגות; איגוד
aman′u•en′sis (-nū-) *n.* לבלר

am′aryl′lis *n.* נרקיס
amass′ *v.* לצבור, לאגור, לערום
am′ateur (-choor) *n&adj.* חובב, חובבני
amateurish *adj.* חובבני, דל, טירוני
am′ato′ry *adj.* אוהב, עורג, חשקני
amaze′ *v.* להדהים, להפתיע
amazement *n.* תדהמה
amazing *adj.* מדהים, כביר
am′azon *n.* אמזונה, גיבורה
am•bas′sador *n.* שגריר, נציג
am•bas′sador′ial *adj.* של שגריר
am•bas′sadress *n.* שגרירה
am′ber *n.* עינבר; חום־צהבהב
am′bidex′trous *adj.* דו־ידי, שולט בשתי ידיו
am′bience *n.* אווירה, סביבה
am′bient *adj.* אופף, מקיף
am•bigu′ity *n.* אי־בהירות, עירפול
am•big′u•ous (-gūəs) *adj.* מעורפל, לא ברור
am′bit *n.* תחום, גבול
am•bi′tion (-bi-) *n.* אמביציה, שאיפה
am•bi′tious (-bish′əs) *adj.* שאפתני; דורש מאמץ
am•biv′alence *n.* דו־ערכיות, קיום רגשות מנוגדים, אמביוואלנטיות
am•biv′alent *adj.* דו־ערכי, אמביוואלנטי
am′ble *v.* לפסוע לאט, לצעוד קלות
amble *n.* טפיפה, פסיעה איטית
am•bro′sia (-zhə) *n.* לחם־האלים, מאכל תאווה; ריח ניחוח, אמברוסיה
am′bu•lance *n.* אמבולנס
am′bu•lato′ry *adj.* של הליכה; מתהלך
am′buscade′ *n.* מארב
am′bush (-boosh) *n.* מארב
ambush *v.* לארוב, להתקיף מהמארב
ame′ba *n.* אמבה, חילופית
ame′bic *adj.* של אמבה, אמבי
ame′liorate′ *v.* לשפר; להשתפר
ame′liora′tion *n.* שיפור
a′men′ *interj.* אמן!
ame′nable *adj.* מקבל מרות, ממושמע, נוח; מושפע בקלות
amenable to כפוף ל־; אחראי כלפי־
amend′ *v.* לשפר; להשתפר; לשנות, לתקן
amendment *n.* תיקון, שינוי
amends′ *n-pl.* פיצויים
make amends לפצות, לכפר

amen′ity *n.* נוחות, נעימות
amenities דברים נעימים; גינונים נאים; תנאים נוחים
amerce′ *v.* להעניש
Amer′ican *adj&n.* אמריקני
Amer′icanism′ *n.* אמריקניות
am′ethyst *n.* אחלמה (אבן יקרה)
a′miabil′ity *n.* חביבות, ידידותיות
a′miable *adj.* חביב, נעים
am′icable *adj.* ידידותי
amid′, amidst′ *prep.* בתוך, בין
amid′ships′ *adv.* באמצע האונייה
amir′ (-mir) *n.* אמיר (מוסלמי)
amiss′ *adv.* לא כשורה, לא בסדר
take it amiss להיעלב מכך
am′ity *n.* ידידות, יחסי ידידות
am′me′ter *n.* מד־אמפר
am′mo *n.* תחמושת*
ammo′nia *n.* אמוניה, אמוניאק, אושק
am′monite′ *n.* אמוניט (רכיכה מאובנת)
am′mu•ni′tion (-ni-) *n.* תחמושת
am•ne′sia (-zhə) *n.* שיכחון, אמנסיה, מחלת השיכחה, נשיון, שַׁכַּחַת
am′nesty *n.* חנינה, המתקת עונש
amoeba = ameba (əmē′bə) *n.* אמבה
amok′, amuck′ *adv.* אמוק, טירוף
among′ (-mung) *prep.* בתוך, בין
among themselves בינם לבין עצמם
amongst′ (-mungst) *prep.* בתוך, בין
a•mor′al *adj.* לא מוסרי, חסר מוסריות
am′orous *adj.* אוהב, של אהבה; חשקני
amor′phous *adj.* נטול צורה, אמורפי
am′ortiza′tion *n.* בלאי, פחת
am′ortize′ *v.* לסלק חוב (בתשלומים)
amount′ *n.* סכום, כמות
amount *v.* להסתכם, להיות שווה ל־
amour′ (-moor) *n.* פרשת אהבה
am′pere *n.* אמפר (יחידת זרם)
am′persand′ = (&) *n.* סימן החיבור, אמפרסנד
am•phib′ian *n.* דוּחַי, כלי־טיס אמפיבי, רכב אמפיבי
am•phib′ious *adj.* אמפיבי
am′phithe′ater *n.* אמפיתיאטרון
am′phora *n.* כד, אגרטל, קנקן, אמפורה
am′ple *adj.* גדול, מרווח; הרבה
am′plifica′tion *n.* הגדלה, הגברה
am′plifi′er *n.* מגבר (במקלט רדיו)
am′plify′ *v.* להגדיל; להאריך, להוסיף פרטים; להגביר עוצמת זרם
am′plitude′ *n.* גודל; שפע, שיפעה; מישרעת, אמפליטודה
amply *adv.* הרבה, בשפע
am′poule′ (-pūl) *n.* אמפולה
am′pule *n.* אמפולה; שפופרת קטנה
am′pu•tate′ *v.* לקטוע (איבר/גפה)
am′pu•ta′tion *n.* כריתה, קטיעה
am′pu•tee′ (-pyoo-) *n.* גידם, קיטע
amuck′, run amuck להתרוצץ אחוז אמוק (בתאוות־רצח)
am′u•let *n.* קמיע
amuse′ (-z) *v.* לבדר; להצחיק, לבדח
amusement *n.* בידור; הנאה, שעשוע
places of amusement מקומות בידור
amusement arcade אולם שעשועים
amusement park גן שעשועים
an = a (an, ∂n) *adj.* אחד
anach′ronism′ (-k-) *n.* אנכרוניזם, טעות בזמן, דבר שנתיישן
anach′ronis′tic (-k-) *adj.* לא בעיתו
an′acon′da *n.* אנקונדה (נחש)
anaemia = anemia
anaes- = anes-
an′agram′ *n.* אנגרם, היפוך־אותיות (יצירת מלה מאותיות מלה אחרת)
a′nal *adj.* של פי הטבעת
an′alec′ta *n-pl.* לקט ספרותי, אנתולוגיה
an′alge′sia *n.* חוסר כאב
an′alge′sic *n.* משכך כאבים
an′alog′ical *adj.* אנלוגי
anal′ogize′ *v.* להקיש, להשוות
anal′ogous *adj.* דומה, מקביל
an′alogue′ (-lôg) *n.* דומה, מקביל
anal′ogy *n.* אנלוגיה, השוואה, היקש, הקבלה
anal′ysis *n.* ניתוח, בדיקה, אנליזה; פסיכואנליזה
an′alyst *n.* נתחן, מנתח, בודק; פסיכואנליטיקן
an′alyt′ical *adj.* ניתוחי, נתחני, אנליטי, ביקורתי
an′alyze′ *v.* לנתח; לעשות אנליזה
an′apest′ *n.* אנפסט, משפיל
an•ar′chic (-k-) *adj.* אנרכי, מופקר
an′archism′ (-k-) *n.* אנרכיזם
an′archist (-k-) *n.* אנרכיסט
an′archy (-k-) *n.* אנרכיה, הפקרות
anath′ema *n.* נידוי, חרם; תועבה
anath′ematize′ *v.* לקלל, לאור; לנדות
an′atom′ical *adj.* אנטומי
anat′omist *n.* עוסק באנטומיה

anat′omy *n.* אנטומיה, מיבנה הגוף
an′ces′tor *n.* אב קדמון
an•ces′tral *adj.* של אבות קדומים
an′ces′tress *n.* אם קדמונית
an′ces′try *n.* מוצא, ייחוס, שושלת
an′chor (-k-) *n.* עוגן; מחסה, מיבטח
at anchor בעגינה, עוגן
cast/drop anchor להשליך עוגן
come to anchor להטיל עוגן
ride at anchor לעגון
weigh anchor להרים עוגן
anchor *v.* לעגון, להטיל עוגן
an′chorage (-k-) *n.* מעגן, עגינה
an′chorite′ (-k-) *n.* נזיר
an′cho•vy *n.* עפיין (דגיג), אנשובי
an′cient (ān′shənt) *adj.* עתיק, קדמון
the ancients הקדמונים
an′cillar′y (-leri) *adj.* מסייע, מישני, טפל
and (and,ənd,ən) *conj.* ו־, גם
and all "והכל", וכולי
and how! ועוד איך! בהחלט!
and/or ו/או
andan′te (ändän′ti) *n.* אנדנטה, מתון, הליכי
and′i′ron (-ī′ərn) *n.* מוט, משען באח (להחזקת העצים)
an•drog′ynous *adj.* דו־מיני, אנדרוגני
an′ecdote′ *n.* אנקדוטה, מעשייה
ane′mia *n.* אנמיה, מיעוט־דם, חסר־דם
ane′mic *adj.* אנמי, חסר־דם, מעוט־דם
an′emom′eter *n.* אנמומטר, מד־רוח
anem′one (-məni) *n.* כלנית (צמח, פרח)
anent′ *prep.* באשר ל־
an′esthe′sia (-zhə) *n.* אילחוש, אלחוש, העדר תחושה
an′esthet′ic *n.* מאלחש (סם)
anes′thetist *n.* מאלחש (רופא)
anes′thetize′ *v.* להרדים, לאלחש
anew′ (ənōō′) *adv.* שוב, עוד פעם, מחדש
an′gel (ān′-) *n.* מלאך
an•gel′ic *adj.* מלאכי, טהור, יפה
an′gelus *n.* אנגלוס (תפילה נוצרית)
an′ger (-g-) *n.* כעס, חימה
anger *v.* להרגיז, להכעיס
an•gi′na pec′toris תעוקת הלב
an′gle *n.* זווית; נקודת מבט
angle *v.* להטות, לזוות, להצדיד
angle the report לסלף את הדו"ח
angle *v.* להשליך חכה, לחכות (דגים)
angle for לנסות להשיג בתחבולות
Ang′lican *adj.* אנגליקני
Ang′licism′ *n.* ביטוי אנגלי
ang′licize′ *v.* לאנגל; להתאנגל
angling *n.* דַיִג (בחכה)
Ang′lo (תחילית) אנגלי, בריטי
Ang′lophile′ *n.* חובב אנגלים
Ang′lophobe′ *n.* שונא אנגלים
Ang′lo-Sax′on *n.* אנגלו־סקסי
an•go′ra *n.* אנגורה, צמר אנגורה
an′gry *adj.* כועס, זועם, סוער
angry sky שמיים קודרים
angry wound פצע דלקתי
angst *n.* חרדה (לעתיד האנושות)
an′guish (-gwish) *n.* יסורים, חרדה
anguished *adj.* סובל, מתייסר
an′gu•lar *adj.* זוויתי; שעצמותיו בולטות, גרמי; קשה, נוקשה
an′gu•lar′ity *n.* נוקשות, גרמיות
an′iline′ (-lin) *n.* אנילין (נוזל לייצור צבעים ותכשירים רפואיים)
an′imad′ver′sion (-zhən) *n.* ביקורת, ביקורתיות
an′imad′vert′ *v.* לבקר, להעיר
an′imal *n.* בעל־חיים, חיה
animal *adj.* חייתי, גשמי, בשרי
an′imal′cule′ *n.* חיידק
animal husbandry גידול בהמות
an′imalism′ *n.* חייתיות, בהמיות
animal spirits מרץ, רעננות
an′imate *adj.* חי, מלא חיים
an′imate′ *v.* לעורר, להחיות; להמריץ
animated cartoon סרט מצוייר
an′ima′tion *n.* חיות, עירנות; אנימציה, הנפשה
an′imism′ *n.* אנימיזם (אמונה בקיום נשמה בכל עצם)
an′imos′ity *n.* טינה, איבה
an′imus *n.* טינה, איבה, עוינות
an′ise (-nis) *n.* כמנון, אכרוע (צמח)
an′kle *n.* קרסול
an′klet *n.* עכס, אצעדת־קרסול
an′nalist *n.* היסטוריון, רושם קורות
an′nals *n-pl.* תולדות, היסטוריה
anneal′ *v.* לחשל, לקשח
an′nex′ *n.* תוספת; אגף בבניין
annex′ *v.* לספח, לחבר
an′nex•a′tion *n.* סיפוח, חיבור
anni′hilate′ (-′əl-) *v.* להשמיד
anni′hila′tion (-′əl-) *n.* השמדה
an′niver′sary *n.* יום השנה
an′no Dom′ini′ = A.D. לספירת

הנוצרים, לספה"נ, להולדת ישו
an'notate' *v.* לפרש, להוסיף הערות
an'nota'tion *n.* פירוש
announce' *v.* להודיע, להכריז
announcement *n.* הודעה, מודעה
announcer *n.* קריין
annoy' *v.* להציק, להטריד
annoyance *n.* הטרדה; צער; מיטרד
an'nu•al (-nūəl) *adj.* שנתי
annual *n.* שנתון; חד־שנתי (צמח)
annu'ity *n.* קיצבה שנתית, אנונה
annul' *v.* לבטל, לחסל
an'nu•lar *adj.* טבעתי
annulment *n.* ביטול, חיסול
annun'ciate' *v.* להכריז
Annun'cia'tion *n.* חג הבשורה
an'ode *n.* אנוד, אלקטרוד חיובי
an'odyne' *n&adj.* מרגיע, משכך
anoint' *v.* למשוח (בשמן)
anointment *n.* משיחה
anom'alous *adj.* חורג, אנומלי
anom'aly *n.* סטייה, אנומליה, זרות
anon' *adv.* מיד, בקרוב
ever and anon מדי פעם
anon = anonymous
an'onym'ity *n.* אלמוניות
anon'ymous *adj.* אנונימי, אלמוני
anoph'eles' (-lēz) *n.* אנופלס (יתוש)
an'orak' *n.* מעיל רוח
anoth'er (-nudh-) *adj&pron.* נוסף, אחר, שונה, שני, עוד
one another זה את זה
an'swer (-sər) *n.* תשובה, פיתרון
in answer to בתשובה ל-
answer *v.* להשיב, לענות ל', לענות על'; לספק, להלום את, להתאים
answer a purpose להתאים למטרה
answer back לענות בחוצפה
answer for להיות אחראי ל', לערוב ל', לשלם בעד
answer to להתאים ל', להלום את
answerable *adj.* אחראי, חייב הסבר
ant *n.* נמלה
an•tag'onism' *n.* ניגוד, איבה
an•tag'onist *n.* יריב, מתנגד חריף
an•tag'onis'tic *adj.* מתנגד
an•tag'onize' *v.* להשניא
ant•arc'tic *adj.* אנטארקטי
ant bear דוב הנמלים
an'te (-ti) *n&v.* כסף הימורים (מושלש); להמר; לשלם חלקו
ante (תחילית) לפני

an'tece'dence *n.* עדיפות, בכורה
an'tece'dent *adj.* בא לפני, קודם
antecedent *n.* מיקרה קודם; שם קודם
antecedents אבות, ייחוס, מוצא
an'te•cham'ber (-chām-) *n.* פרוזדור, מבוא
an'te•date' *v.* להקדים תאריך; לקרות לפני, לקדום ל-
an'te•dilu'vian *adj.* לפני המבול; מיושן
an'telope' *n.* אנטילופה (צבי)
an'te merid'iem (-ti-) לפני הצהריים
an'te•na'tal *adj.* לפני הלידה
antenatal clinic מירפאת נשים
an•ten'na *n.* משושה, אנטנה; משוש, מחוש
an'te•penul'timate *adj.* השלישי מהסוף
an•te'rior *adj.* קודם, בא לפני
an'te•room' *n.* פרוזדור
an'them *n.* הימנון
an'ther *n.* מאבק (של פרח)
an'thol'ogy *n.* מיקראה, אנתולוגיה, קובץ, לקט
an'thracite' *n.* אנתרציט, פחם־אבן
an'thrax' *n.* פחמת (מחלה)
an'thropoid' *adj.* דומה לאדם (קוף)
an'thropol'ogist *n.* אנתרופולוג
an'thropol'ogy *n.* אנתרופולוגיה
an'thropomor'phism' *n.* אינוש
anti (תחילית) אנטי, נגד־
an'tiair'craft' *adj.* נגד מטוסים
an'tibi•ot'ic *n.* אנטיביוטיקה
an'tibod'y *n.* נוגדן
an'tic *n.* תעלול; תנועה מצחיקה
an•tic'ipate' *v.* לצַפּות ל', לחזות; להטרים, להקדים, להזדרז ולהקדים את־
an•tic'ipa'tion *n.* ציפייה; הטרמה
an•tic'ipato'ry *adj.* מקדים, נעשה מראש, מוטרם
an'ticler'ical *adj.* אנטיקלריקלי
an'ticli'max' *n.* נפילה (ממצב רציני למצב מגוחך), אנטיקלימקס
anti-clockwise *adj.* נגד מהלך מחוגי השעון
an'tidote' *n.* תרופה; נגד רעלי
an'tifreeze' *n.* נגד הקפאה
an'tigen' *n.* אנטיגן, מייצר נוגדנים
anti-hero *n.* אנטי־גיבור
an'tiknock' (-tin-) *n.* מונע פיצוץ במנוע
an'tilog'arithm' (-ridh'əm) *n.*

אנטילוגאריתם (במתמטיקה)

an′timacas′sar *n.* מפית (נגד זיעה)

an•tip′athet′ic *adj.* שונא, סולד

an•tip′athy *n.* אנטיפתיה, סלידה

an′tiper′sonnel′ *adj.* (פצצה) נגד אנשים

an•tip′odes′ (-dēz) *n-pl.* אנטיפודים, שתי נקודות נגדיות על כדור הארץ, אוסטרליה, ניו זילנד

an′tiqua′rian *adj.* של עתיקות

an′tiquar′y (-kweri) *n.* עוסק בעתיקות

an′tiqua′ted *adj.* שעבר זמנו, מיושן

an•tique′ (-tēk) *n&adj.* (חפץ) עתיק

the antique הסיגנון העתיק באמנות

an•tiq′uity *n.* ימי־קדם, קדמונות

antiquities שרידים, עתיקות

an′tirrhi′num (-rī-) *n.* לוע־הארי

an′ti-Sem′ite *n.* אנטישמי

an′ti-Semit′ic *adj.* אנטישמי

an′ti-Sem′itism′ *n.* אנטישמיות

an′tisep′tic *n.* מונע זיהום, מחַטא

an′tiso′cial *adj.* לא חברתי, בלתי חברותי

an•tith′esis *n.* ניגוד, אנטיתיזה

an′tithet′ic *adj.* מנוגד

an′titox′in *n.* רעלן נגדי

ant′ler *n.* קרן־הצבי

an′tonym′ *n.* אנטונים, מלה נגדית

a′nus *n.* פי־הטבעת

an′vil (-vəl) *n.* סדן

anx•i′ety (angzī-) *n.* חרדה, דאגה; תשוקה, רצון עז

anx′ious (angk′shəs) *adj.* ירוד, דואג; מדאיג; משתוקק

anxious business עניין מדאיג

any (en′i) *adj&pron&adv.* איזשהו, כל, שום, מישהו; במידה כלשהי, בכלל

at any rate בכל אופן

if any אם בכלל

in any case בכל מיקרה

anybody *pron.* מישהו; כל אדם

anybody's guess ★דבר לא ודאי

anyhow *adv.* איכשהו, בדרך כלשהי; בכל זאת, בכל אופן

anyone *pron.* מישהו; כל אחד

anyplace *adv.* בכל מקום שהוא

anything *n.* משהו; שום דבר, כל דבר

anything but כלל לא

as anything ★"כמו כלום", מאוד

if anything אם כבר, אם בכלל

like anything ★מאוד, מהר, חזק

anyway *adv.* בכל אופן, בכל זאת

anywhere *adv.* בכל מקום שהוא, איפשהו

a•or′ta *n.* אב העורקים, אבעורק

apace′ *adv.* במהירות

ap′anage *n.* צירוף טיבעי, לוואי טיבעי; נכסים, רכוש

apart′ *adv.* במרחק, בנפרד, לחוד, בצד, הצידה; במרחק־מה; לחתיכות, לחלקים

apart from חוץ מ־; מלבד

joking apart צחוק בצד

keep apart from להתרחק מ־

know them apart להבחין ביניהם

set apart לייחד, להבדיל, להפריש

take apart לפרק לחלקים

tell apart להבחין

worlds apart עולמות שונים, תפיסות מנוגדות

apart′heid (-′hāt) *n.* אפרטהייד

apart′ment *n.* חדר; דירה

apartments מערכת חדרים

apartment house בית דירות

ap′athet′ic *adj.* אדיש, אפאתי, אדשוני

ap′athy *n.* אדישות, אפאתיה, אידשון

ape *n.* קוף, קוף־אדם; חקיין

ape *v.* לחקות

ape′rient *n.* משלשל, סם שילשול

aper′itif′ (äper′itēf′) *n.* משקה מתַאבן, אפריטיף

ap′erture *n.* פתח, חור

a′pex′ *n.* שיא, פיסגה, קודקוד

apha′sia (-zhə) *n.* אפזיה, שיכחת הלשון

a′phid, a′phis *n.* כנימה (חרק קטן)

aph′orism′ *n.* מימרה, פיתגם

aph′rodis′iac′ (-z-) *adj&n.* (סם) מעורר תאווה מינית

a′piarist *n.* כוורן, בעל מיכוורת

a′piar′y (-eri) *n.* כוורת, מיכוורת

a′picul′ture *n.* כוורנות

apiece′ (-pēs) *adv.* לכל אחד, כל אחד

ap′ish (āp′-) *adj.* קופי, מחקה

aplomb′ (-lom) *n.* ביטחון עצמי

apoc′alypse′ *n.* אפוקליפסה, חזון אחרית־הימים

apoc′alyp′tic *adj.* אפוקליפטי

Apoc′rypha *n-pl.* הספרים החיצוניים, אפוקריפים

apoc′ryphal *adj.* מפוקפק, מזוייף

ap′ogee′ *n.* אפוג'י (הנקודה הרחוקה ביותר במסלול הירח)

apol′oget′ic *adj.* מתנצל, מצטדק

apologetics *n.* אפולוגטיקה, סניגוריה
apol'ogist *n.* סניגור, דוגל ב־
apol'ogize' *v.* להתנצל
apol'ogy *n.* התנצלות; סניגוריה, לימוד זכות, הגנה, הסבר; ★תחליף זול
ap'oplec'tic *adj.* של שבץ, ★סמוק־פנים, מתלקח
ap'oplex'y *n.* שיתוק פתאומי, שבץ
apos'tasy *n.* כפירה, בגידה
apos'tate *n&adj.* מומר, בוגד
a pos'te•rio'ri (ā-) בדיעבד, אפוסטריורי
apos'tle (-səl) *n.* מנהיג, מבשר; אפוסטול, שליח ישו
ap'ostol'ic *adj.* של האפיפיור, שליחי
apos'trophe' (-trəfē) *n.* גרש, הסימן (׳); קריאה מליצית ("האזינו השמים!")
apos'trophize' *v.* לקרוא, לפנות אל
apoth'ecar'y (-keri) *n.* רוקח, מכין תרופות
ap'othegm' (-them) *n.* פיתגם
ap'othe'osis *n.* האלהה, אפותיאוזה; מופת, אידיאל
appall' (-pôl) *v.* להפחיד, להחריד
appalling *adj.* מפחיד, מזעזע
appanage = apanage
ap'parat'us *n.* כלי, מיתקן, מערכת
appar'el *n.* לבוש, תילבושת
apparel *v.* ללבוש, להתלבש
appar'ent *adj.* ברור, גלוי; מדומה, שלכאורה, שכביכול
apparently *adv.* אין ספק ש־, ברור ש־; נראה ש־, לכאורה, למראית עין
ap'pari'tion (-ri-) *n.* הופעה (של רוח, שד)
appeal' *v.* לבקש, להתחנן, לפנות אל; למשוך, לרתק, לעניין; לערער
appeal to force להשתמש בכוח
appeal *n.* פנייה, בקשה, תחנונים; עניין, משיכה; עירעור
an appeal for help קריאה לעזרה
appealing *adj.* מתחנן; מושך, מעניין
appear' *v.* להופיע; להיראות
it appears that נראה ש־
appearance *n.* הופעה, מראה, רושם
in appearance לפי מראהו, כלפי חוץ
keep up appearances להיראות כעשיר, לנהוג בשיגרתיות, להסתיר האמת
make an appearance להופיע, לנכוח
to all appearances ככל הנראה
appease' (-z) *v.* לשכך, לפייס

appeasement *n.* פיוס, הרגעה
appel'lant *adj&n.* מערער (על פס"ד)
appel'late *adj.* של עירעורים
ap'pella'tion *n.* כינוי, תואר
append' *v.* להוסיף, לצרף
append'age *n.* תוספת; נספח
ap'pendec'tomy *n.* ניתוח התוספתן
appen'dici'tis *n.* דלקת התוספתן
appen'dix *n.* נספח; תוספתן
ap'pertain' *v.* להיות קשור ל־, להשתייך ל־
ap'petite' *n.* תיאבון, חשק
ap'peti'zer *n.* מגרה תיאבון, מתַאבן
ap'peti'zing *adj.* מעורר תיאבון, מגרה
applaud' *v.* למחוא כף; להריע; לשבח, להביע הסכמה
applause' (-z) *n.* תשואות; שבחים
ap'ple *n.* תפוח, תפוח־עץ
apple of discord סלע המחלוקת
the apple of my eye אישון עיני
upset his apple cart לסכל את תוכניותיו
apple-jack *n.* שיכר־תפוחים
apple-pie *n.* פשטידת־תפוחים
apple-pie order סדר מופתי
applesauce *n.* רסק תפוחים; ★שטויות
appli'ance *n.* מכשיר, כלי, מיתקן
ap'plicable *adj.* מתאים, הולם, ישים
ap'plicant *n.* פונה, מועמד
ap'plica'tion *n.* פנייה, בקשה; התאמה, יישום, החלה, שימוש; הנחה; רטייה; תרופה; ריכוז, שקדנות, התמדה
application form טופס בקשה
applied' (-plīd') *adj.* שימושי, מעשי
ap'plique' (-kā') *n.* אפליקציה, קישוט־בד
apply' *v.* לפנות, לבקש; להתייחס; ליישם, להחיל, להפעיל; לשים על־
apply one's mind לרכז מחשבתו
apply oneself to להתרכז ב־
appoint' *v.* לקבוע, לייעד; למנות, לבחור, להרכיב
well appointed מצויד, מרוהט היטב
appointment *n.* קביעה; ראיון, פגישה; מישרה; מינוי
appointments ריהוט, קבועות
appor'tion *v.* לחלק, להקצות
ap'posite (-zit) *adj.* הולם, קולע
ap'posi'tion (-zi-) *n.* תמורה, אפוזיציה (בתחביר)
apprais'al (-z-) *n.* הערכה, אומדן
appraise' (-z) *v.* להעריך, לאמוד

appre′ciable (-′shəb-) *adj.* ניכר, גדול
appre′ciate′ (-′sh-) *v.* להעריך, להוקיר; לעלות בערכו; להתייקר
appre′cia′tion (-′shi-) *n.* הערכה; התייקרות
appre′ciative (-′shət-) *adj.* מעריך
ap′pre•hend′ *v.* לעצור, לתפוס; להבין; לחשוש
ap′pre•hen′sion *n.* מעצר, עצירה; תפיסה, הבנה; חשש, דאגה
ap′pre•hen′sive *adj.* דואג
appren′tice (-tis) *n.* חניך, שוליה
apprentice *v.* לעשות לשוליה
apprenticeship *n.* חניכות
apprise′ (-z) *v.* להודיע
ap′pro, on appro = on approval
approach′ *n.* התקרבות, גישה, דרך
easy of approach נוח לגישה, נגיש
make approaches to לחזור אחרי
approach *v.* להתקרב, לגשת; לפנות ל־
approachable *adj.* נוח לגישה, נגיש
ap′proba′tion *n.* אישור, הסכמה
appro′priate *adj.* מתאים, הולם
appro′priate′ *v.* להקצות, להקציב; לגנוב, ליטול בלי רשות
appro′pria′tion *n.* הקצבה
approv′al (-rōōv-) *n.* אישור; דיעה חיובית
on approval על תנאי, לבדיקה
approve′ (-rōōv) *v.* להסכים, לאשר
approve of לחייב, להתייחס באהדה
approved school מוסד לעבריינים
approvingly *adv.* באהדה, בחיוב
approx′imate *adj.* קרוב, כמעט, משוער
approx′imate′ *v.* להתקרב
approx′ima′tion *n.* התקרבות, הערכה
appur′tenance *n.* אביזר; זכות צמודה לבעלות על נכס
ap′ricot′ *n.* מישמש; עץ המישמש
A′pril *n.* אפריל
April Fool קורבן (מתיחת) 1 באפריל
a prio′ri (ā-) שמלכתחילה, אפריורי
a′pron *n.* סינר, סינור; קַדמת־הבימה; מישטח־מטוסים
tied to mother's apron-strings כרוך אחרי סינר אימו
ap′ropos′ (-pō′) *adv.* הולם, לעניין, קולע למטרה; אגב, א־פרופו
apropos of *prep.* בנוגע ל־, באשר ל־
apse *n.* גומחה מקומרת (במיזרח הכנסייה), אכסדרה מקושתת
apt *adj.* מהיר־תפיסה; קולע, מתאים
apt to נוטה ל־, עלול ל־
ap′titude′ *n.* כישרון, כושר
aq′ualung′ *n.* אקוואלונג, מיתקן־נשימה, חגור־צלילה (של אמודאי)
aq′uamarine′ (-rēn) *n.* תרשיש (אבן טובה); ירוק־כחלחל
aq′uaplane′ *n.* קרש־החלקה, מיגלש־מים
aquaplane *v.* להחליק במיגלש־מים
aqua′rium *n.* אקווריום
Aqua′rius *n.* מזל דלי
aquat′ic *adj.* מימי, של מים
aq′ueduct′ *n.* מוביל־מים, תעלה, אובל
aq′ue•ous *adj.* מימי, של מים
aq′uiline′ *adj.* נישרי, של נשר
Ar′ab *n.* ערבי
ar′abesque′ (-besk′) *n.* ערבסקה
Ara′bian *adj.* ערבי
Ar′abic *adj&n.* ערבי; ערבית
ar′able *adj.* ראוי לעיבוד, בר־חרישה
arach′nid (-k-) *n.* משפחת העכבישים
ar′biter *n.* בורר, פוסק, מתווך, שליט
ar′bitrable *adj.* ניתן לבוררות
ar•bit′rament *n.* בוררות, החלטה
ar′bitrar′y (-reri) *adj.* שרירותי
ar′bitrate′ *v.* לשמש כבורר, לתווך; למסור לבוררות
ar′bitra′tion *n.* בוררות, תיווך
ar′bitra′tor *n.* בורר, מתווך
ar′bor *n.* מקום מוצל, סוכה
ar•bo′re•al *adj.* של עצים, עצי
arc *n.* קשת, קשת המעגל
ar•cade′ *n.* מיקמרת, מעבר מקומר, מיקשת
Ar•ca′dian *adj.* פשוט, כפרי, ארקדי
ar•cane′ *adj.* סודי, מיסתורי
ar•ca′num *n.* סוד; תרופת פלא
arch *n.* קֶשת, קימור, שער מקומר, קימרון
arch *v.* לקשת, לקמר, לגבנן; להתקמר
arch *adj.* ערמומי, שובבי; ראשי
arch- (תחילית) ראשי, רב־
ar′chae•olog′ical (-ki-) *adj.* ארכיאולוגי
ar′chae•ol′ogist (-ki-) *n.* ארכיאולוג, חוקר עתיקות
ar′chae•ol′ogy (-ki-) *n.* ארכיאלוגיה, חקר עתיקות
ar•cha′ic (-k-) *adj.* עתיק, ארכאי
ar′cha•ism′ (-k-) *n.* ארכאיזם

arch′an′gel (-kān-) *n.* מלאך ראשי
arch•bish′op *n.* ארכיבישוף
arch•bish′opric *n.* מעמד הארכיבישוף
arch•dea′con *n.* סגן בישוף
arch•di′ocese *n.* איזור הארכיבישוף
arch•duke′ *n.* נסיך (אוסטרי)
arch•en′emy *n.* אויב ראשי; השטן
ar′che•ol′ogy (-k-) *n.* ארכיאולוגיה
arch′er *n.* קַשָּׁת, תופס קֶשֶׁת
arch′ery *n.* קשתות
ar′che•ty′pal (-k-) *adj.* של אבטיפוס
ar′che•type′ (-k-) *n.* אבטיפוס
ar′chiman′drite (-k-) *n.* ראש־מינזר, ארכימנדריט
ar′chipel′ago′ (-k-) *n.* ארכיפלג, קבוצת איים קטנים
ar′chitect′ (-k-) *n.* אדריכל
ar′chitec′tural (-kitek′ch-) *adj.* אדריכלי
ar′chitec′ture (-k-) *n.* אדריכלות
ar′chives (-kīvz) *n-pl.* גנזך
ar′chivist (-k-) *n.* ארכיבר
arch′way′ *n.* מעבר מקומר
arc lamp קשת־וולטה, קשת־פחם
arc′tic *adj.* ארקטי, של הקוטב הצפוני
arc welding ריתוך בקשת־פחם
ar′dent *adj.* נלהב, מלא התלהבות
ar′dor *n.* להט, התלהבות
ar′duous (-′jo͞oəs) *adj.* קשה, מפרך
are (är) *n.* אר (מידת שטח, 100 מ"ר)
are, you are (är) אתה, אתם, הנך
ar′e•a (ār′iə) *n.* שטח; איזור
are′na *n.* זירה
aren't = are not, am not (ärnt)
ar′gent *n&adj.* כסף; כסוף
ar′gon′ *n.* ארגון (יסוד כימי)
ar′got *n.* ארגו, שפת הגנבים
ar′gu•able (-gū-) *adj.* ניתן לוויכוח, בר־ויכוח
ar′gue (-gū) *v.* להתווכח; לטעון; לנמק; להוכיח
argue him into להשפיע עליו, לשדלו
argue him out of לשכנעו לבל, להניאו מ־
ar′gu•ment *n.* ויכוח; טיעון; נימוק, טעם; תקציר; ארגומנט
ar′gu•men•ta′tion *n.* הנמקה, הנמק
ar′gu•men′tative *adj.* פולמוסי
a′ria (ä-) *n.* אריה (שיר)
ar′id *adj.* יבש, צחיח
arid′ity *n.* יובש, צחיחות

Aries (âr′ēz) *n.* מזל טלה
aright′ *adv.* כיאות, כראוי
arise′ (-z) *v.* להתהוות; להתעורר
arise from לנבוע מ־
ar′istoc′racy *n.* אריסטוקרטיה
aris′tocrat′ *n.* אריסטוקרט
aris′tocrat′ic *adj.* אריסטוקרטי
arith′metic′ *n.* חשבון, אריתמטיקה
ar′ithmet′ical *adj.* חשבוני
arithmetical progression טור חשבוני
arith′meti′cian (-tish′ən) *n.* מומחה בחשבון
ark *n.* תיבה, תיבת־נוח
Ark of the Covenant ארון־הברית
arm *n.* זרוע, יד; שרוול; ענף
air arm זרוע אווירית, חיל אוויר
arm in arm שלובי זרוע
baby in arms תינוק בחיתוליו
keep at arm's length להתרחק מ־
with open arms בזרועות פתוחות
arm *v.* לחמש, לצייד; להזדיין, להצטייד
ar•ma′da (-mä-) *n.* צי, ארמדה
ar′madil′lo *n.* ארמדיל
ar′mament *n.* חימוש
armaments ציוד, כוחות צבא
ar′mature *n.* עוגן (של מנוע חשמלי)
armband *n.* סרט־שרוול
armchair *n.* כורסה
armchair critic מבקר־כורסה, מתרווח על כורסתו ומותח ביקורת
armed *adj.* מזוין, מצויד
armed forces הכוחות המזויינים
armed services השירותים המזויינים
arm′ful′ (-fool) *n.* מלוא הזרוע
arm-hole *n.* חור השרוול (בבגד)
ar′mistice (-tis) *n.* שביתת נשק
arm′let *n.* צמיד, סרט שרוול
ar•moire′ (-mwär′) *n.* ארון
ar′mor *n.* שיריון; חיל שיריון
armored *adj.* משוריין
armored car *n.* שיריונית
ar′morer *n.* נשק, יצרן נשק
ar•mo′rial *adj.* של מגן
armor plate שיריון
armor-plated *adj.* משוריין
ar′mory *n.* נשקייה; מחסן נשק
arm′pit′ *n.* בית השחי
arms *n-pl.* נשק, כלי־מלחמה; שלט־גיבורים
bear arms לשאת נשק, לשרת בצבא
lay down one's arms להניח את

נישקו, להיכנע
take up arms להתכונן לקרב
under arms מזוין, נכון לקרב
up in arms מתקומם
arms race מירוץ החימוש
ar′my *n.* צבא; מחנה, ארמיה
army corps גיס (צבאי)
aro′ma *n.* ריח נעים; ארומה, בסומת
ar′omat′ic *adj.* ריחני, ארומתי, ניחוחי
arose′ = pt of arise (-z)
around′ *adv.* סביב, מסביב; בסביבה, בערך, בהיקף
be around להסתובב, להיות בסביבה
has been around סייר בעולם
turn around לפנות לאחור
up and around קם, מסתובב
around *prep.* מסביב ל־, קרוב ל־
go/get around לעקוף, להערים על
arouse′ (-z) *v.* לעורר, להעיר
ar•peg′gio′ (-pej′iō) *n.* תצליל שבור
ar′rack *n.* ערק, יי״ש
arraign′ (ərān′) *v.* להעמיד לדין, להאשים
arraignment *n.* האשמה
arrange′ (ərānj′) *v.* לסדר; לתכנן; ליישב, להסדיר; לעשות תסדיר
arrangement *n.* סידור; הסדר; תסדיר
ar′rant *adj.* מובהק, גמור
ar′ras *n.* שטיח־קיר
array′ *v.* לערוך, להציב במערך; להלביש
array *n.* תצוגה; כוח, מערך; בגדים
arrears′ *n-pl.* פיגורים
in arrears בפיגור
arrest′ *v.* לעצור, לעכב; לרתק
arrest *n.* מעצר, מאסר
under arrest במעצר
arrester hook אונקל־בלימה (לבלימת מטוס על נושאת־מטוסים)
arresting *adj.* מעניין, מרתק
arri′val *n.* הגעה, כניסה, הופעה
new arrival בא, אורח; ⋆נולד, תינוק
arrive′ *v.* להגיע, לבוא; להיוולד; להצליח, להגיע למשהו
arrive at להגיע ל־
ar′rogance *n.* יהירות
ar′rogant *adj.* יהיר; מתנשא
ar′rogate′ *v.* לתבוע, ליטול (שלא כדין); לייחס (שלא בצדק)
ar′roga′tion *n.* תביעה (שלא כדין)
ar′row (-ō) *n.* חץ
arrowhead *n.* ראש חץ
arse *n.* ⋆ישבן, תחת

ar′senal *n.* מחסן־נשק
ar′senic *n.* זרניך, ארסן
ar′son *n.* הצתה בזדון
art *n.* אמנות
arts מדעי הרוח
the fine arts האמנויות היפות
work of art יצירה אמנותית
art, thou art = you are אתה, הינך
ar′tefact′ = artifact
ar•te′rial *adj.* עורקי, של עורק
ar•te′rio•sclero′sis *n.* טרשת
ar′tery *n.* עורק; כביש עורקי
ar•te′sian well (-zhən) באר ארטזית
art′ful *adj.* פיקחי; ערמומי
ar•thri′tis *n.* דלקת המיפרקים
ar′tichoke′ *n.* קינרס, חרשף, ארטישוק
ar′ticle *n.* פריט, חפץ; מאמר, סעיף
articles חוזה, חוזה חניכות
definite article = the
indefinite article = a, an
leading article מאמר ראשי
article *v.* לקשור ע״י חוזה
ar•tic′u•late *adj.* מחותך, ברור; מתבטא בבהירות; מחובר במיפרקים
ar•tic′u•late′ *v.* לדבר ברורות, לבטא בבהירות; לחבר במיפרקים
articulated *adj.* מחובר במיפרקים
ar•tic′u•la′tion *n.* חיתוך הדיבור, הבעה, הגייה, ביטוי; מיפרק
ar′tifact′ *n.* כלי קדום; חפץ שימושי, מכשיר, מוצר מלאכותי
ar′tifice (-fis) *n.* תחבולה, מומחיות
ar•tif′icer *n.* מומחה, אומן, מכונאי
ar′tifi′cial (-fi-) *adj.* מלאכותי, מעושה
ar•til′lery *n.* ארטילריה, חיל תותחנים, תותחנות
ar′tisan (-z-) *n.* אומן, פועל מיומן
art′ist *n.* אמן, צייר; שחקן, ארטיסט
ar•tiste′ (-tēst) *n.* אמן, שחקן
ar•tis′tic *adj.* אמנותי, שחקני
ar′tistry *n.* כישרון אמנותי
artless *adj.* טבעי, פשוט, תמים
art′y *adj.* מתיימר להיות שוחר אמנות
arty-crafty *n.* ⋆מפריז במלבושים מתוצרת בית
ar′um *n.* לוף (צמח בר)
Ar′yan (ā-) *adj.* ארי, הודו־אירופי
as (az, əz) *adv&conj.* כ־, כמו, כפי ש־; כש־; מכיוון ש־; אף־על־פי־ש־; באותה מידה
as against לעומת, בהשוואה ל־
as for, as to באשר ל־

as from החל מ־, מתאריך־
as good as dead חשוב כמת
as good as one's word מקיים הבטחתו
as if, as though כאילו, כמו
as is ★כמות שהוא, כפי שהוא
as it is במציאות, למעשה
as it were כביכול, כאילו
as long as כל עוד, כל זמן ש־, בתנאי ש־, מכיוון ש־
as much כך, בדומה לכך
as of החל מ־, מתאריך־; עד (תאריך)
as opposed to בניגוד ל־
as regards באשר ל־, לפי, בהתאם
as soon as מיד כש־, אך
as soon as possible בהקדם האפשרי
as to בנוגע, לגבי; לפי, בהתאם ל־
as well גם כן
as well as וגם, וכמו כן
as yet עד עתה, עד כה
as… as… כמו, כפי
so as to כדי ל־, באופן ש־
such as כגון
as•bes'tos *n.* אזבסט
ascend' *v.* לטפס, לעלות על; להתרומם
ascend the throne לעלות על כיסא המלוכה
ascend'ancy, -ency *n.* שליטה, עליונות
ascend'ant, -ent *adj.* מתרומם, עולה
in the ascendant עולה, שולט
ascen'sion *n.* עלייה, התרוממות
ascent' *n.* טיפוס; התרוממות; מעֲלה
as'certain' *v.* לוודא, לאמת, לברר
ascertainable *adj.* שאפשר לוודאו
ascet'ic *adj&n.* פרוש, סגפן, נזירי, סיגופי
ascet'icism' *n.* סגפנות
ascor'bic acid ויטמין C
ascribable *adj.* ניתן לייחסו ל־
ascribe' *v.* לייחס ל־, לתלות ב־
ascrip'tion *n.* ייחוס, שיוך
a•sep'sis *n.* חוסר־אלח, ניקיון
a•sep'tic *adj.* לא אלוח, נקי, לא מזוהם
a•sex'ual (-kshōōəl) *adj.* חסר־מין
a•sex'ual'ity (-kshōōal-) *n.* אי־מיניות, היעדרות איברי מין
ash *n.* אפר, רמץ
ashes אפר, אפר הגוף
ashamed' (əshāmd') *adj.* מתבייש, נכלם
ash-bin, ash-can *n.* פח אשפה

ash'en *adj.* חיוור, אפור
ashore' *adv.* לחוף, על החוף
ash-tray *n.* מאפרה
ash'y *adj.* אפור, אפרורי, חיוור
A'sian (-shən) *adj.* אסייתי
aside' *adv.* הצידה, בצד, לצד
aside from חוץ מ־, מלבד
joking aside צחוק בצד
lay aside להניח, לשים בצד
put aside להניח, לשים בצד
set aside לבטל; להפריש, להקצות
aside *n.* הערה צדדית (של שחקן)
as'inine' *adj.* חמורי; ★טיפשי
ask *v.* לשאול, לבקש, לדרוש; להזמין
ask after לשאול לשלומו, להתעניין ב־
ask for it להזמין לעצמו צרות
ask for trouble להזמין צרות
ask her out להזמינה לצאת עימו
ask him in להזמינו להיכנס
ask over/round להזמין לביקור
askance' *adv.* בחוסר אמון
look askance at להביט בחשדנות על
askew' (-kū) *adv.* באלכסון, בנטייה
asking price המחיר הנדרש
aslant' *adv.* באלכסון
asleep' *adj.* ישן, נרדם
fall asleep להירדם
asp *n.* אפעה (נחש)
aspar'agus *n.* אספרגוס
as'pect' *n.* מראה, הופעה, חזות; כיוון, צד; נקודת־ראות, זווית, אספקט, היבט, בחינה
asper'ity *n.* גסות, קשיחות; קושי, חיספוס
asperities מלים קשות; תנאים קשים
asperse' *v.* להשמיץ, להלעיז
asper'sion (-zhən) *n.* דיבה, השמצה
cast aspersion on להטיל דופי ב־
as'phalt (-fôlt) *n.* אספלט, חימר, כופר
asphalt *v.* לכסות (כביש) באספלט
as'phodel' *n.* עירית (צמח, פרח)
as•phyx'ia *n.* חנק, מחנק
as•phyx'iate' *v.* לחנוק; להיחנק
as•phyx'ia'tion *n.* חנק, מחנק
as'pic *n.* קריש, מיקפא
as'pirant *n.* שאפתן
as'pirate' *v.* לבטא H בנשיפה, להפיק
as'pirate *n.* הגה מופק, H מופקת
as'pira'tion *n.* שאיפה
aspire' *v.* לשאוף
as'pirin *n.* אספירין
ass *n.* חמור; טיפש; ★ישבן

make an ass of oneself "להתנהג כמו חמור"
assail′ *v.* להסתער, להתנפל, להתקיף
assailant *n.* מתקיף, מתנפל
assas′sin *n.* רוצח, מתנקש
assas′sinate′ *v.* לרצוח, להתנקש
assas′sina′tion *n.* התנקשות, רצח
assault′ *n.* התקפה, התנפלות, תקיפה
assault *v.* להסתער, להתנפל, להתקיף
assault and battery תקיפת אדם
assay′ *n.* בחינה (של מתכת)
assay *v.* לבדוק, לבחון; לנסות
assem′blage *n.* איסוף, אוסף; הרכבה
assem′ble *v.* לאסוף; להתאסף; להרכיב
assem′bly *n.* ציבור, אסיפה; הרכבה, בנייה; בית־מחוקקים; מתן אות למיסדר
assembly line שיטת הסרט הנע
assemblyman *n.* חבר בית המחוקקים
assembly room אולם מסיבות
assent′ *n.* הסכמה, אישור
by common assent בהסכמה כללית
with one assent פה אחד
assent *v.* להסכים
assert′ *v.* לטעון, להצהיר, להביע; להגן על, לעמוד על
assert oneself להפגין סמכותיות; לדחוק עצמו, להתבלט
asser′tion *n.* טענה, עמידה בתוקף
asser′tive *adj.* תקיף, מגלה סמכותיות
assess′ *v.* להעריך, לאמוד
assessment *n.* הערכה, שומה
assessor *n.* שמאי, מעריך, יועץ
as′set′ *n.* נכס, רכוש
assev′erate′ *v.* לטעון בתוקף, להצהיר
assev′era′tion *n.* טענה, הצהרה
as′sidu′ity *n.* שקדנות, התמדה
assid′uous (-j′o͞oəs) *adj.* שקדן, מתמיד
assign′ (əsīn′) *v.* להקצות; לְמַנות, לקבוע; לתת; להעביר (רכוש), לְהַמחות; לייחס
assignable *adj.* שניתן לייחסו ל־
as′signa′tion *n.* פגישה
assignment *n.* הקצאה; משימה, תפקיד
assim′ilate′ *v.* להטמיע; להיטמע, להתבולל; לספוג, לעכל; להתעכל
assimilate to להשוות ל־, להתאים
assim′ila′tion *n.* טמיעה, התמזגות
assist′ *v.* לעזור, לסייע ל־
assis′tance *n.* עזרה, סיוע, עזר
assis′tant *n.* עוזר, אסיסטנט, סַיָע
assize′ *n.* ישיבת בית־דין

asso′ciate *n.* שותף, חבר; חבר מוגבל בזכויות
asso′ciate′ *v.* לקשר, לאחד; להתאחד; להתחבר, להתרועע
associate oneself with להצטרף ל־, להיות שותף ל־
asso′cia′tion *n.* איגוד; התחברות; קשרים; אסוציאציה, זיכרה, החבר
association football כדורגל
as′sonance *n.* אסונאנס, חרוז־תנועה
assort′ *v.* לסווג, למיין
assorted *adj.* מגוון, מעורב
ill-assorted לא מתאימים
well-assorted הולמים זה את זה
assort′ment *n.* מיגוון, מיבחר
assuage′ (əswāj′) *v.* להרגיע, לשכך
assume′ *v.* להניח, לקבוע הנחה; ליטול, לקחת, לתפוס; ללבוש ארשת־
assume office להיכנס לתפקיד
assuming (that) אם נניח ש־
assuming *adj.* מתייהר
assump′tion *n.* הנחה, השערה; נטילה, תפיסה; ארשת, הופעה מטעה
assur′ance (əshoor-) *n.* הבטחה; ביטחון, אמונה; ביטחון עצמי; ביטוח
make assurance doubly sure להסיר כל ספק
assure′ (əshoor′) *v.* להבטיח; לְבַטח
assured *adj.* ודאי, בטוח; בטוח בעצמו
assuredly *adv.* בלי ספק, בביטחה
as′ter *n.* אַסתר (צמח, פרח)
as′terisk′ *n.* כוכבית, כוכבון, (*)
astern′ *adv.* לאחורי האונייה; מאחור
as′teroid′ *n.* אסטרואיד, בן־כוכב
asthma (az′mə) *n.* קצרת, אסתמה, גנחת
asthmat′ic (azm-) *adj.* של קצרת
astig′matism′ *n.* אסטיגמאטיות (ליקוי ראייה)
astir′ *adj.* נרגש, רוגש; ער
aston′ish *v.* להדהים
astonishment *n.* תדהמה
astound′ *v.* להדהים
as′tral *adj.* כוכבי, של הכוכבים
astray′ *adv.* שלא בדרך הנכונה
be led astray להתדרדר, להתקלקל
astride′ *adv&prep.* ברגליים מפושקות, כשרגליו משני צידי (הסוס), מטרטן
astrin′gency *n.* חומרה, קפדנות
astrin′gent *n.* מכַווץ, עוצר דימום
astringent *adj.* מחמיר, חמור, קפדן
as′trogate′ *v.* לנסוע בחלל

astrol′oger *n.* איצטגנין, אסטרולוג
astrol′ogy *n.* אסטרולוגיה
as′tronaut′ *n.* אסטרונאוט, טיס־חלל
as′tronaut′ics *n.* אסטרונאוטיקה
astron′omer *n.* אסטרונום, תוכן
as′tronom′ical *adj.* אסטרונומי; עצום
astron′omy *n.* אסטרונומיה
as′tro•phys′ics (-z-) *n.* אסטרופיסיקה, פיסיקת הכוכבים
astute′ *adj.* פיקח, חריף
asun′der *adv.* לחלקים, לחתיכות, בנפרד, הרחק זה מזה
drive/force asunder להפריד
asy′lum *n.* מיקלט, מחסה; בי״ח לחולי רוח
a′symmet′ric *adj.* חסר־סימטריה
a•sym′metry *n.* חוסר־סימטריה
at *prep.* ב־, על, מ־, ליד, אצל; בשעה; לקראת, כלפי; במחיר, תמורת; בכיוון
at a stroke ״במכה אחת״
at a word למישמע מלה אחת
at all בכלל
at best לכל היותר
at first בתחילה, בהתחלה
at home מסיבה ביתית
at last סוף סוף
at least לפחות
at once מיד
at times לפעמים
at 20 בגיל 20
be at it לעסוק בכך
what are you at now? מה אתה עושה עכשיו?
at′avism′ *n.* אטביזם, תורשתיות, סבל־הירושה
at′avis′tic *adj.* אטביסטי, תורשתי
atax′ia *n.* אי שליטה בשרירים, אטאקסיה
ate = pt of eat
at′elier′ (-lyā′) *n.* סטודיו, אולפן, אטליה
a′the•ism′ *n.* אתיאיזם, כפירה
a′the•ist *n.* אתיאיסט, כופר
a′the•is′tic *adj.* אתיאיסטי
ath′lete *n.* אתלט
ath•let′ic *adj.* אתלטי
ath•let′ics *n.* אתלטיקה
athwart′ (əthwôrt′) *prep.* לרוחב
atish′oo′ *interj.* עטשי!
at′las *n.* אטלס, מפון
at′mosphere′ *n.* אטמוספירה; אווירה
at′mospher′ic *adj.* אטמוספירי
atmospherics *n-pl.* הפרעות אטמוספיריות
at′oll (-tôl) *n.* אטול, אי טבעתי
at′om *n.* אטוֹם; שמץ
atom′ic *adj.* אטומי, של אטום, גרעיני
atomic bomb פצצת אטום
at′omize′ *v.* לרסס; להפריד לאטומים
atomizer *n.* מַרסס
a•to′nal *adj.* (במוסיקה) אטונלי
a′to•nal′ity *n.* אטונליות
atone′ *v.* לכפר, לפייס
atonement *n.* כיפור
Day of Atonement יום כיפור
atop′ *prep.* על, מעל ל־
at′rabil′ious *adj.* מר־נפש, מלנכולי
atro′cious (-shəs) *adj.* אכזרי; רע
atroc′ity *n.* אכזריות; זוועה
at′rophy *n.* התנוונות, דילדול
atrophy *v.* לנוון; להתנוון
at′taboy′ *interj.* הידד! זה גבר!
attach′ *v.* לחבר, להדק; לספח; להוסיף; לעקל; להתחבר
attach importance to לייחס חשיבות ל־
attached to אוהב, קשור; מצורף, מסופח
no guilt attaches to you אינך אשם
at′taché′ (-təshā′) *n.* ניספח (צבאי)
attaché case תיק (למיסמכים)
attachment *n.* סיפוח; אביזר, קביע; חיבה, משיכה; עיקול
attack′ *v.* להתקיף, לתקוף
attack *n.* התקפה, התקף; פתיחה, גישה
attain′ *v.* להגיע ל־, להגשים, להשיג
attainable *adj.* ניתן להשיגו
attain′der *n.* הפקעת נכסים וזכויות
attainment *n.* השגה, הגשמה; כישרון
attaint′ *v.* לשלול זכויות
at′tar *n.* שמן פרחים, ורדינון
attempt′ *v.* לנסות, להשתדל
attempt *n.* ניסיון, השתדלות
attempt on his life התנקשות בחייו
attend′ *v.* לבקר ב־, לנכוח, להיות נוכח; ללַוות; לשרת, לטפל ב־, לדאוג ל־
attend to להקדיש תשומת־לב ל־
attend′ance *n.* נוכחות; טיפול, שירות
in attendance בטיפול, מטפל
large attendance קהל גדול
attend′ant *adj.* נוכח, נלווה, מצוי
attendant circumstances התנאים הנוכחים
attendant *n.* משרת, מלַווה, סדרן

atten′tion *n.* תשומת־לב, הקשבה; התחשבות; מצב"הקשב" (במיסדר)
call attention להסב תשומת־לב
pay attention להקדיש תשומת־לב
Attention, Mr. X לידי מר X
atten′tive *adj.* מקשיב, מתרכז; אדיב, מסור, דואג ל־
atten′u•ate′ (-nūāt) *v.* להחליש, להפחית (חוזק); להקליש, להדליל
attest′ *v.* להצהיר, להשביע; להצהיר בשבועה; לאשר, להוכיח
attest to להוכיח, להעיד על
at′testa′tion *n.* עדות בשבועה
attested *adj.* מאושר, בדוק
at′tic *n.* עליית־גג
attire′ *v.* להלביש
attire *n.* בגדים, לבוש
at′titude′ *n.* עמדה, יחס; תעמיד, עמידה
strike an attitude לעמוד עמידה משונה, להעמיד פנים
at′titu′dinize′ *v.* להתנהג בצורה מעושה, להעמיד פנים
attor′ney (-tûr′-) *n.* פרקליט
letter of attorney ייפוי כוח
power of attorney ייפוי כוח
attorney general תובע כללי; יועץ משפטי (לממשלה)
attract′ *v.* למשוך
attrac′tion *n.* משיכה, אטרקציה
attrac′tive *adj.* מושך, מקסים
attrib′u•table *adj.* ניתן לייחסו ל־
attrib′ute *v.* לייחס ל־, לזקוף ל־
at′tribute′ *n.* סגולה, תכונה, אופי; סמל
at′tribu′tion *n.* ייחוס; תכונה
attrib′u•tive adjective תואר הבא לפני השם
attri′tion (-ri-) *n.* שחיקה, שיפשוף, התשה
war of attrition מלחמת התשה
attune′ *v.* להתאים, לסגל, לכוון
a•typ′ical *adj.* לא רגיל, לא טיפוסי
au′bergine′ (ō′bərzhin′) *n.* חציל
au′burn *adj.* (שיער) ערמוני
auc′tion *n.* מכירה פומבית
auction *v.* למכור במכירה פומבית
auction off למכור במכירה פומבית
auc′tioneer′ (-shən-) *n.* כרוז (במכירה פומבית)
auda′cious (-shəs) *adj.* נועז; חצוף
audac′ity *n.* הרהבה; חוצפה
au′dibil′ity *n.* שמיעות

au′dible *adj.* שמיע, שאפשר לשמעו, נשמע
au′dience *n.* קהל; חוג קוראים, צופים; ראיון (עם אישיות חשובה)
au′dio′ *adj.* של שמיעה, שמיעתי
au′diom′eter *n.* אודיומטר, מד־שמע
audio-visual *adj.* חזותי־שמיעתי, אורקולי, ראי־קולי
au′dit *n.* ביקורת חשבונות
audit *v.* לבקר חשבונות
audi′tion (-di-) *n.* מיבחן (לשחקן); שמיעה
audition *v.* לערוך מיבחן (לשחקן)
au′ditor *n.* מבקר חשבונות; שומע
au′dito′rium *n.* אולם, אודיטוריום
au′dito′ry *adj.* של השמיעה, שמיעתי
au fait (ōfā′) *adj.* בקי, מתמצא
au fond (ōfon′) ביסודו של דבר
au′ger (-g-) *n.* מקדח
aught (ôt) *n.* משהו, כלום; ⋆אפס
for aught I care עד כמה שזה נוגע לי, מצידי
for aught I know למיטב ידיעתי
augment′ *v.* להגדיל; להתרבות
aug′menta′tion *n.* גידול, תוספת
au′gur *v.* לנבא, לבשר
augur ill for להיות סימן רע ל־
augur *n.* מגיד עתידות, אבגור
au′gu•ry *n.* נבואה, סימן לעתיד
august′ *adj.* מעורר כבוד, אצילי
Au′gust *n.* אוגוסט
auld lang syne′ בימים ההם
aunt (ant) *n.* דודה
Aunt Sally מטרה ללעג
aun′ty, aun′tie (an-) *n.* ⋆דודה
au pair′ (ō-) עוזרת, מטפלת
au′ra *n.* אווירה, הילה
au′ral *adj.* של האוזן, שמיעתי
au′re•ole′ *n.* הילה, נוגה
au revoir′ (ō rəvwär′) להתראות!
au′ricle *n.* אוזן; פרוזדור הלב, אוזנית
auric′u•lar *adj.* של האוזן; שמיעתי
auricular confession וידוי באוזני כומר
aurif′erous *adj.* מכיל זהב
auro′ra *n.* אורורה, זוהר קוטבי
aus′culta′tion *n.* האזנה (רפואית)
aus′pices (-pisēz) *n-pl.* חסות
under favorable auspices בסימן הצלחה
under the auspices of בחסות־
auspi′cious (-pish′əs) *adj.* מצליח;

מבשר טוב, מבטיח
Aus'sie *n.* ★אוסטראלי
austere' *adj.* מחמיר, קפדני; צנוע, פשוט
auster'ity *n.* חומרה; צנע; פשטות
austerities סיגופים, צומות
Austra'lian (-lyən) *adj&n.* אוסטרלי, יליד אוסטרליה
au'tar•chy (-ki) *n.* שילטון מוחלט
au'tar•ky *n.* אוטרקיה, משק עצמאי
authen'tic *adj.* אמיתי, אמין, אותנטי
authen'ticate' *v.* לאשר; לוודא
authen'tica'tion *n.* אישור, וידוא
au'then•tic'ity *n.* אמיתיות
au'thor *n.* מחבר, סופר; יוצר
au'thoress *n.* סופרת; יוצרת
author'ita'rian *adj&n.* דוגל ברודנות; רודני, סמכותי
authoritarianism *n.* סמכותיות
author'ita'tive *adj.* מוסמך, מהימן; תקיף, מצווה, מרותי, סמכותי
authoritative source מקור מוסמך
author'ity סמכות, מרות; אישור; רשות, מקור, בר־סמכא, בן־סמך, אוטוריטה
the authorities השלטונות
au'thoriza'tion *n.* אישור, הרשאה
au'thorize' *v.* לאשר, להסמיך
authorship *n.* מחברות; סופרות
au'tism' *n.* אוטיסם (מחלה)
autis'tic *adj.* אוטיסטי
au'to *n.* מכונית, אוטו
auto (תחילית) עצמי, אוטו־
au'to•bi'ograph'ical אוטוביוגרפי
au'to•bi•og'raphy *n.* אוטוביוגרפיה
auto-changer *n.* מַחלף תקליטים אוטומטי
autoc'racy *n.* רודנות, אוטוקרטיה
au'tocrat' *n.* רודן, שליט יחיד
au'to-da-fe' (-fā') *n.* אוטודפה
au'to•e•rot'icism' *n.* אוננות
au'tograph' *n.* אוטוגרף
autograph *v.* לחתום אוטוגרף
au'tomat' *n.* מסעדה אוטומטית
au'tomate' *v.* לְמַכֵּן
au'tomat'ic *adj.* אוטומטי, מכונתי
automatic *n.* רובה אוטומטי
au'toma'tion *n.* מיכון, אוטומציה
autom'aton *n.* אוטומט, רובוט
au'tomobile' (-bēl) *n.* מכונית
auton'omous *adj.* אוטונומי
auton'omy *n.* אוטונומיה, עצמאות
au'top'sy *n.* אוטופסיה, ניתוח שלאחר המוות; ניתוח ביקורתי

au'tostra'da (-ä'də) *n.* כביש מהיר, אוטוסטראדה
au'to•sugges'tion (-səgjes'chən) *n.* השאה עצמית, אוטוסוגסטיה
au'tumn (-təm) *n.* סתיו; עת הבשלות
autum'nal *adj.* סתווי, של סתיו
auxil'iary (ôgzil'əri) *adj&n.* מסייע, עוזר
auxiliaries ליגיון זרים
avail' *v.* להועיל, לעזור
avail oneself of לנצל
avail *n.* תועלת, יתרון, רווח
of little avail מועיל אך במעט
of no avail ללא הועיל, לשווא
of what avail? מה־בצע?
avail'abil'ity *n.* זמינות
avail'able *adj.* ישיג, ניתן להשיגו, זמין, פנוי; שימושי, בר־תוקף
av'alanche' (-lanch) *n.* מפולת; מבול
avant'-garde' *n.* חלוץ, אוונגארד, מתקדם
av'arice (-ris) *n.* אהבת בצע
av'ari'cious (-rish'əs) *adj.* רודף בצע
avast' *interj.* עצור! (קריאת ימאים)
avaunt' *interj.* לך! כלך לך!
Ave. = **avenue**
avenge' *v.* לנקום
avenge oneself on להתנקם ב־
av'enue' (-nōō) *n.* שדירה, דרך; אמצעי
aver' *v.* לטעון, להצהיר
av'erage *n&adj.* ממוצע; רגיל
on the average בממוצע
average *v.* למצע, לחשב את הממוצע
averse' *adj.* מתנגד, סולד
aver'sion (-zhən) *n.* סלידה, שינאה
my pet aversion הדבר השנוא עלי במיוחד
take an aversion to לטפח שינאה כלפי, לרחוש שינאה ל־
avert' *v.* למנוע, להפנות הצידה, להסב
a'viar'y (-vieri) *n.* כלוב עופות
a'via'tion *n.* תעופה, אוויראות
a'via'tor *n.* טייס
av'id *adj.* להוט, שואף
avid'ity *n.* להיטות
av'oca'do (-kä-) *n.* אבוקדו
av'oca'tion *n.* תחביב, הובי
avoid' *v.* להימנע מ־, להתחמק מ־
avoidable *adj.* מָניע, ניתן למניעה
avoidance *n.* הימנעות, התחמקות

avoirdupois (av′ərdəpoiz′) *n.* אבוארדיפואה (שיטת מישקל ישנה)
avouch′ *v.* לערוב; להכריז
avow′ *v.* להצהיר, להודות ב־
avowal *n.* הצהרה, הודאה
avowed *adj.* מוצהר, מוכרז
avowed enemy אויב מושבע
avowedly *adv.* בגלוי, בהודאה
avun′cu•lar *adj.* של דוד, דומה לדוד
await′ (əw-) *v.* לחכות
awake′ (əw-) *v.* להעיר, לעורר; להתעורר
awake to להיות ער ל־
awake *adj.* ער, מודע ל־
awa′ken (əw-) *v.* לעורר
awaken him to להחדיר לתודעתו
awakening *n.* התעוררות
rude awakening יקיצה מרה, אכזבה
award′ (əwôrd′) *v.* לפסוק, להעניק
award *n.* פרס, מענק; תשלום; פסק־בוררות
aware′ (əwār′) *adj.* עירני; מכיר, יודע, מודע ל־
awareness *n.* מודעות, הכרה
awash′ (əwôsh′) *adj.* מוצף מים
away′ (əwā′) *adv.* הלאה, במקום אחר, במרחק, הרחק; בכיוון אחר; בלי הרף, ארוכות
away back ⋆לפני זמן רב
away match מישחק חוץ
away with him! סלקוהו!
do away with להיפטר מ־, לחסל
far and away מאוד, בהרבה
keep him away from להרחיקו מ־
look away להסב עיניו מ־
out and away במידה רבה, בהחלט
right/straight away מיד, תיכף
run away לברוח
take it away הרחק זאת
work away לעבוד בלי הרף
2 miles away במרחק 2 מילים

awe (ô) *n.* פחד, יראת־כבוד
stand in awe לרחוש יראת כבוד
awe *v.* לעורר יראת כבוד בלב־
awe-inspiring *adj.* מעורר יראת־כבוד
awe′some (ô′səm) *adj.* נורא, מפחיד
awe-stricken *adj.* אחוז־פחד
awe-struck *adj.* מלא פחד, הלום־אימה
aw′ful *adj.* מפחיד, איום; ⋆"נורא"
awfully *adv.* ⋆נורא, מאוד
awfully nice נורא נחמד
awhile (əwīl′) *adv.* זמן־מה; לרגע
awk′ward *adj.* לא נוח, קשה לטיפול; מגושם, לא־יוצלח; ביש, מביך
awkward customer אגוז קשה
the awkward age גיל ההתבגרות
awl *n.* מרצע
aw′ning *n.* סוכך, גנוגנת, גגון
awoke′ = p of awake (əw-)
awry (ərī′) *adv.* במעוקם, לא כשורה
the plans have gone awry התוכניות לא עלו יפה
ax *n&v.* גרזן; לקצץ; לפטר
apply the ax to לקצץ ב־
give the ax לפטר, לשלח
got the ax ⋆פוטר מעבודתו
has an ax to grind יש לו עניין אישי בכך, ישנה סיבה אנוכית להתנהגותו
axe = ax (aks)
ax′es = pl of axis (-sēz)
ax′iom *n.* אקסיומה, אמיתה
ax′iomat′ic *adj.* ברור מאליו, אקסיומאטי
ax′is *n.* ציר, ציר הסימטריה
the earth's axis ציר כדור הארץ
ax′le *n.* סרן, ציר
aye, ay (ī) *adv.* כן, הן
aye, aye, sir! כן, אדוני!
for aye לעולם, לעד
the ayes have it (בהצבעה) הרוב בעד
az′imuth *n.* אזימות, זווית האופק
azure (azh′ər) *adj&n.* תכול; תכלת

B

B *n.* סי (צליל)
BA = Bachelor of Arts ב"א
baa (bä) *n.* פעייה (של כבש, טלה)
baa *v.* לפעות, לגעות, לחנוב
baa-lamb *n.* ★טלה, כבש
bab'ble *n.* פיטפוט, מילמול; פיכפוך
babble *v.* למלמל, לפטפט; לבעבע
babbler *n.* פטפטן, מגלה סודות
babe *n.* תינוק; תמים, נאיבי; ★בחורה
babe in the woods דל ניסיון, חסר אונים, מגשש באפילה
Ba'bel *n.* רעש, המולה; בבל
baboon' (-ōōn) *n.* בבון (קוף)
babush'ka (-boosh'-) *n.* מטפחת ראש
ba'by *n.* תינוק; זעיר; ★בחורה, מותק
baby car מכונית קטנה
baby *v.* לפנק
baby carriage עגלת תינוק
baby face פני תינוק
babyhood *n.* ינקות, ילדות, טפות
babyish *adj.* ילדותי, תינוקי
baby-minder מטפלת בתינוקות
baby-sit *v.* לשמש כשמרטף
baby-sitter *n.* שמרטף, בייבי־סיטר
baby-talk *n.* מילמול תינוק
baby tooth שן חלב
bac'calau're•ate *n.* תואר ב"א
bac'carat' (-rä) *n.* בקרה (מישחק קלפים)
bac'chanal' (bak'ən-) *n.* הולל, פרוע; הילולה, אורגייה, פריצות
bac'chana'lian (bak'ən-) *adj.* הוללני, של הילולה
baccy (bak'i) *n.* ★טבק
bach'elor *n.* רווק, לא נשוי; בעל תואר ב"א
bachelor girl רווקה
Bachelor of Arts ב"א (תואר)
bachelor's degree תואר ב"א
bacil'lus *n.* חיידק, מתג, באצילוס
back *n.* גב, צד אחורי; מיסעד הכיסא; מגן (בכדורגל); קצה, סוף
at one's back מאחוריו, תומך בו
at the back of מאחורי־
back to back גב אל גב
behind his back מאחורי גבו
break her back (לגבי אונייה) להתבקע לשניים
break his back להעבידו בפרך
break the back of לסיים את החלק הקשה, לעבור את מחצית הדרך
get off his back להניח לו, "לרדת ממנו"
get one's back up להתרגז
glad to see the back of him שמח להיפטר ממנו
on his back מציק לו
on one's back חולה, שוכב, חסר־אונים
put his back up להרגיזו
put one's back into להתמסר במרץ
turn one's back on לפנות עורף ל־
with one's back to the wall כשגבו אל הקיר, דפון
back *v.* להוליך אחורה; לנוע לאחור; לתמוך ב־; להמר על
back a bill להסב שטר
back away לסגת, להירתע
back down/off לוותר, לסגת מ־
back out להתחמק מ־, לסגת
back up לתמוך, לתת גיבוי; לנוע לאחור; לסתום, לחסום
back water לסגת
backed with מצופה מאחור ב־
backed with silk ביטנתו עשויה משי, מבוטן במשי
back *adj.* אחורי, אחורני, מפרעי
be back לחזור, לשוב
back *adv.* אחורה, בחזרה, שוב; לעיל, לפנים, בעבר
(in) back of ★מאחורי
back and forth הלוך ושוב
get back at לגמול, להחזיר
go back on להפר, לא לקיים; לבגוד
backache *n.* כאב גב
backbench *n.* ספסל אחורי
back'bite' *v.* לרכל על, להלעיז
backboard *n.* (בכדורסל) לוח הסל
backbone *n.* חוט־שידרה; תקיפות־דעת
to the backbone עד לשד עצמותיו

backbreaking *adj.* מפרך, קשה
backchat *n.* עזות, חוצפה, תשובה גסה
backcloth *n.* תפאורה אחורית
back'date' *v.* להחיל למפרע
back door *n.* כניסה אחורית
backdoor *adj.* חשאי, סודי, עקיף
backdrop *n.* תפאורת־רקע
backer *n.* תומך, ממַמן; מהמר
backfield *n.* השחקנים האחוריים
backfire *n.* התפוצצות לפני זמנה
backfire *v.* (לגבי מנוע) להתפוצץ לפני זמנו; לפעול כבומראנג
back'gam'mon *n.* שש־בש (מישחק)
background *n.* רקע
background music מוסיקת רקע
backhand *n.* (בטניס) מכה בגב היד
backhanded *adj.* בגב־היד, של גב־היד
backhanded compliment מחמאה מפוקפקת
backing *n.* תמיכה, תימוכין, גיבוי; תומכים; ליווי מוסיקלי
backlash *n.* רתיעה לאחור; תנועה נגדית, מגמה נגדית
backlog *n.* הצטברות, פיגורים
backmost *adj.* אחורי, האחורני
backnumber *n.* עיתון ישן; ⋆מיושן, יצא מן האופנה
back passage רקטום, פי־הטבעת
backpedal *v.* לדווש לאחור; לסגת, לחזור בו
backroom boys מדענים החדר האחורי (התורמים לניצחון), חיילים אלמונים
back seat מעמד מישני; מושב אחורי
back-seat driver נהג המושב האחורי (נוסע המשיא עצות לנהג)
backside *n.* ⋆ישבן, עכוז
backslide *v.* להתדרדר, לחזור לסורו
backspace *n&v.* (במכונת כתיבה) מקש ההחזרה; להחזיר (הגרר)
backstage *n.* אחורי הקלעים
backstairs *adj.* סודי, חשאי, עקיף
backstairs talk רכילות
back-stay *n.* חבל אחורי (בספינה)
back street רחוב אחורי, רחוב צדדי
backstroke *n.* שחיית גב
back talk חוצפה, עזות
backtrack *v.* לסגת, לחזור בו
back'up' *n.* תחליף, גיבוי, רזרבה
backward *adj.* פונה לאחור, מפגר, לא מתקדם; ביישן, מהסס
backward(s) *adv.* אחורנית, אחורה
bend over backwards להתאמץ
spell backward לאיית בהיפוך
know it backwards לדעת זאת יפה
backwards and forwards הנה והנה
backwash *n.* זרימה לאחור (של מים); תוצאת־לוואי
backwater *n.* מים עומדים; פיגור, מקום מנותק
backwoods *n-pl.* שממה, מקום נידח
backyard *n.* חצר אחורית
ba'con *n.* קותל חזיר
bring home the bacon ⋆לפרנס משפחה; להצליח במשימה
save one's bacon ⋆להינצל בנס
bac•te'ria *n-pl.* בקטריות, חיידקים
bac•te'rial *adj.* של בקטריות
bac•te'riol'ogist *n.* בקטריולוג
bac•te'riol'ogy *n.* בקטריולוגיה
bad *adj.* רע, גרוע, מזיק, חולה; רציני; חמור
bad business עסק ביש
bad coin מטבע מזויף
bad egg/hat/lot/type ⋆טיפוס רע
bad form לא נימוסי
bad lands קרקעות בור
bad leg רגל כואבת
bad name שם רע, כינוי גנאי
bad shot ניחוש לא קולע
bad word מלה גסה
be taken bad להרגיש רע, לחלות
feel bad about it להצטער על כך
go bad להתקלקל
go from bad to worse להתדרדר
in a bad temper רוגז, כועס
in a bad way במצב חמור, בצרה
in bad faith בהונאה, בלי הגינות
in bad with ⋆בצרות עם
not (half) bad לא רע, בסדר
too bad ⋆חבל, אני מצטער
with bad grace מתוך אי רצון
bad *n.* רוע, רע
go (to the) bad להתדרדר, להתקלקל
in bad בצרה, במצוקה
the bad הרעים, הרשעים
to the bad בחובה, בהפסד
bad blood איבה, טינה
bad debt חוב אבוד, חוב מסופק
bade = pt of bid
badge *n.* תג, סמל, אות
badg'er *n.* גירית, פרוות הגירית
badger *v.* להציק, להטריד, לנדנד
bad'inage' (-näzh') *n.* ליגלוג, היתול
badly *adv.* בצורה גרועה; מאוד מאוד

badly in need of זקוק מאוד ל־
badly-off *adj.* עני, דל
bad′min′ton *n.* נוצית (מישחק)
baf′fle *v.* להביך, לבלבל; לסכל
baffle *n.* וסת־זרם, לוח ויסות
bafflement *n.* מבוכה, בילבול
bag *n.* תיק, ילקוט, ארנק, שקית; שלל־ציד (עופות, חיות)
bag and baggage עם כל חפציו
bag of bones גל עצמות, כחוש
bags מיכנסיים רחבים
bags of ★הרבה, "המון"
in the bag ★מונח בכיס, מובטח
left holding the bag נושא באשמה או באחריות; ★סידרו אותו
the whole bag of tricks ★הכול, כל הדרוש
bag *v.* לשים בילקוט; להרוג, לצוד; ★לתפוס, "לסחוב"; להיות תלוי כשק
bag a chair לתפוס כיסא (מקום)
bag′atelle′ *n.* דבר קל־ערך; זוטה, בגטלה
ba′gel (-g-) *n.* כעך, בייגל'ה
bag′gage *n.* מיטען, מיזוודה, חבילות, ציוד צבאי; ★נערה שובבה
bag′gy *adj.* תלוי ברפיון
bag′pipe′ *n.* חמת חלילים
bah (bä) *interj.* בה! (קריאת בוז)
bail *n&v.* ערבות; שחרור בערבות
bail out לשחרר בערבות; לרוקן ממים; לצנוח ממטוס; לחלץ ממצוקה
go bail לערוב, להפקיד ערבות
jump/skip bail לברוח, לערוק
out on bail משוחרר בערבות
bail′ee′ *n.* נאמן, שומר, אפיטרופוס
bai′ley *n.* חומה חיצונית
Bailey bridge גשרביילי
bai′liff *n.* פקיד בית המשפט, פקיד הוצאה לפועל; מנהל אחוזה
bailment *n.* הפקדה (בידי נאמן)
bailor *n.* מפקיד (בידי נאמן)
bait *n.* פיתיון, פיתוי
rise to the bait לבלוע הפיתיון
bait *v.* לשים פיתיון; להציק, להרגיז
baize *n.* בייז (אריג צמר עבה)
bake *v.* לאפות; להקשות בחימום; להתחמם, להשתזף
half-baked טיפש, טיפשי
Ba′kelite′ *n.* בקליט
baker *n.* אופה, פועל מאפייה
baker's dozen שלושה־עשר, 13
ba′kery *n.* מאפייה

baking-hot *adj.* לוהט, חם מאוד
baking powder אבקת אפייה
bak′sheesh *n.* בקשיש, נדבה
bal′alai′ka (-lī′-) *n.* בללאיקה
bal′ance *n.* מאזניים; שיווי־מישקל; יציבות; מאזן; יתרה
favorable balance מאזן חיובי
hold the balance להיות לשון המאזניים (בפרלמנט)
in the balance על כף המאזניים
keep one's balance לשמור על שיווי מישקל
lose one's balance לאבד שיווי המישקל
off balance מתמוטט, לא יציב
on balance בהתחשב בכול
strike a balance להגיע להסדר, לפשר, למצוא את שביל הזהב; למצוא היתרה
balance *v.* לשקול, להשוות, לאזן; להתאזן
balanced *adj.* מאוזן, יציב, שקול
balanced diet דיאטה מאוזנת
balance of payments מאזן התשלומים
balance of power מאזן הכוחות
balance of trade מאזן מיסחרי
balance sheet מַאזן
balconied *adj.* בעל מירפסות
bal′cony *n.* מירפסת; יציע
bald (bôld) *adj.* קירח; גלוי, פשוט, ללא כחל ושרק
bal′derdash′ (bôl-) *n.* שטויות
bald-head *n.* קירח
baldly *adv.* בגלוי, גלויות
bal′dric (bôl-) *n.* חגורה (לחרב)
bale *n&v.* חבילה, צרור; לצרור, לארוז
bale out לצנוח ממטוס פגוע
baleful (bāl′fəl) *adj.* רע, מלא שנאה
balk (bôk) *n.* קורה, מוט; מעצור, מיכשול
balk *v.* לסרב להתקדם, להסס, לעצור, להירתע; לעמוד בדרכו, לסכל
balky *adj.* עקשן, עוצר
ball (bôl) *n.* כדור, כדור מישחק
balls ★שטויות; אשכים
have the ball at one's feet להיות בעל סיכויי־הצלחה
keep the ball rolling לתת לכדור להתגלגל, להמשיך את הפעילות
on the ball עירני, יעיל, מוכשר
play ball ★לשתף פעולה
the ball is in his court הכדור נתון

בידיו, הכדור במיגרשו
three balls סימן המשכונאי
ball *v.* להתכדר, להתעגל
ball up ★לקלקל, להרוס; לבלבל
ball *n.* נשף ריקודים
have a ball ★לעשות חיים
open the ball לפתוח בפעולה
bal'lad *n.* בלדה, שיר
bal'last *n.* זבורית (משא לייצוב הספינה); חצץ; יציבות
ballast *v.* למלא בזבורית
ball bearing מיסב כדוריות
ball-cock *n.* מצוף (של מיכל), צף
ball-dress *n.* שימלת־נשף
bal'leri'na (-rē'-) *n.* בלרינה
bal'let (-lā) *n.* בלט, מחול
ballet-dancer *n.* רקדן בלט
ballis'tic *adj.* בליסטי
ballistics *n.* בליסטיקה
ball'ocks (bôl-) *n.* ★שטויות; אשכים
balloon' (-ōōn) *n.* כדור פורח; בלון
captive balloon בלון קשור
balloon *v.* להתנפח
balloonist *n.* טייס כדור־פורח
bal'lot *n.* הצבעה חשאית; פתק הצבעה; מספר הקולות; זכות הצבעה
ballot *v.* לערוך הצבעה; להגריל
ballot box קלפי
ball point pen עט כדורי
ballroom *n.* אולם ריקודים
bal'ly = bloody *adv.* ★לעזאזל
bal'lyhoo' *n.* ★פרסומת רעשנית
balm (bäm) *n.* תרופה מרגיעה, צרי
balmy *adj.* מרגיע, נעים, ריחני; ★שוטה
balo'ney *n.* שטויות
bal'sam (bôl-) *n.* בלסמון, בושם
bal'uster *n.* עמוד־מעקה
bal'ustrade' *n.* מעקה, בלוסטראדה
bam•bi'no (-bē'-) *n.* תינוק, ילד
bam•boo' *n.* במבוק, חיזרן
bam•boo'zle *v.* ★לרמות, לבלבל
ban *v.* לאסור, להחרים
ban *n.* איסור; נידוי
banal' *adj.* באנאלי, נדוש, שיגרתי
banal'ity *n.* באנאליות, נדישות, שיגרתיות
banan'a *n.* בננה, מוז
band *n.* רצועה, פס, סרט
band *v.* לשים רצועה על
band *n&v.* קבוצה, כנופייה; תיזמורת
band together להתאחד
band'age *n.* תחבושת, רטייה

bandage *v.* לחבוש (פצע)
ban•dan'na *n.* מיטפחת ציבעונית
b and b לינה וארוחת־בוקר
bandbox *n.* תיבת כובעים (לאישה)
out of a bandbox מצוחצח, מטופח
ban•deau' (-dō) *n.* סרט (לשיער)
ban'dit *n.* שודד, גזלן
ban'ditry *n.* שוד, גזל
bandmaster *n.* מנצח תזמורת
ban'doleer' *n.* פונדה, חגורה
bandsman *n.* חבר תזמורת
bandstand *n.* בימת התזמורת
bandwagon *n.* קרון התזמורת
jump on the bandwagon לקפוץ על העגלה
ban'dy *v.* להחליף (מלים, מכות)
bandied about נושא לרכילות
bandy about להעביר מאיש לאיש
bandy words להתנצח, להחליף הערות
bandy *adj.* (בעל רגליים) עקומות
bane *n.* הרס, קללה; ארס
rat's bane רעל־עכברים
baneful *adj.* רע, ממאיר, הרסני
bang *v.* להלום, לדפוק, להרעיש
bang away לעבוד/להרעיש בהתמדה
bang into להיתקל ב־
bang up ★לקלקל; לפצוע
bang *n.* חבטה, קול נפץ, טריקה
go over with a bang להצליח
bang *adv.* פתאום, בדיוק, ממש, ברעש
go bang להתפוצץ
bang *n&v.* (לעשות) תספורת־מצח קצרה
bang'er (-g-) *n.* ★נקניק; זיקוק־נפץ; מכונית מרופטת, גרוטה
ban'gle *n.* צמיד, אצעדה
bang-up *adj.* ★מצוין, יפה, מוצלח
ban'ish *v.* להגלות, לגרש; לסלק
banishment *n.* גירוש, גלות
ban'ister *n.* מעקה
ban'jo *n.* בנג'ו (כלי נגינה)
bank *n.* גדה, שפה; שיפוע, תל, ערימה (של עננים, שלג)
bank *v.* לטוס בשיפוע; לנסוע בהטייה
bank up להיערם; לערום (שלג, עפר); לסכור נהר; להאיט בעירת אש
bank *n.* בנק, קופה; שורת קלידים
break the bank לגרוף כל הקופה
bank *v.* להפקיד (כספים) בבנק
bank on לסמוך על
bank bill שטר בנקאי
bank-book *n.* פינקס־הפקדות

banker *n.* בנקאי, קופאי
banker's order פקודת־קבע
bank holiday יום פגרה (בבנקים)
banking *n.* בנקאות
bank note בנקנוט, שטר כסף
bank'rupt' *n&adj.* פושט רגל
bankrupt *v.* לגרום לפשיטת רגל
go bankrupt לפשוט רגל
bankrupt *adj.* חסר־, נעדר־, נטול־
bank'rupt'cy *n.* פשיטת־רגל
ban'ner *n.* דגל, נס, כרזה
banner headline כותרת ענקית
under the banner of בסיסמת, כשעל דיגלו חרות־
ban'nock *n.* לחם ביתי, עוגה ביתית
banns *n-pl.* הודעת נישואין
ban'quet *n.* מסיבה, סעודה, מישתה
banquet *v.* לערוך מסיבה ל־; להסב
ban'tam *n.* בנטם (תרנגול)
bantam weight מישקל תרנגול
ban'ter *v.* להתלוצץ, להתבדח
banter *n.* לצון, התבדחות
ba'o•bab' *n.* באובב (עץ)
bap'tism' *n.* טבילה, הטבלה, שיעמוד
baptism of fire טבילת אש
bap•tis'mal (-z-) *adj.* של טבילה
Bap'tist *n.* בפטיסט
bap•tize' *v.* להטביל לנצרות, לשַעמד
bar *n.* מוט; בריח; מחסום; מחיצה; שירטון; עיטור; פס; בר, מיסבאה, דלפק
bar of chocolate טבלת שוקולדה
bar of public opinion חוות דעת הציבור, דעת הקהל כשופט
bar of soap חתיכת סבון
be called to the bar לקבל תואר עורך־דין
behind bars מאחורי סורג ובריח
the bar פרקליטות; מחיצת השופטים
the prisoner at the bar הנאשם
bar *v.* לסגור, לנעול, לחסום; לאסור, לשלול; לסמן בפסים
bar *prep.* חוץ מ־, זולת, בר
bar none ללא יוצא מהכלל
barb *n.* חוד, קרס, וו כפוף
bar•ba'rian *n.* פרא; ברברי
bar•bar'ic *adj.* ברברי
bar'barism' *n.* ברבריות, ברבריזם
bar•bar'ity *n.* ברבריות
bar'barize' *v.* להפכו לברברי
bar'barous *adj.* ברברי, פראי
bar'be•cue' (-kū) *n.* פיקניק־צלי, ברבקיו; צלי; מחתה, אסכלה
barbecue *v.* לצלות (על מחתה)
barbed (bärbd) *adj.* בעל חוד, עוקץ
barbed wire תיל דוקרני
bar'ber *n.* ספר
bar'bican *n.* מיגדל מבוצר
bar'carole' *n.* ברקרולה, שיר
bard *n.* משורר
the Bard שקספיר
bar•dol'atry *n.* הערצת שקספיר
bare *adj.* חשוף, ערום, גלוי, ריק; מצומצם; בקושי, גרידא
lay bare לחשוף, להציג לראווה
with bare hands בידיו בלבד
bare *v.* לחשוף, לגלות
bare one's head להוריד כובעו
bare one's heart לשפוך ליבו
bareback *adv.* ללא אוכף
barebacked *adj.* חסר־אוכף
barefaced *adj.* נועז, חוצפני
barefoot *adj.* יחף
bareheaded *adj.* גלוי־ראש
bare-legged *adj.* ללא גרביים
barely *adv.* אך; בקושי, בצימצום
bar'gain (-gən) *n.* עיסקה; הסכם; קנייה, "עסק טוב", "מציאה"
a bargain's a bargain עסק זה עסק
drive a(hard)bargain (לנסות) לעשות מיקח טוב, להתמקח בתקיפות
into the bargain נוסף על כך
it's a bargain עשינו עסק
strike a bargain להגיע להסכם
bargain *v.* להתמקח; להגיע להסכם
bargain away למכור, להקריב
bargain for לשער ש־, לצפות ל־
bargain hunter מחפש מציאות
bargaining position עמדת־מיקוח
bargain price מחיר מציאה
barge *n.* דוברה, סירה, ארבה
barge *v.* לנוע בכבדות
barge in להיתקל, להידחף, להתפרץ
barge into להיתקל ב־; להתפרץ ל־
bar•gee' *n.* ממונה על סירה
barge pole משוט, כלונס
not touch it with a barge pole לתעב זאת
bar'itone' *n.* בריטון (קול)
bar'ium *n.* בריום (מתכת)
bark *n.* קליפת עץ
bark *v.* לקלף; להוריד עור, לפצוע
bark *n.* נביחה; קול ירי; שיעול
bark *v.* לנבוח; לצעוק
bark up the wrong tree לטעות

בכתובת, לפנות לכתובת הלא־נכונה
bark *n.* סירת מיפרשים
barker *n.* נבחן; כרוז (אדם בפתח העסק המזרז אנשים להיכנס); ★אקדה
bar'ley *n.* שעורה
barley-corn *n.* גרגר־שעורה; שיכר
barley sugar סוכר־שעורה (ממתק)
barm *n.* שמרים
barmaid *n.* מלצרית, מוזגת
barman *n.* מלצר, מוזג, בארמן
bar mitz'vah (-vә) בר מיצווה
bar'my *adj.* ★טיפש, טיפשי
barn *n.* אסם, ממגורה; בניין גס
barn door ★מטרה גדולה ובולטת
bar'nacle *n.* ספחת; בע"ח ימי הנצמד בחוזקה לתחתית האונייה
barn dance מחול כפרי
barn'storm' *v.* לבקר בערי השדה
barn-yard *n.* חצר־משק
bar'ograph' *n.* רשם־לחץ, בארוגראף
barom'eter *n.* ברומטר, מד־כובד
bar'omet'ric *adj.* ברומטרי
bar'on *n.* ברון, רוזן; איל־הון
baroness *n.* ברונית, רוזנת
bar'onet *n.* בארונט, אציל
bar'onetcy *n.* מעמד הבארונט
baro'nial *adj.* של ברון, שופע אצילות
bar'ony *n.* מעמד הברון, ברונות
baroque' (-rōk) *n.* בארוק (סגנון)
barque (bärk) *n.* סירה, דוברה
bar'rack *v.* לצעוק בוז
bar'racks *n-pl.* קסרקטין, בניין גס
bar'rage *n.* סכר (בנהר)
barrage' (-räzh') *n.* מסך־אש; מטר־אש
barrage of questions מטר־שאלות
barrage *v.* להמטיר (שאלות) על
barred (bärd) *adj.* מוברח, נעול, סגור; מפוספס
bar'rel *n.* חבית; קנה־רובה, קנה־אקדח; מכל גלילי
over a barrel במצב ביש, בדילמה
barrelled beer בירה מהחבית
barrel organ תיבת נגינה
bar'ren *adj.* עקר, לא פורה
bar'ricade' *n.* בריקדה, מיתרס
barricade *v.* לחסום; לכלוא
bar'rier *n.* מחסום, סייג
bar'ring (bär-) *prep.* להוציא, פרט ל־
bar'rister *n.* פרקליט
barroom *n.* בר, מיסבאה
bar'row (-ō) *n.* עגלת־יד; מריצה; עגלת־רוכלים; תל, גבעה
barrow boy רוכל (בעל עגלה)
bar sinister ממזרות
bartender *n.* מוזג; מלצר
bar'ter *n.* סחר־חליפין
barter *v.* להחליף, לעסוק בחליפין
barter away למכור, להחליף, להקריב
basalt' (-sôlt) *n.* בזלת, בשנית
base *n&v.* בסיס; תחנה; לבסס
base on/upon לבסס על
get to first base להצליח בצעד הראשון, להתחיל ברגל ימין
off base ★מוטעה לחלוטין; לא מוכן
base *adj.* שפל, נבזה
base coin מטבע מזויף
base metal מתכת פשוטה
baseball *n.* בייסבול, כדור־בסיס
baseboard *n.* פנל, ציפוי עץ, שיפולת
baseless *adj.* חסר־בסיס, ללא יסוד
base'ment (bās'-) *n.* קומת־מרתף
bases = pl of basis (bā'sēz)
bash *n.* חבטה, מהלומה
have a bash at ★לנסות כוחו ב־
bash *v.* להלום, להכות, לחבוט
bash'ful *adj.* ביישן, נבוך
ba'sic *adj.* בסיסי, יסודי
basically *adv.* ביסודו של דבר
bas'il (-zәl) *n.* ריחן (תבלין)
basil'ica *n.* בסיליקה (אולם)
bas'ilisk' *adj.* (מבט) קטלני
ba'sin *n.* כיור, קערה; אגן; ביקעה
ba'sis *n.* בסיס, יסוד
bask *v.* להתחמם, ליהנות
bask in his approval למצוא חן בעיניו, לזכות באהדתו
bas'ket *n.* סל, טנא
basketball *n.* כדורסל
basketry *n.* קליעת־סלים
bas'-re'lief' (bärilēf') *n.* תגליף נמוך
bass (bas) *n.* אוקונוס (דג)
bass (bās) *n.* בס, קול בס
bass clef מפתח בס
bas'sinet' *n.* עריסת תינוק, סל־קל
bassoon' (-ōōn) *n.* בסון, פגוט
bast *n.* לכש, רַפייה
bas'tard *n&adj.* ממזר; מזויף
bas'tardize' *v.* להשפיל; לזייף
bas'tardy *n.* ממזרות, מעמד הממזר
baste (bāst) *v.* להכליב (בתפירה); לצקת רוטב על, להטפיח; להלקות, להכות
bas'tina'do *v.* להלקות על כפות הרגליים

bas′tion (-′chən) *n.* מצודה, תַבנון
bat *n.* עטלף
has bats in the belfry ⋆מטורף
bat *n.* מחבט; מחזיק המחבט
at full bat ⋆במהירות רבה
go to bat for לעזור, לתמוך, להגן
off one's own bat ⋆בלי עזרה, ביוזמתו
bat *v.* להכות, לחבוט
bat *v.* למצמץ, לקרוץ
not bat an eyelid לא להניד עפעף
batch *n.* קבוצה, אוסף, צרור, אַצְוָה
bate *v.* להפחית
with bated breath בנשימה עצורה
bath *n.* אמבטיה, מרחץ
baths מרחצאות
take a bath להתרחץ, להתאמבט
bath *v.* לעשות אמבטיה
bath chair כיסא גלגלים
bathe (bādh) *v.* לרחוץ; להרטיב
bathed in light מוצף אור
bathed in sweat ספוג זיעה
bathe *n.* רחיצה, טבילה
ba′ther (-dh-) *n.* מתרחץ, טובל
bathhouse *n.* בית־מרחץ
ba′thing (-dh-) *n.* רחיצה, רחצה
bathing beauty "חתיכה" בבגד־ים
bathing machine תא להחלפת בגדים
bathing suit בגד־ים
ba′thos′ *n.* נפילה (בסיפור) מהרציני למגוחך, אנטיקלימקס
bathrobe *n.* גלימת רחצה
bathroom *n.* אמבטיה; שירותים
bathtub *n.* אמבטיה
bath′ysphere′ *n.* תא־צלילה, בתיספירה
bat′ik *n.* הדפס בטיק (על בדים)
batiste′ (-tēst) *n.* בטיסט, בד דק
bat′man *n.* משרת פרטי, עוזר אישי
baton′ *n.* שרביט, אַלָה
bats *adj.* ⋆מטורף, מוזר
batsman *n.* תופס המחבט
battal′ion *n.* גדוד, בטליון
bat′ten *n&v.* קרש, לוח
batten *v.* להשמין (ע"ח הזולת)
batten down להדק בקרשים, לסגור
bat′ter *v.* להלום, להכות, להרוס
battered hat כובע מרופט
batter *n.* מחזיק המחבט
batter *n.* תערובת לאפייה, תבליל
battering ram איל־ברזל
bat′tery *n.* סוללה; גונדה; מערכת; מצבר
assault and battery תקיפת אדם
battery hens עופות לול
bat′tle *n.* קרב, מלחמה; ניצחון
give battle להילחם
half the battle מחצית הדרך, מרבית העבודה
battle *v.* להילחם
battle-ax *n.* ⋆אישה שתלטנית
battle-cruiser *n.* סיירת (ספינה)
battle-dress *n.* מדי־חייל, בטלדרס, חליצה, מותנית
battlefield *n.* שדה־קרב, זירה
battleground *n.* שדה־קרב
battlements *n-pl.* גג־החומה, חומה מאושנבת (לירייה)
battle royal קרב עז
battleship *n.* אוניית־קרב
bat′ty *adj.* ⋆מטורף, מוזר
bau′ble *n.* תכשיט זול/צעקני
baulk = balk
bawd *n.* בעלת בית בושת
baw′dy *n.* ניבול פה
bawdy *adj.* גס, של ניבול־פה
bawl *v.* לצווח, לצעוק, לבכות
bawl out ⋆לנזוף, לגעור
bay *n.* מיפרץ
bay *adj&n.* (סוס) חום־אדמדם
bay *n.* דפנה, עץ דפנה
bays זרי־דפנה
bay *n.* תא, מדור, אגף
bay *n.* נביחה (של כלב ציד)
at bay מותקף, בין המיצרים, דפון
bring to bay ללחוץ אל הקיר
hold at bay להרחיקו, למנוע ממנו אפשרות להתקרב
bay *v.* לנבוח (בשעת ציד)
bay at the moon ⋆לדבר אל הקיר, "לצעוק חי וקיים"
bay leaves עלי־דפנה
bay′onet *n.* כידון
bayonet *v.* לדקור בכידון
bay window חלון בולט, מרפסת זגוגה
bazaar′ (-zär) *n.* בזאר, יריד, שוק
bazoo′ka *n.* בזוקה
B.C. לפני הספירה
be *v.* להיות, להימצא, להתקיים
his wife to-be אישתו לעתיד
if I were/were I אילו הייתי
let him be הנח לו!
the be-all and end-all הדבר החשוב ביותר, העיקר
there is ישנו, קיים
beach *n.* חוף ים, שפת הים

beach *v.* להעלות סירה אל החוף
beach buggy מכונית חופים
beach bunny ⋆נערת חוף
beachcomber *n.* גל ארוך; סורק חופים, מחפש מציאות
beachhead *n.* ראש חוף (בפלישה)
beachwear *n.* בגדי ים, בגדי חוף
bea'con *n.* מַשּׂוּאָה, אור (להנחייה, לאזהרה), מיגדלור
bead *n.* חרוז; טיפה, אגל
beads מחרוזת, ענק
draw a bead on לכוון אל, להתקיף
tell one's beads להתפלל
beading *n.* לוח מעוטר (בחרוזים)
bea'dle *n.* לַוואי (לראש עיר); עוזר־כומר, שַׁמָּש
bead'y *adj.* (עיניים) קטנות ונוצצות
bea'gle *n.* כלב־ציד
beagling *n.* ציד־ארנבות (ע״י כלבים)
beak *n.* מַקּוֹר, חרטום; ⋆אף, חוטם
beak *n.* ⋆שופט שלום, מנהל בי״ס
bea'ker *n.* ספל, גביע
beam *n.* קורה, מוט, אסל, יצול
broad in the beam ⋆אדם רחב, שמן
beam *n.* קרן־אור, קרן־רדיו; חיוך קורן
off the beam לא בכיוון הנכון
on her beam-ends עומדת לטבוע
on one's beam ends דחוק בכסף
on the beam בכיוון הנכון
beam *v.* להאיר, לקרון; להקרין
bean *n.* שעועית, פול, קיטנית
full of beans ⋆עירני, תוסס
old bean! ⋆ידידי! אחא!
spill the beans ⋆לפלוט סוד/מידע
without a bean ⋆ללא פרוטה
beanstalk *n.* גבעול השעועית
bear (bār) *n.* דוב; גס, קשוח; ספסר־מניות (הגורם להורדת שעריהן)
bear *v.* לשאת, להוביל, לתמוך, לסבול; ללדת; להניב
bear a hand להושיט יד, לעזור
bear away לזכות (בפרס)
bear down לגבור על; ללחוץ; להתאמץ
bear down on להתקדם במהירות לעבר
bear hard on להכביד על
bear hatred לנטור טינה
bear in mind לזכור, לחרות במוחו
bear interest לשאת ריבית
bear love לרחוש אהבה
bear on להתייחס ל׳, להשפיע על
bear oneself להתנהג
bear out לאשר, לאמת; לתמוך ב־
bear right/left לפנות ימינה/שמאלה
bear up לסבול, לעמוד ב־; להחזיק
bear with להתייחס בסבלנות
bear witness להעיד
bears signs of נושא סימנים של
can't bear him לא סובל אותו
in full bearing מניב פירות
it won't bear repeating לא נאה לחזור על זאת
will bear watching כדאי לשים עליו עין
bearable *adj.* נסבל, שאפשר לשאתו
beard *n.* זָקָן; מלענים
beard *v.* להתנגד, להתייצב מול
bearded *adj.* בעל זָקָן, מזוקן
bearer *n.* מוכ״ז; נושא; מניב פרי
bear'ing (bār-) *n.* התנהגות, הופעה, קשר, יחס, התייחסות; כיוון; סבילה; מיסב
bearings התמצאות, כיוון
beyond bearing בלתי נסבל
lose one's bearings לאבוד
bearish *adj.* כמו דוב, דובי, גס, (שוק) יורד
bearskin *n.* עור־דוב; כובע פרווה
beast *n.* חיה, בהמה
beastly *adj.* שנוא, נתעב, גרוע; חייתי
beastly *adv.* ⋆מאוד מאוד, נורא
beast of burden בהמת־משא
beast of prey חיית־טרף
beat *v.* להכות, להלום, לגבור על; לרקע מתכת
beat a retreat לסגת, לחזור
beat a way לכבוש דרך
beat about לחפש, להתאמץ למצוא
beat about the bush להתקרב בעקיפין אל הנושא; להתחמק מהבעיה
beat down להוריד מחיר, להתמקח
beat hollow ⋆להביס, לעלות על
beat in לשבור (בחבטות)
beat it! הסתלק!
beat off להדוף
beat one's brains לשבור את הראש
beat out להשמיע בתיפוף, לתופף; לכבות אש ברקיעת רגליים וכ׳
beat the record לשבור את השיא
beat time (במוסיקה) להקיש בקצב
beat up להכות קשות, לטרוף ביצה
he beat me to it הוא הקדימני
that beats everything זה עולה על הכל
to beat the band ⋆במהירות; ברעש

beat *n.* מכה, דפיקה; מיקצב, קְצָבָה, פעמה; מסלול, מקוף, נתיב קבוע
off one's beat ★בשטח זר לו
beat *adj.* ★עייף, סחוט; של ביטניק
beaten *adj.* (מתכת) מרוקעת; (דרך) כבושה, סלולה; מוכה, מובס
go off the beaten track לסטות מהדרך הרגילה
beater *n.* מחבט; מקצף־ביצים; מבריח (עופות לקראת הציידים)
be'atif'ic *adj.* מבורך, מאושר
be•at'ifica'tion *n.* קידוש המת
be•at'ify' *v.* (בכנסייה) לקדש מת
beating *n.* מלקות, הכאה; תבוסה
beat'nik *n.* ביטניק
be•at'itude' *n.* ברכה, אושר רב
beau (bō) *n.* מחזור, מאהב
beau ideal כליל היופי
beau monde עולם האופנה
beau'te•ous (bū'-) *adj.* יפהפה
beau•ti'cian (būtish'ən) *n.* בעל סלון־יופי, יפאי, קוסמטיקאית
beau'tiful (bū'-) *adj.* יפה, יפהפה
beau'tify' (bū'-) *v.* לייפות
beau'ty (bū'-) *n.* יופי; יפהפיה
beauty parlor/salon/shop סלון־יופי
beauty queen מלכת־יופי
beauty sleep שינה קלה, נימנום
beauty spot נקודת חן
bea'ver *n.&v.* ביבר, בונה; פרוות־בונה; שיריון־סנטר, ★לעמול, לעבוד קשה
be•calm' (-käm) *v.* לעצור, להרגיע
becalmed *adj.* (לגבי ספינה) לא נעה
be•came' = **pt of become**
be•cause' (-z) *conj.* מכיוון ש־
because of בגלל, מחמת
beck *n.* רמיזה, סימן, אות
at his beck and call מוכן ומזומן לשרתו
beck *n.* פלג, נחל
beck'on *v.* לרמוז, לאותת
be•cloud' *v.* להעיב, להאפיל; לבלבל
be•come' (-kum') *v.* להיות, להיעשות, להפוך; להלום את, להיות יאה ל־
become of לקרות ל־, לעלות בגורלו
becoming *adj.* יאה, הולם, נאה
bed *n.* מיטה; קרקעית; שיכבה; ערוגה; בסיס, מישטח
bed and board לינה ואוכל, תמיכה
die in one's bed למות מוות טבעי
go to bed ללכת לישון, לשכב
make the bed להציע את המיטה
out of bed on the wrong side קם על צד שמאל
put to bed לסיים עריכת (עיתון)
take to one's bed ליפול למישכב
bed *v.* לשתול בערוגה; לקבוע, לנעוץ
bed down לספק כלי מיטה; לשכב
be•daub' *v.* ללכלך בבוץ, להכפיש
bedbug *n.* פישפש
bedclothes *n-pl.* כלי־מיטה
bedding *n.* כלי־מיטה; מצע
be•deck' *v.* לייפות, לקשט
be•dev'il *v.* לסבך, להביך, לבלבל; להציק
bedevilment *n.* בילבול
be•dew' (-dōō') *v.* ללחלח, להרעיף
bedewed *adj.* מכוסה טיפות, לח
bedfellow *n.* שותף למיטה; ידיד
be•dim' *v.* לעמעם, לטשטש
bed'lam *n.* מהומה; בית־משוגעים
bed linen ליבני־מיטה
bed'ouin (-dōōin) *n.* בדווי, נווד
bedpan *n.* עביט, סיר־חולה
bedpost *n.* רגל המיטה
between you, me, and the bedpost בינינו לבין עצמנו
be•drab'ble *v.* ללכלך, להכפיש
be•drag'gle *v.* ללכלך, להכפיש
bedridden *adj.* מרותק למיטתו, שוכב
bedrock *n.* יסוד; סלע־אדמה
get down to bedrock לרדת לעובדות היסוד
bedroom *n.* חדר־שינה
bedside *n.* צד המיטה, ליד המיטה
bedside manner אופן הטיפול בחולה
bed'sit'ter *n.* חדר מגורים
bedsore *n.* פצע שכיבה, פצע לחץ
bedspread *n.* כיסוי־מיטה
bedstead (-sted) *n.* שלד המיטה
bedtime *n.* שעת שינה
bee *n.* דבורה; אסיפה; תחרות
have a bee in one's bonnet להיות משוגע לדבר, להתמכר לרעיון
beech *n.* אשור (עץ)
beech mast בלוטי האשור
beef *n.* בשר־בקר; שרירים, כוח
beeves שוורים מפוטמים (לאכילה)
beef *v.* ★להתלונן, להתאונן
beef up לחזק, להגביר
beefcake *n.* ★גברים שריריים
beef cattle בקר־שחיטה
beefeater *n.* זקיף (במיגדל לונדון)

beefsteak *n.* סטייק בשר, אומצה
beefy *adj.* חסון, שרירי
bee′hive′ *n.* כוורת; מקום שוקק
bee-line *n.* קו ישר
make a beeline for לצעוד היישר
been = pp of be (bin)
been and- ★אכן! (ביטוי להפתעה)
he has been to- הוא ביקר ב־
beep *n.* צליל חוזר, ביפ
beer *n.* בירה, שיכר, בקבוק בירה
small beer ★קל־ערך, קוטל קנים
beery *adj.* כמו בירה, של שיכר
beeswax *n.* דונג דבורים
beet *n.* סלק
bee′tle *n.* חיפושית; פטיש, קורנס
beetle *v.* להיות תלוי ממעל, לבלוט
beetle off ★הסתלק!
beetle-browed *adj.* בעל גבות עבות
beetroot *n.* סלק
beeves = pl of beef (bēvz)
be•fall′ (-fôl) *v.* לקרות, להתרחש, לעלות בגורלו
be•fit′ *v.* להתאים, להלום את
befitting *adj.* מתאים, נאות, הולם
be•fogged′ (-fôgd) *adj.* מבולבל
be•fore′ *adv.* לפני כן, בעבר, לפנים
long before זמן רב לפני כן
the day before אתמול, ביום שעבר
before *conj.* לפני ש־, בטרם
before *prep.* לפני־
before long בקרוב, תוך זמן קצר
before tax לפני מס, ברוטו
carry all before him לנחול הצלחה
sail before the mast לשרת כימאי פשוט
beforehand *adv.* מראש, לפני המועד
beforehand *adj.* מהיר, מקדים, פזיז
be•foul′ *v.* ללכלך, להשמיץ
be•friend′ (-rend) *v.* להתיידד עם, לעזור
be•fud′dle *v.* להדהים, לבלבל
beg *v.* לבקש, להתחנן; לפשוט יד
a begging letter מכתב המבקש סיוע כספי
beg off לבקש שיחרור; לשחרר
beg the difficulties להתעלם מן הקשיים
beg the question להתחמק מן הבעייה, להסתמך על דבר שטרם הוכח
go begging אין קופצים עליו
I beg to אבקש ל־, ברצוני ל־
be•gan′ = pt of begin
be•get′ (-g-) *v.* להוליד; לגרום
beg′gar *n.* קבצן, שנורר; ★ברנש
beggar *v.* לרושש, להרוס
beggar description אין להביע זאת במלים
beggarly *adj.* דל, עלוב; נבזה
beggary *n.* דלות, עוני
be•gin′ (-g-) *v.* להתחיל, לפתוח ב־
to begin with קודם כל
beginner *n.* מתחיל
beginning *n.* התחלה, ראשית
be•gird′ (-g-) *v.* להקיף
be•gone′ (-gôn) *interj.* הסתלק!
be•go′nia *n.* בגוניה (צמח־נוי)
be•got′ = p of beget
be•got′ten = pp of beget
be•grime′ *v.* לטנף, ללכלך
be•grudge′ *v.* לקנא ב־, לא לפרגן, להיות צר־עין ב־; לתת באי־רצון
be•guile′ (-gīl) *v.* לרמות, לפתות; לבלות, לבדר; להקסים
be′gum *n.* נסיכה מוסלמית, אצילה
be•gun′ = pp of begin
be•half′ (-haf) *n.* תועלת
on behalf of לטובת־, למען־, בשם־
on his behalf בשמו, למענו; לטובתו
be•have′ *v.* להתנהג, לפעול
behave yourself התנהג יפה
well-behaved מנומס, מתנהג יפה
be•hav′ior (-hāv′yər) *n.* התנהגות
be on one's best behavior להשתדל מאוד להתנהג יפה
put him on his best behavior להתרות בו שיתנהג יפה
behaviorism *n.* התנהגותנות
be•head′ (-hed) *v.* לערוף
be•held′ = p of behold
be•hest′ *n.* פקודה; בקשה
be•hind′ (-hīnd) *prep.* מאחורי, אחרי
behind the scenes מאחורי הקלעים
behind the times מיושן, מפגר
behind *adv.* מאחור, בפיגור
be behind לפגר
fall behind לפגר, לא להשיג
put behind להשליך מאחורי גוו
behind *n.* ★ישבן, אחוריים
behindhand *adj.* מפגר, בפיגור
be•hold′ (-hōld) *v.* לראות, להביט
be•hold′en (-hōl-) *adj.* אסיר־תודה
be•hoove′ *v.* להיות חובה על
it behooves you חובה עליך
beige (bāzh) *n.* בז', צבע בז'

be'ing *n&adj.* קיום; ישות
call into being ליצור, לברוא
come into being להיווצר
for the time being בינתיים
human being יצור אנוש, אדם
in being קיים, ישנו
be•jew'el (-jōō'-) *v.* לקשט, לייפות
be•la'bor *v.* להכות, להתקיף
belabor a point להאריך מדי, לדוש
be•la'ted *adj.* משתהה, מאחר
be•lay' *v.* לקשור בחבל, להדק
belaying-pin *n.* יתד לקשירת חבל
belch *v.* לגהק; לפלוט
belch *n.* גיהוק, פליטה (של עשן)
bel'dam *n.* מירשעת, אישה זקנה
be•lea'guer (-gər) *v.* לכתר, להקיף; לצער, לגרום צרות
bel'fry *n.* מיגדל פעמון
be•lie' (-lī) *v.* להסוות, להסתיר, להכזיב, לאכזב
be•lief' (-lēf) *n.* אמונה; דת
beyond belief לא יאומן
to the best of my belief למיטב ידיעתי, לפי הערכתי
believable *adj.* אמין, מהימן
be•lieve' (-lēv) *v.* להאמין
believe one's ears להאמין למישמע אוזניו
make believe להעמיד פנים, לדַמות
believer *n.* מאמין, חסיד
be•lit'tle *v.* להמעיט, לזלזל ב-
bell *n&v.* פעמון, צילצול פעמון
bell the cat להסתכן למען הזולת
bell, book and candle קללה, חרם
ring a bell ★להזכיר
sound as a bell בריא, במצב מצוין
with bells on ★בלהיטות
bel'ladon'na *n.* בלדונה (צמח ארסי)
bell-bottoms *n.* מיכנסי־פעמון, מיכנסיים מתרחבים
bellboy *n.* משרת, שליח (במלון)
belle *n.* יפהפיה
belles-lettres (bel'let'rə) *n.* ספרות יפה, בלטריסטיקה
bellflower *n.* פעמונית (צמח)
bell'hop' *n.* משרת, שליח (במלון)
bel'licose' *adj.* תוקפני, שש לקרב
bel'licos'ity *n.* מילחמתיות
-bellied *adj.* בעל כרס
big-bellied כרסתני
bellig'erency *n.* לוחמות, קרביות
bellig'erent *adj.* לוחם, מלחמתי
bel'low (-ō) *v.* לצוות, לשאוג
bel'lows (-ōz) *n.* מפוח
a pair of bellows מפוח
bell-push *n.* כפתור־פעמון
bel'ly *n.* כרס, בטן, קיבה
belly *v.* לנפח; להתנפח, לבלוט, להתכרס
bellyache *n.* כאב בטן
bellyache *v.* ★להתאונן, לרטון
bellybutton *n.* ★טבור
belly dancer רקדנית בטן
bellyful (-fool) *n.* מלוא הכרס
bellyland *v.* לנחות על גחונו
belly laugh צחוק רם, צחוק עמוק
be•long' (-lông) *v.* להיות מתאים ל־/מקומו ב־/חבר ב־
belong to להיות שייך ל־
belongings *n-pl.* נכסים, חפצים
be•loved' (-luvd) *adj.* אהוב, יקר
be•lov'ed (-luv'id) *n&adj.* אהוב
be•low' (-ō) *adv.* למטה; להלן
go below לרדת (לתא, באונייה)
here below על הארץ
below *prep.* למטה מ־, מתחת ל־
belt *n.* חגורה, רצועה; איזור
green belt חגורת־ירק
hit below the belt להכות מתחת לחגורה
tighten the belt להדק את החגורה
under one's belt בקיבתו; באמתחתו
belt *v.* לחגור; להלקות, להכות
belt out ★לשיר בקול רם
belt up! שקט! שתוק!
belted *adj.* חגור, בעל חגורה
belting *n.* הלקאה; חגורות, רצועות
be•moan' *v.* לקונן על
be•mused' (-mūzd) *adj.* מבולבל
bench *n.* ספסל; שופט, שופטים; כיסא השופט; שולחן־מלאכה
bencher *n.* שופט
bench warrant פקודת מעצר
bend *n.* פנייה, עיקום; קשר
round the bend ★משוגע, מטורף
the bends מחלת האמודאים, כאב מיפרקים
bend *v.* לכופף; להתכופף, לרכון; לנטות; לכוון; להיכנע; לכפות
bend a bow לדרוך קשת; לכופף קשת
bend one's mind להתרכז ב־
bend the knee לכרוע ברך
on bended knees בכריעת ברך
be•neath' *adv.* למטה, מלמטה, מתחת
beneath *prep.* למטה מ־, מתחת ל־

beneath one's dignity למטה מכבודו
beneath notice ראוי להתעלם מכך
it's beneath you to הרי זה למטה מכבודך ל־
ben′edict′ *n.* חתן, רווק שהתחתן
Ben′edic′tine (-tin) *n.* נזיר בנדיקטי; בנדיקטין, ליקר
ben′edic′tion *n.* ברכה, תפילה
ben′efac′tion *n.* גמילות חסד, נדבה
ben′efac′tor *n.* גומל חסד, תורם
ben′efac′tress *n.* גומלת חסד
ben′efice (-fis) *n.* נכסי כנסייה, מקור פרנסה (לכומר)
benef′icence *n.* גמילות חסד
benef′icent *adj.* גומל חסד
ben′efi′cial (-fi-) *adj.* מועיל, מהנה
ben′efic′iar′y (-shieri) *n.* בעל קיצבה, נהנה (מעיזבון)
ben′efit *n.* טובה, יתרון, רווח, תועלת; סיוע; קיצבה, גימלה
benefit match תחרות שהכנסותיה קודש לצדקה
for the benefit of לטובת, למען
have the benefit of the doubt ליהנות מן הספק
benefit *v.* להועיל; ליהנות, להרוויח
benev′olence *n.* נדיבות לב
benev′olent *adj.* נדיב־לב, רחב־לב
be•night′ed *adj.* שרוי בחשיכה, חשוך
be•nign′ (-nīn) *adj.* נדיב לב; נעים, נוח; (מחלה) לא מסוכנת, שפיר
be•nig′nant *adj.* נעים, נוח
be•nig′nity *n.* נדיבות־לב, חסד
ben′ison *n.* ברכה
bent *adj.* מעוקם; ⋆מושחת; מטורף; הומו
bent on נחוש בדעתו ל־
bent *n.* נטייה, כישרון טבעי
follow one's bent להתעסק בדבר החביב עליו
bent = p of bend
be•numbed′ (-numd′) *adj.* קהוי, משותק
ben′zine (-zin) *n.* בנזין
be•queath′ *v.* להוריש, להנחיל
be•quest′ *n.* ירושה, עיזבון
be•rate′ *v.* לנזוף, לגעור
be•reave′ *v.* לשכל, לאבד, לשלול
bereaved father אב שכול
bereavement *n.* שיכול, שכול
be•reft′ *adj.* חסר־, נטול־, נעדר־
beret′ (-rā′) *n.* כומתה, כובע, ברט

berg *n.* קרחון
ber′iber′i *n.* ברי־ברי (מחלה)
ber′ry *n.* עינב, גרגר; פול־קפה
berserk′ *adj.* אחוז־חימה, כועס
berth *n.* מיטה (ברכבת); מעגן; ⋆מישרה, עבודה
give a wide berth להתרחק מ־
berth *v.* לאכסן; לעגון; להעגין
ber′yl *n.* תרשיש (אבן טובה)
be•seech′ *v.* להתחנן, להפציר ב־
be•seem′ *v.* להתאים, להלום את
it ill beseems you לא יאה לך
be•set′ *v.* לכתר, להתקיף; להטריד
besetting *adj.* מטריד, אינו מרפה
be•side′ *prep.* אצל, ליד, על־יד; בהשוואה ל־, לעומת
beside oneself יוצא מגדרו
beside the point לא שייך לנושא
besides *adv&prep.* נוסף לכך; נוסף ל־
be•siege′ (-sēj) *v.* לכתר, להקיף; להציק
be•smear′ *v.* ללכלך, להכפיש
be•smirch′ *v.* ללכלך, להכתים
be′som (-z-) *n.* מטאטא
be•sot′ted *adj.* שתוי, שיכור, מבולבל
be•sought′ = p of beseech (-sôt)
be•spat′ter *v.* ללכלך, להכפיש
be•speak′ *v.* להראות, להעיד על
be•spoke′(= p of bespeak) מוזמן מראש
bespoke tailor תופר לפי הזמנה
best *adj.* הטוב ביותר
the best part of רוב, מרבית
best *adv.* באופן הטוב ביותר, הכי
as best he could כמיטב יכולתו
best-hated man האיש הכי שנוא
had best מוטב ש־, טוב היה אילו
best *n.* הטוב ביותר, מיטב
all for the best יסתיים בטוב
all the best! שלום! כל טוב!
at best לכל היותר; "מכסימום"
at one's best בשיא כושרו
do it all for the best לפעול מתוך כוונה טובה
get the best of לגבור על, לנצח
in one's best בבגדיו הנאים
make the best of להפיק את מירב התועלת מן־, לקבל ברוח טובה
to the best of one's ability כמיטב יכולתו
best *v.* לגבור על, להביס
bes′tial (-′chəl) *adj.* אכזרי, חייתי

bes′tial′ity (-′ch-) *n.* חייתיות
bes′tiar′y (-′chieri) *n.* סיפורי חיות
be•stir′ *v.* לעורר לפעולה, להזדרז
bestir oneself להזיז עצמו, לפעול
best man שושבין
be•stow′ (-ō) *v.* לתת, להעניק
bestowal *n.* מתן, הענקה
be•strew′ (-rōō) *v.* לפזר, לזרות
be•stride′ *v.* לעמוד/לשבת בפישוק על, לטרטן
best seller *n.* רב־מכר
bet *v.* להתערב, להמר
you bet ★בוודאי, אין ספק
I bet ★אני בטוח, אני מתערב ש־
bet *n.* התערבות, הימור
beta (bā′tə) *n.* ביתא (אות)
be•take′ *v.* ללכת
betake oneself ללכת, לפנות
bete noire (bātnwär′) *n.* תועבה, דבר שנוא ביותר
beth′el *n.* בית תפילה, בית־אל
be•think′ *v.* לחשוב, להיזכר
be•tide′ *v.* לקרות, להתרחש
woe betide you אוי לך
be•times′ (-tīmz) *adv.* בהקדם, מוקדם
be•to′ken *v.* לנבא, לבשר; לציין, לסמן
be•tray′ *v.* לבגוד ב־; למסור, לגלות סוד, להסגיר, להעיד על
betrayal *n.* בגידה; הסגרה
be•troth′ (-rōdh) *v.* לארס
betrothal *n.* אירוסין
betrothed *adj.* מאורס; ארוסה
bet′ter *adj.* טוב יותר
better than יותר מ־, רב מ־
better than one's word מקיים יותר מכפי שהבטיח
go one better לעלות על
he has seen better days הוא ראה ימים טובים יותר, ירד מגדולתו
little better than כמעט, ממש
no better than she should be אינה צנועה ביותר
one's better half אישתו, פלג־גופו
the better part of רוב, מרבית
better *adv.* (באופן) טוב יותר
better off במצב יותר טוב
had better כדאי, מוטב ש־
think better of להעריכו יותר; לשקול שנית בדבר, להחליט אחרת
better *n.* דבר (או אדם) יותר טוב
for better or worse בכל הנסיבות
for the better (שינוי) לטובה
get the better of לגבור על
one's betters הגדולים ממנו
better *v.* לשפר, לתקן
better oneself לשפר מצבו, להתקדם
betterment *n.* שיפור, השבחה
bet′tor *n.* מתערב, מהמר
be•tween′ *prep.* בין
between them יחד, במשותף
between you and me בינינו לבין עצמנו
come between them להפריד ביניהם
no love lost between them אין אהבה שורה ביניהם
nothing to choose between- אין הבדל בין־
between *adv.* באמצע, בין השניים
far between רחוקים, נדירים
in between בתוך, באמצע
be•twixt′ and between במצב ביניים, לא זה ולא זה
bev′el *n.* שיפוע; קצה משופע, מֶדֶר
bevel *v.* לשפע קצה, להמדיר
bev′erage *n.* משקה
bev′y *n.* קבוצה, להקת ציפורים
be•wail′ *v.* לקונן, לבכות
be•ware′ *v.* להישמר, להיזהר
be•wil′der *v.* לבלבל, להביך
bewilderment *n.* מבוכה, תדהמה
be•witch′ *v.* לכשף; להקסים
bey (bā) *n.* מושל טורקי, ביי
be•yond′ *prep.* מעבר ל־, למעלה מ־
beyond all praise משובח ביותר
beyond measure לאין שיעור
beyond that מלבד זאת, נוסף לכך
it's beyond me זה נשגב מבינתי
beyond *adv.* הלאה, יותר רחוק
the beyond העולם הבא
bezique′ (-zik) *n.* בזיק (מישחק קלפים)
bi- (תחילית) פעמיים בכל, דו־, כפול
bi•an′nu•al (-nūəl) *adj.* חצי־שנתי
bi′as *n.* נטייה, דיעה קדומה, נטאי
on the bias בקו אלכסוני
bias *v.* להטות דיעה, לשחד, להשפיע
biased *adj.* משוחד, בעל דיעה קדומה
bib *n.* סינר, לבובית, חפי
Bi′ble *n.* תנ"ך, כתבי הקודש
bib′lical *adj.* תנכ"י, מיקראי
bib′liog′rapher *n.* ביבליוגרף, ספרן
bib′liograph′ical *adj.* ביבליוגרפי
bib′liog′raphy *n.* ביבליוגרפיה
bib′liophile′ *n.* חובב ספרים

bib′u•lous *adj.* מכור לשתייה, שתיין
bi•cam′eral *adj.* בעל 2 בתי מחוקקים
bi•car′bonate *n.* סודה לשתייה
bi′cen•ten′ary *n.* יום השנה ה־200
bi′cen•ten′nial *adj.* פעם ב־200 שנה
bi′ceps′ *n.* קיבורת, שריר הזרוע
bick′er *v.* לריב, להתקוטט
bi′con•cave′ *adj.* קעור משני צדדיו
bi′con•vex′ *adj.* קמור משני צדדיו
bi′cycle *n.* אופניים
bicycle *v.* לרכוב על אופניים
bid *v.* להציע מחיר; להשתדל לרכוש; לצוות, לבקש, להזמין; לברך, לאחל
bid for לחזור אחרי, להשתדל לרכוש
bid up להעלות את המחיר
bids fair to יש רושם ש־, נראה ש־
bid *n.* הצעת מחיר, מיכרז; מאמץ, ניסיון; הצעה (בקלפים)
bid′dable *adj.* צייתן, מצייתן
bidder *n.* מציע מחיר במיכרז
bidding *n.* פקודה; הצעת מחיר
bide *v.* לחכות, להישאר
bide one's time לחכות לשעת כושר
bidet′ (-dā′) *n.* אסלת־רחצה, בידה (מושב דמוי־אסלה לשטיפת הנקבים)
bi•en′nial *adj.* דו־שנתי
bier (bir) *n.* מיטת מת, ארון מת
biff *v&n.* ⋆להכות; מכה, חבטה
bi•fo′cal *adj.* דו־מוקדי
bifocals משקפיים דו־מוקדיים
bi′furcate′ *v.* להסתעף לשניים
bi′furcate *adj.* מסתעף לשניים, ממוזלג
bi′furca′tion *n.* הסתעפות, מיסעף
big *adj.* גדול, מבוגר, חשוב; ⋆מפורסם
big deal! ⋆האומנם?! (בזילזול)
big with child הרה, בהריון
have big ideas לשאוף לגדולות
talk big ⋆להתפאר, להתרברב
too big for one's boots ⋆שחצן
big′amist *n.* ביגמיסט
big′amous *adj.* של ביגמיה
big′amy *n.* ביגמיה, נישואים כפולים
big brother האח הגדול, המנהיג
big game חיות גדולות (לציד)
big head *n.* ⋆שחצן, רברבן, מנופח
big-hearted *adj.* נדיב, רחב־לב
bight *n.* מיפרץ; עניבה, לולאה
big′ot *n.* קנאי, קנאי חשוך
big′oted *adj.* קנאי, דוגמטי
big′otry *n.* קנאות עיוורת
big shot ⋆אדם חשוב, אישיות
big top אוהל קירקס
big′wig′ *n.* ⋆אדם חשוב, אישיות
bi′jou (bē′zhōō) *n.* תכשיט, אבן חן
bike *n&v.* ⋆(לרכוב על) אופניים
biki′ni (-kē′-) *n.* ביקיני
bi•la′bial *adj&n.* (עיצור) דו־שפתי
bi•lat′eral *adj.* דו־צדדי, הדדי
bil′ber′ry *n.* אוכמנית
bile *n.* מרה; מרירות, רגזנות
bilge *n.* שיפולי האונייה, מי־שיפוליים; ⋆שטויות, זבל
bi•ling′ual (-gwəl) *adj.* דו־לשוני
bil′ious *adj.* סובל מעודף מרה; רגזן
bilk *v.* לרמות, להתחמק מתשלום
bill *n.* מקור, חרטום; לשון יבשה
bill *n.* חשבון (לתשלום); מודעה; הצעת חוק; שטר, תעודה
bill of exchange שטר חליפין
bill of fare תפריט (במיסעדה)
bill of lading שטר מיטען
bill of sale שטר מכר
bills payable שטרות לפירעון
bills receivable שטרות לקבל
fill the bill לעשות כפי הנדרש
foot the bill לשלם, לפרוע
top the bill להוביל (ברשימה)
bill *v.* להגיש חשבון; לפרסם במודעות, להכריז, להודיע
bill and coo להתעלס, להתנשק
billboard *n.* לוח מודעות
bil′let *n.* מגורי־חייל (בבית פרטי); ⋆מישרה, ג'וב
billet *v.* לשכן חייל (בבית פרטי)
billet-doux (bil′ādōō′) *n.* מכתב אהבה
bill′fold′ (-fōld) *n.* ארנק, תיק לכסף
billhook *n.* גרזן כפוף־להב
bil′liards (-lyərdz) *n.* ביליארד
bil′liard table שולחן ביליארד
bil′lingsgate′ (-z-) *n.* לשון גסה
bil′lion *n.* ביליון, מיליארד
billionth *n.* ביליונית
bil′low (-ō) *n.* גל, נחשול
billow *v.* להתנחשל, להתאבך
billowy *adj.* גלי, מתרומם כנחשול
billposter *n.* מדביק מודעות
billsticker *n.* מדביק מודעות
bil′ly *n.* כלי (להרתחת מים); אלת־שוטר
billy goat תיש
bil′ly-o′, like billy-o ⋆בעוצמה רבה, מהר מאוד, הרבה וכו'
bi′metal′lic *adj.* דו־מתכתי
bi•met′allism *n.* דו־מתכתיות

bi•month′ly (-mun-) *adj.* דו־חודשי
bin *n.* ארגז, תיבה
bi′nary *adj.* של שניים, כפול, בינארי, שניוני, זוגי
bind (bīnd) *v.* לקשור, לכבול; לכפות, לחייב; לכרוך; להקשות, לגבש; לעצר מעיים
bind oneself to להתחייב ל־
bind over לחייב את הנאשם ל־
bind the edges לקשט השוליים, להדק הקצוות לבל ייפרמו
bind up a wound לחבוש פצע
bind up the hair לצנוף השיער
binder *n.* כורך ספרים; כורכן, תיק; מאלמת (לקצירה); מלט, חומר מצמיד
bindery *n.* כריכייה
binding *n.* כריכה; רצועת שוליים
binding *adj.* מחייב, קושר, כובל
bindweed (bīnd′-) *n.* חבלבל (צמח)
bine *n.* קנוקנת (של צמח מטפס)
binge *n.* ⋆הילולה
bin′go *n.* בינגו (מישחק)
bin′nacle *n.* קופסת המצפן (בספינה)
binoc′u•lars *n-pl.* מישקפת
bi•no′mial *n.* (במתימטיקה) בינום
bi′o•chem′istry (-k-) ביוכימייה
bi•og′rapher *n.* ביוגרף
bi′ograph′ical *adj.* ביוגרפי
bi•og′raphy *n.* ביוגרפיה
bi′olog′ical *adj.* ביולוגי
bi•ol′ogist *n.* ביולוג
bi•ol′ogy *n.* ביולוגיה
bi•on′ic *n.* ⋆בעל כוחות על־טבעיים, ביוני
bi′o•phys′ics (-z-) *n.* ביופיסיקה
bi′op′sy *n.* ביופסיה, בדיקה מן החי
bi•par′tisan (-z-) *adj.* דו־מפלגתי
bi•par′tite′ *adj.* דו־צדדי
bi′ped′ *n.* הולך על שתיים, דו־רגלי
bi′plane′ *n.* ביפלאן (מטוס)
birch *n.* ליבנה, מקל ליבנה; תירזה
birch *v.* להלקות במקל ליבנה
bird *n.* ציפור, עוף; ⋆ברנש, בחורה
bird's-eye view מראה ממעוף הציפור; סקירה כללית
birds of a feather דומים זה לזה
do bird ⋆לשבת בבית סוהר
early bird משכים קום, בא מוקדם
for the birds ⋆טיפשי, חסר־ערך
get the bird להתקבל בשריקות בוז
bird-brained ⋆מוח של אפרוח
bird fancier חובב ציפורים
bird′ie *n.* ציפור, ציפורית
birdlime *n.* דבק ללכידת ציפורים
bird of passage ציפור נודדת
bird of prey עוף טורף, דורס
biret′ta *n.* כומתה (של כמרים)
bi′ro *n.* עט כדורי
birth *n.* לידה, שעת הלידה, ילודה; מוצא, מקור, ייחוס
by birth מלידה
give birth to ללדת, ליצור
birth control פיקוח על הילודה
birthday *n.* יום הולדת
birthday suit עירום מלא
birthmark *n.* סימן־לידה (על הגוף)
birthplace *n.* מקום הלידה
birthrate *n.* שיעור הילודה
birthright *n.* זכות מלידה
bis′cuit (-kət) *n.* ביסקוויט, אפיפית, תופין, מרקוע, עוגייה; חום־בהיר
bi′sect′ *v.* לחתוך, לחצות
bi′sec′tion *n.* חצייה, חיתוך
bi•sex′ual (-kshōōəl) *adj.* דו־מיני
bish′op *n.* בישוף, הגמון; רץ (בשחמט)
bish′opric *n.* בישופות
bis′muth (-z-) *n.* ביסמות (מתכת)
bi′son *n.* ביזון, בופאלו, תאו
bisque (bisk) *n.* מרק (ירקות) סמיך
bis′tro (bēs′-) *n.* בר, ביסטרו
bit *n.* מתג (בפי הסוס); מקדח
take the bit between its teeth להתפרע, להשתולל
bit *n.* משהו, קצת, חתיכה; מטבע קטן; ביט
a bit (of) קצת, במידה מסוימת
a bit at a time בהדרגה
a nice bit חתיכה הגונה
bit by bit בהדרגה
bits and pieces חפצים שונים
every bit לגמרי, הכול
not a bit (of it) לגמרי לא
to bits לחתיכות, לרסיסים
2 bits 25 סנט
bit = p of bite
bitch *n.* כלבה
bitch *v.* ⋆להתאונן, להתמרמר
bitchy *adj.* ⋆מתמרמר, מנבל פיו
bite *v.* לנשוך, לעקוץ; להכאיב; לבלוע פיתיון; להיצמד, להיתפס
bite back לרסן; לאטום שפתיו
bite his head off ⋆לדבר בגסות
bite off לנגוס
bite one's lips לנשוך שפתיו

bite the dust ★ליפול חלל
bitten with להוט אחרי, אחוז־
something to bite on עניין לענות בו, משהו להתעסק עמו
bite *n.* נשיכה, מינשך, נגיסה, עקיצה, הכשת נחש; בליעת פיתיון; חריפות; אחיזה
a bite to eat משהו לאכול
biting *adj.* חד, שנון, עוקצני
bit'ten = pp of bite
bit'ter *adj.* מריר, מר; (קור) עז
to the bitter end עד הסוף המר
bitter *n.* בירה מרה (משקה)
bitters משקה מר
bittersweet *adj.* (שוקולד) מריר
bit'ty *adj.* ★קטנטן, זעיר
bitu'men *n.* אספלט, ביטומן
bitu'minous *adj.* ביטומני
bi'valve' *n.* צידפה (דו־קשוותית)
biv'ouac' (-vōōak) *n&v.* (לחנות ב) מחנה ארעי ללא אוהלים
bi•week'ly *adj.* דו־שבועי
bi•year'ly *adj.* דו־שנתי; חצי שנתי
bizarre' (-zär) *adj.* משונה, מוזר
blab *v.* לפטפט, לגלות סוד
blab'ber *v.* לפטפט, לגלות סוד
blabbermouth *n.* פטפטן
black *adj&n.* שחור, כושי; קודר; מלוכלך
black and blue כולו פצע וחבורה
black and white שחור על גבי לבן, בכתב; (שידור ב) שחור־לבן
black in the face סמוק (מזעם)
black look מבט זועם
black tidings בשורות מרות
dressed in black לבוש שחורים
go black להתערפל, להיטשטש
in the black (חשבון בנק) בזכות
look black לבשר עתיד קודר
black *v.* להשחיר; להחרים (סחורה/עסק)
black out לאפל, להטיל איפול; לכבות האורות; לאבד ההכרה, להתעלף
black'amoor' *n.* כושי, שחור
black art כישוף, כשפים
blackball *v.* להצביע נגד (צירוף חבר חדש למועדון)
blackberry *n.* אוכמנית
blackboard *n.* לוח (של כיתה)
blackcurrant *n.* עינבי־שועל
blacken *v.* להשחיר; להשמיץ
black eye פנס (מסביב לעין)
blackguard (blag'ərd) *n.* נָבָל
blackguardly *adj.* גס, נבזה
blackhead *n.* חטטית (בעור)
blackhearted *adj.* רע־לב, אכזר
black ice/frost כפור (על הכביש)
blacking *n.* משחת־נעליים שחורה
blackjack *n.* אלה כבדה (נשק קר)
black lead גרפיט
black-lead *v.* לצפות בגרפיט
blackleg *n.* מפר שביתה; רמאי
blackleg *v.* להפר שביתה
blacklist *n.* רשימה שחורה
blacklist *v.* לכלול ברשימה שחורה
blackly *adv.* בזעם, בעצב, ברוע־לב
black magic כשפים, מאגיה שחורה, אמנות שחורה; כישוף
blackmail *n.* סחיטה, סחטנות
blackmail *v.* לסחוט (כספים)
Black Mari'a ★מכונית אסירים
black market שוק שחור
Black Mass פולחן השטן
blackout *n.* האפלה (במלחמה), איפול; כיבוי אורות, עלטה; איבוד ההכרה
black pudding נקניק (שחור)
black sheep כיבשה שחורה, בן סורר
blacksmith *n.* נַפָּח, מפרזל סוסים
black spot מקום מועד לתאונות
black tie תלבושת חגיגית
blad'der *n.* שלפוחית (השתן); פנימון
blade *n.* להב, חורפה; סכין־גילוח; עלה ארוך; כף (של משוט, מחבט, מדחף)
blah (blä) *n.* ★הבלים, להג, בלה־בלה
blame *v.* להאשים, להטיל אשמה על
is to blame אשם, אחראי
blame *n.* אשמה, אחריות, גינוי
bear the blame לשאת באחריות
lay the blame להטיל את האשמה
blameless *adj.* לא אשם, נקי, חף מפשע
blameworthy *adj.* ראוי לגינוי
blanch *v.* להחוויר; להלבין צמחים; לקלף שקדים; לחלוט, לשלוק
blancmange (bləmänj') *n.* רפרפת
bland *adj.* נעים, נוח, רך, עדין; שיטחי; אדיש; משעמם
blan'dish *v.* להחניף
blandishment *n.* חנופה, שידולים
blank *adj.* ריק, חלק, חסר־הבעה; משעמם; מוחלט
blank look מבט בוהה
come up against a blank wall להיתקל בקיר אטום
blank *n.* חלל ריק; טופס ריק; תורף; סרק

draw a blank להעלות חרס בידו
blank cartridge תרמיל חסר קליע
blank check צ׳ק ריק; יד חופשית
blan′ket *n.* שמיכה, כיסוי, מעטה
wet blanket אדם המשרה דיכאון
blanket *adj.* כולל, מקיף, לכל מיקרה
blanket *v.* לכסות
blank verse שירה ללא חרוזים
blare *n.* רעש, תרועת חצוצרה
blare *v.* לנגן ברעש, לשאוג, להרעיש
blar′ney *n.* חנופה, חנפנות
blasé (blazā′) *adj.* עייף מתענוגות
blas•pheme′ *v.* לחרף; לנאץ
blas′phemous *adj.* מחרף; מנאץ
blas′phemy *n.* חילול השם, חירוף
blast *n.* זרם־אוויר; הדף־אוויר; התפוצצות; צפירה, שריקה
at full blast במלוא הקיטור, במרץ
blasted hopes תיקוות מנופצות
blast *v.* לפוצץ סלעים; להפציץ; לקלקל, להרוס; לשדוף; לגעור, לגנות
blast it! לעזאזל!
blast off להמריא, לזנק; לגעור
blasted *adj.* ארור
blast furnace כור היתוך
blast-off *n.* זינוק (של חללית)
bla′tant *adj.* קולני, גס, חסר־בושה
blath′er (-dh-) *n.* שטויות
blaze *n.* להבה, שריפה; אור מבהיק; התפרצות זעם, התלקחות
go to blazes! לך לעזאזל!
blaze *v.* לבעור, להתלקח; להבהיק; לפרסם
be blazed להתנוסס, להתפרסם
blaze a trail לסמן נתיב ביער; לבצע דבר לראשונה, להיות חלוץ
blaze away לירות בלי הרף
blaze *n.* כתם לבן (בראש הסוס)
bla′zer *n.* מעיל ספורטיבי, בלייזר, זיג
blazing *adj.* בוער, בולט, גס
bla′zon *n.* שירויון, מגן
blazon *v.* לקשט, לייפות; לפרסם
bla′zonry *n.* תצוגה מרהיבה
bleach *n&v.* חומר מלבין; להלבין
bleach′ers *n-pl.* ספסלי הצופים
bleaching powder אבקת הלְבָּנָה
bleak *adj.* קר, עגום; חסר־מחסה, חשוף
blear′y *adj.* מטושטש־ראייה, עמום
bleary-eyed *adj.* מטושטש־ראייה
bleat *n.* פעייה (של צאן, עגל)
bleat *v.* לפעות, לדבר בשפה רפה
bled = p of bleed

bleed *v.* לדמם, לאבד דם; להקיז דם; לסחוט כספים
my hearts bleeds ליבי מתחמץ
bleeder *n.* המופילי, סובל מדממת
bleep *n.* בליפ, צליל (הבוקע ממכשיר)
bleep *v.* להפיק צליל כנ״ל
bleep out למחוק (ע״י בליפ)
blem′ish *n.* דופי, פגם, ליקוי
blemish *v.* לפגום, להטיל דופי ב־
blench *v.* להירתע בפחד, להתחלחל
blend *v.* לערב, לערבל, למהול; להתמזג
blend *n.* תערובת, מימזג
blender *n.* מְמָרֵס, בלנדר, מְמַחֶה
bless *v.* לברך, לקדש
bless me! I'm blest! חי נפשי!
blessed with ניחן, נתברך ב־
bless′ed *adj.* מבורך, קדוש; ⋆ארור
blessedness *n.* אושר
single blessedness רווקות
Blessed Sacrament לחם הקודש
blessing *n.* ברכה, מזל, טובה
a blessing in disguise תקלה שברכה טמונה בה
ask a blessing לברך ברכת המזון
bleth′er (-dh-) *v&n.* (לדבר) שטויות
blew = pt of blow (bloo)
blight *n.* שידפון, הרס, פגע
blight *v.* להקמיל, לקלקל, להרוס
blighter *n.* ⋆ברנש, טיפוס רע
bli′mey *interj.* ⋆חי נפשי!
blimp *n.* ספינת אוויר
blind (blīnd) *adj.* עיוור, סומא; אטום ל־
blind drunk שיכור כלוט, שתוי
blind haste פזיזות, חיפזון
turn a blind eye to להתעלם מ־
blind *v.* לעוור, לסנוור
blind *n.* וילון (משתלשל); מסווה, הטעייה, רמאות; מארב
blind alley מבוי סתום
blind date פגישה עיוורת (בין בני זוג שאינם מכירים זה את זה)
blind′er (blīnd′-) *n.* ⋆הילולה; ביצוע מצוין
blinders סכי־עיניים
blind flying טיסה עיוורת (בעזרת מכשירים בלבד)
blindfold *v.* לקשור העיניים
blindfold *adj.* בעיניים קשורות
blind man's buff מישחק ה״תופסת״ בעיניים קשורות
blind spot הכתם העיוור (בעין);

חוסר־הבנה מוחלט

blind turning סיבוב סמוי, פנייה בעלת שדה־ראייה מוגבל

blink *v.* למצמץ, לקרוץ; להבהב

blink the fact להתעלם מן העובדה

didn't blink לא הניד עפעף

blink *n.* מיצמוץ, היבהוב

on the blink ⋆לא פועל כשורה

blink'er *n.* נורת־היבהוב; סך־עיניים

blinkered *adj.* שעיניו טחו מראות

blinking *adj.* ⋆ארור

blip *n.* כתם על מסך המכ"מ

bliss *n.* אושר, שימחה

blissful *adj.* מאושר

blis'ter *n.* בועה, אבעבועה, כוויה

blister *v.* לגרום לבועות, להתכסות בועות

blis'tering *adj.* זועף, פוגעני

blithe (blīdh) *adj.* עליז

blith'ering (-dh-) *adj.* (פטפטן) גמור

blithesome *adj.* עליז

blitz *n.* התקפת־בזק, בליץ

blitz *v.* להפציץ תוך התקפת בזק

bliz'zard *n.* סופת־שלג עזה

bloat'ed *adj.* נפוח, מנופח, מתנפח

bloat'er *n.* דג מלוח מעושן

blob *n.* טיפה, גוש קטן, כתם

bloc *n.* גוש פוליטי, בלוק

en bloc במיכלול אחד, אן־בלוק

block *n.* גוש; בלוק; אימום, גלופה; סתימה, מחסום; גרדום; ⋆ראש

on the block למכירה

traffic block פקק תנועה

block *v.* לחסום, להכשיל, לעכב, לסכל

block in/out לתכנן בצורה כללית

block•ade' *n.* הסגר ימי, מצור

raise a blockade להסיר המצור

run a blockade לחמוק ממצור

blockade *v.* להטיל מצור על

block'age *n.* עיכוב, מיכשול, סתימה

block and tackle גלגלת (מכשיר)

blockbuster *n.* פצצה אדירה

blockhead *n.* טיפש

blockhouse *n.* מיבצר, מצודה, תבצור

block letters אותיות דפוס

bloke *n.* ⋆אדם, ברנש

blond *adj&n.* בלונדיני, בהירוני

blonde *adj&n.* בלונדינית

blood (blud) *n.* דם, קירבת־דם

bad blood שינאה, איבה

blood-and-thunder stories סיפורי הרפתקאות

flesh and blood בשר ודם

fresh blood דם חדש, כוח חדש

let blood להקיז דם

make his blood boil להרתיח את דמו

make his blood run cold להפחידו, להקפיא דמו

of the blood מגזע המלוכה

runs in his blood טבוע בדמו

blood *v.* להקיז דם

be blooded לטעום לראשונה (דם)

blood bank בנק דם

blood-bath *n.* מרחץ דמים

blood count ספירת דם

bloodcurdling *adj.* מקפיא דם, מחריד

blooded *adj.* בעל דם־

cold-blooded (רצח) בדם קר

blood feud מילחמת מישפחות

blood group סוג דם

blood heat חום הגוף (של האדם)

bloodhound *n.* כלב גישוש

bloodless *adj.* ללא שפיכות דמים; חיוור, אדיש, חסר־דם

bloodletting *n.* הקזת דם

blood lust תאוות רצח

blood money כסף לביצוע רצח

blood poisoning הרעלת דם

blood pressure לחץ דם

blood red אדום כדם

bloodshed *n.* שפיכות דמים

bloodshot *adj.* (עיניים) אדומות

blood sport הריגת חיות, ציד

bloodstained *adj.* מוכתם בדם

bloodstock *n.* סוסים גיזעיים

bloodstream *n.* מחזור־הדם

bloodsucker *n.* עלוקה, סחטן

bloodthirsty *adj.* צמא־דם

blood transfusion *n.* עירוי דם

blood vessel כלי דם, גיד, עורק, וריד

bloody *adj.* שותת דם, עקוב מדם; ⋆ארור

not bloody likely! לא ולא

bloody-minded *adj.* רע־לב, אכזר

bloom (bloom) *n.* פרח, פריחה, זוהר; אבקה, דוק (המכסה פירות בשלים)

take the bloom off לקלקל, לפגום

bloom *v.* לפרוח, ללבלב; לקרון

bloo'mer *v.* ⋆טעות גסה

bloomers אברקי אישה, תחתוני אישה

bloo'ming *adj.* ⋆ארור, מוחלט

blos'som *n.* פרח, פרחים, פריחה

blossom *v.* להוציא פרחים, לפרוח

blot *n.* כתם, רבב, פגם

blot *v.* להכתים; לספוג בנייר סופג
blot one's copybook להכתים שמו
blot out להסתיר; למחוק, להשמיד
blotch *n.* כתם, כתם־דיו
blot'ter *n.* מַספג, נייר סופג; פינקס
blotting paper נייר סופג
blot'to *adj.* ⋆שיכור, שתוי
blouse *n.* חולצה; מעיל
blow (blō) *v.* לנשב, לנשוף; לנפח; להתנפנף; להתנשם; לשרוק; לפוצץ
blow $20 לבזבז ("לשרוף") $20
blow back (לגבי גאז) להתפוצץ
blow great guns לסעור, לגעוש
blow hot and cold להיות הפכפך
blow in להופיע פתאום, להתפרץ
blow it! לעזאזל! לקלקל, לפשל
blow off steam להתפרק, לשחרר מרץ
blow one's nose לגרוף את החוטם
blow one's top ⋆להתפרץ בזעם
blow out לכַבּות; להיכבות; לפוצץ; להתפוצץ
blow over לשכוך, להיפסק; להישכח
blow town להסתלק לפתע מהעיר
blow up לנפח; להתנפח; לפוצץ; להתפוצץ; להתפרץ; ⋆לנזוף קשות
blow up a picture להגדיל תמונה
the fuse blew הנתיך נשרף
I'll be blowed תיפח רוחי!
blow *n.* משב אוויר, נשיפה
blow *v.* לפרוח, ללבלב
blow *n.* מהלומה, זעזוע, הלם
at one blow במכה אחת
blow-by-blow מפורט, צעד־צעד
come to blows להתחיל להתקוטט
get a blow in להנחית מכה
strike a blow for להיאבק בעד
without a blow ללא צורך להיאבק
blower *n.* מפוח; מנפח; ⋆טלפון
blowfly *n.* זבוב (המטיל ביצים בבשר)
blowhard *n.* ⋆רברבן, מנופח
blowhole *n.* נחיר־הלוויתן, פתח־אוויר (במינהרה, בקרח צף)
blowlamp, blowtorch *n.* מבער־הלחמה
blown (blōn) *adj.* חסר־נשימה
blown = pp of blow (blōn)
blowout *n.* התפוצצות, תקר; ⋆סעודה
blowpipe, blowgun *n.* רובה־נשיפה (צינור שדרכו נושפים חיצים)
blow-up *n.* התפוצצות; התפרצות זעם; תמונה מוגדלת
blowy *adj.* קריר, מנושב

blow'zy *adj.* סמוק־פנים; פרועת־מראה
blub'ber *n.* שומן לוויתן; ייבוב
blubber *v.* לבכות, לייבב
blubber out לדבר בבכי, לבכבך
bludg'eon (-jən) *n.* מקל, אַלה
bludgeon *v.* להכות באלה כבדה
bludgeon into לאלצו במכות ל־
blue (bloo) *n&adj.* כחול, תכלת; עצוב
as a bolt from the blue כרעם ביום בהיר
blues בלוז (מוסיקה); ⋆עצבות
once in a blue moon פעם ביובֵל
out of the blue באופן לא צפוי
shout blue murder לצרוח, לצעוק
blue *v.* לצבוע בכחול, לכחל
bluebag *n.* כוחל־כביסה
blue-blooded *adj.* בן־אצולה, כחול־דם
bluebottle *n.* זבוב־הבשר
blue chip מניה יקרה
bluecoat *n.* שוטר (במדים)
blue-collar *adj.* של פועלים שחורים, של צווארון כחול
blue film סרט מין, סרט כחול
bluejacket *n.* ימאי
blue law חוק כחול (לשמירה על המוסר)
blue-pencil *v.* לצנזר, למחוק
blueprint *adj.* תוכנית, שירטוט
blue ribbon עיטור (למנצח בתחרות)
blue stocking משכילה, אינטליגנטית
bluff *n.* צוק, שן־סלע
bluff *adj.* קשוח וגם לבבי, גלוי־לב, פשוט, עליז; בעל חזית רחבה ותלולה
bluff *v.* לרמות, לבלף, להתעות
bluff it out להיחלץ מתיסבוכת
bluff *n.* בלוף, רמאות
call his bluff להזמינו לבצע איומיו, לא להיבהל ממנו
bluf'fer *n.* רמאי, בלופר
blu'ish *adj.* כחלחל
blun'der *n.* שגיאה גסה, טעות חמורה
blunder *v.* לשגות גסות; לנוע הנה והנה, לגשש באפלה
blunder on להיתקל במיקרה ב־
blun'derbuss' *n.* רובה (מסוג ישן)
blunt *adj.* קהה, לא חד; גלוי, פשוט
blunt *v.* להקהות, לפגום בחודו
bluntly *adv.* בצורה גלויה, בפשטות
blur *v.* ללכלך; לטשטש; לעמעם
blur *n.* כתם, טישטוש, ליכלוך
blurb *n.* תיאור קצר (של ספר, על גבי עטיפתו)
blurt *v.* לגלות, לפלוט (סוד)

blush *v.* להסמיק; להתבייש
blush *n.* סומק, אודם
at first blush ממבט ראשון
put to the blush לבייש, להביך
blus'ter *v.* לסעור, לגעוש, לצעוק; לדבר בגאווה, "לעשות רוח"
bluster *n.* שאון־הגלים, המיית רוח עזה; רברבנות, איומים קולניים
blustery *adj.* סוער, מנשב בעוצמה
bo'a *n.* חֲנק (נחש חונק), בואה
feather boa סודר (לצוואר)
boar *n.* חזיר בר; חזיר זכר
board *n.* קרש, לוח; שולחן; מועצת המנהלים; ארוחות, אוכל; דף־כריכה
above board בגלוי, מעל לשולחן
across the board כולל, מקיף
go by the board להיכשל, להיפסק
on board באונייה, במטוס וכ׳
sweep the board לגרוף כל הקופה, לזכות בניצחון סוחף
the boards קרשי הבימה
board *v.* לכסות בקרשים; לעלות על (הרכבת וכ׳); לאכסן; להתגורר
board out לאכול בחוץ
boarder *n.* מתאכסן; פנימאי
boarding *n.* מיבנה־קרשים; כיסוי־לוחות; איכסון; התגוררות
boarding house פנסיון
boarding school פנימייה
boardroom *n.* חדר המנהלים
board-wages *n-pl.* תוספת ארוחות
boardwalk *n.* טיילת (בחוף הים)
boast *v.* להתפאר, להתגאות ב־
boast *n.* התרברבות, גאווה
it's my boast גאוותי על כך
boastful *adj.* מתפאר, יהיר
boat *n.* סירה; קערה (דמויית־סירה)
burn one's boats לשרוף כל הגשרים
in the same boat בסירה אחת
rock the boat להחמיר את המצב, להפריע, לטלטל את הסירה
take to the boats להימלט בסירות
boat *v.* לשייט בסירה
boat'er *n.* מיגבעת־קש
boat hook אונקל הסירה, מוט ארוך למשיכת הסירה ולדחיפתה
boat-house *n.* בית סירות
boatman *n.* סיראי, משכיר סירות
boat race תחרות־שייט
boatswain (bō'sən) *n.* מפקח ראשי באונייה
boat train רכבת־נוסעים (המשרתת אוניות נוסעים)
bob *n.* תיספורת קצרה (עד לכתפיים)
bob *v.* לעשות תיספורת קצרה
bob *v.* לנוע מעלה ומטה; לקוד קידה
bob up להופיע, לעלות, לצוף
bob *n.* התנועעות; קידה, מיכרוע
bob *n.* ⋆ (בעבר) שילינג, שילינגים
bob'bin *n.* סליל־חוטים, אשווה
bob'bish *adj.* ⋆עליז, במצב מצוין
bob'by *n.* ⋆שוטר
bobby pin סיכת שיער
bobby socks גרבי נערה
bobby sox'er ⋆גילאית טיפש־עשרה
bobsled, bobsleigh *n.* מיגררה, שַלגית
bobtail *n.* סוס (או כלב) קצוץ־זנב
the rag-tag and bobtail האספסוף
bode *v.* להוות סימן ל־, לבשר
bode ill for להוות סימן רע ל־
bode well for לבשר טוב, להבטיח
bode = pt of bide
bod'ice (-dis) *n.* לסוטה, החלק העליון בשימלה
bod'ied (-dēd) *adj.* בעל גוף־
big-bodied גדל־גוף
bodily *adj.* גופני, של הגוף, גשמי
bodily *adv.* לגמרי, בשלמותו, כאיש אחד; אישית, בעצמו
bo'ding *n.* הרגשה של רעה קרֵבָה
bod'kin *n.* מחט עבה; מרצע
bod'y *n.* גוף; גוויה; אדם; גוש
in a body כאיש אחד, הכל יחד
keep body and soul together להישאר בחיים, לחיות איכשהו
wine of good body יין חזק
body blow ⋆מהלומה, אכזבה
bodyguard *n.* שומר־ראש
body politic מדינה
body-servant *n.* משרת אישי
bodywork *n.* גוף המכונית (מבחוץ)
Bo'er *n.* בורי (בדרום אפריקה)
bof'fin *n.* ⋆מדען
bog *n&v.* בצה, אדמת־בוץ; ⋆בית־כיסא
bog down לשקוע בבוץ; להיתקע
bo'gey (-g-) *n.* (בגולף) בוגי, הישג
bogey, bogie, bogy (bō'gi) *n.* עגלת־משא; מערכת גלגלים; דחליל, שד
bog'gle *v.* להסס; להירתע, להזדעזע
bog'gy *adj.* טובעני, ביצתי
bo'gus *adj.* מזויף, מלאכותי
bo•he'mian *n&adj.* בוהמי, איש בוהמה
boil *n.* פורונקל, סימטה, נפיחות

boil *v.* לרתוח; להרתיח, לבשל
boil away להמשיך לרתוח; להתאדות
boil down להפחית ע"י רתיחה; לצמצם, לתמצת; להתרכז, להסתכם
boil over לגלוש, לגלוש ל־
keep the pot boiling להרוויח כדי מחייתו, להתקיים
boil *n.* הרתחה, נקודת רתיחה
be on the boil לרתוח
come to the boil להתחיל לרתוח
boil'er *n.* דוד־חימום, מַרתח, בוילר
boiler suit סרבל־עבודה
boiling hot ⋆חם מאוד, לוהט
bois'terous *adj.* סוער, רועש; קולני
bold (bōld) *adj.* אמיץ, נועז; חצוף, חסר־בושה; בולט, ברור
as bold as brass במצח נחושה
make bold to להעז, להיהין
make bold with להשתמש בחופשיות
boldface *n.* אותיות עבות ושחורות
boldfaced *adj.* נועז
bole *n.* גזע עץ
bo•le'ro (-lā'-) *n.* בולרו (ריקוד ספרדי); מעיל קצר, אפודה
boll *n.* תרמיל (של כותנה, צמח)
bol'lard *n.* עמוד
bol'locks *n.* ⋆שטויות; אשכים
bolo'ney *n.* ⋆שטויות
Bol'shevik *n.* בולשביק
bol'shy *n.* ⋆מתמרד, אנטי מימסדי
bol'ster (bōl-) *n.* כר (למראשות המיטה)
bolster *v.* לחזק, לתמוך
bolt (bōlt) *n.* בריח; בורג; ברק, חזיז; חץ; גליל־בד
shoot one's last bolt לעשות מאמץ אחרון
bolt *v.* להבריג, להבריח; להינעל
bolt in לכלוא
bolt *n.* מנוסה, בריחה
make a bolt for it לברוח
sit bolt upright לשבת בזקיפות
bolt *v.* לנוס, לברוח; לבלוע מהר
bolt a party לערוק ממפלגה
bolt *v.* לנפות (קמח)
bolt-hole *n.* מיפלט, מחסה
bo'lus *n.* גלולה גדולה; מזון לעוס
bomb (bom) *n.* פצצה
like a bomb ⋆מוצלח, ממש פצצה
bomb *v.* להפציץ, להטיל פצצות על
bomb out לגרש בפצצות
bomb up להטעין מטוס בפצצות

bom•bard' *v.* להפגיז, להמטיר (אש)
bom'bardier' (-dir) *n.* תותחן, מפציץ
bombardment *n.* הפגזה; הפצצה
bom'bast' *n.* מליצות נבובות
bom•bas'tic *adj.* מנופח, נמלץ, בומבאסטי
bomb bay תא פצצות במטוס
bomb disposal squad יחידה לסילוק פצצות
bomber *n.* (מטוס) מפציץ
bombproof *adj.* חסין פצצות
bombshell *n.* פצצה; זעזוע, הלם
bombsight *n.* כוונֶת־פצצות
bomb-site *n.* שטח שנהרס בפצצות
bo'na fide מהימן, בלי רמאות; בונה פידה, בתום לב
bo'na fi'des (-diz) *n-pl.* תום לב
bonan'za *n.* מיכרה־זהב, מזל
bon'bon' *n.* סוכרייה, ממתק
bond *n.* קשר, התחייבות, התקשרות; אחיזה, תפיסה; איגרת חוב
bonds כבלים, אזיקים
enter into a bond with לעשות הסכם עם
his word is as good as his bond מבטיח ומקיים, עומד בדיבורו
in bond (סחורה) במחסן ערובה
bond *v.* לאחסן במחסן ערובה; להדביק; להידבק
bond'age *n.* עבדות, שיעבוד
bonded *adj.* מופקד במחסן־ערובה
bonded warehouse מחסן ערובה
bondholder *n.* בעל איגרת חוב
bondman *n.* משועבד, עבד
bone *n.* עצם
all skin and bone גל עצמות
bone of contention סלע המחלוקת
cut to the bone לקצץ ככל האפשר
has a bone to pick with him יש לו סיבה לריב עמו
in one's bones בעצמות, בדם
make no bones about it לא להסס
to the bone עד העצם, לגמרי
will not make old bones לא יאריך ימים
bone *v.* להוציא את העצמות מ־, לגרם
bone up ⋆לשקוד על לימודיו
boned *adj.* בעל עצמות; מגורם
big-boned רחב־גרם
boned meat בשר בלי עצמות/מגורם
bone-dry *adj.* יבש כעצם
bone-head *n.* ⋆טיפש

bone-idle *n.* בטלן ללא תקנה
bone-lazy *n.* עצלן ללא תקנה
bone-meal *n.* אבקת עצמות (לזיבול)
bo'ner *n.* ⋆טעות גסה
bone-setter *n.* מרפא שברים (בגוף)
bone-shaker *n.* ⋆מכונית טלטלנית
bon'fire' *n.* מדורה
make a bonfire of להיפטר מ־
bon'homie' (-nəmē') *n.* לבביות
boni'to (-nē'-) *n.* פלמודה (דג)
bon'kers (-z) *adj.* ⋆משוגע, מטורף
bon mot (bōnmō') *n.* אימרה שנונה
bon'net *n.* כובע, מיצנפת; חיפת המנוע (במכונית)
bon'ny *adj.* נעים, נאה, בריא
bo'nus *n.* בונוס, הטבה
cost-of-living bonus תוספת יוקר
no claims bonus הטבת העדר תביעה
bo'ny *adj.* כחוש; מלא עצמות, גרמי
boo *n.* בוז! קריאת בוז
can't say boo to a goose פחדן
boo *v.* לצעוק בוז
boob (bōōb) *v.* (לעשות) שגיאה טיפשית; ⋆טיפש
boobs ⋆שדיים
boob, boo'by *n.* טיפש
booby hatch בית חולי רוח
booby prize פרס לאחרון בתחרות
booby trap פצצה ממולכדת
boo'dle *n.* ⋆שוחד, מתת
boo'hoo' *v.* לבכות, לייבב
book *n.* סֵפֶר, פינקס; חבילה, צרור; ליברית, תמליל; רשימת ההימורים
books ספרים, פינקסי העסק
bring him to book להענישו, לדרוש ממנו הסבר
closed book ספר חתום, נושא סתום
in my good books חביב עלי
make a book on לנהל הימורים
one for the books ⋆בלתי רגיל
suit one's books להלום את תוכניותיו
take a leaf out of his book לקחת דוגמה ממנו
throw the book at להחמיר בדינו
book *v.* להזמין, להסדיר מראש; להירשם; לרשום; להאשים, להגיש תלונה
book in להירשם (כאורח במלון)
booked up מלא, אין מקום, תפוס
bookable *adj.* שאפשר להזמינו מראש
bookbindery *n.* כריכייה
bookcase *n.* כוננית ספרים
book club מועדון הספר
book-end *n.* מאחוזת ספרים
book'ie *n.* ⋆סוכן הימורים
booking *n.* הזמנת מקומות מראש
booking clerk מוכר כרטיסים
booking office משרד נסיעות, קופה
bookish *adj.* תולעת־ספרים, ספרותי
bookkeeper *n.* מנהל חשבונות
bookkeeping *n.* הנהלת חשבונות
book'let *n.* ספרון, חוברת
bookmaker *n.* סוכן הימורים
bookmark *n.* סימנייה (של ספר)
book'mo•bile' (-bēl) *n.* ספרייה ניידת
bookseller *n.* מוכר ספרים
bookstall *n.* חנות ספרים (קטנה)
book token תלוש לקניית ספרים
bookwork *n.* למידה בספרים
bookworm *n.* תולעת ספרים
boom (bōōm) *n.* רעם, רעש, שאון, בום
boom *v.* לרעום, להרעיש, להדהד
boom out להרעים בקול
boom *n.* שיגשוג מהיר (של עסק)
boom *v.* לשגשג, להצליח; להתפרסם
boom *n.* מנור (בספינה); זרוע המיקרופון; שרשרת־קורות בנהר
derrick boom זרוע העגורן
boo'merang' *n.* בומראנג
boomerang *v.* לפעול כבומראנג
boom town עיר משגשגת
boon (bōōn) *n.* יתרון, ברכה, נוחיות
ask a boon לבקש טובה
boon companion חבר עליז
boor *n.* גס, חסר נימוס
boorish *adj.* גס, חסר נימוס
boost (bōōst) *v.* לתת דחיפה, להעלות, להרים; להלל, להפליג בשבחים
boost *n.* דחיפה, הרמה, עידוד
booster *n.* תומך, חסיד; מגביר (עוצמה, לחץ); תזריק נוסף
boot (bōōt) *n.* מגף, נעל; ⋆בעיטה; ⋆פיטורין; תא המיטען (במכונית)
die with one's boots on למות מוות לא טיבעי, למות בעודו עובד
his heart's in his boots נפל ליבו
lick his boots ללקק לו, להתחנף
put the boot in לבעוט
to boot נוסף על כך, גם כן
too big for one's boots יהיר
boot *v.* לבעוט; ⋆לפטר
it boots not to לא כדאי ל־
bootblack *n.* מצחצח נעליים
booted *adj.* נעול מגפיים, ממוגף
boo'tee *n.* נעל תינוק (מצמר)

booth (bōōth) *n.* תא טלפון; ביתן
polling booth תא הקלפי
bootlace *n.* שרוך־מגף, רצועת מגף
bootleg *v.* להבריח משקאות
bootleg *adj.* (משקאות) לא חוקיים
bootlegger *n.* מבריח משקאות
bootless *adj.* חסר תועלת, מיותר
boots *n.* מְשָרֵת במלון
boo'ty *n.* שלל־מלחמה, ביזה
booze *v.* ★לשתות לשכרה, להשתכר
booze *n.* ★משקה חריף
go on the booze ★לשתות לשכרה
boo'zer *n.* ★שתיין; ★מיסבָּאה
booze-up *n.* ★הילולה, מישתה
boozy *adj.* שתיין; של שתייה
bop *n.* ★מַכָּה. בופ (ריקוד)
bo•peep' *n.* "קוקו", משחק להצחקת תינוק
borac'ic acid חומצת־בור
Bor•deaux' (-dō) *n.* (יין) בורדו
bor'der *n.* גבול; קצה, שפה
border *v.* לגבול ב־, לעשות שפה ל־
border on לגבול ב־; לשכון ליד
borderer *n.* תושב ספר
borderland *n.* איזור הגבול/הספר
borderline *n.* קו הגבול
borderline case מיקרה גבול
bore *v.* לקדוח (חור); להתקדם, לנוע
bore one's way לפלס דרכו
bore *n.* חור; קדח, חלל הקנה
bore *n.* גל גבוה, נחשול
bore *n.* אדם משעמם, דבר לא נעים
bore *v.* לשעמם
bore = pt of bear
boredom *n.* שיעמום
borehole *n.* חור (בקידוח)
bor'ic acid חומצת בור
born *adj.* נולד, נוצר, מלידה
born and bred נולד וגדל
born leader מנהיג מלידה
born of נוצר מ־, פרי־
in all my born days כל ימי חיי
born = pp of bear נולד
borne = pp of bear נישא
borne in on חודר להכרה, מתחוור
bo'ron' *n.* בור (יסוד כימי)
borough (bûr'ō) *n.* עיר (בעלת שלטון עצמי); שכונה, רובע
bor'row (-ō) *v.* לשאול, לְלַווֹת; לגנוב; להעתיק
borrower *n.* שואל, לווה
borrowing *n.* שאילה, נטילה

borscht (-rsht) *n.* חמיצה, סילקנית
bor'stal *n.* מוסד לעבריינים
bosh *n.* ★שטויות
bos'ky *adj.* מכוסה עצים, מלא שיחים
bo's'n = boatswain (bō'sən)
bos'om (booz'-) *n.* חיק
bosom friend ידיד נפש
in the bosom of בחיק־
bosomy *adj.* בעלת חזה שופע
boss (bôs) *n.* ★בוס, אדון, מעביד
boss *v.* לנהל, לשלוט
boss him around לרדות בו
boss *n.* תבליט, קישוט, פיתוח
make a boss shot ★לפספס, להיכשל
boss-eyed *adj.* ★פוזל
bossy *adj.* שתלטן, רודני
bo'sun = boatswain
botan'ical *adj.* של בוטאניקה, בוטאני
bot'anist *n.* בוטאניקן
bot'anize' *v.* לעסוק במחקר צמחים
bot'any *n.* בוטאניקה, תורת הצומח
botch *v.* לקלקל, לתקן באופן רע
botch *n.* עבודה גרועה, קילקול
botcher *n.* בטלן, חושם, לא־יוצלח
both (bōth) *adj&pron.* שניהם, שני ה־
both he and she שניהם, הוא וגם היא
both of them שניהם
both'er (-dh-) *v.* להציק, להטריד, להדאיג; לטרוח, לדאוג
bother one's head about לדאוג
bother! לעזאזל! לכל הרוחות!
bother *n.* טירחה, מיטרד, צרה
both'era'tion (-dh'-) *interj.* לעזאזל
bothersome *adj.* מציק; טורדן
bot'tle *n.* בקבוק
hit the bottle ★לשתות לשכרה
the bottle משקה חריף; חלב־בקבוק
bottle *v.* למלא בקבוקים ב־
bottle up לרסן, לעצור (רגשות)
bottle-fed *adj.* ניזון מחלב־בקבוק
bottle green ירוק כהה
bottle-neck *n.* צוואר הבקבוק
bot'tom *n&v.* תחתית, יסוד; ישבן; מושב־הכיסא; ספינה, הילוך נמוך
at bottom ביסודו, בתוך תוכו
bottom out להגיע לנקודת השפל
bottoms up! ★לחיים!
from the bottom of my heart מקרב ליבי
hit bottom להגיע לשפל המדרגה
knock the bottom out of להשמיט את הקרקע מתחת ל־

the bottom of קצה, סוף־
I'll bet my bottom dollar אתערב אתך ש־, אני בטוח ש־
bottomless *adj.* עמוק מאוד, תהומי
bot'ulism' (-ch-) *n.* הרעלה ממזון
boudoir (bōō'dwär) *n.* חדר־אישה
bouffant (bōōfänt') *adj.* (שיער) מנופח
bou'gainvil'le•a (bōōgən-) *n.* בוגנוויליאה (צמח נוי)
bough (bou) *n.* ענף
bought = p of buy (bôt)
bouillon (bōō'yon) *n.* מרק דליל
boul'der (bōl'-) *n.* סלע, אבן
boul'evard' (bool'-) *n.* שדירה
bounce *v.* לקפוץ, לקפץ; להקפיץ; לזנק; להתפרץ; לנענע; להתנענע
bounce back להתאושש
the check bounced ⋆השק חזר בלי כיסוי
bounce *n.* ניתור, קפיצה; התרברבות
give the bounce ⋆לפטר, להעיף
on the bounce בשעת מעופו
bouncer *n.* סדרן (ההודף מתפרעים)
bouncing *adj.* חסון, שופע בריאות
bound *adj.* בדרך ל־, פניו מועדות ל־
bound *v.* לקפוץ, לנתר, לדלג
bound *adj.* חייב, מוכרח; ודאי, בטוח; קשור, כרוך
bound up in שקוע ראשו ורובו ב־
bound up with כרוך ב־, תלוי ב־
I'll be bound! חי נפשי!
bound *n.* קפיצה, ניתור
by leaps and bounds במהירות רבה
bound *n.* תחום, גבול
out of bounds מחוץ לתחום
within the bounds of בתחום
bound *v.* לתחום תחום, לגבול ב־
bound = p of bind
bound'ary *n.* גבול; תחום
bound'en duty חובה מצפונית
bound'er *n.* ⋆חסר־נימוס
boundless *adj.* ללא גבול, עצום
boun'te•ous *adj.* נדיב לב; שופע
boun'tiful *adj.* נדיב לב; שופע
boun'ty *n.* נדיבות־לב; מענק, פרס
bouquet' (bōōkā') *n.* צרור פרחים; ריח יין נעים; מחמאה, דברי שבח
bour'bon (bûr'-) *n.* בורבון, ויסקי
bourgeois (boorzhwä') *n&adj.* בורגני, רכושני
bourgeoisie (boor'zhwäzē') *n.* בורגנות, המעמד הבינוני
bourn (bôrn) *n.* נחל; גבול
bourse (boors) *n.* בורסה
bout *n.* תקופת פעילות; התקף מחלה, בולמוס; תחרות
boutique (bōōtēk') *n.* בוטיק
bo'vine *adj.* כמו שור או פרה
bov'ver *n.* ⋆אלימות, פירחחות
bow (bō) *n.* קֶשֶׁת; קשתנית; קשת בענן; קשר, לולאה, עניבה; יצול־המישקפיים
draw the long bow להגזים
have two strings to one's bow לשמור באמתחתו כמה תוכניות
bow (bō) *v.* לנגן בקשתנית
bow (bou) *n.* קידה, קידת נימוסין
make one's bow להופיע לראשונה
take a bow להחוות קידה
bow (bou) *v.* לקוד, להשתחוות, להתכופף; לכופף; להביע תוך קידה
bow and scrape להתרפס
bow him in להכניסו בקידה
bow him out ללוותו החוצה בקידה
bow out ⋆לצאת, להסתלק; להתפטר
bow the knee/neck להיכנע
bow to להיכנע, לציית, לקבל
bowed with age שבע־ימים
bow (bou) *n.* חרטום הספינה
bowd'lerize' *v.* למחוק, לצנזר
bow'els *n-pl.* מעיים, קרביים, בטן
bow'er *n.* מעון קיץ, מקום מוצל; חדר אישה פרטי
bow'ing (bō'-) *n.* נגינה בקשתנית
bowl (bōl) *n.* קערה, דבר דמוי־קערה; אמפיתיאטרון; ⋆הילולה
bowl *n.* כדור (בכדורת)
bowls כדורת (מישחק)
bowl *v.* לשחק כדורת; לגלגל כדור; לזרוק כדור
bowl along להחליק, להתגלגל
bowl over להפיל; לבלבל; להדהים
bow-legged *n.* עקום־רגליים
bow legs רגליים עיקלות, רגלי או
bow'ler (bō'-) *n.* מיגבעת
bowler *n.* מגלגל הכדור (בכדורת)
bow'line' (bō'-) *n.* קשר, לולאה
bowl'ing (bōl'-) *n.* כדורת (מישחק)
bowling alley אולם כדורת
bowling green מיגרש כדורת
bowman *n.* תופס קֶשֶׁת, קַשָּׁת
bowshot *n.* מטחווי קשת
bow'sprit' *n.* מוט החרטום (בספינה)
bow tie (bō'-) עניבת פרפר

bow window (bō′-) חלון קמור
bow′-wow′ *n&interj.* ⋆כלב; נביחת כלב
box *v.* להתאגרף
box his ears לסטור על אוזנו
box *n.* סטירה; מכת אגרוף
box *n.* ארגז, קופסה; תא; ⋆טלוויזיה
in a box בצרות, במצב ביש
box *v.* לשים בארגזים
box in/up לכלוא במקום צר
box off להפריד, לשים לחוד
box the compass לעשות תפנית מלאה
box, boxwood *n.* (עץ) תאשור
boxcar *n.* קרון־מיטען סגור
boxer *n.* בוקסר (כלב); מתאגרף
boxful (-fool) *n.* מלוא הארגז
boxing *n.* איגרוף
Boxing Day יום השני (חג אנגלי)
box kite עפיפון־תיבה
box number מספר תא (במודעת עיתון)
box office משרד למכירת כרטיסים, קופה
box-office success הצלחה קופתית
boy *n.* נער, בן, בחור; משרת
boy! ⋆או! (קריאה)
boy′cott′ *v.* להחרים, להטיל חרם
boycott *n.* חרם, החרמה
boyfriend *n.* ידיד, חבר קבוע
boyhood *n.* נערות, נעורים
boyish *adj.* נערי; ילדותי
boy scout צופה (חבר בתנועת צופים)
Br. = Brother, British
bra (brä) *n.* חזייה
brace *v.* להדק, לחזק, להצמיד בחוזקה
brace oneself להתאזר באומץ לקראת
brace up להתחזק, לחזק רוחו
brace *n.* מישען, מיתמך, מהדק, מחזק; חבל מיפרש
braces כתפיות, כתפות; מיתקן ליישור השיניים; סוגריים
brace *n.* זוג, צמד; זוגות, צמדים
brace and bit מקדחת־יד
brace′let (brās′l-) *n.* צמיד
bracelets ⋆אזיקים
bracing *adj.* מחזק, מבריא, מרענן
brack′en *n.* שרך (צמח)
brack′et *n.* מישען, זווית (להחזקת מדף); סיווג, סוג, קבוצה, מיסגרת
brackets סוגריים
bracket *v.* לשים בסוגריים; לכלול באותה קבוצה
brack′ish *adj.* מלחלח, מלוח מעט

bract *n.* חפה, עלעל
brad *n.* מסמר קטן, מסמרון
brad′awl′ *n.* מרצע קטן
brag *v.* להתפאר, להתרברב
brag′gado′cio′ (-′sh-) *n.* רברבנות
brag′gart *n.* רברבן
Brah′min (brä-) *n.* ברהמין, כוהן הודי
braid *v.* לקלוע (צמה/חלה); לקשט בסרט
braid *n.* צמה, מיקלעת; סרט
braille *n.* כתב ברייל
brain *n.* מוח; שכל
beat/rack one's brain(s) "לשבור את הראש", להתאמץ לחשוב
blow out one's brains להתאבד בירייה; ⋆לעמול
brains מוח־בהמה (לאכילה); שכל רב
has it on the brain הוגה בכך יומם ולילה, הדבר בראש מעייניו
pick his brains לנצל את שיכלו
brain *v.* לרוצץ גולגולת, להרוג
brainchild *n.* רעיון מקורי, אמצאה
brain drain בריחת מוחות
brain-fag *n.* עייפות המוח
brain fever דלקת המוח
brainless *n.* טיפש, רפה־שכל
brainpan *n.* גולגולת
brain-storm *n.* השראת פתע, רעיון מבריק; התקפת עצבים
brain-teaser *n.* חידה; בעייה קשה
brain trust טרסט מוחות
brain-wash *v.* לעשות שטיפת־מוח
brain-washing *n.* שטיפת־מוח
brain-wave *n.* ⋆רעיון מבריק
brainy *adj.* פיקח, בעל מוח
braise (-z) *v.* לטגן (בשר לאט), לכמר
brake *n.* בלם, מעצור
put the brakes on לבלום את
brake *v.* לבלום, לעצור
brake *n.* סבך, איזור שיחים; כירכרה
bram′ble *n.* אטד, סנה
bran *n.* סובין
branch *n.* ענף; סניף, זרוע
branch *v.* להסתעף, להתפצל
branch out להרחיב שטח הפעילויות
brand *n.* סימן מסחרי, סוג מוצר, סוג; אוד; אות קלון, ברזל מלובן
a brand from the burning אוד מוצל מאש
brand *v.* לסמן בברזל מלובן; להותיר רישום; להוקיע
bran′dish *v.* לנופף, לנפנף

brand-new *adj.* חדש בתכלית, חדשדש
bran'dy *n.* ברנדי; יין שרף
brandy snap/ball מיני־מתיקה
brash *adj.* חצוף, מחוצף; פזיז, נועז
brass *n.* פליז; כלי־פליז; כלי־נשיפה; לוח־זיכרון; ★כסף; חוצפה
get down to brass tacks ★לרדת לעובדות היסוד
top brass ★הקצונה הגבוהה
bras'sard' *n.* סרט שרוול
brass band תיזמורת כלי נשיפה
brassed off *adj.* ★עייף, נשבר לו
bras'serie' *n.* מיסעדה, מיסבאה
brass hat ★קצין בכיר
brassiere (brəzir') *n.* חזייה
brass knuckles אגרופנים (לידיים)
brass plate שלט (על דלת), לוחית
brassy *adj.* פליזי; חצוף
brat *n.* ילד (רע)
brava'do (-vä'-) *n.* העזה, הרהבה
brave *adj.* אמיץ, נועז; נאה, יפה
brave *n.* לוחם אינדיאני
brave *v.* להתייצב מול, להתריס
brave it out לעבור (המשבר) בעוז
bra'very *n.* אומץ לב
bra'vo (-rä'-) *n.* הידד! בראבו!
bravu'ra *n.* ביצוע מעולה
brawl *n.* מריבה, קטטה
brawl *v.* להתקוטט; להשתפך ברעש
brawler *n.* משתתף בקטטה, איש מדון
brawn *n.* שרירים, כוח; בשר־חזיר
brawny *adj.* שרירי, חזק
bray *n&v.* נעירת חמור; לנעור
braze *v.* להלחים; לצפות בפליז
bra'zen *adj&v.* פליזי, מתכתי; חצוף
brazen it out לנהוג בעזות מצח
bra'zier (-zhər) *n.* מחתת־גחלים
breach *n.* הפרה; עבירה; פירצה
stand in the breach לעמוד בפרץ
throw oneself into the breach לאוץ לעזרה
breach *v.* לפרוץ, לעשות פירצה ב־
breach of faith הפרת אמון, מעילה
breach of the peace הפרת הסדר
bread (bred) *n.* לחם, מזון; ★כסף
bread and butter לחם בחמאה
break bread with להסב אל שולחן־
earn one's bread להרוויח את לחמו
one's daily bread לחם חוקו
take the bread out of his mouth לגזול את לחם חוקו
the side the bread is buttered היכן להפיק תועלת
bread and butter *n.* ★פרנסה
bread-and-butter *adj.* חומרי, חיוני
bread and butter note מכתב תודה
breadbasket *n.* ★קיבה, בטן
breadboard *n.* קרש־בציעה (ללחם)
breadcrumbs *n-pl.* פירורי־לחם
breadline *n.* תור ללחם
on the breadline עני
breadth (bredth) *n.* רוחב, מרחב, מישור; רוחב לב, רחבות־אופק
breadthways, -wise *adv.* לרוחבו, מול צידו הרחב
breadwinner *n.* מפרנס
break (brāk) *v.* לשבור; להישבר; לנתק; להינתק; להפר; לפרוץ; להפסיק, לבטל
as day breaks עם עלות השחר
break a fall להחליש עוצמת נפילה
break a horse לאלף סוס
break a record לשבור שיא
break a rope לקרוע חבל
break a way לפלס דרך
break an agreement להפר הסכם
break an officer להוריד קצין בדרגה
break away לברוח, להימלט, להינתק
break camp לפרק מחנה, לארוז
break cover לברוח ממקום מחסה
break down להרוס; להישבר, להתמוטט; לפרק, למיין, לסווג
break even לסיים עיסקה בלי רווח או הפסד
break faith with למעול באמון
break forth להתפרץ
break his heart לשבור את ליבו
break in לפרוץ פנימה; לאלף, ללמד
break in on להתפרץ, להפריע ל־
break into לפרוץ ב־, לפרוץ ל־
break into a run לפתוח בריצה
break loose/free לברוח, להינתק
break new ground לגלות נצורות, לחקור ארץ לא נודעת
break of להגמילו מ־
break off להפסיק, לנתק; להינתק
break one's neck להיהרג; ★להרוג את עצמו, להשתדל ביותר
break open לפרוץ, לשבור; להתפצח
break out לפרוץ, להופיע; לברוח
break out in להתכסות ב־ (זיעה)
break prison לברוח מן הכלא
break short לסיים טרם זמנו
break step לצעוד בלי קצב אחיד
break the bad news to him לבשר לו

את הבשורה המרה בעדינות
break the code לפענח את הצופן
break the ice לשבור את הקרח
break the law לעבור על החוק
break the news לפרסם את הידיעה
break the skin לפצוע את העור
break the soil לתחח את האדמה
break through להבקיע, להפציע; לעשות פריצת דרך, להצליח
break up לפרק; להתפרק; לשבור; להיהרס; לפזר; להתפזר, להיפרד
break wind לפלוט נפיחה
break with להיפרד מ־, להינתק מ־
his voice broke קולו התחלף
the abscess broke המורסה נתבקעה
the ball broke הכדור שינה כיוון
the frost broke הכפור חלף
the storm broke הסערה פרצה
break *n.* שבר, פירצה, הפסקה; שינוי, שינוי כיוון; *הזדמנות, צ׳אנס
a bad break *שגיאה; הערה אומללה
a lucky break הצלחה
break of day/dawn עלות השחר
make a break for לנסות לברוח
breakable *adj.* שביר; עלול להישבר
breakage *n.* שבר, שבירה; נזקי שבירה
breakaway *n.* ניתוק; פילוג; פלג
breakdown *n.* קילקול; התמוטטות; ניתוח, פירוט
breaker *n.* מישבר, גל גדול, נחשול
break′fast (brek′-) *n.* ארוחת בוקר
break′fast (brek′-) *v.* לאכול ארוחת בוקר
break-in *n.* פריצה (לדירה)
breakneck *adj.* מסוכן, מהיר מאוד
breakout *n.* בריחה
breakthrough *n.* הבקעה; פריצת דרך
breakup *n.* התפרקות, התמוטטות
breakwater *n.* שובר־גלים; מזח
bream *n.* אברומה (דג)
breast (brest) *n.* חזה, שדיים, חיק
a troubled breast לב דואג
make a clean breast of להתוודות
breast *v.* להיאבק עם, להתייצב מול; לדחוף בחזה, לגעת בחזהו ב־
breast-fed *adj.* ניזון מחלב־אם
breast-high *adv.* בגובה החזה
breastplate *n.* שיריון חזה
breaststroke *n.* שחיית חזה
breastwork *n.* סוללה, קיר מגן
breath (breth) *n.* נשימה; אוויר, רוח קלה; סימן קל, רמז, משהו, שמץ
bad breath ריח רע (מהפה)
below/under one's breath בלחש
breath of life נשמת־חייו
catch one's breath לעצור נשימתו; לנשום, לנוח
draw/take breath לנשום, לנוח
get one's breath לנשום כרגיל, לשאוף רוח, לנוח
hold one's breath לעצור נשימתו
in the same breath בנשימה אחת
long breath נשימה ארוכה
lose one's breath להתנשם
out of breath חסר נשימה
take his breath away להדהימו
waste one's breath לשחת דבריו
breath′aly′ser (breth-z-) *n.* מד שיכרות (למדידת שיכרותו של נהג)
breathe (brēdh) *v.* לנשום, לנשוף; ללחוש, לפלוט; להוציא, להפיח
breathe a word להוציא הגה
breathe again/easily/freely לנשום לרווחה
breathe down his neck לנשוף בעורפו
breathe in/out לנשום/לנשוף
breathed his last נפח נפשו
breath′er (-dh-) *n.* הפסקה קצרה
breath′ing (-dh-) *n.* נשימה
breathing space הפסקה, מנוחה
breathless *adj.* חסר־נשימה, מתנשם; עוצר נשימה, מותח; חסר־רוח
breathtaking *adj.* עוצר נשימה
bred = p of breed
breech *n.* מיכנס (בכלי ירייה)
breeches *n-pl.* מיכנסיים
breeches buoy מיכנסי־הצלה
breech-loader ניטען במיכנס
breed *v.* לפרות, להתרבות; לגדל חיות; לחנך, לטפח; ליצור, לגרום
well-bred מחונך, מנומס
breed *n.* גזע, מין
breeder *n.* מגַדל, עוסק בגידול חיות
breeding *n.* גידול; חינוך; נימוס
breeze *n.* רוח קלה, בריזה; *ריב
in a breeze *בקלות, בנקל
shoot the breeze *לנהל שיחה קלה
breeze *v.* *לנוע, לחלוף, לעבור
breezy *adj.* אוורירי, מנושב; עליז
Bren *n.* מקלע ברן
breth′ren (-dh-) *n-pl.* אחים
breve *n.* סימן התנועה הקצרה
brevet′ *n.* העלאה בדרגה (ללא שכר)

brevet rank דרגת כבוד
bre′viar′y (-vieri) *n.* ספר תפילה נוצרי
brev′ity *n.* קיצור, קוצר, קצרוּת
brew (broo) *v.* לבשל שיכר, לחלוט תה; לתכנן, לרקום מזימה; להתהוות
 trouble is brewing צרה "מתבשלת"
brew *n.* בישול; חליטה; סוג שיכר
brewer *n.* מבשל שיכר
brew′ery (broo′-) *n.* מיבשלת שיכר
bri′ar *n.* מיקטרת (משורש העצבונית)
bribable *adj.* שחיד, בר־שיחוד
bribe *n.* שוחד
bribe *v.* לשחד, לתת שוחד
bri′bery *n.* מתן שוחד, לקיחת שוחד
bric′-a-brac′ *n.* חפצי נוי קטנים
brick *n&v.* לבינה; קובייה; ⋆איש אדיב
 brick up/over לאטום בלבינים
 drop a brick ⋆לפגוע, להעליב
 like a ton of bricks במחץ רב
 make bricks without straw לעבוד בפרך, לעמול בחינם
 run head against brick wall להטיח ראשו בכותל
brickbat *n.* חתיכת לבינה; ביקורת חריפה, התקפה מוחצת
bricklayer *n.* בנאי, מניח לבינים
brickwork *n.* מיבנה־לבינים
brickyard *n.* בית חרושת ללבינים
bri′dal *adj.* של כלה, של חתונה
bride *n.* כלה, ארוסה
bridegroom *n.* חתן, ארוס
bridesmaid *n.* שושבינה
bridge *n.* גשר; גישרה; גישרית
bridge *v.* לגשר, לבנות גשר מעל־
 bridge over להתגבר על; לסייע (בהלוואה לזמן קצר)
bridge *n.* ברידג' (מישחק)
bridgehead *n.* ראש־גשר
bridgework *n.* גשר־שיניים
bri′dle *n.* רסן, מושכות
bridle *v.* לשים רסן על, לרסן; לזקוף ראש (בגאווה, בכעס, בבוז)
bridle path/road שביל־סוסים
brief (brēf) *adj.* קצר, תמציתי, מהיר
 brief and to the point קצר ולעניין
 in brief/briefly בקיצור, בקצרה
brief *n.* תקציר, תיק, תדריך, תידרוך; הוראות, תחום פעולה
 briefs תחתונים קצרים וצמודים
 hold a brief for לטעון בעד, להגן
 hold no brief for לא לתמוך ב־
brief *v.* לתדרך; לדווח, למסור
briefcase *n.* תיק (למיסמכים)
briefing *n.* תדריך, תידרוך
bri′er, bri′ar *n.* קוץ, חוח, עצבונית
brig *n.* דו־תורנית (ספינה); תא־מעצר
brigade′ *n.* בריגאדה, חטיבה; גדוד
brig′adier′ (-dir) *n.* בריגדיר, תת־אלוף
brigadier general בריגדיר, תת־אלוף
brig′and *n.* שודד, גזלן
brig′andage *n.* שוד; גזילה
brig′antine′ (-tin) *n.* דו־תורנית
bright *adj.* בהיר; מבריק, פיקח, שנון, מזהיר; עליז, זוהר, קורן
 bright future עתיד ורוד
brighten *v.* להתבהר; להאיר, להבהיר
brill *n.* פוטית (דג שטוח)
bril′liance, -cy *n.* זוהר, הברקה
bril′liant *adj.* מבהיק, מבריק, מצוין
bril′liantine′ (-tin) *n.* בריליאנטין
brim *n.* שפה, קצה; אוגן הכובע, תיתורה
brim *v.* להיות מלא עד גדותיו
 brim over להיות מלא, לשפוע, לגלוש
brimful (-fool) *adj.* מלא, שופע, גדוש
brim′stone′ *n.* גופרית
brin′dled (-dəld) *adj.* מנומר, חברבור
brine *n.* מי־מלח (לשימור מזון)
bring *v.* להביא
 bring about להביא, לגרום ל־; לשנות את כיוון הספינה
 bring an action להגיש תביעה
 bring around לשכנעו לשנות עמדתו; לאוששׁ, לרפא
 bring back להחזיר
 bring down להפיל, להוריד; להנמיך קומתו; לדכא, לדכדך
 bring down the house לשלהב את קהל הצופים, לעורר רעם מחיאות כפיים
 bring down trouble on להמיט שואה על
 bring forth ללדת, להוליד
 bring forward להגיש, להציע, להמציא; להקדים; להעביר מדף לדף
 bring him low להשפילו
 bring in להכניס, להגיש; לעצור לחקירה; להוציא פסק דין
 bring into force ליישם, להפעיל
 bring off להגשים, לבצע; להציל
 bring on לגרום; לעזור להתפתחות
 bring out להוציא; להוציא לאור; לחשוף; להשבית; לדובב
 bring over לשכנעו לשנות עמדתו
 bring round לעוררו מעלפונו; לשכנעו

לשנות דעתו; לשנות כיוון
bring through להציל, לחלץ
bring to לעוררו מעילפון; לעצור
bring to book לדרוש הסבר, להעניש
bring to light להוציא לאור
bring to mind להזכיר
bring together להפגיש
bring under לדכא, להכניע; לכלול
bring up לגדל, לחנך; להעלות; להביא, להגיש; להקיא; לעצור, לאסור
bring up short לעצור פתאום
bring up the rear להיות המאסף
brink *n.* שפה, גדה, קצה
on the brink of על סף־
brinkmanship *n.* מדיניות ההליכה על חבל דק
bri′ny *adj.* מלוח
the briny הים, האוקיינוס
brioche (briōsh′) *n.* עוגייה
briquet′ (-ket) *n.* פחם כבוש
brisk *adj.* מהיר, פעיל, ער; מרענן
bris′ket *n.* עטין, דד
bris′tle (-səl) *n.* זיף, שיער קשה
bristle *v.* להסתמר, לסמור; לזעוף
bristle with להיות מלא ב־, לשפוע
bristly *adj.* מכוסה זיפים, זיפי
Brit′ain (-tən) *n.* בריטניה
britch′es *n-pl.* מיכנסיים
Brit′ish *adj.* בריטי
Britisher *n.* בריטי
Brit′on *n.* בריטי
brit′tle *adj.* שביר, פריך; רגיש
broach *v.* לפתוח בקבוק, לנקב חבית, להעלות נושא
broad (brôd) *adj.* רחב, כללי, מקיף; מובהק, גלוי, ברור; סובלני, ליברלי
as broad as it is long היינו הך
broad hint רמז שקוף
broad jokes בדיחות גסות
broad jump קפיצת־רוחק
broadly speaking כללית, בלי להיכנס לפרטים
in broad daylight לאור היום
broad *n.* רוחב; ★אישה, בחורה
broad bean פול (קיטנית)
broadcast *v.* לשדר (ברדיו); לפרסם; לזרוע ע"י פיזור הזרעים
broadcast *n.* שידור, תוכנית
broadcasting *n.* שידור
Broad Church הכנסייה הליברלית
broadcloth *n.* בד עבה משובח
broaden *v.* להרחיב; להתרחב
broadminded *adj.* רחב־אופק
broadsheet *n.* גיליון, עלון
broadside *n.* צידון, צד הספינה; מטח תותחי הצידון; התקפה מוחצת
broadside on מצד הצידון
broadways, -wise *adv.* בצידו הרחב
bro•cade′ *n.* ריקמה (בחוטי זהב)
brocade *v.* לרקום (בחוטי זהב)
broc′coli *n.* ברוקולי (כרובית)
bro•chure′ (-shoor′) *n.* חוברת
brogue (brōg) *n.* נעל כבדה; מיבטא אירי (של אנגלית)
broil *v.* לצלות; להיצלות; ללהוט
broil *n.* קטטה, מריבה
broiler *n.* אסכלה, מיתקן־צלייה; עוף לצלייה; איש ריב; ★יום לוהט
broke *adj.* ★חסר־כול, מרושש
flat/stone broke ★הרוס, מרושש
go broke ★להתרושש
go for broke ★לעשות מאמץ עליון
broke = pt of break
bro′ken = pp of break
broken *adj.* שבור, הרוס, רצוץ
broken ground אדמה סלעית/גבנונית
broken sleep שינה מקוטעת
broken-down *adj.* שבור, רעוע
brokenhearted *adj.* שבור־לב
bro′ker *n.* תווכן, מתווך, ברוקר; כונס נכסים
bro′kerage *n.* דמי תיווך
brol′ly *n.* ★מיטרייה
bro′mide *n.* ברומיד; הערה נדושה
bro′mine (-min) *n.* ברום (יסוד כימי)
bron′chi (-kī) *n-pl.* סימפונות
bron′chial (-k-) *adj.* של הסימפונות
bron•chi′tis (-k-) *n.* דלקת הסימפונות, ברונכיטיס
bron′co *n.* ברונקו (סוס בר)
bronze *n.* ארד, ברונזה; כלי־ברונזה
bronze *v.* לצבוע בגון הארד, לשזף
Bronze Age תקופת הברונזה/הארד
brooch (brōch) *n.* מכבנה, סיכת־נוי
brood (bro͞od) *v.* לדגור; לדאוג
brood over לדגור על (בעייה)
brood *n.* מידגר, אפרוחים, בריכה; קבוצה
brooder *n.* דוגר, דוגרת
brood hen תרנגולת רבייה
broody *adj.* דוגרנית; מודאג
brook *n.* נחל קטן, פלג, פלגלג
brook *v.* לשאת, לסבול
broom (bro͞om) *n.* מטאטא; רותם

(שיח); לטאטא, לנקות
a new broom "מטאטא חדש"
broomstick *n.* מקל המטאטא
Bros. = Brothers
broth *n.* מרק, מרק־בשר
broth'el *n.* בית בושת
broth'er (brudh-) *n.* אח
brother doctor רופא עמית
brothers in arms חברים לנשק
oh brother! אוי, אבוי
brotherhood *n.* אחווה, אגודה
brother-in-law *n.* גיס
brotherly *adj.* כמו אח, ידידותי
brougham (broo'əm) *n.* כירכרה
brought = p of bring (brôt)
brouhaha (broohä'hä) *n.* ★בלגן
brow *n.* מצח; ראש גבעה, ראש צוק
brows, eyebrows גבות (העיניים)
knit one's brows להזעיף את מיצחו
browbeat *v.* להפחיד (במבט מאיים)
brown *n&adj.* חום, שחום
in a brown study שקוע במחשבות
brown *v.* להשחים, להזהיב
browned off ★נשבר לו, נמאס לו
brown bread לחם שחור
brown'ie *n.* שדון טוב, רוח; חברה
בתנועת־צופים, צוֹפָה, עוגיית־שוקולד
brownstone *n.* אבן חומה (לבנייה)
browse (-z) *n.* מירעה; ריפרוף, עיון
browse *v.* לרעות; לדפדף בספרים
bru'in *n.* דוב
bruise (brooz) *v.* להכות, לחבול,
לפגוע; להיפגע, להתנפח
bruise *n.* חבלה, חבורה, תפיחה
bruiser *n.* בירוין, איש־זרוע
bruit (broot) *v.* להפיץ (ידיעה)
brunch *n.* ארוחת בוקר מאוחרת
bru•nette' (broo-) *adj&n.*
שחומת־עור; שחרחור
brunt *n.* כובד, מחץ (ההתקפה)
brush *n.* מיברשת, מיכחול; הברשה;
תיגרה, מגע; זנב־השועל
brush *v.* להבריש, לצחצח; לנגוע,
לשפשף, להתחכך ב־, לחלוף, לעבור
brush aside להתעלם מ־
brush away לסלק; להתעלם מ־
brush him off לדחות, לסרב לו, לסלק
brush off להיעלם תוך הברשה
brush up ללטש את ידיעותיו
brush *n.* שיחים, חורשה
brush-off *n.* ★דחייה, סירוב; התעלמות
brush-up *n.* ריענון הידיעות

brushwood *n.* שיחים; ענפים כרותים
brushwork *n.* סיגנון־ציור
brusque (brusk) *adj.* נוקשה, גס,
פיתאומי, מהיר
bru'tal *adj.* אכזרי, ברוטאלי
bru•tal'ity (broo-) *n.* אכזריות
bru'talize' *v.* לבהם, להפכו לאכזר
brute *n.* חיה, בהמה, אכזר, פרא
bru'tish *adj.* אכזרי, פראי, גס
BS = Bachelor of Science
bub'ble *n.* בועה, בלון; בעבוע
bubble *v.* להעלות בועות, לבעבע
bubble over להיות מלא, לשפוע
bubble gum גומי־לעיסה (מתנפח)
bubbly *adj.* מלא בועות, מבעבע, תוסס
bubbly *n.* ★שמפניה
buc'caneer' *n.* שודד־ים
buck *n.* צבי; שפן (זכר); ★דולר
pass the buck להטיל האחריות על
הזולת
quick buck ★רווח קל/מהיר
buck *v.* לקפוץ, לקפץ, להפיל רוכב;
להתנגד ל־; לעודד רוחו
buck up לעודד; להתעודד; להזדרז
buckboard *n.* כירכרה
buck'et *n.* דלי
kick the bucket למות
bucket *v.* לרכוב במהירות, לנסוע
בטילטולים; לרדת בשפע (גשם)
it's bucketing ניתך גשם עז
bucketful (-fool) *n.* מלוא הדלי
bucket seat כיסא מתקפל; כיסא קעור
bucket-shop בורסה (של ספקולנטים)
buck'le *n.* אבזם; בליטה, כיפוף
buckle *v.* לאבזם, להדק, לחגור, לרכוס;
לעקם; להתעקם; להיכנע
buckle down to להירתם במרץ
לעבודה, לשנס מותניו
buck'ler *n.* מגן; שיריון קטן
buck'ram *n.* אריג קשה/גס
buck•shee' *adv&n.* חינם; באקשיש
buckshot *n.* כדור־עופרת כבד
buckskin *n.* עור צבי
bucktooth *n.* שן בולטת (קידמית)
buckwheat *n.* כוסמת
bu•col'ic (bū-) *adj.* כַּפרי
bucolics *n-pl.* שירי רועים
bud *n.* ניצן, נבט; ★ברנש
in bud מעלה ניצנים, מנץ
nip in the bud לקטוף באיבו
bud *v.* להנץ, להוציא ניצנים
Bud'dhism' (bood'iz'əm) *n.*

בודהיזם, בודהיות
budding *adj.* מתחיל להתפתח, מנץ, עולה
bud'dy *n.* *חבר, ידיד, ברנש
budge *v.* להזיז; לזוז
budg'et *n.* תקציב
budget *v.* לתקצב, להכין תקציב
budgetary *adj.* תקציבי, של תקציב
buff *n.* עור־פרה; צהוב־בהיר; אוהד, מעריץ
in the buff ערום, מעורטל
strip to the buff להתפשט לגמרי
buff *v.* ללטש, להבריק
buf'falo' *n.* בופאלו, תאו, שור־הבר
buf'fer *n.* סופג זעזוע, מחליש הלם, מנחת
old buffer *זקן שוטה
buffer state מדינת חיץ
buf'fet *n.* מהלומה, מכה
buf'fet *v.* להלום, להכות; להיאבק
buffet' (bəfā') *n.* מיזנון
buffoon' (-o͞on) *n.* ליצן, מוקיון
play the buffoon להשתטות, לבדח
buffoonery *n.* ליצנות
bug *n.* פישפש, חרק; *חיידק, נגיף; קילקול; מיקרופון שתול
big bug *אדם חשוב, אישיות
bug *v.* *לשתול מיקרופון; להציק
bug'aboo', bugbear *n.* מיפלצת, דחליל
bug-eyed *adj.* פעור־עיניים
bug'ger *n.* עושה מעשה סדום; *ברנש
bugger *v.* לעשות מעשה סדום
bugger off! *הסתלק! התחפף!
buggery *n.* מעשה סדום
bug'gy *n.* כירכרה; עגלת תינוק
in the horse-and-buggy age לפני הופעת המכונית
bughouse *n.* *בית־משוגעים
bu'gle *n.* חצוצרה
bugles חרוזים (תפורים על שימלה)
bu'gler *n.* חצוצרן
buhl (bo͞ol) *n.* רהיטים מעוטרים
build (bild) *v.* לבנות, ליצור
build a fire under להמריץ לפעולה
build him up להאדיר שמו, להללו
build in(to) לקבוע, להרכיב, להכליל
build on לבסס על, לסמוך על
build up לבנות, לפתח; להתפתח, לגדול, להתרבות
build *n.* צורה, מיבנה הגוף
builder *n.* בנאי, בונה; קבלן
building *n.* בניין; הקמת בניינים
building blocks נידבכים
building society קרן לרכישת דירות
build-up *n.* גידול; יצירת תדמית
built = p of build (bilt)
built-in *adj.* מורכב, קבוע, מובנה
built-up *adj.* מכוסה בניינים
bulb *n.* נורת חשמל; פקעת, בולבוס
bul'bous *adj.* פקעתי, בולבוסי
bul'bul' (bool'bool) *n.* בולבול
bulge *n.* בליטה; גידול ארעי
bulge *v.* לבלוט; להתנפח
bulk *n&v.* נפח, גודל; גוף גדול
bulk large לשחק תפקיד חשוב
in bulk בציבורת, בצובר, בתיפזורת
the bulk of מרבית, חלק הארי
bulkhead *n.* מחיצה אטימה (באונייה)
bulky *adj.* בעל נפח, גדול, מגושם
bull (bool) *n.* שור, פר; פיל זכר; *שוטר; *שטויות; מעלה שערי המניות
a bull market שוק מניות גואה
shoot the bull *לשוחח
take the bull by the horns לתפוס את השור בקרניו
bull *v.* לגרום לעליית המחירים
bull *n.* בולה, איגרת־האפיפיור
bull *n.* (בצבא) קפדנות, טירטור
bulldog *n.* בולדוג (כלב)
bull'doze' (bool-) *v.* להפחיד; ליישר בדחפור, לדחוף כבדחפור
bull'doz'er (bool'dōz-) *n.* דחפור
bul'let (bool-) *n.* כדור; קליע
bite the bullet לסבול באומץ
bullet-headed *adj.* (אדם) עגלגל־ראש
bul'letin (bool-) *n.* בולטין, עלון, ידיעון
bulletin board לוח־מודעות
bulletproof *adj.* חסין קליעים
bullfight *n.* מלחמת שוורים
bullfighter *n.* לוחם שוורים
bullfinch *n.* ציפור־שיר קטנה
bullheaded *adj.* קשה־עורף
bul'lion (bool-) *n.* מטיל־זהב; מטיל־כסף
bullnecked *adj.* בעל צוואר עבה
bul'lock (bool-) *n.* שור, פר מסורס
bullring *n.* זירת מלחמת שוורים
bull's-eye *n.* בול, מרכז המטרה, אישון; סוכרייה; פתח עגול
bull'shit' (bool'-) *n.* *שטויות
bul'ly (bool-) *n.* רודן, שתלטן , בריון
bully *v.* להציק, להפחיד
bully *adj.* *מצוין, מוצלח, יפה

bully beef בשר משומר
bul′rush′ (bool-) *n.* אגמון
bul′wark (bool-) *n.* מיבצר, מעוז
bulwarks קיר־מגן
bum *n&v.* ★בטלן, קבצן; ישבן
bum about להתבטל
go on the bum להתבטל
bum *adj.* ★גרוע, חסר ערך
bum′ble *v.* ★למלמל, לקשקש
bumblebee *n.* דבורה גדולה
bum′boat′ *n.* סירת אספקה
bump *v.* לחבוט; להכות; להתנגש ב־; להיטלטל, לנוע בטילטולים
bump into לפגוש, להיתקל ב־
bump off ★לרצוח, לחסל
bump up להעלות, להרים, להגדיל
bump *n.* חבטה; בליטה, נפיחות
bump *adv.* בקול חבטה, פתאום, טרח!
bump′er *n.* (במכונית) פגוש
bumper *n.* כוס מלאה; דבר גדוש ומלא
bumper crop יבול מבורך
bump′kin *n.* מגושם, גמלוני
bump′tious (-sh∂s) *adj.* מתנשא; בטוח בעצמו
bumpy *adj.* בעל גבשושיות; טלטלני
bun *n.* לחמנייה מתוקה; צמה מצונפת
bunch *n.* אשכול, צרור; ★קבוצה
best of the bunch ★טוב מכולם
bunch *v.* לאגד; להתקבץ; להתקפל
bun′dle *n.* אגודה, חבילה
bundle *v.* לארוז, לדחוס בעירבוביה
bundle off לסלקו בלי שהיות
bundle up להתעטף בלבוש חם
bung *n.* פקק, מגופה
bung *v.* ★לדחוף, לזרוק, להשליך
bung up לסתום, לפקוק
bun′galow′ (-ō) *n.* בונגאלו
bunghole *n.* פי־החבית
bun′gle *n.* מלאכה גרועה, כישלון, פשלה
bungle *v.* לקלקל, לעשות מלאכה רעה
bun′ion *n.* תפיחה (בבוהן הרגל)
bunk *n.* מיטה צרה, דרגש
bunk *n.* ★שטויות; מנוסה, בריחה
do a bunk/bunk off ★לברוח
bunk beds מיטות דו־קומתיות
bun′ker *n.* בונקר, מיקלט, מלינה; מחסן־פחם
bun′kum *n.* ★שטויות
bun′ny *n.* שפן, ארנבת
bunny girl ★שפנפנה
Bun′sen burner בומן (מבער־גאז)
bunt′ing *n.* בד־דגלים; קישוטי רחוב

buoy (boi) *n.* מצוף; מיתקן־הצלה
buoy *v.* להציף, להחזיק במצב ציפה; לתמוך, לרומם, לעודד
buoy up לרומם רוחו, לעודד
buoy′ancy (boi′-) *n.* כושר ציפה, נטייה לצוף; קלילות, כושר התאוששות
buoy′ant (boi′-) *adj.* צף, מציף; עליז, קליל
bur, burr *n.* תרמיל־צמח דביק; ספחת
bur′ble *v.* לבעבע, לפכפך; לפטפט
bur′den *n.* משא, נטל; כושר־קיבול, טונאז'; פיזמון; ★נושא מרכזי
burden of proof חובת ההוכחה
burden *v.* להעמיס, להטעין, להכביד
burdensome *adj.* כבד, מעייף, מעיק
bur′dock′ *n.* צמח בעל תרמיל דביק
bu′reau (-rō) *n.* ארון מגרות; שולחן כתיבה; מישרד, לישכה
bu•reauc′racy (byoorok′-) *n.* ביורוקרטיה, שילטון פקידים; ניירת, מישרדנות
bu′reaucrat′ (-r∂k-) *n.* ביורוקרט
bu′reaucrat′ic (-r∂k-) *adj.* ביורוקרטי, מישרדני, פקידותי
burg *n.* ★עיר
bur′geon (-j∂n) *v.* ללבלב, להתפתח
bur′gess *n.* אזרח, אזרח עיר
bur′gher (-g-) *n.* אזרח עיר
bur′glar *n.* גנב, פורץ
burglar alarm מזעק נגד פריצה
bur′glarize′ *v.* לפרוץ, לחטוף
bur′glary *n.* פריצה, גניבה
bur′gle *v.* לגנוב, לחטוף, לפרוץ
bur′gomas′ter *n.* ראש עיר
Bur′gundy *n.* יין בורגונדי
bur′ial (ber′-) *n.* קבורה, טקס קבורה
burke *v.* להשתיק, למנוע
bur′lap′ *n.* אריג גס
burlesque′ (-lesk) *n.* בורלסקה, גחכה, פארודיה
burlesque *v.* לעשות פארודיה על
bur′ly *adj.* חזק, מוצק
burn *v.* לבעור, לחרוך, לצרוב, לשרוף; להישרף
burn away להמשיך לבעור; להישרף
burn down לכלות באש; להישרף כליל
burn into לקעקע, לצרוב, לחרות עמוק
burn low לדעוך, לבעור באש קטנה
burn one's boats/bridges לשרוף את הגשרים מאחוריו
burn one's fingers להיכוות ברותחין
burn oneself out להרוס את עצמו

burn out לדעוך, להישרף; לשרוף
burn up להשתלהב; לבער; להישרף; לשרוף; להרגיז, להרתיח
burn up the road לשרוף את הכביש, לנהוג במהירות
burn *n.* כוויה; בעירה
burner *n.* מַבער, ברנר
burning *adj.* בוער, צורב
bur′nish *v.* להבריק, לצחצח
burnoose′ *n.* בורנס (גלימה ערבית)
burnt = p of burn
burp *v&n.* לגהק; להגהיק (תינוק); גיהוק
burr *n.* זימזום ארוך, רעש מכונות; הגיית ריש גרונית
burr = bur
burr drill מקדח שיניים
bur′ro (bûr′ō) *n.* חמור קטן, חמורון
bur′row (bûr′ō) *n.* מאורה, שוחה
burrow *v.* לחפור; לחקור; להטמין
bur′sar *n.* גיזבר, קופאי; מלגאי
bursary *n.* קופת מיכללה, מענק
burst *v.* לפרוץ; להתפרץ; לשבור; להישבר; לנפץ; להתפוצץ, להתפקע
be bursting to לא יכול להתאפק
burst at the seams להתפקע
burst in on להתפרץ, להופיע לפתע
burst into לפרוץ/לפתוח/לגעות ב־
burst into sight להיגלות לפתע
burst open להיפצח; לפרוץ בכוח
burst out/forth להתפרץ ב־, לצעוק
burst upon להופיע לפתע, להיגלות
burst *n.* התפרצות; צרור יריות
bur′then = burden (-dh-)
bur′ton, gone for a burton ⋆נעדר, נפל חלל
bur′y (ber′i) *v.* לקבור; להטמין
buried in thoughts שקוע במחשבות
bury the hatchet להניח נשקו
burying-ground *n.* בית־קברות
bus *n.* אוטובוס; ⋆מכונית, מטוס
bus *v.* לנסוע/להסיע באוטובוס
bus′by (-z-) *n.* כובע פרווה
bush (boosh) *n.* שיח; יער בראשית
beat about the bush לדבר בעקיפין על הנושא; להתחמק מהבעיה
beat the bushes לחפש בכל מקום
bushed (boosht) *adj.* ⋆עייף, סחוט
bush′el (boosh-) *n.* בושל, 8 גלונים
hide one's light under a bushel להצטנע, לנהוג ענווה
bushwhacker *n.* ⋆שוכן יערות

bushy *adj.* סבוך, עבות, עבה
business (biz′nǝs) *n.* עסק, עסקים; עניין; (בתיאטרון) תנועות, הבעות
business as usual עסקים כרגיל
business end ⋆הקצה החד והמסוכן
business is business עסק הוא עסק
do the business לעשות את הדרוש, לפתור הבעיה
get down to business לגשת לעניין
got the business ⋆קיבל מנה הגונה
has no business to אין לו שום זכות/סיבה ל־
it is his business to חובתו ל־
make it one's business להתחייב
mind your own business אל תתערב בענייני הזולת
no business of yours לא עיסקך
on business לרגל עסקיו
send him about his business לסלקו, לשלח אותו
I mean business אני מתכוון לכך ברצינות
business hours שעות העבודה
business-like *adj.* מעשי, יעיל, שיטתי
businessman *n.* איש עסקים
bus′ker *n.* נגן רחוב, אמן נודד
bus′kin *n.* מגף; סנדל יווני
busman *n.* נהג אוטובוס
busman's holiday חופשת־הנהג, חופשה שממשיכים לעבוד בה כרגיל
bus stop תחנת אוטובוסים
bust *n.* פסל־חזה, פרוטומה; היקף החזה; שדיים; ⋆מאסר; כישלון חרוץ
go bust ⋆להיכשל
go on the bust ⋆להתהולל
bust *v.* לשבור; להישבר; לעצור, לאסור; לפשוט על; להוריד בדרגה
bust up לקלקל, להרוס; לריב
bus′ter *n.* הורס, מפוצץ, משמיד
buster *n.* ⋆בחור, חבר, ברנש
bus′tle (-sǝl) *v.* להקים רעש, להתרוצץ, למהר
bustle *n.* המולה, פעילות, תכונה
bustle *n.* כרית (מתחת לשימלה)
bust-up *n.* ⋆מריבה, קטטה; התפרקות
busy (biz′i) *adj&v.* עסוק, עסוק ב־, טרוד, מלא פעילות
busy oneself with להתעסק ב־
the line is busy הקו תפוס
busybody *n.* מתערב בעסקי הזולת
but *conj&prep&adv.* אבל, אך, אלא, כי־אם, ברם; מבלי ש־, בלא ש־; חוץ מ־

all but כמעט
but for אלמלא, לולא
but good ★היטב היטב, כדבעי
but that אלא ש־
but then מאידך, ברם
last but one אחד לפני האחרון
I cannot (choose) but go אין לי (ברירה) אלא ללכת
I cannot help but go אני נאלץ ללכת
I never go there but I see him אני רואהו כל אימת שאני הולך לשם
but *pron&v&n.* שלא־, אשר אינו־
but me no buts בלי "אבל"!
not a man but loves her אין גבר שלא אוהב אותה
bu'tane *n.* בוטן (גאז)
butch (booch) *n.* אישה גברית
butch'er (booch-) *n.* שוחט, קַצב, בעל איטליז; רוצח
butcher *v.* לשחוט, לרצוח
butchery *n.* שחיטה, קצבות; קטל
but'ler *n.* ראש המשרתים
butt *v.* לנגוח, לחבוט ראשו; להיתקל
butt in להפריע, להתפרץ
butt *n.* מטרה (במיטווח); מטרה ללעג, קורבן; נגיחה; ישבן
butt *n.* קצה, קת־רובה; בדל־סיגריה
butt *n.* חבית גדולה
but'ter *n.* חמאה
butter *v.* למרוח בחמאה
butter up להחניף
butter bean שעועית
buttercup *n.* נורית (צמח, פרח)
butterfat *n.* זיבדה, שמנת
butterfingers *n.* בטלן, לא יוצלח
butterfly *n.* פרפר; שחיית פרפר
butterflies in his stomach פרפרים בבטן, כאב־בטן (ממתח)
buttermilk *n.* חובצה, חלב־חמאה
butterscotch *n.* ממתק־חמאה
but'tery *n.* מיזנון (למכירת מזון)
but'tock *n.* עכוז, שת, אחור
the buttocks האחוריים, הישבן
but'ton *n.* כפתור, לחיץ, מתג; פיטרייה צעירה
buttons נער, משרת, שליח
on the button במקום, קולע
button *v.* לרכוס, לכפתר; להירכס
button down ★לאמת, לוודא, לסדר
button up! בלום פיך!
buttoned-up *adj.* מתכפתר, מסתגר; מבוצע בהצלחה

buttonhole *n.* לולאה, איבקת הכפתור; פרח (הנעוץ בבגד)
buttonhole *v.* לתפוס בבִיגדו, לאלצו להקשיב
buttonhook *n.* פורפן (לכפתורים)
but'tress *n.* מיתמך, תומך, מישען
buttress *v.* לחזק, לתמוך
bux'om *adj.* שמנמנה, יפה, נאה
buy (bī) *v.* לקנות
buy in לקנות מלאי של־; (במכירה פומבית) לקנות סחורתו שלו
buy off/over לשחד, לקנות
buy out לקנות הכל; לקנות זכותו
buy time ★להרוויח זמן
buy up לקנות הכל
buy *n.* קנייה, "מציאה"
buyer *n.* קונה, קַניין
buyers' market שוק הקונים (זול)
buzz *v.* לזמזם; לתסוס; להנמיך טוס
buzz off! ★הסתלק! עוף מכאן!
buzz *n.* זימזום; ★צילצול טלפוני
buz'zard *n.* איה (עוף)
buzzer *n.* זַמזם, מיתקו־זימזום
by *prep&adv.* ע"י; אצל, קרוב ל־; ב־; דרך, בעד; עד ל־, לפני; לפי, בהתאם
by air/bus במטוס/באוטובוס
by and by עוד מעט, תיכף
by and large כללית, בדרך כלל
by day/night בשעות היום/הלילה
by oneself לבדו, בעצמו
by the bye/by the way דרך אגב
by the dozen/thousand בכמויות
by 2 o'clock לא יאוחר מ־2
come by! קפוץ אלי הביתה!
day by day יום יום
go by לעבור, לחלוף
has it by him נמצא לידו
lay/put by להניח בצד, לחסוך
pay by the hour לשלם לפי שעות
stand by him לתמוך בו
when nobody is by כשאין איש בסביבה
3 by 4 3 על 4 (כגון חדר)
bye-bye (bī'bī') ★שלום! להתראות!
go to bye-byes ★לשכב לישון
by-election *n.* בחירות מישנה
bygone *adj.* שעבר, שחלף
let bygones be bygones מה שהיה היה, שכח את העבר
by-law *n.* חוק־עזר עירוני
by-line *n.* שורת מישנה (מתחת לכותרת שבה נרשם שם המחבר)

by-pass *n.* כביש עוקף; מעקף
by-pass *v.* לעקוף, להתעלם מ־
by-path/way *n.* דרך צדדית
by-ways שטחים פחות ידועים
by-play *n.* מישחק צדדי
by-product *n.* תוצר לוואי
byre *n.* רפת
by-road *n.* רחוב צדדי
by-stander *n.* משקיף, עומד קרוב
by-word *n.* פיתגם, שנינה; שם־דבר

C

C *n.* דו (צליל)
C.A. = chartered accountant
c, ca = circa בערך בשנת־
cab *n.* מונית; כירכרה; תא־הנהג, קבינה
cabal′ *n.* קנוניה; קבוצת קושרים
cab′ala *n.* קבלה
cab′aret′ (-rā′) *n.* קאבארט
cab′bage *n.* כרוב
cab′by, cab′bie *n.* ⋆נהג מונית
cab-driver *n.* נהג מונית
cab′in *n.* ביתן, תא, קבינה
cabin boy נער, משרת
cabin class מחלקה שנייה (באונייה)
cabin cruiser *n.* סירה (בעלת תאים)
cab′inet *n.* ארון, שידה; חדרון; קאבינט, ממשלה; לישכה
filing cabinet תיקייה
cabinetmaker *n.* נגר
ca′ble *n.* כבל, כבל תת־ימי; מיברק
cable *v.* להבריק, לשלוח מיברק
cable car רכבל
cablegram *n.* מיברק, כבלוגרמה
cable length מידה ימית (720 רגל)
cable railway רכבל
cable TV טלוויזיה בכבלים
caboo′dle *n.* ⋆בכל מכל כל
caboose′ *n.* מיטבח (באוניה); קרון־הצוות
cab rank, cab stand תחנת מוניות
cab′riolet′ (-lā′) *n.* כירכרה; מכונית בעלת גג מתקפל
caca′o *n.* קקאו
cache (kash) *n.* מחבוא, מטמון
cache *v.* להחביא, להטמין
cachet (-shā′) *n.* חותמת, סימן מיוחד; עמדה גבוהה; קפסולת, כמוסה
cachou (-shōō′) *n.* סוכרייה
cack′le *n.* קירקור; צחוק רם; פיטפוט
cackle *v.* לקרקר, לצחקק, לפטפט
cacoph′onous *adj.* צורמני
cacoph′ony *n.* קקופוניה, תצרום
cac′tus *n.* קקטוס, צבר
cad *n.* גס, חסר־נימוס
cadav′er *n.* גופה, גוויה
cadav′erous *adj.* חיוור, כמו מת

cad′die, cad′dy *n.* נושא המקלות (בגולף)
cad′dish *adj.* גס, לא־נימוסי
cad′dy *n.* קופסת־תה
ca′dence *n.* מיקצב, קצב; תינח
caden′za *n.* קדנצה, תינח
cadet′ *n.* צוער, חניך; קאדט, שוחר; בן צעיר
cadet corps גדנ"ע (בבריטניה)
cadge *v&n.* לבקש נדבה, לנדנד
on the cadge ⋆מבקש נדבות
cadger *n.* קבצן, מבקש נדבות
cad′i *n.* קאדי, שופט מוסלמי
cad′re (kä′drə) *n.* מיסגרת, סגל, צוות מצומצם; גרעין צבאי, קאדר
Caesa′re•an section (siz-) ניתוח קיסרי, לידת־חתך
caesura (sizoor′ə) *n.* אתנחתא, צזורה, מיפסק
café (kəfā′) *n.* בית־קפה
café au-lait (kəfā′ōlā′) קפה בחלב
caf′ete′ria *n.* קפטריה, מיסעדה
caff *n.* ⋆בית־קפה
caf′feine′ (-fēn) *n.* קפאין
caf′tan *n.* גלימה, קפטן
cage *n.* כלוב; מחנה שבויים; מעלית
cage *v.* לכלוא, לשים בכלוב
cage′y (kā′ji) *adj.* ⋆זהיר, סודי, מסתגר
cahoots (-hōōts) *n.* שותפות
in cahoots "יד אחת"
cairn *n.* מצבת־זיכרון, גלעד, רוגם
cais′son *n.* קרון תחמושת; תא צלילה
cai′tiff *n.* נבזה; מוג־לב
cajole′ *v.* לפתות, לשדל, לרמות
cajo′lery *n.* פיתוי, דברי חלקות
cake *n.* עוגה, לביבה, פשטידה; חתיכה
a piece of cake ⋆דבר קל, מישחק ילדים
cake of soap חתיכת סבון
have one's cake and eat it ליהנות משני העולמות
sell like hot cakes להיחטף כמו לחמניות טריות
took the cake ⋆עבר כל גבול
cake *v.* לכסות, למרוח; להתקרש

cal′abash′ *n.* דלעת
cal′aboose′ *n.* ⋆כלא, בית סוהר
calam′itous *adj.* ממיט שואה
calam′ity *n.* אסון, שואה
cal′cifica′tion *n.* הסתיידות
cal′cify′ *v.* להסתייד; להקשות בסיד
cal′cina′tion *n.* שריפה, בעירה
cal′cine *v.* לשרוף לאפר; להישרף
cal′cium *n.* סידן
cal′cu•lable *adj.* ניתן לחישוב
cal′cu•late′ *v.* לחשב, להעריך, לתכנן; לשער, להאמין
calculate on לסמוך על
calculated insult עלבון מכוון
calculating *adj.* ערמומי, זהיר
cal′cu•la′tion *n.* חישוב, שיקול; תחשיב
cal′cu•la′tor *n.* מכונת חישוב
cal′cu•lus *n.* חשבון; אבן (בכליות)
cal′dron (kôl-) *n.* יורה, קדירה
cal′endar *n.* לוח־שנה; לוח זמנים
calendar month חודש חמה
cal′ender *n.* מעגילה, זיירה
calender *v.* לגהץ (במעגילה)
cal′ends *n-pl.* ראש חודש (ברומא)
on the Greek calends לעולם לא
calf (kaf) *n.* עגל; פילון; עור־עגל
with calf (פרה) מעוברת
calf *n.* סובך, בשר־השוק
calf-love *n.* רומאן ילדותי
calf skin עור־עגל
cal′iber *n.* קוטר פנימי; טיב, איכות, שיעור־קומה, קליבר
cal′ibrate′ *v.* למדוד את הקוטר, לכייל, להתאים מספרי מידות, לשַׁנֵת
cal′ibra′tion *n.* כיול, קליברציה
cal′ico′ *n.* בד־כותנה
ca′lif, -liph *n.* כליף מוסלמי
cal′ipers *n-pl.* מחוגה (למדידה); משענות־מתכת (המצומדות לרגלי נכה)
ca′liphate′ *n.* כליפות
cal′isthen′ics *n-pl.* התעמלות
calk (kôk) *n.* פרסה (מונעת החלקה)
calk *v.* להתקין פרסה (כנ"ל)
calk = caulk
call (kôl) *v.* לצעוק; לקרוא; להזמין; לטלפן; להעיר; לבוא, לבקר, לעצור בתחנה
call a halt to להפסיק, לאסור
call a meeting להזמין אסיפה
call a strike להכריז על שביתה
call attention להסב תשומת לב
call back לטלפן בחזרה
call by לבקר, "לקפוץ אל"
call down on להתפלל, לבקש, להזמין
call for לדרוש, להצריך, לחייב; לבקר, לאסוף, לבוא אצל
call forth לעורר, להפעיל
call him down ⋆לנזוף, לגעור בו
call in לדרוש, לתבוע בחזרה
call in doubt להטיל ספק
call in question לפקפק ב־
call into being ליצור, לברוא
call it 50$ "לגמור" על 50$
call names לכנות כינויי גנאי
call off לבטל, להפסיק, להרחיק
call on/upon לבקר; להזמין, לקרוא
call out לצעוק; להזעיק; להשבית
call to mind להיזכר
call to order לקרוא לסדר
call up לטלפן; להיזכר ב־; להזכיר; להזמין; לגייס
call *n.* קריאה; ביקור; צילצול; הזמנה; תביעה; צורך; החלטת השופט
at call, on call מוכן ומזומן, עם דרישה ראשונה
no call אין סיבה, אין צורך
pay a call לערוך ביקור; ⋆להשתין
return his call להחזיר לו ביקור
within call במטחווי קריאה, קרוב
cal′la *n.* קלה (צמח)
call box תא טלפון
call-boy *n.* נער־משרת (בתיאטרון)
caller *n.* מבקר, עורך ביקור
call-girl נערת־טלפון
callig′raphy *n.* כתיבה תמה, כתב
calling *n.* מישלח־יד, מיקצוע; שאיפה
calling card כרטים ביקור
calling down נזיפה, גערה
cal′lipers = calipers
cal′listhen′ics = calisthenics
call loan, call money הלוואה שיש לפרעה עם דרישה ראשונה
callos′ity *n.* יבלת (בעור)
cal′lous *adj.* קשוח, יבלני, מיובל
cal′low (-ō) *adj.* צעיר, חסר־ניסיון; חסר־נוצות
call sign אות התחנה
call-up *n.* גיוס, צו־קריאה
cal′lus *n.* יבלת (בעור)
calm (käm) *adj.* שקט, שליו, רגוע
calm *n.* שקט, שלווה; העדר־רוח
calm *v.* להרגיע, להשקיט
calm down להרגיע; להירגע

cal′orie, cal′ory *n.* קלוריה, חומית
cal′orif′ic *adj.* יוצר חום
calum′niate′ *v.* להלעיז; להעליל
calum′nious *adj.* מעליל, משמיץ
cal′umny *n.* דיבה; עלילה
Cal′vary *n.* תבליט הצליבה; סבל רב
calve (kav) *v.* להמליט עגל
calves = pl of calf (kavz)
Cal′vinism′ *n.* קלוויניזם
calyp′so *n.* קליפסו (שיר)
ca′lyx *n.* גביע (של פרח)
cam *n.* פיקה, בליטה בגלגל (המשנה תנועה סיבובית לתנועה אופקית)
cam′arad′erie *n.* ידידות, אחווה
cam′ber *n.* שיפוע, קימור קל
camber *v.* לקמר, לקשת; להתקמר
ca′mbric *n.* אריג כותנה
came = pt of come
cam′el *n.* גמל; מיבדוק; חום־צהבהב
camel-hair *n.* שיער־גמל
camel′lia (-mē′l-) *n.* קמליה (פרח)
Cam′embert′ (-bār) *n.* גבינת קאממבר
cam′e•o′ *n.* קמיע; תכשיט
cam′era *n.* מצלמה, מסרטה
in camera בדלתיים סגורות
cameraman *n.* צַלם
cam′i-knickers (-minik-) *n-pl.* תחתונית (כותונת ותחתונים מחלק אחד), מיצרפת
cam′isole′ *n.* תחתונית, כותונת
cam′omile′ *n.* בבונג
cam′ouflage′ (-′əfläzh) *n.* הסוואה
camouflage *v.* להסוות
camp *n.* מחנה
break/strike camp לפרק מחנה
camp *v.* להקים מחנה, לחנות
camp out לגור במחנה, לישון במחנה
go camping לצאת למחנה
camp *adj&v.* ⋆מיושן, מגוחך; הומו, נשי
camp it up ⋆לשחק בצורה מעושה
high camp ⋆הופעה שטותית מעושה
cam•paign′ (-pān) *n.* מערכה, מיבצע
campaign *v.* לנהל מסע, להשתתף במיבצע, לעשות תעמולה
campaigner *n.* לוחם, תעמלן
cam′pani′le (-nē′li) *n.* מיגדל פעמון
cam•pan′u•la *n.* פעמונית (פרח)
camp bed מיטה מתקפלת
camp chair כיסא מתקפל
camper *n.* חונה; מכונית־נופש
campfire *n.* מדורת־קומזיץ
camp follower בן־לוויה, רוכל, מספק שירות לחיילים, זונה
campground *n.* אתר־מחנאות; שטח לכינוס דתי
cam′phor *n.* קמפור
cam′phora′ted *adj.* מכיל קמפור
camphor ball כדור נפטלין
camping *n.* קמפינג, מחנאות
cam′pion *n.* ציפורנית (צמח)
camp meeting כינוס דתי
campsite *n.* אתר המחנה
camp-stool *n.* כיסא מתקפל
cam′pus *n.* קמפוס, אוניברסיטה; קריה
cam′shaft′ *n.* גל הפיקות
can *n.* קופסה, פחית; ⋆בית־סוהר
carry the can ⋆לשאת באשמה
in the can ⋆ (סרט) מוכן להקרנה
can *v.* לשמר (מזון) בפחית
can *v.* יכול ל־, מסוגל ל־, עשוי ל־, רשאי ל־
you can't go אסור לך ללכת
Cana′dian *n&adj.* קנדי
canal′ *n.* תעלה; צינור
can′aliza′tion *n.* תיעול
can′alize′ *v.* לתעל; להפנות (לאפיק)
can′apé′ (-nəpā) *n.* פרוסונת מרוחה (בגבינה)
canard′ *n.* סיפור בדים
cana′ry *n.* ציפור־שיר; זמרת; צהוב־בהיר; יין לבן מתוק
canas′ta *n.* קנסטה (מישחק קלפים)
can′can′ *n.* קנקן (ריקוד)
can′cel *v.* לבטל, לחסל, למחוק, לקזז
cancel out למחוק; לצמצם מישוואה
can′cella′tion *n.* ביטול; מחיקה
can′cer *n.* סרטן
Cancer *n.* מזל סרטן
can′cerous *adj.* סרטני, ממאיר
can′dela *n.* נר (יחידת־הארה)
can′delab′rum (-lä-) *n.* מנורה
can′did *adj.* גלוי־לב, ישר
can′didacy *n.* מועמדות
can′didate *n.* מועמד; ניבחן
can′didature *n.* מועמדות
candid camera מצלמה נסתרת
candidly *adv.* בגילוי־לב, גלויות
candied *adj.* מסוכר, מתובל בסוכר
candied words דברי־חלקות
can′dle *n.* נר
burn the candle at both ends לבזבז מרץ רב, לעבוד בלי הרף
can't hold a candle to לא מגיע עד

קרסוליו, אין להשוותו ל־
game is not worth the candle חבל
על המאמץ
candlelight *n.* אור־הנר
Candlemas *n.* חג נוצרי (2 בפברואר)
candlepower *n.* נר (יחידת הארה)
candlestick *n.* פמוט
candlewick *n.* פתילה; קישוט בחוטים
can'dor *n.* הגינות; גילוי לב
can'dy *n.* סוכרייה, ממתק
candy *v.* לבשל בסוכר; להתגבש
candyfloss *n.* צמר־גפן מתוק
cane *n.* קנה, מקל; חיזרן
get the cane לספוג מלקות
cane *v.* להלקות
ca'nine *adj.* כמו כלב, כלבי
canine tooth ניב (שן)
can'ister *n.* קופסה; פצצה; מדוכה
can'ker *n.* איכל, פצע; הרס, סרטן
canker *v.* להשחית, לקלקל; להיפגע
can'kerous *adj.* ממאיר, סרטני
can'nabis *n.* קנבוס, חשיש, מריחואנה
canned *adj.* (מזון) משומר; ⋆שיכור
canned music מוסיקה מוקלטת
can'nery *n.* בית־חרושת לשימורים
can'nibal *n.* קניבל, אוכל־אדם
can'nibalism' *n.* קניבליות
can'nibalis'tic *adj.* קניבלי
can'nibalize' *v.* לנצל חלקי מכונה (לתיקון מכונה אחרת)
can'non *n.* תותח
cannon *v.* להפגיז; להתנגש ב־
can'nonade' *n.* הרעשה, הפגזה
cannon-ball *n.* פגז
cannon fodder בשר־תותחים
can'not = can not לא יכול
cannot (choose) but חייב ל־
cannot help but נאלץ ל־
can'ny *adj.* ערמומי, זהיר
canoe (-nōō') *n.* בוצית, סירה קלה
canoe *v.* לשוט בסירה
canoeist *n.* משיט בוצית
can'on *n.* קאנון, חוקת הכנסייה; קריטריון, עיקרון; רשימת הקדושים; כתבי הקודש; כומר
canon'ical *adj&n.* קאנוני
canonicals ביגדי כמורה
can'oniza'tion *n.* קנוניזציה, קידוש
can'onize' *v.* לקדש, לעשות לקדוש
canon law חוקת הכנסייה
canoo'dle *v.* ⋆להתגפף, להתחבק
can'opy *n.* אפיריון, חופה, כיפה; גג

זחית של תא־הטייס
canst, thou canst אתה יכול
cant *n.* צביעות, התחסדות; ז'רגון
thieves' cant עגת־הגנבים
cant *n.* שיפוע, נטייה; תנועת־פתע
cant *v.* לשפע, להטות, להפוך
can't = cannot (kant)
Can'tab' *adj.* של קיימבריג'
can'taloupe' (-lōp) *n.* סוג מלון
can•tan'kerous *adj.* רגזן, איש־ריב
canta'ta (-tä'tə) *n.* קנטטה
can•teen' *n.* קנטינה, שקם; מערכת כלי־אוכל, סכו"ם; מימייה
can'ter *n.* דהירה קלה, דהרור
win at a canter לנצח בקלות
canter *v.* לדהור דהירה קלה, לדהרר
can'ticle *n.* שיר, הימנון
Canticles שיר השירים
can'tile'ver *n.* מוט תומך, תומכה
can'to *n.* פרק בפואמה, קאנטו
can'ton *n.* קנטון, מחוז (בשווייץ)
can•ton'ment *n.* מחנה צבאי
can'tor *n.* חזן; מנצח על מקהלה
can'vas *n.* אריג גס; ציור שמן
under canvas באוהלים; במיפרשים פרושים
can'vass *v.* לנהל תעמולה, לחזור אחרי קולות; לדון, לשקול
canvass *n.* ניהול תעמולה, דיון
can'yon (-yən) *n.* קניון, ערוץ
cap *n.* כובע, כיפה; פקק, מיכסה; "קפצון"; טבעת; אות גדולה
a feather in one's cap משהו להתגאות בו, נוצה להתקשט בה
cap in hand בהכנעה, בהתרפסות
if the cap fits אם הוא סבור שהכוונה אליו - יהי כן
put on one's thinking cap לחשוב בהתעמקות
set her cap at ניסתה לכבוש ליבו
cap *v.* לשים כובע על, להכתיר; לעלות על, להצליח יותר
cap a joke לספר בדיחה יותר טובה
ca'pabil'ity *n.* כישרון, יכולת; כוח
capabilities סגולות, פוטנציה
nuclear capabilities כוח גרעיני
ca'pable *adj.* מוכשר, כישרוני
capable of מסוגל; ניתן ל־
capa'cious (-shəs) *adj.* מרווח, רחב
capac'ity *n.* קיבולת, יכולת, קליטה, יכולת־הבנה; מעמד, תפקיד
beyond his capacity למעלה מהבנתו

filled to capacity מלא עד אפס מקום
in his capacity as בתוקף תפקידו כ־
within his capacity בתחום הבנתו
cap and bells תילבושת הליצן
cap′-a-pie′ (-pē) מכף רגל ועד ראש
capar′ison *n.* כיסוי מקושט לסוס
caparison *v.* להלביש, לקשט (סוס)
cape *n.* שיכמייה; כף, לשון־יבשה
ca′per *n.* צלף (שיח־בר)
caper *n.* קפיצה, ניתור; *תעלול
cut a caper לכרכר; להשתטות
caper *v.* לקפץ, לכרכר, לקפצץ
cap′illar′ity *n.* נימיות
cap′illar′y (-leri) *n.* נימת־דם, נימה
cap′ital *n.* בירה; הון, רכוש, קאפיטאל; כותרת העמוד
fixed capital רכוש קבוע
make capital of לנצל
capital *adj.* דינו מוות; ראשי; *מצוין
capital importance חשיבות עליונה
capital expenditure הוצאות הון
capital gains ריווחי הון
cap′italism′ *n.* רכושנות
cap′italist *n.* רכושן
cap′italis′tic *adj.* רכושני
cap′italiza′tion *n.* היוון
cap′italize′ *v.* להוון, לממן; לכתוב באותיות גדולות; להפיק תועלת
capitalize on לנצל (שגיאת יריב)
capital letter אות גדולה
capital levy מס רכוש
capital punishment עונש מוות
cap′ita′tion *n.* מס גולגולת
Capitol *n.* בניין הקונגרס, הקאפיטול
capit′ulate′ (-ch′-) *v.* להיכנע
capit′ula′tion (-ch′-) *n.* כניעה
capitulations הסכם לשמירת זכויות האזרחים הזרים
ca′pon *n.* תרנגול מסורס (מפוטם)
caprice′ (-rēs) *n.* קפריזה, גחמה, עיקשות, חפציות, ציפרונות; קפריצ׳ו
capri′cious (-shəs) *adj.* קפריזי, הפכפך, גחמני
Cap′ricorn′ *n.* מזל גדי
cap′sicum *n.* פילפלת (צמח)
cap•size′ *v.* להפוך; להתהפך
cap′stan *n.* כַּנן (למשיכת ספינות)
cap′sule (-səl) *n.* קפסולת, גלולה, כמוסה, הלקט, מיכסה; תא־חללית
cap′tain (-tən) *n.* סרן, מפקד, רב־חובל, מנהיג, ראש־קבוצה
captain *v.* לפקד, להנהיג

cap′tion *n.* כותרת, מילות־הסבר; כיתוב
cap′tious (-shəs) *adj.* קטנוני, חטטני
cap′tivate′ *v.* להקסים, לכבוש לב
cap′tiva′tion *n.* הקסמה, קסם
cap′tive *n&adj.* שבוי, אסיר, בשבי
captive audience ציבור שבוי
captive balloon בלון קשור לקרקע
hold him captive להחזיקו בשבי
cap•tiv′ity *n.* שבי; מאסר
cap′tor *n.* לוכד, שבאי, שובה
cap′ture *v.* לשבות, ללכוד, לתפוס
capture *n.* תפיסה, לכידה; שבוי
car *n.* מכונית; קרון־רכבת; מעלית
carafe (-raf′) *n.* בקבוק, לגין, כד
car′amel *n.* שוף־סוכר, קאראמל
car′apace′ *n.* שיריון הצב
car′at *n.* קאראט (יחידת משקל)
car′avan′ *n.* שיירה; קרון־מגורים, קארוואן, מעונוע
caravanning *n.* בילוי חופשה בקרון
car′avan′sary *n.* פונדק
car′away′ (-′əwā) *n.* כרוויה (צמח)
car′bide *n.* קרביד
car′bine *n.* קרבין (רובה)
car′bo•hy′drate *n.* פחמימה
carbohydrates מזון עמילני
car•bol′ic acid *n.* חומצת קרבול
car′bon *n.* פחמן; פחם; העתק
car′bona′ted water מי־סודה
carbon black אבקת פחם
carbon copy העתק
carbon dioxide דו־תחמוצת הפחמן
car•bon′ic acid חומצה פחמתית
car′bonif′erous *adj.* מכיל פחם
car′boniza′tion *n.* פיחמון
car′bonize′ *v.* לפחם, לפחמן
carbon paper נייר פחם
car′borun′dum *n.* קרבורונד
car′boy′ *n.* בקבוק (גדול)
car′bun′cle *n.* גחלית, פורונקל, קרבונקול; אבן יקרה
car′bure′tor (-rā-) *n.* מאייד
car′cass *n.* גוויה; שלד; *גוף
car•cin′ogen *n.* גורם סרטן, מסרטן
card *n.* כרטיס, גלוייה; קלף; תוכניה; רשימת־האירועים; *ברנש מצחיק
a card up one's sleeve תוכנית באמתחתו, קלף בשרוול
a sure/safe card קלף בטוח
cards, playing cards קלפים
house of cards בניין קלפים
in the cards עלול לקרות, אפשרי

one's best card הקלף החזק שלו
play one's cards well לנהוג בפיקחות, לתמרן יפה
put one's cards on the table לגלות את קלפיו
card *n.* מסרק, מסרקה, מנפטה
card *v.* לסרוק, לנפט, לנפץ
cardboard *n.* קרטון, ניורת
card-carrying member חבר מלא
car'diac' *adj.* של הלב
car'digan *n.* אפודת צמר, מיקטורה
car'dinal *adj.* יסודי, ראשי, עיקרי
cardinal *n.* חשמן; אודם, אדום
cardinal number מיספר יסודי
cardinal points נקודות המצפן היסודיות
card index כרטסת
cardpunch *n.* מנקב־כרטיסים
card-sharper *n.* רמאי־קלפים
card vote הצבעת נציגים
care *n.* דאגה, תשומת־לב; זהירות; טיפול, פיקוח
care of, c/o גר אצל, שכתובתו
have a care! היזהר!
take care להיזהר
take care of לטפל ב־
take into care להכניס למוסד
care *v.* לדאוג; לחפוץ, לרצות
care for לטפל ב־; לאהוב, לחבב
not care a damn לא איכפת כלל
I don't care לא איכפת לי
I don't care to איני חפץ ל־
careen' *v.* להטות (אונייה) על הצד; לנטות; לנוע במהירות ובטילטולים
career' *n.* קריירה; מיקצוע; ריצה, מהירות, דהירה
at full career במהירות רבה
career *adj.* מיקצועי; של קריירה
career *v.* להתרוצץ, לדהור במהירות
careerist *n.* קריירסט, תכליתן
carefree *adj.* חסר־דאגות, עליז
careful *adj.* זהיר; קפדני, מדוקדק
careless *adj.* לא זהיר, רשלני; לא דואג, עליז, לא איכפת לו, אדיש
caress' *n.* לטיפה, נשיקה
caress *v.* ללטף, לנשק, לחבק
car'et *n.* סימן ההשמטה (בהגהה)
caretaker *n.* משגיח, ממונה, שרת, שַמש
caretaker government ממשלת מעבר
careworn *adj.* אכול־דאגות
car'go *n.* מיטען, משא

car'icature *n.* קריקטורה
caricature *v.* לעשות קריקטורה מ־
caricaturist *n.* קריקטוריסטן
car'ies (kār'ēz) *n.* עששת, ריקבון
car'illon *n.* נגינת פעמונים
car'ious (kār'-) *adj.* (שן, עצם) רקובה
Car'melite' *n.* כרמילי (נזיר)
car'mine *n.* ארגמן, כרמין
car'nage *n.* שחיטה, טבח, קטל
car'nal *adj.* בשרי, חושני, גופני
car•na'tion *n.* ציפורן (פרח); ורוד
car'nival *n.* קרנבל
car'nivore' *n.* חיה טורפת, טורף
car•niv'orous *adj.* (חיה) אוכלת בשר
car'ob *n.* חרוב (עץ)
car'ol *n.* שיר עליז; שיר הלל
carol *v.* לשיר, לזמר, להלל
carou'sal (-z-) *n.* הילולה, מישתה
carouse' (-z) *v.* לשתות, להתהולל
car'ousel' (-rəs-) *n.* סחרחרה, קרוסלה
carp *v.* לחטט, להטיל דופי; להתאונן
carp *n.* קרפיון, קרפיונים
car'pal *adj.* של שורש כף־היד
car park חניון
car'penter *n.* נגר
car'pentry *n.* נגרות
car'pet *n.* שטיח, מרבד
call on the carpet לנזוף
carpet *v.* לכסות בשטיח; ⋆לנזוף ב־
carpetbagger *n.* צפוני (בארה"ב) שהיגר לדרום לעשות רווחים
carpeting *n.* חומר לשטיחים
carpet-knight *n.* חייל־שוקולדה
carpet sweeper מנקה שטיחים
carping *adj.* חטטני, מחפש פגמים
car pool הסכם הסעה הדדי
carport *n.* מיגרש־חנייה
car'pus *n.* שורש היד, מיפרק כף היד
car'rel *n.* מדור־עיון (בסיפרייה)
car'riage (-rij) *n.* עגלה, כירכרה; קרון־רכבת; הובלה; גרר מכונת־כתיבה; כן־תותח
carriage forward הובלה על המקבל
carriage paid דמי־הובלה שולמו
carriage *n.* הופעה, הילוך, הליכה
carriage and pair כירכרה
carriage trade העשירים
carriageway *n.* כביש
dual carriageway כביש רחב
carrier *n.* סבל, נושא, חברת־הובלה; נושא מחלות; נושאת־מטוסים; משאית
carrier bag שקית קניות

carrier pigeon יונת דואר
car′rion *n.* נבילה, פגר
car′rot *n.* גזר
the stick and the carrot שיטת המקל והגזר
carroty *adj.* דומה לגזר; אדום־תפוז
car′rousel′ (-rəs-) *n.* סחרחרה, קרוסלה
car′ry *v.* לשאת; להעביר; להמשיך, להאריך; לכבוש בסערה; להינשא למרחקים
carried his point נימוקיו שיכנעו
carry all before him להצליח יפה
carry away לשלהב, לסחוף
carry back להחזיר (לזמן עבר)
carry conviction לשכנע
carry forward להעביר לדף הבא
carry him through לחלצו
carry interest לשאת ריבית
carry off לזכות ב־, להצליח, לבצע יפה; לגרום מוות
carry on לנהל; להמשיך; לנהל רומן; להתנהג באופן מוזר; להשתולל
carry oneself להתנהג (בהילוך וכ׳)
carry out/through לבצע, להגשים
carry over להימשך; להישאר; להעביר
carry the ball לבצע הדבר הקשה
carry the day לנחול הצלחה
carry too far לעבור הגבול, להגזים
carry weight להיות בעל משקל
carry 1 מעבירים 1 (בחיבור)
my voice carries קולי נשמע רחוק
the cow's carrying הפרה מעוברת
the law (was) carried החוק נתקבל
to be carrying on with בינתיים
carry *n.* טווח־תותח; נשיאה; הובלת סירות ביבשה
carryall *n.* תרמיל, סל
carry-cot *n.* סל־קל (לתינוק)
carrying charge תשלום נוסף על קנייה במזומנים
carryings-on *n-pl.* ★אירועים, התרחשויות מוזרות
carry-on *n.* שקית, תרמיל קטן
carry-over *n.* העברה מדף לדף; עסקים דחויים; השפעת־לוואי
carsick *adj.* חולה נסיעה
cart *n.* עגלה, קרון
in the cart ★במצב ביש
put the cart before the horse להקדים את המאוחר
cart *v.* להעביר בעגלה; ★לסחוב
cart away/off לגרור, להעביר
cart′age *n.* (דמי) הובלה בעגלה
carte blanche (-blänsh) *n.* יד חופשית
car•tel′ *n.* קרטל, איגוד
car′ter *n.* עגלון
carthorse *n.* סוס עבודה
car′tilage *n.* סחוס, חסחוס
car′tilag′inous *adj.* סחוסי
car•tog′rapher *n.* מפאי, קרטוגרף
car•tog′raphy *n.* מיפוי, מפאות
car′ton *n.* קופסת קרטון
car•toon′ (-o͞on) *n.* קריקטורה; סרט מצויר
animated cartoon סרט מצוייר
cartoonist *n.* קריקטוריסטן
car′tridge *n.* כדור, תרמיל; קסטה; סליל־מצלמה
cartridge belt פונדה
cartridge paper נייר לבן עבה
cart track/road דרך עפר
cartwheel *n.* קפיצת גילגול הצידה
turn cartwheels להתגלגל הצידה
carve *v.* לפסל, לגלף; לחתוך, לפרוס
carve out להשיג (במאמץ רב)
carver *n.* סכין (לבשר); גלף
carving *n.* גילוף, תגליף
carving knife סכין (לבשר)
car′yat′id *n.* עמוד (בדמות אישה)
cas•cade′ *n.* מפל־מים; דבר דמוי גל (שיער גולש, חצאית גלית)
cascade *v.* ליפול כמפל־מים
cas•car′a *n.* סם משלשל
case *n.* מיקרה, מצב; עניין; תיק, מישפט; טענה, נימוק; (בדקדוק) יחסה
case in point דוגמה, הוכחה
in any case בכל מיקרה
in case פן, למיקרה של
in case of במקרה ש־, אם
in no case בשום מיקרה
in this case במיקרה זה
is it the case that? הנכון ש־?
it's not the case אין זה כך
just in case על כל מיקרה
make one's case להוכיח צידקתו
make out a case for לטעון לטובת
such being the case הואיל וכך
case *n.* תיבה, קופסה; נרתיק, מיסגרת
lower case אותיות קטנות
upper case אותיות גדולות
case *v.* לארוז, לשים בתיבה
casebook *n.* יומן מיקרים (של רופא)
case-hardened *adj.* קשוח, מחושל

case history תיק (של חולה)
ca′se•in *n.* קזיאין, חלבון החלב
case law חוק המבוסס על פס״ד
case′ment (kās′-) *n.* חלון (הנפתח כדלת)
ca′se•ous *adj.* של קזיאין, גביני
caseworker *n.* עובד סוציאלי
cash *n.* כסף, מזומנים
cash on delivery תשלום עם המסירה
cash price המחיר במזומן
out of cash חסר־מזומנים
ready cash מזומנים
cash *v.* להחליף במזומנים, לפדות
cash and carry שלם וקח
cash in להחליף במזומנים; ★למות
cash in on לנצל, להפיק תועלת מ־
cashable *adj.* זמין
cash crop גידולי קרקע למכירה
cash desk דלפק הקופה
cash dispenser בנקומט, מַנפק כסף
cash down תשלום בעת הקנייה
cash flow תזרים מזומנים
cash•ier′ (-shir) *n.* קופאי
cashier *v.* לסלק, להדיח, לפטר
cash′mere *n.* צמר קשמיר
cash register קופה רושמת
ca′sing *n.* כיסוי, מיסגרת, עטיפת־מגן
casi′no (-sē′-) *n.* קאזינו
cask *n.* חבית
cas′ket *n.* תיבה; ארון מתים
casque (kask) *n.* קסדה
cas′serole′ *n.* אילפס, קדירה; תבשיל
cassette′ *n.* קסטה, קלטת
cas′sock *n.* גלימה
cas′sowar′y (-səweri) *n.* קזואר
cast *v.* להטיל, להשליך; לגבש; לעצב, לצקת; לשבץ (שחקן), ללהק; לחשב
cast a vote להצביע
cast about/around לחפש; לחשוב
cast accounts לחשב, לחבר
cast aside לזנוח, לנטוש
cast doubts להטיל ספיקות
cast down מדוכדך; להעציב, לדכא
cast lots להפיל גורלות
cast off להשליך, לנטוש; להתיר (סירה); לסיים את הסריגה
cast on להעלות עיניים על המסרגה
cast one's eyes over להסתכל ב־
cast out לגרש
cast up לחשב, לחבר; לכוון כלפי מעלה
cast *n.* השלכה, הטלה; צוות השחקנים; צורה, דמות; גבס (תחבושת); פזילה

cas′tanets′ *n-pl.* ערמוניות
castaway *n.* ניצול (של ספינה שנטרפה, שהגיע לארץ זרה)
caste *n.* כת, מעמד חברתי
lose caste לרדת בדרגה
cas′tella′ted *adj.* בנוי כמיבצר
cas′ter = castor
caster sugar סוכר דק
cas′tigate′ *v.* להעניש, לבקר קשות
cas′tiga′tion *n.* ענישה חמורה
casting *n.* השלכה; יציקה, עיצוב ; ליהוק
casting vote קול מכריע (של יו״ר)
cast iron ברזל יציקה, יצקת
cast-iron *adj.* כברזל, קשה, חזק
cas′tle (-səl) *n.* טירה, ארמון, מצודה; צריח
castles in Spain/in the air מיגדלים פורחים באוויר, חלום באספמיא
castle *v.* להצריח
cast-off *adj.* מושלך, משומש
cast-offs *n-pl.* בגדים משומשים
cas′tor *n.* גלגילון (מתחת לרהיט); מבזק (למלח, פילפל)
castor oil *n.* שמן קיק
cas′trate *v.* לסרס, לעקר
cas•tra′tion *n.* סירוס, עיקור
cas′ual (-zhōōəl) *adj&n.* מיקרי; שיטחי, לא מתחשב; ארעי, לא קבוע
cas′ualty (-zhōōəl-) *n.* תאונה; נפגע, נעדר, חלל
casualty ward חדר־חירום לנפגעים
cas′uist (-zhōōist) *n.* פלפלן
cas′uis′tic (-zhōōist-) *adj.* פלפלני
cas′uistry (-zhōōis-) *n.* התפלפלות, פלפלנות
ca′sus bel′li (-lī) עילה למלחמה, קאזוס בלי
cat *n.* חתול, חתולה; ★טרקטור; שוט
cat and dog life חיי־מריבות
it's raining cats and dogs ניתך גשם עז
let the cat out of the bag לגלות סוד
like a cat on a hot tin roof עצבני, מתוח
not room to swing a cat מקום צר
wait for the cat to jump לראות איך ייפול דבר
cat′aclysm′ (-liz′əm) *n.* קאטאקליזם, מַהפך; רעידת־אדמה; שואה
cat′aclys′mic (-z-) *adj.* קאטאקליסטי, מהפכני
cat′acomb′ (-kōm) *n.* מערת־קברים,

כון, קאטאקומבה

cat′afalque′ (-falk) *n.* בימת־המת

cat′alep′sy *n.* קטלפסיה, שיתוק

cat′alog′, -logue′ (-lôg) *n&v.* קטלוג; לקטלג, לרשום בקטלוג

catal′ysis *n.* קטליז, זירוז

cat′alyst *n.* קטליזטור, מדרבן, זָרָז

cat′alyt′ic *adj.* מורז

cat′amaran′ *n.* רפסודה, סירה

cat′apult′ *n.* מרגמה, בליסטרה; מעוֹט; מיקלעת

catapult *v.* להזניק, להעיף; לזנק

cat′aract′ *n.* מפל־מים; ירוד (מחלה), קאטאראקט

catarrh′ (-tär) *n.* נזלת

catas′trophe′ (-rəfē) *n.* אסון, קטסטרופה, שואה

cat′astroph′ic *adj.* קטסטרופי

cat burglar פורץ (המטפס כחתול)

catcall *n.* שריקת־בוז

catch *v.* לתפוס; להבין; ללכוד; להידבק ב־; להכות; להיאחז, להסתבך

catch a cold להצטנן

catch as catch can תפוס כפי יכולתך, מכל הבא ליד

catch at לנסות לתפוס, להיאחז

catch fire להידלק, להתלקח; להתלהב

catch his attention למשוך תשומת־ליבו

catch his eye למשוך תשומת־ליבו

catch hold of לתפוס

catch on להתפרסם; להבין; להישכר

catch one's breath לעצור נשימתו

catch out לתפוס בקלקלתו

catch sight of לראות לרגע, להבחין

catch up (with) להשיג, להדביק

caught short נקלע למצב דחוק

caught up שקוע, נסחף ב־; מסתבך

you'll catch it! תקבל מנה!

catch *n.* תפיסה; שלל; בריח; עוקץ, טריק, שאלה מכשילה, משהו חשוד

a good catch "שידוך" טוב

catchall *n.* סל גדול

catch crop יבול מהיר־גידול

catcher *n.* תופס (בבייסבול)

catching *adj.* (מחלה) מידבקת, מנגעת

catchment area אגן־נהר; איזור

catchpenny *adj.* חסר־ערך, צעקני

catchphrase *n.* אימרת־כנף

catchword *n.* סיסמה, מלת־מפתח

catchy *adj.* מושך, קל לזכרו; ערמומי

cat′echism′ (-k-) *n.* מדריך בצורת שאלות ותשובות, קטכיסיס

cat′echize′ (-k-) *v.* ללמד בשיטת שאלות ותשובות; לבחון, לחקור

cat′egor′ical *adj.* מוחלט, פסקני, קטגורי

cat′egorize′ *v.* להכליל בקטגוריה

cat′ego′ry *n.* קטגוריה, סוג

ca′ter *v.* לספק (מזון, בידור)

cater to להתחשב ב־, לספק רצון־

caterer *n.* ספק־מזון, מיסעדן

catering *n.* הסעדה

cat′erpil′lar *n.* תולעת, זחל

caterpillar tractor טרקטור־זחל

cat′erwaul′ *n.* יללת־חתול

caterwaul *v.* לייליל כחתול, לריב

catfish *n.* שפמנון (דג)

catgut *n.* מיתר־נגינה, מיתר

cathar′sis *n.* היטהרות, זיכוך הנפש; מתן פורקן לבעיות נפשיות

cathar′tic *adj&n.* (סם) משלשל

cathe′dra *n.* קתדרה

cathe′dral *n.* כנסייה ראשית

cath′eter *n.* קתטר, צנתר

cath′ode *n.* קתוד, אלקטרוד שלילי

cath′olic *adj.* כללי, רחב, מקיף

Cath′olic *adj&n.* קתולי

Cathol′icism′ *n.* קתוליות

cath′olic′ity *n.* כלליות, רוחב־דעת

cat-house *n.* ★בית בושת

cat′kin *n.* עגיל (תיפרחת)

cat′nap′ *n.* תנומה קלה

cat-o'-nine-tails שוט, מגלב

cat's cradle *n.* עריסת־חתול (מישחק בחוט הכרוך על האצבעות)

cat's eye עין־חתול, מחזירור־כביש

cat's paw כלי־שרת בידי הזולת; רוח קלה; לולאה

cat suit בגד מהודק, בגד־גוף

cat′sup *n.* קטשופ, מיץ עגבניות

cat′tle *n-pl.* בקר, בהמות

cattle cake מזון־בהמות

catty, cattish *adj.* חתולי, ערמומי

cat-walk שביל צר; במת־אופנה

cau′cus *n.* ועידה מפלגתית

caucus *v.* לכנס ועידה מפלגתית

cau′dal *adj.* של הזנב, ליד הזנב, זנבי

caught = **p of catch** (kôt)

caul *n.* עטיפת העוּבָּר, מעטה הוולד

caul′dron *n.* יוֹרָה, קדירה

cau′liflow′er *n.* כרובית

caulk (kôk) *v.* לסתום (סדקים)

caus′al (-z-) *adj.* סיבתי, גורם

causal′ity (-z-) *n.* סיבתיות
causa′tion (-z-) *n.* סיבתיות
cau′sative (-z-) *adj.* גורם
causative *n.* בנין הפעיל
cause (-z) *n.* סיבה, גורם; עניין, מטרה, עיקרון; עילה לתביעה
in the cause of לטובת, למטרת־
make common cause with him לתמוך בו, להתייצב לצידו
show cause לתת סיבה טובה
cause *v.* לגרום ל־, להביא
causeless *adj.* חסר־סיבה
cau′serie′ (kōʹzərē′) *n.* שיחה קלה
cause′way′ (kôz′wā) *n.* שביל מורם (בשטח בוצי)
caus′tic *adj.* שורף, צורב, חריף
caustic soda נתר מאכל
cau′terize′ *v.* לצרוב (פצע, נכישה)
cau′tion *n.* זהירות; אזהרה; התראה
caution *v.* להזהיר, להתרות ב־
cautionary *adj.* מזהיר, מתרה, מדריך
cau′tious (-shəs) *adj.* זהיר
cav′alcade′ *n.* תהלוכה, צעדת פרשים
cav′alier′ (-lir) *n.* פרש, אביר
cavalier *adj.* יהיר, אנוכי, מזלזל
cav′alry *n.* חיל־פרשים; שיריון קל
cave *n&v.* מערה
cave in להתמוטט, לקרוס; למוטט
ca′ve•at′ *n.* הפסקת הליכים
ca′ve•at′ emp′tor′ ייזהר הקונה!
cave-in *n.* התמוטטות, מפולת
caveman *n.* איש־מערות; ⋆חסר נימוס
cav′ern *n.* מערה (גדולה)
cav′ernous *adj.* עמוק; מלא מערות
cavernous eyes עיניים שקועות
cav′iar′ *n.* קוויאר, ביצי דגים
caviar to the general רק לאניני־טעם
cav′il *v.* לחפש פגמים; להתאונן
cav′ity *n.* חלל, חור, חריר, קָבית
cavity wall קיר חלול (לבידוד)
cavort′ *v.* ⋆לקפץ, לכרכר
ca′vy *n.* חזיר־ים
caw *n&v.* צריחת עורב; לצרוח כעורב
cay•enne′ *n.* פילפל אדום
cc = cubic centimeter
cease *v&n.* להפסיק, לחדול
without cease בלי הרף, ללא הפסק
ceasefire *n.* הפסקת־אש
ceaseless *adj.* מתמיד, לא פוסק
ce′dar *n.* ארז (עץ)
cede *v.* לוותר על, להעביר (שטח)
ce•dil′la *n.* סדילה (סימן מתחת לאות C)

ceil (sēl) *v.* להתקין תיקרה
ceil′ing (sēl-) *n.* תיקרה, תיקרת הגובה
cel′ebrant *n.* מנהל טקס (כומר)
cel′ebrate′ *v.* לחגוג; להלל, לפאר
celebrated *adj.* מפורסם
cel′ebra′tion *n.* חגיגה, שימחה
celeb′rity *n.* אדם מפורסם; פירסום
celer′ity *n.* מהירות
cel′ery *n.* כרפס, סלרי
celes′tial (-schəl) *adj.* שמיימי
cel′ibacy *n.* רווקות, פרישות
cel′ibate *n.* רווק
cell *n.* תא
cel′lar *n.* מרתף, מחסן־יינות
cel′larage *n.* שטח המרתף; דמי איחסון
cel′list (ch-) *n.* צ׳לן, נגן צ׳לו
cel′lo (ch-) *n.* צ׳לו, בטנונית
cel′lophane′ *n.* צלופן (נייר)
cel′lu•lar *adj.* תאי, נקבובי
cel′lu•loid′ *n.* צלולואיד, ציבית; סרט
cel′lu•lose′ *n.* תאית, צלולוזה
Cel′sius *n.* צלסיוס
Cel′tic *n.* קלטית (שפה)
ce•ment′ *n.* מלט; מילוי
cement *v.* לכסות במלט, למלט; לחזק
cement mixer מערבל (מכונה)
cem′eter′y *n.* בית־קברות, בית־עלמין
cen′otaph′ *n.* מצבת־זיכרון, יד
cen′ser *n.* מחתה, מַקטר
cen′sor *n.* צנזור, בַּדָּק
censor *v.* לצנזר, לבדוק
cen•sor′ious *adj.* ביקורתי, מחפש פגמים
cen′sorship *n.* צנזורה, ביקורת, בידוקת
cen′sure (-shər) *n.* ביקורת, גינוי
censure *v.* לגנות, לבקר, לנזוף
cen′sus *n.* מיפקד
cent *n.* סנט (מטבע)
per cent אחוז, למאה
cen′taur *n.* קנטאור (אדם־סוס)
cen′tena′rian *n&adj.* בן מאה שנה (או יותר)
cen•ten′ary *n.* מאה שנה; יובל המאה
cen•ten′nial *adj.* של יובל ה־100
cen′ter *n.* אמצע, מרכז
off center משונה, מוזר; לא באמצע
center *v.* להתרכז; לשים במרכז; להעביר כדור למרכז השדה; למַרכז
center upon להתרכז ב־, להתמקד על
center bit מקדח־מירכוז
centerboard *n.* לוח איזון (בסירה)
center forward חלוץ מרכזי

center of gravity מרכז הכובד
centerpiece *n.* קישוט מרכזי; פריט עיקרי
cen′tigrade′ בעל 100 מעלות; צלסיוס
cen′tigram′ *n.* סנטיגרם
centime (sän′têm) *n.* מאית פרנק
cen′time′ter *n.* סנטימטר
cen′tipede′ *n.* נדל (רמש טורף)
cen′tral *adj.* מרכזי, עיקרי
central *n.* מרכזייה; מרכזן
central heating הסקה מרכזית
cen′tralism′ *n.* ריכוז, מירכוז
cen′traliza′tion *n.* מירכוז
cen′tralize′ *v.* לְמַרְכֵּז; להתרכז
cen′tre = center (-tər)
cen•trif′u•gal *adj.* צנטריפוגלי, סירכוזי
cen′trifuge′ *n.* מפרדה, צנטריפוגה, סרכזת
cen•trip′etal *adj.* צנטריפטלי
cen′trist *n.* איש המרכז, מתון
cen′tury (-′ch-) *n.* מאה שנה
 the 20th century המאה העשרים
ce•phal′ic *adj.* של הראש
ce•ram′ic *adj.* של קַדָרוּת, של קרמיקה
ce•ram′ics *n-pl.* קרמיקה, כלי חרס
ce′re•al *n.* דגן, תבואה; דייסה
cer′ebel′lum *n.* המוח הקטן
cere′bral *adj.* של המוח, מוחי
cer′ebra′tion *n.* פעולת המוח, חשיבה
cere′brum *n.* המוח הגדול
cer′emo′nial *adj.* טיקסי, רישמי
ceremonial *n.* טקס, נוהג
cer′emo′nious *adj.* של טקסים, טיקסי
cer′emo′ny *n.* טקס, רישמיות
 master of ceremonies ראש הטקס
 stand on ceremony להקפיד על טיקסיות יתירה
cerise′ (-rēz′) *adj.* אדום־בהיר
cert *n.* ⋆ודאות, דבר ודאי; תעודה
 a dead cert ודאות מוחלטת
cer′tain (-tən) *adj.* בטוח; מסוים
 for certain בלי ספק, בוודאות
 make certain לוודא
certainly *adv.* בלי ספק; כמובן!
 certainly not כמובן שלא!
cer′tainty (-tən-) *n.* ודאות, דבר ודאי
 for a certainty בביטחון
cer′tifi′able *adj.* בר־אישור; ⋆משוגע
certif′icate *n.* תעודה, אישור, נייר
certif′ica′ted *adj.* מוסמך, מדופלם
certified mail דואר רשום
certified public accountant רואה חשבון
cer′tify′ *v.* לאשר, לתת אישור; להסמיך, לדפלם; להצהיר כבלתי־שפוי
cer′titude′ *n.* ביטחון, ודאות
ceru′le•an *adj.* תכלתי, תכול
cer′vical *adj.* של הצוואר
cer′vix *n.* צוואר; צוואר הרחם
Cesarean = Caesarean
ces•sa′tion *adj.* הפסקה, הפוגה
ces′sion *n.* ויתור, מסירת שטחים
cess′pit′, cesspool בור שפכין
ce•ta′cean (-shən) *n.* יונק ימי, לווייתן
cf. = compare
chaconne′ (sh-) *n.* צ׳קונה (ריקוד)
chafe *v.* לשפשף, לחכך; להשתפשף
 chafe at/under להתעצבן
chafe *n.* חכך (מקום מחוכך בעור)
chaff *n.* מוץ; חציר; ליגלוג
chaff *v.* ללגלג
chaf′fer *v.* להתמקח, להתווכח
chaf′finch *n.* פרוש (ציפור־שיר)
cha′fing dish מכשיר חימום (לחימום התבשיל על השולחן)
chagrin′ (sh-) *n.* אכזבה, מפח־נפש
chagrin *v.* לצער, לאכזב
chain *n.* שרשרת; מידת אורך (20 מטר)
 in chains אסור, כבול, באזיקים
chain *v.* לכבול, לאסור
chain gang קבוצת אסירים כבולים
chain mail/armor שיריון קשקשים
chain reaction תגובת שרשרת
chain saw מסור־שרשרת
chain-smoker מעשן בשרשרת
chain stitch תפירת־שרשרת
chain stores רשת חנויות
chair *n.* כיסא; כיסא היושב־ראש; קתדרה; כיסא־חשמל
 leave the chair לסיים ישיבה
 take the chair לנהל ישיבה
chair *v.* לנהל ישיבה; להרים, לשאת על כיסא
chair lift רכבל־כיסאות
chairman *n.* יושב־ראש
chairmanship *n.* מעמד היושב־ראש
chairwoman *n.* יושבת־ראש
chaise (shāz) *n.* כירכרה
chalet′ (shala′) *n.* צריף כפרי
chal′ice (-lis) *n.* גביע, קוּבַּעַת
chalk (chôk) *n.* גיר
 as chalk and cheese שונים מאוד
 not by a long chalk בהחלט לא, כלל

לא, רחוק בתכלית
chalk *v.* לכתוב בגיר, לסמן בגיר
chalk out לתאר בצורה כללית
chalk up לזקוף לחשבונו
chalky *adj.* גירי, כמו גיר
chal′lenge (-linj) *v.* להזמין, לקרוא, לאתגר; להוות אתגר; לדרוש שיזדהה; לפקפק ב־
challenge a juror לבקש לפסול מושבע
challenge *n.* הזמנה, אתגר; הוראה לעצור ולהזדהות; התנגדות למושבע
challenger *n.* טוען לכתר־האליפות
challenging *adj.* מעורר אתגר, מקסים
cham′ber (chām′-) *n.* חדר, חדר־שינה; לישכה; גוף מחוקק; בית־מחוקקים; תא
chamber of commerce לישכת מיסחר
chambers לישכת־שופט; מערכת חדרים
cha′mberlain (-lən) *n.* חצרן, מנהל הלישכה
chambermaid *n.* חדרנית
chamber music מוסיקה קאמרית
chamber orchestra תיזמורת קאמרית
chamber pot משתן, עביט
chame′le•on (k-) *n.* זיקית
cham′fer *n.* פינה מלוכסנת, שיפוע
cham′my (sh-) *n.* עור־יעל
chamois (sham′i) *n.* יעל; עור־יעל
champ *v.* ללעוס (מזון, מתג), לגרוס; לגלות קוצר־רוח
champ at the bit לגלות קוצר־רוח
champ *n.* ⋆אלוף
cham•pagne′ (shampān′) *n.* שמפנייה
cham•paign′ (shampān′) *n.* מישור
cham′pion *n.* אלוף; תומך, דוגל, לוחם
champion *v.* להגן על, לדגול ב־
champion *adj.* ⋆מצויין, כביר
championship *n.* אליפות; דגילה
chance *n.* הזדמנות, שעת־כושר, כושרה; מיקרה, מזל; סיכון, סיכוי, אפשרות
by chance במיקרה, באקראי
chances are רבים הסיכויים
game of chance מישחק מזל
on the chance of בתיקווה ש־
stands a chance יש לו סיכוי
take a chance להסתכן, לנסות מזלו
the main chance הסיכוי להתעשרות
chance *v.* להזדמן, לקרות; לסכן
chance it ⋆להסתכן
chance on להיתקל ב־
it chanced that קרה ש־, אירע ש־
chance *adj.* מיקרי, לא צפוי
chan′cel *n.* מיזרח הכנסייה
chan′cellery *n.* מעמד הקנצלר, משרד הקנצלר, קנצלריה; שגרירות
chan′cellor *n.* קנצלר; מזכיר השגרירות; נשיא אוניברסיטה
Chancellor of the Exchequer שר האוצר
Lord Chancellor שופט עליון
chan′cery *n.* בית מישפט גבוה לצדק; גנזך
ward in chancery קטין באפיטרופסות השופט העליון
chan′cy *adj.* ⋆כרוך בסיכון, מסוכן
chan′delier′ (sh-lir) *n.* ניברשת
chan′dler *n.* רוכל; יצרן נרות
change (chānj) *v.* לשנות, להחליף, להחליף בגדים, לפרוט כסף; להשתנות
change a baby להחליף חיתול לתינוק
change a bed להחליף מצע־המיטה
change down לעבור להילוך נמוך
change hands להחליף בעלים
change into להחליף (בגדים)
change off להתחלף
change one's mind לשנות דעתו
change one's tune לשנות את הטון
change over לעבור שינוי
change step להחליף צעד (בצעידה)
change up לעבור להילוך גבוה
change *n.* שינוי, החלפה, המרה; כסף קטן; עודף
a change for the better שינוי לטובה
change of clothes בגדים להחלפה
change of life תקופת המעבר, בלות
for a change לשם שינוי
get no change out of him לא להפיק תועלת ממנו
ring the changes לשנות, לגוון
small change כסף קטן
changeable *adj.* מתחלף, חליף; הפכפך
changeful *adj.* מתחלף; הפכפך
changeless *adj.* לא משתנה, יציב
change′ling (chānj′l-) *n.* ילד מוחלף
changeover *n.* תמורה, מַהפך
chan′nel *n.* תעלה; ערוץ, אפיק
channels צינורות, דרכים
channel *v.* לכוון, להפנות; לתעל, להעביר בתעלה
chant *n.* פיזמון, שיר

chant *v.* לשיר, לזמר
chan′ticleer′ *n.* תרנגול
chan′try *n.* חדר תפילה; תשלום לכומר בעד תפילה לעילוי נשמה
chan′ty, -tey (sh-) *n.* שיר ימאים
cha′os′ (k-) *n.* תוהו ובוהו
cha•ot′ic (k-) *adj.* בעירבוביה, הפוך
chap *v.* להיסדק, להתבקע; לסדוק
chap *n.* סדק, בקיע; ★ברנש, בחור
chaps לסְתות, לחָיַיִם; מכנסי עור
chapbook *n.* ספר מעשיות
chap′el *n.* מקום תפילה, קפלה; תפילה; איגוד עובדי־דפוס
chaperon (shap′ərōn′) *n.* בת־לוויה (לנערה), משגיחה
chaperon *v.* לשמש כמשגיחה כנ״ל
chapfallen *adj.* עצוב, נפול־פנים
chap′lain (-lən) *n.* רב צבאי; כומר
chaplaincy *n.* כמורה
chap′let *n.* זר, מחרוזת; תפילה
chap′ter *n.* פרק; תקופה; סניף, כינוס דתי, אסיפת כמרים
chapter and verse מקור מדוייק, ציטטה מדוייקת; ברחל בתך הקטנה
chapter of accidents מסכת תקלות
chapter house אולם האסיפות
char *v.* לחרוך; להיחרך; להשחיר
char *v.* לעבוד כפועלת־ניקיון
char *n.* פועלת ניקיון; ★תה
char′acter (k-) *n.* אופי, טבע; פירסום, שם; דמות, טיפוס; תעודת־אופי; אות, סימן
character actor שחקן אופי
in character אופייני, מתאים
out of character לא אופייני
char′acteris′tic (k-) *adj.* אופייני
characteristic *n.* מאפיין, תכונה
char′acterize′ (k-) *v.* לאפיין
characterless *adj.* חסר־אופי, רגיל
character witness עד אופי
charade′ (sh-) *n.* חידון תנועות, מציאת מלה ע״י פנטומימה
char′coal′ *n.* פחם; ציור פחם
chard *n.* סלק שווייצי
charge *v.* לדרוש מחיר; לחייב; לצוות על; להתנפל; להטעין, למלא; להצהיר
charge a gun לטעון רובה
charge a jury להדריך המושבעים
charge him with להאשימו ב־
charge it to- לזקוף זאת ל־
charge off לבטל, לרשום כהפסד
charge oneself with לקבל עליו
charge with להפקיד בידיו, לתת
charge *n.* מחיר; אחריות; פיקוח, טיפול; פיקדון; הוראה; חובה;התנפלות; אשמה; חומר־נפץ; מיטען, משא, נטל
bring a charge against להאשים
face a charge להיות מואשם ב־
give in charge להסגיר למשטרה
in charge אחראי, ממונה
in his charge תחת פיקוחו
lay to his charge להאשימו ב־
take charge of להיות אחראי ל־
chargeable *adj.* בר־האשמה; נזקף ל־
charge account חשבון הקפה
chargé d'affaires (shärzā′dəfār′) ממלא מקום השגריר, מיופה־כוח
charger *n.* מַטען; סוס־מלחמה
charge sheet גיליון אישום
chariness *n.* זהירות, חסכנות
char′iot *n.* רכב ברזל; כירכרה
char′ioteer′ *n.* רַכָּב
charis′ma (kəriz-) *n.* כריזמה
char′ismat′ic (kariz-) *adj.* כריזמטי
char′itable *adj.* נדיב לב, אדיב; של צדקה
char′ity *n.* נדיבות־לב, רחמים, צדקה; מוסד צדקה
Sister of Charity חברה באירגון־צדקה
charlady *n.* פועלת ניקיון
char′latan (sh-) *n.* נוכל, שרלטן
Char′leston (-ls-) *n.* צ׳רלסטון (ריקוד)
char′ley horse התכווצות שריר
char′lock *n.* חרדל בר
char′lotte (shär′lət) *n.* עוגת פירות, תפוח אפוי
charm *n.* משיכה, יופי; קסם; קמיע
work like a charm לפעול כבמטה־קסם
charm *v.* להקסים, לכשף
a charmed life חיי ניסים
charm away להפיג כבמטה קסם
charmer *n.* אדם מקסים; קוסם
charming *adj.* מקסים, נחמד
char′nel house חדר־מתים
chart *n.* מפה, תרשים
chart *v.* לשרטט, לערוך תרשים, לתרשם
char′ter *n.* צ׳רטר, אישור, כתב־זכויות; הצהרת־יסוד; שכר, חכירה
charter *v.* להעניק צ׳רטר; לשכור
chartered accountant רואה חשבון
charter member חבר מייסד
charter-party שכירות־אונייה
char•treuse′ (shärtro͞oz′) *n.*

ירוק־צהוב; שרטרז (ליקר)
charwoman *n.* פועלת ניקיון
cha'ry *adj.* זהיר, חסכן
chase *v.* לרדוף אחרי; לגרש; ★לרוץ
chase around להסתובב, להתרוצץ
go chase yourself הסתלק!
chase *n.* מירדף, רדיפה; חיה נרדפת, דבר נרדף; איזור ציד
give chase לרדוף אחרי
the chase ספורט הציד
wild goose chase רדיפת־רוח
chase *n.* קנה־רובה; חריץ
chase *v.* לחרות במתכת, לחקוק
chaser *n.* רודף; משקה קל
chasm (kaz'əm) *n.* בקיע, פער, תהום
chassis (shas'i) *n.* בסיס, תושבת, מיסגרת, שילדה, שאסי
chaste (chāst) *adj.* פרוש, טהור, פשוט, צנוע
chas'ten (chā'sən) *v.* לייסר, לטהר
chas•tise' (-z) *v.* לענוש, להלקות
chastisement *n.* ענישה חמורה
chas'tity *n.* טוהר, צניעות
chastity belt חגורת צניעות
chas'u•ble (-z-) *n.* גלימת כומר
chat *n.* שיחה, פיטפוט, רכילות
chat *v.* לפטפט, לשוחח, לגלגל שיחה
chat up ★לשוחח כדי להתיידד
chateau (shatō') *n.* טירה, ארמון
chat'elaine' (sh-) *n.* בעלת הארמון
chat'tels *n-pl.* מיטלטלים, חפצים
chat'ter *v.* לפטפט, לנקוש, לתקתק
chatter *n.* פיטפוט, נקישות, תיקתוק
chatterbox *n.* פטפטן, קשקשן
chatty *adj.* אוהב לפטפט
chauffeur (shōfûr') *n.* נהג
chau'vinism' (shō'v-) *n.* לאומנות
chau'vinist (shō'v-) *n.* לאומני, שוביניסט
male chauvinist קנאי המין החזק
chau'vinis'tic (shōv-) *adj.* לאומני
chaw *n&v.* ★לעיסה; ללעוס
cheap *adj&adv.* זול; בזול
dirt cheap בזיל הזול
feel cheap לחוש השפלה
hold cheap לזלזל ב־
make oneself cheap להשפיל עצמו
on the cheap ★בזול, במחיר נמוך
cheapen *v.* להוזיל; לזלזל ב־
cheap-jack *n&adj.* רוכל; זול, גרוע
cheap skate קמצן
cheat *v.* לרמות, להונות; ★לבגוד
cheat death להערים על המוות
cheat *n.* רמאי, רמאות
check *v.* לבדוק, לאמת; לעצור, לבלום; לאיים שח!; למסור, להפקיד
check (up) on לבדוק, לחקור
check in להירשם (בשעת בואו), להגיע
check off לסמן (בשעת בדיקה); לנכות (מהמשכורת)
check out לסלק החשבון (במלון), ללכת, לעזוב; לרשום; לבדוק; ★למות
check *n.* מעצור, בלימה; בדיקה, אימות
in check באיום שח
keep in check לרסן, לבלום
check *n.* פתק־פיקדון, קבלה; צ'ק, המחאה; חשבון־מיסעדה; אריג משובץ
blank check יד חופשית; צ'ק ריק
checkbook *n.* פינקס צ'קים
check card כרטיס אשראי
checked *adj.* משובץ
check'er *v.* לגוון, לשבץ
checkerboard *n.* לוח דמקה
checkered *adj.* מגוון, רב־תהפוכות
check'ers (-z) *n.* דמקה
checking account חשבון עו"ש/שיקים
checklist *n.* רשימה, קטלוג
check'mate' *v.* לתת מט, להביס
check'mate' *n.* מט; תבוסה, מפלה
checkoff *n.* ניכוי (מיסים) מהמשכורת
checkout *n.* ביקורת־יציאה; סיום, פינוי (מלון); נקודת תשלום, קופה
checkpoint *n.* נקודת ביקורת
checkrein *n.* עורפית, רסן־העורף
checkroom *n.* מלתחה
checkup *n.* בדיקה (רפואית) כללית
Ched'dar *n.* גבינת צ'דאר
cheek *n.* לֶחִי; ★חוצפה; ישבן
cheek by jowl בצוותא; בצפיפות
tongue in cheek אחד בפה ואחד בלב, לא רציני, אירוני
cheek *v.* להתחצף אל־
cheekbone *n.* עצם־הלסת, עצם־הלחי
cheeked *adj.* בעל לחיים
rosy-cheeked אדום־לחיים
cheeky *adj.* חוצפני, חצוף
cheep *n&v.* ציוץ; לצייץ
cheer *n.* תרועה; שימחה, עליזות
cheers! ★לחיים! תודה! שלום!
good cheer מטעמים; חגיגה
words of cheer מילות־עידוד
cheer *v.* להריע, לעודד
cheer up לעודד; להתעודד
cheerful *adj.* עליז, צוהל, שמח

cheer′io′ *interj.* ★שלום! להתראות!
cheerleader *n.* מארגן התרועות
cheerless *adj.* עגום, קודר
cheery *adj.* עליז, שמח, קורן
cheese (-z) *n&v.* גבינה; ★אישיות
cheesed off ★נמאס לו, נשבר לו
cheese-cake *n.* עוגת גבינה; ★תמונת נערה (החושפת חמוקיה)
cheese-cloth *n.* אריג מרושת, גזה
cheese-paring *n.* קמצנות
chee′tah (-tə) *n.* צ׳יטה, ברדלס
chef (shef) *n.* אשף מיטבח, טבח
chef d'oeuvre (shādûv′rə) *n.* יצירה מצוינת, פאר יצירתו
chem. = chemical
chem′ical (k-) *adj.* כימי
chemicals *n-pl.* כימיקלים
chemise′ (shəmēz′) *n.* כותונת־אישה, תחתונית
chem′ist (k-) *n.* כימאי; רוקח
chem′istry (k-) *n.* כימיה
chem′o•ther′apy (k-) *n.* כימותרפיה, ריפוי בחומרים כימיים
chenille′ (shənēl′) *n.* חוטי־קישוט
cheque (chek) *n.* צ׳ק, המחאה
chequer = checker
cher′ish *n.* לאהוב, לפנק; לשמור בליבו, לטפח (תיקווה, אשלייה)
cheroot′ (shəro͞ot′) *n.* סיגריה
cher′ry *n&adj.* דובדבן; אדום
cher′ub *n.* מלאך, כרוב
cheru′bic *adj.* מלאכי; יפהפה, תמים
cher′ubim′ *n-pl.* כרובים
cher′vil *n.* סוג תבלין
chess *n.* שחמט, מישחק המלכים
chessboard *n.* לוח שחמט
chessman *n.* כלי שחמט
chest *n.* ארגז, שידה; חזה, בית־החזה; קופת מוסד ציבורי
flat-chested שטוחת־חזה
off one's chest אבן נגולה מעל ליבו; השתפך
on one's chest מעיק עליו
ches′terfield′ (-fēld) *n.* מעיל גבר; ספה מרופדת
chest′nut′ (-sn-) *n&adj.* ערמון; סוס ערמוני; ערמוני; ★בדיחה נדושה
chest of drawers שידה (לבגדים)
chesty *adj.* ★בעלת חזה שופע
cheval′ glass (sh-) *n.* ראי (גדול)
chev′alier′ (sh-lir) *n.* אביר
chev′ron (sh-) *n.* סרט, סימן־דרגה

chev′vy, chev′y *v.* להציק, להקניט
chew (cho͞o) *v&n.* ללעוס; לעיסה
chew out ★לגעור ב־, לנזוף ב־
chew over להרהר, להפוך בדבר
chew the fat ★לשוחח, לפטפט
chew the rag ★לפטפט, להתאונן
chewed up ★דואג; מוטרד
chewing gum מסטיק, גומי לעיסה
chiar′oscu′ro (kiä-) *n.* ציור־אורצל
chic (shēk) *n.* שיק, הדר, טעם טוב
chic *adj.* אופנתי, מהודר
chica′nery (sh-) *n.* רמאות, הונאה
chichi (shē′shē) *adj.* ★אופנתי, מגונדר, צעקני, מעושה
chick *n.* אפרוח, פרגית; ★ילד; נערה
chick′en *n&v.* תרנגולת, פרגית; בשר־עוף; ★פחדן
chicken out לחדול מתוך פחד
no chicken כבר אינה צעירה
chickenfeed *n.* ★סכום כסף זעום
chickenhearted *adj.* מוג־לב, פחדן
chicken pox אבעבועות רוח
chickpea *n.* חימצה (קיטנית)
chic′le *n.* שרף לייצור גומי־לעיסה
chic′ory *n.* ציקוריה, עולש
chide *v.* לנזוף ב׳, לגעור ב־
chief (chēf) *n.* ראש, מנהיג; ★בוס, צ׳יף
commander-in-chief מפקד עליון
in chief בעיקר, ביחוד
Chief of Staff רמטכ״ל
chief *adj.* ראשי, עיקרי, עליון
chief constable מפכ״ל משטרה
chiefly *adv.* בעיקר, ביחוד
chief′tain (chēf′tən) *n.* מנהיג, ראש
chieftaincy *n.* ראשות, מנהיגות
chiffon′ (sh-) *n.* אריג־משי, שיפון
chif′fonier′ (sh-nir) *n.* שידה (לבגדים)
chignon (shēn′yon) *n.* צמה צנופה
chil′blain′ *n.* אבעבועות קור
child (chīld) *n.* תינוק, ילד, בן
with child בהריון, הרה
childbearing *n.* לידה, ילידה
childbirth, -bed *n.* לידה
childhood *n.* ילדות, גיל הילדות
second childhood זיקנה, סניליות
childish *adj.* ילדותי, טיפשי
childless *adj.* חשוך־בנים
childlike *adj.* ילדותי, תמים
chil′dren = pl of child
child's play מישחק ילדים, דבר קל
chili, chilli, chile (chil′i) *n.* פילפל אדום

chill *n.* קור, צינה, צמרמורת; קַדרוּת
catch a chill להצטנן
chill *adj.* קריר, צונן
chill *v.* להצן, לצנן, לקרר; להתקרר
chiller *n.* מצנן; סיפור מתח
chilly *adj.* קר, קריר, צונן
chime *n.* צילצול, צילצול־פעמונים; מערכת פעמונים; הרמוניה
chime *v.* לצלצל; לעלות בקנה אחד עם
chime in להתערב בשיחה; להצטרף
chime in with להתאים, להלום את
chi•me'ra (k-) *n.* חימרה, מיפלצת אגדית; חזון־תעתועים, דימיון כוזב
chi•mer'ical (k-) *adj.* דימיוני
chim'ney *n.* ארובה; אח; זכוכית־עששית; מעלה צר, שביל צר
chimneybreast *n.* קיר האח
chimney corner פינת האח
chimneypiece *n.* קישוט האח
chimney-pot כובע הארובה
chimneystack *n.* מעשנה; קבוצת כובעי־ארובה
chimney-sweep(er) מנקה ארובות
chimp *n.* ⋆שימפנזה
chim'pan•zee' *n.* שימפנזה
chin *n&v.* סנטר
chin up! התעודד! בראש זקוף!
take it on the chin ⋆לספוג מכה
chi'na *n.* חרסינה, כלי חרסינה
bull in a china shop פיל בחנות־חרסינה
China *n.* סין
china clay *n.* קאולין, טין לבן
china closet ארון כלי־חרסינה
chinaware *n.* כלי חרסינה
chinchil'la *n.* שינשילה (מכרסם)
chine *n.* עמוד השידרה
Chi•nese' (-z) *n&adj.* סִיני
chink *n.* סדק; קישקוש, צילצול
chink of light אלומת־אור
chink *v.* לצלצל, לקשקש; לסתום סדקים
Chink *n.* ⋆סיני
chinless *adj.* חסר־סנטר; ⋆פחדני
chinstrap *n.* רצועת־סנטר
chintz *n.* אריג כותנה צבעוני
chin'wag' *n.* ⋆שיחה קלה, פיטפוט
chip *n.* חתיכה, קיסם, נתח, שבב; אסימון־מישחק; בקיע, סדק
chip off the old block התפוח אינו נופל הרחק מן העץ, כאב־הבן
chips טוגני תפוחי־אדמה, צ׳יפס
has a chip on his shoulder במצב־רוח קרבי, כועס, רוגז
in the chips ⋆עשיר
when the chips are down בשעה גורלית, בשעת משבר
chip *v.* לשבור חתיכה, לבקוע; להישבר; לפלח טוגנים; לפסל
chip at לשַבֵב, לקצץ
chip in ⋆להתפרץ לשיחה; לתרום
chipboard *n.* קרש, לוח־עץ, לוח סיבית
chip'munk' *n.* סנאי מפוספס
Chip'pendale' *n.* צ׳יפנדייל (ריהוט)
chippings *n-pl.* אבני־תשתית, חצץ
chi'roman'cy (k-) *n.* חכמת־היד
chirop'odist (k-) *n.* רופא רגליים
chirop'ody (k-) *n.* ריפוי רגליים
chi'roprac'tic (k-) *n.* כירופרקטיקה, ריפוי ע״י טיפול בעמוד השידרה
chirp *n&v.* ציוץ, צירצור; לצייץ
chir'py *adj.* עליז, שמח
chir'rup *n&v.* ציוץ, צירצור; לצייץ
chis'el (-z-) *n.* איזמל, מַפסלת
chisel *v.* לפסל, לסתת; ⋆לרמות
chiseled *adj.* חטוב, מחוטב
chiseler *n.* ⋆רמאי, נוכל
chit *n.* ילדונת; פתק; תיזכורת
chit-chat *n.* ⋆שיחה קלה, רכילות
chiv'alrous (sh-) *adj.* אבירי, אדיב
chiv'alry (sh-) *n.* אבירות, אדיבות
chive *n.* תבלין, מין בצלצל
chiv'vy, chiv'y *v.* ⋆להציק, להקניט
chlo'ride (k-) *n.* כלוריד
chlo'rinate' (k-) *v.* להכליר, לטהר
chlo'rina'tion (k-) *n.* הכלרה
chlo'rine (klô'rēn) *n.* כלור
chlo'roform' (k-) *n.* כלורופורם
chloroform *v.* לאלחש בכלורופורם
chlo'rophyll' (k-) *n.* כלורופיל, ירק־עלה
choc'-ice *n.* ⋆ארטיק־שוקולד
chock *n.* יתד, מעצור, טריז
chock *v.* לשים מעצור ל־; לדחוס
chock'-a-block' *adj.* מלא, דחוס
chock-full *adj.* מלא, דחוס
choc'olate *n.* שוקולדה
choice *n.* בחירה, ברירה, מיבחר
by choice מתוך בחירה, מרצונו
for choice אם עליו לבחור, כעדיף
take one's choice לבחור כרצונו
Hobson's choice הברירה היחידה
choice *adj.* מובחר, משובח
choir (kwīr) *n.* מקהלה; מחיצת

המקהלה (שטח המקהלה בכנסייה)
choirmaster *n.* מנצח המקהלה
choir screen מחיצת המקהלה
choke *v.* לחנוק; לדחוס; להיחנק; להיסתם
choke back/down לדכא, לשלוט ב־
choke off לשים קץ; לנזוף ב־; להיפטר מ־
choke *n.* חניקה; משנק (במכונית)
choke damp גאז מחניק
cho′ker *n.* מחרוזת מהודקת (לצוואר)
cho′ky, cho′key *n.* ★בית־סוהר
chol′er (k-) *n.* כעס, חימה
chol′era (k-) *n.* כולירה, חולירע
chol′eric (k-) *adj.* רתחן, מהיר־חימה
choles′terol′ (k-ôl) *n.* כולסטרול
choose (-z) *v.* לבחור; להחליט; להעדיף; לחפוץ
cannot choose but חייב, נאלץ ל־
choo′sy, choo′sey (-z-) *adj.* בררן
chop *v.* לגדוע, לחטוב, לקצוץ, לחתוך
chop about להחליף כיוון לפתע
chop and change לשנות (דעתו) תמיד
chop at לכוון מכה חדה
chop logic להתפלפל
chop *n.* מכת־גרזן, מהלומה; נתח־בשר, צלעית
get the chop ★לעוף מהעבודה
chop *n.* חותמת, חתימה; סמל מיסחרי
first-chop מסוג משובח
chop = chap
chop-chop *adv.* ★מהר, צ׳יק־צ׳אק
chophouse *n.* מיסעדת־בשר
chop′per *n.* מַקצץ, קופיץ; ★הליקופטר
choppers ★שיניים
chop′py *adj.* גלי, רוגש; מתחלף, הפכפך
chop′sticks′ *n-pl.* מקלות סיניים
chop su′ey *n.* צ׳ופסואי, תבשיל סיני
chor′al (k-) *adj.* מקהלתי, כורלי
chorale (kərälʹ) *n.* כורל, שיר מקהלתי
chord (k-) *n.* מיתר; אקורד, תצליל
touch the right chord לפרוט על המיתר הנכון
chore *n.* עבודה יומיומית; משימה לא נעימה
chor′e•og′rapher (k-) *n.* כוריאוגרף, תעוגאי
chor′e•og′raphy (k-) *n.* כוריאוגרפיה, תעוגה, אמנות הריקוד
cho′rine (kôr′ēn) *n.* נערת־מקהלה
chor′ister (k-) *n.* חבר־מקהלה
chor′tle *v&n.* לצחוק בקול; צחוק רם

chor′us (k-) *n.* מקהלה; להקה; שיר־מקהלה; פזמון חוזר
in chorus במקהלה, הכל ביחד
chorus *v.* לשיר במקהלה
chorus girl נערת־מקהלה
chose = pt of choose (-z)
cho′sen = pp of choose (-z-)
chow *n.* כלב סיני; ★מזון, אוכל
chow′der *n.* מרק דגים, מרק סמיך
chow line ★תור לאוכל
Christ (krīst) *n.* ישו, משיח
Christ! *interj.* ישו! (קריאה)
chris′ten (kris′ən) *v.* להטביל, לנצר; לקרוא שם; לחנוך (ספינה)
Christendom *n.* העולם הנוצרי
christening *n.* טקס הטבילה לנצרות
Chris′tian (kris′chən) *n&adj.* נוצרי
Christian Era הספירה הנוצרית
Chris′tian′ity (krischi-) *n.* נצרות
Christian name שם פרטי
Christlike *adj.* כמו ישו
Christ′mas (kris′m-) *n.* חג המולד
Christmas box שי חג־המולד
Christmas card כרטיס שנה־טובה
Christmas Eve ערב חג המולד
Christmastide *n.* תקופת חג המולד
Christmastime *n.* תקופת חג המולד
Christmas tree אשוח (לחג המולד)
chromat′ic (k-) *adj.* ציבעוני, ציבעי, כרומאטי
chromatic scale הסולם הכרומאטי
chrome, chro′mium (k-) *n.* כרום
chro′mosome′ (k-) *n.* כרומוזום
chron′ic (k-) *adj.* כרוני, ממושך; ★רע
chron′icle (k-) *n.* דברי־הימים, קורות, כרוניקה, היסטוריה
chronicle *v.* לרשום קורות
Chronicles דברי־הימים (בתנ״ך)
chron′ograph′ (k-) *n.* רשמזמן
chron′olog′ical (k-) *adj.* כרונולוגי
chronol′ogy (k-) *n.* כרונולוגיה
chronom′eter (k-) *n.* מד־זמן
chrys′alis (k-) *n.* גולם (של פרפר)
chrysan′themum (k-) *n.* חרצית (פרח)
chub *n.* מין דג
chub′by *adj.* שמנמן
chuck *n.* מלחציים; ★בשר־העורף
give the chuck ★לפטר מהעבודה
chuck *v.* לזרוק; ללטף, לטפוח קלות
chuck it! חדל! הפסק!
chuck out להשליך (מתפרעים) החוצה

chuck up ⋆לנטוש, לזרוק; לוותר על
chucker-out מעיף מתפרעים
chuck′le *v.* לצחוק בקירבו, לגחך
chuckle *n.* צחוק חרישי, צחוק לעצמו
chug *n.* טירטור (של מנוע)
chug *v.* לנוע תוך השמעת טירטורים
chum *n&v.* ⋆ידיד, חבר לחדר
chum up ⋆להתיידד, להתחבר
chum′my *adj.* ⋆ידידותי
chump *n.* בול־עץ; נתח בשר; ⋆טיפש
off one's chump ⋆יצא מדעתו
chunk *n.* גוש, חתיכה, נתח
chunk′y *adj.* חסון, מוצק, עבה
church *n.* כנסייה; נוצרים, ציבור המאמינים; תפילה בכנסייה
enter the church להיעשות לכומר
he's at church הוא מתפלל
church *v.* (לגבי יולדת) להתפלל
churchgoer *n.* מתפלל קבוע בכנסייה
Church of England הכנסייה האנגליקנית
churchwarden *n.* נציג הכנסייה
churchyard *n.* בית־קברות כנסייתי
churl *n.* גס, לא מחונך, איכר
churlish *adj.* גס, לא מחונך
churn *n.* מחבצה; כד חלב
churn *v.* לחבץ שמנת; לעשות חמאה; להקציף גלים, להניע, להתסיס; לסעור
churr *n.* צירצור
chute (shōōt) *n.* תללה (מיתקן להחלקת חפצים), מיגלש; מפל־מים; ⋆מצנח
chut′ney *n.* תבלין, סלט חריף
chutz′pah (hoots′pə) *n.* חוצפה
CIA = Central Intelligene Agency
cibo′rium *n.* חופה, כיפת מיזבח; קופסה קמורת־מיכסה
cica′da *n.* צרצר, ציקדה
cic′atrice′ (-ris) *n.* צלקת
cic′atrix′ *n.* צלקת
cic′ero′ne (-rō′ni) *n.* מדריך, מורה־דרך
CID = Criminal Investigation Department
ci′der *n.* מיץ תפוחים, סיידר
cif = cost, insurance , and frieght סי״פ, כולל הובלה וביטוח
cigar′ *n.* סיגר
cig′arette′, -ret′ *n.* סיגריה
cigarette case קופסת סיגריות
cigarette holder מחזיק סיגריות

C-in-C = Commander-in-Chief
cinch *n.* חבק, חגורת האוכף; ⋆דבר ודאי, ודאות, דבר קל ובטוח
cinc′ture *n.* חגורה
cin′der *n.* גחלת, אפר
Cin′derel′la *n.* סינדרלה, ליכלוכית
cine- (sin′ə-) (תחילית) של קולנוע
cine-camera *n.* מסרטה
cine-film *n.* סרט (של מסרטה)
cin′ema *n.* סרט; בית־קולנוע; קולנוע, אמנות הקולנוע
cine-mat′ograph′ *n.* מטולנוע
cine-projector *n.* מטולנוע
cin′namon *n&adj.* קינמון; קינמוני
cinque′foil′ (singk′f-) *n.* צמח בעל עלים מחומשים, קישוט מחומש
ci′pher *n.* אפס, 0; סיפרה; פחות־ערך; צופן, כתב־סתרים
cipher *v.* לצפן, לחשב
cir′ca *prep.* בערך, בסביבות שנת־
cir•ca′dian *adj.* של יממה
cir′cle *n.* עיגול, מעגל; טבעת; חוג; מחזור; גוש מושבים (בתיאטרון)
come full circle לחזור לנקודת המוצא
in a circle במעגל, ללא התקדמות
political circles חוגים פוליטיים
square the circle לרבע העיגול
vicious circle מעגל־קסמים
circle *v.* להקיף; להסתובב, לחוג
cir′clet *n.* תכשיט, צמיד, עטרה, טבעת
cir′cuit (-kət) *n.* סיבוב, היקף, הקפה, מעגל; מסלול, סיור, נסיעה
circuit court בית־דין נייד
circuit rider מטיף נודד
closed circuit מעגל סגור
make a circuit of להקיף
short circuit קצר חשמלי
circuit breaker מפסק חשמלי, מַתֵּק
cir•cu′itous *adj.* עוקף
cir′cu•lar *adj.* עיגולי, מסתובב, עקיף
circular *n.* חוזר, מיכתב חוזר
cir′cu•larize′ *v.* להפיץ חוזר
cir′cu•late′ *v.* לנוע בחופשיות, להסתובב, לזרום; להפיץ; להתפשט
circulating library ספריית השאלה
cir′cu•la′tion *n.* הפצה, תפוצה; מחזור־הדם; מחזור; הסתובבות
out of circulation לא מסתובב, לא פעיל
cir′cumcise′ (-z) *v.* למול (הערלה)
cir′cumci′sion (-sizh′ən) *n.* מילה
circum′ference *n.* היקף

circum'feren'tial *adj.* היקפי
cir'cumflex' *n.* תג (על אות)
cir'cumlo•cu'tion *n.* גיבוב מלים
cir'cumnav'igate' *v.* להקיף (באונייה) את כדור הארץ)
cir'cumnav'iga'tion *n.* הקפה
cir'cumscribe' *v.* להגביל; להקיף
cir'cumscrip'tion *n.* הגבלה; תיחום; כתובת (על מטבע)
cir'cumspect' *adj.* זהיר, שקול, מחושב
cir'cumspec'tion *n.* זהירות
cir'cumstance' *n.* עובדה, פרט, מיקרה, מצב; טקס, טיקסיות
circumstances תנאים, נסיבות; מצב כספי
in reduced circumstances בעוני
in/under no circumstances בשום אופן, לעולם לא
in/under the circumstances לנוכח התנאים, במצב הקיים
cir'cumstan'tial *adj.* מפורט, נסיבתי
circumstantial evidence עדות נסיבתית
cir'cumvent' *v.* להערים על, לעקוף
cir'cumven'tion *n.* הערמה, עקיפה
cir'cus *n.* קירקס; כיכר; צומת
cirrho'sis (-rō'-) *n.* צמקת, שחמת (מחלה)
cir'rus *n.* ענני-נוצה, צירוס
cis'sy *n.* גבר נשי; פחדן
cis'tern *n.* מיכל, מכל־הדחה
cit'adel *n.* מצודה, מיבצר, מעוז
ci•ta'tion *n.* ציטטה, ציטוט; ציון לשבח; הזמנה לדין
cite *v.* לצטט; לציין לשבח; להזמין לדין
cit'izen *n.* אזרח
citizenship *n.* אזרחות
cit'ric acid חומצת לימון
cit'ron *n.* אתרוג
cit'rous *adj.* של פרי־הדר
cit'rus *n.* הדר, ציטרוס
cit'y *n.* עיר; תושבי עיר
the City הרובע המסחרי בלונדון
city editor עורך החדשות המקומיות; עורך החדשות הפיננסיות
city father אב־עיר (מאבות־העיר)
city hall עירייה, בית העירייה
city manager מנכ"ל עירייה
city-state עיר־מדינה (בעבר)
civ'et *n.* סיביט (חומר־בשמים)
civ'ic *adj.* עירוני, אזרחי
civ'ics *n.* מדע האזרחות
civ'ies (-iz) *n-pl.* בִּיגדי־אזרח
civ'il *adj.* אזרחי; אדיב, מנומס
civil defense הג"א, הגנה אזרחית
civil disobedience מרי אזרחי
civil engineering הנדסה אזרחית
civil'ian *adj&n.* אזרח; אזרחי, אזרחני
civil'ity *n.* אדיבות, נימוס
civ'iliza'tion *n.* ציוויליזציה, תרבות; עמי התרבות; תירבות, אילוף
civ'ilize' *v.* לתרבת, לחנך, לאלף
civilized *adj.* מתורבת, מתקדם
civil law החוק האזרחי
civil list קצובה קבועה למלך
civ'illy *adv.* בנימוס, כבן־תרבות
civil marriage נישואים אזרחיים
civil rights זכויות אזרחיות
civil servant עובד מדינה
civil service שירות המדינה
civil war מלחמת אזרחים
civ'vies (-ēz) *n-pl.* בִּיגדי־אזרח
clack *n.* נקישה, תיקתוק; פיטפוט
clack *v.* להקיש, לתקתק; לפטפט
clad *adj.* עטוי, לבוש, מכוסה
claim *v.* לדרוש, לתבוע; לטעון; לחייב
claim attention לחייב תשומת־לב
claim *n.* דרישה, תביעה, טענה; זכות, דרישת בעלות; דבר נתבע
has a claim זכאי, זכותו לדרוש
jump a claim לתפוס שטח הנתבע ע"י אדם אחר
lay claim to לתבוע זכות על
put in a claim להגיש תביעה
stake a claim לסמן תחומי שטח, לתבוע בעלות
claimant *n.* תובע
claim check תלוש דרישה
clairvoy'ance *n.* ראייה על־טיבעית, צחזות
clairvoy'ant *n.* צחזאי
clam *n.* צידפה; ⋆שתקן
clam *v.* לאסוף צדפות
clam up ⋆להשתתק, להיאלם דום
clam'bake' *n.* פיקניק־חוף
clam'ber *v.* לטפס (בידיים וברגליים)
clamber *n.* עלייה מפרכת
clam'my *adj.* דביק, לח וקר
clam'or *n.* רעש, מחאה המונית, זעקה
clamor *v.* לזעוק, לתבוע בקול
clam'orous *adj.* צעקני, תובעני
clamp *n.* מלחציים, מלחצת, סנדל
clamp *v.* להדק (לוחות) במלחצת

clamp down ★להפסיק, ללחוץ, להגביל
clamp *n.* ערימת תפוחי־אדמה וכו'
clampdown *n.* ★מניעה, איסור, מיגבלה
clamshell *n.* קשוות־הצידפה
clan *n.* שבט, כת, מישפחה גדולה
clan•des'tine (-tin) *adj.* סודי
clang *n&v.* צילצול; לצלצל
clan'ger (-g-) *n.* ★שגיאה גסה
drop a clanger ★לטעות גסות
clang'or *n.* צילצול, הקשה
clan'gorous *adj.* מצלצל, מרעיש
clank *n.* צילצול; נקישה
clank *v.* לצלצל, לקשקש
clannish *adj.* עדתי, כיתתי, שיבטי
clans'man (-z-) *n.* בן שבט
clap *v.* למחוא כפיים; לטפוח; להטיל במהירות, להשליך
clap eyes on לראות
clap in prison להשליך לכלא
clap one's hat on לחבוש כובעו במהירות
clap *n.* קול נפץ; טפיחה; מחיאת כפיים; ★זיבה (מחלה)
clapboard *n.* לוח־עץ, קרש
clapped-out *adj.* ★עייף, חבוט; משומש
clap'per *n.* עינבל; רעשן
clapperboard *n.* קרש־הקשה (של במאים, לסימון תחילת ההסרטה)
claptrap *n.* שטויות, מלים ריקות
claque (klak) *n.* קבוצת מחאנים
clar'et *n&adj.* יין אדום; אדום
clar'ifica'tion *n.* הבהרה
clar'ify' *v.* להבהיר; להתבהר; לצלל, לזכך, לטהר
clar'inet' *n.* קלרנית
clarinetist *n.* קלרניתן
clar'ion *n.* קול רם וצלול
clar'ity *n.* בהירות, צלילות
clash *v.* להקיש, להרעיש; להתנגש
clash *n.* נקישה; התנגשות; עימות, ניגוד
clasp *n.* אבזם, מנעולון; עיטור; לחיצת־יד; חיבוק; לפיתה
clasp *v.* לחבק, ללפות; להדק, לאבזם
clasp hands ללחוץ ידיים בחמימות
clasp knife אולר־כיס
class *n.* כיתה; מחלקה; מעמד; סוג, מין
first class מחלקה ראשונה; סוג א'; ציון א'
she's got class ★היא מיוחדת
class *v.* לסווג, למיין, לשייך
class-conscious חדור הכרה מעמדית
clas'sic *adj.* קלאסי, מעולה, מופתי
classic *n.* יצירה קלאסית; סופר־מופת, קלאסיקון; מאורע קלאסי
the classics ספרות יוון ורומי
clas'sical *adj.* קלאסי, מעולה, מסורתי
classical music מוסיקה קלאסית
clas'sicism' *n.* קלסיות, קלסיציזם
clas'sicist *n.* קלסיקון, סופר־מופת
class'ifica'tion *n.* מיון, סיווג
classified *adj.* ממוין; מסווג; סודי
classified ad מודעה (בעיתון)
class'ify' *v.* לסווג, למיין; לסווג אינפורמציה כסודית
classless *adj.* ללא מעמדות
class list רשימת הציונים
classmate *n.* חבר לכיתה
classroom *n.* כיתה
class struggle מילחמת מעמדות
classy *adj.* ★אופנתי, מהמעמד הגבוה
clat'ter *n.* נקישות, רעש, המולה
clatter *v.* להקיש, להרעיש, לקשקש
clause (-z) *n.* סעיף, פיסקה; (בדקדוק) משפט טפל, פסוקית
claus'tropho'bia *n.* בעת־סגור, קלאוסטרופוביה
clav'ichord' (-k-) *n.* קלאוויכורד (כלי־נגינה)
clav'icle *n.* עצם הבריח
claw *n.* ציפורן, טופר; צבת־הסרטן
claw *v.* לקרוע, לתפוס בציפורניים
claw-hammer פטיש (לשליפת מסמרים)
clay *n.* חומר, טיט
clay'ey *adj.* של טיט, כמו טיט
clay pigeon מטרה מעופפת
clean *adj.* נקי, טהור, חלק; מושלם; כשר
clean animal חיה טהורה/כשרה
clean sweep שינוי גמור, מהפכה
has clean hands נקי־כפיים
clean *adv.* לגמרי, לחלוטין
come clean להודות, לגלות האמת
clean *v.* לנקות; להתנקות
clean down להבריש, לטאטא
clean out לנקות, לרוקן, להציגו ככלי ריק
clean up להתנקות; לנקות, לבער; ★לגרוף סכום הגון, לעשות כסף
cleaned out ★נותר ללא פרוטה
clean *n.* ניקוי
clean-cut *adj.* ברור, חד; נאה; נקי
cleaner *n.* מנקה; מכבסה
take to the cleaners להרוס
clean-limbed *n.* נאה, חטוב, גבוה

cleanly (klen′-) *adj.* נקי
cleanly (klē′-) *adv.* בצורה נקייה
cleanse (klenz) *v.* לנקות, לטהר
cleanser *n.* מנקה; חומר ניקוי
clean-shaven *adj.* מגולח למישעי
clean-up *n.* ניקוי; זכייה גדולה
clear *adj.* בהיר, ברור, צלול, נקי; ריק; ודאי, בטוח; שלם, תמים
$1000 clear אלף דולר נטו
in the clear חופשי, משוחרר
it is clear that ברור ש־
make oneself clear להבהיר דבריו
clear *adv.* ברורות; לגמרי; במרחק, בלי לנגוע
keep clear of להתרחק מ־
clear *v.* להבהיר; להתבהר; לנקות, לטהר; לדלג, לעבור בלי לנגוע; לשחרר
clear a check לפדות צ׳ק במיסלקה
clear a debt לסלק כל החוב
clear away/off לסלק; להסתלק
clear customs להשתחרר במכס
clear one's throat לכחכח, לחכחך
clear out לנקות, לרוקן; ★להסתלק
clear the air לטהר את האווירה
clear the deck להתכונן לפעולה
clear up להתבהר; להבהיר; לנקות; לסדר; לפתור; לרפא; להתרפא
clear 1000 להרוויח 1000 נטו
clearance *n.* שיחרור; ניקוי, טיהור; מירווח, שטח חופשי; פדיון במיסלקה
clearance sale מכירת חיסול
clear-cut *adj.* ברור, חלק
clear-eyed *adj.* צלול־ראייה
clear-headed *adj.* בעל מוח צלול
clearing *n.* קרחת (ביער), מיברא; סילוקין
clearing-hospital *n.* בי״ח שדה
clearing-house *n.* מיסלקה
clearly *adv.* ברורות, בלי ספק
clear-sighted *adj.* צלול־ראייה
clearway *n.* כביש
cleat *n.* זיז (בנעל, למניעת החלקה); יתד (לקשירת חבל); קרש־חיזוק
cleav′age *n.* התבקעות, הסתדקות; חלוקה; ★חריץ בין השדיים
cleave *v.* לבקע; להתבקע, להתפצל
cleave a path לפלס דרך
cleave to לדבוק ב־, להיצמד ל־
cleav′er *n.* סכין־קצבים, קופיץ, מַקצץ
clef *n.* (במוסיקה) מפתח
cleft *n.* סדק, בקיע, פער
cleft = p of cleave
caught in a cleft stick נתון בין הפטיש ובין הסדן
cleft palate חך שסוע
clem′atis *n.* זלזלת (צמח מטפס)
clem′ency *n.* רחמים; נוחות, נעימות
clem′ent *adj.* רחמן; נוח, נעים
clench *v.* להדק, לסגור, ללפות
clenched fist אגרוף קמוץ
cle′resto′ry *n.* קיר עליון (בכנסייה)
cler′gy *n.* כמורה, כמרים
clergyman *n.* כומר
cler′ic *n.* כומר
cler′ical *adj.* קלאריקלי, של כמורה; של פקיד, פקידותי, מישרדי
cler′ihew′ (-hū) *n.* מרובע קל (שיר)
clerk *n.* פקיד, לבלר; מזכיר; זבן; כומר
clerk *v.* לעבוד בפקידות, ללבלר
clerk of the works מנהל עבודה
clev′er *adj.* פיקח, פיקחי, שנון, זריז
clew (kloo) *n.* פקעת חוטים; לולאה, טבעת; כנף־המיפרש
clew *v.* לגולל מיפרש, לגולל פקעת
cliché (klēshā′) *n.* ביטוי נדוש, קלישה
cliché-ridden *adj.* זרוע קלישאות
click *n.* נקישה, הקשה, קליק
click *v.* להקיש; ★לדפוק, להצליח, לקצור הצלחה; להתיידד מהר
cli′ent *n.* לקוח, קונה, קליינט, מרשה
cli′entele′ (-tel) *n.* קליינטורה, מערופיה
client state מדינת־חסות, גרורה
cliff *n.* צוק, שן־סלע, מצוק
cliffhanger *n.* סיפור מותח, מותחן
cli•mac′teric *n.* נקודת מיפנה
cli•mac′tic *adj.* של פיסגה, של שיא
cli′mate *n.* אקלים
climate of opinion עמדת הציבור
cli•mat′ic *adj.* אקלימי, של אקלים
cli′matol′ogy *n.* אקלימאות
cli′max′ *n.* שיא, פיסגה, קלימקס
climax *v.* להגיע לפיסגה
climb (klīm) *v.* לטפס, לעלות
climb down להודות בטעות; לרדת
climb *n.* עלייה, מעלֶה, טיפוס
climbdown *n.* נסיגה, הודאה בטעות
climber *n.* מטפס; שואף להתקדם
climbing irons מיטפסיים
clime *n.* אקלים, איזור
clinch *v.* להדק (ע״י כיפוף חוד המסמר); להסדיר; להתחבק (באיגרוף)
clinch a deal לסכם עיסקה
clinch an argument לסיים ויכוח

clinch *n.* תפיסה, לפיתה; חיבוק
clinch'er *n.* ⋆נימוק מכריע
cling *v.* להיצמד, לדבוק, להיאחז
clinging *adj.* צמוד, תלוי ב־; מהודק
clinging vine אישה חסרת־אונים (התלויה בגבר)
clin'ic *n.* מירפאה, קליניקה
clin'ical *adj.* קליני, רפואי
clinical thermometer מדחום רפואי
clink *n.* צילצול, נקישה; ⋆בית־סוהר
clink *v.* להקיש, לצלצל
clink'er *n.* פסולת־פחם; ⋆כישלון
clinker-built *adj.* מרועף־לוחות
clip *n.* מהדק, אטב, רתק; מַטען־כדורים
clip *v.* להדק, להצמיד; להיצמד
clip *n.* גזיזה, גז; מכה חדה; מהירות ; קליפ
clip *v.* לגזור, לקצץ; להבליע מלים; לנקב (כרטיס); לפגום; ⋆להכות
clip his wings לקצץ את כנפיו
clip out לגזור (קטעי עיתונים)
clipboard *n.* לוח בעל מאחז, לוח־רתק
clip joint מועדון לילה (לא הגון)
clip-on *adj.* ניתן להדקו (בסיכה)
clip'per *n.* מיפרשית מהירה
clippers קוצץ־ציפורניים; מגזזה
clipping *n.* קטע־עיתון, תגזיר
clique (klēk) *n.* כת, קבוצה, חוג, קליקה
cliq'uish (-kish) *adj.* מתבדל, בדלני
clit'oris *n.* דגדגן
clo•a'ca *n.* פי־הטבעת
cloak *n.* גלימה, מעטה, מסווה
cloak *v.* להסתיר, לכסות
cloak-and-dagger הרפתקני, בלשי
cloakroom *n.* מלתחה; שירותים
clob'ber ⋆להכות, להלום, להביס, חפצים
cloche (klōsh) *n.* כובע־נשים מהודק; כיסוי לצמחים
clock *n.* שעון; קישוט־גרב; ⋆פרצוף
kill the clock להחזיק בכדור, "לשחק על הזמן"
put the clock back להחזיר מחוגי השעון
round the clock 24 שעות ביממה
watch the clock לייחל לסיום העבודה
work against the clock לנהל מירוץ עם הזמן
clock *v.* למדוד זמן, לקבוע זמן
clock him one ⋆לתת לו מכה
clock in/out להחתים הכרטיס עם הכניסה/היציאה
clock up לזקוף לחשבונו; להגיע ל־
clock tower מיגדל שעון
clockwatcher *n.* מצַפה לגמר העבודה
clockwise *adj.* בכיוון השעון
clockwork *n.* מנגנון־השעון
like clockwork באופן חלק, בקלות
clockwork toys צעצועים מכאניים
clod *n.* גוש עפר, רגב; ⋆טיפש
clod'hop'per *n.* מגושם, כפרי
clodhoppers נעליים כבדות
clog *v.* לסתום; להיסתם; להכביד, להעמיס
clog *n.* קבקב, נעל־עץ; בול־עץ (קשור לרגל, להכבדת התנועה)
clog'gy *adj.* גושי, דביק
cloi'sonné' (-zənā') *n.* אמייל מקושט
clois'ter *n.* סטיו, אכסדרה; מינזר
cloister *v.* לסגור במינזר, לבודד
clone *n.* לשכפל; שיכפול גנטי
close (-s) *adj.* קרוב; צר, צפוף, מעיק; קפדני; סודי; סגור, מוגבל; קמצן
close argument טענה בנוייה יפה
close at hand קרוב, בהישג־יד
close attention תשומת־לב רבה
close call כמעט תאונה, ממש נס
close contest מאבק צמוד
close on/upon קרוב ל־, כמעט
close shave היחלצות בדרך נס
close thing כמעט אסון, ממש נס
close to home ⋆קרוב לאמת
close watch שמירה קפדנית
keep close להסתתר; לשמור בסוד
sailed close to the wind כמעט שעבר עבירה
close (-s) *adv.* קרוב
close (-z) *v.* לסגור, לגמור; להיסגר
close a deal לסכם עיסקה
close down לסגור, לנעול; להיסגר
close in להתקצר; להתקרב
close in on להקיף, להתקרב
close one's eyes to להתעלם מ־, להעלים עין, לעצום עין
close out לערוך מכירת חיסול
close ranks לסגור רווחים; להתאחד
close up לסגור; לסגור רווחים
close up shop לסגור העסק; לסיים
close with להתקרב; להיאבק; להסכים
close (-z) *n.* סוף, סגירה, שלהי
bring to a close לסיים
close (-s) *n.* חצר, מיגרש; סימטה
close-cropped/cut *adj.* (שיער) קצר
closed (klōzd) *adj.* סגור, בלעדי
closed book ספר חתום, דבר סתום
closed circuit מעגל סגור

closed-door *adj.* בדלתיים סגורות
closedown (-z-) *n.* סגירה, נעילה
closed season עונה סגורה לציד
closed shop מוסד בלעדי (המעסיק רק חברי איגוד מיקצועי)
close-fisted *adj.* קמצן
close-fitting *adj.* מהודק, צמוד
close-grained *adj.* צפוף קווי־טבעות
close-hauled *adj.* נגד הרוח
close-knit *adj.* קרוב, מהודק
close-lipped *adj.* שתקן, חתום־שפתיים
closely (-s-) *adv.* בקפדנות; כמעט
close-mouthed *adj.* שתקן, חתום־פה
closeout (-z-) *n.* מכירת־חיסול
close quarters מגע, קרב־מגע
close-set *adj.* קרוב, צמוד
clos′et (-z-) *n.* חדרון, מזווה
closet *v.* להתייחד, להסתגר
close-up *n.* צילום מיקרב, תקריב
closing prices שערי־נעילה
closing time שעת הסגירה
clo′sure (-zhər) *n.* סגירה; סיום הדיון ועריכת ההצבעה, סגר
clot *n.* גוש, קריש־דם; ⋆טיפש
clot *v.* להקריש
cloth (klôth) *n.* אריג, בד, מטלית
table cloth מפת שולחן
the cloth הכמורה, הכמרים
clothe (klōdh) *v.* להלביש, לכסות
clothes (klōz) *n-pl.* בגדים
bed clothes כלי מיטה
clothes-basket *n.* סל־כבסים
clothes-horse *n.* מתלה־ייבוש
clothes-line *n.* חבל־כביסה
clothes-pin, -peg *n.* אטב כביסה
clothes tree מקלב
cloth′ier (klōdh′-) *n.* סוחר בדים
cloth′ing (klōdh′-) *n.* הלבשה
clotted cream זיבדה, שמנת סמיכה
clo′ture = closure
cloud *n.* ענן, עננה; כתם, צל
in the clouds ראשו בעננים
on cloud nine ⋆ברקיע השביעי
under a cloud חשוד, ששמו הועב
cloud *v.* לענן, להעיב, להקדיר; לטשטש
cloud-bank *n.* עננה נמוכה
cloud-burst *n.* שבר־ענן
cloud-capped *adj.* עטור־עננים
cloud-cuc′koo-land (-kōō′kōō-) *n.* ארץ החלומות
cloudless *adj.* בהיר, ללא עננים
cloudy *adj.* מעונן, מעורפל; עכור
clout *n.* מטלית; ⋆מהלומה, השפעה
clout *v.* ⋆להכות
clove = pt of cleave
clove *n.* שן־שום; ציפורן (תבלין)
clove hitch קשר, לולאה
clo′ven = pp of cleave שסוע
cloven hoof פרסה שסועה
clo′ver *n.* תילתן
in clover במותרות, בעושר, בנוחיות
clover-leaf *n.* צומת תילתן
clown *n.* מוקיון, ליצן; גס
clown *v.* להתנהג כמוקיון
clownish *adj.* מוקיוני, נלעג
cloy *v.* לפטם, לסתום תיאבון; להתפטם
club *n.* מועדון; אַלה, מקל; קלף־תילתן
in the club הרה, בהריון
club *v.* להכות, לחבוט
club together להתאגד, להשתתף
club′bable *adj.* ראוי להתקבל למועדון
clubfoot *n.* כף־רגל עקומה, רגל עבה
cluck *n&v.* קירקור; לקרקר
clue (klōō) *n&v.* סימן, רמז, מפתח
clue him in ⋆לתת לו רמז
has not a clue ⋆אין לו מושג
clue = clew
clump *n.* סבך־שיחים; גוש; קול, חבטה
clump *v.* לפסוע בכבדות; לשתול בקבוצות; להתקבץ לגוש, להתאשכל
clum′sy (-zi) *adj.* מגושם, מסורבל, גס
clung = p of cling
clus′ter *n.* קבוצה; אשכול
cluster *v.* להתקבץ, להתקהל; להתאשכל
clutch *v.* לאחוז, ללפות, לתפוס
clutch at להשתדל לתפוס
clutch *n.* לפיתה, אחיזה; מצמד, קלאץ׳, מזווג
in the clutches of בידי, בציפורני
clutch *n.* קבוצת אפרוחים, מידגר, בְּריכה
clut′ter *v.* לבלבל, להפוך
clutter *n.* אי־סדר, עירבוביה
cm. = centimeter
co- (תחילית) יחד־, שותף
c/o = care of הגר, שכתובתו
coach *n.* כירכרה; קרון־רכבת, אוטובוס; מורה, מאמן
drive coach and horses through לגלות פירצה רחבה (בחוק)
coach *v.* לאמן, להדריך
coach-builder *n.* מרכיב מכוניות
co•ad′jutor *n.* עוזר, סגן
co•ag′u•lant *n.* חומר מקריש

co•ag′u•late′ *v.* להקריש, להקפיא
co•ag′u•la′tion *n.* הקרשה, הקפאה
coal *n.* פחם, גחלת
carry coals to Newcastle להביא סחורה למקום שאין בה צורך
haul over the coals לגעור, למוף
heap coals of fire on his head לגמול טובה תחת רעה, לחתות גחלים על ראשו
coal *v.* לספק פחם, להטעין פחם
coal-bunker *n.* מחסן־פחם
co′alesce′ (-les) *v.* להתמזג
coalescence *n.* התמזגות
coalescent *adj.* מתמזג, מתחבר
coalface *n.* פני מירבץ־פחם
coalfield *n.* שדה־פחם
coal-hole *n.* מרתף־פחם
coal-house *n.* ביתן־פחם
co′ali′tion (-li-) *n.* קואליציה, התחברות
coalmine, -pit *n.* מיכרה פחם
coal oil נפט
coal-scuttle *n.* כלי לפחם
coal-seam *n.* מירבץ פחם
coal tar עיטרן
coarse *adj.* גס; מחוספס
coarsen *v.* לחספס; להתחספס
coast *n.* חוף־ים; מידרון, מורד
the coast is clear אין איש בסביבה, אין סכנה
coast *v.* לשייט לאורך החוף; להחליק במידרון, לגלוש ללא דיווש
coastal *adj.* של חוף, חופי
coaster *n.* סירת־חופים; תחתית לכוס
coastguard *n.* שוטר מישמר החופים
coastline *n.* קו החוף
coastwise *adv.* לאורך החוף
coat *n.* מעיל; שיער, פרווה; שיכבה
coat of arms שלט גיבורים
coat of mail שיריון קשקשים
turn one's coat להפוך עורו, לערוק למחנה הנגדי
coat *v.* לכסות, לצפות, לעטוף
coatee′ *n.* מעיל קצר
coat hanger קולב
coating *n.* שיכבה, ציפוי; בד־מעילים
coatroom *n.* מלתחה
coat tails זנבות־המעיל
on his coat tails בעזרת הזולת
coax *v.* לפתות, לשדל, לשכנע בסבלנות
coax from להוציא ממנו בעדינות
coaxingly *adv.* בשפת חלקות, בפיתוי

cob *n.* ברבור; סוס קצר־רגליים; שיזרת התירס; מין אגוז
co′balt (-bôlt) *n.* קובלט
cob′ble *v.* לרצף באבנים חלקות; לתקן נעליים; לתקן בצורה מגושמת; לארגן
cobbler *n.* סנדלר; פשטידה; משקה
cobblestone *n.* אבן־ריצוף (עגולה)
co′bra *n.* קוברה (נחש)
cob′web′ *n.* קורי עכביש
co′ca-co′la *n.* קוקה־קולה
co•caine′ *n.* קוקאין
coc′cyx *n.* עצם העוקץ
coch′ineal′ *n.* שָׁנִי, אדום
coch′le•a (-k-) *n.* שבלול־האוזן
cock *n.* תרנגול; עוף זכר; ברז; נוקר, פטיש; נוקר דרוך; ערימת חציר; ביטחון מופרז; ⋆איבר המין
at full cock דרוך לירייה
cock of the walk בעל שררה
go off at half cock להתחיל לפעול מוקדם מדי
live like fighting cocks לאכול היטב, לחיות במותרות
cock *v.* לדרוך רובה; לזקוף; להזדקף; להטות מעט; לערום (ערימת חציר)
cock one's eyes at להציץ ב־
cock up ⋆לבלבל, להפוך; לשבש, לקלקל
cock•ade′ *n.* סרט־קישוט (בכובע)
cock′-a-doo′dle-doo′ קוקוריקו
cock′-a-hoop′ (-ho͞op) *adj.* עליז; באי־סדר
cock-and-bull story סיפור בדים
cock′atoo′ *n.* קקדו (תוכי)
cock′cha′fer *n.* חיפושית גדולה
cockcrow *n.* עלות־השחר, קריאת הגבר
cocked hat כובע תלת־פינתי
knock into a cocked hat להכות שוק על ירך
cock′er *n.* כלב־ציד
cock′erel *n.* תרנגול צעיר
cock-eyed *n.* ⋆פוזל; טיפש, עקום
cock-fighting *n.* קרב־תרנגולים
cockhorse *n.* סוס־עץ (מתנדנד)
cock′le *n.* צידפה; סירה קטנה
warm the cockles of the heart ליהנות; לגרום קורת־רוח
cockle-shell *n.* קשוות־הצידפה
cock′ney *n&adj.* קוקני, לונדוני
cockpit *n.* תא הטייס; זירת־קרב
cock′roach′ *n.* מקק, תיקן
cockscomb *n.* כרבולת; כובע הליצן

cock′sure′ (-shoor) *adj.* בעל ביטחון מופרז
cock′tail′ *n.* קוקטייל, מימסך, מיסכה
cocktail lounge אולם קוקטייל, מיזנון
cock-up *n.* אות מוגבהת; ★באלגאן
cocky *adj.* ★בטוח בעצמו, חצוף
co′co *n.* קוקוס, עץ הקוקוס
co′coa *n.* קקאו
co′conut′ *n.* קוקוס, אגוז הודו
coconut palm דקל הקוקוס
cocoon′ (-kōōn) *n&v.* קליפת הגולם, פקעת; לכסות, לעטוף, להגן
cod *v.* ★לשטות ב־, להתל ב־
C.o.D. = Cash on Delivery
cod, cod′fish′ *n.* בקלה (דג)
co′da *n.* (במוסיקה) קודה, יסף
cod′dle *v.* לפנק; לבשל באיטיות
code *n.* קוד, צופן; קובץ חוקים; כללים, עקרונות
break a code לפענח צופן
code *v.* לצפן, לרשום בכתב־סתרים, לקודד
co′deine (-dēn) *n.* קודאין (סם)
co′dex′ *n.* כתב־יד עתיק, מיצחף, קודקס
codg′er *n.* ★ברנש מוזר
co′dices′ = pl of codex (-sēz)
cod′icil *n.* ניספח לצוואה
cod′ifica′tion *n.* קודיפיקציה, כינוס החוקים בקובץ
cod′ify′ *v.* לערוך חוקים בקובץ
cod′lin *n.* תפוח קטן, תפוחון
cod′ling *n.* בקלה צעירה
cod-liver oil שמן דגים
codpiece *n.* (בעבר) כיסוי־בד על פתח המיכנסיים
co′ed′ *n.* תלמידה (בבי"ס מעורב)
co′ed•uca′tion (-ej-) *n.* חינוך מעורב
co′effi′cient (-ifish′ənt) *n.* מקדם, קואפיציינט
co′e′qual *adj.* שווה (בדרגה) ל־
co•erce′ *v.* להכריח, לאלץ, לדכא
co•er′cion (-zhən) *n.* כפייה
co•er′cive (-siv) *adj.* כפייתי
co•e′val *adj.* בן גילו, בן דורו
co′exist′ (-igz-) *v.* לחיות באותו זמן, להתקיים יחד
coexistence *n.* דו־קיום
cof′fee (kôf′-) *n.* קפה; ספל קפה
white coffee קפה בחלב
coffee bar בית קפה, מיזנון מהיר
coffee beans פולי־קפה
coffee break הפסקה (ללגימת קפה)
coffee house בית קפה
coffee-mill *n.* מטחנת־קפה
coffee-pot *n.* קנקן קפה
coffee shop בית קפה
cof′fer *n.* תיבה, כספת; קישוט־תיקרה
coffers אוצר, קרנות
cofferdam *n.* מיבנה אטים־מים
cof′fin (kôf′-) *n.* ארון־מתים
drive a nail into his coffin לנעוץ את המסמר האחרון בארונו
cog *n.* שן (בגלגל משונן)
cog in the machine "בורג קטן"
co′gency *n.* עוצמה (של טענה)
co′gent *adj.* (נימוק) כבד־מישקל, משכנע
co′gitate′ *v.* לחשוב, להרהר ב־
co′gita′tion *v.* מחשבה, הירהור
cognac (kon′yak) *n.* קוניאק
cog′nate′ *adj&n.* מאותו מקור, קרוב
cog•ni′tion (-ni-) *n.* הכרה, ידיעה
cog′nitive *adj.* הכרתי, של ידיעה
cog′nizance *n.* הכרה, מודעות
take cognizance of לשים לב ל־, לרשום לפניו
within his cognizance בתחום שיפוטו, בתחום טיפולו
cog′nizant *adj.* מכיר, מודע ל־
cog′nomen *n.* שם משפחה; כינוי
cognoscenti (kon′yəshen′ti) *n.* מבינים, מומחים, בעלי הטעם הטוב
cogwheel *n.* גלגל שיניים
co•hab′it *v.* לחיות יחד (כזוג נשוי), לדור בכפיפה אחת
co•hab′ita′tion *n.* חיים בצוותא
co•here′ *v.* להתלכד; להיות עיקבי
coherence *n.* התלכדות; עיקביות
coherent *adj.* מחובר, עיקבי, הגיוני
co•he′sion (-zhən) *n.* התלכדות, אחדות
co•he′sive *adj.* מתלכד; מלכד
co′hort′ *n.* קבוצה, פלוגה, קוהורטה; חָבֵר
coif *n.* כובע מהודק, שביס
coiffeur (kwäfûr′) *n.* סַפָּר
coiffure′ (kwäf-) *n.* תיסרוקת
coign of van′tage (koin-) נקודת תצפית טובה
coil *v.* לגלגל, לכרוך; להתפתל
coil *n.* סליל, גליל, טבעת, ליפוף
coin *n.* מטבע
pay him in his own coin להשיב לו

כגמולו, להחזיר לו באותו מטבע

coin *v.* לטבוע מטבע; להמציא מלה

coin a phrase לטבוע מטבע־לשון

coin money לעשות הון, לגרוף כסף

coin′age *n.* טביעת מטבעות; מטבע; מטבע־לשון

co′incide′ *v.* להתרחש באותו זמן, לחפוף; לעלות בקנה אחד

co•in′cidence *n.* צירוף מיקרים

co•in′cident *adj.* תואם, הולם, חופף

co•in′ciden′tal *adj.* של צירוף מיקרים

coiner *n.* זייפן מטבעות

coir *n.* סיבי הקוקוס

co•i′tion (kōish′ən) *n.* הזדווגות

co′itus *n.* הזדווגות

coke *n.* קוקס (פחם)

coke *n.* ⋆קוקאין; קוקה קולה

col *n.* מַעבר, אוכף־הרים

co′la *n.* קולה (משקה)

col′ander *n.* מיסננת

cold (kōld) *adj.* קר, צונן

give him the cold shoulder להפגין יחס צונן כלפיו

have cold feet לפחוד

leaves him cold לא מתלהב מזה

out cold מתעלף

I'm cold קר לי

cold *n.* קור, הצטננות; נזלת

catch cold/take cold להצטנן

out in the cold עזוב, לא רצוי

cold-blooded *adj.* אכזרי; בעל דם קר

cold chisel מפסלת (למתכות קרות)

cold comfort נחמה עלובה

cold cream מישחת־עור

cold-hearted *adj.* אדיש, לא לבבי

cold-shoulder *v.* להפגין יחס צונן כלפי־

cold steel נשק קר, פגיון

cold storage אחסנה בקירור

cold war מילחמה קרה

cole′slaw′ (kōl′s-) *n.* סלט־כרוב

col′ic *n.* מעיינה, כאב־בטן, כאב עוויתי

coli′tis *n.* דלקת המעי הגס

collab′orate′ *v.* לשתף פעולה

collab′ora′tion *n.* שיתוף פעולה

collaborationist *n.* משתף פעולה

collab′ora′tor *n.* משתף פעולה

collage (-läzh′) *n.* קולאז׳, הדבק

collapse′ *v.* להתמוטט, לקרוס, ליפול, להתקפל; למוטט, לקפל

collapse *n.* התמוטטות, נפילה

collapsible *adj.* מתקפל

col′lar *n.* צווארון; קולר; מחרוזת

collar *v.* לתפוס בצווארונו, ⋆לסחוב

collarbone *n.* עצם־הבריח

collate′ *v.* להשוות, להתאים, לבדוק

collat′eral *adj.* צדדי, מישני, מקביל

collateral relative קרוב, דודן

collateral security ערבון, משכון

collateral *n.* ערבון, משכון

colla′tion *n.* ארוחה קלה; השוואה

col′league (-lēg) *n.* עמית, קולגה

col′lect′ *n.* תפילה קצרה

collect′ *v.* לאסוף; לגבות; להתאסף

collect one's thoughts/oneself למשול ברוחו, ליישב הדעת

collect′ *adv.* לתשלום בגוביינא

collected *adj.* שולט בעצמו, שליו

collec′tion *n.* מילקט, אוסף, ערימה; גבייה

collec′tive *adj.* קולקטיבי, קיבוצי

collective *n.* קולקטיב, צוות, סגל

collective farm משק שיתופי

collective leadership הנהגה קולקטיבית

collective noun שם קיבוצי

collec′tivism′ *n.* קיבוצנות

collec′tiviza′tion *n.* הלאמה

collec′tivize′ *v.* להלאים

collec′tor *n.* גובֶה; אספן, אגרן

col′leen *n.* צעירה, בחורה

col′lege (-lij) *n.* מיכללה, קולג׳; מועצה

colle′giate *adj.* של קולג׳

collide′ *v.* להתנגש

col′lie *n.* כלב רועים, קולי

col′lier (-yər) *n.* כורה פחם; ספינת פחם

col′liery (-yər-) *n.* מיכרה־פחם

colli′sion (-lizh′ən) *n.* התנגשות

col′locate′ *v.* ללַוות באופן טיבעי; (לגבי מלים) לסדר זה בצד זה

col′loca′tion *n.* שכנות, קולוקציה, צירוף מלים טיבעי

collo′quial *adj.* דיבורי, של שיחה

collo′quialism′ *n.* ביטוי דיבורי

col′loquy *n.* שיחה, דיון

collude′ *v.* לשתף פעולה, לַחבור

collu′sion (-zhən) *n.* קנוניה, מזימה, קשר

collu′sive *adj.* של מזימה

col′lywob′bles (-bəlz) *n.* ⋆כאב־בטן

cologne (-lōn′) *n.* מי־בושם

co′lon *n.* נקודתיים (:); המעי הגס

colonel (kûr′nəl) *n.* קולונל, אל״מ

colo′nial *adj.* של מושבה, קולוניאלי
colonial *n.* תושב מושבה
colo′nialism′ *n.* קולוניאליזם
colo′nialist *n.* קולוניאליסט
col′onist *n.* מתיישב, מתנחל
col′oniza′tion *n.* יישוב, התנחלות
col′onize′ *v.* לייסד מושבה; ליישב
col′onnade′ *n.* אכסדרה, סטיו, שורת עמודים
col′ony *n.* מושבה, קולוניה
col′or (kul-) *n.* צבע, גוון; גיוון
a man of color ציבעוני, כושי
change color להסמיק, להחוויר
colors דגל, מולדת; כובע (וכ׳ כסמל של קבוצה)
get one's colors להיכלל בקבוצה (בספורט)
give a false color to לסלף
give/lend color to לגוון, להוסיף צבע ל־, לחזק, לאמת, לאשר
has a high color סמוק־פנים
in its true colors כמות שהוא
lose color להחוויר
lower one's colors לוותר, להיכנע
nail one's colors to the mast להיות נחוש בדעתו
off color ⋆חולה, חש ברע; לא מנומס
sail under false colors לנהוג בצביעות; להעמיד פנים
show one's true colors לגלות זהותו
stick to one's colors להיות איתן בדעתו
with flying colors בהצלחה רבה
color *v.* לצבוע; לגוון; לקבל גוון; לשנות, לסלף; להסמיק
col′ora′tion (kul-) *n.* גיוון, צביעה
col′oratu′ra *n.* סילסולי־קול
color bar מחסום הצבע, גזענות
color-blind *adj.* עיוור צבעים
colorcast *n.* שידור בצבעים
colored *adj.* כושי, כהה־עור, ציבעוני
colorfast *adj.* יציב, שאינו דוהה
colorful *adj.* ססגוני, רבגוני
color guard מישמר הדגל
coloring *n.* צבע, צביעה
colorless *adj.* חסר־צבע, חיוור
color line מחסום ההפרדה הגזעית
color scheme מערך הצבעים (בחדר)
colos′sal *adj.* כביר, עצום, ענקי
colos′sus *n.* פסל ענק, ענק
colour = color
col′por′teur (-tər) *n.* מוכר ספרי דת, מפיץ תנ"כים
colt (kōlt) *n.* סייח; טירון; אקדח קולט
col′ter (kōl-) *n.* סכין המחרשה
coltish *adj.* כמו סייח, פזיז
Colum′bian *adj.* של קולומבוס
col′umn (-m) *n.* עמוד, טור, עמודה
columned *adj.* בעל עמודים
col′umnist *n.* בעל טור
co′ma *n.* חוסר־הכרה, תרדמת
go into a coma לאבד ההכרה
co′matose′ *adj.* חסר־הכרה
comb (kōm) *n.* מַסרק; מגרדת; כרבולת; חלת־דבש
comb *v.* לסרוק, לסרק; להסתרק; להתנפץ
comb out לסלק (פקידים מותרים)
com′bat′ *n.* מילחמה, מאבק
single combat דו־קרב
combat′ *v.* להילחם ב־, להיאבק ב־
combat′ant *adj&n.* לוחם
com′bative *adj.* שש לקרב
comber (kōm′ər) *n.* גל ארוך מתגלגל
com′bina′tion *n.* קומבינציה, צירוף, איחוד; אופנוע עם סירה
combinations מיצרפת, קומביניזון
combination lock מנעול־צירופים
combine′ *v.* לאחד, לצרף; להתאחד
com′bine *n.* קומביין, קצרדש; איגוד
combine harvester קומביין, קצרדש
comb-out *n.* סילוק (פקידים מיותרים)
combus′tible *adj.* דליק; מתלהב, מתלקח
combustible *n.* חומר דליק
combus′tion (-chən) *n.* בעירה
come (kum) *v.* לבוא; להגיע; לקרות; להתחיל; להיעשות, להפוך ל־
came across my mind עלה בדעתי
came to nothing עלה בתוהו
come about לקרות, להתרחש
come across להיתקל ב־, לפגוש
come across with לספק, לתת
come along להתקדם; להופיע, לבוא
come along/on! קדימה! נו!
come apart להתפורר, להתפרק
come at להגיע; להתנפל על; להבין
come away להיפרד, להינתק
come back לחזור; להחזיר (תשובה)
come between להפריד בין, להפריע
come by להשיג, לרכוש, לקבל
come down להתמוטט; לרדת; לשלם
come down in the world לרדת במעמדו, לרדת מנכסיו

come down on "לרדת" על, לגעור ב־
come down on the side of לתמוך
come down to להסתכם ב־, להצטמצם
come down to earth לחזור לקרקע המציאות, להיות מציאותי
come down with a cold להצטנן
come for להתקרב, להתנפל
come forward להציע עצמו, להתנדב
come home to להתחוור, להתברר
come in להיכנס, להופיע, להגיע; להיבחר; לגאות; להשתתף
come in for לקבל, לרשת; לספוג ביקורת; להוות מטרה ל־
come in handy/useful להיות שימושי
come in on להשתתף ב־
come into להתחיל ב־, להגיע ל־
come into flower ללבלב, לפרוח
come into money לזכות בכסף
come into one's own לזכות בכבוד הראוי
come into sight להופיע, להיראות
come it a bit strong להגזים
come of age להגיע לבגרות
come off להינתק מ־, ליפול; להתגשם, להתבצע, להצליח
come off it! הפסק! רד מזה!
come on לבוא; להתקדם; להופיע; להגיע; להתחיל; לעלות לדיון; להיתקל
come on! בוא! קדימה! אנא!
come one's way לקרות/להזדמן לו
come out לצאת, להופיע; להתברר; להיפתר; לשבות; להימחק, להיעלם
come out for לצאת בתמיכה ב־
come out in להתכסות (בפריחה)
come out right ★להסתדר על הצד הטוב ביותר
come out with להגיד, לומר, להציע
come over לעבור על, לעבור ל־
come over ill לחלות
come round לבקר; לחזור; לשנות דעתו; להסכים; להתאושש
come through להגיע, לעבור
come to להתאושש; להגיע ל־
come to blows להתחיל להתקוטט
come to light לצאת לאור
come to one's senses להתאושש
come to oneself להתאושש
come to pass לקרות, להתרחש
come to terms להגיע לידי הסדר
come true להתאמת, להתגשם
come under להשתייך ל־, כפוף ל־
come under the knife לעבור ניתוח
come unstuck להיתקל בקשיים
come up לעלות; להתרחש; להגיע
come up against להיתקל ב־
come up to להשתוות ל־
come up with להשיג; למצוא (תשובה); לחשוב על; לספק; להציע, לשלוף
come upon לתקוף; לתבוע; להיות למעמסה על־; להיתקל ב־
come what may יקרה אשר יקרה
how come? כיצד? היאך?
is coming 6 יהיה בן 6 בקרוב
the door came open הדלת נפתחה
to come הבא, שיבוא, בעתיד
when it comes to- כשמדובר ב־
come-at-able (kumat'-) *adj.* ★נוח לגישה, נגיש
comeback *n.* התאוששות; מענה חריף
come'dian *n.* קומיקן, ליצן
come'dienne' *n.* קומיקאית
comedown *n.* נפילה, אכזבה
com'edy *n.* קומדיה
comely (kum'li) *adj.* נאה, נעים
come-on *n.* ★פיתוי, הזמנה
comer *n.* בא; מרשים, מבטיח
comes'tible *n&adj.* דבר־מאכל; אכיל
com'et *n.* כוכב שביט
come-uppance (kumup'-) *n.* ★עונש ראוי
com'fit (kum-) *n.* סוכרייה, ממתק
com'fort (kum-) *n.* נוחיות; נחמה
comfort *v.* לנחם, לעודד
comfortable *adj.* נוח; אמיד
comfortably off אמיד
comforter *n.* סודר, שמיכה; מוצץ
comfortless *adj.* חסר־נוחיות
com'fy (kum-) *adj.* ★נוח
comic *n.* עיתון מצויר; קומיקן
com'ic, -cal *adj.* מצחיק, קומי
comic opera אופרה קומית
comic strip סיפור מצויר (בעיתון)
Com'inform' *n.* קומינפורם
coming *n.* הופעה, ביאה, התקרבות
comings and goings התרחשויות
got what was coming to him קיבל המגיע לו
had it coming קיבל כגמולו
coming *adj.* הבא; מצליח, מבטיח
coming and going במצב ביש, חסר אונים; בשני הכיוונים
coming-out *n.* הופעה ראשונה

com'intern' *n.* קומינטרן
com'ity *n.* אדיבות, נימוס, כבוד
comity of nations כיבוד חוקי המדינות ומינהגיהן
com'ma *n.* פסיק, (,)
inverted commas מרכאות
command' *v.* לצוות, להורות; לשלוט; לחלוש על; לעורר (כבוד, אהדה) בלב־
command *n.* פקודה; פיקוד, שליטה
at his command לפקודתו; שברשותו
com'mandant' *n.* מפקד
com'mandeer' *v.* להפקיע, להחרים
comman'der *n.* מנהיג, מפקד
commander in chief רמטכ"ל
commanding *adj.* שולט; מצווה; מרשים
commanding tone טון מצַווה, תקיף
command'ment *n.* דיבר, מיצווה
comman'do *n.* קומנדו, איש קומנדו
command post עמדת־פיקוד, חפ"ק
comme il faut (kōm'ēlfō') נאה, מקובל בחברה
commem'orate' *v.* להנציח
commem'ora'tion *n.* אזכרה, הנצחה
commem'ora'tive *adj.* של זיכרון
commemorative stamp בול זיכרון
commence' *v.* להתחיל, לפתוח ב־
commencement *n.* התחלה; טקס חלוקת תארים
commend' *v.* להלל, לשבח; להמליץ על; להפקיד בידי
commendable *adj.* ראוי לשבח
com'menda'tion *n.* הסכמה, הערכה; שבח; ציון לשבח
commen'dato'ry *adj.* מהלל
commen'surable (-sh-) *n.* בר־השוואה, בעל מכנה משותף
commen'surate (-sh-) *adj.* הולם, תואם, שווה, פרופורציונלי
com'ment' *n.* הערה; פירוש
no comment! אין תגובה!
comment *v.* להעיר; להגיב; לפרש
com'mentar'y (-teri) *n.* פירוש, פרשנות
a running commentary פרשנות אגב שידור חי
com'mentate' *v.* לשמש כפרשן
com'menta'tor *n.* פרשן
com'merce *n.* מיסחר
commer'cial *adj.* מיסחרי
commercial *n.* תשדיר פירסומת
commer'cialize' (-shəl-) *v.* לְמַסחר
commercial traveler סוכן־נוסע
commercial vehicle רכב מיסחרי
com'mie *n.* *קומוניסט
com'mina'tion *n.* תוכחה, איום
com'minato'ry *adj.* מאיים
comming'le *v.* למזג; להתמזג
commis'erate' (-z-) *v.* להשתתף בצער, להביע צערו על
commis'era'tion (-z-) *n.* רחמים
com'missar' *n.* קומיסאר
com'missa'riat *n.* אספקה; חיל־אספקה
com'missar'y (-seri) *n.* חנות, מיזנון שקם
commissary general קצין אספקה
commis'sion *n.* יפוי־כוח; תפקיד; ביצוע; עמלה, עמילות, קומיסיון; ועדה, הסמכה לקצונה
commission of crime ביצוע פשע
in commission מוכנה להפלגה; בכושר, בשימוש, פועל
out of commission לא בשימוש
commission *v.* להטיל תפקיד על, להזמין; להסמיך לקצונה
commis'sionaire' (-mishən-) *n.* שוער, שומר
commissioned *adj.* בעל מינוי
commissioned officer קצין
commis'sioner (-mish'ən-) *n.* חבר־ועדה; מנהל, ממונה; נציב; נציג
commit' *v.* לעשות, לבצע; למסור, להעביר; לשלוח (לכלא, למוסד)
commit oneself להתחייב; להביע דעתו
commit suicide להתאבד
commit to memory ללמוד על־פה
commit to paper להעלות על הנייר
commitment *n.* התחייבות; נאמנות, מחוייבות; ביצוע; העברה
commit'tal *n.* העברה (למוסד)
committed *adj.* מסור, נאמן; מתחייב
commit'tee *n.* ועדה
commode' *n.* שידה; ארון (לעביט, למי־רחצה)
commo'dious *n.* נוח, מרווח
commod'ity *n.* מיצרך, חפץ
com'modore' *n.* קומודור, מפקד ימי
com'mon *adj.* משותף; ציבורי, כללי; רגיל, מצוי; פשוט, גס
common ground מכנה משותף
common nuisance מיטרד ציבורי
common-or-garden רגיל
it's common knowledge ידוע לכל

the common good טובת הכלל
the common man האיש הפשוט
the Common Market השוק המשותף
common *n.* שטח ציבורי
commons ההמון; מיצרכי־מזון
in common במשותף
in common with כמו, בדומה ל־
out of the common יוצא דופן
short commons מזון בצימצום
com′monalty *n.* ההמון, העם
common carrier מוביל, חברת־הובלה
com′moner *n.* אדם פשוט
common land אדמה ציבורית
common law החוק המקובל, הנוהג
common-law wife ידועה בציבור
commonly *adv.* בדרך כלל; בגסות
common noun שם־עצם כללי
com′monplace′ *adj.* רגיל, שיטחי, נדוש
commonplace *n.* דבר רגיל, שיגרה
common-room *n.* מועדון כללי
common-sense *n.* היגיון, שכל ישר
commonweal *n.* טובת הכלל
commonwealth *n.* קהילייה, מדינה
commo′tion *n.* תסיסה, מהומה, תכונה
commu′nal *adj.* עדתי; ציבורי, משותף
com′mune *n.* קומונה, קבוצה
commune′ *v.* לשוחח, להסתודד
commu′nicable *adj.* מידבק, עובר
commu′nicant *n.* אוכל לחם קודש
commu′nicate′ *v.* להעביר, למסור; להידבר, להתקשר; לגבול ב־, להתחבר
commu′nica′tion *n.* קשר, קומוניקציה; ידיעה, מסר
communications תחבורה, תיקשורת
communication cord שרשרת חירום (לעצירת הרכבת)
commu′nica′tive *adj.* פתוח, דברני; תיקשורתי
commu′nion *n.* קשר, שיתוף; דו־שיח; כת דתית; אכילת לחם קודש
hold communion with oneself לעשות חשבון־הנפש
commu′niqué′ (-nikā′) *n.* הודעה, תמסיר
com′mu•nism′ *n.* קומוניזם
com′mu•nist *n.* קומוניסט
commu′nity *n.* קהילה; ציבור; שיתוף, שותפות; קירבה, דימיון
the community הציבור, הכלל
community center מרכז קהילתי
community chest קרן סעד
community singing שירה בציבור
commu′table *adj.* חליף, בר־המרה
com′mu•ta′tion *n.* המרה, חליפין; המרת עונש, המתקה; נסיעה בקביעות
commutation ticket כרטיס מנוי, כרטיסיית־נסיעה
com′mu•ta′tor *n.* מַחלף (בחשמל)
commute′ *v.* להחליף; להמתיק עונש; לנסוע בקביעות (לעבודה)
commuter *n.* נוסע בקביעות
compact′ *adj.* דחוס, קומפאקטי, מרוכז
com′pact′ *v.* לכרות ברית, לעשות הסכם
com′pact′ *n.* חוזה, הסכם; פודרייה; מכונית קטנה
compact′ed *adj.* מהודק, מרוכז
compan′ion *n.* שותף, חבר; בן־לוויה, בן־זוג; מדריך, ספר שימושי
companionable *adj.* חברותי
companionship *n.* ידידות, חברות
companionway *n.* מדרגות (מהסיפון לתאים)
com′pany (kum-) *n.* חֶברה; חבורה; אורחים; קבוצה, צוות; להקה; פלוגה
and company ושות׳
for company לשם ליווי
he's good company נעים בחברתו
in company בחברה, בציבור
in company with בליווי, בחברת
keep company להתחבר, "לצאת איתו"
part company with להיפרד מ־
company manners נימוסי חברה
com′parable *adj.* בר־השוואה, דומה
compar′ative *adj.* מַשווה, השוואתי, יחסי, לא מוחלט
comparative *n.* ערך היתרון
comparatively *adv.* יחסית
compare′ *v&n.* להשוות; להידמות ל־
beyond/past compare אין כמוהו
compare notes להחליף דעות
he can't compare with her אין להשוותו כלל אליה
without compare אין דומה לו
compar′ison *n.* השוואה, דימיון; (בדקדוק) השוואת ערכים
bear comparison with להשתוות ל־
compart′ment *n.* תא, מחלקה
compart•men′talize′ *v.* לחלק לתאים
com′pass (kum-) *n.* מצפן; תחום, גבול
compasses מחוגה

within the compass of בתחום־
compass *v.* להקיף; להשיג; להבין
compas'sion *n.* רחמים
compas'sionate (-shən-) *adj.* של רחמים, מרחם
compassionate leave חופשה מסיבות אישיות
compat'ibil'ity *n.* תואמות, הלימות
compat'ible *adj.* מתאים, תואם, הולם
compa'triot *n.* בן־ארצו
com'peer *n.* שווה־מעמד; חבר
compel' *v.* לאלץ, להכריח
compen'dious *adj.* תמציתי, קצר
compen'dium *n.* תמצית, קיצור
com'pensate' *v.* לפַצות
com'pensa'tion *n.* פיצוי
compen'sato'ry *adj.* מפצה
com'pere (-pār) *n.* מַנחה, מגיש
compere *v.* להגיש, להנחות
compete' *v.* להתחרות, להתמודד
com'petence *n.* כישרון, יכולת; הכנסה נוחה; סמכות שיפוטית; כשרות
com'petent *adj.* מוכשר, מתאים, מוסמך
com'peti'tion (-ti-) *n.* התחרות, התמודדות
compet'itive *adj.* תחרותי, מתחרה
compet'itor *n.* מתחרה
com'pila'tion *n.* ליקוט; קובץ
compile' *v.* לאסוף, לחבר (מילון)
compiler *n.* אוסף, מחבר, מהדיר
compla'cency *n.* שלווה, שאננות, מרוצוּת
compla'cent *adj.* שאנן, מרוצה מעצמו
complain' *v.* להתלונן
complain'ant *n.* מתלונן, תובע
complaint' *n.* קבילה, תלונה, תביעה; מחלה
lodge a complaint להגיש תלונה
complais'ance (-z-) *n.* אדיבות
complais'ant (-z-) *adj.* אדיב, נוח
com'plement *n.* השלמה, משלים; תקן מלא
com'plement' *v.* להשלים
com'plemen'tary *adj.* משלים
complete' *adj.* שלם, מושלם, גמור, מוחלט
complete *v.* להשלים; לסיים
completely *adv.* לגמרי, כליל
comple'tion *n.* השלמה, סיום
complex' *adj.* מורכב, מסובך
com'plex' *n.* תסביך; מערכת מורכבת, תשלובת; מערכת מיבנים/כבישים
complex'ion (-kshən) *n.* גון הפנים; פני הדברים; אופי כללי
complex'ity *n.* סיבוך; מורכבוּת
compli'ance *n.* ציות, ניכנעוּת
in compliance with בהתאם ל־
compli'ant *adj.* מסכים, נכנע
com'plicate' *v.* לסבך
complicated *adj.* מסובך, מורכב
com'plica'tion *n.* סיבוך, הסתבכות
complic'ity *n.* שותפות (לפשע)
com'pliment *n.* מחמאה, קומפלימנט
compliments ברכות
pay a compliment לחלוק מחמאה
com'pliment' *v.* להחמיא, לתת מחמאה
com'plimen'tary *adj.* חולק שבחים
complimentary ticket כרטיס הזמנה
com'plin *n.* תפילת ערבית (נוצרית)
comply' *v.* להיענות ל־, לציית ל־
com'po *n.* תערובת
compo'nent *n.* מרכיב, רכיב, פריט
comport' *v.* להתנהג
comport with להתאים, להלום
comportment *n.* התנהגות
compose' (-z) *v.* להרכיב, ליצור, לחבר; להלחין; להרגיע; לסדר; ליישב
compose oneself לשלוט ברוחו
composed *adj.* שליו, מושל ברוחו
composer (-z-) *n.* מלחין
compos'ite (-zit) *adj.* מורכב
com'posi'tion (-zi-) *n.* יצירה; חיבור; הרכב; תערובת; קומפוזיציה, מיצור; הלחנה
compos'itor (-z-) *n.* סַדָּר (בדפוס)
com'pos men'tis *adj.* שפוי בדעתו
com'post (-pōst) *n.* קומפוסט, זבל
compost *v.* לזבל בקומפוס
compo'sure (-zhər) *n.* קור־רוח
com'pote *n.* ליפתן, קומפוט
com'pound *adj.* מורכב
com'pound *n.* תירכובת, מלה מורכבת
compound' *v.* להרכיב, לערבב; להגדיל; להחמיר; להגיע להסדר
com'pound *n.* שטח מגודר
compound fracture שבר בעצם (המלווה חתך בעור)
compound interest ריבית דריבית
com'pre•hend' *v.* להבין; לכלול
com'pre•hen'sibil'ity *n.* מובנוּת
com'pre•hen'sible *adj.* מובן, נתפס
com'pre•hen'sion *n.* הבנה

com'pre•hen'sive *adj.* מקיף, מלא, כולל
comprehensive school בי"ס מקיף
compress' *v.* לדחוס, לכווץ, לתמצת
com'press' *n.* רטייה, תחבושת
compressible *adj.* דחיס
compres'sion *n.* דחיסה, לחיצה
compres'sor *n.* מדחס, קומפרסור
comprise' (-z) *v.* להיות מורכב מ־, לכלול
com'promise' (-z) *n.* פשרה, התפשרות
compromise *v.* להתפשר; להעמיד בסכנה, לסכן (שמו הטוב)
comp•tom'eter *n.* מכונת חישוב
comptrol'ler (kəntrōl-) *n.* מבקר
compul'sion *n.* כפייה, הכרח; כפייתיות
under compulsion מתוך אונס
compul'sive *adj.* כופה; משועבד, מכור
compul'sory *adj.* כפייתי, של חובה
compunc'tion *n.* נקיפת מצפון
com'pu•ta'tion *n.* חישוב, הערכה
compute' *v.* לחשב
compu'ter *n.* מַחשב
compu'terize' *v.* למכן, לשמור נתונים במחשב, למחשב
com'rade (-rad) *n.* חָבר; קומוניסט
comrade in arms חבר לנשק
comradeship *n.* חברות, ידידות
coms (komz) *n.* מיצרפת, קומבינזון
con *v.* ללמוד על־פה; ★להונות
con *n.* ★הונאה, רמאות; ★אסיר
con *n&adv.* מתנגד; נגד
con•cat'enate' *v.* לשרשר, לחבר
con•cat'ena'tion *n.* שירשור, חיבור; שורת־אירועים
concave' *adj.* קעור, שקערורי
concav'ity *n.* שקערוריות
conceal' *v.* להסתיר, להחביא
concealment *n.* הסתרה; מחבוא
concede' *v.* לוותר על; להודות
conceit' (-sēt) *n.* יהירות; הערכה עצמית מופרזת; דימוי, ביטוי מבדח
in one's own conceit בעיניו
conceited *adj.* יהיר, גא
conceivable *adj.* מתקבל על הדעת
conceive' (-sēv) *v.* להגות רעיון; להבין, לתאר, להאמין; להרות
conceive a dislike לרחוש טינה
con'centrate' *v.* לרכז; להתרכז
con'centrate' *n.* תרכיז
concentrated *adj.* מרוכז
con'centra'tion *n.* ריכוז; התרכזות
concentration camp מחנה־ריכוז
concen'tric *adj.* משותף־מרכז
concentric circles מעגלים מרכזיים
con'cept' *n.* רעיון, מושג
concep'tion *n.* הגיית רעיון; תפיסה; מושג, קונצפציה; הירִיון
I've no conception אין לי מושג
concep'tual (-chōōəl) *adj.* של מושג, תפיסתי
concern' *n.* דאגה; עסק; עניין; חלק, שותפות, מיפעל, קונצרן
a going concern עסק מצליח
a paying concern עסק משתלם
it isn't my concern אין זה ענייני
concern *v.* לנגוע ל־, לעסוק ב־, להתייחס; לעניין; להדאיג
as concerns באשר ל־
concern oneself with להתעסק ב־
to whom it may concern לכל המעוניין
concerned *adj.* מודאג; מעורב; מעוניין
as far as I'm concerned מצידי
where he's concerned כשמדובר בו
concerning *prep.* באשר ל־
con'cert *n.* קונצרט, מיפע; תיאום
at concert pitch בכוננות מלאה
in concert בצוותא, בהרמוניה
concert'ed *adj.* מתוכנן; משותף; מרוכז
concert grand פסנתר כנף
con'certi'na (-tē'-) *n.* קונצרטינה, מפוחית־יד; למעוך, למחוץ; לדחוס
concertmaster *n.* נגן ראשי
concer'to (-cher-) *n.* קונצ'רטו
conces'sion *n.* ויתור, כניעה; זיכיון
conces'sionaire' (-shən-) *n.* בעל זיכיון
conces'sive *adj.* של ויתור
conch (-k) *n.* קונכייה
con•chol'ogy (-k-) *n.* חקר הקונכיות
con'chy (-shi) *n.* ★סרבן מלחמה
con'cierge' (-siûrzh') *n.* שוער
concil'iate' *v.* להרגיע, לפייס
concil'ia'tion *n.* פיוס, הרגעה; פשרה, תיווך
concil'ia'tor *n.* מתווך, בורר
concil'iato'ry *adj.* פייסני, מפייס
concise' *adj.* מקוצר, תמציתי
conci'sion (-sizh'ən) *n.* תמציתיות
con'clave *n.* כנס חשמנים, קונקלבה
sit in conclave לנהל ישיבה סגורה

conclude′ *v.* לגמור, לסכם, להסדיר; להסיק, להחליט
conclu′sion (-zhən) *n.* מסקנה; סיום, סיכום, הסדר; עריכה (של הסכם)
a foregone conclusion ודאות, תוצאה חזויה מראש
in conclusion בקיצור, בסיכום
jump to conclusions להיחפז להסיק
try conclusions with להתמודד עם
conclu′sive *adj.* משכנע, סופי
concoct′ *v.* להכין תבשיל; להמציא
concoc′tion *n.* תבשיל; המצאה, בדותה
concom′itance *n.* ליווי, צמידות
concom′itant *n&adj.* צמוד, מלווה, מתלווה
con′cord′ *n.* התאמה, הרמוניה; הסכם
concord′ance *n.* התאמה, הרמוניה; קונקורדנציה, מתאימון
concord′ant *adj.* מתאים, הרמוני
concor′dat′ *n.* קונקורדט, חוזה
con′course (-kôrs) *n.* התקהלות, כינוס, מיפגש; רַחבה
con′crete *n.* בטון, חומר בנייה
concrete *adj.* ממשי, קונקרטי, מוחשי
concrete *v.* להתלכד לגוש; להתגבש; לכסות בבטון
concrete mixer מערבל
concre′tion *n.* התקרשות; ליכוד; גוש, תלכיד, תצביר
con•cu′binage *n.* פילגשות
con′cu•bine′ *n.* פילגש
concu′piscence *n.* תאווה מינית
concur′ *v.* להסכים; לתאום; להתרחש בו־זמנית; להצטרף, לפעול יחדיו
concurrence *n.* הסכמה, תמימות־דעים, שיתוף־פעולה; צירוף־מיקרים
concurrent *adj.* מתאים, מסכים, תמים־דעים; חל בו־זמנית
concurrently *adv.* בעת ובעונה אחת
concuss′ *v.* לזעזע, לגרום הלם
concus′sion *n.* זעזוע־מוח, הלם
condemn′ (-m) *v.* לגנות; לדון; להרשיע; לפסול לשימוש; להחרים
his face condemned him פרצופו הסגירו
the condemned הנידונים למיתה
con′demna′tion *n.* גינוי, הרשעה
condem′nato′ry *adj.* של גינוי, מגנה
condemned cell תא הנידונים למוות
con′densa′tion *n.* עיבוי, טיפות, אדים; קיצור, ריכוז
condense′ *v.* לעבות; להתעבות; לרכז, לתמצת
conden′ser *n.* מעבֶּה, קונדנסטור, קַבָּל
con′de•scend′ *v.* למחול על כבודו, להואיל להשפיל עצמו; להתנשא
condescending *adj.* מוחל על כבודו
con′de•scen′sion *n.* מחילה על כבודו, יחס של עליונות
condign′ (-dīn′) *adj.* ראוי, יאה
con′diment *n.* תבלין
condi′tion (-di-) *n.* מצב, תנאי; כושר גופני; מעמד
conditions תנאים, נסיבות
in condition בקו הבריאות, בכושר
in good condition במצב טוב
on condition that בתנאי ש־
on no condition בשום אופן
on one condition בתנאי אחד
out of condition לא בכושר
condition *v.* להכשיר, לאלף; להתאים; להתנות, לקבוע
be conditioned by תלוי, מותנה
condition oneself לשפר כושרו
conditional *adj.* מותנה, תלוי ב־
conditioned *adj.* מותנה; בכושר
conditioned reflex רפלקס מותנה
condole′ *v.* לנחם, להביע צערו
condo′lence *n.* צער, תנחומים
con′dom *n.* כובעון
con′domin′ium *n.* שלטון משותף, קונדומיניון; דירת בית משותף
con′dona′tion *n.* מחילה, סליחה
condone′ *v.* למחול; לפצות על
conduce′ *v.* לגרום, לתרום ל־
condu′cive *adj.* גורם ל־, מביא
conduct′ *v.* להוביל, לנהל; לנצח על
conduct heat להוליך חום
conduct oneself להתנהג
con′duct′ *n.* התנהגות; ניהול
conduc′tion *n.* העברה, הובלה
conduc′tive *adj.* מוליך (חשמל, חום)
con′duc•tiv′ity *n.* מוליכות
conduc′tor *n.* מנצח; כרטיסן; מוליך
con′duit (-dōōit) *n.* תעלה, צינור
cone *n&v.* חרוט, חדודית, קונוס; גביע גלידה; איצטרובל
cone off לחסום (כביש) בקונוסים
co′ney *n.* שפן
con′fab′ *n.* ⋆שיחה קלה
confab′ *v.* ⋆לשוחח, לפטפט
confab′u•late′ *v.* לשוחח
confab′u•la′tion *n.* שיחה ידידותית

confec′tion *n.* הלבשה, קונפקציה; מיני־מתיקה, רקיחת ממתק
confec′tioner (-′shən-) *n.* קונדיטור
confectionery *n.* ממתקים; מיגדניה, קונדיטוריה, קונדיטאות
confed′eracy *n.* קופדרציה, ברית
confed′erate *n&adj.* בעל־ברית, שותף
confed′erate′ *v.* להצטרף לברית
confed′era′tion *n.* איחוד, ליגה; קונפדרציה
confer′ *v.* להיוועץ; להעניק, לתת
con′feree′ *n.* משתתף בדיון
con′ference *n.* ישיבה, ועידה, דיון
confer′ment *n.* הענקה, האצלה
confess′ *v.* להודות ב־, להתוודות; לוודות, לשמוע ווידוי
confessed *adj.* גלוי, מוצהר
confes′sion *n.* הודאה; התוודות
confessional *n.* תא הווידויים
confessor *n.* כומר וידויים
confet′ti *n.* גזוגים, קונפטי
con′fidant′ *n.* ידיד נאמן
confide′ *v.* לגלות, לספר בסוד; להפקיד בידי, להעביר, למסור
confide in לבטוח ב־
con′fidence *n.* ביטחון, אֵמון; סוד
in confidence בסוד
took her into his confidence גילה לה סודותיו
confidence game/trick רמאות
confidence man רמאי, נוכל
con′fident *adj.* בטוח, בטוח בעצמו
con′fiden′tial *adj.* סודי; פרטי, מהימן; מפגין ביטחון
con′fiden′tial′ity (-shial′-) *n.* סודיות, חשאיות
confiding *adj.* מאמין, בוטח בזולת
config′u•ra′tion *n.* צורה, מיבנה, קונפיגורציה, מערך
confine′ *v.* להגביל; לרתק, לכלוא
be confined לשכב לפני הלידה
con′fine *n.* גבול, תחום
confined′ (-fīnd) *adj.* צר; מצומצם, מוגבל
confinement *n.* מאסר; ריתוק; לידה
confirm′ *v.* לאמת, לחזק; לאשר; לקבל כחבר בכנסייה
con′firma′tion (-fər-) *n.* אישור, אימות
confirmed *adj.* מאושר; ללא תקנה, מושבע
con′fiscate′ *v.* להחרים, לעקל
con′fisca′tion *n.* עיקול
confis′cato′ry *adj.* של עיקול
con′flagra′tion *n.* דליקה, שריפה
conflate′ *v.* לחבר, לצרף
con′flict *n.* סיכסוך, מאבק, ניגוד, עימות
conflict′ *v.* לסתור; להתנגש עם
conflicting *adj.* מנוגד, סותר
con′fluence (-lōōəns) *n.* זרימה ביחד; צומת נהרות
con′fluent (-lōōənt) *adj.* מתלכד, מתאחד
conform′ *v.* להתאים, לציית, לפעול לפי, ללכת בתלם
conformable *adj.* נכנע, מציית; הולם, עולה בקנה אחד עם
con′for•ma′tion *n.* צורה, מיבנה
confor′mist *n.* תואמן, קונפורמיסט
confor′mity *n.* קונפורמיזם; קבלת מרות, ציות למוסכמות; תואמנות
in conformity with בהתאם ל־
confound′ *v.* לבלבל, להדהים; לערבב
confound it! לעזאזל!
confounded *adj.* ארור
con′frater′nity *n.* אגודה דתית
con′frere (-rār) *n.* חבר, עמית
confront′ (-unt) *v.* לעמוד מול
confront him with להעמידו מול, לעמת, להעמיד פנים אל פנים מול
con′fronta′tion *n.* עימות, הקבלה
Confu′cian *adj.* של קונפוציוס
confuse′ (-z) *v.* לבלבל, לערבב
confused *adj.* מבולבל
confu′sion (-zhən) *n.* בילבול, מבוכה, מהומה
con′fu•ta′tion (-fyoo-) *n.* הפרכה, סתירה
confute′ *v.* להפריך, לסתור
con′gé (-zhā) *n.* פרידה
give him his congé לסלקו
took his congé נפרד, ביקש ללכת
congeal′ *v.* להקפיא, להקריש; לקפוא
conge′nial *adj.* חביב, נעים; מתאים, בעל עניין משותף, קרוב ללִבו
congen′ital *adj.* קיים מלידה
con′ger (-g-) *n.* מין צלופח
congest′ *v.* לדחוס
congested *adj.* דחוס, צפוף; מלא־דם
conges′tion (-schən) *n.* צפיפות
conglom′erate *n* גוש, תלכיד; תשלובת
conglom′erate *adj.* מאושכל, מגובב
conglom′erate′ *v.* לגבב; להתאשכל
conglom′era′tion *n.* גיבוב; אוסף

congrats' *interj.* מזל־טוב!
congrat'ulate' (-ch'-) *v.* לברך
congratulate oneself לשמוח, להתגאות, לראות עצמו בר־מזל
congrat'ula'tion (-ch'-) *n.* ברכה
congratulations איחולים, מזל־טוב
congrat'ulato'ry (-ch'-) *adj.* של איחולים, מברך, מאחל
con'gregate' *v.* להתקהל; להקהיל
con'grega'tion *n.* התקהלות; קהל; ציבור מתפללים
congregational *adj.* של קהל
con'gress *n.* קונגרס; ועידה
congres'sional (-shənəl) *adj.* של הקונגרס
congressman *n.* חבר הקונגרס
con'gruent (-ro͞oənt) *adj.* מתאים, יאה; חופף
congru'ity *n.* התאמה, תיאום, חפיפות
con'gruous (-ro͞oəs) *adj.* מתאים, הולם, יאה
con'ic, -al *adj.* חרוטי, קוני, חדודי
con'ifer *n.* עץ מחט, איצטרובל
conif'erous *adj.* מחטני
conjec'tural (-ch-) *adj.* משוער, סברתי
conjec'ture *n.* השערה, סברה, ניחוש
conjecture *v.* לשער, לנחש
conjoin' *v.* לאחד; להתאחד
conjoint' *adj.* משותף, מאוחד
con'jugal *adj.* של נישואים, של הזוג
con'jugate *adj.* מחובר, זוגי, צמוד
con'jugate' *v.* להטות פעלים
con'juga'tion *n.* הטיית פעלים; נטייה
conjunc'tion *n.* צירוף; מילת־חיבור
in conjunction with ביחד עם
con'junc•ti'va *n.* לחמית
conjunc'tive *adj.* של חיבור, מקשר
conjunctive *n.* מילת־חיבור
conjunc'tivi'tis *n.* דלקת הלחמית
conjunc'ture *n.* צירוף מסיבות
con'jura'tion *n.* הפצרה, השבעה; כישוף
conjure' *v.* להפציר, להתחנן
con'jure (-jər) *v.* להעלות בכישוף; לאחוז העיניים
a name to conjure with שם עולמי
conjure up להעלות, לעורר בדימיון
con'juror *n.* להטוטן
conk *n.* ★אף, חוטם
conk *v.* ★להכות, לחבוט
conk out ★להתקלקל; ליפול מהרגליים

con-man *n.* ★רמאי, נוכל
connect' *v.* לחבר, לקשר; להתחבר
connected *adj.* קרוב, קשור; מתקשר
well-connected בעל קשרים אישיים
connec'tion *n.* חיבור; קשר; מעבר (מרכבת לרכבת); תחבורה
connections קשרים; קליינטורה, מערופיה
in connection with בקשר ל־
in this connection בהקשר זה
connection rod טַלטל (במכונה)
connec'tive *adj&n.* מקשר; מילת־חיבור
connexion = connection
con'ning tower צריח, גשר־הפיקוד
conni'vance *n.* העלמת עין; שיתוף פעולה
connive' *v.* לעשות קנוניה, לָזוּם
connive at להעלים עין מ־
con'noisseur' (-nəsûr') *n.* בעל טעם טוב, מבין
con'nota'tion *n.* משמעות לוואי
connote' *v.* לרמוז על, להעלות משמעות לוואי
connu'bial *adj.* של נישואים, של זוג
con'quer (-kər) *v.* לכבוש; לנצח
conqueror *n.* כובש
con'quest *n.* כיבוש; אדמה כבושה
make a conquest לכבוש את ליבו
con'san•guin'e•ous (-gwin-) *adj.* קרוב
con'san•guin'ity (-gwin-) *n.* קירבת־ מישפחה
con'science (-'shəns) *n.* מצפון
for conscience' sake להרגעת מצפונו
guilty conscience מצפון לא נקי
has no conscience חסר־מצפון
in all conscience ★באמת, ברצינות
matter of conscience שאלה של מצפון
on one's conscience רובץ על מצפונו, חש אשמה
upon my conscience בחיי!
conscience money מתן בסתר (להשקטת המצפון)
conscience-smitten מיוסר־מצפון
conscience-stricken נקוף־מצפון
con'scien'tious (-'shien'shəs) *adj.* מצפוני; מסור, רציני
conscientious objector סרבן־מילחמה (מטעמי מצפון)
con'scious (-'shəs) *adj.* בהכרה, ער,

מכיר, יודע, מודע, תודעתי; בכוונה, ביודעים
consciousness *n.* הכרה, מודעות, תודעה
conscript′ *v.* לגייס לצבא
con′script *n.* מגוייס
conscrip′tion *n.* גיוס; הפקעת רכוש
con′secrate′ *v.* להקדיש; לקדש
con′secra′tion *n.* הקדשה; קידוש
consec′u•tive *adj.* רצוף, עוקב, רציף
consen′sus *n.* קונסנסוס, הסכמה כללית
consent′ *v.* להסכים
consent *n.* הסכמה
age of consent גיל הבגרות
silence gives consent שתיקה כהודאה
with one consent פה אחד
con′sequence *n.* תוצאה; חשיבות
in consequence כתוצאה, עקב, לכן
con′sequent *adj.* נוצר מ־, בא אחרי
con′sequen′tial *adj.* בא כתוצאה, עקיב; מחשיב עצמו; חשוב, בעל ערך
con′sequently *adv.* וכתוצאה; לכן
conser′vancy *n.* ועדה מפקחת
con′serva′tion *n.* שימור, השגחה
conservation of energy חוק שימור האנרגיה
conser′vatism′ *n.* שמרנות
conser′vative *adj.* שמרני; זהיר, צנוע
conservative *n.* שמרן
Conservative Party המפלגה השמרנית
conser′vatoire′ (-twär) *n.* קונסרווטוריון
conser′vato′ry *n.* חממה; קונסרווטוריון
conserve′ *v.* לשמר
con′serve′ *n.* שימורים, קונסרבים
consid′er *v.* לחשוב, לשקול; לקחת בחשבון; לחשוב לי, להתייחס כ־
all things considered בהתחשב בכל
considered opinion דיעה שקולה
considerable *adj.* גדול, חשוב, ניכר
considerably *adv.* הרבה, בהרבה
consid′erate *adj.* מתחשב (בזולת)
consid′era′tion *n.* התחשבות; שיקול, גורם; תשלום, בצע־כסף
in consideration of בהתחשב ב־
leave out of consideration להשמיט, לא להביא בחשבון
of no consideration חסר חשיבות
on no consideration בשום אופן
take into consideration להביא בחשבון
under consideration בעיון
considering *prep.* בהתחשב ב־
considering *adv.* בהתחשב בכל
consign′ (-sīn′) *v.* לשלוח, לשגר; להפקיד בידי, למסור
con′signee′ (-sīn-) *n.* נישגר
consignment *n.* מישגור
consignor *n.* משגר הסחורה, שוגר
consist′ *v.* להיות מורכב מ־
consists in מבוסס על, מושתת על
consistence, -cy *n.* עיקביות, עקיבות, יציבות; צפיפות, סמיכות
consistent *adj.* עיקבי, יציב
consistent with הולם, מתאים
consis′tory *n.* מועצת חשמנים
conso′lable *adj.* ניתן לנחמו
con′sola′tion *n.* נחמה, תנחומים
consolation prize פרס תנחומים
consol′ato′ry *adj.* מנחם
console′ *v.* לנחם, לעודד
con′sole *n.* משען (למדף); לוח־בקרה; תיבת רדיו, תיבת טלוויזיה
console table שולחן־קיר
consol′idate′ *v.* לחזק, לגבש; למזג; להתמזג
consol′ida′tion *n.* גיבוש, מיזוג; קונסולידציה
con′sommé′ (-səmā′) *n.* מרק בשר
con′sonance *n.* התאמה, תיאום; מזיג
con′sonant *n.* עיצור
consonant *adj.* מתאים, הולם; הרמוני
con′sonan′tal *adj.* עיצורי
con′sort′ *n.* בן־זוג; ספינת־ליווי
prince consort בעל המלכה
queen consort רעיית המלך
consort′ *v.* להתחבר, להתרועע; להלום את, לעלות בקנה אחד עם
consor′tium (-′sh-) *n.* שותפות, קונסורציום
conspec′tus *n.* סקירה, פתשגן, קונספקט, תמצית, תקציר
conspic′uous (-′ūəs) *adj.* בולט, ברור
make oneself conspicuous להתבלט
conspicuous consumption ביזבוז ראוותני
conspir′acy *n.* קנוניה, קשר
conspir′ator *n.* קושר, חורש רעה
conspir′ato′rial *adj.* של קשר, של מזימה
conspire′ *v.* לקשור, לתכנן בחשאי

events conspired המיקרים נצטרפו
con′stable *n.* שוטר; אחראי על טירה
chief constable מפקח ראשי
constab′u•lar′y (-leri) *n.* מישטרה
con′stancy *n.* יציבות, נאמנות
con′stant *adj.* רצוף, קבוע, יציב, נאמן
constant *n.* גודל קבוע, קונסטאנטה
constantly *adv.* בקביעות, תכופות
con′stella′tion *n.* קבוצת־כוכבים; קונסטלציה
con′sterna′tion *n.* תדהמה, חרדה
con′stipate′ *v.* לעצר (המעיים)
con′stipa′tion *n.* עצירות
constit′uency (-ch′o͞oənsi) *n.* מחוז בחירות; ציבור הבוחרים
constit′uent (-ch′o͞oənt) *n&adj.* בוחר, מצביע; מרכיב, חלק יסודי
constituent assembly אסיפה מכוננת
con′stitute′ *v.* להוות, ליצור; לייסד, להקים, למַנות, להסמיך
con′stitu′tion *n.* חוקה; מצב גופני; מערוכת; מיבנה, הרכב
constitutional *adj.* חוקתי; מערוכתי
constitutional *n.* טיול קצר
constitutionalism *n.* חוקתיות
constitutionally *adv.* לפי החוקה
con′stitu′tive *adj.* יסודי, מרכיב, יוצר
constrain′ *v.* לאלץ, להכריח
constrained *adj.* מאולץ, מעושה, עצור
constraint′ *n.* אילוץ; מעצור, מבוכה
constrict′ *v.* לכווץ, להצר, לצמצם
constric′tion *n.* כיווץ; תעוקה
constrictor *n.* מכַווץ (שריר); חַנק
construct′ *v.* לבנות, להרכיב
con′struct′ *n.* תבנית, מושג
construc′tion *n.* בניין, מיבנה, בנייה; פירוש, משמעות
put a wrong construction on לפרש שלא כהלכה
construc′tive *adj.* קונסטרוקטיבי, מועיל, בונה
constructor *n.* בונה, מרכיב
construe′ (-ro͞o) *v.* לפרש, להבין; לנתח מישפט
con′sul *n.* קונסול
con′sular *adj.* קונסולרי
con′sulate *n.* קונסוליה
consulship *n.* מעמד הקונסול
consult′ *v.* להיוועץ ב־; להתחשב ב־
consult a map לעיין במפה
consult for לשמש כיועץ
consult with להתייעץ עם

consul′tant *n.* יועץ, מייעץ
con′sulta′tion *n.* ייעוץ, התייעצות
consul′tative *adj.* יועץ, מייעץ
consulting *adj.* יועץ, מייעץ
consume′ *v.* לאכול, לצרוך, לכַלות
consume away לבזבז
consumed by hate אכול שינאה
consuming ambition שאיפה בוערת
consumer *n.* צרכן
consumer goods/items מיצרכים
consu′merism′ *n.* הגנת הצרכן
consumer price index מדד המחירים לצרכן
consum′mate *adj.* מושלם, שלם, מומחה
consummate liar שקרן מובהק
con′summate′ *v.* להשלים, להגשים
con′summa′tion *n.* השלמה, הגשמה
consump′tion *n.* צריכה; שחפת
consump′tive *adj.* שחפני
con′tact′ *n.* מגע, קונטאקט, קשר
be in contact להיות בקשר
break contact לנתק זרם
come into contact לבוא במגע
make contact ליצור קשר; לחבר זרם
contact *v.* להתקשר עם, ליצור קשר
contact lenses עדשות־מגע
conta′gion (-jən) *n.* התפשטות (של מחלה, פחד); מחלה מידבקת
a contagion of fear גל של פחד
conta′gious (-jəs) *adj.* מידבק, מדביק, מנֻגע
contain′ *v.* להכיל, לכלול; לעצור בעד, לרסן; להתאפק; להבליג; להתחלק
contained *adj.* מאופק, שליו
container *n.* כלי־קיבול; מכולה; מכל
containment *n.* בלימת השפעה (של מדינה עוינת)
contam′inate′ *v.* לזהם, לטמא
contam′ina′tion *n.* זיהום, מזהם
contemn′ (-m) *v.* לבוז ל־
con′template′ *v.* להתבונן, לעיין, לבחון; לשקול, להתכוון, לצפות ל־
con′templa′tion *n.* שקיעה במחשבות
contem′plative *adj.* מהורהר, עיוני
contem′pora′ne•ous *adj.* קיים באותה עת, בו־זמני, חופף
contem′porar′y (-reri) *adj&n.* בן־זמנו, בן־גילו; מודרני, עכשווי
contempt′ *n.* בוז, התעלמות
contempt of court ביזיון בית־דין
hold in contempt לבוז

in contempt of בבוז, בהתעלמות מ־
contemptible *adj.* ניבזה
contemp'tuous (-'chōōəs) *adj.* בז
contend' *v.* להתחרות; להיאבק; לטעון
contend with להתמודד עם (בעיה)
contended passions רגשות מתלבטים
contender *n.* טוען לכתר (אליפות)
content' *adj.* מרוצה, שבע־רצון; שמח
content' *n.* שביעות־רצון, מרוצות
to one's heart's content
לשביעות־רצונו, כאוות־נפשו
content' *v.* לגרום שביעות־רצון
content oneself with להסתפק ב־
con'tent' *n.* תוכן, תכולה
contents תוכן העניינים; תכולה
content'ed *adj.* מרוצה, שבע־רצון
conten'tion *n.* ריב; טענה
bone of contention סלע המחלוקת
my contention is אני טוען ש־
conten'tious (-shəs) *adj.* פולמוסי, וכחני
content'ment *n.* שביעות־רצון
conter'minous *adj.* גובל
contest' *v.* להתמודד, להיאבק על; לערער על, לחלוק על
con'test' *n.* תחרות
contes'tant *n.* מתחרה; מערער
con'text' *n.* קונטקסט, הקשר
contex'tual (-kschōōəl) *adj.* לפי ההקשר
con'tigu'ity *n.* קירבה, סמיכות
contig'uous (-'ūəs) *adj.* גובל, נוגע, קרוב
con'tinence *n.* התאפקות, התרסנות
con'tinent *adj.* מתאפק, כובש יצרו
continent *n.* יבשת; יבשת אירופה
con'tinen'tal *adj&n.* יבשתי; אירופי
not worth a continental חסר־ערך
contin'gency *n.* אפשרות, מיקרה
contingency plans תוכניות חירום
contin'gent *adj.* מיקרי, אפשרי
contingent on תלוי ב־
contingent *n.* תיגבורת; נציגות
contin'ual (-nūəl) *adj.* נמשך, מתמיד, לא פוסק
continually *adv.* בלי הרף
contin'uance (-nūəns) *n.* המשך
for the continuance of במשך
contin'ua'tion (-nūa'-) *n.* המשך, הארכה, הימשכות
contin'ue (-nū) *v.* להמשיך, להוסיף; להישאר, להימשך; להשאיר
con'tinu'ity *n.* המשכיות; רֶצֶף; סצינאריו, תסריט
continuity girl נערת רצף
contin'uous (-nūəs) *adj.* נמשך, רצוף, מתמיד
contin'uum (-nūəm) *n.* רצף
contort' *v.* לעקם, לעוות, לסלף
contor'tion *n.* עיקום, התפתלות
contortionist *n.* איש־גומי
con'tour (-toor) *n.* מיתאר, קו־גבול, קו מקיף, קו־גובה, קונטור
contour *v.* לשרטט מיתאר, לסלול לאורך מיתאר
contour line קו־גובה
contour map מפת קווי־גובה
con'tra- (תחילית) נגד, מול
con'traband' *n&adj.* הברחה; מוברח
contraband goods סחורה מוברחת, מיברח
con'trabass' (-bās) *n.* בטנון
con'tracep'tion *n.* מניעת הריון
con'tracep'tive *adj&n.* מונע הריון; אמצעי מניעה
con'tract' *n.* הסכם, חוזה
enter into a contract with לערוך חוזה עם
contract' *v.* לערוך הסכם, להסדיר ע״י חוזה; לרכוש, ליצור, לקבל; לכווץ, לקצר; להתכווץ
contract an illness לחלות
contract debts לשקוע בחובות
contract in להתחייב, לקחת חלק ב־
contract out למשוך ידו, להשתחרר
contract bridge ברידג' התחייבות
contrac'tible *adj.* כוויץ
contrac'tile (-təl) *adj.* כוויץ
contrac'tion *n.* קיצור, התכווצות
contract'or *n.* קבלן, חברה קבלנית
contrac'tual (-chōōəl) *adj.* חוזי, של חוזה
con'tradict' *v.* להכחיש; לסתור
con'tradic'tion *n.* הכחשה, סתירה
contradiction in terms דבר והיפוכו, מלים סותרות
con'tradic'tory *adj.* מנוגד, סותר
con'tradistinc'tion *n.* ניגוד, עימות
con'tradistin'guish (-gwish) *v.* לעמת, להקביל
con'trail *n.* שובל־אדים (של מטוס)
contral'to *n.* קונטראלטו, אלט נמוך
contrap'tion *n.* ⋆מכשיר מוזר
con'trapun'tal *adj.* קונטרפונקטי

con'trari'ety *n.* ניגוד, ניגודיות
con'trariwise' (-reriwīz) *adv.* להיפך, לעומת זאת, מאידך
con'trar'y (-reri) *adj.* מנוגד, נגדי
contrary to בניגוד ל־
contrary *adj.* עקשן, סרבן
contrary *n.* היפך, ניגוד
by contraries בניגוד למצופה
on the contrary להיפך, אדרבה
to the contrary להיפך, היפך מזה
con'trast' *n.* ניגוד, קונטראסט
by contrast with לעומת
contrast' *v.* לעמת, להקביל, להשוות
con'travene' *v.* לעבור על, להפר; לערער על, לחלוק על; להתנגש
con'traven'tion *v.* הפרה, עבירה
con'tretemps' (-täng) *n.* תקלה
contrib'ute *v.* לתרום; לגרום ל־; לתרום (מאמרים) לעיתון
con'tribu'tion *n.* תרומה
lay under contribution להטיל יהב
contrib'u•tor *n.* תורם
contrib'u•to'ry *adj.* תורם, מסייע, של השתתפות העובדים
con'trite *adj.* מלא־חרטה, חש אשמה
contri'tion (-ri-) *n.* מוסר־כליות, חרטה
contri'vance *n.* אמצאה, מיתקן; כושר המצאה; תחבולה
contrive' *v.* לתכנן, להמציא, להצליח
contrived *adj.* מאולץ, מעושה
contriver *n.* מתכנן; עקרת בית; מסתדר
control' (-rōl) *n.* שליטה; פיקוח, בקרה; לוח־בקרה; קנה־מידה; רסן, בלם
bring under control להשתלט על
in control אחראי, ממונה
in the control of בידי, בפיקוח
lose control of לאבד השליטה על
out of control ללא שליטה
take control of להשתלט על
control *v.* לשלוט, לרסן, לפקח; לבדוק, לאמת
control oneself לשלוט ברוחו
controllable *adj.* בר־שליטה
controller *n.* מבקר, מפקח
control room חדר־בקרה
control tower מיגדל פיקוח
con'trover'sial *adj.* פולמוסי, וכחני, שנוי במחלוקת
con'trover'sy *n.* מחלוקת, ויכוח
con'trovert' *v.* לחלוק על, להתנגד
con'tuma'cious (-shəs) *adj.* עקשן, מתמרד, מתעקש
contu'macy *n.* עקשנות, עיקשות
con'tume'lious *adj.* חצוף, מעליב
contu'mely *n.* גסות; עלבון
contuse' (-z) *v.* לחבול, להכות
contu'sion (-zhən) *n.* חבלה, חבורה
conun'drum *n.* בעייה, חידה
con'ur•ba'tion *n.* גוש ערים
con'valesce' (-les) *v.* להחלים
convalescence *n.* החלמה, הבראה
convalescent *n&adj.* מחלים, מבריא
convalescent home בית החלמה
convec'tion *n.* זרימת חום
convec'tor *n.* קונבקטור (מיתקן־חימום)
convene' *v.* לכַנס, לזַמן; להתכנס
convener *n.* מכַנס, מזַמן
conven'ience (-vēn'-) *n.* נוחות, נוחיות; שעה נוחה; שירותים
at your convenience כשנוח לך
make a convenience of לנצל
conven'ient (-vēn'-) *adj.* נוח, מתאים, קרוב
con'vent' *n.* מינזר
conven'ticle *n.* אסיפה חשאית
conven'tion *n.* ועידה; הסכם, אמנה; נוהג, שיגרה
conventional *adj.* שיגרתי, רגיל, רווח
conventional weapons נשק קונבנציונלי
conven'tional'ity (-shən-) *n.* שיגרה
converge' *v.* להיפגש בנקודה אחת, להתלכד, להתמקד, להתקרב
convergence *n.* היפגשות, התמקדות
convergent *adj.* נפגש, מתמקד
conver'sant *adj.* בקי, יודע
con'versa'tion *n.* שיחה, דיבור
conversational *adj.* דיבורי, של שיחה
conversation piece חפץ מדובר
con'versazio'ne (-sätsiō'ni) *n.* סימפוזיון
converse' *v.* לשוחח, לדבר
converse' *adj.* הפוך, מנוגד, נגדי
con'verse' *n.* היפך, ניגוד; שיחה
conver'sion (-zhən) *n.* המרה, החלפה, שינוי; המרת דת
convert' *v.* להמיר, להחליף, לשנות, להפוך; להמיר דתו
con'vert' *n.* מומר, גר
conver'tibil'ity *n.* הפיכות
conver'tible *adj.* הפיך, בר־המרה
convertible *n.* מכונית בעלת גג מתקפל

conver′tor *n.* מַחלֵף (בחשמל)
con′vex′ *adj.* קמור
convex′ity *n.* קמירות
convey′ (-vā′) *v.* להעביר, למסור
conveyance *n.* העברה; רכב־הובלה; תעודת־העברה
conveyancer *n.* עורך תעודות העברה
conveyer *n.* מוביל, מעביר
conveyer belt רצועת תימסורת
conveyor *n.* מַסוֹעַ
convict′ *v.* להרשיע; להאשים
con′vict *n.* אסיר
convic′tion *n.* הרשעה; שיכנוע; הכרה, אמונה
carry conviction להיות משכנע
convince′ *v.* לשכנע
convinced *adj.* משוכנע, בטוח
convincible *adj.* ניתן לשיכנוע
convincing *adj.* משכנע
conviv′ial *adj.* עליז, הוללני
conviv′ial′ity *adj.* עליזות, שימחה
con′voca′tion *n.* כינוס, זימון, אסיפה
convoke′ *v.* לכַנֵס, לזַמֵן
con′volute′ *v.* לפתל, לגולל
convoluted *adj.* מפותל, מעוקל, מסובך
con′volu′tion *n.* פיתול, התפתלות
convol′vu•lus *n.* חבלבל (צמח)
con′voy *v.* ללַווֹת (ספינה), להגן
convoy *n.* ליווי; שיירה מוגנת
sail in convoy להפליג בשיירה
under convoy בליווי הגנה
convulse′ *v.* לזעזע, לטלטל, לנענע
convulsed with laughter מתפתל בצחוק
convul′sion *n.* זעזוע, עווית, התכווצות, התפתלות
convul′sive *adj.* עוויתי, של זעזוע
co′ny, co′ney *n.* שפן, פרוות שפן
coo *v.* להמות כיונה, למלמל, ללחוש
bill and coo להתנות אהבים
coo *n.* המייה, מילמול, לחישה, לאיטה
cook *n.* טבח, טבחית
cook *v.* לבשל, לצלות, לאפות, לטגן; להתבשל; לזייף, לטפל ב־
cook his goose לחסל אותו
cook the books לזייף הספרים
cook up ⋆לבשל, להמציא
what's cooking? מה קורה/מתבשל?
cookbook *n.* ספר בישול
cooker *n.* תנור, כיריים; פרי־בישול
cook′ery *n.* בישול, הכנת אוכל
cook-house *n.* מיטבח
cook′ie, cook′y *n.* עוגייה; ⋆ברנש
cooking *n.* בישול, טבחות
cooking apples תפוחים לבישול
cookout *n.* פיקניק, סעודת־חוץ
cool (kōōl) *adj.* קריר, צונן, קר־רוח; חצוף; ⋆ממש, ללא גוזמה ⋆מצוין, גזעי
a cool head קר־רוח
a cool 5000 5000 טבין ותקילין
keep cool להיות רגוע
play it cool ⋆לא להתרגש
cool *n.* קור, צינה; ⋆שלוות־נפש
cool *v.* לקרר, להצן; להתקרר; לשכוך
cool down/off להירגע, להרגיע
cool it ⋆להירגע
cool one's heels להמתין, לחכות
coo′lant *n.* נוזל־צינון
cooler *n.* כלי־קירור; ⋆בית־סוהר
cool-headed *adj.* קר־רוח
coo′lie *n.* קולי, פועל פשוט
cooling-off צינון, הרגעת רוחות
coon (kōōn) *n.* ⋆כושי, שחור
coon's age עידן ועידנים
coop (kōōp) *n&v.* לול, כלוב
coop up לכלוא, לשים בלול
fly the coop ⋆לברוח, להסתלק
co′-op′ *n.* ⋆צרכנייה
coo′per *n.* חבתן, עושה חביות
co•op′erate′ *v.* לשתף פעולה
co•op′era′tion *n.* שיתוף־פעולה
co•op′erative *adj.* עוזר, משתף פעולה; קואופרטיבי, משותף
cooperative *n.* קואופרטיב
cooperative society קואופרטיב
co-operator *n.* משתף־פעולה
co•opt′ *v.* לצרף (חבר לוועדה), לספח
co•or′dinate *adj&n.* שווה־ערך, שווה־דרגה; קואורדינטה
co•or′dinate′ *v.* לתאם פעולות, להתאים, לשלב
co•or′dina′tion *n.* תיאום, הסדר, קואורדינציה, הרמוניה
coot (kōōt) *n.* אגמית; ⋆טיפש
bald as a coot קירח לחלוטין
cop *n.* ⋆שוטר; תפיסה, לכידה
a fair cop ⋆לכידה נאה
not much cop ⋆לא שווה במיוחד
cop *v.* ⋆לתפוס, ללכוד
cop a plea ⋆להודות בעבירה
cop it ⋆לקבל מנה, להיענש
cop out ⋆להתחמק, להשתמט
co•part′ner *n.* שותף
copartnership *n.* שותפות

cope *n.* גלימה
cope *v.* להתמודד, להתגבר על
co'peck' *n.* קופיקה (מטבע)
co'per *n.* סוחר סוסים
Coper'nican *adj.* של קופרניקוס
copier *n.* מעתיק
co'pi'lot *n.* טייס־מישנה
co'ping *n.* נידבך עליון
coping-stone *n.* גולת־הכותרת
co'pious *adj.* שופע, רב, פורה
cop-out *n.* ⋆התחמקות, השתמטות
cop'per *n.* נחושת; מטבע; דוד־הרתחה
copper *v.* לצפות בנחושת
copper *n.* ⋆שוטר
copper-bottomed *adj.* בטוח, מוגן
copperhead *n.* נחוש־הראש (נחש)
copperplate *n.* גלופת־נחושת
copperplate writing כתיבה תמה
coppersmith *n.* חרש־נחושת
cop'pice (-pis) *n.* חורשה, סבך
cop'ra *n.* קופרה (קוקוס מיובש)
copse *n.* חורשה, סבך
cop'ter *n.* ⋆מסוק, הליקופטר
Cop'tic *n.* קופטי
cop'u•la *n.* אוגד (בדקדוק)
cop'u•late' *v.* להזדווג
cop'u•la'tion *n.* הזדווגות
cop'u•la'tive *adj.* מְחַבֵּר, מקשר
copulative *n.* אוגד (בדקדוק)
cop'y *n.* העתק, עותק; חומר להדפסה
fair copy טיוטה סופית
good copy חומר מעניין, סנסציה
rough copy טיוטה ראשונה
copy *v.* להעתיק, לחקות
copy out להעתיק במלואו
copybook *n.* מחברת ; מדויק
blot one's copybook להכתים שמו
copybook maxims פיתגמים נדושים
copy boy נער שליח (במערכת)
copy cat *n.* ⋆חקיין
copy desk שולחן המערכת
copy editor עורך מישנה
copyhold *n.* החזקת קרקע (באריסות)
copyholder *n.* מחזיק בקרקע; טיוטן
copyist *n.* מעתיק
copyright *n.* זכות יוצרים
copyright *v.* להבטיח זכות יוצרים
copywriter *n.* מסגנן מודעות
co•quet' (-ket) *v.* להתחנחן
co'quetry (-k-) *n.* קוקטיות, עגבנות, התחנחנות, התעסקות
co•quette' (-ket) *n.* קוקטית, מתחנחנת, עגבנית
coquettish *adj.* מתחנחן, קוקטי
cor'acle *n.* סירת נצרים
cor'al *n.* קורל, אלמוג
coral *adj.* אדום, אדמדם, ורוד
coral island אי־אלמוגים
coral reef שונית אלמוגים
cor anglais (-ängl**ā**') קרן אנגלית
cor'bel *n.* זיז (הבולט מקיר)
cord *n.* חוט, משיחה, מיתר, פתיל; אריג קורדורוי; כמות עצי־הסקה
cords ⋆מיכנסי קורדורוי
spinal cord חוט השידרה
vocal cords מיתרי הקול
cord *v.* לקשור בחוט
cord'age *n.* חבלים, חבלי ספינה, חיבל
cor'dial (-jəl) *n.* לבבי, חם, עמוק
cordial *n.* משקה מרענן, ליקר
cor'dial'ity (-'j-) *n.* לבביות
cor'dite *n.* חומר־נפץ (חסר־עשן)
cor'don *n&v.* חגורת ביטחון (מסביב למקום); סרט־כבוד; עץ גזום
cordon off להקיף בטבעת־ביטחון
cordon bleu (-blə') *n.* אשף־מיטבח; סרט כחול (פרס עבור טבחות מעולה)
cor'duroy' *n.* קורדורוי
corduroys מיכנסי קורדורוי
corduroy road כביש קורות
core *n.* תוך־הפרי; מרכז, לב
rotten to the core מושחת עד היסוד
to the core עד לב־ליבו
core *v.* לגלען, להוציא את תוך־הפרי
co'reli'gionist (-lijən-) *n.* בן אותה דת
cor'er *n.* סכין (להוצאת תוך־הפרי)
co're•spon'dent *n.* אשם בניאוף
co'rian'der *n.* גד, כוסבר (תבלין)
Corin'thian *adj.* קורינתי, מפואר
cork *n.* שעם, פקק
cork *v.* לפקוק, לסתום
cork up לסתום, לעצור (רגשות)
cork'age *n.* דמי הגשת משקאות
corked *adj.* שטעמו פגום; ⋆שתוי
cork'er *n.* ⋆מצוין; טענה ניצחת; שקר
cork-screw *n.* מַחלץ, חולץ־פקקים
cork-screw *v.* להתברג, להתחלזן
cork-screw *adj.* בורגי, לולייני
corm *n.* פקעת, בולבוס
cor'morant *n.* קורמורן (עוף־מים)
corn *n.* דגן, תבואה, תירס; גרעין, יבלת
tread on his corns לדרוך על יבלותיו
corn *v.* לשמור (בשר) במלח

corn bread לחם־תירס
corn-cob *n.* שיזרת־התירס
cor′ne•a *n.* קרנית
cor•ne′lian *n.* אודם (אבן יקרה)
cor′ner *n.* פינה, זווית; קרן; מחבוא; עמדת־שליטה, מונופול
cut corners לחסוך בהוצאות
cut off a corner לעשות קפנדריה
drive into a corner ללחוץ אל הפינה
make a corner in להשתלט על (שוק)
round the corner קרוב מאוד
the four corners of the earth ארבע כנפות הארץ
tight corner מצב קשה, מצוקה
turn the corner לעבור את המשבר
corner *v.* ללחוץ אל הקיר; להשתלט על השוק; לפנות, לעשות פנייה
corner *adj.* פינתי
cornered *adj.* בעל פינות; לכוד, דפון
corner kick בעיטת קרן
cornerstone *n.* אבן־יסוד, אבן־פינה
cor′net *n.* קורנית; גביע, שקיק
corn-exchange *n.* בורסת־תבואה
corn-field *n.* שדה־תבואה
cornflakes *n-pl.* פתיתי־תירס
cornflour *n.* קמח־תירס, קורנפלור
cornflower *n.* דגנייה (פרח)
cor′nice (-nis) *n.* כרכוב; גוש־שלג (המאיים ליפול)
corn pone לחם תירס
cornstarch *n.* קמח־תירס, קורנפלור
cor′nuco′pia *n.* שפע, גודש, קרן השפע
corn′y *adj.* ⋆נדוש, מיושן
corol′la *n.* כותרת (של פרח)
cor′ollar′y (-leri) *n.* תוצאה, מסקנה
coro′na *n.* הילה, עטרה
cor′onar′y (-neri) *adj.* (עורק) כלילי
coronary *n.* פקקת (בעורק כלילי)
cor′ona′tion *n.* הכתרה
cor′oner *n.* חוקר מיקרי מוות
cor′onet *n.* נזר, זר, עטרה
cor′pora = pl of corpus
cor′poral *adj.* גופני
corporal *n.* רב־טוראי, קורפוראל
cor′porate *adj.* משותף, קולקטיבי, מאוחד; של איגוד מקצועי
cor′pora′tion *n.* חברה, איגוד, תאגיד; מועצת־עיר; ⋆בטן גדולה, כרס
cor•por′e•al *adj.* גופני, גשמי
corps (kôr) *n.* חַיִל, גַיִס, סגל
diplomatic corps הסגל הדיפלומטי
corps de ballet (-balā′) להקת בלט
corpse *n.* גווייה, גופה
cor′pu•lence *n.* שומן
cor′pu•lent *adj.* שמן, בעל גוף
cor′pus *n.* אוסף, קובץ
cor′puscle (-pəsəl) *n.* גופיף
cor′pus de•lic′ti′ עובדת־היסוד (המוכיחה את הפשע), אובייקט הפשע
corral′ *n.* מיכלאה; טבעת עגלות
corral *v.* לכלוא; ליצור טבעת עגלות
correct′ *v.* לתקן; להעניש
correct *adj.* נכון, מדוייק; יאה, הוגן
correc′tion *n.* תיקון; ענישה
house of correction בית־סוהר
speak under correction לדבר מתוך ידיעה שעשויים לתקן דבריו
correc′titude′ *n.* התנהגות הולמת
correc′tive *adj.* מחזיר למוטב
cor′relate′ *v.* לקשר ביחס־גומלין; לגלות קשר הדדי, לתאם, להקביל
cor′relate′ *adj.* קשור הדדית
cor′rela′tion *n.* מיתאם, קשר הדדי
correl′ative *adj.* בעלי קשר הדדי
cor′respond′ *v.* להתאים, להלום; להקביל, להיות דומה; להתכתב
correspondence *n.* התאמה, דימיון; התכתבות, תיכתובת, קורספונדנציה
correspondence course קורס בהתכתבות
correspondent *adj.* מקביל, דומה
correspondent *n.* מתכתב; כתב
corresponding *adj.* מקביל, דומה
cor′ridor′ *n.* מיסדרון
corridor train רכבת בעלת מיסדרונות ותאים
cor′rigen′da *n-pl.* תיקוני טעויות
cor′rigen′dum *n.* דבר הטעון תיקון
cor′rigible *adj.* בר־תקנה
corrob′orate′ *v.* לחזק, לאשר, לאמת
corrob′ora′tion *n.* חיזוק, אימות
corrob′orative *adj.* מחזק, מאשר
corrode′ *v.* לאכל, להחליד, לשתך
corro′sion (-zhən) *n.* איכול, שיתוך, קורוזיה
corro′sive *adj.* מאכל, הורס, חד, שנון
cor′rugate′ *v.* לקמט, לתלם; להיחרץ
corrugated cardboard קרטון גלי
corrugated iron לוח גלי (מפלדה)
cor′ruga′tion *n.* קימוט, קמט
corrupt′ *adj.* מושחת, מקולקל; קלוקל
corrupt practices שחיתות, שוחד
corrupt *v.* להשחית; לשחד; להתקלקל

corrup'tibil'ity *n.* השחתה, שחיתות
corrup'tible *adj.* מושחת, שחיד
corrup'tion *n.* שחיתות, ריקבון; שיבוש־הלשון
cor•sage' (-säzh) *n.* צרור־פרחים; חזייה; חלק הבגד העליון
cor'sair' *n.* שודד־ים; ספינת־שוד
corse *n.* גופה, גוויה
corse'let (kôrs'lət) *n.* שיריון־חזה
cor'set *n.* מחוך, קורסט
cor•tege' (-tezh) *n.* פמליה, לוויה
cor'tex' *n.* קליפה
cor'tical *n.* קליפתי, של קליפה
cor'tisone' *n.* קורטיזון (הורמון)
cor'uscate' *v.* להבריק, להזהיר
cor'usca'tion *n.* הברקה
cor'vée (-vā) *n.* אֲנגַריה, מס־עובד
cor•vette' *n.* קורבטה (ספינת־קרב)
cos *n.* קוסינוס; חסה ארוכת־עלים
cos = because (kəz) *conj.* ⋆בגלל
cosh *n.* ⋆אלת־מתכת, אלת־גומי
cosh *v.* ⋆להכות, לחבוט
co•sig'nato'ry *n.* חותם (עם אחרים)
co'sine' *n.* קוסינוס
cos•met'ic (-z-) *adj.* קוסמטי, מייפה
cos'meti'cian (-zmətish'ən) *n.* תמרוקן
cosmetics *n-pl.* קוסמטיקה
cos'mic (-z-) *adj.* קוסמי, של היקום
cos•mog'ony (-z-) *n.* בריאת העולם
cos•mol'ogy (-z-) *n.* מדע היקום
cos'monaut' (-z-) *n.* קוסמונאוט, טייס־חלל
cos'mopol'itan (-z-) *adj&n.* אזרח־העולם, קוסמופוליט; כלל־עולמי
cos'mos (-z-) *n.* קוסמוס, יקום, חלל; קוסמוס (פרח)
cos'set *v.* לפנק, לטפל ברוך
cost (kôst) *n.* מחיר; עלות, יציאות
  at all costs בכל מחיר
  at cost במחיר הקרן, במחיר העלות
  at the cost of במחיר־
  cost of living יוקר המיחייה
  costs הוצאות מישפט
  count the cost לשקול הסיכונים
  to one's cost מניסיונו המר
cost *v.* לעלות; לקבוע מחיר המוצר
cost accountant/clerk תמחירן
cost accounting תמחיר
co-star *n.* כוכב (המככב לצידו)
co-star *v.* לככב (לצד כוכב)
cos'termon'ger (-g-) *n.* רוכל

costing *n.* תמחיר
cos'tive *adj.* סובל מעצירות
costly *adj.* יקר
cost price מחיר העלות
cos'tume *n.* תילבושת; חליפת־אישה
costume jewellery תכשיטים מלאכותיים
costu'mier *n.* תופר תילבושות
co'sy (-z-) *adj.* נוח, חמים
cosy *n.* כיסוי, מטמן (לשמירת חום)
cot *n.* מיטת תינוק; מיטה מתקפלת
cot *n.* דיר, ביתן, ביקתה; קוטנגנס
co•tan'gent *n.* קוטנגנס
cote *n.* צריף, דיר, שובך
co•ten'ant *n.* דייר משותף
co'terie *n.* חוג, קבוצה, כת
co•ter'minous *adj.* משותף־גבול, נוגע
cot'tage *n.* צריף, קוטג'
cottage cheese גבינת קוטג'
cottage hospital בית־חולים קטן
cottage industry תעשיית בית
cottage loaf לחם דו־קומתי
cot'tar, cot'ter *n.* איכר, אריס
cot'ton *n&v.* צמר־גפן, כותנה, חוטי־כותנה
  cotton on ⋆להבין
  cotton to ⋆להתחבב על, להתיידד
cotton batting צמר־גפן
cotton-cake *n.* כוספה (מכותנה)
cotton candy צמר־גפן מתוק
cotton gin מנפטה
cotton-tail *n.* שפן
cotton wool צמר־גפן
cot'yle'don *n.* פסיג
couch *n.* ספה, מיטה; מין עשב
couch *v.* לנסח, להביע; להרכין; להתכופף לקראת זינוק
couchant *adj.* רובץ (זקוף־ראש)
couch doctor ⋆פסיכיאטר
couchette (kōōshet') *n.* מיטת־מדף
cou'gar (kōō'-) *n.* פומה (נמר)
cough (kôf) *v.* להשתעל; ⋆להודות
  cough down להחרישו בשיעולים
  cough up ⋆למסור בלי רצון, לספר
cough *n.* שיעול; ⋆הודאה בפשע
cough drop סוכרייה נגד שיעול
could = pt of can (kood)
  could you come? התוכל לבוא?
couldn't = could not (kood'ənt)
couldst = could (koodst)
coul'ter (kōl'-) *n.* סכין המחרשה
coun'cil (-səl) *n.* מועצה

council-board *n.* שולחן המועצה
council chamber אולם המועצה
council house דירה להשכרה
coun′cilor *n.* חבר־המועצה
coun′sel *n.* עצה, ייעוץ; פרקליט
counsel for the defense נציגי ההגנה, הסניגור, הסניגורים
counsel of perfection עצה מושלמת (אבל לא מעשית)
hold/take counsel להתייעץ
keep one's own counsel לשמור דיעותיו לעצמו
take counsel together להתייעץ
counsel *v.* לייעץ, להמליץ על
coun′selor *n.* יועץ; עורך דין
count *v.* לספור, למנות; לכלול, להביא בחשבון; לראות, לחשוב את
be counted among להימנות עם־
count against him לזקוף לחובתו
count down לספור לאחור
count heads/noses לספור אנשים
count in לכלול, להביא בחשבון
count off להתפקד; להפריש
count on/upon לסמוך על; לצפות מ־
count oneself לראות עצמו כ־
count out לספור אחד־אחד; לספור עד 10 (באיגרוף); לא לכלול
count the cost לשקול הסיכונים
count up למנות, לספור
counts for nothing חסר ערך
every word counts כל מלה חשובה
he doesn't count אין להתחשב בו
stand up and be counted לומר את דברו בגלוי
count *n.* ספירה; סעיף־אשמה; רוזן
be out for the count לספוג נוק־אאוט
keep count לזכור המיספר המדוייק
lose count לשכוח המיספר המדוייק
take no count of להתעלם מ־
take some count of להתחשב ב־
take the count לספוג נוק־אאוט
countable *adj.* סָפִיר, אפשר לספרו
countdown *n.* ספירה לאחור
coun′tenance *n.* פנים, פרצוף, ארשת, הופעה; תמיכה, עידוד
change countenance להחליף ארשת הפנים
keep one's countenance לשמור על הבעה מאופקת
put out of countenance להביך
countenance *v.* להרשות, לעודד
coun′ter *n.* דלפק, דוכן; אסימון־מישחק; מונה, מד־
under the counter באופן לא־חוקי, מתחת לשולחן
counter *v.* לגמול במכה, להגיב
counter *adv.* בניגוד, נגד
counter- (תחילית) נגד
coun′teract′ *v.* לפעול נגד, לבטל
coun′terac′tion *n.* ביטול
coun′terattack′ *n.* התקפת־נגד
counterattack *v.* לערוך התקפת־נגד
coun′terattrac′tion *n.* משיכה נגדית
coun′terbal′ance *n.* מישקל נגדי
coun′terbal′ance *v.* לאזן
coun′terblast′ *n.* תגובה חריפה
coun′terclaim′ *n.* תביעה נגדית
coun′terclock′wise (-z) *adj.* נגד השעון
coun′teres′pionage *n.* ריגול נגדי
coun′terfeit′ (-fit) *adj.* מזוייף
counterfeit *v.* לזייף
counterfeiter *n.* זייפן
coun′terfoil′ *n.* חֲבוּר, קבלה
coun′terintel′ligence מודיעין נגדי
coun′terir′ritant *n.* מגרה נגדי
coun′terman′ *n.* דלפקן, מגיש
coun′termand′ *v.* לבטל פקודה
coun′termarch′ *n&v.* (לצעוד) צעידת חזרה
coun′termea′sure (-mezhər) *n.* צעד נגדי, תגובה
coun′termine′ *n.* מוקש נגדי, קשר נגדי
coun′teroffen′sive *n.* התקפת־נגד
coun′terpane′ *n.* כיסוי מיטה
coun′terpart′ *n.* מקביל, דומה
coun′terplot′ *n.* קשר נגדי
coun′terpoint′ *n.* קונטרפונקט
coun′terpoise′ (-z) *n.* מישקל נגדי
counterpoise *v.* לאזן
coun′terrev′olu′tion *n.* (-r-r-) מהפכת־נגד
coun′tersign′ (-sīn) *n.* סיסמה
countersign *v.* להוסיף חתימה
coun′tersink′ *v.* להרחיב חור; לתחוב (בורג לבל יבלוט), לשַׁקֵּעַ
coun′terten′or *n.* טנור גבוה, אלט
coun′tervail′ *v.* לפעול נגד; לאזן
countervailing *adj.* מאזן, נגדי
coun′tess *n.* רוזנת
counting frame חשבונייה, אבאקוס
counting-house *n.* מדור חשבונות
countless *adj.* עצום, לאין ספור

coun′trified′ (kun′trifīd) *adj.* קרתני, גס
coun′try (kun-) *n.* מדינה, עם, ארץ; אדמה, שטח
go to the country ללכת אל העם, להכריז על בחירות
the country איזורי הכפר, מחוץ לעיר
unknown country שטח זר/לא מוכר
country *adj.* כפרי, של כפר
country club מועדון, קאנטריקלב
country cousin כפרי, תמים
country gentleman בעל אחוזה
countryman *n.* בן אותה ארץ; כפרי
country party מיפלגת עובדי־אדמה
country seat/house בית כפרי
countryside *n.* איזורי הכפר
coun′ty *n.* מחוז
county court בית־מישפט מחוזי
county town/seat עיר המחוז
coup (ko͞o) *n.* צעד מזהיר, פעולה מוצלחת; הפיכה
pull off a coup לעשות צעד יפה
coup de grâce (ko͞o′dəgräs′) *n.* מכת־חסד, מהלומה סופית
coup d'etat (ko͞o′dātä′) הפיכה
coupe (ko͞opā′) *n.* כירכרה סגורה; מכונית דו־דלתית
coup′le (kup-) *n.* זוג
couple *v.* לקשר, לחבר, לשלב; להזדווג
couple on לצרף, להוסיף, לחבר
coup′let (kup-) *n.* צמד חרוזים
coupling *n.* בריח (לחיבור כלי־רכב)
cou′pon′ (ko͞o′-) *n.* תלוש, טופס
cour′age (kûr-) *n.* אומץ־לב
have the courage of conviction לפעול לפי מצפונו
lose courage ליפול רוחו
pluck up one's courage לאזור אומץ
screw up one's courage לאזור אומץ
summon up courage לאזור אומץ
took his courage in both hands התאזר עוז
coura′geous (kərā′jəs) *adj.* אמיץ
courgette (koorzhet′) *n.* קישוא
cou′rier (koo-) *n.* רץ, שליח; מלווה־תיירים
course (kôrs) *n.* התקדמות; מסלול, כיוון, דרך; קורס; מנה; סידרה; נידבך
a golf course מיגרש גולף
a matter of course דבר טיבעי
course of drugs סידרת תרופות
course of events מהלך האירועים
in course of בתהליך־
in course of time במרוצת הימים
in due course בבוא הזמן, בקרוב, בעיתו, בשעה הנכונה
in the course of במרוצת־, במשך
of course כמובן ש־, כמובן
off course לא בכיוון הנכון
on course בכיוון הנכון
run/take its course להתפתח כרגיל, ללכת בדרכו
stay the course להמשיך עד הסוף
course *v.* לזרום; לצוד ארנבות
courser *n.* סוס מהיר
coursing *n.* ציד־ארנבות
court (kôrt) *n.* חצר; בית־מישפט; ארמון־מלך; אנשי־החצר; קבלת־פנים
court of inquiry ועדת חקירה
hold court לנהל מישפט/אסיפה; להתנהג כמלך
pay court to לחזר אחרי
put out of court לפסול (בבימ"ש)
take to court לפתוח בהליכים
tennis court מיגרש טניס
court *v.* לחזר אחרי
court danger להסתכן ביותר
court popularity לרדוף פירסומת
court-card *n.* קלף־מלך (מלכה, נסיך)
cour′te•ous (kûr′-) *n.* אדיב
cour′tesan (kôr′təzən) *n.* יצאנית, זונת־צמרת
cour′tesy (kûr′-) *n.* אדיבות
by courtesy of באדיבותו של־
courtesy call ביקור נימוסין
courthouse *n.* בניין בית־המישפט
court′ier (kôrt-) *n.* חצרן, איש חצר
courting *adj.* מחזר, אוהב
court′ly (kôrt-) *adj.* מנומס, אצילי
court-martial *n.* בית־דין צבאי
court-martial *v.* לשפוט בבית־דין צבאי
court of law בית מישפט
courtroom *n.* אולם מישפטים
courtship *n.* חיזור, תקופת החיזור
courtyard *n.* חצר
cousin (kuz′ən) *n.* דודן; קרוב
first cousin דודן, בן־דוד
second cousin דודן משנה, שלישי בשלישי
couture (ko͞otoor′) *n.* הלבשה
cove *n.* מיפרץ קטן, מיפרצון; ★ברנש
cov′en (kuv-) *n.* כנס מכשפות
cov′enant (kuv- חוזה; התחייבות, אמנה

Ark of the Covenant ארון הברית
covenant *v.* להתחייב בכתב
Cov′entry *n.* קובנטרי (עיר)
send to Coventry להחרים
cov′er (kuv-) *v.* לכסות; לסקר; לחפות על; להגן על; לכלול; לבטח
$5 will cover 5$ יספיקו
be covered with להתמלא, להתכסות
cover for him למלא מקומו
cover in לסגור, לסתום
cover oneself להמיט/להביא על עצמו
cover over לכסות, לצפות
cover up להסתיר, לכסות; לחפות
cover 20 miles לעבור 20 מילים
cover *n.* כיסוי, חיפוי; מיכסה; מעטפה; כריכה; שמיכה; מחסה; ביטוח
break cover להגיח ממחבוא
from cover to cover מא׳ עד ת׳
take cover למצוא מחסה, להסתתר
under cover בחשאי, בסוד
under cover of במסווה של, בחסות
under plain cover בלי ציון תוכן המישלוח ע״ג המעטפה
under separate cover במעטפה נפרדת
cover *n.* שולחן ערוך (לאיש אחד)
cov′erage (kuv-) *n.* כיסוי; סיקור
cover charge דמי שירות במיסעדה
cover girl נערת־שַער
covering *n.* כיסוי, מיכסה
covering letter מיכתב־הסבר
cov′erlet (kuv-) *n.* כיסוי־מיטה
cover note פוליסה זמנית
co′vert *adj.* סודי, כמוס, נסתר
cov′ert (kuv-) *n.* חורשת־שיחים
draw a covert לסרוק חורשה
cover-up *n.* כיסוי, חיפוי, אליבי
cov′et (kuv-) *v.* לחמוד
cov′etous (kuv-) *adj.* חמדני
cov′ey (kuv-) *n.* להקת־ציפורים
cow *n.* פרה; פילה; נקבה; ⋆אישה
till the cows come home ⋆לעד
cow *v.* להפחיד, לדכא
cow′ard *n.* פחדן
cow′ardice (-dis) *n.* פחדנות
cowardly *adj.* פחדני, שפל
cowbell *n.* פעמון־פרה
cowboy *n.* בוקר, קאובוי
cowcatcher *n.* מסיר מיכשולים (מיתקן לפני הקטר לפינוי מיכשולים)
cow college מידרשה חקלאית
cow′er *v.* להשתוחח; להתכווץ בפחד
cowgirl *n.* בוקרת
cowhand *n.* רועה־בקר
cowherd *n.* רועה־בקר
cowhide *n.* עור־פרה; שוט
cowl *n.* ברדס, בורנס; כובע־המעשנה
cow′lick′ *n.* קווצת־שיער, תלתלון
cowl′ing *n.* חיפת המנוע (במטוס)
cowman *n.* רועה־בקר, בוקר, רפתן
co-worker *n.* חבר לעבודה
cowpat *n.* גלל, צואת פרה, רעי
cowpox *n.* אבעבועות הפרות
cowshed, cowhouse *n.* רפת
cox, cox′swain′ *n.* הגאי־סירה
cox, coxswain *v.* להשיט סירה
coxcomb *n.* גנדרן, רברבן
coy *adj.* ביישנית, מצטנעת
coyote (kīō′tē) *n.* זאב־ערבות
coy′pu (-pōō) *n.* נוטריה (מכרסם)
coz′en (kuz-) *v.* להוציא במירמה
cozen into לפתות, לשדל
co′zy *adj.* נוח, חמים
CPA = Certified Public Accountant
crab *n.* סרטן; ⋆רגזן, נרגן
catch a crab לפספס במכת־חתירה
crab *v.* לצוד סרטנים; למרר; ⋆להתאונן, להטיל דופי
crab apple תפוח חמוץ
crab′bed *adj.* מר־נפש; לא־קריא
crab louse כינת הערווה
crack *n.* סדק, בקיע; קול נפץ; צליף; מהלומה; הערה שנונה, בדיחה
crack of dawn הפצעת השחר
crack of doom אחרית הימים
fair crack of the whip הזדמנות
have a crack at לנסות
crack *v.* לסדוק; להיסדק; לפצח, להשמיע קול נפץ; להצליף; לפתוח
crack a book לפתוח ספר (לקריאה)
crack a bottle ⋆לפתוח בקבוק
crack a crib ⋆לפרוץ לדירה
crack a joke ⋆לספר בדיחה
crack a smile לחייך
crack down לנקוט אמצעים נגד; לדכא
crack him up לשבחו, להללו
crack oil לזקק נפט
crack open לפצח, לפרוץ; להיפתח
crack up להתמוטט; להישבר; להתרסק
get cracking להירתם לעבודה
his voice cracked קולו נשבר; קולו התחלף
not as it's cracked up to be ⋆לא

משובח כל כך, לא מי־יודע־מה
crack *adj.* מעולה, מצויין
crackbrained *adj.* מטורף
crack-down *n.* נקיטת אמצעים, דיכוי
cracked *adj.* מטורף
crack'er *n.* רקיק, מצייה; זיקוקין־די־נור; ⋆חתיכה
crack'ers (-z) *adj.* ⋆מטורף
crackers *n-pl.* מפצח־אגוזים
cracking plant בית־זיקוק
crack'le *v.* להשמיע קולות התפצחות
crackle *n.* קולות נפץ, נקישות
crackleware *n.* חרסינה מרושתת
crack'ling *n.* עור־חזיר צלוי
crackpot *n.* ⋆מטורף
cracksman *n.* פורץ, גנב
crack-up *n.* ⋆התמוטטות
cra'dle *n.* עריסה, ערש; פיגום; כן, מיתקן דמוי עריסה
cradle of culture ערש־התרבות
cradle *v.* להשכיב (כאילו) בעריסה
craft *n.* אומנות; איגוד מיקצועי; ספינה, מטוס; ערמומיות
craftsman *n.* אומן, מומחה
craftsmanship *n.* אומנות
craft union איגוד מיקצועי
crafty *adj.* ערמומי
crag *n.* צוק, שן־סלע, ראש צור, מתלול
craggy *adj.* מסולע, מלא־סלעים; קשוח
crake *n.* עוף ארך־רגליים
cram *v.* לדחוס, לפטם; להתפטם
cram-full *adj.* מלא ודחוס
crammer *n.* מתפטם בלימודים; מפטם
cramp *n.* התכווצות שרירים, עווית
cramps כאבי בטן עזים
writer's cramp עווית סופרים
cramp *v.* לעצור, להגביל, להצר; לכווץ; להדק במלחצת
cramp his style למנוע את יכולת התבטאותו הרגילה
cramp, cramp-iron *n.* מלחצת, כליבה
cramped *adj.* צר, צפוף
cram'pon *n.* מיטפסיים; מלקחי־הרמה
cran'ber'ry *n.* מין אוכמנית
crane *n.* עגורן; עגור (עוף)
crane *v.* לשרבב צוואר
crane fly "עכביש" ארך רגליים
cra'nial *adj.* של הגולגולת, גולגולתי
cra'nium *n.* גולגולת
crank *n.* ארכובה, מנוף; ⋆טיפוס מוזר
crank *v.* לסובב, להתניע בארכובה
crankshaft *n.* גל, ידית הארכובה
cran'ky *adj.* מוזר; רעוע; רגזן
crannied *adj.* מלא חורים, מסודק
cran'ny *n.* נקיק, חור, סדק
crap *n&v.* ⋆חרא; שטויות; לחרבן
crape *n.* סרט שחור (לאות אבל); קרפ
craps *n-pl.* מישחק קוביות
shoot craps לשחק בקוביות
crash *v.* להתנגש; להתרסק; לנפץ; לנוע ברעש; להתפרץ; להתמוטט
crash a party "להתפלח" למסיבה
crash *n.* רעש; התרסקות; התמוטטות
crash *adv.* בקול־נפץ, ברעש, טראח!
crash *adj.* מהיר, דראסטי, מאומץ
crash *n.* אריג גס (למגבות)
crash barrier מעקה־ביטחון
crash-dive *n.* צלילת־פתע
crash-dive *v.* לצלול צלילת־פתע
crash helmet קסדת־מגן
crashing *adj.* ⋆מושלם, כביר
crash-land *v.* לנחות נחיתת־התרסקות (מבוקרת)
crash-landing *n.* נחיתת־התרסקות
crass *adj.* גס, גמור, מושלם
crate *n.* תיבה; ⋆גרוטה, מכונית ישנה
crate *v.* לארוז בתיבה
cra'ter *n.* לוע־הר־געש; מכתש
cravat' *n.* עניבת־פרפר; צעיף־צוואר
crave *v.* להשתוקק ל־; להתחנן
cra'ven *n&adj.* פחדן, שפל
craving *n.* תשוקה
craw *n.* זפק; קיבה
craw'fish *n.* סרטן־הנהרות
crawl *v.* לזחול; לשרוץ; להתרפס
it made my flesh crawl סמרמורת תקפתני, שערותי נסתמרו
crawl *n.* זחילה; שחיית חתירה
crawler *n.* ⋆מתרפס, לקקן, זחלן
crawlers מיצרפת־תינוק
cray'fish *n.* סרטן־הנהרות
cray'on *n.* עפרון־גיר, עפרון־צבע
crayon *v.* לצייר בעפרון־גיר
craze *v.* להטריף דעתו, לשגע; לסדוק
craze *n.* שיגעון האופנה
cra'zy *adj.* מטורף, משוגע
crazy building בניין רעוע
crazy paving מרצפת מגוונת
work like crazy לעבוד כמו משוגע
creak *v&n.* לחרוק; חריקה
creaky *adj.* חורק, חרקני
cream *n.* שמנת; שומן; קצפת; קרם; קציפה; מישחה; עידית

cream of society החברה הגבוהה
cream of the cream עידית דעידית
cream *v.* להקציף; להוסיף שמנת; להסיר השמנת; לבשל בשמנת; ⋆להביס
cream *n&adj.* קרם (צבע); קרום
cream cheese גבינה שמנה
creamer *n.* כלי לשמנת
cream'ery *n.* מחלבה
cream puff עוגת־קצפת, פחזנית; חלש־אופי
creamy *adj.* כמו שמנת, שמן
crease *n.* קמט, קיפול
crease *v.* לקמט; להתקמט; לגהץ פס
cre•ate' *v.* ליצור, לברוא; להעניק תואר; ⋆להרעיש
create a part לגלם דמות לראשונה
cre•a'tion *n.* בריאה; יצירה; עולם
the Creation בריאת העולם
cre•a'tive *adj.* יוצר, חדשני
cre'a•tiv'ity *n.* יצירתיות, חדשנות
cre•a'tor *n.* יוצר, בורא
the Creator הבורא
crea'ture *n.* יצור, יציר, ברייה; עבד נרצע
creature comforts צרכים גשמיים
crèche (kresh) *n.* פעוטון, מעון־תינוקות; תמונת ישו התינוק
cre'dence *n.* אֵמון
attach credence to לתת אמון ב־
letter of credence מיכתב־המלצה
cre•den'tial *n.* מיכתב־המלצה
credentials כתב־האמנה
cred'ibil'ity *n.* אמון, אמינות
credibility gap פער אמון
cred'ible *adj.* מהימן, אמין
cred'it *n.* אֵמון; אשראי, הקפה; זכות; הערכה, כבוד; נקודת־זכות; קרדיט
a credit to מקור־גאווה ל־
buy on credit לקנות בהקפה
do credit to להוסיף לשמו הטוב
get credit לזקוף לזכותו
give credit להעריך, לכבד, להאמין
lend credit to לחזק האימון ב־
letter of credit מיכתב־אשראי
to his credit לזכותו יש לזקוף
credit *v.* להאמין; לזקוף לזכותו
cerdit with לייחס ל־, להאמין
creditable *adj.* ראוי להוקרה
credit account חשבון הקפה
credit card כרטיס אשראי
credit note זיכוי, פתק זיכוי
creditor *n.* נושה, מלווה

credit sales מכירות בהקפה
credit squeeze הגבלת אשראי
credit titles רשימת המשתתפים
credit union קופת תגמולים
credit-worthy *adj.* ראוי לאשראי
cre'do *n.* אמונה, דת
cre•du'lity *n.* פתיות, תמימות
cred'ulous (-j'-) *adj.* מאמין, תמים
creed *n.* אמונה, עקרונות־דת
creek *n.* נחל, פלג; מיפרצון
up the creek ⋆במצב ביש
creel *n.* סל לדגים
creep *v.* לזחול; להתגנב; לטפס
creep in להתגנב פנימה
it made my flesh creep שערותי הסתמרו, תקפתני סמרמורת
creep *n.* זחילה; ⋆מתרפס, חלאת אדם
give him the creeps להעביר בו צמרמורת
creeper *n.* צמח מטפס; זוחל
creepers נעלי־גומי; מיצרפת־תינוק
creepy *adj.* מפחיד, מעורר סמרמורת
cre'mate *v.* לשרוף גופת־מת
cre•ma'tion *n.* שריפת מת
cre'mator'ium *n.* כיבשן, מישרפה
cre'mato'ry *n.* כיבשן, מישרפה
crème de menthe' (-mint) *n.* מנתה (משקה)
cren'ela'ted *adj.* בעל חרכי־ירי
Cre'ole *adj&n.* קראולית (שפה)
crepe (krāp) *n.* מלמלה, קרפ
crepe rubber קרפ (לסוליות)
crep'itate' *v.* להשמיע קולות־נפץ
crep'ita'tion *n.* קולות נפץ
crept = p of creep
cre•pus'cu•lar *adj.* של דימדומי ערב
cre•scen'do (-shen-) *adv.* קרשנדו, בעלייה; הולך וגובר
cres'cent *n.* חצי־סהר, קשת
cress *n.* צמח חריף־טעם
crest *n.* ציצת־נוצות, כרבולת; פיסגה; סֵמל (של פירמה)
on the crest of a wave במרום הפיסגה
crested *adj.* מכותר, מעוטר, מצויץ
crestfallen *adj.* מדוכדך, מאוכזב
cre•ta'ceous (-shəs) *adj.* גירי, מכיל גיר
cre'tin *n.* מפגר, אידיוט, מיפלצת
cre'tinous *adj.* מפגר
cre'tonne' *n.* קרטון (אריג כותנה)
cre•vasse' *n.* סדק, בקיע

crev′ice (-vis) *n.* סדק, בקיע צר
crew (kro͞o) *n.* צוות
ground crew צוות־קרקע
crew *v.* לפעול כצוות
crew cut תיספורת קצרה
crewman *n.* איש־צוות
crib *n.* מיטת־תינוק; תמונת ישו התינוק; איבוס; תיבה; מחסן, חדרון
crib *n.* העתקה, גניבה; תרגום
crib *v.* להעתיק, לגנוב; לכלוא, לסגור
crib′bage *n.* מישחק־קלפים
crick *n.* התכווצות שרירי העורף
crick *v.* לגרום להתכווצות כנ"ל
crick′et *n.* צרצר; קריקט
not cricket לא הוגן, לא מכובד
cricketer *n.* שחקן קריקט
cri′er *n.* כרוז, מכריז; בכיין
cri′key *interj.* ★קריאת הפתעה
crime *n.* פשע, חטא
crime sheet גליון התנהגות
crim′inal *adj.* של פשע, פלילי, פישעי
criminal *n.* פושע
crim′inol′ogy *n.* קרימינולוגיה
crimp *v&n.* לסלסל (שיער), לקפל, לגהץ
crimps שיער מתולתל
crim′son (-z-) *n&adj.* אדום, ארגמן
crimson *v.* להאדים, להסמיק
crimson lake צבע אדום
cringe *v.* להירתע, להתכווץ; להתרפס; ★להיתקף גועל
crin′gle *n.* עניבת־חבל, עזק
crin′kle *n.* קמט, קיפול
crinkle *v.* לקמט; להתקמט
crinkly *adj.* מקומט; מתולתל, גלי
crin′oline (-lin) *n.* קרינולינה, שימלה רחבה; חישוק הקרינולינה
cripes (krīps) *interj.* ★לעזאזל!
crip′ple *n.* נכה, בעל מום
cripple *v.* להטיל מום; לשבש, לפגוע
cri′ses = pl of crisis (-sēz)
cri′sis *n.* משבר, שעה גורלית
crisp *adj.* פריך; טרי, רענן, קר; מתולתל; מהיר, חד, ברור
crisp *n.* טוגן תפוח־אדמה
burn to a crisp לשרוף (אוכל)
crisp *v.* לעשותו פריך; להתקשות
crisp′y *adj.* פריך, קשה, טרי, רענן
criss′cross′ (-rôs) *adv.* במצולב
crisscross *adj.* מצולב, מצטלב
crisscross *n.* שתי וערב, מעשה תשבץ
crisscross *v.* לרַשֵת; להצטלב

cri•te′rion *n.* קריטריון, קנה־מידה, אבן־בוחן
crit′ic *n.* מבקר; מוצא פגמים
crit′ical *adj.* קריטי, גורלי; ביקורתי
crit′icism′ *n.* ביקורתיות, ביקורת
crit′icize′ *v.* למתוח ביקורת, לבקר
critique′ (-tēk) *n.* מאמר־ביקורת
crit′ter *n.* ★יצור, בריה
croak *n.* צריחה, קירקור
croak *v.* לקרקר, לדבר בקול צרוד; לנבא רעות; ★למות
cro•chet′ (-shā′) *n.* צנירה
crochet *v.* לסרוג בצינורית
crochet-hook *n.* צינורית
crock *n.* כלי־חרס; חרס
crock *n&v.* ★"סוס מת", גרוטה
crock up ★להיחלש; לקלקל
crock′ery *n.* כלי־חרס
croc′odile′ *n.* תנין; טור ילדים
crocodile tears דמעות תנין
cro′cus *n.* כרכום (צמח)
croft (krôft) *n.* חווה קטנה
crofter *n.* אריס, חוכר
crom′lech (-lek) *n.* יד, גַלעד
crone *n.* זקנה בלה
cro′ny *n.* ידיד, חבר
crook *n.* מקל רועים; כיפוף, עיקום; ★נוכל
on the crook ★במירמה
crook *v.* לכופף, לעקם; להתעקם
crookbacked *adj.* גיבן
crook′ed *adj.* עקום; ★רמאי
croon (-o͞on′) *v.* לזמזם, לזמר
crooner *n.* זַמר שירי־נשמה
crop *n.* יבול, תוצרת; קבוצה, צרור; זפק; שוט, ידית־השוט; תיספורת קצרה
under crop בעיבוד
crop *v.* ללחוך; לגזוז, לספר; לנטוע, לזרוע; להניב
crop up/out לבצבץ, להופיע, לעלות
crop-dusting *n.* ריסוס שדות
cropper *n.* מוציא יבול; צמח מניב
come a cropper להיכשל, ליפול
cro•quet′ (-kā′) *n.* קרוקט (מישחק)
cro•quette′ (-ket) *n.* קציצה
cro′sier (zhər) *n.* שרביט הבישוף
cross (krôs) *n.* צלב; ייסורים; בן־כילאיים, תערובת; צומת
bear one's cross לשאת סיבלו
on the cross באלכסון
take the cross לצאת למסע צלב
took up his cross סבל בדומייה

cross *v.* לחצות; להעביר קו; להצליב; להצטלב; להכשיל; להתנגד, להרגיז
cross a check לשרטט צ'ק
cross his palm לשלם, לשחד
cross his path לפגוש, להיתקל ב־
cross my heart *בהן צדק
cross off/out לבטל, למחוק
cross one's mind לחלוף במוחו
cross oneself להצטלב
cross swords להתנצח
cross the t's and dot the i's לדקדק ביותר
cross up *לבלבל, לשבש; להונות
crossed in love אהבתו הכזיבה
keep one's fingers crossed להחזיק אצבעות, "להתפלל"
cross *adj.* כועס, רוגז; מנוגד, נגדי
as cross as two sticks מלא זעם
crossbar *n.* משקוף־השער; מוט רוחב
crossbeam *n.* קורה
cross-bencher *n.* ציר בלתי־תלוי
crossbenches מושבי הלא־תלויים
crossbones *n-pl.* עצמות מצליבות
skull and crossbones סמל המוות, גולגולת עם עצמות
crossbow *n.* קשת (עתיקה)
crossbred *adj.* מוצלב, מוכלא
crossbreed *n.* מוצלב, בן־כלאיים
crossbreed *v.* להצליב, להכליא
cross-check *n.* אימות (בשיטה שונה)
cross-check *v.* לאמת, לוודא
crosscountry *adj.* דרך שדות
crosscurrent *n.* זרם נגדי
crosscut *n.* חיתוך אלכסוני
crosscut saw משור לנסירת עץ
crosse (krôs) *n.* מחבט
crossed check צ'ק מסורטט
cross-examination *n.* חקירת הצד הנגדי, חקירת שתי וערב, חקירה צולבת
cross-examine *v.* לחקור כנ"ל
cross-eyed *adj.* פוזל
cross-fertilization הצלבה
cross-fertilize *v.* להצליב
cross-fire *n.* אש צולבת
cross-grained *adj.* עקשן, קשה לרצותו; (עץ) שסיביו רוחביים
cross-hatch לקווקו קטע (ברישום)
cross-heading *n.* כותרת־מישנה
cross-index *v.* להוסיף (בספר) מפתח של מראי־מקומות
crossing *n.* חצייה, מיצלב; הצטלבות, תיצלובת
level crossing צומת (ללא גשר)
street crossing מעבר־חצייה
cross-legged *adv.* ברגליים שלובות, ישוב רגל על רגל
crossover *n.* צומת; מסילת־עיתוק
crosspatch *n.* *רגזן, כעסן
cross-piece *n.* קורת־רוחב
cross-pollinate *v.* להצליב
cross-purpose *n.* מטרה מנוגדת
be at crosspurposes לטעות בכוונת הזולת; מטרותיהם מנוגדות
cross-question *v.* לחקור חקירת שתי וערב
cross-reference *n.* מראה־מקום
crossroad *n.* רחוב חוצה
crossroads *n.* צומת, מיצלב
at the crossroads על פרשת־דרכים
cross-section *n.* חתך־רוחב
cross-stitch *n.* תפר מצולב
cross-talk *n.* ציחצוח־מלים; הפרעה
crosstree *n.* קורת־רוחב (בתורן)
crosswalk *n.* מעבר־חצייה, תַּחֲצָה
crosswind *n.* רוח רוחבית; רוח צד
crosswise *adv.* לרוחב, במצולב
crossword puzzle תשבץ
crotch *n.* מיסעף (בעץ); מיפשעה
crotch'et *n.* רבע תו; רעיון מוזר
crotch'ety *adj.* בעל רעיונות מוזרים
crouch *v.* להתכופף; להתכווץ
crouch *n.* התכופפות, התקפלות
croup (kro͞op) *n.* עכוז; אסכרה
croupier (kro͞o'piər) *n.* קופאי, קרופייה
crow (-ō) *n.* עורב; קריאת תרנגול
as the crow flies בקו ישר
had to eat crow *נאלץ להודות שטעה, "אכל אותה"
has a crow to pluck עליו לשוחח על דבר לא נעים
crow *v.* לקרוא, לקרקר; להתרברב
crow over לצהול על
crowbar *n.* קנטר, מוט־הרמה
crowd *n.* קהל; חבורה; ערימה
above the crowd משיכמו ומעלה
follow the crowd ללכת בתלם
the crowd ההמון, הציבור
would pass in a crowd יעבור אם לא ידקדקו בו
crowd *v.* למלא; להצטופף; לדחוס; *ללחוץ על, לנגוש
be crowded out להישאר בחוץ (מחוסר מקום)

crowd in לדחוס; להידחק
crowd round להתקהל סביב־
crowd sail להניף עוד מיפרשים
crowded *adv.* צפוף, דחוס, מלא
crown *n.* כתר; זר, עטרה; מלך, שילטון; ראש, פיסגה, גולת־הכותרת
succeed to the crown לעלות לכס־המלוכה
crown *v.* להכתיר, לעטר (ראש, פיסגה); לשים כתר על שן
crowned with success מוכתר בהצלחה
to crown it all לא זו אף זו, השיא הוא־
crown cap פקק (ממתכת)
crown colony מושבת־כתר
crowned head מלך, מלכה
crowning *adj.* משלים, מביא לשלימות
crown prince יורש־עצר, נסיך הכתר
crow's feet קמטים (בצידי העיניים)
crow's nest תא־תצפית (בראש התורן)
cro'zier (-zhər) *n.* שרביט הבישוף
cru'cial *adj.* מכריע, קריטי
cru'cible *n.* כור־היתוך; מיבחן רציני
cru'cifix' *n.* צלב
cru'cifix'ion (-kshən) *n.* צליבה
the Crucifixion צליבת־ישו
cru'ciform' *adj.* מצולב, דמוי־צלב
cru'cify' *v.* לצלוב
crude *adj.* גס; לא־מעובד
crude facts העובדות כמות שהן
crude *n.* נפט גולמי; ⋆שטויות
cru'dity *n.* גסות, גולמיות
cru'el *adj.* אכזרי
cru'elty *n.* אכזריות, התאכזרות
cru'et *n.* בקבוקון, צינצנת
cruet stand מערכת צינצנות
cruise (kro͞oz) *n.* הפלגה, שיוט
cruise *v.* לשייט; לנוע במהירות בינונית
cruiser *n.* סיירת, ספינת־קרב
cabin cruiser סירת־טיולים
cruising speed מהירות חסכונית
crumb (-m) *n.* פירור; תוך הלחם
crum'ble *v.* לפורר, לפותת; להתפורר, להימוג
crumbly *adj.* פריר, פריך
crum'my *adj.* ⋆גרוע, רע, דל
crum'pet *n.* לחמניה קלויה; ⋆חתיכה
crum'ple *v.* לקמט; להתקמט
crumple up למוטט; להתמוטט
crunch *v.* ללעוס; לגרוס; לחרוק
crunch *n.* לעיסה, קול חריקה
when it comes to the crunch ⋆בהגיע השעה המכרעת
crup'per *n.* רצועת־הזנב; עכוז
cru•sade' (kro͞o-) *n.* מסע־צלב
crusade *v.* לערוך מסע־צלב
crusader *n.* צלבן, לוחם
cruse (-z) *n.* צפחת, כד
crush *v.* למעוך, למחוץ; לדחוס; לדכא, לחסל; לקמט; להתקמט
crush into להידחק ל־
crush out לסחוט
crush up לכתוש
crush *n.* דוחַק, הצטופפות; מיץ
get a crush on ⋆להתאהב ב־
crush barrier מחסום, מעקה
crushing *adj.* מוחץ, מכריע, ניצַחת
crust *n&v.* קרום, קליפה; לקרום, להקרים
crust over לקרום, להגליד
crus•ta'cean (-shən) *n.* סרטן
crust'ed *adj.* נוקשה, עתיק; מושרש
crust'y *adj.* קשה־קליפה; קשות, רגזן
crutch *n.* קב; מישענת; מיפשעה
crux *n.* לב הבעייה, עיקר (הקושי)
cry *v.* לבכות; לצעוק; לקרוא; להכריז על
cry (out) for לזעוק, לשווע, לדרוש
cry down להמעיט ב־, לזלזל ב־
cry for the moon לדרוש את הבלתי אפשרי
cry off למשוך ידו מן, לסגת
cry one's eyes out למרר בבכי
cry one's heart out למרר בבכי
cry oneself to sleep להירדם תוך בכי
cry out לצעוק
cry out against להתמרמר על
cry up להלל, לשבח
cry *n.* קריאה; צעקה, זעקה; בכי; סיסמה
a far cry אין להשוות כלל
great cry and little wool ההר הוליד עכבר, הרבה זמר ומעט צמר
have a good cry להתפרק ע"י בכי
in full cry נובח, מתקיף קשות
within cry לא רחוק, במרחק־שמיעה
crybaby *n.* בכיין
crying *adj.* משווע, דחוף, בולט לעין
crypt *n.* אולם תת־קרקעי, קריפטה
cryp'tic *adj.* סודי, נסתר, כמוס
cryp'to- (תחילית) סודי, נסתר
cryp'togram' *n.* הודעה בצופן, כתב־סתרים
cryptog'raphy *n.* כתב־סתרים
crys'tal *n.* בדולח; גביש, קריסטל; זכוכית־השעון

crystal gazing הגדת־עתידות בעזרת כדור־בדולח
crys′talline (-lən) *adj.* בדולחי, צח
crys′talliza′tion *n.* גיבוש
crys′tallize′ *v.* לגבש; להתגבש; להתבדלח
crystal set מקלט גבישים
cu. = cubic
cub *n.* גור; צופה; פירחח; טירון
cub′by-hole′ *n.* מקום סגור ונוח
cube *n.* קובייה; חזקה שלישית
cube *v.* לעַקב, להעלות בחזקה השלישית
cube root שורש מעוקב
cu′bic *adj.* מעוקב, דמוי־קובייה
cu′bical *adj.* דמוי־קובייה
cu′bicle *n.* חדרון, תא
cu′bism′ *n.* קוביזם (באמנות)
cu′bist *n.* אמן קוביסטי
cu′bit *n.* אמה (מידת־אורך)
cub reporter עיתונאי טירון
cuck′old *n.* בעל אישה בוגדת
cuckold *v.* להצמיח קרניים
cuckoo (ko͞o′ko͞o) *n.* קוקיה; ⋆טיפש
cuckoo clock שעון קוקיה
cu′cum′ber *n.* מלפפון
cud *n.* גֵירה
chew the cud להרהר, לשקול היטב
cud′dle *v.* ללטף; להתגפף
cuddle up להצטנף; לשכב בנוחיות
cuddle *n.* ליטוף, גיפוף, חיבוק
cuddly, cuddlesome *adj.* לטיף, שנעים ללטפו
cud′gel *n.* אַלה; מקל עבה
take up the cudgels for להילחם, לצאת למאבק למען
cudgel *v.* להכות, להלום
cudgel one's brains לשבור את הראש
cue (kū) *n&v.* אות (לשחקן שעליו להתחיל), רמז, דוגמה, מופת; מקל ביליארד
cue in לסמן (לשחקן) שתורו לשחק; לעדכן במידע
follow his cue לקחת דוגמה מ־
take one's cue from להתנהג כמו, לקחת דוגמה מ־
cuff *n.* שולי־השרוול; חפת־המיכנס
cuffs ⋆אזיקים
off the cuff מניה וביה, ללא הכנה
on the cuff ⋆באשראי, בהקפה
cuff *n&v.* לסטור; סטירה
cuff link כפתור־חפתים
cuirass′ (kwir-) *n.* שיריון חזה
cuisine (kwizēn′) *n.* בישול, טבחות
cul′-de-sac′ *n.* מבוי סתום
cul′inar′y (-neri) *adj.* של בישול
cull *v.* לברור, ללקט; לקטול החלשים
cull *n.* המתת החלשים; חיה קטולה
cul′lender *n.* מיסננת
cul′minate′ *v.* להסתיים, להגיע לשיא
cul′mina′tion *n.* שיא, פיסגה
culottes (kūlots′) *n-pl.* חצאית־מיכנסיים
cul′pabil′ity *n.* אשמה
cul′pable *adj.* ראוי לעונש, אשם
culpable negligence רשלנות פושעת
cul′prit *n.* נאשם, פושע
cult *n.* פולחן, כת
cul′tivable *adj.* בר־עיבוד
cul′tivate′ *v.* לעבד; לפתח, לטפח; לטפח יחסי ידידות
cultivated *adj.* מנומס, תרבותי
cul′tiva′tion *n.* עיבוד, טיפוח
cul′tiva′tor *n.* קלטרת, מתחחה
cul′tural (-′ch-) *adj.* תרבותי
cul′ture *n.* פיתוח; עיבוד; תרבות; גידול בעל־חיים, תרבית, תירבות
cultured *adj.* מעובד, תרבותי
cul′vert *n.* תעלה, צינור תת־קרקעי, מיפלש מים
cum- *prep.* יחד עם
cum′ber *v.* להכביד, להעמיס
cumbersome *adj.* מגושם, מסורבל
cum′brous *adj.* מגושם, מסורבל
cum′in *n.* כמון (צמח)
cum′merbund′ *n.* אבנט, חגורה
cu′mu•lative *adj.* מצטבר
cu′mu•lus *n.* קומולוס, ענן־ערימה
cu′ne•iform′ *n.* כתב־היתדות
cun′ning *adj.* ערום, פיקח; חמוד
cunning *n.* ערמומיות; כישרון
cunt *n.* ⋆נקבה; נרתיקה; טיפש
cup *n.* ספל; גביע; כוס, גורל
cup of sorrow כוס־היגונים
in one's cups בגילופין
not my cup of tea ⋆לא לטעמי
cup *v.* לחפון, להקיף בכף היד; להצמיד כוסות־רוח
cupbearer *n.* שר המַשקים, מלצר
cupboard (kub′ərd) *n.* מיזנון, ארון
cupboard love אהבה התלויה בדבר
cup final גמר הגביע
cup′ful′ (-fool) *n.* מלוא הספל
Cu′pid *n.* קופידון, סמל האהבה
cu•pid′ity (kū-) *n.* חמדנות

cu'pola *n.* כיפת־גג
cup'pa *n.* ★ספל תה
cup'ping *n.* הצמדת כוסות־רוח
cupping-glass *n.* כוס־רוח
cu'pric *adj.* נחושתי
cup-tie *n.* מישחק גביע
cur *n.* כלב; פחדן, נבזה
cu'rabil'ity *n.* רפיאות
cu'rable *adj.* שניתן לרפאו, רפיא
cu'raçao' (-sou) *n.* קורסאו (ליקר)
cu'racy *n.* מעמד־הכומר, כמורה
cu'rate *n.* כומר
cu'rative *adj.* מַרְפֵּא, של מַרְפֵּא
cu•ra'tor (kyoo-) *n.* ממונה, מנהל, מפקח
curb *n.* רסן; אבן־שפה
curb *v.* לרסן, לבלום
curb service שירות לנוסעים ברכב
curd *n.* קום, גוש חלב חמוץ
cur'dle *v.* להקריש, להקפיא; להתגבן
cure *n.* ריפוי; תרופה; מישרת כומר
cure *v.* לרפא; לתקן; לשמר (מזון)
cure of bad habits להחזיר למוטב
cure unemployment לחסל אבטלה
cure-all *n.* תרופת־פלא
cur'few (-fū) *n.* עוצר; שעת כיבוי אורות
Cu'ria *n.* האפיפיור וצוות עוזריו
cu'rio' *n.* חפץ עתיק, דבר נדיר
cu'rios'ity *n.* סקרנות; דבר נדיר
cu'rious *adj.* סקרן; מוזר; נדיר
curiously enough מוזר, אבל־
curl *n.* תלתל, סליל, סילסול
curl of the lips עיוות הפה בבוז
curl *v.* לסלסל; להסתלסל; להתאבך
curl up להתפתל, להצטנף; למוטט
curler *n.* גלגילון־סילסול (לשיער)
cur'lew (-lōō) *n.* עוף ארך־מקור
cur'licue' (-kū) *n.* סילסול (מתחת לחתימה)
curling irons/tongs צבת־סילסול (לסילסול השיער או להחלקתו)
curling-pins מכבנות
curly *adj.* מסולסל, מתולתל
cur•mud'geon (-jən) *n.* קמצן, רע
cur'rant (kûr-) *n.* דמדמנית, צימוק
cur'rency (kûr-) *n.* נוֹהַג, תפוצה; מחזור; מטבע, כסף
gain currency להתהלך, להיות מופץ
give currency to לפרסם, להפיץ
cur'rent (kûr-) *adj.* שוטף, נוכחי; במחזור
current *n.* זרם; מהלך; תהליך; מגמה
current of thought נטייה כללית
current account חשבון עובר ושב
current assets רכוש שוטף
currently *adv.* בימים אלה, כיום
curric'u•lum *n.* תוכנית לימודים
curriculum vi'tae (-tī) תולדות חיים (תיאור קצר)
cur'rish (kûr-) *adj.* נבזה, פחדן, שפל
cur'ry (kûr-) *v.* לקרצף, לעבד עורות
curry favor להחניף, לכרכר לפני
curry *n.* קארי, תבשיל (בשר) חריף
curry *v.* לתבל בקארי
currycomb *n.* קרצפת, מגרדת
curse *n.* קללה; ★וסת
not care a curse ★לא איכפת כלל
under a curse מקולל, ארור
curse *v.* לקלל
cursed with נגוע ב־, סובל מ־
cursed *adj.* ארור
cur'sive *adj.* קורסיבי, רהוט, שוטף
cur'sory *adj.* שיטחי, מהיר, קצר
curst *adj.* ארור
curt *adj.* קצר, מדבר קצרות, גס
curtail' *v.* לקצץ, להפחית
curtailment *n.* קיצוץ, הפחתה
cur'tain (-tin) *n.* מסך, וילון
curtains ★מוות; אסון
draw a curtain over להטיל איפול
curtain *v.* לווּלן, לכסות בווילון
curtain off לחייץ בווילון
curtain call הופעת השחקנים בסיום ההצגה
curtain raiser מערכון (לפני ההצגה)
curt'sy, -sey *n.* קידה, מיכרוע
curtsy, -sey *v.* לקוד קידה
cur•va'ceous (-shəs) *adj.* ★חטובה, מושכת
cur'vature *n.* עקמומיות
curve *v.* לעקם; להתעקם, לנטות
curve *n.* קו עקום; סיבוב, פנייה
throw a curve להטיל כדור מסובב
cush'ion (koosh'ən) *n.* כר
cushion *v.* לרפד; להפחית, לרכך
cushioned against מוגן, מחוסן מפני
cush'y (koo-) *adj.* ★נוח, קל
cusp *n.* חוד, קצה חד
cus'pidor' *n.* רקקית, מרקקה
cuss *n.* ★ברנש, טיפוס; קללה
cuss *v.* ★לקלל
cuss'ed *adj.* ★עקשן, ארור
cus'tard *n.* רפרפת ביצים, חביצה

custo′dial *adj.* אפיטרופסי
custo′dian *n.* ממונה; אפיטרופוס
cus′tody *n.* פיקוח, השגחה; שמירה, מישמרת; מעצר
give into custody להסגיר למשטרה
take into custody לעצור
cus′tom *n.* מינהג, הרגל, נוהג; קנייה קבועה; לקוח קבוע
customs מכס
custom- *adj.* לפי הזמנת הלקוח
custom made תפור לפי הזמנה
custom-built מורכב לפי הזמנה
cus′tomar′ily (-mer-) *adv.* כנהוג
cus′tomar′y (-meri) *adj.* נהוג, מקובל
cus′tomer *n.* לקוח, קונה; ⋆טיפוס
an odd customer טיפוס מוזר
custom house בית־המכס
customs duty מכס
customs union הסכם מכס
cut *v.* לחתוך, לקצור, לקצץ; לחצוב; לפצוע; לנתק; להיחתך
cut a ball להטיל כדור מסובב
cut a corner לעשות קפנדריא
cut a record להוציא תקליט
cut across לחצות; לסתור, לנגוד
cut and run ⋆לברוח, להסתלק
cut at לכוון מכה חדה, להכות
cut away לחתוך, להסיר
cut back לגזום, לקצץ
cut both ways לפעול בשני הכיוונים, להוות חרב־פיפיות
cut corners לחסוך בהוצאות
cut down לכרות, לגדוע; לקצץ, להפחית; להרוג; לפצוע
cut down to size ⋆להעמידו במקומו, להנמיך קומתו
cut him dead להתעלם מ־, להתנכר
cut in להתפרץ, להפריע; לעקוף בצורה מסוכנת, לחתוך פנימה
cut it fine לחשב במדוייק, להשאיר המינימום הדרוש
cut it out! הפסק!
cut loose/free להתיר; לשחרר
cut no ice לא להשפיע, לא להרשים
cut off לחתוך; לנתק, לבודד; להפסיק; לשלול ירושה
cut one's losses למנוע עוד הפסדים, לבלום הדרדרות כספית
cut one's teeth להצמיח שיניים
cut one's teeth on לרכוש ניסיון
cut open לפתוח, לסדוק
cut out לגזור; לחצוב; להפסיק; להפסיק לפעול; לסלק, להביס
cut out dead wood לסלק דברים מיותרים (לשם ייעול)
cut out for "תפור ל־", מתאים ל־
cut out- "לחתוך" החוצה (בנסיעה)
cut school להיעדר מבית־ספר
cut short לקצץ, להפסיק, לשסע
cut the ground from under him להשמיט הקרקע מתחת לרגליו
cut to pieces לקרוע לגזרים
cut to the quick לפגוע עמוקות
cut up לקצוץ; להרוס; לקטול; לפגוע; להשתולל, להשתטות
cut up rough ⋆לזעום, להתרגז
cut up well להניח ירושה הגונה
cut! קאט! הפסק! (שאגת הבמאי)
cut *n.* חתך; חיתוך, פצע; נתח; קיצוץ; גיזרה; פגיעה; גֶז
a cut above ⋆למעלה מ־, טוב מ־
cut and thrust ציחצוח־מלים, ריב
give the cut direct להתנכר לו
short cut דרך קצרה, קפנדריא
cut *adj.* חתוך, קצוץ, מוזל
cut and dried קבוע מראש, מגובש
cut price/rate במחיר מוזל
cutaway *n.* מעיל זנב, פרק
cutback *n.* צימצום, הפחתה
cute *adj.* פיקח; ⋆חמוד, נחמד
cut glass זכוכית מעוטרת
cu′ticle *n.* עור קשה (בציפורן)
cut′lass *n.* פיגיון, חרב קצרה
cut′ler *n.* מוכר סכינים
cut′lery *n.* סכו"ם, כלי־אוכל
cut′let *n.* פרוסת־בשר, קציצה
cutoff *n.* קיצוץ; מַפסק; וסת־זרם
cut-offs מיכנסיים חתוכים
cut-out *n.* מפסק חשמלי; קטע גזור
cut′purse′ *n.* כייס, גונב ארנקים
cut′ter *n.* סירה מהירה; גזרן; מיגזרי־תיל; מַקֵד
cut′throat′ *n.* רוצח
cutthroat *adj.* אכזרי, חסר־רחמים
cutthroat razor סכין־גילוח פתוח
cutting *n.* מעבר חצוב; קטע־עיתון, תגזיר; ייחור; עריכת סרטים
cutting *adj.* חד, פוגע, עוקץ
cutting room חדר־עריכה (לסרט)
cut′tle-fish′ *n.* דיונון
cwt = hundredweight
cy′anide′ *n.* ציאניד (רעל)
cy′bernet′ics *n.* קיברנטיקה
cy′clamate′ *n.* ציקלמאט

cyc′lamen *n.* רקפת (צמח)

cy′cle *n.* מעגל, מחזור, תקופה; קובץ־שירים; אופניים

cycle *v.* לרכוב על אופניים

cy′clic, cy′clical *adj.* מחזורי

cy′clist *n.* אופנן, רוכב־אופניים

cy′clone *n.* ציקלון (סערה)

Cy•clo′pe•an *adj.* ענקי

cy′clope′dia *n.* אנציקלופדיה

cy′clops *n.* ציקלופ (ענק)

cy′clostyle′ *n.* מכונת־שיכפול

cyclostyle *v.* לשכפל

cy′der = cider

cyg′net *n.* ברבור צעיר

cyl′inder *n.* גליל, צילינדר

on all cylinders במלוא הקיטור

cylin′drical *adj.* גלילי

cym′bals *n-pl.* מצילתיים

cyn′ic *n.* ציני, לגלגן

cyn′ical *adj.* ציני, לעגני

cyn′icism′ *n.* ציניות; הערה לעגנית

cy′nosure′ (-shoor) *n.* מוקד־ההתעניינות

cy′pher = cipher

cy′press *n.* ברוש (עץ)

cyst *n.* ציסטה, שלפוחית, כיסתה, שלחוף

cysti′tis *n.* דלקת שלפוחית־השתן

cy•tol′ogy *n.* חקר־התאים

czar (zär) *n.* צאר

czari′na (zärē′-) *n.* אשת הצאר

Czech (chek) *n.* צ׳כי

D

D *n.* רה (צליל)
3D = 3 dimensional
'd, he'd = he would, he had
dab *v.* לטפוח, לנגוע קלות, למרוח
dab *n.* נגיעה, טפיחה; מעט, קורטוב
dabs ★טביעת אצבעות
dab *n.* מין דג שטוח; ★מומחה
dab'ble *v.* לטפוח במים, להתיז
dabble in להתעסק בשיטחיות ב־; לעסוק בדבר כבתחביב
dabbler *n.* חובבן, שיטחי
da ca'po (dä kä-) מהתחלה
dace *n.* סוג דג קטן
dachshund (dak'sənd) *n.* תחש (כלב)
dac'tyl (-təl) *n.* דאקטיל, מְרים
dad, dad'dy *n.* ★אבא
daddy-longlegs עכביש ארך־רגליים
da'do *n.* חלק הקיר התחתון
dae'mon = demon (dē'-) *n.* שֵׁד
daf'fodil' *n.* נרקיס
daft *adj.* ★טיפש, טיפשי
dag'ger *n.* פגיון, חרב; צלבון (סימן)
at daggers drawn עומד להיאבק
look daggers at לנעוץ מבט זועם
da'go *n.* ★איטלקי, ספרדי, פורטוגלי
daguerre'otype' (-ger'ət-) *n.* דאגרוטייפ (שיטת צילום)
dahl'ia (dal-) *n.* דליה (צמח)
dai'ly *adj.* יומי, יומיומי
daily *adv.* יום־יום, מדי יום, יומית
daily *n.* יומון, עיתון; ★עוזרת־בית
daily bread לחם־חוקו; פרנסה
daily dozen התעמלות יומית
dain'ty *n.* מֵעדן, מאכל טעים
dainty *adj.* טעים; עדין, יפה; ברֵרן, אנין
dair'y *n.* מחלבה, חנות למוצרי חָלב
dairy cattle פרות חלב, חולבות
dairy farm משק חלב
dairy farming חלבנות
dairying *n.* חלבנות, ניהול מחלבה
dairymaid *n.* פועלת־מחלבה
dairy-man *n.* חלבן, בעל מחלבה
dais *n.* דוכן, בימה
dai'sy (-zi) *n.* חיננית (פרח)
push up daisies ★למות, לשכב בקבר

dale *n.* עמק, בקעה
dal'liance *n.* אהבהבים, פלירט
dal'ly *v.* להתבטל, להתמזמז; להתעסק, לפלרטט
dally with an idea להשתעשע ברעיון
Dal•ma'tian (-shən) *n.* כלב דלמאטי
dam *n.* סכר; אם (בבעלי־חיים)
dam *v.* לסכור, לבנות סכר
dam up לסכור; לבלום, לרסן
dam'age *n.* נזק, הפסד
damages דמי־נזק, פיצויים
what's the damage? כמה לשלם? מה הנזק?
damage *v.* לגרום נזק ל־, להזיק
dam'ascene' *adj.* מעוטר, מקושט
dam'ask *n.* אריג מעוטר, בד משי
damask *adj.* מעוטר; ורוד; דמשקי
dame *n.* אישה, גברת, אצילה
Dame Fortune אלילת הגורל
dame school בית־ספר פרטי (המנוהל ע"י אישה)
damn (dam) *v.* להשליך לגיהינום; לגנות, לקטול; להרוס, לקלל
damn it (all)! ★לעזאזל!
damn with faint praise לשבחו בקול ענות חלושה, לגנות
I'll be damned! תיפח רוחי!
damn *n.* קללה
not give a damn לא איכפת כלל
not worth a damn לא שווה כלום
damn *adj&adv.* ★ארור; לעזאזל
damn all ★כלום, שום דבר, אפס
knows damn well ועוד איך יודע!
dam'nable *adj.* ★שנוא, ארור
dam•na'tion *n.* קללה, דין גיהינום
damnation take you! ★לך לעזאזל!
damned (damd) *adj.* ★ארור
damned hot ★חם מאוד, לוהט
do one's damnedest ★לעשות כל שביכלתו
Dam'ocles (-lēz) *n.* דמוקלס
sword of Damocles חרב דמוקלס, סכנה מרחפת
damp *adj.* לח, רטוב
damp *n.* לחות, רטיבות

cast a damp over להשרות דיכאון
damp *v.* ללחלח, לעמעם; לדכא
damp down לעמעם אש, לעמעם צליל
damp course שיכבת בידוד (בקיר)
damp′en *v.* ללחלח; לנסוך דיכדוך
damp′er *n.* וסת־אוויר; עמעמת; מדכא
put a damper להעכיר אווירה
dampish *adj.* לחלוחי
dam′sel (-z-) *n.* עלמה, בחורה
dam′son (-z-) *n.* שזיף דמשק
dance *n.* ריקוד; נשף ריקודים
lead him a dance לטלטלו הנה והנה, לגרום לו צרות
dance *v.* לרקוד, לפזז; להרקיד
dance attendance on לכרכר סביב־
dance to another tune לשנות את הטון, להתנהג אחרת
dance-band תיזמורת ריקודים
dancer *n.* רקדן, רקדנית
dancing *n.* ריקוד, מחול
dancing master מורה למחול
dan′deli′on *n.* שן־הארי (צמח), שינן
dan′der *n.* ⋆כעס
get his dander up להרגיזו
get one's dander up להתרגז
dandified *adj.* מגונדר
dan′dify′ *v.* לגנדר
dan′dle *v.* לנענע תינוק
dan′druff *n.* קשקשים (בראש), קשקשת
dan′dy *n.* גנדרן, מתהדר
dandy *adj.* ⋆מצויין, טוב מאוד
dan′ger (dān′-) *n.* סכנה
out of danger יצא מכלל סכנה
danger money תוספת סיכון
dan′gerous (dān′-) *adj.* מסוכן
dan′gle *v.* לתלות, להתנדנד; לנדנד
dangle before להציע, לפתות, למשוך
keep him dangling להחזיקו במתח
Da′nish *n&adj.* דני; דנית (שפה)
dank *adj.* לח, טחוב, קר
daph′ne (-ni) *n.* דפנה (שיח)
dap′per *adj.* נאה, זריז, פעיל
dap′ple *v.* לנמר
dappled *adj.* מנומר, חברבור, מגוון
dapple-gray *adj.* (סוס) חברבר
Dar′by and Joan′ זוג אוהבים (זקנים)
dare *v.* להעז, להרהיב עוז; לעמוד מול; להזמין, לאתגר
I dare say סבורני, חוששני
I dare you! אדרבה! נראה שתעז!
dare *n.* אתגר, הזמנה

dare-devil *n.* נועז, נמהר, "שד"
daring *adj.* אמיץ, נועז, חצוף
daring *n.* אומץ, העזה
dark *adj.* חשוך; כהה; קודר, עגום; עמום, אפל, סודי; מעורפל
keep it dark להטיל עליו איפול
dark *n.* חושך; שְחור
after dark בלילה
be in the dark לגשש באפילה
before dark בערב
keep in the dark להטיל איפול
Dark Ages ימי הביניים
Dark Continent אפריקה
dark′en *v.* להחשיך, להכהות, להקדיר
never darken my door again בל תדרוך כף רגלך על מיפתן ביתי
dark horse נעלם, מתמודד העשוי לנצח
darkness *n.* חושך, אפילה
darkroom *n.* חדר־חושך (בצילום)
dark′y, dark′ey *n.* ⋆כושי
dar′ling *n&adj.* אהוב, יקר, יקירי; ⋆נחמד, מקסים
darn *v.* לתקן גרביים
darn *n.* תיקון בגרביים, טלאי
darn = damn ⋆לעזאזל
darning *n.* גרביים הטעונים תיקון
darning needle צינורית, צינורה
dart *n.* זינוק; חץ, חץ נוצי
darts קליעה בחיצים נוציים (מישחק)
dart *v.* לזנק; לזרוק, להטיל
dart about להתרוצץ
dart an angry look לנעוץ מבט זועם
dash *n.* קורטוב, מעט; מפריד (–)
dash *n.* זינוק, הסתערות; מירוץ, מאוץ; פעלתנות, מרץ; מַשק־מים
cut a dash להרשים, להבריק
dash *v.* לזנק, להגיח; לנפץ; להתנפץ; להשליך, להטיל; להתיז
dash his hopes לנפץ תיקוותיו
dash it all! ⋆לעזאזל
dash off לכתוב בחיפזון, לשרבט; להסתלק
dashboard *n.* לוח מחוונים (במכונית)
dashed *adj.* מאוכזב, מדוכא; ⋆ארור
dashing *adj.* נמרץ, פעיל, נועז
dash light מנורת המחוונים
das′tard *n.* מוג־לב, רע־לב
da′ta *n.* נתונים, פרטים
data bank מאגר נתונים
da′table *adj.* ניתן לתארך אותו
data processing עיבוד נתונים
date *n.* תאריך; תקופה; ראיון, פגישה;

*חבר, חברה
bring up to date לעדכן
dates תאריכי הולדת ומוות
go out of date לצאת מכלל שימוש
out of date מיושן, עבר זמנו
to date עד כה, עד היום
up to date מעודכן, עדכני, חדיש
date *v.* לתארך; לקבוע תאריך; ליישן; להתיישן; להיפגש; "לצאת עם"
dates back to/from קיים מ־
date *n.* תמר; דקל
dated *adj.* מיושן, לא בשימוש
dateless *adj.* ניצחי, קיים לעד
date-line *n.* שורת התאריך (בעיתון); קו התאריך הבינלאומי
date palm דקל
da'tive *n.* מושא עקיף, יחסת אל
da'tum *n.* נתון, פרט
daub *v.* למרוח, לצבוע, ללכלך
daub *n.* טיח, ציפוי; קישקוש, מריחה
dauber *n.* מרחן
daugh'ter (dô'-) *n.* בת
daughter-in-law *n.* כלה, אשת הבן
daughterly *adj.* של בת
daunt *v.* להרתיע, להפחיד
nothing daunted לא נשברה רוחו
dauntless *adj.* עשוי לבלי חת
dau'phin *n.* יורש־עצר (צרפתי)
dav'enport' *n.* ספה; מיכתבה
dav'it *n.* מַדלה, מנוף להרמת סירות
daw *n.* קאק (עורב); *טיפש
daw'dle *v.* להתבטל, להתמזמז
dawdle away לבזבז (זמן)
dawdler *n.* בטלן
dawn *n.* שחר, זריחה; הופעה
dawn is breaking השחר מפציע
dawn *v.* לעלות (עמוד השחר), לזרוח
dawn on להתבהר, לחדור להכרה
day *n.* יום; תחרות
all day במשך כל היום
all in a day's work שיגרתי, צפוי
before day לפני עלות השחר
better days שעות יפות (בחיים)
by day בשעות היום, יומם
call it a day לסיים יום עבודה
day after day יום אחר יום
day and night יומם ולילה
day by day מדי יום, בכל יום
day in, day out יום יום
fall on evil days להגיע לזמנים קשים
from day to day מדי יום
from one day to the next מהיום למחר, מיום ליום
good day! שלום!
he's had his day ירד מגדולתו
his days are numbered ימיו ספורים
in a few days' time תוך כמה ימים
in days of old בימי־קדם
in days to come בעתיד
in my day בצעירותי
in these days היום, כיום
in those days אז
make a day of it לבלות יום שלם
make his day *להסב לו נחת־רוח
one of these days לא ירחק היום
pass the time of day להחליף כמה מלים
some day/one day באחד הימים
that'll be the day! זה לעולם לא יקרה!
the day after the fair מאוחר מדי
the day after tomorrow מחרתיים
the day before yesterday שילשום
the day is mine! ניצחתי!
the other day לפני כמה ימים
the present day היום, כיום
this day fortnight היום בעוד שבועיים
this day week היום בעוד שבוע
to the day בדיוק
to this day עד היום, עד כה
win/lose the day לנצח/להפסיד
day bed ספה
day-book *n.* יומן
day-boy *n.* תלמיד־יום (הלן בביתו)
daybreak *n.* עלות השחר
daydream *n.* חלום בהקיץ
daydream *v.* לשגות בהזיות
day-laborer *n.* פועל יומי
daylight *n.* אור היום
daylights *שכל, בינה
see daylight לראות את האור (שבקצה המינהרה); להבין
daylight saving time שעון קיץ
day-long *adj.* במשך כל היום
day nursery מעון־יום, גן
day of reckoning יום הדין
dayroom *n.* מועדון, חדר־תרבות
days (-z) *adv.* יומית, בכל יום
day school בית־ספר יום
day-spring *n.* עלות־השחר
day ticket כרטיס הלוך ושוב
daytime *n.* שעות היום
day-to-day *adj.* יומיומי
daze *v&n.* לבלבל, להמם

in a daze במבוכה, בהלם
daz′zle *v.* לסנוור
dazzle *n.* סינוור, ברק־אור
DC = direct current
D-day *n.* שעה ש׳, שעת האפס
DDT דידיטי
dea′con *n.* כומר
dead (ded) *adj.* מת, חסר־תחושה; משומש; לא־פועל; כבד, עמום; מוחלט; מדויק
dead calm רוגַע, דממה גמורה
dead faint עילפון עמוק
dead loss הפסד גמור
dead matter דומם
dead on his feet ⋆נופל מהרגליים
dead silence שקט מוחלט
dead sleep שינה עמוקה
dead stop עצירה מוחלטת
dead to pity חסר־רחמים
dead to the world בשינה עמוקה
in the dead of winter בעיצומו של החורף
the dead המתים
dead *adv.* לגמרי, פתאום; בהחלט
catch him dead לתפוס אותו פיתאום (בקלקלתו)
dead ahead הלאה, היישר בדיוק
dead certain בטוח לגמרי
dead tired עייף מאוד
dead beat ⋆עייף, רצוץ
dead beat עצלן, ביטניק; לא פורע חוב
dead center המרכז המדויק, בול
dead′en (ded′ən) *v.* להחליש, לשכך; להרדים
dead end מבוי סתום, קיפאון
dead-end kids ילדי מצוקה
deadhead *n.* אדם משעמם/יבש
dead heat מירוץ־תיקו
dead letter אות מתה, חוק לא תקף; מיכתב ללא דורש
deadline *n.* מועד אחרון, מועד סופי
deadlock *n.* קיפאון, מבוי סתום
deadly *adj.* קטלני; כמוות; מוחלט, גמור
deadly enemy שונא בנפש
deadly *adv.* כמוות; עד מאוד
dead march מארש אבל
dead′pan′ (ded-) *adj.* חסר־הבעה, קפוא
dead reckoning ניווט ללא עזרת גרמי השמיים
dead set התקפה מחושבת
dead shot צלף מעולה; קליעת בול
dead weight משא כבד
dead wood דברים מיותרים
deaf (def) *adj.* חירש
deaf to אוטם אוזנו ל־
turn a deaf ear לאטום אוזן
deaf-aid *n.* מכשיר־שמיעה
deaf′en (def-) *v.* להחריש, להרעיש
deaf-mute *n.* חירש־אילם
deal *n.* סכום, כמות, כמות הגונה
a good/great deal הרבה, בהרבה
deal *n.* חלוקת־קלפים, תור לחַלק
new deal רפורמה, תוכנית חדשה
raw deal יחס רע
square deal יחס הוגן, יחס טוב
deal *v.* לחלק, לתת, לספק
deal a blow להנחית מכה
deal at לשאת ולתת עם, לעסוק עם
deal in לסחור ב־
deal justice to לעשות צדק עם
deal out לחלק, לתת
deal with לנהל עסקים עם, לשאת ולתת עם, לעסוק ב־, לטפל ב־
is well dealt by נוהגים בו יפה
deal *n.* עסק, הסכם, עיסקה
it's a deal עשינו עסק! אני מסכים
no deal! לא! לא מסכים!
deal *n.* עץ אורן (לרהיטים)
dealer *n.* מחלק קלפים; סוחר
dealing *n.* התנהגות, יחס, גישה; חלוקה
dealings עסקים, יחסים
dealt = p of deal (delt)
dean *n.* כומר ראשי, דקן פקולטה
dean′ery *n.* כהונת הדקן, דקנות
dear *adj.* יקר; אהוב, נחמד
hold it dear להוקיר זאת
Dear Sir א.נ., נכבדי
dear *adv.* במחיר גבוה, ביוקר
dear *n.* יקר, יקירה, יקירי
dear *interj.* אוי! אהה!
Oh Dear! dear me! אוי! אהה!
dearly *adv.* מאוד; ביוקר
dearness *n.* יוקר, יַקרות
dearth (dûrth) *n.* מחסור
dear′y, dear′ie *n.* ⋆יקירי
death (deth) *n.* מוות; הרס
at death's door על סף המוות
be the death of להרוג, לחסל
catch one's death ⋆לחלות מאוד
death of my hopes קץ לתיקוותי
in at the death נוכח בסיום הציד, רואה את התבוסה
is death on ⋆מחמיר עם, מתנגד

put to death להוציא להורג
sick to death of נקעה נפשו מ־
stone to death לסקול
the death knell of סתם הגולל על
to death עד מוות, עד מאוד
work him to death להעבידו בפרך
death-bed *n.* ערש מוות, מיטת גוסס
death-blow *n.* מכת־מוות, מהלומה
death duty/tax מס עיזבון
deathless *adj.* אלמותי, ניצחי
deathlike *adj.* של מוות, כמוות
deathly *adj&adv.* של מוות, כמוות
death mask תבליט פני מת
death rate תמותה
death rattle חירחורי גסיסה
death roll רשימת החללים
death's head גולגולת־מת
death toll קציר־דמים
death trap מלכודת מוות
death warrant פקודת מוות; גזר דין מוות; חיסול, קץ
deb = debutante
de•ba′cle (-bä′-) *n.* מנוסה, בהלה; התמוטטות, כישלון, אסון
de•bar′ *v.* לשלול, למנוע
de•bark′ *v.* לעלות לייבשה
de•base′ *v.* להשפיל; לזייף מטבע
debasement *n.* השפלה
debatable *adj.* נתון לוויכוח
de•bate′ *n.* ויכוח, דיון
debate *v.* להתווכח, לדון, לשקול
debater *n.* משתתף בדיון; פולמוסן
de•bauch′ *v.* להדיח, להשחית, להתעות
debauch *n.* הילולה, אורגייה
de′bauchee′ *n.* הולל, מושחת
de•bauch′ery *n.* הוללות
de•ben′ture *n.* איגרת חוב
de•bil′itate′ *v.* להתיש, להחליש
de•bil′ity *n.* חולשה, תשישות
deb′it *n.* חובה; חיוב
debit *v.* לחייב, לזקוף לחובת־
debit side חובה, טור החובה
deb′onair′ *adj.* עליז, מקסים; אדיב
de′bone′ *v.* להוציא העצמות, לגרם
de•bouch′ (-bo͞osh) *v.* לצאת, להגיח
de′brief′ (-brēf) *v.* לתחקר, לנהל תחקיר, לתשאל
debris′ (-brē′) *n.* עיי־חורבות, שפוכת
debt (det) *n.* חוב
in debt חייב כספים, שקוע בחובות
out of debt משוחרר מחובות
run into debt לשקוע בחובות
debt′or (det-) *n.* חייב, לווה
de•bug′ *v.* לסלק (טעויות), לנפות
de•bunk′ *v.* ⋆לחשוף, לגלות האמת
debut (dābū′) *n.* הופעת בכורה
deb′u•tante′ (-tänt) *n.* מַתחילה, מופיעה בהופעת בכורה (בחברה)
Dec. = December
dec′a (תחילית) עשר, 10
dec′ade *n.* עשור, 10 שנים; מִניין
dec′adence *n.* שקיעה, התנוונות
dec′adent *adj&n.* מתנוון
dec′agon′ *n.* מעושר, בעל עשר צלעות
Dec′alogue′ (-lôg) *n.* עשרת הדיברות
de•camp′ *v.* לנטוש מחנה, לברוח
de•cant′ *v.* לצקת (יין, בלי המישקע) לכלי אחר, לשפות
de•cant′er *n.* בקבוק (ליין)
de•cap′itate′ *v.* לערוף, להסיר ראש
de•cap′ita′tion *n.* עריפה
de′car′bonize′ *v.* לפחם, לסלק פחמן
de•cath′lon *n.* קרב־עשר
de•cay′ *v.* להרקיב, להתנוון
decay *n.* ריקבון; דעיכה
fall into decay להתנוון
de•cease′ *n.* מוות
deceased *adj&n.* מת, המנוח
de•ce′dent *n.* מת, נפטר
de•ceit′ (-sēt) *n.* רמאות
deceitful *adj.* רמאי, מוליך שולל
de•ceive′ (-sēv) *v.* לרמות, להתעות
be deceived in לטעות, ללכת שולל
deceiver *n.* רמאי
de′cel′erate′ *v.* להאיט
De•cem′ber *n.* דצמבר
de′cency *n.* הגינות, צניעות
decencies נימוסים, הליכות נאות
de•cen′nium *n.* עשור, עשר שנים
de′cent *adj.* צנוע, הגון, נאה, מכובד
decently *adv.* בהגינות, כהוגן
de′cen′traliza′tion *n.* ביזור
de′cen′tralize′ *v.* לבזר, לפצל סמכויות בין יחידות קטנות
de•cep′tion *n.* רמאות, הולכת שולל
de•cep′tive *adj.* מטעה, מוליך שולל
dec′i- (תחילית) עשירית, 1/10
dec′ibel′ *n.* דציבל (יחידה של עוצמת הקול)
de•cide′ *v.* להחליט, לפסוק, להכריע
decide him to להביאו לכלל החלטה ל־
decide in favor of להכריע לטובת

decide on להחליט על
decided *adj.* ברור, החלטי, פסקני
decidedly *adv.* בהחלט, החלטית
de•cid′uous (-j′o͞oəs) *adj.* (עץ) נשיר
dec′igram′ *n.* דציגרם, עשירית גרם
dec′imal *adj&n.* עשרוני; שבר עשרוני
decimal fraction שבר עשרוני
dec′imaliza′tion *n.* המרה לשיטה העשרונית
dec′imalize′ *v.* להמיר לשיטה העשרונית
decimal point הנקודה העשרונית
dec′imate′ *v.* להשמיד חלק ניכר מ־
de•ci′pher *v.* לפענח, לגלות
decipherable *adj.* פתיר, בר־פיענוח
de•ci′sion (-sizh′ən) *n.* החלטה; החלטיות
de•ci′sive *adj.* מכריע, מוחלט, פסקני
deck *v.* לקשט; להתקין סיפון
decked out in מקושט ב־
deck *n.* סיפון, קומה (באוטובוס); חפיסת קלפים
clear the decks להתכונן לפעולה
double-deck דו־קומתי
hit the deck ★לקום, להירתם לעבודה
on deck מוכן ומזומן
deck chair כיסא־נוח
deck′er *n.* בעל קומות (או שכבות)
double-decker (אוטובוס) דו־קומתי
deck hand סיפונאי
deck′le-edged *adj.* מחוספס קצוות
de•claim′ *v.* לדקלם
declaim against לתקוף, לדבר בלהט
dec′lama′tion *n.* דיקלום; נאום
de•clam′ato′ry *adj.* דיקלומי
declarable *adj.* טעון מיצהר (במכס)
dec′lara′tion *n.* הצהרה; מיצהר
de•clare′ *v.* להצהיר, להכריז, לומר
declare against להביע התנגדות
declare for להביע תמיכה ב־
declare oneself להבהיר עצמו, לטעון
declare war להכריז מלחמה
it declares him to be- הדבר מעיד עליו שהוא־
I declare! ברצינות! (קריאת הפתעה)
declared *adj.* מוצהר, מובהק
de′clas′sifica′tion *n.* הסרת הסודיות
de′clas′sify′ *v.* להסיר הגבלת הסודיות (ממיסמך מסווג)
de•clen′sion *n.* (בדקדוק) נטייה
dec′lina′tion *n.* זווית הסטייה (במצפן); סירוב, מיאון
de•cline′ *v.* לסרב, לדחות; לרדת, להידרדר, לשקוע; (בדקדוק) להטות
declining years זיקנה
decline *n.* שקיעה, ירידה
fall into a decline להידרדר
on the decline הולך ופוחת
de•cliv′ity *n.* מידרון, מורד
de′clutch′ *v.* לנתק/ללחוץ על המצמד
de•coc′tion *n.* תמצית, תרכיז; מירתח
de′code′ *v.* לפענח צופן
décolleté (dā′koltā′) *adj.* עמוקת־ מחשוף
de′col′oniza′tion *n.* דקולוניזציה
de′col′onize′ *v.* להעניק עצמאות, לחסל הקולוניזציה
de′compose′ (-z) *v.* להפריד, לשבור קרני אור, לפרק; להרקיב
de′com′posi′tion (-zi-) *n.* פירוק
de′compress′ *v.* להפחית הלחץ
de′compres′sion *n.* הורדת הלחץ
de′contam′inate′ *v.* לטהר, לחטא
de′contam′ina′tion *n.* טיהור
de′control′ (-rōl) *v.* להסיר הפיקוח מ־
decontrol *n.* הסרת הפיקוח
decor′ (dā-) *n.* תפאורה
dec′orate′ *v.* לקשט, לייפות, לעטר, לצבוע; להעניק עיטור
dec′ora′tion *n.* קישוט, יפוי, עיטור, אות־כבוד; תפאורה; דקורציה
dec′orative *adj.* קישוטי, תפאורתי
dec′ora′tor *n.* קַשָּׁט, תפאורן, יפאי, שַׁפָּר, דקוראטור
dec′orous *adj.* הולם, הוגן, לא פוגע
de•co′rum *n.* הגינות, צניעות
decorums גינונים, נימוסים
de′coy *n.* פיתיון, ברווז־פיתיון; מלכודת
de•coy′ *v.* להפיל במלכודת, לפתות
de•crease′ *v.* להפחית, לצמצם; לרדת
de′crease′ *n.* הפחתה, ירידה
on the decrease הולך ופוחת
de•cree′ *n.* צו, פקודה; פסק־דין
decree *v.* להוציא צו, לפסוק, לגזור
decree ni′si (-sī) צו־גירושין על תנאי
dec′rement *n.* הפחתה
de•crep′it *adj.* חלוש, תשוש
de•crep′itude′ *n.* תשישות
de•cry′ *v.* לזלזל ב־, לגנות
ded′icate′ *v.* להקדיש
dedicated *adj.* מסור, דבק במטרה
ded′ica′tion *n.* הקדשה
de•duce′ *v.* להסיק (מסקנה)
de•duct′ *v.* להפחית, לנכות

deductible *adj.* שאפשר לנכותו
de•duc′tion *n.* הפחתה, ניכוי; מסקנה
de•duc′tive *adj.* מסקני, דדוקטיבי
deed *n.* מעשה, עשייה; מיסמך, תעודה
in word and deed להלכה ולמעשה
deed of covenant שטר־קיניין
deed poll תצהיר רישמי
deem *v.* לסבור, להאמין, להעריך
deep *adj&adv.* עמוק
cars parking 4 deep מכוניות החונות 4 בשורה
deep green ירוק עז
deep in a book מתעמק בספר
deep in debt שקוע בחובות
deep into the night עד שעה מאוחרת, עמוק אל תוך הלילה
deep learning התעמקות, עמקנות
deep person אדם שקשה להבינו
deep secret סוד כמוס
deep thinker עמקן
go off the deep end ★להתפרץ בזעם, להתלקח; לפעול בפזיזות
in deep בבוץ, בצרה, בתיסבוכת
in deep debt בחובות כבדים
in deep water באו מים עד נפש
still waters run deep מים שקטים חודרים עמוק
the deep הים, האוקיינוס
deep′en *v.* להעמיק
deep-freeze *v.* להקפיא (מזון)
deep-freeze *n.* מקרר־הקפאה
deep-laid *adj.* מתוכנן בסודיות
deeply *adv.* עמוק, מאוד
deep-rooted *adj.* מושרש, עמוק
deep-seated *adj.* מושרש, עמוק
deep-water/sea *adj.* של לב־הים
deer *n.* צבי, צבאים
deerskin *n.* עור־צבי
deer-stalker *n.* כובע ציידים
de′-es′calate′ *v.* להפחית, לצמצם
de′-es′cala′tion *n.* צימצום, הורדה
def. = definite, definition
de•face′ *v.* להשחית צורה, לטשטש
defacement *n.* השחתה, טישטוש
de′ fac′to דה פאקטו, למעשה
de′fal•ca′tion *n.* מעילה
def′ama′tion *n.* השמצה
de•fam′ato′ry *adj.* משמיץ
de•fame′ *v.* להשמיץ, להלעיז
de•fault′ *v.* להשתמט; לא להופיע
default *n.* השתמטות, התחמקות, אי־מילוי הבטחה; היעדרות, אי־הופעה
in default of בהיעדר־, ללא־
win by default לזכות עקב אי־הופעת היריב
defaulter *n.* עבריין (בצבא)
de•feat′ *n.* מפלה, הפסד, תבוסה
defeat *v.* להביס, לגבור על; לסכל
de•feat′ism′ *n.* תבוסנות
de•feat′ist *n.* תבוסן, תבוסתן
def′ecate′ *v.* לעשות צרכיו
def′eca′tion *n.* עשיית צרכים
de′fect′ *n.* פגם, חסרון, דפקט
de•fect′ *v.* לערוק (למחנה הנגדי)
de•fec′tion *n.* עריקה
de•fec′tive *adj.* לוקה בשכלו
mentally defective מפגר
defectiveness *n.* דפקטיביות, לקות
defector *n.* עריק
defence = defense
de•fend′ *v.* להגן על
de•fend′ant *n.* ניתבע, נאשם
defender *n.* מגן, סניגור
de•fense′ *n.* הגנה; מגן
counsel for the defense סניגור
self-defense הגנה עצמית
defenseless *adj.* חסר־הגנה
de•fen′sible *adj.* בר־הגנה
de•fen′sive *adj.* מגן, הגנתי
on the defensive בעמדת התגוננות
de•fer′ *v.* לדחות (לעתיד), לעכב
defer to להיכנע ל־, לקבל דעתו
def′erence *n.* יחס־כבוד, כיבוד
in deference to מתוך כיבוד־
def′eren′tial *adj.* מכבד
de•fer′ment *n.* דחייה, עיכוב
de•fi′ance *n.* התנגדות, אי־ציות
bid defiance to להתקומם, להתריס
in defiance of בניגוד, למרות, חרף
set at defiance לבוז, להתעלם מ־
de•fi′ant *adj.* מתנגד, לא מציית, בז
de•fi′ciency (-fish′ən-) *n.* חוסר, מחסור; פגם, ליקוי
deficiency disease חֶסֶר (מחלה)
de•fi′cient (-fish′ənt) *adj.* חָסֵר, לקוי; נטול־, נעדר, לא מספיק; מפגר
def′icit *n.* גירעון, דפיציט
de•file′ *v.* ללכלך, לטנף, לזהם
de′file′ *v.* לצעוד בטור
de′file′ *n.* מעבר צר (בין הרים)
defilement *n.* ליכלוך, זיהום
de•fine′ *v.* להגדיר; לתחום תחומים
clearly defined מוגדר היטב, ברור
def′inite (-nit) *adj.* מוגדר, מוחלט,

ברור; פסקני, החלטי
definite article = the
definitely *adv.* בהחלט, החלטית; כן
def′ini′tion (-ni-) *n.* הגדרה; צלילות
de•fin′itive *adj.* סופי, מוחלט
de•flate′ *v.* להוציא האוויר מ־, להנמיך קומתו; לצמצם מחזור הכסף
de•fla′tion *n.* דפלציה, צימצום מחזור הכסף
de•fla′tionar′y (-shəneri) *adj.* דפלציוני
de•flect′ *v.* להטות; לסטות ממסלולו
de•flec′tion *n.* סטייה; הטייה
de•flow′er *v.* לגזול בתולים
de′fo′liant *n.* משיר עלים (כימיקל)
de′fo′liate′ *v.* להשיר עלים
de′fo′lia′tion *n.* השרת עלים
de′for′est *v.* לבָרֵא, לעקור עצים
de′for′esta′tion *n.* בירוא
de•form′ *v.* לעוות, להשחית צורה
de′for•ma′tion *n.* שינוי צורה, שינוי לרעה; מום, עיוות, עיווי
deformed *adj.* מעוות, בעל מום
de•for′mity *n.* מום, עיוות
de•fraud′ *v.* לרמות, להוציא במירמה
de•fray′ *v.* לשלם
defrayal, -ment *n.* סילוק חשבון
de′frock′ *v.* להסיר המדים מ־
de•frost′ (-rôst) *v.* להפשיר
defroster *n.* מפשר
deft *adj.* זריז, מוכשר
de•funct′ *adj.* מת, לא קיים
the defunct המנוח
de′fuse′ (-z) *v.* להוציא המרעום, לפרק/לנטרל (פצצה)
de•fy′ *v.* להמרות; לזלזל, לעמוד מול, לאתגר; "לצפצף על"
defies description בל יתואר
I defy you! אדרבה! נראה אותך!
de′gauss′(-gous) *v.* לנטרל המגנטיות
de•gen′eracy *n.* התנוונות, דילדול
de•gen′erate′ *v.* להתנוון, להידרדר
de•gen′erate *adj.* מנוון, מקולקל
degenerate *n.* דגנראט, מפגר
de•gen′era′tion *n.* התנוונות
de•gen′era′tive *adj.* מתנוון
deg′rada′tion *n.* השפלה, קלון; ירידה
de•grade′ *v.* להשפיל, לבַזות
de•gree′ *n.* מידה, דרגה, מעלָה; תואר
by degrees בהדרגה
degree of MA תואר מ"א
first degree דרגה א', חמור
not in the slightest degree כלל לא, לגמרי לא
third degree חקירת עינויים
to a (high) degree ★מאוד, ביותר
to the nth degree מאוד, ביותר
60 degrees 60 מעלות
de′horn′ *v.* לגדוע קרניים
de′hu′manize′ *v.* ליטול צלם־אנוש
de′hy′drate′ *v.* לסלק המים, לייבש
de′hy•dra′ted *adj.* יבש, מיובש
de′hy•dra′tion *n.* אַל־מיום, הובשה
de′ice′ *v.* להסיר הקרח מ־
de′ifica′tion *n.* האלהה
de′ify′ *v.* להאלה, לסגוד ל־
deign (dān) *v.* להשפיל עצמו
does not deign לא נאה לו, מתנשא
de′ism′ *n.* דיאיזם, אמונה באל
de′ist *n.* דיאיסט
de′ity *n.* אלוהות, אלוהים
de•jec′ted *adj.* מדוכא, עצוב
de•jec′tion *n.* דיכאון, עצבות
de′ ju′re (-ri) דה יורה, להלכה
dek′ko *n.* ★מבט
have a dekko להעיף מבט
de•lay′ *n.* דחייה, עיכוב, שהייה
without delay מיד, ללא דיחוי
delay *v.* לדחות, לעכב; להשתהות
de•lec′table *adj.* טעים, נעים, נחמד
de′lec•ta′tion *n.* עונג, בידור
del′egacy *n.* מינוי ציר; ייפוי כוח, הסמכה; נציגות
del′egate *n.* ציר, בא־כוח, נציג
del′egate′ *v.* לְמַנות ציר, להסמיך
del′ega′tion *n.* משלחת, נציגות; הסמכה
de•lete′ *v.* למחוק
del′e•te′rious *adj.* מזיק
de•le′tion *n.* מחיקה
delft, delf *n.* דלפט (חרס)
de•lib′erate *adj.* מכוון, בכוונה; מחושב, שקול, מדוד
de•lib′erate′ *v.* לשקול היטב, לדון
deliberately *adv.* בכוונה, מדודות
de•lib′era′tion *n.* דיון, שקלא וטרייא; מתינות, זהירות
de•lib′era′tive *adj.* של דיון, דיוני
del′icacy *n.* עדינות, רגישות; מעדן
del′icate *adj.* עדין, רגיש
del′icates′sen *n.* מעדנים; מעדנייה
de•li′cious (-lish′əs) *adj.* טעים, ערב מאוד
de•light′ *n.* הנאה, שימחה, תענוג

take delight in ליהנות מ־
delight *v.* לענג, לשמח; ליהנות
delight in להפיק הנאה מ־
delighted *adj.* שמח, נהנה
delightful *adj.* מענג, נעים
de•lim′it *v.* לקבוע גבולות, לתחום
de•lim′itate′ *v.* לקבוע גבולות
de•lim′ita′tion *n.* תיחום
de•lin′e•ate′ *v.* לתאר, לשרטט
de•lin′e•a′tion *n.* תיאור, שירטוט
de•lin′quency *n.* עבריינות; עבירה
de•lin′quent *n.* עבריין
delinquent *adj.* משתמט ממילוי חובה
del′iques′cent *adj.* נמס, הופך לנוזל
de•lir′ious *adj.* מטורף, נרגש
de•lir′ium *n.* טירוף, הזייה, תזזית
de•liv′er *v.* להעביר, למסור, לתת; לומר, להביע; ליילד
be delivered of ללדת
deliver a blow להנחית מכה
deliver from לשחרר מ־, לגאול
deliver oneself of לומר, להביע
deliver the goods לקיים הבטחה, לפעול כמצופה, לבצע כיאות
deliver up להסגיר, למסור
deliverance *n.* שיחרור; גילוי דעת
deliverer *n.* משחרר, גואל
de•liv′ery *n.* העברה, מסירה; חלוקת מיכתבים; שיחרור, גאולה; סיגנון; לידה
on delivery (לתשלום) עם המסירה
delivery note תעודת מישלוח
dell *n.* עמק, ביקעה
de′louse′ *v.* לסלק הכינים, לפלות
Del′phic *adj.* מעורפל, לא ברור
del•phin′ium *n.* דרבנית (צמח)
del′ta *n.* דלתה; דלתא
delta-winged *adj.* בעל כנפי דלתה
de•lude′ *v.* לרמות, להוליך שולל
del′uge (-′ūj) *n.* מבול
deluge *v.* להציף, להמטיר
de•lu′sion (-zhən) *n.* אשלייה, הזייה; רמאות
de•lu′sive *adj.* מַשלה; מרמה, מטעה
de•luxe′ (-looks) דה־לוקס, מפואר
delve *v.* להתעמק, לצלול
de′mag′netiza′tion *n.* ביטול מיגנוט
de′mag′netize′ *v.* למחוק המיגנוט
dem′agog′ic *adj.* דמגוגי
dem′agogue′ (-gôg) *n.* דמגוג
dem′agogu′ery (-gog′əri) *n.* דמגוגיה
dem′agog′y *n.* דמגוגיה

de•mand′ *n.* דרישה, תביעה; ביקוש
is in demand יש לו ביקוש
it makes demands on my time הדבר גוזל מזמני
on demand לתשלום עם הדרישה
demand *v.* לתבוע, לדרוש; להצריך
demand his business לשאול מה חפצו
demanding *adj.* דורש תשומת־לב
demand note דרישת תשלום
de•mar′cate *v.* לציין גבולות, לתחום
de′mar•ca′tion *n.* תחימה, סימון גבולות; הבחנה; הגדרה ברורה
de•mean′ *v.* להשפיל, לבזות
demean oneself להשפיל עצמו; להתנהג
de•mea′nor *n.* התנהגות
de•men′ted *adj.* מטורף
de′mer′it *n.* חיסרון
de•mesne′ (-mān′) *n.* אחוזה, בעלות
dem′i- (תחילית) חצי
dem′igod′ *n.* חצי־אל, אליל
dem′ijohn′ (-jon) *n.* בקבוק גדול (נתון בתוך סל נצרים)
de′mil′itariza′tion *n.* פירוז
de′mil′itarize′ *v.* לפרז
dem′imonde′ *n.* עולם הנשים שבשולי החברה המכובדת
de•mise′ (-z) *n.* מוות, פטירה
de′mist′ *v.* להסיר האדים מ־
dem′o *n.* ⋆הפגנה
de•mob′ *v.* לשחרר משירות (בצבא)
de•mo′biliza′tion *n.* שיחרור מהצבא
de•mo′bilize′ *v.* לשחרר מהצבא, לשלות החיילים הביתה
de•moc′racy *n.* דמוקרטיה
dem′ocrat′ *n.* דמוקרט
dem′ocrat′ic *adj.* דמוקרטי
de•moc′ratiza′tion *n.* דמוקרטיזציה
de•moc′ratize′ *v.* להנהיג דמוקרטיה
démodé (dā′mōdā′) *adj.* מיושן, יצא מן האופנה
dem′ograph′ic *adj.* דמוגרפי
de′mog′raphy *n.* דמוגרפיה
de•mol′ish *v.* להרוס, לחסל
dem′oli′tion (-li-) *n.* הרס, חיסול
demolitions חומרי נפץ
de′mon *n.* שד, שטן; "שד משחת"
a demon for work עובד כמו שד
de′mon′etize′ *v.* להוציא מהמחזור, לשלול השימוש (ממתכת) כמטבע
de′moni′acal *adj.* שטני

de•mon′ic *adj.* שטני
de•mon′strabil′ity *n.* אפשרות ההוכחה
de•mon′strable *adj.* יכיח, ברור
dem′onstrate′ *v.* להוכיח, להראות, להדגים, להציג; להפגין
dem′onstra′tion *n.* הוכחה; הפגנה
de•mon′strative *adj.* מפגין רגשות, גלוי, פתוח; הפגנתי
demonstrative pronoun כינוי רומז
dem′onstra′tor *n.* מפגין; מדגים
de•mor′aliza′tion *n.* דמורליזציה
de•mor′alize′ *v.* להשחית, לקלקל; להוריד המורל
de•mote′ *v.* להוריד בדרגה
de•mot′ic *n.* עממי, של העם
de•mo′tion *n.* הורדה בדרגה
de•mur′ *v.* להתנגד, לערער על
demur *n.* התנגדות, עירעור
de•mure′ *adj.* צנוע, רציני; מצטנע
de′mys′tify′ *v.* להסיר המיסתורין
den *n.* מאורה; ★חדר פרטי
de′nary *adj.* עשרוני, עשורי
de′na′tionaliza′tion (-nash′ən-) *n.* ביטול הלאמה
de′na′tionalize′ (-nash′ən-) *v.* לבטל הלאמה
de′na′ture *v.* לפגל, להשחית טעמו (לבל ישמש כמזון)
denatured alcohol כוהל מפוגל
de•ni′able *adj.* ניתן להכחישו
de•ni′al *n.* שלילה, סירוב; הכחשה
self-denial הקרבה־עצמית, הינזרות
denier′ (-nir) *n.* דנייר (מידת דקות לחוטי משי וכ׳)
den′igrate′ *v.* להשמיץ
den′igra′tion *n.* השמצה
den′im *n.* דנים (אריג כותנה חזק)
denims מיכנסי ג׳ינס
den′izen *n.* תושב, שוכן, חי ב־
de•nom′inate′ *v.* לכנות, לקרוא
de•nom′ina′tion *n.* כינוי, שם; כת, עדה; סוג, מין, ערך; מכנה
denominational *adj.* כיתתי, עדתי
de•nom′ina′tor *n.* מכנה (של שבר)
de′no•ta′tion *n.* ציון, סימול, הגדרה
de•note′ *v.* לציין, לסמל
denouement (dā′nōōmäng′) *n.* סוף המעשה, שלב סופי, התבהרות
de•nounce′ *v.* לגנות; להלשין, להאשים; להודיע על סיום ההסכם
dense *adj.* צפוף, סמיך, דחוס; אטום, מטומטם, סתום
den′sity *n.* צפיפות, דחיסות
dent *n.* גומה, שקע (ממכה); פגיעה
not make a dent in לא להקטין כהוא זה
dent *v.* לגרום לשקע, לעשות גומות; להיווצר בו שקעים
den′tal *adj.* של השיניים, שיני
dental *n.* עיצור שיני
dental plate שיניים תותבות, פלאטה
dental surgeon רופא שיניים
den′tifrice (-fris) *n.* משחת־שיניים, אבקה לשיניים
den′tist *n.* רופא שיניים
den′tistry *n.* ריפוי שיניים
den′ture, -tures *n.* שיניים תותבות
de′nu•da′tion (-nōō-) *n.* הפשטה; חשיפה
de•nude′ *v.* לערטל, להפשיט; לחשוף
de•nun′cia′tion *n.* גינוי, האשמה
de•ny′ *v.* להכחיש; להתכחש, לנער חוצנו מ־; לשלול, למנוע, לחשוך
deny oneself למנוע מעצמו, להינזר
there is no denying the fact אין להכחיש ש־
de′o′dorant *n.* דאודורנט, מפיג ריח
de′o′dorize′ *v.* לסלק ריח רע
de•part′ *v.* לעזוב, לצאת, להיפרד
depart from לסטות מ־, לחרוג
depart this life למות
departed *adj.* שהלך לבלי שוב
the departed המנוח, המתים
de•part′ment *n.* משרד (ממשלתי); מחלקה, אגף; מחוז; תחום, שטח
de′part•men′tal *adj.* מחלקתי, מישרדי
department store חנות כל־בו
de•par′ture *n.* עזיבה, פרידה, יציאה; סטייה, חריגה
take one's departure ללכת, לצאת
de•pend′ *v.* להיות תלוי ב־
depend on להיות תלוי ב־/מותנה ב־; לסמוך על
depend upon it היה בטוח בכך
that depends זה תלוי, ייתכן
dependable *adj.* שאפשר לסמוך עליו
dependant *n.* תלוי, מכולכל
dependence *n.* תלות; ביטחון, אימון
drug dependence התמכרות לסמים
de•pen′dency *n.* מדינת חסות
de•pend′ent *adj.* תלוי ב־, מותנה ב־
de•pict′ *v.* לתאר, להראות, לצייר

de•pic′tion *n.* תיאור
de•pil′ato′ry *adj.* מרחיק שיער, מַשיר
de′plane′ *v.* לרדת ממטוס
de•plete′ *v.* לרוקן, להריק
de•ple′tion *n.* הרקה
deplorable *adj.* מצער; רע, גרוע
de•plore′ *v.* להצטער, להביע צער; לגנות
de•ploy′ *v.* לפרוס הכוחות, להתפרס
deployment *n.* פריסה
de•po′nent *n.* עד (הכותב תצהיר)
de′pop′u•late′ *v.* להפחית התושבים
de′pop′u•la′tion *n.* הפחתת מספר התושבים, חיסול, השמדה
de•port′ *v.* להגלות; לגרש; להתנהג
deport oneself להתנהג, לנהוג כ־
de′por•ta′tion *n.* גירוש, הגלייה
de′por•tee′ *n.* גולה, נידון לגירוש
de•port′ment *n.* התנהגות; הילוך
de•pose′ (-z) *v.* להדיח (שליט); להעיד, להצהיר
de•pos′it (-z-) *n.* פיקדון; דמי־קדימה; מירבץ, שיכבה; מישקע, סחופת
money on deposit פיקדון
deposit *v.* להטיל, לשים; להפקיד, להשליש; להניח סחופת
deposit account חשבון פיקדון
dep′osi′tion (-zi-) *n.* הדחה; תצהיר
de•pos′itor (-z-) *n.* מפקיד
de•pos′ito′ry (-z-) *n.* מחסן, בית־גנזים, אוצר
deposit safe כספת
de′pot (-pō) *n.* תחנת־רכבת; מחנה קלט; מחסן
dep′rava′tion *n.* השחתה; דירדור
de•prave′ *v.* להשחית, לקלקל
depraved *adj.* מושחת
de•prav′ity *n.* שחיתות, קלקלה
dep′recate′ *v.* לגנות, להביע התנגדות; לא לראות בעין יפה
dep′reca′tion *n.* גינוי, מחאה
dep′recato′ry *adj.* מתנצל; מגנה
de•pre′ciate′ (-shi-) *v.* למעט, לזלזל ב; לרדת בערכו
de•pre′cia′tion (-shi-) *n.* ירידת ערך
de•pre′ciato′ry (-shi-) *adj.* מזלזל
dep′reda′tion *n.* הרס, ביזה
de•press′ *v.* ללחוץ על, להקיש; לדכא; להוריד, להפחית
depressed *adj.* מדוכא; נחות, ירוד
depressing *adj.* מדכא
de•pres′sion *n.* דיכאון; שקע, גומה; תקופת שפל; שקע בארומטרי
dep′riva′tion *n.* מניעה; מחסור
de•prive′ *v.* למנוע, לשלול, ליטול
deprived of נטול, משולל־
deprived *adj.* מקופח
dept. = department
depth *n.* עומק
beyond one's depth במים עמוקים מדי; נשגב מבינתו, עמוק
in depth לעומק; בהתעמקות
in the depths of despair בתהום הייאוש
in the depths of winter בעיצומו של החורף
depth charge פיצצת עומק (במים)
dep′u•ta′tion *n.* מישלחת; נציגות
de•pute′ *v.* לייפות כוחו, להסמיך
dep′u•tize′ *v.* למנות/לשמש כנציג
dep′u•ty *n.* בא־כוח; סגן, ממלא מקום; נבחר
de′rail′ *v.* להוריד מהפסים
derailment *n.* הורדה מהפסים
de•range′ (-rānj) *v.* לבלבל; לשגע
deranged *adj.* לקוי בשיכלו, מופרע
derangement *n.* בילבול, אי־סדר
der′by *n.* מיגבעת, כובע
Der′by *n.* מירוץ סוסים; מישחק דרבי
der′elict′ *adj.* נטוש, מוזנח, מופקר
der′elic′tion *n.* הזנחה; חורבן; התרשלות במילוי חובה
de′req′uisi′tion (-zi-) *v.* לשחרר רכוש מוחרם
de′re•strict′ *v.* לבטל ההגבלה
de•ride′ *v.* ללעוג ל־, לצחוק
de rigueur (dərigûr′) הכרחי, חייב, צו האופנה
de•ri′sion (-rizh′ən) *n.* לעג
hold in derision ללעוג ל־
de•ri′sive *adj.* מלגלג, לועג; מגוחך
de•ri′sory *adj.* מלגלג, לועג; מגוחך
der′iva′tion *n.* מקור, מקור מלה, השתלשלות מלה
de•riv′ative *adj.* ניגזר, לא מקורי
derivative *n.* ניגזר, תולדה; ניגזרת
de•rive′ *v.* להפיק, לקבל, לשאוב
derived from נגזר מ, השתלשל
der′mati′tis *n.* דלקת העור
der′matol′ogist *n.* רופא עור
der′matol′ogy *n.* ריפוי מחלות עור
der′ogate′ *v.* להפחית מערך, לפגום ב־, לפגוע בכבוד־
der′oga′tion *n.* הפחתה, המעטה

de•rog′ato′ry *adj.* משפיל, מבזה, מזלזל
der′rick *n.* עגורן, מיגדל קידוח
der′ring-do′ (-dōō) *n.* העזה, אומץ
der′vish *n.* דרוויש
de′sal′inate′ *v.* להתפיל (מי־ים)
de′sal′ina′tion *n.* התפלה
de′sal′iniza′tion *n.* התפלה
de′sal′inize′ *v.* להתפיל (מי־ים)
de′salt′ (-sôlt) *v.* להתפיל
de′scale′ *v.* להסיר אבנית
des′cant′ *n.* נעימה, ליווי; סופראנו
des•cant′ *v.* לנגן ליווי; להרחיב הדיבור על
de•scend′ *v.* לרדת; לעבור בירושה
descend on/upon להסתער על
descend to להשפיל עצמו עד
descend to particulars להיכנס לפרטים
descended from מתייחס על, מצאצאי
descendant *n.* צאצא
de•scent′ *n.* ירידה, הידרדרות; מוצא, שושלת; התנפלות; הורשה
de•scribe′ *v.* לתאר, לשרטט
describe as לכנות, להתייחס אליו
de•scrip′tion *n.* תיאור; סוג
of every description מכל הסוגים
de•scrip′tive *adj.* תיאורי, ציירני
de•scry′ *v.* לראות, להבחין מרחוק
des′ecrate′ *v.* לחלל
des′ecra′tion *n.* חילול
de′seg′regate′ *v.* לבטל ההפרדה הגיזעית, להנהיג אינטגרציה
de′seg′rega′tion *n.* ביטול ההפרדה
de′sen′sitiza′tion *n.* הפחתת רגישות
de′sen′sitize′ *v.* להפחית הרגישות
de•sert′ (-z-) *v.* לנטוש, להפקיר; לערוק
des′ert (-z-) *n.* מידבר
des′ert (-z-) *adj.* מידברי; שומם
de•ser′ter (-z-) *n.* עריק
de•ser′tion (-z-) *n.* נטישה; עריקה
de•serts′ (-z-) *n-pl.* גמול
just deserts עונש צודק
one's deserts המגיע לו
de•serve′ (-z-) *v.* להיות ראוי ל־
deserves ill ראוי לייחס רע
deserves well זכאי לייחס טוב
de•serv′edly (-z-) *adv.* כיאות, בצדק
deserving *adj.* ראוי לעזרה, זכאי
des′habille′ (dez′əbēl′) *n&adj.* לבוש מרושל, לבוש חלקי; טרם התלבש
des′iccant *n.* מייבש, סופג לחות
des′iccate′ *v.* לייבש (פירות, מזון)
de•sid′era′ta *n-pl.* נחוצות
de•sid′era′tum *n.* דבר נחוץ
de•sign′ (-zīn) *n.* תוכנית, תרשים, שירטוט, דוגמה; מידגם, מודל; תכן, תיכנון
by design במזיד, בכוונה
have designs לרקום מזימות
design *v.* לתכנן, לשרטט, לתרשם
des′ignate (-z-) *adj.* המיועד
the minister designate השר המיועד
des′ignate′ (-z-) *v.* לציין, לסמן; לְמַנות, לבחור, לייעד
des′igna′tion (-z-) *n.* מינוי, בחירה; כינוי, תואר
designed *adj.* מיועד, מתוכנן
de•sign′edly (-zīn′-) *adv.* בכוונה
designer *n.* משרטט, שרטט; מתכנן
designing *n.* שירטוט, תיכנון
designing *adj.* נוכל, חורש רעה
desirable *adj.* רצוי; נחמד
de•sire′ (-z-) *v.* לרצות, לחפוץ, לבקש; להשתוקק
I desire you to אבקשך ל־
desire *n.* תשוקה; רצון, בקשה
to his heart's desire כאוות־נפשו
de•si′rous (-z-) *adj.* רוצה, חפץ
de•sist′ *v.* לחדול, להפסיק
desk *n.* שולחן (מישרדי), מיכתבה; דסק
desk clerk פקיד קבלה
deskwork *n.* פקידות
des′olate *adj.* שומם, עזוב; אומלל
des′olate′ *v.* להזניח; לאמלל
des′ola′tion *n.* חורבן, שַמה
de•spair′ *n.* ייאוש; גורם מפח־נפש
he's the despair of his mother הוא תוגת אימו
despair *v.* להתייאש
despatch = dispatch
des′pera′do (-rä-) *n.* פושע
des′perate *adj.* מיואש, נואש; מסוכן; חמור
desperately *adv.* נואשות, עד מאוד
des′pera′tion *n.* ייאוש
drive to desperation לשגע
de•spic′able *adj.* ניבזה, ניבזי
de•spise′ (-z) *v.* לבוז, לתעב
de•spite′ *prep.* למרות, חרף
de•spoil′ *v.* לבוז, לשדוד
de•spon′dency *n.* דיכאון
de•spon′dent *adj.* מדוכא
des′pot *n.* עריץ, רודן

de•spot′ic *adj.* רודני, עריצי
des′potism′ *n.* רודנות, עריצות
dessert′ (diz-) *n.* ליפתן, פרפרת
dessertspoon *n.* כפית פרפרת
dessertspoonful *n.* כפית פרפרת
des′tina′tion *n.* מחוז־חפץ, יעד, מועדה
des′tine (-tin) *v.* להועיד
destined מיועד; ניגזר (משמיים)
des′tiny *n.* גורל, מזל, ייעוד
des′titude′ *adj.* חסר־כול, עני
destitude of נטול־, חסר־, משולל־
des′titu′tion *n.* עוני, מחסור
de•stroy′ *v.* להרוס, להשמיד, לחסל, להרוג
destroy his hopes לנפץ תיקוותיו
destroyer *n.* משחתת
de•struct′ *n.* השמדה מכוונת (של טיל/חללית לאחר השיגור)
de•struc′tible *adj.* בר־השמדה
de•struc′tion *n.* הרס, חורבן
de•struc′tive *adj.* הורס, הרסני
des′uetude′ (-swət-) *n.* אי־שימוש
fall into desuetude להתיישן
des′ulto′ry *adj.* שיטחי, לא שיטתי
de•tach′ *v.* לנתק, להפריד; להקצות, להפריש
detachable *adj.* נתיק
detached *adj.* לא משוחד, אובייקטיבי
detached house בית נפרד/בודד
detachment *n.* הינתקות; אובייקטיביות; אדישות; פלגה, פלוגה
de•tail′ *n.* פרט; פלגה, יחידה
go into details להיכנס לפרטים
in detail בפרוטרוט
detail *v.* להקצות (למשימה מיוחדת)
detailed *adj.* מפורט
de•tain′ *v.* לעכב, לעצור, לכלוא
de′tainee′ *n.* עצור, עציר
de•tect′ *v.* לגלות, להבחין ב־
detectable *adj.* שניתן לגלותו
de•tec′tion *n.* גילוי, חשיפה
de•tec′tive *n.* בלש
detective story סיפור בלשי
detector *n.* מגלה, גלאי, דטקטור
detente (dātänt′) *n.* דיטאנט
de•ten′tion *n.* מעצר, עיכוב, ריתוק
de•ter′ *v.* להרתיע, לעצור בעד
de•ter′gent *n.* דטרגנט, תכשיר ניקוי
de•te′riorate′ *v.* לקלקל; להתקלקל; להידרדר; להחמיר
de•te′riora′tion *n.* הידרדרות

de•ter′minable *adj.* בר הגדרה
de•ter′minant *adj.* קובע, מכריע
de•ter′minate *adj.* מוגדר, קבוע
de•ter′mina′tion *n.* החלטה נחושה; החלטיות; הגדרה, קביעה; מציאה, חישוב
de•ter′minative *adj.* מכַוון, מגדיר
de•ter′mine (-min) *v.* להחליט; לקבוע; לחשב, למצוא
determine him to להביאו לכלל החלטה
determined *adj.* נחוש בדעתו
determiner *n.* (בדקדוק) מגביל
de•ter′minism′ *n.* דטרמיניזם
de•ter′rence *n.* הרתעה
de•ter′rent *n&adj.* מרתיע
de•test′ *v.* לשנוא, לתעב
de•test′able *adj.* מתועב
de′tes•ta′tion *n.* תיעוב
de•throne′ *v.* להדיח (מלך)
dethronement *n.* הדחה
det′onate′ *v.* לפוצץ; להתפוצץ
det′ona′tion *n.* פיצוץ, ניפוץ
det′ona′tor *n.* נַפָּץ, דטונטור, פצץ
de•tour′ (-toor) *n.* מעקף, עקיפה
make a detour לנסוע במעקף
detour *v.* לנסוע במעקף, לעקוף
de•tract′ *v.* לגרוע, לפגום, לזלזל
de•trac′tion *n.* הפחתה, זילזול
de•trac′tor *n.* משפיל, מעליל
de′train′ *v.* לרדת מרכבת
det′riment *n.* נזק, פגיעה, רעה
to the detriment of בהיזק ל־
det′rimen′tal *adj.* מזיק, פוגע
de•tri′tus *n.* שַחַק, נשורת
de trop (dətrō′) מפריע, מיותר
deuce (do͞os) *n.* (קלף, קובייה) שניים; (בטניס) שוויון; שטן, שד
the deuce = the devil ⋆לעזאזל
deuced, deucedly ⋆ארור, מאוד
Deu′teron′omy (do͞ot-) *n.* דברים (חומש)
de′val′uate′ (-lūāt) *v.* לפחת
de′val′ua′tion (-lūā′-) *n.* פיחות, הורדת ערך המטבע, דיוולואציה
de′val′ue (-lū) *v.* לפחת
dev′astate′ *v.* להרוס, להחריב
devastating *adj.* הורס; מצוין, "פצצה"
dev′asta′tion *n.* הרס, חורבן
de•vel′op *v.* להתפתח; לפתח
developer *n.* (בצילום) מְפַתח
developing country ארץ מתפתחת
development *n.* התפתחות; פיתוח;

איזור פיתוח
de•vel′opmen′tal *adj.* התפתחותי
de′viant, de′viate *adj&n.* סוטה
de′viate′ *v.* לסטות, לחרוג
de′via′tion *n.* סטייה, נליזה
deviationist *n.* סוטה (בדיעותיו)
de•vice′ *n.* תחבולה, תוכנית; מיתקן, מכשיר; סמל, ציור
leave him to his own devices לעזבו לנפשו
dev′il (-vəl) *n.* שטן, שד; "ממזר"; אומלל; נער־שליח
between the devil and the deep בין הפטיש והסדן
give the devil his due לעשות צדק עם הכל, להודות שהלה מוכשר
go to the devil להיהרס, להידרדר
go to the devil! לך לעזאזל!
like the devil כמו שד
play the devil with להרוס, לקלקל
poor devil מיסכן, ביש־מזל
raise the devil להקים רעש
the devil of a ★ארור, לעזאזל
the devil of it ★הגרוע מכל
the devil to pay צרות באופק
what the devil- מה, לכל הרוחות־
devil *v.* לטגן (עם תבלינים חריפים); להציק, לענות
devilish *adj.* שטני, אכזרי, רע
devilish *adv.* ★מאוד, ביותר
devil-may-care *adj.* פזיז, עליז, ציפור דרור
devilment *n.* תעלול; שדיות, עליזות
dev′ilry *n.* תעלול; שדיות, עליזות
de′vious *adj.* עוקף, עקלקל; ערמומי
de•vise′ (-z) *v.* להמציא, לתכנן; להוריש, להנחיל
de′vi′taliza′tion *n.* נטילת החיוניות
de′vi′talize′ *v.* לשלול החיוניות
de•void′ *adj.* ריק; חסר, נעדר־
dev′olu′tion *n.* ייפוי כוח, הסמכה
de•volve′ *v.* להעביר, להטיל, לגלגל, להסמיך, לעבור
de•vote′ *v.* להקדיש
devote oneself to להתמסר ל־
devoted *adj.* מסור, נאמן, מתמסר
dev′otee′ *n.* חסיד, חובב; קנאי
de•vo′tion *n.* מסירות; התמסרות
devotions תפילות, תפילה
devotional *adj.* של תפילה
de•vour′ *v.* לטרוף; לאכול, לזלול
devoured by hate אכול־שינאה

de•vout′ *adj.* אדוק, דתי, רציני
devoutly *adv.* בכנות, ברצינות
dew (doo) *n.* טל
dewdrop *n.* אגל־טל
dew′lap′ (doo-) *n.* פימה, סנטר כפול
dewy *adj.* מטולל, מלוחלח
dex•ter′ity *n.* מיומנות
dex′terous *n.* זריז, מומחה
dex′trose *n.* סוכר־פירות
di′abe′tes *n.* סוכרת, מחלת הסוכר
di′abet′ic *adj&n.* (של) חולה סוכרת
di′abol′ic *adj.* שטני
di′acrit′ic *n.* נקודה דיאקריטית (על גבי אות)
di′adem′ *n.* כתר, נזר, עטרה
di′agnose′ *v.* לאבחן
di′agno′sis *n.* דיאגנוזה, אבחנה, תבחין
di′agnos′tic *adj.* אבחנתי, דיאגנוסטי
di•ag′onal *n&adj.* אלכסון; אלכסוני
di′agram′ *n.* דיאגרמה, תרשים, תיאור גרפי
di′agrammat′ic *adj.* של תרשים
di′al *n.* חוגה; לוח השעון; לוח (עם מחוג או מחוון)
dial *v.* לחייג
di′alect′ *n.* דיאלקט, ניב
di′alect′al, -ical *adj.* דיאלקטי, ניבי
di′alec′tic *n.* דיאלקטיקה
di′alec•ti′cian (-tish′ən) *n.* דיאלקטיקן, וכחן
dialing code קידומת
di′alogue′ (-lôg) *n.* דיאלוג, שיחה
dial tone צליל חיוג
di•al′ysis *n.* דיאליזה, הפרדה
di•am′eter *n.* קוטר
magnify 30 diameters להגדיל פי 30 (עצמים זעירים)
di′amet′rical *adj.* של קוטר; מנוגד
diametrically *adv.* בקוטביות, לגמרי
di′amond *n.* יהלום; מעוין, רומבוס
rough diamond גס וטוב־לב
diamond *adj.* של יום השנה ה־60/ה־75
di′aper *n.* חיתול; בד כותנה משובץ
di•aph′anous *adj.* שקוף
di′aphragm′ (-ram) *n.* סרעפת; תופית; דיאפרגמה, צַמצם; פרגוד דק במצלמה
di•ar′chy (-ki) *n.* דו־שילטון
di′arist *adj.* יומנאי
di′arrhoe′a (-rē′ə) *n.* שילשול
di′ary *n.* יומן
Di•as′pora *adj.* גלות, יהדות התפוצות,

הפזורה היהודית בגולה

di'aton'ic scale סולם דיאטוני

di'atribe' *n.* התקפה חריפה, הצלפה

dib'ber, dib'ble *n.* דקר, כלי־חפירה קטן

dibble *v.* לשתול בעזרת דקר

dice *n.* קובייה, קוביות

no dice ⋆לא ולא

dice *v.* לשחק בקוביות; לחתוך (מזון) לקוביות, לקצוץ

dice away להפסיד כספו במישחקים

dice with death לשחק באש

di'cey *adj.* ⋆מסוכן, לא בטוח

di•chot'omy (-k-) *n.* התפצלות

dick *n.* ⋆איבר המין הגברי

dick'ens (-z) *n.* שד, שטן

what the dickens- ⋆מה, לעזאזל־

dick'er *v.* ⋆להתמקח

dick'y *adj.* ⋆חלוש, רעוע

dick'y, -ey, -ie *n.* צוואורון; חולצה מזויפת; מושב קטן אחורי; ⋆ציפור

dicky-bird *n.* ⋆ציפור, ציפורה

dic'taphone' *n.* דיקטאפון

dictate' *v.* להכתיב

be dictated to לקבל תכתיב

dic'tate' *n.* תכתיב, צו, דיקטאט

dicta'tion *n.* הכתבה, תכתיב

dic'ta'tor *n.* רודן, דיקטטור

dic'tato'rial *adj.* רודני, דיקטטורי

dicta'torship *n.* רודנות

dic'tion *n.* דיקציה, סיגנון; מיבטא

dic'tionar'y (-'shəneri) *n.* מילון

dic'tum *n.* פיתגם; חוות דעת

did = pt of do

di•dac'tic *adj.* דידאקטי, לימודי, מאלף

did'dle *v.* ⋆לרמות, להונות

didn't = did not (did'ənt)

di'do *n.* ⋆תעלול, מעשה קונדס

didst, thou didst עשית

die (dī) *v.* למות; לדעוך

be dying for "למות", להתאוות ל־

die away לדעוך, להימוג, לגווע

die back לקמול רק עד השורשים

die by one's own hand להתאבד

die down לדעוך, לגווע; לקמול

die game למות מות גיבורים

die hard לעמוד על נפשו, להיאבק נמרצות עד הרגע האחרון

die in harness למות בעודו עובד

die in one's bed למות מוות טבעי

die in the last ditch להילחם עד טיפת־דמו האחרונה

die off למות בזה אחר זה

die out להיעלם כליל, להיכחד

die with one's boots on למות כשהוא במלוא אונו, למות שלא במיטה

dying wish רצונו האחרון

never say die! אל תרים ידיים! לעולם אל תאמר די!

die *n.* קובייה; מטבעת, מטריצה

the die is cast הפור נפל

die-cast *adj.* מוטבע, עשוי בהטבעה

die-hard *n.* עקשן; שמרן

di•er'esis *n.* נקודות דיאקריטיות (על גבי אות)

die'sel (dē'z-) *n.* דיזל

di'et *n.* דיאטה, תפריט, תזונה, ברות

on a diet שומר על דיאטה

diet *v.* לצוות/לשמור על דיאטה

diet *n.* ועידה, אסיפה

di'etar'y (-teri) *adj.* של דיאטה, דיאטי

dietary laws דיני כשרות

di'etet'ic *adj.* תזונתי, דיאטטי

dietetics *n.* תזונה

di'eti'cian, -tian (-tish'ən) *n.* תזונאי, דיאטיקן

diet sheet תפריט דיאטי

dif'fer *v.* להיות שונה; לחלוק על

agree to differ לחדול מוויכוח

differ from/with לחלוק על

tastes differ כל אחד וטעמו שלו

I beg to differ איני מסכים

dif'ference *n.* שוני, הבדל; הפרש

it makes a difference זה משנה, זה חשוב

make a difference between להפלות בין

split the difference להתפשר על מחצית ההפרש

dif'ferent *adj.* שונה; מיוחד

dif'feren'tial *adj&n.* משתנה; שונה; הפרשיות; דיפרנציאל

differential calculus חשבון דיפרנציאלי

differential gear (במכונית) דיפרנציאל

dif'feren'tiate' (-'sh-) *v.* להבחין, להבדיל; להפלות

dif'feren'tia'tion (-'sh-) *n.* הבחנה, הבדלה, הפרדה, מיון

dif'ficult *adj.* קשה

dif'ficulty *n.* קושי

make difficulties לערום קשיים

dif'fidence *n.* ביישנות

dif′fident *adj.* ביישן, חסר־ביטחון
diffract′ *v.* לשבור (קרן־אור)
diffrac′tion *n.* השתברות קרן־אור, דיפרקציה, סטייה
diffuse′ (-s) *adj.* מכביר מילים, להגני; מפוזר, מתפשט
diffuse′ (-z) *v.* להתפשט; להפיץ
diffu′sion (-zhən) *n.* הפצה; דיפוזיה, דיות, התחדרות
dig *v.* לחפור, לעדור; ⋆לחבב, להבין
dig at him לשלוח עקיצה לעברו
dig down ⋆לשלם מכספו
dig for gold לחפש זהב
dig him in the ribs לתקוע מרפק בצלעותיו
dig in להתכבד, להתחיל לאכול; לערבב בעפר; להתחפר; לעמול
dig into לחדור, לבדוק היטב, לתקוע, לנעוץ
dig oneself in להתחפר, להתבצר
dig oneself out of a hole להיחלץ מקושי
dig out למצוא, לחשוף; למהר, להסתלק
dig over ⋆לשקול, להרהר שנית
dig up לגלות, לחשוף; ⋆לגייס כסף
dig *n.* חפירה, אתר; דחיפה; ⋆עקיצה
a dig at me עקיצה לעברי
digs ⋆מגורים, מעונות
di′gest′ *n.* תמצית, תקציר; תלקיט
di•gest′ *v.* לעכל; להתעכל; להבין
di•ges′tibil′ity *n.* התעכלות
di•ges′tible *adj.* מתעכל
diges′tion (-chən) *n.* עיכול
diges′tive *n.* עיכולי
digestive system צינור העיכול
digger *n.* חופר, מחפר
diggings *n-pl.* חפירות, מיכרה; ⋆מגורים
dig′it *n.* סיפרה; אצבע
dig′ital *adj.* סיפרתי, דיגיטאלי; של אצבע
digital computer מחשב סיפרתי
dignified *adj.* מרשים, מעורר כבוד
dig′nify′ *v.* לכבד, להאדיר, לנפח
dig′nitar′y (-teri) *n.* נכבד, איש־כמורה
dig′nity *n.* כבוד, אצילות, מעמד
beneath one's dignity למטה מכבודו
stand on one's dignity לדרוש יחס כבוד
di′graph′ *n.* דיגראף, צמד אותיות
di•gress′ *v.* לסטות, לחרוג
di•gres′sion *n.* סטייה, חריגה, עיוות
dike *n.* דייק, סוללה, תעלה
dike *v.* להקים סוללה
dilap′ida′ted *adj.* רעוע, הרוס
dilap′ida′tion *n.* רעיעות
dilapidations דמי־נזיקין
di•late′ *v.* להרחיב, לפעור; להתרחב
dilate on להרחיב את הדיבור על
di•la′tion *n.* הרחבה, התרחבות
dil′ato′ry *adj.* רשלני, איטי, מעכב
dilem′ma *n.* דילמה, מצב קשה, תיסבוכת
dil′ettan′te (-tänti) *n&adj.* חובבן, דילטאנט, שיטחי
dil′igence *n.* התמדה, שקדנות
diligence *n.* דיליז׳אנס, כירכרה
dil′igent *n.* מתמיד, שקדן
dill *n.* שבת (צמח־תבלין)
dil′ly-dal′ly *v.* לבזבז זמן, להסס
di•lute′ *v.* לדלל, להחליש חוזק
dilute *adj.* דליל
di•lu′tion *n.* דילול; נוזל מדולל
dilu′vial *adj.* של מבול
dim *adj.* עמום, מטושטש; ⋆טיפש
take a dim view of להתייחס בהסתייגות ל־
dim *v.* לעמעם; להתעמעם
dime *n.* דיים (10 סנטים)
a dime a dozen בזיל הזול, תריסר בפרוטה
dimen′sion *n.* מימד
dimensional *adj.* ממדי
3-dimensional תלת־ממדי
dimin′ish *v.* להפחית, לצמצם; לפחות
dimin′uen′do (-nūen-) *n.* החלשה הדרגתית
dim′inu′tion *n.* הפחתה, הקטנה
dimin′u•tive *adj.* זעיר, קטנטן
diminutive *n.* מילת הקטנה
dim′ity *n.* דימיטי (בד כותנה)
dim′mer *n.* מעמעם; עממור
dim′out′ *n.* עימעום; האפלה
dim′ple *n.* גומת־חן
dimple *v.* ליצור/להיווצר גומות
dim-witted *adj.* ⋆טיפשי
din *n.* רעש, שאון
kick up a din להקים רעש
din *v.* לרעוש, להרעיש
din into him לשנן, להטיף באוזניו
dinar′ *n.* דינר
dine *v.* לסעוד, לאכול ארוחה
dine and wine לכבד בסעודה

dine in לאכול בבית
dine off לסעוד, לאכול
dine out לאכול בחוץ
di′ner *n.* סועד; קרון־מיזנון
di•nette′ *n.* פינת אוכל
ding *n&v.* צילצול; לצלצל
ding′-dong′ (-dông) *n.* צילצול
ding-dong battle קרב שבו עובר היתרון מצד לצד, קרב מטוטלת
din′gey, -ghy (-gi) *n.* סירה קטנה
din′gle *n.* ביקעה, עמק
din′gy *adj.* מלוכלך; קודר
dining car קרון מיזנון
dining room חדר אוכל
din′ky *adj.* ★חמוד, מקסים; קטנטן
din′ner *n.* ארוחת היום העיקרית
have/eat dinner לסעוד
hold a dinner לערוך מסיבה/סעודה
dinner bell צילצול (שהארוחה מוכנה)
dinner jacket סמוקינג, מיקטורן
dinner service מערכת כלי שולחן
di′nosaur′ *n.* דינוזאור
dint *n.* שקע, גומה
by dint of באמצעות, על־ידי
di•oc′esan *adj.* של מחוז הבישוף
di′ocese′ *n.* מחוז הבישוף, בישופות
di•ox′ide *n.* דו־תחמוצת
dip *v.* לשרות, לטבול; לשקוע; לרדת; להוריד
dip a flag להוריד דגל (בהצדעה)
dip a garment לצבוע בגד (בנוזל)
dip into a book לרפרף בספר
dip into one's pocket להוציא כסף
dip sheep להטביל צאן (לשם חיטוי)
dip the headlights לעמעם האורות
dip up/out לדלות, לשאוב
dip *n.* טבילה; ירידה, שיפוע; הורדה; נוזל חיטוי; מישרה לטבילת רקיק
diphthe′ria *n.* דיפתריה, אסכרה
diph′thong′ *n.* דו־תנועה, דיפתונג
diplo′ma *n.* דיפלומה; תעודת־גמר
diplo′macy *n.* דיפלומטיה, מדינאות
dip′lomat′ *n.* דיפלומט, מדינאי
dip′lomat′ic *adj.* דיפלומטי; טאקטי
diplo′matist *n.* דיפלומט
dip′per *n.* מצקת, תרווד
the Big Dipper העגלה הגדולה
dip′soma′nia *n.* שכרת
dip′soma′niac′ *n.* חולה שכרת
dip-stick *n.* קנה־טבילה (למדידת כמות השמן במכונית)
dipswitch *n.* עממור

dip′tych (-tik) *n.* דיפטיכון, ציור על לוחות מתקפלים
dire *adj.* נורא, מפחיד
in dire need זקוק בדחיפות
direct′ *adj.* ישר, ישיר; ברור
direct answer תשובה ברורה
direct hit פגיעה ישירה
the direct opposite ההיפך הגמור
direct *adv.* ישר, ישירות, היישר
direct *v.* להנחות; להדריך, להפנות, לכוון; לפקח, לנהל; לצוות, להורות
direct a letter למען מיכתב
direct a film לביים סרט
direct an orchestra לנצח על תיזמורת
direct action פעולה ישירה, שביתה
direct current זרם ישר
direc′tion *n.* כיוון; הדרכה, פיקוח; ניצוח; הנהלה
directions הוראות, הנחיות; מען
sense of direction חוש כיוון
direc′tive *n.* הנחייה, הוראות
directive *adj.* מדריך, מנחה
directly *adv.* ישירות, היישר; ברורות; מיד, תיכף ומיד
directly *conj.* ★ברגע ש־, מיד כש־, אך
direct object מושא ישיר
director *n.* מנהל; במאי
direct′orate *n.* הנהלה; מנהלות
directorship *n.* מנהלות
direct′ory *n.* מדריך (ספר)
direct speech דיבור ישיר
direct tax מס ישיר
direful *adj.* נורא, איום
dirge *n.* קינה
dir′igible *n.* ספינת אוויר
dirigible *adj.* בר־ניווט
dirk *n.* פיגיון
dirn′dl (-dəl) *n.* שימלה רחבה
dirt *n.* ליכלוך; עפר; ניבול פה
as cheap as dirt גס, המוני
dirt cheap ★בזיל הזול
do him dirt ★לנהוג בו בניבזות
fling dirt at להטיל בוץ ב־
treat like dirt לזלזל, לרמוס
dirt farmer איכר (עצמאי)
dirt road דרך עפר
dirt track מסלול (לתחרויות)
dirt′y *adj.* מלוכלך; סוער, סגרירי
a dirty look מבט המביע שאט־נפש
dirty work עבודה שחורה
play a dirty trick לנהוג בשפלות
dirty *v.* ללכלך; להתלכלך

dis- (תחילית) לא, אי־, לבטל, לשלול
dis'abil'ity *n.* מום, נכות, ליקוי
dis•a'ble *v.* להטיל מום; לפסול
disabled *adj.* נכה, בעל מום
disablement *n.* גרימת נכות
dis'abuse' (-z) *v.* לשחרר מרעיונות מוטעים, לפקוח עיניים
dis'advan'tage *n.* מיגרעת, חיסרון
at a disadvantage בעמדה נחותה
to his disadvantage לרעתו, נגדו
dis•ad'vanta'geous (-jəs) *adj.* לא נוח, נחות
dis'affec'ted *adj.* לא מרוצה, לא נאמן
dis'affec'tion *n.* חוסר נאמנות
dis'affil'iate' *v.* לנתק; להתפלג
dis'affor'est *v.* לכרות עצי היער
dis'affor'esta'tion *n.* בירוא יער
dis'agree' *v.* לא להסכים, לחלוק על; לא להתאים/להזיק לבריאות
disagreeable *adj.* לא נעים; רגזן
disagreement *n.* חילוקי־דיעות, אי־התאמה, הבדל
dis'allow' *v.* לדחות, לפסול
dis'appear' *v.* להיעלם; להיכחד
disappearance *n.* היעלמות
dis'appoint' *v.* לאכזב
disappointed *adj.* מאוכזב
disappointing *adj.* מאכזב
disappointment *n.* אכזבה, מפח־נפש
dis•ap'proba'tion = disapproval
dis'approv'al (-ro͞ov-) *n.* אי־הסכמה, יחס שלילי, הסתייגות, מורת־רוח
to his disapproval למורת רוחו
dis'approve' (-ro͞ov) *v.* להתייחס בשלילה; להסתייג, להביע מורת־רוח
dis•arm' *v.* לפרק/להתפרק מנישקו; להפיג, להרגיע, לסלק כעס
disarming smile חיוך מפיג רוגז
dis•ar'mament *n.* פירוק נשק
dis'arrange' (-rānj) *v.* לבלבל, להכניס אי־סדר, להפוך, לפרוע
disarrangement *n.* אי־סדר
dis'array' *n.* בילבול, אי־סדר
disarray *v.* לבלבל, לעשות אי־סדר
dis'asso'ciate = dissociate
disas'ter (-zas-) *n.* אסון
disas'trous (-zas-) *adj.* ממיט שואה
dis'avow' *v.* לכפור, לדחות, לשלול כל קשר
disavowal *n.* דחייה, הכחשה
dis•band' *v.* לפרק, לשחרר; להתפרק
disbandment *n.* פירוק
dis•bar' *v.* לשלול (מעו"ד) רישיון
dis'be•lief' (-lēf) *n.* חוסר אמון, כפירה
dis'be•lieve' (-lēv) *v.* לא להאמין, לכפור
dis•bur'den *v.* לפרוק משא מ־
dis•burse' *v.* להוציא כסף
disbursement *n.* הוצאה, תשלום
disc, disk *n.* דיסק, דיסקה, דיסקוס; עיגול; תקליט
discard' *v.* להשליך, להיפטר, לגרוט
dis'card' *n.* קלף מושלך; גרט
discern' *v.* להבחין, לראות
discernible *adj.* ניכר
discerning *adj.* מבחין, מבין
discernment *n.* הבחנה, מבינות
dis•charge' *v.* לפרוק מיטען; לפלוט; להוציא; לשחרר, לפטר; לשלוח; לירות
discharge a debt לסלק חוב
discharge a duty למלא חובה
discharge itself להישפך לים
discharge *n.* פריקה; פליטה; הפטר, שיחרור, סילוק חוב; ירייה
discharged bankrupt פושט רגל משוחרר
disci'ple *n.* תלמיד, מעריץ, חסיד
dis'ciplina'rian *n.* משליט מישמעת, מטיל מרות
dis'ciplinar'y (-neri) *adj.* מישמעתי
dis'cipline (-lin) *n.* מישמעת; עונש; שיטה, דרך; מיקצוע מדעי
discipline *v.* למשמע, להעניש, לאלף
dis•claim' *v.* לוותר על תביעה, לנער חוצנו מ־
disclaimer *n.* כתב־ויתור
disclose' (-z) *v.* לגלות, לחשוף
disclo'sure (-zhər) *n.* גילוי
dis'co *n.* ⋆דיסקו; דיסקוטק
dis•col'or (-kul-) *v.* לשנות צבע; לדהות; לטשטש
dis•col'ora'tion (-kul-) *n.* שינוי צבע, דיהוי; טישטוש, כתם
dis•com'fit (-kum-) *v.* להביך; לסכל
dis•com'fiture (-kum-) *n.* מבוכה
dis•com'fort (-kum-) *n.* אי־נוחות; מבוכה; טירדה, קושי
dis'commode' *v.* לגרום לאי־נוחות
dis'compose' (-z) *v.* לערער שלווה
dis'compo'sure (-zhər) *n.* מבוכה
dis'concert' *v.* להביך, להדאיג; לסכל
dis'connect' *v.* לנתק
disconnected *adj.* מנותק, חסר־קשר

dis′connec′tion *n.* ניתוק
dis•con′solate *adj.* אומלל, שאין לנחמו
dis′content′ *n.* אי־שביעות־רצון, מורת־רוח
discontented *adj.* לא־מרוצה
discontinuance *adj.* הפסקה, אי־המשך
dis′contin′ue (-nū) *v.* להפסיק, לחדול
dis′con•tinu′ity *adj.* אי־רציפות
dis′contin′uous (-nū∂s) *adj.* לא נמשך; מקוטע
dis′cord′ *n.* חוסר־הרמוניה, חילוקי־דיעות, מחלוקת; צריר, תצרום
dis•cor′dance *n.* חוסר הרמוניה
dis•cor′dant *adj.* לא־תואם; צורם
dis′cotheque′ (-tek) *n.* דיסקוטק
dis′count′ *n.* הנחה; ניכיון, דיסקונט
at a discount בהנחה, ערכו ירד
discount *v.* לנכות, לנכות שטר; לפקפק בנכונות, לזלזל
discount broker מתווך קניות
dis•coun′tenance *v.* להתנגד, להסתייג מ־, לא לראות בעין יפה
discount store חנות מכירות בהנחה
dis•cour′age (-kûr′-) *v.* לרפות ידי־, להרתיע, לייאש; למנוע, לערום קשיים
discourage from להניא, למנוע
discouragement *n.* מניעה, הרתעה
dis′course′ (-kôrs) *n.* הרצאה, נאום; שיחה, דיון
discourse′ (-kôrs) *v.* להרצות
dis•cour′te•ous (-kûr′-) *n.* לא־נימוסי, לא אדיב
dis•cour′tesy (-kûr′-) *n.* חוסר אדיבות; מעשה גס
dis•cov′er (-kuv-) *v.* לגלות, למצוא
discoverer *n.* מגלה
dis•cov′ery (-kuv-) *n.* גילוי; תגלית
dis•cred′it *v.* לערער האמון; לפקפק באמיתות, לא להאמין, לפסול
discredit *n.* חוסר־אמון; עירעור האמון; פיקפוק; כתם, שם־רע, חרפה
throw discredit on להטיל ספק ב־
discreditable *adj.* מביש, מחפיר
discreet′ *adj.* דיסקרטי, זהיר, טקטי
dis•crep′ancy *n.* אי־התאמה, סתירה
discrete′ *adj.* לא־רציף, לא המשכי; נפרד
discre′tion (-resh′∂n) *n.* זהירות, תבונה; שיפוט, שיקול־דעת; חופש לפעול כרצונו
at one's discretion כראות עיניו
years of discretion גיל הבגירות
discre′tionar′y (-resh′∂neri) *adj.* לפי שיקול דעתו, שבסמכותו לפעול כרצונו
discrim′inate′ *v.* להבחין, להבדיל
discriminate against להפלות לרעה
discriminating *adj.* מבחין; מפלה
discrim′ina′tion *n.* הבחנה; אפלייה
discrim′inato′ry *adj.* מפלה; מקפח
discur′sive *adj.* קופץ מנושא לנושא, מקוטע, לא מתוכנן
dis′cus *n.* דיסקוס
discuss′ *v.* לדון, לשוחח, להתווכח
discus′sion *n.* ויכוח, דיון
come up for discussion לעלות לדיון
hold a discussion לנהל דיון
under discussion בדיון
disdain′ *v.* לבוז ל־, לדחות בבוז
disdain *n.* בוז
disdainful *adj.* בז, מתייחס בבוז
disease′ (-zēz) *n.* מחלה
diseased *adj.* חולה, נגוע
dis′embark′ *v.* לנחות, לרדת מאונייה; להנחית
dis•em′bar•ka′tion *n.* נחיתה
dis′embar′rass *v.* לחלץ ממבוכה, לפרוק מעליו, לשחרר
disembarrassment *n.* שיחרור ממבוכה
disembodied *adj.* חסר־גוף, של רוח
dis′embod′y *v.* לנתק מהגוף
dis′embow′el *v.* להוציא את המעיים
dis′embroil′ *v.* לחלץ מתיסבוכת
dis′enchant′ *v.* לשחרר מחבלי־קסם
disenchanted *adj.* משוחרר מאשלייה, מפוכח
disenchantment *n.* התפכחות
dis′encum′ber *v.* לשחרר מנטל
dis′endow′ *v.* לשלול מענק
dis′engage′ *v.* לנתק; להינתק; לנתק מגע, להסתלק
disengaged *adj.* פנוי, לא טרוד
disengagement *n.* הינתקות
dis′entan′gle *v.* לשחרר, להתיר, לחלץ מהסבך; להשתחרר
disentanglement *n.* התרה, שיחרור
dis•e′quilib′rium *n.* חוסר־איזון
dis′estab′lish *v.* לשלול ההכרה הרישמית (ממוסד)
dis•fa′vor *n.* חוסר־אהדה, הסתייגות
incur his disfavor לסור חינו בעיניו
disfavor *v.* להתייחס בשלילה, להסתייג,

לראות בעין רעה
dis•fig′ure (-gyər) *v.* לכער, להשחית היופי
disfigurement *n.* כיעור; הכערה
dis•for′est *v.* לעקור עצי יער, לברא
dis•fran′chise (-z) *v.* לשלול זכות בחירה מ־
disfranchisement *n.* שלילת זכות בחירה
dis•frock′ *v.* להסיר מדים
dis•gorge′ *v.* להקיא; להישפך לים; להחזיר לבעלים
dis•grace′ *n.* בושה, חרפה
bring disgrace on להמיט קלון על
fall into disgrace להיות לחרפה
is in disgrace סר חינו, נכלם
disgrace *v.* להמיט חרפה על; לבייש
disgraceful *adj.* מביש, מחפיר
dis•grun′tle *v.* לאכזב
disgruntled *adj.* מאוכזב, ממורמר
dis•guise′ (-gīz) *v.* להסתיר, להסוות, לתחפש; להעלים
disguise oneself להתחפש, להתחזות
there's no disguising the fact אין להסתיר ש־
disguise *n.* תחפושת, מסווה; התחזות
disgust′ *n.* תיעוב, שאט־נפש
disgust *v.* לעורר גועל, להגעיל
disgusted *adj.* תקוף־בחילה
disgusting *adj.* גועלי, מגעיל
dish *n.* קערה; צלחת; תבשיל, מאכל, מנה; רפלקטור ענק; ⋆חתיכה
dishes כלים, כלי־אוכל
dish *v.* ⋆להרוס, לסכל, להביס
dish out לחלק, לתת; ⋆לבקר קשות
dish the dirt ⋆לרכל, להלעיז
dish up להגיש אוכל; להכין; להציג עובדות
dis′habille′ (-səbēl) *n.* לבוש מרושל, לבוש חלקי; טרם התלבש
dis′har•mo′nious *n.* לא הרמוני
dis•har′mony *n.* חוסר־הרמוניה
dishcloth *n.* מטלית־כלים
dis•heart′en (-här-) *v.* לרפות ידיים, להרתיע, לייאש, לערער ביטחון
dishev′eled (-vəld) *adj.* פרוע, מרושל
dish′ful′ (-fool) *n.* מלוא הצלחת
dis•hon′est (-son-) *adj.* לא הוגן, רמאי
dishonesty *n.* מירמה, חוסר־הגינות
dis•hon′or (-son-) *n.* חרפה, קלון
dishonor *v.* לבייש; לא לכבד (צ'ק)
dishonorable *adj.* מביש, מגונה

dishwasher *n.* מדיח כלים
dishwater *n.* מי כלים (מלוכלכים)
dish′y *adj.* ⋆מושך, סקסי
dis′illu′sion (-zhən) *v.* לערער אשלייה, לשחרר מאמונת־שווא, לאכזב
disillusioned *adj.* מאוכזב, מתפכח
disillusionment *n.* התפכחות
dis′incen′tive *n.* גורם מרתיע, מרפה ידיים, גורע מהמאמץ
dis•in′clina′tion *n.* אי־רצון; חוסר נטייה
dis′incline′ *v.* להסב לב מ־; לסרב
disinclined *adj.* לא רוצה, לא נוטה, לא מתלהב, מסרב, מתנגד
dis′infect′ *v.* לחטא, לטהר
disinfectant *n.* מְחַטא
dis′infec′tion *n.* חיטוי, חיטוא, דיזינפקציה
dis′infest′ *v.* להדביר מזיקים
dis•in′festa′tion *n.* הדברה
dis′infla′tion *n.* דפלציה, יציבות
dis′ingen′uous (-nūəs) *n.* לא הוגן, לא כן
dis′inher′it *v.* לנשל מירושה
disinheritance *n.* שלילת ירושה
dis•in′tegrate′ *v.* לפורר; להתפורר
dis•in′tegra′tion *n.* התפוררות
dis′inter′ *v.* להוציא מן הקבר; לחשוף
dis•in′terest′ed *adj.* לא משוחד; אדיש
disinterment *n.* הוצאה מהקבר
dis•joint′ *v.* לפרק (לחלקים)
disjointed *adj.* חסר־קשר, מקוטע
disjunc′tive *n.* מילת ברירה
disk = disc
diskette′ *n.* תקליטון
disk harrow מַדפן
disk jockey מגיש שירים ולהיטים
dis•like′ *v.* לא לחבב, לשנוא
dislike *n.* סלידה, חוסר־חיבה
took a dislike to טיפח שינאה בליבו ל־
dis′lo•cate′ *v.* לנקע עצם; להזיז; לשבש, לבלבל, לגרום לאי־סדר
dis′lo•ca′tion *n.* נקע, חריגה; שיבושים
dis•lodge′ *v.* להוציא, לחלץ, לעקור, לסלק, לגרש
dislodgement *n.* סילוק, גירוש
dis•loy′al *adj.* לא נאמן, לא מסור
dis•loy′alty *n.* אי־מסירות, בגידה
dis′mal (-z-) *adj.* עצוב, קודר, מדכא
disman′tle *v.* לפרק; לפנות ציוד

dis•mast′ *v.* לעקור את התורן
dismay′ *v.* להפחיד, להטיל אימה
dismay *n.* פחד, אימה
dis•mem′ber *v.* לבתר, לשסע; לחלק
dismemberment *n.* ביתור, חלוקה
dismiss′ *v.* לפטר; לשלח, לשחרר; לדחות (רעיון, אשמה), לפטור, לטפל חטופות
case dismissed זכאי, התיק נסגר
dismiss′al *n.* פיטורים
dis•mount′ *v.* לרדת (מסוס); להוריד (תותח) מכנו; להפיל פרש
dis′obe′dience *n.* אי־ציות
dis′obe′dient *adj.* לא מציית, סרבן
dis′obey′ (-bā) *v.* לא לציית ל־; להמרות פי־
dis′oblige′ *v.* לאכזב, לפגוע ב־, לא לעזור, לא להיענות ל־
dis•or′der *n.* אי־סדר, אנדרלמוסיה, הפרת־סדר; ליקוי, הפרעה; מחלה
disorder *v.* לגרום אי־סדר
disordered *adj.* מבולבל, מופרע
dis•or′derly *adj.* פרוע, לא מסודר
disorderly house בית בושת
dis•or′ganiza′tion *n.* שיבושים
dis•or′ganize′ *v.* לשבש, לבלבל סדר
dis•or′ient′ *v.* לבלבל, לגרום לאיבוד חוש הכיוון
dis•or′ienta′ted *adj.* מבולבל
dis•own′ (-ōn) *v.* להתכחש ל־, לנער חוצנו מ־, לשלול כל קשר עם
dis•par′age *v.* לזלזל ב־, להמעיט
disparagement *n.* זילזול, המעטה
dis′parate *adj.* שונה לגמרי, לא דומה
dis•par′ity *n.* שוני, הבדל
dis•pas′sionate (-shən-) *adj.* שליו, לא נרגש; לא מצדד, אובייקטיבי
dispatch′ *v.* לשלוח, להריץ, לשגר; לחסל, לגמור; להרוג
dispatch *n.* מישלוח, שיגור; שדר, מיברק; יעילות, מהירות; חיסול
mentioned in dispatches צויין לשבח (בשדה־הקרב)
dispatch rider רץ, שליח מהיר
dispel′ *v.* לפזר, להפיג, לסלק
dispen′sable *adj.* שאפשר לוותר עליו
dispen′sary *n.* מירפאה, בית מירקחת
dis′pensa′tion *n.* חלוקה, מתן; היתר, פטור, שיחרור; יד ההשגחה; תורה
dispense′ *v.* לחלק, לתת; לוותר
dispense justice לעשות דין צדק
dispense medicines להכין תרופות
dispense with לוותר על, לעשותו למיותר; להסתדר בלעדיו
dispenser *n.* רוקח; מַנפֵּק (לנייר/לסבון נוזלי וכ׳)
dispensing chemist רוקח
disper′sal *n.* פיזור; התפזרות
disperse′ *v.* לפזר; להתפזר
disper′sion (-zhən) *n.* פיזור, פירוד, נפיצה
the Dispersion יהדות התפוצות
dispir′it *v.* לרפות ידים
dispirited *adj.* מדוכא, נפול־רוח
dis•place′ *v.* לגרש, לדחוק, לתפוס מקומו; להזיז, לעקור, לנקע (עצם)
displaced person עקור
displacement *n.* סילוק; דחיקה; תפוסה
display′ *v.* להראות, לגלות, לחשוף
display *n.* הצגה, גילוי, ראווה
fashion display תצוגת אופנה
dis•please′ (-z) *v.* להרגיז, להכעיס
displeased with מתרעם על
dis•pleas′ure (-plezh′ər) *n.* מורת רוח, רוגז
disport′ *v.* לשעשע, להשתעשע
dispo′sable (-z-) *adj.* לשימוש חד־פעמי; עומד לרשותו, לשימושו החופשי
dispo′sal (-zəl) *n.* חיסול, היפטרות; חלוקה, סידור; מערך, פריסה; פיקוח, שליטה
at one's disposal לרשותו, לשימושו
dispose′ (-z) *v.* לפרוס כוחות, לערוך; לסדר; להסדיר
dispose of להיפטר מ־; לחסל; לטפל ב־; להפריך
dispose to להטות לב, להביא ל־
disposed *adj.* נוטה, רוצה, מוכן
ill disposed מתייחס בשלילה
well disposed מתייחס בחיוב
dis′posi′tion (-zi-) *n.* נטייה, זיקה; תכונה, אופי; מערך, פריסה, סידור; הסדר; שליטה
dis′possess′ (-zes) *v.* לנשל, לגרש
dispossessed *adj.* מנושל, מקופח
dis′posses′sion (-zesh′ən) *n.* נישול, גירוש
dis•proof′ (-o͞of) *n.* הפרכה, הכחשה
dis′propor′tion *n.* דיספרופורציה, חוסר התאמה
dis′propor′tionate (-shən-) *adj.* חסר־פרופורציה; ללא יחס נכון

dis•prove′ (-rōōv) *v.* להפריך
dispu′table *adj.* שנוי במחלוקת
dispu′tant *n.* מתווכח
dis′pu•ta′tion *n.* ויכוח, מחלוקת
dis′pu•ta′tious (-shəs) *adj.* פולמוסני, וכחני
dispute′ *v.* להתווכח, לדון ב־; לערער על; להתנגד, להיאבק
dispute *n.* ויכוח, דיון; ריב
beyond/past dispute ללא כל ספק
in dispute with בסיכסוך עם
in/under dispute שנוי במחלוקת
without dispute ללא כל ספק
dis•qual′ifica′tion (-kwol-) *n.* פסילה; דבר פוסל, פגם
dis•qual′ify′ (-kwol-) *v.* לפסול
dis•qui′et *v.* להדאיג, לעורר דאגה
disquiet *n.* דאגה, אי־שקט
dis•qui′etude′ *n.* דאגה
dis′quisi′tion (-zi-) *n.* הרצאה ארוכה, חיבור מקיף, מסה, מחקר
dis′re•gard′ *v.* להתעלם מ־
disregard *n.* התעלמות; הזנחה
dis•rel′ish *v.* לסלוד מ־, לשנוא
disrelish *n.* סלידה, שינאה
dis′re•pair′ *n.* מצב הדורש תיקון
dis•rep′u•table *adj.* ידוע לשימצה, רע; מרופט, מלוכלך
dis′re•pute′ *n.* שם רע
fall into disrepute להיות לשימצה
dis′re•spect′ *n.* חוסר כבוד, גסות
disrespectful *adj.* חסר נימוס
dis•robe′ *v.* להתפשט; לפשוט (גלימה)
disrupt′ *v.* לשסע, לנפץ; לפלג; לשבש
disrup′tion *n.* התפוררות; קרע
disrup′tive *adj.* מפורר, הורס
dis•sat′isfac′tion *n.* מורת רוח
dissatisfied *adj.* ממורמר, מאוכזב
dis•sat′isfy′ *v.* לגרום לאי שביעות רצון, להרגיז, לעורר תרעומת
dissect′ *v.* לבתר; לנתח, לבחון היטב
dissec′tion *n.* ביתור; ניתוח
dis•sem′ble *v.* להסוות; להעמיד פנים
dis•sem′inate *v.* להפיץ, לפזר
dis•sem′ina′tion *n.* הפצה, פיזור
dissen′sion *n.* מחלוקת, ריב
dissent′ *v.* לחלוק על, לא להסכים
dissent *n.* התנגדות, אי־הסכמה
dissenter *n.* פורש, מתנגד
dissenting opinion דעת מיעוט
dis′serta′tion *n.* הרצאה, מחקר, חיבור
dis•ser′vice (-vis) *n.* נזק, רעה
dis•sev′er *v.* לנתק, להפריד
dis′sidence *n.* אי־הסכמה, התנגדות
dis′sident *adj&n.* מתנגד, חולק, פורש
dis•sim′ilar *adj.* שונה, לא דומה
dis•sim′ilar′ity *n.* שוני, אי־דימיון
dis′simil′itude′ *n.* שוני
dis•sim′u•late′ *v.* להעמיד פנים
dis•sim′u•la′tion *n.* העמדת פנים
dis′sipate′ *v.* לפזר, לגרש; להתפזר; לבזבז; לשקוע בחיי הוללות
dissipated *adj.* הולל, הוללני
dis′sipa′tion *n.* פיזור; הוללות
dis•so′ciate′ *v.* להפריד, לנתק
dissociate oneself from לנער חוצנו מ־
dis•so′cia′tion *n.* ניתוק
dis•sol′u•bil′ity *n.* מסיסות
dis•sol′u•ble *adj.* מסיס, נמס
dis′solute′ *adj.* הולל, מושחת
dis′solu′tion *n.* פירוד, פירוק; פיזור הפרלמנט; מוות, שקיעה
dissolve′ (-zolv) *v.* להמס; להתמוסס; להפוך לנוזל; להיעלם; לפרק, לפזר
dissolve in tears להתמוגג בדמעות
dis′sonance *n.* דיסונאנס, צריר
dis′sonant *adj.* צורמני, לא־הרמוני
dissuade′ (-swād) *v.* להניא, לייעץ לבל, לנסות לעכב, להסב לב
dissua′sion (-swā′zhən) *n.* עיכוב
dis′syllab′ic *adj.* דוהברי
dissyl′lable *n.* מילה דו־הברית
dis′taff′ *n.* פלך, כישור
on the distaff side מצד האם
dis′tance *n.* מרחק, רוחק; דיסטאנץ, מירווח
a good distance off רחוק מאוד
at a distance במרחק, מרחוק
distance of time רוחק זמן
go the distance להמשיך עד הסוף
keep at a distance להפגין קרירות כלפי, לשמור על דיסטאנץ
keep one's distance להתרחק
some distance רחוק למדי
distance *v.* לחלוף, להשאיר מאחור
dis′tant *adj.* רחוק; מתרחק, צונן
distant relations קרובים רחוקים
distantly *adv.* מרחוק, בקרירות
dis•taste′ *n.* סלידה, שאט־נפש
distasteful *adj.* לא נעים, חסר־טעם
dis•tem′per *n.* סיד, צבע (לקיר)
distemper *v.* לצבוע (קירות), לסייד
distemper *n.* מחלה (בכלבים)

distend′ *v.* להתנפח; לנפח
disten′tion *n.* התנפחות
distill′ *v.* לזקק, להתפיל; להטיף, להרעיף; לטפטף; לתמצת
dis′tilla′tion *n.* זיקוק; תזקיק
distiller *n.* מזקק (משקאות)
distil′lery *adj.* מזקקה (למשקאות)
distinct′ *adj.* ברור, ניכר, נראה היטב; נפרד, שונה
distinc′tion *n.* שוני, הבדל, הבחנה, ייחוד; שם, הצטיינות; תואר כבוד
distinction without difference אין הבדל למעשה
draw a distinction להבחין
distinc′tive *adj.* מיוחד, שונה
distinctly *adv.* ברורות, במפורש
distin′guish (-gwish) *v.* להבחין
distinguish from לייחד, לאפיין
distinguish oneself להצטיין
distinguishable *adj.* ניתן להבחין בו/ביניהם, שונה
distinguished *adj.* מפורסם, מצוין
distort′ *v.* לעוות; לעקם; לסלף
distor′tion *n.* עיוות
dis•tract′ *v.* להסיח דעת, להפריע
distracted *adj.* מבולבל, מודאג
dis•trac′tion *n.* הסחת דעת; בילבול, טירוף, הפרעה; בידור, שעשוע
love to distraction לאהוב עד כדי טירוף
distrain′ *v.* לעקל נכסים
distraint′ *n.* עיקול
distrait (-rā′) *adj.* מפוזר, מבולבל
distraught′ (-rôt) *adj.* מבולבל, מטורף
distress′ *n.* צער, סבל; מצוקה; סכנה
distress *v.* לצער, לגרום סבל
distressing, -ful *adj.* מצער
dis•trib′ute *v.* לחלק, לפזר, להפיץ
dis′tribu′tion *n.* חלוקה; תפוצה
dis•trib′u•tive *adj.* של חלוקה
distributive *n.* מילת פילוג
dis•trib′u•tor *n.* (במכונית) מַפלג
dis′trict *n.* איזור, מחוז
district attorney תובע מחוזי
dis•trust′ *v.* לא לסמוך על, לא לתת אמון ב־, לפקפק ב־
distrust *n.* חוסר אמון, חשד
distrustful *adj.* לא בוטח, חשדן
disturb′ *v.* להפריע; לבלבל; להדאיג
disturb the peace להפר סדר
don't disturb yourself אל תטרח
disturbance *n.* הפרעה; תסיסה
disturbed *adj.* מופרע
dis•u′nion (-sū′-) *n.* פירוד, ניתוק, התבדלות
dis′u•nite′ (-sū-) *v.* להפריד; להינתק
dis•u′nity (-sū′-) *n.* חוסר אחדות
dis•use′ (-sūs) *n.* אי־שימוש
fall into disuse לצאת מכלל שימוש
dis•used′ (-sūzd′) *adj.* לא בשימוש
disyl′lable *adj.* דו־הברי
ditch *adj.* תעלה, ערוץ
dull as ditch water משעמם מאוד
ditch *v.* לחפור תעלה; להשליך לתעלה; לנטוש; להנחית על הים
dith′er (-dh-) *v.* לרעוד, להסס
dither *n.* רעדה, התרגשות
have the dithers ⋆לרעוד, להסס
dit′to *n.* כנ"ל, אותו הדבר
say ditto to להסכים עם
ditto marks גרשיים, מרכאות, (")
dit′ty *n.* שיר קצר, שיר פשוט
di•ur′nal *adj.* יומי, של היום
div = divine, dividend, division
di′vagate′ *v.* לסטות (מהנושא)
di′vaga′tion *n.* סטייה
di′van′ *n.* ספה, דרגש; מועצת המדינה, אולם המועצה
divan bed מיטת־ספה
dive *v.* לצלול; לשקוע ב־; לתחוב יד (לכיס)
dive *n.* צלילה; מועדון מפוקפק
divebomb *v.* להפציץ תוך צלילה
diver *n.* אמודאי, צולל
di•verge′ *v.* לסטות, לנטות הצידה
divergence, -cy *n.* סטייה
di′vers (-z) *adj.* שונים, אחדים
di•verse′ *adj.* שונה, מגוון
di•ver′sify′ *v.* לגוון, לתת גיוון
di•ver′sion (-zhən) *n.* הטייה, הפנייה; הסחה, פעולת הסחה; בידור
di•ver′sionar′y (-zhəneri) *adj.* של הסחה
di•ver′sity *n.* גיוון, מיגוון
di•vert′ *v.* להטות, להפנות; להסיח דעת; לבדר
diver′timen′to *n.* דיברטימנטו
diverting *adj.* משעשע
di•vest′ *v.* להפשיט, לשלול, ליטול
divest oneself להיפטר, להתנער
divide′ *v.* לחלק; להפריד; לחצות; להתחלק, להתפלג
divide the House לערוך הצבעה

divide *n.* פרשת מים
div′idend *n.* דיבידנד; מחולק
pay dividends להשתלם, להועיל
divider *n.* מְחַלֵק; מחיצה
dividers מחוגות מדידה
div′ina′tion *n.* הגדת עתידות
divine′ *adj.* אלוהי, שמיימי; ⋆מצוין
divine *n.* כומר, תיאולוג
divine *v.* לנבא, לגלות; לנחש
diviner *n.* מגלה מים (תת־קרקעיים)
divine service תפילה; עבודת ה׳
diving bell פעמון צלילה
diving board מקפצה
diving suit חליפת אמודאי
divin′ity *n.* אלוהות; תיאולוגיה
the Divinity אלוהים
divis′ible (-z-) *adj.* מתחלק, חליק
divi′sion (-vizh′ən) *n.* חלוקה, חילוק, פילוג; דיביזיה; מחלקה
division of labor חלוקת עבודה
divi′sive *adj.* פלגני, מְפַלג
divi′sor (-z-) *n.* מְחַלֵק
divorce′ *n.* גרושין, גט; הפרדה
divorce *v.* לגרש; להתגרש, להיפרד
divor′cée′ *n.* גרושה
div′ot *n.* (בגולף) גושיש דשא (הנתלש בחבטת המקל)
divulge′ *v.* לגלות
divulgence *n.* גילוי
div′vy *v&n.* ⋆לחלק; דיבידנד
dix′ie *n.* סיר גדול, דוד, יורה
diz′zy *adj.* סחרחר; מסחרר
dizzy *v.* לסחרר, לבלבל
do (do͞o) *v.* לעשות, לפעול; לטפל ב־; להספיק; להציג, לשחק; לרמות; לבקר ב־ לעטוף, לקשור; לכבס; לנקות; להתלבש
be doing well להתקדם יפה
can't do with לא סובל
do away with לחסל; לבטל
do better להצליח יותר
do down ⋆לרמות; להשמיץ, לרכל
do for ⋆לשמש כעוזרת־בית; להסתדר עם; לחסל; להתאים, לשמש כ־
do go! אנא לך!
do in ⋆לחסל
do it yourself עשה זאת בעצמך
do one's best לעשות כמיטב יכולתו
do one's hair לסדר שערו, להסתרק
do out לנקות, לסדר
do out of להערים עליו, לקפח
do over לעשות מחדש; ⋆להתנפל על
do the flowers לסדר את הפרחים
do up לתקן, לשפץ; להדק, לרכוס;
do well by להתייחס יפה אל
do with להסתדר עם; להיות זקוק ל־
do without להסתדר בלי/בלעדי
do wonders לחולל פלאים
do-or-die-spirit רוח קרב, הקרבה
done for ⋆מחוסל, אבוד
done in/up ⋆מחוסל, ״הרוג״, עייף
done! עשינו עסק! אני מסכים!
hard done by זוכה לייחס רע
has been done רימוהו, סידרו אותו
has to do with יש לזה קשר עם
have/be done (with) לסיים
how are you doing? מה שלומך?
how do you do? מה שלומך?
it doesn't do to אין זה יאה
it'll do him good/well זה יהיה לו לעזר, ימלא צרכיו
make do להסתפק ב־, להסתדר עם
no sooner said than done מתבצע מיד, אומר ועושה
nothing doing! ⋆לא!
over and done with חסל!
that does it! זהו זה! חסל!
that isn't done מעשה שלא ייעשה
that will do זה מספיק
well done! טוב מאוד! כל הכבוד!
what do you do for a living? מה עיסוקך?
what's doing? מה מתרחש?
you go, don't you? אתה הולך, לא כן?
I could do with אני זקוק/רוצה
I do go אני כן הולך
do (do͞o) *n.* ⋆רמאות; מסיבה
dos and don'ts מיצוות עשה ולא־תעשה, כללים
do, doh (dō) *n.* דו (צליל)
do = ditto (dit′ō)
dob′bin *n.* סוס־עבודה
doc = doctor, document
do′cent *n.* דוצנט, מרצה
doc′ile (-səl) *n.* צייתן, נוח
doc•il′ity *n.* צייתנות, נוחות
dock *n.* רציף; מיבדוק; מיספנה
floating dock מיבדוק צף
dock *v.* להיכנס למיספנה, להספין; להצמיד חלליות בחלל
dock *n.* תא הנאשמים; חומעה (צמח בר)
dock *v&n.* לקצץ; זנב; בשר הזנב
dock′er *n.* סוור; עובד מיספנה
dock′et *n.* תמצית (של דו״ח); רשימה

(של תיקים); תווית, פתק
docket *v.* לכלול ברשימה; להדביק תווית, לסמן
dockyard *n.* מספנה
doc'tor *n.* דוקטור; רופא
doctor *v.* לטפל ב-, לתקן, לזייף; לסרס
doc'toral *adj.* של דוקטור
doc'torate *n.* דוקטוראט
doc'trinaire' *n&adj.* דוקטרינר, שקוע בהלכה, מתעלם מהמציאות
doc'trinal *adj.* של דוקטרינה
doc'trina'rian *n.* דוקטרינר
doc'trine (-rin) *n.* דוקטרינה, תורה
doc'u•ment *n.* מיסמך, דוקומנט, תעודה
doc'u•ment' *v.* להוכיח במיסמכים
doc'u•men'tary *adj.* תיעודי, תעודתי, מיסמכי, דוקומנטארי
documentary film סרט תיעודי
doc'u•menta'tion *n.* תיעוד
dod'der *v.* להיחלש, לרעוד, להשתרך
dod'dery *adj.* רועד, חלוש
dodge *v.* לזוז הצידה, לעקוף, להתחמק, להשתמט, להערים על
dodge *n.* תנועה חטופה הצידה; ⋆התחמקות, תחבולה
dod'gem *n.* ⋆מכונית חשמלית (קטנה)
dodger *n.* מתחמק, משתמט
dodg'y *adj.* ⋆שתמטן; מסוכן, לא בטוח
doe (dō) *n.* איילה; ארנבת
do'er (dōō'-) *n.* עושה, איש מעשה
evil-doer עושה רע, רשע
doeskin *n.* עור צבי
doesn't = does not (duz'ənt)
doff *v.* להסיר (מעיל, כובע)
dog (dôg) *n.* כלב; מלקחיים; ⋆ברנש
dog eat dog אדם לאדם זאב
dog in the manger רע־לב, זה לא נהנה וזה חסר, סדומי
dog's age ⋆יובלות, עידן ועידנים
dog's life חיי כלב
dogs משען (לעצי־הסקה באח); ⋆מירוצי כלבים; רגליים
dressed like a dog's dinner לבוש בהידור, מגונדר
go to the dogs להיהרס, להידרדר
not a dog's chance בלי כל סיכוי
put on the dog ⋆להתרברב
the under-dog המקופח, הדפוק
throw to the dogs לזרוק לכלבים
top dog מנצח, ידו על העליונה
dog *v.* לעקוב, להיצמד ל-

dog biscuit רקיקי־כלבים
dogcart *n.* כירכרה (לשניים)
dog collar ⋆צווארון כומר
dog days תקופת החום (ביולי־אוגוסט)
dog-eared *adj.* (ספר) מקופל פינות
dogface *n.* ⋆חייל (בצבא ארה"ב)
dogfight *n.* קרב אווירי
dogfish *n.* כריש קטן
dog'ged (dôg-) *adj.* עקשני
dog'gerel (dôg-) *n.* חרזנות
dog'gie, -gy (dôg-) *n.* ⋆כלבלב
dog'go (dôg-) *adv.* ⋆ללא תנועה
doggone (dô'gôn) ⋆לעזאזל
doghouse *n.* בית כלבים
in the doghouse נזוף, מבוייש
dogleg *n.* פנייה חדה, סיבוב
dog-like *adj.* כלבי, כמו כלב
dog'ma *n.* דוגמה, עיקר, הנחה מוסכמת
dog•mat'ic *adj.* דוגמטי
dog'matism' *n.* דוגמטיזם
do-gooder *n.* מתקן עולם, שואף שיפור
dog paddle שחיית כלב
dogsbody *n.* עובד עבודה משעממת
dog-tired *adj.* ⋆עייף, סחוט
dogtrot *n.* ריצה קלה, דהרור
dogwatch *n.* מישמרת ערב
dogwood *n.* מורן (שיח נושא פרחים)
doh, do (dō) *n.* דו (צליל)
doi'ly *n.* מפית שולחן, מפיונת
do'ings (dōō'-) *n-pl.* ⋆מעשים, פעולות
dol'drums *n-pl.* חוסר־פעילות
in the doldrums מדוכדך, מדוכא
dole *n&v.* נדבה, צדקה
be on the dole לקבל קיצבת אבטלה
dole out לחלק נדבות
doleful *adj.* עצוב, מדכא
doll *n&v.* בובה
doll up ⋆להתגנדר; לקשט
dol'lar *n.* דולר
dol'lop *n.* ⋆כמות, גוש; קורטוב
dol'ly *n.* בובה; עגלת־הובלה
dol'men *n.* מצבת־אבן, יד, דולמן
do'lor *n.* צער, יגון
do'lorous *adj.* עצוב, מעציב
dol'phin *adj.* דולפין
dolt (dōlt) *n.* טיפש
doltish *adj.* טיפשי
do•main' *n.* ריבונות, אדנות; תחום
dome *n.* כיפה, כיפת־גג, קימרון; ארמון
domed (dōmd) *adj.* מקומר, בעל כיפה
domes'tic *adj.* ביתי, מישפחתי; מקומי,

פנימי; מבויית
domestic *n.* עוזרת בית
domestic animal חיית בית
domes'ticate' *v.* לביית (בעלי־חיים)
domesticated *adj.* אוהב עבודות בית
domes'tica'tion *n.* ביות
domestic commerce סחר־פנים
do'mes•tic'ity *n.* חיי מישפחה
domestic science משק בית
domestic service עבודות־בית
dom'icile' *n.* בית, מגורים
domiciled *adj.* גר, שוכן
dom'icil'iar'y (-lieri) *adj.* ביתי
domiciliary visit ביקור בית
dom'inance *n.* שליטה
dom'inant *adj.* שולט, שליט, חולש על, דומינאנטי, שולטני
dominant *n.* (במוסיקה) דומיננטה, גֶבֶר
dom'inate' *v.* לשלוט על, למשול, לחלוש
dom'ina'tion *n.* שליטה
dom'ineer' *v.* להשתלט, להתנשא
domineering *adj.* שתלטן, מתנשא
Domin'ican *n.* דומיניקני
domin'ion *n.* שליטה, סמכות, ריבונות, אדנות; דומיניון
dom'ino' *n.* טבלת־דומינו; מעיל רחב
dominoes *n.* דומינו (מישחק)
don *n.* דון, אדון; מרצה
don *v.* ללבוש, לעטות; לחבוש
do'nate *v.* לתרום, לנדב
do•na'tion *n.* תרומה, נדבה
done = pp of do (dun)
done *adj.* עשוי, גמור; צלוי כדבעי; מקובל בחברה, יאה
don'jon *n.* צריח, מיגדל
Don Ju'an דון ז'ואן, קוטל נשים
don'key *n.* חמור
donkey engine מנוע קטן
donkey's years ⋆עידן ועידנים
donkey-work *n.* עבודה קשה/משעממת
don'nish *adj.* למדני; של מרצה
do'nor *n.* תורם, מנדב
blood donor תורם דם
don't = do not (dōnt)
doo'dle *v.* ⋆לקשקש, לשרבט
doodle *n.* קישקוש, שירבוט
doodlebug *n.* ⋆פצצה, טיל
doom (do͞om) *n.* גורל מר, אבדון; מוות
pronounce his doom לחרוץ דינו לשבט
the crack of doom קץ הימים
doom *v.* לחרוץ דין, לגזור על
doomed to failure נדון לכישלון
doomsday *n.* קץ הימים; יום הדין
till doomsday עד עולם
door (dôr) *n.* דלת, פתח; בית
answer the door לפתוח את הדלת
at death's door על סף המוות
at one's door קרוב, מתחת לחוטמו
back door כניסה אחורית
by the back door בחשאי
close the door to לנעול דלת בפני, לא להותיר פתח ל־
from door to door מבית לבית
front door כניסה ראשית
lay at his door להטיל האחריות עליו
next door בבית הסמוך
next door to כמעט, בבחינת
open the door to לפתוח שער ל־
out of doors בחוץ
show him the door לבקשו לצאת
show him to the door ללוותו החוצה
shut the door in his face לנעול הדלת בפניו
within doors בבית
3 doors away במרחק 3 בתים
doorbell *n.* פעמון הדלת
doorcase, doorframe מיסגרת הדלת
door-keeper *n.* שוער
door-knob ידית הדלת, גולת־דלת
doorman *n.* שוער
doormat *n.* מידרסה, מחצלת, שפשפת
door-nail *n.* מסמר (לקישוט) דלת
dead as a doornail ללא רוח חיים
doorplate *n.* שלט־דלת, לוחית־דלת
door-post *n.* מזוזה
doorstep *n.* מדרגת דלת, סף
doorstopper *n.* מעצר־דלת
doorway *n.* פתח, כניסה
dope *n.* שמן סיכה, צבע מגן; ⋆סם משכר; מידע; טיפש
dope *v.* לתת סם משכר ל־
dope out ⋆להבין, לגלות, לחשב
do'py, do'pey *adj.* ⋆מסומם, מטומטם
Dor'ic *adj.* דורי, פשוט
dorm *n.* ⋆חדר שינה (במוסד)
dor'mant *adj.* לא פעיל, ישן, רדום
dor'mer *n.* חלון־גג
dor'mito'ry *n.* חדר שינה
dor'mouse' *n.* מרמוטה
dor'sal *adj.* גבי, של הגב

dor′y *n.* סירה קלה; דג מאכל
do′sage *n.* מינון, מנה
dose *n.* מנת־תרופה, מנה; ⋆מחלת מין
dose *v.* למנן, לתת מנה
doss *n&v.* ⋆שינה חטופה
doss down ⋆לשכב לישון
doss-house *n.* ⋆מלון זול
dos′sier′ (-siā) *n.* תיק
dost, thou dost = you do (dust)
dot *n.* נקודה; נדוניה
on the dot ⋆בדיוק, "על השנייה"
dot *v.* לנקד; לסמן בנקודה; ⋆להכות
dot the i's and cross the t's
לדקדק ביותר
do′tage *n.* טיפשות, סניליות
in one's dotage עובר בטל
do′tard *n.* עובר בטל, טיפש
dote *v.* לאהוב עד מאוד
doth = does (duth)
do′ting *adj.* אוהב
dotted *adj.* מנוקד, מסומן בנקודות
dotted with stars זרוע כוכבים
sign on the dotted line להסכים מיד
dot′tle *n.* טבק (שנותר במיקטרת)
dot′ty *adj.* ⋆שוטה, רפה־שכל
doub′le (dub′-) *adj.* כפול, זוגי
double entendre ביטוי דו־משמעי,
מלה דו־משמעית
double *adv.* פי שניים; בזוגות
sleep double לישון 2 במיטה
double *n.* כפול; כפיל; תפנית חדה
at the double בריצה קלה
double or quits רווח כפול או הפסד
(בהימור)
doubles מישחק־זוגות
mixed doubles זוגות מעורבים
on the double מהר
double *v.* להכפיל; להיכפל; לקפל;
לפנות לאחור; לרוץ; להקיף, לעקוף
double as למלא תפקיד נוסף של
double back לפנות אחורה; לקפל
double in brass לשמש בשני תפקידים
double over לקפל
double up להתקפל; לקפל; לגור יחד
double up with laughter להתפתל
בצחוק
double-barreled *adj.* כפול־קנה;
דו־משמעי; מחובר במקף, מוקף
double bass בטנון
double bed מיטה כפולה
double-breasted *adj.* (מעיל) בעל
שוליים קידמיים רחבים וחופפים
double-check *v.* לבדוק פעמיים
double chin פימה; סנטר כפול
double-cross *v.* לרמות
double-cross *n.* הונאה, רמאות; בגידה
double date פגישת שני זוגות
double-dealer *n.* רמאי
double-dealing *n.* רמאות
double-decker *n.* אוטובוס דו־קומתי;
כריך דו־קומתי
double-dutch *n.* דיבורים סתומים
double-dyed *adj.* גמור, מוחלט, מובהק
double-edged *adj.* כפול־להב;
דו־משמעי
double entry רישום כפול
double-faced *adj.* דו־פרצופי
double feature הצגת שני סרטים
double first מצוין בשני מיקצועות
double-headed nail מסמר דו־ראשי
(שניתן לחלצו בקלות)
double header תחרות כפולה
double-jointed *adj.* גמיש מיפרקים
double-park *v.* לחנות לצד מכונית (על
הכביש)
double-quick *adv.* מהר מאוד, חיש
doub′let (dub-) *n.* מלה שמוצאה
מאותו מקור; חולצה מהודקת
double take תגובה מאוחרת
double-talk *n.* דיבור דו־משמעי
double-think *n.* חשיבה כפולה, אמונה
בו־זמנית בשתי תורות מנוגדות
double time שכר שעות נוספות
doubly *adv.* פעמיים, כפליים
doubt (dout) *n.* ספק, פיקפוק
have one's doubts לפקפק ב־
in doubt מסופק, לא בטוח
no doubt אין ספק
throw doubt upon להטיל ספק ב־
without doubt ללא כל ספק
doubt *v.* לפקפק ב־, להטיל ספק
I don't doubt אין לי ספק
doubtful *adj.* בספק, מסופק; מפוקפק
doubtless *adv.* בלי ספק
douche (do͞osh) *n.* מיקלחת
dough (dō) *n.* עיסה, בצק; ⋆כסף
doughnut *n.* סופגנייה, סופגנית
dough′ty (dou′-) *adj.* אמיץ
doughy (dō′i) *adj.* בצקי, רך
dour (door) *adj.* קודר, רציני
douse *v.* להטביל; להתיז; ⋆לכַבּות
dove (duv) *n.* יונה
dove = pt of dive (dōv)
dovecote *n.* שובך

flutter the dovecotes להחריד אנשים שאננים
dovetail *n.* חיבור־שגם; שגם טריזי
dovetail *n.* לשגם; לשלב, לחבר; להשתלב
dow′ager *n.* אישה כבודה, יורשת
dow′dy *adj.* רשלני, מרושל
dow′el *n.* פין, זיז, שגם
dowel pin מיתד, דיבל
dow′er *n.* ניכסי האלמנה, ניכסי מלוג; נדוניה; מתת־אל
dower *v.* לתת נדוניה
down *adv.* למטה; שוכב; דרומה; בכתב, על הנייר; בחוזקה; במזומנים
down to עד ל-, ועד בכלל
down to the ground לגמרי
down with הלאה! בוז ל-!
get down לבלוע; לקצר; לרדת
get down to work להירתם לעבודה
go down לרדת; להיבלע
put down לכתוב, לרשום
shout down להחריש, להשתיק
sit down לשבת
the sea is down הים שקט
I am down אני כלול ברשימה
I have it down זה רשום אצלי
down *adj.* יורד, מדוכדך; בשפל; גמור
be down on לנטור טינה, לכעוס על
down and out ספג נוק־אאוט
down at heel משופשף־עקבים; עני
down in the dumps/mouth ⋆מדוכא
down on one's luck ⋆במזל ביש
down *prep.* בכיוון יורד, למטה, עד ל-
down the years על פני השנים
down wind עם הרוח
down *v.* להפיל, להביס; לבלוע
down tools לשבות, להפסיק לעבוד
down *n.* ירידה; פלומה
downs גבעות נמוכות (באנגליה)
have a down on לנטור טינה
ups and downs עליות וירידות
down-and-out חסר־מזל, חסר־כל
downbeat *n.* פעמה ראשונה
downcast *adj.* מדוכא; מושפל
downdraft *n.* זרם אוויר יורד
downer *n.* מאורע/סם מדכא
downfall *n.* נפילה, ירידה, הרס; גשם כבד, מבול
downgrade *v&n.* להוריד בדרגה; מוֹרָד; הידרדרות; החלשה
downhearted *adj.* עצוב, מדוכדך
downhill *adv.* במורד ההר
go downhill להידרדר
Downing Street ממשלת בריטניה
down payment תשלום במזומנים
downpour *n.* גשם כבד, מבול
downright *adj.* ישר, הוגן; מוחלט, מובהק
downright lie שקר מוחלט
downright *adv.* לגמרי
downstage *adv.* בקדמת הבימה
downstairs *adv.* בקומה מתחת, למטה; של קומת קרקע
downstream *adv.* במורד הנהר
down-to-earth *adj.* מעשי, מציאותי
downtown *adv.* למרכז המיסחרי בעיר
downtrodden *adj.* נרמס, מקופח
downturn *n.* שקיעה בפעילות עסקית
down under אוסטרליה, ניו זילנד
downward *adj.* יורד, מידרדר
downwards *adv.* כלפי מטה
downy *adj.* פלומי, פלומתי
dow′ry *n.* נדוניה; כישרון טיבעי
dowse (-s) *v.* להטביל, להתיז; ⋆לכַבּות
dowse (-z) *v.* לחפש מים (תת־קרקעיים)
dowsing *n.* חיפוש מים (כנ"ל)
dox•ol′ogy *n.* מיזמור (בכנסייה)
doy′en *n.* זקן הסגל, זקן החברים
doy′ley, doy′ly = doily
doze *v&n.* לנמנם; תנומה, שינה חטופה
doze off לנמנם
doz′en (duz-) *n.* תריסר
dozens of הרבה, המון
talk nineteen to the dozen לדבר בשוטפת
do′zy *adj.* נמנמני; מרדים; ⋆טיפש
DP = displaced person עקור
dpt = department
Dr. = doctor
drab *adj.* חום־בוצי; משעמם, חדגוני
drab *n.* זונה, יצאנית
drach′ma (-k-) *n.* דרכמון (מטבע)
draco′nian *adj.* דרקוני, אכזרי
draft *n.* טיוטה, תרשים; מימשך בנקאי; גיוס; יחידה; רוח פרצים; שוקֶע
draft *v.* לערוך טיוטה, לטייט; לגייס
draft = draught
draft card צו גיוס
draft dodger משתמט מגיוס
draft•ee′ *n.* מגוייס
draftsman *n.* שַׂרטט; נַסח־חוקים
drafty *adj.* מנושב, קריר
drag *n.* סחיבה; משדדה; כירכרה; גורם מעכב, מעצור; ⋆מציצת סיגריה

in drag כשהגברים בבגדי נשים
drag *v.* למשוך, לסחוב; להיגרר, להשתרך
drag a river לסרוק קרקעית נהר
drag in לגרור (נושא זר)
drag on/out למשוך; להאריך; להימשך
drag one's feet להתקדם בכבדות, לשרוך רגליו
drag up לחנך בצורה מוזנחת
drag'gle *v.* ללכלך, להכפיש
drag hunt ציד בעזרת כלב־גישוש
drag'net' *n.* מיכמורת; מלכודת לפושע
drag'oman *n.* מתורגמן
drag'on *n.* דרקון; מירשעת
dragonfly *n.* שפירית (חרק)
dragoon' (-gōōn) *n.* פרש
dragoon *v.* לכפות, להכריח
drain *v.* לנקז; להתנקז; לייבש; להתייבש; לרוקן; להתרוקן; לאזול
drain away/off לנקז; להתנקז
drain dry לייבש לחלוטין
drain the cup of לשתות את כוס (התרעלה)
drain *n.* תעלה; ניקוז, נקז; הרקת שפכין; גורם מכלה/סוחט; ⭑לגימה
go down the drain לרדת לטימיון
drain'age *n.* ניקוז, תיעול; שפכין
drainage basin אגן נהר
draining board לוח־ייבוש (לכלים)
drainpipe *n.* צינור ניקוז; גישמה
drainpipe trousers מיכנסיים הדוקים
drake *n.* ברווז זכר
dram *n.* דרכמון (מישקל); ⭑לגימה
dra'ma (drä'-) *n.* דראמה
dramat'ic *adj.* דראמתי
dramat'ics *n-pl.* דראמה; דראמתיות
dram'atis perso'nae (-ni) הדמויות במחזה
dram'atist *n.* מחזאי
dram'atiza'tion *n.* המחזה; דרמטיזציה
dram'atize' *v.* להמחיז; להיות דראמתי; להגזים
dram'aturge' *n.* דרמטורג, מחזאי
drank = pt of drink
drape *v.* לוולן, לכסות בווילונות; לקשט בקפלים; לתלות בריפיון
drape *n.* סידור בקפלים; גיזור; וילון
dra'per *n.* סוחר בדים
dra'pery *n.* בדים; בדי וילונות; בדים גליים
dras'tic *adj.* דראסטי, נמרץ
drat *interj.* ⭑לעזאזל

draught (draft) *n.* רוח פרצים; משב; לגימה; שוקע (של אונייה); שלל־דיג
beasts of draught בהמות־משא
beer on draught בירה מהחבית
draughts דמקה (מישחק)
sleeping draught שיקוי שינה
draughtsman *n.* שַרטט, נַסח; אבן־דמקה
draughty *adj.* קריר, מנושב
draw *n.* משיכה; הגרלה; תיקו; מושך קהל
quick on the draw מהיר שליפה
draw *v.* למשוך; להוציא; לשלוף; לצייר, לתאר, לשרטט; לנוע לקראת
draw a blank להעלות חרס בידו
draw a bow לדרוך קשת; למשוך בקשת
draw a check למשוך צ'ק
draw a chicken להוציא מעי־העוף
draw a comparison לערוך השוואה
draw a conclusion להסיק
draw a game לסיים מישחק בתיקו
draw apart להתרחק, להיפרד
draw attention למשוך תשומת־לב
draw away להתרחק, לחמוק; להרחיק
draw back לסגת, להירתע
draw blood להקיז דם
draw breath לנשום
draw fire למשוך האש, להוות מטרה
draw in להחשיך; להתקצר; להגיע
draw interest לשאת ריבית
draw it mild לא להגזים
draw lots/draw for להפיל גורל
draw near להתקרב
draw off להתרחק; להסיר (כפפות)
draw on להתקרב; להשתמש ב־; למשוך; ללבוש (גרביים)
draw oneself up להזדקף
draw out למתוח, להאריך; להתארך; לדובב, למשוך; לערוך תוכנית
draw tears לסחוט דמעות
draw the line למתוח קו
draw the winner לשלוף כרטיס זכייה
draw to its close להתקרב לקיצו
draw up לערוך (תוכנית, מערך); להקריב; להתקרב ולעצור
the chimney draws well זרימת האוויר בארובה ־ טובה
the ship draws 9 feet of water שוקע הספינה הוא 9 רגליים
the tea drew התה התמצה
drawback *n.* חיסרון; קושי; הישבון

drawbridge *n.* גשר מתרומם
draw•ee′ *n.* נימשך
draw′er *n.* מושך; צייר; שַׂרטט
drawer (drôr) *n.* מגירה
drawers תחתונים
out of the top drawer מהמעמד העליון
drawing *n.* ציור, רישום
drawing board לוח שירטוט
drawing card מושך קהל, אטרקציה
drawing pin נעץ
drawing room חדר אורחים; תא פרטי
drawl *v.* לדבר לאט, למשוך המילים
drawl *n.* דיבור איטי
drawn *adj.* נמשך, מתוח
a drawn game מישחק שנגמר בתיקו
a face drawn with anxiety פנים שהבעת דאגה מתוחה עליהם
long drawn out מתמשך, ארוך
drawn = pp of draw
drawstring *n.* חוט גומי
dray *n.* עגלת־משא
dread (dred) *n.* פחד, אימה
dread *v.* לפחוד, לירוא
dread *adj.* נורא
dreadful *adj.* נורא, איום
dream *n&v.* חלום; לחלום
dream away "לחלום", לבזבז זמן
dream up ★להמציא
dreamer *n.* חולם, הוזה
dreamland *n.* ארץ החלומות
dreamless *adj.* (שינה) ללא חלומות
dreamlike *adj.* חלומי
dreamt = p of dream (dremt)
dream world עולם הדימיון
dreamy *adj.* חלומי; מהורהר; מעורפל
drear′y *adj.* קודר, מעציב, משעמם
dredge *n.* מחפר (המעלה דברים מקרקעית הים וכו'); כַּדּוּם
dredge *v.* לחפור/להעלות (במחפר)
dredge *v.* לבזוק, לזרות, לקמח, לגלגל
dredger *n.* מַבזק
dregs *n-pl.* מישקע; פסולת
drench *v.* להרטיב
got a drenching ספג גשם שוטף
dress *n.* שימלה; תילבושת, לבוש
evening dress תילבושת ערב
full dress תילבושת חגיגית
dress *adj.* חגיגי, רישמי; של לבוש
dress *v.* להלביש; להתלבש; להסתדר בשורה; להכין (לשימוש, לבישול); לקשט
dress a wound לחבוש פצע
dress down לנזוף; להבריש, לשפשף
dress one's hair לעשות תסרוקת
dress up להתחפש; להתהדר
dressed in לבוש, עוטה
dressed to kill ★מגונדר
dressage (-säzh′) *n.* אימון סוסים
dress circle המושבים הקידמיים
dress coat מיקטורן
dresser *n.* חובש, עוזר־מנתח; ארון מיטבח; שולחן טואלט; מתלבש
dressing *n.* לבוש; תחבושת, מִשחה; תערובת (לסלט); מילוי, מלית
dressing down נזיפה
dressing gown חלוק
dressing station תחנת טיפול
dressing table שולחן טואלט
dressmaker *n.* תופרת
dress rehearsal חזרה סופית
dressy *adj.* גנדרן, מגונדר
drew = pt of draw (dro͞o)
drib′ble *n.* לטפטף, לזוב; לכדרר
dribble *n.* טיפה; טיפטוף; כידרור
drib′let *n.* טיפה; כמות זעומה
dribs and drabs מנות קטנטנות
dried = p of dry
drier = dryer
drift *n.* תנועה, כיוון, נטייה, מגמה; סחף, היסחפות; ערימה; משמעות
drift *v.* להינשא (עם הזרם); לסחוף; לנוע ללא מטרה; להיערם
drift′age *n.* היסחפות, סטייה
drifter *n.* בטלן; סירת דייגים
drift ice גושי קרח נסחפים
drift-net *n.* מיכמורת, רשת דייגים
drift-wood *n.* עצים נסחפים
drill *v.* לקדוח חור, לקדוח ב־
drill *n.* מקדח, מקדחה
drill *n.* אימון, תירגול, תרגיל
fire drill תרגיל כיבוי אש
drill *v.* לאמן, לתרגל; להתאמן
drill *n.* תלם, מזרעה, מתלם, טורית
drill *v.* לזרוע בטורים־טורים
drill *n.* שלש (אריג כותנה חזק)
drily = dryly
drink *v.* לשתות; לספוג
drink down/off לשתות עד תום
drink in לשתות בצמא (דבריו)
drink oneself to death למות מהתמכרות לשתייה
drink to לשתות לחיי, להרים כוס
drink *n.* משקה, משקאות; שתייה
fond of drink חובב הטיפה המרה

in drink מבוסם, בגילופין
take to drink להתמכר לשתייה
the drink ⋆הים
drinkable *adj.* ראוי לשתייה
drinker *n.* שתיין
drinking *n.* שתייה
drinking fountain בירזייה
drip *v.* לנטוף, לטפטף, לדלוף; להזיל
dripping wet רטוב מאוד
drip *n.* טיפטוף; ⋆אדם יבש, משעמם
drip-dry *n.* ייבוש כבסים בתלייה (בלי סחיטה וגיהוץ)
drip-dry *v.* לייבש כבסים בתלייה
dripping *n.* שומן (מבשר צלוי)
drippings טיפות, נטפים
drive *v.* לרדוף; להריץ; להסיע, להוביל; לנהוג, לנסוע; להניע; להטיל; לתקוע, לנעוץ; לדחוף
be driving at להתכוון, לרמוז, לשאוף
drive a hard bargain להתמקח
drive a nail לנעוץ מסמר
drive a tunnel לחצוב מינהרה
drive away לגרש; לעבוד קשה
drive him hard להעבידו בפרך
drive him mad להוציאו מדעתו
drive home להחדיר לראשו, לשכנעו
drive in לנעוץ, להחדיר
drive into a corner ללחוץ אל הפינה
let drive at לכוון (מכה) לעבר־
the rain was driving הגשם ניתך
drive *n.* נסיעה, טיול; העפת כדור; כביש פרטי; מַשלב; מיבצע, התקפה; מרץ, יוזמה, דחף
front-wheel drive הינע קידמי
drive-in *n.* דרייב־אין, קולנוע־רכב, מיסעדת־רכב
driv'el *v.* לדבר שטויות, לקשקש
drivel *n.* שטויות, פיטפוטי סרק
driv'en = pp of drive
driven snow ערימות שלג
driver *n.* נהג; מקל גולף
driver's license רשיון נהיגה
driveway *n.* כביש פרטי
driving *adj.* מניע, נמרץ; של נהיגה
driving school בי"ס לנהיגה
driving test מיבחן נהיגה, טסט
driz'zle *v&n.* (לטפטף) גשם דקיק
driz'zly *adj.* (גשם) דקיק
drogue (drōg) *n.* עוגן (בצורת שק); מטרה (הקשורה למטוס); מצנח
droll (drōl) *adj.* מצחיק, מגוחך
droll'ery (drōl'-) *n.* ליצנות; דבר מצחיק, סיפור מבדח
drom'edar'y (-deri) *n.* גמל חד־דבשתי)
drone *n.* דבור, זכר הדבורה; בטלן, טפיל; זמזום; נואם משעמם; מטוס מונחה
drone *v.* לזמזם; לדבר בחדגוניות
drool (drōōl) *v.* לריר מהפה; לפטפט
droop (drōōp) *v.* ליפול, לצנוח, לשקוע; ליפול ברוחו; להשפיל, להוריד
droop *n.* שקיעה, נטייה למטה, שחיחה
drop *n.* נטיף, טיפה; סוכרייה; נפילה, ירידה; דבר נופל/מוצנח
a drop in the bucket טיפה בים
at the drop of a hat מיד, לאלתר
eyedrops טיפות עיניים
get the drop on him ליהנות מעדיפות עליו
had a drop too much שתוי, מבוסם
in drops טיפין טיפין
mail drop תיבה לשילשול מיכתבים
drop *v.* ליפול; להפיל; להוריד; לרדת; להצניח; להשמיט; להרפות מ, לנטוש
drop a clanger ⋆לפגוע, להעליב
drop a hint לזרוק/לתת רמז
drop a lamb להמליט טלה
drop a line לכתוב כמה מלים
drop a note לשרבט פתק קצר
drop a word לזרוק/להפטיר מילה
drop back/behind לפגר, לסגת
drop by/in לבקר, "לקפוץ"
drop dead! התפגר!
drop money להפסיד כסף
drop off לנמנם, להירדם; להוריד נוסע
drop off/away לרדת, להתמעט
drop out לנשור מתחרות, להסתלק
drop hammer, drop press קורנס
drop-kick *n.* בעיטה בכדור עם התרוממותו מהארץ
drop'let *n.* טיפונת, טיפה
dropout *n.* נשירה, נושר (מכיתה)
dropper *n.* טפטפת, טפי, מַנטף
droppings *n-pl.* גללים, רעי, לישלשת
drop'sical *adj.* של מיימת
drop'sy *n.* מיימת (מחלה)
dross (drôs) *n.* פסולת, סיג
drought (drout) *n.* בצורת, יובש
drove = pt of drive
drove *n.* עדר, קהל נוהר
dro'ver *n.* מוביל בקר, נוהג בקר
drown *v.* לטבוע; להטביע, להציף
drown one's sorrows להשכיח יגונו בשתייה

drown oneself in להשקיע עצמו ב־
drown out להחריש, להשתיק
drowned in sleep בשינה עמוקה
drowse (-z) *v&n.* לנמנם; נימנום
drowse away לנמנם, להתבטל
drow′sy (-zi) *adj.* רדום; מרדים
drub *v.* להכות, להלום
a good drubbing מכה רצינית
drudge *v.* לעבוד עבודה קשה/משעממת
drudge *n.* עובד עבודה קשה/משעממת
drudg′ery *n.* עבודה קשה ומשעממת
drug *n.* סם; תרופה; סם מסוכן
drug on the market סחורה שאין עליה קופצים
drug *v.* לסמם, להרעיל; להוסיף סם
drug addict מכור לסמים, נרקומן
drug′get *n.* מרבד, שטיח (מצמר גס)
drug′gist *n.* רוקח; בעל חנות
drugstore *n.* חנות כל־בו, דראגסטור
drum *n&v.* תוף; תיפוף; לתופף; להקיש
drum into להחדיר לראשו, לשנן לו
drum out לגרש, לסלק
drum up ליצור, לקבל, לגייס (תמיכה)
drumbeat *n.* תיפוף
drumfire *n.* הרעשה כבדה
drumhead *n.* עור התוף, יריעת תוף
drumhead court-martial משפט צבאי מהיר
drum major מנצח התיזמורת, שרביטאי
drum majorette שרביטאית
drummer *n.* מתופף, תפף; ⋆סוכן־נוסע
drumstick *n.* מקל־תיפוף; רגל עוף
drunk *adj&n.* שיכור, שתוי
dead/blind drunk שיכור כלוט
drunk with success שיכור הצלחה
get drunk להשתכר
drunk = pp of drink
drunk′ard *n.* שיכור
drunk′en *adj.* שיכור; של שיכרות
drupe *n.* פרי גלעיני
Druze, Druse (-z) *n.* דרוזי
dry *adj.* יבש; מצמיא; צמא
a dry cow פרה שחדלה לחלוב
bone-dry יבש כעצם
dry facts עובדות יבשות
dry law חוק האוסר מכירת משקאות חריפים
dry measure מידת היבש
dry wine יין יבש/לא מתוק
dry *v.* לייבש, לנגב; להתייבש
dried fruit פירות מיובשים

dry out להיגמל משיכרות
dry up לייבש; להתייבש; להיעלם
dry up! בלום פיך!
dry-clean *v.* לנקות ניקוי יבש
dry cleaning ניקוי יבש
dry′er, dri′er *n.* מייבש
dry-eyed *adj.* לא בוכה, ללא דמעות
dry goods אריגים, בדים, טקסטיל
dry land יבשה
dry′ly, dri′ly *adj.* ביובש
dryness *n.* יובש
dry nurse אומנת לא מיניקה
dry rot ריקבון, ריקבון כמוס
dry-shod *adj.* בלא להרטיב רגליו
dry wall קיר אבנים (לא מטויח)
dt's *n.* טירפון, רטט (משתייה)
du′al *adj.* זוגי, כפול, דו־
dual-purpose *adj.* דו־תכליתי
dub *v.* לכנות, לקרוא, להעניק תואר
dub him knight להעניק לו אבירות
dub *v.* לשנות שפה בפסקול
dub′bin *n.* מישחה (למוצרי עור)
du•bi′ety (dōō-) *n* פיקפוק, ספקות
du′bious *adj.* מפוקפק; מסופק; מפקפק
du′cal *adj.* של דוכס, כמו דוכס
duc′at *n.* דוקאט, אדום (מטבע)
duch′ess *n.* דוכסית
duch′y *n.* דוכסות
duck *n.* ברווז; ⋆חביב, מותק; רכב אמפיבי; אפס נקודות
ducks and drakes הטלת אבנים על פני מים
like a duck to water כדג במים
like water off a duck's back בלי כל השפעה
play ducks and drakes with לפזר, לבזבז (כסף)
duck *n.* אריג כותנה חזק
ducks מיכנסיים (מהאריג הנ"ל)
duck *v.* לכופף; להתכופף; להטביל
duck out of ⋆להתחמק מ־
duck *n.* התכופפות; טבילה
duck boards לוחות־מעבר (על בוץ)
duck′ling *n.* ברווזון
duck soup ⋆דבר קל, מישחק ילדים
duckweed *n.* ירוקה, ירוקת
duck′y *n.* ⋆יקיר, מותק; מצוין
duct *n.* תעלה, צינור; צינור־איוורור
duc′tile (-til) *n.* רקיע; גמיש
duc•til′ity *n.* רקיעות; גמישות
dud *n&adj.* ⋆דבר חסר־ערך; כישלון
duds ⋆בגדים, בלואים, סחבות

dude *n.* ★גנדרן
dude ranch חוות נופשים
dud′geon (-jən) *n.* רוגז, התמרמרות
in high dudgeon רוגז, ממורמר
due (dōō) *adj&n.* מגיע, יש לפרעו; מתאים, נאות, נכון; אמור להגיע
due north היישר צפונה
due to בגלל, מחמת; עומד ל־
dues זגרה, מס
give him his due לתת את המגיע לו
in due course בשעה המתאימה
the train is due at 4 הרכבת צריכה להגיע ב־4
I am due for אני מצפה ל־
I am due to אני עומד ל־
du′el *n&v.* דו־קרב; לצאת לדו־קרב
du•et′ (dōō-) *n.* דואט, צימדה, דואית, דוזמר
duff *n.* בצק
duf′fer *n.* טיפש, לא־יוצלח
duf′fle, duf′fel *n.* דופל (אריג צמר גס)
duffle bag תרמיל, קיטבג, מיזווד
duffle coat מעיל דופל
dug = p of dig
dug *n.* עטין, פיטמה
dug-out *n.* שוחה, חפירה; סירה קלה
duke *n.* דוכס
dukes ★אגרופים
dukedom *n.* דוכסות
dul′cet *adj.* מתוק, נעים
dull *adj.* עמום, קהה, קודר; קשה־הבנה; טיפש; משעמם
dull business מיסחר רדום
dull of hearing כבד־אוזן
dull *v.* להקהות; לעמעם
dull′ard *n.* מטומטם
du′ly *adv.* בזמן; כראוי, נכונה
dumb (dum) *adj.* אילם; שותק; ★טיפש
in dumb show בפנטומימה
strike dumb להכותו באלם
dumbbell *n.* מישקולת (לשרירי היד)
dumb′found′ (dumf-) *v.* להדהים, להכות באלם
dumb′wait′er (dum′-) *n.* שולחנון מסתובב (להגשת אוכל); מעלית מזון
dum′dum′ bullet כדור דום־דום
dum′found′ *v.* להמום, להכות באלם
dum′my *n.* דמה, מידמה; זיוף; אימום, מנקין; ממלא מקום; מוצע; נציג חשאי
dummy run הרצה ניסיונית
dump *v.* להשליך; להריק; להיפטר מ־; למכור סחורה (בחו"ל) בזול
dump *n.* מיזבלה; מחסן, מיצבור, מיצבר
in the dumps ★עצוב, מדוכדך
dump′er, dump truck משאית־פריקה
dump′ing *n.* דאמפינג, היצף
dump′ling *n.* כופתה
dum′py *adj.* גוץ, שמנמן
dun *n&adj.* סוס (חום־אפור)
dun *v.* לתבוע סילוק החוב
dun *n.* נושה; תביעה לתשלום חוב
dunce *n.* קשה־תפיסה; טיפש
dun′derhead′ (-hed) *n.* טיפש
dune *n.* דיונה, חולית
dung *n.* גללים, זבל פרות
dun′garee′ *n.* דאנגרי (אריג גס)
dungarees סרבל, בגדי עבודה
dun′geon (-jən) *n.* צינוק, בור
dunghill *n.* ערימת זבל
dunk *v.* לטבול (עוגה בקפה)
du′o *n.* דואט, דואית, צימדה; צמד, זוג
du′ode′nal *adj.* של התריסריין
du′ode′num *n.* תריסריין
dupe *v.* לרמות, להוליך שולל
dupe *n.* קורבן, מרומה, פתי
du′plex′ *adj.* כפול, זוגי
duplex apartment דירה דו־מיפלסית
du′plicate *adj.* כפול, זהה
duplicate *n.* דופליקט, העתק, עותק, כפולה
in duplicate בשני עותקים
du′plicate′ *v.* לשכפל; לעשות העתק
du′plica′tion *n.* שיכפול
duplicator *n.* מכונת שיכפול, מכפלת
du•plic′ity (dōō-) *n.* רמאות, צביעות
du′rabil′ity *n.* יציבות
du′rable *adj.* נמשך, בר־קיימא; יציב
du•ra′tion (doo-) *n.* משך זמן, אורך זמן
for the duration of למשך־
of short duration נמשך זמן קצר
du•ress′ (doo-) *n.* איום, לחץ
du′ring *prep.* במשך, בשעת, בעת
durst = pt of dare
dusk *n.* בין הערביים, עם חשיכה
dusky *adj.* חשוך, כהה
dust *n.* אבק, עפר; מת, עצמות־מת; מהומה, מבוכה; ★כסף
bite the dust ליפול חלל
dust and ashes עפר ואפר
in the dust מת, בקבר; מוכה, מושפל
kick up a dust ★להקים רעש
lay the dust להרביץ את האבק

shake the dust off one's feet להסתלק בזעם
throw dust in his eyes לזרות חול בעיניו
dust *v.* להסיר האבק, לאבק; לבזוק
dust off לנער מאבק
dustbin *n.* פח אשפה
dust-bowl *n.* איזור סופות חול
dust-cart *n.* מכונית איסוף־אשפה
duster *n.* מטלית אבק
dust jacket עטיפת־ספר
dustman *n.* פועל ניקיון
dustpan *n.* יעה, כף־אשפה
dust-sheet *n.* כיסוי (נגד אבק)
dust-up *n.* ★ריב, קטטה
dusty *n.* מאובק, כמו אבק, יבש
dusty answer תשובה מעורפלת
not so dusty ★לא רע, בסדר
Dutch *adj&n.* הולנדי; הולנדית (שפה)
go Dutch להתחלק בהוצאות
in Dutch ★בצרות, במצב ביש
talk like a Dutch uncle להוכיח, לנזוף
Dutch courage אומץ הבא משתייה
Dutch treat כיבוד הולנדי (שלפיו כל משתתף משלם את הוצאותיו)
du'te•ous *adj.* ממלא חובתו, צייתן
du'tiable *adj.* חייב במכס
du'tiful *adj.* ממלא חובתו, צייתן
du'ty *n.* חובה; מס
do duty for לשמש כ־, לשרת כ־
double duty שתי מלאכות
duty bound חייב (מבחינה מוסרית)
duty visit/call ביקור חובה, ביקור מצפוני, ביקור מוסרי
on/off duty בתפקיד/לא בתפקיד
duty-free *n.* פטור ממכס

duvet (do͞ovā') *n.* שמיכת־נוצות
dwarf (dwôrf) *n.* גמד
dwarf *v.* לגמד, להגמיד; לעכב צמיחה
dwell *v.* לגור, להתגורר
dwell on להתעכב על, להרהר ב־; להדגיש
dweller *n.* גר, שוכן
dwelling *n.* בית, דירה, מעון
dwelling house בית מגורים
dwelt = p of dwell
dwin'dle *v.* להתדלדל, לפחות
dy'ar•chy (-k-) *n.* דו־שילטון
dyb'buk *n.* דיבוק
dye (dī) *n.* צבע, חומר צביעה
of the deepest dye הרע ביותר
dye *v.* לצבוע, להיצבע
dyed-in-the-wool *adj.* מוחלט, מובהק
dyer *n.* צבע, צובע
dye-stuff *n.* צבע, חומר צביעה
dye-works *n.* מיצבעה
dy'ing *adj.* מת, גוסס, שכיב מרע
dyke = dike
dy•nam'ic *adj.* דינמי; פעיל, נמרץ
dynamic *n.* דחף, כוח מוסרי
dynamics דינמיקה
dy'namism' *n.* דינמיזם, דינמיות
dy'namite' *n.* דינמיט, ברד
dynamite *v.* לפוצץ בדינמיט
dy'namo' *n.* דינמו
dy'nast' *n.* מושל, מלך
dy•nas'tic *adj.* של שושלת מלכים
dy'nasty *n.* שושלת מלכים, דינסטיה
d'you = do you (jə)
dys'enter'y *n.* דיזנטריה, בורדם
dysfunc'tion *n.* תיפקוד לקוי
dyspep'sia *n.* הפרעה בעיכול
dyspep'tic *n.* סובל מהפרעה בעיכול

E

E *n.* מי (צליל)
each *adj&prep.* כל, כל אחד
each and every כל אחד (להדגשה)
each of them כל אחד מהם
each other זה את זה, זה לזה
they each כל אחד מהם
ea′ger (-g-) *adj.* להוט, משתוקק
eager beaver שקדן, נלהב, שאפתן
ea′gle *n.* נשר
eagle-eyed *adj.* חד־עין; לוטש עין
ea′glet *n.* נישרון, נשר צעיר
ear *n.* אוזן; שמיעה; שיבולת
bring down around one's ears להוריד לטימיון
catch/win his ear להעיר אוזנו
dry behind the ears מנוסה, מיומן
give one's ears לשלם כל מחיר
give/lend an ear להטות אוזן
had a word in his ear גלה אוזנו
his ears are burning מרכלים עליו, מדברים על אודותיו
keep an ear to the ground להיות ער להתרחשויות
out on ear ★עף מהעבודה
play by ear לנגן לפי שמיעה
play it by ear לפעול בלי תיכנון, לפעול בהתאם להתפתחויות
prick up one's ears לזקוף אוזניו
set them by the ears לסכסכם זה בזה
turn a deaf ear לאטום אוזנו
up to one's ears in work שקוע ראשו ורובו בעבודה
wet behind the ears טירון, תמים
I'm all ears כולי אוזן
earache *n.* כאב אוזניים
eardrop *n.* עגיל
eardrum *n.* תוף האוזן
eared *adj.* בעל אוזניים
long-eared ארך־אוזניים
sharp-eared חד־שמיעה
ear′ful′ (-fool) *n.* נזיפה, מנה הגונה; חדשות, רכילות
earl (ûrl) *n.* רוזן, אציל
earldom *n.* רוזנות
ear′ly (ûr′-) *adj&adv.* מוקדם; בהקדם, בשעה מוקדמת
at the earliest לכל המוקדם
early on בשלב מוקדם, בראשית
early riser משכים קום
early warning התראה מוקדמת
keep early hours לישון מוקדם
early bird ★מקדים, משכים קום
early closing day יום שבו החנויות סגורות אחה"צ
earmark *n.* סימן בעלות (על אוזן)
earmark *v.* לתקצב, לשריין, לייעד
earmuff *n.* כיסוי אוזניים, בית אוזן
earn (ûrn) *v.* להרוויח; להיות ראוי/זכאי ל־
earn him a title לזכותו בתואר
ear′nest (ûr′-) *adj&n.* רציני
in earnest/earnestly ברצינות
earnest *n.* דמי קדימה, עירבון
as an earnest of כאות, להבטחת
earnest money עירבון
earnings *n.* שכר; רווחים
earphone *n.* אוזנית
earpiece *n.* אפרכסת
ear′ring (-r-r-) *n.* עגיל
earshot *n.* טווח שמיעה
earsplitting *adj.* מחריש אוזניים, רם
earth (ûrth) *n.* כדור הארץ, ארץ; אדמה, עפר; מאורה; ארקה; עפרה
come down to earth לחזור אל קרקע המציאות
down to earth מעשי, הוגן
move heaven and earth להפוך עולמות
run to earth למצוא לאחר חיפוש
what on earth… מה, לעזאזל
earth *v.* להאריק, לחבר לאדמה
earth up לכסות בעפר
earthbound *adj.* גשמי, חומרי, ארצי
earthen *adj.* עשוי עפר, עשוי חומר
earthenware *n.* כלי חרס
earthly *adj.* ארצי
hasn't an earthly ★אין לו סיכוי
no earthly ★כלל לא, אין שום־
earthnut *n.* אגוז אדמה
earthquake *n.* רעידת אדמה

earthwork *n.* ביצורים, סוללה
earthworm *n.* שילשול, תולעת
earthy *adj.* ארצי, גשמי
earwax *n.* דונג האוזן, שעוות האוזן
ear′wig′ *n.* צבתן (חרק)
ease (-z) *n.* נוחות, שלווה, קלות
 at ease רגוע, בלי מתח
 ill at ease מודאג, עצבני
 put him at his ease להרגיעו
 stand at ease! עמוד נוח!
 take one's ease לנוח, להירגע
 with ease בקלות, בנקל
ease *v.* להרגיע, להקל, לשחרר, להרפות
 ease off/up להרפות, להיחלש
ea′sel (-z-) *n.* חצובה, כן־ציור
easily *adv.* בקלות; בהחלט, ללא ספק
east *n&adj.* מיזרח; מיזרחי
 the Middle East המיזרח התיכון
east, eastwards *adv.* מיזרחה
East End מיזרח לונדון, איסטאנד
East′er *n.* חג הפסחא
east′erly *adj.* מיזרחי
east′ern *adj.* מיזרחי
east′erner *n.* תושב המיזרח
easternmost *adj.* המיזרחי ביותר
ea′sy (-zi) *adj.* קל; נוח; חסר־דאגות
 easy circumstances חיי רווחה
 easy goods סחורה מצוייה
 easy manners חביבות, קלילות
 easy mark/victim פתי, טרף קל
 easy money כסף קל, רווח מהיר
 easy on the eye ⋆שובה עין
 easy virtue מוסר מפוקפק
 on easy street ⋆מבוסס, בתנאים נוחים
 on easy terms בתשלומים
easy *adv.* בקלות, בנקל
 easy come, easy go דבר שזוכים בו בקלות - מפסידים בקלות
 easy does it! ⋆לאט! בזהירות!
 easy! לאט לך! בעדינות!
 go easy on לא להפריז ב־
 got off easy נפטר בעונש קל
 it's easier said than done קל לומר, קשה לבצע
 stand easy! חופשי!
 take it easy! קח זאת בקלות! לאט!
easy chair כיסא נוח, כורסה
easygoing *adj.* עצלן, לא מקפיד, נוח
eat *v.* לאכול; להרוס; לשַתך
 eat away לאכל, לכרסם, לשתך
 eat dirt לגלות הכנעה, להרכין ראש
 eat its head off לאכול הרבה, יצא שכרו בהפסדו
 eat like a bird לאכול מעט
 eat like a horse לזלול
 eat one's cake and have it too ליהנות משני העולמות
 eat one's heart out לאכול את עצמו, לסבול
 eat one's words לחזור בו מדבריו
 eat out לאכול בחוץ
 eat up לאכול, לאכול הכל, לבלוע
 eaten up with jealousy אכול קינאה
eatable *adj.* ראוי לאכילה, אכיל
eatables *n-pl.* מיצרכי מזון
eater *n.* אכלן; תפוח חי
eating apple תפוח חי
eating-house *adj.* מיסעדה
eats *n-pl.* ⋆אוכל, מזון
eau de cologne (ō′dəkəlōn′) מי קולון
eaves (ēvz) *n-pl.* שולי גג, מרזב
eavesdrop *v.* לצותת, להאזין בגניבה
eavesdropper *n.* מצותת בחשאי
ebb *n.* שֵפל; ירידה
 at a low ebb בשפל
ebb *v.* לרדת, להתמעט, לדעוך
ebb tide שפל, זמן השפל
eb′onite′ *n.* הובנית, גומי מגופר
eb′ony *n&adj.* הובנה, שחור
e•bul′lience *n.* התלהבות, התרגשות
e•bul′lient *adj.* נלהב, נרגש; גולש, שופע
ec•cen′tric *adj&n.* מוזר, משונה; לא משותף־מרכז; לא מעגלי; משנה־תנועה
ec′cen•tric′ity *n.* מוזרות
eccle′sias′tic (iklēzi-) *n.* כומר
ecclesiastical *adj.* כנסייתי
ECG אק"ג
ech′elon′ (esh-) *n.* תדריג, תבנית מדרגות, מערך אלכסוני; רמה, דרג
ech′o (ek-) *n.* הד; חיקוי, חקיין
 to the echo בתרועות
echo *v.* להדהד; לחזור כהד, להחרות־להחזיק אחרי־
éclair′ (āk-) *n.* עוגייה
éclat (āclä′) *n.* הצלחה כבירה
ec•lec′tic *adj.* מלוקט, מלקט ממקורות שונים, אקלקטי
eclectic *n.* אקלקטיקן, לקטן
ec•lipse′ *n.* ליקוי מאורות
eclipse *v.* לגרום לליקוי מאורות; להאפיל על, להטיל צל על
ec•lip′tic *n.* מילקה, קו הליקויים

ec′logue′ (-lôg) *n.* שיר קצר
ec′olog′ical *adj.* אקולוגי
e•col′ogy *n.* אקולוגיה, תורת הסביבה
e′conom′ic *adj.* כלכלי; ריווחי
e′conom′ical *adj.* חסכוני
e′conom′ics *n.* כלכלה
e•con′omist *n.* כלכלן
e•con′omize′ *v.* לחסוך, לקמץ בהוצאות
e•con′omy *n.* חיסכון; כלכלה
economy class מחלקה זולה (בטיסה)
ecru (ākrōō′) *n.* חום בהיר, בז׳
ec′stasy *n.* אקסטאזה, התלהבות
ec•stat′ic *adj.* אקסטאטי, מתלהב
ec′u•men′ical *adj.* אקומני, עולמי
ec′zema (eks-) *n.* אקזמה, חככת, גרב, גלשת
e•da′cious (-shəs) *adj.* זולל, טורף
ed′dy *n.* מערבולת
eddy *v.* להתערבל, לנוע במעגלים
E′den *n.* גן־עדן
edge *n.* חוד, להב, חורפה; קצה, שפה
edge on בכיוון הקצה
give the edge of one's tongue לנזוף קשות
has the edge on יש לו יתרון על
on edge מתוח, עצבני
put an edge on לחדד
set his teeth on edge לעצבנו
take the edge off להקהות, לשכך
edge *v.* לשפות, להתקין שוליים, לחדד; להתקדם לאט; להוביל לאט
edge in להתקדם לאט, להידחק
edge one's way לפלס דרכו
edge out לדחוק רגליו
edged with green ירוק־שוליים
edgeways, -wise *adv.* בכיוון החוד
couldn't get a word in edgeways לא הצליח לומר מילה
edging *n.* שפה, שוליים
edg′y *adj.* מתוח, עצבני
ed′ibil′ity *n.* ראויות לאכילה
ed′ible *adj.* אכיל, ראוי לאכילה
edibles *n-pl.* דברי מאכל
e′dict *n.* צו, פקודה
ed′ifica′tion *n.* חיזוק הרוח, חינוך, השבחת הנפש
ed′ifice (-is) *n.* בניין, ארמון
ed′ify′ *v.* לחזק המוסר, לחנך, לשפר
ed′it *v.* לערוך; להכין לדפוס
e•di′tion (-di-) *n.* מהדורה; הוצאה
ed′itor *n.* עורך
ed′ito′rial *adj.* של עורך, של עריכה
editorial *n.* מאמר המערכת
ed′ucate′ (ej′-) *v.* לחנך, ללמד
educated *adj.* מחונך; מבוסס על ניסיון
ed′uca′tion (ej-) *n.* חינוך
educational *n.* חינוכי
educationist *n.* מחנך
ed′uca′tor (ej′-) *n.* מחנך, מורה
e•duce′ *v.* להוציא, להסיק, לפתח
eel *n.* צלופח
e'en = even (ēn)
e'er = ever (âr)
ee′rie *adj.* מפחיד, מוזר, מיסתורי
efface′ (i-) *v.* למחוק, למחות
efface oneself להיחבא אל הכלים
effacement *n.* מחיקה
effect′ (i-) *n.* השפעה, תוצאה, תולדה; אפקט, רושם; פעלול
effects חפצים
give effect to להוציא לפועל
in effect למעשה; בתוקף, תקף, חל
into effect לשלב הפעלה
no effects אין כיסוי (להמחאה)
of no effect לבלי הועיל, לשווא
put into effect להפעיל, לבצע
take effect לפעול, להיכנס לתוקפו
to that effect ברוח זו, במובן זה
to the effect that לאמור, כלומר
effect *v.* להוציא לפועל, לבצע
effec′tive (i-) *adj.* אפקטיבי, יעיל, בר־פעל; מרשים; ממשי, ריאלי, קיים
effectives *n-pl.* כוחות צבא פעילים
effec′tual (ifk′chōōəl) *adj.* יעיל, אפקטיבי
effec′tuate′ (ifek′chōōāt) *v.* להגשים, לבצע; לגרום ל־
effem′inacy (i-) *n.* נשיות
effem′inate (i-) *adj.* נשי, כמו אישה
effen′di (i-) *n.* אפנדי
ef′fervesce′ (-ves) *v.* לתסוס, לבעבע; להתרגש, לשפוע גיל
effervescence *n.* תסיסה
effervescent *adj.* תוסס
ef•fete′ *adj.* חלש, בלה, מנוון
ef′fica′cious (-shəs) *adj.* יעיל, אפקטיבי
ef′ficacy *n.* יעילות
effi′ciency (ifish′ənsi) *n.* יעילות
effi′cient (ifish′ənt) *adj.* יעיל, מוכשר
ef′figy *n.* בובה
burn in effigy להעלות בובתו באש
ef′flores′cence *n.* פריחה

ef′flores′cent *adj.* פורח
ef′fluent (-lōōənt) *n.* נחל; שפכין
ef′flux′ *n.* זרימה, יציאה
ef′fort *n.* מַאמץ; נסיון; מיבצע
a good effort! כל הכבוד!
effortless *adj.* קל, ללא מאמץ
effron′tery (ifrun-) *n.* חוצפה
efful′gence (i-) *n.* זוֹהַר, זיו
efful′gent (i-) *adj.* זוהר, מבהיק
effu′sion (ifū′zhən) *n.* השתפכות; נזילה
effu′sive (i-) *adj.* משתפך, שופע
e.g. כגון, לדוגמה
e•gal′ita′rian *adj.* שיוויוני, דוגל בשוויון זכויות
egg *n&v.* ביצה; ⋆אדם, ברנש
as sure as eggs is eggs ⋆מאה אחוז, ללא צל של ספק
bad egg אדם רע, טיפוס רע
egg on לדרבן, לעודד
in the egg בעודו באיבו
lay an egg ⋆להיכשל לחלוטין
put all eggs in one basket להמר על כל הקופה
eggbeater *n.* מַקצף ביצים, מַטרף
eggcup *n.* גביע לביצים
egghead *n.* ראש־ביצה, משכיל
egg′plant′ *n.* חציל
eggshell *n.* קליפת הביצה
eggshell china חרסינה עדינה
egg whisk מַקצף ביצים, מַטרף
e′gis = aegis חסות
e′go *n.* אגו, ה"אני"
e′go•cen′tric *adj.* אגוצנטרי, אנוכיי
e′go•ism′ *n.* אגואיזם, אנוכיות
e′go•ist *n.* אגואיסט, אנוכיי
e′go•is′tic *adj.* אגואיסטי
e′gotism′ *n.* אגוטיזם, אנוכיות
e′gotist *n.* אגוטיסט, אנוכיי
e•gre′gious (-′jəs) *adj.* בלתי־רגיל, גס, מובהק
e′gress′ *n.* יציאה
e′gret *n.* אנפה (עוף)
E′gypt *n.* מצריים
E•gyp′tian (-shən) *adj&n.* מצרי
eh (ā) *interj.* אה, מה (קריאה)
ei′der (ī′-) *n.* ברווז ימי
eiderdown *n.* שמיכת נוצות
eight (āt) *adj&n.* שמונה, 8; סירת משוטים (ל־8 איש)
one over the eight שתוי
eighteen (ātēn′) *n.* שמונה עשר
eighteenth *adj.* (החלק) השמונה עשר
eighth (ātth) *adj.* (החלק) השמיני
eightieth (ā′tiəth) *adj.* (החלק) השמונים
eighty (ā′ti) *adj&n.* שמונים
the eighties שנות השמונים
ei′ther (ē′dh-) *adj&pron.* אחד משניהם, זה או זה; זה וגם זה
in either event בכל מיקרה
on either side of משני צידי
either *adv.* גם כן (לא)
either... or... או־או־
e•jac′u•late′ *v.* לקרוא, לומר לפתע, להפליט בקצרה; לפלוט (זרע)
e•jac′u•la′tion *n.* קריאה
e•ject′ *v.* לגרש; לפלוט
e•jec′tion *n.* גירוש; פליטה
ejector *n.* מַפלט (בכלי ירייה)
ejector seat כיסא־הטייס (הנפלט)
eke *v.* להגדיל, להאריך
eke out להשלים (החסר), להוסיף, להאריך
eke out a living להתפרנס בדוחק
EKG אק"ג
el = elevated railway
e•lab′orate *adj.* משוכלל, מתוכנן, מעובד
e•lab′orate′ *v.* להוסיף פרטים, לתכנן בפרוטרוט, לעבד, לשכלל
e•lab′ora′tion *n.* עיבוד, שיכלול
élan (āläng′) *n.* התלהבות
e•lapse′ *v.* לעבור, לחלוף
e•las′tic *adj.* גמיש, אלאסטי, מתיח, קפיצי
elastic *n.* חומר גמיש; קפיץ, גומי
e•las′tic′ity *n.* גמישות, אלאסטיות
e•late′ *v.* לרומם רוח, לנסוך גאווה
elated *adj.* מרומם, עליז, גאה
e•la′tion *n.* התרוממות רוח
el′bow (-bō) *n.* מרפק; זווית־צינור
at one's elbow על ידו, קרוב
lift one's elbow לשתות לשכרה
out at elbows לבוש סחבות
rub elbows with להתחכך ב־, להתרועע עם
up to the elbows שקוע ב־
elbow *v.* לדחוק במרפקים, למרפק
elbow grease עבודת פרך
elbowroom *n.* מרחב פעולה
el′der *n.* סמבוק (שיח נוי)
elder *adj&n.* גדול, בכיר, מבוגר; קשיש
he is my elder by 2 years הוא גדול

ממני בשנתיים
one's elders הזקנים ממנו
el'derly *adj.* קשיש, מזדקן
elder statesman מדינאי מנוסה
eld'est *adj.* הבכור, הגדול ביותר
El Dorado (-rä'-) *n.* אלדורדו; ארץ אגדית, ארץ החלומות
e•lect' *adj.* נבחר
president elect הנשיא הנבחר
the elect המובחרים, עם סגולה
elect *v.* לבחור; להעדיף, להחליט
e•lec'tion *n.* בחירות
by-election בחירות מישנה
e•lec'tioneer' (-shən-) *v.* לנהל תעמולת בחירות
e•lec'tive *adj.* מתמנה בבחירות; מוסמך לבחור; לפי בחירה, לא חובה
elector *n.* בוחר; אלקטור
electoral *adj.* של בחירות/אלקטורים
electoral college מועצת האלקטורים (הבוחרים את נשיא ארה"ב)
electoral roll רשימת הבוחרים
e•lec'torate *n.* ציבור הבוחרים
e•lec'tric, -cal *adj.* חשמלי
electric blanket שמיכה חשמלית
electric chair כיסא חשמל
electric eye עין אלקטרונית
e•lec'tri'cian (-rish'ən) *n.* חשמלאי
e•lec'tric'ity *n.* חשמל
electric shock הלם חשמלי
e•lec'trifica'tion *n.* חישמול
e•lec'trify' *v.* לחשמל
e•lec'tro- (תחילית) חשמלי
e•lec'tro•car'diogram' תרשים פעולת הלב, אק"ג
e•lec'trocute' *v.* לחשמל (למוות)
e•lec'trocu'tion *n.* חישמול
e•lec'trode *n.* אלקטרוד
e•lec'trol'ysis *n.* אלקטרוליזה
e•lec'tro•mag'net *n.* אלקטרומגנט
e•lec'tron' *n.* אלקטרון
e•lec'tron'ic *adj.* אלקטרוני
electronics *n.* אלקטרוניקה
e•lec'troplate' *v.* לצפות (בכסף) ע"י אלקטרוליזה, להכסיף
e•lec'troscope' *n.* אלקטרוסקופ
el'e•emos'ynar'y (-neri) *adj.* של נדבות
el'egance *n.* אלגנטיות, הידור
el'egant *adj.* אלגנטי, הדור, נאה
el'egi'ac *adj.* נוגה, עצוב
elegiacs *n-pl.* חרוזי קינה
el'egy *n.* אלגיה, קינה
el'ement *n.* אלמנט, יסוד, עיקר, פרט
in one's element כדג במים
out of one's element בשטח זר, שלא בסביבתו הטיבעית
the elements איתני הטבע
the elements of יסודות, עיקרי
the Elements לחם הקודש ויין הקודש
the 4 elements 4 היסודות
el'emen'tal *adj.* של איתני הטבע
el'emen'tary *adj.* אלמנטארי, יסודי
el'ephant *n.* פיל
el'ephan'tine (-tēn) *adj.* כמו פיל
el'evate' *v.* להרים, לרומם, להגביה
elevated *adj.* אצילי, עדין; מורם
elevated railway רכבת עילית
el'eva'tion *n.* הרמה, הגבהה; אצילות, כבוד; גיבעה, רמה; תרשים צד־הבניין; מיגבה, זווית־גובה, גובַה
el'eva'tor *n.* מעלית; מנוף אסם
e•lev'en *n&adj.* אחד עשר, 11
e•lev'enses (-siz) *n.* ארוחת 11
eleventh *adj.* (החלק) האחד עשר
at the eleventh hour ברגע האחרון
elf *n.* שדון, שדונת, פייה קטנה
el'fin, el'fish *adj.* שדוני, שובבי
e•lic'it *v.* להוציא, למשוך, להפיק
e•lic'ita'tion *n.* הוצאה, הפקה
e•lide' *v.* להשמיט, להבליע
el'igibil'ity *n.* התאמה, כשירות
el'igible *adj.* ראוי, כשיר, מתאים
eligible young man בן זוג מתאים
e•lim'inate' *v.* לסלק, להוציא
e•lim'ina'tion *n.* סילוק, הוצאה, השמטה, אלימינציה
e•li'sion (-lizh'ən) *n.* השמטה, הבלעה
e•lite' (ilēt') *n.* עילית, מובחר; אליטה, הסולת והשמן
e•lit'ism' (ilēt'-) *n.* טיפוח המוכשרים; אליטיזם, שילטון המובחרים
e•lix'ir (-sər) *n.* אליקסיר, שיקוי פלא
E•liz'abe'than *adj.* של אליזבת ה־1
elk *n.* איל גדול
ell *n.* אמה (כ־45 אינטש)
ellipse' (i-) *n.* אליפסה
ellip'sis (i-) *n.* הֶשמט, השמטת מלה
ellip'tic (i-) *adj.* אליפסי, סגלגל
ellip'tical (i-) *adj.* מכיל השמט
elm *n.* בוקיצה (עץ־נוי)
el'ocu'tion *n.* אמנות הנאום
elocutionary *adj.* של אמנות הנאום
elocutionist *n.* אמן הנאום

e•lon′gate′ *v.* להאריך
e•lon′ga′tion *n.* הארכה
e•lope′ *v.* לברוח (עם אהובה)
elopement *n.* בריחה (עם אהובה)
el′oquence *n.* צחות הלשון
el′oquent *adj.* אמן הדיבור; משכנע
eloquent of מביע, משקף היטב, מבטא
else *adv.* אחר, נוסף על, עוד; באופן אחר, אחרת, וָלא
or else וָלא, פן; או ש־
somebody else מישהו אחר
who else- מי זולתו, מי עוד־
elsewhere *adv.* במקום אחר
e•lu′cidate′ *v.* להסביר, להבהיר
e•lu′cida′tion *n.* הבהרה
e•lude′ *v.* להתחמק מ־, להשתמט מ־
e•lu′sive *adj.* חמקמק, פורח מהזיכרון
el′ver *n.* צלופח צעיר
elves = pl of elf (elvz)
el′vish *adj.* שדוני, שובבי
E•ly′sian (-lizh′ən) *adj.* של גן־עדן
E•ly′sium (-lizh′əm) *n.* גן־עדן
’em = them (əm)
e•ma′ciate′ (-′sh-) *v.* להרזות
e•ma′cia′tion (-′sh-) *n.* רזון
em′anate′ *v.* לנבוע, לצאת מ־
em′ana′tion *n.* נביעה, יציאה
e•man′cipate′ *v.* לשחרר, לגאול
emancipated woman אישה משוחררת
e•man′cipa′tion *n.* שיחרור, חירות, אמנציפציה
e•mas′cu•late′ *v.* לסרס; להחליש, להתיש
e•mas′cu•la′tion *n.* סירוס
em•balm′ (-bäm) *v.* לחנוט, לשמור בזיכרון, להנציח; לבשם
embalmment *n.* חניטה
em•bank′ment *n.* סכר, סוללה
em•bar′go *n.* אמבארגו, הסגר, מעצר
lay under embargo להטיל אמבארגו
embargo *v.* להטיל אמבארגו על
em•bark′ *v.* להעלות/לעלות לאונייה
embark on להתחיל ב־, לפתוח ב־
em′bar•ka′tion *n.* עלייה על אונייה
em•bar′rass *v.* להביך; להדאיג, להטריד; להכביד, לעכב
embarrassment *n.* מבוכה; קושי
em′bassy *n.* שגרירות
em•bat′tle *v.* לערוך לקרב, לכתר
embattled *adj.* ערוך לקרב; מאושנב
em•bed′ded *adj.* משובץ, נעוץ, קבוע
em•bel′lish *v.* לקשט, לייפות

embellishment *n.* קישוט; תקשיט
em′ber *n.* גחלת, אפר
ember days ימי צום ותפילה
em•bez′zle *v.* למעול
embezzlement *n.* מעילה
em•bit′ter *v.* לגרום התמרמרות
embitterment *n.* התמרמרות
em•bla′zon *v.* לקשט; להלל, לפאר
em′blem *n.* סמל, סימן
em′blemat′ic *adj.* סימלי, סימבולי
em•bod′iment *n.* התגלמות
em•bod′y *v.* לגבש, להביע, להמחיש, לגלם; להכיל, לכלול
em•bold′en (-bōl-) *v.* לחזק, לעודד, לאמץ
em′bolism′ *n.* תסחיף, קריש־דם, סחיף
embonpoint (änbänpwä′) *n.* שומן
em•bos′om (-booz′-) *v.* לחבק, להקיף
em•boss′ (-bôs) *v.* לתבלט, להבליט
em•bow′er *v.* להקיף בעצים, לסוכך
em•brace′ *v.* לחבק; להתחבק; לקבל, לאמץ; להקיף, לכלול
embrace *n.* חיבוק
em•bra′sure (-zhər) *n.* אשנב־ירי; פתח, צוהר
em′broca′tion *n.* מישחה רפואית
em•broi′der *v.* לרקום, לקשט
em•broi′dery *n.* ריקמה; תירקומת
em•broil′ *v.* לסבך, להסתבך בריב
em′bryo′ *n.* עוּבָּר
in embryo בחיתוליו, באיבו
em′bryon′ic *adj.* בראשית התהוותו
em′cee′ *n.* ראש הטקס
e•mend′ *v.* לתקן, להגיה, לסלק שגיאות
e′menda′tion *n.* תיקון, הגהה
em′erald *n.* ברקת (אבן יקרה)
e•merge′ *v.* להופיע, להתגלות
emergence *n.* הופעה, התגלות
e•mer′gency *n&adj.* (של) שעת חירום
e•mer′gent *adj.* עולה, מבצבץ
e•mer′itus *adj.* אמריטוס, שפרש מתפקידו, בדימוס
em′ery *n.* שמיר (לשיוף ומירוק)
emery-paper *n.* נייר זכוכית, נייר שמיר, נייר לטש
e•met′ic *n.* סם הקאה, שיקוי הבחלה
em′igrant *n.* מהגר, יורד
em′igrate′ *v.* להגר
em′igra′tion *n.* הגירה, ירידה
em′igré′ (-grā′) *n.* מהגר
em′inence *n.* מעמד רם; רמה, גיבעה

win eminence להתפרסם, להתבלט
your eminence הוד מעלתך
em′inent *adj.* מפורסם, מצויין, בולט
eminently *adv.* מאוד, בהחלט
emir′ (-mir) *adj.* אמיר (מוסלמי), מושל
emir′ate *n.* אמירות
em′issar′y (-seri) *n.* שליח, מעביר שדר
e•mis′sion *n.* הוצאה, פליטה; אמיסיה, הנפקה
e•mit′ *v.* להוציא, לפלוט
e•mol′lient *n.* מישחת עור
e•mol′u•ment *n.* משכורת, שכר, הטבה
e•mote′ *v.* ⋆להביע ברגשנות
e•mo′tion *n.* רגש, ריגוש, אמוציה
emotional *adj.* אמוציונלי, ריגושי
e•mo′tive *adj.* ריגושי, מעורר רגשנות
em•pan′el *v.* לצרף לחבר־המושבעים
em′pathy *n.* הזדהות גמורה
em′peror *n.* קיסר
em′phasis *n.* הדגשה, הבלטה
em′phasize′ *v.* להדגיש
em•phat′ic *adj.* תקיף, נחרץ, ודאי, מודגש
emphatically *adv.* בהחלט, נחרצות
em′pire *n.* אימפריה, שילטון
em•pir′ic *adj.* אמפירי, ניסיוני
em•pir′icism′ *n.* ניסיוניות
em•place′ *v.* להציב בעמדה
emplacement *n.* עמדת־תותח
em•plane′ *v.* להעלות/לעלות על מטוס
em•ploy′ *v&n.* להעסיק; להשתמש ב־, להפעיל
employ one's time לנצל זמנו
in the employ of מועסק אצל
employable *adj.* בר־העסקה
em′ployee′ *n.* עובד, פועל
em•ploy′er *n.* מעביד
employment *n.* עבודה, תעסוקה; העסקה
out of employment מובטל
employment exchange לישכת עבודה
em•po′rium *n.* מרכז מיסחרי
em•pow′er *v.* לייפות כוחו, להסמיך
em′press *n.* קיסרית
emp′tiness *n.* ריקנות
emp′ty *adj.* ריק; ⋆רעב
empties בקבוקים/ארגזים ריקים
empty *v.* לרוקן; להתרוקן; להשתפך
empty-handed *adj.* בידיים ריקות
empty-headed *adj.* טיפש
em•pur′ple *v.* להאדים, לאדם
em′pyre′an *n.* רקיע, שמיים
e′mu (-mū) *n.* אמו (עוף גדול)
em′u•late′ *v.* לחקות, ללכת בדרכיו
em′u•la′tion *n.* חיקוי
em′u•lous *adj.* מחקה, שואף, רודף
e•mul′sify′ *v.* לתחלב
e•mul′sion *n.* תחליב, אמולסיה
en•a′ble *v.* לאפשר; להתיר
en•act′ *v.* לחוקק; לגלם (תפקיד) במחזה
enactment *n.* חקיקה; חוק
e•nam′el *n.* אמייל, זֶגֶג, זגוגית, תזגיג
enamel *v.* לאמל, לצפות באמייל
enamel ware כלי אמייל
en•am′or *v.* להקסים, לשבות לב
enamored *adj.* מאוהב
en•camp′ *v.* לחנות, להקים מחנה
encampment *n.* מחנה
en•case′ *v.* לארוז, לכסות, לעטוף
en•caus′tic *adj.* בצבעים שרופים
enceinte (ensānt′) *adj.* הרה, בהריון
en•ceph′ali′tis *n.* דלקת המוח
en•chain′ *v.* לכבול, לרתק
en•chant′ *v.* להקסים; לכשף
enchanter *n.* מכשף
enchantment *n.* קסם
en•cir′cle *v.* להקיף, לכתר
encirclement *n.* הקפה, כיתור
en clair′ (än-) בשפה פשוטה
en′clave *n.* מובלעת
en•close′ (-z) *v.* להקיף, לסגור, לגדור; לצרף למיכתב
enclosed, please find רצ"ב
en•clo′sure (-zhər) *n.* סגירת שטח; שטח מגודר; דבר מצורף
en•code′ *v.* לכתוב בצופן, לצפן
en•co′mium *n.* הלל, תהילה
en•com′pass (-kum-) *v.* להקיף, לכתר
en′core (än-) *n&interj.* הדרן
encore *v.* לבקש הדרן מ־
en•coun′ter *v.* להיתקל ב־
encounter *n.* היתקלות
en•cour′age (-kûr′-) *v.* לעודד
encouragement *n.* עידוד
en•croach′ *v.* להסיג גבול, לפלוש
encroachment *n.* הסגת גבול
en•crust′ *v.* לצַפּות, לכסות; להקרים
en•cum′ber *v.* להעמיס, להכביד
encumbered *adj.* מטופל, עמוס, דחוס
en•cum′brance *n.* משא, מעמסה

en•cyc′lical *n.* איגרת האפיפיור
en•cy′clope′dia *n.* אנציקלופדיה
en•cy′clope′dic *adj.* אנציקלופדי
end *n.* סוף, קצה; מטרה, תכלית; מוות
at an end נגמר, נסתיים
at loose ends מתבטל, לא עסוק; תוהה, מבולבל
begin at the wrong end להתחיל ברגל שמאל
cigarette end בדל סיגריה
draw to an end להתקרב לקיצו
end in itself מטרה בפני עצמה
end of the road סוף הדרך
end on (התנגשות) חזיתית
end to end קצה אל קצה
for this end לשם כך
get the wrong end of the stick לטעות לחלוטין
go off the deep end להתפרץ בזעם; לאבד את ראשו
in the end לבסוף
keep one's end up להחזיק מעמד, לעשות המוטל עליו
loose ends פרטים שלא הושלמו
make (both) ends meet להרוויח כדי מחייתו
make an end of לסיים, לשים קץ ל־
no end (of) *המון, הרבה, לאין שיעור
on end על קצהו, על הצד; ברציפות
put an end to לשים קץ ל־
to no end לשווא
to the bitter end עד לסוף המר
to the end that כדי ל־
turn end for end להתהפך
win one's ends להשיג את מטרתו
without end ללא קץ
3 hours on end 3 שעות רצופות
end *v.* להסתיים; לסיים, לגמור
end off/up לסיים, לגמור
en•dan′ger (-dān′-) *v.* לסכן
en•dear′ *v.* לחבב על; להתחבב על
endearing *adj.* חביב, מושך
endearment *n.* ביטוי אהבה, חיבה
en•deav′or *v.* להשתדל, להתאמץ
endeavor *n.* ניסיון, מאמץ
en•dem′ic *adj.* אנדמי, מוגבל, מקומי
ending *n.* סוף, סיום
en′dive *n.* עולש, ציקוריה
endless *adj.* אין־סופי
endless belt חגורה אין־סופית (שקצותיה מחוברים)
en′do•crine′ *adj.* של הפרשה פנימית
en•dorse′ *v.* להסב (שק); לחתום מעבר למיסמך; לאשר, להביע תמיכה
endorse a driving license לרשום עבירת תנועה ברישיון
endorsement *n.* הסבה, אישור, היסב
en•dow′ *v.* לתרום, להקדיש נכס, להעניק
endowed with מחונן ב־, נתברך ב־
endowment *n.* תרומה; הקדשה; כישרון
endowment assurance ביטוח מעורב
endpaper *n.* דף ריק (בתחילת הספר)
end product מוצר סופי
en•due′ (-doo′) *v.* להעניק, לחונן
endurable *adj.* שאפשר לסבלו, נסבל
endurance *n.* כוח סבל, סבלנות
past endurance לא נסבל
en•dure′ *v.* לסבול; לשאת; להימשך
endure for ever להתקיים לעד
enduring *adj.* קיים, מתמיד, ניצחי
endways, -wise *adv.* מכיוון הקצה, בכיוון הקצה, קצה אל קצה
en′ema *n.* חוקן
en′emy *n.* אויב, שונא
en′erget′ic *adj.* מלא מרץ, נמרץ, אנרגי
en′ergy *n.* מרץ, אנרגיה
en′ervate′ *v.* להחליש, להתיש
en famille (än′famē′) בחוג המישפחה
enfant terrible (änfänterēb′lə) שובב, הילד הנורא
en•fee′ble *v.* להחליש, להתיש
en′filade′ *n.* אש אנפילדית
en•fold′ (-fōld) *v.* לחבק, להקיף, לעטוף
en•force′ *v.* לכפות, לאכוף; לחזק
enforceable *adj.* אכיף
enforcement *n.* אכיפה
en•fran′chise (-z) *v.* להעניק זכות בחירה; לשחרר, להוציא לחרות
enfranchisement *n.* שיחרור
en•gage′ *v.* להעסיק, לשכור; להזמין; להתקיף; לחבר, לשלב
engage (oneself) in לעסוק ב־
engage (oneself) to להתחייב ל־
engage attention למשוך תשומת־לב
engage for לערוב ל־, להתחייב
engage the clutch לשַלב המצמד
engaged *adj.* עסוק, תפוס, לא פנוי; מאורס
engagement *n.* התחייבות; אירוסין; התקפה; קרב
engagement ring טבעת אירוסין
engaging *adj.* מקסים, מרתק

en•gen′der *v.* להוליד, לגרום
en′gine (-jən) *n.* מנוע; קטר
engine driver נהג הקטר; קטראי
en′gineer′ *n.* מהנדס; קטראי; חייל בחיל הנדסה, פלס
engineer *v.* לתכנן; לעבוד כמהנדס
engineering *n.* הנדסה; תיכנון
Eng′lish (ing′-) *n.* אנגלית
in plain English בשפה פשוטה
the king's English אנגלית נכונה
English *adj.* אנגלי
the English האנגלים
English horn קרן אנגלית
Englishman *n.* אנגלי
en•graft′ *v.* להרכיב (ענף); להחדיר
en•grave′ *v.* לחרות, לחקוק, לגלף
engraver *v.* גַלָף, גלופאי
engraving *n.* גילוף, תגליף
en•gross′ (-rōs) *v.* לכתוב באותיות גדולות
engrossed in שקוע ראשו ורובו ב־
engrossing *adj.* מרתק, מעניין מאוד
en•gulf′ *v.* לבלוע, להטביע
en•hance′ *v.* להגדיל, להגביר, להעלות ערך
e•nig′ma *n.* חידה, תעלומה
en′ingmat′ic *adj.* מסתורי, סתום
en•join′ *v.* לצוות, להטיל, לחייב
enjoin from לאסור, לא להתיר
en•joy′ *v.* ליהנות מ־
enjoy oneself ליהנות, להתענג
enjoyable *adj.* מהנה, מענג
enjoyment *n.* הנאה
in the enjoyment of good health נתברך בבריאות תקינה
en•kin′dle *v.* להצית, לשלהב, ללבות
en•large′ *v.* להגדיל, להרחיב
enlarge upon להרחיב הדיבור על
enlargement *n.* הגדלה
en•light′en *v.* להסביר, לבאר, להבין
enlightened *adj.* נאור
enlightenment *n.* השכלה; הבהרה
en•list′ *v.* לגייס (לצבא); להתגייס
enlist his help לגייס תמיכתו
enlisted man חוגר
enlistment *n.* גיוס
en•li′ven *v.* להחיות, לעורר
en masse (enmas′) הכל יחד, כאיש אחד
en•mesh′ *v.* ללכוד, להפיל ברשת
en′mity *n.* שנאה, טינה
en•no′ble *v.* לעדן, לאצל; להאציל, להעלות לדרגת אציל
ennoblement *n.* איצול
ennui (änwē′) *n.* שעמום, עייפות
e•nor′mity *n.* מעשה־זוועה, פשע; גודל, קושי רב
e•nor′mous *adj.* עצום, גדול, כביר
enormously *adv.* מאוד, במידה רבה
e•nough′ (inuf′) *adj&adv.* די, מספיק; למדי
enough and to spare די והותר
fair enough בסדר גמור, או קיי
man enough מתנהג כגבר
more than enough יותר מדי
strangely enough מוזר למדי
sure enough כנראה, כמצופה, לבטח
well enough די טוב
I've had enough of נמאס לי מ־
en•plane′ *v.* להעלות/לעלות למטוס
enquire, enquiry = inquire, -ry
en•rage′ *v.* להרגיז
en•rap′ture *v.* להלהיב, למלא גיל
en•rich′ *v.* להעשיר, להשבית, לשפר
enrichment *n.* העשרה, השבחה
en•roll′ (-rōl) *v.* להכניס לרשימה, לרשום; להירשם כחבר
enrollment *n.* רשימה; הרשמה
en route (änrōōt′) בדרך
en•san′guined (-gwind) *adj.* מוכתם בדם, עקוב מדם
en•sconce′ *v.* להטמין; להתבסס במקום, להתרווח (בכיסא)
ensem′ble (änsäm-) *n.* אנסמבל, להקה אמנותית; מראה כללי
en•shrine′ *v.* לשמור במקום קדוש
en•shroud′ *v.* לעטוף, לאפוף
en′sign (-sən) *n.* דגל־אונייה; סמל, סימן; סגן־משנה (בחיל הים)
en′silage *n.* תחמיץ (השמור בסילו)
en•slave′ *v.* לשעבד
enslavement *n.* שיעבוד, עבדות
en•snare′ *v.* ללכוד, להפיל ברשת
en•sue′ (-sōō) *v.* לנבוע, להיגרם, לעקוב, לבוא אחרי
the ensuing year השנה הבאה
en•sure′ (-shoor) *v.* להבטיח
en•tail′ *v.* לגרור, להצריך, לדרוש, לחייב; להוריש, להנחיל
en′tail *n.* ירושה, עיזבון; הורשה
en•tan′gle *v.* לסבך
entangle oneself להסתבך
entanglement *n.* סיבוך, תסבוכת
entanglements גדר תיל

entente (äntänt′) *n.* הבנה, יחסי ידידות; גוש מדינות ידידותיות
en′ter *v.* להיכנס; להצטרף; לרשום
enter (oneself) for להירשם ל־
enter into להיכנס ל־, לפתוח ב־
enter into the spirit of לחדור לנפש
enter on להתחיל ב־; לזכות, ליהנות
enter up לרשום
enter Othello אותלו מופיע
en•ter′ic *adj.* של המעיים
en′teri′tis *n.* דלקת המעיים
en′terprise′ (-z) *n.* מיבצע, יוזמה, אומץ; עסק, מפעל
private enterprise יוזמה פרטית
enterprising *adj.* בעל יוזמה, נמרץ
en′tertain′ *v.* לארח, לקבל אורחים; לבדר, לשעשע; לשקול; לנטור
entertain a proposal לשקול הצעה
entertains doubts יש לו ספקות
entertainer *n.* בדרן
entertaining *adj.* משעשע, מעניין
entertainment *n.* אירוח; בידור
en•thral′ (-rôl) *v.* לרתק, להקסים
en•throne′ *v.* להושיב על כס־מלכות
enthroned in our hearts חרות על לוח־ליבנו
enthronement *n.* המלכה
en•thuse′ (-z) *v.* ★להתלהב
en•thu′siasm′ (-′ziaz′∂m) *n.* התלהבות
en•thu′siast (-′z-) *n.* מתלהב, חסיד
en•thu′sias′tic (-′z-) *adj.* מתלהב
en•tice′ *v.* לפתות, להדיח
enticement *n.* פיתוי
en•tire′ *adj.* כולל, שלם, גמור, מלא
entirely *adv.* לחלוטין, לגמרי, כליל
en•tire′ty (-tīr′-) *n.* שלמות, סך הכל
in its entirety בכללותו
en•ti′tle *v.* לקרוא, לתת שם, לכנות; לזַכות, להקנות זכות
entitled *adj.* רשאי, זכאי
en′tity *n.* ישות, מציאות
en•tomb′ (-tōōm) *v.* לקבור
en′tomol′ogist *n.* חרקן; חוקר חרקים
en′tomol′ogy *n.* חרקנות, חקר חרקים
entourage (än′tooräzh′) *n.* פמליה
entr'acte (än′trakt) *n.* הפסקה
en′trails *n-pl.* מעיים, קרביים
en•train′ *v.* לעלות/להעלות לרכבת
en′trance *n.* כניסה, פתח
en•trance′ *v.* להפנט, להכניס לטראנס; להקסים, לרתק
entrance fee דמי־כניסה
en′trant *n.* נכנס, מצטרף, מתמודד
en•trap′ *v.* ללכוד, להפיל בפח
en•treat′ *v.* להפציר, להתחנן
en•trea′ty *n.* הפצרה
entree (än′trā) *n.* זכות כניסה, דלת פתוחה; מנה אמצעית (בארוחה)
en•trench′ *v.* לחפור חפירה, לבצר
entrench oneself להתחפר
entrenched *adj.* מושרש, קבוע; מבוצר
entrenchment *n.* חפירה, התחפרות
entrepot (än′tr∂pō) *n.* מרכז שיווק, מחסני ערובה
entrepreneur (än′tr∂p∂nûr′) *n.* קבלן, מבצע עבודות
en′tresol′ (än-) *n.* אנטרסול, עליית ביניים, יציע
en•trust′ *v.* להפקיד בידי, להטיל
en′try *n.* כניסה; ערך, מלה (במילון); רישום (בהנהח"ש); פרט; מתמודד
20 entries for the competition 20 משתתפים בתחרות, 20 נרשמים
entry visa אשרת כניסה
en•twine′ *v.* לקלוע, לשזור, לשלב
e•nu′merate′ *v.* לספור, למנות
e•nu′mera′tion *n.* רשימה; ספירה
e•nun′ciate′ *v.* לבטא, להביע ברורות
e•nun′cia′tion *n.* ביטוי, הבעה
en•vel′op *v.* לעטוף
en′velope′ *n.* מעטפה
en•vel′opment *n.* עטיפה, אפיפה
en•ven′om *v.* להרעיל
en′viable *adj.* מעורר קנאה; מצוין
en′vious *adj.* מקנא, אכול קנאה
en•vi′ron *v.* להקיף
en•vi′ronment *n.* סביבה
en•vi′ronmen′tal *adj.* סביבתי
en•vi′ronmen′talist *n.* דוגל באיכות הסביבה, לוחם בזיהום האוויר
en•vi′rons *n-pl.* פרברים
en•vis′age (-z-) *v.* לראות, לחזות
en′voy *n.* שליח, ציר; סיום שיר
en′vy *n&v.* קינאה; לקנא ב־
be the envy of לעורר קינאת־
green with envy אכול קינאה
en′zyme *n.* אנזים, חומר מתסיס
e′on *n.* עידן, תקופה ארוכה
ep′aulette′ (ep∂let′) *n.* כיתפה, כותפת
epee (āpā′) *n.* סַיִף
e′phah (-f∂) *n.* איפה (מידת היבש)
e•phem′eral *adj.* קיקיוני, בן־חלוף

ep′ic *n.* אפוס, שיר־עלילה, אפופיה, אפיקה
epic *adj.* אפי, רב־עלילה
ep′icen′ter *n.* מוקד הרעש
ep′icure′ *n.* אנין טעם, מבין באוכל
ep′icu′re•an *adj.* רודף תענוגות
ep′idem′ic *n.* מגפה, אפידמיה
epidemic *adj.* אפידמי, מתפשט מהר, מגיפתי
ep′ider′mis *n.* קרום העור (בבע"ח)
ep′idi′ascope′ *n.* אפידיאסקופ, מטול תמונות
ep′igram′ *n.* פתגם, מימרה, מיכתם
ep′igrammat′ic *adj.* שנון, חריף
ep′ilep′sy *n.* אפילפסיה, כיפיון
ep′ilep′tic *adj&n.* חולה נפילה, נכפה
ep′ilogue′ (-lôg) *n.* אפילוג, סיום
E•piph′any *n.* חג ההתגלות
e•pis′copal *adj.* של בישופים, בישופי
ep′isode′ *n.* אפיזודה, מיקרה
ep′isod′ic *adj.* אפיזודי, מיקרי, ארעי
e•pis′tle (-səl) *n.* מכתב
the Epistles אגרות השליחים
e•pis′tolar′y (-leri) *adj.* של אגרות
ep′itaph′ *n.* כתובת (על מצבה)
write one's own epitaph לסתום את הגולל על תוכניותיו (שלו)
ep′ithet′ *n.* כינוי, תואר
e•pit′ome (-təmi) *n.* תמצית; עיקר
e•pit′omize′ *v.* למצות, להוות עיקר
ep′och (-k) *n.* עידן, מאורע חשוב
epoch-making *adj.* פותח עידן חדש
ep′som salt *n.* מֶלַח אנגלי
eq′uabil′ity *n.* אחידות, יציבות
eq′uable *adj.* אחיד, יציב, קבוע
e′qual *adj.* שווה, זהה; מסוגל, מוכשר
equal to the occasion מטפל היטב בדבר, מתמודד כראוי עם הבעיה
he has no equal אין דומה לו
on equal terms באותם התנאים
one's equal בן מעמדו, שווה לו
with equal ease באותה קלות
equal *v.* להיות שווה ל־, להידמות
e•qual′ita′rian (-kwol-) *n&adj.* דוגל בשיוויון, שיוויוני
e•qual′ity (-kwol-) *n.* שיוויון
on an equality שווה מעמד
e′qualiza′tion *n.* השוואה
e′qualize′ *v.* להשוות
equally *adv.* במידה שווה, בד בבד
eq′uanim′ity *n.* קור־רוח, שלווה
e•quate′ *v.* להשוות

e•qua′tion *n.* משוואה; השוואה
e•qua′tor *n.* קו־המשווה, משוון, אקוואטור
e′quato′rial *adj.* משווני, חם, לוהט
eq′uerry *n.* חצרן, מאנשי החצר
e•ques′trian *adj&n.* (של) פרש, רוכב
equi- (תחילית) שווה
e′quidis′tant *adj.* שווה־מרחק
e′quilat′eral *adj.* שווה־צלעות
e′quilib′rium *n.* שיווי משקל
e′quine *adj.* סוסי, של סוס
e′quinoc′tial *n.* של שיוויון היום והלילה, סמוך לראשית האביב/הסתיו
e′quinox′ *n.* שיוויון יום ולילה, אקווינוקס, נקודת האביב, נקודת הסתיו
autumnal equinox השוואת החורף (21 במרץ)
vernal equinox השוואת הקיץ (23 בספטמבר)
e•quip′ *v.* לצייד
well equipped מצוייד כהלכה
eq′uipage *n.* כרכרה (עם פמליה)
e•quip′ment *n.* ציוד
e′quipoise′ (-z) *n.* שיווי משקל
eq′uitable *adj.* צודק, ישר, הוגן
eq′uita′tion *n.* פרשות, רכיבה
eq′uity *n.* צדק, יושר, הגינות
equities מניות רגילות
e•quiv′alence *n.* שיוויון ערך, שקילות
e•quiv′alent *adj&n.* שווה־ערך, שקול; תמורה שוות־ערך, אקוויוואלנט
e•quiv′ocal *adj.* דו־משמעי, מפוקפק
e•quiv′oca′tion *n.* ביטוי דו־משמעי; הולכת שולל
e′ra *n.* תקופה, עידן
e•rad′icate′ *v.* להשמיד, לבער, לשרש
e•rad′ica′tion *n.* השמדה, ביעור
e•rase′ *v.* למחוק
e•ra′ser *n.* מחק, מוחק
e•ra′sure (-zhər) *n.* מחיקה
ere (ār) *prep.* לפני, טרם, קודם
e•rect′ *adj.* זקוף
erect *v.* לבנות, להקים, להעמיד
e•rec′tile (-til) *adj.* ניתן להתקשות
erec′tion *n.* הקמה, בניין; זיקפה
er′emite′ *n.* נזיר
erg *n.* ארג (יחידת עבודה ואנרגיה)
er′go *adv.* לכן, לפיכך
er′gonom′ics *n.* ארגונומיקה (השפעת תנאי העבודה על הפריון) הנדסת אנוש
er′mine (-min) *n.* (טורף קטן בעל פרווה לבנה; פרוות שופט

e•rode′ *v.* לאֲכֹל, לכרסם, לסחוף; להישחק
e•rog′enous *adj.* רגיש לגירוי מיני
e•ro′sion (-zhən) *n.* ארוזיה, סחף, שחיקה, ערצון
e•ro′sive *adj.* סוחפני
e•rot′ic *adj.* ארוטי, תשוקתי
e•rot′ica *n-pl.* ספרי מין
e•rot′icism′ *n.* ארוטיות
err *v.* לטעות, לשגות
err on the side of mercy לנהוג לפנים משורת הדין
er′rand *n.* שליחות קצרה
fool's errand שליחות מיותרת
go on/run errands לבצע שליחויות
errand-boy *n.* נער־שליחויות
er′rant *adj.* טועה; בורח מהבית; תועה
errant husband בעל בוגד
erra′ta *n-pl.* תיקוני טעויות
errat′ic *adj.* לא־יציב, לא־קבוע
erra′tum *n.* טעות דפוס
erro′ne•ous *adj.* מוטעה, של טעות
er′ror *n.* טעות, שגיאה
clerical error פליטת קולמוס
in error בטעות, בשוגג
lead into error להטעות
Erse *n.* אירית (שפה)
erst′while′ *adj.* קודם; לפנים
e•ruc′ta′tion *n.* גיהוק, פליטה
er′udite′ *adj.* למדני, מלומד, ידען
er′udi′tion (-di-) *n.* למדנות, בקיאות
e•rupt′ *v.* להתפרץ (הר געש)
e•rup′tion *n.* התפרצות; פריחה בעור
er′ysip′elas *n.* שושנה (מחלה)
es′calate′ *v.* להסלים, להחריף; לעלות
es′cala′tion *n.* הסלמה, החרפה
es′cala′tor *n.* דרגנוע, מדרגות נעות
es′capade′ *n.* מיבצע, הרפתקה, תעלול
es•cape′ *n.* בריחה; דליפה; מיפלט
fire-escape יציאת חירום
narrow escape הינצלות בנס
escape *v.* לברוח, להימלט; לדלוף, להיפלט; להיחלץ, לחמוק, להינצל מ־
his name escapes me שמו פרח מזיכרוני
es•ca′pee′ *n.* אסיר נמלט
es•cape′ment (-kāp′m-) *n.* מחגר (בשעון)
es•ca′pism′ *n.* ערקנות, אסקאפיזם
es•carp′ment *n.* מתלול, מדרון
es′chatol′ogy (-k-) *n.* אסכטולוגיה, חזון אחרית הימים
es•chew′ (-choo) *v.* להימנע מ־, להתרחק מ־
es′cort′ *n.* משמר, ליווי, בן־לוויה
under escort תחת משמר
es•cort′ *v.* ללַוות
es′critoire′ (-twär′) *n.* מכתבה
es′cu•lent *adj.* אכיל, ראוי לאכילה
es•cutch′eon (-chən) *n.* מגן מעוטר
blot on one's escutcheon כתם על שמו
Es′kimo′ *adj.* אסקימוסי
e•soph′agus *n.* ושט
es′oter′ic *adj.* סודי, סתום, מוגבל לחוג מצומצם, אזוטרי
es•pal′ier *n.* עריס, שיח מודלה
es•pe′cial (-pesh′əl) *adj.* מיוחד, ספציאלי
in especial בייחוד, במיוחד
especially *adv.* בייחוד, במיוחד
Es′peran′to *n.* אספרנטו (שפה)
es′pionage′ (-näzh) *n.* ריגול
es′planade′ *n.* טיילת (על החוף)
es•pous′al (-z-) *n.* תמיכה, דגילה; נישואין, אירוסין
es•pouse′ (-z) *v.* לדגול ב־, לתמוך ב; להתחתן
es•pres′so *n.* אספרסו, קפה
esprit de corps (esprē′dəkôr′) נאמנות, רוח צוות, אחווה
es•py′ *v.* לראות, להבחין ב־
Esq., Esq•uire′ *n.* אדון, מר, הנכבד
es•say′ *v.* לנסות
es′say *n.* בחינה, ניסיון; מאמר, חיבור
es′say•ist *n.* מסאי
es′sence *n.* תמצית, עיקר
in essence ביסודו, בעיקרו
essen′tial (i-) *adj.* נחוץ, חיוני; יסודי, עיקרי; תמציתי
essentially *adv.* ביסודו, בעיקרו
not essentially לא בהכרח
essentials *n-pl.* יסודות, עיקרים; דברים חיוניים
es•tab′lish *v.* לייסד, להקים; לבסס; לקבוע; למסד
establish oneself להתבסס, להתמקם
established *adj.* מבוסס, מושרש, מוכר; ממוסד
established religion דת רישמית
establishment *n.* הקמה, ייסוד; מוסד; עסק, מפעל; בית; מימסד
es•tam′inet′ (-nā′) *n.* בית־קפה
es•tate′ *n.* אחוזה, חלקה; רכוש, נכסים;

מצב, מעמד
housing estate איזור בניינים
industrial estate איזור תעשייה
personal estate מיטלטלין
real estate נכסי דלא ניידי
4th estate המעצמה ה־4, העיתונות
estate agent מתווך בניינים
estate car מכונית סטיישן
es•teem′ *v.* לכבד, להעריך; לחשוב
esteem *n.* הערכה, כבוד
hold him in esteem לכבדו
es′thete *n.* אסתטיקן, בעל טעם טוב
es•thet′ic *adj.* אסתטי, יפה, נעים לעין
esthetics *n-pl.* אסתטיקה, טוב טעם
es′timable *adj.* ראוי להערכה
es′timate′ *v.* להעריך, לאמוד
es′timate *n.* הערכה, אומדן
a rough estimate אומדן גס
estimates הצעות מחיר
es′tima′tion *n.* הערכה, דעה
es′tima′tor *n.* שמאי
es•trange′ (-rānj) *v.* לגרום להתנכרות, להרחיק מעליו, להפריד
estrangement *n.* התנכרות, ניכור
es′tuar′y (-′chōōeri) *n.* שפך־נהר
et al′ והאחרים
etc., et cet′era וכו׳, וכד׳
etch *v.* לחרוט, לחרות
etcher *n.* חרט, גלופאי
etching *n.* חריטה; הדפס גלופה
e•ter′nal *adj.* נצחי, אין־סופי
eternally *adv.* לעד, לעולמים
eternal triangle המשולש הנצחי
e•ter′nity *n.* נצח, עַד; עולם האמת
e′ther *n.* אתר; סם הרדמה
e•the′re•al *adj.* אוורירי, עדין, שמיימי
eth′ic *n.* כללי התנהגות, עקרונות־מוסר
eth′ical *adj.* אתי, מוסרי
eth′ics *n-pl.* אתיקה, תורת המידות
eth′nic *adj.* אתני, גזעי, שבטי
eth•nog′raphy *n.* אתנוגרפיה, תיאור העמים, ידע־עם
eth•nol′ogy *n.* אתנולוגיה, תורת העמים
e′thos′ *n.* אתוס, מכלול התכונות
et′iol′ogy *n.* חקר סיבות המחלה, אטיולוגיה
et′iquette′ (-ket) *n.* כללי התנהגות, אתיקטה
et′ymol′ogy *n.* אטימולוגיה, גזרון, תולדות המלים
eu′calyp′tus (ū-) *n.* איקליפטוס

Eu′charist (ū′k-) *n.* סעודת־ישו
Eu•clid′e•an (ū-) *adj.* של אוקלידס, אוקלידי
eu•gen′ics (ū-) *n.* אבגניקה, שיפור הגזע
eu′logist (ū-) *n.* מהלל, חולק שבחים
eu′logis′tic (ū-) *adj.* מעתיר שבחים, מהלל
eu′logize′ (ū-) *v.* להלל, לחלוק שבחים
eu′logy (ū-) *n.* הלל, שבחים
eu′nuch (ū′nək) *n.* סריס
eu′phemism′ (ū-) *n.* לשון נקייה, איפמיזם
eu′phemis′tic (ū-) *adj.* נקי־לשון
eu•pho′nious (ū-) *adj.* ערב לאוזן
eu′phony (ū-) *n.* נועם־צלילים, תנעומה
eu•phor′ia (ū-) *n.* תחושה נעימה, איפוריה, התרוממות רוח
eu•phor′ic (ū-) *adj.* של תחושה נעימה
Eur•a′sia (yoorā′zhə) *n.* אירסיה, אירופה־אסיה
eu•re′ka (yoor-) *interj.* מצאתי! גיליתי!
eu•rhyth′mics (yooridh-) *n.* התעמלות לצלילי מוסיקה, אירתמיקה
Eu′ro•dol′lar (yoor-) *n.* יורודולר
Eu′rope′an (yoor-) *adj.* אירופי
Eu′rovi′sion (yoo′rəvizhən) *n.* אירוויזיון
eu•thana′sia (ū-zhə) *n.* המתת חסד
e•vac′uate′ (-kūāt) *v.* לפנות (אנשים, מקום); לעשות צרכיו
e•vac′ua′tion (-kūā′-) *n.* פינוי
e•vac′uee′ (-kūē′) *n.* מפונה
e•vade′ *v.* להתחמק מ־, להשתמט מ־
evade a question להתחמק מתשובה
e•val′uate′ (-lūāt) *v.* להעריך
e•val′ua′tion (-lūā′-) *n.* הערכה
ev′anes′cence *n.* היעלמות, הסתלקות
ev′anes′cent *adj.* נשכח, נעלם, חולף
e′van•gel′ic *adj.* של האוונגליון
evangelical *n.* אוונגלי (פרוטסטנטי)
e•van′gelist *n.* מטיף (נוצרי)
e•vap′orate′ *v.* לאדות; להתנדף
e•vap′ora′tion *n.* אידוי, התנדפות
e•va′sion (-zhən) *n.* התחמקות
e•va′sive *adj.* מתחמק, חמקמק
take evasive action לברוח, להתחמק
Eve *n.* חווה (אשת אדם הראשון)
eve *n.* ערב, היום שלפני
on the eve of ערב, על סף

Christmas Eve ערב חג המולד
eve, e′ven *n.* ערב, לפנות ערב
e′ven *adj.* חלק, ישר; קבוע, יציב; שווה, זהה
break even לסיים ללא רווח והפסד
even number מספר זוגי
even odds סיכויים שקולים
get even with לנקום, להחזיר, לגמול
we are even אנו במצב תיקו
even *v.* להשוות, ליישר
even up/out לאזן, להשוות
even *adv.* אפילו
even as ממש ברגע ש־, אך
even if/though אף אם, למרות ש־
even so אף על פי כן
even then/now אפילו אז, אעפ״כ
even-handed *adj.* ללא משוא פנים
eve′ning (ēv′n-) *n.* ערב
evening dress שמלת ערב
evening prayer תפילת ערבית
evenings *adv.* בכל ערב
evening star נוגה (כוכב)
evensong *n.* תפילת ערבית
e•vent′ *n.* מקרה, מאורע; אירוע, תחרות
at all events בכל אופן, בכל זאת
in any event בכל מקרה
in either event בכל מקרה
in that event במקרה זה, אם כך
in the event לבסוף, למעשה
in the event of במקרה ש־, אם
in the natural course of events בדרך הטבע
quite an event מאורע יוצא דופן
even-tempered *adj.* מיושב, קר רוח
eventful *adj.* רב אירועים
e′ventide′ *n.* ערב
e•ven′tual (-chōōəl) *adj.* סופי, תוצאתי
e•ven′tual′ity (-chōōal′-) *n.* מקרה, אפשרות
eventually *adv.* לבסוף
ev′er *adv.* בזמן כל שהוא, אי פעם, מעודו, מעולם, בכלל
do you ever? האם מעודך?
ever after מאז ואילך
ever and anon/again מדי פעם
ever since מאז
ever so/ever such מאוד
for ever (and ever) לעולם, לעד
if ever אם בכלל
never ever ⋆אף פעם
why ever למה בכלל/לעזאזל

yours ever שלך לנצח
evergreen *n&adj.* (עץ) ירוק־עד
everlasting *adj.* נצחי, אין סופי
the Everlasting אלוהים, שוכן עד
ev′ermore′ *adv.* לעולם, לעד
every (ev′ri) *adj.* כל, בכל
every bit as...as ממש כמו
every bit of הכל, עד הסוף
every last man כל איש ואיש
every now and again מפעם לפעם
every now and then מפעם לפעם
every one of ללא יוצא מן הכלל
every other day כל יומיים
every so often לעיתים קרובות
every time תמיד; כל אימת ש־
every which way ⋆לכל הכיוונים
his every word כל מלה שלו
in every way מכל הבחינות
everybody *pron.* הכל, כל אדם, כל אחד
everyday *adj.* יומיומי, רגיל
everyone *pron.* הכל, כל אדם, כל אחד
everyplace *adv.* ⋆בכל מקום
everything *pron.* הכל, כל דבר
and everything ⋆והכל, וכל זה, וכו׳
you are everything to me אַת הכל בשבילי
everywhere *adv.* בכל מקום
e•vict′ *v.* לגרש (בצו פינוי)
e•vic′tion *n.* גירוש
ev′idence *n.* עדות, הוכחה, ראיות
be in evidence להיראות, להתבלט
bear evidence of להעיד על
evidences הוכחות, סימנים
State's evidence עד המדינה
evidence *v.* להעיד על, להוכיח
ev′ident *adj.* ברור, ניכר, נראה
evidently *adv.* ברור ש־, אין ספק
e′vil (-vəl) *adj.* רע, מושחת
evil tongue לשון הרע
fell on evil days צרות פגעו בו
in an evil hour בשעה ארורה
the Evil One השטן
evil *n.* רע, רוע; אסון
evil-doer *n.* עושה רע
evil eye עין הרע
evil-minded *adj.* זומם רעות
e•vince′ *v.* להראות, להפגין, לגלות
e•vis′cerate′ *v.* להוציא המעיים
ev′oca′tion *n.* העלאה
e•voc′ative *adj.* מעורר, מזכיר
e•voke′ *v.* להעלות, לעורר

ev′olu′tion *n.* התפתחות; אבולוציה
evolutions תנועות; תימרונים
ev′olu′tionar′y (-shəneri) *adj.* התפתחותי
e•volve′ *v.* לפתח; להתפתח
ewe (ū) *n.* כִּבשה
ew′er (ū-) *n.* כד, כלי, קיתון
ex- מי שהיה, לשעבר, אקס
ex-minister שר לשעבר
ex•ac′erbate′ *v.* להרע, להכביד, להחמיר
ex•ac′erba′tion *n.* החמרה
ex•act′ (egz-) *adj.* מדויק, דייקני
exact sciences המדעים המדויקים
exact *v.* לסחוט, לתבוע, לגבות; להצריך, לדרוש, לחייב
exacting *adj.* סוחט, מייגע; קפדן
ex•ac′tion (egz-) *n.* סחיטה, עושק
ex•ac′titude′ (egz-) *n.* דייקנות
exactly *adv.* בדיוק
exactness *n.* דיוק, דייקנות
ex•ag′gerate′ (egzaj′ər-) *v.* להגזים
ex•ag′gera′tion (egzajər-) *n.* הגזמה; גוזמה
ex•alt′ (egzôlt′) *v.* להעלות, לרומם; להלל, לשבח
ex′alta′tion (egzôl-) *n.* התעלות
exalted *adj.* רם; שיכור הצלחה
exam′ (egzam′) *n.* ★בחינה, מיבחן
ex•am′ina′tion (egz-) *n.* מיבחן, בחינה, בדיקה; חקירת־עד
examination paper גליון־בחינה
under examination בחקירה, בבדיקה
ex•am′ine (egzam′in) *v.* לבחון, לבדוק; לחקור (עד)
he needs his head examined ★אין לו שכל
examiner *n.* בוחן, בודק
ex•am′ple (egz-) *n.* דוגמה; אזהרה
be an example לשמש דוגמה
follow his example לעשות כדוגמתו
for example לדוגמה, כגון
make an example of להעניש (כאזהרה לאחרים)
set an example לשמש דוגמה
without example ללא תקדים
ex•as′perate′ (egz-) *v.* להרגיז
ex•as′pera′tion (egz-) *n.* כעס
ex cathe′dra בכוח הסמכות הרשמית
ex′cavate′ *v.* לחפור, לגלות עתיקות
ex′cava′tion *n.* חפירה
ex′cava′tor *n.* עוסק בחפירות; מחפר

ex•ceed′ *v.* לעלות על, לעבור
exceed one's authority לחרוג מסמכותו
exceed the speed limit לעבור על המהירות המותרת
exceedingly *adv.* מאוד, ביותר
ex•cel′ *v.* להצטיין; לעלות על
ex′cellence *n.* הצטיינות; סגולה
His Excellency הוד מעלתו
ex′cellent *adj.* מצוין
ex•cel′sior *n.* נסורת, שבבי־אריזה
ex•cept′ *prep.* חוץ מ־, פרט ל־
except for פרט ל־; לולא
except *conj.* אלא ש־
except *v.* להוציא; לא לכלול
excepted *adj.* חוץ מ־; לא כלול
nobody excepted ללא יוצא מהכלל
present company excepted פרט לנוכחים
excepting *prep.* חוץ מ־
always excepting חוץ מ־
without/not excepting כולל, גם
ex•cep′tion *n.* יוצא מן הכלל; חריג; התנגדות
take exception להיעלב; להתנגד; למחות, להסתייג
with the exception of חוץ מ־
without exception ללא יוצא מן הכלל
exceptionable *adj.* מעורר מחאה, פוגע
exceptional *adj.* בלתי רגיל
ex′cerpt′ *n.* קטע (מספר)
ex•cess′ *n.* עודף, מותר; הפרזה
excesses מעשי־זוועה, פשעים
in excess of מעבר ל־, מעל ל־
to excess יותר מדי
ex′cess′ *adj.* נוסף, יותר מהרגיל
excess luggage מיטען עודף
excess profits רווחים מופרזים
ex•ces′sive *adj.* מוגזם, יותר מדי
ex•change′ (-chānj) *n.* חילופים; המרה, חליפין; בורסה
exchange of shots חילופי אש
in exchange for תמורת
labor exchange לשכת עבודה
rate of exchange שער החליפין
stock exchange בורסה
telephone exchange מרכזיה, מירכזת
exchange *v.* להחליף, להמיר
exchange words להתנצח
exchangeable *adj.* חליף
ex•cheq′uer (-kər) *n.* אוצר
Chancellor of the Exchequer שר

האוצר (בבריטניה)
ex′cise (-z) *n.* בלו (מס)
ex•cise′ (-z) *v.* לקצץ, לחתוך; לסלק
ex•ci′sion (sizh′ən) *n.* כריתה, ניתוח
ex•ci′tabil′ity *n.* רגשנות
excitable *adj.* נוטה להתרגש, רגשני
ex•cite′ *v.* לעורר, לרגש, להלהיב
excite envy לעורר קנאה
excite oneself להתרגש
excited *adj.* נרגש
excitement *n.* התרגשות
exciting *adj.* מלהיב, מרגש, מרתק
ex•claim′ *v.* לקרוא, לצעוק
exclaim against למתוח ביקורת
ex′clama′tion *n.* קריאה
exclamation mark/point סימן קריאה
ex•clam′ato′ry *adj.* של קריאה
ex•clude′ *v.* לשלול, למנוע; לגרש, להרחיק; לא לכלול
exclude the possibility that להוריד מהפרק את האפשרות ש־
excluding *prep.* להוציא, לא כולל
ex•clu′sion (-zhən) *n.* מניעה, הרחקה
to the exclusion of חוץ מן
ex•clu′sive *adj.* אכסקלוסיבי, בלעדי; מיוחד; סגור, מתרחק
exclusive of חוץ מן, לא כולל
exclusive *n.* סקופ, כתבה מיוחדת
exclusively *adv.* אך ורק, בלעדית
ex•cog′itate′ *v.* לחשוב, להמציא
ex•cog′ita′tion *n.* המצאה
ex′commu′nicate′ *v.* לנדות, להחרים
ex′commu′nica′tion *n.* נידוי
ex•cor′iate′ *v.* לקלף, להפשיט העור; לבקר קשות, לגנות
ex•cor′ia′tion *n.* ביקורת חריפה
ex′crement *n.* צואה
ex•cres′cence *n.* תפיחה (בעור), בליטה
ex•cre′ta *n-pl.* הפרשה, צואה, זיעה
ex•crete′ *v.* להפריש, להוציא
ex•cre′tion *n.* הפרשה
ex•cru′cia′ting (-′sh-) *adj.* (כאב) עז
ex′cul•pate′ *v.* לזכות (מאשמה)
ex′cul•pa′tion *n.* זיכוי
ex•cur′sion (-zhən) *n.* טיול קצר
excursionist *n.* טייל, מטייל
excursion ticket כרטיס הלוך ושוב
excusable *adj.* בר־סליחה, סליח
ex•cuse′ (-s) *n.* תירוץ, אמתלה; התנצלות, סליחה
in excuse of כתירוץ ל־, להצדקת
make excuses להתנצל, להצטדק
ex•cuse′ (-z) *v.* לסלוח; לפטור; להשתחרר; להצדיק
be excused להשתחרר, לקבל פטור
excuse me סליחה!
excuse oneself להתנצל, להצטדק, להצדיק עצמו
ex′e•crable *adj.* נתעב, גרוע
ex′e•crate′ *v.* לתעב, לשנוא, לקלל
ex′e•cra′tion *n.* תיעוב, סלידה
ex•ec′u•tant (egz-) *n.* מבַצע
ex′e•cute′ *v.* לבצע; להוציא לפועל; להוציא להורג; לתת תוקף ל־
execute a will לקיים צוואה
ex′e•cu′tion *n.* ביצוע; הוצאה להורג
do execution להפיל חללים, לחסל
put/carry into execution לבצע
ex′e•cu′tioner (-shənər) *n.* תליין
ex•ec′u•tive (egz-) *adj.* של ביצוע, ביצועי
executive ability כושר ביצוע
executive branch הזרוע המבצעת
executive *n.* מנהל, מינהלה; הועד הפועל; מוציא לפועל
ex•ec′u•tor (egz-) *n.* אפיטרופוס (לביצוע צוואה)
ex•ec′u•trix′ (egz-) *n.* אפיטרופסית
ex′ege′sis *n.* פירוש (לתנ״ך)
ex•em′plary (egz-) *adj.* מופתי, למופת
ex•em′plifica′tion (egz-) *n.* הדגמה; דוגמה
ex•em′plify′ (egz-) *v.* להדגים
ex•empt′ (egz-) *v.* לפטור, לשחרר
exempt *adj.* פטור, משוחרר מ־
ex•emp′tion (egz-) *n.* שיחרור, פטור
ex′ercise′ (-z) *n.* אימון, תרגול; הפעלה, שימוש; התעמלות; תרגיל
exercises תמרונים; טקסים
spiritual exercises תפילות
take exercise להתעמל
exercise *v.* להתעמל; להתאמן; לאמן, לתרגל; לנהוג ב־, להשתמש ב־
be exercised להיות מודאג
exercise one's rights להפעיל זכויותיו
exercise patience לנהוג סבלנות
ex•ert′ (egz-) *v.* להפעיל, להשתמש
exert oneself להתאמץ, להשתדל
ex•er′tion (egz-) *n.* הפעלה; מאמץ
ex′e•unt הם יוצאים (מהבימה)
ex gra′tia (-shə) *adv.* מתוך חובה

מוסרית, לפנים משורת הדין
ex′hala′tion *n.* נשיפה; אד
ex•hale′ *v.* לנשוף
ex•haust′ (egzôst′) *v.* לעייף, להחליש; לרוקן, לכַלות, למצות
exhaust a subject למצות נושא
exhaust *n.* גז נפלט; מַפלט, צינור פליטה
ex•haus′tion (egzôs′chən) *n.* לאות, עייפות; אזילה, הרקה
ex•haus′tive (egzôs′-) *adj.* מקיף, ממצה, שלם
exhaustless *adj.* בלתי נדלה
exhaust pipe מַפלט, צינור פליטה
ex•hib′it (egzib′-) *n.* להראות, להפגין; להציג; להציג בתערוכה
exhibit *n.* מוצג; תערוכה
ex•hibi′tion (eksibi-) *n.* תערוכה; גילוי, הפגנה; מילגה, מענק
make an exhibition of oneself להתנהג כשוטה
exhibitionism *n.* התראוות, ראוותנות, התערטלות, אקסהיביציוניזם
exhibitor *n.* מציג, משתתף בתערוכה
ex•hil′arate′ (egzil-) *v.* לשמח, לרומם רוח
ex•hil′ara′tion (egzil-) *n.* שימחה
ex•hort′ (egzôrt′) *v.* להוכיח, להטיף, לדרוש מ־
ex′horta′tion (egzôr-) *n.* תוכחה
ex′hu•ma′tion (-hūm-) *n.* הוצאה מהקבר
ex•hume′ *v.* להוציא מהקבר
ex•ig′ency *n.* מצב חירום
ex′igent *adj.* דחוף, דוחק, לוחץ
ex•ig′uous (egzig′ūəs) *adj.* זעום, מועט
ex′ile (egz-) *n.* גלות; גולֶה
exile *v.* לגרש, להגלות
ex•ist′ (egz-) *v.* להתקיים, להיות
existence *n.* קיום, מציאות; חיים
in existence קיים
existent *adj.* קיים, ישנו
existing *adj.* קיים, נוכחי
ex′it (egz-) *n&v.* יציאה; לצאת
exit Othello אותלו יוצא
make one's exit לצאת
exit visa אשרת יציאה
ex li′bris מסיפרי־, שייך ל־
ex′odus *n.* יציאה, נהירה המונית
Exodus *n.* שמות (חומש); יציאת מצריים
ex offi′cio′ (-fish′iō) בתוקף תפקידו

ex•on′erate′ (egz-) *v.* לזכות (מאשמה), לשחרר
ex•on′era′tion (egz-) *n.* זיכוי
ex•or′bitance (egz-) *n.* הפרזה
ex•or′bitant (egz-) *adj.* מופרז, מופקע
ex′or•cism′ *n.* גירוש רוחות
ex′or•cize′ *v.* לגרש רוחות
ex•ot′ic (egz-) *adj.* אקזוטי, יוצא דופן, זר
ex•pand′ *v.* להתפשט, לגדול; להרחיב; להיפתח, להתיידד
expand on להרחיב הדיבור על
ex•panse′ *n.* מרחב, שטח
ex•pan′sion *n.* התפשטות; פיתוח
ex•pan′sive *adj.* מתפשט; פתוח, ידידותי
ex par′te (-ti) חד צדדי
ex•pa′tiate′ (-′sh-) *v.* להרחיב את הדיבור
ex•pa′triate′ *v.* לגרש, להגלות
ex•pa′triate *n.* גולה, מגורש; יורד
ex•pect′ *v.* לקוות, לצפות; ★לשער
it's to be expected זה צפוי
she's expecting היא מצפה לתינוק
ex•pec′tancy *n.* ציפייה; תקווה
life expectancy תוחלת חיים
ex•pec′tant *adj.* מקווה, מצפה
expectant mother אם לעתיד, הרה
ex′pecta′tion *n.* תקווה, סיכוי
beyond expectation למעלה מהמצופה
contrary to expectation בניגוד למצופה
expectation of life תוחלת חיים
expectations ירושה (שמצפים לה)
in expectation of בציפייה ל־, לקראת
ex•pec′torate′ *v.* לירוק, לרקוק
ex•pe′dience, -cy *n.* תכליתיות, תועלתיות, נחיצות; אינטרסנטיות
ex•pe′dient *adj.* תועלתי, כדאי, רצוי
expedient *n.* אמצעי, תחבולה
ex′pedite′ *v.* להחיש, לזרז, לקדם
ex′pedi′tion (-di-) *n.* משלחת; מסע; מהירות, זריזות
expeditionary *adj.* של משלחת
expeditionary force חיל משלוח
ex′pedi′tious (-dish′əs) *adj.* מהיר, זריז, מידי
ex•pel′ *v.* להוציא, לגרש
ex•pend′ *v.* לבזבז, להוציא, לכַלות
ex•pend′able *adj.* ראוי להקריבו
ex•pen′diture *n.* הוצאה (כספית)

ex•pense′ *n.* מחיר, הוצאה
at his expense על חשבונו
at the expense of במחיר
expenses הוצאות
go to the expense of לבזבז על
put him to the expense of לגרום לו הוצאה כספית
spare no expense לא לקמץ בהוצאות
expense account הוצאות אש"ל
ex•pen′sive *adj.* יקר
ex•pe′rience *n.* ניסיון; חוויה
experience *v.* להתנסות, לחוות, לחוש
experience defeat לנחול תבוסה
experienced *adj.* מנוסה
ex•per′iment *n.* ניסוי, מיבחן, אקפרימנט
experiment *v.* לערוך ניסויים
ex•per′imen′tal *adj.* ניסויי
ex•per′imenta′tion *n.* נסיינות
ex′pert′ *n&adj.* מומחה, ידען
ex′pertise′ (-tēz) *n.* מומחיות; חוות־דעת, תמחית, אקספרטיזה
ex′piate′ *v.* לכפר על
ex′pia′tion *n.* כפרה, כיפור
ex′pira′tion *n.* גמר, פקיעה; נשיפה
ex•pire′ *v.* לפקוע, להסתיים; למות
ex•pi′ry *n.* גמר, פקיעה
ex•plain′ *v.* להסביר
explain away לתרץ, להסביר
explain oneself להבהיר את עצמו; להסביר את התנהגותו
ex′plana′tion *n.* הסבר
ex•plan′ato′ry *adj.* מסביר, של הסבר
ex′pletive *n.* מלת סרק, קללה
ex•plic′able *adj.* ניתן להסבר
ex′plicate′ *v.* להסביר, לנתח
ex•plic′it *adj.* ברור, מובע ברורות
ex•plode′ *v.* להתפוצץ; לפוצץ
explode a belief לנפץ אמונה
explode a bombshell ⋆להדהים
explode with rage להתפרץ בזעם
ex′ploit *n.* מיבצע, מעשה נועז
ex•ploit′ *v.* לנצל
ex′ploita′tion *n.* ניצול, נצלנות
ex′plora′tion *n.* חקירה, בדיקה
ex•plor′ato′ry *adj.* מחקרי, לימודי
ex•plore′ *v.* לחקור (ארץ, נושא)
explorer *n.* חוקר
ex•plo′sion (-zhən) *n.* התפוצצות, התפרצות
ex•plo′sive *adj.* עלול להתפוצץ; מתפרץ
explosive question בעייה הטעונה חומר נפץ
explosive *n.* חומר נפץ
high explosives חומר נפץ מרסק
ex′po *n.* תערוכה בינלאומית
ex•po′nent *n.* פרשן, מפרש; מעריך
ex′port′ *n.* יְצוא; ייצוא
ex•port′ *v.* לייצא
ex′por•ta′tion *n.* ניְצוא
ex•por′ter *n.* יצואן
ex•pose′ (-z) *v.* לגלות, לחשוף, להציג לראווה; להפקיר, לנטוש
exposed to joking מטרה ללעג
ex′po•sé′ (-pōzā′) *n.* הרצאה; חשיפה
ex′posi′tion (-zi-) *n.* הבהרה, הסבר, הצגה, פיתוח נושא, היצג; תערוכה
ex post fac′to בדיעבד
ex•pos′tulate′ (-′ch-) *v.* למחות, לנזוף, להתווכח
ex•pos′tula′tion (-′ch-) *n.* מחאה
ex•po′sure (-zhər) *n.* גילוי, חשיפה, הוקעה; תמונה; צד, כיוון
ex•pound′ *v.* להסביר, להרצות
ex•press′ *adj.* ברור, מפורש; מדויק, זהה; מהיר, אקספרס
send express לשלוח באקספרס
express *n.* אקספרס (שירות, רכבת)
express *v.* לבטא, להביע; לשלוח, לשגר באקספרס; לסחוט, להוציא
express oneself להתבטא
ex•pres′sion *n.* ביטוי, מלה; הבעה; הטעמה; מבע, מראה
find expression in להתבטא ב־
past expression בל יתואר
expressionism *n.* אקספרסיוניזם
expressionless *adj.* חסר־הבעה
ex•pres′sive *adj.* מביע, משמעותי
expressly *adv.* במפורש; במיוחד
expressway *n.* כביש מהיר
ex•pro′priate′ *v.* להפקיע, להחרים
ex•pro′pria′tion *n.* הפקעה, תפיסה
ex•pul′sion *n.* גירוש
expulsion order צו גירוש
ex•punge′ *v.* למחוק
ex′purgate′ *v.* לטהר, לצנזר
ex′purga′tion *n.* טיהור
ex′quisite (-zit) *adj.* מושלם, מצוין; חד, חריף; רגיש, עדין
exquisite pain כאב חד
ex-service *adj.* משוחרר, ששירת בצבא
ex•tant′ *adj.* קיים, עדיין נמצא
ex•tem′pora′ne•ous *adj.* מאולתר

ex•tem′pora′ry (-reri) *adj.* מאולתר
ex•tem′pore (-pəri) *adj.* מאולתר, מניה וביה
ex•tem′porize′ *v.* לאלתר
ex•tend′ *v.* להגיע, להשתרע; להאריך, להגדיל; למתוח; להעניק, לתת
extend a hand להושיט יד
fully extended אזל כוחו, סחוט
ex•ten′sion *n.* התפשטות; הארכה, תוספת, שלוחה
extension table שולחן שחיל
ex•ten′sive *adj.* מקיף, גדול, נרחב, פשיט
ex•tent′ *n.* היקף, גודל; מידה, שיעור
to some extent במידה מסוימת
ex•ten′u•ate′ (-nūāt) *v.* להקל, להפחית
extenuating circumstances נסיבות מקילות
ex•ten′u•a′tion (-nūā′-) *n.* הקלה
ex•te′rior *adj.* חיצוני
exterior *n.* חיצוניות, מראה חיצוני
ex•te′riorize′ *v.* להביע כלפי חוץ, להחצין
ex•ter′minate′ *v.* להשמיד, לחסל
ex•ter′mina′tion *n.* השמדה
ex•ter′nal *adj&n.* חיצוני, זר
externals חיצוניות, מראה חיצוני
ex•ter′naliza′tion *n.* החצנה
ex•ter′nalize′ *v.* להחצין
ex′ter•rito′rial *adj.* אקסטריטוריאלי
ex•tinct′ *adj.* לא קיים; נעלם, מת
extinct volcano הר־געש כבוי/רגֵע
ex•tinc′tion *n.* כיבוי; השמדה
ex•tin′guish (-gwish) *v.* לכַבות
extinguish a debt לסלק חוב
extinguisher *n.* מְטפה
ex′tirpate′ *v.* להשמיד, לעקור
ex′tirpa′tion *n.* השמדה
ex•tol′ (-tōl) *v.* להלל, לשבח
ex•tort′ *v.* לסחוט, להוציא בכוח
ex•tor′tion *n.* סחיטה
ex•tor′tionate (-shən-) *adj.* סחטני, מופרז
ex′tra *adj.* נוסף, אקסטרה, מיוחד
extra *n.* דבר נוסף, תשלום מיוחד; ניצב (בסרט); הוצאה מיוחדת
ex•tract′ *v.* להוציא, לחלץ; לסחוט; להעתיק קטעים מספר
ex′tract′ *n.* תמצית; קטע, ציטטה; נסח
ex•trac′tion *n.* הוצאה, עקירה, סחיטה; מוצא, מקור, ייחוס

ex′tracurric′u•lar *adj.* (בבי"ס) שמחוץ לתוכנית הלימודים הרגילה
ex′tradite′ *v.* להסגיר
ex′tradi′tion (-di-) *n.* הסגרה
ex′traju•di′cial (-jōōdi′-) *adj.* מעבר לסמכות ביה"ד, מחוץ לסמכות החוק
ex′tramar′ital *adj.* מחוץ לנישואין
ex′tramu′ral *adj.* מחוץ לעיר; מחוץ לכותלי ביה"ס
ex•tra′ne•ous *adj.* חיצוני; לא שייך
ex•traor′dinar′y (-trôr′dineri) בלתי רגיל, יוצא מן הכלל
envoy extraordinary שליח מיוחד
ex•trap′olate′ *v.* לנחש, לשער
ex′trasen′sory *adj.* שמעבר לחושים
ex′trater′rito′rial *adj.* אקסטריטוריאלי
ex•trav′agance *n.* פזרנות
ex•trav′agant *adj.* פזרני, בזבזן; יקר; לא מרוסן, מוגזם
ex•trav′agan′za *n.* יצירה מבדחת
ex•treme′ *adj.* קיצוני; רב
extreme old age זיקנה מופלגת
extreme *n.* קיצוניות; ניגוד גמור
go to extremes לנהוג בקיצוניות
in the extreme עד מאוד
extremely *adv.* עד מאוד
ex•tre′mist *n.* קיצוני (בדיעותיו)
ex•trem′ity *n.* קיצוניות; מצב חמור
extremities גפיים; מעשים חמורים
ex•tric′able *adj.* שניתן לחלצו
ex′tricate′ *v.* לחלץ, לשחרר
ex′trica′tion *n.* חילוץ
ex•trin′sic *adj.* חיצוני, זר
ex′trover′sion (-zhən) *n.* החצנה
ex′trovert′ *n.* מוחצן, לא מסתגר
ex•trude′ *v.* להוציא, לדחוס החוצה, לגרש; לעצב חומר
ex•tru′sion (-zhən) *n.* הוצאה, גירוש
ex•u′berance (egzōō′-) *n.* שפע, חיות, עירנות; התרוממות רוח
ex•u′berant (egzōō′-) *adj.* שופע חיים, שופע מרץ; גדל בשפע
ex•ude′ (egz-) *v.* להזיע; להרעיף
ex•ult′ (egz-) *v.* לצהול, לשמוח
exultant *adj.* צוהל
ex′ulta′tion (egz-) *n.* צהלה
ex vo′to לקיום נדר
eye (ī) *n.* עין
all eyes כולו עין
an eye for an eye עין תחת עין
be all eyes להביט בשבע עיניים

be in the public eye להיראות תכופות בציבור, להיות מפורסם
believe one's eyes להאמין למראה עיניו
black his eye לעשות לו פנס בעין
catch his eye למשוך תשומת ליבו
clap/set eyes on לראות
close one's eyes להעלים עין
cry one's eyes out למרר בבכי, לבכות בדמעות שליש
eyes front! לחזית שור!
give the eye ללטוש עיניים, לנעוץ מבט
had his eyes open פקח עיניו, השגיח היטב; פעל בדעה צלולה
has an eye for יש לו חוש ל-
has an eye to/on רוצה, חפץ, שואף
in his eyes בעיניו, לדעתו
in one's mind's eye בעיני רוחו
in the eye of the law בעיני החוק
keep an eye on להשגיח על
lay eyes on לראות
make eyes at לנעוץ מבטים ב-
meet one's eye להתגלות לעיניו
mind your eye שים לב!
my eye! חי נפשי! (קריאת הפתעה)
naked eye עין בלתי מזוינת
one in the eye for ⋆מכה ניצחת ל-
open his eyes לפקוח עיניו
see eye to eye להיות תמים דעים
see with half an eye לראות מיד
take one's eyes off לגרוע עין
to the eye למראית עין
up to one's eyes in שקוע ב-
with an eye out משגיח היטב
with an eye to במטרה ל-

eye *v.* להביט, לנעוץ מבט, ללטוש עין

eyeball *n.* גלגל העין

eyeball to eyeball פנים אל פנים

eyebrow *n.* גבה

raise eyebrows להרים גבה, להדהים

eye-catching *adj.* מושך עין, מצודד

eyed *adj.* בעל עיני-

blue-eyed תכול-עיניים

eye-filling *adj.* מרהיב-עין

eyeful (ī'fool') *n.* מלוא עיניו; ⋆חתיכה

get an eyeful להזין עיניו

eyeglasses *n-pl.* משקפיים

eyelash *n.* ריס

eyelet *n.* לולאה

eyelid *n.* עפעף, שמורת העין

hangs on by his eyelids מצבו חמור

eyeliner *n.* פוך, כחל, צבע

eye-opener *n.* פוער-עיניים, הפתעה

eyepiece *n.* עדשת העין, עינית

eye shadow פוך, כחל, צבע

eyeshot *n.* טווח-ראייה

eyesight *n.* ראייה, ראות

eyesore *n.* חפץ מכוער, מראה דוחה

eyestrain *n.* עייפות העיניים

eyewash *n.* הטעייה, אחיזת-עיניים

eye-witness *n.* עד ראייה

eyrie, eyry (ī'əri) *n.* קן נשר

F

F *n.* פה (צליל)
F = Fahrenheit
fab *adj.* ★אגדי, נפלא, מצוין
Fa'bian *adj.* מתון, מעכב, מתיש
fa'ble *n.* משל, אגדה; בדותה
fabled *adj.* אגדי
fab'ric *n.* אריג; בניין, מיבנה, מערכת
fab'ricate' *v.* ליצור, להמציא, לזייף
fab'rica'tion *n.* פבריקציה, זיוף
fab'u•lous *adj.* אגדי; ★נפלא
fabulously rich עשיר מופלג
façade (fəsäd') *n.* חזית; חזות
face *n.* פרצוף, פנים
blue in the face נרגש מאוד
face to face פנים אל פנים
fly in the face of להמרות פי־
have the face to להעז ל־
in his face בפניו; לפתע, באופן בלתי צפוי
in the face of מול, בפני־; למרות
keep a straight face להסתיר רגשותיו, לא לצחוק
lost face with סר חינו בעיני
make faces לעוות פניו
on the face of it למראית עין
pull a long face ללבוש ארשת עצבות
put a bold face on להפגין אומץ לב בטיפול ב־
put a new face on לשוות לו מראה חדש
saved his face כבודו ניצל
set one's face against להתנגד
show one's face להופיע
the face of פני־, חזית־
to his face בפניו, גלויות
face *v.* להיות מול; להתייצב מול; לעמוד בפני; לכסות, לצפות
face out לטפל בדבר באומץ
face the music לשאת בתוצאות, לקבל העונש, לא להירתע, להתנהג כגבר
face up to לקבל זאת באומץ
left face! שמאלה פנה!
face-card *n.* קלף־תמונה
face-cloth *n.* מגבת, מטלית פנים
faced *adj.* בעל פני־
red-faced סמוק־פנים
faceless *adj.* ללא פנים, אלמוני
face-lift *n.* מיתוח עור הפנים
face pack מישחת פנים
face-saving *adj.* מציל יוקרה
fac'et *n.* פאה (של יהלום), שיטחה; צד, נקודת־ראות
face'tious (-shəs) *adj.* מבדח, היתולי
face value ערך נקוב
at its face value לפי מראהו
fa'cial *adj.* של הפנים, של הפרצוף
facial *n.* עיסוי פנים
fac'ile (-səl) *adj.* קל, מהיר, קליל; שטחי, נוח, נעים
facil'itate' *v.* להקל, להפחית קושי
facil'ita'tion *n.* הקלה
facil'ity *n.* קלות; כישרון; נוחיות
facilities אמצעים, מיתקנים, כלים
facing *n.* ציפוי, כיסוי
facings צווארון וחפתים
fac'sim'ile (-mili) *n.* מֶעְתָּק, פאקסימילה, העתק מדויק
fact *n.* עובדה, מציאות; מעשה, פשע
as a matter of fact למעשה
facts of life נושאי מין ולידה
in (point of) fact למעשה
matter of fact אמת, אומנם
fact-finding *n.* חקירת העובדות
fac'tion *n.* סיעה, פלג; חילוקי דעות
fac'tious (-shəs) *adj.* פלגני, חרחרני
fac•ti'tious (-tish'əs) *adj.* מלאכותי, מזויף
fac'tor *n.* גורם; סוכן, עמיל
fac'torize' *v.* לפרק לגורמים
fac'tory *n.* בית־חרושת
fac•to'tum *n.* משרת
fac'tual (-cho͞oəl) *adj.* עובדתי, של עובדות
fac'ulty *n.* כישרון, יכולת; פקולטה; מכון, מחלקה
in possession of his faculties שולט בחושיו
fad *n.* שיגעון חולף, תחביב זמני
fad'dy, fad'dish *adj.* שיגעוני
fade *v.* לדעוך; לדהות; להדהות; להימוג

fade away להיעלם, לדעוך
fade in להתחזק בהדרגה (קול)
fade out לגווע (קול, תמונה)
faery (fār′i) *adj.* קסום
fag *n.* עבודה מעייפת; ⋆סיגרייה; הומו
fag *v.* לעמול; לשרת תלמיד מבוגר
fagged out עייף, סחוט
fag-end *n.* שארית; בדל־סיגריה
fag′got, fag′ot *n.* צרור עצים; קציצה, לביבה; ⋆הומו
Fahrenheit (far′ənhīt′) *n.* פרנהייט
faience (fāäns′) *n.* חרסינה מקושטת
fail *v&n.* להיכשל; להכשיל, לפסול; לא לבצע; להיחלש; לאכזב; לפשוט רגל
he failed to come הוא לא בא
he fails in courage אין לו אומץ
his heart failed him ליבו נפל
not fail to להקפיד ל־, לזכור ל־
without fail לעולם, תמיד, בדיוק, בכל הנסיבות, לבטח
words fail me אין מלים בפי
failing *n.* פגם, חולשה
failing *prep.* בהיעדר, באין, ללא־
failing this אם זה לא יקרה
fail-safe *adj.* מונע תקלות, אל־כשל
fail′ure (-lyər) *n.* כישלון; אי־יכולת, אי־ביצוע, חוסר; פשיטת רגל
fain *adv.* ברצון, מעדיף
I would fain ברצון הייתי־
faint *adj.* חלש, רפה, קלוש; דהוי
feels faint עומד להתעלף
I haven't the faintest idea אין לי מושג
faint *v.* להתעלף, להיחלש
faint *n.* התעלפות
faint-hearted *adj.* פחדן, מוג־לב
fair *adj.* הוגן, צודק; בינוני, ממוצע; נאה; בהיר; ברור; נקי
fair copy העתק נקי וברור
fair hair שיער בהיר/בלונדי
fair hearing הזדמנות להשמיע טענותיו
fair shake הגינות, יחס הוגן
fair words מלים נאות, חלקות
in a fair way to בדרכו ל־
play fair לנהוג בהגינות
the fair sex המין היפה
fair *adv.* בהגינות; היישר אל
bid fair להיראות, ליצור רושם ש־
fair and square בהגינות, בצדק
fair enough הוגן, די בסדר
fair *n.* יריד
after the fair מאוחר מדי

fair-complexioned *adj.* בהיר־עור
fair game ציד חוקי; מטרה ללעג
fair ground מיגרש היריד
fair-haired boy חביב, אהוב
fairly *adv.* בהגינות; לגמרי, בהחלט
fairly well די טוב
fair-minded *adj.* הוגן, צודק בשיפוט
fair play מישחק הוגן, צדק
fairway *n.* מסלול ימי (לאונייות)
fair-weather friend נוטש ידידו בעת צרה
fair′y *n.* פיה; ⋆הומו
fairy lamp נורה צבעונית
fairy-land *n.* עולם קסום
fairy tale אגדה, סיפור בדים
fait accompli (fāt′äkongplē′) *n.* עובדה מוגמרת (שאין לשנותה)
faith *n.* אמונה; דת; אֵמון
break faith with להפר האמון ב־
in bad faith בכוונה להונות
in faith באמת, באמונה
in good faith בתום לב, בהגינות
keep faith with לשמור אמונים
on faith מתוך אמונה בדבריו
faithful *adj.* נאמן, מסור; מדויק
faithful copy העתק מדויק
the faithful המאמינים
faith healing ריפוי בתפילה
faithless *adj.* לא נאמן; לא מאמין
fake *n&adj.* זיוף; בלוף; רמאי, מתחזה; מזויף
fake *v.* לזייף, להתחזות כ־; להמציא
fakir′ (-kir) *n.* פאקיר
fal′con *n.* בז (עוף דורס)
falconer *n.* בזייר
falconry *n.* ציד בבזים, בזיירות
fall (fôl) *v.* ליפול; לרדת; להיעשות ל־, להפוך ל־
fall about ⋆להתגלגל מצחוק
fall all over להעריץ, להתלהב
fall asleep להירדם
fall away להיעלם, להסתלק
fall back לסגת
fall back on להסתמך, להיעזר ב־; להישען על
fall behind לפגר
fall down on להיכשל ב־
fall due לחול מועד פרעונו
fall flat להיכשל, לא להצליח
fall for להתאהב; ליפול בפח
fall foul of להתנגש ב־; להסתבך
fall ill לחלות, ליפול למישכב

fall in להתמוטט; להסתדר בשורה; לפוג תוקפו; להגיע זמן פרעונו
fall in for לקבל, לזכות ב, לספוג
fall in love להתאהב
fall in with להיתקל ב־; להסכים
fall into לשקוע ב־; להתחלק ל־
fall into line להסכים; ללכת בתלם
fall off לפחות, להתמעט, לנשור
fall on hard times לרדת מנכסיו
fall on one's feet להיות בר־מזל, לנחות על רגליו
fall on/upon להתנפל על
fall out לקרות; (במיסדר) להתפזר
fall out with לריב, להתקוטט
fall over oneself להיות להוט מדי
fall over/down ליפול
fall short לא להגיע למטרה
fall through להיכשל
fall to להתחיל ב־; להתנפל על האוכל; להירתם לעבודה במרץ
fall under להיכלל בסוג מסוים
his eyes fell השפיל מבטו
his face fell נפלו פניו
let fall להפיל; לומר, לבטא, לפלוט
the wind fell הרוח נחלשה
fall *n.* נפילה; ירידה; מפולת; סתיו
falls מפל־מים
ride for a fall להסתכן
the Fall of Man החטא הקדמון
falla'cious (-shəs) *adj.* מטעה; מוטעה
fal'lacy *n.* טעות, אשלייה
fall'en (fôl'-) *adj.* נופל; החללים
fallen woman אישה לא צנועה
fall guy ⋆פתי, קורבן
fal'libil'ity *n.* עלילות לטעות
fal'lible *adj.* עלול לטעות
falling-out *n.* ריב, ויכוח
Fallo'pian tube צינור השחלה
fall-out *n.* נשירה; נשורת
fal'low (-ō) *adj&n.* (שדה) שנחרש אך לא נזרע; שדה־בור
false (fôls) *adj.* מוטעה; מזויף, מלאכותי; לא נאמן, משקר; כוזב
false alarm אזעקת שווא
false arrest מעצר בלתי־חוקי
false bottom תחתית כפולה
false face מסיכה
play false לרמות, לבגוד ב־
sail under false colors להתחזות
take a false step למעוד
false-hearted *adj.* חסר־כנות, נוכל
falsehood *n.* שקר, שקרנות, כזב
false pretenses התחזות, רמאות
false start זינוק פסול
false teeth שיניים תותבות
falset'to (fôl-) *n.* סלפית, פאלסט
fal'sies (fôl'siz) *n-pl.* ⋆חזייה ממולאת, שדיים מלאכותיים
fal'sifica'tion (fôl-) *n.* זיוף
fal'sify' (fôl-) *v.* לזייף, לסלף
fal'sity (fôl-) *n.* שקר, רמאות
fal'ter (fôl-) *v.* לגמגם, להסס; לנוע בחוסר יציבות, להתנודד
falteringly *adv.* בהיסוס
fame *n.* פרסום, שם, תהילה
famed *adj.* מפורסם
famil'ial *adj.* משפחתי
famil'iar *adj.* שכיח, רגיל; מוכר, ידוע; קל, פשוט, ידידותי; מישפחתי
familiar with בקי ב־
familiar *n.* ידיד
famil'iar'ity *n.* בקיאות, ידידות; חופשיות, חוסר־גינונים
famil'iarize' *v.* לפרסם
familiarize with ללמד, להכיר
fam'ily *n.* משפחה
in the family way ⋆בהריון
family allowance קצובת משפחה
family circle חוג המשפחה
family doctor רופא כללי
family man אוהב מישפחה, איש מישפחה
family planning תכנון המשפחה
family tree אילן היחס
fam'ine (-min) *n.* רעב; מחסור חמור
fam'ish *v.* לסבול מרעב, לרעוב
fa'mous *adj.* מפורסם; ⋆מצוין
famously *adv.* יפה, היטב
fan *n.* מאַוורר; מניפה; אוהד, מעריץ
fan *v.* לאוורר; ללבות (אש, זעם)
fan out להתפרס, להתפזר
fanat'ic *n.* קנאי, פנאטי
fanatic(al) *adj.* קנאי
fanat'icism' *n.* קנאות, פנאטיות
fan belt חגורת המאוורר
fancied *adj.* מדומה, דימיוני
fan'cier *n.* מומחה ל־, חובב
dog-fancier מומחה לכלבים
fan'ciful *adj.* דימיוני; מוזר
fan'cy *n.* דימיון; משיכה, כמיהה
passing fancy שיגיון זמני
take a fancy to להימשך אל
take the fancy of לכבוש את לב־
fancy *adj.* מקושט, דימיוני, לא רגיל

fancy goods חפצי נוי
fancy price מחיר מופרז
fancy *v.* לתאר לעצמו, להעלות בדימיונו; להאמין, לחשוב; לאהוב, לחבב
fancy oneself להחשיב עצמו
fancy! תאר לעצמך! הייתכן!
I fancy that- נדמה לי ש־
fancy dress תחפושת
fancy-free *adj.* חופשי לנפשו, ציפור־דרור, לא מאוהב
fancy man מאהב
fancy work מירקם, מעשה־ריקמה
fan'fare' *n.* תרועת חצוצרות
fang *n.* שן כלב, שן נחש, ניב
fanlight *n.* אשנב (מעל לדלת), צוהר
fan mail מכתבי מעריצות (לזמר)
fan'ny *n.* *ישבן
fan•ta'sia (-zhə) *n.* פנטסיה
fan•tas'tic *adj.* פנטסטי, דימיוני
fan'tasy *n.* פנטסיה, דימיון
far *adv&adj.* רחוק, הרחק; במידה ניכרת; בהרבה, מאוד
(so) far from לא זו בלבד שלא
as far as עד כמה ש־; עד ל־
by far בהרבה, בהחלט, במידה ניכרת
far and away מאוד, בהחלט
far and wide בכל מקום
far be it from me חלילה לי מ־
far cry from רב ההבדל/המרחק בין
far from לגמרי לא, רחוק מ־
far from it אדרבה, כלל לא
far off/away רחוק
from far and near מקרוב ומרחוק
go far להגיע רחוק; להרחיק לכת; להצליח; להיות לעזר, לעזור
how far עד היכן
in so far as במידה ש־
so far so good עד כה הכל בסדר
so far, thus far עד כה, עד כאן
take/go/carry too far להגזים
far-away *adj.* רחוק; מנותק, חולמני
farce *n.* פארסה, קומדיה, בדחית
far'cical *adj.* קומי, אבסורדי
fare *v.* להתקדם, להצליח
fare badly לא להצליח
it fared well with me הצלחתי
fare *n.* דמי נסיעה; נוסע (במונית)
fare *n.* מזון, ארוחה
bill of fare תפריט
fare'well' (fārw-) *interj.* שלום!
farewell *n.* פרידה
far-famed *adj.* מפורסם
far-fetched *adj.* רחוק, לא סביר, לא הגיוני, לא טיבעי, חסר־קשר
far-flung *adj.* משתרע, נרחב
far gone במצב חמור, שקוע ב־
far'ina'ceous (-shəs) *adj.* עמילני
farm *n.* חווה, משק; בית המשק
farm *v.* לעבד אדמה, לנהל משק
farm out למסור לאחרים
farm'er *n.* חוואי, בעל משק
farmhand *n.* עובד משק
farmhouse *n.* בית החוואי
farming *n.* חקלאות, חוואות
farmyard *n.* חצר המשק
far-off *adj.* רחוק
far-out *adj.* רחוק; מוזר
farra'go *n.* תערובת
far-reaching *adj.* מרחיק־לכת, מקיף
far'rier *n.* פרזל־סוסים
far'row (-ō) *v.* להמליט חזירונים
farrow *n.* המלטה; גורי חזיר
far-seeing *adj.* מרחיק ראות
far-sighted *adj.* רחוק־ראייה
fart *v&n.* * (להפליט) נפיחה, להפליץ
far'ther (-dh-) *adj&adv.* יותר רחוק, הלאה; היותר רחוק
far'thest (-dh-) *adj.* הכי רחוק
at farthest הכי רחוק, מקסימום
far'thing (-th-) *n.* (בעבר) פרוטה
not care a farthing לא אכפת כלל
fa'scia (-shə) *n.* לוח, סרט
fas'cinate' *v.* להקסים
fascinating *adj.* מקסים
fas'cina'tion *n.* קסם
have a fascination for להקסים
fas'cism' (fash'iz'əm) *n.* פאשיזם
fas'cist (fash'ist) *n&adj.* פאשיסט
fash'ion (fash'ən) *n.* אופנה, מנהג; צורה, דרך
after a fashion ככה־ככה, בינוני
after the fashion of כדוגמת
follow the fashion ללכת בתלם
man of fashion מהחברה הגבוהה
set a fashion לשמש דוגמה
fashion *v.* ליצור, לעצב
fashionable *adj.* אופנתי, מקובל
fashion designer מעצב אופנה
fashion plate ציור אופנה
fast *adj.* מהיר, ממהר; רודף תענוגות
fast *adv.* מהר; בהוללות; בקרבת־
fast *adj.* קבוע; חזק, איתן; לא דוהה
make fast להדק
fast *adv.* בחוזקה, במהודק

fast asleep בתרדמה עמוקה
play fast and loose לשחק ב (רגשות)
stand fast לעמוד איתן
stick fast להיתקע במקום, לא לזוז
fast *v&n.* לצום; צום
fas′ten (-sən) *v.* להדק, להדביק, להצמיד, לסגור; להיסגר, להירכס
fasten it on him לטפול זאת עליו
fasten on the idea לאמץ הרעיון
fasten one's eyes on לנעוץ מבטו
fastener *n.* מהדק; רוכסן
fastening *n.* מהדק; בריח
fas•tid′ious *adj.* איסטניס, ברבן
fastness *n.* מצודה, מיבצר; יציבות
fast time שעון קיץ
fat *adj.* שמן, עבה; (אדמה) פורייה
a fat lot (באירוניה) ★הרבה
fat cat ★עשיר, תורם למפלגה
fat chance ★שום סיכוי (לא)
fat *n.* שומן
chew the fat להתלונן, לשוחח
live on the fat of the land לחיות בעושר, לאכול מטעמים
the fat is in the fire השגיאה נעשתה, הצרות יבואו
fa′tal *adj.* קטלני, גורלי, פטאלי
fa′talism′ *n.* פטאליות, פטאליזם
fa′talist *n.* פטליסט
fatal′ity *n.* גורליות; מוות, אסון; קטלנות
fate *n.* גורל; מוות
as sure as fate אין מנוס, בטוח
meet one's fate למות
the Fates אלות הגורל
fated *adj.* נגזר עליו, גורלו נחרץ
fateful *adj.* גורלי; נבואי
fat-head *n.* מטומטם
fa′ther (fä′dhər) *n.* אב
like father like son כאב ־ כן בנו, ברא כרעיה דאבוה
the Holy Father האפיפיור
father *v.* להוליד; להודות באבהות
father it on him לייחס זאת לו
Father Christmas סנטה קלאוס
father figure דמות אב, כמו אב
fatherhood *n.* אבהות
father-in-law *n.* חם, חותן
fatherland *n.* ארץ אבות
fatherless *adj.* יתום, אין לו אב
fatherly *adj.* אבהי
fath′om (-dh-) *n.* פאתום (1.8 מטר)
fathom *v.* לרדת לעומק, להבין
fathomless *adj.* עמוק, תהומי
fatigue′ (-tēg′) *n.* עייפות, חוסר־אונים; (בצבא) תורנות, עבודות
fatigue party כיתת תורנים (בצבא)
fatigue uniform בגדי עבודה
fatigues בגדי עבודה
fatigue *v.* לעייף
fat′ted *adj.* מפוטם
kill the fatted calf לקבל אורח בשמחה
fat′ten *v.* לפטם, להשמין
fat′tish *adj.* שמנמן
fat′ty *adj.* מכיל שומן
fatu′ity *n.* טיפשות, טמטום
fat′uous (fach′o͞oəs) *adj.* מטומטם
fau′cet *n.* ברז
faugh (fô) *interj.* פוי!
fault *n.* ליקוי, פגם טעות, עבירה; אשמה; בקע גיאולוגי
at fault לא בסדר; אשם, נבוך
find fault with למצוא פגמים, לחפש פגמים; להתלונן
the fault lies with me האשמה רובצת עלי
to a fault יותר מדי, מאוד
fault *v.* לחפש פגמים, להתלונן על
fault-finding *n.* חיפוש פגמים
faultless *adj.* מושלם, ללא פגם
faulty *adj.* פגום, לקוי
faun *n.* פן (אל היער)
fau′na *n.* פאונה, ממלכת החי
faux pas (fōpä′) *n.* משגה, טעות
fa′vor *n.* אהדה, עין יפה; משוא פנים, יחס מועדף; טובה, חסד; סרט, סֶמל
bestow her favors להעניק חסדיה
by favor of באמצעות־
do me a favor עשה לי טובה
find favor in his eyes למצוא חן בעיניו
in favor of בעד, מחייב; לפקודת־
in favor with מוצא חן בעיני־
in his favor לטובתו, לזכותו
out of favor סר חינו
stand high in his favor לזכות בהערכתו
win his favor לזכות באהדתו
favor *v.* לראות בעין יפה, לתמוך, להפלות לטובה, להקל
favor him with להואיל לתת לו
the baby favors her father התינוקת דומה יותר לאביה
favorable *adj.* רצוי, חיובי; מגלה אהדה,

מסייע, מעודד
favored *adj.* חביב, מועדף; ניחן, נתברך
ill-favored מכוער
well-favored נאה
fa′vorite (-rit) *n&adj.* חביב, אהוב; מופלה לטובה; פייבוריט, בעל הסיכויים לנצח
fa′voritism′ *n.* פרוטקציה
fawn *n.* עופר; חום־צהבהב
fawn *v.* לכרכר סביב־, להחניף
fay *n.* פֵייה
faze *v.* ⋆להפחיד, להדהים
FBI *n.* אף־בי־איי
fe′alty *n.* נאמנות, אמונים
fear *n.* פחד, חשש
fear and trembling חיל ורעדה
for fear מרוב פחד
for fear of/that מחשש, פן־
in fear of חושש לשלום־
no fear! בהחלט לא, אין פחד
without fear or favor ללא מורא, ללא משוא פנים
fear *v.* לפחוד
fear for him להיות חרד לשלומו
I fear חוששני ש־
fear′ful *adj.* איום; "נורא"; פוחד
fearless *adj.* לא פוחד; אמיץ, לבלי חת
fearsome *adj.* מפחיד
fea′sibil′ity (-z-) *n.* אפשרות ביצוע
fea′sible (-z-) *adj.* בר־ביצוע, אפשרי; ⋆סביר
feast *n.* סעודה, מישתה; חג
feast or famine או שפע או מחסור
feast *v.* לסעוד; לערוך משתה
feast one's eyes on לזון עיניו
Feast of Weeks חג השבועות
feat *n.* מיבצע, מעשה גבורה
feath′er (fedh′-) *n.* נוצה
a feather in one's cap משהו להתפאר בו, אות־כבוד
birds of a feather מאותו מין
in high feather במצב רוח מרומם
make the feathers fly ליהנות מעבודה; להפוך עולמות
show the white feather לפחוד
feather *v.* לכסות בנוצות; להחליק משוט (על פני המים)
feather one's nest להתעשר
feather-bed *n.* מזרן־נוצות
feather-bed *v.* לפנק, לסבסד
featherbrained *adj.* טיפש
featherweight *n.* משקל־נוצה
feathery *adj.* נוצי, קל, רך, ספוגני
fea′ture *n.* תכונה מיוחדת, תופעה; מאמר, כתבה, סרט־קולנוע
features פנים, תווי־פנים
feature *v.* לככב, להציג; לאפיין
featured *adj.* מובלט, מיוחד
fine-featured בעל פנים נאים
featureless *adj.* משעמם, חסר תכונות בולטות
feb′rile (-rəl) *adj.* של קדחת
Feb′ru•ar′y (-rōōeri) *n.* פברואר
fe′ces (-sēz) *n.* צוֹאה
feck′less *adj.* חלש; בלתי־אחראי
fe′cund *adj.* פורה, יוצר
fe•cund′ity *n.* פוריות
fed = p of feed
fed′eral *adj.* פדראלי, מרכזי
fed′eralism′ *n.* פדראליזם
fed′erate′ *v.* להתאחד לפדרציה
fed′era′tion *n.* פדרציה, איחוד
fee *n.* תשלום, אגרה, שכר
hold in fee להחזיק בבעלות מלאה
fee *v.* לשכור, לשלם ל־
fee′ble *adj.* חלש
feeble-minded *adj.* רפה־שכל
feed *v.* להאכיל; לאכול; להזין
feed on להיזון מ־, לחיות על
feed up לספק מזון עשיר, לפטם
I'm fed up נמאס לי
feed *n.* ארוחה; מזון; הספקה; מיספוא; כלי־הזנה
off feed לא חש טוב
feedback *n.* היזון חוזר, משוב
feeder *n.* אכלן; זרוע, נתיב קישור
poor feeder ממעט באכילה
feeding bottle בקבוק הזנה
feel *v.* לחוש, להרגיש; למשש, לגשש; להצטער על, לסבול מ־
feel (like) oneself להיות כתמול שלשום
feel a draft לחוש ביחס צונן
feel for לגשש, לחפש
feel for him להשתתף בצערו
feel one's way לגשש, לחפש דרך
feel out למשש את הדופק
feel up to ⋆להיות מסוגל ל־
feels like מתחשק לו, רוצה
he feels sad הוא עצוב
my hands feel cold ידי קרות
I don't feel like אין לי חשק ל־
feel *n.* מגע, הרגשה, מישוש
get the feel of לחוש, להתרגל

feeler *n.* מחוש (של חרק)
put out feelers למשש את הדופק
feeling *n.* הרגשה, תחושה, רגש; התרגשות, התמרמרות
bad/ill feeling טינה, מרירות
feelings רגש, רגשות
good feeling ידידות
no hard feelings בלי טינה בלב
feeling *adj.* מלא־רגש
feelingly *adv.* ברגש רב
feet = pl of foot
feign (fān) *v.* להעמיד פנים, להתחזות; להמציא, לבדות
feign death להעמיד פנים כמת
feint (fānt) *n.* תרגיל הסחה
feint *v.* לערוך תרגיל הסחה, להטעות
fe•lic′itate′ *v.* לאחל, לברך
fe•lic′ita′tion *n.* איחולים
fe•lic′itous *adj.* מתאים, הולם
fe•lic′ity *n.* אושר; כושר הבעה
fe′line *adj.* חתולי, כמו חתול
fell *n.* עור חיה; אדמת טרשים
fell *adj.* איום, מסוכן, אכזרי
fell *v.* להפיל ארצה; לכרות עץ
fell = pt of fall
fel′lah (-lə) *n.* פלח (ערבי)
fel′low (-ō) *n.* חבר, ידיד; ברנש; בן־זוג; חבר אקדמיה
fellow *adj.* מסוג אחד; חבר ל־
fellow workers חברים לעבודה
fellow feeling אהדה, סימפתיה
fellowship *n.* ידידות, אחווה; אגודה, חברה; חברות בקולג׳, מילגה
fellow traveler אוהד מפלגה
fel′on *n.* פושע
felo′nious *adj.* פושע, פשעי
fel′ony *n.* פשע, עבירה חמורה
felt *n.* לֶבֶד
felt = p of feel
felt-tip pen עט לבד, עט לורד
feluc′ca *n.* מפרשית, סירת משוטים
fe′male *n.* נקבה; ★אישה
female *adj.* של נקבה, נקבי; חלול
female workers פועלות
fem′inine (-nin) *adj.* נשי, נקבי
feminine gender מין נקבה (בדקדוק)
fem′inin′ity *n.* נשיות
fem′inism′ *n.* פמיניזם, מתן שיווי זכויות לנשים, נשיות
fem′inist *n.* פמיניסט
femme fatale (fam′fətäl′) *n.* פאם פאטאל, קוטלת גברים

fe′mur *n.* עצם הירך, קולית
fen *n.* אדמת בצה
fence *n.* גדר
mend one's fences לעשות בדק בית, לחזק השפעתו
sit on the fence לשבת על הגדר
the right side of the fence צד המנצח
fence *v.* לגדור; להקים גדר מסביב
fence in לכלוא, לכבול ידיו
fence *n.* סוחר בסחורה גנובה
fence *v.* לסייף; להסתייף
fence with להתחמק (מתשובה ישירה)
fencer *n.* סייף, אמן־סיוף
fence-sitter *n.* יושב על הגדר
fencing *n.* סיוף; גידור
fend *v.* להדוף
fend for oneself לדאוג לעצמו
fend off להדוף
fend′er *n.* מעקה האח; פגוש; כנף; מגן (לבלימת חבטות)
fen′nel *n.* שומר (עשב, תבלין)
fe′ral *adj.* פראי
ferment′ *v.* לתסוס; להתסיס; להסית
fer′ment′ *n.* תסיסה; שמרים; תסס
fer′menta′tion *n.* תסיסה; התססה
fern *n.* שרך, שרכים (צמחים)
ferny *adj.* מלא שרכים
fero′cious (-shəs) *adj.* אכזרי, פראי
feroc′ity *n.* אכזריות, מעשה אכזרי
fer′ret *n.* סמור (חיית־טרף)
ferret *v.* לצוד בעזרת סמורים; לחטט
ferret out להוציא לאור, לחשוף
fer′ro•con′crete *n.* בטון מזוין
fer′rous *adj.* מכיל ברזל
fer′rule (fer′əl) *n.* כיפת־מתכת (בקצה מטרייה); טבעת־חיזוק
fer′ry *v.* להעביר במעבורות, להסיע
ferry *n.* (תחנת) מעבורת
ferryboat *n.* מעבורת
ferryman *n.* מעבוראי
fer′tile (təl) *adj.* פורה, יוצר; שופע
fertil′ity *n.* פוריות
fer′tiliza′tion *n.* הפראה
fer′tilize′ *v.* להפרות; לזבל
fertilizer *n.* דשן, זבל כימי
fer′ule (fer′əl) *n.* מקל, סרגל
fer′vency *n.* להט, חום
fer′vent *adj.* לוהט, חם, עז
fer′vid *adj.* לוהט, נלהב
fer′vor *n.* להט, חום
fes′tal *adj.* חגיגי, עליז

fes′ter *v.* להתמגל; להימלא מוגלה
fes′tival *n.* פסטיבל, חג, חגיגה, תחיגה
Festival of Lights חג האורים, חנוכה
fes′tive *adj.* חגיגי, של חג
festive board שולחן ערוך
fes•tiv′ity *n.* חגיגה, שמחה
fes•toon′ (-tōōn′) *n.* שרשרת־קישוט
festoon *v.* לקשט (חדר) בשרשרות
fe′tal *adj.* של עוּבָּר, עוברי
fetch *v.* להזעיק, להביא; למשוך; לפלוט, להוציא, לגרום שיופיע
fetch a blow להנחית מכה
fetch and carry for לשרת את
fetch up להופיע, להגיע
it fetched $100 זה הכניס 100$
fetching *adj.* מקסים, מושך
fete (fāt) *n.* מסיבה, חגיגה
fete *v.* לערוך מסיבה ל־
fet′id *adj.* מסריח
fet′ish *n.* פֶטיש, אליל
fet′lock′ *n.* רגל הסוס (מעל הפרסה), תלתל הרגל
fet′ter *n&v.* שרשרת, כבלים; לכבול
fet′tle *n.* מצב, בריאות
fe′tus *n.* עוּבָּר, שליל
feud (fūd) *n.* משטמה, ריב משפחות
feu′dal (fū′-) *adj.* פיאודלי
feu′dalism′ (fū′-) *n.* פיאודליות
feu′dato′ry (fū′-) *n.* אריס, עבד
fe′ver *n.* חום; קדחת; מתח, עצבנות
at fever pitch בשיא ההתרגשות
fevered *adj.* סובל מחום, קדחתני
fever heat חום, חום גבוה
feverish *adj.* קדחתני, קודח; גורם לקדחת
feverishly *adv.* בקדחתנות
few (fū) *adj.* מעט, מעטים, כמה
a few words כמה מלים
a good few מספר ניכר, לא מעט
few and far between נדירים
few words מעט מאוד מלים
no fewer than לא פחות מ־
not a few לא מעט, די הרבה
quite a few מספר ניכר, לא מעט
some few מספר ניכר, לא מעט
the few המיעוט
fey (fā) *adj.* גוסס; מוזר; קסום
fez *n.* תרבוש
ff. = and the following והלאה
fiancé (fē′änsā′) *n.* ארוס
fiancée (fē′änsā′) *n.* ארוסה
fias′co *n.* פיאסקו, כישלון, מפלה
fi′at *n.* צו, פקודה
fib *n&v.* ⋆שקר, בדותה; לשקר
fibber *n.* שקרן
fi′ber *n.* סיב, ליף, חוט; מיבנה; אופי
fiberboard *n.* לוח סיבית
fiberglass *n.* פיברגלאס, סיבי זכוכית
fi′brous *adj.* סיבי, כמו סיבים, ליפי
fib′u•la *n.* שוקית (מעצמות השוק)
fick′le *adj.* קל־דעת, הפכפך
fic′tion *n.* סיפורת, רומנים; פיקציה; מיבדה
ficti′tious (-tish′əs) *adj.* בדוי, פיקטיבי, מדומה, מדומיין
fid′dle *n.* כינור; ⋆רמאות
a face as long as a fiddle פנים עצובים
fit as a fiddle בריא מאוד
fiddle *v.* לכנר, לנגן בכינור; להתבטל; לטפל בספרים, לזייף
fiddle with לשחק ב־, להשתעשע ב־
fiddler *n.* כנר
fiddlestick *n.* קשת־הכינור
fiddlesticks *interj.* שטויות
fid′dling *adj.* חסר־ערך, זעיר
fidel′ity *n.* נאמנות; דיוק, דייקנות
fidg′et *v.* להתנועע בעצבנות, לנוע בקוצר־רוח; לעצבן
fidget *n.* ⋆נודניק, מעצבן
get the fidgets להתעצבן
fidgety *adj.* עצבני
fie (fī) *interj.* בושה וחרפה! פוי!
fief (fēf) *n.* אחוזה פיאודלית
field (fēld) *n.* שדה; מגרש; שטח, תחום; המשתתפים בתחרות
hold the field לעמוד איתן
in the field בשדה, באופן מעשי
outside my field לא בתחום שלי
play the field לצאת לפגישות עם חברים שונים
take the field לצאת למלחמה
field *v.* להעלות (קבוצה) למגרש; לקלוט כדור
field day יום ספורט; מאורע חשוב
fielder *n.* קולט כדורים; שחקן שדה
field event מופע ספורט (לא מירוץ)
field glasses משקפת שדה
field gun תותח קל
field hospital בית־חולים שדה
field marshal פילדמארשל
field officer קצין בכיר; קצין שדה
field of vision שדה־ראייה
field test ניסיון בשדה (בשטח)

field work עבודת־שדה, בדיקה בשטח; ביצורים זמניים
fiend (fēnd) *n.* שטן, רשע; משוגע ל־
fiendish *adj.* שטני; ⋆כביר, גאוני
fiendishly *adv.* ⋆מאוד
fierce (firs) *adj.* אכזרי; זועף, פראי; עז, לוהט
fi′ery *adj.* לוהט, כמו אש; מתלקח
fies′ta *n.* חג, פסטיבל
fife *n.* חליל
fif•teen′ *adj.* חמישה עשר
fifteenth *adj&n.* (החלק) החמישה עשר
fifth *adj&n.* החמישי; חמישית
  take the fifth לא לענות, לשתוק
fifth column גיס חמישי
fifthly *adv.* חמישית, ה׳
fif′tieth *adj&n.* (החלק) החמישים
fif′ty *n&adj.* חמישים
  the fifties שנות החמישים
fifty-fifty *adv.* שווה בשווה
  go fifty-fifty with להתחלק שווה בשווה
fig *n.* תאנה; ⋆תילבושת; מצב
  not care a fig לא איכפת כלל
  not worth a fig לא שווה כלום
fight *v.* להילחם, להילחם ב־, להיאבק
  fight back להשיב מלחמה שערה
  fight down לדכא, להתגבר על
  fight it out להכריע הריב בקרב
  fight off להדוף, להילחם ב־
  fight one's way לפלס דרכו
  fight shy of להתרחק, להתחמק
fight *n.* קרב, מלחמה; רוח־קרב
  put up a good fight להילחם באומץ
  show fight להפגין רוח־קרב
fighter *n.* לוחם; מטוס־קרב
fighting chance סיכוי כלשהו
fig leaf עלה תאנה
fig′ment *n.* המצאה (של הדימיון)
fig′u•rative *adj.* ציורי, סימלי, מושאל
fig′ure (-gyər) *n.* ספרה, מִספר; מחיר; צורה, דמות; אדם, אישיות; גוף; תארית
  a fine figure of a man איש נאה
  cut a good figure להרשים בהופעה
  figure of eight צורת 8
  figures חשבון, חישובים
  4-figure בעל 4 ספרות
figure *v.* להופיע (בספר, במחזה); להאמין, לחשוב, לתאר
  figure in לכלול, לקחת בחשבון
  figure on לסמוך על; לתכנן, לחשוב
  figure out לפענח, להבין אותו
figured *adj.* מקושט, מעוטר
figurehead *n.* בובה, מנהל חסר סמכות; פסלון (על חרטום אונייה)
figure of speech ניב ציורי
fil′ament *n.* תיל דק (בנורת חשמל)
fil′ature *n.* מטוואה, מטווייה
fil′bert *n.* אגוז
filch *v.* לגנוב
file *n.* פצירה, שופין
file *v.* לפצור, לשייף, ללטש, להשחיז
file *n.* תיק; תיקייה, כרטסת; קובץ
  on file רשום בתיק, מתוייק
file *v.* לתייק; להגיש רשמית
file *n.* שורה עורפית
  in single file בשורה עורפית
file *v.* לצעוד בשורה עורפית
fil′ial *adj.* של בן, של בת
filial piety כיבוד אב ואם
fil′ibus′ter *n.* פיליבסטר, נואם ארוכות (כדי לעכב חוק)
fil′igree′ *n.* פיליגרן, רקימה בחוטי זהב
filing cabinet תיקייה
filing clerk פקיד־תיוק
fi′lings *n-pl.* נישופת, גרודת
fill *v.* למלא; להתמלא; למלא תפקיד
  fill a tooth לסתום חור בשן
  fill him in on לעדכנו במידע נוסף על
  fill his shoes להיכנס לנעליו
  fill in למלא, לרשום; למלא מקום
  fill out להתעגל, להתנפח; למלא טופס
  fill the bill ⋆לענות על הדרישות
  fill up למלא; להתמלא
fill *n.* מילוי
  have one's fill למלא כרסו
filler *n.* מילוי, חומר מילוי
fil′let *n.* סרט־שיער; פילה (בשר, דג)
fillet *v.* להוציא העצמות, לגרם
fill-in *n.* ⋆ממלא מקום
filling *n.* מילוי, מלית; סתימה
filling station תחנת דלק
fil′lip *n.* מכת אצבע; עידוד, דחיפה
fil′ly *n.* סייחה, סוסה צעירה
film *n.* סרט; שכבה, קרום, דוק
film *v.* להסריט; להתאים להסרטה
  film over להיטשטש, להתכסות קרום
filmable *adj.* ראוי להסרטה
film premiere הצגת בכורה
film star כוכב קולנוע
film stock סרט חדש
film-strip *n.* סרט שקופיות
film test מיבחן בד
filmy *adj.* שקוף; מעורפל; מכוסה דוק

fil′ter *n.* מסנן, פילטר
filter *v.* לסנן; להסתנן, לחדור
filter tip פיית־סינון (בסיגריה)
filth *n.* לכלוך; טינופת; גסות
filthy *adj.* מלוכלך, מטונף
fin *n.* סנפיר; דבר דמוי־סנפיר; ★חמישה דולרים
fi′nable *adj.* צפוי לקנס
fi′nal *adj.* סופי, אחרון
final *n.* מהדורה אחרונה (של עיתון)
finals משחקי גמר; בחינות גמר
finale (-näl′i) *n.* פינאלה, סיום
fi′nalist *n.* (בספורט) עולה לגמר
fi•nal′ity *n.* פסקנות, החלטיות
fi′nalize′ *v.* לגבש סופית, לסיים
fi′nally *adv.* לבסוף, אחת ולתמיד
fi′nance′ *v.* לממן
finance *n.* מימון
finances פיננסים, ממונות
Minister of Finance שר האוצר
fi•nan′cial *adj.* פיננסי, כספי
financial year שנת כספים
fin′ancier′ (-sir) *n.* ממונאי
find (fīnd) *v.* למצוא, לגלות; לספק, לצייד; להחליט, לפסוק
all found בתוספת אש"ל
be found להימצא, ישנו
find for לפסוק לטובת
find him in לספק לו, להמציא לו
find one's feet לעמוד על רגליו
find one's voice לפצות פיו
find oneself לגלות את ייעודו
find out לגלות, לחשוף
you don't/won't find אין (בנמצא)
find *n.* מציאה
finder *n.* מוצא (אבידה); מגלה
finding *n.* פסק־דין; מימצא
fine *n&v.* קנס; לקנוס
fine down לצרוף; לזקק; להידוק
in fine בקיצור, בסיכומו של דבר
fine *adj.* נאה, יפה; דק; עדין
fine gold זהב טהור
fine print אותיות זעירות
fine state מצב מצוין (באירוניה)
one fine day ביום בהיר אחד
I'm fine אני מרגיש מצוין
fine *adv.* היטב, יפה; עד דק
fineable *adj.* צפוי לקנס
fine arts האמנויות היפות
finely *adv.* יפה; בעדינות; עד דק
fi′nery *n.* בגדי פאר; מחלצות
finesse′ *n.* עדינות, טאקט; תחבולה, עורמה, פיקחות
fine-tooth comb מסרק דק־שיניים
fin′ger (-ngg-) *n.* אצבע
burn one's fingers להיכוות ברותחין
have a finger in every pie להיות מעורב בכל, לרקוד בכל החתונות
his fingers are all thumbs בטלן
keep one's fingers crossed להתפלל, לקוות; להחזיק אצבעות
lay one's finger on להצביע על
lift a finger לנקוף אצבע
not lay a finger on לא לגעת ב־
put the finger on ★להודיע למשטרה
slip through one's fingers לחמוק בין אצבעותיו
twist him round one's finger לסובבו על האצבע, לשלוט בו
finger *v.* למשש באצבעות; לנגן, לאַצבע
fingerboard *n.* צוואר הגיטרה, שחיף
finger bowl קערית (לרחיצת אצבעות)
finger-mark *n.* סימן־אצבע, כתם
fingernail *n.* ציפורן
finger-post תמרור, מורה־דרך
fingerprint *n.* טביעת אצבעות
fingerstall *n.* כיסוי (לאצבע פצועה)
fingertip *n.* קצה האצבע
has it at his fingertips בקי בנושא; בהישג ידו
to the fingertips בכל רמ"ח איבריו
fin′ical *adj.* איסטניס, עדין, קפדן
fin′icky *adj.* איסטניס, עדין, קפדן
fin′is *n.* סוף
fin′ish *v.* לגמור; להיגמר; לתגמר, לשפץ; לחסל
finish off/up לחסל, לשים קץ ל־
finish *n.* סיום; תגמיר; גימור
be in at the finish להיות נוכח בשלב הסופי
fight to the finish מלחמה עד הסוף
finished *adj.* גמור, מושלם; מומחה
fi′nite *adj.* מוגבל, סופי
fink *n.* ★מפר שביתה; מושתל, מלשין
Finn *n.* פיני
fin′nan *n.* דג מעושן
Fin′nish *n.* פינית (שפה)
fiord (fyôrd) *n.* פיורד
fir *n.* אורן, עץ אורן
fire *n.* אש, שריפה; התלהבות
ball of fire שד משחת, מוכשר
between 2 fires באש צולבת, במיצר
catch/take fire להתלקח
cease fire להפסיק הלחימה

hang fire לפעול לאט מדי
hold fire להימנע מלדבר
lay a fire להכין אש
make up a fire להוסיף עצים למדורה
on fire בוער, בלהבות
open fire לפתוח באש
play with fire לשחק באש
running fire מטר אש/שאלות
set fire to להדליק, להצית
set on fire להעלות באש, להצית
set the world on fire לעשות משהו רציני, להרשים
under fire באש, תחת אש
fire *v.* לירות; להבעיר; לשרוף; לשלהב; ⋆לפטר
fire away לירות בלי הרף
fire away! בבקשה! קדימה!
fire up להתלקח
oil-fired (תנור) פועל על נפט
fire alarm פעמון אזעקה, מזעק
firearm *n.* נשק, רובה, אקדח
fireball *n.* כדור־אש; ⋆שד משחת
firebomb *n.* פצצת תבערה
firebox *n.* תא האש
firebrand *n.* אוד; מחרחר, מסית
firebreak *n.* מונע אש, רצועת אדמה קירחת; קיר חסין־אש
firebrick *n.* לבינה חסינת־אש
fire brigade מכבי אש
fire-bug *n.* מצית (בזדון)
fire control בקרת־אש
fire-cracker *n.* פצצת־רעש
firedamp *n.* גאז מכרות
firedog *n.* משען העצים (באח)
fire drill תרגול שריפה
fire-eater *n.* רגזן, שש לריב
fire engine מכונית כיבוי־אש
fire escape מדרגות־חירום/מילוט
fire extinguisher מטפה
fire fighter כבאי
firefly *n.* גחלילית
fireguard *n.* מעקה האח
fire-hose *n.* זרנוק
fire irons כלי האח
firelight *n.* אור האח
fire lighter חומר הצתה
fireman *n.* כבאי
fireplace *n.* אח
firepower *n.* עוצמת האש
fireproof *adj.* חסין אש
fire-raising *n.* הצתה (בזדון)
fireside *n.* קרבת האח; חיי משפחה
fire station תחנת כיבוי אש
firetrap *n.* מלכודת אש, בניין שעלולים להילכד בו בשעת שריפה
fire-walking *n.* הליכה על גחלים
fire-water *n.* ⋆משקאות חריפים
firewood *n.* עצי־הסקה
firework *n.* זיקוקין־די־נור
fireworks התפרצות, אש וגופרית
firing line קו־אש
firing squad כיתת יורים
fir′kin *n.* חביונת, חבית קטנה
firm *adj&adv.* חזק, איתן, יציב; קשה, מוצק; תקיף
firm ground בסיס איתן
hold firm לעמוד איתן
firm *v.* למצק, להקריש, לייצב
firm *n.* חברה, עסק מסחרי, פירמה
fir′mament *n.* שמים, רקיע
first *adv.* תחילה, קודם־כל; לראשונה
come in first להגיע ראשון
first and foremost בראש ובראשונה
first of all קודם־כל
first off ⋆ראשית כל
first *adj&pron.* ראשון, עיקרי
at first בתחילה
at first sight ממבט ראשון
first and last בסך הכל, בכללותו
first come, first served הבא ראשון, מקבל ראשון
first things first סדר עדיפויות נכון
from first to last מא' עד ת'
from the first מהרגע הראשון
in the first place קודם כל, קודם
first *n.* מצוין (ציון)
firsts מיצרכים מאיכות משובחת
first aid עזרה ראשונה
firstborn *n.* בכור
first-class *adj.* מעולה, משובח
first class מחלקה ראשונה
first floor קומת קרקע
first-fruits ביכורים, פירות ראשונים
first-hand *adv.* ממקור ראשון
first lady הגברת הראשונה
first lieutenant סגן (דרגה)
firstly *adv.* ראשית, א'
first name שם פרטי
first night הצגת בכורה
first offender עבריין תם (חסר הרשעות קודמות)
first person גוף ראשון, מדבר
first-rate *adj.* מעולה, מצוין
first-run *adj.* חדש, מוצג לראשונה

first-string *adj.* בהרכב הראשון, מצוין
fis'cal *adj.* פיסקלי, של כספי הציבור
fish *n.* דג, דגים
cold fish ★טיפוס מוזר, לא מעורר
drink like a fish להתמכר לשתייה
has other fish to fry יש לו דברים יותר דחופים
neither fish nor fowl לא זה ולא זה, דבר מוזר, ברייה משונה
pretty kettle of fish ★עסק ביש
fish *v.* לדוג; לנסות להשיג, לחפש
fish in troubled waters לדוג במים עכורים
fish or cut bait להחליט לכאן או לכאן
fish out/up למשות, לשלוף, להוציא
fishball, fishcake *n.* קציצה
fish'erman *n.* דַיָּג
fish'ery *n.* דיג, איזור דַיִג
fish fry פיקניק דגים
fish-hook *n.* קרס החכה
fishing *n.* דיג
fishing-line *n.* חוט־החכה
fishing-rod *n.* קנה־החכה
fishing tackle ציוד דיג
fish knife סכין דגים
fishmonger (-mung-) *n.* מוכר דגים
fish slice סכין דגים
fish story ★גוזמה, בדותה
fishwife *n.* מוכרת דגים
fishy *adj.* של דגים; מפוקפק, חשוד
fis'sile (-səl) *adj.* סדיק, בקיע
fis'sion *n.* ביקוע; התפלגות
fissionable *adj.* ניתן לביקוע, בקיע
fissip'arous *adj.* מתפלג
fis'sure (fish'ər) *n.* סדק, בקיע; חרץ
fist *n.* אגרוף
fis'ticuffs' *n-pl.* התאגרפות
fis'tula (-'ch-) *n.* פיסטולה, פצע, בתר
fit *adj.* ראוי, מתאים, הולם, יאה; בריא, בכושר טוב
fit to drop עומד ליפול
keep fit לשמור על הכושר
think/see fit to למצוא לנכון
fit *n.* התקף, התפרצות; שבץ; מצב־רוח
give him fits להרגיזו, לזעזעו
have a fit להזדעזע; להתפרץ
in fits and starts לא בקביעות
fit *n.* מידת ההתאמה
a tight fit צר מדי
fit *v.* להתאים; להתקין, להכשיר
fit in להתאים, להלום; לתאם
fit out לצייד, לספק כל הנחוץ
fit up לצייד, להכשיר
have it fitted להתקין זאת
fitful *adj.* לא סדיר, הפכפך
fit'ment *n.* מיתקן, רהיט קבוע, קבועה
fitness *n.* התאמה, הלימות; כושר
fitted *adj.* מצוייד; קבוע
fit'ter *n.* מסגר; חייט, מתקן בגדים
fitting *adj.* מתאים, ראוי, יאה
fitting *n.* מדידת בגד; ציוד, ריהוט; מיתקנים
five *adj&n.* חמש, 5
fivefold *adj.* פי חמישה
fi'ver *n.* ★5 דולרים, חמישייה
fix *v.* לקבוע; לסדר, לתקן; להכין; לייצב; ★לשחד, לקבוע תוצאה מראש
fix breakfast להכין ארוחת בוקר
fix him up לארגן לו (לינה)
fix his attention לרתק תשומת ליבו
fix on להחליט על; לנעוץ מבט ב־
fix up לתקן
I'll fix him ★אטפל בו, אסדר אותו
fix *n.* מצב ביש, סבך; איתור, מיקום; ★זריקת סמים
fixa'tion *n.* קיבעון, היצמדות; ייצוב, מיקבע; קיבוע, פיקסציה
fix'ative *n.* מייצב, קובע, מחזיק
fixed *adj.* קבוע, יציב; נקבע מראש
fixed idea אידיאה פיקס, שיגיון, רעיון תדירי
fixedly *adv.* בלא לגרוע עין מ־
fixed star כוכב שבת
fix'ity *n.* יציבות, קביעות
fix'ture *n.* קבועה, מיתקן, אביזר קבוע; מופע ספורט; מועד התחרות
fizz *v.* לתסוס, להשמיע קול תסיסה
fizz *n.* קול תסיסה; ★שמפניה
fiz'zle *v.* להשמיע קול תסיסה
fizzle out לעלות בתוהו, להיכשל
fiz'zy *n.* תוסס
fjord (fyôrd) *n.* פיורד
flab'bergast' *v.* להדהים
flab'by *adj.* חלש, רפוי; רך, רפה
flac'cid *adj.* רך, רפה
flac•cid'ity *n.* רכות, ריפיון
flag *n.* דגל; אבן־ריצוף; איריס
show the white flag להיכנע
strike one's flag להיכנע
flag *v.* לקשט בדגלים, להדגיל
flag down לאותת (למכונית) לעצור
flag *v.* להיחלש, לדעוך, לקמול
flag day יום ההתרמה
flag'ellant *n.* מלקה; סופג מלקות

flag′ellate′ *v.* להלקות
flag′ella′tion *n.* הלקאה, מלקות
flag′ eolet′(-jəl-) *n.* חליל קטן
flagi′tious (-jish′əs) *adj.* אכזרי
flag′on *n.* בקבוק (גדול); כד
flagpole *n.* מוט הדגל
fla′grancy *n.* שערוריה, חרפה
fla′grant *adj.* מביש, חסר־בושה
flagship *n.* אוניית הדגל
flagstaff *n.* מוט הדגל
flagstone *n.* אבן ריצוף, מרצפת, אריח
flag-waving *n.* נפנוף בדגל, גל התלהבות לאומנית
flail *n.* כלי־דישה (לתבואה), מחבטה
flail *v.* לחבוט, להכות, לדוש
flair *n.* חוש טבעי, כישרון
flak *n.* אש נגד־מטוסים
flake *n.* פתית, רסיס, שבב
flake *v.* להתקלף, לנשור בפתיתים
fla′ky *adj.* עשוי עלים־עלים, קשקשי
flam′beau (-bō) *n.* לפיד
flam•boy′ance *n.* צעקנות
flam•boy′ant *adj.* צעקני, מצועצע
flame *n.* להבה, אש; זוהר
burst into flames להתלקח
go up in flames לעלות בלהבות
old flame אהובה בעבר
flame *v.* לבעור, להבהיק
flame up/out להתפרץ; להתלקח
flamen′co *n.* פלמנקו (ריקוד)
flame-thrower *n.* להביור
flaming *adj.* בוער; ★ (טיפש) גמור, מובהק
flamin′go *n.* פלמינגו, שקיטן
flam′mable *adj.* מתלקח
flan *n.* עוגת גבינה, עוגת פירות
flange *n.* אוגן (של גלגל)
flank *n.* אגף, צד, יציע; כסל
flank *v.* לאגף, להקיף מצד האגף
flan′nel *n.* פלנל; מטלית
flannels מכנסי ספורט
flan′nelette′ *n.* פלנלית
flap *n.* חבטה, סטירה; דש, כנף, לשון המעטפה, שפה
get in a flap ★להתרגש
flap *v.* להכות, לנפנף; להתנפנף, לעוף; ★להתרגש
flap′jack′ *n.* עוגיה שטוחה, לביבה
flapper *n.* מחבט־זבובים; סנפיר
flare *v.* לבעור, להבהיק
flare up להתלקח
flare *n.* להבה, אור מבהיק
flare *n.* התרחבות הדרגתית
flare *v.* להתרחב כלפי מטה
flared skirt חצאית מתרחבת
flare path מסלול מואר
flare-up *n.* התלקחות
flash *n.* נצנוץ, רשף, הבזק, חזיז; מברק; מבזק, פלאש (במצלמה); תג, סמל
flash in the pan דבר חולף
in a flash כהרף עין
flash *v.* להבהב, לנצנץ; לחלוף, לנוע; להבריק מברק; לזרוק, לשלוח
flash *adj.* ★מרשים, צעקני
flashback *n.* הבזק לאחור (קטע בסרט המראה תמונות מן העבר)
flashbulb *n.* נורת פלאש
flashcube *n.* קוביית פלאש
flashgun *n.* פנס פלאש
flashlight *n.* פנס; אור־איתות
flash point נקודת ההתלקחות
flash′y *adj.* צעקני, מרשים
flask *n.* בקבוק, בקבוקון; תרמוס
flat *adj.* שטוח, חלק, שרוע; תפל, שטחי; מוחלט, מפורש
fall flat להיכשל
flat battery סוללה ריקה
flat refusal סירוב מוחלט
flat tyre צמיג חסר־אוויר
lay flat להרוס, להחריב
that's flat! ★וזהו זה! נקודה!
B flat סי במול, סי נחת
flat *adv.* בהחלט, גלויות
flat broke חסר פרוטה
flat out במהירות, במלוא הקיטור; גלויות; ★סחוט, הרוג
sing flat לזייף (בחצי טון)
flat *n.* דירה; מישטח; צד שטוח; צמיג מנוקר; תפאורה זחיחה; נחת, במול
flat-car *n.* קרון־רכבת שטוח
flatfish *n.* דגים שטוחים
flatfoot *n.* ★שוטר
flat-footed *adj.* שטוח־רגל; ★מוחלט, פסקני; לא מוכן, לא ערוך
flat-iron *n.* מגהץ
flat′let *n.* דירה קטנה
flatly *adv.* בהחלט, החלטית
flat racing מירוץ על מישור
flat rate מחיר אחיד (ללא תוספת)
flat spin סיחרור (של מטוס נופל); מבוכה, בלבול
flat′ten *v.* לשַטח; ליישר; לפחוס; להיפחס
flat′ter *v.* להחניף, להחמיא

flatter oneself להשלות את עצמו
flatterer *n.* חנפן
flat′tery *n.* חנופה, מחמאה
flattop *n.* ⋆נושאת מטוסים
flat′ulence (-ch′-) *n.* גזים בבטן
flaunt *v.* לנפנף, להציג לראווה
flau′tist *n.* חלילן
fla′vor *n.* טעם, טעם מיוחד, ריח
flavor *v.* לתבל, לתת טעם ל־, לבסם
flavoring *n.* תבלין
flaw *v&n.* לפגום; סדק; פגם, ליקוי
flawless *adj.* מושלם, ללא פגם
flax *n.* פישתן, פישתה
flax′en *adj.* פישתני, זהוב, בהיר
flay *v.* לפשוט העור מ־, להצליף ב־
flea *n.* פרעוש
a flea in his ear חפוי־ראש, נזוף
fleabag *n.* ⋆לכלוך; מלון זול
flea-bite *n.* אי־נוחיות קלה
flea market שוק פשפשים
fleapit *n.* ⋆מקום בידור מטונף
fleck *n.* כתם; גרגיר זעיר
fleck *v.* לכסות בכתמים, להכתים
fled = p of flee
fledge *v.* להצמיח נוצות
fledged *adj.* מנוצה, מסוגל לעוף
fully-fledged מנוסה, מיומן
fledg′ling *n.* אפרוח, טירון
flee *v.* לברוח, להימלט מ־
fleece *n.* צמר, גיזה
fleece *v.* לעשוק, לגזול
fleecy *adj.* צימרי, דומה לצמר
fleer *v.* לצחוק, ללעוג
fleet *n.* צי; צי־מלחמה, ימייה
fleet *adj.* מהיר
fleeting *adj.* חולף, קצר
Fleet Street העיתונות הבריטית
flesh *n.* בשר; ציפה
flesh and blood בשר ודם, שאר־בשר
go the way of all flesh למות
in the flesh בחיים, במציאות
one's pound of flesh ליטרת הבשר שלו
the flesh תשוקות הגוף
flesh *v.* להסיר בשר (מעור)
flesh out להשמין; להוסיף, להגדיל, למלא, להאריך
fleshing *n.* לבוש הדוק, בגד־גוף
flesh′ly *adj.* גופני, חושני
fleshpot *n.* סיר הבשר, מקום שפע
flesh wound פצע חיצוני (בבשר)
fleshy *adj.* בשרי, שָמֵן

flew = pt of fly (flōō)
flex *n.* חוט חשמל, תיל חשמלי
flex *v.* לכופף, לעקם, להניע
flex′ibil′ity *n.* גמישות
flex′ible *adj.* גמיש
flib′bertigib′bet *n.* קשקשן
flick *n.* מכה קלה, הצלפה, פליק
flicks ⋆סרט, קולנוע
flick *v.* להצליף, לתת מכה קלה; להניע בתנועה מהירה
flick away לסלק בנגיעה קלה
flick′er *v.* להבהב, להבליח; לעפעף
flicker *n.* הבהוב, זיק (תקווה)
flick knife סכין קפיצית
fli′er *n.* טייס; ⋆עלון פרסומת
flight *n.* בריחה, מנוסה; טיסה, תעופה; התעלות; להקה; גף; מערכת מדרגות
flight of imagination הפלגת הדימיון
flight of time חלוף הזמן
in the first flight צועד בראש
put to flight להניס
take to flight לנוס
flight deck סיפון המראה; תא הטייס
flightless *adj.* שאינו יכול לעוף
flight lieutenant סרן (בח"א)
flight sergeant סמל (בח"א)
flighty *adj.* קל־דעת
flim′flam′ *n.* ⋆רמאות; שטויות
flim′sy (-zi) *n.* נייר דק
flimsy *adj.* דק, דקיק, שביר; חלש; קלוש
flinch *v.* להירתע, לגלות פחד
fling *v.* להטיל, להשליך; לזנק
fling in his face להטיח בפניו
fling into prison להשליך לכלא
fling off לברוח, לחמוק מ־
fling one's clothes on להתלבש בחיפזון
fling open לפתוח בתנופה
fling out of לצאת בזעם מ־
fling *n.* הטלה, השלכה
have a fling at לנסות כוחו ב־
have one's fling "לעשות חיים"
flint *n.* צור, חלמיש, אבן־אש
flinty *adj.* קשה כאבן, חלמישי
flip *v.* להעיף, להטיל (מטבע); ⋆להשתגע
flip one's lid ⋆לצאת מדעתו
flip through לרפרף, לעיין ברפרוף
flip *n.* מכה קלה; העפה; מזג יין וביצה
flip-flop *n.* תפנית, שינוי מקום
flip-flops *n-pl.* סנדלי־אצבע
flip′pancy *n.* קלות דעת, זלזול

flip'pant *adj.* קל דעת, מזלזל
flip'per *n.* סנפיר
flip side ⋆הצד השני (של תקליט)
flirt *v.* להתעסק (עם בחורה), לפלרטט
flirt with the idea להשתעשע ברעיון
flirt *n.* מתעסקת, מפלרטטת
flir•ta'tion *n.* פלירט, רומן קצר
flir•ta'tious (-shəs) *adj.* אוהבת לפלרטט
flit *v&n.* להתעופף, לעוף
do a flit ⋆לעבור דירה בחשאי
flitch *n.* ירך־חזיר מעושנת
fliv'ver *n.* מכונית קטנה וזולה
float *n.* מצוף, מכל־אוויר (להחזקת מטוס על המים); קרון־תצוגה; כסף
float *v.* לצוף; להשיט; לרחף; לייסד חברה; להציף שער־מטבע; לנייד
floata'tion *n.* מימון עסק מסחרי
floating *adj.* צף; לא־קבוע, נע ונד
floating bridge גשר סירות
floating dock מבדוק צף
floating vote קולות צפים
flock *n.* עדר, להקה; צאן מרעית
flocks and herds צאן ובקר
flock *v.* להתקהל, להתקבץ; לנהור
flock *n.* צמר, שיער (למילוי כרים)
floe (flō) *n.* גוש קרח צף
flog *v.* להלקות; ⋆למכור
flog a dead horse ברכה לבטלה
flog it to death לחזור על כך עד לזרא
flogging *n.* הלקאה
flood (flud) *n.* מבול, שיטפון
in flood עובר על גדותיו
flood *v.* להציף; לעבור על גדותיו
be flooded out לנוס משיטפונות
flood in לזרום פנימה
flood gate סכר
floodlight *n.* תאורת זרקורים
floodlight *v.* להאיר בזרקורים
flood tide גיאות
floor (flôr) *n.* רצפה; קומה; קרקע; אולם; מישטח
take the floor לנאום בדיון; להתחיל לרקוד
wipe/mop the floor with him להביסו, להכותו שוק על ירך
floor *v.* לרצף; להפיל, להביס; להביך
floorboard *n.* לוח־ריצוף
floor cloth סמרטוט רצפה, סחבה
flooring *n.* חומר־ריצוף
floor show מופעי בידור (במועדון)
floor-walker *n.* פקח (בחנות)
floo'zy *n.* ⋆פרוצה
flop *v.* לפרפר, לנוע כגולם; ⋆להיכשל
flop down ליפול/להפיל בחבטה
flop *n&adv.* חבטה; ⋆כישלון חרוץ
fall flop ליפול בקול חבטה
flop'py *adj.* תלוי ברפיון, רפוי
flo'ra *n.* פלורה, צמחייה
flo'ral *adj.* פרחוני, של פרחים
flo•res'cence *n.* פריחה
flo'ricul'ture *n.* גידול פרחים
flor'id *adj.* נמלץ, מליצי; אדום, סמוק
flor'in *n.* פלורין (מטבע)
flor'ist *n.* בעל חנות פרחים
floss (flôs) *n.* משי גס, חוט
flo•ta'tion *n.* גיוס כסף, מימון חברה
flo•til'la *n.* שייטת משחתות
flot'sam *n.* שרידי אונייה טרופה
flotsam and jetsam חפצים זרוקים; מסכנים, נעים ונדים
flounce *v.* לנוע בעצבנות
flounce out of לצאת בכעס מ־
flounce *n.* נפנפת, אימרה, פס־נוי
flounce *v.* לקשט (שמלה) בנפנפת
floun'der *v.* לפרפר, להתחבט, לנוע בכבדות; לגמגם, להתבלבל
flounder *n.* דג שטוח קטן
flour *n&v.* קמח; לבזוק קמח, לקמח
flour'ish (flûr'-) *v.* לנפנף; לנופף; לפרוח, לשגשג, להצליח
flourish *n.* תנועת־ראווה; סלסול; תרועת חצוצרות
flour'y *adj.* קימחי, אבקי
flout *v.* לזלזל ב־, להתייחס בבוז
flow (flō) *v.* לזרום, לגלוש, לתלות ברפיון; לגאות
flow *n.* זרם, זרימה; גיאות
flowchart *n.* תרשים זרימה
flow'er *n&v.* פרח; מיטב, פאר; לפרוח
flowers of speech מליצות
in flower פורח, בפריחה
flowerbed *n.* ערוגת פרחים
flowered *adj.* פרחוני
flower garden גינת פרחים
flower girl מוכרת פרחים; נערת פרחים (בחתונה)
flowering *n.* פריחה
flowerless *adj.* חסר־פרחים
flowerpot *n.* עציץ
flowery *adj.* מלא פרחים, פירחוני; גדוש מליצות
flown = pp of fly (flōn)
flu (flo͞o) *n.* ⋆שפעת

fluc′tuate′ (-′chōōāt) *v.* להתנודד, לעלות ולרדת חליפות
fluc′tua′tion (-′chōōā′-) *n.* תנודה
flue (flōō) *n.* ארובה
flu′ency *n.* שטף־הדיבור, רהיטות
flu′ent *adj.* רהוט, מדבר בשטף
fluff *n.* מוך, פלומה; ★פיספוס, טעות
fluff *v.* לנפח (שיער, כר); ★לפספס
fluffy *adj.* מוכי, פלומי
flu′id *adj.* נוזלי, גמיש, משתנה
fluid *n.* נוזל, גאז
flu•id′ity (flōōid′-) *n.* נזילות
fluke *n.* כף העוגן; אונת הזנב; קרס הצלצל; טפיל; תולעת
fluke *n.* מזל, הצלחה מקרית
flume *n.* תעלה מלאכותית
flum′mery *n.* מליצות נבובות
flum′mox *v.* ★לבלבל, להביך
flung = p of fling
flunk *v.* להיכשל/לפסול בבחינה
flunk out ★"לעוף" מבית־ספר
flun′key *n.* משרת, מתרפס
flu′ores′cent lamp נורת ניאון
flu′oridate′ *v.* להוסיף פלואור
flu′oride′ *n.* פלואוריד
flur′ry (flûr′i) *n.* התרגשות, מתח; סופה קצרה
flurry *v.* לבלבל, לעצבן, להרגיז
flush *v.* להתרומם, לעוף, להסתלק
flush out להבריח ממחבוא
flush *adj.* שטוח, לא בולט; עשיר, שופע
flush with money גדוש בכסף
flush *n.* זרם מים; שטיפה; הסמקה; התלהבות; פריחה
the first flush עת הפריחה
flush *v.* להסמיק, להאדים; לשלהב; לזרום בשטף; לשטוף (האסלה)
flush it ★להיכשל
flushed with success שיכור הצלחה
flus′ter *v.* לבלבל, להביך
fluster *n.* בלבול, מבוכה
flute *n&v.* חליל; לחרץ, לקשט בחריצים
flu′ting *n.* חריצים, חריצי־קישוט
flu′tist *n.* חלילן
flut′ter *v.* לנפנף; לנופף; להתנופף; לדפוק (לב), להלום; להתרוצץ
flutter *n.* נפנוף; התרגשות; תנודה, תקלה; רעד; ★הימור
flu′vial *adj.* של נהרות
flux *n.* זרימה; זרם; חומר ריתוך
in a state of flux בשינוי מתמיד
fly *n.* זבוב; פתיון דמוי־חרק
fly in the ointment קוץ באלייה
on the fly עסוק, מתרוצץ; בנסיעה
there are no flies on him אינו טיפש, קשה לסדר אותו
fly *v.* לעוף, לטוס; להטיס; להתעופף; לרוץ, לברוח; לחלוף; לחצות
fly a flag להניף דגל
fly a kite להעיף עפיפון
fly at לזנק בזעם לעבר־, להתנפל על
fly high לשאוף לגדולות
fly into a rage להתלקח, להתקצף
fly open להיפתח בתנופה
let fly להתקיפו קשות; לירות
make the feathers/fur fly להקים שערוריה, לצעוק, להתנפל על
make the money fly לבזבז כסף
the bird is flown והילד איננו
fly *n.* יריעת־הפתח (באוהל); קצה יריעת הדגל; דש ה"חנות"
flies דש ה"חנות" במכנסיים
fly *adj.* ★ערמומי, עירני
flyaway *adj.* מתנפנף, מרפרף
fly-blown *adj.* מטונף, מכיל ביצי זבוב
flyby *n.* מיפגן אווירי
fly-by-night *n.* בורח באישון לילה (מחובות); שאין לסמוך עליו
flyer *n.* טייס; עלון פרסומת
fly-fish *v.* לדוג בפתיוני־זבוב
flying *adj.* מעופף; קצר, חטוף
a flying visit ביקור חטוף
flying high ★ברקיע השביעי, מאושר
send him flying להעיף אותו במכה
flying *n.* טיסה, תעופה
flying boat מטוס־ים
flying bomb טיל
flying buttress מיתמך משופע
flying colors דגלים מתנופפים
come off with flying colors לקצור הצלחה, להצליח יפה
flying fish דג מעופף
flying officer סגן (בח"א)
flying saucer צלחת מעופפת
flying squad ניידת־משטרה
flying start זינוק טוב
flyleaf *n.* דף ריק (בקצה הספר)
flyover *n.* מפגן אווירי
fly paper נייר דביק (לוכד זבובים)
flypast *n.* מפגן אווירי
flyswatter *n.* מחבט זבובים
flyweight *n.* משקל זבוב
flywheel *n.* גלגל תנופה
FM = frequency modulation

foal *n.* סייח, סייחה
with/in foal מעוברת
foal *v.* (לגבי סוסה) להמליט
foam *n.* קצף; גומי־ריפוד, ספוג
foam *v.* להעלות קצף, לקצוף
foam at the mouth להתקצף
foam rubber גומי־ריפוד, ספוג
fob *n.* כיס־שעון, כיסון
fob *v.* להתעלם מ־; להונות, לתחוב
fob off לנפנף הצידה; להוליך שולל
fob = free on board פר"ב
fo′cal *adj.* של מוקד, של פוקוס, מוקדי
focal point נקודת המוקד
fo'c'sle = forecastle
fo′cus *n.* מוקד, פוקוס, מרכז
focus *v.* למקד; למַרכז; להתרכז, להתמקד
fod′der *n.* מספוא, חציר, מזון
foe (fō) *n.* אויב
foetus = fetus *n.* עובר, שליל
fog (fôg) *n.* ערפל; כתם (בסרט)
in a fog במבוכה, מבולבל
fog *v.* לכסות בערפל, לערפל, לטשטש
fogbank *n.* ערפל כבד (על הים)
fogbound *adj.* מעוכב בערפל
fo′gey, fo′gy (-gi) *n.* שונא חידושים, מאובן־דיעות
foggy *adj.* מעורפל
I haven't the foggiest לא יודע⋆
foghorn *n.* צופר־ערפל
foglamp *n.* פנס־ערפל (במכונית)
foi′ble *n.* חולשה, נקודת תורפה; שיגיון, שיגעון
foil *v.* לסכל, להפר
foil *n.* סייף; ריקוע, נייר אלומיניום; ניגוד, קונטרסט
foist *v.* להוליך שולל, לתחוב
fold (fōld) *v.* לקפל; להתקפל; לעטוף; לערבב, לבחוש
fold one's arms לשלב ידיו
fold up להתמוטט, להיכשל, להתקפל
fold *n.* קמט, קיפול; גיא, קפל קרקע
fold *n.* דיר, מכלאה; קהל מאמינים, צאן מרעית
return to the fold לשוב לביתו
-fold (סופית) פי־
threefold פי שלושה
foldaway *adj.* מתקפל, שאפשר לקפלו
fold′er (fōld′-) *n.* עוטפן, תיק; עלון
fo′liage (-liij) *n.* עלווה
fo′lio′ *n.* פוליו, גיליון; ספר בגודל פוליו; דף
folk (fōk) *n.* אנשים; עם
folks משפחה, הורים, "חברה"
folk *adj.* עממי, שבטי
folk dance ריקוד־עם
folk′lore′ (fōk′lôr) *n.* פולקלור, ידע־עם
folk songs שירי עם
folksy (fōk′si) *adj.* עממי, פשוט⋆
folktale *n.* אגדת־עם
folkways *n.* דפוסי התנהגות (של ציבור)
fol′low (-ō) *v.* ללכת אחרי, לבוא אחריו; להמשיך בכיוון־; לעקוב; לפעול לפי; לנבוע (מסקנה), לעסוק במקצוע
as follows כדלהלן, כדלקמן
follow on להמשיך, לבוא (אחרי הפסקה); לנבוע מ־
follow out להמשיך עד תום
follow suit לעשות כמוהו, להחרות־להחזיק אחריו
follow the law לעסוק בפרקליטות
follow through להמשיך עד הסוף
follow up לפעול הלאה; לעקוב; לגלות
it follows מכאן ש־, זאת אומרת
to follow אחרי כן, המנה הבאה
I didn't follow לא הבנתי
follower *n.* חסיד, מעריץ
following *adj.* הבא, דלקמן
on the following day למחרת
following *n.* קהל מעריצים, תומכים
follow-up *n.* פעולת־המשך; מעקב
fol′ly *n.* שטות, טיפשות
fo•ment′ *v.* לטפח (איבה); לחרחר; לחבוש, לשים רטייה חמה
fo′men•ta′tion *n.* הסתה; תחבושת
fond *adj.* אוהב, מחבב; מפריז באהבתו
be fond of לאהוב
fond hope/belief אשלייה
fon′dant *n.* יצקת (ממתק), פונדן
fon′dle *v.* ללטף
fondly *adv.* באהבה; מתוך אשלייה
font *n.* אגן, קובעת, כלי למי טבילה; אותיות דפוס מסוג אחד; מקור
font of wisdom מעיין החוכמה
food (fo͞od) *n.* מזון, מאכל
food for thought חומר למחשבה
food poisoning הרעלת קיבה
food-stuff מצרכי מזון
fool (fo͞ol) *n.* טיפש; ליצן
a fool's errand ברכה לבטלה
fool's mate מט סנדלרים
fool's paradise גן־עדן של שוטים
make a fool of לרמות, לשטות ב־

nobody's fool קשה לסדר אותו
play the fool להשתטות
All Fools' Day האחד באפריל
fool *v.* לשטות, לרמות; להשתטות
fool around/about להתבטל
fool away לבזבז
fool with להשתעשע ב־, לשחק ב־
fool′ery (fo͞ol′-) *n.* שטות, טיפשות
foolhardy *adj.* נמהר, פזיז, נועז
foolish *adj.* טיפשי, שטותי
foolproof *adj.* פשוט מאוד, חייב להצליח, חסין־תקלות
foolscap *n.* גיליון (16 על 13 אינטש)
foot *n.* רגל, כף הרגל; תחתית; צעד; פוט
at one's feet לרגליו, נתון לחסדיו
cold feet עצבנות, פיק ברכיים
fall on one's feet להיחלץ בשלום, לנחות על רגליו
feet of clay חולשה, פגם סמוי
find one's feet לעמוד על רגליו; למצוא את ידיו ורגליו
get a foot in להשיג דריסת רגל
get off on the wrong foot להתחיל ברגל שמאל
get one's feet wet להתחיל
get one's foot in the door לעשות צעד ראשון
get to one's feet לעמוד, לקום
has his feet on the ground מציאותי, עיניו בראשו
keep one's feet לעמוד על רגליו
my foot! שטויות!
on foot בהכנה, בפעולה; ברגל
on one's feet עומד על רגליו
put one's best foot forward להתקדם מהר, להתאמץ מאוד, להשתדל
put one's foot down להיות תקיף
put one's foot in it לשגות גסות
set foot ללכת, לצעוד
sweep him off his feet להלהיבו
foot *v.* להתקין סוליה
foot it ללכת ברגל*
foot the bill לשלם את החשבון*
foot′age *n.* מידה (ברגליים); סרט
foot-and-mouth disease מחלת הפה והטלפיים
football *n.* כדורגל; רגבי
foot-bath *n.* אמבט־רגליים
footboard *n.* משען־רגל (לנהג)
footbridge *n.* גשר להולכי רגל
footed *adj.* בעל רגליים
flat-footed שטוח רגל
footer *n&adj.* כדורגל*
a six-footer שגובהו 6 רגליים
foot-fall *n.* צעד; קול פסיעה, פעם
foot fault (בטניס) פסול־פסע
foot-hill *n.* גיבעה (למרגלות הר)
foothold *n.* מאחז, דריסת־רגל
footing *n.* עמידה, בסיס; מעמד, מצב, מערך; יחסים; דריסת־רגל
a firm footing בסיס איתן
lose one's footing למעוד
foo′tle *v.* להתבטל, להשתטות*
footle away לבזבז*
footlights *n-pl.* אורות הבימה
foot′ling (fo͞ot′-) *adj.* חסר־ערך
footloose *adj.* חופשי, ציפור דרור
footman *n.* משרת
footnote *n.* הערה (בתחתית הדף)
footpad *n.* שודד, גזלן
footpath *n.* שביל, משעול
footplate *n.* דוכן הקטראי (ברכבת)
footprint *n.* עקב, סימן עקב
foot-race *n.* מירוץ
foot rule סרגל (של 12 אינטש)
footslog *v.* לצעוד מרחקים ארוכים
footsore *adj.* סובל מכאב רגליים
footstep *n.* צעד, קול פסיעה, פעם
follow in his footsteps ללכת בעיקבותיו
footstool *n.* הדום, שרפרף
footsure *n.* יציב־רגל, צועד איתן
footwear *n.* תנועלת, הנעלה
footwork *n.* רגלול, עבודת רגליים
fop *n.* גנדרן, מתגנדר
foppish *adj.* מגונדר, מתגנדר
for *prep.* ל׳, עבור, למען, לשם, כדי ל׳, לגבי, בעד, בגלל, למשך, לאורך
be for it ליתן את הדין, להיענש
for all למרות כל, חרף
for all I know למיטב ידיעתי
for anything/the world בשום אופן
for my part לדידי, מצידי
for one thing—and for another קודם כל···וחוץ מזה
take him for לטעות בו, לחשבו ל־
what for לאיזו תכלית, למה
for *conj.* כי, מכיוון ש־
for′age *n.* מספוא, חציר; חיפוש
forage *v.* לחפש
for′asmuch′ (-z-) *conj.* הואיל ו־
for′ay *n.* פשיטה, הסתערות
foray *v.* לפשוט על
forbade′ = **pt of forbid**

for•bear′ (-bār) *v.* להימנע מ־, להתאפק; לוותר, להתייחס בסבלנות
forbearance *n.* סבלנות, התאפקות
forbid′ *v.* לאסור על, לשלול מ־
God forbid! השם ישמור! חלילה!
forbid′den *adj.* אסור
forbidden fruit פרי אסור
forbidding *adj.* דוחה, מאיים
for•bore′ = pt of forbear
for•borne′ = pp of forbear
forborne from התאפק מ־
force *n.* כוח, עוצמה; תוקף; משמעות
by force of בכוח ה', בתוקף ה־
come into force להיכנס לתוקפו
forces צבא, כוחות, חילות
in force בכחות גדולים; בתוקף, תקף
join forces להתאחד
put into force להפעיל (חוק), להחיל
force *v.* להכריח, לאלץ; להוציא בכוח; ללחוץ; לפרוץ, לשבור
force a plant לזרז גידול צמח
force his hand לדחוק בו, לאלצו
force one's way להבקיע דרך
force open לפרוץ, לשבור
force the pace להזדרז; לזרז
forced *adj.* מאולץ, מעושה
forced landing נחיתת אונס
forced march מסע מזורז
force-feed *v.* להאכיל בכוח
forceful (-fəl) *adj.* חזק, תקיף
force majeure (-məzhûr′) *n.* כוח עליון
forcemeat *n.* בשר קצוץ, בשר־מלית
for′ceps *n.* מלקחיים
for′cible *adj.* משכנע; חזק
forcible entry פריצה בכוח
forcibly *adv.* בכוח, בחוזקה
ford *n.* מעברה (בנהר)
ford *v.* לחצות נהר (ברגל)
fordable *adj.* עביר, ניתן לחצותו
fore *adj.* קידמי, קדומני
fore *adv.* קדימה, בחזית הספינה
fore *n.* חזית (הספינה)
come to the fore להתבלט, להתפרסם
fore and aft לאורך הספינה
to the fore נמצא במקום, מוכן
fore- (תחילית) מראש, קידמי
fore′arm′ (fôr′-) *n.* אמת היד, זרוע
forearm′ (fôrärm′) *n.* לצייד מראש
fore′bear′ (fôr′bār) *n.* אב קדמון
forebode′ (fôrbōd′) *v.* לבשר רע, להוות אות, לחוש מראש
foreboding *n.* תחושת רעה קרבה
fore′cast′ (fôr′-) *v.* לנבא
forecast *n.* תחזית
fore′cas′tle (fôr′kasəl) *n.* חרטום הספינה
foreclose′ (fôrklōz′) *v.* לעקל (משכנתא)
foreclosure (fôrklōzh′ər) *n.* עיקול
fore′court′ (fôr′kôrt) *n.* חצר קידמית, קדמה
foredoomed′ (fôrdo͞omd′) *adj.* נדון מראש
fore′fath′er (fôr′fädhər) *n.* אב קדמון
fore′fin′ger (fôr′finggər) *n.* אצבע
fore′foot′ (fôr′-) *n.* רגל קידמית
fore front *n.* חזית קידמית
forego′ (fôrgō′) *v.* לקדום, ללכת לפני
foregoing *adj.* הנ"ל, האמור
fore′gone′ (fôr′gôn) *adj.* קודם, של העבר
foregone conclusion מסקנה צפויה, תוצאה מחויבת המציאות
fore′ground′ (fôr′-) *n.* החלק הקרוב, רקע קידמי, עמדה בולטת, קַדמה
fore′hand′ (fôr′-) *n.* (בטניס) חבטה כפית
fore′head′ (fôr′hed) *n.* מצח
for′eign (-rin) *adj.* זר, נוכרי
foreign body גוף זר
foreign to one's nature זר לרוחו
foreigner *n.* זר, נוכרי
Foreign Office משרד החוץ
foreknowl′edge (fôrnol′ij) *n.* ידיעה מראש
fore′leg′ (fôr′-) *n.* רגל קידמית
fore′lock′ (fôr′-) *n.* בלורית, תלתל־מצח
take time by the forelock לנצל את ההזדמנות
fore′man (fôr′-) *n.* מנהל עבודה, ראש חבר המושבעים
fore′most′ (fôr′mōst) *adj.* בולט, חשוב ביותר
fore′name′ (fôr′-) *n.* שם פרטי
fore′noon′ (fôr′no͞on) *n.* לפני הצהריים
foren′sic *adj.* משפטי
fore′or•dain′ (fôr′-) *v.* לגזור, לדון, לחרוץ מראש
fore′part′ (fôr′-) *n.* חלק קידמי
fore′run′ner (fôr′-) *n.* מבשר, אות,

סימן; חלוץ, קודם
fore′sail′ (fôr′-) *n.* מיפרש קידמי, תוסף
foresee′ (fôrsē′) *v.* לחזות, לצפות
foreseeable *adj.* צפוי
in the foreseeable future בעתיד הנראה לעין
foreshad′ow (fôrshad′ō) *v.* לבשר, להוות אות
fore′shore′ (fôr′-) *n.* רצועת החוף
foreshort′en (fôrshôrt′-) *v.* לשרטט בפרספקטיבה (בקווים נפגשים)
fore′sight′ (fôr′-) *n.* מחשבה תחילה, ראיית הנולד; כוונת קידמית
fore′skin′ (fôr′-) *n.* עורלה
for′est (-rist) *n.* יער
forestall′ (fôrstôl′) *v.* להקדים, למנוע, לסכל
forester *n.* יערן
forestry *n.* יערנות
fore′taste′ (fôr′-) *n.* ניסיון־מה, טעימה
foretell′ (fôrtel′) *v.* לנבא
fore′thought′ (fôr′thôt) *n.* מחשבה תחילה
foretold = p of foretell
for•ev′er *adv.* לעד, לנצח
forever and a day ⋆לעד, לעולם
forever and ever לעד, לצמיתות
forewarn′ (fôrwôrn′) *v.* להזהיר מראש, להתרות
fore′wom′an (fôr′woo-) *n.* מנהלת עבודה
fore′word′ (fôr′wûrd) *n.* הקדמה, מבוא
for′feit (-fit) *v.* לאבד, להפסיד
forfeit *n.* קנס, הפסד, מחיר
for′feiture (-fichər) *n.* החרמה, חילוט
for•gath′er (-dh-) *v.* להתקבץ
forgave′ = pt of forgive
forge *n.* נפחיה, כור
forge *v.* לעצב, לחשל, לגבש; לזייף
forge ahead להתקדם, להוביל
forger *n.* זייפן
for′gery *n.* זיוף
forget′ (-g-) *v.* לשכוח
forget oneself לצאת מכליו; לאבד עשתונותיו; לשכוח את עצמו
forgetful *adj.* שכחן
forget-me-not זיכריני (צמח)
forging *n.* חתיכת מתכת מחושלת
forgivable *adj.* בר־מחילה, סליח
forgive′ (-giv) *v.* לסלוח
forgive a debt לוותר על חוב
forgiveness *n.* סליחה, סלחנות
for•go′ *v.* לוותר על
forgot′ = pt of forget
forgot′ten = pp of forget
fork *n.* מזלג, קלשון; מסעף
fork *v.* לחפור בקלשון; להסתעף
fork out/up ⋆לשלם (בלי רצון)
forked *adj.* ממוזלג, מתפלג, מסועף
fork-lift *n.* מלגזה
fork supper ארוחת שירות עצמי
forlorn′ *adj.* נטוש; אומלל
forlorn hope תוכנית חסרת סיכוי, ניסיון אבוד
form *n.* צורה, דמות; נוהג, טקס; טופס; כושר; מצב־רוח; ספסל; כיתה
a matter of form עניין של נוהג
bad form חוסר נימוס; לא בכושר
fill out a form למלא טופס
for form's sake כי כן הנוהג
in the form of בצורת, בדמות
out of form לא בכושר
take form ללבוש צורה, להתגבש
form *v.* ליצור, להרכיב; לעצב; להוות; להתהוות; להיערך
form into a line להסתדר בשורה
form part of להיות חלק מ־
form up להסתדר בשורות
-form (סופית) בצורת־, דמוי־
multiform רב־צורות
for′mal *adj.* רשמי, פורמלי; חיצוני, טקסי; קפדני; סימטרי; צורתי, צורני
for′malin *n.* פורמלין (לחיטוי)
for′malism′ *n.* פורמליזם, קפדנות
for•mal′ity *n.* פורמליות, רשמיות, טקסיות, נוהל, הליך
for′malize′ *v.* לעשותו לרשמי
for′mat′ *n.* פורמט, תבנית
for•ma′tion *n.* עיצוב, גיבוש; מערך, מבנה; עוצבה; התהוות, היווצרות; תצורה
formation flying טיסה במבנה
for′mative *adj.* מעצב, מתפתח
for′mer *adj.* קודם, הקודם, הראשון
in former times בימים עברו, בעבר
like one's former self כתמול שלשום
formerly *adv.* בעבר, בימים עברו
For•mi′ca *n.* פורמייקה
for′mic acid חומצת נמלים
for′midable *adj.* מפחיד, קשה, נורא
formless *adj.* נטול־צורה

for′mu•la *n.* נוסחה, פורמולה, מירשם
for′mu•late′ *v.* לנסח
for′mu•la′tion *n.* ניסות
for′nica′tion *n.* ניאוף, זנות
for′rader *adv.* קדימה, הלאה
for•sake′ *v.* לזנוח, לנטוש
for•sooth′ (-sōōth′) *adv.* אומנם
for•swear′ (-swār) *v.* לוותר (בשבועה) על
forswear oneself להישבע לשקר
fort *n.* מבצר, מעוז
forte *n.* צד חזק, תחום הצטיינות
for′te (-tā) *adj.* פורטה, חזק
forth *adv.* החוצה; הלאה, קדימה
and so forth וכן הלאה
back and forth הנה והנה
form this day forth מהיום והלאה
forth•com′ing (-kum′-) *adj.* הבא, הקרב; מוצע, ניתן; מוכן, מוכן לעזור
forth′right′ *adj.* ישר, גלוי
forth•with′ *adv.* מיד, תכף, לאלתר
for′tieth *adj&n.* (החלק) הארבעים
for′tifica′tion *n.* חיזוק; ביצורים
for′tify′ *v.* לחזק, לבצר
for•tis′simo′ *adv.* פורטיסימו, חזק
for′titude′ *n.* אומץ, גבורה, קור־רוח
fort′night′ *n.* שבועיים
fortnightly *adv.* אחת לשבועיים
for′tress *n.* מבצר, מצודה
for•tu′itous *adj.* מקרי; ⋆בר־מזל
for′tunate (-′ch-) *adj.* בר־מזל
fortunately *adv.* למרבה המזל
for′tune (-chən) *n.* מזל, מקרה; עושר; הון עתק; אלילת הגורל
a small fortune סכום נכבד
come into a fortune לזכות בירושה
fortunes of war טלטלות המלחמה
tell fortunes להגיד עתידות
try one's fortune לנסות מזלו
fortune hunter מחפש עושר
fortune teller מגיד עתידות
for′ty *n&adj.* ארבעים
have forty winks לנמנם
the forties שנות הארבעים
fo′rum *n.* במה, פורום (לדיונים)
for′ward *adj.* קדמי, חזיתי; מתקדם; מוקדם; להוט, מוכן; נועז; עתידי
forward planning תכנון מראש
forward *adv.* קדימה, הלאה
bring forward להקדים (תאריך); להסב לב; להעלות, להציג
come forward להציע את עצמו
forward *v.* לשגר, לשלוח; לקדם
forward *n.* חלוץ (בכדורגל)
forwarding *n.* משלוח, העברה
forwardness *n.* התקדמות; חוצפה
for•went′ = pt of forgo
fosse *n.* חפיר, תעלה, חֵיל
fos′sil (-səl) *n.* מאובן
old fossil מאובן דיעות, שונא חידושים
fos′siliza′tion *n.* התאבנות
fos′silize′ *v.* לאַבֵּן; להתאבן
fos′ter *v.* לגדל, לאמון (ילד); לטפל ב־; לפתח, לטפח, לעודד
foster- אוֹמֵן; שנמסר לאומנה
foster-son בן אמון (במשפחה אומנת)
fought = p of fight (fôt)
foul *adj.* מלוכלך, מסריח, מגעיל; גס, רע
a foul rope חבל מסובך (שהסתבך)
a foul weather מזג אוויר קשה
by fair means or foul כך או כך, בכל האמצעים
fall foul of להסתבך עם
the pipe is foul הצינור סתום
foul *n.* עבירה (בספורט)
through fair and foul בכל עת
foul *v.* ללכלך; להתלכלך; לסתום, להיסתם; לבצע עבירה; להסתבך, להתנגש
foul up ⋆לקלקל, לשבש; לסבך; לטנף
foul-mouthed מנבל פיו
foul play רצח, פשע; עבירה (בספורט)
foul-up *n.* ⋆שיבוש, טעות, בילבול
found *v.* לייסד, להקים; להתיך
found on לבסס על
found = p of find
founda′tion *n.* ייסוד, הקמה; מוסד, קרן; בסיס, יסוד
foundation cream משחת יסוד (לעור)
foundation garment מחוך, חגורה
foundation stone אבן־פינה
found′er *n.* מייסד, בונה
founder *v.* לטבוע, להתמלא מים, לשקוע; להיכשל, למעוד; להפיל
found′ling *n.* אסופי, ילד נטוש
foun′dry *n.* בית יציקה
fount *n.* מַעיין, מקור
fount *n.* אותיות דפוס (מסוג אחד)
foun′tain (-tən) *n.* מַעיין; מזרקה; מקור
fountain-head *n.* מקור ראשון
fountain pen עט נובע
four (fôr) *n&adj.* ארבע; סירת משוטים
on all fours על ידיו ורגליו, על ארבע

to the four winds לכל עבר
four-eyes *n.* ⋆משקפופר
four-footed *adj.* בעל ארבע רגליים
four-in-hand *n.* עניבה; כרכרה
four-letter word מלה גסה
four-part *adj.* של 4 קולות
fourpenny *adj.* שמחירו 4 פנים
four-poster *adj.* מיטת־אפיריון
fourscore *n.* שמונים
foursome *n.* תחרות זוגות
foursquare *adj.* ריבועי; איתן, חזק
four•teen′ (fôr-) *n&adj.* ארבעה עשר
fourteenth *adj&n.* (החלק) הארבעה עשר
fourth (fôrth) *adj&n.* רביעי; רבע
the Fourth יום העצמאות
fourth estate העיתונות
fowl *n.* עוף, תרנגולת
fowling *n.* ציד־עופות
fowling piece רובה־ציד
fowl pest מגיפה (בעופות)
fox *n.* שועל
fox *v.* לבלבל, להביך, לרמות; להתחזות
foxglove *n.* אצבעונית (צמח־נוי)
foxhole *n.* שוחה, חפירה
foxhound *n.* כלב־ציד
foxhunt *n.* ציד־שועלים
fox terrier שפלן, כלב קטן
foxtrot *n.* פוקסטרוט, צעדי־שועל (ריקוד)
foxy *adj.* ערמומי, שועלי
foy′er *n.* אולם הכניסה, טרקלין, פוייה
Fr = Father, franc, French
fra′cas *n.* מהומה, תגרה
frac′tion *n.* חלק, חלקיק, שבר
fractional *adj.* של שבר; זעום, קטן
frac′tious (-shəs) *adj.* רגזן, עצבני
frac′ture *n.* שבר, סדק (בעצם)
fracture *v.* לשבור; להיסדק
frag′ile (-jəl) *adj.* שביר, חלש
fragil′ity *n.* שבירות
frag′ment *n.* רסיס, קטע, חלק
frag′ment′ *v.* להתרסק; לקטוע
frag′mentar′y (-teri) *adj.* מקוטע, לא שלם
frag′menta′tion *n.* התרסקות, ריסוק; חלוקה, קיטוע
fra′grance *n.* ניחוחיות, ריח ניחוח
fra′grant *adj.* ריחני, נעים
frail *adj.* חלש, שביר, רופף
frail′ty *n.* חולשה, שבירות
frame *n.* מסגרת, שלד, גוף; חממה; תמונה (של סרט)
frame of mind מצב רוח
frames מסגרת משקפיים
frame *v.* למסגר, לשים במסגרת; להרכיב, לבנות; לשמש מסגרת; להפיל בפח, לביים אשמה, להפליל
frame house בית עץ
frame-up *n.* ⋆ביום אשמה, הפלה בפח
framework *n.* מסגרת, שלד
franc *n.* פרנק (מטבע)
fran′chise (-z) *n.* זכות בחירה; זיכיון, מתן מונופול
Fran•cis′can *adj&n.* פרנציסקני
Fran′co- (תחילית) צרפתי
frank *adj.* גלוי, כן, פתוח, הוגן
frank *v.* להחתים (מכתב) בחותמת
frank′furter *n.* נקניקית
frank′incense′ *n.* לבונה, שרף
frankly *adv.* בכנות, גלויות
fran′tic *adj.* יוצא מגדרו, מטורף
frap•pé′ (-pā′) *adj.* קריר, צונן, קפוא
frater′nal *adj.* של אחים; ידידותי
frater′nity *n.* אחווה; ידידות; אגודה
frat′erniza′tion *n.* התיידדות
frat′ernize′ *v.* להתיידד, להתחבר
frat′ricide′ *n.* רצח אח; רוצח אח
Frau (frou) *n.* גברת
fraud *n.* הונאה, מעילה, רמאות; רמאי
fraud′ulent (-j′-) *n.* רמאי
fraught (frôt) *adj.* מלא, גדוש, כרוך ב־
Fraulein (froi′līn) *n.* עלמה
fray *n.* מריבה, תגרה
fray *v.* לבלות, לקרוע; להישחק; להשתפשף; למרוט עצבים
fraz′zle *n.* לאות, עייפות; בלות
freak *n.* קפריזה; ברייה משונה; רעיון משונה; ⋆משוגע; מסומם; הומו
film-freak להוט לסרטים
freak of nature ברייה משונה
freak *adj.* מוזר, לא רגיל
freak *v.* ⋆להיות מסומם; לסמם
freakish *adj.* קפריזי; משונה
freak-out *n.* מסומם; טריפ; חוויה משונה
freck′le *n.* נמש, בהרת־קיץ
freckled *adj.* מנומש, מכוסה נמשים
free *adj.* חופשי, פנוי; פטור, חינם, שופע, בזבזני; גס, לא מרוסן
for free בחינם, ללא תשלום
free and easy לא רשמי, חופשי
free from ללא; נקי, פטור מ־
free of ללא; מחוץ ל־, רחוק מ־

has his hands free ידיו חופשיות
make free with לנהוג בחופשיות
make him free of להעניק לו זכות מיוחדת ב־
post free ללא תוספת דמי משלוח
set free לשחרר, להוציא לחופשי
work itself free להתרופף, להינתק
free *v.* לשחרר, לחלץ
free agent חופשי לפעול כרצונו
freeboard *n.* חלק הספינה שמעל למים; גובה הצידון
free′boo′ter *n.* שודד־ים, פיראט
freeborn *adj.* בן־חורין
freedman *n.* עבד משוחרר
free′dom *n.* חופש, חירות, חופשיות
freedom of a city אזרחות כבוד
free enterprise יזמה חופשית
free fall צניחה חופשית
free fight קטטה, מהומה
free-for-all *n.* ויכוח המוני
free hand יד חופשית
freehand *adj.* (ציור) ביד חופשית
freehanded *adj.* נדיב, שידו פתוחה
freehold *n.* בעלות מלאה
freeholder *n.* בעל אחוזה
free kick בעיטת עונשין
free-lance *n&v.* (לעבוד כ־) עיתונאי חופשי, סופר חופשי
free-list *n.* רשימת פטור
free-living *n.* הוללות, זלילה
freeload *v.* ⋆לחיות כטפיל
free love אהבה חופשית
freely *adv.* באופן חופשי; גלויות
freeman *n.* אזרח כבוד
freemason *n.* בונה חופשי
freemasonry *n.* בונים חופשים; הבנה
free on board = fob (במסחר) פוב
free pass כרטיס נסיעה חופשי
free-range hens תרנגולות חופשיות (לא בלול)
free rein התרת הרסן, דרור
free speech חופש הדיבור
free-spoken *adj.* גלוי, מדבר גלויות
free-standing *adj.* חופשי, לא מחובר
freestone *n.* אבן חול
freestyle *n.* סגנון חופשי
free-thinking *adj.* רציונליסטי (בדת)
free thought מחשבה חופשית (בדת)
free throw זריקה חופשית
free trade סחר חופשי
free verse שירה בפרוזה
freeway *n.* כביש מהיר

freewheel *v.* לנוע חופשית (במורד)
free will בחירה חופשית, רצון חופשי
free-will *adj.* מרצונו החופשי
freeze *v.* לקפוא; להקפיא
be frozen in להיתקע בכפור
freeze on to להיצמד בחוזקה
freeze one's blood להקפיא את דמו
freeze out להרחיק, לא לשתף
freeze over לקפוא, להתכסות כפור
freeze prices להקפיא מחירים
freeze up להיאלם, להתאבן
freeze *n.* קור עז, קיפאון; הקפאה
deep-freeze מקרר (בהקפאה עמוקה)
freezer *n.* מקרר, תא־הקפאה, מַקפא
freezing point נקודת קיפאון
freight (frāt) *n.* מיטען; הובלה; דמי הובלה
freight *v.* להטעין בסחורה, לשגר
freight car קרון־משא
freighter *n.* מטוס הובלה, ספינת משא
freightliner *n.* רכבת משא
French *adj&n.* צרפתי; צרפתית
French chalk גיר (לסימון על בד)
French dressing תבל (חומץ ושמן)
French fries טוגנים, צ'יפס
French horn קרן צרפתית
French leave היעדרות ללא רשות
French letter ⋆כובעון
Frenchman *n.* צרפתי
frenet′ic *adj.* מטורף, משתולל
frenzied *adj.* מטורף, משתולל
fren′zy *n.* טירוף, השתוללות
fre′quency *n.* תכיפות, תדירות, תדר
fre′quent *adj.* שכיח, מצוי, רגיל
fre•quent′ *v.* לבקר תדיר, להימצא ב־
fre′quently *adv.* לעיתים קרובות
fres′co *n.* פרסקו, ציור קיר, תמשיח
fresco *v.* לצייר פרסקו
fresh *adj.* טרי, חדש, קריר, רענן
be fresh out of למכור/לאזול כל המלאי
break fresh ground לפתוח פרק חדש
fresh paint צבע לח
fresh water מים מתוקים
get fresh with ⋆להתחיל, להתעסק איתה
in the fresh air בחוץ
fresh- לאחרונה, זה עתה
freshen *v.* לרענן; להתרענן, להתחזק
fresh′er *n.* תלמיד שנה ראשונה
fresh′et *n.* פלג־מים
freshly *adv.* לאחרונה, אך אתמול

freshman *n.* תלמיד שנה ראשונה
freshwater *adj.* של מים מתוקים
fret *v.* להדאיג, להרגיז; להתרגז, להתעצבן; לכרסם; לשפשף; להישחק
fret *n.* רוגז, התעצבנות
fret *v.* לקשט, לגלף בעץ
fret *n.* קו־האיצבוע (בשחיף־גיטארה)
fretful *adj.* רגזני, כועס
fret'saw' *n.* מסורית, משור־נימה
fretwork *n.* עיטורי־עץ, מעשה־תשבץ
Freudian (froid'-) *adj.* של פרויד
Freudian slip טעות פרוידיסטית
Fri. = Friday
fri'abil'ity *n.* פריכות
fri'able *adj.* פריך, שביר
fri'ar *n.* נזיר
fric'assee' *n.* נזיד בשר
fric'ative *n.* הגה חוכך
fric'tion *n.* חיכוך
Fri'day *n.* יום שישי
Good Friday יום ו' לפני הפסחא
Man Friday ששת, משרת נאמן
fridge *n.* ★מקרר
friend (frend) *n.* חבר, ידיד; שוחר, תומך, עוזר; קווייקר
be friends with להתיידד עם
make friends לרקום יחסי ידידות
make friends again להשלים
friendless *adj.* חסר־ידידים, גלמוד
friendly *adj.* ידידותי; מוכן ל־; נוח
friendly society אגודה הדדית
friendship *n.* ידידות
frieze (frēz) *n.* רצועת־עיטור (מסביב לקיר)
frig'ate *n.* פריגטה; ספינת ליווי
fright *n.* אימה, פחד
give a fright להפחיד
looks a fright נראה "ממש זוועה"
take fright להיבהל
frighten *v.* להפחיד, להבהיל
frighten into לאלץ תוך הפחדה
frighten off/away להבריח
frighten out להניא תוך הפחדה
frightened *adj.* פוחד, נבהל
frightful *adj.* מפחיד, מזעזע; ★נורא
frightfully *adv.* ★נורא, מאוד
frig'id *adj.* קר, צונן
frigid'ity *n.* קור, קרירות
frigid zones אזורי הקוטב
frill *n.* ציצה, גדיל, מלל
frills קישוטי סרק, הצטעצעות
frilled *adj.* מצויץ, בעל מלל
frilly *adj.* מצויץ, מסולסל
fringe *n.* ציצית, מלל; שפה, קצה; תספורת מצח קצרה
fringe *v.* לשמש כקצה ל־, לעטר
fringe benefits הטבות שונות
fringe group פלג קיצוני, פלג שולי
frip'pery *n.* קישוט מיותר; תכשיט זול
frisk *v.* לקפץ, לכרכר; לחפש, לבדוק
frisky *adj.* שופע חיים, עליז
frit'ter *n&v.* פרוסה מטוגנת, טיגנית
fritter away לבזבז
friv'ol *v.* לבזבז; להתבטל
frivol'ity *n.* קלות־דעת; שטות
friv'olous *adj.* קל־דעת; אוהב בילויים
frizz *v.* לסלסל שיער
friz'zle *v.* לרחוש (בטיגון), לטגן
frizzle *v.* לסלסל; להסתלסל (שיער)
frizzy *adj.* מתולתל
fro, to and fro הלוך ושוב
frock *n.* מעיל, גלימה
frock-coat *n.* מעיל ארוך, פראק
frog (frôg) *n.* צפרדע; כפתור מוארך, אבזם־מעיל; ★צרפתי
a frog in the throat צרידות
big frog in a small pond ראש לשועלים, גדול בין קטנים
little frog in a big pond זנב לאריות, קטן בין גדולים
frogman *n.* איש־צפרדע
frogmarch *v.* לשאת אסיר כשפניו כלפי מטה; להוביל בכוח
frol'ic *v.* לקפץ, לכרכר, לשחק
frolic *n.* עליזות, השתובבות
frolicsome *adj.* עליז, שמח
from *prep.* מן, מ־
from day to day מיום ליום
from time to time מפעם לפעם
from...to... מ־...ועד־...
frond *n.* עלה, עלה־שרך
front (frunt) *n.* פָּנים, חזית, חלק קדמי, קדמה; מסווה, כיסוי; שפת־הים
come to the front להתבלט
have the front להעז פנים
home front חזית הפְּנים (במלחמה)
in front קדימה; בצד הקדמי
in front of בנוכחות, לפני, קבל
out front ★בין קהל הצופים
put on a bold front להראות פני גיבור, ללבוש ארשת גבורה
sea front שפת הים, טיילת
front *adj.* קדמי, חזיתי; ★מסווה
front page עמוד ראשון

front rank חשוב, מהשורה הראשונה
front *v.* לפנות לעבר־, לעמוד מול
front′age (frunt′-) *n.* חזית
front′al (frunt′-) *adj.* חזיתי, קדמי
front benches הספסלים הקדמיים
front door כניסה ראשית
frontier′ (fruntir′) *n.* גבול
frontiersman (-z-) *n.* תושב־ספר
front′ispiece′ (frun′tispēs) *n.* תמונת השער (בספר)
front line קו החזית
front office ⋆ההנהלה, המנהלים
front-page *adj.* של העמוד הראשון
frontrunner *n.* מוביל (בתחרות)
frost (frôst) *n.* קור, כפור; כישלון, אירוע משעמם
2 degrees of frost מינוס 2 מעלות
frost *v.* להתכסות בכפור; להשמיד בכפור; לעמם זכוכית; לאבק (בסוכר)
frost over להתכסות בכפור
frost-bite *n.* אבעבועות חורף
frost-bitten *adj.* מוכה כפור
frost-bound *adj.* מוקשה מחמת קור
frosting *n.* קציפה, ציפוי, זיגוג
frosty *adj.* קר מאוד, צונן
froth (frôth) *v.* להעלות קצף
froth *n.* קופי, קצף; הבלים, רעיון־רוח
frothy *adj.* מעלה קצף; שיטחי
frown *v.* לקמט המצח, לכווץ הגבות, להקדיר המצח, לזעוף; לאיים
frown on לראות בעין רעה
frown *n.* מבט זועם; קמטי־מצח
frows′ty *adj.* מעיק, מחניק, חם
frow′zy *adj.* מלוכלך, מעופש
froze = pt of freeze
fro′zen = pp of freeze קפוא, קר
fruc′tifica′tion *n.* מתן פירות
fruc′tify′ *v.* לשאת פרי
fru′gal *adj.* חסכני, מקמץ, דל
fru•gal′ity (froo-) *n.* חיסכון
fruit (froot) *n.* פרי; פירות
bear fruit לשאת פרי, להצליח
the fruit of פרי, תוצאת־
fruit *v.* לשאת פרי
fruitcake *n.* עוגת פירות
fruit′erer (froot-) *n.* מוכר פירות
fruitful *adj.* נושא פרי, פורה
fru•i′tion (frooish′ən) *n.* הגשמה
come to fruition להתממש, להתגשם
fruitless *adj.* חסר תוצאות, עלה בתוהו
fruit salad סלט פירות
fruity *adj.* כמו פירות, עסיסי
frump *n.* מרושל־לבוש
frus′trate′ *v.* לתסכל, לסכל, לאכזב
frus•tra′tion *n.* תיסכול, אכזבה, מפח
fry *v&n.* לטגן; להיטגן; דגי־רקק
small fry דגי רקק
fry′er, fri′er *n.* עוף־טיגון; מטגן
frying pan מחבת, מרחשת
out of frying pan into fire מן הפח אל הפחת
ft. = foot, feet
fuck *n&v.* ⋆מישגל; לקיים יחסים
fuck off! ⋆הסתלק, עוף מפה!
fucker *n.* ⋆טיפש
fucking *adj.* ⋆לעזאזל, ארור
fud′dle *v.* לשכר, לטמטם
fud′dy-dud′dy *n.* ⋆מחזיק בנושנות
fudge *n.* ממתק
fudge *v.* לפעול ברשלנות; לגבב
fu′el *n.* דלק
add fuel to the flames להוסיף שמן למדורה
fuel *v.* לתדלק, למלא דלק
fug *n.* אוויר מחניק
fug′gy *adj.* מחניק, מעופש
fu′gitive *adj.* נמלט, בורח; חומק, זמני
fugitive *n.* פליט, עריק
fugue (fūg) *n.* פוגה, רדיפת קולות
ful′crum *n.* נקודת המישען
fulfill′ (fool-) *v.* לקיים, לבצע, למלא, להגשים
fulfill oneself לממש סגולותיו
fulfillment *n.* הגשמה, סיפוק
full (fool) *adj.* מלא, שלם; שופע
at full speed במירב המהירות
full length לכל אורכו
full of שקוע ראשו ורובו ב־
full of it ⋆רע, עושה צרות
full of oneself אנוכיי, מתעניין בעצמו
full skirt חצאית רחבה
full up מלא על כל גדותיו
in full במלואו, בשלמותו
to the full מאוד, לגמרי
wine with a full body יין חזק
full *adv.* מאוד; ישר, היישר
full on his face היישר בפרצוף
full well יפה, היטב
full-back *n.* מגן (בכדורגל)
full-blooded *adj.* גיזעי, נמרץ, חזק
full-blown *adj.* במלוא פריחתו
full-bodied *adj.* (יין) חזק
full dress תלבושת רשמית
full-dress debate דיון רשמי

ful′ler (fool-) *n.* מנקה בדים
fuller's earth אבקת־ניקוי
full-face *adv.* עם הפנים לחזית
full-fashioned *adj.* תואם את צורת הגוף
full-fledged *adj.* מנוסה, מוכשר, מיומן; שלם; יכול לעוף, מנוצה במלואו
full-grown *adj.* מבוגר
full house אולם מלא
full-length *adj.* באורך מלא
fullness *n.* מלוא, מלאות; שובע
in the fullness of time בבוא היום
full-page *adj.* על פני עמוד שלם
full-scale *adj.* מקיף; בגודל טבעי
full stop נקודה; עצירה מוחלטת
full-time *adj.* של יום עבודה מלא
full time גמר המשחק, 90 דקות
fully *adv.* לפחות; במלואו, לגמרי
ful′minate′ *v.* למחות, להתקיף קשות
ful′mina′tion *n.* גינוי, התקפה מרה
ful′some (fool′səm) *adj.* מוגזם, מבחיל
fum′ble *v.* למשש, לגשש; לפספס
fume *n.* זעם, קצף
fumes עשן, אדים
fume *v.* לרתוח מכעס, לזעום; להעלות עשן, לעשן
fu′migate′ *v.* לחטא באדים
fu′miga′tion *n.* חיטוי
fun *n.* צחוק, שעשוע, בידור, תענוג
fun and games מעשי שובבות; *מסיבה; מיזמוזים, התעלסויות
in fun, for fun בצחוק, לא ברצינות
make fun of לצחוק על, ללעוג
poke fun at לצחוק על, ללעוג
what fun! איזה בידור! איזה כיף!
fun *adj.* משעשע, מבדר
func′tion *n.* תפקיד; טקס, אירוע חגיגי; פונקציה
function *v.* לפעול; לתפקד
functional *adj.* שימושי, פרקטי; תיפקודי, פונקציונלי
functionalism *n.* פונקציונאליות
func′tionar′y (-shəneri) *n.* פקיד, פונקציונר
fund *n.* קרן, הון; אוצר, מלאי
funds כספים, מזומנים
no funds אין כיסוי (להמחאה)
fund *v.* לממן; להפוך (מילווה קצר־מועד) לארוך; להפריש סכומים
fun′damen′tal *adj.* בסיסי, יסודי
fun′damen′talism′ *n.* אמונה בכתבי־הקודש, קנאות דתית
fundamentally *adv.* עקרונית
fundamentals *n-pl.* יסודות, עיקרים
fu′neral *n.* הלוויה, לוויית־המת
that's your funeral *זו בעייה שלך, זב״ש
funeral march מארש אבל
funeral parlor משרד קבורה
funeral pile/pyre ערימת עצים (לשריפת המת)
fu•ne′re•al (fū-) *adj.* של לוויה
funfair *n.* יריד שעשועים
fun′gicide′ *n.* קוטל פטריות
fun′goid, fun′gous *adj.* פיטרייתי
fun′gus, (pl = fungi) פטרייה
fu•nic′u•lar (fū-) *n.* רכבל
funk *n.* *פחד, אימה; פחדן
funk *v.* לפחוד, להתחמק מ־
fun′nel *n.* ארובה, מעשנה; משפך
funnel *v.* לשפוך/לעבור במשפך
fun′ny *adj.* מצחיק, משעשע; מוזר
don't get funny *אל תתחכם
funnily enough מוזר למדי
the funnies *עמודי הבידור (בעיתון)
funny bone עצם המרפק; *חוש הומור
fur *n.* פרווה; אבנית, מישקע, קרד; דוק־הלשון, שיכבה על הלשון
fur and feather חיות ועופות
make the fur fly להקים צעקות
fur *v.* לכסות/להתכסות באבנית
fur′below′ (-ō) *n.* קישוט צעקני, נפנפת
fur′bish *v.* לצחצח, להבריק, לחדש
fu′rious *adj.* רוגז, מלא זעם, פראי
fast and furious פראי, חסר־רסן
furl *v.* לקפל; להתקפל
fur′long (-lông) *n.* פרלונג (201 מטר)
fur′lough (-lō) *n.* חופשה
fur′nace (-nis) *n.* כבשן
fur′nish *v.* לרהט; לצייד; לספק
furnishings *n-pl.* ריהוט, ציוד
fur′niture *n.* רהיטים, ריהוט
fu′ror′ *n.* התלהבות; זעם
fur′rier (fûr′-) *n.* פרוון, מוכר פרוות
fur′row (fûr′ō) *n.* תלם, חריץ, קמט
furrow *v.* לתלם, לעשות חריצים ב־
fur′ry (fûr′i) *adj.* דמוי פרווה; מכוסה פרווה
fur′ther (-dh-) *adj&adv.* הלאה, יותר רחוק; עוד, נוסף; חוץ מזה
further to בהמשך ל־
go further להוסיף על כך

until further notice עד להודעה חדשה
I'll see you further first בהחלט לא!
further *v.* לקדם, לעודד, לעזור ל-
furtherance *n.* קידום, עידוד
furthermore *adv.* נוסף על כך
furthermost *adj.* הרחוק ביותר
fur'thest (-dhist) *adj.* הרחוק ביותר
fur'tive *adj.* חשאי, חומק, מתגנב, חטוף
fu'run'cle *n.* פורונקול, סימטה
fu'ry *n.* זעם, חימה; סערה, התרגשות; כעסנית
fly into a fury להתלקח
fury of battle סערת הקרב
like fury ★"כמו משוגע", במרץ
furze *n.* רותם, אולקס (שיח קוצני)
fuse (-z) *n.* פתיל, מרעום, נתיך; קצר
blow a fuse ★להתלקח, להתפרץ
fuse *v.* להתיך; להינתך; לאחד, למזג; לגרום לקצר; לקרות קצר
fu'selage' (-läzh) *n.* גוף המטוס
fuse wire נתיך
fu'silier' (-lir) *n.* רובאי
fu'sillade' *n.* מטר־אש
fu'sion (-zhən) *n.* התכה, מיזוג
fusion bomb פצצת מימן
fuss *n.* התרגשות, מהומה, רעש
fuss and feathers התרגשות, רעש
make a fuss להקים רעש, להפוך עולמות; לכרכר סביב, לפנק
fuss *v.* להתרגש, להקים רעש; לעצבן
fusspot *n.* ★קפדן, מדקדק, עצבני
fussy *adj.* קפדן, מדקדק, עצבני; מגונדר
fus'tian (-chən) *n.* פשתן; אריג גס; מליצות נבובות
fus'ty *adj.* מסריח, מעופש; מיושן
fu'tile (-til) *adj.* חסר־תועלת, כושל, שעלה בתוהו; הבלי; ריק; לא־יוצלח
fu•til'ity (fū-) *n.* הבל, אפס
fu'ture *n&adj.* עתיד
future life העולם הבא
futures סחורה עתידית
in future בעתיד, מעתה ואילך
my future wife אישתי בעתיד
futureless *adj.* ללא עתיד
fu'turism' (-'ch-) *n.* פוטוריזם
fu•tu'rity (fū-) *n.* העתיד
fuze *n.* מרעום
fuzz *n.* פלומה, מוך; ★משטרה
fuzzy *adj.* מסולסל, מתולתל; מטושטש, מעורפל; רך, פלומתי

G

G *n.* סול (צליל); ★1000 דולר
gab *n.* ★דיבור, כוח הדיבור
gift of gab ★כוח הדיבור
gab'ardine' (-dēn) *n.* גברדין
gab'ble *v&n.* למלמל, לפטפט; פטפוט
gab'by *adj.* ★פטפטני, דברני
ga'ble *n.* גמלון (קיר)
gabled *adj.* (בית) בעל גמלון
gad *v.* ★לשוטט, לנסוע, לתייר
gad'about' *n.* ★משוטט, אוהב לטייל
gad'fly' *n.* זבוב הבקר; מחפש פגמים
gad'get *n.* כלי, אבזר, מכשיר
gadgetry *n.* כלים, מכשירים
Gael'ic (gā'-) *n&adj.* גאלית; קלטי
gaff *n.* חַכָּה; צִלְצָל
blow the gaff לגלות סוד
stand the gaff לעמוד בקשיים
gaff *v.* לדקור בצלצל, למשות בצלצל
gaffe *n.* טעות, מישגה גס
gaf'fer *n.* ★זקן; בוס, ממונה
gag *n.* מחסום (לסתימת פה); בדיחה
gag *v.* לסתום פה; להיתקע בגרונו, להתחיל להקיא; לשבץ בדיחות
gaga (gä'gä) *n.* עובר בטל, שוטה
gage *n.* עירבון; כסייה, כפפה; אתגר
gage *v.* לעבוט, לתת בעירבון
gage = gauge
gag'gle *n.* להקת אווזים; פטפטניות
gai'ety *n.* שמחה, עליזות
gai'ly *adv.* בשמחה, בעליזות
gain *n.* רווח, יתרון; תוספת
ill-gotten gains רווחים שנעשו בדרך מפוקפקת
gain *v.* להשיג, לרכוש; להגיע ל־
gain ground להתקדם
gain in weight לעלות במשקל
gain on להתקדם, לצמצם המרחק
gain speed להגביר מהירות
gain the upper hand לגבור, לנצח
gain time להרוויח זמן
the watch gains השעון ממהר
gainful *adj.* מפיק רווחים, מכניס
gainsay' *v.* להכחיש, להפריך
there's is no gainsaying אין לפקפק, אין להכחיש
gait *n.* הילוך, צורת הליכה
gai'ter *n.* קרסולית, מוק, חותלת
gal *n.* ★נערה
ga'la *n&adj.* תפארת, חגיגיות, גאלה; חגיגי
galac'tic *adj.* של גלאקסיה, גלאקסי
gal'antine' (-tēn) *n.* בשר מבושל, בשר קר
gal'axy *n.* גלאקסיה, שביל החלב; קבוצת אישים, נערות זוהר
gale *n.* סופה, סערה
gale of laughter גל צחוק
gall (gôl) *n.* מרה; התמרמרות; חכך, פצע בעור; עפץ, נפיחות בעץ; ★חוצפה
dip the pen in gall לכתוב במרירות, להתקיף קשות
gall *v.* להכאיב, להעליב, לפגוע
gal'lant *n&adj.* אביר; אמיץ, אדיב; הדור
gallantry *n.* אבירות; אומץ; חיזור
gall bladder כיס המרה
gal'le•on *n.* (בעבר) ספינה; מיפרשית
gal'lery *n.* גלריה, מוזיאון; יציע; אכסדרה, אולם; ניקבה, מנהרה
play to the gallery לחזר אחרי ההמונים, לעשות רושם, לערוך הצגה
gal'ley *n.* גלרה, ספינת עבדים; מיטבח־אונייה; (בדפוס) מגש סדר
galley proof יריעת הגהה
Gal'lic *adj.* גאלי; צרפתי
Gal'licism' *n.* ביטוי צרפתי
gall'ing (gôl'-) *adj.* מכאיב, מרגיז
galling defeat תבוסה צורבת
gal'livant' *v.* לשוטט, להסתובב
gal'lon *n.* גלון
gal'lop *n.* דהירה
gallop *v.* לדהור; להדהיר; לרוץ, להתקדם מהר; להידרדר, להחמיר
gal'lows (-lōz) *n.* גרדום
gallows bird ראוי לתלייה
gallstone *n.* אבן־מרה
Gal'lup poll מישאל גאלופ
galore' *adv.* הרבה, בשפע
galosh' *n.* ערדל
galumph' *v.* לפזז (בצהלת ניצחון)

gal•van′ic *adj.* גלוואני, מחושמל
gal′vanism′ *n.* גלוואניות
gal′vanize′ *v.* לגלוון, לחשמל, לאַבֵּץ
gam′bit *n.* גאמביט, מַעֲד, פתיחה
gam′ble *v.* לשחק בקלפים, להמר
gamble away להפסיד כסף בהימור
gamble *n.* הימור מסוכן
gambler *n.* קוביוסטוס, קלפן
gambling *n.* משחקי מזל, הימור
gambling den מועדון הימורים
gam•boge′ *n.* גאמבוז', צבע צהוב
gam′bol *n.* קפיצה, כרכור, פיזוז
gambol *v.* לקפץ, לפזז
game *v.* לשחק בקלפים, להמר
game *n.* משחק; תוכנית; חיות ניצודות, צַיִד
ahead of the game ⋆מקדים
fair game ציד חוקי, מטרה כשרה
game all תיקו
games תחרויות אתלטיקה
give the game away לגלות את התוכנית הסודית
has the game in his hands שולט בעניינים; בטוח בניצחונו
make game of לצחוק על, להתל ב־
off one's game לא בכושר, למטה מרמתו הרגילה
play a double game לשחק מישחק כפול, לנהוג בצביעות
play the game לשחק משחק הוגן
the game's up התוכנית נחשפה, התחבולה נכשלה, המישחק נגמר
game *adj.* אמיץ; מוכן, חפץ, רוצה
die game למות כגיבור
game *adj.* (רגל, איבר) פגוע, צולע, נכה
gamecock *n.* תרנגול־קרב
gamekeeper *n.* שומר ציד
game laws חוקי ציד
game license רישיון ציד
gamely *adv.* באומץ
gamesmanship *n.* אמנות המשחק
gamesome *adj.* שמח, עליז
gaming table שולחן הימורים
gam′ma *n.* גאמה (אות יוונית)
gam′mon *n.* קותל חזיר; שטויות
gam′my *adj.* ⋆ (רגל) פגועה, נכה
gamp *n.* ⋆מטריה (גדולה)
gam′ut *n.* (במוסיקה) סולם; היקף מלא
run the whole gamut of לעבור את כל השלבים של
ga′my *adj.* (בעל טעם) של צַיִד
gan′der *n.* אווז; ⋆מבט חטוף

gang *n&v.* קבוצה, חבורה, כנופיה
gang up לחבור על, לקשור, להתחבר
ganger *n.* מנהל עבודה, מנהיג קבוצה
gang′ling *adj.* רזה, גבוה
gang′lion *n.* גנגליון, חרצוב; מוקד פעילות
gangplank *n.* גמלה (גשר בין סירות)
gan′grene′ *n.* גאנגרינה, מֶקֶק, נמק
gangrene *v.* להרקיב בגאנגרינה
gan′grenous *adj.* נגוע בגאנגרינה
gang′ster *n.* גאנגסטר, פושע, ביריון
gang′way′ *n.* גמלה, פתח הכבש; מעבר (בין שורות)
gang′way′ *interj.* הצידה! פנו דרך!
gant′let = gauntlet
gan′try *n.* מיסגרת, חישוק־מתכת; פיגום נע (להרכבת חללית)
gaol = jail (jāl) (לכלוא ב) כלא
gap *n.* פירצה; פער; מרחק
bridge/stop a gap לסתום פירצה
credibility gap פער האימון
generation gap פער הדורות
gape *v.* לפעור פה; לפהק; להיפתח
gape open להיפער, להיפתח
gape *n.* פעירת פה
the gapes התקף פיהוק, פהקת
gap-toothed *adj.* בעל רווחים בין השיניים, מפורץ־שיניים
garage′ (-räzh) *n.* מוסך; תחנת דלק
garage *v.* להכניס למוסך
garb *n&v.* תלבושת, בגדים; להלביש
gar′bage *n&v.* פסולת; אשפה; זבל
garbage down ⋆לזלול, לבלוע
garbage can פח־אשפה
gar′ble *v.* לסרס, לתאר בראי עקום
gar′den *n.* גן, גינה; פארק
lead him up the garden path להוליכו שולל
garden *v.* לעבוד בגינה
garden apartment דירה עם גינה
garden city עיר (משובצת) גנים
gardener *n.* גנן
gar•de′nia *n.* גרדניה (שיח, פרח)
gardening *n.* גינון, גננות
garden party מסיבת־גן
gar•gan′tuan (-′chōōən) *adj.* ענקי
gar′gle *v.* לגרגר, לשטוף בגירגור
gargle *n.* גירגור; תשטיף (לגירגור)
gar′goyle *n.* פי־המרזב (דמוי־מפלצת, בכנסיות גותיות)
ga′rish *adj.* (צבע) רועש, צעקני
gar′land *n.* זר, מיקלעת פרחים, עטרה

garland *v.* לקשט בזר פרחים, לעטר
gar'lic *n.* שום
gar'ment *n.* בגד, מלבוש; הלבשה
gar'ner *v&n.* לאסוף, לאגור; אסם
gar'net *n.* נופך, אבן יקרה; אדום עז
gar'nish *v.* לקשט (מנה, אוכל), ללפת
garnish *n.* קישוט, תוספות
gar'ret *n.* עליית־גג
gar'rison *n.* חיל משמר; מחנה צבאי
garrison *v.* להציב חיל משמר
garrotte' *v.* לחנוק
garrotte *n.* חניקה, הוצאה להורג
garru'lity *n.* פטפטנות, להג
gar'ru•lous *adj.* פטפטן
gar'ter *n.* בירית, בירית־גרב
gas *n.* גאז; בנזין; חומר מאלחש; ⋆פיטפוט, "רוח"; כיף, תענוג
step on the gas להגביר מהירות
gas *v.* להרעיל בגאז; לפטפט, לקשקש
gas up ⋆למלא דלק, לתדלק
gas-bag *n.* ⋆פטפטן, קשקשן
gas chamber תא גאזים
gas-cooker *n.* תנור גאז
gas'e•ous *adj.* גאזי
gas fitter מתקין גאז
gas-fittings *n-pl.* מיתקני גאז
gash *v&n.* לחתוך; חתך עמוק, פצע
gas-holder *n.* מכל גאז
gas'ifica'tion *n.* הפיכה לגאז
gas'ify' *v.* להפוך/ליהפך לגאז
gas'ket *n.* אֶטֶם (לאוגנים); רצועה (לקשירת מיפרש מגולל)
blow a gasket להתפרץ, להתלקח
gaslight *n.* אור גאז; מנורת גאז
gas mask מסכת גאז
gas-meter *n.* מד־גאז, גאזומטר
gas'oline', -lene' (-lēn) *n.* בנזין, גאזולין
gasom'eter *n.* מכל גאז; גאזומטר
gasp *v.* להתנשף, להתנשם
gasp out לדבר/לפלוט בהתנשפות
gasp *n.* התנשפות, נשימה בכבדות
at one's last gasp על סף המוות
gas ring טבעת הלהבה, טבעת גאז
gas station תחנת דלק
gas'sy *adj.* גאזי, מלא גז; מנופח, ריק
gas'tric *adj.* קיבתי, השייך לקיבה
gas•tri'tis *n.* דלקת הקיבה
gas'tronom'ic *adj.* גאסטרונומי
gas•tron'omy *n.* גאסטרונומיה, אמנות הטבחות והאכילה
gasworks *n.* מיפעל לייצור גאז

gat *n.* ⋆אקדח
gate *n.* שער, פתח; מיפתק; מספר הצופים
give the gate ⋆להעיף, לפטר
gateau (gätō') *n.* עוגה
gatecrash *v.* ⋆להתפלח (למסיבה)
gate-house *n.* בית־שער
gate-keeper *n.* שומר, שוער
gate-legged table שולחן בעל לוח מתקפל
gate money דמי כניסה
gatepost *n.* מזוזת השער
between you me and the gatepost בינינו לבין עצמנו
gateway *n.* שער; כניסה
gath'er (-dh-) *v.* לקבץ; לאסוף; להתאסף; ללקוט; להבין, להסיק; להתמגל
be gathered to one's fathers להיאסף אל אבותיו
gather speed לצבור מהירות
gather up לאסוף
gathered skirt חצאית מקובצת
gather *n.* קיבוץ (בבגד)
gathering *n.* מיקבצת; אסיפה; מוגלה
gauche (gōsh) *n.* לא־יוצלח, בטלן; חסר טאקט
gaucherie *n.* בטלנות
gaud *n.* תכשיט ראוותני
gau'dy *adj.* צעקני, ראוותני, רועש
gauge (gāj) *n.* מכשיר מדידה, מַדיד, מונה; קנה־מידה; עובי, קוטר
standard gauge מסילה תיקנית
take the gauge of להעריך, לשפוט
gauge *v.* למדוד, להעריך, לאמוד
gaunt *adj.* רזה, כחוש; שומם, קודר
gaunt'let *n.* כפפה, כסייה
pick up the gauntlet להיענות לאתגר
run the gauntlet להיחשף לסכנה, לספוג ביקורת קטלנית
throw down the gauntlet לזרוק את הכפפה, להזמין לדו־קרב
gauze *n.* גאזה, מלמלה; רשת
gau'zy *adj.* שקוף, כמו גאזה
gave = pt of give
gav'el *n.* פטיש היושב־ראש
gavotte' *n.* גבוט (ריקוד)
gawk *n.* לא־יוצלח, מגושם
gawk *v.* להסתכל כגולם
gaw'ky *adj.* כבד־תנועה, מגושם
gawp *v.* לנעוץ מבט טיפשי
gay *adj.* עליז, שמח; ⋆הומו

gay life חיי תענוגות/הוללות
Ga′za Strip רצועת עזה
gaze *v&n.* להסתכל; מבט
gaze′bo *n.* בית־קיץ
gazelle′ *n.* צבי
gazette′ *n.* עיתון רשמי
gazette *v.* לפרסם ברשומות
gaz′etteer′ *n.* אינדקס גיאוגרפי
gazump′ *v.* להעלות המחיר, למכור לאחר
GB = Great Britain
gear (g-) *n.* מערכת הילוכים, גיר; כלים, ציוד; מנגנון; ★בגדים
bottom gear הילוך נמוך
high gear הילוך גבוה
in gear בהילוך
out of gear בהילוך סרק/נייטראלי; לא פועל כהלכה
throw out of gear לנתק המצמד; לבלבל; לשבש
gear *v.* להרכיב גלגלי שיניים
gear to לתאם, לקשר, להצמיד
gear up לשלב להילוך גבוה
geared up מתוח, בציפייה
gearbox, -case *n.* תיבת הילוכים
gear shift/stick מנוף הילוכים
geck′o (g-) *n.* שממית, לטאה
gee *interj.* ג'י! (קריאת־הפתעה)
gee up קדימה! (לסוס)
gee′-gee′ *n.* ★סוס
geese = pl of goose (g-)
gee′zer (g-) *n.* ★ברנש, משונה
Gei′ger counter (gī′g-) *n.* מונה גייגר
gei′sha (gā′-) *n.* גיישה
gel *n.* קריש, ג'לי, חצי־מוצק
gel *v.* להקריש, להגליד; להצליח
gel′atine′ (-tēn) *n.* ג'לטינה, גלדין, מיקפית
gelat′inous *adj.* כמו ג'לי
geld (g-) *v.* לסרס, לעקר
gelding *n.* סוס מסורס
gel′ignite′ *n.* ג'ליגניט, חומר־נפץ
gem *n.* אבן יקרה, פנינה
gem′inate′ *v.* להכפיל; לערוך בזוגות
Gem′ini′ *n.* מזל תאומים
gen *n&v.* ★מידע מקיף
gen up ★ללמוד; ללמד, לעדכן
gendarme (zhän′därm) *n.* שוטר
gen′der *n.* (בדקדוק) מין
gene *n.* גן, גורם תורשתי
ge′ne•alog′ical *adj.* גיניאלוגי
ge′ne•al′ogist *n.* חוקר שושלות
ge′ne•al′ogy *n.* גיניאולוגיה, חקר ההתפתחות, שלשלת היוחסין
gen′era = pl of genus
gen′eral *adj.* כללי, כולל, גנראלי
as a general rule בדרך כלל
general idea מושג כללי
general interest אינטרס ציבורי
general meeting אסיפה כללית
in general בדרך כלל
general *n.* גנראל, רב־אלוף, אלוף
general delivery דואר שמור
general election בחירות כלליות
gen′eralis′simo′ *n.* גנראליסימו
gen′eral′ity *n.* כלליות, הכללה
the generality הרוב, הכלל
gen′eraliza′tion *n.* הכללה
gen′eralize′ *v.* להכליל, לסכם כללית, להסיק; ליישם בצורה כללית
generally *adv.* בדרך כלל, כללית
general practitioner רופא כללי
general-purpose *adj.* רב־שימושי
general staff המטה הכללי
general strike שביתה כללית
gen′erate′ *v.* ליצור, להוליד
gen′era′tion *n.* דור; יצירה
generation gap פער הדורות
gen′era′tive *adj.* מוליד, יוצר, בונה
gen′era′tor *n.* גנראטור, דינאמו, מחולל
gener′ic *adj.* של מין; משותף לכל הקבוצה
gen′eros′ity *n.* רוחב־לב, נדיבות
gen′erous *adj.* נדיב, רחב־לב, פזרן; רב, שופע, עשיר
gen′esis *n.* מקור; היווצרות, לידה
Genesis *n.* בראשית (חומש)
genet′ic *adj.* גינטי, של גנים, תורשתי, של גינטיקה
genet′icist *n.* חוקר גינטיקה
genet′ics *n.* גינטיקה, מדע התורשה
ge′nial *adj.* עליז, שמח, חמים, נעים
ge′nial′ity *n.* עליזות, שימחה
ge′nie *n.* שד, רוח
gen′ital *adj.* של איברי המין, גניטאלי
genitals *n-pl.* איברי המין
gen′itive case יחס הקניין
ge′nius *n.* גאונות; גאון; כישרון, גניוס; אופי, תכונה טיפוסית; מלאך
evil genius מלאך רע
genius lo′ci (-sī) אווירת המקום
gen′ocide′ *n.* ג'ינוסייד, רצח עם
genre (zhän′rə) *n.* ז'אנר, סוג, סגנון;

ציור, תמונות מן החיים

gent *n.* ★ג'נטלמן

gents שירותי גברים

gen•teel′ *adj.* נימוסי, מחונך

gen′tile *adj&n.* גוי, לא יהודי

gen•til′ity *n.* נימוסיות, חינוך

gen′tle *adj.* עדין; נוח, רך, מתון; אציל, מיוחס

gentlefolk *n-pl.* מיוחסים, אצילים

gentleman *n.* ג'נטלמן; אדיב; אדון, איש; חצרן המלך

gentlemen! רבותיי! חברים!

gentleman-at-arms *n.* משומרי המלך

gentlemanly *adj.* ג'נטלמני, אדיב

gentleman's agreement הסכם ג'נטלמני

gentleman's gentleman משרת

gentle sex המין היפה, המין החלש

gentlewoman *n.* גברת, ליידי

gently *adv.* בעדינות, מתון־מתון

gen′try *n.* בני מעמד גבוה

gen′u•flect′ *v.* לכרוע ברך, לקוד

gen′u•flec′tion *n.* כריעת ברך

gen′uine (-nūin) *adj.* אמיתי, מקורי, לא־מלאכותי

ge′nus *n.* סוג (בתורת המיון)

ge′o- (תחילית) ארץ

ge′o•cen′tric *adj.* גיאוצנטרי, מיוחס לארץ כמרכז

ge•og′rapher *n.* גיאוגרף

ge′ograph′ical *adj.* גיאוגראפי

ge•og′raphy *n.* גיאוגראפיה

ge′olog′ical *adj.* גיאולוגי

ge•ol′ogist *n.* גיאולוג

ge•ol′ogy *n.* גיאולוגיה

ge′omet′ric(al) *adj.* גיאומטרי, הנדסי

geometric progression טור הנדסי

ge•om′etry *n.* גיאומטריה, הנדסה

ge′o•phys′ics (-z-) *n.* גיאופיסיקה

ge′o•pol′itics *n.* גיאופוליטיקה, השפעת הגיאוגרפיה על המדיניות

George (jôrj) *n.* ג'ורג'

by George! חי נפשי!

georgette′ (jôrjet′) *n.* ז'ורז'ט (משי)

Georgian (jôr′jən) *adj.* גרוזיני; של המלך ג'ורג'; גיאורגיאני

gera′nium *n.* גרניון (צמח)

ger′iat′ric *adj.* גריאטרי

ger′iatri′cian (-rish′ən) *n.* גריאטריקן, חוקר מחלות הזיקנה

ger′iat′rics *n.* גריאטריקה, רפואת הזיקנה

germ *n.* חיידק, נבט; ראשית, התהוות

Ger′man *adj&n.* גרמני; גרמנית

ger•mane′ *adj.* נוגע, רלוואנטי

Ger•man′ic *adj.* גרמני

ger′micide′ *n.* קוטל חיידקים

ger′minal *adj.* בראשית התפתחותו, ניבטי

ger′minate′ *v.* לנבוט; להתפתח; להנביט

ger′mina′tion *n.* נביטה; התפתחות

germ warfare מלחמה ביולוגית

ger′ontol′ogy *n.* גרונטולוגיה, מדע הזיקנה

ger′ryman′der *v.* לחלק מחוז־בחירות באופן לא הוגן, לסלף

ger′und *n.* שם הפעולה, שם פועלי

Gestapo (gestä′-) *n.* גסטאפו

ges•ta′tion *n.* הריון, נשיאת העובר

ges•tic′u•late′ *v.* להניע הידיים והראש (תוך כדי דיבור)

ges•tic′u•la′tion *n.* תנועות, ג'סטיקולציה

ges′ture *n.* מחווה, ג'סטה; תנועה (בידיים/בראש)

gesture *v.* להניע הידיים/הראש

get (g-) *v.* לקבל, להשיג, לרכוש, לקחת; לבוא, להגיע; להיות, להיעשות; לגרום, להביא ל־; להבין

get about להסתובב, להתהלך, לנוע

get above oneself להחשיב עצמו

get across לעבור, להעביר; להיקלט, לתפוס (נאום, בדיחה)

get after לרדוף, לתקוף, לגעור

get ahead לעלות על, להשיג, לעבור; להתקדם; לחסוך כסף

get along להסתדר; להתקדם; לזוז

get along with you! ★לך! כלך לך!

get around להתפנות; להסתובב; להתפשט; לעקוף, להערים על, לחמוק

get at להגיע ל־; לרמוז, להתכוון; ★לשחד; ללעוג, להתגרות

get away להסתלק, להימלט; להשתחרר

get away with it להצליח (לרמות), להיפטר בלא עונש

get back להחזיר; לחזור; לנקום

get behind לפגר; לתמוך, לעמוד מאחורי; לחשוף, לפענח

get better/well להשתפר, להחלים

get by לעבור; להתקיים; לחיות; להיחלץ מעונש

get down לרדת; להוריד; לבלוע;

לרשום; לדכא; לקום מן השולחן
get down to work להירתם לעבודה
get going לזוז; להזיז; להרגיז
get him off להרדים; לחלץ מעונש
get home לחדור לראש, להיקלט
get in להגיע; להכניס; להיכנס; לצבור, לאסוף; לקרוא, להזעיק
get into להיכנס; להכניס
get it all together להיות בעל דיעה מיושבת/צלולה
get it off לשלוח; להסיר
get it over להיות כבר אחרי זה
get it? ⋆מובן? הבנת?
get lost! הסתלק! עוף!
get off לרדת; להוריד; לזוז, לצאת; להתחמק מעונש; לסיים העבודה
get off my back! רד ממני!
get off with להתיידד עם
get on לעלות על; להתקדם, להמשיך, להסתדר; להתנפל על
get on for להתקרב ל־
get on to/onto להתקשר, לטלפן; "לעלות עליו", לחשוף פרצופו
get one's own back לנקום
get out לצאת; להוציא; לברוח
get over להתגבר על; לשכוח; לסיים
get round לעקוף, להערים על; להתפנות, למצוא זמן; לשכנע, לשדל
get somewhere להגיע לאן־שהוא, להצליח, להתקדם
get the ax ⋆לעוף, להיות מפוטר
get there ⋆להגשים מטרה, להצליח
get through להגיע; להשיג (בטלפון); להעביר; לעבור; להבין; לגמור
get to להתחיל ל־, להגיע לשלב; להצליח
get to be להיעשות, להפוך ל־
get to know להכיר, ללמוד, לדעת
get together להיוועד, להתאסף; לארגן, לסדר; להגיע להסכם
get told off ⋆לספוג נזיפה
get up לקום; להקים; להתעורר; לארגן, להכין; להלביש; להתגנדר
get up to להגיע ל־; להשיג, להדביק
get with it ⋆להתעורר לחיים; להיות עירני, לשים לב
has got יש לו, הוא בעל־
has got to הוא חייב, הוא מוכרח
it gets me ⋆זה פוגע/מעליב
you'll get it! תקבל מנה!
I've got you! תפסתיך! הפסדת!
get-at'-able *adj.* ניתן להשיגו, נגיש
get-away *n&adj.* (של) בריחה, הסתלקות
get-together *n.* מסיבה
get-up *n.* ⋆מראה חיצוני; תלבושת
gew'gaw' (gū'-) *n.* תכשיט צעקני
gey'ser (gī'z-) *n.* גייזר, מעיין מים חמים; מיתקן חימום
ghas'tly (gas-) *adj.* חיוור, כמו מת; נורא, מזעזע
gher'kin (gûr'-) *n.* מלפפון (קטן)
ghet'to (ge-) *n.* גטו
ghost (gōst) *n.* רוח, שד; צל
give up the ghost למות
hasn't the ghost of a chance אין לו אף צל של סיכוי
ghost *v.* לשמש כסופר־צללים
ghosted *adj.* נכתב בידי אחר (למעשה)
ghostly *adj.* כמו רוח/שד; דתי, רוחני
ghost town עיר רפאים
ghost-writer *n.* סופר־צללים
ghoul (gōōl) *n.* שד; אדם מתועב
ghoulish *adj.* נתעב, דוחה
GHQ = General Headquarters
GI (gē'ī') *n&v.* חייל; לנקות
gi'ant *n&adj.* ענק; ענקי
giantess *n.* ענקית
gib'ber *v.* למלמל, לקשקש
gib'berish *n.* מילמול, קישקוש
gib'bet *n.* עץ התלייה
gibbet *v.* לתלות; להוקיע
gib'bon (g-) *n.* גיבון (קוף)
gib'bous (g-) *adj.* גבנוני, מקומר
gibe *n.* ליגלוג; הערה לעגנית
gibe *v.* ללגלג, לצחוק
gib'lets *n-pl.* טפלי־עוף (כבד, לב)
gid'dy (g-) *adj.* מסוחרר; מסחרר; קל־דעת, לא־רציני; אוהב בילויים
gift (g-) *n.* שי, מתנה; כישרון טבעי; סמכות ההענקה, זכות ההקנייה; ⋆מציאה
a free gift שי לקונה
I wouldn't have it as a gift איני רוצה זאת אפילו במתנה
gifted *adj.* מחונן, נתברך ב־
gig (g-) *n.* כרכרה; סירה קטנה; ⋆עבודה, ג'וב
gi•gan'tic *adj.* ענקי, כביר, רב־מידות
gig'gle (g-) *v.* לגחך, לצחקק
giggle *n.* גיחוך, ציחקוק, צחוק
gig'olo' *n.* ג'יגולו, בן־זוג
gild (g-) *v.* לצפות בזהב, להזהיב
gild the lily לייפות דבר יפה, לקלקל היופי

gild the pill להמתיק הגלולה
gilded youth נוער זהב, נערי זוהר
gilder *n.* מצפה בזהב, מזהיב
gilding *n.* חומר זיהוב, הזהבה
gill (g-) *n.* זים
white about the gills חיוור מאוד
gill (j-) *n.* רבע פיינט (מידה)
gilt (g-) *n.* ציפוי זהב
gilt-edged *adj.* (ניירות ערך) בטוחים
gim'crack' *adj.* חסר־ערך, צעקני
gim'let (g-) *n.* מרצע, מקדח
gim'mick (g-) *n.* ⋆גימיק, טריק, אביזר־פרסומת, פעלול
gin *n.* מַנפטה; מלכודת; ג'ין (משקה)
gin *v.* לנַפט כותנה; ללכוד
gin'ger *n.* זנגביל; חיות, פעילות; אדמוני, ג'ינג'י, חלמוני
ginger *v.* להכניס חיים ב־, לחזק
ginger ale/beer משקה זנגביל
gingerbread *n.* עוגת זנגביל
ginger group סיעה אקטביסטית
gin'gerly *adj&adv.* זהיר; בזהירות
ginger nut/snap עוגיית זנגביל
gingham (ging'ə̷m) *n.* גינגאם (בד ציבעוני)
gin'givi'tis *n.* דלקת החניכיים
gip'sy *n.* צועני
giraffe' *n.* ג'ירפה
gird (g-) *v.* להקיף, לחגור, לאזור; ללעוג
gird on/up לחגור, לחבר בחגורה
gird one's loins לשנס מותניו
gir'der (g-) *n.* קורה, קורת פלדה
gir'dle (g-) *n.* חגורה, אבנט; חגורת בטן, מחוך; טבעת
girdle *v.* להקיף
girl (g-) *n.* נערה, ילדה; ⋆אישה; עוזרת; פועלת, עובדת
girl friend חברה, ידידה
girl guide צופה
girlhood *n.* תקופת הילדות
girlish *adj.* של נערות
girly *adj.* גדוש תצלומי נערות
girt = p of gird (g-) מוקף; חגור
girth (g-) *n.* היקף, היקף המותניים; חבק, רצועת האוכף
gist *n.* תמצית, נקודות עיקריות
give (giv) *v.* לתת; למסור, להעביר; להתכופף, להיכנע, להיחלש; לערוך; לגרום
be given over לשקוע ב־, להתמכר
give a hand להושיט יד
give as good as one gets להחזיר

באותו מטבע, להשיב מלחמה שערה
give away לתת; לבזבז; להסגיר; לגלות; למסור (את הכלה לחתן)
give back להחזיר
give forth להוציא, לפלוט
give him up (for lost) להתייאש ממנו
give him what for ⋆לתת לו מנה
give in להיכנע; למסור, לתת
give it to him לתת לו מנה
give of oneself להקדיש מעצמו לזולת
give off להוציא, לפלוט
give on to להשקיף על, להיות מול
give oneself להתמסר, למסור גופה
give oneself away להסגיר עצמו
give oneself over להתמסר ל־
give oneself up להסגיר עצמו; לשקוע ב־
give or take פחות או יותר
give out לחלק, לתת; להודיע, לפרסם; לאזול; להוציא, לפלוט; לקרוס
give over לתת, להסגיר; להקדיש; ⋆לחדול, להפסיק
give rise to לעורר, להביא ל־
give to understand לתת להבין, להסביר
give up לחדול, לנטוש, לוותר, להתייאש; להסגיר, למסור
give way להיכנע, לוותר, להישבר; לסגת; לתת זכות קדימה, לפנות דרך
I give you that נכון, אני מודה
I give you the king לחיי המלך
give *n.* גמישות
give and take תן וקח, ויתור; ציחצוחי מלים
give-away *n.* הסגרה, גילוי־סוד; שי
given *adj.* נתון, מוסכם, מסוים; נכתב, נערך; אם יקבל־
given (that-) בהנחה ש־; בהתחשב
is given to נוטה ל־, רגיל; מכור ל־
given name שם פרטי
giver *n.* נותן, נדבן
giz'zard (g-) *n.* קורקבן
it sticks to my gizzard "עומד לי בגרון", לא לרוחי
glacé (glasā') *adj.* מצופה בסוכר, מסוכר; חלק, מבריק
gla'cial *adj.* של קרח/קרחונים; קר
gla'cier (-shər) *n.* קרחון
glad *adj.* שמח; משמח
glad rags ⋆בגדי חג
give the glad eye ⋆לקרוץ, לנעוץ מבט מזמין

give the glad hand ⋆לקבל פניו בלבביות
gladden *v.* לשמח, לשמח לב
glade *n.* קרחת־יער; מיברא
glad'ia'tor *n.* גלאדיאטור, לודר
glad'iato'rial *adj.* של גלאדיאטורים
glad'io'lus *n.* גלדיולה, סַיפָן
gladly *adv.* בשמחה, בחפץ לב
glam'or *n.* זוהר, קסם, חן
glam'orize' *v.* לאפוף בזוהר, להוסיף קסם, להציג באור נוצץ
glam'orous *adj.* אפוף זוהר, מקסים
glance *v.* להעיף מבט, להציץ; להבהיק, להבריק
glance off/away להחליק הצידה
glance one's eye להעיף מבט
glance *n.* מבט חטוף; קריצה, ניצנוץ
see at a glance לראות מיד
gland *n.* בלוטה
glan'dular (-'j-) *adj.* של בלוטה
glare *n.* אור חזק, אור מסנוור; מבט חודר, מבט זועם
glare *v.* להבהיק, לסנוור; לנעוץ מבט נוקב/זועף
glaring *adj.* מסנוור; בולט; זועם
glaring colors צבעים רועשים
glaring mistake טעות גסה
glass *n.* זכוכית; כוס; משקפת; ראי; ברומטר; שעון־חול; כלי זכוכית
glasses משקפיים; משקפת
had a glass too much שתה לשכרה
magnifying glass זכוכית מגדלת
glass *v.* לזגג
glass in לזגג, לכסות בזכוכית
glass-blower *n.* מנפח זכוכית
glass-cutter *n.* זגג, חותך זכוכית; חורת צורות בזכוכית
glass'ful' (-fool) *n.* כוס; מלוא הכוס
glasshouse *n.* בית־זכוכית; חממה
glassware *n.* כלי זכוכית
glass wool סיבי־זכוכית
glassworks *n.* ביח"ר לזכוכית, מיזוגה
glassy *adj.* זגוגי; חסר־הבעה
glauco'ma *n.* גלוקומה, ברקית
glau'cous *adj.* אפרפר־כחול; (פרי) מכוסה אבקה
glaze *v.* לזגג; לצפות בזָגָג; לכסות בזכוכית; להזדגג
glaze over להזדגג
glaze *n.* זָגָג; ציפוי זגוגי
gla'zier (-zhər) *n.* זַגָּג
glazing *n.* זגגות, הזגה; שימשה

gleam *n.* קרן־אור, זוהר; זיק, שביב
gleam *v.* לנצנץ, לזרוח
glean *v.* לאסוף (תבואה); ללקט
gleanings *n-pl.* לקט; אוסף ידיעות
glebe *n.* אחוזת־כומר; אדמה
glee *n.* גיל, צהלה; שיר מקהלה
gleeful *adj.* שמח, צוהל
glen *n.* גיא
glib *adj.* קל־לשון, מהיר־דיבור; חלק, לא רציני, לא אמיתי
glide *v.* לדאות; לגלוש, להחליק
glide *n.* דאייה; גלישה
glider *n.* דאון; דואה
gliding *n.* דאייה, הטסת דאונים
glim'mer *v.* לנצנץ, להבהב
glimmer *n.* היבהוב; זיק, שביב
glimpse *n.* מראה חטוף, מבט קצר
catch a glimpse לראות לרגע קט
glimpse *v.* לראות לרגע, להבחין
glint *n.* ניצנוץ, ברק
glint *v.* לנצנץ, להבריק, לזרוח
glissade' *n.* גלישה על שלג, החלקה
glissan'do (-sän-) *n.* גליש, גליסאנדו
glis'ten (-sən) *v.* להבריק, לזהור
glit'ter *v.* להבריק, לנצנץ
glitter *n.* ברק, ניצנוץ
glittering *adj.* מזהיר, זוהר
gloam'ing *n.* דימדומי־ערב
gloat *v.* לצהול; לטרוף בעיניו, להסתכל בחמדה
glob *n.* טיפה; גוש
glo'bal *adj.* גלובאלי, כוללני, מקיף
globe *n.* גלובוס, כדור, אהיל
globetrotter *n.* מסייר בעולם
glob'u•lar *adj.* כדורי; דמוי־טיפה
glob'ule *n.* טיפה, נטף, כדורית
glock'enspiel' (-pēl) *n.* פעמונייה
gloom (gloom) *n.* קדרות, עצב
gloo'my *adj.* קודר, עצוב
glor'ifica'tion *n.* הלל; הערצה
glor'ify' *v.* להלל, להודות לאל; לפאר, לייפות, לעשותו מרשים, להאדיר
glor'ious *adj.* נהדר, מפואר
glo'ry *n.* הדר, כבוד, הלל; יופי
go to glory ⋆למות
in one's glory מרוצה, מאושר, שמח
send to glory ⋆להרוג
glory *v.* להתפאר
glory in להתפאר ב־, לשמוח
glory hole חדר עמוס בחפצים זרוקים
gloss (glôs) *n.* ברק, שטח חלק; מסווה, העמדת פנים; פירוש, הסבר, הערה

gloss *v.* לפרש, להוסיף הערות
gloss over לכסות, להסתיר, להחליק
glos'sary *n.* גלוסאריון, אגרון
gloss'y *adj.* מבריק, חלק
glot'tal *adj.* של פתח־הקול
glot'tis *n.* פתח־הקול (בגרון)
glove (gluv) *n.* כפפה
fits like a glove הולם להפליא
hand in glove with יד ביד
handle with kid gloves לטפל בכפפות משי
throw down the glove לזרוק את הכפפה
glove compartment תא הכפפות
glow (glō) *v.* ללהוט; לזהור; להאדים
glow *n.* להט, חום; אדמומיות, סומק
glow'er *v.* לזעוף, להביט בזעם
glowing *adj.* לוהט, נלהב
glow-worm *n.* גחלילית
glu'cose *n.* גלוקוזה, סוכר־פירות
glue (glo͞o) *n.* דֶּבֶק
glue *v.* להדביק, להצמיד
gluey *adj.* דביק
glum *adj.* עצוב
glut *n.* שפע, עודף־היצע
glut *v.* להציף, להלעיט
glu'tinous *adj.* דביק
glut'ton *n.* זוללן; להוט אחרי
glut'tonous *adj.* זולל; רעב ל־
glut'tony *n.* זלילה
glyc'erin *n.* גליצרין, מתקית
gm = gram
G-man *n.* ★בלש
GMT = Greenwich Mean Time
gnarled (närld) *adj.* מחוספס, מפותל, מלא־בליטות, מיובָּל, מסוקס
gnash (n-) *v.* לחרוק (בשיניים)
gnat (n-) *n.* יתוש
strain at a gnat להקפיד על זוטות
gnaw (n-) *v.* לכרסם; לכסוס
gnome (n-) *n.* שד (שומר אוצרות)
GNP = Gross National Product
gnu (no͞o) *n.* גנו (בע"ח מעלה גירה)
go *v.* ללכת; לנסוע; להגיע; להיעשות, להיות; להשמיע קול; להתהלך
as things go בהשוואה לממוצע
be going on for להתקרב לגיל־
be going to הולך ל־, עומד ל־
be gone on ★להיות מאוהב ב־
be gone! הסתלק! לך!
far gone במצב חמור
go a long way לעשות בו שימוש רב; לעשות כברת דרך ארוכה
go about להסתובב, להתהלך; לטפל ב־
go after/for לרדוף אחרי
go against להתנגד, להיות מנוגד, לנטות לרעת־
go ahead להמשיך, להתקדם; קדימה!
go along להמשיך; להסכים; לתמוך
go along with you! ★עזוב אותי
go around להתהלך, להסתובב; להספיק לכל
go at להתקיף, לטפל במרץ
go away ללכת, להסתלק
go back לחזור
go back on לא לקיים; לבגוד ב־
go beyond לעבור, לעלות על
go by לעבור, לחלוף; לפעול לפי; לשפוט לפי
go by the name of להיקרא
go down לרדת; לשקוע; להירשם, להיזכר
go down before להיות מוכרע בידי־
go down to להימשך, להגיע ל־
go down well with להתקבל על
go far להגיע רחוק, להצליח
go for להתייחס, לנגוע; לנסות להשיג
go for nothing ברכה לבטלה
go for/at להימכר תמורת; להתקיף
go in להיכנס
go in for לחבב, להתעניין ב־; להשתתף ב־
go in with להצטרף ל־
go into להיכנס ל־, לחקור היטב
go into business להיכנס לעולם העסקים
go it לפעול; למהר; לזוז; לחיות
go it alone לעשות בלא עזרה
go off להתקלקל; להתפוצץ; לירות; להירדם; ללכת, להסתלק, להיפרד
go off tea להפסיק לאהוב תה
go off well להצליח, לעבור יפה
go on להמשיך; להתרחש, לקרות; לעבור, לחלוף; להתנהג
go on at להציק, לנדנד ל־, לגעור
go on for להתקרב לגיל־; להסתדר עם
go on it להסתמך/להתבסס על כך
go on with you! ★לך! שטויות!
go one better לעלות על־
go one's way להמשיך בדרכו
go out לצאת; לשבות; לִכבות
go over לעבור; לבדוק; לחזור על
go over well להתקבל, לעשות רושם
go round להסתובב; להספיק לכולם

go shopping לערוך קניות
go so far as להרחיק לכת עד־
go steady לצאת בקביעות עם חבר
go through לעבור; להתנסות ב־; לקיים
go through with להשלים, לבצע
go to him ליפול בחלקו
go together ללכת עם
go too far להגזים, להרחיק לכת
go under להיכשל, להתמוטט; לשקוע
go up לעלות; להיבנות; להיהרס
go with להסכים עם; ללוות; ללכת עם
go with her ⋆לצאת איתה
go with the tide לשחות עם הזרם
go without להסתדר בלעדי
how goes it? מה נשמע?
is going on 8 כמעט 8
it goes without saying ברור ש־
let oneself go להתפקר, להתפרק
my heart goes out ליבי כלה ל־
4 months gone בחודש ה־5 להריונה
5 days to go נותרו 5 ימים
go *n.* ⋆מרץ, פעילות, ניסיון
all the go ⋆"הולך", באופנה
from the word go מן ההתחלה
have a go at ⋆לנסות כוחו ב־
make a go of להצליח ב־
no go ⋆לא! זה לא ילך
on the go ⋆עסוק, פעיל
goad *n.* מַלמֵד, מרדע; גורם מדרבן, דרבן
goad *v.* לדחוף, לדרבן, לעורר
go-ahead *n.* ⋆אות/רשות לפעול
go-ahead *adj.* מתקדם
goal *n.* מטרה, יעד; שער, גול
score a goal לכבוש/להבקיע שער
goalkeeper, goalie *n.* שוער
goal line קו השער
goalpost *n.* קורת השער
goat *n.* תיש, עז
get his goat ⋆להרגיזו
he-goat תיש
play the giddy goat להשתטות
she-goat עז
goatee′ *n.* זקן־תיש
goat-herd *n.* רועה עזים, רועה צאן
goatskin *n.* עור־עזים
gob *n.* ⋆כיח, רוק; מַלח, ימאי; פה
gobs of money ⋆המון כסף
gob′bet *n.* חתיכה, נתח
gob′ble *v.* לזלול, לאכול בלהיטות; לקרקר (כתרנגול הודו)
gob′bledygook′ (-ld-) *n.* שפת־פקידים
gob′bler *n.* תרנגול הודו
go-between *n.* מתווך, איש־ביניים
gob′let *n.* גביע
gob′lin *n.* שד, רוח רעה
go-by *n.* התעלמות, הימנעות, התנכרות
give the go-by להתעלם, להתנכר
go-cart *n.* הליכון; קרונית; מכונית מירוץ; עגלת־יד
God *n.* אלוהים, הבורא
thank God תודה לאל
God forbid חס וחלילה
God knows אלוהים יודע, מי יודע
God willing אם ירצה השם, אי״ה
god *n.* אליל
little tin god מתנפח, מתרברב
make a god of לסגוד ל־, לשקוע ראשו ורובו ב־
the gods מושבי היציע
godchild *n.* ילד־סנדקאות
godfather *n.* סנדק
God-fearing *adj.* ירא־שמיים
God-forsaken *adj.* שכוח־אל, שומם
Godhead *n.* אלוהות
godless *adj.* רשע, כופר
godlike *adj.* אלוהי, שמיימי
godly *adj.* ירא־שמיים, אדוק
godparent *n.* סנדק
godsend *n.* מזל, מתת־אלוהים
godson *n.* בן־סנדקאות
godspeed *n.* "דרך צלחה", ברכה
-goer הולך, מבקר בקביעות ב־
chruchgoer מבקר בכנסייה
go-getter *n.* נמרץ, מצליחן
gog′gle *v.* לפעור/לגלגל עיניים
goggle-box *n.* ⋆טלוויזיה
goggle-eyed *adj.* פעור־עיניים; בעל עיניים בולטות
goggles *n-pl.* משקפי־מגן
go-go girl נערת גוגו
going *n.* הליכה, הסתלקות; תנאי הנסיעה/הדרך; מהירות הנסיעה
going *adj.* קיים
going concern עסק הולך/מכניס
going-over *n.* ⋆בדיקה כללית; מנה הגונה
goings-on *n-pl.* התרחשויות, מעשים
goi′ter *n.* זפקת (מחלה)
go′kart′ *n.* מכונית מירוץ פתוחה
gold (gōld) *n.* זהב
a heart of gold לב זהב
as good as gold מצוין, נפלא
gold-beater *n.* מרַקע זהב, זהבי

gold-digger *n.* כורה־זהב, מחפש זהב; ⋆רודפת עשירים
gold-dust *n.* אבקת זהב
golden *adj.* זהוב, זהבי; יקר
golden opportunity הזדמנות פז
golden age תור־הזהב, ימי הזוהר
golden handshake מענק פרישה
golden mean שביל הזהב
golden rule כלל זהב (בהתנהגות)
golden wedding חתונת הזהב
gold-field *n.* עפרת־זהב
goldfinch *n.* חוחית (ציפור־שיר)
goldfish *n.* דג זהב
gold leaf עלה זהב, זהב מרוקע
goldmine *n.* מכרה זהב
gold plate כלי זהב; ציפוי זהב
gold rush בהלה לזהב
goldsmith *n.* צורף
go′lem *n.* גולם
golf *n&v.* גולף; לשחק בגולף
golf club מקל גולף; מועדון גולף
golf course/links מגרש גולף
golfer *n.* שחקן גולף
goli′ath *n.* גוליית, ענק
gol′liwog′ *n.* בובה (שחורת־פרצוף)
gol′ly *interj.* ⋆או! (קריאה)
go′nad′ *n.* בלוטת־המין
gon′dola *n.* גונדולה; פיגום
gon′dolier′ (-lir) *n.* גונדוליר
gone (gôn) *adj.* כלה, אזל; הסתלק, מת; הרוס, אבוד
gone = pp of go
gon′er *n.* חשוב כמת, אבוד
gong *n.* גונג, מקוש
gon′na = going to
gon′orrhe′a (-rē′ə) *n.* זיבה
goo *n.* ⋆חומר דביק; רגשנות
good *adj.* טוב; נעים, מהנה; שלם, ניכר, הגון, רציני; לא פחות מ־
a good deal כמות הגונה
a good debt חוב טוב, חוב בטוח
a good few/many מספר ניכר, הרבה
a good hour שעה תמימה/שלימה
as good as למעשה, כמעט, בעצם, חשוב כ־
be so good as הואל בטובך
good and- ⋆לגמרי, מאוד
good day שלום!
good for כל הכבוד ל־; רוצה לשלם
good money טבין ותקילין
good morning בוקר טוב
in good time בעיתו, מוקדם
it's a good thing that מזל ש־
make good להצליח, להתעשר; לקיים
make it good לפצות, להשלים, לתקן
the good book התנ"ך
good *n.* טוב; טובה; תועלת
do good לעשות טוב, לעזור; להועיל
do him good להיטיב עמו
for good (and all) לעולם, לצמיתות
for your (own) good לטובתך, למענך
in good with אהוב, מקובל על
no good/not much good אין ערך, אין תועלת, לבלי הועיל
the good הטובים, הצדיקים
to the good ברווח
up to no good חורש רעה
good′bye′ (-bī′) *interj.* שלום!
good-for-nothing *n.* בטלן
Good Friday יום השישי הטוב (לפני הפסחא)
good-hearted *adj.* טוב־לב
good-humored *adj.* עליז, חביב
goodish *adj.* די גדול; טוב למדיי
good-looking *adj.* נאה, יפה, מושך
good′ly *adj.* יפה, נאה; גדול, ניכר
good-natured *adj.* טוֹב־לב, נוח
goodness *n.* טוב, טוב־לב; תמצית, כוח; השם, אלוהים
for goodness' sake למען השם
goodness gracious!/me! אלוהים אדירים!
have the goodness to הואל נא
goods *n-pl.* סחורה; מיטלטלין; מִטען
deliver the goods ⋆לעשות כצפוי/כנדרש
goods and chattels חפצים אישיים
good sense כושר שיפוט, חכמה
goodwill′ *n.* רצון טוב; מוניטין
good′y *n.* מַמתק
goody-goody *adj.* מתחסד, צבוע
goo′ey *adj.* דביק, מתוק; סנטימנטלי
goof (goo͞f) *n.* ⋆טיפש; שגיאה טיפשית
goof-off *n.* ⋆בטלן, שתמטן
goo′fy *adj.* טיפש
goo′gly *n.* (בקריקט) כדור מטעה
goon (goo͞n) *n.* ⋆טיפש; בריון שכיר
goose *n.* אוז; בשר־אווז; ⋆טיפש
can't say boo to a goose פחדן
cook his goose לנפץ תקוותיו, לסכל תוכניותיו, להרוס אותו
gone goose ⋆אבוד, חסר־תקנה
gooseberry *n.* דמדמנית, חזרזר
play gooseberry לשמש פרימוס,

לכפות נוכחותו על זוג אוהבים
goose bumps/pimples סמרמורת
goose-flesh *n.* סמרמורת
goose-step *n.* צעידת־אווז, איוווזו
go′pher *n.* סנאי כיס
Gor′dian knot קשר גורדי
gore *n.* דם קרוש; חתיכת בד טריזית
gore *v.* לנגוח, לפצוע בנגיחה
gorge *n&v.* ערוץ; גרון; זלילה
gorge on/with לזלול; להתפטם
his gorge rose נתקף בחילה/זעם
gor′geous (-jəs) *adj.* נהדר, נפלא
gor′gon *n.* מכשפה, מפלצת
Gor′gonzo′la *n.* גבינת גורגונזולה
goril′la *n.* גורילה
gor′mandize′ *v.* לזלול, לטרוף האוכל
gorse *n.* אולקס (שיח קוצני)
gor′y *adj.* עקוב מדם, מכוסה דם
gosh, by gosh *interj.* אל אלוהים!
gos′ling (-z-) *n.* אווזון
go-slow *adj.* של שביתת האטה
gos′pel *n.* תורה; כלל, עיקרון
Gospel *n.* ספרי הבשורה
gospel truth אמת מוחלטת
gos′samer *n.* קורי־עכביש; אריג דק
gos′sip *n.* רכילות; רכלן
have a gossip לפטפט
gossip *v.* לרכל, לכתוב רכילות
got = p of get
Goth′ic *adj.* גותי
got′ta = got to ⋆צריך, חייב
got′ten = pp of get
gouache (gwäsh) *n.* גואש
gouge *n.* מַפסלת
gouge *v.* לחרוט במפסלת; לנקר עין
gou′lash (gōō′läsh) *n.* גולאש
gourd (goord) *n.* דלעת; כלי (מקליפת) דלעת
gour′mand (goor′-) *n.* זוללן
gourmet (goor′mā) *n.* מבין באוכל, אנין הטעם
gout *n.* צינית, שיגדון, פודגרה
gouty *adj.* סובל מצינית
gov′ern (guv-) *v.* למשול, לשלוט ב־; לקבוע, להשפיע על
governess *n.* מורה, מחנכת
governing *adj.* מושל, מנהל
government *n.* ממשלה; שלטון
form a government להרכיב ממשלה
gov′ernmen′tal (guv-) *adj.* ממשלתי
governor *n.* מושל; נגיד; חבר הנהלה; אב; בוס; וַסת (במכונית)
governor-general *n.* מושל כללי, נציב הכתר
gown *n.* גלימה; שמלה; חלוק
gowned *adj.* עוטה גלימה
GP = general practitioner
GPO = general post office
grab *v&n.* לתפוס, לחטוף, לקחת; חטיפה
grab off לחטוף
grabber *n.* חוטף; תאב־בצע
grace *n.* חן, נועם; חסד; רצון טוב; דחייה, ארכה; ברכת המזון; חסדי אל
a week's grace ארכה של שבוע
act of grace מחווה, חסד
airs and graces עשיית רושם, רוח
fall from grace לסור חינו; להידרדר, לחזור לסורו
had the grace to היה די הגון ל־
in his good graces מוצא חן בעיניו, זוכה לאהדתו
in the year of grace בשנת־
the Graces אלילות החן והקסם
with bad grace בלי רצון
with good grace ברצון, ברוח טובה
Your Grace הוד מעלתך
grace *v.* לקשט, לכבד (בנוכחותו)
graceful *adj.* חינני, מובע בחן
graceless *adj.* חסר־חן, גס
gra′cious (-shəs) *adj.* אדיב, נעים; רחום
gracious me! אלוהים אדירים!
gra•da′tion *n.* שלב, שינוי הדרגתי, מעבר בשלבים, הדרגתיות; דריגה
grade *n.* דרגה, סוג; כיתה; ציון; שיפוע
make the grade להגיע לרמה הדרושה, להצליח
on the down grade מידרדר
on the up grade עולה, משתפר
the grades בית־ספר יסודי
up to grade תיקני
grade *v.* לסווג, להדריג, לחלק לדרגות; ליישר שטח; להשביח (בקר)
grade crossing צומת מישורי
grade school בית ספר יסודי
gra′dient *n.* שיפוע; שיעור השיפוע
grad′ual (-jōōəl) *adj.* הדרגתי; לא תלול
grad′uate (-jōōit) *adj.* בוגר (בי"ס)
grad′uate′ (-jōōāt) *v.* לסיים לימודים; להעניק תואר; לסמן מידות, לשַׁנת, לכַיל; לסווג
grad′ua′tion (-jōōa′-) *n.* טקס

העוקת תארים, סיום; סיווג; שינות
graffi′to (-fē′t-) *n.* ציור־קיר
graft *n.* שֶתֶל, רוכב (בהרכבה); רקמה מושתלת; שוחד, ניצול השפעה
graft *v.* להרכיב, להשתיל; לקחת שוחד, לנצל קשרים
grail *n.* הגביע הקדוש
grain *n.* גרעין; דגן, תבואה; אורז; גרגיר; קורטוב; מערך הסיבים
against the grain בניגוד לנטיית־ליבו
take it with a grain of salt להטיל ספק קל בדבר
gram, gramme (gram) *n.* גראם
gram′mar *n.* דקדוק
gramma′rian *n.* מדקדק
grammar school בית־ספר יסודי
grammat′ical *n.* דקדוקי
gram′ophone′ *n.* פטיפון, מקול
gram′pus *n.* מין דולפין; נושם בקול
gran′ary *n.* אסם, מחסן תבואה
grand *adj.* גדול; נפלא, מרשים; ראשי, חשוב; שלם, כולל
grand total סיכום כולל
grand *n.* ⋆פסנתר־כנף; אלף דולר
grandchild, grandson *n.* נכד
grand-dad (gran′dad′) *n.* ⋆סבא
granddaughter *n.* נכדה
gran•dee′ *n.* אציל (ספרדי)
gran′deur (-jər) *n.* גדולה, הוד
grandfather *n.* סבא
grandfather clock שעון מטוטלת
gran•dil′oquence *n.* מליצות, עתק
gran•dil′oquent *adj.* נמלץ, מתנפח
gran′diose′ *adj.* מפואר, מרשים, נשגב
grand′ma (-nmä) *n.* ⋆סבתא
grand master רב־אמן; ראש אירגון
grandmother *n.* סבתא
grand opera אופרה גדולה (שתמלילה מושר כולו)
grand′pa (-npä) *n.* ⋆סבא
grandparent *n.* סבא, סבתא
grand piano פסנתר כנף
Grand Prix (-prē′) *n.* מירוץ מכוניות בינלאומי
grandstand *n.* יציע הקהל
grange (grānj) *n.* חווה; משק
gran′ite (-nit) *n.* גרניט, שחם
gran′ny, gran′nie *n.* ⋆סבתא
grant *v.* לתת, להעניק; להיענות ל־; להודות, להסכים
granted כן, אכן
granted that נניח ש־, אומנם
take for granted לקבל כמובן מאליו
grant *n.* מענק, קצבה, מלגה
gran′u•lar *adj.* גרעיני, מחוספס
gran′u•late′ *v.* לפורר/להתפורר לגרגרים; לחספס
granulated sugar סוכר (מפורר)
gran′ule (-nūl) *n.* גרגירון
grape *n.* ענב
sour grapes עינבי־בוסר (זלזול כביכול בדבר שחפצים בו ואין להשיגו)
grapefruit *n.* אשכולית
grape shot צרור פגזים, מטח
grape-vine *n.* גפן; הפצת ידיעות; מקור סודי
graph *n.* גרף, עקומה, תרשים, רישמה
graph′ic(al) *adj.* כתבי, גרפי, של הכתב, של ציור; ברור, ציורי, חי
graphically *adv.* בצורה חיה, באופן ברור; בצורה גרפית
graphics *n-pl.* גרפיקה
graph′ite *n.* גרפיט
graph•ol′ogist *n.* גרפולוג
graph•ol′ogy *n.* גרפולוגיה
graph paper נייר גראפים (משובץ)
grap′nel *n.* עוגן קרסים, כלי סריקה; אונקל
grap′ple *v.* להיאבק, להתגושש
grappling iron = grapnel
grasp *v.* ללפות; לתפוס; להבין; לקפוץ על, לקבל בלהיטות
grasp *n.* אחיזה, תפיסה; השגה
beyond my grasp נשגב מבינתי
in the grasp of בציפורני, בידי
within one's grasp בהישג ידו
grasping *adj.* רודף בצע
grass *n.* עשב, דשא; ⋆חשיש; מודיע
let grass grow under one's feet לפעול בעצלתיים, לבזבז זמן
put/turn out to grass לרעות (בקר); לפטר מעבודה
grass *v.* לכסות בעשב; ⋆להלשין
grass′hop′per *n.* חגב
grassland *n.* כר, שדה־מרעה
grass roots ההמון, הציבור; עובדות־היסוד
grass widow אלמנת קש, עגונה
grassy *adj.* מכוסה עשב, מדשיא
grate *n.* אח; שבכה (להחזקת הגחלים)
grate *v.* לגרד; לפורר, לגרר (במיגררת); לחרוק, לצרום; לעצבן
grateful *adj.* אסיר תודה; נעים
gratefully *adv.* מתוך הכרת תודה

gra'ter *n.* מגררת, פומפייה
grat'ifica'tion *n.* סיפוק; הנאה
grat'ify' *v.* לספק; לגרום עונג, להשביע רצון
gratifying *adj.* מספק, גורם סיפוק
gra'ting *n.* סורג
grating *adj.* חורק, צורמני
gra'tis *adj.* חינם, בלי תשלום, גראטיס
grat'itude' *n.* הכרת טובה, תודה
gratu'itous *adj.* ניתן בחינם, חופשי; ללא סיבה, מיותר, בלי טעם
gratu'ity *n.* דמי־שירות, טיפ; מענק
grave *adj.* רציני, חמור, חמור־סבר
grave *n.* קבר
silent as the grave פיו חתום
turn in one's grave להתהפך בקברו
with one foot in the grave הולך למות, ברגל אחת בקבר
grave *v.* לחרות, לחקוק
grav'el *n.* חצץ, חול וחצץ; אבנים
gravel *v.* לכסות בחצץ; ⋆להביך
gravelly *adj.* מכוסה בחצץ; צורמני
gravestone *n.* מצבה
graveyard *n.* בית קברות
gra'ving dock מבדוק יבש (לניקוי תחתית האונייה)
grav'itate' *v.* לנוע, להימשך אל
grav'ita'tion *n.* תנועה, משיכה; כוח הכובד, כבידה, גרביטציה
grav'ity *n.* כוח המשיכה; חומרה, רצינות, כובד ראש
center of gravity מרכז הכובד
specific gravity משקל סגולי
gravure' *n.* הדפס גלופה, פיתוח
gra'vy *n.* רוטב בשר, מרק בשר; ⋆רווחים קלים
get on the gravy train ⋆לעשות כסף קל
gravy boat קערית לרוטב
gray *n&adj.* אפור, כסוף, מכסיף
get gray להכסיף (שיער)
gray *v.* להאפיר, להכסיף (שיער)
graybeard *n.* זָקֵן
grayheaded *n.* זקן, כסוף־שיער
grayhound *n.* זרזיר (כלב ציד)
grayish *adj.* אפרפר
gray matter מוח; תאים אפורים
graze *v&n.* לרעות; לשרוט, לשפשף; לנגוע ולחלוף; שריטה, שיפשוף
grazing-land *n.* אחו, שדה־מרעה
grease *n.* שומן; משחה, גריז
grease *v.* לשמן, למרוח, לגרז
grease his palm לשחדו
grease the wheels לגרז את הגלגלים; לארגן, לסדר, להפעיל
like greased lightning מהר, כברק
grease gun מַזרק גריז
grease-paint *n.* משחת־איפור
greaser *adj.* מגרז מכונות
greasy *adj.* מכוסה שומן; חלקלק
great (grāt) *adj.* גדול; חשוב; רב; ⋆כביר, מצוין
a great deal/many הרבה
great and small מקטון ועד גדול
great big גדול, כביר
great with child הרה, בהריון
great Scott! אלוהים אדירים!
the great הגדולים, החשובים
Great Bear דובה גדולה, עגלה גדולה
great-coat *n.* מעיל עליון
great-grandfather *n.* אבי הסב, רבסב, סבא רבא
great-grandson *n.* נין
greatly *adv.* מאוד, הרבה, בהרבה
great seal חותמת רשמית
greave *n.* מגן שוקיים
grebe *n.* טבלן (עוף)
Gre'cian (-shən) *adj.* יווני
Gre'co- יוון, יווני
greed *n.* תאווה, אהבת בצע
greedy *adj.* תאוותני, צמא, להוט
Greek *adj&n.* יווני; יוונית
it's Greek to me הדבר למעלה מהשגתי
green *adj.* ירוק; לא בשל, של בוסר; חולני; טירון; טרי, רענן
get the green light ⋆לקבל אור ירוק
green with envy אכול קנאה
green *n.* ירוק; מגרש; כר דשא
greens ירקות
greenback *n.* שטר כסף
green belt חגורת ירק
green'ery *n.* ירק, עלים ירוקים
green-eyed *adj.* מקנא, קנאי
green fingers ⋆גננות
greenfly *n.* כנימת העלה
green'gage' *n.* סוג של שזיף
greengrocer *n.* ירקן
greenhorn *n.* ⋆פתי; מתחיל, טירון
greenhouse *n.* חממה
greenish *adj.* ירקרק
green pepper פלפל ירוק
greenroom *n.* חדר מנוחה (לשחקנים)
green tea תה (מעלים מחוממים)

green thumb גננות
Green′wich time (grin′ij) שעון גרינוויץ
greenwood *n.* חורשה, יער
greet *v.* לקדם פניו, לקבל, לברך
greeting *n.* ברכה; פנייה (במכתב)
greetings ברכות, איחולים
gre•ga′rious *adj.* עדרי, חי בעדה, קיבוצי; אוהב חברה
Gre•go′rian *adj.* גריגוריאני
grem′lin *n.* שד, רוח רעה
gre•nade′ *n.* רימון־יד
gren′adier′ (-dir) *n.* רמן, מטיל רימונים
grew = pt of grow (groo)
grey = gray (grā)
grid *n.* אסכלה, שבכה; רשת (במפה); רשת חשמל; סריג; סורג; גגון־מכונית
grid′dle *n.* מחבת־אפייה
grid′i′ron (-ī′ərn) *n.* אסכלה, שבכה; מגרש כדורגל
grief (grēf) *n.* צער, עצב; יגון
bring to grief להמיט אסון
come to grief להיכשל
good grief! בשם אלוהים!
griev′ance (grēv′-) *n.* תלונה, התמרמרות
nurse a grievance לטפח רגש התמרמרות, לנטור הרגשת קיפוח
grieve (grēv) *v.* להצטער; להתאבל; לצער
griev′ous (grēv′-) *adj.* מצער, מכאיב, חמור
grif′fin *n.* גריפין (מפלצת אגדית)
grill *n.* גריל, אסכלה, סרד; מכבר; צלי; חדר־גריל
grill *v.* לצלות; לחקור קשות, להציק
grille *n.* סורג, מחיצה
grim *adj.* אכזרי, מפחיד, נורא, שטני
grim smile חיוך מר
hold on like grim death להיאחז בצפורניים
grim′ace (-mis) *n.* העוויה
grimace *v.* לעשות העוויות
grime *n&v.* לכלוך; ללכלך
gri′my *adj.* מלוכלך
grin *v.* לחייך חיוך רחב, לצחוק
grin and bear it לסבול בדומייה
grin *n.* חיוך רחב, צחוק מאולץ
grind (grīnd) *v.* לטחון; להיטחן; להשחיז; לשפשף; ללחוץ; לדכא; לסובב בידית
grind away/for ללמוד בשקידה
grind down לדכא
grind one's teeth לחרוק שיניים
grind out להוציא/ליצור במכאניות
grind to a halt לעצור בחריקה
grind *n.* עבודה קשה/משעממת
grinder *n.* שן טוחנת; מטחנה
grindstone *n.* אבן־משחזת
keep his nose to the grindstone להעבידו בפרך
grin′go *n.* נוכרי, זר (בדרום אמריקה)
grip *v.* לתפוס, לאחוז, לרתק
grip *n.* אחיזה, תפיסה; שליטה; הבנה; מזוודה; מתפס, ידית
get/come to grips with להתגושש, להיאבק, לתקוף, לטפל ברצינות
gripe *n.* ★תלונה
gripes כאבי בטן עזים
gripe *v.* לכאוב (הבטן); ★להתלונן
grippe *n.* ★שפעת
gris′ly (-z-) *adj.* איום, זוועתי
grist *n.* גרעיני תבואה (לטחינה)
it's all grist to his mill הוא מנצל כל הזדמנות להרוויח
gris′tle (-səl) *n.* סחוס, חסחוס
grit *n&v.* חצץ, חול; אומץ, כוח סבל
grit the teeth לחרוק שיניים
grits גרגרי שיבולת־שועל
grit′ty *adj.* חולי, כמו חול
griz′zle *v.* ★לבכות, לייבב
griz′zled (-zəld) *adj.* אפור, מכסיף
griz′zly *n.* דוב
groan *v.* להיאנח, להיאנק
groan down להשתיק, להסות בגניחות
groan out לדבר תוך גניחות
groan *n.* אנחה, גניחה
groat *n.* (בעבר) גרואוט, מטבע אנגלי
groats גרעיני־תבואה (מקולפים)
gro′cer *n.* בעל חנות־מכולת
grocery *n.* חנות מכולת
groceries מכולת, מצרכים
grog *n.* משקה חריף (מהול במים)
grog′gy *adj.* כושל, לא־יציב, חלוש
groin *n.* מפשעה; מיפגש קימרונות (בתיקרה)
groom *v.* לטפל ב־, לנקות, לסדר, לטפח; להכין, לגדל
groom *n.* סייס, מטפל בסוסים; חתן
groove *n.* חריץ, מסילה; אורח־חיים
get into a groove להיכנס למסלול, לקיים אורח־חיים קבוע
in the groove מושלם, במיטבו

groove *v.* לחרץ, לעשות חריצים
groo'ver *n.* ⋆מודרני, נעים
groo'vy *adj.* ⋆מודרני, נעים
grope *v.* למשש, לגשש, לחפש
grope one's way לגשש דרכו
gropingly *adv.* בגישוש, תוך מישוש
gross (grōs) *n.* גרוס, 144
gross vegetation צמחיה שופעת
in the gross בסיטונות; בסך הכל
gross *v.* להרוויח ברוטו
gross *adj.* גס; בולט, שמן; דוחה, מגושם, המוני; כולל, ברוטו
gro•tesque' (-tesk) *adj.* מגוחך
grotesque *n.* גרוטסקה, דמות נלעגת
the grotesque הסגנון הגרוטסקי
grot'to *n.* מערה
grot'ty *adj.* ⋆מלוכלך, לא־נעים
grouch *v.* להתלונן, להתרעם
grouch *n.* תלונה, טרוניה; רטנן
ground *n.* קרקע, ארץ; קרקע־הים; שטח, מגרש; יסוד, בסיס, רקע
above ground חי, בחיים
below ground מת, בקבר
break fresh ground לפתוח פרק חדש, לעבד קרקע בתולה
common ground בסיס משותף
cover ground לעבור כברת דרך, להשתרע על פני שטח רחב
down to the ground לחלוטין
fall to the ground להיכשל
forbidden ground תחום האסור בכניסה; נושא אסור
from the ground up לגמרי
gain ground להתקדם
get off the ground להמריא; לזוז
give ground לסגת, לנטוש עמדה
grounds משקע; סיבה, סיבות
hold/stand one's ground לעמוד איתן
keep one's feet on the ground לעמוד איתן
lose ground לסגת, להפסיד; להיחלש
middle ground שביל זהב, פשרה
on the grounds of/that בגלל
run into the ground לנצח, להביס; להגזים, להפריז
shift one's ground לשנות טיעוניו
ground *v.* לעלות על שרטון; לקרקע; לבסס; להאריק
ground arms להניח נשק (על הארץ)
ground in ללמד יסודות
well grounded מבוסס היטב

ground = **p of grind** טחון
ground cloth/sheet בד קרקע (אטים למים, שפורשים על הארץ)
ground crew/staff צוות קרקע
ground floor קומת קרקע
get in on the ground floor להתקבל לחברה בתנאים שווים למייסדיה
ground glass זכוכית עמומה
grounding *n.* לימוד היסודות
groundless *adj.* נטול יסוד, חסר שחר
groundnut *n.* אגוז אדמה
ground plan תוכנית כללית
ground rent דמי חכירה
ground'sel *n.* סביון (צמח בר)
groundsman *n.* אחראי על מיגרש
ground swell גלים כבדים (לאחר סערה); התפשטות (רעיון)
ground-to-air (טיל) קרקע־אוויר
ground-work *n.* בסיס, יסוד
group (grōōp) *n.* קבוצה; להקה
group *v.* לחלק לקבוצות; לקבץ, לסווג, למיין; להתקבץ
group captain ראש־להק
group therapy רפואה קבוצתית
grouse *n.* תרנגול־בר, שכווי; ⋆טרוניה
grouse *v.* ⋆להתלונן, לרטון
grove *n.* חורשה
grov'el *v.* לזחול, להתרפס
groveler *n.* מתרפס
grow (grō) *v.* לצמוח, לגדול; לגדל, להצמיח; להיעשות, להיות
grow into להיעשות ל־; להתרגל ל־
grow on לכבוש את ליבו אט־אט
grow out of לגדול במידותיו; לזנוח (מנהג רע); לצמוח, להתפתח מ־
grow to be להיעשות בהדרגה
grow to like it לחבבו עם הזמן
grow up להתבגר, להתפתח
grow up! התנהג כמבוגר!
grower *n.* מגדל (צמחים); צמח
rapid grower צמח מהיר־גידול
growing pains כאבי גדילה; בעיות התפתחות; כל התחלות קשות
growl *v.* לרטון, לנהום
growl *n.* ריטון, נהמה; טרוניה
grown = **pp of grow** (grōn) מבוגר
grown-up *adj&n.* מבוגר
growth (grōth) *n.* צמיחה; גידול; התפתחות
of foreign growth גדל בחו"ל
growth shares מניות הצפויות לעלות בערכן

groyne *n.* סוללה, שובר־גלים
grub *n.* זחל, דרן; ★מזון
grub *v.* לחפור, לעדור; לנכש, לעשב
grub'by *adj.* מלוכלך, שורץ זחלים, מתולע
grudge *v.* לתת בלי רצון, לא לפרגן; לנטור טינה, לקנא
not grudge לפרגן, למחול
grudge *n.* קנאה, טינה
owe/bear a grudge לנטור טינה
grudging *adj.* מקמץ; נותן בלי רצון
gru'el *n.* דייסה
gru'eling *adj.* קשה, מציק, מפרך
grue'some (grōō'səm) *adj.* איום
gruff *adj.* קשה, צרוד, מחוספס, גס
grum'ble *v.* להתלונן, לרטון, לנהום
grumble *n.* תלונה, ריטון, נהמה
grumbler *n.* רטנן, מלא טרוניות
grump'y *adj.* כועס, סר וזעף
Grun'dyism' (-diiz'əm) *n.* שמרנות, צניעות
grunt *v.* לנחור, לחרחר, לנהום
grunt *n.* נחירה, חרחור, נהמה
gryph'on *n.* גריפין (מפלצת אגדית)
gua'no (gwä'-) *n.* לשלשת (לזיבול)
guar'antee' (gar-) *n.* ערבות; ערב; ערובה; ביטחון, עירבון
guarantee *v.* לערוב ל-, להבטיח
guar'antor' (gar-) *n.* ערב
guar'anty (gar-) *n.* ערבות; ביטחון; משכון
guard (gärd) *n.* משמר; עמדת הגנה; עירנות; שומר, סוהר; מגן
guard of honor משמר כבוד
keep/stand guard לשמור
mount guard לשמור, לצאת לשמירה
off guard לא מוכן, לא עירני
on guard על המשמר, עירני
guard *v.* לשמור, לשמור על
guard against להישמר מ-, למנוע
guarded *adj.* זהיר
guardhouse *n.* בית משמר
guard'ian (gär-) *n.* שומר, אפיטרופוס
guardian angel מלאך שומר
guardianship *n.* אפיטרופסות
guard-rail *n.* מעקה
guardroom *n.* חדר משמר
guard-ship *n.* אוניית משמר
guardsman *n.* שומר, זקיף
gua'va (gwä-) *n.* גויבה
gu'bernato'rial *adj.* של מושל
gudg'eon (-jən) *n.* פתי; קברנון (דג)
guerril'la (gər-) *n.* לוחם גרילה
guerrilla war גרילה, לוחמה זעירה
guess (ges) *v.* לנחש, לשער
I guess חושבני ש-, דומני ש-
guess *n.* ניחוש, השערה
at a guess/by guess לפי ניחוש
have a guess at לנחש
it's anybody's guess אין לדעת בוודאות
guesswork *n.* ניחוש, השערה
guest (gest) *n.* אורח, קרוא
be my guest! ★בבקשה
paying guest מתאכסן בתשלום
guest *v.* להופיע כאורח (בתוכנית)
guesthouse *n.* בית הארחה
guest night מסיבת־אורחים (שמשתתפים בה גם לא־חברים)
guestroom *n.* חדר־אורחים
guff *n.* ★שטויות, הבלים
guffaw' *n.* צחוק רם, צחוק גס
guffaw *v.* לפרוץ בצחוק רם
guidance (gīd-) *n.* הדרכה; עצה
guide (gīd) *n.* מורה־דרך; מדריך; מנחה; מכַוון
guide *v.* להדריך; להנחות
guide book מדריך
guided missile טיל מונחה
guide lines קווים מנחים
guild (gild) *n.* גילדה, איגוד
guil'der (gil-) *n.* גילדר (מטבע)
guild-hall *n.* בית־העירייה
guile (gīl) *n.* רמאות, מרמה
guileful *adj.* רמאי, ערמומי
guileless *adj.* תמים, ישר
guil'lotine' (gil'ətēn) *n.* גיליוטינה, מערפת; מכונת חיתוך
guillotine *v.* לערוף בגיליוטינה
guilt (gilt) *n.* אשמה
guiltless *adj.* חף מפשע
guilty (gil'-) *adj.* אשם
guilty conscience מצפון מייסר
plead guilty להודות באשמה
guinea (gin'i) *n.* גיני; 21 שילינג
guinea fowl פניניה (עוף)
guinea pig חזיר־ים, קבייה; שפן־ניסיונות
guise (gīz) *n.* לבוש, תלבושת, הופעה
the same thing in a new guise אותה הגברת בשינוי האדרת
under the guise of במסווה של-
guitar' (git-) *n.* גיטארה, קתרוס
gulch *n.* גיא, קניון

gul′den (gōōl-) *n.* גילדר (מטבע)

gulf *n.* מפרץ; תהום, פער

Gulf Stream זרם הגולף

gull *n.* שחף (עוף־ים); פתי

gull *v.* לרמות, לפתות

gul′let *n.* גרון, ושט

gulʹlibil′ity *n.* פתיות, תמימות

gul′lible *adj.* פתי; קל לרמותו; תם

gul′ly *n.* ערוץ; תעלה

gulp *v.* לבלוע, לגמוע בשקיקה

gulp *n.* בליעה, לגימה

at one gulp בלגימה אחת

gum *n.* גומי; סוכריה; מסטיק, גומי־לעיסה; דבק; עץ־שרף

by gum! ★בשם השם!

gums חניכיים

gum *v.* להדביק

gum up לשבש, לקלקל

gum′bo *n.* מרק בָּמיה

gumboil *n.* מורסה בחניכיים

gum boots מגפיים

gum drop סוכרית גומי

gum′my *adj.* דביק

gump′tion *n.* ★תבונה, שכל, תושייה

gum tree עץ גומי, עץ שרף

up a gum tree במצב ביש, במיצר

gun *n.* רובה; אקדח; תותח; מזרק

big gun "תותח כבד", אישיות

blow great guns לנשב בעוצמה

give it the gun להגביר מהירות

go great guns לעבוד ביעילות

jump the gun לזנק לפני האות

son of a gun ★ממזר, נבל

spike his guns לשבש תוכניותיו

stick to one's guns לדבוק בעמדתו

till the last gun is fired עד הרגע האחרון

gun *v.* לירות; להגביר המהירות

gun down להפיל/להרוג בירייה

gun for לחפש, לבקש; לרדוף אחרי

gun-boat *n.* ספינת־תותחים

gun-boat diplomacy דיפלומטיה מלווה באיומים, שפת הכוח

gun carriage כן־תותח

gun cotton חומר נפץ

gun dog כלב ציד

gunfire *n.* יריה, הפגזה, הרעשה

gung ho ★נלהב

gunman *n.* שודד, אקדחן, פושע

gun metal נתך של נחושת ואבץ

gun′nel *n.* לוזבז, שפת הצידון

gunner *n.* תותחן; קצין תותחנים

gunnery *n.* תותחנות

gun′ny *n.* גוני (בד גס לשקים)

gunpoint *n.* פי־האקדח

at gunpoint באיום אקדח

gunpowder *n.* אבק־שריפה

gunroom *n.* חדר קצינים זוטרים

gun-runner *n.* מבריח נשק

gun-running *n.* הברחת נשק

gunshot *n.* טווח־אש; יריה; כדור

gun′shyʹ *adj.* נבהל מקולות־ירי

gunsmith *n.* נַשק, מתַקן נשק

gun′wale (-nəl) *n.* לוזבז הסירה; שפת הצידון

gur′gle *v.* לגרגר, לבעבע, לפכפך

gurgle *n.* גרגור, בעבוע, פכפוך

guru (goor′ōō) *n.* גורו, מורה

gush *v.* לזרום, לפרוץ, להשתפך

gush over לדבר בהערצה על

gush *n.* התפרצות, זרם

gush′er *n.* באר־נפט

gushing *adj.* משתפך, מלא־הערצה

gush′y *adj.* משתפך

gus′set *n.* חתיכת־בד (שמוסיפים לבגד להרחיבו); מחבר־מתכת

gust *n.* רוח חזקה, משב; התפרצות

gus•ta′tion *n.* טעימה, חוש הטעם

gus′tatoʹry *adj.* של חוש הטעם

gus′to *n.* התלהבות, חשק רב, להיטות

gust′y *adj.* סופתי, סוער, מתפרץ

gut *n.* מעיים; מיתר, גיד

guts מעיים; ★אומץ; תוכן, ערך

I hate his guts ★אני שונא אותו שנאת מוות

gut *v.* להוציא המעיים; לרוקן, להרוס, לכַלות באש

gutless *adj.* פחדן, חסר־אומץ

gutʹta-per′cha *n.* גוטפרשה (חומר כעין גומי המשמש לבידוד)

gut′ter *n.* תעלה, מרזב, גישמה; שכונות עוני

gutter *v.* לבעור, להבליח (לגבי נר, כשהשעווה גולשת)

gutter press עיתונות צהובה

guttersnipe *n.* ילד־רחוב, זאטוט

gut′tural *adj.* גרוני

guv′nor *n.* ★בוס, מנהל־עבודה

guy (gī) *n.* חבל, שרשרת; ★איש, ברנש; בובת־אדם; אדם מגוחך

guy *v.* ללעוג ל־, לעשותו ללעג

guz′zle *v.* לזולל, לשתות, לסבוא

guzzler *n.* זולל, סובא

gym *n.* ★אולם התעמלות; התעמלות

gymkhana (-kä'nə) *n.* ג'ימקנה
gymna'sium (-z-) *n.* אולם התעמלות
gym'nast *n.* מורה להתעמלות, מד"ס
gymnas'tic *adj.* של התעמלות
gymnastics *n-pl.* התעמלות
gy'necolog'ical (g-) *adj.* גיניקולוגי
gy'necol'ogist (g-) *n.* גיניקולוג, רופא־נשים
gy'necol'ogy (g-) *n.* גיניקולוגיה
gyp *n.* ★רמאות, הונאה
give him gyp ★להכאיב, להעניש
gyp *v.* לרמות, להונות
gyp'sum *n.* גבס
gyp'sy *n.* צועני
gy'rate *v.* להסתובב
gy•ra'tion *n.* הסתובבות
gy'ro *n.* ★גירוסקופ
gy'roscope' *n.* גירוסקופ
gyve *n.* שלשלת, כבל
gyves אזיקים, נחושתיים

H

ha (hä) *interj.* אה (קריאה)
ha′be•as cor′pus הביאס קורפוס, צו הבאה (של אסיר לפני שופט)
hab′erdash′er *n.* מוכר בגדי גברים; מוכר מיני סדקית; סדקי
haberdashery *n.* סדקית, גלנטריה
habil′iment *n.* לבוש, תלבושת
hab′it *n.* מנהג, הרגל; תלבושת
fall into bad habits לשקוע בהרגלים רעים
force of habit כוח ההרגל
get out of a habit לנטוש הרגל
habit of mind מצב־רוח
out of habit מתוך הרגל
hab′itable *adj.* ראוי למגורים
hab′itat′ *n.* בית, בית טיבעי, מישכן
hab′ita′tion *n.* מגורים; בית
habit′u•al (-chōō͝əl) *adj.* רגיל; טבעי
habit′u•ate′ (-chōō-) *v.* להרגיל
hab′itude′ *n.* הרגל, מנהג
habit′u•é′ (-chōōā′) *n.* מבקר בקביעות, אורח קבוע
ha′cien′da (hä-) *n.* חווה, אחוזה
hack *v.* לחתוך, להכות, לחטוב, לקצץ
hack *n.* מהלומה; חתך; שיעול יבש
hack *v.* לנהוג במונית, לרכוב
hack *n.* מונית; סוס להשכרה; סוס זקן; כתבן שכיר
hacking cough שיעול יבש
hack′le *n.* נוצת־צוואר
with one's hackles up אחוז־חימה; נכון לקרב, מוכן להיאבק
hack′ney *n.* סוס רכיבה
hackney *v.* להפוך (ביטוי) לנדוש
hackney carriage מונית; כרכרה
hackneyed *adj.* נדוש, חבוט, באנאלי
hacksaw *n.* מסור (לניסור) מתכת
hackwork *n.* עבודה משעממת, כתבנות
had = p of have
had′dock *n.* חמור הים (דג)
Ha′des (-dēz) *n.* גיהינום
hadj′i *n.* חאג' (מוסלמי שביקר במכה)
hadn't = had not (had′ənt)
haemo- = hemo
haft *n.* ידית, ניצב, בית־אחיזה

hag *n.* מכשפה, זקנה, מרשעת
Hagga′da (-gä-) *n.* הגדה; אגדה
hag′gard *adj.* עייף, רע־מראה, כחוש
hag′gis *n.* הגיס (תבשיל סקוטי)
hag′gle *v.* להתמקח, להתווכח
hag′iol′ogy (hag-) *n.* ספרות הקדושים, אגדות הקדושים
hag-ridden *adj.* אחוז סיוטים
ha-ha (hä′hä′) *n.* תעלת־גבול, קיר שקוע
ha-ha *interj.* חה־חה (קול צחוק)
hail *n.* ברד; קריאת שלום, ברכה
hail-fellow-well-met מתיידד מהר
within hail בטווח־שמיעה
hail *v.* לרדת (ברד); להמטיר
it hailed ירד ברד
hail *v.* לברך, לקרוא, להריע
hail a taxi לעצור מונית
hail from לבוא מ־, להיות ביתו ב־
hail him as להכיר בו כ־
hailstone *n.* אבן ברד, כדור ברד
hailstorm *n.* סופת־ברד
hair *n.* שערה, שיער
by a hair's breadth כחוט השערה
curl his hair להפחידו, לסמר שערו
get him by the short hairs ★להשתלט עליו
get in his hair להרגיזו
keep your hair on משול ברוחך
let one's hair down להתנהג בחופשיות
lose one's hair להקריח; לרגוז
make his hair stand on end לסמר שערותיו
not turn a hair לא להניד עפעף
out of one's hair נפטר מטירדה
split hairs לדקדק דקדוקי עניות
tear one's hair למרוט שער ראשו, להימלא צער/זעם
to a hair בדייקנות מרובה
hair-breadth *adj.* כחוט השערה
hairbrush *n.* מברשת שיער
haircut *n.* תספורת
hair-do *n.* תסרוקת
hairdresser *n.* סַפר־נשים, סַפר

hair-dye *n.* צבע־שיער
hairgrip *n.* מכבנה, סיכת־ראש
hairless *adj.* חסר־שיער, קירח
hairline *n.* קו השיער (במצח); קו דקיק, סדק
hairnet *n.* רשת (לשיער)
hair-oil *n.* שמן־שיער
hairpiece *n.* פאה נוכרית, קפלט
hairpin *n.* מכבנה, סיכת ראש
hairpin bend סיבוב חד, פנייה חדה
hair-raising *adj.* מסמר שיער, נורא
hair-restorer *n.* מצמיח שיער
hair shirt כתונת־שיער (לסגפנים)
hair slide סיכת־שיער
hair-splitting *n.* דקדוקי־עניות
hairspring *n.* קפיץ דקיק (בשעון)
hair trigger הדק עדין (המפעיל את כלי־היריה בלחיצה קלה)
hairy *adj.* שעיר; מכוסה שיער
hake *n.* זאב־הים (דג)
hal′berd *n.* חנית (קדומה)
hal′cyon *adj.* שקט, נוח, שליו
hale *adj.* בריא
hale and hearty בריא וחזק
half (haf) *n&adj&adv.* חצי, מחצית; רץ (בכדורגל); לחצאין, בחלקו
by half במידה ניכרת
cut in half לחתוך לשניים, לחצות
do it by halves לעשות חצי עבודה
go halves להתחלק שווה בשווה
half a dozen שש, חצי תריסר
half an eye מבט חטוף
half and half חצי־חצי
half the battle מרבית המלאכה
not half bad כלל לא רע
not half! ∗מאוד! ועוד איך!
one's better half אישתו, פלג־גופו
too clever by half פיקח מאוד
halfback *n.* רץ (בכדורגל)
half-baked *adj.* טיפשי, לא־שקול, דל
half-blood *n.* אח חורג
half-breed *n.* בן־תערובת, בן־כלאיים
half-brother *n.* אח חורג
half-caste *n.* בן־תערובת
half-hardy *adj.* לא־עמיד (בתנאי כפור), חסין בחלקו
half-hearted *adj.* בלי התלהבות
half-holiday *n.* חופשת חצי יום
half-length *adj.* של חצי הגוף העליון
half-mast *adv.* בחצי התורן
half-pay *n.* שכר מוקטן
halfpence *n-pl.* חצאי פני
halfpenny *n.* חצי פני (מטבע)
halfpennyworth *n.* שווה חצי פני
half-seas-over מבוסם למחצה
half-sister *n.* אחות חורגת
half-timbered *adj.* (בית) בעל קירות עץ ואבן
half time הפסקה, מחצית
half-tone *n.* תמונה בשחור־לבן
half-track *n.* זחלם
half-truth *n.* חצי אמת
half-way *adj&adv.* (ממוקם) במחצית הדרך, אמצע; חלקי
meet him halfway להתפשר עמו
half-wit *n.* מטומטם, חסר־שכל
half-witted *adj.* מטומטם, חסר־שכל
hal′ibut *n.* פוטית (דג שטוח)
hal′ito′sis *n.* באשת (ריח רע מהפה)
hall (hôl) *n.* אולם; פרוזדור, הול; חדר־אוכל; מעון; בית, בניין
hall of residence מעון סטודנטים
City Hall בית העירייה
hal′lelu′jah (-yə) *interj.* הללויה
hallmark *n.* סימן, אות; חותמת האיכות (על כלי־זהב)
hallmark *v.* להטביע חותמת על
hallo′ *interj.* הלו!
halloo′ *interj.* הלו! (קריאה לכלבים)
hal′low (-lō) *v.* לקדש, להעריץ
hallowed *adj.* מקודש, קדוש
Hal′loween′ (-ləw-) *n.* ליל כל הקדושים (31 באוקטובר)
hallstand *n.* מקלב
hallu′cinate′ *v.* להזות
hallu′cina′tion *n.* הזיה
hallu′cinato′ry *adj.* של הזיות
hallu′cinogen′ic *adj.* גורם הזיות
hallway *n.* מסדרון, פרוזדור
hal′ma *n.* הלמה (משחק)
ha′lo *n.* הילה, עטרת־אור
halt (hôlt) *v.* לעצור; להסס, לפקפק
halt *n.* עצירה; תחנה; חנייה
call a halt להפסיק, לשים קץ ל־
come to a halt לעצור
halt *adj.* צולע
hal′ter (hôl′-) *n.* אפסר; חבל־תליה
hal′vah (häl′vä) *n.* חלבה
halve (hav) *v.* לחצות, לחלק לשניים; להפחית בחצי
halves = pl of half (havz)
hal′yard *n.* חבל (להנפת דגל/מפרש)
ham *n.* ירך־חזיר, ירך; שחקן רע; אלחוטן חובב

ham *v.* לשחק שלא בטבעיות
ham up לשחק בהגזמה
ham'adry'ad *n.* נמפת-העץ; קוברה
ham'burg'er (-g-) *n.* המבורגר, כריך-בשר
ham-fisted, -handed *adj.* לא-יוצלח, בעל שתי ידיים שמאליות
ham'let *n.* כפר קטן, כפרון
ham'mer *n.* פטיש
come under the hammer להימכר במכירה פומבית
go at it hammer and tongs להילחם בהקרבה, להתווכח בלהט
throwing the hammer זריקת-פטיש
hammer *v.* להכות (בפטיש); להביס
hammer away at להכות בלי הרף; לעבוד קשה על; להדגיש
hammer in להחדיר, לשנן לו
hammer out לרקע, לעצב, לגבש
hammerhead *n.* דג-הפטיש
ham'mock *n.* ערסל
ham'per *v.* לעכב, להכביד
hamper *n.* סל; סל כבסים
ham'ster *n.* אוגר (מכרסם)
ham'string' *v.* לחתוך את מיתר הברך, להטיל מום
hand *n.* יד; כתב-יד; מחוג; 4 אינטשים; קלפים (שבידי שחקן); פועל, מַלח
(come) to hand להתקבל, להגיע
a good hand at מומחה ב-
a heavy hand יד ברזל/קשה
an old hand מנוסה, ותיק
at first hand באופן בלתי אמצעי
at hand קרוב, מתקרב; בהישג יד
at his hands ממנו, בגללו
at second hand באופן בלתי ישיר
at the hands of מפעולת-, מידי-
be in hand לקבל טיפול נאות
bind him hand and foot להותירו אין-אונים, לכבול ידיו ורגליו
bring up by hand לגדל בהזנה מבקבוק
by hand ביד
change hands להחליף בעלים
dirty/soil one's hands ללכלך ידיו, לעשות מעשה מביש
eats out of her hand לשירותה המידי, סר לפקודתה
fight hand to hand להילחם בקרב-מגע
force her hand לאלצה לפעול כרצונו
from hand to hand מיד ליד
from hand to mouth מן היד אל הפה
get a hand לקצור תשואות
get the upper hand לגבור על
give a hand לעזור; למחוא כפיים
give/lend a hand לעזור, להושיט יד
hand in glove (עושים) יד אחת
hand in hand יד ביד
hand over fist/hand מהר מאוד
hands off! אל תיגע! הרף!
hands up! ידיים למעלה!
has a hand in יש לו יד/חלק ב-
has a light hand ידיו קלות
has his hands full עסוק מאוד, עמוס עבודה
have in hand לטפל כיאות ב-
in hand תחת ידו
in the hands of בידי-
keep/get one's hand in להתאמן, לתרגל, לשמור על כושר; לא להזניח
lay hands on לתפוס, לשים יד על
money/cash in hand מזומנים
not do a hand's turn לא לנקוף אצבע
off one's hands פטור מאחריות
on (the) one hand מצד אחד
on all hands מכל עבר
on every hand בכל הכיוונים
on hand זמין, תחת ידו; קרוב, נמצא
on one's hands רובץ עליו (כחובה)
on the other hand מאידך
out of hand תיכף ומיד; מחוץ לשליטה
play a good hand לשחק היטב
play into his hands לשחק לידיו, להקנות יתרון ליריב
put/turn one's hand to לשים ידו על, להתחיל לעבוד ב-, להירתם ל-
raise one's hand להרים יד על
shake his hand ללחוץ ידו
show one's hand לגלות את קלפיו
sit on one's hands לשבת בחיבוק ידיים
take in hand לרסן, לקחת לידיים
throw in one's hand להיכנע
tie his hands לכבול את ידיו
to hand זמין, בהישג-יד
try one's hand לנסות כוחו ב-
wait on him hand and foot לשרתו בכל
wash one's hands of להתנער מ-, לרחוץ בניקיון כפיו
win hands down לנצח בנקל
won her hand הסכימה להינשא לו
hand *v.* לתת, למסור; לעזור

hand around להעביר מיד ליד
hand back להחזיר, למסור בחזרה
hand down למסור; להעביר מדור לדור
hand in למסור, לתת
hand on להעביר הלאה
hand out לחלק, לתת
hand over להסגיר, להעביר
you have to hand it to her ★כל הכבוד לה
handbag *n.* ארנק, תיק
handball *n.* כדור־יד
hand-barrow *n.* מריצה, עגלת־יד
handbill *n.* עלון פרסומת
handbook *n.* ספר שימושי, מדריך
handbrake *n.* בלם־יד, בלם עזר
handcart *n.* עגלת־יד
handclap *n.* מחיאות כפיים
a slow handclap מחיאות כפיים קצובות (להבעת קוצר־רוח)
handcuff *v.* לכבול באזיקים
handcuffs *n-pl.* אזיקים
handful *n&adj.* מלוא־היד, חופן; מעט, לא הרבה; שובב, קשה לשלוט בו
hand-gun *n.* אקדח
hand-hold *n.* מאחז (להיאחז בו)
hand'icap' *n.* מכשול, מגרעת; עמדה נחותה, נטל נוסף (בתחרות)
handicap *v.* להגביל, לעכב
hand'icraft' *n.* מלאכת־יד
hand'iwork' *n.* עבודת־יד, יצירה
hand'kerchief (hang'kərchif) *n.* ממחטה, מטפחת
han'dle *n.* ידית; ★תואר, כינוי
fly off the handle לצאת מכליו
give him a handle against לתת עילה נגד, לספק נשק בידי־
handle *v.* לנגוע, למשש; לטפל ב־, להתייחס ל־; לסחור ב־
handlebars *n-pl.* הגה (של אופניים)
handler *n.* מאמן, מאלף, מפעיל
handloom *n.* נול־יד
hand luggage מזוודות קלות
hand-made *adj.* של עבודת־יד
handmaid *n.* שפחה, עוזרת
hand-me-down *n.* בגד משומש
hand-organ *n.* תיבת־נגינה
hand-out *n.* נדבה, מתנה לעני; תמסיר, הודעה, עלון
hand-over *n.* העברה, מסירה
hand-pick *v.* לבחור, לברור
handrail *n.* מעקה
handshake *n.* לחיצת־יד
hands-off *adj.* לא מתערב
hand'some (han'səm) *adj.* נאה, גברי, מושך; נדיב, הגון; ניכר
handstand *n.* עמידה על הידיים
handwork *n.* עבודת־יד
handwriting *n.* כתב־יד, כתיבה
the handwriting on the wall הכתובת על הקיר
handwritten *adj.* כתוב ביד
hand'y *adj.* שימושי, נוח; זריז, חרוץ; קרוב, לא־רחוק
come in handy להיות לתועלת
handyman *n.* עושה כל מלאכה
hang *v.* לתלות, להיות תלוי
be hung up להידחות; לחוש תסכול
go hang ללכת לעזאזל
hang about/around להסתובב, לחכות באפס מעשה
hang back/off/behind להירתע, לגלות הססנות
hang by a thread/hair (חייו) תלויים לו מנגד
hang fire לפעול באיטיות
hang it! לכל הרוחות!
hang on לאחוז בחוזקה; להישאר על קו הטלפון; להתמיד, להמשיך; לחכות
hang on a minute! חכה רגע!
hang on his lips/words להקשיב בדריכות למוצא־שפתיו
hang on to it להחזיק בו
hang one on ★להלום; לשתות לשכרה
hang out לתלות (כבסים) לייבוש; לגור, להתגורר; לבַלות, להתבטל
hang over לאיים על, לרחף על
hang the head לכבוש פניו בקרקע
hang together לפעול בצוותא, להיות מלוכדים; להתאים, להיות עיקבי
hang up לסיים שיחת־טלפון; להיתקע
hang up a record להציב שיא
hang up on him לטרוק השפופרת
hang wallpaper להדביק טפטים
hanging in the air תלוי ועומד
hangs in the balance תלוי ועומד
I'll be hanged if תיפח רוחי אם
hang *n.* צורת התלייה
get the hang of להבין הרעיון
not care a hang לא איכפת כלל
han'gar *n.* מוסך־מטוסים, האנגאר
hangdog *adj.* נבזה, ביישני
hanger *n.* קולב, מתלה
hanger-on *n.* גרור, טפיל, נדחק
hanging *n.* תלייה, מוות בתלייה

hanging matter פשע שדינו תליה
hangings וילונות, טפטים
hangman *n.* תליין
hang-out *n.* ⋆מקום מגורים
hangover *n.* כאב־ראש, זנבת הסביאה; שרידים, שארית, חמרמורת
hang-up *n.* תיסכול, טראומה; עיכוב
hank *n.* סליל, פקעת חוטים/צמר
han′ker *v.* להשתוקק ל־, לחמוד
hankering *n.* רצון עז, תשוקה
han′ky *n.* ⋆מטפחת, ממחטה
hank′y-pank′y *n.* רמאות, הונאה
Han′sard *n.* רשומות (הפרלמנט)
han′som *n.* כרכרה
hap *v.* לקרות, להתרחש
hap′haz′ard *adj.* מקרי, לא־מתוכנן
hap′less *adj.* אומלל, חסר־מזל
hap′ly *adv.* אולי
hap'orth (hāp′-) *n.* חצי פני
hap′pen *v.* לקרות, להתרחש; להזדמן, לגרום לו מזלו
happen on להיתקל, לפגוש
it happened that/as it happens במקרה, למרבה המזל, אינה הגורל
happening *n.* מקרה, מאורע; הפנינג, אירעון
hap′pily *adv.* בשמחה; למזלו
hap′piness *n.* שמחה, אושר
hap′py *adj.* שמח, מאושר, בר־מזל; קולע, הולם
happy event הולדת בן
happy-go-lucky *adj.* לא־דואג, סומך על המזל
happy medium/mean שביל הזהב
har′akir′i *n.* חרקירי
harangue′ (-rang′) *n.* נאום, תוכחה
harangue *v.* לשאת נאום ארוך
har′ass *v.* להציק, להטריד
harassment *n.* הטרדה; מצוקה
har′binger *n.* מבשר, מודיע
har′bor *n.* נמל, חוף־מבטחים
harbor *v.* להעניק מחסה ל־, להסתיר; לשמור בלב; לטפח; לעגון
harborage *n.* מעגן; חוף־מבטחים
hard *adj.* קשה
as hard as nails קשה כפלדה
be hard on לגלות יחס קשה כלפי
give a hard time לגרום סבל, להציק
hard and fast (חוק) קבוע, נוקשה
hard drink/liquor משקה חריף
hard drinker שתיין, מרבה לשתות
hard feelings תרעומת, טינה
hard nut to crack אגוז קשה
hard of hearing כבד־שמיעה
hard times ימים טרופים
hard water מים קשים
hard words מלים קשות; קשות
play hard to get להעמיד פנים, לשחק
the hard way הדרך הקשה
hard *adv.* קשה, במאמץ, בפרך, בעוז; בצמוד ל־, בסמוך ל־, בעיקבות
be hard hit לספוג מכה קשה
hard at it משקיע בו כל מרצו
hard by קרוב מאוד
hard on/upon מיד אחרי
hard put (to it) במצב קשה
hard up דחוק (בכסף), זקוק ל־
it comes hard to קשה ל־
it goes hard with קשה ל־, אבוי ל־
look hard at להתבונן היטב ב־
hardback *n.* ספר קשה־כריכה
hard-bitten *adj.* קשוח, עקשן
hardboard *n.* לוח עץ (דמוי־דיקט)
hard-boiled *adj.* (ביצה) קשה; קשוח
hardbound *adj.* בעל כריכה קשה
hard cash מזומנים
hard core תשתית, גרעין, יסוד
hard court מגרש טניס (קשה־משטח)
hardcovered *adj.* בעל כריכה קשה
hard currency מטבע קשה
hard′en *v.* להקשות; להתקשות; להקשיח; לחשל; להתחשל
hard-fisted *adj.* חזק; קשוח; קמצן
hard-headed *adj.* מעשי, החלטי
hard-hearted *adj.* קשוח־לב
hard-hitting *adj.* קשה, נמרץ, פעיל
hardihood, hardiness *n.* אומץ, העזה
hard labor עבודת־פרך
hard line עמדה נוקשה, קו תקיף
hard-liner *n.* אינו מתפשר, נוקשה
hard luck/lines מזל רע
hard luck story סיפור המבקש לעורר חמלת השומע
hardly *adv.* בקושי, כמעט שלא; כלל לא, בלתי־הגיוני
hardly ever לעיתים נדירות מאוד
hardly had I arrived when- אך זה הגעתי והנה־
hardness *n.* קושי; מוצקות
hard-nosed *adj.* קשוח
hardship *n.* קושי, מצוקה, סבל
hard shoulder שולי הכביש
hard standing משטח קשה
hard-top *n.* מכונית בעלת גג־מתכת

hardware *n.* כלי־מתכת, כלי בית וגינה; כלי מלחמה; גוף המחשב, חומרה
hardwood *n.* עץ קשה (לרהיטים)
hardy *adj.* חזק, נועז; חסין־קור
hare *n&v.* ארנבת
hare off לרוץ מהר, לברוח
mad as a March hare מטורף, פראי
start a hare לסטות מן הוויכוח, להעלות נושא זר
harebell *n.* פעמונית (כחולת־פרח)
hare-brained *adj.* פזיז, טיפשי
harelip *n.* שפה שסועה
ha′rem *n.* הרמון, נשי ההרמון
har′icot′ (-kō) *n.* סוג של שעועית
hark *v.* לשמוע, להאזין
hark back לחזור לדבר שקרה בעבר
har′lequin *n.* מוקיון, ליצן
har′lequinade′ *n.* מופע המוקיון
har′lot *n.* זונה, פרוצה
harlotry *n.* זנות
harm *n.* נזק, הפסד
come to no harm לא להיפגע
do harm לפגוע, להזיק
means no harm לא מתכוון לפגוע
no harm done לא נורא, אין דבר
out of harm's way מחוץ לכלל סכנה, בחוף מבטחים
harm *v.* להזיק, לפגוע
harmful *adj.* מזיק
harmless *adj.* לא מזיק; תמים, חף
har•mon′ic *n.* צליל הרמוני
har•mon′ica *n.* מפוחית־פה
har•mo′nious *adj.* הרמוני, מתמזג יפה; חיים בהרמוניה
har•mo′nium *n.* הרמוניום (כלי־נגינה)
har′moniza′tion *n.* הירמון
har′monize′ *v.* להרמן; להתהרמן; להתאים; למזג/להתמזג יפה
har′mony *n.* הרמוניה
be in harmony להתאים, לתאום
har′ness *n.* רתמה, כלי־רתמה
die in harness למות בעודו עובד
run/work in double harness לעבוד עם שותף/בן־זוג
harness *v.* לרתום; לנצל (נהר כדי להפיק כוח)
harp *n&v.* נבל (לפרוט על)
harp on לדבר שוב ושוב על
harpist *n.* מנגן בנבל, נבלאי
har•poon′ (-po͞on′) *n.* צלצל
harpoon *v.* להטיל צלצל (בכריש)
harp′sichord′ (-k-) *n.* צ'מבלו

har′py *n.* מפלצת, מרשעת
har′ridan *n.* מרשעת, מכשפה
har′rier *n.* כלב־ציד; רץ למרחקים ארוכים
har′row (-ō) *n.* משדדה
harrow *v.* לשדד; להציק, להכאיב
har′ry *v.* לָבוֹז, להחריב; להטריד, להציק
harsh *adj.* קשה, גס; צורם; אכזרי
hart *n.* צבי, אייָל
ha′rum-sca′rum *adj&n.* פזיז; מבולגן
har′vest *n.* קציר, אסיף; יבול
reap the harvest ליהנות מפרי עמלו, לקטוף את הפירות
harvest *v.* לקצור, לאסוף
harvester *n.* קוצר, אוסף; מקצרה
harvest festival תפילת הודייה (לאחר האסיף)
harvest home חג/חגיגת האסיף
harvest moon ירח מלא (בסתיו)
has = pr of have (haz)
has-been *n.* ⋆מי שהיה, שכוכבו דעך
hash *v.* לקצוץ (בשר)
hash out ⋆לדון ב־, ליישב, להסדיר
hash up ⋆להזכיר, לעורר
hash *n.* בשר קצוץ; ⋆חשיש
make a hash of it לקלקל, לבלבל, לשבש העסק
settle his hash לטפל בו, לחסלו
hash house ⋆מיסעדה זולה
hash′ish *n.* חשיש
hasn't = has not (haz′ənt)
hasp *n.* בריח (הנסגר על חת)
has′sle *n&v.* ⋆ויכוח; לריב
has′sock *n.* כרית (לכריעה)
hast, thou hast = you have
haste (hāst) *n.* חיפזון
make haste להזדרז
has′ten (hā′sən) *v.* למהר, להחיש
ha′sty *adj.* מהיר, נמהר, פזיז
hat *n.* כובע, מגבעת
at the drop of a hat לפתע, מיד
bad hat ⋆אדם רע, טיפוס רע
hang up one's hat לחדול לעבוד
hat in hand בהכנעה, בהתרפסות
hold your hat! היכון להפתעה!
keep under one's hat לשמור בסוד
my hat! שטויות! איני מאמין
old hat ⋆לא באופנה, מיושן
pass the hat round לאסוף תרומות (למען הנזקק)
pull out of a hat לשלוף

מהכובע/מהשרוול
take one's hat off to להסיר הכובע בפני־
talk through one's hat ★לדבר שטויות, לקשקש
hat-band *n.* סרט מגבעת
hatch *n.* פתח בסיפון; דלת, צוהר
under hatches מתחת לסיפון
hatch *v.* לבקוע מביצתו; להיבקע; להדגיר; לתכנן, לזום
hatchback *n.* מכונית דו־שימושית
hatch'ery *n.* מדגרה (לביצי־דגים)
hatch'et *n.* גרזן, כילף
bury the hatchet להשלים, לחדול מריב
hatchet-faced *adj.* ארך־פנים, צר־פרצוף
hatchet man רוצח שכיר; רוצח אופי
hatching *n.* קווים מקבילים, רשת
hatchway *n.* פתח (בסיפון)
hate *v.* לשנוא; ★להצטער
hate *n.* שנאה, איבה
pet hate ★דבר שנוא ביותר
hateful *adj.* שנוא, דוחה, נתעב
hath = has
hatless *adj.* גלוי־ראש
hatpin *n.* סיכת־כובע
ha'tred *n.* שנאה, איבה
hat'ter *n.* כובען
as mad as a hatter מטורף לחלוטין
hat trick ניצחון משולש, שלושער
hau'berk' *n.* שריון קשקשים
haugh'ty (hô'-) *adj.* יהיר, גא, מתנשא
haul *v.* למשוך, לגרור; לשנות כיוון
haul down the colors להיכנע
haul off להרים יד; לנוע פתאום
haul over the coals לנזוף
haul up/in להזמינו להופיע (למשפט)
haul *n.* משיכה, גרירה; מרחק הגרירה; שלל־דיג, שלל־גניבה
long haul כיברת דרך ארוכה; זמן רב, טווח ארוך
haulage *n.* הובלה, משיכה
hauler, haul'ier *n.* מוביל, חברת הובלה
haulm (hôm) *n.* גבעולים
haunch *n.* מותן, ירך, אחוריים
haunt *v.* לבקר תדיר; לפקוד; להציק, להטריד, להדאיג
haunt *n.* מקום ביקורים
haunting *adj.* פוקד, מנקר במוח
haut'boy' (hō'boi) *n.* אבוב

hauteur (hōtûr') *n.* גאוותנות
Havan'a *n.* הבאנה (סיגרייה)
have (hav) *v.* להיות לו, יש לו; לקבל, לקחת; עליו ל־; לגרום, להביא ל־; להרשות, לסבול; "לסדר", לרמות
had better/best מוטב ש־
had I- לו הייתי־
has to do with קשור/עוסק ב־
have a baby ללדת
have a look לראות
have a swim לשחות
have done (with) לחסל; לגמור
have got = have
have him down/up לארחו
have him in להזמינו
have him on לרמותו, לסדר אותו
have in לשמור בבית (מלאי)
have it in for לרחוש טינה ל־
have it off ללמוד על־פה; ★לשכב, לקיים יחסים
have it out ליישב, להסדיר; להוציא, לעקור (שן)
have it over- לעלות על־
have on ללבוש; להיות עסוק/טרוד
have over him ★לעלות עליו ב־
he was had up הועמד לדין
she/rumor has it that היא/השמועה אומרת ש־
you have me there אחד אפס לטובתך
you've been had סידרו אותך
you've had it ★סידרו אותך; מספיק לך, די! הרי לך!
I have (got) to אני חייב ל־, עלי ל־
I have it! מצאתי! זהו!
I won't/can't have it לא אסבול זאת
I would have you know ברצוני שתדע
I've (got) a pen יש לי עט
have *n.* רמאות; "סידור"
the have-nots העניים
the haves העשירים
ha'ven *n.* נמל, חוף מבטחים
haven't = have not (hav'ənt)
hav'ersack' *n.* תרמיל
hav'oc *n.* הרס, אנדרלמוסיה
cry havoc לתת האות לביזה והרס
play havoc with לעשות שַׁמות ב־
haw *n.* עוזרד; חה! (קול צחוק)
hawk *n.* נץ
hawk *v.* לעסוק ברוכלות; להפיץ
hawker *n.* רוכל

hawk-eyed *adj.* חד־ראייה
haw'ser (-z-) *n.* חבל, כבל
haw'thorn' *n.* עוזרד
hay *n.* חציר, שחת, מספוא
hit the hay ללכת לישון★
it ain't hay זה סכום נכבד★
make hay להפוך השחת (לייבוש)
make hay of לבלבל, להטיל מבוכה
make hay while the sun shines להכות על הברזל בעודו חם
haycock *n.* ערימת שחת
hay fever קדחת השחת
hay-fork *n.* קלשון
hay-maker *n.* מכין מספוא; מהלומה
hayrick *n.* ערימת־שחת
haystack *n.* ערימת־שחת
haywire *n.* חוט (לאגירת) שחת
go haywire להשתגע, להשתבש
haz'ard *n.* סכנה, סיכון; משחק־מזל
at all hazards חרף כל הסיכונים
hazard *v.* לסכן; להעז, להסתכן ב־
haz'ardous *adj.* מסוכן, כרוך בסכנה
haze *n.* אובך, ערפל; טשטוש
haze *v.* להציק, להשפיל (טירון)
ha'zel *n.* אילסר, אגוז; חום־אדמדם
ha'zy *adj.* מעורפל, אביך; מבולבל
H-bomb *n.* פצצת מימן
hcf = highest common factor
he (hē) *pron&adj.* הוא; זָכָר
he who מי ש־, האיש אשר
head (hed) *n.* ראש
a bad head כאב ראש
a good head for כישרון ל־
a head of cabbage קולס כרוב
a swelled head מנופח, גא
above my head למעלה מהשגתי
at the head of the בראש ה־
beat into his head להחדיר לראשו
bite his head off לדבר עמו בכעס
bring on one's head להביא על עצמו, להמיט על ראשו
bring/come to a head להביא/להגיע לנקודת משבר
bury one's head in the sand לטמון ראשו בחול
cannot make head or tail of לא מבין כלום ב־, לא מוצא ידיו ורגליו
give him his head להניח לו לעשות כאוות־נפשו
go over his head לעקפו
go to one's head להסתחרר, להשתכר (מהצלחה)
has his head in the clouds ראשו בעננים
head and shoulders above משכמו ומעלה
head of a bed מראשות המיטה
head of hair רעמת שיער
head over heels in- שקוע ב־
heads or tails? פנים או אחור? (בהטלת מטבע)
heads up! שימו לב! זהירות!
it cost him his head זה עלה לו בחייו
keep one's head להישאר שליו
keep one's head above water להתקיים על הכנסתו, לא לשקוע בחובות, לא להסתבך
laugh/shout one's head off לצחוק/לצרוח בלי הרף
lose one's head לאבד עשתונותיו
make head against לעמוד יפה נגד
off one's head מטורף, יצא מדעתו
off the top of one's head מבלי לחשוב, במהירות
out of one's head יצא מדעתו
over his head מעל לראשו, עוקפו
over one's head נשגב מבינתו
per head לגלגולת, לכל אחד
put heads together להיוועץ, לשבת על המדוכה
put it into his head להעלות לו (רעיון)
put it out of his head להשכיח מלבו, להוציא מראשו
standing on one's head בקלות
take it into one's head להחליט לפתע, להאמין
talk his head off לעייפו במלים
the head on beer קצף של בירה
turn his head לסחרר את ראשו
2 a head 2 לכל אחד
25 head of cattle 25 ראשי־בקר
head *adj.* ראשי, עיקרי
head *v.* להוביל, לעמוד בראש
head a ball לנגוח כדור
head for לנוע בכיוון־; להזמין
head for the hills להימלט
head off למנוע, לחסום; להפנות הצידה
head out to להועיד פניו אל
head up להוביל
headache *n.* כאב ראש
headband *n.* סרט, סרט־מצח
headcheese *n.* בשר־חזיר
headdress *n.* שביס, כיסוי ראש

headed *adj.* בעל ראש
empty-headed נבוב, ריק מדעת
header *n.* קפיצת ראש; נגיחה
headfirst *adv.* בראש נטוי קדימה; בקלות־דעת; בחיפזון
head′gear′ (hed′gir) *n.* כובע
head-hunter *n.* עורך ראשים; צייד־כשרונות
heading *n.* כותרת, ראש
headlamp *n.* פנס קדמי
headland *n.* כֵּף, לשון יַבָּשָׁה
headless *adj.* חסר־ראש
headlight *n.* פנס קדמי
headline *n.* כותרת
headlines עיקר החדשות
headlong *adj.* פזיז, חפוז
headlong *adv.* בראש נטוי קדימה; בקלות דעת; בחיפזון
headman *n.* מנהיג, ראש
headmaster *n.* מנהל, מורה־מנהל
headmistress *n.* מנהלת
head-on *adj.* חזיתי, פנים אל פנים
headphone *n.* אוזנית
headpiece *n.* קסדה; שכל, מוח; כותרת מעוטרת
headquarters *n.* מפקדה, מטה
head-rest *n.* משען־ראש
headroom *n.* מרווח־גובה
headset *n.* מערכת אוזניות
headship *n.* ראשות, מנהלות
head shrinker *n.* פסיכיאטר
headstall *n.* רתמת־ראש, רסן
head start יתרון, מיקדם, "פור"
headstone *n.* אבן הראשה, מצבה
headstrong *adj.* עקשן
headway *n.* התקדמות
make headway להתקדם
headwind *n.* רוח נגדית
headword *n.* מלה ראשית, ערך
heady (hed′i) *adj.* פזיז, קל־דעת; מסחרר, משכר
heal *v.* לרפא; להירפא; להגליד
heal over/up להירפא
healer *n.* מְרַפֵּא, תרופה
health (helth) *n.* בריאות
clean bill of health תעודת בריאות
drink his health/a health to להרים כוס לכבוד", לשתות לחיי־
in poor health בבריאות לקויה
healthful *adj.* מבריא, יפה לבריאות
healthy *adj.* בריא
heap *n.* ערימה
a heap/heaps of ⋆המון, רב
heaps better ⋆הרבה יותר טוב
heaps more ⋆הרבה, עוד המון
lying in a heap מגובב בערימה
struck/knocked all of a heap ⋆נדהם, מבולבל
heap *v.* לערום, לצבור; למלא, לגדוש
heap on him להרעיף/להמטיר עליו
heap up לצבור, לאסוף, לערום
hear *v.* לשמוע
hear about/of לשמוע על
hear from him לשמוע ממנו, לקבל מכתב ממנו
hear me out שמעני עד תום
hear! hear! שמעתם?
I won't hear of it איני רוצה לשמוע על כך, לא בא בחשבון!
I've heard tell of שמעתי, אומרים
hearer *n.* שומע, מאזין
hearing *n.* שמיעה; טווח שמיעה; דיון, משפט
gain a hearing לזכות לאוזן קשבת
give him a fair hearing לאפשר לו להסביר עמדתו
hard of hearing כבד־שמיעה
out of hearing מחוץ לטווח־שמיעה
within hearing בטווח־שמיעה
hearing aid מכשיר־שמיעה
heark′en (härk′-) *v.* להקשיב
hear′say′ *n.* שמועה, דיבורים, רכילות
hearsay evidence עדות מפי השמועה
hearse (hûrs) *n.* קרון־המת
heart (härt) *n.* לב
a man after my own heart איש כלבבי
at heart בתוך־תוכו, בעומק לבו
break his heart לשבור את לבו
by heart בעל־פה
couldn't find it in his heart לא מלאו ליבו
cry one's heart out למרר בבכי
do one's heart good להרנין ליבו
eat one's heart out לאכול את עצמו
from the bottom of my heart מעומק לבי
get to the heart of the matter להיכנס לעובי הקורה
had his heart in his mouth פג לבו, פרחה נשמתו
had the heart מלאו לבו, העז
have a heart! רחם!
have it at heart לדאוג לכך בכל לבו,

לגלות עניין רב בדבר
have one's heart in להתעניין ב־
לחבב
heart and soul בלב ונפש
heart of gold לב זהב
heart of stone לב אבן
heart's blood דם־לבו, חיים
his heart bled לבו שתת דם
his heart is in the right place הוא
בעל לב טוב
his heart sank נפל ליבו
his heart stood still דמו קפא בעורקיו
in one's heart of hearts בעמקי־לבו
lose heart להתייאש, ליפול ברוחו
lose one's heart to להתאהב ב־
open heart לב פתוח, לב רחב
open one's heart לפתוח סגור־ליבו
out of heart במצב רע; מדוכדך
set one's heart to להשתוקק ל־
take heart לקוות, לאזור עוז
take it to heart לקחת ללב
the heart of- לב־, תוך־
to one's heart's content כאוות־נפשו
with all my heart בכל לבי
wore his heart on his sleeve הפגין
רגשותיו ברבים
heartache *n.* כאב לב
heart attack התקף לב
heartbeat *n.* דופק, פעימת־הלב
heartbreak *n.* שברון־לב
heart breaker שוברת לבבות
heartbreaking *adj.* שובר לב
heartbroken *n.* שבור־לב
heartburn *n.* צרבת
heart disease מחלת לב
-hearted בעל לב־
broken-hearted שבור־לב
heart′en (härt′-) *v.* לעודד
heart failure אי ספיקת הלב
heartfelt *adj.* עמוק, כן, רציני
hearth (härth) *n.* אח, מוקד, סביבת
האח, מחיצת האח; בית, משפחה
hearth-rug *n.* שטיחון־האח
heartily *adv.* בכל־לב, במרץ; מאוד
heartily sick of נמאס לו מ־
heartless *adj.* חסר־לב, אכזרי
heart-rending *adj.* קורע לב
heart-searching *n.* חשבון נפש
heartstrings *n-pl.* מיתרי הלב
touch his heartstrings לנגוע עד לבו
heartthrob *n.* ★קוטל נשים
heart-to-heart *adj.* גלוי־לב,

מלב־אל־לב
heart-whole *adj.* שלבו לא נכבש, לא
מתאהב (בנשים)
heartwood *n.* ליבה, לב העץ
hearty *adj.* לבבי, כן, בריא, חזק
a hearty appetite תיאבון בריא
a hearty meal ארוחה הגונה
heat *n.* חום, להט; תחרות מוקדמת
dead heat מירוץ תיקו
in heat/on heat בעונת הייחום
in the heat of the- בלהט ה־
heat *v.* לחמם; להתחמם
heated *adj.* מחומם, לוהט; זועם
heater *n.* תנור
heat-flash *n.* גל־חום (הנפלט מפצצה)
heath *n.* שדה־בור; שיח, אברש
hea′then (-dh-) *n.* ;עובד־אלילים
ברברי, פרא־אדם
heathenish *adj.* של עובדי־אלילים
heath′er (hedh′-) *n.* אברש (שיח)
heather-mixture *n.* אריג מגוון
heating *n.* הסקה, חימום
heat pump משאבת חום
heat shield מגן חום (על חללית)
heat spot תפיחת־חום (בעור)
heat stroke מכת־חום
heat wave גל־חום, שרב
heave *v.* להרים, למשוך; להתרומם
ולשקוע קצובות; להוציא; ★לזרוק
heave a sigh לפלוט אנחה
heave at/on למשוך
heave ho! משכו! (קריאת מלחים)
heave in view/sight להתגלות לעין
heave up להקיא, לפלוט
the ship hove to הספינה עצרה
heave *n.* הרמה, משיכה; התרוממות
heav′en (hev′-) *n.* שמיים; אושר,
גן־עדן; אלוהים
go to heaven להסתלק לעולם האמת
move heaven and earth להרעיש
עולמות, לא לנוח ולא לשקוט
Good Heavens! !אלי שבשמיים
Heaven forbid! !ישמרנו האל
heavenly *adj.* שמימי; ★נפלא
heavenly bodies גרמי השמיים
heaven-sent *adj.* ,השגחי, משמיים
בעיתו
heavenwards *adv.* השמיימה
heav′y (hev′i) *adj&adv.* כבד; קשה
drink heavily להרבות בשתייה
hang heavy לעבור לאט (כגון זמן)
heavy crop יבול רב/מבורך

heavy going קשה, כבד, משעמם
heavy heart לב כבד
heavy news חדשות רעות
heavy sea ים גועש
heavy sky שמיים קודרים
heavy smoker מרבה לעשן, עשנן
heavy water מים כבדים
lie/hang heavy on להכביד על
play the heavy father לשחק את תפקיד האב הקפדן
heavy *n.* טיפוס רע (במחזה)
heavy-duty *adj.* עמיד, חזק
heavy-footed *adj.* כבד־צעד, מסורבל
heavy-handed *adj.* מגושם, כבד־תנועה; מכביד ידו
heavy-hearted *adj.* עצוב, מדוכא
heavy industry תעשייה כבדה
heavy-laden *adj.* עמוס לעייפה, כורע תחת נטל
heavy-set *adj.* חסון, מוצק
heavyweight *n.* משקל כבד
heb•dom′adal *adj.* שבועי
He•bra′ic *adj.* עברי
He′brew (-broo) *adj&n.* עברי, יהודי; עברית
hec′atomb′ (-toom) *n.* טֶבַח, זבח
heck *interj.* ★לעזאזל!
heck′le *v.* להפריע, לשסע (נואם)
hec′tare *n.* הקטאר (10 דונמים)
hec′tic *adj.* קדחתני, אדמומי, סמוק
hec′to- (תחילית) מאה
hec′tor *v.* להציק, לנגוש; להתרברב
he'd = he had, he would (hēd)
hedge *n.* גדר־שיחים, משוכה
a hedge against- הגנה בפני, סייג
hedge *v.* לגדור, לתחום, להגביל; להתחמק (מתשובה ברורה)
hedge around/in להקיף, להגביל
hedge one's bets להמר בזהירות, לבטח עצמו מפני הפסד
hedge′hog′ (hej′hôg) *n.* קיפוד
hedgehop *v.* להנמיך טוס
hedgerow *n.* שדירת־שיחים, משוכה
he′donism′ *n.* הדוניזם, נהנתנות, רדיפת תענוגות, תענוגנות
he′donist *n.* הדוניסט, נהנתן
hee′bie-jee′bies (-bēz) *n-pl.* ★עצבנות, סמרמורת
heed *v.* להקשיב ל־, לשים לב ל־
heed *n.* תשומת־לב
give/pay heed לשים לב, להשגיח
take heed of לשים לב, להשגיח
heedful *adj.* מקשיב, שם לב ל־
heedless *adj.* לא זהיר, מזלזל
hee′haw′ *n.* נעירת חמור; צחוק גס
heel *n.* עָקֵב; נָבָל, אדם שפל
at/on his heels בעיקבותיו
bring to heel להכניע, להשתלט
come to heel ללכת בעקבות; להיכנע, לציית
cool/kick one's heels להיאלץ לחכות
down at heel משופשף עקבים, לבוש בלואים, מוזנח
kick up one's heels לכרכר, להתפרק בשמחה
lay by the heels לעצור, לכלוא
set back on his heels להדהימו
show a clean pair of heels לברוח
take to one's heels לברוח
turn on one's heel לפנות אחורה פתאום, לשוב על עקביו
under the heel of נרמס, משועבד
heel *v.* להתקין עקב על (נעל); לצעוד בעיקבות
heel over לנטות על הצד (אונייה)
well-heeled ★עשיר
hef′ty *adj.* גדול, חזק, כבד
he•gem′ony *n.* הגמונייה, מנהיגות
Heg′ira, Hej′ira *n.* הג'רה (בריחת מוחמד ב־622 לסה"נ)
heif′er (hef′-) *n.* עגלה, פרה רכה
heigh′-ho′ (hā′-) *interj.* הו! (קריאה)
height (hīt) *n.* גובה, רום; שיא
at/in the height of בשיא ה־
mountain heights מרומי ההר
heighten *v.* להגביה; לגדול; להגביר
hei′nous (hā′-) *adj.* נתעב, שפל
heir (ār) *n.* יורש
heir apparent יורש מוחלט/ודאי
heir presumptive יורש על תנאי
heir to the throne יורש־עצר
heiress *n.* יורשת
heir′loom′ (ār′loom) *n.* נכס משפחתי (מורש מדור לדור)
held = p of hold
hel′icop′ter *n.* מסוק, הליקופטר
hel′iograph′ *n.* הליוגרף
he′liotrope′ *n.* עוקץ־העקרב (צמח)
hel′iport′ *n.* מינחת־מסוקים
he′lium *n.* הליום (גאז)
hell *n.* גיהינום; ★לעזאזל, ארור
(by) hell! לעזאזל!
a hell of a- ★ועוד איך, נורא
come hell or high water יקרה אשר

יקרה, באש ובמים
for the hell of it ⋆בשביל הכיף
give hell ⋆לתת מנה הגונה
go to hell! לך לעזאזל!
hell for leather ⋆מהר מאוד
like hell! בוודאי שלא!
play hell with לגרום נזק ל־
what the hell מה, לכל הרוחות־
work/run like hell ⋆לעבוד/לרוץ כמו משוגע
he'll = he will/shall (hēl)
hell-bent *adj.* נחוש בדעתו, נמהר, פזיז
hellcat *n.* מכשפה, מרשעת
Hel'lene *n.* יווני
Hel•len'ic *adj.* יווני
hell'ish *adj.* נורא, איום, שטני
hello'! הלו!
helm *n.* הגה (של ספינה/שלטון)
hel'met *n.* קסדה
helmeted *adj.* חבוש קסדה
helmsman (-z-) *n.* הגאי, תופס ההגה
hel'ot *n.* עבד; נחות־מעמד
help *n.* עזרה, סיוע, עזר; תועלת; עוזר, עוזרת; משרתות
help! הצילו!
is of some help עוזר, מועיל
there's no help for it אין למנוע זאת, אין תרופה לכך
help *v.* לעזור, לסייע; לרפא, לתקן
can't help saying לא יכול שלא לומר, חייב לומר
help oneself להתכבד, לקחת
help out להושיט עזרה, לחלץ
help up/down לעזור לעלות/לרדת
it can't be helped אין למנוע זאת
not do more than one can help לעשות רק את המינימום
so help me (God) חי נפשי!
I can't help it זו לא אשמתי, אין בידי למנוע זאת
helpful *adj.* עוזר, מועיל
helping *n.* מנה (בארוחה)
helpless *adj.* חסר־ישע; אין אונים
help'mate', -meet' *n.* בת־זוג, אישה
hel'ter-skel'ter *adv.* בבהילות, בחיפזון; תוך אי־סדר
helter-skelter *n.* מגלשה לוליינית
helve *n.* ידית (הגרזן)
hem *n.* שפה, שולי־הבגד
hem *v.* לעשות שוליים, לשפות (בגד)
hem in/around להקיף, לכתר
hem *interj.* המ־, (קול המהום)
hem *v.* להמהם, לגמגם
hem and haw לגמגם, לכחכח, להסס
he-man *n.* גבר, גבר חסון
hem'isphere' *n.* חצי־כדור (הארץ)
Western hemisphere העולם החדש
hemline *n.* קו השוליים, אורך השימלה
raise the hemline לקצר השמלה
hem'lock' *n.* ראש, רוש (צמח רעלי)
he'moglo'bin *n.* המוגלובין
he'mophil'ia *n.* דממת, המופיליה
he'mophil'iac' *adj.* סובל מדממת
hem'orrhage (-rij) *n.* דימום
hem'orrhoid' (-roid) *n.* טחורים
hemp *n.* קנבוס, חשיש
hempen *adj.* של קנבוס
hemstitch *n.* שיפוי (בשולי הבד), מישלפת
hen *n.* תרנגולת; נקבה (בעוף)
hen'bane' *n.* שיכרון (צמח רעלי)
hence *adv.* לכן, לפיכך, מכאן; מעתה, מהיום
a year hence בעוד שנה
henceforth *adv.* מעתה ולהבא
henceforward *adv.* מעתה ולהבא
hench'man *n.* חסיד נלהב, גרור
hen-coop *n.* לול
hen house לול, בית־עופות
hen'na *n.* חינה; חום־אדמדם
hen'naed (-nəd) *adj.* צבוע בחינה
hen party ⋆מסיבת נשים
hen'peck' *v.* לרדות (בבעל)
hep *n.* ⋆בקי, מעודכן בנעשה
hep'ati'tis *n.* דלקת הכבד
hep'tagon' *n.* משובע, משובע־צלעות
her *pron.* שלה; אותה; לה
her'ald *n.* שליח, רץ, מבשר, אחשתרן; רשם שלטי־הגיבורים
herald *v.* לבשר (את בוא־)
her•al'dic *adj.* של שלטי־גיבורים
her'aldry *n.* מדע שלטי־הגיבורים
herb *n.* עשב; צמח תבלין
her•ba'ceous (-shəs) *adj.* עשבוני, לא מעוצה
herb'age *n.* עשב, דשא־עשב; ירק
herb'al *adj.* עשבוני, של עשב
herb'alist *n.* עשבונאי
her•biv'orous *adj.* אוכל עשב
Her'cu•le'an *adj.* של הרקולס, אדיר
herd *n.* עדר; ההמון; רועה
cow-herd רועה בקר
herd *v.* להתאסף; לקבץ; לנהוג עדר
herdsman *n.* רועה

here *adv.* כאן, פה; הִנֵּה, הרי; הֵנָּה
here and now מיד, פה ועכשיו; היום
here and there פה ושם
here goes! הבה ננסה! קדימה!
here there and everywhere בכל מקום
here you are בבקשה, הא לך
here's to you לחיים!
look here שים לב, ראה נא
near here קרוב לכאן, בסביבה
neither here nor there לא לעניין, לא חשוב
this man here האיש הזה
here'about(s)' (hir'-) *adv.* בקרבת מקום, בסביבה
here'af'ter (hir'-) *n&adv.* העולם הבא; בעתיד, בעולם הבא
here'by' (hir'-) *adv.* בזאת (הנני־)
her'edit'ament *n.* נכס בר־הורשה; ירושה
hered'itar'y (-teri) *adj.* תורשתי
hered'ity *n.* תורשה, ירושה
here'in' (hir'-) *adv.* בזה, בזאת, כאן
here'in•af'ter (hir'-) *adv.* להלן
here'of' (hirov') *adv.* של זה, השייך לזה
her'esy *n.* כפירה
her'etic *n.* כופר
heret'ical *adj.* כופר, אפיקורסי
here'to' (hirtōō') *adv.* לזאת; עד כה
here'tofore' (hir'-) *adv.* עד כה, בעבר
here'un'der (hir'-) *adv.* להלן
here'upon' (hir'-) *adv.* בזה, על כך; בנקודה זו, ברגע זה; אחר כך
here'with' (hir'-) *adv.* בזה, במצורף
her'itable *adj.* עובר בירושה, תורשתי
her'itage *n.* ירושה, נחלה
her•maph'rodite' *n.* אנדרוגינוס
her•maph'rodit'ic *adj.* אנדרוגיני
her•met'ic *adj.* הרמטי, אטום, חתום
her'mit *n.* נזיר
her'mitage *n.* בית־הנזיר
her'nia *n.* שבר, בקע
he'ro *n.* גיבור
he•ro'ic *adj.* הירואי, נועז; כביר, גדל־ממדים; מליצי, מנופח
heroic poem שיר גיבורים
heroics *n-pl.* עתק, מליצות נבובות
her'o•in *n.* הרואין (סם משכר)
her'o•ism' *n.* גבורה, הירואיות
her'on *n.* אנפה (עוף)
heronry *n.* מקום קינון אנפות
her'pes (-pēz) *n.* שלבקת (מחלה), בֶּרֶץ
Herr (her) *n.* מר, אדון
her'ring *n.* מליח, דג מלוח
red herring מסיח דעת (דבר המועלה כדי להסיח הדעת מהנושא)
herringbone *n.* דגם שדרת דג, דגם קווים מזוגגים
hers (-z) *pron.* שלה; השייך לה
her•self' *pron.* (את־/ל־/ב־/מ־) עצמה
by herself לבדה, בעצמה
she herself היא בעצמה
she's not herself חל בה שינוי, אין להכירה, אינה כתמול שלשום
hertz *n.* הרץ (יחידת־תכף)
he's = he is, he has (hēz)
hes'itance, -cy (-z-) *n.* הססנות
hes'itant (-z-) *adj.* מהסס, הססן
hes'itate' (-z-) *v.* להסס, לפקפק
hes'ita'tion (-z-) *n.* היסוס
Hes'perus *n.* נוגה (כוכב)
hes'sian (-shən) *n.* אריג עבה, בד יוטה; נעל גבוהה
het'erodox' *adj.* אפיקורסי, כופר
het'erodox'y *n.* כפירה
het'eroge'ne•ous *adj.* הטרוגני, לא־אחיד, מגוון
het'erosex'ual (-sek'shōōəl) *adj.* הטרוסקסואלי, נמשך אל המין הנגדי
het-up' *adj.* נרגש, נלהב
heu•ris'tic (hyoo-) *adj.* (לגבי למידה) מתוך ניסיון, המתגלה לתלמיד בכוחות עצמו
hew (hū) *v.* לקצץ, לכרות, לחצוב
hew down a tree לכרות עץ
hew one's way לפלס דרכו
hew out לחצוב; לבנות בעמל רב
hewer *n.* חוטב עצים; כורה פחם
hex *n.* כישוף
hex'agon' *n.* משושה (מצולע)
hex•ag'onal *adj.* בעל שש צלעות
hex'agram' *n.* מגן דוד
hex•am'eter *n.* הקסמטר (שורה בעלת 6 קצבים)
hey (hā) *interj.* היי! הלו!
hey'day' (hā'-) *n.* פסגה; שעת הפריחה, תקופת השגשוג
hey presto! הוקוס פוקוס! (קריאת הקוסם)
hi (hī) *interj.* היי! הלו!
hi•a'tus *n.* פרצה, חור; הפסקה, פעירה
hi'bernate' *v.* לחרוף, לישון במשך החורף

hi′berna′tion *n.* חריפה
Hi•ber′nian *adj.* אירי
hi•bis′cus *n.* היביסקוס (שיח)
hic′cup, hic′cough (-kup) *n.* שיהוק; שהקת
hiccup, hiccough *v.* לשהק
hick *n.* ⋆כפרי, קרתני, בער
hick′ory *n.* אגוז אמריקני
hid = pt of hide
hid′den = pp of hide חבוי, כמוס
hide *v.* להחביא, להסתיר; להתחבא
hide one's face לכבוש פניו בקרקע
hide oneself להתחבא, להסתתר
hide *n.* מחבוא, מקום מעקב (אחרי חיות); עור (של חיה); ⋆עור אדם
have his hide ⋆להענישו קשות
neither hide nor hair of him ⋆אין סימן ממנו, והילד איננו
save one's hide להציל את עורו
tan his hide להלקותו
hide-and-seek *n.* מחבואים (מישחק)
hide-away *n.* ⋆מקלט, מחבוא
hidebound *adj.* צר־אופק, מאובן־דיעות, שמרן; קשה־עור
hid′e•ous *adj.* נתעב, זוועתי, נורא
hide-out *n.* ⋆מקלט, מחבוא
hiding *n.* הסתתרות, מחבוא; ⋆מלקות
hie (hī) *v.* למהר, להזדרז
hi′erar′chy (-ki) *n.* היראַרכיה
hi′eroglyph′ *n.* הירוגליף, כתב־החרטומים; כתב לא־ברור
hi′eroglyph′ic *adj.* של הירוגליפים
hi′eroglyph′ics *n.* הירוגליפים
hi′-fi′ = high fidelity
hig′gledy-pig′gledy (-gəldi-gəldi) בערבוביה
high (hī) *adj.* גבוה, רם; נעלה, אצילי; ⋆שיכור, מסומם
high and dry חסר־ישע, נטוש
high and mighty רברבן
high circles חוגים רמי־דרג
high color סמוק, אדמדם
high food מזון מקולקל
high sign רמז, ברכה, אזהרה
high society החברה הגבוהה
high spirits מצב־רוח מרומם
high summer אמצע הקיץ
high wind רוח עזה
it's high time הגיע הזמן ש־
you'll be for the high jump יתלו אותך
high *adv.* גבוה, למעלה
aim/fly high לשאוף לגדולות
feelings ran high הרגשות נשתלהבו, היצרים התחממו
flying high ⋆ברקיע השביעי, מאושר
high and low בכל מקום
hold one's head high להפגין גאווה/זקיפות־קומה
live high לחיות חיי־מותרות
high *n.* מרומים; הילוך גבוה
reach a new high לשבור שיא
highball *n.* ויסקי עם סודה
highborn *adj.* מיוחס, בן־ייחוס
highboy *n.* ארון־מגרות (גבוה)
highbrow *n.* ידען, איש־רוח, סנוב
highchair *n.* כיסא גבוה (לתינוק)
High Church הכנסייה הגבוהה
high-class *adj.* מצוין; ממעמד רם
high commissioner נציג, שגריר
high court בית משפט עליון
highdays *n-pl.* חגים
higher-ups *n-pl.* החלונות הגבוהים
high explosive חומר־נפץ מרסק
high-falu′tin *adj.* ⋆מנופח עד־כדי גיחוך, מנסה להרשים
high fidelity נאמנות מרבית, (הקלטה) נאמנה למקור
high-flown *adj.* מליצי, מנופח
high-flyer *n.* שואף לגדולות
high-flying *adj.* שאפתני
high-grade *adj.* מעולה, מצוין
high-handed *adj.* ביד קשה
high-hat *v&adj.* להתנשא, לנהוג זילזול ב־; סנובי
high′jack′ (hī′-) *v.* לחטוף (מטוס)
high jump קפיצת־גובה
high-keyed *adj.* נלהב, חמום־מזג
highland *n.* רמה, איזור הררי
Highlander *n.* תושב רמות סקוטלנד
Highlands *n-pl.* רמות סקוטלנד
high-level *adj.* רם־דרג
high life חיי מותרות, רמת חיים גבוהה; ריקוד מערב־אפריקני
highlight *n.* מִבְהָק (חלק מבהיק בתמונה); פרט בולט; עיקר
highlight *v.* להבליט, להדגיש
highly *adv.* מאוד, במידה רבה
highly paid יקר; משתכר יפה
speak highly of להפליג בשבחו
highly-strung *adj.* עצבני, מתוח
High Mass מיסה גדולה (תפילה)
high-minded *adj.* בעל עקרונות נעלים, אציל־רוח

highness *n.* גובה, רום; אצילות
Your Highness הוד מעלתך
high-pitched *adj.* (קול) צרחני, גבוה
high pitched roof גג חד־שיפוע
high-powered *adj.* רב־כוח; נמרץ
high-pressure *adj.* של לחץ גבוה; נמרץ
high-priced *adj.* יקר
high priest כומר ראשי
high-principled *adj.* נעלה־עקרונות
high-ranking *adj.* בכיר, רם־דרג
high-rise *adj.* של בניין רב־קומות, גבוה
highroad *n.* כביש ראשי, דרך
high school בי"ס תיכון
high seas לב־ים, מחוץ למי־החופין
high season עונה בוערת (בעסקים)
high-sounding *adj.* מנופחת, יומרני
high-speed *adj.* מהיר
high-spirited *adj.* אמיץ; עליז, מלא־חיים
high spot מאורע בולט, חוויה
high street רחוב ראשי
high table שולחן אוכל (למרצים)
hightail *v.* ★לנהוג במהירות, למהר
high tea ארוחת ערב מוקדמת, ארוחת מינחה
high-tension *adj.* בעל מתח גבוה
high tide גיאות הים
high-toned *adj.* גבוה, אצילי, מכובד
high treason בגידה (במולדת)
high-up *n.* חשוב, רם־דרג
high water גיאות הים
high water mark שיא, גולת הכותרת
highway *n.* כביש ראשי; דרך
highway robbery שוד לאור היום
Highway Code חוקי התנועה
highwayman *n.* שודד דרכים
hi'jack' *v.* לחטוף (מטוס); לגזול
hijack *n.* חטיפה
hijacker *n.* חוטף (מטוס)
hike *v.* לטייל, לצעוד; ★להעלות, להרים
hike *n.* טיול
hiker *n.* מטייל
hila'rious *adj.* עליז, שמח; מצחיק
hila'rity *n.* עליזות
hill *n.* גבעה; תלולית; שיפוע, מעלה
go over the hill לברוח (ממאסר)
over the hill כבר אינו חזק/פעיל
hill'bil'ly *n.* ★כפרי, איכר, בור
hill'ock *n.* תלולית, גבעונת
hillside *n.* צלע גיבעה
hilly *adj.* רב־גבעות, משופע

hilt *n.* ניצב־החרב, ידית
up to the hilt לגמרי; עד צוואר
him *pron.* אותו; לו; ★הוא
himself' *pron.* (את־/ל־/ב־/מ־) עצמו
by himself לבדו, בעצמו
he himself בכבודו ובעצמו
he's not himself חל בו שינוי, אין להכירו, אינו כתמול שילשום
hind (hīnd) *adj.* אחורי, שמאחור
hind *n.* איילה, צבייה
hin'der *v.* לעכב; להפריע; למנוע
hindmost *adj.* האחרון, אחורני
hindquarters *n-pl.* החלקים האחוריים (בגוף בע"ח)
hin'drance *n.* עיכוב, מעצור
hindsight *n.* ראייה לאחור, חכמה שלאחר מעשה
Hin'du (-dōō) *n.* הודי
Hinduism *n.* הינדואיזם
hinge *n&v.* ציר; לתלות (דלת) על צירים
it hinges on- זה תלוי ב־
hint *n.* רמז, סימן קל; עצה
broad hint רמז שקוף
take a hint לתפוס את הרמז
hint *v.* לרמוז
hin'terland' *n.* תוך הארץ, עורף
hip *n.* ירך, מיפרק הירך; פרי הוורד
hip *interj.* הידד!
hip, hip, hooray! הידד!
hip *adj.* ★בקי, מעודכן בנעשה, מודרני
hipbath *n.* אמבטיית־ישיבה
hip flask בקבוקון־כיס (למשקה)
hip'pie, hip'py *n.* היפי
hip'po *n.* סוס־היאור, היפופוטמוס
Hip'pocrat'ic oath שבועת הרופאים
hip'podrome' *n.* כיכר (למרוצי־סוסים)
hip'popot'amus *n.* סוס־היאור
hip'ster *n.* מעודכן בנעשה
hipster *adj.* (מכנסיים) חגורים סביב הירכיים
hire *v.* לשכור
hire out להשכיר; למכור שירותיו
hire *n.* שכירות; השכרה; דמי־שכירות
for hire פנוי, להשכיר
hire'ling (hīr'l-) *n.* שכיר, מוכר שירותיו
hire purchase קנייה בתשלומים
hir'sute *n.* שעיר; פרוע־ראש
his (-z) *pron&adj.* שלו
hiss *v.* לשרוק, ללחוש, לנשוף
hiss off לגרש (מהבמה) בשריקות

hiss *n.* שריקה; לחישה
hist *interj.* הס! שקט!
his′tamine′ (-mēn) *n.* היסטמין
histol′ogy *n.* תורת רקמות־הגוף
histo′rian *n.* היסטוריון
histor′ic *adj.* היסטורי, רב־חשיבות
historical *adj.* היסטורי
historic present זמן הווה (בסיפור)
his′tory *n.* היסטוריה, דברי הימים
make history לעשות היסטוריה, להטביע רישומו בהיסטוריה
natural history ידיעת הטבע
his′trion′ic *adj.* תיאטרלי, דרמאתי
histrionics *n-pl.* אמנות המשחק, תיאטרליות
hit *v.* להכות; לפגוע ב־; להגיע ל־, למצוא
hit a man when he's down להכות אדם מובס, לנהוג בניגוד לכללים
hit below the belt להכות מתחת לחגורה
hit between the eyes להמם
hit him hard לפגוע בו קשות
hit him where it hurts לפגוע בציפור נפשו
hit it לקלוע למטרה
hit it off להסתדר יפה, להתאים
hit off לחקות; לתאר בדיוק
hit on/upon למצוא, להיתקל ב־
hit or miss בעלמא, בלא תיכנון
hit out להתקיף, להכות קשות
hit the books ★ללמוד
hit the bottle ★להתמכר לשתייה
hit the hay/sack ★ללכת לישון
hit the headlines לעלות לכותרות
hit the nail on the head לקלוע למטרה
hit the road ★לצאת לדרך
hit the roof ★להתרתח, להתרגז
hit *n.* מכה, מהלומה; פגיעה; להיט; הצלחה; הערה עוקצנית
make a hit לקצור הצלחה
hit-and-run *adj.* פגע וברח
hitch *v.* לקשור, לחבר; להתחבר
be hitched ★להתחתן
hitch a ride לבקש טרמפ
hitch up להרים, למשוך כלפי מעלה
hitch *n.* משיכה, הרמה בתנופה; מכשול, תקלה; קשר, לולאה
hitch′hike′ *v.* לנסוע בטרמפים
hitchhiker *n.* טרמפיסט
hith′er (-dh-) *adj.* לכאן, הנה
hither and thither פה ושם
hith′erto′ (hidh′ərtōō) *adv.* עד כה
hit-or-miss *adj.* מקרי, לא־מתוכנן
hit parade מצעד הפזמונים
hive *n.* כוורת; מקום הומה
hive *v.* להכניס/להיכנס לכוורת; לחיות בצוותא; לאגור דבש
hive off להיפרד, להפוך לעצמאי
hives *n-pl.* חרלת (מחלת־עור)
h'm *interj.* המ־־ (מלמול)
HM = His Majesty
HMS = His Majesty's Ship
ho *interj.* הו!
hoar *adj.* אפור, לבן, כסוף־שיער
hoard *v.* לאגור, לצבור
hoard *n.* אוצר, מטמון
hoarding *n.* גדר; לוח מודעות
hoarfrost *n.* כפור לבן, טל קפוא
hoarse *adj.* צרוד
hoar′y *adj.* אפור, לבן, עתיק
hoax *n.* מתיחה, שיטוי, תעלול
hoax *v.* למתוח, לשטות, לרמות
hob *n.* מדף־מתכת (ליד האח לחימום אוכל)
play hob with ★לבלבל, לשבש, לקלקל
hob′ble *v.* לצלוע, לגרור רגליו
hobble a horse לקשור רגלי סוס
hobble skirt חצאית צרה/הדוקה
hob′by *n.* תחביב, הובי
hobbyhorse *n.* סוס־עץ (למשחק); נושא אהוב, שיגיון
hob′gob′lin *n.* שד, רוח, מזיק
hob′nail′ *n.* מסמר קטן (עב־ראש)
hobnailed *adj.* (נעל) מסומרת
hob′nob′ *v.* להתרועע, להתיידד
ho′bo *n.* ★נווד, פועל מובטל
Hobson's choice חוסר ברירה, הברירה היחידה
hock *n.* קרסול; קֶפֶץ (מיפרק ברגל); יין הוק; ★משכון
in hock ★ממושכן; בכלא
hock′ey *n.* הוקי
field hockey הוקי
hockey stick מקל הוקי
ice hockey הוקי קרח
ho′cus-po′cus *n.* הוקוס פוקוס, אחיזת־עיניים, הולכת שולל
hod *n.* ארגז (לנשיאת לבינים/פחם)
hoe (hō) *n.* מעדר, מכוש
hoe *v.* לעדור, לתחח, לנכש
hog *n.* חזיר
eat high on the hog ★לזלול
go hog wild להתיר הרסן

go the whole hog לעשות דבר
בשלמותו/היטב
hog *v.* להתנהג כחזיר, לחטוף הכל
hog the road לנהוג באמצע הכביש
hoggish *adj.* חזירי, גס, אנוכיי
hog'manay' *n.* ערב ראש השנה
hogs'head' (hogz'hed) *n.* חבית,
מידת הלח (63 גאלונים)
hog-tie *v.* לעקוד, לכפות, לכבול
hogwash *n.* זבל, שטויות
hoi polloi' *n.* ההמון, האספסוף
hoist *v.* להרים, להעלות, להניף
hoist *n.* מנוף; הנפה
hoi'ty-toi'ty *adj.* ⋆גא, יהיר, מנופח
hold (hōld) *v.* ;להחזיק; לאחוז; להשאיר
להכיל; לשמור; לחשוב, להאמין; לנהל,
לערוך; להיות בעל־, להיות לו
be left holding the bag למצוא עצמו
נושא באחריות
hold a meeting לנהל ישיבה
hold back ;לעצור, לבלום; למנוע, לרסן
להסס, להימנע; להסתיר
hold by לדבוק ב־; לתמוך, להסכים
hold court לקבל פני מעריצים
hold dear להוקיר, להעריך
hold down לדכא, לרסן, לבלום
hold down a job להחזיק במשרה
hold forth לנאום; להציע
hold him up as להציגו כ־
hold in לרסן, להגביל, לעצור
hold in high esteem להוקיר
hold it against him להאשימו עקב
כך, לדון אותו לכף חובה
hold it! !עצור! אל תזוז
hold off ;לעצור; להתרחק; להרחיק
לדחות
hold on להחזיק מעמד, להמשיך
hold on to לתפוס בחוזקה
hold on! !עצור! חכה רגע
hold one's breath לעצור נשימתו
hold one's ground לעמוד איתן
hold one's hand להימנע; להשהות
hold one's head up לזקוף ראשו
hold one's own לעמוד איתן
hold one's tongue/peace ,לשתוק
להחריש
hold oneself in readiness להיות
מוכן (לבשורה רעה)
hold out להציע, להושיט; להחזיק
מעמד
hold out for לעמוד בתוקף על
hold out on him ;לסרב להיענות לו
להסתיר מפניו
hold over לדחות; להמשיך; לאיים
hold the fort לנהל את העניינים
hold the line להמתין על הקו; להחזיק
באופן יציב, למנוע הידרדרות
hold to לדבוק ב־, להיות נאמן ל־
hold together להחזיק במצב
שלם/לבל יתפרק; להיות מאוחדים
hold true להיות נכון, להיות כך
hold up ;לעכב; לעצור כדי לשדוד
לשאת, לתמוך; להרים; להחזיק מעמד
hold water להיות הגיוני/סביר
hold with להסכים ל־
hold yourself (still) אל תזוז
holds good מתאים, ניתן ליישמו
holds the road יציב על הכביש
it still holds זה עומד בעינו
I hold (that-) לדעתי
hold *n.* אחיזה, תפיסה; השפעה; בית
אחיזה; ספנה (בספינה)
catch/take/get hold of לתפוס
have a hold over him ,לשלוט בו
להחזיקו תחת השפעתו
hold-all *n.* תרמיל (לטיולים)
holder *n.* מחזיק, תופס, מחזק; בעלים
cigarette holder מחזיק סיגריות
shareholder בעל־מניות
holding *n.* נכסים, קרקע; מניות
holding company חברת־גג
holdover דבר הנמשך מעבר לצפוי, שריד
hold-up *n.* שוד מזוין; עצירה
hole *n.* חור; גומה; מאורה; כוך
get in the hole לשקוע בחובות
hole in the wall כוך, חור
in a hole במצב קשה
make a hole in his money לבזבז
כספו, לגרום לחסרון־כיס
out of the hole נחלץ מחובות
pick holes in למצוא פגם ב־
hole *v.* לנקב, לעשות חור ב־
hole out לגלגל (כדור גולף) לגומה
hole up/in ⋆להתחבא, להסתתר
hole-and-corner *adj.* חשאי
hol'iday' *n.* חג; יום מנוחה; פגרה
on holiday בחופשה, נופש
holiday-maker *n.* נופש, בחופשה
ho'liness *n.* קדושה
His Holiness הוד קדושתו
hol'land *n.* הולנד (אריג גס)
hol'ler *v.* ⋆לצרוח, לצעוק
hol'low (-lō) *adj.* ;חלול, נבוב; ריקני
לא כן, מזויף

beat him hollow ★להכותו שוק על ירך
hollow cheeks לחיים שקועות
hollow *n.* חור, חלל; בור, מכתש
hollow *v.* לנבב, לעשות נבוב; לחפור
hollow-eyed *adj.* שקוע־עיניים
hol′ly *n.* צינית (שיח ירוק־עד)
hollyhock *n.* חוטמית תרבותית (פרח)
hol′ocaust′ *n.* שואה; שריפה
hol′ograph′ *n.* הולוגרף (מיסמך הכתוב בידי החתום עליו)
hol′ster (hōl′-) *n.* נרתיק (האקדח)
ho′ly *adj&n.* קדוש
holy of holies קודש הקודשים
holy terror ★ילד רע, טיפוס איום
Holy Father האפיפיור
Holy Office האינקוויזיציה
Holy See הכס הקדוש, אפיפיורות
holystone *n.* אבן־חול (למירוק)
Holy Week השבוע הקדוש (שלפני הפסחא)
Holy Writ כתבי־הקודש
hom′age *n.* כבוד, הערכה
do/pay homage לכבד, לחלוק כבוד
hom′burg′ *n.* כובע רחב־אוגן
home *n.* בית
at home בבית; מקבל פני אורחים
at-home מסיבה, קבלת אורחים
children's home מוסד לילדים
close to home (לפגוע) עמוקות
feel at home in להרגיש נוח ב־
home life חיי משפחה
is at home in מתמצא ב־, בקי ב־
leave home לעזוב את משפחתו, להתחיל בחיים חדשים
make yourself at home! הרגש עצמך כמו בבית!
nothing to write home about ★לא משהו מיוחד, אין להתלהב מכך
home *adj.* ביתי, משפחתי, פנימי
home trade סחר־פנים
home *adv.* הביתה; בבית, אל היעד
bring it home to להחדיר למוחו
drive/strike home לנעוץ פנימה; לחדור עמוק
it came home to me נתחוור לי
home *v.* לשוב הביתה/לבסיס; להתביית
home-baked *adj.* ביתי, אפוי בבית
home brew בירה ביתית
home-coming *n.* שיבה הביתה
home economics כלכלת הבית
home front חזית־הפנים
home-grown *adj.* מתוצרת הארץ

Home Guard (חבר ב־) משמר לאומי
home help מטפלת, עוזרת
homeland *n.* מולדת
homeless *adj.* חסר־בית
homelike *adj.* ביתי, משפחתי
home′ly (hōm′-) *adj.* פשוט, לא רב־רושם; מכוער; ביתי, משפחתי
home-made *adj.* ביתי, עשוי בבית
Home Office משרד הפנים
ho′me•op′athy *n.* הומיאופתיה (שיטת ריפוי)
home plate תחנת הבית (בכדור בסיס)
Ho•mer′ic *adj.* הומרי, של הומרוס
Homeric laughter צחוק הומרי (רם)
home rule שלטון עצמי, אוטונומיה
home run הקפה שלמה (בכדור בסיס)
homesick *adj.* מתגעגע הביתה
homespun *adj&n.* (אריג) טווי בבית; (דבר) פשוט/רגיל
home′stead′ (hōm′sted) *n.* אחוזה, משק חקלאי; קרקע הניתנת על מנת שיעבדוה
home stretch/straight קטע הסיום (במסלול)
home team קבוצה מארחת, קבוצת הבית
home thrust התקפת מחץ
home town עיר מגורים, עיר מולדת
home truth האמת המרה, תוכחה
homeward(s) *adv.* הביתה
homework *n.* שיעורי־בית; הכנות
home′y (hō′mi) *adj.* ★ביתי, נוח
hom′ici′dal *adj.* רצחני, של רצח
hom′icide′ *n.* הֶרֶג; רצח; רוצח
hom′ilet′ic *adj.* של דרשות, תוכחתי
homiletics *n-pl.* דרשנות
hom′ily *n.* דרשה, הטפת מוסר
ho′ming *adj.* שב הביתה, (טיל) מתביית
homing pigeon יונת־דואר
hom′iny *n.* תירס, דייסת תירס
ho′mo- (-mə) (תחילית) דומה, שווה
ho′mo *n.* אדם, איש
ho′mogene′ity *n.* הומוגניות
ho′moge′ne•ous *adj.* הומוגני, אחיד
homog′enize′ *v.* לעשות להומוגני
hom′ograph′ *n.* הומוגראף, צימוד (מלים השוות בכתיבן ושונות במשמעותן)
hom′onym′ *n.* צימוד, הומונים
hom′ophone′ *n.* מלה שוות־היגוי, הומופון

Ho′mo sa′piens (-z) הומו ספיינס, האדם המודרני, האדם הנבון
ho′mo•sex′u•al (-sek′sho͞oəl) *adj&n.* הומוסקסואלי; הומוסקסואל
ho′mo•sex′u•al′ity (-seksho͞oal′-) *n.* הומוסקסואליות
ho′my *adj.* ★ביתי, נוח
hone *n&v.* אבן משחזת; להשחיז
hon′est (on-) *adj.* הוגן, ישר
honest to goodness בהן צדק
make an honest living להתפרנס ביושר
make an honest woman of her להתחתן עמה
to be quite honest about it ייאמר גלויות
turn/earn an honest penny להרוויח כספו ביושר
honestly *adv.* בהן־צדק, באמת, באמונה
come by honestly ★להיות תורשתי
honesty *n.* הגינות, יושר
hon′ey (hun′i) *n.* דבש; ★מותק; יקירי
honeybee *n.* דבורה
honeycomb *n.* חלת־דבש
honeycombed *adj.* עשוי תאים־תאים
honeydew *n.* טל דבש; טבק ממותק
honeyed *adj.* מתוק; מחמיא
honeymoon *n.* ירח דבש
honeymoon *v.* לבלות ירח דבש
honeysuckle *n.* יערה (שיח מטפס)
honk *n.* צפירת מכונית; גיעגוע
honk *v.* לצפור; לגעגע
hon′kie, hon′ky *n.* ★לבן (כינוי גנאי בפי הכושים)
honk′y-tonk′ *n.* ★מועדון לילה זול
hon′or (on-) *n.* כבוד
affair of honor דו־קרב
debt of honor חוב של כבוד
do him honor לחלוק לו כבוד
do the honors לארח, להציע משקה
guard of honor משמר כבוד
have the honor to להתכבד ל־
honor bound חב חוב מוסרי
honors אותות הצטיינות; ציונים גבוהים; קלפים חזקים
in honor of לכבוד, לזכר
lost her honor איבדה צניעותה
maid of honor גברת בשירות מלכה
military honors טקסים צבאיים
point of honor עניין של כבוד
put him on his honor לסמוך על דברתו
word of honor מלת כבוד, דיברה
would you do me the honor of- התואיל ל־? האם תסכים ל־?
Your/His honor כבוד השופט
honor *v.* לכבד; להעריך; לקיים
honor a check לכבד שק
honorable *adj.* מכובד
hon′ora′rium (on-) *n.* שכר, תשלום (בעד שירות מיקצועי)
hon′orar′y (on′əreri) *adj.* של כבוד
honorary president נשיא כבוד
hon′orif′ic (on-) *adj.* חולק כבוד
hooch (ho͞och) *n.* ★משקה חריף
hood *n.* כובע, בורנס, ברדס; גג זחיח; חיפת המנוע; ★פושע
hooded *adj.* מבורדס, חבוש כובע
hooded eyes עיניים עצומות למחצה
hood′lum *n.* ★פושע מסוכן, בריון
hoo′doo′ *n.* מזל רע
hoodoo *v.* להביא מזל רע ל־
hood′wink′ *v.* לרמות, להוליך שולל
hoo′ey *n.* ★שטויות
hoof *n.* פרסה
on the hoof חי, שטרם נשחט
hoo′-ha′ (-hä) *n.* ★המולה, טאראראם
hook *n.* וו, קרס; מתלה; מכת מגל; עיקול; לשון־יַבָּשָׁה עקומה
by hook or by crook בכל האמצעים
give the hook ★לפטר, לשלח
off the hook נחלץ ממצב קשה
on the hook במצב קשה
reaping-hook מגל
sling one's hook ★להסתלק
swallow hook line and sinker לבלוע הכל, להאמין כפתי
hook *v.* ללכוד, להעלות בחכה; לתלות על וו; לכופף; לרכוס; להירכס
hook it ★לברוח
hook up לחבר למערכת מרכזית
hook up with להתחבר, להתאחד עם
hook′ah (-kə) *n.* נרגילה
hooked *adj.* כפוף, מאונקל; בעל ווים
hooked on ★מכור ל־, להוט אחרי
hook′er *n.* ★זונה
hook-nosed *adj.* בעל אף נשרי
hook-up *n.* התחברות של רשת תחנות שידור (לשידור תוכנית)
hookworm *n.* כרץ (תולעת מעיים)
hook′y *adj&n.* דמוי קרס
play hooky להשתמט מבית־ספר
hoo′ligan *n.* חוליגן, בריון
hooliganism *n.* חוליגניות

hoop *n&v.* גלגל, חישוק; לחשק (חבית)
go through the hoops לעבור תקופה קשה
hoop′-la (-lä) *n.* משחק קליעה (של טבעות על חפצים); קריאות התלהבות
hooray′ *interj.* הידד!
hoot (ho͞ot) *n.* שריקת הינשוף; צפירה; קריאת בוז; צחוק לעגני
not care a hoot ⋆לא איכפת כלל
hoot *v.* לצפור; לשרוק; לצעוק בוז
hoot down/out/off/away לגרש (נואם מהבמה) בקריאות בוז
hoo′ter *n.* צופר; ⋆חוטם
hooves = pl of hoof (hoovz)
hop *v.* לקפץ, לדדות, לנתר; לדלג
hop it ⋆הסתלק!
hop the twig ⋆להסתלק; למות
hop to it! קדימה!
hopping mad ⋆רותח מזעם
hop *n.* ניתור, קפיצה; ⋆מסיבת־ריקודים; טיסה; כשות (צמח בר)
hop step and jump קפיצה משולשת
keep him on the hop להחזיקו בתנועה/בפעילות מתמדת
on the hop ⋆בפעילות, עסוק; לא מוכן
hope *n.* תקווה, ציפייה
beyond/past hope לאחר ייאוש
hold out hope לתת סיכוי/תקווה
in the hope of בתקווה ש־
live in hope לחיות בתקווה
raise his hopes לטפח תקווה בלבו
hope *v.* לקוות, לייחל
hope against hope לקוות (חרף הסיכוי האפסי)
hope for the best לקוות לטוב
hope chest ארגז התקווה, חפצים שהנערה שומרת לקראת נישואיה
hopeful *adj.* מקווה; מבטיח
a young hopeful צעיר מבטיח
hopefully *adv.* בתקווה, נקווה ש־
hopeless *adj.* חסר־תקווה, לאחר ייאוש, אבוד, ללא תקנה
hopped-up *adj.* ⋆ (מנוע) מוגבר; מסומם
hop′per *n.* מרזב, אפרכסת (מיתקן דמוי משפך); פרעוש, חגב
hop-picker *n.* קוטף כשות
hop pole כלונס (להדליית) כשות
hop-scotch *n.* ארץ (משחק באבן ובמשבצות מסומנות על הקרקע)
horde *n.* המון, קהל; שבט נודד
hori′zon *n.* אופק
hor′izon′tal *adj&n.* אופקי, מאוזן
horizontal bars מתח (בהתעמלות)
hor′mone *n.* הורמון
horn *n&v.* קרן; חומר קרני; צופר; שופר
blow one's own horn לטפוח על שכמו, להתפאר
draw in one's horn להפגין פחות להיטות, לסגת
horn in להתערב, לתחוב אפו
horn of plenty קרן השפע
on the horns of a dilemma נתון בין הפטיש והסדן
English horn קרן אנגלית
hornbill *n.* מקור־הקרן (עוף)
horned *adj.* מקרין, בעל קרניים
hor′net *n.* צרעה, דבור
stir up a hornet's nest להמיט צרות, לעורר קן־צרעות, להרגיז
hornlike *adj.* קרני, דומה לקרן
hornpipe *n.* ריקוד הקרן (של ימאים)
horn-rimmed *adj.* (משקפיים) ממוסגרי־קרן
horny *adj.* קשה, קרני, מחוספס
horol′ogy *n.* שענות
hor′oscope′ *n.* הורוסקופ
hor′rible *adj.* נורא, איום; ⋆מגעיל
hor′rid *adj.* נורא, איום
hor•rif′ic *adj.* מחריד, מזעזע
hor′rify′ *v.* להחריד, לזעזע
hor′ror *n.* אימה, חלחלה, זוועה
have a horror of לתעב
have the horrors לסבול מביעותים
horror films סרטי זוועה
horror-stricken *adj.* אחוז אימה
horror-struck *adj.* מזועזע, מלא־פחד
hors de combat (ordəkōnbä′) לא כשיר ללחימה, נכה
hors d'oeuvre (ôrdûrv′) *n.* מְתַאֲבֵן
horse *n&v.* סוס; חמור (בהתעמלות); פרשים; הרואין
a dark horse נעלם, מתחרה שסיכוייו לא ידועים
a horse of another color עניין אחר לחלוטין
a willing horse עובד מסור
back the wrong horse להמר על הצד המפסיד
be on one's high horse לדרוש יחס כבוד, להתנשא
from the horse's mouth ממקור ראשון, מהנוגע בדבר, מפי הסוס
hold your horses חכה, גלה איפוק

horse and foot פרשים ורגלים
horse around לשחק, להתהולל
horse-and-buggy *adj.* יָשָׁן, שמלפני המצאת המכונית, מימי מתושלח
horseback *n.* גב הסוס, על הסוס
a man on horseback רודן, מנהיג
horsebox *n.* כלי־רכב להובלת סוס
horse chestnut מין ערמון
horseflesh *n.* בשר סוס
horsefly *n.* זבוב הסוס
horsehair *n.* שער־סוס
horse-laugh *n.* צחוק גס, צחוק רם
horseman *n.* פרש, סייס
horsemanship *n.* פרשות
horsemeat *n.* בשר־סוס
horse opera ⋆מערבון
horse-play *n.* משחק גס, משחק פרוע
horsepower *n.* כוח סוס
horserace *n.* מירוץ סוסים
horseradish *n.* חזרת (ירק)
horse sense שכל ישר, היגיון
horseshoe *n.* פרסה, פרסת־ברזל
horse trade סחר־סוסים
horsewhip *n.* שוט, מגלב
horsewhip *v.* להצליף, להלקות
horsewoman *n.* רוכבת, פרשית
hors′y *adj.* סוסי; שוחר רכיבה
hor′tative *adj.* מעודד, מעורר
hor′tato′ry *adj.* מעודד, מעורר
hor′ticul′tural (-′ch-) *adj.* של גננות
hor′ticul′ture *n.* גננות
hor′ticul′turist (-′ch-) *n.* גנן
ho•san′na (-z-) *interj.* הושענא, הללויה
hose (-z) *n.* גובתה, צינור, זרנוק; גרביים
hose *v.* להשקות/לשטוף בצינור
hose down להשקות/לשטוף בצינור
hosepipe *n.* צינור, זרנוק, קולח
ho′sier (-zhər) *n.* מוכר גרביים ולבנים
hosiery *n.* גרביים ולבנים
hos′pice (-pis) *n.* פונדק, אכסניה
hos′pitable *adj.* מסביר פנים, מארח
hos′pital *n.* בית־חולים
hos′pital′ity *n.* סבר פנים יפות
hos′pitaliza′tion *n.* אשפוז
hos′pitalize′ *v.* לאשפז
hoss (hôs) *n.* ⋆סוס
host (hōst) *n.* מארח; פונדקאי
reckon without one's host לתכנן מבלי לשתף את הנוגע בדבר
host *n.* המון, הרבה, צבא
the Host לחם הקודש

Lord of Hosts ה' צבאות
hos′tage *n.* בן־ערובה
give hostages to fortune לעשות צעד העשוי לכבול ידיו בעתיד
take hostage לחטוף בן־ערובה
hos′tel *n.* אכסניה, פנימייה
youth hostel אכסנית נוער
hosteler *n.* אכסנאי (באכסניות נוער)
hostess *n.* מארחת, בת־זוג לריקוד
air hostess דיילת
hos′tile *adj.* אויב, עוין, מתנגד
hos•til′ity *n.* איבה, שנאה
hostilities מעשי איבה, קרבות
hot *adj&v.* חם, לוהט; חריף; טרי, חדש; נלהב, מגורה
a hot one יוצא דופן, מיוחד
blow hot and cold להיות הפכפך
get hot להתקרב, לנחש כמעט נכונה
give it him hot להענישו
hot and bothered מתרגש, מאוכזב
hot and heavy נמרץ, נלהב, חזק
hot articles ⋆חפצים גנובים (שהמשטרה מבקשת)
hot flash גל חום (העובר בגוף)
hot news חדשות של הרגע האחרון
hot on his trail/tracks עומד להדביקו, קרוב להשיגו
hot on the heels בא מיד אחרי
hot under the collar מתרגז
hot up לחמם; להתחמם
in hot water בצרות
make it hot for him לעשות את המקום לבלתי נסבל, להבריחו, להענישו
hot air מלים ריקות, הבל
hotbed *n.* חממה; מקום גידול
hot-blooded *adj.* חמום מוח, חם מזג
hotch′potch′ *n.* ערבוביה, בליל
hot cross bun לחמנית (הנאכלת בלנט)
hot dog נקניקית (בתוך לחמנייה)
hot dog! *interj.* האומנם?! (קריאה)
ho•tel′ *n.* מלון, בית־מלון
ho•tel′ier (-lyā) *n.* מלונאי
hotfoot *adv&v.* מהר, בהתלהבות
hotfoot it למהר, ללכת מהר, לרוץ
hothead *n.* חמום־מוח, לא מיושב
hotheaded *adj.* חמום־מוח
hothouse *n.* חממה
hothouse plant אדם רגיש המצריך תשומת־לב מיוחדת
hot line קו ישיר (בטלפון האדום)
hotly *adv.* בחום, בהתרגשות, בכעס
hotplate *n.* לוח־בישול, משפת

hotpot *n.* תבשיל בשר ותפוחי־אדמה
hot potato דבר מסוכן/קשה לטיפול
hot rod מכונית משופצת (גבוהת־מהירות)
hot seat כיסא חשמל; מצב שבו חייבים לקבל החלטות קשות
hot spot מקום חם (על סף מלחמה)
hot spring מעיין מים חמים
hot stuff ⋆דבר מעולה
hot-tempered *adj.* חמום־מזג
Hot′tentot′ *adj.* הוטנטוטי
hot-water bottle בקבוק מים חמים (מגומי)
hound *n.* כלב־ציד; נבל, מנוול
follow the hounds לצאת לציד
ride to hounds לצאת לציד
hound *v.* לצוד, לרדוף, להציק
hour (our) *n.* שעה; זמן
after hours לאחר שעות העבודה
at all hours במשך כל השעות
at the eleventh hour ברגע האחרון
for hours במשך שעות ארוכות
in an evil hour במזל ביש
in the hour of בשעת־
keep late/bad hours לשכב לישון בשעה מאוחרת/לא קבועה
office hours שעות העבודה (במשרד)
on the hour בשעה, בכל שעה שלמה (ב־1, ב־2 וכ׳)
out of hours לא בשעות הרגילות
question of the hour בעיית השעה
the small hours השעות הקטנות
zero hour שעת האפס
hourglass *n.* שעון חול (האוזל בשעה)
hour hand מחוג השעות
hou′ri (hoor′i) *n.* יפיפייה
hourly *adv.* בכל שעה, מדי שעה
expect hourly לצפות לו בכל רגע
hourly *adj.* פועל בכל שעה
house (-s) *n.* בית; בית־נבחרים; תיאטרון; קהל; אולם; הצגה; בית־מסחר
bring the house down לקצור תשואות רמות
eat him out of house and home לזלול את כל האוכל (של המארח)
enter the House להיבחר לפרלמנט
get on like a house on fire להתיידד מהר
get one's house in order לעשות סדר בביתו, לסדר ענייניו
house of cards בניין קלפים
keep house לנהל משק בית
keep open house לפתוח ביתו לכל
on the house על חשבון בעל הבית
safe as houses בטוח ביותר
under house arrest במעצר בית
house (-z) *v.* לשכן, לאכסן; לאחסן
house agent מתווך בתים
houseboat *n.* סירת מגורים
housebound *adj.* מרותק לבית
housebreaker *n.* פורץ, גנב
housebroken *adj.* (כלב) מאולף (להטיל מימיו בחוץ)
housecoat *n.* חלוק בית
housecraft *n.* ניהול משק בית
house detective בלש העסק
housedog *n.* כלב שמירה
housefather *n.* מנהל מוסד ילדים
housefly *n.* זבוב הבית
houseful *n.* מלוא הבית
household *n.* דרי הבית, בני בית
household *adj.* ביתי, של בית
household equipment כלי בית
householder *n.* בעל בית
household word שם שגור, שם ידוע
housekeeper *n.* מנהלת משק הבית
house lights אורות האולם
housemaid *n.* עוזרת, פועלת ניקיון
housemaid's knee דלקת הברך
houseman *n.* רופא מתמחה
housemaster *n.* מנהל פנימייה
housemother *n.* אם הבית
House of Commons בית הנבחרים
House of God כנסייה
House of Representatives בית הנבחרים
house party אירוח בכפר לכמה ימים
house physician רופא בית (הגר בבי״ח)
house-proud *adj.* עקרת בית קפדנית
houseroom *n.* מקום, שטח בבית
not give it houseroom לא להכניס זאת לבית, לא לקבלו אפילו כמתנה
house surgeon מנתח (הגר בבי״ח)
house-to-house *adj.* מבית לבית
housetop *n.* גג הבית
shout from the housetops לפרסם לכל, להודיע בפומבי
house-trained *adj.* (כלב) מאולף (להטיל מימיו בחוץ)
house-warming *n.* חנוכת בית
housewife *n.* עקרת בית
housewifery *n.* ניהול הבית
housework *n.* עבודות הבית

hous′ing (-z-) *n.* דיור; שיכונים; תיבה, בית (לאביזר במכונה)
housing estate/development איזור בתים, שיכון
housing project פרוייקט שיכון
hove = p of heave
hov′el *n.* בית עלוב, צריפון
hov′er *v.* לרחף; לשהות בסביבה
hovercraft *n.* רחפה, ספינת־רחף
how *adv.* איך, כיצד; באיזו מידה
a fine how-d'ye-do מצב ביש
and how ★ועוד איך! בטח!
how about- מה דעתך על/ש־
how are you? מה שלומך?
how come ★מדוע זה? איך ייתכן?
how do you do? מה שלומך?; נעים להכירך
how long כמה זמן
how much/many כמה
how often באיזו תכיפות
how old בן כמה, מה גילו?
how so? איך זה? הכיצד? למה?
how's that? איך זה? מה אמרת?
how′dah (-də) *n.* אפיריון (על) פיל
how′dy *interj.* הלו!
how•ev′er *adv&conj.* בכל אופן, אעפ"כ; בכל מידה/דרך ש־; ★כיצד? איך?
however far it is יהיה המרחק אשר יהיה
how′itzer (-ts-) *n.* הוביצר (תותח)
howl *v.* ליילל, לייבב, לזעוק
howl down להשתיק, להחריש (נואם)
howl with laughter לגעות בצחוק
howl *n.* יללה, יבבה, זעקה
howler *n.* ★טעות טיפשית/מצחיקה
howling *adj.* ★גדול מאוד, כביר
hoy′den *n.* נערה פראית, גסה
Hoyle *n.* הויל (ספר מישחקים)
according to Hoyle חוקי, נאה, כהלכה
hp = hire purchase
hp = horsepower
HQ = headquarters
hr = hour
ht = height
hub *n.* טבור האופן; מרכז, מוקד
hub′ble-bub′ble *n.* נרגילה
hub′bub′ *n.* המולה, שאון
hub′by *n.* ★בעל
hubcap *n.* כובע הטבור (בגלגל), צלחת
hu′bris *n.* ביטחון מופרז, גאווה
huck′aback′ *n.* אריג גס (למגבות)
huck′leber′ry (-lb-) *n.* אוכמנית
huck′ster *n.* רוכל; ★פרסומאי
hud′dle *v.* להצטופף; לדחוס
huddle *n.* קהל, ערב רב; ערבוביה
go into a huddle לערוך התייעצות
hue (hū) *n.* צבע, גוון
hue and cry מחאה, זעקה
hued (hūd) *adj.* בעל גוון
huff *v.* להתנשף; להכות כלי (בדמקה)
huff *n.* רוגז, היפגעות, עלבון
go into a huff להיפגע
huff′ish, huff′y *adj.* פגיע, נעלב
hug *v.* לחבק; לאחוז; להצמיד לגופו
hug an opinion לאמץ דיעה
hug oneself לטפוח על שכמו
hug the shore להיצמד לחוף
hug the thought להשתעשע במחשבה
hug *n.* חיבוק
huge *adj.* גדול, כביר, ענקי
hugely *adv.* הרבה מאוד
hug′ger-mug′ger *n.* בלבול
hu′la (hōō′-) *n.* הולהולה (ריקוד)
hulk *adj&n.* כבד, מגושם; גוות־אונייה
hulking *adj.* גדול, מגושם, כבד
hull *n.* גוף האונייה; תובת הטנק
hull *n.* קליפת התרמיל, קליפת הפרי
hull *v.* לקלף
hul′labaloo′ *n.* רעש, מהומה
hullo′ *interj.* הלו!
hum *v.* לזמזם; לנוע, לפעול; ★להסריח
hum and haw לגמגם, להסס
make things hum להזיז העניינים
hum *n.* זמזום
hu′man *adj.* אנושי, של האדם
human being אדם, יצור אנושי
hu•mane′ (hū-) *adj.* אנושי, הומני, טוב־לב, עדין
humane killer ממית מיתת־חסד, מכשיר קוטל חיות ללא כאבים
human interest עניין אנושי
hu′manism′ *n.* הומניות, אנושיות
hu′manist *n.* הומניסט, עוסק במקצועות הומניסטיים
hu•man′ita′rian (hū-) *adj.* הומניטארי, אנושי, אוהב הבריות
humanitarianism *n.* אהבת־הבריות
hu•man′ity (hū-) *n.* אנושות, משפחת האדם; אנושיות, אהבת האדם
humanities מדעי הרוח
hu′manize′ *v.* לאנש, לעשות לאנושי
humankind *n.* המין האנושי
humanly *adv.* כאדם, בכוחות אנוש

hum′ble *adj.* צנוע, עניו; עלוב, דל
eat humble pie להתנצל בהכנעה
your humble servant עבדך הנאמן
humble *v.* להשפיל, להכניע, לדכא
hum′bug′ *n.* רמאות, אחיזת־עיניים; שטויות; רמאי; ממתק בטעם מנתה
humbug *v.* להונות, להוליך שולל
hum′ding′er (-ng-) *n.* דבר מצוין
hum′drum′ *adj.* משעמם, מונוטוני
hu′merus *n.* עצם הזרוע
hu′mid *adj.* לח, רטוב
hu•mid′ify′ (hū-) *v.* ללחלח
hu•mid′ity (hū-) *n.* לחות
hu′midor′ *n.* תיבת לחות
hu•mil′iate′ (hū-) *v.* להשפיל
hu•mil′ia′tion (hū-) *n.* השפלה
hu•mil′ity (hū-) *n.* ענווה, שפלות־רוח, כניעות, נכנעות
hum′mingbird′ *n.* יונק־הדבש
hum′mock *n.* תלולית, גבעונת
hu′mor *n.* הומור, היתול; מצב־רוח
out of humor במצב־רוח רע
sense of humor חוש הומור
humor *v.* למלא את רצונו־, לפנק
hu′morist *n.* הומוריסטן, בדחן
hu′morous *adj.* הומוריסטי, היתולי
hump *n.* חטוטרת, דבשת
give the hump ★להשרות דיכאון
over the hump עבר את המשבר
hump *v.* לקמר, לגבנן; להתקמר
humpback *n.* גיבן; גב מגובנן
humpbacked *adj.* מגובנן
humph *interj.* שטויות! (מלמול של הסתייגות או פקפוק)
hu′mus *n.* רקבובית, הומוס
Hun *n.* הוני; ★גרמני
hunch *n.* חטוטרת, גוש; חשש, תחושה
I have a hunch ★חוששני, סבורני
hunch *v.* לגבנן, לקמר
hunchback *n.* גיבן; גב מגובנן
hun′dred *n.* מאה, 100
hundredfold *adv.* פי מאה
hundredth *adj.* ה־100; מאית
hundredweight *n.* מאה ליטראות
hung = p of hang
hun′ger (-ng-) *n.* רָעָב
hunger *v.* לרעוב, להשתוקק
hunger march מצעד רעב (של מובטלים)
hunger strike שביתת־רעב
hun′gry *adj.* רָעֵב; גורם רעב, מרעיב
go hungry להישאר רעב, להסתובב רעב

hunk *n.* חתיכה גדולה, נתח
hun′kers *n-pl.* עכוז, ירכיים, אחוריים
hunt *v.* לצוד, לערוך ציד; לחפש
go hunting לצאת לציד
hunt and peck "חפש והקש", הקשה באצבע (אחת, במכונת־כתיבה)
hunt down ללכוד, לחפש ולתפוס
hunt for לחפש
hunt high and low לחפש בכל מקום
hunt off/out of לגרש, להבריח
hunt one's dogs לצוד בעזרת כלבים
hunt out למצוא לאחר חיפוש
hunt up/out לחפש, לאתר
hunt *n.* צַיִד; מצוד; חיפוש; ארגון ציידים; איזור ציד
hunt ball נשף ציידים
hunter *n.* צַיָּד; סוס־ציד; שעון־כיס
hunting *n.* צַיִד
hunting ground אתר־ציד
happy hunting ground גן עדן
hunting pink ורוד (של ציידים)
huntress *n.* ציידת
huntsman *n.* צייד
hur′dle *n.* משוכה; מחיצה מיטלטלת (להקמת גדר); קושי
hurdle *v.* להשתתף במירוץ משוכות
hurdle off לגדור, לחייץ
hurdler *n.* משתתף במירוץ משוכות
hur′dy-gur′dy *n.* תיבת נגינה
hurl *v.* להשליך, להטיל
hurl curses להמטיר קללות
hur′ly-bur′ly *n.* המולה, שאון
hurray′ (hoor-) *interj.* הידד!
hur′ricane′ (hûr′-) *n.* סופת הוריקן
hurricane lamp פנס רוח
hurried *adj.* חפוז
hur′ry (hûr′-) *v.* למהר, לחוש; להאיץ, להחיש
hurry up להזדרז; לזרז
hurry *n.* חיפזון, מהירות; דחיפות
in a hurry בחיפזון, בחופזה; אץ, להוט; ★בקלות; מהר, ברצון
in no hurry לא ממהר
hurt *v.* להכאיב, לפצוע; לפגוע; לכאוב
it won't hurt לא יזיק (אם)
hurt *n.* פגיעה, עלבון
hurtful *adj.* פוגע, מזיק
hur′tle *v.* לנוע בעוצמה, להתעופף
hus′band (-z-) *n.* בעל
husband *v.* לחסוך, לקמץ
husband one's resources לנצל ביעילות המשאבים העומדים לרשותו

husbandry *n.* חקלאות, ניהול; חיסכון
hush *v.* להשתיק; לשתוק
hush up להשתיק, לטשטש, להעלים
hush *n.* שקט, דממה
hush-hush *adj.* חשאי, סודי
hush money דמי "לא יחרץ"
hush-up *n.* השתקה, טשטוש, העלמה
husk *n&v.* קליפה, מוץ; לקלף
hus'ky *adj.* צרוד, יבש; חסון, חזק
husky *n.* כלב אסקימוסי
hussar' (həz-) *n.* פרש
hus'sy *n.* אישה קלת־דעת
hus'tings *n-pl.* תעמולת בחירות
hus'tle (-səl) *v.* לדחוף, לדחוק, לזרז; לפעול/למכור במרץ; ★לעסוק בזנות
hustle *n.* המולה, פעילות
hustler *n.* פעלתן; ★יצאנית
hut *n.* צריף, בקתה
hutch *n.* תיבה, לול, כלוב
hut'ment *n.* מחנה צריפים
hutted *adj.* (מחנה) בעל צריפים
hy'acinth' *n.* יקינטון
hy'brid *n.* היבריד, בן־כלאיים
hy'bridiza'tion *n.* היברידיזציה, הכלאה
hy'bridize' *v.* להצליב, להכליא
hy'dra *n.* הידרה, מפלצת
hy'drant *n.* הידראנט, ברז־שריפה
hy'drate' *n.* הידראט, מימה, תירכובת המכילה מים
hy•draul'ic *adj.* הידרולי, של לחץ מים
hydraulics *n-pl.* הידרוליקה
hy'dro *n.* ★אתר ריפוי במים
hy'drocar'bon *n.* פחמימן
hy'drochlor'ic acid (-kl-) *n.* חומצת־כלור
hy'dro•e•lec'tric *adj.* הידרואלקטרי
hy'drofoil' *n.* רחפת, ספינת־רחף
hy'drogen *n.* מימן
hydrogen bomb פצצת מימן
hydrogen peroxide מי חמצן
hy•drop'athy *n.* ריפוי במים
hy'dropho'bia *n.* בעת־מים, כלבת
hy'droplane' *n.* סירת־מנוע מהירה; מטוס־ים, הידרופלאן
hy'dropon'ics *n-pl.* הידרופוניקה, גידול צמחים בתוך מים
hy'dro•ther'apy *n.* ריפוי במים
hy•e'na *n.* צָבוֹעַ
hy'giene (-jēn) *n.* היגיינה, גהות
hy'gien'ic *adj.* היגייני, גהותי
hy'men *n.* בתולים
hymn (him) *n.* המנון, פיוט
hymn *v.* להודות (לאל) בשירה
hym'nal *n.* ספר פיוטים
hy'per- (תחילית) מעל, יותר מדי
hy•per'bola *n.* היפרבולה (עקומה)
hy•per'bole (-bəli) *n.* היפרבולה, הפרזה
hy'percrit'ical *adj.* בקרני יותר מדי, מחפש פגמים
hy'permar'ket *n.* היפרשוק
hy'persen'sitive *adj.* רגיש מאוד
hy'phen *n.* מקף, (־)
hy'phenate' *v.* לחבר במקף, למקף
hypno'sis *n.* היפנוזה
hypnot'ic *adj.* מהופנט, היפנוטי
hyp'notism' *n.* היפנוזה, היפנוטיזם
hyp'notist *n.* מהפנט
hyp'notize' *v.* להפנט
hy'po- (תחילית) תת־, מתחת ל־
hypodermis שיכבה תת־עורית
hy'po *n.* זריקה, תזריק; היפוסולפית
hy'pochon'dria (-k-) *n.* היפוכונדריה, דכדוך, פחד מפני מחלות מדומות
hy'pochon'driac' (-k-) *adj.* חולה היפוכונדריה
hypoc'risy *n.* צביעות
hyp'ocrite' (-rit) *n.* צָבוּעַ, מתחסד
hyp'ocrit'ical *adj.* צבוע
hy'poder'mic *n&adj.* תזריק; (זריקה) תת־עורית
hy•pot'enuse' *n.* יתר (במשולש ישר־זווית)
hy•poth'ecate' *v.* למשכן, לתת כמשכון
hy'po•ther'mia *n.* מיעוט חום (בגוף)
hy•poth'esis *n.* היפותיזה, הנחה
hy'pothet'ical *adj.* היפותיטי, משוער
hys'sop *n.* איזוב
hys'terec'tomy *n.* כריתת הרחם
hyster'ia *n.* היסטריה
hyster'ical *adj.* היסטרי
hyster'ics *n-pl.* התפרצויות היסטריות

I

I *pron.* אני
i'amb' *n.* יאמבוס, יורד
i•am'bic *adj.* יאמבי, של יאמבוס
i'bex' *n.* אקו, עז־הבר
ib'id, ib'idem' *adv.* הנ"ל, שם
i'bis *n.* איביס (עוף גדול)
ice *n.* קרח; גלידה, שלגון
break the ice לשבור את הקרח
cut no ice לא להשפיע, לא להרשים
keep it on ice לשמור במקרר; לשמור לשימוש בעתיד
on ice מושעה, מונח בצד
skating on thin ice מסתכן, מהלך על גבי חבל דק
ice *v.* להקפיא, לקרר; לצפות, לזגג
ice up/over להתכסות קרח
ice axe גרזן קרח (של מטפסי הרים)
ice bag רטיית קרח (להורדת החום)
ice'berg' (īs'-) *n.* קרחון
iceboat *n.* סירת קרח
icebound *adj.* (נמל) חסום בקרח
icebox *n.* מקרר, ארון קרח
ice-breaker *n.* שוברת־קרח (אונייה)
ice cap כיפת קרח (בקטבים)
ice-cold *adj.* קר כקרח
ice cream גלידה
iced *adj.* קפוא
icefall *n.* מפל־קרח (גוש קרח זקוף)
ice field שדה קרח (בים)
ice floe שכבת קרח צפה
ice-free *adj.* (נמל) פנוי מקרח
ice hockey הוקי קרח
icehouse *n.* בית קירור
ice-lolly *n.* שלגון
ice-man *n.* מוכר קרח
ice pack רטיית קרח (להורדת החום); שדה קרח (בים)
ice pick מכוש קרח, אזמל קרח
icerink *n.* חלקלקה, רחבת קרח
ice-show *n.* מופע על קרח
ice-skate *v.* להחליק על קרח
ice skates מחליקיים
ice water מי־קרח, מים קרים
ichneu'mon (iknōō'-) *n.* נמייה
i'cicle *n.* נטיף קרח
i'cing *n.* ציפוי לעוגה, קצפת, זיגוג
i'con *n.* איקונין, צלם, פסל
i•con'oclast' *n.* מנפץ אלילים; מורד במוסכמות, תוקף אמונות מקובלות
icy *adj.* קר כקרח; מכוסה קרח
I'd = I had, I would (īd)
ID card = identity card
i•de'a *n.* רעיון; מושג; תוכנית; דיעה; אידיאה, מחשבה
has no idea אין לו מושג
not my idea of- לא הפירוש/הטעם שלי ל-
put ideas in his head לטפת אשליות בלבו
the idea! what an idea! איזו חוצפה! איזו שטות!
the young idea קו מחשבה של ילד
I've an idea that- נראה לי ש־
i•de'al *adj.* אידיאלי; מופתי, דימיוני
ideal *n.* אידיאל, חזון, מופת, משא־נפש
i•de'alism' *n.* אידיאליזם
i•de'alist *n.* אידיאליסט
i'de•alist'ic *adj.* אידיאלי
i•de'aliza'tion *n.* אידיאליזציה
i•de'alize' *v.* להציגו כאידיאל, לראותו ככליל־השלמות
id'em *pron.* הנ"ל, שם
i•den'tical *adj.* זהה, דומה, שווה; אותו
identical twins תאומים זהים
i•den'tifica'tion *n.* זיהוי
identification parade מסדר זיהוי
i•den'tify' *v.* לזהות; להשוות
be identified with להיות מזוהה עם
identify oneself להזדהות (עם)
i•den'tikit' *n.* קלסתרון
i•den'tity *n.* זהות
identity card תעודת זהות
identity disk דיסקית זיהוי
id'e•ogram', -graph' *n.* סמל, אידיאוגרמה, תמונה המסמלת מלה
i'de•olog'ical *adj.* אידיאולוגי
i'de•ol'ogist *n.* אידיאולוג
i'de•ol'ogy *n.* אידיאולוגיה
Ides of March (īdz) 15 במרץ
id est' כלומר, זאת אומרת

id'iocy *n.* אידיוטיות, טיפשות
id'iom *n.* אידיום; ניב, צירוף מלים
id'iomat'ic *adj.* אידיומאטי; רב־ניבים; אופייני לשפה מסוימת
id'iosyn'crasy *n.* אופיינות, ייחודיות, מזג מיוחד, רגישות־יתר
id'iot *n.* אידיוט; שוטה
idiot box מכשיר טלוויזיה*
id'iot'ic *adj.* אידיוטי, חסר־היגיון
i'dle *adj.* בטל, לא עובד; עצל; חסר־תועלת, חסר־ערך
idle gossip דברים בטלים
idle hours שעות בטלה
idle *v.* להתבטל; לפעול בהילוך סרק
idle away לבזבז (זמן)
idler *n.* בטלן, מתבטל
i'dol *n.* אליל, פסל
i•dol'ater *n.* עובד־אלילים; מעריץ
i•dol'atress *n.* סוגדת, מעריצה
i•dol'atrous *adj.* פולחני, סוגד
i•dol'atry *n.* עבודת־אלילים, פולחן
i'doliza'tion *n.* הערצה, סגידה
i'dolize' *v.* להעריץ, לסגוד ל־
i'dyll (-dəl) *n.* אידיליה
i•dyl'lic *adj.* אידילי, שליו, פשוט
i.e. = id est (īē') כלומר
if *conj.* אם; אילו; כש־, כאשר; למרות
a strong if old man איש חזק הגם שהוא זקן
as if כאילו
even if גם אם, אם גם, אפילו
if not אם לא, ואפילו, ואוליי
if only הלוואי! אילו רק! לו!
if you like אם תרצה, אפשר לומר, "הייתי אומר"
if I were you אני במקומך (הייתי) ־
it isn't as if לא נכון ש־
ig'loo *n.* איגלו, בית האסקימו
ig'ne•ous *adj.* וולקני, של אש
ig'nis fat'u•us (-cho͞oəs) *n.* אור מתעה, דבר מתעה
ignite' *v.* להדליק; להתלקח
igni'tion (-ni-) *n.* הצתה; התלקחות
ig•no'ble *adj.* שפל, נבזה, מביש
ig'nomin'ious *adj.* בזוי, מחפיר
ig'nomin'y *n.* חרפה, ביזיון
ig'nora'mus *n.* בור, בער, עם־הארץ
ig'norance *n.* אי־ידיעה, בורות
ig'norant *adj.* לא־יודע, בור; של בוּר, הנובע מאי־ידיעה
ignore' *v.* להתעלם מ־, להתנכר ל־
igua'na (igwä'-) *n.* איגואנה

i'kon = icon *n.* איקונין
ilk *n.* סוג, מעמד
of that ilk מאותו סוג/מעמד
ill *adj.* חולה; רע, לא טוב, ביש
be taken ill ליפול למשכב
ill health בריאות לא תקינה
ill *adv.* באופן רע; בקושי; בעין רעה
can ill afford it יכול בקושי להרשות לעצמו
ill at ease במבוכה, לא נוח
it ill becomes him to- אין זה יאה לו ל־
speak ill of להשמיץ, לדבר בגנות
ill *n.* מחלה, צרה, פגע, רעה
I'll = I will, I shall (īl)
ill-advised *adj.* לא נבון, לא פיקחי
ill-affected *adj.* לא־נוטה, לא־אוהד
ill-assorted *adj.* לא מתאימים
ill-bred *adj.* גס, לא מחונך
ill-breeding *n.* גסות
ill-defined *adj.* לא ברור
ill-disposed *adj.* עוין; לא נוטה, מסרב
il•le'gal *adj.* לא־חוקי
il'le•gal'ity *n.* מעשה בלתי־חוקי
il•leg'ibil'ity *n.* אי־קריאות
il•leg'ible *adj.* לא־קריא
il'le•git'imacy *n.* אי־חוקיות
il'le•git'imate *adj.* לא־חוקי
illegitimate *n.* ממזר
ill-fated *adj.* ביש־מזל, מביא מזל רע
ill-favored *adj.* מכוער, דוחה
ill-gotten *adj.* שנרכש במרמה
il•lib'eral *adj.* לא ליבראלי; קמצן; צר־אופק
il•lib'eral'ity *n.* חוסר ליבראליות
il•lic'it *adj.* לא־חוקי
il•lim'itable *adj.* חסר־גבולות, אינסופי, ללא מצרים
il•lit'eracy *n.* אנאלפביתיות
il•lit'erate *adj.* אנאלפביתי, לא יודע קרוא וכתוב, בור
ill-judged *adj.* בעיתוי לא מתאים, חסר שיקול נכון
ill-mannered *adj.* גס, לא מנומס
ill-natured *adj.* רע, רע־לב
illness *n.* מחלה
il•log'ical *adj.* לא הגיוני
ill-omened *adj.* ביש־מזל; מבשר רע
ill-starred *adj.* ביש־מזל
ill-tempered *adj.* רע־מזג, רגזן
ill-timed *adj.* שלא בזמנו, בשעה לא מתאימה, לא מעותת כראוי

ill-treat *v.* להתאכזר, להתעלל
ill-treatment *n.* התאכזרות
illu′minate′ *v.* להאיר; לקשט בתאורה; להבהיר, להסביר
illuminating *adj.* מסביר, שופך אור
illu′mina′tion *n.* הארה, תאורה; הבהרה
illuminations תאורה חגיגית
illu′mine (-min) *v.* להאיר
ill-usage *n.* התאכזרות
ill-use *v.* להתאכזר, להתעלל
illu′sion (-zhən) *n.* אילוזיה, אשליה
cherish an illusion לטפח אשליה
optical illusion טעות אופטית, מחזה־שווא
under an illusion חי באשליה
illusionist *n.* להטוטן
illu′sive *adj.* משלה, כוזב; מוטעה
illu′sory *adj.* משלה, כוזב; מוטעה
il′lustrate′ *v.* לבאר (בעזרת תמונות/דוגמאות), לאייר; להסביר, להדגים
il′lustra′tion *n.* ביאור, הסברה; הדגמה; איור, תמונה, אילוסטרציה
illus′trative *adj.* מסביר, מדגים
il′lustra′tor *n.* אייר, מאייר
illus′trious *adj.* מפורסם, מזהיר
ill will שנאה, איבה
I'm = I am (īm) אני, הנני
im′age *n.* דמות, תמונה; דימוי, אימאז', תדמית; משל, מטפורה; בבואה
the very image of דומה מאוד ל־
image *v.* לצייר דמות, לדמות
im′agery (im′ijri) *n.* דימויים
imag′inable *adj.* שאפשר להעלות על הדעת
imag′inar′y (-neri) *adj.* דמיוני
imag′ina′tion *n.* דמיון
imag′ina′tive *adj.* של דמיון יוצר
imag′ine (-jin) *v.* לדמות, לדמיין, לחשוב, לתאר לעצמו, להעלות על הדעת
imam′ (-mäm′) *n.* אימאם, חזן מוסלמי
im•bal′ance *n.* חוסר־איזון
im′becile (-sil) *n&adj.* אימבצילי, טיפש, קהה־שכל
im′becil′ity *n.* טמטום, טיפשות
imbed′ = embed *v.* לשבץ
imbibe′ *v.* לשתות, לספוג, לקלוט
im′bricate′ *v.* לרעף, לכסות בחלקו
im′bricate *adj.* מרועף, קשקשי
imbro′glio′ (-brōl′yō) *n.* תסבוכת, אי־הבנה, בילבול
imbue′ (-bū′) *v.* למלא (לב, מוח), להחדיר
imbued with hatred אכול שנאה
im′itate′ *v.* לחקות; להיראות כ־
im′ita′tion *n.* חיקוי, חקיינות
imitation jewellery תכשיטים מלאכותיים
im′ita′tive *adj.* מחקה, חקייני
im′ita′tor *n.* חקיין
im•mac′u•late *adj.* טהור, ללא רבב
im′manence *n.* פנימיות, תוכיות
im′manent *adj.* פנימי, טבוע בפנים
im′mate′rial *adj.* לא חשוב, חסר־ערך; רוחני
im′mature′ (-toor′) *adj.* לא בשל, לא מפותח
im•meas′urabil′ity (-mezh-) *n.* אי־מדידות
im•meas′urable (-mezh′-) *adj.* לא מדיד, אינסופי
imme′diacy *n.* מידיות, תכיפות
imme′diate *adj.* מידי, מהיר, נעשה לאלתר; הקרוב ביותר; לא־אמצעי
immediate information מידע ישיר
immediately מיד, ללא דיחוי
im′memo′rial *adj.* קדום
from time immemorial מימי קדם
immense′ *adj.* כביר, עצום
immensely *adv.* מאוד־מאוד
immen′sity *n.* ענקיות, גודל, עוצם
immerse′ *v.* להטביל, להשקיע
immersed in work שקוע בעבודה
immer′sion (-zhən) *n.* טבילה, השתקעות
immersion heater מזלג חשמלי
im′migrant *n.* מהגר, עולה
im′migrate′ *v.* להגר, לעלות
im′migra′tion *n.* הגירה, עלייה
im′minence *n.* קירבה, בוא
im′minent *adj.* קרוב, עומד לקרות
im•mis′cible *adj.* לא מתערבב
im•mo′bile (-bil) *adj.* לא זז, יציב
im′mobil′ity *n.* יציבות, אי־תזוזה
immo′biliza′tion *n.* ניוח
immo′bilize′ *v.* לנייח, להפסיק התנועה, להעמיד, להדמים
im•mod′erate *adj.* מופרז, מוגזם
im•mod′est *adj.* לא צנוע, גס, חצוף
immodesty *n.* חוסר צניעות; חוצפה
im′molate′ *v.* להקריב (קורבן)
im′mola′tion *n.* הקרבה; קורבן

im•mor′al *adj.* לא־מוסרי, מושחת
im′moral′ity *n.* אי־מוסריות; שחיתות; מעשה בלתי מוסרי
im•mor′tal *adj&n.* אלמותי, נצחי
the Immortals אלי יוון ורומי
im′mor•tal′ity *n.* אלמוות, נצחיות
im•mor′talize′ *v.* לתת חיי עולם, להנציח
im•mov′able (imo͞ov′-) *adj.* שאי אפשר להזיזו, קבוע; מוצק, איתן
immune′ *adj.* מחוסן, חסין
immu′nity *n.* חסינות; פטור, שחרור
im′mu•niza′tion *n.* חיסון
im′mu•nize′ *v.* לחסן, להרכיב
immure′ *v.* לכלוא
immure oneself להסתגר
im•mu′tabil′ity *n.* אי־שינוי
im•mu′table *adj.* שאי אפשר לשנותו
imp *n.* שדון, שד קטן
im′pact′ *n.* התנגשות; רושם, השפעה, אימפקט
impact′ *v.* לדחוס, ללחוץ, לנעוץ
impact′ed *adj.* דחוס, לחוץ
impair′ *v.* לקלקל, להחליש, לפגום
impairment *n.* קלקול, החלשה
impale′ *v.* לדקור, לנעוץ, לפלח
impalement *n.* דקירה, נעיצה
im•pal′pable *adj.* לא־מוחשי, לא נתפס
impan′el *v.* לצרף לחבר המושבעים
impart′ *v.* לתת, למסור, להקנות
im•par′tial *adj.* הוגן, לא נושא פנים
im•par′tial′ity (-′sh-) *n.* הגינות, יושר
im•pass′able *adj.* לא־עביר, חסום
im′passe′ *n.* מבוי סתום
impas′sion *v.* להלהיב, לשלהב
impassioned *adj.* נלהב, מלא רגש
im•pas′sive *adj.* חסר רגש, שליו, שאנן
im′pas•siv′ity *n.* שלווה, אדישות
im•pa′tience (-shəns) *n.* קוצר־רוח
im•pa′tient (-shənt) *adj.* קצר־רוח, חסר סבלנות, משתוקק
impeach′ *v.* להטיל ספקות, לפקפק ב־; להאשים
impeachment *n.* הטלת ספק, האשמה
im•pec′cable *adj.* טהור, ללא רבב
im′pe•cu′nious *adj.* עני
impede′ *v.* לעכב, למנוע, לעצור
imped′iment *n.* עיכוב, מעצור; מום, פגם
imped′imen′ta *n-pl.* מטען צבאי, כבודה, חפצים, חבילות
impel′ *v.* לדחוף, להמריץ, לזרז
impend′ *v.* לעמוד לקרות, לאיים
impend over להיות תלוי ממעל
impend′ing *adj.* מתקרב, ממשמש ובא
im•pen′etrable *adj.* בלתי־חדיר
impenetrable darkness עלטה כבדה
im•pen′itence *n.* קשיחות־לב
im•pen′itent *adj.* לא חוזר בתשובה, רשע, קשוח־לב
imper′ative *adj.* הכרחי, חיוני; מצווה, סמכותי; (בדקדוק) של ציווי
imperative *n.* ציווי (בדקדוק)
im′percep′tibil′ity *n.* אי־מוחשיות
im′percep′tible *adj.* לא־מורגש, לא ניכר
im•per′fect (-fikt) *adj.* לא־מושלם, פגום
imperfect (tense) עבר לא נשלם
im′perfec′tion *n.* אי־שלמות, פגם
impe′rial *adj.* קיסרי, מלכותי
imperial *n.* זקנקן מחודד
impe′rialism′ *n.* אימפריאליזם
impe′rialist *n.* אימפריאליסט
impe′rialis′tic *adj.* אימפריאליסטי
imper′il *v.* לסכן, להעמיד בסכנה
impe′rious *adj.* מצַווה, תקיף, מתנשא; הכרחי, דחוף
im•per′ishable *adj.* לא מתקלקל, בר־קיימא, נצחי
im•per′manence *n.* ארעיות
im•per′manent *adj.* ארעי
im•per′me•able *adj.* אטים, לא חדיר
im•per′sonal *adj.* לא־אישי; על־אנושי; סתמי
imper′sonate′ *v.* לשחק/לגלם דמות; להתחזות כ־
imper′sona′tion *n.* גילום דמות
im•per′tinence *n.* חוצפה
im•per′tinent *adj.* חצוף; לא רלוואנטי
im′perturb′abil′ity *n.* קור־רוח
im′perturb′able *adj.* שקט, קר־רוח
im•per′vious *adj.* לא חדיר, אטים
im′peti′go *n.* סעפת (מחלה)
impet′u•os′ity (-cho͞o-) *n.* פזיזות, נמהרות; קוצר־רוח
impet′u•ous (-cho͞oəs) *adj.* פזיז, מתפרץ
im′petus *n.* דחף, דחיפה, תנופה
im•pi′ety *n.* חוסר כבוד, כפירה
impinge′ *v.* להתנגש; להשפיע
impinge on לגבול ב־, להגיע ל־; להסיג

גבול; להתנגש ב־
im′pious *adj.* לא דתי; כופר
imp′ish *adj.* שדוני, שובבני
im•plac′able *adj.* שאין לפייסו, קשה
implant′ *v.* להחדיר, להשריש
im•plau′sible (-z-) *adj.* לא סביר
im′plement *n.* כלי, מכשיר
im′plement′ *v.* להוציא לפועל, לבצע
im′plicate′ *v.* לערב, לסבך, לגרום
im′plica′tion *n.* סיבוך; הסתבכות; רמז, אימפליקציה, משמעות, כוונה
implic′it *adj.* משתמע, נרמז; שלם, מוחלט
implied *adj.* מרומז, מובע בעקיפין
implore′ *v.* להתחנן, להפציר ב־
implo′sion (-zhən) *n.* פיצוץ (כלפי פנים)
imply′ *v.* לרמוז, להביע בעקיפין
im′polite′ *adj.* לא מנומס, גס
im•pol′itic *adj.* לא נבון, לא בחוכמה
im•pon′derable *adj&n.* (גורם) זעיר־משקל, שקשה לאמוד את חשיבותו/השפעתו
import′ *v.* לייבא; לרמוז, להתכוון
it imports us to know חשוב שנדע
im′port′ *n.* יבוא; ייבוא; משמעות, כוונה; חשיבות
impor′tance *n.* חשיבות, ערך
impor′tant *adj.* חשוב, רב ערך
im′por•ta′tion *n.* ייבוא, יבוא
impor′ter *n.* יבואן
impor′tunate (-′ch-) *adj.* מפציר, תובע בלי־הרף; דחוף, דוחק
im′portune′ *v.* להפציר, לנדנד
im′portu′nity *n.* הפצרה, נדנדנות
impose′ (-z) *v.* להטיל (מס, תפקיד); לכפות עצמו, להידחק, להכביד בנוכחותו
impose upon/on לנצל
imposing *adj.* מרשים, רב־רושם
im′posi′tion (-zi-) *n.* הטלה; הכבדה; מס, עונש; רמאות; ניצול
im•pos′sibil′ity *n.* אי־אפשרות
im•pos′sible *adj.* בלתי אפשרי; לא נסבל
impos′tor *n.* רמאי, נוכל, מתחזה
impos′ture *n.* רמאות, התחזות
im′potence *n.* אימפוטנטיות, תשישות; אין־אונות, חוסר כוח־גברא
im′potent *adj.* חסר־אונים; אימפוטנט
impound′ *v.* לתפוס, להחרים; לכלוא
impov′erish *v.* לרושש, לדלדל
im•prac′ticabil′ity *n.* אי־מעשיות
im•prac′ticable *adj.* לא־מעשי
im•prac′tical *adj.* לא־מעשי
im′pre•cate′ *v.* לקלל
im′pre•ca′tion *n.* קללה
im′pre•cise′ *adj.* לא מדוייק
im•preg′nabil′ity *n.* איתנות
im•preg′nable *adj.* שאין לכבשו, שאין לערערו, מוצק, איתן
impreg′nate *v.* להפרות; להספיג, להחדיר, למלא
im′presar′io′ (-sär-) *n.* אמרגן
impress′ *v.* להטביע; להחתים; להרשים, להשפיע; להשאיר רישומו
impress the importance of- להדגיש/להבהיר את חשיבות־
im′press′ *n.* רושם, סימן, טביעה
impress′ *v.* לגייס בכוח; להפקיע
impres′sion *n.* טביעה, הטבעה; סימן; רושם, התרשמות; הדפסה, מהדורה
under the impression that- תחת הרושם ש־
impressionable *adj.* מושפע בקלות
impressionism *n.* אימפרסיוניזם
impressionist *n.* אימפרסיוניסט
impres′sionis′tic (-shən-) *adj.* אימפרסיוניסטי, התרשמותי
impres′sive *adj.* רב רושם, מרשים
im′prima′tur *adj.* רישיון, הסכמה, אישור
imprint′ *v.* להדפיס, להחתים, להטביע
imprint on the mind לחרות במוח
im′print′ *n.* חותָם, סימן; שם המו"ל
impris′on (-z-) *v.* לאסור, לכלוא
imprisonment *n.* מאסר
im•prob′abil′ity *n.* אי־סבירות
im•prob′able *adj.* לא סביר, לא מתקבל על הדעת, לא ייתכן
impromp′tu (-to͞o) *adj&adv.* מאולתר, מניה וביה; בצורה מאולתרת
impromptu *n.* יצירה מאולתרת
im•prop′er *adj.* לא הוגן; לא מתאים; לא נכון; מוטעה; גס, מגונה
improper fraction שבר מדומה
im′propri′ety *n.* אי נכונות, חוסר הגינות; אי התאמה; מעשה לא יאה
improve′ (-ro͞ov′) *v.* לשפר; להשתפר; להשביח, להעלות ערכו; לנצל
improve the occasion לנצל ההזדמנות
improve upon/on ליצור דבר טוב מן
improvement *n.* שיפור
im•prov′idence *n.* בזבזנות

im•prov′ident *adj.* בזבזן, לא דואג לעתיד
im′provisa′tion (-z-) *n.* אילתור, אימפרוביזציה
im′provise′ (-z) *v.* לאלתר
im•pru′dence *n.* אי־נבונות, נמהרות
im•pru′dent *adj.* לא נבון, נמהר
im′pu•dence *n.* חוצפה, עזות
im′pu•dent *adj.* חצוף, חסר־בושה
impugn′ (-pūn′) *v.* לפקפק ב־, לקרוא תגר על
im′pulse′ *n.* דחף, דחיפה; אימפולס; מיתקף
impul′sion *n.* דחיפה, דחף
impul′sive *adj.* אימפולסיבי, מתפרץ, דחפוני, פרצני
im•pu′nity *n.* פטור מעונש
with impunity ללא הסתכנות בעונש
im•pure′ *adj.* לא טהור, מזוהם
im•pu′rity *n.* אי טהרה, זוהמה
im′pu•ta′tion *n.* ייחוס, האשמה
impute′ *v.* לייחס, לתלות הקולר ב־
in *prep.* ב־, בתוך
he's in politics הוא פוליטיקאי
in all בסך הכל
in itself בפני עצמו
in so far as במידה ש־
in that מכיוון ש־, בזאת ש־
in *adv.* בפנים, בתוכו, בבית; באופנה
be in for להיות צפוי (לדבר רע), לפני (צרה); להירשם/להיכלל
be in on ⋆לקחת חלק ב־, לדעת
day in, day out יום יום
have it in for him לחכות להזדמנות להרע לו
in and out תכופות יוצא ונכנס
in with ביחסי־ידידות
the crop is in היבול נאסף
the fire is still in האש בוערת
the party is in המפלגה ניצחה
the train is in הרכבת הגיעה
in *n&adj.* פנימי, נכנס
in-patient חולה־פנים, מאושפז
the in tray מגש "דואר נכנס"
the ins and outs כל הפרטים
in- (תחילית) לא, אי־, חוסר־
in′abil′ity *n.* אי יכולת
in′acces′sibil′ity *n.* אי־נגישות
in′acces′sible *adj.* לא בר־גישה
in•ac′cu•racy *n.* אי־דיוק
in•ac′cu•rate *adj.* לא מדויק
in•ac′tion *n.* אי פעולה, אפס מעשה
in•ac′tivate′ *v.* להרוס, להשבית
in•ac′tive *adj.* לא פעיל
in′ac•tiv′ity *n.* חוסר פעילות
in•ad′equacy *n.* חוסר כשירות, אי־התאמה; מחסור; ליקוי
in•ad′equate *adj.* לא מספיק; לא כשיר, לא מתאים; לקוי
in′admis′sible *adj.* שאין להכניסו; לא מתקבל, לא קביל
in′adver′tence *n.* אי־שימת לב; רשלנות
in′adver′tent *adj.* שלא בכוונה, בשוגג; שלא שם לב, שבהיסח הדעת; רשלני
in•a′lienable *adj.* שאין להעבירו
inalienable rights זכויות מושרשות
inane′ *adj.* ריק, טיפשי
in•an′imate *adj.* דומם, חסר־חיים
in′ani′tion (-ni-) *n.* חולשה; תשישות; ריקנות
inan′ity *n.* שטות, טיפשות
in•ap′plicable *adj.* לא הולם, לא ישים
in′appre′ciable (-shəb-) *adj.* לא ניכר, זעיר
in′appro′priate *adj.* לא הולם
in•apt′ *adj.* לא הולם; לא מוכשר
in•ap′titude′ *n.* אי התאמה; אי יכולת
in′ar•tic′u•late *adj.* לא מובע בבירור; לא בנוי כהלכה; מגמגם, מגומגם
in′art•is′tic *adj.* לא אמנותי
in′asmuch′ (-z-) *conj.* כיוון ש־
in′atten′tion *n.* חוסר תשומת לב
in′atten′tive *adj.* לא שם לב; לא מקשיב
in•au′dibil′ity *n.* אי־שמיעות
in•au′dible *adj.* שאין לשמעו
inau′gu•ral *adj.* חונך, של חנוכה
inaugural *n.* נאום פתיחה
inau′gu•rate′ *v.* להכניס למשרה (בטקס); לחנוך; לפתוח, להתחיל
inau′gu•ra′tion *n.* חנוכה, פתיחה
in′auspi′cious (-pish′əs) *adj.* מבשר רע
in′be•tween′ *adj.* של ביניים, בינאי
in′board′ *adj.* פנימי, שבתוך האונייה
in′born′ *adj.* שמלידה, טבוע בדמו
in′bound′ *adj.* שפניו מועדות הבייתה
in′bred′ *adj.* שמלידה, טבעי
in′breed′ing *n.* הרבעה, הרכבה
inc = incorporated
in•cal′cu•lable *adj.* שאין לחשבו; בלתי מדיד; שאין לחזותו; הפכפך

in camera בדלתיים סגורות
in′candes′cence *n.* להט, זוהר
in′candes′cent *adj.* לוהט, זוהר
incandescent lamp נורת חשמל
in′can·ta′tion *n.* לחש, כישוף
in•ca′pabil′ity *n.* חוסר יכולת
in•ca′pable *adj.* לא מסוגל, לא יכול
drunk and incapable שיכור כלוט
in′capac′itate′ *v.* לשלול יכולת
in′capac′ity *n.* אי יכולת
incar′cerate′ *v.* לכלוא, לאסור
incar′cera′tion *n.* מאסר
incar′nate *adj.* בצורת אדם, בהתגלמות
devil incarnate השטן בהתגלמותו
incar′nate *v.* לגלם, להלביש גוף
in′car·na′tion *n.* התגלמות
former incarnation גלגול קודם
in•cau′tious (-shəs) *adj.* לא זהיר, נמהר
incen′diarism′ *n.* הצתה; הסתה
incen′diar′y (-eri) *adj&n.* מבעיר, שולח אש; פצצת תבערה; מעורר אלימות
in′cense′ *n.* קטורת
incense′ *v.* להרגיז, להכעיס
incen′tive *n.* עידוד, דחיפה
incep′tion *n.* התחלה, פתיחה
in•cer′titude′ *n.* אי־ודאות
in•ces′sant *adj.* לא חדל, מתמיד
in′cest′ *n.* גילוי עריות
inces′tu•ous (-cho͞o͞əs) *adj.* של גילוי עריות
inch *n.* אינץ'; מידה זעומה
by inches אט־אט, טיפין־טיפין
every inch כולה, בכל רמ"ח אבריו
inch by inch טיפין טיפין
miss by inches להחטיא כחוט השערה
not give/yield an inch לא לוותר מאומה
within an inch of על סף ה־
inch *v.* לנוע/להתקדם באיטיות
inch one's way לפלס דרכו באיטיות
incho′ate (-k-) *adj.* בראשית ההתפתחות, שאך זה התחיל, התחלי, לא שלם
in′cidence *n.* תחולה, היקף, שכיחות
in′cident *adj.* כרוך ב־, מהווה חלק מ־, קשור ל־
incident *n.* מאורע, תקרית
in′ciden′tal *adj.* מקרי, משני, טפל; עלול לקרות, כרוך ב־
incidental expenses הוצאות קטנות, הוצאות נוספות
incidental music מוסיקת ליווי
in′ciden′tally *adv.* אגב
incidentals *n-pl.* הוצאות קטנות
incin′erate′ *v.* לשרוף לאפר
incin′era′tion *n.* שריפה
incin′era′tor *n.* משרפת (לאשפה)
incip′ience, -cy *n.* התחלה, ראשית
incip′ient *adj.* מתחיל, בשלב התחלתי
incise′ (-z) *v.* לחתוך; לחרוט
inci′sion (-sizh′ən) *n.* חתך; חיתוך
inci′sive *adj.* חותך, חד, שנון
inci′sor (-zər) *n.* שן חותכת
incite′ *v.* להסית, לעורר
incitement *n.* הסתה; דחיפה
in′civil′ity *n.* חוסר נימוס
in•clem′ency *n.* חוסר רחמים
in•clem′ent *adj.* (מזג אוויר) קשה, קר
in′clina′tion *n.* שיפוע, מורד; הרכנה, כפיפה; נטייה, רצון
incline′ *v.* לכופף, להרכין; להטות; לנטות; להטות לב, להשפיע
be/feel inclined לנטות, לרצות
inclined to believe נוטה להאמין
inclines to fatness נוטה להשמנה
in′cline′ *n.* שיפוע, מדרון
inclined′ (-klīnd′) *adj.* נוטה; משופע
inclose′ (-z) *v.* לסגור, להקיף; להכיל
include′ *v.* לכלול
included *adj.* כולל, כלול (במחיר)
including *prep.* ובכלל זה, לרבות
inclu′sion (-zhən) *n.* הכללה
inclu′sive *adj.* כולל הכל; ועד בכלל
inclusive of כולל
incog′, incog′nito′ *adv.* אינקוגניטו, באלמוניות, בעילום־שם
in′co•he′rence *n.* חוסר קשר, בלבול
in′co•he′rent *adj.* חסר קשר, מבולבל
in′combus′tible *adj.* לא דליק
in′come′ (-kum) *n.* הכנסה
live within/beyond one's income לצרוך פחות/יותר מן ההכנסה
income tax מס הכנסה
in′com′ing (-kum-) *adj.* נכנס, בא
in′commen′surate (-′sh-) *adj.* לא מתאים, חסר מידה משותפת, קטן בהשוואה ל־
in′commode′ *v.* לגרום אי־נעימות
in′commo′dious *adj.* מטריד, לא נוח
in′commu′nica′do (-kä′-) *adj.* מנותק, שאסור להתקשר עמו
in•com′parable *adj.* אין דומה לו,

אין שני לו, מופלג

in'compat'ibil'ity *n.* אי התאמה

in'compat'ible *adj.* לא מתאים, מנוגד

in•com'petence, -cy *n.* חוסר יכולת, אי מוכשרות

in•com'petent *adj.* לא מוכשר, לא מסוגל

in'complete' *adj.* לא מושלם, פגום

in•com'pre•hen'sibil'ity *n.* אי־הבנה

in•com'pre•hen'sible *adj.* לא מובן

in•com'pre•hen'sion *n.* אי הבנה

in'conceiv'able (-sēv'-) *adj.* לא־יאומן; לא מתקבל על הדעת, מוזר ביותר

in'conclu'sive *adj.* לא מכריע, לא משכנע

in'congru'ity *n.* אי התאמה

in•con'gru•ous (-rōōəs) *adj.* לא מתאים, לא הרמוני; לא משתלב בסביבה

in•con'sequent *adj.* לא עקיב, לא שייך לעניין

in•con'sequen'tial *adj.* חסר חשיבות

in'consid'erable *adj.* קל ערך, זעום

in'consid'erate *adj.* לא מתחשב

in'consis'tency *n.* אי התאמה

in'consis'tent *adj.* לא מתאים, לא עולה בקנה אחד, הפכפך, סותר

in'conso'lable *adj.* שאין לנחמו

in'conspic'u•ous (-ūəs) *adj.* לא בולט, לא מורגש

in•con'stancy *n.* חוסר עקביות

in•con'stant *adj.* לא עקיב, הפכפך

in'contest'able *adj.* שאין לערער עליו, שאין לסתור אותו

in•con'tinence *n.* אי התאפקות

in•con'tinent *adj.* לא יכול להתאפק

in•con'trovert'ible *adj.* שאין לערער עליו, שאין להפריכו

in'conve'nience *n.* אי נוחות, אי נעימות, טרחה

inconvenience *v.* לגרום אי נוחות

in'conve'nient *adj.* לא נוח

in'convert'ible *adj.* שאין להמירו

incor'porate' *v.* לאחד; להתאחד; למזג; להתמזג; לאגד, לכלול

incor'porate *adj.* מאוגד (לחברה)

incor'pora'tion *n.* איחוד, מיזוג

in'cor•por'e•al *adj.* לא חומרי, חסר־גוף

in'correct' *adj.* לא מדויק, לא נכון

in•cor'rigible *adj.* לא ניתן לתקנו

in'corrupt'ible *adj.* נקי כפיים

in'corrup'tibil'ity *n.* ניקיון כפיים

in'crease' *n.* גידול; תוספת, הוספה

on the increase גובר והולך

increase' *v.* לגדול; להרבות; להגביר

increasingly *adv.* יותר ויותר

in•cred'ibil'ity *n.* חוסר סבירות

in•cred'ible *adj.* לא יאומן, מוזר; ⋆נפלא, כביר

in'credu'lity *n.* ספקנות, אי אימון

in•cred'ulous (-krej'-) *adj.* לא מאמין, מפקפק, מפגין ספקנות

in'crement *n.* גידול, תוספת

unearned increment רווח ללא מאמץ (מהתייקרות נכס)

incrim'inate' *v.* להפליל, להאשים

incrim'ina'tion *n.* הפללה, האשמה

in'crus•ta'tion *n.* ציפוי, קרום; הקרמה; שיבוץ (אבני חן)

in'cu•bate' *v.* לדגור; להדגיר

in'cu•ba'tion *n.* דגירה

in'cu•ba'tor *n.* אינקובטור, מדגרה

in'cu•bus *n.* סיוט, מועקה, נטל

incul'cate *v.* להחדיר, לשנן, לטעת

in'cul•ca'tion *n.* החדרה, שינון

incul'pate *v.* להאשים, להפליל

incum'bency *n.* כהונה, תפקיד, חובה

incum'bent *adj.* חובה על; המכהן

incumbent president הנשיא המכהן

it's incumbent upon- שומה על־

incumbent *n.* כומר; מחזיק במשרה

incur' *v.* לגרום ל־, להביא על ראשו, להמיט על עצמו, להיכנס ל־

incur debts לשקוע בחובות

in•cu'rable *adj&n.* חשוך־מרפא

in•cu'rious *adj.* לא מגלה סקרנות

incur'sion (-zhən) *n.* פלישה, התקפת־פתע, פשיטה

in•curve' *v.* לעקם פנימה

incurved *adj.* מעוקם כלפי פנים

indebt'ed (-det'-) *adj.* אסיר תודה

in•de'cency *n.* חוסר צניעות, גסות

in•de'cent *adj.* לא צנוע, גס, פוגעני

indecent exposure התראוות

in'de•ci'pherable *adj.* לא פתיר, סתום

in'de•ci'sion (-sizh'ən) *n.* חוסר החלטה, הססנות

in'de•ci'sive *adj.* לא מוכרע; לא החלטי, הססני

in•dec'orous *adj.* לא נימוסי, חסר טעם

in'de•cor'um *n.* חוסר נימוס; חוסר

Indian club אַלָה (בהתעמלות)
Indian corn תירס
Indian file שורה עורפית, טור עורפי
Indian hemp קנבוס
Indian ink טוש; דיות הודית
Indian red אדום־צהבהב
Indian summer קיץ הודי (בשלהי הסתיו); תחושת נעורים (לעת זקנה)
India paper נייר דק
India-rubber גומי, מחק
in′dicate′ *v.* להראות, להצביע; לסמן; לרמוז שיש לנקוט־
indicate right לאותת ימינה (רכב)
in′dica′tion *n.* סימן, אינדיקציה
indic′ative *adj.* מצביע, רומז על
indicative mood דרך החיווי
in′dica′tor *n.* מצביע, מחוון, מחוג; אור איתות, אינדיקטור, סימן
in′dices = pl of index (-sēz)
indict′ (-dīt′) *v.* להאשים
indictable *adj.* בר־אישום
indictment *n.* כתב אישום; האשמה
in•dif′ference *n.* אדישות
a matter of indifference דבר קל בעיניו, עניין חסר־חשיבות
in•dif′ferent *adj.* אדיש; לא איכפתי; בינוני, לא מצוין
in′digence *n.* עוני
indig′enous *adj.* יליד, בן־המקום
in′digent *adj.* עני
in′diges′tible *adj.* שאינו מתעכל
in′diges′tion (-chən) *n.* קושי בעיכול; כאב בטן
indig′nant *adj.* כועס, מתמרמר
in′digna′tion *n.* זעם, התמרמרות
in•dig′nity *n.* אובדן כבוד; השפלה
in′digo′ *n.* אינדיגו, כחול כהה
in′direct′ *adj.* לא ישיר, עקיף
indirect object מושא עקיף
indirect speech דיבור עקיף
indirect tax מס עקיף
in′discern′ible *adj.* שאין להבחין בו, זעיר, סמוי
in•dis′cipline (-lin) *n.* חוסר משמעת
in′discreet′ *adj.* לא זהיר, לא טקטי
in′discrete′ *adj.* לא מופרד, רצוף
in′discre′tion (-resh′ən) *n.* חוסר זהירות, חוסר טקט; מעשה לא נאה
in′discrim′inate *adj.* לא מבחין
in′dispen′sabil′ity *n.* הכרחיות
in′dispen′sable *adj.* הכרחי, חיוני
in′dispose′ (-z) *v.* לגרום לאי־רצון;

טעם; מעשה לא נימוסי
indeed′ *adv.* אומנם, אכן; למעשה
indeed! האומנם? לא יאומן!
very much indeed מאוד מאוד
in′de•fat′igable *adj.* שאינו מתעייף
in′de•fea′sible (-z-) *adj.* שאין לבטלו, שאין להפך אותו
in′de•fen′sible *adj.* שאין להצדיקו; שאי אפשר להגן עליו
in′de•fi′nable *adj.* לא בר־הגדרה
in•def′inite (-nit) *adj.* לא ברור, לא מסוים, סתמי
indefinite article = a, an
indefinitely *adv.* ללא גבול; סתמית
in•del′ible *adj.* שאי אפשר למחקו
indelible stain כתם בל יימחה
in•del′icacy *n.* חוסר צניעות, גסות
in•del′icate *adj.* לא צנוע, לא מעודן, לא נימוסי, גס
indem′nifica′tion *n.* פיצויים; שיפוי, ביטוח
indem′nify′ *v.* לפצות; לשפות, לבטח
indem′nity *n.* פיצויים; שיפוי; ביטוח
indent′ *v.* לשנן, לחרוק, לעשות סימן נגיסה ב־; להרחיק שורה, לעשות זיח
indent for להזמין (סחורה)
in′dent′ *n.* הזמנת סחורה
in′denta′tion *n.* שינון, חירוק; מפרץ; רווח (בשורה חדשה), זיח, פתיח
inden′ture *n.* הסכם (בשני העתקים)
indenture *v.* לקשור (עפ״י הסכם)
in′de•pen′dence *n.* עצמאות
Independence Day יום העצמאות
in′de•pen′dent *adj&n.* עצמאי, חופשי; בעל קו עצמאי
independent of לא תלוי ב־
independents הבלתי־תלויים
in′de•scri′bable *adj.* בל יתואר
in′de•struc′tible *adj.* שאין להשמידו
in′de•ter′minable *adj.* שאין להגדירו
in′de•ter′minacy *n.* חוסר־קביעות
in′de•ter′minate *adj.* לא ברור, מעורפל, לא מוגדר, לא קבוע
in′dex′ *n.* מפתח, אינדקס; מדד; סימן, עדות, אות; מעריך
cost of living index מדד יוקר המחייה
the index finger האצבע
the Index רשימת ספרים אסורים
index *v.* לערוך מפתח (בספר), למפתח
indexer *n.* מפתחן, עורך מפתחות
In′dia *n.* הודו
In′dian *adj&n.* הודי; אינדיאני

לדחות; להחלות
indisposed *adj.* לא מרגיש טוב, לא בקו הבריאות; לא נוטה, לא מתלהב
in•dis'posi'tion (-zi-) *n.* מחלה קלה; חוסר רצון, סירוב
in'dispu'table *adj.* שאין לערער עליו, ברור, ודאי
in'dissol'u•ble *adj.* לא נמס; יציב
in'distinct' *adj.* לא ברור, מעורפל
in'distin'guishable (-gwish-) *adj.* שאין להבחין/להבדיל ביניהם
indite' *v.* לחבר, לכתוב (שיר)
in'divid'ual (-j'oo͞əl) *adj.* יחיד, מיוחד, אינדיבידואלי, יחידני
individual *n.* יחיד, פרט; ★ברנש
individualism *n.* אינדיבידואליזם; אגואיזם; אנוכיות
individualist *n.* אינדיבידואליסט
in'divid'ual'ity (-vijoo͞al-) *n.* אינדיבידואליות, עצמיות, ייחודיות; מיוחדות
in'divid'ualize' (-vijoo͞əl-) *v.* לעשות למיוחד; לתת צורה אופיינית; להבחין; לציין
individually *adv.* בנפרד, אחד אחד
in'divis'ible (-z-) *adj.* לא מתחלק
In'do של הודו
in•do'cile (-sil) *adj.* סורר, ממרה
indoc'trinate' *v.* להחדיר למוחו; לשנן; להקנות עקרונות
indoc'trina'tion *n.* החדרת דיעות
Indo-European *adj.* הודו אירופי
in'dolence *n.* עצלות; בטלה
in'dolent *adj.* עצלן
in•dom'itable *adj.* לא נכנע, איתן
in'door' (-dôr) *adj.* שבתוך הבית, באולם, לא בחוץ
in'doors' (-dôrz) *adv.* פנימה; בפנים, בבית
indorse' = **endorse** *v.* להסב
in'drawn' *adj.* משוך כלפי פנים
in•du'bitable *adj.* שאינו מוטל בספק
induce' *v.* להשפיע, לפתות; להמריץ; לגרום; לזרז לידה; להשרות (זרם)
inducement *n.* פיתוי, דחיפה
induct' *v.* להכניס לתפקיד; לגייס
induc'tion *n.* הכנסה לתפקיד, גיוס; זירוז לידה; השראה, אינדוקציה
induction coil סליל השראה
induc'tive *adj.* אינדוקטיבי; מבוסס על אינדוקציה; של השראה, השראי
indue' (-doo͞') *v.* להעניק, לחונן
indulge' *v.* לפנק, להשביע רצונו, לוותר; לשקוע, להתמכר, להתפרק
indulge in להתמכר; להתענג על
indul'gence *n.* התמכרות, שקיעה ב־; פינוק, מילוי תאווה; תענוג; מחילה, כפרה
indul'gent *adj.* אדיב; ותרן, מפנק
indus'trial *adj.* תעשייתי
industrial alcohol כוהל תעשייתי
industrial dispute סכסוך עבודה
industrial estate איזור תעשייה
indus'trialism' *n.* תעשיינות
indus'trialist *n.* תעשיין
indus'trialize' *v.* לתעש
indus'trious *adj.* חרוץ, עובד בשקדנות
in'dustry *n.* תעשייה; שקדנות
in•dwell' *v.* לשכון, להימצא בנפש
in'dwell'ing *adj.* שוכן/נמצא בפנים
ine'briate' *v.* לשכר, להשקות לשכרה
ine'briate *adj&n.* שיכור, שתוי
in•ed'ible *adj.* לא אכיל, לא למאכל
in•ef'fable *adj.* בל־יתואר, שאין להביעו במלים; נפלא
ineffable name שם המפורש
in'effec'tive *adj.* לא יעיל, לא אפקטיבי
in'effec'tual (-choo͞əl) *adj.* לא יעיל
in'effi'ciency (-fish'ən-) *n.* אי יעילות
in'effi'cient (-fish'ənt) *adj.* לא יעיל, בזבזני
in'e•las'tic *adj.* לא גמיש, לא אלסטי
in•el'egance *n.* חוסר אלגנטיות
in•el'egant *adj.* לא אלגנטי
in•el'igibil'ity *n.* אי כשירות
in•el'igible *adj.* לא כשיר, פסול
in'e•luc'table *adj.* שאין מנוס מפניו, נגזר
inept' *adj.* לא מתאים; שטותי
inept'itude' *n.* אי התאמה; שטות
in'e•qual'ity (-kwol'-) *n.* אי שוויון, הבדל, פער; אי מישוריות
in•eq'uitable *adj.* לא צודק, מפלה
in•eq'uity *n.* אי צדק, איפה ואיפה
in'e•rad'icable *adj.* שאין לשרשו
inert' *adj.* לא נע; דומם; כבד, עצלן
inert gases גאזים אצילים/אדישים
iner'tia (-shə) *n.* אינרציה, התמדה; חוסר פעילות, עצלות, חוסר תנועה
in'esca'pable *adj.* שאין מנוס ממנו
in'essen'tial *adj.* לא חיוני
in•es'timable *adj.* שאין להעריכו, עצום

inev′itabil′ity *n.* כורח, הכרח
inev′itable *adj.* בלתי נמנע, ודאי, מחויב המציאות
his inevitable hat ⋆כובעו הנצחי
in′exact′ (-gz-) *adj.* לא מדויק
in′exact′itude′ (-gz-) *n.* אי דיוק
in′excu′sable (-′z-) *adj.* בל־יכופר; שאין לו הצדקה
in′exhaust′ible (-igzôst′-) *adj.* שאינו אוזל לעולם, לא כלה, בלתי נדלה
in•ex′orable *adj.* לא מרחם, קשוח, קשה
in′expe′diency *n.* אי־כדאיות
in′expe′dient *adj.* לא כדאי
in′expen′sive *adj.* זול, לא יקר
in′expe′rience *n.* חוסר־ניסיון
inexperienced *adj.* חסר־ניסיון
in•ex′pert′ *adj.* חסר מומחיות
in•ex′piable *adj.* שלא יכופר; שאין לפייסו
in′explic′able *adj.* שאין להסבירו
in′expres′sible *adj.* שאין להביעו
in′extin′guishable (-gwish-) *adj.* שאין לכבותה (אש, אהבה, שנאה), יוקד
in ex•tre′mis על סף המוות
in•ex′tricable *adj.* שקשה להיחלץ ממנו; מסובך, שאין להתירו
in•fal′libil′ity *n.* אי־טעייה
in•fal′lible *adj.* שאינו טועה; יעיל, טוב; בדוק ומנוסה
infallibly *adv.* בוודאות, לעולם
in′famous *adj.* נודע לגנאי; מביש
in′famy *n.* בושה, קלון, חרפה
in′fancy *n.* ילדות, ינקות
in its infancy עודנו בחיתוליו
in′fant *n&adj.* תינוק, ילד, קטין; של ילדים; בשלבי התפתחות
infan′ticide′ *n.* רצח תינוקות
in′fantile′ *adj.* ילדותי, אינפנטילי
infantile paralysis שיתוק ילדים
infan′tilism′ *n.* אינפנטיליות
infant prodigy ילד פלא
in′fantry *n.* חיל רגלים
infantryman *n.* חייל רגלי
infant school בית־ספר לפעוטות
infat′u•ate′ (-chōōāt) *v.* להקסים; לעורר אהבה עיוורת
infatuated *adj.* מוקסם, מאוהב עד לשיגעון
infat′u•a′tion (-chōōā′-) *n.* אהבה עיוורת, דיבוק של אהבה
infect′ *v.* לזהם; להדביק (במחלה)
infec′tion *n.* זיהום, אינפקציה
infec′tious (-shəs) *adj.* (מחלה, צחוק) מידבק, מנגע
in′felic′itous *adj.* לא נאה, לא הולם
infer′ *v.* להסיק, להגיע למסקנה
in′ference *n.* מסקנה
in′feren′tial *adj.* מסקני, שיש להסיק
infe′rior *adj&n.* נחות, נחות־דרגה; גרוע; תחתון; זוטר; כפוף; נמוך יותר
infe′rior′ity *n.* נחיתות
inferiority complex תסביך נחיתות
infer′nal *adj.* של הגיהינום, שטני
infer′no *n.* גיהינום
in•fer′tile (-təl) *adj.* לא־פורה, עקר
in′fertil′ity *n.* אי־פוריות
infest′ *v.* לשרוץ, לרחוש, לפשוט
in′festa′tion *n.* שריצה
in′fidel *n&adj.* כופר; אפיקורסי
in′fidel′ity *n.* אי נאמנות; בגידה
in′field′ (-fēld) *n.* שדה פנימי (בבייסבול)
in-fighting *n.* קרב מגע; קרב צמוד; תחרות קשה; ריב פנימי
in′filtrate′ *v.* להסתנן; להחדיר
in′filtra′tion *n.* הסתננות, חדירה
in′filtra′tor *n.* מסתנן
in′finite (-nit) *adj.* אינסופי, רב
the Infinite אלוהים
in′finites′imal *adj.* זעיר מאוד
infin′itive *n.* (בדקדוק) מקור
infin′itude′ *n.* אינסופיות
infin′ity *n.* אין־סוף, אינסופיות
infirm′ *adj.* חלש; לוקה בשכלו
infirm of purpose לא החלטי, מהסס
infir′mary *n.* בית חולים, מרפאה
infir′mity *n.* חולשה
inflame′ *v.* להדליק; להרגיז; לשלהב
inflamed *adj.* אדום, נפוח, דלקתי
inflam′mable *adj.* דליק, מתלקח מהר
in′flamma′tion *n.* דלקת
inflam′mato′ry *adj.* דלקתי; מלהיב
infla′table *adj.* שניתן לנפחו
inflate′ *v.* לנפח; לגרום לאינפלציה
inflated *adj.* נפוח, מנופח; יהיר
infla′tion *n.* ניפוח; התנפחות; אינפלציה, הצפה
infla′tionar′y (-shəneri) *adj.* אינפלציוני
inflationary spiral גלגל אינפלציוני
inflect′ *v.* להטות (מלה); לגוון קול
inflec′tion *n.* הטייה, נטייה; גיוון קול; סופית (של נטייה)

inflectional *adj.* של נטייה
in•flex′ibil′ity *n.* אי גמישות
in•flex′ible *adj.* לא גמיש; שאין לשנותו; עקשני, לא נכנע
inflexion = inflection
inflict′ *v.* להטיל, לתת, לגרום (סבל)
inflic′tion *n.* גרימת סבל, מכה
in′flo•res′cence *n.* פריחה, תפרחת
in′flow′ (-flō) *n.* זרימה (פנימה)
in′flu•ence (-flōō-) *n.* השפעה; בעל השפעה
under the influence ⋆בגילופין
influence *v.* להשפיע על
in′flu•en′tial (-flōō-) *adj.* בעל השפעה
in′flu•en′za (-flōō-) *adj.* שפעת (מחלה)
in′flux′ *n.* זרימה, נהירה
in′fo *n.* ⋆אינפורמציה, מידע
inform′ *v.* להודיע, למסור מידע
inform against/on להלשין על
keep him informed לעדכנו במידע
in•for′mal *adj.* לא רשמי, לא פורמאלי
in′for•mal′ity *n.* אי רשמיות
infor′mant *n.* מוסר מידע
in′forma′tion *n.* אינפורמציה; הסברה
infor′mative *adj.* אינפורמטיבי, מאלף
informed *adj.* מודע, בעל אינפורמציה
inform′er *n.* מודיע, מלשין
in′fra *adv.* להלן (בספר)
infrac′tion *n.* הפרת חוק, עבירה
in′fra dig′ למטה מכבודו
in′frared′ *adj.* אינפרה־אדומות
in′frastruc′ture *n.* תת מבנה, תשתית
in•fre′quency *n.* נדירות
in•fre′quent *adj.* לא שכיח, נדיר
infringe′ *v.* להפר (חוק)
infringe on/upon להסיג גבול, להיכנס לתחום
infringement *n.* הפרה; הסגת גבול
infu′riate′ *v.* לעורר זעם, להכעיס
infuse′ (-z) *v.* לשפוך, לצקת, למלא; לחלוט (תה); להיחלט
infuse life into להפיח רוח חיים
infu′sion (-zhən) *n.* חליטה; יציקה, מילוי, מזיגה; החדרה; עירוי, אינפוזיה
in′gath′ering (-dh-) *n.* אסיף; כינוס, התקבצות
inge′nious *adj.* חכם, בעל כושר המצאה, חריף; מחוכם, תחבולני, מתוחכם
ingénue (än′jənōō′) *n.* נערה תמימה
in′genu′ity *n.* חריפות, כושר המצאה
ingen′u•ous (-ūəs) *adj.* תמים, כן, גלוי לב
ingest′ *v.* להכניס (מזון) לקיבה
in′gle-nook′ *n.* פינה (ליד האח)
in•glo′rious *adj.* מחפיר, מביש
in′go′ing *adj.* נכנס, בא
in′got *n.* מטיל (של כסף, זהב)
ingraft′ = engraft
in•grain′ *v.* להשריש, לטבוע
ingrained *adj.* קבוע, עמוק, מושרש, טבוע בדם
ingra′tiate′ (-′sh-) *v.* להשתדל למצוא חן בעיני־; להתחנף, להתרפס
in•grat′itude′ *n.* כפיות טובה
ingre′dient *n.* יסוד, מרכיב
in′gress′ *n.* כניסה, זכות כניסה
in-group *n.* קבוצה פנימית
in′grow′ing (-grō-) *adj.* צומח פנימה
in′grown′ (-grōn) *adj.* צומח כלפי פנים (לתוך הבשר); פנימי, טיבעי
inhab′it *v.* לגור, לחיות ב־
inhab′itable *adj.* ראוי למגורים
inhab′itant *n.* תושב; דייר
inhale′ *v.* לשאוף, לנשום פנימה
inhaler *n.* משאף (מכשיר שאיפה)
in′har•mo′nious *adj.* לא הרמוני, צורם
inhere′ *v.* להיות חלק טבעי מ־
inher′ent *adj.* טבוע, פנימי, שרוי בו
inher′it *v.* לרשת
inheritance *n.* עיזבון; ירושה
inhib′it *v.* למנוע, לעצור, לרסן; לדכא (דחף, תיאבון)
inhibited *adj.* (אדם) מעוצר, מרוסן
in′hibi′tion (-bi-) *n.* מעצור, עכבה
inhib′ito′ry *adj.* עוצר, מעכב
in•hos′pitable *adj.* לא מסביר פנים, לא מארח יפה; לא מעניק מחסה
in•hu′man *adj.* לא אנושי, אכזרי
in′hu•mane′ (-hū-) *adj.* לא אנושי, אכזרי, לא הומני
in′hu•man′ity (-hū-) *n.* אכזריות, חוסר אנושיות
inim′ical *adj.* עוין, שונא, מזיק
in•im′itable *adj.* שאין לחקותו, מצוין
iniq′uitous *adj.* לא צודק, רשע
iniq′uity *n.* עוול, אי צדק, רשע
ini′tial (-ni-) *adj.* ראשון, התחלתי, פותח
initial *n.* אות ראשונה (בשם אדם)
initial *v.* לחתום בראשי תיבות

initially *adv.* בתחילה, בהתחלה
ini'tiate' (inish'-) *v.* להכניס/לקבל כחבר; להקנות ידע, להכניס בסוד; ליזום; להתחיל, להפעיל
ini'tiate (inish'-) *n.* חבר (באגודה סודית); בעל ידע מיוחד
init'ia'tion (inish-) *n.* קבלה כחבר; טקס קבלה; הכנסה רשמית
init'iative (inish'ət-) *n.* יזמה; צעד ראשון/פותח; התחלה
has the initiative היזמה בידו
on one's own initiative ביזמתו
take the initiative ליטול את היזמה; לעשות את הצעד הראשון
inject' *v.* להזריק (זריקה)
inject new life להפיח חיים ב־
injec'tion *n.* הזרקה; זריקה; תזריק
in'ju•di'cious (-jōōdish'əs) *adj.* לא נבון, לא פיקחי
injunc'tion *n.* פקודה, צו בית־דין
in'jure (-jər) *v.* לפצוע, לפגוע
injured *adj.* נפגע; נעלב
inju'rious *adj.* מזיק, פוגע
in'jury *n.* פגיעה; נזק, חבלה
add insult to injury לזרות מלח על הפצעים
in•jus'tice (-tis) *n.* אי צדק, עוול
do him an injustice לגרום לו עוול, לחשוד בכשרים
ink *n&v.* דיו; לדיות, להכתים בדיו
ink in להשלים בדיו, לסמן בדיו
ink-bottle קסת, דיותה
ink'ling *n.* מושג־מה, רמז
ink-pad *n.* כרית דיו (לחותמות)
ink-pot *n.* קסת, דיותה
ink-stand *n.* כן לדיותות ועטים
ink-well *n.* דיותה, קסת (בשולחן)
inky *adj.* מוכתם בדיו, מדוית; שחור
inky darkness חושך מצרים
in'laid' *adj.* משובץ (זהב וכ')
in'land *adj.* פנימי, תוך ארצי
inland *adv.* כלפי פנים/בפנים הארץ
inland revenue בלו (מס)
in-law *n.* חם, חותנת, גיס, קרוב
inlay' *v.* לשבץ, לקבוע (קישוט)
inlay *n.* שיבוץ, קישוט, מילואה; סתימה; מילוי (בשן)
in'let' *n.* מפרץ צר, לשון־ים; כניסה; דבר מוכנס/תחוב
in lo'co paren'tis במקום ההורה, כהורה (כלפי ילד)
in'mate' *n.* חבר לחדר, שכן (באותו מוסד), פנימאי
in memo'riam לזכר־, להנצחת שם־
in'most' (-mōst) *adj.* פנימי ביותר, תוך תוכי, עמוק; סודי, כמוס
inn *n.* פונדק, אכסניה
in'nards *n-pl.* מעיים, קרביים
innate' *adj.* שמלידה, טבוע בדמו
in'ner *adj.* פנימי
inner circle חוג פנימי
the inner man הנפש; ⋆הקיבה
innermost = inmost פנימי ביותר
inner tube פנימון (צמיג), אבוב
in'ning *n.* מחזור (בבייסבול)
innings *n.* תור, סיבוב (בקריקט); תקופת שלטון, חיים פעילים
have a good innings ⋆לחיות חיי אושר
inn-keeper *n.* בעל אכסניה, פונדקאי
in'nocence *n.* חפות מפשע; תמימות
in'nocent *adj&n.* חף מפשע; לא מזיק, טהור, תם, תמים, פתי
innoc'u•ous (-ūəs) *adj.* לא מזיק, לא פוגע
Inn of Court אגודת הפרקליטים (בלונדון)
in'novate' *v.* לחדש, להכניס שינויים
in'nova'tion *n.* חידוש, המצאה
in'nova'tor *n.* חדשן, ממציא
in'nu•en'do (-nū-) *n.* רמיזה
make innuendos לרמוז בעקיפין
innu'merable *adj.* עצום, לאין מיספר
inoc'u•late' *v.* להרכיב (תרכיב)
inoc'u•la'tion *n.* הרכבה, תרכיב
in'offen'sive *adj.* לא פוגע, לא מזיק; לא מעורר התנגדות
in•op'erable *adj.* שאין לנתחה, לא נתיח
in•op'erative *adj.* לא פעיל, לא יעיל
in•op'portune' *adj.* שלא בעיתו, לא בזמן המתאים, לא הולם
in•or'dinate *adj.* מופרז, לא מרוסן
in'organ'ic *adj.* לא אורגני
inorganic chemistry כימיה אי אורגנית
in-patient *n.* חולה־פנים, מאושפז
in'put' (-poot) *n.* קֶלֶט (במחשב); תשומה
in'quest' *n.* חקירה (לסיבת המוות)
in•qui'etude' *n.* אי שקט, מתח
inquire' *v.* לשאול, לחקור ולדרוש
inquire after לשאול לשלום
inquire for לבקש, לבקש לראות

inquire into לחקור, ללמוד (הנושא)
inquire upon/about לבקש מידע על
inquire within שאל (לפרטים) בפנים!
inquirer *n.* חוקר; חקרן
inquiring *adj.* חוקר, מגלה סקרנות
inqui'ry *n.* חקירה
hold an inquiry into לחקור ב־
in'quisi'tion (-zi-) *n.* חקירה, אינקוויזיציה
inquis'itive (-z-) *adj.* חקרני, חטטני
inquis'itor (-z-) *n.* אינקוויזיטור, חוקר
inquis'ito'rial (-z-) *adj.* אינקוויזיטורי, חקירתי
in'road' *n.* התקפה, פלישה, חדירה, פשיטה
make inroads on one's time לנגוס ב־/לגזול מזמנו
in'rush' *n.* זרימה, נהירה
in'salu'brious *adj.* לא בריא
in•sane' *adj.* מטורף, משוגע
in•san'itar'y (-teri) *adj.* לא תברואי
in•san'ity *n.* שיגעון
in•sa'tiable (-sh∂b-) *adj.* שאין להשביעו, רעב, תאב
in•sa'tiate (-'sh-) *adj.* לא שבע לעולם
inscribe' *v.* לרשום, לחקוק, לחרות
an inscribed book ספר מוקדש
inscribed stock מניות על שם
inscrip'tion *n.* כתובת (חקוקה); רישום, הקדשה
in•scru'table *adj.* שאין להבינו, עמוק, סתום, שאין לרדת לעומקו
in'sect' *n.* חרק
insec'ticide' *n.* מדביר חרקים
insec'tivore' *n.* אוכל חרקים
in'sec•tiv'orous *adj.* אוכל חרקים
insect-powder *n.* אבקה נגד חרקים
in'se•cure' *adj.* לא בטוח, שאין לסמוך עליו, דעוע; חסר ביטחון עצמי
in'se•cu'rity *n.* חוסר ביטחון
insem'inate' *v.* להפרות, להזריע
insem'ina'tion *n.* הפראה, הזרעה
in•sen'sate *adj.* חסר תחושה; נטול-רגש, ערל-לב, טיפשי
in•sen'sibil'ity *n.* אובדן ההכרה, חוסר הכרה; חוסר רגישות, העדר רגש
in•sen'sible *adj.* חסר הכרה, נטול רגש
insensible change שינוי זעיר
insensible of לא מודע ל־
isensible to לא חש, אטום ל־
in•sen'sitive *adj.* לא רגיש, לא חש
in•sen'sitiv'ity *n.* אי רגישות
in•sen'tient (-sh∂nt) *n.* חסר חיים
in•sep'arable *adj.* שאין להפרידו מ־
insert' *v.* להכניס, לתחוב, לשבץ
in'sert' *n.* חומר מוכנס (בספר)
inser'tion *n.* הכנסה, תחיבה; דבר מוכנס, מודעה; תוספת
in-service *adj.* תוך כדי עבודה
in'set' *n.* תוספת; דף נוסף; מפה קטנה (בצד מפה גדולה)
inset' *v.* להכניס (תוספת כנ"ל)
in'shore' *adj&adv.* קרוב לחוף; אל החוף
inside' *n.* פנים, תוך; פנים המדרכה (הרחק מהכביש); ★מעיים
inside out הפוך, כשצידו הפנימי נמצא בחוץ
knows it inside out בקי בו היטב
in'side *adj.* פנימי
inside job "עבודה פנימית" (של שוד)
inside right/left מקשר ימני/שמאלי
inside track עמדת יתרון
inside' *adv.* בפנים, פנימה; ★בכלא
inside' *prep.* בתוך
inside of 2 hours בתוך שעתיים
insi'der *n.* איש פנים, קרוב לצלחת
insid'ious *adj.* חותרני, פועל מתחת לפני השטח, הרסני בחשאי
in'sight' *n.* ראייה חודרנית, הבחנה, בוננות
insig'nia *n-pl.* סמלים, סימני דרגה
in'signif'icance *n.* חוסר חשיבות
in'signif'icant *adj.* חסר ערך, נטול חשיבות, זעום
in'sincere' *adj.* לא כן, מזויף, צבוע
in'sincer'ity *n.* חוסר כנות, צביעות
insin'u•ate' (-nū-) *v.* לרמוז
insinuate oneself into למצוא מסילות בלב־; לכבוש בעורמה את לב־
insin'u•a'tion (-nū-) *n.* רמיזה
in•sip'id *adj.* חסר טעם, תפל
in'sipid'ity *n.* חוסר טעם
insip'ient *adj.* טיפשי
insist' *v.* להתעקש; לעמוד על (כך)
insistence *n.* התעקשות, עמידה על
insistent *adj.* מתעקש, דורש, עומד על כך; דחוף, לוחץ
in si'tu (-too) במקום האירוע
in'so•far' *adv.* במידה ש־
in'sole' *n.* סוליה פנימית
in'solence *n.* חוצפה; העלבה
in'solent *adj.* חצוף; מעליב
in•sol'u•ble *adj.* לא מסיס; שאין

לפתרו, בלתי־פתיר
in•solv′able *adj.* שאין לפתרו
in•sol′vency *n.* פשיטת רגל
in•sol′vent *adj.* פושט רגל
insom′nia *n.* נדודי שינה
insom′niac′ *n.* סובל מנדודי שינה
in′so•much′ *adv.* במידה ש־
in•sou′ciance (-sōō′-) *n.* חוסר דאגה, שאננות
in•sou′ciant (-sōō′-) *adj.* חסר דאגה, שאנן
inspect′ *v.* לבחון, לבדוק; לערוך ביקורת, לבקר; לפקח
inspec′tion *n.* בדיקה; פיקוח
inspector *n.* מפקח, משגיח; פקד
inspec′torate *n.* פיקוח; צוות פיקוח; מפקחה; מפקחות; איזור פיקוח
in′spira′tion *adj.* השראה; מקור השראה; שאר־רוח; ★רעיון מוצלח
inspire′ *v.* לעורר, להמריץ; להאציל, להשרות על
inspire hate in לעורר שנאה בלב
inspire with hope להפיח תקווה
inspired *adj.* מלא השראה, מואצל
inspired article מאמר מוכתב (ע״י גורמים מגבוה)
inst. לחודש זה
in′stabil′ity *n.* חוסר יציבות
install′ (-tôl′) *v.* להכניס לתפקיד; להתקין (מיתקן); ליישב, למקם
install oneself להתיישב, להתמקם
in′stalla′tion *n.* הכנסה לתפקיד; התקנה; מיתקן
install′ment (-stôl′-) *n.* תשלום (אחד), פרק (מתוך סדרה בהמשכים)
in installments בהמשכים
installment plan רכישה בתשלומים
in′stance *n.* דוגמה
at the instance of לפי דרישת
for instance לדוגמה, למשל
in the first instance ראשית כל
instance *v.* להביא כדוגמה, להדגים
in′stant *n.* רגע
that instant/on the instant מיד
the instant that- מיד כש־, אך
instant *adj.* מידי, דחוף; בחודש זה
in instant need זקוק בדחיפות ל־
in′stanta′ne•ous *adj.* מִדִּי
instant coffee קפה נמס
instantly *adv.* מיד, תכף ומיד
instead′ (-sted) *adv.* במקום זאת
instead of במקום־

in′step′ *n.* גב כף־הרגל, קמרון הרגל
in′stigate′ *v.* להסית, לעורר, להמריץ
in′stiga′tion *n.* הסתה, המרצה
at his instigation כתוצאה מהסתתו
in′stiga′tor *n.* מסית, ממריץ
instill′ *v.* להחדיר למוחו, לשנו
in′stilla′tion *n.* החדרה
in′stinct *n.* אינסטינקט, חוש טבעי
instinct with מלא, חדור, שופע
instinc′tive *adj.* אינסטינקטיבי, טבעי
in′stitute′ *n.* מוסד, מכון
institute *v.* לייסד; לקבוע; להתחיל
institute a custom להנהיג מנהג
institute actions לפתוח בהליכים
in′stitu′tion *n.* מוסד; מנהג קבוע
institution of laws הנהגת חוקים
institutional *adj.* של מוסד, מוסדי
instruct′ *v.* להורות, ללמד, להדריך; לצוות; להודיע
instruc′tion *n.* הוראה; הדרכה
instructional *adj.* חינוכי
instruc′tive *adj.* מאלף, מדריך
instructor *n.* מאמן, מורה, מדריך
in′strument *n.* מכשיר, כלי
legal instrument מסמך משפטי
musical instrument כלי נגינה
in′strumen′tal *adj.* של אמצעי, עוזר, מועיל, גורם, תורם; של כלי נגינה, תיזמורתי
in′strumen′talist *n.* נגן
in′strumen•tal′ity *n.* אמצעים
by the instrumentality of באמצעות, בסיוע־
in′strumen•ta′tion *n.* תנגון
in′subor′dinate *adj.* לא צייתן, מרדן
in′subor′dina′tion *n.* אי ציות
in′substan′tial *adj.* חסר בסיס, חלש; לא ממשי, חסר תוכן
in•suf′ferable *adj.* בלתי־נסבל; יהיר
in′suffi′ciency (-fish′ən-) *n.* מחסור, מידה בלתי מספקת
in′suffi′cient (-fish′ənt) *adj.* לא מספיק
in′sular *adj.* של אי; צר אופק, קרתני
in′sularism′ *n.* צרות אופק
in′sular′ity *n.* צרות אופק
in′sulate′ *v.* לבודד, להפריד
insulating tape סרט בידוד
in′sula′tion *n.* בידוד; חומר בידוד
in′sula′tor *n.* מבדד
in′sulin *n.* אינסולין
insult′ *v.* להעליב, לפגוע ב־

in'sult' *n.* עלבון, פגיעה
add insult to injury לזרות מלח על הפצעים
in•su'perable *adj.* שאין להתגבר עליו
in'support'able *adj.* קשה מנשוא
insu'rance (-shoor'-) *n.* ביטוח
life insurance ביטוח חיים
insurance company חברת ביטוח
insurance policy פוליסת ביטוח
insu'rant (-shoor'-) *n.* מבוטח
insure' (-shoor') *v.* לְבַטֵּחַ; להבטיח
insured *adj.* מבוטח
insurer *n.* מְבַטֵּחַ; חברת ביטוח
insur'gence, -cy *n.* מרידה
insur'gent *n&adj.* מתקומם, מורד
in'surmount'able *adj.* שאין להתגבר עליו
in'surrec'tion *n.* מרד, התקוממות
intact' *adj.* שלם, בלי פגע, לא ניזק
inta'glio' (-täl'yō) *n.* חריתה, חקיקה; תחריט; אבן חן מפותחת
in'take' *n.* קליטה; מספר הנקלטים; פתח הכניסה; פי הצינור
in•tan'gibil'ity *n.* אי מוחשות
in•tan'gible *adj.* לא מוחש, לא נתפס, לא ניתן למישוש
intangible asset נכס לא מוחשי (מוניטין)
in'teger *n.* מספר שלם (לא שבר)
in'tegral *adj.* אינטגרלי, לא נפרד; שלם; של מספר שלם
integral *n.* אינטגראל, אסכמת
integral calculus חשבון אינטגרלי
in'tegrate' *v.* לאחד, למזג, להביא לשלמות אחת; להתמזג; להנהיג אינטגרציה
in'tegra'ted *adj.* משולב, מורכב היטב
in'tegra'tion *n.* מיזוג, אינטגרציה
integ'rity *n.* הגינות, יושר; שלמות
integ'u•ment *n.* קליפה, עור
in'tellect' *n.* אינטלקט, כוח השפיטה, בינה, שכל; חכם, חכמים
in'tellec'tual (-chōōəl) *adj&n.* אינטלקטואלי, שכלי, עיוני; אינטלקטואל, איש רוח; משכיל
intel'ligence *n.* אינטליגנציה, שכל, תבונה; משכל; ביון, מודיעין
intelligence quotient מנת משכל
intel'ligent *adj.* אינטליגנטי, נבון
intel'ligent'sia *n.* המשכילים
intel'ligibil'ity *n.* מובנות
intel'ligible *adj.* מובן, שקל להבינו

in•tem'perance *n.* חוסר ריסון; שכרות
in•tem'perate *adj.* לא מרוסן, מפריז; שתיין
intend' *v.* להתכוון, לחשוב; לייעד
intended for מיועד ל-
my intended אשתי לעתיד*
inten'dant *n.* מנהל, מפקח
intense' *adj.* חזק, עז, עמוק, לוהט, רציני, רגשני
inten'sifica'tion *n.* חיזוק; הגברה
inten'sifi'er *n.* מלת חיזוק (כגון מאוד); מעצם
inten'sify' *v.* לחזק, להגביר, להחמיר, להעצים
inten'sity *n.* עוז, עוצמה, חוזק
inten'sive *adj.* אינטנסיבי, מרוכז, עַצִים
intent' *adj.* מרוכז, רציני
intent on מתרכז, ראשו ורובו ב-
intent *n.* כוונה; מטרה; רצון
to all intents מכל הבחינות
inten'tion *n.* כוונה; מטרה
intentions כוונות לגבי נישואים
intentional *adj.* שבמזיד, מתכוון
intentionally *adv.* במזיד, בכוונה תחילה
intentioned *adj.* בעל כוונות
ill-intentioned בעל כוונות רעות
inter' *v.* לקבור
inter- (תחילית) בין
in'teract' *v.* לפעול זה על זה
in'terac'tion *n.* פעולת גומלין
in'ter a'lia בין היתר, בין השאר
in'terbreed' *v.* להצליב, להכליא
inter'calar'y (-leri) *adj.* מוכנס; (יום) נוסף בשנה; (שנה) מעוברת
inter'calate' *v.* להוסיף כנ"ל, לְעַבֵּר
in'tercede' *v.* להשתדל למען
intercede with להשתדל אצל
in'tercept' *v.* לעצור, לעכב; ליירט
in'tercep'tion *n.* עצירה; יירוט
in'tercep'tor *n.* מטוס יירוט
in'terces'sion *n.* השתדלות; תפילה
in'terchange' (-chānj') *v.* להחליף; להתחלף
in'terchange' (-chānj) *n.* החלפה; מחלף (בכביש)
in'terchange'able (-chānj'-) *adj.* חליף, שניתן להחליפם זה בזה
in'tercolle'giate *adj.* נערך בין קולג'ים
in'tercom' *n.* אינטרקום, תקשורת

פנים, קומוניקציה פנימית
in'tercom'mu•nal *adj.* בין עדתי
in'tercommu'nicate' *v.* להתקשר זה עם זה; להיות משותפי פתח (חדרים)
in'tercon'tinen'tal *adj.* בין יבשתי
in'tercourse' (-kôrs) *n.* מגע, החלפת דיעות, יחסים, הידברות; יחסי מין
in'terde•nom'ina'tional *adj.* בין כיתתי
in'terde•pen'dence *n.* תלות הדדית
in'terde•pen'dent *adj.* תלויים זה בזה
in'terdict' *v.* לאסור על, להחרים; להרוס (קו אספקה); למנוע (התקפה)
in'terdict *n.* איסור, חרם
in'terest *n.* עניין, התעניינות, תחביב; תועלת, טובה, אינטרס; ריבית; השקעה, חלק בעסק
compound interest ריבית דריבית
in the interest of לטובת, למען
interests קבוצה בעלת עניין משותף, ענף מסחרי
return with interest להחזיר עם ריבית, להחזיר כפל כפליים
take/show an interest להתעניין
interest *v.* לעניין, לעורר עניין
interested *adj.* מעוניין, מתעניין; אינטרסנטי, חד־צדדי; שותף
interesting *adj.* מעניין, מרתק
in'terfere' *v.* להפריע, להתערב, לתחוב אפו; למנוע; להתנגש ב־
interfere with להפריע; להתעסק
interference *n.* הפרעה, התערבות; חסימה
in'terim *n.* תקופת ביניים
in the interim בינתיים, לפי שעה
interim *adj.* זמני, של ביניים
interim report דו"ח ביניים
inte'rior *n.* פנים; פנים הארץ
interior decorator יפאי פנים
Ministry of the Interior משרד הפנים
interior *adj.* פנימי, של פנים הארץ
in'terject' *v.* לשסע, להעיר לפתע
in'terjec'tion *n.* מלת קריאה, קריאה
in'terlace' *v.* לשזור, לשלב; להשתזר
in'terlard' *v.* לערבב, לשלב, לגוון
interlard with jokes לתבל בבדיחות
in'terleave' *v.* להכניס (דפים) בין דפי ספר
in'terline' *v.* להוסיף בין השורות; להוסיף בטנה אמצעית
in'terlin'e•ar *adj.* כתוב בין השורות
in'terlink' *v.* לקשור יחדיו, לחבר
in'terlock' *v.* לחבר יחד, לשלב זה בזה; להשתלב, להשתזר
in'terlock' *n.* אינטרלוק (בד)
in'terloc'u•tor *n.* בן־שיחו, משוחח
in'terlo'per *n.* דוחק עצמו, נדחק
in'terlude' *n.* הפוגה, הפסקה; אינטרלוד, נעימת ביניים
in'termar'riage (-rij) *n.* נישואי תערובת
in'termar'ry *v.* להתחתן ביניהם
in'terme'diar'y (-eri) *n.* מתווך
intermediary *adj.* מפשר; של ביניים
in'terme'diate *adj&n.* נמצא באמצע; (שלב) ביניים; מתווך
in'terme'diate' *v.* לתווך
inter'ment *n.* קבורה
in'termez'zo (-met'sō) *n.* אינטרמצו, נגינת ביניים
in•ter'minable *adj.* אינסופי, נצחי
in'termin'gle *v.* לערבב; להתמזג
in'termis'sion *n.* הפסקה, הפוגה
in'termit' *v.* להפסיק; להיפסק
in'termit'tent *adj.* בא והולך, לא רצוף, נפסק חליפות
in'termix' *v.* לערבב; להתמזג
in'termix'ture *n.* ערבוב
intern' *v.* לכלוא, להגביל התנועה
in'tern' *n.* רופא מתמחה, רופא פנימאי
inter'nal *adj.* פנימי
internal affairs ענייני פנים
internal combustion שריפה פנימית
in'terna'tional (-nash'ənəl) *adj.* בינלאומי
international *n.* תחרות בינלאומית
the International האינטרנציונל
in'terna'tionale' (-nashənal') *n.* האינטרנציונל
internationalism *n.* בינלאומיות
in'terna'tionaliza'tion (-nashənəl-) בנאום
in'terna'tionalize' (-nash'ənəl-) *v.* לבנאם
in'terne'cine (-sin) *adj.* גורם להשמדה הדדית, הרסני
in'tern•ee' *n.* כלוא, נתון במעצר
intern'ment *n.* כליאה, מעצר
in'terpel'late *v.* להגיש שאילתה
in'terpella'tion *n.* שאילתה
in'terpen'etrate' *v.* לחדור זה בזה
in'terphone' *n.* אינטרקום
in'terplan'etar'y (-teri) *adj.*

בין כוכבי

In′terpol′ (-pōl) *n.* האינטרפול

inter′polate′ *v.* להוסיף (חומר מטעה/חדש) בספר; לשבץ; לזייף

inter′pola′tion *n.* תוספת; זיוף

in′terpose′ (-z) *v.* לשים באמצע; לעמוד בין; להפריע, לשסע דיבור; לתווך

interpose oneself between לתווך

in′terposi′tion (-zi-) *n.* כניסה/עמידה בין, חציצה; הפרעה; תיווך

inter′pret *v.* לתרגם; להסביר; לפרש

interpret a role לשחק/לגלם תפקיד

inter′preta′tion *n.* תרגום; פירוש

inter′preter *n.* מתורגמן; פרשן

in′terra′cial (-r-r-) *adj.* בין גזעי

in′terreg′num (-r-r-) *n.* תקופת מעבר (בין שלטון לשלטון); הפסקה

in′terre•late′ (-r-r-) *v.* לקשור הדדית

in′terre•la′tion(ship) (-r-r-) *n.* קשר הדדי

inter′rogate′ *v.* לחקור, להציג שאלות ל־

inter′roga′tion *n.* חקירה

interrogation mark סימן שאלה

in′terrog′ative *adj.* שואל; של שאלה

interrogative *n.* מלת שאלה

inter′roga′tor *n.* חוקר

in′terrog′ato′ry *adj.* של חקירה

in′terrupt′ *v.* להפריע; להפסיק; לנתק

interrupt the view להסתיר המראה

interrupter *n.* מתג, מַתֵּק חשמלי

in′terrup′tion *n.* הפרעה; הפסקה

in′tersect′ *v.* לחתוך, לחצות; להצטלב

in′tersec′tion *n.* הצטלבות, חצייה

in′tersperse′ *v.* לפזר, לשים (עלים) בין (פרחים); לגוון, לתבל (בבדיחות)

in′terstate′ *adj.* בין ארצי

in′terstel′lar *adj.* בין כוכבי

inter′stice (-tis) *n.* סדק, רווח קטן

in′tertri′bal *adj.* בין שבטי

in′tertwine′ *v.* לשזור; להשתזר

in′terur′ban *n.* בין עירוני

in′terval *n.* הפסקה; שהות; רווח; אינטרוול, רווח שבין 2 צלילים

at intervals במרחקים/בהבדלי זמן קבועים; מדי פעם; פה ושם

in′tervene′ *v.* להתערב; להפריע; להפריד; להתרחש בינתיים; לחלוף בינתיים

in′terven′tion *n.* התערבות

in′terview′ (-vū) *n.* ראיון

interview *v.* לראיין

in′terweave′ *v.* לשזור; להשתזר

intes′tate *adj.* (מת) בלי צוואה

intes′tinal *adj.* של המעיים

intes′tine (-tin) *n.* מעי

intestines מעיים

in′timacy *n.* אינטימיות; קרבה יתירה; יחסי מין; גיפופים, נשיקות

in′timate *adj.* אינטימי; אישי, פנימי

intimate knowledge בקיאות רבה

on intimate terms ביחסי קירבה

intimate *n.* ידיד נפש, איש סוד

in′timate′ *v.* להודיע, לרמוז

in′tima′tion *n.* הודעה, רמז

intim′idate′ *v.* להפחיד

intim′ida′tion *n.* הפחדה, איום

in′to (-tōō) *prep.* לתוך, אל־, ל־

4 into 8 goes 2 8:4 = 2

in•tol′erable *adj.* בלתי נסבל

in•tol′erance *n.* אי־סובלנות

in•tol′erant *adj.* לא־סובלני

in′to•nate′ *v.* לבטא בנגינה, להנגין

in′tona′tion *n.* אינטונציה, הטעמה, הנגנה

intone′ *v.* לפזם (תפילה)

in to′to בסך הכל, לגמרי

intox′icant *adj&n.* (משקה) משכר

intox′icate′ *v.* לשכר

intoxicated *adj.* שיכור (מיין/הצלחה)

intox′ica′tion *n.* שכרות

intra- (תחילית) תוך־, פנים־

in•trac′tabil′ity *n.* מרדנות

in•trac′table *adj.* מרדן, עקשני, לא מקבל מרות, שקשה לשלוט בו

in′tramu′ral *adj.* פנימי, שבין כותלי המוסד; מוגבל לתלמידי בית־הספר

in•tran′sigence *n.* אי פשרנות

in•tran′sigent *adj.* לא מתפשר, נוקשה

in•tran′sitive verb פועל עומד

in′tra-u′terine′ device התקן תוך־רחמי

in′trave′nous *adj.* שבתוך הווריד, ורידי

intrench′ = entrench

in•trep′id *adj.* אמיץ, עשוי לבלי חת

in′trepid′ity *n.* אומץ, חוסר פחד

in′tricacy *n.* סבך, סיבוך, מורכבות

in′tricate *adj.* מסובך, מורכב

intrigue′ (-rēg′) *v.* לעניין, לסקרן, להקסים; לתכנן בחשאי, לעשות קנוניה

intrigue *n.* מזימה, קנוניה, דוגנה, אינטריגה; רומאן חשאי

intrin′sic *adj.* פנימי, עצמי, מהותי

int′ro = introduction
in′troduce′ *v.* להכניס, להביא לראשונה, להנהיג; להציג; להתחיל, לפתוח
introduce a bill להגיש חוק
introduce into להחדיר, לתחוב
introduce to להציג לפני, לוודע
in′troduc′tion *n.* הכנסה; הצגה; היכרות; הקדמה, מבוא; ספר לימוד
letter of introduction מכתב המלצה
in′troduc′tory *adj.* פותח, מציג
in′trospec′tion *n.* הסתכלות פנימית, אינטרוספקציה; התבוננות נפשית עצמית
in′trospec′tive *adj.* בוחן עצמו
in′trover′sion (-zhən) *n.* הפנמה, הסתגרות
in′trovert′ *n.* מופנם, אינטרוורט
introverted *adj.* מופנם, סתגרני
intrude′ *v.* לדחוק; להידחק; להחדיר; לפרוץ; להתפרץ; להיכנס; להפריע
intruder *n.* מתפרץ, חודר, נדחק
intru′sion (-zhən) *n.* התפרצות; פריצה; הידחקות, הפרעה, התערבות
intru′sive *adj.* נדחק, מפריע
intrust′ = entrust
intu′it *v.* לחוש באינטואיציה
in′tu•i′tion (-to͞oish′ən) *n.* אינטואיציה, טביעת־עין, בינת־הלב
intu′itive *adj.* אינטואיטיבי, בעל אינטואיציה
in′tu•mes′cence (-to͞o-) *n.* נפיחות, תפיחה; התנפחות
in′undate′ *v.* להציף
in′unda′tion *n.* הצפה; מבול
inure′ (-nyoor) *v.* להרגיל, לחסן, לחשל
inv = invoice
invade′ *v.* לפלוש, להסיג גבול; לחדור לתחום הזולת
invader *n.* פולש
in′valid *n.* נכה, בעל־מום, חולה
in′valid *adj.* של נכים, עבור נכים
in′valid *v.* לשחרר בגלל נכות
in•val′id *adj.* פסול, לא־תקף, בטל
inval′idate′ *v.* לפסול, לבטל תקפו
inval′ida′tion *n.* פסילה, ביטול תוקף
in′validism′ *n.* נכות
in′valid′ity *n.* חוסר־תוקף, פסול
in•val′u•able (-lū-) *adj.* יקר ביותר; שאין להעריכו
in•va′riable *adj.* לא משתנה, קבוע
invariably *adv.* בקביעות, תמיד, לעולם, ללא שינוי
inva′sion (-zhən) *n.* פלישה; הסגת גבול
invec′tive *n.* חירוף, גידוף, קללה
inveigh′ (-vā′) *v.* להתקיף קשות
invei′gle (-vā′g-) *v.* לפתות
invent′ *v.* להמציא; לבדות מן הלב
inven′tion *n.* המצאה; אמצאה; בדותה
inven′tive *adj.* ממציא, חדשני, מקורי
inventor *n.* ממציא
in′vento′ry *n.* אינווטר, מצאי, פרטה
inventory *v.* לערוך אינוונטר
in′verse′ *adj.* הפוך, נגדי
in inverse proportion ביחס הפוך
inver′sion (-zhən) *n.* היפוך; סדר הפוך
invert′ *v.* להפוך
in•ver′tebrate *n&adj.* חסר חוליות
inverted commas מרכאות כפולות
invest′ *v.* להשקיע; לרכוש, לקנות; לשים מצור על, לכתר
invest with להעניק רשמית; לקשט
inves′tigate′ *v.* לחקור (פשע, נאשם)
inves′tiga′tion *n.* חקירה
inves′tiga′tor *n.* חוקר
inves′titure *n.* טקס הענקת סמכות, הכנסה לתפקיד
investment *n.* השקעה; מצור, כיתור
investor *n.* משקיע
invet′erate *adj.* מושרש, עמוק
inveterate liar שקרן ללא תקנה
invid′ious *adj.* פוגע, גורם התמרמרות, לא הוגן
invig′ilate′ *v.* להשגיח (בבחינה)
invig′ila′tion *n.* השגחה, פיקוח
invig′orate′ *v.* לחזק, לעודד, להפיח חיים ב׳, לרענן
in•vin′cibil′ity *n.* אי היכנעות
in•vin′cible *adj.* שאין להכניעו, שאין לגבור עליו, אדיר
in•vi′olable *adj.* קדוש, שאין לחללו; שאסור להפר אותו
in•vi′olate *adj.* לא מופר, לא מחולל
keep it inviolate לא להפר אותו
in•vis′ibil′ity (-z-) *n.* אי היראות
in•vis′ible (-z-) *adj.* אינו נראה, סמוי
in′vita′tion *n.* הזמנה
invite′ *v.* להזמין
invite him in להזמינו (לביתו)
invite questions/comments לבקש להציג שאלות/להעיר הערות
inviting *adj.* מזמין, מפתה
in′voca′tion *n.* קריאה לעזרה; תפילה

in′voice′ *n.* חשבון (המסר ללקוח)
invoice *v.* להכין חשבון (כנ"ל)
invoke′ *v.* לקרוא לעזרה, לבקש; להתפלל, להעתיר; להעלות (רוחות)
in•vol′untar′ily (-ter′-) *adv.* מבלי משים
in•vol′untar′y (-teri) *adj.* לא רצוני
in′volute′ *adj.* מסובך, מסולסל
involve′ *v.* לסבך, לערב, להצריך, לדרוש, להיות כרוך ב־
get involved להסתבך
involved in debt שקוע בחובות
involved *adj.* מסובך, מעורב ב־
involvement *n.* מעורבות, הסתבכות
in•vul′nerabil′ity *n.* אי פגיעות
in•vul′nerable *adj.* לא פגיע, חזק
in′ward *adj&adv.* פנימי; כלפי פנים
inwardly *adv.* פנימה, בתוך ליבו
inwardness *n.* פנימיות, עולם פנימי
inwards *adv.* כלפי פנים
in′wrought′ (in′rôt′) *adj.* (אריג) מקושט (בדוגמאות)
i′odine′ *n.* יוד (יסוד כימי)
i′odize′ *v.* לשים יוד, להוסיף יוד
i′on *n.* יון (אטום טעון חשמל)
I•on′ic *adj.* יוני (סגנון בארדיכלות)
i′oniza′tion *n.* יוניזציה, יינון
i′onize′ *v.* ליינן, להקרין יונים
i•on′osphere′ *n.* יונוספירה
i•o′ta *n.* יוטה (אות יוונית), שמץ
not an iota of- אף לא שמץ של:
IOU שטר חוב, פתק "אני חייב לך"
ip′so fac′to בעובדה עצמה
IQ = intelligence quotient
Iran′ *n.* אירן
Ira′nian *adj&n.* אירני; פרסית
Iraq (iräk′) *n.* עירק
Ira′qi (irä′ki) *adj.* עירקי
iras′cibil′ity *n.* רגזנות, מזג חם
iras′cible *adj.* רגזן, מתלקח מהר
i•rate′ *adj.* כועס, זועם
ire *n.* כעס, זעם
ireful *adj.* כועס, מלא זעם
ir•ides′cence *n.* נצנוץ בשלל צבעים
ir•ides′cent *adj.* ססגוני, רב־צבעים
irid′ium *n.* אירידיום (מתכת)
i′ris *n.* אירוס (פרח); קשתית העין
I′rish *adj&n.* אירי; אירית (שפה)
Irishman *n.* אירי
irk *v.* להרגיז, לייגע
irksome *adj.* מרגיז, מייגע
i′ron (ī′ərn) *n.* ברזל; מגהץ

a man of iron איש־ברזל
an iron will רצון ברזל
has several irons in the fire טרוד בעיסוקים שונים בבת אחת
iron fist in a velvet glove אגרוף ברזל בכפפת משי
irons שלשלאות, כבלים, נחושתיים; משענות־מתכת (לרגלי נכה)
rule with a rod of iron לשלוט ביד ברזל
strike while the iron is hot להכות על הברזל בעודו חם
iron *v.* לגהץ; להתגהץ
iron out להחליק בגיהוץ, ליישר
iron out the difficulties לסלק את הקשיים, ליישר את ההדורים
Iron Age תקופת הברזל
ironclad *adj.* משוריין
Iron Curtain מסך הברזל
iron foundry בית יציקה לברזל
iron-gray *adj.* אפור־ברזילי
iron horse קטר רכבת
i•ron′ic(al) *adj.* אירוני, מלגלג
ironing *n.* גיהוץ; בגדים לגיהוץ
ironing board קרש גיהוץ
iron lung ריאת ברזל
i′ronmon′ger (ī′ərnmung-) *n.* סוחר בכלי מתכת/ברזל
ironmould *n.* כתם חלודה
iron rations מנות ברזל, מנות קרב
ironside *n.* אדם קשה, תקיף
ironstone *n.* ברזל גולמי, עפרת־ברזל
ironware *n.* כלי ברזל
ironwork *n.* כלי ברזל; מעשה־ברזל
ironworks *n.* בית יציקה לברזל
i′rony *n.* אירוניה, לגלוג
irony of fate צחוק הגורל
irra′diate′ *v.* להקרין; להטיל אור
irradiated with joy קורן משמחה
ir•ra′tional (irash′ənəl) *adj.* אירציונלי, לא הגיוני, אבסורדי; חסר כוח־שפיטה
ir•ra′tional′ity (irashən-) *n.* אירנציונליות, חוסר הגיון
ir•rec′onci′lable *adj.* שאין לפייסו, שקשה לרצות; שאין להביאם לידי הרמוניה
ir′re•cov′erable (-kuv′-) *adj.* שאין להחזירו, אבוד, מוחמץ
ir′re•deem′able *adj.* שאין לפדותו; שאין לתקנו; ללא תקנה
ir′re•den′tism *n.* אירידנטיות, שאיפה

לסיפוח שטחים למולדת
ir′re•du′cible *adj.* שאין להקטינו
ir•ref′ragable *adj.* שאין להפריכו
ir′re•fran′gible *adj.* (חוק) שאין להפר
ir′re•fu′table *adj.* שאין להפריכו
ir•reg′u•lar *adj.* לא סדיר; לא קבוע; חריג; לא לפי הכללים
irregular verb פועל חריג
irregular *n.* חַיָל לא סדיר
ir•reg′u•lar′ity *n.* אי סדירות; חריגות
ir•rel′evance, -cy *n.* אי רלוואנטיות
ir•rel′evant *adj.* לא רלוואנטי, לא שייך לעניין, אירלוואנטי
ir′re•li′gious (-lij′əs) *adj.* לא דתי; אנטי דתי
ir′re•me′diable *adj.* שאין לו תקנה
ir′re•mis′sible *adj.* בל יכופר
ir′re•mov′able (-mōōv′-) *adj.* שאין להזיזו, שאין לסלקו
ir•rep′arable *adj.* שלא ניתן לתיקון
ir′re•place′able (-plās′-) *adj.* שאין לו תחליף
ir′re•press′ible *adj.* שאין לרסנו
ir′re•proach′able *adj.* ללא דופי
ir′re•sis′tible (-zis′-) *adj.* שאין לעמוד בפניו, מגרה ביותר
ir•res′olute′ (-rez′-) *adj.* לא החלטי, הססני
ir•res′olu′tion (-rez-) *n.* הססנות, חוסר החלטיות
ir′re•spec′tive *adv.* בלי שים לב ל-
ir′re•spon′sibil′ity *n.* חוסר אחריות
ir′re•spon′sible *adj.* בלתי אחראי
ir′re•triev′able (-trēv′-) *adj.* שאין להשיבו
ir•rev′erence *n.* חוסר כבוד
ir•rev′erent *adj.* לא חולק כבוד, מזלזל בערכים דתיים
ir′re•vers′ible *adj.* שאין להחזירו לאחור, שאין לבטלו
ir•rev′ocable *adj.* שאין לשנותו, סופי
ir′rigate′ *v.* להשקות (שטחים); לשטוף (פצע)
ir′riga′tion *n.* השקייה
ir′ritabil′ity *n.* עצבנות
ir′ritable *adj.* עצבני, נוח להתרגז
ir′ritant *adj&n.* מרגיז, מגרה; גורם גירוי (בעור)
ir′ritate′ *v.* להרגיז; לגרות (העור)
ir′rita′tion *n.* הרגזה; גירוי
irrupt′ *v.* להתפרץ; לפרוץ
irrup′tion *n.* התפרצות
is, he is, it is (iz) הוא, הינו, זהו
i′singlass′ (-zin-) *n.* דבק דגים
Islam′ (izläm′) *n.* איסלם
Islam′ic (iz-) *adj.* מוסלמי
is′land (ī′l-) *n.* אי
traffic/safety island אי תנועה
islander *n.* תושב אי
isle (īl) *n.* אי
is′let (ī′l-) *n.* איון, אי קטן
ism (iz′əm) *n.* איזם, תורה
isn't = is not (iz′ənt)
i′sobar′ *n.* איזובר, קו לחץ אוויר שווה
i′sogon′ic *adj.* שווה-זוויות
i′solate′ *v.* לבודד
isolated *adj.* מבודד, מנותק; יחידי
i′sola′tion *n.* בידוד
isolationism *n.* בדלנות
isolationist *n.* בדלן
i•sos′celes′ (-lēz) *adj.* (משולש) שווה-שוקיים
i′sotherm′ *n.* איזותרם (במפה)
i′sotope′ *n.* איזוטופ
Is′rael (iz′riəl) *n.* ישראל
Israe′li (izrā′li) *adj.* ישראלי
Is′raelite′ (iz′riəl-) *adj.* מבני ישראל
is′sue (ish′ōō) *n.* יציאה, זרימה; הוצאה, הנפקה; הפצה, חלוקה; נושא, בעיה; תוצאה
die without issue למות חשוך־בנים
issue of blood זיבת דם
join/take issue with לחלוק על
point at issue הנושא השנוי במחלוקת, הסוגיה העומדת על הפרק
today's issue גליון היום (עיתון)
issue *v.* לצאת; להוציא, להנפיק; לנפק; לחלק; להפיץ
issue from לזרום מ־; לנבוע מ־
isth′mus (is′m-) *n.* מיצר, רצועת יבשה (המאחדת שתי יבשות)
it *pron.* זה, זאת, הוא; את זה, אותו
go it! קדימה!
if it weren't לולא, אלמלא
it's a pity that חבל ש־
it's he who הוא הוא (ולא אחר)
it's hot חם, חם היום
it's me זה אני
it's raining יורד גשם
it's said that אומרים ש־
that's it! זהו זה! זהו!
it *n.* ★אדם חשוב, אישיות
Ital′ian *adj&n.* איטלקי; איטלקית

ital′ic *n.* כתב קורסיב (משופע)
italics אותיות קורסיב, אותיות מוטות
ital′icize′ *v.* להדפיס בקורסיב
It′aly *n.* איטליה
itch *n.* גירוי, עקצוץ; תשוקה, תאווה
itch *v.* לחוש עקצוץ; לגרות; "לגרד"
an itching palm רודף בצע
be itching for/to ★להשתוקק ל־
itch′y *adj.* מגרה, מעקצץ, מגרד
itchy feet נטייה לטייל
it'd = it had, it would (it′∂d)
i′tem *n.* פריט, פרט
news items ידיעות, חדשות
item *adv.* וכמו כן (ברשימת פריטים)
i′temize′ *v.* לפרט (ברשימה)
it′erate′ *v.* לחזור על, לומר שוב
it′era′tion *n.* חזרה
i•tin′erant *adj.* נוסע ממקום למקום, נודד
i•tin′erar′y (-reri) *n.* מסלול (של טיול)
i•tin′erate′ *v.* לנסוע ממקום למקום
it'll = it will, it shall (it′∂l)
its *adj.* שלו, שלה
it's = it is, it has (its)
itself′ *pron.* (את) עצמו
by itself בעצמו, לבדו
in itself כשהוא לעצמו, בפני עצמו
it′sy-bit′sy *adj.* ★זעיר, קטנטן
IUD = intra-uterine device
I've = I have (īv)
i′vied (-vid) *adj.* מכוסה קיסוס
i′vory *n.* שנהב
ivories קלידי הפסנתר, מקלדת
ivory tower מגדל השן, התבודדות
i′vy *n.* קיסוס

J

jab *v.* להכות, לתקוע, לנעוץ; להיתקע
jab out להוציא, לדחוק במכה
jab *n.* מכה; דקירה; ⋆זריקה, חיסון
jab'ber *v.* לפטפט, למלמל, לקשקש
jabber *n.* פטפוט, מלמול, קשקוש
jabberer *n.* פטפטן
jabot' (zhəbō') *n.* קישוט מלמלה (על צווארון החולצה)
jack *n.* מַגְבֵּהַ, מנוף; דגל ספינה; כדורון לבן (בכדורת)
jack *v.* להרים במגבה, להניף
jack up להעלות (מחיר), לייקר
jack *n.* (בקלפים) נסיך, נער; ⋆ברנש
before he can say Jack Robinson כהרף־עין, תוך־כדי־דיבור
every man jack כולם, כל אחד ואחד
jack'al *n.* תַּן
jack'anapes' (-nāps) *n.* יהיר, גאוותן; שובב
jack'ass' *n.* טיפש; חמור (זכר)
jack-boot *n.* מגף (גבוה)
jack'daw' *n.* קָאָק (עורב)
jack'et *n.* מותניה, ז'קט, מעיל קצר; קליפת התפוד; עטיפה
dust his jacket להלקותו
Jack Frost "מר כפור", קור
Jack in office פקיד "מתנפח"
Jack-in-the-box קופסת צעצוע (שמתוכה קופצת בובה)
jack-knife *n.* אולר גדול; קפיצת אולר (ממקפצה, בקיפול הגוף ומיתוחו)
jack-knife *v.* להתקפל (כאולר)
jack-of-all-trades כל יכול
jack-o'-lan'tern (-kəl-) *n.* נר נתון בדלעת חלולה; אור מתעתע (בביצות)
jack plane מקצועה (להקצעה גסה)
jackpot *n.* קופה מצטברת (בקלפים)
hit the jackpot לנחול הצלחה רבה
jack-rabbit *n.* ארנב גדול
Jac'obe'an *adj.* מתקופת ג'יימס הראשון
Jac'obin *n&adj.* יעקוביני; מהפכן
jade *n&v.* סוס בלה/עייף; ⋆אישה; מין אבן טובה (ירוקה); לעייף; להתיש
jaded *adj.* עייף, תשוש

Jaf'fa *n.* תפוז יפו
jag *n.* בליטה, זיז; קרע
jag *v.* לשנן, לחרץ; לעשות זיזים
jag *n.* ⋆תקופת התהוללות
jag'ged *adj.* משונן, מלא זיזים
jag'uar (-gwär) *n.* יגואר (חיה)
jail *n&v.* כלא, בית־סוהר; לכלוא
jail-bird *n.* אסיר (שישב הרבה)
jailbreak *n.* בריחה מהכלא
jailor *n.* סוהר
jalop'y *n.* ⋆מכונית ישנה, גרוטה
jam *v.* למלא, לדחוס; להידחס; לדחוק; להידחק; ללחוץ; להיעצר, להיתקע
jam a station להפריע לשידורים
jam on the brakes ללחוץ לפתע על הבלמים
jam *n.* דוחַק; צפיפות; מעצור, תקלה
get into a jam להיקלע למצב ביש
traffic jam פקק תנועה
jam *n.* ריבה, מימרחת, מירקחת
money for jam משהו תמורת כלום
jamb (jam) *n.* מזוזה
jam'boree' *n.* ג'מבורי; מסיבה עליזה
jam-jar, jam-pot *n.* צנצנת ריבה
jam'my *adj.* ⋆בר מזל; קל
jam-packed *adj.* ⋆דחוס, צפוף
jam session קונצרט ג'אז מאולתר
Jan = January
jan'gle *v.* לריב בקול; להשמיע צליל צורמני/מתכתי
jan'itor *n.* שוער, שומר; חצרן
Jan'u•ar'y (-nūeri) *n.* ינואר
Ja'nus *n.* יאנוס (אל דו־פרצופי)
Japan' *n.* יפן
japan *v.* לצפות באמייל שחור
Jap'anese' (-z) *n.* יפני; יפנית
japan ware כלי אמייל (כנ"ל)
jape *n.* בדיחה
jar *n.* צנצנת, כד, קנקן, פך, פכית; זעזוע; קול צורם, חריקה
on the jar פתוח למחצה
jar *v.* לזעזע, לצרום, לא להלום
jar on him לעצבנו, למרוט עצביו
jarful *n.* מלוא הצנצנת
jar'gon *n.* ז'רגון; שפה מקצועית

jarring *adj.* צורם, מתנגש
jas'mine (jaz'min) *n.* יסמין (שיח־בר)
jas'per *n.* ישפה (אבן טובה)
jaun'dice (-dis) *n.* צהבת (מחלה)
jaun'diced (-dist) *adj.* חולה צהבת
a jaundiced eye/view קנאה, צרות עין, חשדנות
jaunt *v&n.* (לערוך) טיול קצר
jaunting car כרכרה קלה
jaun'ty *adj.* שופע עליזות, מפגין שביעות רצון עצמית
jav'elin *n.* כידון (להטלה)
jaw *n.* לסת; סנטר; פטפוט, דברנות
his jaw dropped ★פער פיו, נדהם
hold your jaw! בלום פיך!
jaws מלחציים; פתח (של קניון)
jaws of death מלתעות המוות
jaw *v.* לפטפט, להטיף מוסר
jaw-bone *n.* עצם הלסת
jaw-breaker *n.* ★שוברת שיניים (מלה שקשה לבטאה), ממתק קשה
jay *n.* עורב; פטפטן
jay-walk *n.* לחצות כביש שלא כחוק
jazz *n&v.* (לנגן בסגנון) ג'ז
jazz up להפיח רוח חיים ב־
jazzy *adj.* ★של ג'ז; מרשים, צעקני
jeal'ous (jel'-) *adj.* מקנא, קנאי
jealous of one's rights מקנא לזכויותיו, מקפיד על זכויותיו
jealous God אל קנוא
jealousy *n.* קנאה
jean *adj.* של אריג ג'ינס
jeans מכנסי ג'ינס
jeep *n.* ג'יפ
jeer *v&n.* ללעוג, ללגלג; לגלוג
Je•ho'vah (-və) *n.* ה', שם הוויה
je•june' (-jōōn') *adj.* דל, יבש, לא מעניין; ילדותי
jell *v.* להקריש; להתגבש (רעיון)
jellied *adj.* קרוש, קפוא
jel'ly *n.* מיקפא, קריש, ג'לי
jelly-fish *n.* מדוזה
jem'my = jimmy מוט־פריצה
jen'ny, spinning jenny *n.* מטווייה
jeop'ardize' (jep'-) *v.* לסכן
jeop'ardy (jep'-) *n.* סכנה
jerbo'a *n.* ירבוע (מכרסם)
jer'emi'ad *n.* קינה
jerk *v.* למשוך/לדחוף בתנופה; לרטוט; להזדעזע; לנוע בטלטולים
jerk out לשלוף בתנופה; לפלוט
jerk *n.* משיכת פתע; היזרקות; טלטול, זעזוע; ★טיפש
physical jerks ★התעמלות
jerk *v.* לשמר בשר (ע"י ייבוש)
jer'kin *n.* מעיל קצר, מותנייה
jerky *adj.* מטלטל; מזדעזע; ★טיפש
jer'ry *n.* ★חייל גרמני; ★עביט
jerry-build *v.* לבנות מהר ובצורה גרועה (בחומרים זולים)
jerry-built *adj.* בנוי כנ"ל
jerrycan *n.* ג'ריקן, קיבולית, דן
jer'sey (-zi) *n.* אפודת צמר; ג'רסי
Jeru'salem *n.* ירושלים
jest *n&v.* בדיחה; להתלוצץ
in jest בצחוק, לא ברצינות
jest with להקל ראש כנגד־
jester *n.* ליצן; ליצן החצר
jesting *adj.* מצחיק; נאמר בצחוק
Jes'u•it (jez'ōōit) *n.* ישועי; צבוע, מאמין שכל האמצעים כשרים
Jes'u•it'ical (-zōō-) *adj.* ערמומי
Je'sus (-zəs) *n.* ישו
jet *n.* סילון; פתח (ליציאת הגאז)
jet *v.* לטוס במטוס סילון; לקלוח, לפרוץ; לשטוף בזרם
jet *n.* מין מינרל שחור
jet aircraft/plane מטוס סילון
jet-black *adj.* שחור כופת
jet engine מנוע סילון
jet-propelled *adj.* מונע במנוע סילון
jet'sam *n.* מטען ספינה שהושלך לים
jet set חוגי העשירים (הטסים במטוסי סילון)
jet'tison *v.* להשליך; לנטוש
jet'ty *n.* מזח, רציף
Jew (jōō) *n.* יהודי
jew'el (jōō'-) *n.* תכשיט, אבן טובה
jeweled *adj.* משובץ באבנים טובות
jeweler *n.* תכשיטן, מוכר תכשיטים
jewelry, -llery *n.* תכשיטים
Jew'ess (jōō'is) *n.* יהודייה
Jewish *adj&n.* יהודי; אידיש
Jez'ebel *n.* איזבל; מרשעת
jib *n.* מפרש קטן; זרוע העגורן
cut of one's jib סגנונו, הופעתו
jib *v.* לעצור לפתע, לסרב להתקדם
jib at להירתע מ־; לגלות אי רצון
jibe *v.* ללגלג
jif'fy *n.* ★רגע
in a jiffy ★מיד, בן־רגע
jig *n.* ג'יג (ריקוד מהיר)
the jig is up המישחק נגמר
jig *v.* לרקוד ג'יג; לנענע מעלה ומטה;

לפזז, לכרכר, לדלג
jig'ger *n.* חרק טפילי; כוסית (מידת הלח למשקאות)
jig'gered (-gərd) *adj.* ⋆עייף, סחוט
I'm jiggered! אני המום/נדהם
jig'gery-po'kery *n.* ⋆הוקוס־פוקוס
jig'gle *v.* לנענע/להתנועע במהירות
jiggle *n.* נענוע, נדנוד
jig'saw' *n.* מסורית מכנית
jigsaw puzzle מישחק הרכבה, פאזל
jihad' *n.* ג'יהאד, מלחמת קודש
jilt *v.* לנטוש; לסרב להינשא ל־
Jim Crow ⋆כושי
jim'iny *interj.* ג'ימיני (קריאת הפתעה)
jim'jams *n-pl.* מתח, חרדה, עצבנות
get the jimjams להיות מתוח/עצבני
jim'my *n.* מוט ברזל (לפריצה)
jin'gle *n&v.* נקישה, צלצול; שיר, חרוזים, ג'ינגל; לצלצל, לקשקש
jin'go *n.* לאומני, קנאי קיצוני
by jingo! חי נפשי! (קריאה)
jingoism *n.* לאומנות
jin'go•is'tic *adj.* לאומני
jinks, high jinks התהוללות
jinn, jin'ni *n.* רוח, שד
jinx *n.* מביא מזל רע; קללה
jit'ney *n.* ⋆מונית
jit'ters *n-pl.* מתח, חרדה, עצבנות
give the jitters להפחיד, להבהיל
jit'tery *adj.* עצבני, מתוח, פוחד
jive *n.* ג'ייב (מין ג'ז); ⋆שטויות
job *n.* עבודה, ג'וב, משרה; משימה קשה; ⋆פשע; דבר, עבודה; מוצר
a job lot אוסף חפצים, חבילה
a job of work ⋆עבודה כראוי
do a job on ⋆להרוס, לקלקל
fall down on the job ⋆לעשות מלאכה גרועה
give him up as a bad job להתייאש ממנו, להחליט שאין לו תקנה
it's a good job (that) טוב ש־
jobs for the boys עבודה לאנ"ש
just the job ⋆בדיוק מה שצריך
lie down on the job ⋆להתבטל, להזניח תפקידו
make the best of a bad job לעשות ככל האפשר חרף התנאים
odd jobs עבודות שונות/מגוונות
odd-job man מתפרנס מעבודות שונות
on the job ⋆עובד, בפעולה; עובד קשה
out of a job מובטל
pay by the job לשלם בקבלנות

pull a job ⋆לבצע שוד
job *v.* לעשות עבודות שונות; לעבוד כסוכן בורסה; לנצל מעמדו
Job (jōb) *n.* איוב
Job's comforter בא לעודד ונמצא מדכדך
job'ber *n.* סוכן בורסה
jobbery *n.* שחיתות, פרוטקציוניזם
jobbing *adj.* מקבל עבודות קבלנות
jock'ey *n.* רַווץ, רוכב על סוס
jockey *v.* להונות, להשיג במרמה
jockey for position להידחק קדימה, לתמרן כדי לזכות בעמדה
jockey club מועדון מירוצי הסוסים
jo•cose' *adj.* עליז, מצחיק, מבדח
jo•cos'ity *n.* עליזות, צחוק
joc'u•lar *adj.* מבדח, מצחיק
joc'u•lar'ity *n.* התבדחות
joc'und *adj.* עליז
jocun'dity *n.* עליזות; התבדחות
jodh'purs (jod'pərz) *n-pl.* מכנסי רכיבה
Joe Doakes האזרח הממוצע
jog *v.* לדחוף קלילות; לטפוח; לנענע; להיטלטל; לרוץ באיטיות
jog his memory להזכיר לו
jog on/along להתקדם בכבדות
jog *n.* דחיפה קלה; טלטול; ריצה קלה
jog'gle *v.* לנענע; להתנועע
joggle *n.* נענוע קל; תנועה קלה
jog trot ריצה קלה, צעידה איטית
john (jon) *n.* ⋆בית שימוש; מבקר אצל זונה
John Bull אנגליה; אנגלי טיפוסי
John Doe פלוני, אדם טיפוסי
John Hancock, John Henry חתימת־יד
john'ny (joni) *n.* ⋆חבר, ברנש
Johnny-come-lately פנים חדשות
Johnny-on-the-spot נמצא במקום, מוכן לעזור, ישנו כאשר זקוקים לו
joie de vivre (zhwä'dəvē'vrə) *n.* חדוות החיים
join *v.* לחבר, לקשור, לצרף, לאחד; להתחבר; להצטרף אל
join battle להתחיל בקרב
join forces להתאחד לפעולה משותפת
join hands לעשות יד אחת; לשלב ידיים
join in (with) להצטרף, להשתתף ב־
join the army, join up להתגייס
join together/up לחבר, לאחד

join *n.* מקום החיבור
join′er *n.* נגר בניין
joinery *n.* נגרות בניין
joint *n.* חיבור; מקום החיבור; מיפרק; חוליה; נתח בשר; ★מאורת קלפים; סיגרית חשיש
out of joint נקוע, שחרג ממקומו
put his nose out of joint לדחוק את רגליו, לנפץ תוכניותיו, להביכו
joint *adj.* משותף
during their joint lives בעודם בחיים
joint *v.* לחבר במיפרקים; להתקין מיפרקים; לחלק (בשר) לנתחים
joint account חשבון בנק משותף
jointed *adj.* בעל מיפרקים
joint-stock company חברת מניות
join′ture *n.* קיצבת אלמנה, נכסים שנקבעו לאישה לימי אלמנותה
joist *v.* קורה (התומכת ברצפה)
joke *n&v.* בדיחה; להתבדח, לחמוד לצון
a practical joke מעשה קונדס
can't take a joke לא סובל מתיחה
have a joke with לספר בדיחה ל-
it goes beyond a joke זה חורג מגדר הבדיחה, הדבר הופך לרציני
it's no joke זה לא צחוק, זה רציני
joking apart/aside ★צחוק בצד
make a joke about להתלוצץ על
play a joke on "לסדר" אותו, לצחוק על חשבונו, להפכו לקורבן מתיחה
jo′ker *n.* ליצן, לץ; ג'וקר
jokingly *adv.* בצחוק, לא ברצינות
jol′lifica′tion *n.* עליזות, שמחה
jol′lity *n.* עליזות, שמחה
jol′ly *adj.* עליז, שמח; נעים; ★שתוי
jolly *adv.* ★מאוד, "נורא"
jolly good fellow בחור כארז
jolly well ★בהחלט (ביטוי חיזוק)
jolly *v.* ★לשמח; לשדלו לשתף פעולה
jolly along לרומם רוחו
jolly boat סירה קטנה (של אונייה)
Jolly Roger דגל שודדי-ים
jolt (jōlt) *v.* לטלטל, לנענע, להקפיץ, לזעזע; להתנועע
jolt *n.* טלטול, נענוע; דחיפה
jolty *adj.* מטלטל; מתנועע
Jo′nah (-nə) *n.* יונה, מביא מזל רע
Jones, keep up with the Joneses לא לפגר אחרי השכן, להיות אופנתי
jon′quil *n.* נרקיס
Jor′dan *n.* ירדן; הירדן
jo′rum *n.* גביע (גדול)

josh *v.* לצחוק, להתלוצץ על
joss *n.* יוס, אליל סיני
jos′ser *n.* ★טיפש; ברנש, טיפוס
joss-stick *n.* מקל קטורת
jos′tle (-səl) *v.* לדחוף; להידחק
jot *n&v.* שמץ, כמות זעומה
jot down לרשום בקצרה, לשרבט הערות
not a jot of truth אין שמץ אמת
jot′ter *n.* פנקס (לרישום הערות)
jot′tings *n-pl.* הערות קצרות (כנ"ל)
jounce *v&n.* לטלטל; טילטול
jour′nal (jûr′-) *n.* עיתון; יומן
jour′nalese′ (jûrnəlēz′) *n.* סגנון העתונות; ניבים נדושים
jour′nalism′ (jûr′-) *n.* עיתונאות
jour′nalist (jûr′-) *n.* עיתונאי
jour′nalis′tic (jûr-) *adj.* עיתונאי
jour′ney (jûr′-) *n.* נסיעה, טיול
break one's journey לקטוע טיול
make a journey לערוך טיול
one's journey's end יעד המסע; המוות
journey *v.* לנסוע, לערוך טיול
journeyman *n.* בעל מקצוע שכיר
joust *v.* להיאבק, להתחרות, להתנגח
Jove, by Jove! חי יופיטר!
jo′vial *adj.* עליז, מלא שמחה
jo′vial′ity *n.* עליזות, שמחה
jowl *n.* לסת; בשר הלחי, פימה
heavy-jowled כבד לסת; בעל פימה
joy *n.* שמחה, עליזות; ★הצלחה
for joy מרוב שמחה, בגלל השמחה
joy *v.* לשמוח
joyful *adj.* שמח, עליז; משמח
joyless *adj.* חסר שמחה, עצוב
joy′ous *adj.* שמח, עליז; משמח
joy-ride *n.* ★נסיעת-השתוללות, חרקה
joy-stick *n.* ידית הניווט
JP = justice of the peace
jr = junior
ju′bilant *adj.* צוהל, של צהלה, שמח
ju′bilate′ *v.* לשמוח
ju′bila′tion *n.* צהלה, שמחה
ju′bilee′ *n.* יובל, חגיגת יובל
diamond jubilee יובל היהלום, 60 שנה
golden jubilee יובל הזהב, 50 שנה
silver jubilee יובל הכסף, 25 שנה
Ju•da′ic (jo͞o-) *adj.* יהודי
Ju′da•ism′ *n.* יהדות; דת היהודים
Ju′das *n.* יהודה איש קריות, בוגד

jud′der *v.* לרעוד, להזדעזע
Ju•de′an (jōō-) *adj.* של יהודה
judge *n.* שופט; מבין, מומחה
no judge of art לא מבין באמנות
judge *v.* לשפוט, לשמש שופט; לפסוק; לחשוב, להעריך
judge of להעריך, לגבש דיעה על
judging from המסקנה הנובעת מ־
judgement *n.* משפט, דין; פסק־דין; שיפוט, שיקול דעת; דיעה
a judgement on him! עונש משמיים!
form a judgement לגבש דיעה
in my judgement לפי דעתי
last judgement יום הדין
pass judgement להוציא פסק דין
sit in judgement לשבת בדין
judgement seat כס המשפט
ju′dicato′ry *adj&n.* משפטי; בית־דין
ju′dica′ture *n.* מינהל משפטי, סמכות משפטית; שופטים
ju•di′cial (jōōdish′əl) *adj.* משפטי; שיפוטי; של שופט; ביקרתי, בלי משוא פנים
judicial proceedings הליכים
ju•di′ciar′y (jōōdish′ieri) *n.* המערכת המישפטית
ju•di′cious (jōōdish′əs) *n.* נבון
ju′do *n.* ג׳ודו
jug *n.* כד; ⋆בית סוהר, חד גדיא
jug *v.* לבשל בכד; ⋆לאסור, לכלוא
jug-eared *adj.* בעל אוזניים בולטות
jugful *n.* מלוא הכד
Jug′gernaut′ *n.* מפלצת דורסנית; אמונה התובעת קורבנות; ⋆משאית ענקית
jug′gle *v.* ללהטט (בזריקת כדורים), לאחז עיניים; לרמות, לזייף, לטפל ב־
juggle ideas להשתעשע ברעיונות
juggler *n.* להטוטן, מאחז עיניים
jug′u•lar *adj.* של הצוואר
juice (jōōs) *n.* מיץ; עסיס; ⋆מקור כוח, דלק, חשמל
digestive juices מיצי עיכול
juice *v.* להוציא מיץ מ־, לסחוט
juice up ⋆להפיח רוח חיים ב־
juice dealer מלווה בריבית קצוצה, איש העולם התחתון
juic′y (jōō′si) *adj.* עסיסי, מכיל מיץ; מעניין, מלא רכילות; מכניס כסף, ״שמן״
ju•jit′su (jōōjit′sōō) *n.* ג׳יארג׳יטסו
ju′jube′ *n.* שיזף; מין ממתק
juke-box *n.* אוטומט־תקליטים, מקול אוטומטי (המופעל במטבע)
Jul = July
ju′lep *n.* משקה מנתה
Ju′lian *adj.* יוליאני (לוח)
Ju•ly′ (joo-) *n.* יולי
jum′ble *v&n.* לערבב; להתערבב; בלבול
jumble sale מכירת חפצים משומשים (שהכנסתה קודש לצדקה)
jum′bo *adj.* ענק, גדול מהרגיל
jumbo jet מטוס ג׳מבו
jump *v.* לקפוץ; להקפיץ; לדלג מעל
jump a claim לתפוס שטח בכוח
jump a train לנסוע ברכבת באופן לא חוקי/מבלי לשלם
jump at לקפוץ על, ״לחטוף״ (הצעה)
jump bail לברוח אחרי מתן הערבות
jump down his throat לשסע אותו בחריפות, לנזוף בו קשות
jump out of one′s skin להיחרד, להידהם
jump ship ⋆לערוק מאונייה
jump the gun לזנק מוקדם מדי
jump the queue לקפוץ לראש התור
jump the rails/track לרדת מהפסים
jump through a hoop ⋆ללכת באש ובמים
jump to conclusions להיחפז להסיק
jump to it למהר, להזדרז
jump upon/on לגעור, לנזוף, להתקיף
jump *n.* קפיצה, זינוק; חלחלה
get the jump on לזכות ביתרון על
give him a jump להפחיד, להחריד
high/long jump קפיצת גובה/רוחק
jumps עוויתות, רטט עצבנות
jump ball (בכדורסל) כדור ביניים
jumped-up *adj.* מנופח, עלה לגדולה
jumper *n.* קופץ, קפצן; אפודה, סוודר
jumping-off place נקודת זינוק; סוף העולם, מעבר להרי חושך
jump′y *adj.* עצבני, מתוח
Jun = June
junc′tion *n.* חיבור, מפגש, צומת, מיצמת
junc′ture *n.* חיבור; צומת
at this juncture במצב זה, בשעה זו
June *n.* יוני
jun′gle *n.* ג׳ונגל, יער; סבך
law of the jungle חוק הג׳ונגל, כל דאלים גבר
ju′nior *n&adj.* צעיר; זוטר; קטן; הצעיר, הבן; תלמיד שנה ג׳

ju′niper *n.* ערער (שיח, עץ)
junk *n.* מפרשית סינית; גרוטאות; פסולת, זבל; ★הרואין
jun′ket *n.* לֶבֶן ממותק; נסיעה, טיול
jun′keting *n.* עריכת מסיבה; פיקניק
junk′y, junk′ie *n.* מכור לסמים, נרקומן
Ju′no•esque′ (-esk′) *adj.* יפה, חטובה (כאלילה יונו)
jun′ta *n.* חונטה; מועצה, ממשלה צבאית
jun′to *n.* גוף פוליטי (חשאי), כת
Ju′piter *n.* יופיטר, צדק
ju′ral *adj.* של חוק, חוקי
ju•rid′ical (joor-) *adj.* יורידי, משפטי
ju′risdic′tion *n.* סמכות חוקית, סמכות משפטית, תחום שיפוט
ju′rispru′dence *n.* מדע המשפט
ju′rist *n.* משפטן, יוריסט
ju′ror *n.* חבר בחבר־מושבעים
ju′ry *n.* חבר מושבעים; צוות שופטים
the jury of public opinion הציבור כשופט, דעת הקהל
jury box תא המושבעים
juryman *n.* חבר בחבר המושבעים
jury mast תורן ארעי
just *adj.* צודק, הוגן; צדיק; מתאים, הולם, יאה; מדויק
just *adv.* בדיוק, ממש, פשוט; זה עתה; אך ורק; בקושי, כמעט; ★אנא, בבקשה
he just managed בקושי הצליח ל־
just a moment ★רק רגע!
just about כמעט, בערך; כמעט שלא
just as ממש כפי, ממש כש־
just as well באותה מידה
just look! ★רק תראה! ראה־נא!
just my luck! אין לי מזל!
just now זה עתה, עכשיו
just the same אעפ״י כן
just the thing! לזאת התכוונתי!
only just בקושי, כמעט שלא
I should just think כמובן ש־
I'm just going אני כבר הולך/זז
jus′tice (-tis) *n.* צדק, יושר; שופט
bring to justice להביא לדין, לדון
court of justice בית משפט
do justice to להיות הוגן כלפי־; לעשות כראוי; לזלול
do oneself justice לעשות צדק עם עצמו, להפגין יכולתו האמיתית
Justice of the Peace שופט שלום
justiceship *n.* שופטות, כהונת שופט
jus•ti′ciar′y (-tish′iery) *n.* שופט
jus′tifi′able *adj.* מוצדק
jus′tifica′tion *n.* הצדקה
jus′tify′ *v.* להצדיק; לתאם, להזיז (שורת דפוס)
justly *adv.* בצדק, בהגינות
jut *v.* לבלוט
jute *n.* יוטה (לייצור בד־יוטה)
ju′venes′cence *n.* חידוש נעורים, הצערה
ju′venes′cent *adj.* מחדש נעוריו
ju′venile′ *adj&n.* צעיר; ל־/של נערים
juvenile delinquent עבריין צעיר
ju′venil′ity *n.* נערות, נעורים
jux′tapose′ (-z) *v.* לשים זה בצד זה
jux′taposi′tion (-zi-) *n.* הנחת זה ליד זה; סמיכות

K

k = kilogram
kab′ala *n.* קבלה
kad′dish (kä′-) *n.* קדיש
kaf′fir (-fər) *n.* קאפיר, כושי
kail, kale *n.* זן של כרוב
Kai′ser (kī′zər) *n.* קיסר (בגרמניה)
kalei′doscope′ (-lī′-) *n.* קליידוסקופ
kalei′doscop′ic (-lī-) *adj.* קליידוסקופי, ססגוני
kalends = calends
kan′garoo′ *n.* קנגורו
kangaroo court בית דין מהיר (לא חוקי)
ka′olin *n.* קאולין, טין לבן
ka′pok′ *n.* קפוק (חומר למילוי כרים וכ׳)
kaput′ (-poot′) *adj.* ⋆אבוד, מחוסל
kara′te (-rä′ti) *n.* קראטה
kay′ak′ (kī′-) *n.* קאיאק (סירה קלה)
kay′o′ *n.* נוקאאוט
KC = King's Counsel
kebab′, kebob′ *n.* קבאב
kedg′eree′ *n.* קג׳רי (אורז ודגים)
keel *n.* שדרית הספינה, קרין
  lay down a keel להתחיל בבניית ספינה
  on an even keel יציב, בלי זעזועים
keel *v.* להטות (ספינה) על צידה
  keel over להתהפך; ליפול; להתעלף
keelhaul *v.* לגעור, לנזוף ב־; (בעבר) לגרור אדם מתחת לשדרית
keen *adj.* חד; חריף; נלהב, להוט, משתוקק; ער, פעיל
  be keen on ⋆להשתוקק, "למות" על
  keen competition התחרות מרה
  keen frost קור עז
  keen sorrow צער עמוק
keen *n&v.* קינה; לקונן
keen-sighted *adj.* חד־עין
keep *v.* להחזיק; לשמור; לקיים; לפרנס; לנהל; להישאר, להיות, להמשיך
  keep (to the) right לנוע בימין הדרך
  keep a fire in לדאוג שהאש לא תכבה
  keep a fire under לאתר שריפה
  keep a gardener להעסיק גנן
  keep a secret לשמור סוד
  keep a shop לנהל/להיות בעל חנות
  keep accounts/books לנהל חשבונות
  keep after לשנן, לחזור ולומר
  keep an eye on להשגיח, לפקוח עין
  keep at it להתמיד בכך
  keep away להתרחק, להרחיק מ־
  keep back לעצור (התקדמות); לדכא, לרסן; להסתיר
  keep down לדכא; להכניע, לרסן
  keep down the food להתאפק מלהקיא
  keep from למנוע/להימנע מ־; להסתיר
  keep going להמשיך, להחזיק מעמד
  keep hens לגדל עופות, לנהל לול
  keep him going לעזור לו
  keep him in לרתקו למקום (כעונש)
  keep him waiting לאלצו לחכות, לגרום שימתין
  keep in mind לזכור, לרשום לפניו
  keep in with להישאר ידידותי עם
  keep it back להסתיר; לשמור לעצמו
  keep it in לרסן, לעצור בעד
  keep off להתרחק; להרחיק; לא לקרות
  keep on להמשיך, להוסיף ולהחזיק ב־
  keep on at him לנדנד לו, להציק לו
  keep oneself to oneself להתבודד
  keep out להרחיק; למנוע חדירתו
  keep out of להתרחק מ־
  keep quiet! שתוק!
  keep to לקיים, לכבד (הסכם)
  keep to the subject לא לסטות מהנושא
  keep under לדכא, לרסן
  keep up להמשיך; להחזיקו בגובה/על רמה, למנוע נפילתו; להשאירו ער
  keep up with להתקדם באותו קצב
  keep warm להתלבש/להתכרבל היטב
  keep your shirt on! אל תתרגש!
  the meat won't keep הבשר יתקלקל
  the news will keep החדשות לא יתיישנו גם כעבור זמן
  I'm keeping well אני בסדר/בריא
keep *n.* פרנסה, אחזקה, תמיכה; מצודה
  for keeps ⋆לעולם, לתמיד

not earn one's keep אינו שווה את ההוצאות עליו, יצא שכרו בהפסדו
keeper *n.* שומר; שוער (בספורט)
keeping *n.* שמירה, השגחה
in keeping with עולה בקנה אחד עם
in safe keeping שמור היטב
out of keeping סותר, לא תואם
keep′sake′ *n.* מזכרת
keg *n.* חביונת, חבית קטנה
kelp *n.* מין אצת־ים
ken *n.* ידיעה, ידע; תחום הידיעות
beyond one's ken מעבר לידע שלו
ken′nel *n.* מלונה; מוסד לכלבים
kennels מוסד לכלבים
kennel *v.* להכניס (כלב) למלונה
kep′i *n.* כובע צבאי (צרפתי)
kept = p of keep
a kept woman פילגש
kerb *n.* אבן־שפה, שפת המדרכה
kerbstone *n.* אבן־שפה
ker′chief (-chif) *n.* מטפחת־ראש
ker′nel *n.* גרעין, זרע; עיקר
ker′osene′ *n.* נפט, קרוסין
ker′sey (-zi) *n.* קרסי (אריג צמר)
kes′trel *n.* בז (עוף דורס)
ketch *n.* מפרשית דו־תורנית
ketch′up *n.* קטשופ, רוטב עגבניות, מיתבל
ket′tle *n.* קומקום
a pretty kettle of fish עסק ביש, תסבוכת, "דייסה"
kettledrum *n.* תוף הכיור, תונפן
key *n.* מפתח; קליד; מקש; סולם־קולות, טון, עוצמת ההבעה
all in the same key מונוטונית
in a minor key בטון מינורי, בעצב
key man איש מפתח
key position עמדת מפתח
master key, skeleton key פותחת, מפתח־כל (הפותח מנעולים שונים)
key *v.* לכוון (כלי נגינה); להתאים
key up למתוח, להעלות המתח
key *n.* אי אלמוגים נמוך
keyboard *n.* מקלדת, מערכת מקשים
keyboard *v.* להפעיל המקשים, להקיש
keyhole *n.* חור המנעול
key money דמי מפתח
keynote *n.* צליל ראשי, צליל בסיסי; רעיון מרכזי
key-ring *n.* טבעת־מפתחות, מחזיק מפתחות
keystone *n.* אבן הראשה, אבן פינה

kg = kilogram
khak′i (kak′i) *n.* חאקי
khalif = caliph
khan (kän) *n.* שליט, חאן; פונדק
kibbutz′ (-boots) *n.* קיבוץ
kib′itzer *n.* קיביצר, משקיף, צופה במשחק ונותן עצות
ki′bosh′, put the kibosh on לסכל, לנפץ (תקווה); לשים קץ ל־
kick *n.* בעיטה; ⋆סיפוק, תענוג שבמתח; כוח, עוצמה, חוזק
get more kicks than halfpence לזכות ביחס גס תחת תודה
has no kick left נס ליחו
kick in the teeth ⋆סטירת לחי
kicks ⋆עילה לתלונה; תענוג, מתח
kick *v.* לבעוט; להרתיע (אגב ירייה); ⋆להתאונן, לרטון
kick about/around להסתובב, לטייל; להתגלגל בלי שיבחינו בו; להתייחס בגסות
kick against/at למחות, להתמרמר
kick in ⋆לתרום חלקו
kick it ⋆להיגמל (מסמים)
kick off לפתוח במשחק (כדורגל)
kick one's heels לחכות שעה ארוכה
kick oneself ⋆להתחרט, לאכול עצמו
kick out לגרש, "להעיף"
kick the bucket ⋆למות
kick the habit ⋆להיגמל (מסמים)
kick up ⋆לעשות צרות, להתקלקל
kick up a fuss/row/stink לגרום למהומה רבה, לעורר שערוריה
kick upstairs לבעוט (פקיד) למעלה
kick′back′ *n.* ⋆עמלה (בעד סיוע לעשיית רווחים), שוחד
kicker *n.* בעטן
kick-off *n.* בעיטת הפתיחה
kick′shaw′ *n.* מַעדן; צעצוע
kick-starter *n.* מתנע, דוושת התנעה
kid *n.* גדי; עור־גדי; ⋆ילד; צעיר
handle with kid gloves לטפל בכפפות משי
kid-glove methods שיטות מקל־נועם
kid *v.* ⋆לרמות, למתוח
you're kidding! אתה מתלוצץ!
kid′die, kid′dy *n.* ילד
Kid′dush (-doosh) *n.* קידוש
kid′nap′ *v.* לחטוף (אדם)
kidnapper *n.* חוטף
kid′ney *n.* כִּלְיה; סוג, טבע, טמפרמנט
kidney bean שעועית

kidney machine כלייה מלאכותית, מכונת דיאליזה
kidskin *n.* עור־גדי
kike *n.* ⋆יהודי, יהודון
kill *v.* להרוג, להמית, לחסל; לנטרל, להחליש האפקט
dressed to kill מרשים בלבושו
kill a bill לסכל הצעת חוק
kill off להרוג, לחסל, להיפטר מ־
kill time להרוג את הזמן
kill two birds with one stone להרוג שתי ציפורים באבן אחת
kill with kindness להרעיף חיבה
kill *n.* טרף, צייד; הריגה
be in at the kill להיות נוכח בזמן ההריגה/בסיום המאבק
killer *n.* הורג, רוצח
killing *adj&n.* ⋆הורג; מצחיק מאוד
make a killing להרוויח כסף רב
kill-joy *n.* משרה דיכאון
kiln *n.* תנור, כבשן
kil′o *n.* קילו
kilo- (kil′ə) (תחילית) אלף
kil′ocy′cle *n.* קילוהרץ
kil′ogram′ *n.* קילוגרם
kil′oli′ter (-lēt-) *n.* קילוליטר
kilom′eter *n.* קילומטר
kil′owatt′ (-wot) *n.* קילוואט
kilt *n.* חצאית סקוטית
kil′ter *n.* ⋆מצב טוב, איזון
out of kilter ⋆לא בסדר, מקולקל
kimo′no *n.* קימונו, חלוק יפני
kin *n.* משפחה, קרובים; קרוב־משפחה
next of kin שאר־בשרו הקרוב ביותר
kind (kīnd) *n.* סוג, מין
coffee of a kind ⋆קפה גרוע, "גם כן קפה!"
differ in kind להיות שונה באופי
had a kind of feeling that היתה לו מין תחושה ש־
he's her kind הוא הטיפוס שלה
nothing of the kind כלל לא
of a kind מאותו מין, מסוג אחד
payment in kind תשלום בשווה־כסף
repay in kind להחזיר לו כגמולו, להחזיר באותו מטבע
something of the kind משהו מעין זה
I kind of hoped ⋆קיוויתי איכשהו
kind *adj.* טוב, טוב־לב, אדיב
be so kind as to- הואל נא ל־
ki′nda = kind of
kin′dergar′ten *n.* גן־ילדים
kind-hearted *adj.* טוב־לב
kin′dle *v.* להצית; לבעור; להתלקח
kindle hatred להבעיר אש השנאה
kin′dling *n.* חומרים בעירים
kindly *adj.* חביב, נעים, ידידותי
kindly *adv.* באדיבות; אנא, בבקשה
take kindly to לקבל ברצון/בקלות
kindness *n.* טוב־לב, אדיבות; טובה
have the kindness to הואל נא־
out of kindness מתוך טוב־לב
kin′dred *n.* קרבת משפחה, קרובים
kindred *adj.* קרוב, דומה, משותף־מקור
kindred spirits טיפוסים דומים
kinet′ic *adj.* קינטי, של תנועה
kinetic energy אנרגיה קינטית
kinet′ics *n.* קינטיקה, תורת התנועה
kin′folk′ (-fōk) *n-pl.* קרובים
king *n.* מלך
king's evil חזירית (מחלה)
oil king איל נפט
turn king's evidence להפוך לעד המלך (עד המדינה)
Kings מלכים (בתנ"ך)
king′cup′ *n.* נורית (פרח)
kingdom *n.* מלוכה, ממלכה
kingdom come עולם האמת
king′fish′er *n.* שלדג (עוף)
kingly, kinglike *adj.* מלכותי
kingmaker *n.* מכתיר מלכים (או פקידים רמי דרג)
kingpin *n.* ציר יד הסרן, קינגפין; האדם המרכזי/העיקרי, "המסמר"
kingship *n.* מלכות, מלוכה
king-sized *adj.* גדול, ענק
kink *n.* עיקול, כיפוף (בצינור, בחבל); תלתול, קרזול; מוח עקום
kink *v.* לעקם, להתעקם; לקרזל
kinky *adj.* מקורזל; מוזר, עקומות
kins′folk′ (-zfōk) *n-pl.* קרובים
kin′ship′ *n.* קרבת משפחה; דמיון
kins′man (-z-) *n.* קרוב משפחה
ki′osk (kē′osk) *n.* קיוסק; תא טלפון
kip *n.* ⋆שינה; מקום לינה
kip *n.* לישון, לפרוש לישון
kip′per *n.* דג מעושן
kirk *n.* כנסייה
kis′met (-z-) *n.* גורל
kiss *v&n.* לנשק; להתנשק; נשיקה
kiss away tears למחות דמעות בנשיקות
kiss of life הנשמה מפה לפה
kiss the book לנשק התנ"ך ולהישבע

kiss the dust/ground להיכנע; למות
kiss the rod לקבל עונש בהכנעה
kisser *n.* ⋆פה; פרצוף
kit *n&v.* ציוד, זווד, מערכת כלים; חלקים להרכבה
kit out/up לצייד
kit-bag *n.* מזווד, קיטבג, שק חפצים
kitch′en *n.* מטבח
kitch′enette′ *n.* מטבחון
kitchen garden גינת ירקות ופירות
kitchen maid עוזרת מטבח
kitchenware *n.* כלי־מטבח
kite *n.* עפיפון; דייה (עוף דורס)
fly a kite להעיף עפיפון; לבדוק תגובת הציבור, למשש את הדופק
go fly a kite! ⋆הסתלק!
kith and kin קרובים, ידידים
kitsch (kich) *n.* קיטש, יצירה זולה
kit′ten *n.* חתלתול
have kittens להיות מתוח/עצבני
kittenish *adj.* חתולי, כחתלתול, מְשַׂחק
kit′tiwake′ *n.* שחף (ארך־כנפיים)
kit′ty *n.* קופה (במשחק קלפים); קופה משותפת, קרן; חתלתול
ki′wi (kē′wē) *n.* קיווי (עוף); ⋆ניו־זילנדי
klax′on *n.* צופר חזק; צפירה
kleen′ex′ *n.* מטפחת־נייר
klep′toma′nia *n.* קלפטומניה
klep′toma′niac′ *n.* קלפטומן
km = kilometer
knack *n.* כישרון, מיומנות, זריזות
knack′er *n.* מחסל סוסים; סוחר בבשר־סוסים; הורס מבנים רעועים
knackered *adj.* ⋆עייף, מחוסל
knap *v.* לנפץ (אבנים) בפטיש
knap′sack′ *n.* תרמיל גב
knave *n.* נסיך (בקלפים); נוכל
kna′very *n.* נוכלות
kna′vish *adj.* של נוכל, שפל
knead *v.* ללוש; לעסות, לעשות עיסוי
knee *n.* ברך
bend the knee לכרוע ברך
bring him to his knees להכניעו
go down on the knees ליפול על ברכיו
gone at the knees (מכנסיים) מרופטי־ברך
knee breeches מכנסי ברך (הדוקים)
on one's knees מתחנן; על סף משבר
kneecap *n.* פיקת־הברך; מגן ברך
knee-deep *adj.* עמוק עד הברכיים; שקוע ראשו ורובו ב־
knee-high *adj.* מגיע עד הברכיים
knee-high to a duck נמוך מאוד; צוציק
kneel *v.* לכרוע, ליפול על ברכיו
knell *n.* צלצול פעמון (בלוויה)
sound the knell of one's hopes לבשר את קץ תקוותיו
knelt = p of kneel
Knes′set′ (knes-) *n.* הכנסת
knew = pt of know (nōō)
knick′erbock′ers *n-pl.* אברקי־ברך
knick′ers *n-pl.* תחתונים
knick′-knack′ *n.* קישוט; חפץ־נוי
knife *n.* סכין
get one's knife into לחרוש עליו רעה, לארוב לו בפינה
pocket knife אולר
under the knife על שולחן הניתוחים
war to the knife מלחמה עד חורמה
knife *v.* לדקור בסכין
knife-edge *n.* חורפת הסכין
on a knife-edge מתוח (לקראת העתיד); במצב עדין, טרם הוכרע
knight *n.* אביר; פרש
knight *v.* להכתיר בתואר אבירות
knight′-er′rant *n.* אביר נודד (מחפש הרפתקאות)
knighthood *n.* אבירות; אבירים
knightly *adj.* אבירי, אצילי
knit *v.* לסרוג; לקשור, לאחות
knit one's brows לזעוף, לקמט מצחו
knit together לאחד, ללכד
knit up לתקן/להשלים בסריגה
well knit משולב יפה, מלוכד היטב
knitter *n.* סורג, סרג
knitting *n.* סריגה, אריג נסרג
tend to your knitting! עסוק בדברים שלך! אין זה עניינך!
knitting-machine *n.* מכונת סריגה
knitting-needle *n.* מסרגה, צינורה
knit′wear′ (-wār) *n.* דברי סריגה
knives = pl of knife (nīvz)
knob *n.* גולה, ידית, כפתור; גבשושית, גוש, בליטה
knob′by *adj.* בעל בליטות
knock *n.* דפיקה, מכה, נקישה; ⋆ביקורת
take a knock לספוג מכה קשה
knock *v.* להכות, לדפוק, להקיש; ⋆למתוח ביקורת, לקטול; להדהים
be knocked down להיפגע (ע״י מכונית); להימכר במכירה פומבית

knock (it) off! חדל! הפסק!
knock around/about ⋆להסתובב, לטייל, לנדוד; להכות, לפגוע, לפצוע
knock back ⋆לשתות, לגמוע; להדהים
knock down להפיל, להרוס; לפרק; להוריד מחיר
knock her off ⋆לקיים יחסים עמה
knock her up ⋆להכניסה להריון
knock him cold לעלף במכה; להדהים
knock him off ⋆לחסלו, לרצוח אותו
knock him off his feet להממו
knock him up ⋆להעירו משינה (בדפיקות); לעייפו, להתישו
knock his block off להכותו מכות נמרצות
knock in להכות פנימה; לנעוץ
knock into him להחדיר (רעיון) לראשו; להיתקל, לפגוש במקרה
knock off לנכות, להפחית; לגמור; לחבר (לחן) במהירות; ⋆לשדוד; לגנוב
knock off (work) להפסיק לעבוד
knock on the head לסכל, לחסל
knock oneself out ⋆להתאמץ ביותר
knock out להנחית נוקאאוט; להעיף מתחרות; להדהים; לרוקן ע״י טפיחה
knock over ⋆לשדוד, לגנוב
knock spots off לעלות על, לגבור
knock their heads together לאלצם להשלים ביניהם, לגרום שיפקחו עיניהם
knock together להרכיב במהירות
knock up ⋆להקים/לארגן במהירות; לעשות כסף; לתרגל (לפני המישחק)
knock-about *adj.* (מחזה) מצחיק, רעשני; (בגד) מתאים לשימוש גס
knockdown *n.* מהלומה
knock-down *adj.* מהמם, מדהים
knock-down price מחיר נמוך ביותר
knocked-out *adj.* ⋆שיכור, מסומם, מטורף
knocker *n.* דופק; מקוש־דלת, מטרק
knockers ⋆שדיים
knock-kneed *adj.* עקום ברכיים, שברכיו נוגעות זו בזו
knock-knees ברכיים משיקות, רגלי איקס
knockout *n&adj.* נוקאאוט; מהמם, מרשים בהופעתו; ⋆סם מרדים
knoll (nōl) *n.* תל, גבעונת
knot *n.* קשר, לולאה; קישור; סיקוס (בעץ); קבוצה, חבורה; קשר ימי
marriage knot קשר הנישואים
tie in knots לסבך; להדאיג
tie the knot ⋆להתחתן
knot *v.* לקשור; לעשות קשרים
knot-hole *n.* אם־הסיקוס, חור הסיקוס
knotty *n.* מסוקס, בעל סיקוסים; מסובך
knout *n.* שוט, מגלב
know (nō) *v&n.* לדעת, להכיר
doesn't know him from Adam אינו מכירו כלל
he knew grief ידע סבל
he's known better days ראה ימים טובים יותר, ירד מגדולתו
in the know בסוד העניינים
know a thing or two להיות בעל ידע, להבין דבר
know about לדעת, להיות מודע ל־
know better than to do it להבין שמוטב שלא לעשות זאת
know of לדעת, לשמוע על
know one's business להתמצא בעניינים
know what's what להיות בעל ידע, להבין
know...from... להבחין בין ־ ל־
make it known להודיע, לפרסם
make oneself known to להציג עצמו לפני, להתוודע אל
not that I know of לא ־ למיטב ידיעתי
there is no knowing- אין לדעת־
you know ״אתה מבין״ (ביטוי סתמי)
know-all *n.* ידען (כביכול)
know-how *n.* ידע מקצועי, ידע מעשי
knowing *adj.* יודע, מבין, פיקחי, חריף
knowingly *adv.* בכוונה, ביודעין
know-it-all *n.* יודע־כל (כביכול)
knowl′edge (nol′ij) *n.* ידיעה, הכרה, ידע, דעת
come to his knowledge להיוודע לו
to (the best of) my knowledge למיטב ידיעתי
knowledgeable *adj.* בעל ידיעות
known (nōn) *adj.* ידוע
well-known ידוע, מפורסם, מוכר
known = pp of know
know-nothing *adj.* בור, בער
knuck′le *n&v.* פרק אצבע, מיפרק אצבע
knuckle down להירתם לעבודה במרץ
knuckle under להיכנע
near the knuckle כמעט גס
rap over the knuckles להכות על פרקי האצבע; להתקיף בחריפות

knuckle-duster *n.* אגרופן (ממתכת)
KO = knockout (kāō′)
kohl (kōl) *n.* כוחל, פוך
kohl′ra′bi (kōl′räbi) *n.* קולרבי, כרוב־הקלח
ko′peck′ *n.* קופיקה (מאית הרובל)
kop′pie *n.* תל, גבעונת
Ko•ran′ (-rän) *n.* הקוראן
Ko•ran′ic (-rän-) *adj.* של הקוראן
ko′sher *adj.* כשר; הגון
kow′tow′, ko′tow′ *v.* להתרפס
kraal (kräl) *n.* קראל (כפר אפריקני); גדרת בקר
Krem′lin *n.* הקרמלין
kro′na *n.* קרונה, כתר (מטבע שוודי)
kro′ne (-nə) *n.* קרונה (מטבע בדנמרק ובנורווגיה)
kro′ner = pl of krone
kro′nor′ = pl of krona
ku′dos′ *n.* תהילה, כבוד
ku′lak (kōō′läk) *n.* קולאק, איכר עשיר
küm′mel (kim′-) *n.* ליקר־קימל
Kurd *n.* כורדי
kurus′ (kooroosh′) *n.* גרוש (מטבע טורקי)
kvass (kväs) *n.* קוואס, תמד (משקה)
kw = kilowatt

L

la (lä) *n.* לה (צליל)
laa'ger (lä'g-) *n.* לאגר, מחנה מוקף עגלות; חניון רכב משוריין
lab *n.* ★מעבדה
la'bel *n.* פתק, תווית; כינוי
label *v.* להדביק תווית; לכנות
la'bial *adj.* (עיצור) שפי, של השפתיים
la'bor *n.* עבודה, עמל, מלאכה; מעמד הפועלים, פועלים; לידה
hard labor עבודת פרך
labor of love עבודה הנעשית באהבה
Ministry of Labor משרד העבודה
labor *v.* לעמול, לעבוד; לנוע בכבדות/בהתנשפות; להתעכב באריכות על
labor the point להתעכב באריכות על הנושא
labor under a mistake להיות קורבן טעות; לחיות בטעות
lab'orato'ry (-brə-) *n.* מעבדה
Labor Day יום העבודה (חג)
labored *adj.* איטי, כבד, מאולץ, מאומץ
laborer *n.* פועל
labor exchange לשכת עבודה
labo'rious *adj.* קשה, מפרך; עובד קשה, חרוץ; (סגנון) כבד, מאומץ, לא קולח
La'borite' *n.* איש מפלגת העבודה
labor market שוק העבודה
Labor Party מפלגת העבודה/הלייבור
labor-saving *adj.* חוסך עמל, אוטומטי
labor union איגוד מקצועי
labur'num *n.* לבורנום (עץ־נוי)
lab'yrinth' *n.* מבוך; תסבוכת
lab'yrin'thine (-thin) *adj.* מסובך
lace *n.* שרוך, פתיל; תחרה, סלסלה
lace *v.* לשרוך, לקשור בשרוך; להשחיל
lace into him להכות/להצליף בו
lace with למהול (במשקה חריף)
lac'erate' *v.* לקרוע, לפצוע, לפגוע
lac'era'tion *n.* קריעה, פגיעה, פצע
lach'rymal (-k-) *adj.* של דמעות
lach'rymose' (-k-) *adj.* בכייני; עצוב
lack *v.* לחסור, להיות משולל/נטול־
be lacking להיות חסר, לחסור
lacks for nothing אינו חסר דבר
lack *n.* חוסר, מחסור, העדר
for lack of מחוסר, בגלל העדר
lack'adai'sical (-z-) *adj.* אדיש, לא מתלהב, לא מעוניין
lack'ey *n.* משרת, מת רפס
lack'lus'ter *adj.* חסר ברק, עמום
lacon'ic *adj.* לקוני, מובע בקצרה
lac'onism' *n.* לקוניות, צמצום במלים
lac'quer (-kər) *n.&v.* לכה (לצפות ב־)
lac'quey = lackey (-ki)
lacrosse' (-rôs) *n.* לקרוס (מישחק)
lac'tate *v.* להיניק, להניק
lac•ta'tion *n.* הנקה, תקופת ההנקה
lac'tic *adj.* חלבי, של חָלב
lactic acid חומצת חלב
lac'tose *n.* לקטוז, סוכר חלב
lacu'na *n.* מקום ריק, קטע חסר, חלל
la'cy *adj.* של תחרה, משונץ
lad *n.* נער, בחור, עלם
lad'der *n.* סולם; רכבת (בגרב)
ladder *v.* להיווצר רכבות (בגרב)
ladder-proof *adj.* (גרב) חסין־רכבות
lad'dy, lad'die *n.* נער
la'den *adj.* טעון, עמוס, כורע תחת־
la'ding *n.* מטען, משא
bill of lading שטר מטען
la'dle *n.&v.* מצקת, תרווד
ladle out לצקת (מרק) במצקת (לצלחות); לחלק, לתת, להעניק
la'dy *n.* גברת, אישה, ליידי
ladies שירותי נשים
ladies and gentlemen גבירותי ורבותי
ladies' man רודף נשים
Lady Day 25 במרס (חג)
Our Lady מרים, אם ישו
ladybird *n.* פרת־משה־רבנו
lady-help *n.* עוזרת
lady-in-waiting נערת המלכה
ladykiller *n.* קוטל נשים, דון ז'ואן
ladylike *adj.* כיאה לגברת, אצילית
ladyship *n.* הוד מעלתה
lag *v.* לפגר, להתקדם לאט; לבודד
lag behind לפגר מאחור
lag *n.* פיגור, איחור; הבדל־זמן

time lag הבדל־זמן, פיגור
lag *n.* ⋆אסיר, פושע, עבריין
la′ger (lä′gər) *n.* לאגר (בירה)
lag′gard *n.* מפגר, מאחר, חסר־מרץ
lag′ging *n.* חומר־בידוד
lagoon′ (-gōōn′) *n.* לגונה, בריכה/לשון־ים רדודת־מים, ימה מוקפת אטול
lah′-di-dah′ (lädidä′) *adj.* גנדרן; יומרני, מעושה
la′ic *adj.* חילוני, לא דתי, הדיוט
la′icize′ *v.* להפוך לחילוני, לחלן
laid = p of lay
lain = pp of lie
lair *n.* מאורה (של חיה)
laird *n.* בעל אחוזה
laissez-faire (les′āfār′) *n.* לסה־פיר, יוזמה חופשית, אי התערבות
la′ity *n.* הדיוטות, חילונים, לא־מקצועיים
lake *n.* אגם, בריכה; צבע אדום
lam *v.* ⋆להכות, להרביץ
lam into him להתקיפו, להכותו
la′ma (lä′-) *n.* לאמה (נזיר טיבטי)
la′maser′y (lä′-) *n.* מנזר טיבטי
lamb (lam) *n&v.* טלה; בשר כבש; אדם עדין; להמליט טלאים
lam•baste′ (-bāst′) *v.* ⋆להכות, להלקות, לנזוף
lam′bent *adj.* זוהר, מבליח, נוגע קלות
lambent humor הומור : ק/מבריק
lamb′kin (lam′-) *n.* טלה רך
lamblike *adj.* עדין, כמו טלה
lambskin *n.* עור כבש
lame *adj.* צולע, נכה, חיגר
lame excuse תירוץ צולע
lame *v.* לעשות לצולע, להצליע
lamé′ (lämā′) *n.* לאמה (אריג שזור בחוטי זהב או כסף)
lame duck חבר קונגרס העומד לפרוש; חסר אונים, "סוס מת"; עסק כושל
lament′ *v.* לקונן, להתאבל על
the late lamented המנוח
lament *n.* קינה, בכי, זעקה
lam′entable *adj.* מצער, גרוע, אומלל
lam′enta′tion *n.* קינה, הספד, נהי
lam′inate′ *v.* לרקע, לרבד, לפצל לשכבות, להניח רבדים־רבדים, ללבד
laminated *adj.* מרובד, ערוך בשכבות
lam′ming *n.* ⋆הכאה, הצלפה
lamp *n.* מנורה, נורה, פנס
lamp-black *n.* פיח (חומר צביעה)
lamplight *n.* אור המנורה
lam•poon′ (-pōōn′) *n&v.* סאטירה, היתול; לחבר סאטירה על
lamppost *n.* פנס רחוב, עמוד פנס
lam′prey *n.* דג דמוי צלופח
lampshade *n.* אהיל, מגינור
lance *n.* רומח, כידון, צלצל
lance *v.* לפתוח/לדקור באזמל
lance corporal טוראי ראשון
lanc′er *n.* (חיל) נושא רומח
lancers לאנסרס (ריקוד בזוגות)
lan′cet *n.* אזמל מנתחים
land *n.* יבשה, אדמה, קרקע, ארץ; מדינה; אחוזה
land of nod עולם השינה, תרדמה
land of the living העולם הזה
make land להגיע לחוף
see how the land lies לבדוק את מצב העניינים
the Promised Land ארץ ישראל
land *v.* לעלות ליבשה, לנחות; להנחית; ⋆לזכות ב־, להשיג
land a blow ⋆להנחית מכה
land a fish לדוג דג (ולהעלותו)
land all over להתנפל על, לנזוף
land him in trouble לסבכו בצרה
land in jail לסיים/למצוא עצמו בכלא
land on להתנפל על, להתקיף, לגעור
land on one's feet לנחות על רגליו, להיחלץ מקושי, להיות בר־מזל
land up ⋆למצוא עצמו, להגיע
land-agent *n.* סוכן מקרקעין; מנהל אחוזה
lan′dau (-dou) *n.* כירכרה, לנדו
landed *adj.* של קרקעות; בעל קרקעות
landfall *n.* התקרבות ליבשה
land forces כוחות יבשה
landholder *n.* אריס; בעל מקרקעין
landing *n.* נחיתה; הנחתה; רציף; רחבה (בין מערכות־מדרגות), פרוזדור
landing craft נחתת, אסדת־נחיתה
landing field/strip מינחת
landing gear מתקן נחיתה (במטוס)
landing net רשת (בקצה מוט, להעלאת דג שנתפס בחכה)
landing party כיתת נחתים
landing ship נחתת, אסדת־נחיתה
landing stage לוח נחיתה, רציף צף
landlady *n.* בעלת בית
landless *adj.* חסר קרקע, ללא מולדת
landlocked *adj.* (מפרץ) מוקף יבשה; (מדינה) מנותקת מהים

landlord *n.* בעל בית; בעל אכסניה
land'lub'ber *n.* ★אוהב יבשה ("גולם" שאינו רגיל לחיי־ים)
landmark *n.* סימנוף, דבר בולט בשטח; סימן גבול; ציון דרך; נקודת מפנה
landmine *n.* מוקש (יבשתי)
land-office business עסקים משגשגים
landowner *n.* בעל קרקעות
land rover לאנדרובר (כלי־רכב לדרכים קשות)
land'scape' *n.* נוף; אמנות הנוף
landscape *v.* לשפר פני השטח, לשוות צורה נאה לנוף
landscape gardening גינון נוף
landslide *n.* מפולת אדמה; ניצחון מוחץ (בבחירות, כתוצאה מסחף קולות)
landslip *n.* מפולת אדמה
landsman (-z-) *n.* איש יבשה
landward *adv.* לעבר היבשה
lane *n.* שביל, משעול, רחוב צר, סמטה; מסלול, נתיב
lan'guage (-gwij) *n.* שפה, לשון
bad language קללות, מלים גסות
dead language שפה מתה
strong language לשון חריפה, קשות
language laboratory מעבדת שפות (ללימוד שפות זרות)
lan'guid (-gwid) *adj.* חסר־מרץ, איטי, חלש, רפה
lan'guish (-gwish) *v.* להיחלש, להתנוון, לאבד מרץ; לסבול ארוכות; להשתוקק, להתגעגע
languishing *adj.* נחלש; כמהַ לאהבה
lan'guor (-gər) *n.* חולשה, עייפות, לאות; חוסר מרץ; עגמימות
languorous *adj.* חסר־מרץ, עייף; עגמומי
lank *adj.* דל־בשר, רזה וגבוה; (שיער) חלק ורפוי
lank'y *adj.* גבוה ורזה
lan'olin *n.* לנולין (מרכיב של משחות)
lan'tern *n.* פנס, פנס רוח
lantern-jawed *adj.* ארך־פרצוף, שקוע־לחיים
lan'yard (-y-) *n.* חבל קצר (באונייה); שרוך (של משרוקית)
lap *n.* חיק, ברכיים, ירכיים
in the lap of luxury מוקף מותרות
in the lap of the gods בחיק הגורל, ביד הגורל
lap *v.* לעטוף; להשלים הקפה (במירוץ)
lap over לחפוף חלקית מעל, לרעף
lap *n.* הקפה (במירוץ); שלב בתוכנית
lap *v.* ללקלק, ללקוק; (לגבי מים/גלים) לשקשק, לטפוח, להשמיע מַשק
lap up ללקלק; לקבל בלהיטות, לבלוע
lap *n.* לקלוק; משק מים (כנ"ל)
lap-dog *n.* כלבלב
la'pel *n.* דש
lap'idar'y (-deri) *n.* חותך, לטש יהלומים
lapidary *adj.* חרות, חקוק
lap'is laz'uli *n.* אבן תכלת; תכלת
lapse *n.* משגה; פליטת פה/קולמוס; סטייה, עבירה; תפוגת־זכות, פקיעה
lapse of time חלוף זמן, רווח זמן
lapse *v.* לשקוע, לעבור, להידרדר; לפוג, לפקוע
lapse into crime להידרדר לפשע
lap-strap *n.* חגורת בטיחות
lap'wing' *n.* קיווית (עוף בצה)
lar'board' *n.* שמאל האונייה
lar'ceny *n.* גניבה
larch *n.* ארזית (עץ־מחט נשיר)
lard *v.* למרוח שומן־חזיר, לתבל בקותלי־חזיר; לשבץ, לקשט (נאום)
lar'der *n.* מזווה
lardhead *n.* ★מטומטם
large *adj&n.* גדול; מרווח; נדיב, רחב, ליברלי
as large as life בגודל טבעי, הוא בכבודו ובעצמו
at large חופשי, נמלט, מסוכן; בכללותו, באופן כללי
by and large כללית, בסך הכל
talk at large להרחיב את הדיבור
large-eyed *adj.* פוער עיניים, נדהם
large-hearted *adj.* רחב־לב
largely *adv.* במידה רבה; ביד נדיבה
large-minded *adj.* רחב־אופק, סובלני
large-scale *adj.* בקנה־מידה גדול
lar•gess' *n.* הענקה, נתינה, נדבנות
largish *adj.* גדול למדיי, גדלדל
lar'go *n&adv.* לארגו; ברחבות
lar'iat *n.* פלצור
lark *n.* עפרוני (ציפור־שיר)
lark *n&v.* שעשוע, צחוק, מעשה קונדס
for a lark בצחוק
lark about ★להשתעשע, להשתולל
what a lark! איזה בידור!
lark'spur' *n.* דרבנית (צמח, פרח)
lar'rup *v.* ★להכות
lar'va *n.* זחל
lar'vae = **pl of larva** (-vē)

lar'val *adj.* זחלי, של זחל
laryn'ge•al *adj.* גרוני
lar'yngi'tis *n.* דלקת הגרון
laryn'goscope' *n.* ראי (לבדיקת) גרון
lar'ynx *n.* גרון
lasciv'ious *adj.* שטוף־זימה; תאוותני; מעורר תאווה
la'ser (-z-) *n.* לייזר
lash *v.* להכות, להצליף, להלקות; להדק, לקשור
lash down להדק, לקשור
lash him into לעוררו ל־, לשלהב
lash out להכות, להתקיף; ★לבזבז
lash the tail לכשכש בזנב
lash *n.* שוט, ערקה; הצלפה; ריס, עפעף
lashing *n.* הלקאה; חבל־הידוק
lashings ★המון, שפע, כמות רבה
lash-up *n.* כלי מאולתר/זמני
lass, lass'ie *n.* נערה; אהובה, חברה
las'situde' *n.* עייפות, לאות, חולשה
las'so *n&v.* פלצור, לאסו; לפלצר, ללכוד בפלצור
last *adj&n.* אחרון, האחרון, שעבר
at (long) last סוף־סוף, לבסוף
breathe one's last לנפוח נשמתו
every last הכל, עד האחרון שבהם
last but not least חשוב חרף היותו אחרון; אחרון אחרון חביב
last night אמש
see the last of him לא לראותו עוד
the last word המלה האחרונה
the second last אחד לפני האחרון
to the last עד הסוף
last *adv.* לאחרונה, בפעם האחרונה
last *v.* להימשך, לארוך; להתקיים; להתמיד; להספיק ל־
last out להמשיך עד תום; להוסיף לחיות אחרי
last *n.* אימום (לנעל)
stick to one's last לא לעסוק בדברים שאין הוא מבין בהם
last-ditch *adj.* של מאמץ אחרון, של קו נסיגה אחרון (לפני הכניעה)
lasting *adj.* ממושך, מתמיד, קיים, נצחי
last judgment יום הדין
lastly *adv.* לבסוף
lat = latitude
latch *n.* בריח; מנעול (לדלת)
have the latch-string out לקבל בסבר פנים יפות
off the latch לא סגור, פתוח קמעה
on the latch מוברח (אך לא נעול)

latch *v.* להבריח, לנעול; להינעל
latch onto להיצמד ל־; להחזיק ב־; להבין, לתפוס
latchkey *n.* מפתח (לדלת)
latchkey child ילד הדואג לצרכיו (מאחר שהוריו עובדים)
late *adj.* מאוחר; מאחר; האחרון; שאירע לא־מכבר; החדש; המנוח
at the latest לכל המאוחר
be late לאחר
her late father אביה המנוח
in late summer בשלהי הקיץ
keep late hours לאחר לשכב לישון
of late בזמן האחרון, לאחרונה
the latest החדשות האחרונות; המלה האחרונה באופנה, הצעקה האחרונה
late *adv.* באיחור; לאחרונה
better late than never טוב במאוחר מלא כל־עיקר
early and late תמיד, ביום ובלילה
sooner or later במוקדם או במאוחר
latecomer *n.* מאחר, מגיע באיחור
lateen' sail מפרש משולש
lately *adv.* לאחרונה, בזמן האחרון
la'tent *adj.* חבוי, כמוס, נסתר, סמוי מהעין, שבכוח, שבפוטנציה
later *adj.* לאחר מכן
later on לאחר מכן; להלן
lat'eral *adj.* צדדי, של הצד, מן הצד
la'tex' *n.* שרף־גומי
lath *n.* פסיסית, פסיס, לוח עץ דק
lathe (lādh) *n.* מחרטה
lath'er (-dh-) *n.* קצף
in a lather ★נסער, נרגש
lather *v.* להעלות קצף, להתכסות/לכסות בקצף; ★להכות, להצליף
Lat'in *n&adj.* לטיני; לטינית
Latin America אמריקה הלטינית
Latinist *n.* מלומד בלטינית
Lat'inize' *v.* לתרגם ללטינית
la'tish *adj.* באיחור־מה
lat'itude' *n.* רוחב גיאוגרפי, קו־רוחב; מרחב, חופש פעולה, חירות ההבעה
high latitudes רחוק מקו המשווה
latitudes אזורים (על כדור הארץ)
lat'itu'dinal *adj.* של קו־רוחב
lat'itu'dina'rian *adj&n.* סובלני, רחב־דעת, לא כופה דיעותיו
latrine' (-rēn') *n.* מחראה, בית שימוש (במחנה)
lat'ter *n.* המאוחר, השני, המוזכר אחרון;

האחרון, הקרוב לסוף
latter-day *adj.* מודרני, שלאחרונה
latterly *adv.* לאחרונה; בימינו
lat′tice (-tis) *n.* סורג, שבכה, רשת
latticed *adj.* מסורג, עשוי מעשה רשת
lattice window חלון עשוי מעשה רשת
laud *v.* להלל, לשבח, לפאר
laudable *adj.* ראוי לתהילה
lau′danum *n.* סם הרגעה (אופיום)
lau′dato′ry *adj.* מהלל, מביע שבח
laugh (laf) *v.* לצחוק; להביע בצחוק
he laughs best who laughs last
צוחק מי שצוחק אחרון
laugh at ליהנות מ־; ללעוג, לבוז
laugh away/off לסלק/לבטל בצחוק
laugh down להסות/להחריש בצחוק
laugh him out of his bad mood
להסיר דכאונו ע״י צחוק
laugh in his face לצחוק לו בפרצוף, לבוז לו
laugh in one's beard לצחוק בחשאי, לצחוק מתחת לשפמו
laugh on the wrong side of face
להתאכזב, לעבור מצהלה לעצב
laugh one's head off להתפקע מצחוק
laugh up one's sleeve לצחוק מתחת לשפמו, לצחוק בקרבו
laughed himself hoarse צחק עד שנצטרד
no laughing matter לא צחוק, רציני
laugh *n.* צחוק
have the last laugh לנצח לאחר מפלות קודמות; לצחוק אחרון
laugh′able (laf′-) *adj.* מצחיק; מגוחך
laughing gas גאז מצחיק
laughingstock *n.* מטרה ללעג
laugh′ter (laf′-) *n.* צחוק
burst into laughter לגעות בצחוק
launch *v.* להשיק (ספינה); לשלוח, לשגר (טיל); להטיל; לחנוך, להתחיל
launch an attack לפתוח בהתקפה
launch out/into לפתוח ב־, להתחיל ב־; לשקוע ראשו ורובו ב־
launch *n.* השקה; שיגור; סירת מנוע; אילפה
launching pad כן־שיגור
launching site בסיס שיגור
laun′der *v.* לכבס (ולגהץ); להתכבס
laun•derette′ (-dret) *n.* מכבסה אוטומטית
laun′dress *n.* כובסת
laun′dromat′ *n.* מכבסה אוטומטית
laun′dry *n.* מכבסה; כבסים, ״כביסה״
laundry basket סל כבסים
laundryman *n.* אוסף כבסים
laur′e•ate *adj.* עטור זר דפנה
poet laureate משורר המלוכה
laur′el *n.* (זר) דפנה; תהילה, כבוד
gain one's laurels לנחול כבוד
look to one's laurels לשמור על שמו הטוב; לעקוב אחרי יריביו פן יצליחו
rest on one's laurels לנוח על זרי הדפנה
lav *n.* ⋆בית שימוש, שירותים
la′va (lä′-) *n.* לבה
lav′ato′ry *n.* בית שימוש, שירותים
lavatory bowl אסלה
lave *v.* לרחוץ; לזרום
lav′ender *n&adj.* אזוביון (צמח ריחני); ארגמן־בהיר
lavender water מי בושם
lav′ish *v.* לפזר; לבזבז; להרעיף
lavish *adj.* בזבזני, ניתן בשפע
law *n.* חוק; משפט, דין; מנהג; כלל, עיקרון
be a law unto oneself לעשות הישר בעיניו, לבוז לחוק
follow the law ללמוד משפטים
go in for the law ללמוד משפטים
go to law לפנות לערכאות
have the law on him לתבעו לדין
law and order חוק וסדר
lay down the law לדבר בצורה סמכותית, להביע דעתו בתקיפות
study/read law ללמוד משפטים
the law החוק; ⋆המשטרה
the long arm of the law יד החוק
took the law into his own hands
נטל החוק לידיו
Law תורת משה
law-abiding *adj.* שומר חוק
law-breaker *n.* מפר חוק, עבריין
law court בית משפט
lawful *adj.* חוקי
law-giver *n.* מחוקק
lawless *adj.* לא חוקי; מופקר, חסר־חוק
lawn *n.* מדשאה, כר־דשא, מגרש דשא; מין אריג עדין
lawn-mower *n.* מכסחה (לדשא)
lawn tennis טניס
lawsuit *n.* תביעה משפטית
law′yer (-yər) *n.* עורך־דין
lax *adj.* מרושל, רפוי, רפה, לא מקפיד

lax bowels שלשול, קיבה רכה
lax′ative *n&adj.* רפף, חומר משלשל; גורם לשילשול
lax′ity *n.* רפיון, רשלנות; אי הקפדה
lay *v.* להניח, לשים; להטיל; להשכיב; להשקיט; להמר; לכסות, לפרוש
be laid in ruins להיחרב
lay a fire לערוך (עצים ל־) אש
lay a girl ⋆לשכב עם נערה
lay a spirit לגרש רוח
lay a tax on להטיל מס על
lay a trap להניח/להכין מלכודת
lay about להכות בכל הכיוונים
lay an egg ⋆להיכשל, לא לעניין
lay aside/by לחסוך (לעתיד); לנטוש
lay at his door להטיל האחריות עליו
lay away להניח בצד; להביא למנוחות
lay bare לחשוף; לשפוך (לבו)
lay by the heels ללכוד, לכלוא
lay down להניח; להשכיב; לבנות, לתכנן; לקבוע; להפוך לשדה־מרעה
lay down one's life להקריב חייו
lay down wine לאחסן יין
lay eggs להטיל ביצים
lay emphasis/stress on להדגיש
lay flat להפיל ארצה
lay for ⋆לארוב
lay great store on להעריכו מאוד
lay hands on להניח ידיו על; להרים יד על; למצוא; להסמיך כומר
lay him low להפילו; להפילו למשכב
lay him under the necessity לחייב אותו
lay him under- להטיל עליו, לאלצו
lay hold of לתפוס, להחזיק ב־
lay in לאגור, לצבור
lay into להתקיף
lay it on (thick) להגזים; להחניף
lay off להשעות; להפסיק לעבוד; לחדול; להשבית; לסמן, לתחום
lay on לצייד, להתקין; לספק; ⋆להכות
lay one's hopes on להשליך יהבו על, לתלות תקוותו ב־
lay oneself out להתאמץ ביותר
lay open לחשוף, לגלות; לפתוח, לפצוע
lay out לפרוש, לשטוח; לתכנן, לסדר; להוציא כסף, לבזבז; להכין לקבורה
lay over לעשות חנייה קצרה; לדחות
lay the blame on להטיל האשמה על
lay the dust להרביץ/להשכיב האבק
lay the table לערוך השולחן
lay to לעצור (אונייה); להירתם לעבודה
lay to rest לקבור; לחסל, להפסיק
lay up לאגור, לצבור; לרתק למיטה; להוציא (זמנית) מכלל שימוש
lay waste להחריב, להשמיד
lay weight on לייחס לו משקל רב
the story is laid in Japan העלילה מתרחשת ביפן
I'll lay you אתערב עמך, אני שם־
lay *adj.* חילוני, לא איש־דת; לא מקצועי, של הדיוט
lay *n.* שיר; ⋆מישגל; שותפת למיטה
lay of the land צורת הקרקע, פני השטח; מצב העניינים
lay = pt of lie שכב
layabout *n.* ⋆בטלן, הולך בטל
lay brother נזיר הדיוט, פועל במנזר
lay-by *n.* שטח חנייה (בשולי הכביש)
lay′er *n.* שכבה, רובד; ענף מוברך; (תרנגולת) מטילה
layer *v.* להבריך ענף
layer cake עוגת רבדים
lay•ette′ *n.* מערכת חפצים לתינוק (בגדים וכ')
lay figure בובה, מנקין
layman *n.* הדיוט, לא מקצועי
lay-off *n.* השעייה, פיטורים זמניים
lay-out *n.* סידור, תסדיר, תכנון; תבנית, תוכנית
layover *n.* חנייה קצרה (בנסיעה)
lay reader מנהל טקס דתי
laz′aret′ *n.* בית חולים למצורעים
laze *v.* להתבטל, להתעצל
laze away/around להתבטל
la′zy *adj.* עצל; משרה עצלות
lazy-bones *n.* עצלן
lb = libra ליברה
L-driver תלמיד נהיגה
lea *n.* אחו, כר־דשא
leach *v.* לסנן; לשטוף ע"י חלחול
lead *v.* להוביל; להוליך; להנחות; להנהיג, לעמוד בראש; להביא ל־, לפתות ב־; לשכנע
lead a happy/miserable life לחיות חיים מאושרים/אומללים
lead an orchestra לנצח על תזמורת
lead astray להטותו מדרך הישר
lead him a dog's life למרר את חייו
lead him by the nose למשוך אותו באף; לשלוט בו בכליל
lead off להתחיל, לפתוח ב־
lead on לפתותו, לעודדו להמשיך
lead the way להוביל

lead to the altar לשאת אישה
lead up to להוביל ל־, להוות הכנה ל־; לכוון שיחה ל־
I am led to believe אני נוטה להאמין
lead *n.* הנחייה, דוגמה, כיוון, רמז; פער המרחק; פותח במשחק
lead *n.* (בעל) תפקיד ראשי; פסקת מבוא (בעיתון); תעלה, מוביל
lead *n.* חוט חשמל; רצועת כלב
follow his lead לעשות כמוהו
give him a lead לעשות הצעד הראשון, לכוונו לפתרון הבעייה
lead story החדשות המרכזיות
take over the lead לתפוס המקום הראשון
take the lead לעמוד בראש, לתת דוגמה, לפתוח בפעולה
the lead המקום הראשון (במירוץ)
lead (led) *n.* עופרת; אנך, משקולת; גרפית; חצצה, לוחית־עופרת
leads לוחות עופרת, פסי עופרת
swing the lead ⋆להתחלות, להשתמט מעבודה
lead (led) *v.* לכסות בעופרת
lead′en (led′-) *adj.* עשוי עופרת; אפור; כבד
lead′er *n.* מנהיג, ראש; מנצח, נגן ראשי; מאמר מערכת; פרקליט ראשי; גיד
leadership *n.* מנהיגות
lead-in *n.* הערות־הקדמה; חוט אנטנה
leading *adj.* ראשי, עיקרי
leading actor שחקן ראשי
leading article מאמר מערכת
leading case מקרה המשמש תקדים
leading light אישיות בולטת
leading question שאלה מנחה (הרומזת על התשובה הרצויה)
leading reins מושכות (לסוס); הליכון־מושכות (לתינוק הלומד ללכת)
leading strings הליכון־מושכות; פיקוח מתמיד, הנחייה, הדרכה
leaf *n.* עלה; דף; ריקוע־מתכת; כנף־שולחן (זחיחה/מתקפלת)
come into leaf ללבלב, להצמיח עלים
in leaf מלבלב, מוציא עלים
take a leaf out of his book לחקותו, לקחת דוגמה ממנו
turn over a new leaf לפתוח דף חדש
leaf *v.* ללבלב, להוציא עלים
leaf out להוציא עלים, ללבלב
leaf through לדפדף, לרפרף, לעלעל
leaf′age *n.* עלווה, כלל העלים
leafless *adj.* חסר־עלים
leaf′let *n.* עלון; דף־פרסומת; עלעל
leaf mold אדמת עלים רקובים
leafy *adj.* מכוסה עלים, עלווני
league (lēg) *n.* ליגה, ברית, חבר
in league בן־ברית, משתף פעולה
league match משחק ליגה
league *v.* להתאגד בליגה, להצטרף
leak *v.* לדלוף, לנזול; להדליף
leaked out הודלפה (ידיעה)
leak *n.* חור; דליפה; הדלפה
leak′age *n.* דליפה, נזילה
leaky *adj.* דולף, שיש בו חור
lean *v.* לנטות, להתכופף; להישען; להשעין
lean down/over לרכון, להתכופף
lean on לסמוך על; ⋆לסחוט, ללחוץ
lean over backward לעשות כל מאמץ
lean toward לנטות ל־, לצדד
lean *n.* נטייה; בשר רזה
lean *adj.* רזה, כחוש; דל
lean years שנות מחסור
leaning *n.* נטייה, מגמה
lean-to *n.* מבנה צדדי (שגגו נשען על בניין אחר), אגף נסמך
leap *v.* לקפוץ, לדלג; להקפיץ
leap at the opportunity לקפוץ על ההזדמנות
leap *n.* קפיצה, דילוג, ניתור
a leap in the dark קפיצה לתוך העלטה, צעד שאין לחזות תוצאותיו, הימור נועז
by leaps and bounds בצעדי ענק
leap-frog *n.* מיפשק (משחק בקפיצות מעל שחקנים העומדים כפופים)
leap year שנה מעוברת
learn (lûrn) *v.* ללמוד; לדעת; להיווכח, למצוא ש־; להיוודע; ⋆ללמד לקח
learn by heart ללמוד על פה
learn one's lesson ללמוד את הלקח
learn′ed (lûr′nid) *adj.* מלומד; ידעני
learner *n.* לומד, תלמיד
learner driver תלמיד נהיגה
learning *n.* בקיאות, ידע רחב
lease *n.* חכירה, שכירות; הסכם חכירה
by lease, on lease בחכירה
new lease on life סיכוי לחיים טובים יותר, דם חדש בעורקיו
lease *v.* לחכור, להחכיר
leasehold *adj&n.* (נכס) מוחכר
leaseholder *n.* חוכר

leash *n.* רצועת כלב
hold in leash לשלוט, להחזיקו ברסן
strain at the leash לגלות להיטות להיות חופשי
least *adj&n.* הקטן ביותר, הכי מעט
at least לכל הפחות, לפחות
not in the least כלל וכלל לא
the least said the better סייג לחוכמה שתיקה
to say the least (of it) אם נקוט לשון המעטה, מבלי להגזים, לא אוסיף
least *adv.* במידה הכי קטנה
least of all בייחוד לא, פחות מכל
not least בחלקו, במידה רבה
leastwise, -ways *adv.* לפחות
leath′er (ledh′-) *n&v.* עור; ★להלקות
leath′erette′ (ledh-) *n.* חיקוי עור
leatherneck *n.* ★נחת, איש המארינס
leathery *adj.* עורי, קשה, גילדני
leave *v.* לצאת, לעזוב, להיפרד; להשאיר, להניח, לנטוש; להתפטר
it leaves much to be desired טעון שיפור רב, רחוק מלהניח הדעת
leave behind לשכוח, להשאיר בטעות
leave flat ★לנטוש לפתע
leave go/hold of להרפות מ־
leave him be! השאר אותו כך!
leave him to his own devices להניחו לנפשו (שיעשה כרצונו)
leave him/it alone לעזוב אותו, להניח לו
leave it at that להשאיר זאת כך
leave it over until לדחות זאת ל־
leave it with להשאיר זאת אצל
leave off להפסיק; לחדול מללבוש
leave one cold לא להתלהב
leave out להשמיט, לשכוח, לפסוח על
leave well (enough) alone להניח לדברים כמות שהם
leave word with להשאיר הודעה אצל
was nicely left ★סידרוהו כהוגן
5 from 8 leaves 3 8 − 5 = 3
leave *n.* רשות, היתר; חופשה
by your leave ברשותך
leave of absence חופשה
on leave בחופשה
take leave להיפרד, לומר שלום
take leave of one's senses להשתגע, לצאת מדעתו
French leave יציאה/חופשה בלי רשות
leave *v.* ללבלב, להוציא עלים
leav′en (lev′-) *n.* שאור, שמרים; השפעה, דבר הגורם לשינוי
leaven *v.* להוסיף שאור, להשפיע
leavening *n.* שמרים, חומר מתפיח
leaves = pl of leaf (lēvz)
leave taking פרידה, עזיבה
leavings *n-pl.* שיירים, שיריים
Leb′anon *n.* לבנון
lech *n&v.* (להיות שטוף ב־) זימה
lech′er *n.* שטוף בזימה, תאוותן
lech′erous *adj.* תאוותני
lech′ery *n.* תאוותנות, מעשה זימה
lec′tern *n.* עמוד קריאה (בכנסייה)
lec′ture *n.* הרצאה, נאום; הטפה
lecture *v.* להרצות; להטיף מוסר
lecturer *n.* מרצה
lectureship *n.* מישרת מרצה
led = p of lead
ledge *n.* מדף; זיז; רכס סלעים (בתוך הים)
window ledge אדן החלון
led′ger *n.* ספר ראשי (בחשבונאות)
ledger line קו עזר (במחמושת)
lee *n.* מחסה (מפני רוח)
lee shore חוף שהרוח נושבת לעברו (מכיוון הים)
lee side צד (הספינה) שהרוח נושבת ממנו והלאה (לעבר הים)
lee tide גיאות הים בכיוון הרוח
leech *n.* עלוקה; ★רופא
leek *n.* כרישה (ירק דמוי־בצל)
leer *n.* מבט חשקני, מבט עוין
leer *v.* לנעוץ מבטים, לפזול
leery *adj.* ★חשדני, חסר אמון ב־
lees (-z) *n-pl.* שמרים, משקע היין
drink to the lees לשתות עד תום (את כוס התרעלה)
lee′ward *adj.* לכיוון (שבו נושבת) הרוח
leeward = lee side
lee′way *n.* צדידה, היסחפות לצד בשל רוח; זמן עודף, מרחב תמרון; פיגור
make up leeway להדביק את הפיגור
left *n&adj.* שמאל, צד שמאל; שמאלי
out in left field ★מופרע, מטורף; טועה לחלוטין
left *adv.* שמאלה, לצד שמאל
left = p of leave
left-hand *adj.* שמאלי, שביד שמאל
left-handed *adj.* איטר, שמאלי
left-handed compliment מחמאה מפוקפקת
left-hander *n.* איטר; מכה ביד שמאל
leftist *n.* שמאלני

left luggage office משרד לשמירת חפצים
leftovers *n-pl.* שיירים, שירים
leftward *adj&adv.* שמאלי, שמאלה
left wing האגף השמאלי
leg *n&v.* רגל, כרע; קטע, שלב (בטיול, בתחרות)
be on one's (hind) legs לקום על רגליו
find one's legs לעמוד על רגליו, להיות מודע לעוצמה הטמונה בו
give him a leg up לעזור לו לעלות, לסייע לו בעת צרה
has no leg to stand on אין לו על מה להסתמך, הושמטה הקרקע מתחתיו
has the legs of her רץ מהר ממנה
he is all legs הוא גבוה ורזה
leg it למהר, לרוץ, לברוח
never off one's legs תמיד עובד
on one's last legs עייף, הולך למות
pull his leg למתוח אותו, להתל בו
run him off his legs להריץ אותו/להעביד אותו עד לעייפה
shake a leg ⋆לרקוד; למהר
show a leg ⋆לקום מן המיטה
stand on one's own legs להיות עצמאי
stretch one's legs לערוך טיול קצר, להחליץ עצמותיו
take to one's legs לברוח
leg'acy *n.* ירושה, עיזבון; מורשה
le'gal *adj.* חוקי; מותר; משפטי; ליגלי
a legal offense עבירה על החוק
take legal action לנקוט אמצעים משפטיים
legal aid עזרה משפטית
le'galism' *n.* דביקות יתירה בחוק
le•gal'ity *n.* חוקיות, ליגליות
le'galiza'tion *n.* ליגליזציה, מתן אישור חוקי, הפיכה לחוקי
le'galize' *v.* לעשות לחוקי, להתיר
legal tender מטבע חוקי, הילך חוקי
leg'ate *n.* שליח האפיפיור, ציר
leg'atee' *n.* יורש, מקבל עיזבון
le•ga'tion *n.* צירות; לשכת הציר
le•ga'to (-gä-) *adv.* לגטו (במוסיקה)
leg'end *n.* אגדה, מיתוס; כתובת (על מטבע); מקרא (במפה)
leg'endar'y (-deri) *adj.* אגדי
leg'erdemain' *n.* להטוטים
leg'er line קו עזר (במחמושת)
leg'ged (-legd) *adj.* בעל רגליים
3-legged בעל 3 רגליים, תלת־רגלי
leg'gings *n-pl.* חותלות, כיסוי שוקיים, מוקיים
leg'gy *adj.* ארך־רגליים
leg'horn' *n.* לגהורן (סוג של תרנגולות)
leg'ibil'ity *n.* קריאות
leg'ible *adj.* קריא, נוח לקריאה
le'gion (-jən) *n.* לגיון; המון
foreign legion לגיון זרים
their name is legion מספרם רב
legionary *n.* לגיונאי, לגיונר
leg'islate' *v.* לחוקק חוקים
legislate against לאסור; למנוע
leg'isla'tion *n.* חקיקה; חוקים
leg'isla'tive *adj.* תחיקתי, מחוקק
leg'isla'tor *n.* חבר בית מחוקקים
leg'isla'ture *n.* בית מחוקקים
le•git' *adj.* ⋆חוקי, לגיטימי
le•git'imacy *n.* חוקיות, לגיטימיות
le•git'imate *adj.* חוקי, לגיטימי, כשר
legitimate drama דרמה בימתית
legitimate reason סיבה הגיונית
le•git'imize' *v.* לעשות לגיטימי, לתת תוקף חוקי, להכשיר
legman *n.* שליח; אוסף מידע
leg-pull *n.* ⋆מתיחה, סידור
leg'ume (-gūm) *n.* קיטנית
le•gu'minous *adj.* של משפחת הקיטניות
leg work עבודה מעשית; שליחות
lei (lā) *n.* זר (מסביב לצוואר)
lei'sure (lē'zhər) *n.* פנאי
at leisure פנוי, לא עסוק
at one's leisure בזמנו החופשי
leisured *adj.* פנוי, שיש לו פנאי
leisurely *adj.* מתון, איטי, לא ממהר
leisurely *adv.* במתינות, לא בחיפזון
leitmotif, -tive (līt'mōtēf) *n.* לייטמוטיב, רעיון מרכזי, תנע תואר, חוט השני
lem'ming *n.* למינג (מכרסם קטן)
lem'on *n.* לימון; ⋆דבר לא נעים, נערה מכוערת
lem'onade' *n.* לימונדה
lemon drop ממתק (חמצמץ)
lemon soda משקה לימון וסודה
lemon squash מיץ לימון ממותק
lemon squeezer מסחט
le'mur *n.* למור (קיפוף)
lend *v.* להלוות, להשאיל; להוסיף, לתרום; לתת, לעזור
lend a hand לסייע, לעזור

lend an ear להטות אוזן, להקשיב
lend itself to להיות מתאים/נוח ל־
lend oneself to לתת ידו, להסכים ל־
lender *n.* מלווה, משאיל
lending library ספריית השאלה
length *n.* אורך; תקופה, משך־זמן; חתיכה (של חבל/בד) אורך (הסירה) בתחרות
at full length (שרוע) מלוא קומתו
at length לבסוף; ביסודיות, בפרוטרוט; באריכות
go to any/all lengths to לעשות הכל כדי־
keep at arm's length להתרחק מ־
lengthen *v.* להאריך; להתארך
lengthwise, -ways *adv.* לאורך
lengthy *adj.* ארוך, ארוך ביותר
le'nience, -cy *n.* רוך, יד רכה, מקל־נועם
le'nient *adj.* מקל, לא מחמיר (בדין), רך
len'ity *n.* רחמים, רכות, עדינות
lens (-z) *n.* עדשה; עדשת העין
Lent *n.* לנט (תקופת צום לפני הפסחא)
lent = p of lend
Lent'en *adj.* של תקופת לנט
len'til *n.* עדשה (קטנית)
len'to *adv.* לנטו, לאט, במתינות
Le'o *n.* מזל אריה
le'onine' *adj.* של אריה, כמו אריה
leop'ard (lep'-) *n.* נמר
leop'ardess' (lep-) *n.* נמרה
le'otard' *n.* מצרפת הדוקה (לרקדנים), בגד־גוף
lep'er *n.* מצורע
lep'rosy *n.* צרעת
lep'rous *adj.* מצורע
les'bian (-z-) *adj&n.* לסבית
lesbianism *n.* לסביות
lese'-maj'esty (lēz-) *n.* בגידה; ⋆פגיעה בכבוד, התנהגות מחוצפת
le'sion (-zhən) *n.* פצע, פגיעה
less *adj&adv&n.* פחות; פחות
in less than no time כהרף עין
it's nothing more or less than זה לא פחות מ־, זה ממש
less and less פחות ופחות
less of it! די! מספיק!
less than happy לא מאושר (בלשון המעטה)
no less לא פחות, ממש, טבין ותקילין
none the less בכל זאת, אעפי״כ
not any the less לא פחות כלל, אותו דבר, היינו הך
still/much/even less ודאי שלא
the less you talk the better מוטב לדבר פחות
think the less of him להעריכו פחות, לסור חינו בעיניו
less *prep.* פחות, בניכוי, מינוס
les•see' *n.* חוכר, שוכר
less'en *v.* להפחית; להמעיט; להיחלש
lesser *adj.* הפחות, היותר קטן
les'son *n.* שיעור; לקח; פרק בתנ״ך
teach him a lesson ללמדו לקח
les•sor' *n.* מחכיר, משכיר
lest *conj.* פן, שמא, לבל־
let *v.* להרשות, לאפשר, להניח, לתת; להשכיר, להחכיר; נניח ש־
let a window into the wall לקרוע חלון בקיר
let alone כל שכן/בוודאי שלא
let blood להקיז דם
let down להוריד; להאריך (בגד)
let down easy לסרב/לדחות בעדינות
let drive לזרוק, להטיל; להכות
let drop להפיל; לומר, לפלוט, להפטיר
let fall להפיל; לומר, לפלוט, להפטיר
let fly לירות; לפלוט; להתפרץ
let go להרפות, להניח, לשחרר; לפלוט
let him do it שיעשה זאת
let him down לאכזבו, לנטשו
let him have it ⋆לתת לו מנה
let him into לשתפו, להכניסו (בסוד)
let him know להודיע לו
let him/it alone להניח לו, לעזוב אותו
let him/it be להניח לו, לעזוב אותו
let in להכניס; להצר (בגד)
let it go at that להשאיר זאת כך, לא לדון בכך עוד
let it pass לעבור על כך לסדר היום, להתעלם מכך
let loose לשחרר, לקרוא דרור ל־
let me see רק רגע, הבה נראה
let off לשחרר, לפטור; לירות, לפוצץ
let on ⋆לגלות (סוד); להעמיד פנים
let oneself go לתת פורקן ליצריו; לא להקפיד על הופעתו, להזניח עצמו
let oneself in for להסתבך ב־
let out להשכיר; להרחיב (בגד); לפלוט, להוציא; לשחרר
let out at להתקיף, להתפרץ כלפי־
let slip להחמיץ (הזדמנות); לפלוט
let there be no mistake שיהיה ברור, שלא תהיה אי־הבנה

let through להעביר
let up לחדול, להפסיק; להיחלש
let up on לנהוג ביתר רכות כלפי־
let us go, let's go הבה נלך, נזוז
let well (enough) alone
להניח לדברים כמו שהם
let X be equal to 4 נניח ש־ X = 4
to let "להשכרה" (שלט)
let *n.* השכרה; דירה להשכיר; ★שוכר
let *n.* מעצור, עיכוב; (בטניס) חזור (כדור הגשה הנוגע בראש הרשת)
let-down *n.* אכזבה
le'thal *adj.* קטלני, גורם למוות
le•thar'gic *adj.* רדום, חסר־מרץ, אדיש
leth'argy *n.* רדמת; עייפות; אדישות
let's = let us (lets)
let'ter *n.* אות (בא"ב); מכתב
letters ספרות
man of letters משכיל, יודע ספר
the letter of the law החוק ככתבו וכלשונו (בניגוד לרוח החוק)
to the letter ככתוב, אות באות
letter *v.* לכתוב/לסמן באותיות
letter-box *n.* תיבת מכתבים
letter-card *n.* איגרת דואר
lettered *adj.* מלומד, יודע ספר
letterhead *n.* כותרת מכתב (עם הפירמה); נייר מכתבים
lettering *n.* אותיות, מלים; איות
letter of credit מכתב אשראי
letter-perfect *adj.* מדויק, בקי בע"פ
letterpress *n.* הדפסה ע"י סְדָר; תוכן הספר, טקסט (בניגוד לאיורים)
letters patent אישור פטנט
letting *n.* דירה מושכרת
let'tuce (-tis) *n.* חסה (ירק)
let-up *n.* הפוגה, הפסקה
leu'cocyte', leuko- (lo͞o'-) *n.* ליקוציט, כדורית לבנה
leu•ke'mia (lo͞ok-) *n.* ליקומיה, חיוור דם, סרטן הדם
Levant' *n.* לבנט, המזרח הקרוב
levant *v.* לברוח, להסתלק
Lev'antine' *adj.* לבנטיני
lev'ee *n.* סכר, סוללה (למי נהר); (בעבר) קבלת פנים (ע"י המלך)
lev'el *n.* רמה; דרגה; משטח, שטח; גובה, רום; מַפלס; פלס־מים, מפלסה
find one's level למצוא את מקומו הנכון בחברה
ministerial level דרג מיניסטריאלי
on the level הוגן, ישר; בכנות
sea level פני הים
spirit level פלס מים
level *adj.* ישר, חלק, אופקי; שווה־רמה
a level head דיעה מיושבת/שקולה
a level look מבט יציב/מיישיר
a level race מירוץ צמוד
do one's level best לעשות כמיטב יכולתו
level spoon כף מחוקה
level *v.* ליישר, לאזן, לפלס; להשוות/להשתוות ברמה; להרוס, למחוק
level a charge against להטיח אשמה ב־
level at לכוון (רובה) לעבר
level down להוריד, להשוות ברמתו
level off/out להפסיק לנסוק, לטוס בגובה קבוע; לא להתקדם עוד בדרגה
level up להרים, להשוות ברמתו
level with לדבר בכנות, לא להסתיר
level crossing צומת מישורי
lev'eler *n.* דוגל בשוויון חברתי
level-headed *adj.* מיושב בדעתו
lev'er *n&v.* מנוף; להניף, להזיז במנוף
lev'erage *n.* הנפה, תנופה
lev'eret *n.* ארנבת צעירה
le•vi'athan *n.* לוויתן; ענק
lev'itate' *v.* להתרומם, לרחף באוויר; להרחיף (בספיריטואליזם)
lev'ita'tion *n.* ריחוף; הרמה באוויר
Le'vite *n.* לוי
Le•vit'icus *n.* ויקרא (חומש)
lev'ity *n.* קלות ראש, זלזול
lev'y *v.* להטיל מס; לגבות; לגייס
levy on להחרים, לעקל
levy war לצאת למלחמה
levy *n.* מס, מכס; הטלת מס; גבייה; גיוס; מִכסָה, כמות
capital levy מס רכוש
lewd (lo͞od) *adj.* גס; תאוותני
lex'ical *adj.* של מלים, בלשני, מילונאי
lex'icog'rapher *n.* מילונאי
lex'icog'raphy *n.* מילונאות
lex'icon *n.* מילון, לקסיקון
lex'is *n.* לקסיקה, אוצר מלים
li'abil'ity *n.* חבות, חובה; אחריות; עלילות, נטייה; ★נטל, מעמסה
liabilities התחייבויות, חובות
li'able *adj.* אחראי, נושא באחריות
liable to עלול ל־, עשוי ל־, צפוי ל־; נוטה ל־; סובל מ־
liaise' (liāz') *v.* לקשר, לשמור על קשר בין, לפעול בצוותא

li′aison′ (lē′āzon) *n.* קשר (בין יחידות צבא); יחסי מין (לא חוקיים)
liaison officer קצין קישור
lian′a *n.* ליאנה (צמח מטפס)
li′ar *n.* שקרן
lib = liberation ⋆שחרור
li•ba′tion *n.* נסך; ⋆שתיית משקה
lib′ber *n.* ⋆דוגל בשחרור (האישה)
li′bel *n.* דיבה, לעז, כתב פלסתר; עוול, חטא לאמת, תיאור לא הוגן
libel *v.* להוציא דיבה, להלעיז
li′belous *adj.* משמיץ, מרכל
lib′eral *adj&n.* ליבראלי, חופשי, שופע, נדיב; מתקדם, ליבראל
liberal table שולחן עמוס כל טוב
liberal arts המדעים החופשיים
liberalism *n.* ליבראליזם, ליבראליות
lib′eral′ity *n.* נדיבות, רוחב־לב, סובלנות, רוחב־אופק; מעשה צדקה
lib′eraliza′tion *n.* ליבראליזציה
lib′eralize′ *v.* להנהיג ליבראליזציה
liberally *adv.* ביד רחבה, ברוחב לב
lib′erate′ *v.* לשחרר
lib′era′ted *adj.* משוחרר, חופשי
lib′era′tion *n.* שחרור
lib′era′tor *n.* משחרר, גואל
lib′erta′rian *n.* דוגל בחופש המחשבה/הדת; מאמין בבחירה חופשית
lib′ertine (-tēn) *n.* מופקר, שטוף בזימה, חסר מעצורים מוסריים
lib′erty *n.* חירות, חופש; חוצפה
allow oneself the liberty להרשות לעצמו
at liberty חופשי, רשאי ל־
liberties זכויות מיוחדות
liberty of conscience חופש המצפון
liberty of speech חופש הדיבור
liberty of the press חופש העיתונות
set at liberty לשחרר
take liberties with לנהוג בחופשיות יתירה; לשנות הכתוב, לשכתב
take the liberty להרשות לעצמו
libid′inous *adj.* שטוף־תאווה
libi′do (-bē′-) *n.* ליבידו, יצר־המין, אביונה
Li′bra (lē′-) *n.* מזל מאזניים
li•bra′rian *n.* ספרן
librarianship *n.* ספרנות
li′brary *n.* ספרייה
circulating library ספריית השאלה
public library ספרייה ציבורית
reference library ספריית עיון

libret′tist *n.* כותב ליברית
libret′to *n.* ליברית, ליברטו, תמליל
lice = pl of louse כינים
li′cense *n.* רשיון; רישוי; חופש, הפקרות, התפרעות, התרת הרסן
off-license רשיון למכירת משקאות ולהוציאם
on-license רשיון למכירת משקאות לשתייה במקום
license *v.* להעניק רשיון
licensed *adj.* בעל רשיון, מורשה
li′censee′ *n.* בעל רשיון
license plate לוחית זיהוי (במכונית)
li•cen′tiate (-shiit) *n.* בעל רשיון
li•cen′tious (-shəs) *adj.* מופקר, פרוץ; חסר־רסן
lich′en *n.* חזזית (צמח)
lich gate שער בית־עלמין (כנסייתי)
lic′it *adj.* חוקי, מותר, כשר
lick *v.* ללקק; ללחך; ⋆להכות, להביס; לרוץ, למהר
it licks me הדבר נשגב מבינתי
lick his boots להתרפס, "ללקק לו"
lick into shape לאמן, להדריך; לעצב, לתת צורה, לתגמר
lick one's chops ⋆ללקק שפתיו
lick one's lips ללקק שפתיו, ליהנות
lick one's wounds ללקק את פצעיו
lick the dust לנחול תבוסה; למות
lick up ללקלק, ללקק הכל
that licks everything זה מדהים אותי
lick *n.* לקיקה; מריחה קלה, ניקוי קל
a lick and a promise ⋆ניקוי שטחי
at a great lick ⋆במהירות רבה
salt lick מקום לקיקת מלח
lick′ety-split′ *adv.* ⋆חיש, מהר מאוד
licking *n.* ⋆תבוסה; הצלפה
lic′orice (-ris) *n.* שוש, סוס (משקה)
lid *n.* מיכסה; עפעף; ⋆כובע
blow the lid off לחשוף האמת
put the lid on לשים קץ ל־; לעבור כל גבול
li′do (lē′-) *n.* בריכה פתוחה, לידו
lie (lī) *v.* לשכב; לנוח; לרבוץ; להיות, לשכון, להימצא, להשתרע
as far as in me lies כמיטב יכולתי
find out how the land lies לבדוק את מצב הדברים
lie about להתבטל, להיות עצלן
lie at his door לתלות בו הקולר, לרבוץ לפיתחו
lie back להשתרע, לשכב, לנוח

lie behind להיות הגורם ל-, להסתתר מאחורי־
lie down לשכב, לרבוץ
lie down under לקבל זאת בלי להתנגד
lie heavy on להכביד/להעיק על
lie in לאחר לקום (בבוקר), להמשיך לשכב; לשכב ללדת
lie in state להיות מונח לפני הקהל (ארון הנפטר)
lie in wait ⋆לארוב
lie low לשתוק; להסתתר; לשמור על פרופיל נמוך
lie over להידחות לטיפול בעתיד
lie to להגיע לעצירה כמעט מוחלטת (לגבי ספינה מול הרוח)
lie up להיות מרותק למיטה; להסתתר
lie with לחול על, להיות מוטל על, לרבוץ על; לשכב עם/את־
take it lying down לבלוע זאת, לקבל זאת בלי למחות
the appeal does not lie הערעור אינו מתקבל על הדעת

lie *n.* תנוחה, מצב
the lie of the land פני השטח; מצב העניינים

lie *v&n.* לשקר, לרמות; שקר
give the lie to להאשימו בדבר שקר; להזים
tell a lie לשקר
white lie שקר לבן, שקר כשר

lie-abed *n.* עצל, מאחר לקום
lied (pl = lieder) (lēd) *n.* שיר גרמני
lie detector מכונת אמת, גלאי שקר
lie-down *n.* מנוחה קצרה, שכיבה
lief (lēf) *adv.* בחפץ לב, בשמחה
liege (lēj) *n.* אדון
liege man וסל, משועבד
lie-in *n.* הישארות במיטה, איחור לקום
lien (lēn) *n.* עיכבון, שעבוד
lieu, in lieu of (lo͞o) במקום, תחת
lieu•ten′ancy (lo͞ot-) *n.* סגנות (בצבא)
lieu•ten′ant (lo͞ot-) *n.* סגן (בצבא); סגן, ממלא מקום
second lieutenant סגן־משנה
lieutenant colonel סגן־אלוף
life *n.* חיים; נפש, חיות; פעילות; מודל חי (בציור); ⋆מאסר עולם
a good life בעל תוחלת חיים גבוהה
a life for a life נפש תחת נפש
a matter of life or death שאלת חיים או מוות
after life העולם הבא
as large as life בגודל טבעי; הוא בכבודו ובעצמו; ללא כל ספק
between life and death בין חיים ומוות, בסכנה רבה
bring to life להשיב לתחייה
change of life תקופת המעבר, בלות
come to life להתאושש, לשוב להכרתו
for (dear) life כדי להינצל ממוות
for life למשך כל החיים, לצמיתות
for the life of me כה אחיה!
had the time of his life נהנה כפי שלא נהנה מעודו
life imprisonment מאסר עולם
life story ביוגרפיה, סיפור חיים
not on your life! חס וחלילה!
paint from life לצייר ממודל חי
see life לראות עולם, לחוות חוויות
take his life להרגו
take one's life in one's hands לשים נפשו בכפו
take one's own life להתאבד
the life of the party הרוח החיה במסיבה
the other/future life העולם הבא
this life העולם הזה
to the life בדיוק רב, כמו בחיים
true to life אמיתי, נאמן למציאות

life assurance ביטוח חיים
life belt חגורת הצלה
lifeblood *n.* דם החיים
life-boat *n.* סירת הצלה
life buoy גלגל הצלה
life cycle מחזור הגלגולים (בהתפתחות החרק)
life estate רכוש המוחזק במשך כל החיים, אחוזת חיים
life expectancy תוחלת חיים
life-giving *adj.* מחזק, מפיח חיים
lifeguard *n.* מציל; שומרי ראש
life history שלבי הגלגולים (בהתפתחות החרק); תולדות חיים
life insurance ביטוח חיים
life interest הכנסה מרכוש למשך החיים
life jacket חגורת הצלה
lifeless *adj.* חסר־חיים, מת
lifelike *adj.* כמו בחיים, כמו במציאות
lifeline *n.* חבל הצלה, חבל אמודאים; עורק חיים; קו החיים (בכף היד)
lifelong *adj.* לאורך כל החיים
life-office *n.* משרד לביטוח חיים
life preserver חגורת הצלה

li′fer *n.* ⋆(נדון ל־) מאסר עולם
simple-lifer חי חיים פשוטים
life-saver *n.* מציל (במקום רחצה)
life sentence מאסר עולם
life-size *adj.* (פסל) בגודל טבעי
life span אורך החיים
lifetime *n.* ימי החיים (של האדם)
chance of a lifetime הזדמנות חייו
life work מפעל חיים
lift *v.* להעלות, להרים, להגביה; לעלות; להתנדף, להימוג; לגנוב
lift *v.* להסיר, לבטל; להוציא מן האדמה
lift a finger לנקוף אצבע
lift off להמריא (חללית)
lift up one's eyes לשאת עיניו, להסתכל
lift *n.* הרמה, העלאה; מעלית; הסעה, טרמפ; מצב רוח מרומם
liftboy *n.* נער־מעלית
liftman *n.* איש־מעלית
lift-off *n.* זינוק, המראה
lig′ament *n.* מיתר (המחבר עצמות)
lig′ature *n.* תחבושת, סרט (למניעת אובדן דם); ליגטורה, אותיות מחוברות
light *n.* אור; אור יום; אש, גפרור; חלון, צוהר; אספקט; איש מופת
according to one's lights במיטב יכולתו
bring to light לגלות, להוציא לאור
come to light להתגלות, להיוודע
go out like a light להירדם; להתעלף
in a bad light באור שלילי
in a good light באור חיובי
in the light of לאור־, בהתחשב־
look in a different light לראות (זאת) באור שונה
see the light להיוולד; להתפרסם; להבין, לקבל, לראות האמת (ברעיון, בדת)
shed/throw light on לשפוך אור על
shining light אדם מבריק, אישיות
stand in his light לעמוד בדרכו, להפריע לסיכוייו
stand in one's own light לפעול נגד האינטרסים שלו עצמו
strike a light להדליק גפרור
light *v.* להאיר; להדליק; להאיר דרך
his face lit up אורו פניו
light into להתנפל על, להתקיף
light out ⋆להסתלק, לברוח
light up להאיר; להדליק; ⋆להדליק סיגריה, להתחיל למצוץ ממקטרתו
light upon לגלות, למצוא, להיתקל ב־
lit up ⋆שתוי, מבוסם
light *adj.* קל; קליל; עליז; קל־דעת
get off light להיפטר בעונש קל
give light weight לרמות במשקל
light cake עוגה תפוחה/גבוהה
light head ראש סחרחר
light heart לב שמח, חסר דאגה
light horse פרשים קלים
light punishment עונש קל
light reading ספרות קלה
light sleeper קל־שינה
light soil אדמה קלה, אדמת חול
light syllable הברה לא מוטעמת
light weapons נשק קל
light woman קלת־דעת, פרוצה
make light of להקל ראש ב־
travel light לנסוע במטען קל
light *adj.* מואר, שטוף־אור; בהיר
light green ירוק בהיר
light-armed *adj.* חמוש בנשק קל
light bulb נורה
light′en *v.* להקל; לחוש הקלה
lighten *v.* להאיר; להתבהר; לזרוח
it was lightening הבריקו ברקים
light′er *n.* מצית; דוברה, רפסודה
lighter *v.* להעביר סחורה בדוברה
lighterage *n.* דמי פריקה, סוורות
light-fingered *adj.* זריז־אצבע, מאצבע/פורט בקלילות; כייס
light-handed *adj.* בעל יד קלה
light-headed *adj.* סחרחר; קל־דעת
light-hearted *adj.* שמח, עליז
light heavyweight משקל תת־כבד
lighthouse *n.* מגדלור
lighting *n.* תאורה, מאור
lighting-up time שעת הדלקת האורות
lightly *adv.* בקלות, בעדינות; בזלזול
light-minded *adj.* קל־דעת
lightness *n.* קלות, קלילות
light′ning *n.* ברק, בזק
lightning bug גחלילית
lightning conductor/rod כליא־ברק, כליא־רעם
lightning strike שביתת פתע
light-o'-love קלת דעת
lights *n-pl.* ריאות (של בעל־חיים)
lightship *n.* ספינת מגדלור
lightsome *adj.* עליז; קל־דעת; זריז
lights-out *n.* שעת כיבוי אורות
light-weight *n&adj.* משקל קל (של מתאגרף); שוקל מתחת לממוצע, קל

light year שנת אור
lig′ne•ous *adj.* עצי, מעוצה
lig′nite *n.* פחם חום
likable, likeable *adj.* חביב, אהוב
like *v.* לאהוב, לחבב, לרצות
as you like כרצונך
fish doesn't like me דגים מזיקים לבריאותי
how do you like- מה דעתך על-
if you like אם טוב בעיניך, בבקשה
I don't like to לא נעים לי ל-
I like that! יופי! (באירוניה)
I'd like to הייתי רוצה ל-
like *adj&adv.* דומה, דומים; שווה
as like as not ★קרוב לוודאי
as like as- דומה, ממש כמו
like enough קרוב לוודאי
like father like son כאב כבן
like ideas רעיונות דומים
like *prep&conj.* כמו, דומה ל-; אופייני/טיפוסי ל-; כגון, למשל; כפי ש-; כאילו
it looks like rain נראה שירד גשם
it's (just) like him to- אופייני לו ל-, זה הטבע שלו
like anything מאוד, מהר, חזק וכו׳
shout like mad לצעוק כמו משוגע
something like בערך, בסביבות
there's nothing like אין כמו
I feel like מתחשק לי, הייתי רוצה
like *n.* דבר דומה, אדם דומה
and the like וכדומה
likes and dislikes הדברים האהובים עליו והשנואים עליו
see his like לראות אדם כמוהו
see the like (of it) לראות דבר כגון זה
the likes of us ★אנשים כמונו
-like (סופית) דמוי, כמו-
childlike ילדותי, כמו ילד
likelihood *n.* אפשרות, סבירות, עלילות
likely *adj&adv.* מתאים, הולם, סביר; עשוי, צפוי, עלול; אפשרי, מתקבל על הדעת
a likely story! ספר לסבתא!
as likely as not קרוב לוודאי
most likely קרוב לוודאי
like-minded *adj.* בעל אותה כוונה, תמים־דעים, בעלי טעם זהה/אינטרסים דומים
liken *v.* להשוות, לדמות, להקביל
likeness *n.* דמיון, שוויון; תמונה
in the likeness of בדמות־, בצורת־
likewise *adv&conj.* באותו אופן, באותה צורה, אותו הדבר; כמו כן, יתר על כן
liking *n.* חיבה, נטייה
to one's liking לפי טעמו
li′lac *n.* לילך (שיח); סגול־ורוד
lil′lipu′tian (-shən) *adj.* ליליפוטי, זעיר, מגומד
li′lo *n.* מזרן־אוויר
lilt *n.* שיר ריתמי, מנגינה עליזה; תנועה קצובה; מקצב ברור
lilt *v.* לנגן במקצב, לשיר בקצב
lil′y *n.* שושן, שושנה
paint the lily לייפות דבר יפה
lily-livered *adj.* פחדן, מוג־לב
lily-white *adj.* לבן, טהור
limb (lim) *n.* איבר, גף, זרוע, רגל, כנף; ענף גדול; ★שובב, ילד רע
escape with life and limb להיחלץ בלי פגיעה רצינית
out on a limb בדד, ללא תמיכה, נטוש, פגיע, מסתכן (בהבעת דעה)
tear limb from limb לקרוע איבריו
-limbed (limd) *adj.* בעל איברים
long-limbed ארך־איברים
lim′ber *n.* ארגז תחמושת מתנייע
limber *v.* לחבר ארגז כנ"ל לתותח
limber *adj&v.* גמיש, כפיף
limber up להגמיש, לרפות השרירים
lim′bo *n.* לימבו (לא גן־עדן ולא גיהינום); מצב של אי־ודאות
in limbo תלוי ועומד, תלוי באוויר
lime *n&v.* סיד; להוסיף סיד (לאדמה)
slaked lime סיד כבוי
lime *n.* פרי דמוי־לימון
limekiln *n.* כבשן־סיד
limelight *n.* אורות הבימה; פרסומת, מוקד ההתעניינות
in the limelight נמצא במרכז ההתעניינות, זוכה לפרסומת רבה
lim′erick *n.* חמשיר
limestone *n.* אבן סיד, גיר
li′mey *n.* ★בריטי, מַלח בריטי
lim′it *n.* גבול, תחום; מגבלה
off limits to- מחוץ לתחום ל-
within limits עד גבול מסוים
without limit בלי הגבלה
you're the limit! ★אתה עובר כל גבול! אין לסבול אותך
limit *v.* להגביל; לצמצם
lim′ita′tion *n.* הגבלה, גבילה; מגבלה
lim′ited *adj.* מוגבל; מצומצם; בע"מ

limited liability בערבון מוגבל
limitless *adj.* בלי גבול
limn (lim) *v.* לתאר, לצייר
lim'ousine' (-mәzēn) *n.* לימוזין, מונית
limp *v&n.* לצלוע; לנוע בכבדות; צליעה
limp *adj.* רך, רפוי, חלש, תשוש
lim'pet *n.* צדפה (הנצמדת בחוזקה לסלעים); דָבֵק לכסאו; נצמד לזולת
limpet mine מוקש מוצמד (לאונייה)
lim'pid *adj.* צלול, בהיר, שקוף, ברור
limpid'ity *n.* צלילות, שקיפות
li'my *adj.* מכוסה סיד
linch'pin' *n.* פין אופן (התקוע בקצה הסרן); חלק חשוב, בורג מרכזי במערכת
lin'den *n.* טיליה (עץ)
line *n.* קו; שורה; חבל; חוט; גבול; קמט; תור; טור; שושלת; מתאר, תוכנית
line *n.* מערך, קו הגנה, כוחות לוחמים; שורת אוהלים; עסק, מקצוע; סוג
all along the line בכל התחומים
blow one's lines לשכוח המלים (במחזה)
bring into line להביא לידי התאמה; לאלצו ללכת בתלם
bus line קו אוטובוסים
come/fall into line לעלות בקנה אחד עם, לנהוג בהתאם לקו
down the line לחלוטין; בהמשך הדרך
draw the line להבחין; להימנע מ־, להציב גבול שאין לעברו
drop a line ⋆לכתוב פתק/כמה מלים
get a line on ⋆לגלות משהו על־
give a line on ⋆לספק מידע על
hard lines מזל ביש
hold the line להמתין על הקו
in line בשורה, בקו ישר; מרוסן
in line for הבא בתור ל־
in line with עולה בקנה אחד עם
in one's line בתחום התעניינותו
keep to one's own line ללכת בדרכו שלו, להיות עצמאי
lay on the line להציע תשלום; לסכן, להעמיד בסכנה; לומר גלויות
line abreast (אוניות) פרוסות בשורה חזיתית
line astern (אוניות) ערוכות בטור
line of battle קו חזית, מערך
lines המלים במחזה; משפטים להעתקה (כעונש); שיר; קווים, שיטות
marriage lines תעודת נישואים
on the line (לגבי ציור) בקו העין, תלוי בגובה העין, נוח לראותו
out of line לא בקו ישר; לא הולך בתלם; לא עולה בקנה אחד עם
party line קו טלפון משותף
reach the end of the line להגיע לקצה הדרך, להסתיים; להיכשל
read between the lines לקרוא בין השיטין
ship of the line אוניית קרב
shoot a line ⋆להתרברב, להתנפח
take a line לנקוט קו/דרך
the line of fire קו האש
the party line קו המפלגה
toe the line ללכת בתלם, לציית
line *v.* לסמן בקווים; לחרוש (פנים) בקמטים; להיערך בשורות
line up לסדר/להסתדר בשורה; לעמוד בתור; להיערך; לארגן, לסדר
line up behind להתייצב מאחורי, לתמוך
line *v.* לצפות בבטנה, לבטן, לרפד; למלא (כרסו/ארנקו); לרבד
lin'e•age (-niij) *n.* יחוס, מוצא, שלשלת יוחסין
lin'e•al *adj.* מתייחס, (צאצא) ישיר
lin'e•ament *n.* פרט אופייני, צביון
lineaments תווי הפנים
lin'e•ar *adj.* קווי, מקווקוו; של אורך
linear measure מידת אורך
lined paper נייר שורה
lineman *n.* שופט קו; שחקן־התקפה; קוון, מתקין קווי טלפון
lin'en *n.* פשתן, בדי פשתן; לבנים
wash one's dirty linen לכבס את כבסיו המלוכלכים בפומבי
linen basket סל־כבסים
linen-draper *n.* סוחר בדים
line printer מדפסת שורות
li'ner *n.* אוניית נוסעים; כחל, עפרון־פוך
liner train רכבת־משא (ארוכת־מסלול)
linesman (-z-) *n.* שופט־קו
line-up *n.* מערך, היערכות, מיסדר; סידרת תוכניות
ling *n.* לינג (דג מאכל)
lin'ger (-g-) *v.* להתמהמה, להתעכב
linger on להתמהמה, להימשך, להתעכב
lingerie (lan'zhәrā') *n.* לבני נשים
lin'gering (-g-) *adj.* ממושך, נשאר
lin'go *n.* ⋆שפה, לשון, ז'רגון
lin'gua fran'ca (ling'gwә-) שפה משותפת (באיזור רב־לשוני)

lin′gual (-gwəl) *adj.* לשוני
lin′guist (-gwist) *n.* בלשן, לשונאי
linguist′ic (-gwist-) *adj.* בלשני, לשוני
linguistics *n.* בלשנות, תורת הלשון
lin′iment *n.* משחה (לעיסוי, לריפוי)
li′ning *n.* בטנה, ציפוי פנימי
link *n.* חוליה; קשר, חוליה מקשרת; מידה (כ־20 ס"מ); רכס־חפתים; לפיד
the missing link החוליה החסרה
link *v.* לקשר, לחבר, לשלב; להתחבר
link up להתחבר, להתקשר
link′age *n.* חיבור, קישור, שילוב
linkman *n.* נושא הלפיד (בלילה)
links *n-pl.* מגרש גולף; משטח חולי
link-up *n.* קישור, נקודת־חיבור
lin′net *n.* פרוש (ציפור שיר)
li′no = linoleum
lino-cut *n.* חריטת תבליט בלינוליאום; הדפסה מתבליט כזה
lino′le•um *n.* לינוליאום, שעמנית
li′notype′ *n.* לינוטיפ, מַסדרת שורות
lin′seed′ *n.* זרעי הפשתה
linseed oil שמן פשתים
lint *n.* רטייה מוכית (לחבישת פצע)
lin′tel *n.* משקוף
li′on *n.* אריה; אדם חשוב, אישיות
the lion's share חלק הארי
lioness *n.* לביאה
lion-hearted *adj.* אמיץ
li′onize′ *v.* להעריץ, לכבד, לארח
lip *n.* שפה; פה; ★חוצפה
bite one's lips לנשוך את שפתיו
button one's lip ★לבלום פיו
curl one's lip לעוות שפתיו בבוז
hang on his lips לייחל למוצא פיו
keep a stiff upper lip לשמור על הבעה קפואה, לא לגלות סימני פחד וכו׳
lick/smack one's lips ללקק את שפתיו, לחכוך ידיים בהנאה
lip′id *n.* שומן, חֵלֶב
-lipped *adj.* בעל שפתיים
red-lipped אדום־שפתיים
lip-read *v.* לקרוא תנועות שפתיים
lip-service *n.* מס־שפתיים
pay lip-service לדבר מן השפה ולחוץ, לשלם מס־שפתיים
lipstick *n.* שפתון, ליפסטיק
liq′uefac′tion *n.* הנזלה, ניזול
liq′uefy′ *v.* להמיס, להפוך לנוזל
liques′cent *adj.* מסיס, הופך לנוזל
liqueur′ (-kûr′) *n.* ליקר
liqueur glass כוסית־ליקר
liq′uid *n.* נוזל; העיצורים l ו־r
liquid *adj.* נוזלי, נזיל, שוטף; שקוף, צלול, זך, בהיר; לא־יציב, הפכפך
liquid air אוויר (במצב של) נוזל
liquid assets הון נזיל/זמין
liquid food מזון נוזלי
liq′uidate′ *v.* לחסל, להשמיד; לפרק (חברה); לפשוט רגל; לסלק (חוב)
liq′uida′tion *n.* חיסול; סילוק (חוב); מחסול, ליקווידציה
go into liquidation לפשוט רגל
liq′uida′tor *n.* מפרק (חברה), חסלן
liquid′ity *n.* נזילות, זמינות
liq′uidize′ *v.* לרסק, למרס (פירות)
liquidizer *n.* מַמרס, בלנדר
liq′uor (-kər) *n.* משקה; משקה חריף; מיץ
in liquor שתוי, בגילופין
liquorice = licorice (lik′əris)
lir′a *n.* לירה (יחידת־כסף)
lisle (līl) *n.* לייל (אריג כותנה)
lisp *v.* לעלג, לבטא ת׳ במקום ס׳
lisp *n.* עילגות, שיפתות
lis′som *adj.* גמיש, זריז, נע בחן
list *n&v.* רשימה; לרשום; לערוך רשימה
active list רשימת קצינים (העשויים להיקרא לשירות פעיל)
free list רשימת מצרכים פטורים ממכס; רשימת הפטורים מדמי־כניסה
list *n&v.* נטייה לצד; לנטות הצידה
list *v.* לִרצות, לבחור; להקשיב
lis′ten (-sən) *v.* להקשיב, להאזין
listen in לצותת; להאזין לשידור
listen out להקשיב היטב, לשים לב
listen to me שמע בקולי
listenable *adj.* ראוי/נעים לשמעו
listener *n.* מאזין, קַשׁב
list′less *adj.* אדיש, תשוש, נרפה
list price מחיר רשום (לא מחייב)
lists *n-pl.* זירה למלחמות פרשים
enter the lists לקרוא להתמודדות, לאתגר; להשתתף בתחרות; להיענות לאתגר
lit = liter, literally, literature
lit = p of light
lit′any *n.* תפילה (בכנסייה)
li′tchi (lē′chē) *n.* ליצ׳י (עץ סיני)
li′ter (lē′-) *n.* ליטר
lit′eracy *n.* ידיעת קרוא וכתוב
lit′eral *adj.* מדויק, מילולי, מלה במלה; של אותיות; פרוזאי, יבש, חסר דמיון
literal error/mistake טעות דפוס

literal *n.* טעות דפוס
literally *adv.* מלה במלה, פשוטו כמשמעו; ממש, פשוט
lit′erar′y (-reri) *adj.* ספרותי, של ספרות
literary man סופר; שוחר ספרות
literary property הזכות לתמלוגים (של סופר)
lit′erate *adj&n.* יודע קרוא וכתוב; לא־אנאלפביתי; מלומד, משכיל
lit′era′ti (-rä′-) *n-pl.* אנשי סֵפר
lit′erature *n.* ספרות; ★חוברת מידע, פרוספקט
lithe (līdh) *adj.* גמיש, כפיף
lith′ium *n.* ליתיום, אבנן
lith′ograph′ *n&v.* דפוס־אבן, ליתוגרף; להדפיס מעל לוח־אבן
lith′ograph′ic *adj.* ליתוגרפי
lithog′raphy *n.* ליתוגרפיה, דפוס אבן
lit′igant *adj.* בעל־דין, טוען
lit′igate′ *v.* להגיש תביעה משפטית; לטעון בבי״ד, להתדיין
lit′iga′tion *n.* התדיינות, משפט
liti′gious (-tij′əs) *adj.* מרבה להתדיין; נתון לדיון, שנוי במחלוקת
lit′mus *n.* לקמוס
litmus paper נייר־לקמוס
li′totes (-tēz) *n.* לשון המעטה (כגון ״לא־חכם״ במקום ״טיפש״)
litre = liter (lē′tər) *n.* ליטר
lit′ter *n.* אשפה, פסולת; אי־סדר; מצע־תבן; שכבת קש, רפד; אפיריון; אלונקה; גורים
litter *v.* לפזר (אשפה); להמליט
litter down להכין מצע־תבן
lit′terateur′ (-tûr′) *n.* סופר
litter-bin/-bag *n.* פח אשפה
litter-lout/-bug *n.* לכלכן, משאיר פסולת (במקום ציבורי)
lit′tle *adj&adv&n.* קטן; מעט; קצת; מעט מאוד, בקושי, כלל לא; זמן־מה; מרחק קצר
a little bit ★מעט, קצת
after a little לאחר זמן־מה
he little cares לא איכפת לו כלל
in little בקנה מידה קטן
little by little בהדרגה, מעט־מעט
little does she know that היא כלל לא יודעת ש־
little ones הקטנים, הילדים
little or nothing בקושי משהו
little people/folk הפֵיות
little short of כמעט
make little of להמעיט בחשיבות, לבטל, לזלזל; להבין מעט מאוד
quite a little לא מעט, די הרבה
the little finger הזרת
lit′toral *n&adj.* חוף; לאורך החוף
litur′gical *adj.* ליטורגי
lit′urgy *n.* ליטורגיה; סדרי התפילה, עבודת ה׳; צורת הפולחן
liv′able *adj.* ראוי למגורים; מתאים לחיות בו; נסבל; שקל לדור עמו
live (liv) *v.* לחיות; לגור; להתקיים
live a lie לשקר בלי מלים, לרמות ע״י אורח חיים
live and learn! אני מופתע ללמוד זאת!
live and let live חיה ותן לחיות
live by לנהוג לפי; להשתכר מן
live by one's wits לעשות כסף בתחבולות
live down להשכיח, למחוק מלב
live for the day when- לייחל ליום שבו
live in לגור במקום עבודתו
live it up ליהנות מהחיים
live off one's father לחיות על כספי אביו, לנצל את אביו
live on לחיות על, להתקיים על; להמשיך לחיות
live out לגור שלא במקום עבודתו; לחיות עד סוף־, לעבור, לבלות ימיו
live through לעבור, להישאר בחיים
live to oneself לחיות בבדידות
live to- לחיות עד, לזכות בחייו ל־
live together לחיות כבעל ואישה
live up to לחיות לפי, לקיים, לבצע; להגיע לרמה המצופה
live with לקבל, לסבול, לחיות עם
live (līv) *adj.* חי; מלא חיים; בוער; מלא־מרץ; רב־חשיבות; טעון חשמל
a real live ★ממש!
live birth ולד חי
live bomb פצצה חיה
live broadcast שידור חי
live wire אדם נמרץ, בעל יוזמה
live′lihood′ (līv′-) *n.* פרנסה, מחיה
live′liness (līv′-) *n.* חיות, עליזות
live′long′ (līv′lông) *adj.* כל (היום) כולו
live′ly (līv′li) *adj.* מלא־חיים, חי, עליז, שמח; ער, פעיל; מסוכן
look lively להזדרז; להיות נמרץ

make it lively לעשות "שמח", לגרום צרות
li′ven *v.* להפיח חיים; להתעורר
liv′er *n.* כבד; חי (בצורה מסוימת)
evil liver חי ברשעות, רשע
liveried *adj.* לבוש מדים
liv′erish, liv′ery *adj.* חולה כבד; רגזן, מדוכא
liv′erwurst′ *n.* נקניק־כבד
liv′ery *n.* מדים; לבוש; אורוות סוסים
in livery לבוש מדים, במדים
liveryman *n.* בעל אורוות־סוסים
livery stable אורוות־סוסים
lives = pl of life (līvz)
live′stock′ (līv′-) *n.* משק החי (צאן ובקר); ⋆כינים, פשפשים וכ׳
liv′id *adj.* כחול־אפור (ממכות); זועם
liv′ing *adj.* חי, מלא חיים; קיים; פעיל
knock the living daylights out ⋆להכות מכות נמרצות
living death חיים גרועים ממוות
living fossil מאובן־דיעות
the living האנשים החיים
the living end ⋆כביר, מצוין
the living image of דומה מאוד ל־
within living memory בזכרון האנשים החיים עדיין
living *n.* פרנסה, מחיה; אורח חיים, רמת חיים; מישרת כומר
cost of living יוקר המחיה
living wage שכר מינימום (לקיום)
make a living להתפרנס, להשתכר
standard of living רמת־חיים
living room טרקלין, סלון
living space מרחב מחיה, שטחים הדרושים לגידול האוכלוסיה
liz′ard *n.* לטאה
ll = lines
lla′ma (lä′-) *n.* לאמה, גמל־הצאן, עז־הגמל
lo *interj.* הנה! הבט!
load *n.* משא, מטען, מעמסה; מועקה; כמות עבודה (של מנוע); עומס חשמלי
get a load of ⋆לראות; להקשיב
loads of ⋆המון
take a load off his mind לגול אבן מעל ליבו
load *v.* להטעין, להעמיס; לטעון (תותח); להכביד
load down להכביד, לעמוס
load the dice לזייף הקוביות; לרמות, לסדר לעצמו עמדת יתרון
load up להטעין
load with gifts להציף במתנות
loaded *adj.* עמוס, טעון, מלא; מוכבד בעופרת, מזויף; גדוש בכסף; שתוי
loaded question שאלה המפילה בפח
load line קו העומס, קו השוקע
load-shedding *n.* הורדת העומס החשמלי, ניתוק זרם חלקי
loadstar = lodestar
loadstone *n.* מגנט
loaf *n.* כיכר לחם; ⋆ראש, שכל
meat loaf קציץ, כיכר בשר קצוץ
sugar-loaf חרוט־סוכר
loaf *v.* להתבטל, להתמזמז
loaf away one's time להתבטל
loafer *n.* הולך־בטל, בטלן
loaf-sugar *n.* סוכר בחתיכות/בקוביות
loam *n.* חומר, אדמה עשירה (ברקבובית)
loamy *adj.* (אדמה) מכילה חומר
loan *n.* הלוואה, מלווה; השאלה
on loan בהשאלה
loan *v.* להלוות; להשאיל
loan collection אוסף מושאל
loan-office *n.* משרד הלוואות
loan-word *n.* מלה שאולה
loath *adj.* מסרב, לא רוצה, לא נוטה
nothing loath ברצון, בחפץ לב
loathe (lōdh) *v.* לשנוא, לתעב
loathing (-dh-) *n.* שנאה, תיעוב
loathsome (-dh-) *adj.* מגעיל, דוחה
loaves = pl of loaf (lōvz)
lob *v&n.* (בטניס) לחבוט כדור קשתי גבוה, לתלל; תילול
lob′by *n.* מסדרון, מעבר, מבוא; שדולה, לובי
lobby *v.* לשדל, לפעול בשיטת השדולה
lobe *n.* אונה; בדל־אוזן, תנוך, אליה
lobed *adj.* בעל אונות
lo•bot′omy *n.* כריתת אונת־המוח
lob′ster *n.* סרטן
lobster-pot *n.* מלכודת סרטנים
lo′cal *adj.* מקומי, לוקלי; איזורי; חלקי
local anesthetic הרדמה מקומית
local custom מנהג המקום
local *n.* תושב המקום; ידיעה מקומית; ⋆מסבאה מקומית
local color פרטים מהווי־המקום (לגיוון סיפור/תמונה)
lo•cale′ (-kal′) *n.* מקום, אתר־העלילה
lo′calism′ *n.* צרות־אופק, הצטמצמות באינטרסים המקומיים; ניב מקומי
lo•cal′ity *n.* מקום, אתר־ההתרחשות

sense of locality חוש ההתמצאות
lo′caliza′tion *n.* לוקליזציה, איתור
lo′calize′ *v.* לאתר, להגביל למקום
locally *adv.* במקום, בסביבה, באיזור
local option זכות מקומית (להתיר או לאסור מכירת משקאות חריפים)
local time לפי שעון המקום
lo′cate *v.* למקם, לאתר, לאכן, להקים/לקבוע בית, להתיישב, להתנחל
located *adj.* נמצא, שוכן
lo•ca′tion *n.* מקום; אתר־הסרטה
loch (lok) *n.* אגם; לשון־ים
lo′ci′ = pl of locus
lock *n.* מנעול; בריח; סכר; היתקעות, המנע־התנועה; מעצור
lock *n.* דרגת סיבוב ההגה; תלתל, קווצת שיער
lock, stock, and barrel הכל בכל; בשלמותו
locks שערות, שער הראש
under lock and key מאחורי מנעול ובריח, במקום נעול היטב
lock *v.* לנעול; להינעל; להיעצר, להיתקע
lock away לשמור במקום נעול
lock him in לסגרו בחדר, לכלאו
lock on to (לגבי טיל) להינעל על (מטרה)
lock oneself in להסתגר, לסגור מבפנים
lock out להשבית; לנעול הדלת בפני־, להשאיר בחוץ
lock up לנעול כל הדלתות; לשמור במקום נעול; להכניס למוסד/לכלא
lock up money להשקיע בהון לא זמין
lock′er *n.* תא (במלתחה), ארון
Davy Jones's locker קרקע הים
locker room מלתחת תאים
lock′et *n.* משכית, קופסית־קישוט (התלויה על הצוואר)
lock′jaw′ *n.* צפדת, טטנוס (מחלה)
lock keeper שומר סכר, מפעיל הסכר
locknut *n.* אום חוסמת, אום נוספת
lock-out *n.* השבתה
locksmith *n.* מסגר, מתקן מנעולים
lockstitch *n.* תפר דו־חוטי (במכונת תפירה), תפר קצר־תכים
lock-up *n.* בית מעצר, כלא
lock-up *adj.* ניתן להינעל, נסגר
lo′co *adj.* מטורף
lo′como′tion *n.* תנועה, ניידות
lo′como′tive *adj.* של תנועה, נייד, נע
locomotive *n.* קטר
lo′cum te′nens (-z) ממלא מקום
lo′cus *n.* מקום
lo′cus clas′sicus המקום הקלאסי, המובאה הידועה ביותר על נושא
lo′cust *n.* ארבה; חרוב; חרובית
lo•cu′tion *n.* אופן דיבור; ניב
lode *n.* עורק מתכת (במרבץ)
lodestar *n.* כוכב הצפון, עיקרון מנחה, מופת
lodestone *n.* מגנט, אבן שואבת
lodge *v.* להתאכסן; לגור בשכירות; לאכסן, לשכן; לשים, לנעוץ; להיתקע
lodge a complaint להגיש תלונה
lodge money להפקיד כסף (בבנק)
lodge *n.* ביתן, צריף, אכסניה; חדר־השומר; לשכה, מקום כינוס
lodgement, lodgment *n.* הצטברות, סתימה; הגשה רשמית (של תלונה); עמדה (שנכבשה בקרב)
lodger *n.* דייר, גר בשכירות
lodging *n.* דיור, אכסניה, מגורים
lodgings דירה שכורה, חדר שכור
lodging house בית להשכרת חדרים
lo′ess *n.* לס (אדמה), חמרה
loft (lôft) *n.* עליית גג; מחסן־תבן (מתחת לגג), יציע (בכנסייה)
loft *v.* לחבוט (בכדור) לגובה, לתלל
lofted *adj.* (מקל גולף) לחבטות גבוהות
loftiness *n.* גובה; התנשאות
lofty *adj.* גבוה; אצילי; מתנשא, גא
log *n.* קורה, גזע כרות, בול־עץ; יומן־נסיעה; מנווט; יומן; לוגריתם
log *v.* לרשום ביומן־הנווט; לחטוב עצים
lo′ganber′ry *n.* לוגן (דובדבן)
log′arithm′ (-ridhəm) *n.* לוגריתם
log′arith′mic (-ridh-) *adj.* לוגריתמי, מבוסס על לוגריתם
log book יומן־הנווט, יומן־מכונית
log cabin בקתת־קורות, צריף־קורות
logger *n.* חוטב עצים
loggerhead *n.* ⋆טיפש, מטומטם
at loggerheads בריב, במחלוקת
log′gia (loj′ə) *n.* אכסדרה
logging *n.* חטיבת עצים
log′ic *n.* היגיון, לוגיקה
log′ical *adj.* הגיוני, שכלי; סביר; לוגי
logically *adv.* לפי ההיגיון
lo•gi′cian (-jish′ən) *n.* בקי בלוגיקה, לוגיקן, הגיין
lo•gis′tic *adj.* לוגיסטי
logistics *n.* לוגיסטיקה, המדע העוסק בתנועות הצבא, שיכונו וציודו

log jam גוש־קורות צף; מבוי סתום
log-rolling *n.* שמור לי ואשמור לך, הרעפת שבחים הדדית
loin *n.* נתח בשר־מותן, ירכה
gird up one's loins לשנס מותניו
loins מותניים, חלצים
loin-cloth *n.* כסות מותניים
loi'ter *v.* להתנהל לאיטו, לבטל זמן
loiterer *n.* בטלן
loll *v.* לשבת בעצלתיים, לעמוד בנרפות, להסתרח
loll the tongue לשרבב את הלשון
lol'lipop' *n.* סוכריה־על־מקל; שלגון
lollipop man מחזיק תמרור "עצור" (אדם המאפשר לילדים לחצות כביש)
lol'lop *v.* לצעוד בפסיעות גסות★
lol'ly *n.* סוכריה־על־מקל; שלגון; כסף★
lone *adj.* בודד, יחיד; נידח
lone wolf זאב בודד, פועל לבדו
play a lone hand לפעול לבדו
loneliness *n.* בדידות
lonely *adj.* בודד, גלמוד, עצוב; עזוב
lo'ner *n.* זאב בודד, מתבודד
lonesome *adj.* בודד, חש בדידות, עזוב
long (lông) *adj.* ארוך
come a long way להתקדם יפה
in the long run בסופו של דבר, במרוצת הזמן
long dozen שלוש עשרה
long drink משקה בכוס גבוהה
long face פנים עצובים
long odds סיכויים לא שקולים
long shot הימור דל־סיכויים
long ton טונה גדולה (2240 ליטראות)
long vacation/vac החופש הגדול
long vowel תנועה גדולה/ארוכה
not be long about it/doing it לא להתמהמה, להזדרז ולעשות זאת
not by a long chalk/shot כלל לא
take the long view לראות לטווח ארוך
will he be long? האם יתמהמה?
long *adv.* זמן רב, לזמן ממושך
all day long במשך כל היום
at longest לכל היותר, מכסימום
he no longer loves her הוא אינו אוהב אותה עוד
long ago לפני זמן רב
so long שלום, להתראות★
so/as long as כל עוד, בתנאי ש־
long *n.* זמן רב; תנועה גדולה
before long בקרוב, בתוך זמן קצר
take long לארוך/לגזול זמן רב
the long and short of it סיכומו של דבר, בסך הכל, בקיצור
long *v.* להשתוקק, לכמוה
longboat *n.* הסירה הגדולה (באונייה)
long bonds אג"ח ארוכות מועד
longbow *n.* קשת ארוכה
long-distance *adj.* למרחקים ארוכים
long-distance call שיחת־חוץ
long-drawn-out *adj.* נמשך זמן רב מדי
lon•gev'ity *n.* אריכות ימים
longhaired *adj.* ארך־שיער, מאריך שיער; שוחר אמנות; שמאלני, אנטי ממסדי
longhand *n.* כתיבה רגילה (לא קצרנות)
long-headed *adj.* פיקח, נבון
longing *n.* געגועים, כמיהה
longing *adj.* משתוקק, כָּמֵהַּ
longish *adj.* ארכרך, ארוך במקצת
lon'gitude' *n.* קו־אורך, מצהר
lon'gitu'dinal *adj.* של מצהר, אורכי
long johns תחתוני־גבר ארוכים
long jump קפיצת־רוחק
long-lived *adj.* ארך־ימים, מאריך ימים
long measure מידת אורך
long-playing *adj.* אריך־נגן
long-range *adj.* שלטווח רחוק
longshoreman *n.* סוור
long-sighted *adj.* רחוק־ראייה
long-standing *adj.* ישן, קיים זמן רב, עתיק־יומין
long-suffering *adj.* סובל בדומיה
long-term *adj.* ארך־מועד; שלטווח רחוק
lon•gueur' (-gûr') *n.* קטע משעמם
long waves גלים ארוכים
longways, -wise *adv.* לאורך
longwinded (-win-) *adj.* משעמם, רב־מלל
loo *n.* שירותים★
loo'fa *n.* לופה (צמח המשמש לרחצה)
look *v.* להסתכל, להביט, לראות; להיראות; לשים לב; להביע בעיניו
good to look at עושה רושם טוב
he wouldn't look at הוא דוחה את
it looks as if נראה כאילו־
it looks like- נראה כאילו שזה־; יש רושם שיהיה
look about לחפש; להסתכל מסביב; לבדוק את מצב הדברים
look after להשגיח על, לטפל ב־
look after oneself לדאוג לעצמו

look ahead להביט קדימה (לעתיד)
look alive!/sharp! הזדרז! קדימה!
look at לראות, להביט; לבחון, לבדוק
look away להסב עיניו מ־
look back להביט אחורה (לעבר)
look black להיראות זועם
look blue להיראות עצוב
look down on לבוז, להסתכל מגבוה
look down one's nose at לעקם חוטמו, להתייחס בבוז/במורת־רוח
look for לחפש; להזמין (צרות); לצפות
look forward to לצפות ל־
look good להרשים, ליצור רושם טוב
look here! הבט! ראה! שמע נא!
look him in the eye/face להישיר מבט, לא להשפיל עיניו, להתייצב באומץ מול
look him up לבקרו, לסור אליו
look in לערוך ביקור קצר; "לקפוץ" אל; לצפות בטלוויזיה
look into לבדוק, לחדור לנבכי־
look on לחזות, לצפות; להשקיף על
look on him as/with להסתכל עליו ב־, להתייחס אליו כ־
look on with him לקרוא בצוותא
look one's best להיראות נאה ביותר
look oneself להיראות בקו־הבריאות, להיראות כתמול שילשום
look out להיזהר; לשים לב; לחפש, לבחור; להשקיף על
look over לבדוק, לעבור על; לסלוח, להעלים עין
look round לראות, להסתכל, להתבונן
look through לעבור על, לבדוק
look to לשים לב, להקפיד
look to him for להשליך יהבו עליו, לסמוך על עזרתו
look up להשתפר, לשגשג; לחפש (בספר)
look up and down לבחון מכף רגל ועד ראש, להסתכל בבוז
look up to לכבד, להוקיר
looks well הוא מרשים, נראה טוב
make him look small לגמד דמותו
never looked back המשיך להתקדם
not much to look at לא מרשים כלל בהופעתו
she doesn't look her age היא נראית צעירה מגילה
to look at him- לפי הופעתו־
you don't look yourself אינך כתמול שלשום, פניך רעים

look *n.* מבט; הבעה; מראה
by the looks of it כפי הנראה
have a look לראות, להעיף מבט
looks יופי, הופעה נאה
I don't like the look of it זה לא מוצא חן בעיני
look-alike *n.* דבר דומה, כפיל
looker *n.* אדם נאה, יפה תואר
good looker יפה תואר
looker-on *n.* צופה, משקיף
look-in *n.* *סיכוי להצליח, הזדמנות להשתתף; ביקור קצר; מבט חטוף
looking glass מראה, ראי
look-out *n.* עמידה על המשמר, ערנות; מיצפה; שומר, זקיף; פני־העתיד
be on the look-out לעמוד על המשמר
that is his own look-out זאת הדאגה שלו, זה עסק שלו
look-over *n.* בדיקה, סקירה
loom (lo͞om) *n.* נול, מכונת אריגה
loom *v.* להופיע, להגיח, להיראות במעורפל, ללבוש צורה מאיימת
loon (lo͞on) *n.* טבלן (עוף); בטלן
loo'ny *n&adj.* *מטורף
loony bin *בית משוגעים
loop (lo͞op) *n.* לולאה, עניבה; קו דמוי לולאה; שמינייה; התקן תוך רחמי
loop *v.* לעשות לולאה, לענוב
loop the loop לעשות לולאה (מטוס)
loophole *n.* אשנב, סדק בקיר
loophole in the law פירצה בחוק
loose *adj.* חופשי; רפוי, רופף; לא־מהודק; לא קשור; לא ארוז; חסר רסן; מרושל; לא מדויק; לא בנוי כהלכה
at a loose end ללא תעסוקה
be on the loose להתפקר, להתהולל
break loose להשתחרר, לברוח
cast loose לשחרר, להרפות
come loose להשתחרר, להינתק
cut loose להינתק, להשתחרר
has a screw loose *חסר לו בורג
let/set loose לשחרר, להתיר הרסן
loose bowels שלשול, קיבה רכה
loose living/life חיי פריצות
loose soil אדמה תחוחה/מפוררת
loose tongue לשון פטפטנית
loose translation תרגום חופשי/לא נאמן למקור
loose weave מארג קלוש
loose woman אישה מופקרת
ride with a loose rein לנהוג

בווּתרנות/בסלחנות
work loose להשתחרר, להיעשות רופף
loose *v.* לשחרר, להתיר; לירות
loose box תא לסוס (להתהלך חופשי)
loose-fitting *adj.* (בגד) לא־הדוק, רחב
loose-leaf *adj.* (פנקס) שדפיו לא כרוכים/ניתנים להחלפה
loo'sen *v.* לשחרר, להתיר, לרפות, לרופף, לקלש; להתרופף
loot (lo͞ot) *n.* שלל, ביזה
loot *v.* לבוז, לגזול
lop *v.* לכרות, לגדוע; לתלות ברפיון
lop off לקצץ; לבטל, להפסיק (שירות)
lope *v.* לדהור (בצעדים ארוכים)
lope *n.* דהירה (בקפיצות ארוכות)
lop-eared *adj.* שאוזניו תלויות ברפיון
loppings *n-pl.* ענפים כרותים
lop-sided *adj.* נוטה לצד, כבד בצד אחד
lo•qua'cious (-shəs) *adj.* פטפטן, דברני
lo•quac'ity *n.* פטפטנות, דברנות
lo'quat' *n.* שסק
lord *n.* ה', הבורא; לורד, אדון; שליט
cotton lords אילי הכותנה
drunk as a lord שיכור כלוט
her lord and master בעלה
lords of creation בני האדם
House of lords הבית העליון (בפרלמנט), בית הלורדים
Lord bless me! אלי! (קריאה)
Lord Mayor ראש העיר
Lord's day יום א'
Lord's Prayer תפילה נוצרית
Lord's Supper סעודת ישו
lord *v.* למשול, לשלוט; להתנשא
lord it over למשול ב־, לרדות ב־
lordly *adj.* אצילי, כלורד; מתנשא, גא
lordship *n.* אדנות; אצילות
your lordship כבוד הלורד
lore *n.* תורה, חכמה, ידע
lor•gnette' (lôrnyet') *n.* משקפי־אופרה (בעלי יצול ארוך)
lorn *adj.* עצוב, עזוב; גלמוד
lor'ry *n.* משאית
lose (lo͞oz) *v.* לאבד; להפסיד; לשכול; למות; לא לתפוס; לא לקלוט; לעלות לו ב־
a losing game משחק אבוד
lose face לאבד כבודו, לסור חינו
lose interest לחדול מלהתעניין ב־
lose no time in- למהר ו־
lose on להפסיד על, להפסיד ב־
lose one's cool ★לאבד שלוותו
lose one's hair להקריח
lose one's reason לצאת מדעתו
lose one's temper להתפרץ, להתלקח
lose one's way לתעות בדרך
lose oneself לתעות, לאבוד דרך
lose oneself in לשקוע ראשו ורובו ב־
lose out להפסיד
lose sight of לא לראות, להתעלם מ־
lose the train לאחר לרכבת
the watch loses השעון מפגר ב־
los'er (lo͞oz'ər) *n.* מפסיד, מפסידן
good loser מפסיד ברוח טובה
loss (lôs) *n.* איבוד; אבידה; הפסד
at a loss במבוכה, אובד עצות
dead loss ★הפסד גמור, חסר־תועלת
loss leader מצרך הנמכר במחיר הפסד (כדי למשוך קונים)
lost (lôst) *adj.* אבוד
lost cause עניין אבוד
lost chance הזדמנות שהוחמצה
lost in thought שקוע במחשבות
lost on him לא משפיע עליו, ברכה לבטלה
lost to לא חש את־, לא מושפע מ־
lost = p of lose
lost property office משרד אבידות ומציאות
lot *n.* כמות, כמות רבה, הרבה
a lot of ★המון
a lot you care! כאילו שאכפת לך!
lots (and lots) of ★המון
lots/a lot הרבה; בהרבה
see a lot of him לראותו תכופות
take the lot! קח הכל!
the (whole) lot of you ★כולכם
lot *n.* גורל, פור; מזל, מנת־חלקו; חלק; פריט; חלקה, מגרש; אולפן־הסרטה
a bad lot ★טיפוס רע, רשע
cast/draw lots להטיל גורל
throw in one's lot with להשתתף, להצטרף ל־
loth = loath (lōth)
lo'tion *n.* תרחיץ, נוזל רפואי
lot'tery *n.* הגרלה; מזל
lot'to *n.* לוטו
lo'tus *n.* לוטוס (פרח)
lotus eater שוקע בחיי עצלות והזיה
loud *adj.* רם, קולני, רועש, צעקני
loud *adv.* בקול רם
loud-hailer *n.* מגפון, מגביר־קול
loudmouthed *adj.* דברני, רברבן

loud-speaker *n.* רמקול
lough (lok) *n.* אגם, לשון־ים
lounge *v.* לעמוד/לשבת בעצלתיים, להישען; להתבטל באפס מעשה
lounge *n.* עמידה/ישיבה בטלנית; אולם־אורחים, טרקלין (במלון)
lounge-bar *n.* בר ממדרגה ראשונה
lounge-chair *n.* כורסה
lounger *n.* בטלן, הולך בטל
lounge suit חליפה (לשעות היום)
lour *v.* לזעוף, לרגוז; לקדור
louse *n.* כינה; ⋆אדם שפל
louse *v.* ⋆לקלקל, לסבך, לבלבל
lou′sy (-zi) *adj.* מכונם; ⋆רע, נתעב
lousy with ⋆גדוש ב־, מלא־
lout *n.* גס, מגושם, בור
loutish *adj.* גס
lou′vers (lōō′-) *n-pl.* פסי־תריס מרועפים, רפפות אוורור
lov′able (luv′-) *adj.* נחמד, נעים
love (luv) *v.* לאהוב
I'd love you to- אשמח אם אתה־
love *n.* אהבה, חיבה; אהובה; ⋆דבר מקסים, מותק; אפס נקודות
fall in love with להתאהב ב־
for love מתוך אהבה; לשם ההנאה
for the love of God! למען השם!
give him my love מסור לו ד"ש
in love with אוהב, מאוהב ב־
love affair פרשת אהבים, רומן
love all תיקו אפס
love game (בטניס) מישחק אפס (שבו המפסיד לא זכה באף נקודה)
make love להתעלס, להתנות אהבים
my love אהובתי; אהובי, יקירי
no love lost between them אין אהבה ביניהם
not for love nor money בשום אופן לא, לא בעד כל הון שבעולם
lovebird *n.* נער מאוהב; תוכי
love-child *n.* ממזר, ילד פרי־אהבה
loveless *adj.* חסר־אהבה
love-letter *n.* מכתב אהבה
loveliness *n.* חביבות; יופי, נועם
lovelorn *adj.* מיוסר־אהבה, מאוכזב
lovely *adj.* יפה, נעים; מהנה, נפלא
love-making *n.* התעלסות
love-match *n.* נישואי אהבה
love-philter *n.* שיקוי־אהבה
love-potion *n.* שיקוי־אהבה
lover *n.* מאהב; אוהב, חובב, שוחר
lovers אוהבים, מאוהבים, נאהבים

love seat ספסל לשניים
lovesick *adj.* חולה־אהבה
love-song *n.* שיר אהבה
love-story *n.* סיפור אהבה, רומן
love-token *n.* שי־אהבה, מזכרת־אהבה
loving *adj.* אוהב, מביע אהבה
loving cup גביע־יין (גדול)
loving-kindness *n.* חסד, רחמים
low (lō) *adj.* נמוך; חלש, תשוש, מדוכא; שפל, נחות, זול; גס; רדוד
a low opinion of דיעה שלילית על
be/get/run low לאזול, להיגמר
bring low להשפיל, להוריד בריאותו
fall low להידרדר, לרדת
in low water דחוק בכסף
lay low להשכיב, להפיל
lie low להסתתר, לשמור על פרופיל נמוך
low birth מוצא נחות
low profile פרופיל נמוך, אי התבלטות
low season עונת־שפל (במסחר)
low tide, low water שפל
Low Sunday יום א׳ שלאחר הפסחא
low *adv.* נמוך, באופן נמוך; בזול
low *n.* דרגה נמוכה; שקע ברומטרי
low *v&n.* (לגבי פרה) לגעות; געייה
low-born *adj.* נחות־מוצא
low-bred *adj.* גס, לא־מחונך
low-brow *n.* עם־הארץ, שוחר אמנות פשוטה/זולה
low comedy קומדיה זולה, פארסה
low-down *n.* ⋆העובדות האמיתיות, האמת הכמוסה
low-down *adj.* ⋆שפל, נבזה
low′er (lō′-) *v.* להפחית, להוריד, להנמיך; להחליש; לרדת
lower away להוריד סירה/מפרש
lower oneself להשפיל עצמו
lower the boom on לשים קץ ל־
lower *adj.* תחתון, יותר נמוך
lower case אותיות קטנות
low′er (lou′-) *v.* לזעוף, לרגוז; לקדור
Lower Chamber הבית התחתון
lower deck ימאים שאינם מפקדים
lowermost *adj.* הנמוך ביותר
low-keyed *adj.* מרוסן, לא־צעקני; חלש
lowland *n.* שפלה (בסקוטלנד)
lowliness *n.* פשטות, שפלות
low′ly (lō′-) *adj&adv.* עניו, פשוט, נחות־דרגה; ברמה נמוכה, בצורה פשוטה/צנועה
low-lying *adj.* נמוך, של שפלה

low-minded *adj.* גס־רוח
low-necked *adj.* (בגד) עמוק־מחשוף
low-pitched *adj.* נמוך; נמוך־צליל
low-spirited *adj.* מדוכא, מדוכדך
loy′al *adj.* נאמן, לויאלי, שומר אמונים
loyalist *n.* שומר אמונים (למשטר)
loyalty *n.* נאמנות, לויאליות
loz′enge (-zinj) *n.* גלולה, כדור, לכסנית, טבלית; מעוין, רומבוס
LP = long playing אריך־נגן
L-plate *n.* לוחית "ל" ללומדי נהיגה
LSD לס"ד (סם)
Lsd לירות, שילינגים, פנים; ⋆כסף
Ltd = limited בע"מ
lub′ber *n.* גולם, מגושם
lubberly *adj.* כגולם, מגושם
lu′bricant *n.* שמן סיכה, גריז
lu′bricate′ *v.* לשמן, לגרז, לסוך
lu′brica′tion *n.* סיכה, גירוז
lu•bri′cious (lo͞obrish′əs) *adj.* גס, נבזה, שטוף זימה
lu′cent *adj.* מבריק, נוצץ
lu•cerne′ (lo͞osûrn′) *n.* אספסת
lu′cid *adj.* ברור, מובן; שקוף, בהיר
lucid moments רגעים של דיעה צלולה
lu•cid′ity (lo͞o-) *n.* בהירות
Lu′cifer *n.* השטן, לוציפר; נוגה, ונוס
luck *n&v.* מזל, גורל
as luck would have it למזלו (הרע)
be in luck להיות בר מזל
be out of luck להיות חסר מזל
down on one's luck ביש־מזל
for luck לשם מזל, לסימן טוב
good luck! בהצלחה!
hard luck חוסר מזל
his luck is in הוא בר מזל
his luck is out הוא חסר מזל
just my luck! אין לי מזל (כרגיל) !
luck out ⋆להיות בר־מזל
press one's luck לדחוק בגורלו, לקוות שהמזל יאיר לו פנים
what luck! איזה מזל!
worse luck חבל! לרוע המזל!
luckily *adv.* למרבה המזל
luckless *adj.* חסר־מזל
lucky *adj.* בר־מזל, מוצלח
lucky dip הגרלה (שבה תוחבים יד לתיבה ומעלים חפץ מתוכה)
lu′crative *adj.* מכניס רווח, רנטבילי
lu′cre (-kər) *n.* בצע כסף
lu′dicrous *adj.* מגוחך, מצחיק
lu′do *n.* לודו (משחק ילדים)

luff *v.* להפנות הספינה לעבר הרוח
lug *v.* למשוך, לגרור, לסחוב
lug *n.* משיכה, סחיבה; ידית; זיז; מפרש מרובע; ⋆אוזן
lug′gage *n.* מיטען, מיזווד, כבודה
luggage rack מדף המזוודות (ברכבת)
luggage van קרון־מזוודות
lug′ger *n.* ספינה (בעלת מפרשים מרובעים)
lug′hole′ *n.* ⋆אוזן
lug′sail′ *n.* מפרש מרובע
lu•gu′brious (lo͞o-) *adj.* עצוב, מדוכא
luke′warm′ (lo͝ok′wôrm) *adj.* פושר
lull *v.* להרגיע, לשכך, ליישן, להרדים; להירגע, לשכוך
lull *n.* הפוגה, פוגה, תקופת־רגיעה
lul′laby′ *n.* שיר־ערש; רחש, רשרוש
lum•ba′go *n.* מתנת, לומבאגו
lum′bar *adj.* של המותניים
lum′ber *n.* קורות, קרשים, עצים; גרוטאות; ⋆מעמסה, דבר לא־רצוי
lumber *v.* לנסר עצים; לגבב, למלא בגרוטאות; לנוע בכבדות/בטרטור
lumberman, -jack *n.* כורת עצים, סוחר עצים
lumber-mill *n.* מנסרה
lumber-room *n.* חדר גרוטאות
lumber-yard *n.* מחסן עצים, מגרש לעצים
lu′minar′y (-neri) *n.* גרם שמיימי, כוכב מאיר, שמש, ירח; אדם מזהיר, מפורסם
lu′minos′ity *n.* נוגה; נהירות, אוריות
lu′minous *adj.* זוהר, זורח; ברור, נהיר
lum′mox *n.* ⋆גולם, מגושם
lum′my, -me (-mi) *interj.* ביטוי הפתעה
lump *n.* גוש, חתיכה; נפיחות, תפיחה; קוביית־סוכר; גולם, טיפש
a lump in the throat תחושת לחץ בגרון (מהתרגשות)
in the lump בסך הכל
lump sum תשלום כולל (לסילוק חוב)
lump *v.* להתגבש, להפוך לגושים
lump together לכלול, לחבר, לצרף
you'll have to lump it עליך לבלוע זאת, עליך להשלים בעל כורחך
lump′ish *adj.* טיפש, מגושם
lumpy *adj.* מלא גושים, מכוסה גושים; טיפש, מגושם; גלי, מעלה אדווה
lu′nacy *n.* שיגעון
lu′nar *adj.* ירחי, של הלבנה

lunar month חודש הלבנה
lunar year שנת הלבנה
lu'nate' *adj.* דמוי חצי־סהר
lu'natic *adj&n.* חולה־רוח, מטורף
lunatic asylum בית משוגעים
lunatic fringe פלג קיצוני, קבוצה שולית בעלת דיעות משונות
lunch *n.* ארוחת צהריים
lunch *v.* לסעוד ארוחת צהריים; לספק/לארח לארוחת צהריים
lunch'eon (-chən) *n.* ארוחת צהריים
lunchtime *n.* שעת ארוחת־צהריים
lung *n.* ריאה
lunge *n.* תנופה, זינוק, דחיפה, תנועה נמרצת קדימה
lunge *v.* לזנק, לדחוף בתנופה
lung-power *n.* קול חזק
lu'pin *n.* תורמוס (צמח נוי)
lurch *v.* להתנודד, לנוע בטלטולים
lurch *n.* תנועת פתע הצידה, הטיה, נטייה, טלטול
leave him in the lurch לנטשו בעת צרה
lurch'er *n.* כלב ציד
lure *n.* פיתוי, קסם, משיכה; פיתיון
lure *v.* לפתות, למשוך
lur'gy *n.* ⋆מחלה
lu'rid *adj.* זורח, מבהיק; מזעזע, איום
lurk *v.* לארוב, להסתתר; להתגנב
lurking place מחבוא, מסתור
lus'cious (lush'əs) *adj.* מתוק, ריחני; מושך, יפה; בשל; שופע; חושני
lush *adj.* שופע, גדל בשפע, עשיר
lush *n.* ⋆שיכור
lust *n.* תאווה, תשוקה
lust *v.* להשתוקק, לחשוק
lus'ter *n.* ברק, זוהר; פרסום; נברשת
lustful *adj.* חושק, שטוף־תאווה
lus'trous *adj.* מבריק, נוצץ
lust'y *adj.* חסון, חזק, שופע און
lu'tanist *n.* קתרוסן
lute *n.* קתרוס; מרק (לסתימת חורים)
lute *v.* לסתום (חורים במרק)
Lu'theran *adj&n.* לותרני
luv = love ⋆מותק
lux•u'riance (lugzhoor'-) *n.* שפע, עושר
lux•u'riant (lugzhoor'-) *adj.* שופע, גדל בשפע, עשיר, פורה; (סגנון) מקושט, מסולסל
lux•u'riate' (lugzhoor'-) *v.* ליהנות, להתענג
lux•u'rious (lugzhoor'-) *adj.* מפואר, מובחר; אפוף מותרות, של לוקסוס; רודף מותרות
lux'ury (luk'shəri) *n.* מותרות, לוקסוס
lycée (lēsā') *n.* בי"ס תיכון (בצרפת)
ly•ce'um *n.* מוסד ספרותי, אקדמיה
ly'chee *n.* ליצ'י (עץ פרי סיני)
lych gate *n.* שער בית־קברות
lye (lī) *n.* בורית, אפר, נוזל־ניקוי
ly'ing = pres p of lie
lying-in *n.* שכיבת היולדת, לידה
lymph *n.* לימפה, ליבנה, נסיוב הדם
lymphat'ic *adj.* לימפתי; איטי, כבד
lynch *v.* לערוך משפט־לינץ'
lynch law משפט לינץ'
lynx *n.* חתול פרא
lynx-eyed *adj.* חד־ראייה
lyre *n.* נבל (קדום)
lyr'ic *n.* שיר לירי, ליריקה
lyrics מלות השיר
lyric(al) *adj.* לירי, פיוטי; משתפך
lyrical *adj.* נלהב, נרגש, מתפעל
lyr'icism' *n.* ליריות, השתפכות הנפש
lyr'icist *n.* ליריקן, משורר לירי
ly'sol (-sôl) *n.* ליזול (נוזל־חיטוי)

M

m = meters, miles
ma (mä) *n.* ⋆אמא
MA = Master of Arts מ"א
ma'am (mam) *n.* גברת
mac *n.* ⋆חבר, אדוני; מעיל גשם
macabre (-kä'bər) *adj.* מבעית, מקאברי
macad'am *n.* חצץ (לסלילת כביש)
macad'amize' *v.* לסלול (כביש) בחצץ
macadam road כביש חצץ
mac'aro'ni *n.* איטריות, מקרונים
mac'aroon' (-rōōn) *n.* מקרון (עוגת שקדים)
macaw' *n.* מקאו (תוכי)
mace *n.* שרביט; אלה כבדה; מין תבלין
mace-bearer *n.* נושא השרביט
mac'erate' *v.* להמיס, למסמס, לרכך
Mach (mak) *n.* מאך (מהירות הקול באוויר)
Mach 2 2 מאכים (600 מטר בשנייה)
machet' *n.* סכין
mach'iavel'lian (-k-) *adj.* מקיאבלי; לא בוחל בשום אמצעי להשגת מטרתו
mach'ina'tion (-k-) *n.* מזימה
machine' (-shēn) *n.* מכונה; רובוט, כלי־שרת; מנגנון (מפלגתי)
machine *v.* לייצר/לתגמר במכונה
machine-gun *n.* מכונת ירייה, מקלע
machine-made *adj.* מיוצר במכונה
machin'ery (-shēn-) *n.* מכונות, מנגנון; שיטות, אירגון
machine tool מכשיר מכאני
machin'ist (-shēn-) *n.* מכונאי
mack'erel *n.* קוליס (דג)
mack'intosh' *n.* מעיל גשם
mac'rame' (-rəmā) *n.* ציצית, מלמלה
mac'ro·bi·ot'ic *adj.* (מזון) מבריא, מכיל ירקות שגדלו ללא כימיקלים
mac'ro·cosm (-koz'əm) *n.* העולם, היקום, מאקרוקוסמוס
mad *adj.* משוגע; רוגז, רותח מזעם
drive him mad להוציאו מדעתו
go mad להשתגע
mad about/for משוגע ל־, אוהב מאוד
mad as a March hare/hatter משוגע לגמרי, מטורף לחלוטין
mad dog כלב שוטה
run/work like mad לרוץ/לעבוד כמו משוגע (מהר, במרץ)
mad'am *n.* גברת; מנהלת בית־בושת
madame' (-dam) *n.* גברת, מאדאם
mad'cap' *n&adj.* משוגע; פזיז, נמהר
mad'den *v.* לשגע; להרגיז
mad'der *n.* עשב מטפס; חומר־צביעה אדום
made *adj.* עשוי, נוצר; שעתידו מובטח
made in Israel תוצרת ישראל
made = p of make
madei'ra (-dēr'ə) *n.* יין מדירה
mad'emoiselle' (-dəməzel') *n.* עלמה, מדמואזל
made-to-measure *adj.* (בגד) לפי הזמנה
madhouse *n.* בית־משוגעים
madly *adv.* כמו משוגע; ⋆מאוד, ביותר
madman/-woman *n.* משוגע/משוגעת
madness *n.* שיגעון, טירוף
Madon'na *n.* מדונה, מרים אם ישו
mad'ras *n.* מדראס (אריג כותנה)
mad'rigal *n.* מדריגל, זמר רב־קולי
mael'strom (māl'-) *n.* מערבולת, שיבולת־מים
maenad (mē'nad) *n.* אישה משתוללת
maes'tro (mīs'-) *n.* מאסטרו, מנצח, מלחין
maf'fick *v.* לצהול, לעלוז, לחוג
Maf'ia *n.* מאפיה, העולם התחתון
mag *n.* ⋆מגאזין, כתב־עת
mag'azine' (-zēn) *n.* מגאזין, כתב־עת; מחסן־תחמושת; מחסנית
magen'ta *n&adj.* ארגמן, אדום
mag'got *n.* רימה, תולעת, זחל
has a maggot in his head נכנס לו זבוב בראש
mag'goty *adj.* שורץ זחלים, מתולע
mag'ic *n.* כשפים, קסם; להטוטים
as if by/like magic כבמטה־קסם
magic, magical *adj.* קסום, מאגי
magic carpet מרבד קסמים
magic eye עין אלקטרונית

magi′cian (-jish′∂n) *n.* מכשף, קוסם
magic lantern פנס־קסם
magic square ריבוע קסם
mag′iste′rial *adj.* סמכותי; של בר־סמכא; של שופט־שלום
mag′istracy *n.* כהונת שופט־שלום
the magistracy שופטי השלום
mag′istrate *n.* שופט שלום
mag′ma *n.* מאגמה, חומר סלעי מותך
mag′nanim′ity *n.* רוחב לב, גדלות
mag•nan′imous *adj.* רחב לב, אציל נפש
mag′nate *n.* בעל נכסים, רב השפעה
mag•ne′sia (-sh∂) *n.* מגנסיה, תחמוצת מגניון
mag•ne′sium (-z-) *n.* מגניון, מגנזיום
mag′net *n.* מגנט
mag•net′ic *adj.* מגנטי, מושך; מקסים
magnetic field שדה מגנטי
magnetic mine מוקש מגנטי
magnetic pole קוטב מגנטי
magnetic tape סרט מגנטי
mag′netism *n.* מגנטיות; קסם אישי
mag′netize′ *v.* למגנט; לרתק, להקסים
mag•ne′to *n.* מגנטו (ליצירת חשמל)
Mag•nif′icat′ *n.* שירת מרים אם ישו
mag′nifica′tion *n.* הגדלה
mag•nif′icence *n.* הוד, רושם
mag•nif′icent *adj.* מפואר, נהדר, נפלא
magnifier *n.* מכשיר הגדלה, מגדיל
mag′nify′ *v.* להגדיל (גוף, בעדשה); להלל, לשבח; להגזים
magnifying glass זכוכית מגדלת
mag•nil′oquence *n.* סיגנון מנופח, עתק
mag•nil′oquent *adj.* מנופח, נמלץ
mag′nitude′ *n.* גודל, חשיבות, ערך; כבוד (של כוכב)
mag•no′lia *n.* מגנוליה (עץ נוי)
mag′num *n.* בקבוק גדול
mag′num o′pus פאר יצירתו
mag′pie (-pī) *n.* עקעק, עורב־הנחלים; פטפטן; לקחן, לקטן
Mag′yar (-yär) *n.* מדיארי, הונגרי
maharaja (mäh∂rä′j∂) *n.* מאהראג׳ה, נסיך הודי
mahat′ma *n.* מאהאטמה, חכם הודי
mahog′any *n.* מהגוני, תולענה (עץ)
maid *n.* נערה, בחורה; עוזרת, משרתת
maid of honor שושבינת־המלכה
old maid רווקה זקנה
maid′en *n.* נערה; סוס שטרם ניצח במירוץ; גיליוטינה
maiden *adj.* של נערה, לא נשואה; בתולי
maiden flight טיסת בכורה
maiden land קרקע בתולה
maiden name שם שלפני הנישואים
maiden speech נאום בתולין/בכורה
maidenhair *n.* (סוג של) שרך
maidenhead *n.* בתולים
maidenhood *n.* נעורים, בתולים
maidenlike *adj.* כעלמה, עדינה, צנועה
maidenly *adj&adv.* כעלמה, בביישנות
maidservant *n.* עוזרת, משרתת
mail *n.* דואר, דברי־דואר; שריון
mail *v.* לשלוח בדואר
mailbag *n.* שק דואר; ילקוט הדוור
mailbox *n.* תיבת־דואר
mail-coach *n.* מרכבת־דואר
mailed *adj.* משוריין
mailing-card *n.* גלויית דואר
mailing list רשימת נמענים
mailman *n.* דוור
mail order הזמנת משלוחים בדואר
mail train רכבת דואר
maim *v.* לגרום לנכות, להטיל מום
main *adj.* ראשי, עיקרי
by main force בכוחות מרביים
has an eye to the main chance לוטש עיניו לכסף, מבקש להתעשר
main clause משפט עיקרי (בתחביר)
main deck סיפון עליון
main drag הרחוב הראשי
main *n.* צינור ראשי; כבל ראשי; ים
in the main בכלל, בעיקר, לרוב
mains set/radio מקלט רדיו הפועל על חשמל (ולא על סוללות)
with might and main בכוח (פיזי)
mainland *n.* יבשה, ארץ (ללא האיים)
mainline *v.* להזריק סם
mainly *adv.* בעיקר
mainmast *n.* תורן ראשי
mainsail *n.* מיפרש ראשי
mainspring *n.* קפיץ ראשי; מניע ראשי
main squeeze ⋆בוס, מנהיג
mainstay *n.* חבל ראשי (המתוח מראש התורן); משען ראשי, מפרנס, תומך
mainstream *n.* מגמה שלטת, נטייה
maintain′ *v.* להמשיך, להתמיד; להחזיק, לשמור; לתמוך, לפרנס; לתחזק; לטעון
maintain one's health לשמור על בריאותו

maintain one's right to- לעמוד על זכותו ל־
maintain order לקיים סדר
maintains an open mind on מוכן להקשיב/לשקול דיעות שונות
main'tenance *n.* אחזקה; תחזוקה; פרנסה; תמיכה; דמי־מזונות; התמדה, המשך
maintenance men עובדי תחזוקה
maintenance order צו לתשלום דמי־מזונות
mai'sonnette' (-z-) *n.* בית קטן; דירת מגורים (בתוך דירה)
maize *n.* תירס
majes'tic *adj.* מלכותי, מעורר כבוד
maj'esty *n.* מלכות, הוד, תפארת
His Majesty (the King) המלך
majol'ica *n.* מיוליקה (כלים בסיגנון איטלקי)
ma'jor *adj.* ראשי, עיקרי, חשוב; גדול
major operation ניתוח מסוכן/קשה
major scale סולם מז'ור, רביב, דור
major *n&v.* רב־סרן; בגיר, בוגר; מקצוע ראשי (באוניברסיטה)
major in ללמוד כמקצוע ראשי
ma'jor-do'mo *n.* ראש המשרתים
major general אלוף
major'ity *n&adj.* רוב, רוב קולות; בגרות, בגירות; דרגת רב־סרן; של (דעת) הרוב
majority leader מנהיג הרוב
make *v.* לעשות; ליצור; לגרום, להביא; לאלץ, להכריח; להגיע, להשיג; לתאר, להציג; להעריך, להסתכם ב־; להיות, להוות
has it made ★מצליח, לא חסר דבר
he made her ★הוא התעלס עמה
he made (as if) to speak הוא עמד לדבר, נוצר רושם שידבר
made himself heard השמיע קולו
make a bed לסדר/להציע מיטה
make a meal לאכול ארוחה, לסעוד
make a pile ★לגרוף הון
make a will לכתוב/לערוך צוואה
make after לרדוף אחרי
make at לתקוף, להתנפל על
make away with לחסל, להרוג; לבזבז; לגנוב
make do with להסתדר עם, להסתפק ב־
make for לנוע בכיוון; להתנפל על; להביא ל־, לתרום ל־; להוביל ל־
make into להפכו ל־, לעשות ל־
make it להגיע בזמן; להצליח
make it clear that להבהיר ש־
make it with להתקבל (לחברה)
make it worth his while לשלם לו, לגמול לו
make off לברוח, להסתלק
make one's way ללכת, לשים פעמיו
make or break/mar להמר על כל הקופה, או הצלחה או כישלון
make out להבין, לפענח; לראות, להבחין; לרשום, לכתוב; ★להתעלס
make out a case for להעלות נימוקים למען־
make out (to be) לטעון, לומר, להעמיד פנים
make out (with) להתקדם, להצליח, להסתדר עם
make over להעביר בעלות; לתת; לשנות, להחליף
make the cards לערבב/לטרוף הקלפים
make towards לנוע בכיוון
make up להתאפר; להמציא, לפברק; להרכיב, להכין; להשלים, למלא החסר
make up for לפצות על
make up for lost time למהר, להדביק פיגור
make up one's mind להחליט
make up to לבקש קרבת־, לכרכר סביב־; לגמול, לפצות, לכפר
make (it) up with להתפייס, להשלים
she made him a good wife היא היתה אישה טובה
the ebb is making השפל מתחיל
what am I to make of it? כיצד אבין זאת? איך אפרש זאת?
what time do you make it? מה השעה להערכתך?
I made the train הגעתי לתחנת הרכבת בזמן
I make you a present of it אני נותן זאת לך במתנה
3 and 2 make 5 3 + 2 = 5
make *n.* תוצרת, סוג
on the make ★להוט לעשות רווחים, שואף להתקדם; רודף מין
make-believe *n.* העמדת פנים, דמיון
make-believe *adj.* דמיוני, מעמיד פנים
maker *n.* בורא, יוצר; הבורא
meet one's Maker ללכת לעולמו
makeshift *n&adj.* תחליף; זמני, ארעי

make-up *n.* איפור; הרכב, מערוכת, מבנה; סידור, עימוד (בדפוס)
makeweight *n.* תוספת משקל (לאיזון); ממלא מקום, משלים החסר
making *n&adj.* עשייה; עושה, גורם
in the making בתהליך הייצור
it was the making of him זה פיתח אותו, חישלו, קידמו, שיפרו
makings תכונות, נתונים, סגולות
sick-making מחליא, מבחיל
mal (תחילית) (באופן) רע
malac′ca cane מקל־הליכה (מחזרן)
mal′achite′ (-k-) *n.* מאלאכיט (מחצב)
mal′adjust′ed *adj.* לא מתאים; לא מסתגל
mal′adjust′ment *n.* חוסר הסתגלות
mal′admin′istra′tion *n.* ניהול רע
mal′adroit′ *adj.* לא זריז, מגושם
mal′ady *n.* מחלה, חולי
malaise′ (-z) *n.* תחושת מחלה, הרגשה רעה, תשישות
mal′aprop•ism *n.* שיבוש מלה
mal′ap•ropos′ (-pō′) *adj&adv.* לא במקומו; לא בעיתו; לא הולם
malar′ia *n.* קדחת הביצות, מלאריה
malarial *adj.* מלארי, של קדחת הביצות
Malay′ *n.* מלאיה
mal′content′ *adj.* לא מרוצה, עלול למרוד
male *n&adj.* זכר; גברי, של גברים
mal′edic′tion *n.* קללה
mal′efac′tor *n.* עושה רע, פושע
malef′icent *adj.* מזיק, עושה רע
malev′olence *n.* רוע־לב, רשע
malev′olent *adj.* חורש רעה, רשע
mal•feas′ance (-z-) *n.* עבירה
mal′for•ma′tion *n.* עיוות צורה; איבר מעוות
mal′formed′ (-fôrmd′) *adj.* מעוות
mal•func′tion *n.* ליקוי בפעולה
mal′ice (-lis) *n.* רשעות, רצון לפגוע
bear malice לנטור איבה
with malice aforethought בזדון
mali′cious (-lish′əs) *adj.* זדוני, רע
malign′ (-līn) *adj.* מזיק, רע
malign *v.* להשמיץ, לדבר סרה ב־
malig′nancy *n.* זדון, רוע־לב
malig′nant *adj.* זדוני, רע; ממאיר
malig′nity *n.* רשעות, זדון, רוע־לב
malin′ger (-g-) *v.* להתחלות
malingerer *n.* מתחלה, מתחזה כחולה
mall (môl) *n.* שדירה, מדרחוב
mal′lard *n.* (סוג של) ברווז בר
mal′le•abil′ity *n.* וחשילות; סגילות
mal′le•able *adj.* חשיל, ניתן לעיצוב; ניתן לאילוף, סגיל
mal′let *n.* פטיש־עץ; מקל־פולו
mal′low (-lō) *n.* חלמית (פרח)
malmsey (mäm′zi) *n.* יין מדירה מתוק
mal′nutri′tion (-nōōtrish′ən) *n.* תת־תזונה, תזונה לקויה
mal•o′dorous *adj.* מסריח, מדיף צחנה
mal•prac′tice (-tis) *n.* פעילות לא חוקית, שחיתות; טיפול רע (של רופא)
malt (môlt) *n&v.* לֶתֶת, מאלט; ללתות (שעורים); להלתת
Maltese (môltēz′) *adj.* של מאלטה
Maltese cross צלב מאלטה (בעל זרועות ממוזלגות)
malthu′sian (-shən) *adj.* מאלתוסי, חרד מהתפוצצות האוכלוסיה, דוגל בתכנון הילודה
mal•treat′ *v.* להתאכזר, לנהוג בגסות
maltreatment *n.* אכזריות, התאכזרות
malt′ster (môlt′-) *n.* לַתָּת
mal′versa′tion *n.* שחיתות, מעילה
mama, mamma (mä′-) *n.* אמא
mam′ba *n.* מאמבה (נחש ארסי)
mam′bo *n.* מאמבו (ריקוד)
mam′mal *n.* יונק
mam′mary *adj.* של השדיים
mam′mon *n.* ממון, עושר, רדיפת בצע
mam′moth *n&adj.* ממותה; ענקי, כביר
mam′my *n.* אמא; ⋆מטפלת כושית
man *n.* איש, בן־אדם, גבר; הגזע האנושי; משרת, כפוף; כלי (בשחמט)
as one man כאיש אחד
he's a man of his word הוא מבטיח ומקיים
here's your man זה האיש (המתאים)
is his own man הוא עצמאי
man about town מבלה במסיבות ושעשועים
man and boy מילדות, כל חייו
man and wife בעל ואישה, זוג נשוי
man in the street האיש הממוצע
man of the world איש העולם, מנוסה
man of God איש אלוהים
officers and men קצינים וחיילים
play the man! היה גבר!
to a man הכל, כולם, עד אחד
to the last man עד לאחרון שבהם
man *v.* לאייש

man′acle *v.* לכבול באזיקים
manacles *n-pl.* אזיקים
man′age *v.* לנהל; לשלוט ב־; לטפל ב־; להסתדר; להצליח
can manage להצליח להסתדר, לקבל, לנצל, לאכול
man′ageabil′ity (-nijəb-) *n.* נוחות הטיפול; צייתנות
manageable *adj.* קל לטפל בו; ניתן לניהול; צייתן
management *n.* ניהול; הנהלה; טיפול; תבונה, תחבולה
man′ager (-ni-) *n.* מנהל
she's a good manager היא בעלת־בית טובה
man′ageress (-ni-) *n.* מנהלת
man′age′rial *adj.* מינהלי, של הנהלה
managing *adj.* חסכן; שתלטן
managing director מנהל
man′-at-arms′ (-z) *n.* חייל, פרש
man′atee′ *n.* פרת־ים
man′darin *n.* מנדרין, פקיד בכיר; סינית מדוברת; מנדרינה (פרי)
man′date (-dāt) *n&v.* מנדאט, ייפוי־כוח; ממונות; למסור (ארץ) למנדאט
man′dato′ry *adj.* הכרחי, נחוץ; מנדטורי
man′dible *n.* לסת, צבת (של סרטן)
man′dolin′ *n.* מנדולינה (כלי נגינה)
man•drag′ora *n.* דודא
man′drake′ *n.* דודא
man′drill *n.* מאנדריל (קוף)
mane *n.* רעמה
man-eater *n.* אוכל אדם; קניבאל
maneu′ver (-noo̅′-) *n.* תמרון; תכסיס
maneuver *v.* לערוך תמרונים, לתמרן
maneu′verabil′ity (-noo̅′-) *n.* כושר תמרון
maneu′verable (-noo̅′-) *adj.* ניתן לתמרון
man Friday ששת, עבד נאמן
man′ful *adj.* אמיץ, החלטי, גברי
man′ganese′ (-z) *n.* מנגן (מתכת)
mange (mānj) *n.* שחין (בכלבים)
man′gel-wur′zel (-g-) *n.* סלק־בהמות
man′ger (mān-) *n.* איבוס
dog in the manger רע־לב, זה לא נהנה וזה חסר, לא מפרגן
man′gle *v.* למחוץ, לרסק; לפצוע; לקלקל, להשחית; לגהץ/לסחוט במעגילה
mangle *n.* מעגילה, זיירה
man′go *n.* מאנגו (עץ, פרי)
man′gosteen′ *n.* מאנגוסטין (פרי)
man′grove *n.* מאנגרובה (עץ)
ma′ngy *adj.* מוכה־שחין; מלוכלך, דוחה
man-handle *v.* להזיז בכוח; לטפל בגסות
man′hole′ *n.* בור (בכביש, עם מיכסה, לבדיקת צינורות תת־קרקעיים)
manhood *n.* בגרות; גבריות; הגברים
man-hour *n.* שעת־עבודה (של אדם)
ma′nia *n.* שיגעון; תאווה, תשוקה
ma′niac′ *n.* משוגע
mani′acal, man′ic *adj.* שיגעוני
manic-depressive *adj.* סובל מהתקפי דיכאון ושמחה לסירוגין
man′icure′ *n&v.* מניקור; טיפול בידיים ובציפורניים; לעשות מניקור
manicurist *n.* מניקוראית
man′ifest′ *adj.* ברור, גלוי
manifest *v.* להראות, לגלות, להפגין
manifest itself להופיע, להתגלות
manifest *n.* רשימת הסחורות, מיצהר
man′ifesta′tion *n.* הבהרה; גילוי, הפגנה, ביטוי
man′ifes′to *n.* מינשר, גילוי־דעת, מניפסט
man′ifold′ (-fōld) *adj.* רב, רבגוני, רב־צדדי
manifold *n.* סעפת (במכונית)
manifold *v.* לשכפל (במכונת שכפול)
man′ikin *n.* גמד; מנקין; אימום־אדם
manil′a *n.* מנילה, מוז הסיבים; סיגר
manila paper נייר מנילה (לאריזה)
manip′u•late′ *v.* להפעיל, לטפל יפה ב; לנהוג, להשפיע; להשתמש לצרכיו; לזייף
manip′u•la′tion *n.* הפעלה; טיפול; השפעה; זיוף, מאניפולציה
man′kind′ (-kīnd) *n.* האנושות, בני־האדם
manlike *adj.* של אדם, כמו גבר
manly *adj.* גברי, כגבר
man-made *adj.* עשוי בידי אדם
man′na *n.* מָן; דבר טוב הבא לפתע
manned (mand) *adj.* (חללית) מאוישת
man′ne•quin (-kin) *n.* מנקין, בובה, דוגמן, אימום־אדם
man′ner *n.* אופן, צורה, שיטה, דרך; יחס לזולת; סגנון, מנהג; נימוס
all manner of כל סוג
as to the manner born כאילו נולד

לכך, בטבעיות
bad manners חוסר נימוס
by no manner of means בשום אופן לא
in a manner במובן מסוים, במידת־מה
in a manner of speaking אם אפשר לומר כך, "הייתי אומר"
manners מנהגים, ארחות־חיים; דרך־ארץ, נימוסים
what manner of- איזה מין
mannered *adj.* מעושה בגינוניו
ill-mannered לא מנומס
well-mannered מנומס, אדיב
mannerism *n.* הרגל מיוחד, גינונים, מלאכותיות; חיקוי; מניריזם
mannerly *adj.* מנומס, אדיב
man′nish *adj.* גברי, אופייני לגבר
manoeuvre = maneuver
man′-of-war′ (-∂v-wôr′) *n.* ספינת־קרב
manom′eter *n.* מד־לחץ, מנומטר
man′or *n.* אחוזה, משק, חווה
manor′ial *adj.* של אחוזה
manpower *n.* כוח אדם
manque (mänkā′) *adj.* שלא הצליח, שעשוי היה להיות
man′sard (-särd) *n.* גג בעל שני שיפועים, מאנסארד
manse *n.* בית הכומר
manservant *n.* משרת
man′sion *n.* בית גדול, ארמון
mansions בית־דירות
man-sized *adj.* גדול, מתאים לגבר
manslaughter *n.* הריגה
man′tel (piece) *n.* לזבז האח, מסגרת האח
mantelshelf *n.* מדף האח
man•til′la *n.* מטפחת ראש, רדיד
man′tis *n.* גמל־שלמה
man•tis′sa *n.* מנטיסה (בלוגריתם)
man′tle *n.* מעיל; כסות; כיסוי רשת (ללהבת־גאז)
mantle *v.* לכסות; להסמיק; להאדים
man′-to-man′ גלוי, ללא גינונים
man′trap′ *n.* מלכודת (לעבריינים)
man′u•al (-yoo∂l) *adj.* ידי, של יד, של עבודת־כפיים
manual *n.* מדריך, ספר שימושי; מקלדת
man′u•fac′ture *n.* ייצור; תוצרת
manufacture *v.* לייצר; לבדות, לפברק
manufacturer *n.* יצרן, תעשיין
man′u•mis′sion *n.* שחרור (עבד)
man′u•mit′ *v.* להוציא (עבד) לחופשי
manure′ *n&v.* זבל, דשן; לזבל, לדשן
man′u•script′ *n.* כתב־יד
Manx *adj.* של האי מאן
many (men′i) *adj&n.* הרבה, רבים; רב־
a good/great many הרבה
as many (again) כמספר הזה
he's one too many for me איני יכול להתחרות בו, הוא פיקח ממני
how many? כמה?
in so many words במלים ממש
many a man אנשים רבים
many-colored/-sided רבגוני, רב־צדדי
many's the time הרבה פעמים, תכופות
one too many אחד יותר מהדרוש
the many ההמונים, רוב הציבור
too many יותר מדי, הרבה מדי
Mao′ism (mou-) *n.* מאואיזם, תורת מאו־טסה־טונג
Mao′ri (mou-) *adj.* מאורי, ניו־זילנדי
map *n&v.* מפה; למפות, לערוך מפה
map out לתכנן, לסדר
off the map נידח; לא קיים
put it on the map להציבו על המפה; לגרום שיתחשבו בו
ma′ple *n.* אדר (עץ)
mapping *n.* מיפוי
map-reader *n.* קורא מפות
maquis (mäkē′) *n.* מאקי (פרטיזנים צרפתים)
mar *v.* לקלקל, לפגום, להשחית
make or mar להמר על כל הקופה, או הצלחה או כישלון
mar′abou′ (-bōō) *n.* מאראבו (עוף)
mar′aschi′no (-shē′-) *n.* מרסקינו (משקה, שרי)
mar′athon′ *n.* מרתון
maraud′ *v.* לשדוד, לשוטט, לשחר לטרף
marauder *n.* שודד, משחר לטרף
mar′ble *n.* שיש; גולה
marble *adj.* שיישי, קשה, חלק, קר
marbled *adj.* מגוון, כעין השיש
marbles *n-pl.* גולות־מישחק; פסלי שיש
lose one's marbles ⋆להשתגע
marc *n.* פסולת פירות סחוטים
march *v.* לצעוד; להצעיד, להוביל
march with לגבול ב־
quick march! קדימה צעד!
march *n.* צעדה, צעידה, מסע; מיצעד; התקדמות; מארש, שיר לכת; גבול, סְפָר

dead march מארש אבל
forced march מסע מזורז
line of march קו הצעידה/התנועה
march past מיצעד הצדעה; מיצעד מיסקר
on the march מתקדם, צועד קדימה
steal a march on להקדים, להשיג יתרון על־, לעשות צעד מחוכם
March *n.* מרץ, מרס (חודש)
mad as a March hare מטורף
marching orders הוראות לנוע/לצאת לקרב; ⋆מכתב פיטורים
mar'chioness' (-shən-) *n.* מרקיזה
mare *n.* סוסה; אתון
mare's nest מתיחה; אמצאת־שווא
mare (mä'rā) *n.* ים (על הירח)
mar'garine (-jərin) *n.* מרגרינה
marge *n.* ⋆מרגרינה
mar'gin *n.* שוליים; שפה, קצה; רווח; מרווח־זמן, עודף; מצב גבולי; תחום
mar'ginal *adj.* של שוליים, שולי; זעום
marginal land זיבורית (אדמה)
marginal life חיים מן היד אל הפה
marginal seat מושב פרלמנטרי שנבחר ברוב זעום, מושב מתנדנד
mar'grave *n.* מרקיז (גרמני)
mar'guerite' (-gərēt) *n.* חיננית
mar'igold' (-gōld) *n.* ציפורני־החתול (פרח)
mar'ihua'na (-riwä'-) *n.* מריחואנה, חשיש
mar'ijua'na (-riwä'-) *n.* מריחואנה, חשיש
marim'ba *n.* מרימבה (כעין כסילופון)
mari'na (-rē'-) *n.* מרינה, חוף סירות
mar'inade' *n.* תחמיץ בשר/דגים
mar'inate' *v.* לכבוש בשר/דגים
marine' (-rēn) *adj.* ימי; של ספינות
marine *n.* נחת, חייל המארינס
marine corps נחתים, מארינס
merchant marine צי־הסוחר
tell it to the marines ספר לסבתא
mar'iner *n.* מַלח, ימאי
mar'ionette' *n.* מריונטה, בובה
mar'ital *adj.* של נישואים, של בעל
mar'itime' *adj.* ימי; שליד הים
mar'joram *n.* איזוב (צמח)
mark *n.* כתם, צלקת; סימן, עקב; אות, ציון, נקודה; סמל; מטרה; קו־הזינוק; צלב, חתימת אנאלפביתי; סוג, מודל; מארק
as a mark of לאות־ (הוקרה)
below the mark מתחת לתקן הדרוש
beside the mark לא רלוואנטי
easy mark פתי, טרף קל, מטרה ללעג, קורבן הונאה
full marks 100 נקודות, 100%
hit the mark לקלוע למטרה, להצליח
make one's mark לעשות לו שם
man of mark מצטיין, בעל שם
not up to the mark לא בקו הבריאות, לא כתמול שילשום
on your marks, get set, go! מוכנים, היכון, רוץ!
price mark תווית מחיר
question mark סימן שאלה (?)
quick off the mark מהיר־תפיסה
up to the mark ברמה הנאותה
wide of the mark לא מדויק כלל, לא קולע, לא שייך לנושא
mark *v.* לסמן, לציין; להותיר סימן; לתת ציון; לרשום; לשים לב ל־
mark down/up להוזיל/לייקר (סחורה)
mark off לתחום; להפריד; לסמן
mark out לסמן, לציין; לתאר (שטח); לייחד, לייעד; לבחור
mark time לדרוך במקום
mark-down *n.* הוזלה, הנחה
marked *adj.* מסומן; מצוין; בולט, ניכר
a marked man אדם הנתון במעקב, "נמצא על הכוונת"
marker *n.* מסמן; רושם נקודות; ציון
mar'ket *n.* שוק; מסחר; דרישה, ביקוש
bring eggs to a bad market לטעות בכתובת, להיכשל
go to a bad market להיכשל
in the market for מבקש לקנות
on the market מוצע למכירה
play the market לשחק במניות
the market fell המחירים ירדו
market *v.* לשווק, למכור, לקנות
go marketing לערוך קניות
marketable *adj.* שוויק, ניתן לשיווק
market-day *n.* יום השוק
marketer *n.* שַׁווק; משווק
market garden גן ירק
marketing *n.* שיווק, הפצת סחורה
market-place *n.* שוק, כיכר השוק
market research תחקיר שיווק
market town עיר ירִיד
marking *n.* סימן, סימנים מגוונים
marking ink דיו־סימון
marks'man *n.* קלע, צלף
marksmanship *n.* קלעות

mark-up *n.* עלייה, ייקור
marl *n.* אדמת־סיד (לזיבול)
mar′linespike′ (-ns-) *n.* צינורית־ התרה (פין להתרת גדילי־חבל)
mar′malade′ *n.* מרמלדה, ממרח ריבה
mar•mo′re•al *adj.* שיישי, קר, לבן
mar′moset′ (-z-) *n.* מרמוזט (קיפוף)
mar′mot *n.* מרמוטה (מכרסם)
maroon′ (-ro͞on′) *n&adj.* חום, ערמוני; ראקטה, זיקוקית; עבד נמלט
maroon *v.* לנטוש אדם (על אי שומם)
marque (märk) *n.* סוג, דגם, מודל
mar•quee′ (-kē′) *n.* אוהל גדול
mar′quetry (-k-) *n.* מעשה תשבץ, שיבוץ דוגמאות מגוונות בעץ
mar′quis, mar′quess *n.* מרקיז
mar′riage (-rij) *n.* נישואים
give in marriage להשיא (בת)
marriageable *adj.* הגיע לפירקו
marriage lines תעודת נישואים
married *adj.* נשוי; של נישואים
mar′row (-ō) *n.* לשד, מוח עצמות; תמצית; קישוא
frozen to the marrow קפוא עד לשד עצמותיו
vegetable marrow קישוא
marrowbone *n.* עצם (המכילה) לשד
marrowfat (pea) *n.* אפונה גדולה
mar′ry *v.* להתחתן; להשיא
marry money להינשא לעשיר
marry off להשיא (את בתו)
Mars (-z) *n.* מארס; מאדים
Mar•sa′la (-sä-) *n.* יין מרסלה
Mar′seillaise′ (-səlāz) *n.* מרסלייזה, ההימנון הלאומי הצרפתי
marsh *n.* בִּיצה
mar′shal *n.* מארשאל; שריף; ראש־הטקס; פקיד ביה״ד; קצין משטרה/מכבי אש
marshal *v.* לסדר, לערוך; ללוות אדם למקומו (בטקס)
marshaling yard מיגרש עריכה
marsh gas גאז ביצות
marsh′-mal′low (-lō) *n.* חוטמית (צמח); ממתק, מארשמלו
marshy *adj.* ביצתי, מלא ביצות
mar•su′pial *adj&n.* של כיס; חיית כיס
mart *n.* שוק, מרכז מסחרי
mar′ten *n.* נמייה
mar′tial *adj.* צבאי, מלחמתי; שש לקרב
martial law משטר צבאי
Mar′tian *adj&n.* של המאדים; תושב המאדים
Mar′tinmas *n.* חג מרטין (החל ב־11 בנובמבר)
mar′tin *n.* סנונית
mar′tinet′ *n.* דורש משמעת, קפדן
mar•ti′ni (-tē-) *n.* מרטיני (מיסכה)
mar′tyr (-tər) *n.* קדוש, מת למען עיקרון; קדוש מעונה
be a martyr to- לסבול קשות מ־
make a martyr of oneself להקריב עצמו, להעמיד פני קדוש
martyr *v.* להפוך לקדוש; לענות
martyrdom *n.* מות קדושים; סבל רב
mar′vel *n.* פלא, דבר נפלא, מופת
do/work marvels לחולל נפלאות
marvel *v.* להתפלא; להשתומם; להידהם
mar′velous *adj.* נפלא, מפליא
Marx′ism *n.* מרקסיזם
Marx′ist *n&adj.* מרקסיסט; מרקסיסטי
mar′zipan′ *n.* מרציפן
masc = masculine
mas•ca′ra (-kä-) *n.* פוך, צבע לעיניים
mas′cot (-kot) *n.* קמיע
mas′cu•line (-lin) *adj.* זכר; גברי
mas′cu•lin′ity *n.* גבריות; זכרות
ma′ser (-z-) *n.* מייזר, מכשיר ליצירת גלי־מיקרו
mash *n.* בליל, תערובת (למאכל בהמות); מזג של מאלט ומים; מחית, פירורה
mash *v.* לרסק, למחות, לעשות מחית
masher *n.* מרסק (לתפוחי־אדמה)
mash′ie *n.* מקל גולף (לחבטה גבוהה)
mask *n.* מסכה; מסווה; ראש שועל
death mask תבליט פני מת
gas mask מסכת־גאז
throw off the mask לחשוף פרצופו
under a mask of במסווה של־
mask *v.* לכסות במסכה; להסוות
masked *adj.* עוטה מסכה; מוסווה
masked ball נשף מסכות
mas′ochism (-k-) *n.* מאזוכיזם
mas′ochist (-k-) *n.* מאזוכיסט
mas′ochis′tic (-k-) *adj.* מאזוכיסטי
ma′son *n.* בנאי, בונה; בונה חופשי
mason′ic *adj.* של הבונים החופשים
masonic *n.* מסיבת בונים חופשים
ma′sonry *n.* בנייה, בניין, בנאות
Maso′ra *n.* מסורה, מסורת
masque (mask) *n.* מחזה מוסיקלי

mas'querade' (-kər-) *n.* ;נשף מסכות העמדת־פנים, התחזות
masquerade *v.* להתחפש, להתחזות
mass *n.* מיסה; תפילה; מנגינת־מיסה
mass *n&adj.* ,גוש, כמות רבה; המון אוסף, שפע; מסה; המוני, של המונים
he is a mass of bruises כולו פצע וחבורה
in the mass בעיקרו, בכללו
the masses ההמונים
mass *v.* לצבור; לרכז; להתרכז; להתקבץ
mass troops לרכז כוחות/חיילים
mas'sacre (-kər) *n.* טבח, פוגרום
massacre *v.* לערוך טבח, להשמיד
massage (-säzh') *n.* עיסוי, מסאז'
massage *v.* לעסות, לעשות מסאז'
masseur' (-sûr') *n.* ,עסיין, מסאז'יסט עסאי
masseuse' (-sōōz') *n.* עסיינית
mas•sif' (-sēf) *n.* גוש הרים
mas'sive *adj.* מאסיבי, גדול, מוצק, חזק
mass media כלי־תקשורת להמונים
mass meeting כינוס המוני
mass-produce *v.* לייצר ייצור המוני
mass production ייצור המוני
massy *n.* מאסיבי, כבד, מוצק
mast *n.* תורן; תורן האנטנה
mast *n.* (פירות־עצים (מזון־חזירים
mas•tec'tomy *n.* כריתת שד
mas'ter *n.* ;אדון, ראש; רב־חובל; מורה מנהל; אמן; מעביד
be master of לשלוט ב־/על
dancing master מורה למחול
master card קלף חזק
master of the house בעל הבית
one's own master אדון לעצמו
the Master ישו הנוצרי
master *adj.* ראשי; שולט; מומחה, מיומן
Master Green האדון גרין הצעיר
master *v.* לשלוט; להיות בקי ב־
mas'ter-at-arms' (-z) *n.* קצין שיטור (באונייה)
master copy עותק ראשי, נוסח מתוקן
masterful *adj.* שתלטן; שליט, שולט
master key פותחת, מפתח למנעולים שונים
masterly *adj.* מומחה, אמנותי
master mariner קברניט
mastermind *n.* גאון, מתכנן
mastermind *v.* לתכנן, לארגן
Master of Arts מוסמך למדעי הרוח
master of ceremonies ראש הטקס
Master of Science מוסמך למדעי הטבע
masterpiece *n.* ,עבודה אמנותית, יצירת פאר
master's תואר מ"א*
mastership *n.* שלטון, שליטה; בקיאות
masterstroke *n.* (צעד גאוני (מדיני
masterwork *n.* ,מלאכת מחשבת, יצירת פאר
mas'tery *n.* שלטון; שליטה, בקיאות
get (the) mastery לשלוט/להשתלט על
mast-head *n.* ראש התורן
mas'tic *n.* (שרף (לייצור לכה
mas'ticate' *n.* ללעוס
mas'tica'tion *n.* לעיסה
mas'tiff *n.* (מסטיף (כלב גדול
mas•ti'tis *n.* דלקת השדיים
mas'todon' *n.* (מסטודון (פיל שהוכחד
mas'toidi'tis *n.* דלקת הזיז הפטמי (שמאחורי האוזן)
mas'turbate' *v.* לאונן
mas'turba'tion *n.* אוננות
mat *n.* ,מחצלת, מדרסה, שטיחון; מפית תחתית (לכלי חם); סבך, גוש, קשר
on the mat בצרה, סופג עונש
welcome mat קבלת פנים חמה*
mat *v.* לסבך; להסתבך; לכסות במחצלות
mat *n.* עמום, לא מבריק, מאט
mat'ador' *n.* מאטאדור, הורג השור
match *n.* גפרור; תחרות; יריב שקול; בן זוג; דבר דומה/הולם; שידוך
a good match ;(עשוי להיות) בעל טוב דברים הולמים/מתמזגים יפה
find/meet one's match להיתקל ביריב שקול; להיתקל באגוז קשה
is a match for יכול להתמודד עם
make a match (of it) להתחתן
safety matches גפרורים
match *v.* ;להוות יריב שקול; להשתוות להתאים; להעמיד בתחרות; להשיא
match up to להתאים, להגיע לרמה
well-matched מתאים, שווה
matchbox *n.* קופסת גפרורים
matching *adj.* מתאים
matchless *adj.* שאין דומה לו
matchmaker *n.* שדכן
matchmaking *n.* שדכנות
match point הנקודה המכרעת (הדרושה לניצחון)
matchstick *n.* גפרור

matchwood *n.* עץ גפרורים; קיסמים
make matchwood of להרוס לגמרי
mate *n&v.* מט; לתת מט (בשחמט)
mate *v.* לחתן, לזווג; להזדווג
mate *n.* חבר, עמית; בן־זוג; קצין־אונייה; עוזר, שוליה
maté (mätā′) *n.* תה דרום אמריקני
mate′rial *adj.* גשמי, חומרי, גופני; חשוב, יסודי, מהותי
material needs מצרכים יסודיים
material *n.* חומר; אריג, בד
building materials חומרי בניין
collect material לאסוף חומר (לספר)
writing materials מכשירי כתיבה
mate′rialism *n.* חמרנות, מטריאליזם, גשמנות, חומריות
mate′rialist *n.* חמרן, מטריאליסט
mate′rialis′tic *adj.* חמרני
mate′rializa′tion *n.* התגשמות
mate′rialize′ *v.* להתגשם; ללבוש צורה גשמית, להופיע
mater′nal *adj.* אימהי; שמצד האם
mater′nity *n.* אימהות
maternity dress שמלת הריון
maternity hospital בי"ח ליולדות
ma′tey *adj.* ⋆ידידותי, חברותי
math, maths *n.* ⋆מתימטיקה
math′emat′ical *adj.* מתימטי; מדויק
math′emati′cian (-tishən) *n.* מתימטיקאי
math′emat′ics *n.* מתימטיקה
mat′inee′ (-nā) *n.* הצגה יומית (המועלית אחה"צ)
matinee coat בגד לתינוק
matinee idol שחקן נערץ
mat′ins *n-pl.* תפילת שחרית
ma′triarch′ (-k) *n.* אם שלטת
ma′triar′chal (-k-) *adj.* מטריארכלי, של ראשות האם
ma′triar′chy (-ki) *n.* מטריארכט, שלטון האם
matric′ = matriculation
ma′trices = pl of matrix (-sēz)
mat′ricide′ *n.* רצח אם; הורג אם
matric′u•late′ *v.* לרשום/להתקבל לאוניברסיטה
matric′u•la′tion *n.* כניסה לאוניברסיטה
mat′rimo′nial *adj.* של נישואים
mat′rimo′ny *n.* נישואים
ma′trix *n.* מטריצה, אימה; טבלה
ma′tron *n.* מנהלת, אם בית; גברת, מטרונה; משגיחה
matronly *adj.* של גברת; כמטרונה
matt, matte *n.* עמום, מאט
mat′ted *adj.* מסובך; מכוסה שטיח
mat′ter *n.* חומר; עניין, נושא; מוגלה
a matter of בערך, בסביבות, כ־
a matter of course דבר מובן מאליו/טבעי/צפוי
a matter of life and death שאלת חיים ומוות
a matter of opinion שאלה של השקפה
as a matter of fact למעשה, בעצם
for that matter בנוגע לזה
hanging matter פשע שדינו תלייה
in the matter of בנוגע ל־
it makes no matter לא חשוב, לא מעניין, לא איכפת
let the matter drop להניח לעניין
make matters worse להחמיר המצב
no laughing matter עניין רציני
no matter לא חשוב, אין דבר
no matter how/who/what לא חשוב איך/מי/מה, לא משנה
nothing's the matter with לא קרה דבר ל־, הכל בסדר עם־
printed matter דברי דפוס
reading matter חומר קריאה
subject matter נושא, תוכן
what's the matter? מה קרה?
matter *v.* להיות חשוב; להתמגל
it doesn't matter אין זה חשוב, לא נורא, לא אכפת
matter-of-course *adj.* צפוי, טבעי
matter-of-fact *adj.* מעשי, ענייני, קר
mat′ting *n.* חומר למחצלות/לאריזה
mat′tins *n.* תפילת שחרית
mat′tock *n.* מעדר, חפרור, מכוש
mat′tress *n.* מיזרן, מיזרון
spring mattress מיזרן קפיצים
mat′urate′ (-ch′-) *v.* להבשיל
mat′ura′tion (-ch′-) *n.* הבשלה, גמילה, התבגרות
mature′ (-choor) *adj.* מבוגר, מפותח, בשל; שקול, זהיר, יסודי
mature bill שטר שחל זמן פרעונו
mature *v.* להבשיל, להתבגר; להתפתח; לחול מועד פרעונו
matu′rity *n.* בשלות, בגרות; תחולת פרעון
matu′tinal *adj.* של בוקר, מתרחש בבוקר

maud′lin *adj.* רגשני, פורץ בבכי
maul *v.* לפצוע, למחוץ, לקרוע הבשר; לקטול קשות; לנהוג בגסות
maul′stick′ *n.* מקל ציירים (התומך ביד המחזיקה במכחול)
maun′der *v.* לגמגם, למלמל; לפעול באדישות; לשוטט; להשתרך
Maun′dy money מתנות לאביונים
Maundy Thursday יום ה׳ הקדוש
mau′sole′um *n.* מאוסוליאום, קבר
mauve (mōv) *adj&n.* ארגמן
mav′erick *n.* עֶגלה לא מסומנת; עצמאי, פורש, לא שוחה עם הזרם
maw *n.* זפק; קיבה; לוע פעור לטרוף
maw′kish *adj.* רגשני, משתפך, מגוחך
max′i *n.* מאקסי, חצאית ארוכה
max′im *n.* פתגם, מימרה
max′imal *adj.* מירבי, מקסימאלי
max′imiza′tion *n.* מירוב
max′imize′ *v.* למרב
max′imum *n&adj.* מקסימום, מירב; מירבי
may *v.* להיות יכול/מותר/אפשרי/עשוי; ייתכן, אולי; מי יתן, הלוואי
and who may you be? ומי אתה (אם מותר לי לשאול)?
may well אפשרי מאוד, בהחלט יכול, מן הסתם
may (just) as well הגיוני ש־
May *n.* מאי (חודש); תפרחת עוזרד
may′be (-bi) *adv.* ייתכן, אולי
as soon as maybe מהר ככל האפשר
may-beetle/-bug *n.* חיפושית
may′day *n.* איתות לעזרה, קריאת עזרה
May Day *n.* 1 במאי, חג הפועלים
may′hem (-hem) *n.* פגיעה גופנית, הטלת מום; אנדרלמוסיה, אי־סדר
mayn′t = may not (mānt)
may′onnaise′ (-z) *n.* מיונית
may′or *n.* ראש עיר
may′oral *adj.* של ראש עיר
may′oralty *n.* ראשות עיר
may′oress *n.* ראש עיר (אישה); אשת ראש עיר
maypole *n.* עמוד־מאי (שרוקדים סביבו)
May Queen מלכת ה־1 במאי
maze *n.* מבוך; מבוכה
mazed *adj.* נבוך, מבולבל
mazur′ka *n.* מזורקה (ריקוד)
MC = master of ceremonies
mcCar′thyism (mәkä′rthiiz′m) *n.* מקארתיזם

MD = Doctor of Medicine
me (mi) *pron.* אותי, לי; ⋆אני
mead *n.* תמד, משקה דבש; אחו
meadow (med′ō) *n.* אחו, כר־מרעה
mea′ger, mea′gre (-gәr) *adj.* רזה; דל, עלוב, זעום
meal *n.* ארוחה; קמח, דגן טחון
mea′lie *n.* תירס
mealtime *n.* שעת הארוחה
mealy *adj.* קמחי; מקומח, אבקי; חיוור
mealy-mouthed *adj.* מתבטא בצורה סתומה, לא מדבר ברורות
mean *adj.* עלוב, דל; רע, שפל, נבזה; קמצן, אנוכיי; נחות; ממוצע, אמצעי
no mean לא רע, מצוין
I feel mean ⋆אני פשוט מתבייש
mean *n.* ממוצע, מצב ביניים
golden/happy mean שביל הזהב
mean *v.* לציין, להורות, להיות פירושו; להתכוון; לייעד; להוות סימן, לבשר; להיות חשוב בעיני־
he is meant to- הוא נועד ל־
he means no harm הוא אינו מתכוון לפגוע
he means well כוונותיו טובות
it means nothing to me אין זה חשוב בעיני, זה לא אומר לי כלום
mean business להתכוון ברצינות
mean mischief לחרוש רעה
mean well by him להתכוון להיטיב עמו
you're meant to עליך, אתה חייב
me•an′der *v.* להתפתל, לזרום בנחת; לשוטט; לדבר בניחותא על דא ועל הא
meanderings *n-pl.* נתיב מתפתל
meaning *n.* כוונה, משמעות, מובן
meaning *adj.* משמעי, רב־משמעות
ill-meaning מתכוון להרע
meaningful *adj.* משמעותי
meaningless *adj.* חסר משמעות
mean-minded *adj.* רע־לב
means (-z) *n&n-pl.* אמצעי, דרך; אמצעים, כסף, עושר, רכוש
a means to an end אמצעי להשגת מטרה
by all means בהחלט, בוודאי
by fair means or foul בכל הדרכים, בכל האמצעים, אם כשרים ואם לאו
by means of באמצעות, בעזרת
by no manner of means בשום אופן לא
by no means בהחלט לא

by some means or other כך או כך, בדרך כלשהי
live beyond one's means לצרוך מעבר להכנסתו
man of means בעל אמצעים
the end justifies the means המטרה מקדשת את האמצעים
ways and means שיטות שונות (לגיוס כספים)
meant = p of mean (ment)
well-meant שכוונתו טובה
mean'time' *adv&n.* בינתיים
in the meantime בינתיים
mean'while' *adv.* בינתיים
mean'y, mean'ie *n.* ⋆רע, קמצן
mea'sles (-zəls) *n-pl.* חצבת
meas'ly (-z-) *adj.* זעום, עלוב
meas'urable (mezh'-) *adj.* מדיד
meas'ure (mezh'ər) *n.* מידה; שיעור; כלי מדידה; אמצעי, צעד; חוק; משקל; קצב
beyond measure גדול לאין שיעור
for good measure כתוספת
get the measure of him לעמוד על טיבו
in a great measure במידה רבה
in some measure במידה מסוימת
liquid measure מידת הלח
made to measure תפור לפי הזמנה
set measures to להגביל
short measure מידה חסרה
take his measure לעמוד על טיבו
take strong measures לנקוט אמצעים חריפים
measure *v.* למדוד; לאמוד; להיות שיעור אורכו/רוחבו/גודלו
measure off/out למדוד, להקציב
measure one's length ליפול מלוא קומתו
measure one's strength להתמודד
measure one's wits להתמודד במבחן שכל
measure swords להתמודד, להתחרות
measure up to להתאים ל־, להפגין כישורים הולמים ל־, להגיע לרמה
measured *adj.* מדוד, זהיר, שקול, קצוב
measureless *adj.* אינסופי, לאין שיעור
measurement *n.* מדידה; מידה
meat *n.* בשר; אוכל; ארוחה; תוכן, רעיונות
fresh/frozen meat בשר טרי/קפוא
it was meat and drink to him זה גרם לו הנאה מרובה
meatball *n.* כדור־בשר, קציצת־בשר
meatless *adj.* ללא בשר
meat-safe *n.* ארון בשר
meat tea ארוחת מינחה בשרית
meaty *adj.* בשרי; מלא תוכן
Mec'ca *n.* מכה (מולדת מוחמד); מקום עלייה לרגל; יעד, מטרה
mechan'ic (-k-) *n.* מכונאי
mechan'ical (-kan-) *adj.* מכאני, של מכונות; אוטומטי, ללא מחשבה
mechan'ics (-kan-) *n.* מכניקה; מכונאות; מבנה, דרך הפעולה
mech'anism (-k-) *n.* מנגנון, מבנה, מכניות, מכניזם
mech'anis'tic (-k-) *n.* של מכניות
mech'aniza'tion (-k-) *n.* מיכון
mech'anize' (-k-) *v.* למכן, לצייד במכונות
med'al *n.* מדליה, עיטור, פארה
med'alist *n.* בעל מדליה
medal'lion *n.* מדליון, תליון
med'dle *v.* להתערב (בענייני הזולת)
meddler *n.* מתערב, תוחב אפו
meddlesome *adj.* אוהב להתערב
me'dia *n.* כלי־התקשורת
me'diae'val = medieval (-dē'-)
me'dial *adj.* אמצעי, תיכון; ממוצע
me'dian *adj&n.* אמצעי, תיכון; חציון
me'diate' *v.* לתווך; ליישב, להסדיר
me'dia'tion *n.* תיווך, פיוס
me'dia'tor *n.* מתווך, מפייס
med'ic *n.* ⋆סטודנט לרפואה; חובש
med'ical *adj&n.* רפואי; של רפואה, תרופתי; ⋆סטודנט לרפואה; בדיקה רפואית
med'icament *n.* תרופה, רפואה
Med'icare' *n.* ביטוח רפואי לקשישים
med'icate' *v.* להוסיף חומר רפואי
med'ica'tion *n.* תוספת חומר רפואי; תרופה; טיפול בתרופות
medic'inal *adj.* רפואי, תרופתי
med'icine (-sən) *n.* רפואה; תרופה
give him his own medicine להתייחס אליו כפי שהוא התייחס לזולתו
take one's medicine ⋆לקבל המגיע לו, לספוג העונש
medicine ball כדור התעמלות
medicine chest ארון תרופות
medicine man רופא אליל
med'ico *n.* ⋆רופא; סטודנט לרפואה
me'die'val (-dē'-) *adj.* של ימי

הבינוניים, בינאי, בינוניים; ★עתיק, ישן
me′dio′cre (-kər) *adj.* בינוני, סוג ב׳
me′dioc′rity *n.* בינוניות; אדם בינוני
med′itate′ *v.* לחשוב, לשקול; לשקוע במחשבות
med′ita′tion *n.* מחשבה, שקיעה בהרהורים; התבוננות, הגות; מדיטאציה
med′ita′tive *adj.* מהרהר; מהורהר
Med′iterra′ne•an *adj.* ים תיכוני
me′dium *n.* אמצעי, כלי ביטוי; סביבה; מתווך; מדיום
happy medium שביל הזהב
through the medium of באמצעות
medium *adj.* בינוני
medium wave גל בינוני
med′lar *n.* שסק
med′ley *n.* ערבוביה; ערב־רב; ערברב, תערובת מנגינות
meed *n.* גמול, פרס
meek *adj.* עניו, נכנע, צנוע, צייתן
meer′schaum (-shəm) *n.* מקטרת
meet *v.* לפגוש; להיפגש; להיתקל ב־; להתאסף; לקדם פני; להכיר; לפרוע; לנגוע; להירכס; לספק, לענות על
he met with an accident קרתה לו תאונה
make both ends meet להרוויח כדי מחייתו
meet halfway להתפשר
meet his eye להיתקל במבטו
meet my father הכר את אבי
meet the case לענות על הדרישות
meet the eye להיגלות לעין
meet up with להיפגש, להיתקל ב־
meet wishes להשביע רצון
meet with approval לקבל אישור
meet with success לנחול הצלחה
meet *n.* תחרות, מפגש (של ציידים)
meet *adj.* ראוי, יאה, מתאים
meeting *n.* פגישה; אסיפה; מיפגש; תחרות
meeting-house בית תפילה
meg′a- (תחילית) מיליון
meg′acy′cle, -hertz′ *n.* מגיסיקל, מגהרץ (יחידת תדירות גבוהה)
megadeath *n.* מות מיליון איש
meg′alith′ *n.* מגלית, אבן גדולה
meg′alith′ic *adj.* מגליתי
meg′aloma′nia *n.* שיגעון הגדלות
meg′aloma′niac′ *n.* מוכה שיגעון גדלות, מגאלומאן
meg′aphone′ *n.* מגאפון, מגביר קול
meg′aton′ (-tun) *n.* מגאטון, מיליון טונות
me′grim *n.* מיגרנה, כאב ראש, פולג
meio′sis (mīō′-) *n.* חלוקת גרעין התא
mel′ancho′lia (-k-) *n.* מרה שחורה
mel′anchol′ic (-k-) *adj.* עצוב, מדוכא
mel′anchol′y (-k-) *n&adj.* מרה שחורה, מלנכוליה; עצוב, מדוכא; מדכא
mélange (mälänzh′) *n.* תערובת
meld *v&n.* (בקלפים) להכריז; הכרזה
melee (mā′lā) *n.* מהומה, תיגרה; דיון סוער
me′liorate′ *v.* לשפר; להשביח; להשתפר
me′liora′tion *n.* שיפור; טיוב, השבחה; השתפרות
me′liorism′ *n.* מיליוריזם (ההשקפה שאפשר לתקן את העולם ע״י מאמצים)
mellif′luous (-looəs) *adj.* (קול, לחן) מתוק, ערב
mel′low (-lō) *adj.* מתוק, בשל, רך, נעים; מנוסה, חכם; עליז, שתוי
mellow *v.* להבשיל, לרכך; להחכים
melod′ic *adj.* מלודי, ערב, לחין, נעימי
melo′dious *adj.* מלודי, ערב לאוזן
mel′odrama (-rä-) *n.* מלודרמה
mel′odramat′ic *adj.* מלודרמתי, רגשני
mel′ody *n.* נעימה, לחן, מלודיה
mel′on *n.* מלון, אבטיח צהוב
melt *v.* להמס; להימס; להתמוסס; להימוג; להיעלם, לגווע
melt away להיעלם, להימס
melt down להתיך, לצקת מתכת
melt into tears להתמוגג בבכי
melting *adj.* רך, עדין; רגשני
melting point נקודת היתוך
melting pot כור היתוך
mem′ber *n.* חבר; איבר
male member איבר המין הגברי
Member of Parliament חבר כנסת
membership *n.* חברות
mem′brane *n.* ממברנה, קרומית
mem′branous *adj.* קרומי, של קרומית
memen′to *n.* מזכרת
mem′o *n.* תזכיר, ממורנדום
mem′oir (-mwär) *n.* מאמר ביוגרפי, סיפור חיים; מסה, חיבור
memoirs זיכרונות, אוטוביוגרפיה
mem′orabil′ia *n-pl.* דברים מעניינים (שראוי לזכרם)
mem′orable *adj.* שראוי לזכרו, מיוחד

mem′oran′dum *n.* תזכיר, ממורנדום, מיזכר
memo′rial *n.* מצבת זיכרון, יד; מפעל הנצחה; תזכיר
memorials דברי הימים, קורות
Memorial Day יום זיכרון (לחללים)
memor′ialize′ *v.* להגיש תזכיר
memorial service אזכרה
mem′orize′ *v.* לשנן, ללמוד על פה
mem′ory *n.* זיכרון; זֵכֶר
commit to memory ללמוד על פה
in memory of לזכר, להנצחת שם־
of blessed memory זיכרונו לברכה
speak from memory לצטט מהזיכרון
to the best of my memory עד כמה שאני זוכר, למיטב ידיעתי
within his memory בזיכרונו, בחייו
within living memory בזיכרון האנשים החיים
mem′sahib (-säib) *n.* גברת אירופית
men = pl of man
men's room שירותי גברים
men′ace (-nis) *n.* איום; סכנה; מיטרד
menace *v.* לאיים על, לסכן
menage (-näzh′) *n.* משק בית
menag′erie *n.* גן חיות; אוסף חיות
mend *v.* לתקן; לשפר; להשתפר; ★להחלים
mend one's pace להחיש צעדיו
mend one's ways לתקן דרכיו
mend the fire להגביר האש
mend *n.* תיקון
on the mend מחלים, מצבו משתפר
men•da′cious (-shəs) *adj.* כוזב, מלא שקרים
men•dac′ity *n.* שקר, כזב; שקרנות
mender *n.* מתַקן
men′dicant *n&adj.* קבצן, עני
mending *n.* תיקון; בגדים לתיקון
men′folk (-fōk) *n-pl.* ★גברים
me′nial *n.* משרת; של משרת; בזוי
men′ingi′tis *n.* דלקת קרום המוח
men′opause′ (-z) *n.* הפסקת הווסת, בלות, תקופת המעבר
men′ses (-sēz) *n.* וֶסֶת, אורח נשים
men′stru•al (-rōō-) *adj.* של וסת
men′stru•ate′ (-rōō-) *v.* לקבל וסת
men′stru•a′tion (-rōō-) *n.* וֶסֶת
men′surable (-shər-) *adj.* מדיד, שאפשר למדדו
men′sura′tion (-shər-) *n.* מדידה
men′tal *adj.* רוחני, שכלי, נפשי; לא שפוי, מופרע
mental age גיל שכלי
mental arithmetic חישובים על פה
mental defective לוקה בשכלו
mental deficiency ליקוי שכלי
mental home/hospital בית־חולים לחולי רוח
mental illness מחלת נפש
men•tal′ity *n.* מנטליות; מהלך מחשבות, הגות, הלך־נפש
mental patient/case חולה רוח
mental specialist מומחה למחלות נפש
mental test מיבחן שיכלי
men′thol′ *n.* מנתול (כוהל)
men′thola′ted *adj.* מכיל מנתול
men′tion *v.* להזכיר; לומר; לרמוז
don't mention it על לא דבר
mentioned in despatches צוין לשבח
not to mention נוסף על, מבלי להזכיר
mention *n.* אזכור, הערה; אות־הערכה
make no mention of לא להזכיר
mentioned *adj.* המוזכר
below-mentioned המובא להלן
men′tor *n.* יועץ, מייעץ
men′u (-nū) *n.* תפריט
me•ow′ *n&v.* מייאו; ליילל (חתול)
Meph′istophe′le•an *adj.* שטני
mer′cantile′ *adj.* מסחרי
mercantile marine צי הסוחר
mer′cenary (-ner′i) *n.* חייל שכיר (במדינה זרה), שכיר־חרב
mercenary *adj.* אוהב בצע, רודף ממון
mer′cer *n.* סוחר בדים
mer′cerize′ *v.* להחליק, להבריק, לעבד חוטי כותנה, לשוות ברק משיי
mer′chandise′ (-z) *n.* סחורות
merchandise *v.* לסחור; לקדם מכירות
mer′chant *n&adj.* סוחר; ★להוט/מכור ל־
merchantman *n.* אוניית סוחר
merchant marine/navy צי הסוחר
merciful *adj.* רחום, רחמן
merciless *adj.* אכזרי, חסר־רחמים
mercu′rial *adj.* של כספית, כספיתי; ער, פעיל, תוסס; משתנה, לא יציב
mer′cu•ry *n.* כספית
Mercury *n.* כוכב (כוכב לכת)
mer′cy *n.* רחמים, רחמנות; מזל, הקלה
at the mercy of נתון לחסדי־
it's a mercy מזל ש־, תודה לאל ש־
left to the tender mercies of נתון לחסדי־, טרף לשיני־

show mercy to לרחם על
throw oneself on the mercy of
לבקש רחמים מ־
mercy killing המתת חסד
mere *adj.* רק, בלבד, גרידא, לא יותר מ־
the merest הזעיר ביותר
mere *n.* בריכה, אגם
merely *adv.* אך ורק, בלבד, גרידא, סתם
mer'etri'cious (-rish'əs) *adj.*
צעקני, מרשים כלפי חוץ, מזויף, חסר ערך
merge *v.* למזג; להתמזג, להיבלע,
להיטמע, להשתנות בהדרגה
merg'er *n.* התמזגות; מיזוג
merid'ian *n&adj.* מיצהר, מרידיאן,
קו־אורך; צהריים; תקופת זוהר; של זוהר
merid'ional *adj.* דרומי (במדינות
אירופה)
meringue (-rang') *n.* מיקצפת
merino (-rē'-) *n.* מרינו (כבש); אריג
מרינו, צמר מרינו
mer'it *n.* ערך, ראויות להערכה, יתרון,
מעלה
on/according to its merits בהתאם
לעניין עצמו, אובייקטיבית
merit *v.* להיות ראוי/זכאי ל־
mer'itoc'racy *n.* שלטון המוכשרים
mer'ito'rious *adj.* ראוי לשבח
mer'maid *n.* בתולת־הים (אישה־דג)
mer'man *n.* אדם־דג
mer'riment *n.* שמחה, עליזות
mer'ry *adj.* שמח, עליז; ★שתוי
make merry לשמוח, לחוג, לעשות
חיים
the more the merrier רצויים מוזמנים
רבים, וכל המרבה הרי זה משובח
Merry Christmas! חג מולד שמח!
merry-go-round *n.* סחרחרה
merry-maker *n.* משמח, עליז, חוגג
merry-making *n.* שמחה, הילולה
mesa (mā'sə) *n.* הר שטוח־ראש
mesal'liance (māzal'-) *n.* נישואים
עם נחות־מעמד
mes'calin *n.* מסקלין (סם הזיות)
mesdames = pl of madame
(mādäm') גברות
mesdemoiselles *n-pl.* מדמואזלות,
עלמות
me•seems' (-z) *v.* נראה לי, דומני
mesh *n.* רשת; עין (של רשת)
in mesh מוצמד, משולב (גלגל, הילוך)
mesh *v.* ללכוד ברשת; לשלב; להשתלב;
להתאים, לעלות בקנה אחד

mesmer'ic (-z-) *adj.* מהפנט
mes'merism (-z-) *n.* היפנוט
mes'merist (-z-) *n.* מהפנט
mes'merize' (-z-) *v.* להפנט
mess *n.* אי־סדר, לכלוך, בלבול; צרה;
חדר אוכל; ארוחה; האוכלים בצוותא
in a mess במצב ביש, מסתבך
make a mess לשבש, לקלקל, להרוס
mess *v.* לאכול בצוותא; לבלבל; ללכלך
don't mess with me! אל תעשה
בעיות, אל תגרום צרות
mess around/about להסתובב
בעצלתיים; לנהוג בטפשות/בגסות
mess up ללכלך; לקלקל; לשבש;
להכות
mes'sage *n.* הודעה; מסר; בשורה
get the message להבין, לקלוט הרמז
mes'senger *n.* שליח, נושא מסר
mess hall *n.* חדר אוכל
Messi'ah (-sī'ə) *n.* משיח
mes'sian'ic *adj.* משיחי
mes'sieurs (-sərz) *n.* האדונים
mess-jacket *n.* מותניית־ארוחה
mess'mate' *n.* חבר לחדר אוכל
Mes'srs (-sərz) *n.* האדונים
mes'suage (-swij) *n.* אחוזה, חווה
mess-up *n.* בלבול, אי־סדר
messy *adj.* מבולבל, מלוכלך; מלכלך
Met = meteorological
met = p of meet
met'a- (תחילית) מעל, מעבר
met'abol'ic *adj.* מטבולי, של
מטבוליזם
metab'olism *n.* מטבוליזם, חילוף
החומרים בגוף
metab'olize' *v.* לגרום מטבוליזם
met'acar'pal *n.* עצם כף־היד
met'al *n.* מתכת; חצץ (לכביש)
metals פסי־רכבת
metal *v.* לסלול (כביש) בחצץ
metal'lic *adj.* מתכתי
metallic currency מטבעות, מצלצלים
met'allur'gical *adj.* מטלורגי
metal'lurgist *n.* מטלורג
met'allurgy *n.* מטלורגיה, תורת
המתכות
metal-work *n.* עבודת מתכת
metal-worker *n.* אומן מתכת
met'amor'phose *v.* לשנות צורה
met'amor'phosis *n.* מטמורפוזה,
תמורה, שינוי צורה, גלגול
met'aphor' *n.* מטפורה, השאלה,

העברה, הוראה שאולה
met′aphor′ical *adj.* מטפורי, מושאל
met′aphys′ical (-z-) *adj.* מטפיסי
met′aphys′ics (-z-) *n.* מטפיסיקה, פילוסופיית הדברים הנשגבים מבינה
met′atar′sal *n.* עצם כף־הרגל
mete *v.* לחלק, להקציב
mete out לחלק, להעניק, לתת, להטיל
metem′psycho′sis (-sik-) *n.* גלגול נשמה
me′te•or *n.* מטאור, כוכב נופל
me′te•or′ic *adj.* מטאורי; מזהיר, חולף
me′te•orite′ *n.* מטאוריט, מטאור
me′te•orolog′ical *adj.* מטאורולוגי
me′te•orol′ogist *n.* מטארולוג
me′te•orol′ogy *n.* מטאורולוגיה, חזאות, תורת מזג האוויר
me′ter *n.* מטר; מונה, שעון, מד
electricity-meter מונה, מד־חשמל
parking-meter מדחן
meter *n.* (בשירה) רגל, מקצב, משקל
meth′ane *n.* גאז הביצות, מתאן
me•thinks′ *v.* נראה לי, דומני
meth′od *n.* שיטה, מתודה; שיטתיות
method′ical *adj.* שיטתי, מתודי
Meth′odism *n.* מתודיזם (כת נוצרית)
Meth′odist *n&adj.* מתודיסט
meth′odol′ogy *n.* מתודולגיה, תורת השיטות המדעיות במחקר
me•thought′ = pt of methinks (thôt) חשבתי
meths *n.* ⋆כוהל מפוגל
Methu′selah (-zələ) *n.* מתושלח
methuselah *n.* בקבוק יין גדול
meth′yl alcohol כוהל מתילי
meth′yla′ted spirits כוהל מפוגל
metic′u•lous *adj.* קפדן, דקדקן
métier (metyā′) *n.* מקצוע, משלוח־יד
metre = meter (mē′tər)
met′ric *adj.* מטרי, של השיטה העשורית
met′rical *adj.* מקצבי, ריתמי
met′rica′tion *n.* הפיכה לשיטה המטרית, הנהגת השיטה העשורית
met′ricize′ *v.* להנהיג השיטה המטרית
metric system השיטה המטרית
metric ton טון, טונה (1000 ק"ג)
met′ro *n.* מטרו, רכבת תחתית
met′ronome′ *n.* מטרונום
metrop′olis *n.* מטרופולין, בירה, עיר־אם
met′ropol′itan *adj&n.* של מטרופולין; מטרופוליט; בישוף עליון
Metropolitan France צרפת
met′tle *n.* אופי, עוז־רוח, אומץ
put him on his mettle להביאו למצב שבו יעשה מאמץ מירבי להצליח
show one's mettle להראות מאיזה חומר הוא קורץ, להפגין אומץ לב
try his mettle לעמוד על טיבו
mettlesome *adj.* אמיץ
mew (mū) *n&v.* מייאו; ליילל כחתול
mews (mūz) *n.* אורוות סוסים; אורוות משופצות (למגורים)
Mex′ican *adj&n.* מקסיקני
mez′zanine′ (-nēn) *n.* יציע תחתון (בתיאטרון); קומת ביניים
mez′zo (mets′ō) *adj.* לחצאין, בינוני
mezzo forte בחוזק בינוני
mezzo-soprano *n.* מצו־סופרן
mez′zo•tint′ (mets-) *n.* (בדפוס) הדפסה בחצי גוון
mg = milligram
mi (mē) *n.* מי (צליל)
miaow (mēou′) *n.* מייאו
mias′ma (-z-) *n.* אדים רעילים
mi′ca *n.* נציץ, מיקה (מחצב שקוף)
mice = pl of mouse
Michaelmas (mik′əl-) *n.* חג מיכאל (החל ב־29/9)
Michaelmas daisy אַסתר (פרח)
mick *n.* ⋆אירי
Mick′ey (Finn) שיקוי מרדים
take the Mickey out of him ללעוג לו, לקנטרו
mickey mouse *n.* ⋆מיקי מאוז, טיפש
mi′cro (תחילית) קטן, זעיר
mi′crobe *n.* מיקרוב, חיידק
mi′cro•bi•ol′ogy *n.* מיקרוביולוגיה, מדע החיידקים
mi′cro•cosm (-koz′əm) *n.* מיקרוקוסמוס, עולם קטן; האדם
mi′cro•fiche′ (-fēsh) *n.* מיקרופיש (גיליון של מיקרופילם)
mi′cro•film′ *n.* מיקרופילם, תצלום על סרט זעיר, סרט־זיעור
microfilm *v.* לצלם במיקרופילם
mi′cro•mesh′ *n.* אריג־רשת עדין
mi•crom′eter *n.* מיקרומטר, מכשיר למדידת מרחקים זעירים
mi′cron (-ron) *n.* מיקרון, אלפית מילימטר
mi′cro•or′ganism *n.* חיידק, מיקרו־אורגניזם

mi′crophone′ *n.* מיקרופון
mi′croscope′ *n.* מיקרוסקופ
mi′croscop′ic *adj.* מיקרוסקופי
mi′cro•sec′ond *n.* מיליונית שנייה
mi′cro•wave′ *n.* גל־מיקרו
mid *adj&prep.* אמצע; בין, בתוך, בקרב
in mid air בשמיים, גבוה; לא מוכרע
mid′day′ (-d-d-) *n.* צהריים
mid′den *n.* ערימת זבל, ערימת אשפה
mid′dle *adj.* אמצעי, בינוני; ביניימי
middle *n.* אמצע, תווך; איזור המותניים
in the middle of באמצע; עסוק ב־
middle age גיל העמידה
middle-aged *adj.* בגיל העמידה
Middle Ages ימי הביניים
middle age spread ⋆התכרסות, השמנה, "צמיגים"
middlebrow *n.* שוחר אמנות בינונית
middle class המעמד הבינוני
middle course שביל הזהב
middle distance רוחק בינוני; קטע נוף הנמצא במרחק לא רב מהצופה
Middle East המזרח התיכון
middle finger אמה (אצבע)
Middle Kingdom סין
middleman *n.* מתווך, איש ביניים
middle name שם אמצעי, שם פרטי שני
middle-of-the-road מתון, לא קיצוני
middle-sized *adj.* בעל גודל בינוני
middleweight *n.* משקל בינוני
Middle West המערב התיכון (בארה"ב)
mid′dling *adj&adv.* בינוני; סוג ב׳; במידה בינונית
fair to middling ⋆ככה־ככה, בינוני
middling well טוב למדי
mid′dy *n.* פרח קצונה (בצי)
middy blouse חולצת מלחים
midfield stripe קו האמצע (במיגרש)
midge *n.* יבחוש, זבובון, יתוש
midg′et *n&adj.* ננס, גמד; ננסי, קטן
mid′i *n.* שמלת מידי
mid′land *adj.* של פנים הארץ/המדינה
mid′most′ (-mōst) *adj.* בדיוק באמצע
mid′night′ *n.* חצות, אמצע הלילה
burn the midnight oil לעבוד עד שעה מאוחרת בלילה
midnight sun שמש חצות לילה (הנראית בחוגים הארקטי והאנטארקטי)
mid′point′ *n.* נקודת האמצע, אמצע
mid′riff *n.* סרעפת; איזור הבטן
mid′ship′man *n.* פרח קצונה (בצי)
mid′ships′ *adv.* באמצע האונייה
midst *n&prep.* אמצע; באמצע, בתוך
in our midst בקרבנו, בתוכנו
in the midst of בתוך, באמצע, בין
mid′sum′mer *n.* אמצע הקיץ
Midsummer Day 24 ביוני
midsummer madness שיא הטירוף
mid′way′ *adj.* במחצית הדרך
mid′week′ *n.* אמצע השבוע
Mid′west′ *n.* המערב התיכון (בארה"ב)
mid′wife′ *n.* מיילדת
midwifery *n.* מיילדות
mien (mēn) *n.* הבעה, מראה, הופעה, התנהגות
miff *v.* להרגיז, להעליב
might *n.* כוח, עוצמה רבה
might is right הכוח הוא הצדק
with might and main בכל הכוח
might (pt of may) *v.* להיות יכול/עשוי/עלול/אפשרי/צריך; היה יכול/עשוי וכ׳
he might have known הוא יכול/צריך היה לדעת
mightily *adv.* בכוח; ⋆מאוד, "נורא"
mightn't = might not
mighty *adj.* חזק; רב־כוח; גדול, אדיר
high and mighty מתרברב
mighty *adv.* מאוד, "נורא"
mi′gnonette′ (min′yənet′) *n.* ריכפה (צמח בעל פרחים ריחניים)
mi′graine *n.* מיגרנה; פולג, צילחה
mi′grant *n.* מהגר; ציפור נודדת
mi′grate *v.* להגר, לנדוד (בלהקות)
mi•gra′tion *n.* הגירה; נדידה
mi′grato′ry *adj.* נודד
mika′do (-kä-) *n.* מיקאדו, קיסר יפן
mike *n.* ⋆מיקרופון
mila′dy *n.* גברת, ליידי, גבירתי
mi′lage = mileage
milch cow פרה חולבת; אדם שקל לסחוט ממנו כסף או טובת־הנאה
mild (mīld) *adj.* עדין, רך, נעים, קל, לא חריף
draw it mild לא להגזים
mild and bitter מזג של בירה
mil′dew (-dōō) *n.* קימחון, עובש, טחב
mildew *v.* להעביש, להיפגע בקימחון
mildly *adv.* ברכות; במקצת
to put it mildly אם נקוט לשון המעטה, מבלי להגזים
mildness *n.* רכות, נועם, עדינות
mile *n.* מייל, מרחק רב

be miles out in ⋆לטעות לחלוטין
for miles (and miles) למרחקים רבים
no one within miles of her אין לה מתחרה, היא הטובה ביותר
I'm feeling miles better ⋆אני מרגיש הרבה יותר טוב
mile'age (mī'lij) *n.* מרחק במילים; מספר המילים; קצובת נסיעה (לפי מילים)
mileom'eter (mīlom-) *n.* מד־דרך
miler *n.* רץ מייל (ספורטאי)
milestone *n.* ציון דרך; מאורע בולט
milieu (mēlū') *n.* סביבה, הווי
mil'itancy *n.* מלחמתיות, רוח־קרב
mil'itant *adj&n.* מלחמתי, מיליטנטי, שש לקרב; דוגל בשימוש בכוח
mil'itarism *n.* מיליטריזם, צבאנות
mil'itarist *n.* מיליטריסט
mil'itaris'tic *adj.* מיליטריסטי, צבאני
mil'itarize' *v.* לתת אופי צבאי ל־
mil'itary (-ter'i) *adj&n.* צבאי; הצבא
military age גיל גיוס
military attache נספח צבאי
military police משטרה צבאית; מ"צ
military policeman שוטר צבאי
military service שירות צבאי
mil'itate' *v.* לפעול (נגד/לרעת)
militia (-lish'ə) *n.* מיליציה, משמר אזרחי, חיל מתנדבים
militiaman *n.* איש המיליציה
milk *n.* חָלָב
come home with the milk לחזור הביתה עם שחר (לאחר ליל־בילויים)
cry over spilt milk לבכות על חלב שנשפך, להצטער על דבר אבוד
in milk (פרה) חולבת
milk of human kindness לב אנושי, טוב לב
milk *v.* לחלוב; לסחוט; לתת חלב
milk and water חלש, חלוש, רפה
milk-bar *n.* מילקבר, מזנון חלבי
milk-churn *n.* כד חלב
milker *n.* חולב; (פרה) חולבת
milking machine מכונת חליבה
milk loaf לחם לבן מתוק
milk'maid' *n.* חולבת, פועלת מחלבה
milk'man' *n.* חלבן, מחלק חלב
milk-powder *n.* אבקת חלב
milk pudding חביצת־חלב
milk round מסלול החלבן
milk run מסלול שגרתי
milk shake מילקשייק (חלב וגלידה)
milk'sop' *adj.* עדין, רכרוכי, חסר אומץ
milk-tooth *n.* שן־חלב
milk'weed' *n.* אסקלפיים (צמחי־בר בעלי נוזל חלבי)
milk-white *adj.* לבן כחלב, צחור
milky *adj.* חלבי, מכיל חלב; לא צלול
Milky Way שביל החלב
mill *n.* טחנה; בית חרושת; מטחנה
be put through the mill להשתפשף, לעבור אימונים מפרכים/חוויה קשה
coffee mill מטחנת קפה
paper mill בית חרושת לנייר
mill *v.* לטחון; לחתוך (פלדה) למוטות
mill around/about להסתובב באי־סדר, לנוע באנדרלמוסיה
milled edge שפה משוננת (במטבע)
mill'board' *n.* קרטון עבה (לכריכה)
mill-dam *n.* סכר־טחנה
mil'lena'rian *n.* (נוצרי) מאמין בימות המשיח
millen'nium *n.* אלף שנה; (בנצרות) ימות המשיח (העתידים לבוא)
mil'lepede' *n.* מרבה־רגליים
mill'er *n.* טחן, טוחן, בעל טחנה
mil'let *n.* דוחן (סוג תבואה)
mill-girl *n.* פועלת בית־חרושת
mill-hand *n.* פועל בית־חרושת
mil'li- (תחילית) אלפית
mil'liard' *n.* מיליארד
mil'libar' *n.* מיליבר (יחידת לחץ אטמוספרי)
mil'ligram' *n.* מיליגראם
mil'lili'ter (-lē't-) *n.* מיליליטר
mil'lime'ter *n.* מילימטר
mil'liner *n.* כובען־נשים
millinery *n.* כובעניית־נשים
mil'lion *n.* מיליון
like a million (dollars) ⋆מצוין
mil'lionaire' *n.* מיליונר
mil'lionth *adj.* מיליונית; המיליון
mil'lipede' *n.* מרבה־רגליים
mill-pond *n.* בריכת־טחנה
like a mill-pond (ים) שקט, דוגע
mill-race *n.* זרם טחנת מים
millstone *n.* אבן ריחיים; נטל, מעמסה
a millstone round one's neck ריחיים על צווארו, נטל על שכמו
nether millstone שֶׁכֶב
upper millstone רֶכֶב
millwheel *n.* אופן הטחנה
millwright *n.* בנאי טחנות

mi•lom′eter *n.* מד־דרך
milord′ *n.* לורד, אדוני הלורד
milt *n.* חלב־הדג (בדג זכר); טחול
mime *n.* מימוס; פנטומימה; חקיין
mime *v.* לחקות; להביע בפנטומימה
mim′e•ograph′ *n&v.* מכונת שכפול, מימיאוגרף; לשכפל
mimet′ic *adj.* מחקה, אוהב לחקות
mim′ic *adj.* חיקויי, מדומה; של הסוואה
mimic coloring צבע הסוואה (בחיה)
mimic *n&v.* חקיין; לחקות, לדמות ל־
mim′icry *n.* חיקוי; מימיקריה; הסוואה
mimo′sa *n.* מימוסה (צמח, פרח)
min = minutes, minimum
min′aret′ *n.* מינרט, צריח־מסגד
min′ato′ry *adj.* מאיים
mince *v.* לטחון, לקצוץ; להתנהג בעדינות מעושה; להלך בטפיפה
mince matters/words לדבר בעדינות, למתוח ביקורת בלשון רכה
not mince matters לדבר גלויות
mince *n.* בשר טחון; מלית־פירות
mincemeat *n.* מלית־פירות (לפשטידה)
make mincemeat of להביס כליל; להפריך לחלוטין, לעשות עפר ואפר
mince pie פשטידת פירות
minc′er *n.* מטחנה (לבשר)
mincing *adj.* מצטעצע, עדין
mincing machine מטחנה (לבשר)
mind (mīnd) *n.* רוח, נפש; מוח, מחשבה; זיכרון; דיעה; כוונה, רצון
absence of mind היסח הדעת
be in two minds לפסוח על שתי הסעיפים, להסס
be of one mind להיות תמימי דעים
be of the same mind להחזיק באותה דיעה
bear/keep in mind לזכור
bend one's mind להשפיע על רוחו
blow one's mind ⋆לעורר הזיות
call/bring to mind לזכור, להיזכר
change one's mind לשנות דעתו
come to mind לעלות בדעתו
from time out of mind מהעבר הרחוק
go out of one's mind לפרוח מזכרונו
has a good mind to בדעתו ל־, יש לו חשק רב ל־, החליט ל־
has half a mind to נוטה/שוקל ל־
has it on his mind הדבר מעיק עליו, זה מדאיג אותו
in his right mind דעתו שפויה
in one's mind's eye בעיני רוחו
keep one's mind on- להתרכז ב־
know one's own mind לדעת מה רצונו, לא לפקפק
make up one's mind (to) להגיע לכלל החלטה, להחליט; להשלים, להסתגל למצב
out of one's mind יצא מדעתו
out of sight - out of mind רחוק מן העין ־ רחוק מן הלב
pass out of mind להישכח
presence of mind צלילות דעת, תושייה, כושר לפעול במהירות
put him in mind of it להזכיר לו זאת, זה מזכיר לו
put/give one's mind לתת דעתו
set one's mind on להשתוקק ל־, לגמור אומר להשיג
speak one's mind לומר גלויות
take one's mind off להסיח דעתו
the best minds of the age גאוני הדור
to my mind לדעתי; לטעמי, לרוחי
mind *v.* להיזהר, לזכור, לשים לב; להשגיח, לטפל ב־; להיות איכפת לו
don't mind him אל תדאג לו; אל תשים לב אליו
mind (you) שים לב, ראה (ביטוי סתמי)
mind one's p's and q's להיות זהיר בלשונו ובמעשיו
mind out להיזהר, לשים לב
mind your own business אל תתערב בענייני הזולת
never mind אין דבר, לא נורא
would you mind? do you mind? התרשה לי? האם תתנגד? התואיל ל־?
I don't mind לא אכפת לי; איני מתנגד
I wouldn't/shouldn't mind איני מתנגד, הייתי רוצה
mind-bending *adj.* משפיע על הנפש; קשה להבינו, מעבר להשגה
mind-blowing *adj.* מעורר הזיות, מרגש
mind-boggling *adj.* ⋆מדהים, מפליא
minded *adj.* נוטה, חפץ; בעל נפש־
air-minded חובב־טיס
evil-minded חורש רעה, רע־לב
minder *n.* משגיח, מטפל ב־
baby-minder מטפלת בתינוקות
mind-expanding *adj.* ⋆ (סם) מחדד חושים
mindful *adj.* נותן דעתו, זוכר, יודע

mindless *adj.* חסר דיעה, טיפשי; לא משגיח ב־, לא זהיר, מתעלם מ־
mind reading קריאת מחשבות
mine *pron.* שלי
mine *n.* מכרה; מוקש; בור לפצצה; זיקוקין־די־נור
a mine of information מקור בלתי־נדלה של מידע
plant mines להטמין/לזרוע מוקשים
mine *v.* לכרות, לחפור; למקש
mined out שנוצלו מחצביו עד תום
mine detector מגלה מוקשים
mine disposal פירוק מוקשים
minefield *n.* שדה מוקשים; שטח מכרות
mine-layer *n.* מקשת, ספינת מיקוש
mine-laying *n.* מיקוש, הנחת מוקשים
miner *n.* כורה, חופר; מוקשאי, חבלן
min′eral *n&adj.* מחצב, מינרל; מינרלי
mineral kingdom עולם הדומם
min′eral′ogist *n.* מינרלוג
min′eral′ogy *n.* מינרלוגיה, תורת המינרלים, מדע המחצבים
mineral pitch אספלט
mineral water מים מינרליים
min′estro′ne (-ni) *n.* מינסטרוני (תבשיל איטלקי)
mine-sweeper *n.* שולת־מוקשים
mine-sweeping *n.* שליית מוקשים
min′gle *v.* לערבב; להתערב, להתמזג
min′gy *n.* קמצן, כילי
min′i *n.* שמלת מיני; (תחילית) קטן
min′iature *n.* מיניאטורה, ציור זעיר, זוטה, זערורה, מיזערת
in miniature בזעיר אנפין
miniature *adj.* זעיר־אנפין, מיניאטורי
min′iaturist (-ch-) *n.* צייר מיניאטורות
min′ibus′ *n.* מיניבוס
min′im *n.* חצי תו (במוסיקה)
min′imal *adj.* מינימאלי, מזערי
min′imiza′tion *n.* מיזעור
min′imize′ *v.* להקטין (למינימום), למזער; לייחס חשיבות מעטה
min′imum *n.* מינימום, מיעוט, מיזער
minimum wage שכר מינימום
mining *n.* כרייה, חציבת מינרלים
min′ion *n.* משרת מתרפס; חביב האדון
minion of the law שוטר, סוהר
min′ister *n.* שר; ציר; כומר
minister *v.* לשרת, להגיש עזרה
minister to his needs לספק צרכיו

min′iste′rial *adj.* של שר, משרדי
ministering angel אחות מסורה, מלאך
min′istrant *n.* משרת, מספק צרכים
min′istra′tion *n.* שירות, טיפול
min′istry *n.* משרד; כהונת שר; כמורה
min′iver *n.* פרווה
mink *n.* מינק, חורפן; פרוות מינק
min′now (-ō) *n.* דגיג
mi′nor *adj.* קטן, צעיר, משני, טפל, לא רציני; מינורי; מינור, זעיר; קטין
minor key מפתח מינורי; רוח נכאה, טון נוגה
minor planet אסטרואיד (כוכב)
minor prophets תרי עשר (בתנ"ך)
F minor פה מינור
John minor ג'ון הצעיר
minor′ity *n&adj.* מיעוט; קבוצת מיעוט; קטינות; של המיעוט באוכלוסיה
minority government ממשלת מיעוט
minority report (חוות) דעת מיעוט
minority leader מנהיג המיעוט
Min′otaur′ *n.* מינוטור (שור־אדם)
min′ster *n.* כנסיית מינזר
min′strel *n.* בדרן, בדחן; זמר נודד
min′strelsy *n.* שירת זמרים נודדים
mint *n.* מינתה, נענה; מטבעה
in mint condition כחדש, לא משומש
mint of money כסף רב, הון תועפות
mint *v.* לטבוע, לצקת מטבע
mint a phrase ליצור מטבע־לשון
mint money לעשות כסף, לגרוף הון
min′uet′ (-nū-) *n.* מינואט (ריקוד)
mi′nus *n&adj&prep.* מינוס; סימן החיסור, (—); שלילי; מתחת לאפס; פחות, חסר
min′uscule′ *adj.* זעיר, קטנטן
min′ute (-nit) *n&v.* דקה; תקציר דיון, פרוטוקול; זכרון דברים; לערוך פרוטוקול
in a minute בתוך דקה, מיד
the minute (that) מיד כש־, אך
to the minute בדיוק, "על השעון"
up to the minute מעודכן; מודרני
mi′nute′ *adj.* זעיר; מדוקדק, פרוטרוטי
minute book ספר פרוטוקולים
minute gun תותח־דקות (שיורים בו אחת לדקה לאות אבל)
minute hand מחוג הדקות
minutely *adv.* בדייקנות; בפרוטרוט; לחתיכות זעירות; במידה זעומה
minute steak אומצת־דקה (להכנה מהירה)

minu′tiae (-shēē′) *n-pl.* פרטי־פרטים
minx *n.* חוצפנית
mir′acle *n.* נס, פלא
work miracles לחולל נפלאות
miracle play מחזה־פלאים (על סיפורי הברית החדשה)
mirac′u•lous *adj.* על־טבעי, פלאי, ניסי
mirage′ (-räzh) *n.* מיראז׳, מחזה־תעתועים; חזון־הבל; אשליה
mire *n&v.* בוץ; לשקוע בבוץ; להכניס לבוץ; ללכלך; לסבך; להסתבך
drag him through the mire להכפיש שמו
in the mire בבוץ עמוק, מסתבך
mir′ror *n.* מראה, ראי; בבואה
mirror *v.* לשקף בבואה
mirror image דמות ראי, דמות הפוכה
mirth *n.* שמחה, חדווה, צחוק
mirthful *adj.* שמח, עליז
mirthless *adj.* חסר שמחה
mi′ry *adj.* בוצי, מוכפש בבוץ
mis- (תחילית) לא־, אי־, רע
mis′adven′ture *n.* חוסר מזל; תאונה
mis′advise′ (-z) *v.* לתת עצה רעה
mis′alli′ance *n.* זיווג לא מוצלח
mis′anthrope′ *n.* מיזנתרופ, שונא אדם
mis′anthrop′ic *adj.* מיזנתרופי
misan′thropy *n.* מיזנתרופיה, שנאת הבריות
mis′ap•plica′tion *n.* שימוש לרעה, שימוש לא הוגן
mis′apply′ *v.* להשתמש לרעה, ליישם בצורה לא נכונה
mis′ap•pre•hend′ *v.* להבין שלא כראוי, להבין בצורה מוטעית
mis′ap•pre•hen′sion *n.* אי־הבנה
mis′appro′priate′ *v.* למעול ב־, להשתמש בצורה לא נכונה
mis′appro′pria′tion *n.* מעילה
mis′be•got′ten *adj.* לא חוקי, ממזר; לא נבון, חסר־ערך
mis′be•have′ *v.* להתנהג בצורה לא נאותה, להתפרע
misbehaved *adj.* משתובב, מתפרע
mis′be•ha′vior *n.* התנהגות רעה
mis′be•lie′ver (-lēv′-) *n.* מאמין בהבל
mis′cal′cu•late′ *v.* לטעות בחישוב
mis′cal′cu•la′tion *n.* חישוב מוטעה
miscall′ (-côl) *v.* לקרוא בשם לא נכון/לא הולם
mis•car′riage (-rij) *n.* הפלה; אי־הגעה ליעד; כישלון
miscarriage of justice עיוות דין
miscar′ry *v.* להפיל (עוּבָּר); לא להגיע ליעד; להיכשל
miscast′ *v.* לשבץ (שחקן) בתפקיד לא הולם; לטעות בחלוקת התפקידים
mis′cegena′tion *n.* נישואי תערובת
mis′cella′ne•ous *adj.* מגוון, מעורב, ממינים שונים, רבגוני
mis′cella′ny *n.* קובץ, אנתולוגיה
mischance′ *n.* אסון, תאונה, מזל ביש
mis′chief′ (-chēf) *n.* נזק, פגיעה; מעשה־קונדס; שובבות; שובב, "תכשיט"
do a mischief להזיק, לפגוע
get into mischief להשתובב
make mischief לחרחר, לסכסך
up to mischief זומם מעשה קונדס
mischief-maker *n.* חרחרן
mis′chievous (-chiv-) *adj.* מזיק, זדוני; שובבי, תעלולני
mis′conceive′ (-sēv) *v.* לא להבין נכונה
mis′concep′tion *n.* תפיסה מוטעית
miscon′duct (-dukt) *n.* התנהגות רעה/מגונה, ניאוף; ניהול גרוע
mis′conduct′ *v.* לנהל בצורה גרועה
misconduct oneself להתנהג שלא כיאות; לנאוף
mis′construc′tion *n.* הבנה לא מדויקת, פירוש מוטעה
open to misconstruction עלול להתפרש שלא כראוי
mis′construe′ (-rōō′) *v.* להבין/לפרש באופן מוטעה
miscount′ *v.* לטעות בספירה
mis′count′ *n.* טעות בספירה
mis′cre•ant *n.* רשע, נוכל, נבל
mis′cre•a′ted *adj.* מושחת צורה
miscue (-kū′) *v.* לפספס בחבטה
misdate′ *v.* לתארך מועד מוטעה
misdeal′ *n&v.* (בקלפים) (לחלק) חלוקה מוטעית
misdeed′ *n.* פשע
mis′de•mea′nor *n.* עבירה
mis′direct′ *v.* להתעות, להטעות; למען שלא כראוי; לכוון לאפיק לא נכון
mis′direc′tion *n.* הנחייה מוטעית
misdo′ing (-dōō′-) *n.* פשע, עבירה
mise en scene (mēz′onsän′) *n.* תפאורה, רקע, סביבה
mi′ser (-z-) *n.* קמצן
mis′erable (-z-) *adj.* אומלל, מסכן, דל

miserliness *n.* קמצנות
mi′serly (-z-) *adj.* קמצני
mis′ery (-z-) *n.* מצוקה, כאב, צער
misfire′ *v.* להיתקע, לא לפלוט הקליע; לא להידלק; להחטיא המטרה; להיכשל
misfire *n.* החטאה; איור
mis′fit *n.* לבוש לא הולם; אדם לא מתאים (לתפקיד/לסביבה)
misfor′tune (-chən) *n.* מזל רע, צרה, תאונה, אסון
misgive′ (-giv) *v.* לחשוש, לדאוג
misgiv′ing (-g-) *n.* חשש, דאגה, ספק
misgov′ern (-guv-) *v.* לשלוט בצורה גרועה, לנהל באופן רע
misgovernment *n.* ניהול כושל
misguid′ed (-gīd-) *adj.* מותעה, מוטעה, הולך שולל; טיפשי
mis′han′dle *v.* לטפל שלא כראוי
mis′hap′ *n.* תאונה, פגיעה, תקרית
mis′hear′ *v.* לא לשמוע נכונה
mis′hit′ *v&n.* לפספס, לחבוט (בכדור) באופן רע; פספוס, חבטה גרועה, החטאה
mish′mash′ *n.* "סלט", ערבוביה
mis′inform′ *v.* למסור מידע כוזב/לא מדויק, להטעות
mis′inter′pret *v.* לא לפרש נכונה
mis′judge′ *v.* לא להעריך נכונה; לטעות בשיפוט; להתגבש דיעה מוטעית לגבי
misjudgement *n.* שיפוט מוטעה
mis′lay′ *v.* להניח (חפץ, בהיסח הדעת) ולשכוח היכן
mis′lead′ *v.* להתעות, לרמות, להוליך שולל; להטות מדרך הישר
mis′led′ = p of mislead
mis′man′age *v.* לנהל בצורה גרועה
mismanagement *n.* ניהול גרוע
mis′match′ *v.* לא להתאים כראוי
mis′name′ *v.* לקרוא בשם לא מתאים
mis′no′mer *n.* שם מטעה, שם לא הולם
misog′ynist *n.* שונא נשים
misog′yny *n.* שנאת נשים
mis′place′ *v.* להניח לא במקומו; לשים (מבטחו/אהבתו) באדם הלא נכון
mis′print′ *v.* לעשות טעות דפוס
mis′print′ *n.* טעות דפוס
mis′pronounce′ *v.* לבטא שלא כראוי
mis′pronun′cia′tion *n.* מבטא מוטעה
mis′quo•ta′tion *n.* ציטוט לא מדויק
mis′quote′ *v.* לא לצטט נכונה

mis′read′ *v.* לקרוא/לפרש שלא כהלכה
mis′re•port′ *v.* לדווח בצורה מסולפת
mis′rep′re•sent′ (-riz-) *v.* להציג בצורה מסולפת
mis′rep′re•senta′tion (-riz-) *n.* תיאור מסולף, הצגה לא נכונה
mis′rule′ *v&n.* (לנהל) שלטון רע
miss *n.* החטאה; הינצלות; כישלון; מפלה
a miss is as good as a mile שגיאה קטנה ושגיאה גסה - היינו הך
give it a miss להימנע מ־, לדלג על
near miss קליעה כמעט למטרה
miss *v.* להחטיא; להחמיץ, לאחר, להפסיד; לחוש בחסרון; להתגעגע
he can't miss it לבטח ימצא זאת, זה לנגד עיניו
miss an accident להינצל מתאונה
miss one's footing למעוד, להחליק
miss one's guess לא לנחש נכונה
miss out (on) להשמיט; לפסוח על; להפסיד, להחמיץ
miss the bus להחמיץ הזדמנות
miss the mark להחטיא את המטרה
miss the point לא לתפוס העוקץ
miss the train לאחר לרכבת
Miss *n.* גברת; נערה; מלכת יופי
mis′sal *n.* ספר תפילות, סידור נוצרי
mis′shap′en (-s-shāp′-) *adj.* מושחת צורה
mis′sile (-səl) *n.* טיל; קליע; חפץ מושלך, אבן, חץ
guided missile טיל מונחה
missile base בסיס טילים
missing *adj.* חסר; נעדר
missing link החוליה החסרה
the missing הנעדרים
mis′sion *n.* משלחת; שליחות, משימה, מטלה; מיסיון; בית המיסיון
mission in life ייעוד בחיים
mis′sionary (-ner′i) *n&adj.* מיסיונר; מיסיוני
mis′sis, mis′sus (-z) *n.* גברת★
mis′sive *n.* איגרת, מכתב ארוך
mis′spell′ (-s-s-) *v.* לטעות באיות
misspelling *n.* טעות באיות
mis′spend′ (-s-s-) *v.* לבזבז בלי טעם
mis′state′ (-s-s-) *v.* לא לציין נכונה, להציג (עובדה) באופן מסולף
misstatement *n.* אי דיוק, סילוף
mis′sy *n.* צעירה, נערה; חביבה'לה★
mist *n.* ערפל, דוק דמעות; טשטוש
mists of the past נבכי העבר

mist *v.* לערפל; לכסות באדים
mist over להתערפל, להתכסות דוק
mistake' *n.* שגיאה, טעות
and no mistake ללא כל ספק
by mistake בטעות
there is no mistake about it אין מקום לספק, זה ברור
mistake *v.* לטעות; להבין שלא כהלכה
there's no mistaking אין מקום לטעות/לספק, ברור
I mistook him for his brother החלפתי אותו באחיו, טעיתי בו
mistaken *adj.* מוטעה; טועה; לא מובן נכונה; לא מתפרש כהלכה
Mis'ter *n.* מר, אדון
mis'time' *v.* לשגות בעתוי, לפעול שלא בשעה ההולמת
mistletoe (mis'əltō') *n.* דבקון (צמח טפיל)
mistook' = pt of mistake
mis'tral *n.* רוח קרה (בדרום צרפת)
mis'trans•late' *v.* לא לתרגם נכון
mis'trans•la'tion *n.* תרגום משובש
mis'tress *n.* גברת, בעלת־בית; שולטת, מומחית; פילגש, אהובה; מורה
mis'tri'al *n.* משפט פסול/לא תקף
mis'trust' *v&n.* לא לבטוח ב־, לחשוד ב־; אי־אימון; חשדנות
mistrustful *n.* חשדני, לא סומך על
misty *n.* מעורפל; מכוסה דוק
misty-eyed *adj.* מכוסה דוק־דמעות
mis'un'derstand' *v.* לא להבין כראוי; לא לפרש כהלכה; לא להבינו
misunderstanding *n.* אי־הבנה
mis'use' (-ūz) *v.* להשתמש בצורה לא נאותה; להשתמש לרעה ב־
mis'use' (-ūs) *n.* שימוש לרעה
mite *n.* קטנטן, ילדון; מעט, פורתא; תרומה; פרוטה; אקרית (טפיל)
mi'ter *n.* מצנפת
miter joint חיבור ישר־זווית (שבו חוצה קו החיבור את זווית הפינה)
mit'igate' *v.* לשכך, להקל; להמתיק
mitigating circumstances נסיבות מקילות
mit'iga'tion *n.* שיכוך, הקלה; המתקה
mi•to'sis *n.* התפלגות תא, השתנצות
mi'tre = miter (-tər)
mitt *n.* כפפה, כסיה; ★יד
mit'ten *n.* כפפה, כסיה
mix *v.* לערבב, לבלול, לערבל; להתערבב; למזג; להתמזג
he mixes well הוא חברותי, מעורה
mix me a salad הכן לי סלט
mix up לבלבל, לערבב; להחליף (באחר)
mixed up מעורב, קשור, מסתבך; מבולבל
mix *n.* תערובת; ערבוב
cake mix תערובת אפייה (להכנת עוגה)
mixed *adj.* מעורב; של שני המינים
mixed bathing רחצה מעורבת
mixed blessing אליה וקוץ בה
mixed doubles זוגות מעורבים (טניס)
mixed farming ניהול משק מעורב
mixed feelings רגשות מעורבים
mixed marriage נישואי תערובת
mixed school בית־ספר מעורב
mixer *n.* מיקסר, עַרבב, עַרבל, מְבלל, מערבב; מערבל; עורך סרטים; מעורה
bad mixer לא חברותי
good mixer חברותי, מעורה בחברה
mix'ture *n.* תערובת; ערבוב
mixture as before טיפול כבעבר
mix-up *n.* תסבוכת, מהומה
miz'zen *n.* מיפרש אחורי; תורן אחורי
mizzenmast *n.* תורן אחורי
miz'zle *v.* לטפטף (גשם דק), לזרזף
mm = millimeters
mne•mon'ic (ni-) *adj.* מסייע לזכירה
mnemonics *n.* תורת השבחת הזיכרון
MO = Medical Officer
mo = moment *n.* ★רגע
half a mo ★רגע, רק רגע
moan *n.* אנחה, יללה; טרוניה
moan *v.* להיאנח; לגנוח; להתלונן
moat *n.* תעלה (מסביב למבצר), חֵיל
moated *adj.* (מבצר) מוקף תעלה
mob *n.* אספסוף, המון; כנופית פושעים
mob law חוק ההמון, חוק הרחוב
mob orator מלהיב ההמון, דמגוג
mob *v.* להתנפל על, להקיף מכל עבר
mob'cap' *n.* כובע אישה, שביס
mo'bile (-bēl) *adj.* נייד, מתנייע, נע, מתחלף; (פנים) מחליפי הבעה
mobile *n.* מובייל, מרצדה
mo•bil'ity *n.* ניידות, קלות התנועה
mo'biliza'tion *n.* גיוס
mobilization order צו גיוס
mo'bilize' *v.* לגייס; להתגייס
mob'ster *n.* בריון, גנגסטר
moc'casin *n.* מוקסין (נעל)
mo'cha (-kə) *n.* מוקה (קפה)
mock *v.* ללעוג; לצחוק; ללגלג על; לחקות; לבוז, לבטל, לשים לאל

mock *adj&n.* מדומה, חיקויי, מבוים
make a mock of לעשות ללעג
mock turtle מרק בטעם צב
mocker *n.* לגלגן, חקיין
put the mockers ★לקלקל, לשבש
mock'ery *n.* לעג, לגלוג, צחוק; מטרה ללעג; זיוף, "בדיחה"
hold up to mockery לעשות ללעג
mock-heroic *adj.* לועג לסגנון ההרואי
mockingbird *n.* ציפור־שיר (חקיינית)
mock-up *n.* דגם־דמה; תבנית
mod *n.* ★מודרני, מצוחצח
mod con ★מתקן מודרני, נוחיות
mods בחינות לתואר ב"א
mo'dal *adj.* של אופן, צורתי, של מודוס
modal auxiliary פועל עזר
mode *n.* אופן, צורה; מודוס; תהליך; אופנה, סגנון; סולם־קולות
mode of life אורח־חיים
mod'el *n.* דגם, תבנית; מודל; מופת, דוגמה; דוגמן (ית); דומה ל־, העתק
model *adj.* מופתי, מושלם, דוגמתי
model *v.* לשמש כדוגמן; להציג תלבושות; לכייר, לעצב, לעשות דגם, לדגם
model oneself on לחקות, לנהוג כ־
modeled *adj.* חטוב, מעוצב
modeling *n.* דוגמנות; כיור
mod'erate *adj&n.* מתון; ממוצע; בינוני
mod'erate' *v.* למתן; לרכך; להפחית; לרסן; להתמתן; לשוך; לפחות
moderately *adv.* מתון־מתון
mod'era'tion *n.* מתינות, התאפקות, ריסון־עצמי; צמצום; הקלה, הפחתה
in moderation באופן לא מופרז
moderations בחינות לתואר ב"א
mod'era'to (-rä-) *adv.* מודראטו, בקצב איטי, במתינות, מדודות, מתונות
mod'era'tor *n.* מתווך, בורר; יושב־ראש; בוחן ראשי; מאט ניטרונים
mod'ern *adj.* חדיש, של הזמן החדש; לא־קדום; מתקדם; מודרני
mod'ernism *n.* מודרניזם, חדשנות; רוח הזמן החדש; נטייה לחידושים
mod'ernist *n.* מודרניסט, חדשן
mod'ernis'tic *adj.* חדשני
moder'nity *n.* מודרניות, חדישות
mod'erniza'tion *n.* מודרניזציה
mod'ernize' *v.* לעשות למודרני, להתאים לשימוש מודרני
mod'est *adj.* צנוע; לא גדול; לא מפריז
mod'esty *adj.* צניעות, ענווה
in all modesty מבלי להתפאר
mod'icum *n.* שמץ, מעט, קצת
mod'ifica'tion *n.* שינוי, מודיפיקציה, אופנייה
mod'ifi'er *n.* (בדקדוק) מגביל
mod'ify' *v.* לשנות, להתאים, לסגל; למתן, לרכך; להגביל (בתואר)
mo'dish *adj.* אופנתי, מודרני
mo•diste' (-dēst) *n.* תופרת, אופנתנית
mod'ular (-j'-) *adj.* מודולרי, מורכב ממודולים/מיחידות סטנדרטיות
mod'ulate' (-j'-) *v.* לווסת, להתאים; לסלם, לערוך סילום/איפנון, לאפנן
mod'ula'tion (-j'-) *n.* ויסות, מודולציה, אפנון, כוונון צלילים, סילום
mod'ule (-j'o͞ol) *n.* מודול, יחידה סטנדרטית; מידה; חללית
command module חללית האם
lunar module חללית הירח (לנחיתה)
mo'dus op'eran'di שיטת פעולה
mo'dus viven'di אורח חיים, סובלנות הדדית, הסדר זמני, מודוס ויוונדי
mog'gy *n.* ★חתול
mo'gul *n.* עשיר מופלג, איל־הון
mo'hair *n.* מוהייר, אריג אנגורה
Mo•ham'medan *adj.* מוסלמי
Mohammedanism *n.* האיסלאם
moi'ety *n.* חצי, מחצית
moil *v.* לעמול, לעבוד קשה
moiré (mwärā') *n.* משי מימי
moist *adj.* לח, רטוב, לחלוחי
moist'en (-sən) *v.* ללחלח; להרטיב
mois'ture *n.* לחות, לחלוחיות
mois'turize' (-'ch-) *v.* ללחלח
moke *n.* ★חמור
mo'lar *n&adj.* (שן) טוחנת
molas'ses (-sēz) *n.* דבשה (נוזל דבשי), מולאסה
mold (mōld) *n.* דפוס, תבנית (לעיצוב כלי); טבע, תכונה, אופי; עובש; אדמה עשירה ברקבובית
mold *v.* לעצב, לצור צורה, לגבש; להתכסות עובש, להתעפש
mol'der (mōl'-) *v.* להרקיב, להתפורר
molding *n.* עיצוב; מוצר מעוצב; כרכוב
moldy *adj.* מעופש; מכוסה עובש; מעלה חלודה, מיושן; ★רע, מזופת
mole *n.* שומה, כתם; חפרפרת, חולד; שובר־גלים, מזח
molec'u•lar *adj.* מוליקולרי
mol'ecule' *n.* מוליקולה, פרודה

mole-hill *n.* תלולית (של חולד)
mole-skin *n.* פרוות חולד
molest′ *v.* להציק, להטריד
mo′les•ta′tion *n.* הטרדה
moll *n.* ⋆פרוצה, נערת פושע
mol′lifica′tion *n.* הרגעה, שיכוך
mol′lify′ *v.* להרגיע, לשכך
mol′lusc, mol′lusk *n.* רכיכה
mol′lycod′dle *n&v.* מפונק; לפנק
Mo′loch (-lok) *n.* מולך (אליל); תובע קורבנות אדם
Mol′otov′ cocktail בקבוק מולוטוב
molt (mōlt) *v&n.* להשיר; לנשור; נשירה
mol′ten (mōl-) *adj.* מותך, יצוק
molten image פסל מסכה (לפולחן)
mol′to *adv.* (במוסיקה) מולטו, מאוד
molyb′denum *n.* מוליבדנום (מתכת)
mom *n.* ⋆אם, אמא
mo′ment *n.* רגע; שעה; חשיבות, מומנט
at any moment בכל רגע; מיד
at every moment בכל רגע, כל הזמן
at odd moments ברגעים פנויים
at the moment עתה, בשעה זו
in a moment מיד, בתוך רגע
just a moment רק רגע, הנה
man of the moment איש השעה
not for a moment כלל לא
of (no) moment רב (חסר) חשיבות
the (very) moment מיד כש־, אך
this moment ברגע זה, זה עתה
mo′mentar′ily (-ter-) *adv.* לרגע
mo′mentary (-ter′i) *adj.* רגעי; נמשך, מתמיד
momen′tous *adj.* חשוב ביותר, רציני
momen′tum *n.* תנופה, מומנטום, תנע
gain momentum לקבל תנופה, להתעצם
mom′ma, mom′my *n.* ⋆אמא
Mon = **monday**
mon′arch (-k) *n.* מונרך, מלך
monar′chic (-k-) *adj.* מלוכני
mon′archism (-k-) *n.* מלוכנות
mon′archist (-k-) *n.* מלוכן
mon′archy (-ki) *n.* מונרכיה, מלכות, ממלכה
mon′aster′y *n.* מנזר, בית־נזירים
monas′tic *adj.* של נזירים, של מנזרים
monas′ticism *n.* נזירות, חיי הנזיר
mon•au′ral *adj.* לאוזן אחת, לא סטריאופוני; בעל אוזן אחת
Mon′day (mun-) *n.* יום שני
Mondays בימי ב׳ (בשבוע)

mon′etary (-ter′i) *adj.* כספי, מוניטרי
mon′ey (muni) *n.* כסף
bet any money להתערב על כל סכום
coining money עושה כסף, מתעשר
get/have one's money's worth לקבל תמורה מלאה לכספו
good money ⋆מחיר יקר
in the money ⋆עשיר, זוכה בכסף
made of money עשיר מופלג
make money לעשות/לגרוף כסף
marry money להתחתן עם עשירה
money down במזומנים
money to burn כסף רב, הון תועפות
put money into- להשקיע כסף ב־
raise money לגייס כסף
ready money מזומנים
throw one's money around לבזבז על ימין ועל שמאל
moneybag *n.* ארנק, תיק כסף
moneybags ⋆גדוש בכסף, עשיר
money-box *n.* קופה; קופסת־צדקה
money-changer *n.* חלפן, שולחני
moneyed *adj.* עשיר, של בעלי ההון
money-grubber *n.* להוט אחרי כסף
money-lender *n.* מלווה בריבית
moneyless *adj.* חסר־כסף, ללא פרוטה
money-maker *n.* עושה כסף, גורף הון
money-market *n.* שוק הכספים
money order המחאת כסף
money-spinner *n.* גורף רווחים
mon′ger (mung′g-) *n.* סוחר, עוסק, מפיץ
gossip monger רכלן
Mon′gol *adj.* מונגולואיד; מונגולי
Mon′golism *n.* מונגוליות
mon′goose *n.* נמייה הודית
mon′grel *n.* בן תערובת, מעורב־דם
mon′itor *n.* קשב־רדיו; מגלה רדיו־אקטיביות; משגוח, בודק; חניך תורן
monitor *v.* להקשיב לשידורים (זרים)
monitor screen מסך בקרה (באולפן)
monk (mungk) *n.* נזיר
mon′key (mung′ki) *n&v.* קוף; ⋆שובב; $500
get one′s monkey up ⋆להתרגז, להיתקף זעם
have a monkey on one′s back מכור לסמים; לנטור איבה
make a monkey of לשים לצחוק
monkey around (with) לשחק, להשתעשע
put his monkey up ⋆להרגיזו

monkey business רמאות, מונקי־ביזנס
monkey nut אגוז אדמה
monkey tricks רמאות, מונקי־ביזנס
monkey wrench מפתח אנגלי
monkish *adj.* של נזירים
mon'o *adj.* לא סטריאופוני, מכיוון אחד בלבד; (תחילית) אחד, מונו־
mon'ochrome' (-k-) *n&adj.* ציור/תמונה חד־צבעית; (טלוויזיה) שחור־לבן
mon'ocle *n.* מונוקל, מישקף
monog'amous *adj.* נשוי לבן־זוג אחד
monog'amy *n.* מונוגמיה, נישואים לבן־זוג אחד בלבד
mon'ogram' *n.* מונוגרמה, משלבת
mon'ograph' *n.* מונוגרפיה, חיבור מעמיק בנושא מסוים
mon'olith' *n.* מונולית, מצבת־אבן
mon'olith'ic *adj.* מונוליתי, אחיד, שלם
mon'ologue' (-lôg) *n.* מונולוג, חד־שיח
mon'oma'nia *n.* מונומניה, שיגעון לדבר מסוים
mon'oma'niac' *n.* מונומן
mon'ophthong' (-thông) *n.* מונופתונג, תנועה אחת
mon'oplane' *n.* מונופלן, מטוס חד־כנף
monop'olist *n.* מונופוליסט
monop'olis'tic *adj.* מונופוליסטי
monop'oliza'tion *n.* מונופוליזציה
monop'olize' *v.* לזכות במונופול, לשלוט על, להשתלט כליל על
monop'oly *n.* מונופול, שליטה
mon'orail' *n.* מונוריל, מסילת פס אחד
mon'osyllab'ic *adj.* חד הברי; (תשובה) קצרה, גסה ("כן", "לא")
mon'osyl'lable *n.* מלה חד־הברית
mon'othe•ism *n.* מונותיאיזם, אמונה באל אחד, אמונת הייחוד
mon'othe•ist *n.* מונותיאיסט
mon'otone' *n.* צליל חד־גוני
monot'onous *adj.* מונוטוני, חדגוני
monot'ony *n.* מונוטוניות, חד־גוניות
mon'otype' *n.* מונוטייפ, מסדרת אותיות
monox'ide *n.* תחמוצת חד־חמצנית
Monroe (mun'rō) (דוקטרינת) מונרו
Monsieur (məsyûr') *n.* מר, אדון
Monsignor (mōn'sēnyôr') *n.* מונסיניור (תואר לכומר)

mon•soon' (-sōōn) *n.* (תקופת) המונסון (רוחות/גשמים)
mon'ster *n.* מפלצת; ענק, גדול
green-eyed monster קנאה
mon'strance *n.* כלי־זכוכית (ללחם הקודש)
mon•stros'ity *n.* מפלצת, זוועה
mon'strous *adj.* מפלצתי, ענקי; מזעזע; אבסורדי, מחפיר
mon•tage' (-täzh) *n.* מונטאז', מיצרף, תמונה מורכבת מחלקים
month (munth) *n.* חודש
month in, month out בכל חודש, תמיד
month of Sundays זמן רב, יובלות
this day month בעוד חודש
monthly *adj&adv.* חודשי; פעם בחודש
monthly *n.* ירחון; וֶסֶת
mon'u•ment *n.* אנדרטה, מצבת־זיכרון; ספר/מפעל/מחקר בעל ערך נצחי
ancient monument אתר היסטורי
mon'u•men'tal *adj.* מונומנטלי; עצום, כביר
monumental mason מקים מצבות
moo *n&v.* לגעות; געייה (של פרה)
mooch (mōōch) *v.* ★לבקש, להוציא, לסחוט
mooch around ★לשוטט, להסתובב
moo-cow *n.* ★פרה
mood (mōōd) *n.* מצב־רוח; דרך
imperative mood דרך הציווי
in the mood for במצב רוח מתאים
moodiness *n.* דכדוך, כעס
moody *adj.* מצוברח, מדוכדך; שוקע חליפות במצבי רוח שונים
moon (mōōn) *n.* ירח, לבנה; חודש
cry/ask for the moon לבקש את הבלתי אפשרי
dark of the moon שעת חושך, ללא אור ירח
full moon ירח מלא
full of the moon הירח במילואו
new moon מולד הירח, זמן המולד
once in a blue moon פעם ביובל
over the moon ברקיע השביעי, שמח
promise the moon להבטיח הרים וגבעות
moon *v.* להזות, לחלום בהקיץ, לערוג
moon around/about להסתובב בלי מטרה, לשוטט; לבהות בעיניו
moon away לבטל (זמן) ללא מטרה

moonbeam *n.* קרן ירח (קרן אור)
moon buggy, moon rover רכב ירח
mooncalf *n.* מפלצת; רפה־שכל
moonless *adj.* חסר־ירח, חשוך
moonlight *n.* אור ירח
moonlight *v.* לעבוד עבודה נוספת
moonlit *adj.* מואר באור ירח, סהור
moonshine *n.* משקה לא חוקי; אור ירח; שטויות
moonstone *n.* אבן חן (לא יקרה)
moonstruck *adj.* סהרורי, מוכה ירח
moony *adj.* שקוע בהזיות, חולמני, מתבטל
moor *v.* לקשור, לרתק, להעגין (ספינה)
moor *n.* איזור צייד; אדמת בור
Moor *n.* מורי, בן־תערובת, ערבי־ברברי
moorcock *n.* תרנגול־בר
moorings *n-pl.* מעגן; כבלי קשירה, עוגנים; עקרונות מוסריים
Moorish *adj.* מורי, של מורים
moorland *adj.* אדמת בור
moose *n.* מוז, צבי (שטוח־קרניים)
moot (mōōt) *v.* להעלות (נושא) לדיון
moot point נקודה שנויה במחלוקת
moot question בעייה שטרם הוכרעה
mop *n.* מקל־שטיפה, סחבה, סמרטוט; סבך שיער פרוע, "מברשת"
mop *v.* לשטוף, לנקות, לנגב
  mop and mow לעשות העוויות
  mop the floor with להביס כליל
  mop up לנקות; לחסל, לבער
mope *v.* לשקוע בייאוש, להתדכדך
  mope around להסתובב אחוז־ייאוש
mope *n.* דכדוך, מרה שחורה
mo′ped (-ped) *n.* אופניים בעלי מנוע
mop′pet *n.* *ילדה, בובה'לה
mop-up *n.* חיסול, ניקוי, ביעור
mo•quette′ (-ket) *n.* אריג־שטיחים
moraine′ *n.* מורינה, סחופת קרחון, גרור
mor′al *adj.* מוסרי; צדיק, טהר־מידות; בעל מוסר־השכל
  moral certainty ודאות כמעט גמורה
  moral lesson מוסר־השכל, לקח
  moral right זכות מוסרית
  moral sense חוש מוסרי
  moral support תמיכה מוסרית
  moral victory ניצחון מוסרי
moral *n.* מוסר, מוסר־השכל, פרק מאלף
  draw the moral ללמוד מוסר־השכל
  has no morals בז לערכי המוסר
  morals מידות, אורח חיים מוסרי
  of loose morals בעל מוסר מפוקפק

morale′ (-ral) *n.* מוראל, הלך־רוח
mor′alism *n.* מוסרנות, מוסריות
mor′alist *n.* מוסרן, מטיף מוסר
mor′alis′tic *adj.* מוסרני, מוסרי
moral′ity *n.* מוסריות, טוהר מידות
morality play מחזה־מוסר (בעבר)
mor′alize′ *v.* להטיף מוסר; לדון בערכי המוסר; להפיק מוסר־השכל מ־
morally *adv.* מבחינה מוסרית; קרוב לוודאי
morass′ *n.* בצה, בוץ; תסבוכת, מצוקה
mor′ator′ium *n.* מורטוריום, תדחית
mor′bid *adj.* חולני; נגוע; מדוכא
mor•bid′ity *n.* חולניות; תחלואה
mor′dant *adj.* עוקץ, סרקאסטי
more *adj&adv&n.* יותר, עוד, נוסף
  and what is more יתר על כן
  far more הרבה יותר
  more and more יותר ויותר
  more or less פחות או יותר
  more's the pity! מה חבל!
  no more לא עוד, לא יותר; אף לא
  once more שוב, פעם נוספת
  see more of him לראותו לעיתים יותר תכופות; לראותו שוב
  some more/any more עוד
  the more fool you טיפש גדול אתה
  the more I have the more I want ככל שיש לי, כן ארצה עוד
morel′lo cherry דובדבן מריר
moreover (môrō′vər) *adv.* נוסף על כך, חוץ מזה, יתר על כן
mo′res (-rāz) *n-pl.* מנהגים
moresque′ (-resk) *adj.* בסגנון מורי
mor′ganat′ic marriage נישואי אציל עם אשה פשוטה
morgue (môrg) *n.* חדר־מתים, מקום לשמירת גופות; ארכיון לקטעי עיתונות
mor′ibund′ *n.* גוסס, גווע, דועך
Mor′mon *n.* מורמוני
Mor′monism *n.* מורמוניזם (דת המורמונים)
morn *n.* בוקר, צפרא
mor′ning *n&adj.* בוקר; של בוקר
  in the morning of one's life באביב ימיו
  mornings בשעות הבוקר, לבקרים
morning coat מעיל־בוקר (דמוי פראק)
morning dress תלבושת בוקר רשמית
morning glory לפופית (מטפס)
morning prayer תפילת שחרית
morning room סלון בוקר

morning sickness בחילת־בוקר (של אשה בהריון)
morning star איילת השחר, נוגה
morning watch משמרת הבוקר
moroc'co *n.* עור־עזים
mo'ron (-ron) *n.* מטומטם, רפה־שכל
moron'ic *adj.* מטומטם
morose' *adj.* כעוס, מר־נפש, זועף
mor'pheme *n.* מורפימה, צורן (הברה משמעית של מלה)
mor•phe'mics *n.* מורפולוגיה
mor'phe•us *n.* מורפיאוס, אל השינה
in the arms of Morpheus ישן, אחוז בקורי־השינה
mor'phia *n.* מורפיום
mor'phine (-fēn) *n.* מורפיום
mor'pholog'ical *adj.* מורפולוגי, צורתי
mor•phol'ogy *n.* מורפולוגיה, חקר הצורנים; תורת הצורות בביולוגיה
mor'ris *n.* מוריס, ריקוד־עם אנגלי
mor'row (-ō) *n.* מחר, המחר; בוקר
Morse code כתב־מורס
mor'sel *n.* חתיכה, נגיסה; פירור, שמץ
mor'tal *n.* בן־תמותה; ★אדם, טיפוס
mortal *adj.* אנושי; אנוש, קטלני, של מוות; ★גדול, נורא, רב
do every mortal effort לעשות כל מאמץ אפשרי
mortal agony ייסורי גסיסה
mortal combat מאבק עד מוות
mortal danger סכנת מוות
mortal enemy אויב בנפש
mortal fear אימת מוות
mortal hatred שנאת מוות
mortal sin חטא מוות (בנצרות)
mor•tal'ity *n.* תמותה
mortality table טבלת תוחלת חיים
mortally *adv.* אנושות; עד מאוד, עמוק
mor'tar *n.* מלט, טיח; מכתש, מדוכה; מרגמה
mortar *v.* לטייח במלט, למלוט
mortar-board *n.* לוח־מלט; כובע אקדמי
mort'gage (-rgij) *n&v.* משכנתה; למשכן
mort'gagee' (-rgijē) *n.* מלווה כנגד משכנתה
mort'gagor (-rgijər) *n.* ממשכן
mor'tice = mortise (-tis)
mor•ti'cian (-tishən) *n.* קבלן־קבורה
mor'tifica'tion *n.* דאבון־לב, סבל; השפלה, פגיעה; סיגוף; מקק, נמק
mor'tify' *v.* להשפיל, לפגוע, לְענות; לסגף; להרקיב, להינגע במקק
mortify the flesh להסתגף
mor'tise (-tis) *n.* גרז, שקע, חריץ
mortise *v.* לשגם, לחבר בגרז; לגרז
mortise lock מנעול גרז (שקוע בדלת)
mor'tuary (-chooer'i) *n.* חדר מתים
mortuary *adj.* של קבורה, של מוות
mo•sa'ic (-z-) *n.* מוזאיקה, פסיפס
mosaic *adj.* של (תורת) משה
mo•selle' (-zel) *n.* מוסל (יין)
Mo'ses (-zis) *n.* משה רבינו
mo'sey (-zi) *v.* ללכת, לפסוע בנחת
Mos'lem (-z-) *n&adj.* מוסלמי
mosque (mosk) *n.* מסגד
mosqui'to (-kē'-) *n.* יתוש
mosquito net כילה (מעל למיטה)
moss (môs) *n.* טחב, איזוב
a rolling stone gathers no moss המשנה מקומו תדיר אינו מצליח
moss-grown *adj.* מכוסה טחב
mossy *adj.* מכוסה טחב, אזובי
most (mōst) *adj&adv&n.* הרב ביותר, הכי (גדול), הכי הרבה; מרבית, כמעט כל; מאוד
at (the very) most לכל היותר, מקסימום
for the most part לרוב, בדרך כלל
make the most of להפיק את מירב התועלת מן, למצות, לנצל
most certainly קרוב לוודאי
most of all הכי הרבה, בעיקר
mostly *adv.* בעיקר, ברוב המקרים
MoT מיבחן לכלי רכב, טסט
mote *n.* גרגיר אבק
mo•tel' *n.* מוטל, מלונוע
mo•tet' *n.* מוטט, שירה רב־קולית
moth (môth) *n.* עש
mothball *n.* כדור נפתלין
in mothballs מאוחסן, לא בשימוש
moth-eaten *adj.* אכול־עש; שיצא מן האופנה, מיושן; משומש
moth'er (mudh'-) *n.* אם, אמא; אם־בית
every mother's son הכל, עד אחד
the mother of אבי ה־, גורם
mother *v.* ללדת; לאמץ; לטפל כאם
Mother Carey's chickens יסעורים, עופות־הסערה; פתיתי־שלג
mother city עיר ואם, מטרופולין
mother country מולדת; מטרופולין

Mother Goose rhyme שיר ילדים
motherhood *n.* אימהות
mother-in-law *n.* חמות, חותנת
motherless *adj.* יתום, חסר אם
motherlike *adj.* אימהי
motherly *adj.* אימהי
Mother Nature אמא טבע, הטבע
mother-of-pearl *n.* אם-המרגליות, צידפת הפנינים
mother ship אוניית אם
mother superior נזירה ראשית
mother-to-be *n.* אם בעתיד, אשה בהריון, מצפה לילד
mother tongue שפת־אם
mother wit שכל טבעי
moth-proof *adj.* חסין־עש
moth-proof *v.* לחסן (אריג) נגד עש
mo•tif′ (-tēf) *n.* מוטיב, נושא, רעיון; תנע
mo′tion *n.* תנועה, ניע; הצעה (לדיון); פעולת מעיים, יציאה
go through the motions לפעול כלאחר יד/כדי לצאת ידי חובה
set in motion להפעיל, להניע
slow motion הקרנה איטית
motion *v.* לסמן בתנועת יד, לרמוז
motion him away לרמוז לו שיסתלק
motionless *adj.* ללא תנועה
motion picture סרט קולנוע
mo′tivate′ *v.* להניע, לגרום, להמריץ
mo′tiva′tion *n.* מוטיבציה, הנעה, מניע, אתנע
mo′tive *n&adj.* מניע, גורם, מוטיב, תנע
motiveless *adj.* ללא מניע
mot juste (mōzhōōst′) ביטוי קולע
mot′ley *adj&n.* מעורב, מגוון; (בגד) רבגוני; תלבושת ליצן
wear the motley לשחק תפקיד הליצן
mo′to•cross (-krôs) *n.* מירוץ מכשולים לאופנועים
mo′tor *n.* מנוע; מכונית; שריר מוטורי
motor *adj.* ממונע, מוטורי, מנועי; תנועתי; של מכוניות
motor *v.* לנסוע במכונית
motor-assisted *adj.* בעל מנוע־עזר
motorbike *n.* אופנוע קל, טילון
motorboat *n.* סירת מנוע
mo′torcade′ *n.* שיירת מכוניות
motorcar *n.* מכונית
motorcycle *n.* אופנוע
motorcyclist *n.* אופנוען
motoring *n.* נסיעה במכונית
mo′torist *n.* נהג, בעל מכונית
mo′toriza′tion *n.* מינוע, מיכון
mo′torize′ *v.* למנע, למכן
motorman *n.* נהג חשמלית
motor scooter קטנוע
motorway *n.* כביש מהיר
mot′tle *v.* לנמר, לגוון בכתמים
mottled *adj.* מנומר, רבגוני
mot′to *n.* מוטו, מימרה, פתגם
moujik (mōō′zhik) *n.* איכר (רוסי)
mould (er) = mold (er)
moult = molt
mound *n.* תל, גבעונת, סוללה; ערימה
mount *v.* לעלות על (סוס); לעלות; לטפס; להעלות, להרכיב; לקבוע; להרביע
mount a picture למסגר תמונה
mount a play להפיק/להעלות מחזה
mount an attack לערוך מתקפה
mount an insect להכין חרק לתצוגה
mount guard לשמור, לשמש כזקיף
mount the throne לעלות על כס המלכות
mount up לעלות, לגדול, להצטבר
mounted police פרשי המשטרה
mount *n.* הר; בהמת־רכיבה; כן, מקבע, מרכב; מסגרת, משבצת
moun′tain (-tən) *n.* הר; כמות עצומה
mountain high גבוה מאוד
mountain ash חוזרר (עץ)
mountain chain/range רכס הרים
mount′aineer′ (-tən-) *n.* מטפס הרים
mountaineering *n.* טיפוס הרים
mountain goat יעל, עז הבר
mountain lion לביא ההרים
moun′tainous (-tən-) *adj.* הררי, עצום
mountain sickness מחלת הרים (עקב דלילות האוויר)
mountainside *n.* צלע ההר
mountaintop *n.* פסגת ההר
moun′tebank′ *n.* רמאי, משדל קונים בחלקת־לשונו; תוחב תרופות פלא
Moun′tie *n.* פרש משטרתי קנדי
mourn (môrn) *v.* להתאבל (על)
mourner *n.* אבל, משתתף בלווייה
mournful *adj.* עצוב, מלא צער
mourning *n.* אבל; בגדי־אבל, שחורים
go into mourning להתחיל במנהגי אבלות, ללבוש שחורים; לשקוע ביגון
in deep mourning שרוי באבל עמוק; לבוש שחורים
mourning-band *n.* סרט־אבל

mouse (-s) *n.* עכבר; פחדן, ביישן
play cat and mouse with him
לשחק במשחק החתול והעכבר, להתאכזר
poor as a church mouse עני מרוד
mouse (-z) *v.* ללכוד עכברים
mous′er (-z-) *n.* (חתול) לוכד עכברים
mousetrap *n.* מלכודת עכברים
mousetrap cheese גבינה ישנה/דוחה
mousse (mōōs) *n.* מוס; מקפא־קצפת
moustache (mus′tash) *n.* שפם
mous′y *n.* עכברי; פחדן; שקט; חום
mouth (-th) *n.* פה, פתח, כניסה, יציאה
by word of mouth בעל פה, בדיבור
down in the mouth עצוב, מדוכא
keep one's mouth shut לנצור פיו
laugh on wrong side of mouth
להתאכזב, לעבור מצהלה לעצב
look a gift horse in the mouth
לחפש מומים בחטטנות יתירה
put the mouth on him ⋆להכשילו
ע"י דברי התפעלות, לעשות לו עין־הרע
put words in his mouth
לשים מלים בפיו, לטעון שהלה אמר כך
shut your mouth בלום פיך!
stop his mouth להשתיקו
take the words out of his mouth
להוציא המלים מפיו
well, shut my mouth! האומנם!
(ביטוי הפתעה)
mouth (-dh) *v.* לבטא בראוותנות;
להביע; למלמל; להכניס לפה; לגעת בפה
-mouthed (-dh-) *adj.* בעל פה־
foul-mouthed מנבל פיו
mouthful *n.* מלוא הפה, כמות קטנה,
לגימה; ⋆הצהרה חשובה; מלה ארוכה
say a mouthful ⋆לומר דבר חשוב,
לגלות את אמריקה
mouth-organ *n.* מפוחית־פה
mouthpiece *n.* פה; פומית; שופר, דובר
מטעם, ביטאון; פרקליט־פושעים
mouth-to-mouth *adj.* (הנשמה) מפה
לפה
mouthwash *n.* תשטיף פה
mouth-watering *adj.* עסיסי, טעים
לחך
movable (mōōv′-) *adj&n.* נייד,
בר־תנועה, מתנייע; מיטלטל; (חג)
שתאריכו משתנה
movables מיטלטלים, נכסי דניידי
move (mōōv) *v.* לנוע; להניע; לזוז;
להזיז; לעבור; להעביר; לעבור דירה;
להתקדם; להשפיע, לרגש; לגרום, לעורר;
להציע, להעלות; לפעול
move (a piece) (בשחמט) לעשות
צעד
move along להתקדם, לזוז
move around/about להסתובב,
לשוטט
move away להרחיק, להעתיק ביתו
move down להוריד, לרדת
move for לבקש (רשמית)
move heaven and earth להפוך
עולמות, לעשות כל מאמץ
move house לעבור דירה
move in להיכנס לדור (בבית חדש)
move in on ⋆להשתלט על, ליטול
move in the high society להתחכך
באנשי החברה הגבוהה
move off לצאת לדרך
move on (להורות) לזוז; לעבור הלאה
move out לצאת מדירה
move over לפנות מקום, לזוז
move the bowels לרוקן המעיים
move up לעלות; להעלות
the spirit moves him השכינה שורה
עליו, מתעורר בו הרצון
move *n.* תנועה, צעד; מסע, תור
get a move on ⋆לזוז, להזדרז
make a move לעשות צעד, לזוז
on the move בתנועה, מסתובב
movement *n.* תנועה; מנגנון; פעילות;
פרק (בסימפוניה); עשיית צרכים
mover *n.* נע; מניע; מציע הצעה
prime mover יוזם ראשי, הרוח החיה
movie (mōōv′i) *n.* סרט, קולנוע
movie star כוכב קולנוע
moving *adj.* נע; מניע; מעורר רגש
moving spirit הרוח החיה
moving picture סרט, קולנוע
moving staircase מדרגות נעות
mow (mō) *v.* לקצור, לקצוץ, לכסות
mow down לקצור, להפיל חללים רבים
mow *n.* ערימת חציר, מחסן חציר
mow′er (mō′-) *n.* מכסחה
MP = Member of Parliament
mpg = miles per gallon
mph = miles per hour
Mr (mis′tər) *n.* מר, אדון
Mrs (mis′iz) *n.* גברת (נשואה)
Ms (miz) *n.* גברת
MS = manuscript
MSc = Master of Science
Mt = mount הר
much *adj&n&adv.* הרבה; הרבה יותר;

בהרבה; מאוד; במידה רבה; כמעט
as much כך; אותו דבר
as much again שוב אותה כמות
as much as כמות שווה, ממש כמו, כאילו, למעשה
as much as I can do במיטב יכולתי
for as much as הואיל ו־
how much? כמה? מה המחיר?
make much of להעריך, לייחס חשיבות; להפריז; להבין, לקלוט
much as למרות ש־, חרף
much less ובוודאי שלא
much like/the same as כמעט כמו
much more כל שכן, קל וחומר
much of a muchness כמעט זהים
much the same כמעט אותו הדבר
much to my surprise להפתעתי הרבה
not much of a גרוע, לא טוב
not see much of him לא לראותו
not up to much לא שווה, גרוע
so much כל כך
so much the better מוטב כך
that/this much דבר זה; כמות זו
think much of להעריכו, להחשיבו
too much יותר מדי; קשה מדי
very much הרבה מאוד; מאוד
without so much as אפילו ללא־

mu'cilage *n.* ריר, דבק צמחים
muck *n.* לכלוך, זוהמה; זבל, דומן
make a muck of לטנף; לשבש, לקלקל
muck *v.* לטנף; לזבל, לפזר דומן
muck around/about ⋆לשוטט, להתמזמז
muck in לשתף פעולה; לעבוד בצוותא
muck out לנקות (אורווה), לסלק זבל
muck up ⋆לטנף; לשבש, לקלקל
muck-heap *n.* ערימת־דומן
muck-rake *v.* לחטט, לחשוף שערוריות
muck-raker *n.* חטטן; מגלה שערוריות
mucky *adj.* מטונף, מלוכלך
mu'cous *adj.* רירי, רירני, מפריש ריר
mucous membrane קרומית רירית
mu'cus *n.* ריר, ליח; הפרשה רירית
mud *n.* בוץ, רפש, יוון
his name is mud הוכפש שמו
throw mud להטיל בוץ, להשמיץ
mud bath אמבטיית־בוץ
mud'dle *n.* ערבוביה, מבוכה, בלבול
muddle *v.* לבלבל; לקלקל, לשבש
muddle along להמשיך בדרך מבולבלת
muddle through להיחלץ בדרך

כלשהי, להצליח איכשהו להגיע למטרה
muddle-headed *adj.* מבולבל
mud'dy *adj.* בוצי, עכור, מרופש; מעורפל
muddy *v.* לרפש, ללכלך בבוץ
mud flat אדמה בוצית (שמי־הים מכסים אותה בשעות הגיאות)
mudguard *n.* כנף (מעל אופן הרכב)
mud'pack' *n.* אמבטיית בוץ לפנים
mudslinger *n.* מטיל בוץ, מכפיש שם
mu•ez'zin (mūez-) *n.* מואזין
muff *n.* ידונית, גליל פרווה; לא יוצלח; פספוס, אי קליטת כדור
muff *v.* להיכשל, לפספס, לא לקלוט
muf'fin *n.* לחמנייה, עוגת־תה
muf'fle *v.* לעמעם קול; לעטוף, לכרבל
muffler *n.* עמם־פליטה; צעיף, סודר
muf'ti *n.* מופתי; תלבושת אזרחית
mug *n.* ספל; ⋆פרצוף; טיפש, פתי
mug's game פעולה שאין רווח בצידה
mug *v.* לשדוד, לגזול, להתקיף
mug up ⋆ללמוד היטב, לשנן
mugger *n.* שודד, ליסטים
mug'gins (-z) *n.* ⋆טיפש
mug'gy *adj.* (מזג־אוויר) לח וחם
mug'wump' *n.* מדינאי עצמאי, מתנפח
Mu•ham'mad (mōō-) *n.* מוחמד
Mu•ham'madan (mōō-) *adj.* מוסלמי, מוחמדי
mulat'to *n.* מולאט (שאחד מהוריו כושי והשני לבן)
mul'ber'ry *n.* תות
mulch *n&v.* (לכסות ב־) רובד־גבבה (להגנה על שורשי צמחים)
mulct *v.* לקנוס; להונות, לסחוט
mule *n.* פרד; עקשן; נעל־בית; מטווייה
mu'leteer' *n.* נהג פרדות
mu'lish *adj.* עקשן
mull *v.* לחמם (יין); להשביח הטעם
mull over it להרהר בדבר
mull *n.* לשון יַבָּשָׁה, צוק חוף
mul'lah (-lə) *n.* מולה, מלומד מוסלמי
mul'lein (-lin) *n.* בוצין (צמח־בר)
mul'let *n.* מולית (דג־ים), קיפון
mul'ligataw'ny *n.* מוליגטוני (מרק)
mul'lion *n.* מחיצה אנכית (בחלון)
mullioned *adj.* בעל מחיצות אנכיות
mul'ti (תחילית) רב־, מולטי־
multi-colored *adj.* רבגוני, ססגוני
mul'tifa'rious *adj.* מגוון, רב־סוגים, רב־צדדי, שונים, רבים
mul'tiform' *adj.* רב־צורות

mul'tilat'eral *adj.* רב־צדדי, רב־שותפים
mul'tilin'gual (-gwəl) *adj.* רב־לשוני
mul'timil'lionaire' *n.* מולטימיליונר
mul'tiple *adj.* מרובה, רב, הרבה
multiple *n.* כפולה
common multiple כפולה משותפת
multiple stores רשת חנויות
mul'tiplex' *adj.* מגוון, רב־חלקים
mul'tiplica'tion *n.* הכפלה, כפל
multiplication table לוח הכפל
mul'tiplic'ity *n.* ריבוי, מספר רב
mul'tiply' *v.* להכפיל; להגדיל; להרבות ב־; להתרבות
mul'tira'cial *adj.* רב־גזעי
mul'ti-stage' *adj.* רב־שלבי
mul'tistor'ey *adj.* רב־קומות
mul'titude' *n.* המון, מספר רב
cover a multitude of sins לכסות פשעים רבים, להוות תירוץ טוב
the multitude המון העם, הציבור
mul'titu'dinous *adj.* רב, עצום
mul'tum in par'vo (mool-) מועט המחזיק את המרובה, הרבה בשטח קטן
mum *n.* שקט, דומייה; ⋆אמא
keep mum לשתוק, להחריש
mum is the word! אף מלה! זה סוד!
mum'ble *v.* למלמל; ללעוס (כבפה חסר־שיניים)
mum'bo jum'bo נושא להערצה עיוורת; פולחן אווילי; הבלים, קש וגבבה
mum'mer *n.* פנטומימאי, שחקן
mum'mery *n.* הצגה, משחק, טקס דתי
mum'mifica'tion *n.* חניטה, חינוט
mum'mify' *v.* לחנוט
mum'my *n.* חנוט, מומיה; ⋆אמא
mumps *n.* חזרת (מחלה)
munch *v.* ללעוס (בקול), לגרוס
mun•dane' *adj.* של העולם הזה, רגיל
mu•nic'ipal (mū-) *adj.* עירוני, של עיר
mu•nic'ipal'ity (mū-) *n.* עירייה
mu•nif'icence (mū-) *n.* רוחב־לב
mu•nif'icent (mū-) *adj.* רחב־לב, נדיב
mu'niments *n-pl.* מסמכים, שטרי־קניין
mu•ni'tion (mūnish'ən) *adj&v&n.* של תחמושת; לספק תחמושת
munitions תחמושת
mu'ral *adj&n.* של קיר; ציור קיר, פרסקו, תמשיח
mur'der *n&v.* רֶצַח; לרצוח; "להרוס"
cry blue murder לצעוק מרות
murderer *n.* רוצח
murderess *n.* רוצחת
mur'derous *adj.* רצחני, קטלני
murk *n.* אפילה, חושך; קדרות
murky *adj.* חשוך, קודר; (ערפל) כבד
mur'mur *n.* מלמול, המיה, רשרוש; קול פכפוך; תרעומת, ריטון
murmur *v.* למלמל, לרשרש; לרטון
mur'phy *n.* ⋆תפוח־אדמה
mur'rain (-rin) *n.* מחלת בהמות; מגפה
mus'catel' *n.* מוסקט (יין, ענבים)
mus'cle (-səl) *n&v.* שריר; כוח
not move a muscle לקפוא על מקומו
muscle in ⋆להידחק בכוח, להתמרפק
muscle-bound *adj.* קשוח־שרירים (כתוצאה מהפרזה באימונים)
muscled *adj.* בעל־שרירים
muscle-man *n.* איש שרירים
Mus'covite' *adj.* רוסי, תושב מוסקבה
mus'cu•lar *adj.* שרירי, חזק
muse (-z) *n.* מוזה, השראה, בת השיר
muse *v.* לשקוע בהרהורים, להזות
mu•se'um (mūz-) *n.* מוזיאון
museum piece חפץ ראוי לתצוגה; ⋆מיושן, שיצא מן האופנה
mush *n.* דייסה; בליל סמיך; רגשנות
mush'room *n&adj.* פטרייה; ארנה; צמיחה מהירה; כפיטרייה, גדל מהר
mushroom *v.* ללקוט פטריות; להתפתח מהר; להתפשט; להיתמר, להתאבך
mush'y *adj.* דמוי־דייסה, רך; רגשני
mu'sic (-z-) *n.* מוסיקה, נגינה
face the music לנהוג כגבר, לקבל עליו התוצאות
set to music להלחין, לחבר מנגינה
music (al) box תיבת נגינה
mu'sical (-z-) *adj.* מוסיקלי
musical *n.* קומדיה מוסיקלית, מחזמר
musical chairs כיסאות מוסיקליים (מישחק מבדר)
musical instrument כלי נגינה
music hall מוסיקול; אולם בידור
mu•si'cian (mūzish'ən) *n.* מוסיקאי
music stand מעמד תווים
music stool שרפרף, כיסא פסנתר
musk *n.* מושק (חומר המשמש לבשמים ולרפואה)
musk deer מושק (חיה אסייתית)
mus'ket *n.* מוסקט (רובה ישן)
mus'keteer' *n.* מוסקטר, חמוש

ברובה מוסקט
mus′ketry *n.* רובאות
musk-melon *n.* סוג של מלון
musk-rat *n.* (פרוות) עכבר־המושק
musk rose ורד המושק
musk′y *adj.* בעל ריח מושק
Mus′lim (-z-) *n.* מוסלמי
mus′lin (-z-) *n.* מוסלין (בד עדין)
mus′quash = musk-rat (-kwosh)
muss *n.* אנדרלמוסיה, אי־סדר
muss *v.* לעשות אי־סדר, לפרוע
mus′sel *n.* צדפה שחורה
Mus′sulman *n.* מוסלמי
must *v.* להיות חייב/מוכרח/צריך
he must be cold בטח קר לו
must not אסור, אין רשות
must *n.* הכרח, דבר שחייבים לעשותו
must *n.* תירוש, מיץ ענבים
mus′tache (-tash) *n.* שפם
mus′tang (-tang) *n.* מוסטאנג, סוס פרא
mus′tard *n.* חרדל
keen as mustard נלהב, להוט
mustard gas גאז החרדל
mustard plaster רטיית חרדל
mus′ter *v.* לאסוף, להזעיק; להתקבץ
muster one's courage לאזור אומץ
muster *n.* מפקד, מסדר; רשימה שמית
pass muster להשביע רצון, לעמוד בדרישה
mustn't = must not (mus′ənt)
mus′ty *adj.* מעופש, עבש; מיושן
mu′tabil′ity *n.* השתנות
mu′table *adj.* משתנה, בר־שינוי
mu′tant *n.* יצור שנוצר ע״י מוטאציה
mu•ta′tion (mū-) *n.* שינוי, מוטאציה, גלגול, היווצרות יצור מסוג חדש
mu•ta′tis mu•tan′dis (mū-mū-) עם השינויים הדרושים
mute *adj.* שותק, מחריש; (אות) לא מבוטאת
mute *n.* אילם; עמעמת, מעמעם צלילים
mute *v.* לעמעם, להחליש צליל
mu′tilate′ *v.* לקטוע, לכרות; להטיל מום; להשחית, לעוות, לקלקל
mu′tila′tion *n.* קטיעה; השחתה
mu′tineer′ *n.* מורד
mu′tinous *adj.* מורד, מרדני
mu′tiny *n&v.* מרד, התקוממות; למרוד
mutt *n.* ⋆כלב, טיפש
mut′ter *n&v.* למלמל; לרטון; מלמול
mut′ton *n.* בשר כבש
dead as mutton מת לגמרי
mutton dressed as lamb מבוגרת המתגנדרת כצעירה
mutton-chops *n-pl.* זקן־לחיים
mutton-head *n.* טיפש, שוטה
mu′tual (-chōōəl) *adj.* הדדי; משותף
mutual fund חברת השקעות
mu′tual′ity (-chōōal-) *n.* הדדיות
mu′zak (-zak) *n.* מוסיקה מתמדת (במסעדות)
muz′zle *n.* חרטום החיה, זרבובית; זמם, מחסום; לוע
muzzle *v.* לחסום בזמם; להשתיק
muzzle-loader *n.* (תותח) נטען בלוע
muzzle velocity מהירות לוע (של קליע בצאתו מן הלוע)
muz′zy *adj.* מבולבל, מטושטש, מעורפל
my *pron&interj.* שלי; או! (קריאה)
oh my! קריאת שמחה וכ׳
my•col′ogy *n.* תורת הפטריות
my′eli′tis *n.* דלקת חוט השדרה
my′na *n.* ציפור חקיינית
my•o′pia *n.* קוצר ראייה
my•op′ic *adj.* קצר ראייה
myr′iad *n.* הרבה, מספר רב
myr′midon′ *n.* עבד, ממלא כל פקודה
myrrh (mûr) *n.* מור, שרף־בשמים
myr′tle *n.* הדס
my•self′ *pron.* אני, (ל־/ב־/את) עצמי
by myself בעצמי, לבדי
I'm not myself איני כתמול שלשום
myste′rious *adj.* מסתורי, נעלם
mys′tery *n.* מסתורין; תעלומה; פולחן מסתורי; מחזה נוצרי, מיסטריה
mys′tic *n.* מיסטיקן, מקובל
mys′tic (al) *adj.* מיסטי, סודי, מסתורי
mys′ticism *n.* מיסטיות, תורת הנסתר
mys′tifica′tion *n.* מיסטיפיקאציה
mys′tify′ *v.* להביך, לעטוף בסודיות
mystique′ (-tēk) *n.* סוד אמנותי; מיסטיות, מסתורין; תעלומה; מיסטיקה
myth *n.* מיתוס, אגדה; דבר בדוי
myth′ical *adj.* אגדי, של מיתוס; דמיוני
myth′olog′ical *adj.* מיתולוגי
mythol′ogist *n.* מיתולוג
mythol′ogy *n.* מיתולוגיה, חקר המיתוס; אגדות עמי־הקדם
myx′omato′sis *n.* מחלת שפנים קטלנית

N

n = noun, north, number
NA = North America
nab *v.* ללכוד, לאסור; לתפוס
na'bob' *n.* עשיר, גביר
nacelle' *n.* בית־המנוע (במטוס)
na'cre (-kər) *n.* אם המרגלית, צדפה
na'dir *n.* נדיר, נבך; נקודת השפל
nag *n.* ★סוסון, סוס זקן; רטנן, נודניק
nag *v.* להציק; לרטון; לנדנד
nagger *n.* מציק; נודניק
nai'ad *n.* נימפת־המים
nail *n.* מסמר; ציפורן
fight tooth and nail להילחם בציפורניו
hard as nails בעל כושר גופני מצוין; נוקשה, חסר־רחמים
hit the nail on the head לתת תשובה הולמת, לקלוע למטרה
pay on the nail לשלם בו במקום
right as nails נכון בהחלט
nail *v.* למסמר; לרתק; לפגוע (בירייה)
nail a lie to the counter להוקיע שקר, לחשוף השקר
nail down למסמר; לאלצו לדבר, לדובב; לסכם, להסדיר; להבטיח
nail up למסמר, לסגור במסמרים
nailbrush *n.* מברשת ציפורניים
nail file שופין־ציפורניים
nail scissors מספרי־ציפורניים
nail varnish/polish לכת־ציפורניים
nain'sook *n.* ננסוק (אריג כותנה)
naive (näēv') *adj.* נאיבי, תמים, תם
naiveté (nä'ēvətā') *n.* נאיביות
na'ked *adj.* ערום, חשוף, גלוי
naked eye עין לא מזוינת
naked truth אמת לאמיתה
nakedness עירום, מערומים
nam'by-pam'by *adj.* רגשני, נשי
name *n.* שם; בעל־שם, אישיות
big name אישיות חשובה
by name ששמו; בשמו; אישית
by the name of המכונה, ששמו
call him names לכנותו בכינויי גנאי
enter one's name for להירשם ל:
in name בשם, בתואר בלבד
in the name of the law בשם החוק
lend one's name to להסכים להשתתף ב־, לתת ברכתו
make one's name לעשות לו שם
not a penny to one's name חסר כל
take his name in vain לשאת שמו לשווא; ★להזכיר שמו
the name of the game שם המישחק, פה קבור הכלב, העיקר
to one's name בבעלותו, שלו
win a name for oneself לקנות שם לעצמו
write under the name of לחתום בשם־, להשתמש בשם (בדוי)
name *v.* לתת שם; לקרוא; לכנות; למנות, לקבוע; לנקוב (שם, מחיר)
be named after/for להיקרא על שם
name the day לקבוע יום החתונה
name day יום השם (של הקדוש שהאדם נקרא על שמו)
name-drop *v.* לזרוק שמות, לפלוט שמות אישים (למען הרושם)
name-dropping *n.* זריקת שמות
nameless *adj.* ללא שם, אלמוני; בלי לנקוב בשמו; בל־יתואר; נורא
namely *adv.* כלומר, דהיינו
name-part *n.* תפקיד ראשי (במחזה)
name-plate *n.* לוחית־שם, שלט
namesake *n.* בעל שם דומה
nan'cy *n&adj.* נשי; הומוסקסואל
nan•keen' *n.* אריג כותנה
nan'ny *n.* מטפלת
nanny goat עז, עיזה
nap *n.* שינה קלה, נמנום; גבחת, הצד החלק באריג; נאפ (משחק קלפים)
take a nap לנמנם, לחטוף תנומה
nap *v.* לנמנם; ★לנחש, לשער תוצאה
catch him napping לתפוס אותו בקלקלתו, למצוא אותו ישן
na'palm (-päm) *n.* נפאלם
nape *n.* מפרקת, עורף, אחורי הצוואר
na'pery *n.* מפות שולחן
naph'tha *n.* נפט
naph'thalene' *n.* נפתלין
nap'kin *n.* מפית (לסעודה); חיתול

napkin ring מחזיק מפית, טבעת מפית
Napo'le•on'ic *adj.* נפוליאוני
nap'py *n.* ⋆חיתול
nar'cissism' *n.* נרקיסיות, אהבה עצמית
nar'cissist *n.* נרקיסיסט
nar'cissus *n.* נרקיס (צמח־בר)
nar•cot'ic *adj&n.* נרקוטי, גורם לנרקוזה; מרדים, רדם (סם); נרקומן
nark *n.* ⋆מלשין, סוכן שתול
nark *v.* ⋆להרגיז, להתמרמר, לרטון
nark, narc *n.* ⋆שוטר לפשעי סמים
nark'y *adj.* ⋆זועם, מעוצבן
nar'rate *v.* לספר, לתאר; להקריא
nar•ra'tion *n.* סיפור, תיאור; קריאה
nar'rative *n.* סיפור, תיאור
narrative *adj.* מספר, תיאורי, סיפורי, אפי
nar'ra•tor *n.* מסַפר, קורא
nar'row (-ō) *adj&n.* צר, מצומצם, מוגבל; מדוקדק, קפדני; צר־אופק
in the narrow meaning במובן הצר
narrow circle חוג (מכרים) צר
narrow circumstances דלות, דוחק
narrow escape הינצלות בנס
narrow majority רוב זעום/מצומצם
narrows מיצר, רצועת מים
narrow *v.* להצר, לכווץ; להצטמצם
narrow down להצר, להגביל
narrow gauge מסילת ברזל צרה
narrowly *adv.* בקושי, כמעט; במדוקדק
narrow-minded *adj.* צר־אופק, קטן־מוח
nar'whal (-wəl) *n.* לוויתן ארקטי
na'ry *adj.* ⋆כלל לא, אף לא אחד
na'sal (-z-) *adj.* חוטמי, אפי, אנפפני
na'saliza'tion (-z-) *n.* אנפוף
na'salize' (-z-) *v.* לאנפף
nas'cent *adj.* מתהווה, מתחיל לצמוח, נולד, נוצר, בעל ניצני־
nastur'tium (-shəm) *n.* כובע הנזיר (פרח)
nas'ty *adj.* מטונף; מגעיל, מכוער, נבזי; מרושע, רע; מסוכן, מאיים
nasty-nice *adj.* פוגע בצורה מנומסת
na'tal *adj.* שמלידה, של לידה
na'tion *n.* אומה, עם
na'tional (nash'ən-) *adj&n.* לאומי; ארצי, כללי; אזרח, נתין
national anthem הימנון לאומי
national debt חוב לאומי
national government ממשלה לאומית
National Guard משמר העם
National Health Service שירות בריאות ממלכתי
National Insurance ביטוח לאומי
na'tionalism' (nash'ən-) *n.* לאומיות; לאומנות
na'tionalist (nash'ən-) *n&adj.* לאומי, לאומני
na'tionalis'tic (nashən-) *adj.* לאומני
na'tional'ity (nashən-) *n.* עם, אומה; לאומיות; אזרחות, נתינות
na'tionaliza'tion (nashən-) *n.* הלאמה
na'tionalize' (nash'ən-) *v.* להלאים
national monument אתר לאומי
national park פארק לאומי
national service שירות חובה
National Socialism נאציזם
National Trust (בבריטניה) חברה להגנת הטבע ולשימור אתרים
nationwide *adj.* כלל ארצי, כלל לאומי
na'tive *adj.* של מולדת; מקומי; גדל במקום; טבעי, מלידה; של ילידים
go native לחיות כבני המקום
native land ארץ מולדת
native *n.* יליד, בן המקום, תושב
nativ'ity *n.* לידה; הולדת ישו
NATO (nā'tō) נאטו
nat'ter *v.* לפטפט, לקשקש; לרטון
nat'ty *adj.* מסודר, נקי, מצוחצח־הופעה
nat'ural (-ch'-) *adj.* טבעי; לא־מלאכותי
it comes natural (ly) to him הוא קולט זאת בקלות, זה טבוע בדמו
natural child ילד לא־חוקי
natural death מיתה טבעית
natural forces איתני הטבע
natural phenomena תופעות טבע
C natural דו בקר (לא דיאז)
natural *n.* רפה־שכל; קליד לבן; סלקה, בֶּקֶר; אדם הולם/מתאים
natural-born *adj.* מלידה, טיבעי
natural history ידיעת הטבע
nat'uralism' (-ch'-) *n.* טבעיות; נטורליזם, תיאור טבעי של המציאות, טבעתנות
nat'uralist (-ch'-) *n.* חוקר טבע; טבעתן, נטורליסט
nat'uralis'tic (-ch'-) *adj.* נטורליסטי
nat'uraliza'tion (-ch'-) *n.* אזרוּת

nat′uralize′ (-ch′-) *v.* לאזרח; להתאזרח; לאקלם, לסגל; לשאול (מלה)
natural law חוק הטבע; חוק עולמי
naturally *adj.* בדרך הטבע; בטבעיות; כמובן
naturalness *n.* טבעיות
natural philosophy פיסיקה
natural resources אוצרות־טבע
natural science מדעי הטבע
natural selection ברירה טבעית, הישרדות החזקים והמסתגלים לסביבה
na′ture *n.* טבע; אופי; סוג; סגולות
by nature באופי, בטבע, מלידה
call of nature צורך לעשיית צרכים
good nature טוב־לב
human nature טבע האדם
in the course of nature בדרך הטבע
let nature take its course להניח למאורעות לזרום
nature cure רפואת טבע
nature study לימוד הטבע
nature worship פולחן הטבע
pay one′s debt to nature למות
state of nature עירום
Mother Nature אמא טבע
na′turism′ (-ch-) *n.* נודיזם
na′turist (-ch-) *n.* נודיסט
na′turop′athy (-′ch-) *n.* ריפוי טבעוני
naught (nôt) *n.* אפס, אין
bring to naught לנפץ, לשים קץ ל־
care naught לא איכפת כלל
come to naught להיכשל, לעלות בתוהו
go for naught להיכשל, ברכה לבטלה
set at naught לבטל, לשים לאל
naugh′ty *adj.* שובב, סורר, לא צייתן, רע, גס, לא הגון
nau′se•a (-ziə) *n.* בחילה, תיעוב
nau′se•ate′ (-z-) *v.* לעורר בחילה
nauseating *adj.* מגעיל, מבחיל
nau′se•ous (-z-) *adj.* מבחיל
nau′tical *adj.* ימי, של מלחים
nautical mile מיל ימי, 1852 מטר
nau′tilus *n.* נאוטילוס (רכיכה)
na′val *adj.* של ספינות־קרב, של צי, ימי
naval power מעצמה ימית
nave *n.* מרכז הכנסייה, מקום המושבים
na′vel *n.* טבור
navel orange תפוז טבורי, ואשינגטון
nav′igabil′ity *n.* עבירות (של נהר)
nav′igable *adj.* עביר (נהר וכ׳); בר־ניווט; כשיר להפלגה/לניווט
nav′igate′ *v.* לנווט; לנהוג בספינה/במטוס; להפליג, לטוס מעל; לעבור
nav′iga′tion *n.* ניווט; שיט; תנועה
nav′iga′tor *n.* נווט; איש־ים
nav′vy *n.* פועל שחור
na′vy *n.* צי־מלחמה; חיל־הים; ימייה
navy blue כחול כהה
nay *adv.* לא, יותר מכך, לא זו אף זו
say him nay לומר לו לא
the nays have it הרוב הצביע נגד
Nazi (nät′si) *n.* נאצי
Na′zism′ (nät′s-) *n.* נאציזם
NB נ״ב, נכתב בצד, נזכרתי במשהו
NCO = noncommissioned officer
-nd, 2nd = second
ne•an′derthal′ (-thôl) *adj.* (אדם) ניאנדרטאלי
neap *n&adj.* (גיאות־ים) נמוכה
Ne′apol′itan *adj.* נפוליטני; (גלידה) רבגונית
near *adj&adv&prep.* קרוב, קרוב ל־; סמוך ל־; כמעט; שמאלי; קמצן
as near as קרוב עד כדי
as near as makes no difference בהבדל זעום ביותר
far and near בכל מקום
from far and near מקרוב ומרחוק
near and dear קרובים, יקירים
near at hand קרוב, בהישג יד
near by בקרבת מקום, בסביבה
near front wheel גלגל שמאלי קדמי
near miss כמעט קליעה למטרה
near relation שאר בשר (אב, בן)
near thing מזל, הינצלות בנס
near to tears קרוב לדמעות
near upon/on כמעט, לפני
nowhere near רחוק מ־, לגמרי לא
near *v.* להתקרב, להקריב, לקרוב
near one′s end לנטות למות
near′by′ *adv.* קרוב, בקרבת מקום
near′by′ *adj.* קרוב, במרחק קצר
Near East המזרח הקרוב
nearly *adv.* כמעט, בקירוב
not nearly רחוק מ־, כלל לא
nearside *adj.* שמאלי
nearsighted *adj.* קצר־ראייה
neat *adj.* מסודר, נקי; פשוט, לעניין; נאה למראה; פיקחי; טוב, מצוין
drink it neat לשתותו לא מהול
′neath = beneath *prep.* מתחת ל־
neb′u•la *n.* ערפילית

neb′u•lar *adj.* של ערפיליות
neb′u•los′ity *n.* ערפול, אי־בהירות
neb′u•lous *adj.* מעורפל, מטושטש
nec′essar′ily (-ser-) *adv.* בהכרח
nec′essar′y (-seri) *adj&n.* הכרחי, נחוץ, חיוני
it′s necessary for me אני חייב
necessaries דברים חיוניים
necessary evil רע הכרחי
neces′sitate′ *v.* להצריך, לדרוש
neces′sitous *adj.* עני, נצרך, נזקק
neces′sity *n.* צורך, נחיצות, הכרח; נצרכות, עוני, מצרך חיוני
by/of necessity בהכרח, מאין ברירה
make a virtue of necessity לנצל המצב לטובה, להציג חובה כמיצווה
under the necessity חייב, מוכרח
neck *n.* צוואר; גרון; לשון־ים/יבשה
break one′s neck לעמול קשה, "להרוג את עצמו"
breathe down his neck לנשוף בערפו, להיצמד אליו, לעקוב אחריו
get it in the neck לקבל מנה הגונה; לספוג מהלומה
had the neck ⋆היתה לו החוצפה
neck and crop לגמרי, מלוא קומתו
neck and neck (מירוץ) צמוד
neck of the woods איזור, סביבה
neck or nothing הימור על הכל
risk one′s neck לשים נפשו בכפו
save one′s neck להציל את עורו
stick one′s neck out להסתכן
up to one′s neck שקוע ראשו ורובו
win by a neck לנצח בהפרש זעום
neck *v.* ⋆להתגפף, להתעלס
neckband *n.* צווארון
neckcloth *n.* עניבה
-necked בעל צווארון
low-necked (שמלה) עמוקת־מחשוף
neck′erchief (-chif) *n.* סודר־צוואר, צעיף
neck′lace (-lis) *n.* מחרוזת, ענק
neck′let *n.* מחרוזת, ענק
neckline *n.* קו הצוואר (בשמלה)
neck′tie′ (-tī) *n.* עניבה
necktie party ⋆תלייה, משפט לינץ׳
neckwear *n.* עניבות, מלבושי־צוואר
nec′roman′cer *n.* דורש אל המתים
nec′roman′cy *n.* דרישה אל המתים
nec′rophil′ia *n.* אהבת גוויות
nec′rophil′iac′ *n.* אוהב גוויות
necrop′olis *n.* בית־קברות

nec′tar *n.* צוף; משקה טעים; נקטאר
nec′tarine′ (-rēn) *n.* אפרסק
nee (nā) *adj.* לבית־, ששמה הקודם
need *n.* צורך; מצוקה, נצרכות, עוני
have need of להיות זקוק ל־
if need be אם יהיה צורך בכך
in need of זקוק ל־
when the need arises בעת הצורך
need *v.* להיות זקוק/צריך/חייב/חסר; להצריך, לדרוש
I needn′t have לא הייתי צריך ל־
need′ful *adj.* נחוץ, דרוש, הכרחי
nee′dle *n.* מחט; צינורה; אובליסק
eye of a needle קוף המחט
get the needle להתעצבן
look for a needle in a haystack לחפש מחט בערימת שחת
sharp as a needle חריף, שנון
needle *v.* לתפור; לדקור; לקנטר, לעקוץ
needle one′s way לפלס דרכו בקושי
needless *adj.* מיותר
needless to say למותר לציין, ברור
needlessly *adv.* ללא סיבה, סתם
needlewoman *n.* תופרת
needlework *n.* תפירה, מעשה־מחט
needn′t = need not (nēdnt)
needs (-z) *adv.* בהכרח
he must needs do it הוא חייב לעשות זאת (באירוניה)
needy *adj.* עני, נצרך, מעוט־יכולת
ne′er = never (nār)
ne′er-do-well בטלן, לא יוצלח
nefa′rious *adj.* רע, נפשע
neg = negative
ne•gate′ *v.* לשלול, לבטל, לאפס, לנטרל; לסתור, להפריך, להכחיש
ne•ga′tion *n.* שלילה, ביטול; סתירה
neg′ative *adj.* שלילי, נגטיבי
negative pole קוטב שלילי; קתוד
negative sign סימן המינוס
negative *n&v.* שלילה; מלת שלילה; נגטיב, תשליל; לשלול, לדחות; להפריך
in the negative בשלילה, לאו, נגד
ne•glect′ *v.* לזנוח, להזניח; לשכוח
neglect *n.* הזנחה, רשלנות; שכחה
neglectful *adj.* מזניח, רשלני
neg′ligee′ (-zhā) *n.* חלוק־שינה; חלוק רחב; תלבושת חופשית
neg′ligence *n.* הזנחה, רשלנות
criminal negligence רשלנות פושעת
neg′ligent *adj.* רשלני, מתרשל
neg′ligible *adj.* זעום, אפסי, מבוטל

ne•go′tiable (-sh*ə*b-) *adj.* פתוח למשא ומתן; עביר (דרך); בר־המרה, סחיר
negotiable instrument שטר־חליפין
ne•go′tiate′ (-′sh-) *v.* לנהל משא ומתן, לדון; להסדיר; לבצע; לעבור; להמיר בכסף
ne•go′tia′tion (-′sh-) *n.* משא ומתן, דיון; המרה
ne•go′tia′tor (-′sh-) *n.* מנהל מו"מ
Ne′gress *n.* כושית
Ne′gro *n.* כושי
Ne′groid *adj.* כושי
Ne′gus *n.* נגוס, קיסר אתיופיה
negus *n.* יין חם (מהול במים וסוכר)
neigh (nā) *v&n.* לצהול; צהלת־סוס
neigh′bor (nā′-) *n.* שכן
neighbor *v.* להימצא סמוך ל־; לגבול
neighborhood *n.* שכונה, סביבה
in the neighborhood of בערך, כ־
neighborly *adj.* ידידותי, של שכנים
nei′ther (nē′dh-) *adj&pron.* אף אחד (משניהם) לא; וגם לא
me neither אף אני לא
neither you nor I לא אתה ולא אני
nel′son *n.* אחיזה, לפיתה (בהיאבקות)
nem con′ פה אחד, בהסכמה כללית
nem′esis *n.* נקמה, גמול, עונש; נוקם
ne′o- (תחילית) חדש, מודרני
ne′o•clas′sical *adj.* ניאוקלאסי
Ne′olith′ic *adj.* ניאוליתי, מתקופת האבן המאוחרת
ne•ol′ogism′ *n.* ניאולוגיזם, מלה מחודשת, מלה חדשה
ne′on′ *n.* ניאון (גאז)
ne′onate′ *n.* תינוק, רך נולד
neon light/lamp נורת ניאון
neon sign שלט ניאון
ne′ophyte′ *n.* טירון, כומר מתחיל
ne′oplasm′ (-z-) *n.* גידול
neph′ew (-ū) *n.* אחיין, בן אח, בן גיס
ne′phri′tis *n.* דלקת הכליות
ne plus ul′tra שיא, הדרגה העליונה
nep′otism′ *n.* פרוטקציה לקרובים
Nep′tune *n.* נפטון (כוכב־לכת)
ne′re•id *n.* נימפת־הים
nerve *n&v.* עָצָב; אומץ, תעוזה; חוצפה; עורק־העלה
get on his nerves לעצבנו
get up the nerve לאזור אומץ
lost his nerve איבד הביטחון העצמי
nerve oneself for להתאזר לקראת
nerves עצבים; עצבנות, מתח
strain every nerve לעשות כל מאמץ
war of nerves מלחמת עצבים
what a nerve! איזו חוצפה!
nerve cell תא עצב
nerve center מרכז עצבים, חרצוב
nerveless *adj.* רפה־כוח; קר־רוח
nerve-racking *adj.* מורט עצבים
ner′vous *adj.* עצבני, מתוח; מתרגש; חושש; עצבי; (סגנון) נמרץ
nervous breakdown התמוטטות עצבים
nervous system מערכת העצבים
nerv′y *adj.* חצוף, נועז; עצבני
nes′cient *adj.* בור, חסר־ידיעה
ness *n.* כֵּף, לשון־יבשה
nest *n.* קן; בית; מקלט; מקום מוסתר; מערכת (סירים) של זה בתוך זה
foul one's own nest להכפיש ביתו
nest of crime מאורת פשע
nest *v.* לקנן; לסדר זה בתוך זה
go nesting לחפש (ביצי־) קינים
nest egg סכום משוריין (לעתיד)
nes′tle (-s*ə*l) *v.* לקנן, לשכון; להתרפק; להשעין; להחזיק כבעריסה
nestle down להשתרע, לשכב בנוחות
nestle up להתרפק, להתקרב
nest′ling *n.* גוזָל
Nes′tor *n.* יועץ; זקן, חכם
net *n&v.* רשת; מכמורת; מלכודת; ללכוד, להעלות ברשת; לכסות ברשת; לרַשֵּת
communication net רשת תקשורת
net *adj&v.* נטו, נקי; להרוויח נטו
net price מחיר נטו (נמוך ביותר)
netball *n.* כדור רשת (מישחק)
neth′er (-dh-) *adj.* תחתון
nether world/regions שאול
Neth′erlands (-dh-z) *n.* הולנד
nethermost *adj.* הנמוך ביותר
net′ting *n.* התקנת רשתות; רשת
net′tle *n&v.* סרפד; להקניט, להרגיז
grasp the nettle להוציא בידיו ערמונים מהאש; לטפל בנושא באומץ
nettlerash *n.* סרפדת, אבעבועה
network *n.* רשת, רשת תקשורת
spy network רשת ריגול
neu′ral (noo-) *adj.* עצבי, של עצבים
neural′gia (nooral′j*ə*) *n.* נוירלגיה, כאב עצבים
neural′gic (noo-) *adj.* נוירלגי
neu′rasthe′nia (noo′-) *n.* נוירסתניה, חלישות עצבים

neu′rasthen′ic (noo′-) *adj.* נויראסתני, חלוש עצבים
neuri′tis (noo-) *n.* נויריטיס, דלקת עצבים
neurol′ogist (noo-) *n.* נוירולוג, רופא עצבים
neurol′ogy (noo-) *n.* נוירולוגיה
neuro′sis (noo-) *n.* נוירוזה, עצבת
neurot′ic (noo-) *adj&n.* נוירוטי
neu′ter (nōō′-) *n.* (בדקדוק) מין סתמי; מסורס
neuter *adj.* חסר מין, סתמי, נייטראלי
neuter *v.* לסרס
neu′tral (nōō′-) *adj.* נייטראלי, אדיש, סתמי
neutral *n.* מהלך־סרק; אדם נייטראלי
neutral′ity (noo-) *n.* נייטראליות
neu′traliza′tion (noo-) *n.* ניטרול; פירוז
neu′tralize′ (noo′-) *v.* לנטרל; לאדש; לפרז
neu′tron′ (noo′-) *n.* נייטרון
nev′er *adv.* לעולם לא, אף פעם לא
never fear! אל דאגה! אין פחד!
never mind לא חשוב, אין דבר
never so much as אפילו לא־
on the never-never ⋆בתשלומים
this will never do לא בא בחשבון
well, I never! לא יאומן!
never-ending *adj.* אינסופי, לא פוסק
nev′ermore′ *adv.* לא עוד
never never land ⋆ארץ החלומות
nev′ertheless′ (-dh-) *adv.* בכל זאת
new (nōō) *adj.* חדש; טרי
happy new year! שנה טובה!
new blood דם חדש, כוח חדש
new deal תכנית (ממשלתית) חדשה
new from- שמקרוב בא
new moon מולד הירח; חרמש הירח
new potatoes ביכורי התפודים
new rich עני שהתעשר, נובוריש
new to- לא מכיר, לא רגיל, חדש ב־
new-laid eggs ביצים טריות
New Testament הברית החדשה
New World העולם החדש, אמריקה
New Year's Day 1 בינואר
New Year's Eve 31 בדצמבר
newborn *adj.* (הרך) הנולד
newcomer *n.* בא מקרוב, פנים חדשות
new′el (nōō′-) *n.* עמוד מרכזי במדרגות לולייניות, עמוד מעקה (במדרגות)
new-fan′gled (nōō-ld) *adj.* חדש, מודרני, מיותר, חסר־ערך
new′foundland′ (-nōō′fən-) *n.* ניופאונדלנד (כלב קנדי)
newly *adv.* לאחרונה; זה לא כבר; מחדש, בצורה חדשה
newly-weds *n-pl.* שזה עתה נישאו
newmarket *n.* נומרקט, משחק קלפים
news (nōōz) *n.* חדשות, חדשה, ידיעה
be in the news לתפוס מקום בחדשות, לעלות לכותרות
break the news לבשר (בשורה רעה)
pieces of news חדשות
that's (no) news זו (לא) חדשה לגבי
news agency סוכנות ידיעות
newsagent *n.* מוכר עיתונים
newsboy *n.* מחלק/מוכר עיתונים
newscast *n.* שידור חדשות
newscaster/-reader *n.* קריין־חדשות
news conference מסיבת עיתונאים
newsdealer *n.* מוכר עיתונים
newsletter *n.* עלון חדשות
news media כלי־התקשורת
newsmonger (nōōz′mung′gər) *n.* רכלן, מפיץ ידיעות
newspaper *n.* עיתון
newsprint *n.* נייר עיתונים
newsreel *n.* יומן קולנוע, סרט חדשות
newsroom *n.* חדר החדשות; אולם עיתונים
newssheet *n.* גליון חדשות
newsstand *n.* דוכן עיתונים
newsvendor *n.* מוכר עיתונים
newsworthy *adj.* ראוי לפרסום, מעניין
news′y (nōōz′i) *adj.* ⋆גדוש חדשות
newt (nōōt) *n.* סלמנדרה
Newto′nian (nōōt-) *adj.* של ניוטון
next *adj&adv.* הבא, הקרוב, שלאחר מכן; אחר כך, בפעם הבאה
next best השני במעלה; הברירה השנייה הפחות טובה
next door בבית הסמוך; השכן
next door to כמעט, גובל ב־
next of kin שאר בשר, קרוב
next to קרוב ל־; כמעט; אחרי
next to nothing בקושי משהו, כמעט אפס
next week בשבוע שלאחר מכן
next! הבא בתור!
the next day למחרת
what next? ומה עוד?
nex′us *n.* קֶשֶׁר
nib *n.* ציפורן־עט

nib′ble *v&n.* לכרסם; להסכים, לגלות עניין, לנטות לקבל; כרסום, נגיסה
nib′lick *n.* מקל גולף (בעל ראש כבד)
nibs (-z) *n.* ⋆בוס, אדם מנופח
nice *adj.* נאה, נחמד, טוב; עדין, דק; קפדן; ⋆רע, מזופת
nice and healthy בריא לגמרי
nice and- ⋆טוב בגלל-, בצורה מושלמת
nice difference הבדל דק/עדין
nice mess "בוץ", "דייסה"
nicely *adv.* היטב, כיאות; בעדינות
be doing nicely להתקדם יפה
ni′cety *n.* דיוק; עדינות; הבחנה דקה
niceties פרטי פרטים; דברים נאים
to a nicety בדייקנות, כחוט השערה
niche (nich) *n.* גומחה; מקום; ג'וב טוב/נוח
nick *n.* חתך, סדק, חריץ; ⋆כלא
in good nick במצב תקין
in the nick of time ברגע הקריטי
old nick השטן
nick *v.* לחתוך, לחרוץ, לשרוט; ⋆לדרוש מחיר; לגנוב; לעצור; לתפוס
nick′el *n.* ניקל (מתכת, מטבע)
nickel-plate *v.* לצפות בניקל
nick′er *n.* ⋆לירה-שטרלינג
nick′nack′ *n.* קישוט קטן, חפץ-נוי
nick′name *n&v.* כינוי; לכנות
nic′otine′ (-tēn) *n.* ניקוטין
nicotine fit בולמוס-עישון
niece (nēs) *n.* אחיינית, בת-גיס
niff *n.* ⋆סירחון, ריח רע
nif′ty *adj.* ⋆יפה, מושך, אפקטיבי; מסריח
nig′gard *n.* קמצן
niggardly *adj.* קמצן, קמצני
nig′ger *n.* ⋆כושי
nigger in the woodpile ⋆דבר חשוד
nig′gle *v.* לחטט, לשים לב לקטנות, לחפש פגמים; להציק; לרטון
niggling *adj.* קטנוני; מנקר (במוח)
nigh (nī) *adv&prep.* קרוב
draw nigh להתקרב
well nigh כמעט, קרוב ל-
night *n.* לילה; חשיכה
all night (long) במשך כל הלילה
at/by night בלילה
had a bad night נדדה שנתו
had a good night ערבה שנתו
have a night out לצאת לבלות בלילה
he works nights הוא עובד בלילות
it's my night off הערב אני חופשי
make a night of it לבלות בלילה, לאחר בנשף
night after night מדי לילה
night and day יומם ולילה
night-bell *n.* פעמון-לילה
night bird עוף לילה; עובד לילה
night blindness עיוורון לילה
nightcap *n.* כובע-שינה; כוסית משקה (שלוגמים לפני השינה)
night clothes פיג'מה, בגדי לילה
nightclub *n.* מועדון לילה
nightdress *n.* כתונת-לילה
nightfall *n.* רדת הלילה
night-hawk *n.* עובד בלילות
night′ie *n.* ⋆כתונת-לילה
night′ingale′ *n.* זמיר
nightjar *n.* עוף לילה
night life חיי הלילה (במועדונים)
night-light *n.* נורת-לילה
night-line *n.* חכת-לילה (לדייג)
night-long *adv.* במשך כל הלילה
nightly *adj&adv.* לילי; בכל לילה
night′mare′ *n.* סיוט, חלום-בלהות
nightmarish *adj.* סיוטי
night owl עוף לילה; עובד בלילות
night porter שוער לילה (במלון)
nights *adv.* בלילות, בכל לילה
night safe כספת לילה
night school בית-ספר ערב
nightshade סולאנום (צמח)
night shift משמרת לילה
nightshirt *n.* חלוק שינה
night soil תוכן בורות-שפכין
nightstick *n.* אלת-שוטר
night stop חניית לילה
night-time *n.* שעות הלילה
night-walker *n.* משוטט בלילות
night watch משמרת לילה
night watchman שומר לילה
nighty *n.* ⋆כתונת-לילה
ni′hilism′ (nī′il-) *n.* ניהיליזם, שלילת הערכים המקובלים, כפירה במוסכמות, אפסנות
ni′hilist (nī′il-) *n.* ניהיליסט, אפסן, מאיין
ni′hilis′tic (nī′il-) *adj.* ניהיליסטי
nil *n.* אפס
Nile *n.* נהר הנילוס
Ni•lot′ic *adj.* של הנילוס
nim′ble *adj.* זריז; קל-תנועה; שנון, מהיר-מחשבה, מהיר-תפיסה
nim′bus *n.* ענן קודה, נימבוס,

ענני־צעיף; הילה, עטרת־אור
nim′iny-pim′iny *adj.* מלאכותי, מעושה
Nim′rod′ *n.* נמרוד, צייד
nin′compoop′ (-po͞op) *n.* ⋆טיפש
nine *adj&n.* תשעה, 9
dressed up to the nines לבוש בהידור
nine days' wonder פלא חולף
nine times out of ten כמעט תמיד
ninefold *adj&adv.* פי תשעה, תשעתיים
ninepin *n.* (בכעין כדורת) בובת־עץ (אחת מ־9 שיש להפיל)
go down like a ninepin ליפול
ninepins משחק הדומה לכדורת
nine′teen′ (nīnt-) *adj&n.* תשעה עשר, 19
talk nineteen to the dozen לדבר בלי הרף
nineteenth *adj&n.* (החלק) ה־19
ninetieth *adj&n.* (החלק) ה־90
nine′ty (nīn′ti) *adj&n.* תשעים, 90
the nineties שנות ה־90
nin′ny *n.* ⋆טיפש
ninth (nīnth) *adj.* (החלק) ה־9
nip *n.* קור; צביטה; נשיכה; טעם חריף; יציאה מהירה, גיחה; לגימה
nip and tuck (מירוץ) צמוד
nip *v.* לצבוט; לנשוך; לקלקל, להשחית; למהר, לצאת, להגיח, לקפוץ
nip in להצר (בגד); "לחתוך" פנימה (רכב)
nip in the bud לקטוף באבו
nip off לגזור, לגזום
nip′per *n.* ⋆ילד
nippers צבת, מצבטיים, מלקחיים
nipping *adj.* צובט, עז, חד, שנון
nip′ple *n.* פטמה; פיית־סיכה
Nip′pon′ *n.* יפן
nip′py *adj.* צובט, קר; חריף, זריז
look nippy להזדרז
nirva′na (-vä-) *n.* נירוונה
ni′si′ *conj.* אלא אם כן
decree nisi צו על תנאי
Nis′sen hut צריף ניסן (דמוי מנהרה)
nit *n.* ביצת כינה, אנבה; ⋆טיפש
ni′ter, ni′tre (-tər) *n.* מלחת
nit′pick′ *n.* לחפש פגמים, לחטט בקטנות
ni′trate *n.* חנקה, ניטראט
ni′tric *adj.* חנקני, מכיל חנקן
nitric acid חומצה חנקנית
ni′trogen *n.* חנקן
ni′troglyc′erin *n.* ניטרוגליצרין
ni′trous *adj.* חנקתי, חנקני
nit′ty-grit′ty *n.* פרט מעשי
nit′wit′ *n.* ⋆טיפש
nit′wit′ted *adj.* חסר־דעה
nix *n&adv.* ⋆לא, לאו, לא כלום
no *adj&adv.* לא; כלל לא; אין
he is no fool אינו טיפש כלל
in no time מיד, מהר מאוד
it's no go זה לא "ילך", לא יצליח
it's no good/use אין תועלת
no doubt בלי ספק, בטח
no end of ⋆המון, ללא סוף
no one אף אחד, אין איש ש־
no smoking אין לעשן, אסור לעשן
the noes have it אומרי הלאו ניצחו
there's no saying/knowing אין לומר, קשה לומר, אין לדעת
whether or no בין שכן ובין שלא
no = number
no-account *n.* ⋆בטלן, לא יוצלח
Noah's ark (nō′əz) תיבת נוח
nob *n.* ⋆ראש; אציל, מהחברה הגבוהה
nob′ble *v.* ⋆להשיג ברמאות; לרכוש לבו, לשחד; לרמות
nobble a racehorse "לטפל" בסוס־מירוץ (כדי להפחית סיכויי ניצחונו)
No•bel′ *n.* נובל (פרס)
no•bil′ity *n.* אצילות; אצולה
no′ble *n&adj.* אציל; אצילי, מרשים
noble art איגרוף
noble metals מתכות אצילות
nobleman/-woman *n.* אציל/אצילה
noble-minded *adj.* אציל, יפה־נפש
no•blesse′ *n.* אצולה, אצילות
noblesse oblige (-lēzh′) האצילות מחייבת
no′bly *adv.* בצורה אצילית/כאציל
no′bod′y *pron&n.* שום אדם (לא), אף אחד לא; אדם לא חשוב, קוטל קנים
nobody home לא בסדר, לא שפוי; לא מקשיב, מהורהר
noc•tam′bu•list *n.* מוכה־ירח, סהרורי
noc•tur′nal *adj.* לילי, של הלילה
noc′turne′ *n.* נוקטורן, יצירה שקטה לפסנתר; ציור נוף לילי
nod *v.* להניע ראש (כאומר "כן"), להנהן; לסמן בראש, לנמנם בישיבה; להתכופף; לטעות
Homer sometimes nods גם החכם טועה

nod *n.* נענוע ראש, הנהון בראש
get the nod להיבחר
on the nod ★בהקפה; בהסכמה מידית
no′dal *adj.* של בליטה, קשרי
nodding acquaintance היכרות שטחית
nod′dle *n.* ★ראש
node *n.* בליטה; מפרק (בצמח); קשר
nod′ular (-j′-) *adj.* של גושיש, של בליטה
nod′ule (-jo͞ol) *n.* גושיש, בליטה, קשריר
No•el′ *n.* חג המולד
nog *n.* נוג (משקה חריף)
nog′gin *n.* לגימה, כוסית משקה, ★ראש
no′-go′ *adj.* ★לא בר־ביצוע, לא "הולך"
no-go area שטח חסום במתרסים
no′how′ *adv.* ★בשום פנים (לא); כלל לא; לא תקין, לא בקו הבריאות
noise (-z) *n.* רעש, קול, רחש
big noise אדם חשוב, אישיות
make a noise להתלונן, להקים רעש
make a noise in the world להקים רעש בעולם, להתפרסם
make encouraging noises להביע עידוד
noise *v.* להפיץ, לפרסם
it's noised abroad מתהלכת שמועה
noise around לפרסם ברבים
noi′some (-səm) *adj.* דוחה, מסריח
nois′y (-zi) *adj.* רועש, הומה, סואן
no′mad′ *n.* נומד, נווד
no•mad′ic *adj.* של נומדים, נע ונד
no man's land שטח הפקר
nom′ de plume′ פסידונים, שם בדוי
no′mencla′ture *n.* מינות, כינוין
nom′inal *adj.* נומינלי, להלכה; זעום, סמלי; שמי, שמני; על שם
nominal clause משפט שמני
nominal list רשימה שמית
nominal price/sum מחיר/סכום סמלי
nominal value ערך נומינלי/נקוב
nom′inate′ *v.* לְמַנות, לקבוע; להציע
nom′ina′tion *n.* מינוי, הצעת מועמד
nom′inative *adj&n.* (של) יחסת הנושא, נומינטיב, יחס הישר
nom′inee′ *n.* ממונה, מועמד
non- (תחילית) לא־, אינו־
no′nage *n.* קטינות, מעמד הקטין
no′nagena′rian *adj.* בשנות ה־90, מתקרב לגיל 100
non′aggres′sion *n.* אי־התקפה
non′aligned′ (-līnd) *adj.* (מדינה) בלתי מזדהה (עם מעצמות העל)
nonce *n.* מיקרה מיוחד
for the nonce לפי שעה, לזמן הנוכחי, להזדמנות זו
nonce word מלת־עראי, מלה חד־פעמית (שהומצאה לעניין מסוים)
non′chalance′ (-shəläns) *n.* אדישות, קור־רוח
non′chalant′ (-shəlänt) *adj.* אדיש, לא מתרגש
non′combat′ant *adj.* לא־קרבי
non′commis′sioned officer מש"ק
non′commit′tal *adj.* לא־מחייב, לא ברור
non′compli′ance *n.* אי־ציות
non com′pos men′tis לא שפוי
non′conduc′tor *n.* לא־מוליך
non′confor′mist *n&adj.* נונקונפורמיסט (בנצרות); לא צייתן, לא מסתגל למוסכמות
non′confor′mity *n.* נונקונפורמיזם
non′de•script′ *adj.* חסר פרט מאפיין, שקשה לתארו, רגיל
none (nun) *adv.* אף אחד (לא), אף לא מקצת, כלום לא, כלל לא
have none of לא לסבול, לא להסכים
none at all כלל לא
none but- רק, שום אדם זולת־
none of that! חדל! הפסק!
none of your stupidity אל תשתטה
none other than- (הוא) ולא אחר
none the better/worse for- כלל לא יותר טוב/רע כתוצאה מ־
none the less בכל זאת
none the wiser לא יודע, לא מודע
none too- לא ביותר; לגמרי לא
non•en′tity *n.* לא קיים; דמיוני; אדם לא חשוב, אפס
none′such′ (nun′s-) *n.* משכמו ומעלה
none′theless′ (nundh-) *adv.* בכל זאת
non′e•vent′ *n.* לא־מאורע, מופע־נפל, ההר הוליד עכבר
non′fic′tion *n.* ספרות לא־דמיונית
non′flam′mable *adj.* לא דליק
non′in′terfe′rence *n.* אי־התערבות
non′in′terven′tion *n.* אי־התערבות
non-iron *adj.* ללא גיהוץ
non′mem′ber *n.* לא־חבר
non′mor′al *adj.* חסר ערך מוסרי
non′obser′vance (-z-) *n.* אי־קיום (חוק)

non'pareil' (-rel) *n.* אין כמוהו
non'pay'ment *n.* אי־תשלום
non•plus' *v.* להביך, לבלבל, להדהים
nonplused *adj.* מבולבל, מוכה תדהמה
non'prof'it *adj.* לא נושא רווחים
non'prolif'era'tion *n.* אי־הפצה
non'res'ident (-z-) *n.* לא מתגורר במקום, לא אורח במלון
non'sense' *n.* שטויות, הבלים
make nonsense לקלקל; לשים ללעג
non•sen'sical *adj.* שטותי, אבסורדי
non seq'uitur מסקנה שאינה נובעת מההנחות, תוצאה פרדוקסלית
non'skid' *adj.* בלתי־מחליק
non'smo'ker *n.* לא מעשן; מקום אסור בעישון
non'stan'dard *adj.* לא תקני
non'start'er *adj.* חסר סיכויי הצלחה
non'stick' *adj.* מונע הידבקות
non'stop' *adj.* ישיר, רצוף, ללא חנייה
non'-U' (-ū') *adj.* לא של המעמד הגבוה, המוני
non'u'nion (-ū'-) *adj.* (פועל) לא מאורגן; לא שייך לאיגוד מקצועי
non'ver'bal *adj.* לא מילולי
non'vi'olence *n.* התנגדות פאסיבית
noo'dle *n.* איטרייה; טיפש; ★ראש, מוח
nook *n.* פינה; מחבוא, מסתור
noon (nōōn) *n.* צהריים
noonday, noontide *n.* צהריים
no one אף אחד לא, שום איש
noose *n.* לולאה, עניבת תלייה
noose *v.* ללכוד; לעשות לולאה
nope *interj.* לא!
nor *conj.* ואף לא, לא
neither - nor - לא ־ ואף לא ־
nor' = north
Nor'dic *adj.* נורדי, סקנדינבי
Nor'folk jacket (-fək) ז'קט רחב
norm *n.* נורמה, מכסה, תקן
nor'mal *adj.* נורמלי, תקין, רגיל
nor'malcy *n.* נורמליות
nor•mal'ity *n.* נורמליות
nor'maliza'tion *n.* נורמליזציה, נירמול
nor'malize' *v.* לעשות לנורמלי; לנרמל להגיע לנורמליזציה
nor'mally *adv.* באופן נורמלי, בדרך כלל, בתנאים רגילים
normal school מידרשה למורים
Nor'man *n.* נורמנדי
nor'mative *adj.* תיקני; לפי נורמה
Norse *adj&n.* נורווגי; נורווגית

north *n&adj&adv.* צפון; צפוני; צפונה
northbound *adj.* נוסע צפונה
north'east' *n&adj&adv.* צפון־מזרח; צפון־מזרחי; צפונה־מזרחה
north'east'er *n.* רוח צפון־מזרחית
north'east'erly *adj.* צפון־מזרחי
north'east'ern *adj.* צפון־מזרחי
north'east'ward *adv.* צפונה־מזרחה
north'erly (-dh-) *adj.* צפוני
north'ern (-dh-) *adj.* צפוני
north'erner (-dh-) *n.* צפוני
northern lights זוהר צפוני
northernmost *adj.* הצפוני ביותר
North Pole קוטב צפוני
northward *adv.* צפונה
north'west' *n&adj&adv.* צפון־מערב; צפון־מערבי; צפונה־מערבה
north'west'er *n.* רוח צפון־מערבית
north'west'erly *adj.* צפון־מערבי
north'west'ern *n.* צפון־מערבי
north'west'ward *adv.* צפונה־מערבה
Nor'way *n.* נורווגיה
Nor•we'gian (-jən) *adj.* נורווגי; נורווגית
nos = numbers
nose (-z) *n.* אף; חוש ריח; חרטום
bite his nose off לענות לו בכעס
count noses לספור אנשים/גולגלות
cut off nose to spite face להזיק אך לעצמו (בשעת ריתחה)
follow one's nose להתקדם ישר, ללכת לפי החוש
has his nose in תוחב אפו
has his nose in a book שקוע בספר
keep his nose to the grindstone להעבידו בפרך
keep one's nose out of/clean לא להתערב; לא לתחוב אפו
lead by the nose למשוך אותו באף
look down one's nose at לעקם חוטמו, להתייחס בבוז/במורת־רוח
on the nose היישר, במדויק
pay through the nose לשלם מחיר מופרז
plain as the nose on one's face ברור מאוד, בולט לעין
poke one's nose into לתחוב חוטמו ב־
put his nose out of joint לדחוק רגליו, לתפוס מקומו; להביכו
rub his nose in the dirt לזרות מלח על פצעיו, להזכיר לו שגיאותיו

see beyond one's nose לראות לטווח רחוק
snap his nose off לענות לו בכעס
tell noses למנות מספר המצביעים
turn up one's nose לעקם חוטמו
under one's nose מתחת לחוטמו
nose *v.* לרחרח; להפנות חרטומו
nose around/about לרחרח, לחפש
nose down להפנות (החרטום) למטה
nose in לנוע אט־אט קדימה
nose into לתחוב חוטמו ב־
nose its way להתקדם בזהירות
nose out לגלות; לנצח בהפרש קטן
nose over להתהפך
nose up להפנות (החרטום) למעלה
nosebag *n.* שק־המזון (בצוואר־הסוס)
nosebleed *n.* דימום אף
nosecone *n.* ראש חץ; חרטום חללית
-nosed *adj.* בעל חוטם־
snub-nosed בעל חוטם קצר וסולד
nosedive *n.* צלילת מטוס; נפילת מחיר
nosedive *v.* לצלול; ליפול, לצנוח
nose'gay' (nōz'gā) *n.* צרור פרחים
nosering *n.* חח
nosewheel *n.* גלגל קדמי (במטוס)
nos'ey (nōz'i) *adj.* תוחב אפו
nosey parker תוחב אפו
nosh *n&v.* ⋆אכילה; מזון; לאכול
nosh-up *n.* ⋆ארוחה הגונה
nos•tal'gia (-jə) *n.* נוסטאלגיה, געגועים
nos•tal'gic *adj.* נוסטאלגי
nos'tril *n.* נחיר
nos'trum *n.* תרופה; תרופה מפוקפקת
nosy = nosey
not *adv.* לא; אין
'thanks', 'not at all' "תודה", "על לא דבר"
as likely as not קרוב לוודאי
not a man אף לא אחד
not at all לגמרי לא
not but what למרות ש־
not half ⋆מאוד, ועוד איך!
not once or twice תכופות
not only - but also לא רק ־ אלא גם
not that לא ש־, איני אומר ש־
not to say ואולי גם
I think not אני חושב שלא
I'm afraid not חוששני שלא
no'ta be'ne (-be'ni) נ"ב, נכתב בצד
no'tabil'ity *n.* אישיות נכבדה
no'table *adj&n.* נכבד, מצוין, בולט
notably *adv.* בצורה בולטת; במיוחד
no'tarize' *v.* לאשר ע"י נוטריון
no'tary (public) *n.* נוטריון
no•ta'tion *n.* סימון, תווייה, ציון
notch *n.* חריץ, חתך; דרגה, מדרגה; מעבר צר בין הרים
notch *v.* לחרוץ, לעשות חריץ ב־
notch up לזכות, לרשום לזכותו
note *n.* הערה, הסבר; פתק; איגרת, מכתב; שטר; תו; נימה, צליל; סימן
compare notes להחליף דעות/חוויות
make a mental note לזכור
person of note אישיות חשובה
speak without notes לנאום בלי רשימות
strike a false note לא לקלוע בדבריו, לפרוט על נימה לא נכונה
strike a hopeful note להביע תקווה
strike a warning note להזהיר
strike the right note לקלוע בדבריו, לרכוש לב השומע, לפרוט על המיתר הנכון
take note of לשים לב ל־
take notes לרשום
worthy of note ראוי לתשומת לב
note *v.* לשים לב; להפנות שימת לב; לציין; לרשום לפניו
note down לרשום
notebook *n.* פנקס
keep a notebook לרשום בפנקס
noted *adj.* ידוע, מפורסם, בעל־שם
notepaper *n.* נייר מכתבים
noteworthy *adj.* ראוי לתשומת לב, חשוב
noth'ing (nuth-) *adv&n.* שום דבר (לא)
can make nothing of לא מבין כלום
care nothing לא איכפת כלל
come to nothing לעלות בתוהו
for nothing בחינם; לשווא
go for nothing לא שווה כלום
he has nothing on her אין לו הוכחה שעברה עבירה; אינו עולה עליה (בחוכמה)
he's nothing to her אינו שום דבר בעיניה, לא מתייחסת אליו
in nothing flat ⋆במהירות
is 6 foot nothing גובהו 6 רגל בדיוק
it means nothing to him זה לא אומר לו כלום; הוא אדיש לזאת
nothing but שום דבר לא ־ מלבד
nothing doing! לא בא בחשבון!

nothing for it but אין ברירה אלא
nothing if not מאוד, ביותר
nothing like כלל לא; אין כמו
nothing near כלל לא, רחוק מכך
nothing of the kind כלל וכלל לא
nothing to do with אין שום קשר
sweet nothings מלות אהבה
there's nothing in אין אמת ב־
there's nothing to אין משהו מיוחד ב־, אין קושי ב־
think nothing of לראות בזה דבר רגיל, לא לייחס לזאת חשיבות
think nothing of it! בבקשה!
to say nothing of שלא להזכיר, וכמו כן

nothingness *n.* אינות; ריקנות
no′tice (-tis) *n.* הודעה (מוקדמת), התראה, הודעת פיטורים; מודעה; תשומת־לב; סיקורת, ביקורת
at short notice תוך זמן קצר
bring to his notice להביא לתשומת ליבו
came to his notice הובא לידיעתו
is beneath his notice מתעלם מ־
sit up and take notice להתעורר, להתעניין, להיות מופתע
take notice לשים לב
till further notice עד להודעה חדשה
2 days' notice הודעה יומיים מראש

notice *v.* להבחין, לראות, לשים לב; לסקור, לכתוב ביקורת
noticeable *adj.* ניתן להבחין בו, ניכר
notice board לוח מודעות
no′tifi′able *adj.* שיש להודיע עליו
no′tifica′tion *n.* הודעה
no′tify′ *v.* להודיע, להודיע על
no′tion *n.* מושג; דעה, רעיון, אמונה
has half a notion to נוטה ל־
notions סדקית, גלנטריה
take a notion ★לעלות על דעתו

notional *adj.* מושגי, דמיוני, תיאורטי
no′tori′ety *n.* פרסום, שם רע
notor′ious *adj.* ידוע (לשמצה)
not′withstand′ing (-widh-) *prep.* למרות, חרף
notwithstanding *adv.* בכל זאת
nou′gat (nōō′-) *n.* נוגאט (ממתק)
nought = naught (nôt) אפס, 0
noughts and crosses משחק לשניים בסימון אפסים ואיקסים, טיקטאקטו
noun *n.* שם עצם
nourish (nûr′-) *v.* להזין, לכלכל; לטייב, לדשן; לטפח (תקווה), לנטור
nourishment *n.* מזון
nous *n.* ★שכל ישר
nouveau riche (nōō′vōrēsh′) נובוריש, עשיר חדש
Nov = november
no′va *n.* נובה, כוכב הבוהק לפתע
nov′el *adj.* חדש, מוזר
novel *n.* רומאן, סיפור
nov′elette′ *n.* נובלה, רומאן
nov′elet′tish *adj.* טיפוסי לנובלות
nov′elist *n.* נובליסט, סופר
no•vel′la *n.* נובלה, רומאן קצר
nov′elty *n.* חידוש; דבר חדש/לא רגיל; חפץ זול, מציאה
Novem′ber *n.* נובמבר
nov′ice (-vis) *n.* טירון
no•vi′ciate (-vish′iit) *n.* טירונות
no•vi′tiate (-vish′iit) *n.* טירונות
now *adv.* עכשיו, עתה; ובכן, הלוא
(every) now and then/again לפעמים, מפעם לפעם
by now עכשיו, עתה, בשעה זו
from now on (wards) מכאן ואילך
it's now 5 years עברו 5 שנים
just now זה עתה
now (that) - לאחר ש־, מאחר ש־
now - now/then - פעם (כך) ופעם (כך)
now now, now then ובכן
now what happened? ובכן מה קרה?
up to now עד כה, עד עתה

now′adays′ (-z) *adv.* כיום, בימינו
no′where′ (-wār) *adv.* בשום מקום לא
$2 goes nowhere בקושי אפשר לקנות משהו ב־2 דולר
finish/come in nowhere לא לסיים בין הראשונים (בתחרות)
get nowhere לא להתקדם, לא להפיק תועלת, לא להצמיח שום טובה
miles from nowhere "בסוף העולם"
nowhere near רחוק מ־, כלל לא
out of nowhere לפתע, מאי־שם

no′wise′ (-z) *adv.* בשום פנים (לא)
nox′ious (-kshəs) *adj.* מזיק, רע
noz′zle *n.* פי צינור, זרבובית
nth (enth) *adj.* של הערך הגבוה ביותר
to the nth degree/power בדרגה הגבוהה ביותר

nu′ance (-äns) *n.* ניואנס, שוני קל, גונית, בן־גוון, גוונון
nub *n.* גושיש, גוש קטן; עיקר, תמצית
nu′bile (-bəl) *adj.* בשלה לנישואים

nu'cle•ar *adj.* גרעיני, של גרעין האטום
nuclear disarmament פירוק הנשק הגרעיני
nuclear fission ביקוע הגרעין
nuclear physics פיסיקה גרעינית
nu'cle•us *n.* גרעין
nude *adj&n.* ערום, מעורטל; עירום
in the nude ערום, ללא בגדים
nude beach חוף נודיסטים
nudge *v&n.* לנגוע/לתקוע קלות במרפק; לנוע, להידחק; דחיקת מרפק
nu'dism' *n.* נודיזם, עירום
nu'dist *n.* נודיסט
nudist camp מחנה נודיסטים
nu'dity *n.* עירום, חשפנות
nu'gato'ry *adj.* חסר־ערך
nug'get *n.* גוש (של מתכת גולמית)
nui'sance (nōō'-) *n.* מיטרד; טרדן
commit no nuisance! אל תשליך פסולת! לא להשתין פה!
make a nuisance of oneself להטריד, לנדנד
what a nuisance! איזה נודניק! איזה מצב־ביש!
null *adj.* אפסי, חסר־תוקף, בטל
null and void בטל ומבוטל
nul'lifica'tion *n.* ביטול, איון
nul'lify' *v.* לבטל, לאיין, לאפס
nul'lity *n.* ביטול, אפסות; חוסר־תוקף; ריקנות; ביטול נישואים
numb (num) *adj.* חסר תחושה, רדום; קופא (מפחד)
numb *v.* לבטל התחושה, להרדים, לאבן
num'ber *n.* מיספר; גיליון (של כתב־עת); קטע, שיר; ⋆נערה; בגד
a number of מיספר, כמה
any number of times ⋆המון פעמים
back number עיתון ישן; מיושן, יצא מן האופנה
have his number לעמוד על טיבו
his number is up הוא אבוד, יומו בא
hot number ⋆להיט, דבר פופולארי
is one of our number הוא משלנו
number one מיספר אחד, מצוין
numbers חרוזים, משקל; תורת החשבון
numbers of הרבה, מספר רב של
opposite number עמית, קולגה
take care of number one לדאוג לעצמו/לאינטרסים שלו
times without number פעמים תכופות
to the number of במספר, שמספרם
we're 20 in number אנו 20 במספר
win by force of numbers לנצח עקב עדיפות מספרית
without/beyond number לאין ספור
Number 10 לשכת/בית רה"מ באנגליה
number *v.* למנות, לספור, להגיע לסך־; להימנות, לכלול; למספר
his days are numbered ימיו ספורים
number off לקרוא מספרו (במסדר)
numberless *adj.* לאין ספור
number-plate *n.* לוחית מספר
Numbers *n.* במדבר (חומש)
nu'merable *adj.* ספיר, שניתן לספרו
nu'meracy *n.* כישורים מתימטיים
nu'meral *n&adj.* ספרה; מספרי
nu'merate' *v.* למנות, לספור
nu'mera'tion *n.* מיספור, ספירה, סיפרור, נומרציה
nu'mera'tor *n.* ממספר, נומרטור; מונה
nu•mer'ical (nōō-) *adj.* מספרי
nu'merous *adj.* הרבה, רב
nu'minous *adj.* אלוהי, מעורר יראה
nu'mismat'ics (-z-) *n.* נומיסמטיקה, מדע המטבעות והמדליות, מטבענות
nu•mis'matist (-nōōmiz'-) *n.* נומיסמט, חוקר מטבעות עתיקים, אספן מטבעות, מטבען
num'skull' *n.* ⋆טיפש, מטומטם
nun *n.* נזירה
nun'cio *n.* שליח האפיפיור, נונציוס
nun'nery *n.* מנזר
nup'tial *adj.* של נישואים
nuptials *n-pl.* כלולות, חתונה
nurse *n.* אחות (בבי"ח); מטפלת; טיפול המטפלת; מטפח, מגן
male nurse אח, סניטר
wet nurse מינקת
nurse *v.* להיניק; לינוק; לטפל (בחולה/במחלה); לטפח, לנטור; ללטף
nurse a grudge לנטור טינה
nurseling = **nursling**
nursemaid *n.* מטפלת
nur'sery *n.* חדר־ילדים; פעוטון; משתלה
day nursery פעוטון, גן
nursery governess גננת, מטפלת
nurseryman *n.* בעל משתלה
nursery rhyme שיר ילדים
nursery school גן ילדים
nursing *n.* מקצוע האחות
nursing home בית החלמה

nurs′ling *n.* תינוק; בן־טיפוחים
nur′ture *n.* חינוך, טיפוח, אימון
nurture *v.* לגדל, לכלכל, לטפח, לאמן
nut *n&v.* אגוז; אום; גושיש פחם; ⋆מטורף; משוגע ל־; ראש; אשך
can't for nuts ⋆כלל לא יכול
do one's nut ⋆לכעוס
go nutting לאסוף אגוזים
hard nut to crack אגוז קשה
nuts and bolts ⋆דברים יסודיים, עובדות פשוטות; מנגנון המכונה
off one's nut משוגע, יצא מדעתו
nut-brown *adj.* חום־כהה
nut′case *n.* ⋆משוגע
nutcracker *n.* מפצח אגוזים
nuthouse *n.* ⋆בית משוגעים
nut′meg′ *n.* מין תבלין
nu′tria *n.* (פרוות) נוטרייה
nu′trient *adj.* מזין
nu′triment *n.* מזון
nu•tri′tion (nōōtri-) *n.* מזון, אוכל; תזונה, הזנה
nu•tri′tious (nōōtrish′əs) *adj.* מזין
nu′tritive *adj.* מזין; תזונתי
nuts *adj.* ⋆משוגע
go nuts ⋆להשתגע, לצאת מדעתו
nuts about/over משוגע ל־
nuts! ⋆שטויות! לכל הרוחות!
nutshell *n.* קליפת האגוז
in a nutshell בקצרה, בכמה מלים
nut′ty *adj.* של אגוזים; ⋆משוגע
nuz′zle *v.* לחכוך בחוטמו, לנגוע באף
NW = northwest
ny′lon′ *n.* ניילון
nylons גרבי ניילון
nymph *n.* נימפה, יפהפייה; גולם
nymphet′ *n.* ⋆ילדה מושכת, חתיכונת
nym′pho *n.* ⋆נימפומנית, חולת תאווה
nym′phoma′nia *n.* נימפומניה
nym′phoma′niac′ *n.* נימפומנית

O

O *n&interj.* אפס, 0; הו, אוי (קריאה)
o' = of של
oaf *n.* גולם, טיפש, מטומטם
oafish *adj.* כמו גולם
oak *n.* אלון
oak apple עפץ (ב"אלון העפצים")
oak'en *adj.* עשוי מעץ אלון
oa'kum *n.* חבלים ישנים, מוך־חבלים
OAP = old age pensioner
oar *n.* משוט
pulls a good oar יודע לתפוס משוט
put one's oar in "לתחוב אפו"
rest on one's oars להפסיק לעבוד
oarlock *n.* בית־משוט, ציר משוט
oarsman (-z-) *n.* משוטאי, תופש משוט
oarsmanship *n.* שייטות, חתירה
oarswoman *n.* משוטאית
o•a'sis *n.* נווה מידבר, נאת מידבר, אואזיס; חוויה מרעננת
oat *n.* שיבולת־שועל
oatcake *n.* עוגת שיבולת־שועל
oath *n.* שבועה; קללה
on my oath על דברתי, בהן צדקי
on/under oath בשבועה
put under oath לחייבו להישבע
swear/take/make an oath להישבע
oatmeal *n.* קמח שיבולת־שועל
oats *n-pl.* שיבולת שועל; דייסת קוואקר
be off one's oats לאבד התיאבון
feel one's oats ⋆להרגיש מלא־חיים, שש לפעילות
sow one's wild oats לנהל חיי הוללות (בעודנו צעיר)
ob'bliga'to (-gä-) *n.* אובליגאטו, חובה
ob'duracy *n.* עקשנות
ob'durate *adj.* עקשן
obe'dience *n.* צייתנות, משמעת
in obedience to בהתאם ל־
obe'dient *adj.* צייתן, ממושמע
your obedient servant עבדך הנאמן
o•bei'sance (-bā'-) *n.* קידה עמוקה
make/pay obeisance להרכין ראש
ob'elisk' *n.* אובליסק, מצבת־מחט; צלבלב מוארך (סימן דפוס)
o•bese' *adj.* שמן מאוד, בריא בשר
o•bes'ity *n.* שומן, שמנות מרובה
obey' (-bā') *v.* לציית, לעשות כנדרש
ob'fuscate' *v.* לבלבל, להביך, לערפל
ob'fusca'tion *n.* בלבול, ערפול
o'bi *n.* חגורה, אבנט
ob'iter dic'tum הערה צדדית
obit'uar'y (-chooeri) *n.* הודעה על מוות
ob'ject' *n.* דבר, חפץ, אובייקט; גוף, עצם; מטרה, יעד; (בתחביר) מושא
no object לא חשוב, לא גורם מעכב
object of admiration נושא להערצה
object of pity מעורר חמלה, מיסכן
object' *v.* להתנגד, למחות, לערער
object glass עדשת העצם, עצמית
objec'tion *n.* התנגדות; אי־רצון; פגם
take objection להתנגד
objectionable *adj.* דוחה, לא נעים
objec'tive *adj.* אובייקטיבי, חיצוני, ענייני; (בתחביר) של מושא
objective *n.* מטרה, יעד; אובייקטיב, עצמית, עדשת העצם
ob'jec•tiv'ity *n.* אובייקטיביות
object lens עדשת העצם, עצמית
object lesson שיעור הדגמה; מאורע מאלף; הדגמה מעשית
objec'tor *n.* מתנגד
objet d'art (ob'zhā där') חפץ בעל ערך אמנותי
ob'jurgate' *v.* לנזוף, לגעור
ob'jurga'tion *n.* נזיפה, גערה
ob•late' *adj.* פחוס, משוטח בקטבים
obla'tion *n.* קורבן (לה')
ob'ligate' *v.* לחייב, לאלץ
feel obligated לחוש חובה
ob'liga'tion *n.* חובה; התחייבות; נדר
place him under an obligation לחייבו, להטיל עליו חובה (מוסרית)
oblig'ato'ry *adj.* מחייב, חובה, הכרחי, כובל
oblige' *v.* לחייב, לאלץ; לעשות טובה
much obliged to אסיר תודה ל־
oblige him with להואיל לתת לו
obliging *adj.* אדיב, שש לעזור
oblique' (-lēk) *adj.* משופע, אלכסוני;

עקיף, לא ישיר
oblique angle זווית לא ישרה
oblique stroke קו נטוי, לוכסן
obliq'uity *n.* שיפוע; נטייה; סטייה
oblit'erate' *v.* למחוק; להשמיד
oblit'era'tion *n.* מחיקה; השמדה
obliv'ion *n.* שכחה; השתכחות
sink into oblivion להישכח
obliv'ious *adj.* לא חש ב־, שוכח
ob'long (-lông) *n&adj.* מלבן; מלבני
ob'loquy *n.* גנאי, שמצה; גידופים
obnox'ious (-kshəs) *adj.* דוחה, מגעיל
o'boe (-bō) *n.* אבוב (כלי נגינה)
o'bo•ist *n.* אבובן, מנגן באבוב
obscene' *adj.* גס, של תועבה
obscen'ity *n.* גסות; ניבול פה; מעשה מגונה
obscu'rantism' *n.* ערפול, טשטוש האמת; שנאת הקדמה
obscure' *adj.* מעורפל, לא ברור, חשוך, אפל; לא מוכר, אלמוני
obscure *v.* להסתיר, לערפל, לטשטש
obscu'rity *n.* אי־בהירות; אלמוניות
ob'sequies (-kwēz) *n-pl.* טקסי־קבורה
obse'quious *adj.* מתרפס, להוט לשרת
obser'vable (-z-) *adj.* ניכר, ניתן להבחין בו; שראוי לשמרו/לקיימו
obser'vance (-z-) *n.* שמירה, הקפדה, קיום מיצוות; טקס, פעולה פולחנית
obser'vant (-z-) *adj.* שם לב, מבחין, מתבונן; שומר, מקיים, מקפיד
ob'serva'tion (-z-) *n.* שימת לב, התבוננות, השגחה; חוש הסתכלות; תצפית; הערה
escape observation לעבור מבלי שיבחינו בו, לחמוק מהעין
under observation תחת עין פקוחה; במעקב, בשמירה
observation car קרון תצפית
observation post עמדת תצפית
obser'vato'ry (-z-) *n.* מצפה כוכבים
observe' (-z-) *v.* להתבונן, להבחין, לראות; לשמור, לקיים, להקפיד; לאמור, להעיר
observe the Sabbath לשמור שבת
observe the 4th of july לחוג את ה־4 ביולי (מדי שנה)
observer *n.* מתבונן; שומר; משקיף
observing *adj.* פקוח־עין, שם לב
obsess' *v.* להציק, להטריד, להדאיג; לנקר במוחו
obses'sion *n.* שיגיון; רעיון מטריד; דיבוק, אובססיה, שיגעון לדבר אחד
obsessional *adj.* מציק; מוטרד במחשבות
obses'sive *adj&n.* שיגיוני, נתון לשיגיונות
obsid'ian *n.* אבן וולקנית כהה
ob'soles'cence *n.* התיישנות
ob'soles'cent *adj.* מתיישן, יוצא מכלל שימוש, הולך ונעלם
ob'solete' *adj.* מיושן, לא עוד בשימוש
ob'stacle *n.* מכשול, אבן־נגף
obstacle race מירוץ מכשולים
obstet'ric(al) *adj.* של מיילדות/לידה
ob'stetri'cian (-rish'ən) *n.* מיילד
obstet'rics *n-pl.* מיילדות
ob'stinacy *n.* עקשנות
ob'stinate *adj.* עקשן
obstrep'erous *adj.* מרעיש, קולני; חסר־רסן, מתפרע
obstruct' *v.* לחסום; להסתיר, להפריע; להערים מכשולים, להקשות
obstruc'tion *n.* מכשול; הפרעה, חבלה; חסם
obstructionism *n.* הפרעה שיטתית
obstructionist *n.* מפריע
obstruc'tive *adj.* מפריע, עוצר
obtain' *v.* לקבל, לרכוש, להשיג; (לגבי מנהג) להיות קיים/רווח/שולט
obtainable *adj.* ניתן לרכישה
obtrude' *v.* להתפרץ, להידחק; לכפות (דיעותיו/נוכחותו)
obtru'sive *adj.* מתפרץ, נדחק
obtuse' *adj.* קהה; טיפש, מטומטם
obtuse angle זווית קהה
ob'verse *n.* פני המטבע, צד (המדליה) העיקרי; החלק המיועד להצגה
ob'viate' *v.* להסיר, לסלק, להיפטר מ־
obviate a danger לקדם פני סכנה
ob'vious *adj.* ברור; פשוט
obviously *adv.* ברור, אין ספק ש־
oc'ari'na (-rē'-) *n.* אוקרינה (כלי נגינה)
occa'sion (-zhən) *n.* הזדמנות, מקרה; אירוע; סיבה ישירה; עילה, צורך
no occasion for- זמן לא מתאים ל־
no occasion to- אין סיבה ל־, אין צורך ל־
occasions עיסוקים, עניינים
on occasion לפעמים; בעת הצורך
on one occasion פעם, במקרה מסוים
on the occasion of לרגל, בשעת
on this occasion בזמן/במקרה זה

rise to the occasion להתמודד יפה עם הבעיה; להפגין כישורים הולמים למצב
sense of occasion חוש הבחנה בין מקרים/מצבים מיוחדים
take this occasion לנצל ההזדמנות
occasion *v.* לגרום, להמיט, להסב
occasional *adj.* מקרי, מדי פעם, לא קבוע; שחובר או נועד למקרה מיוחד
occasionally *adv.* לפעמים
Oc′cident *n.* המערב, אירופה ואמריקה
oc′ciden′tal *n&adj.* מערבי, בן המערב
occult′ *adj.* סודי, ליודעי ח"ן בלבד, על־טבעי, מאגי, מסתורי
oc′cu•pancy *n.* דיור, מגורים, היאחזות
oc′cu•pant *n.* דייר, שכן, מתנחל
oc′cu•pa′tion *n.* כיבוש, השתלטות; ישיבה, חזקה; עבודה, מקצוע; תעסוקה
army of occupation צבא כיבוש
occupational *adj.* מקצועי, של עבודה
occupational hazard סיכון מקצועי
occupational therapy ריפוי בעיסוק
oc′cu•pi′er *n.* דייר, שכן; מתנחל
oc′cu•py′ *v.* לכבוש, להחזיק; לגור, לדור; לתפוס, לגזול (זמן); להעסיק
be occupied להיות עסוק/שקוע ב־
occupy a position להחזיק/למלא משרה
occupy the mind להעסיק את המוח
occur′ *v.* לקרות, להתרחש, להופיע
it occurred to him חשב, חלף במוחו
occurrence *n.* מיקרה, מאורע, היקרות
of rare occurrence נדיר
o′cean (-shən) *n.* אוקיינוס
ocean lane נתיב ימי
oceans of ⋆המון, הרבה
ocean-going *adj.* להפלגה ימית
o′ce•an′ic (-sh-) *adj.* אוקיינוסי
o′ceanog′raphy (-shən-) *n.* אוקיינוגרפיה, מחקר האוקיינוסים
oc′elot′ *n.* החתול המנומר
o′chre, o′cher (-kər) *n&adj.* אוכרה; (חומר־צבע) חום־צהוב
o′clock′ (əklok′) *adv.* השעה, בשעה
at 2 o'clock בשעה 2
oc′tagon′ *n.* אוקטגון, מתומן, משומן
oc•tag′onal *adj.* מתומן־צלעות
oc′tane *n.* אוקטאן (ממרכיבי הבנזין)
oc′tave *n.* אוקטבה; שמינייה; 2 הבתים הראשונים בסונטה
oc•ta′vo *n.* אוקטבו, שמינית (גיליון)
oc•tet′ *n.* אוקטט, תמנית (8 נגנים)
Oc•to′ber *n.* אוקטובר
oc′togena′rian *n.* בן 80
oc′topus *n.* תמנון
oc′tosyllab′ic *adj.* בעל 8 הברות
oc′troi′ (-rwä′) *n.* אוקטרואה (מס)
oc′u•lar *adj.* של העיניים, של ראייה
ocular *n.* אוקולר, עינית, עדשת העין
oc′u•list *n.* אוקוליסט, רופא עיניים
od′alisque′ (-lisk) *n.* שפחה, פילגש
odd *adj.* מוזר; בודד (מתוך סדרה); לא קבוע, מזדמן; עודף, נשאר; ויותר
odd jobs עבודות מזדמנות/מקריות
odd man out מיותר, ללא בן־זוג; לא מתערה בחברה, מתבדל
odd moments שעות לא קבועות
odd number פרד, פרט, מספר לא־זוגי
odd pieces חפצים שונים, שאריות
odd shoe נעל אחת (כשהשנייה חסרה)
40-odd ארבעים ויותר
oddball *n.* ⋆טיפוס מוזר
odd′ity *n.* מוזרות; דבר משונה
odd-job man עושה עבודות מקריות
oddly *adv.* בצורה משונה
oddly enough מוזר למדי
odd′ment *n.* שארית, שיור, חפץ נותר
odds *n-pl.* סיכויים, הסתברות; תנאי־הימור; אי־שוויון, יתרונות
at odds במחלוקת, חלוקים
by all odds ללא ספק, לבטח
give odds לתת מיקדם ("פור")
it makes no odds לאו נפקא מינה
lay odds להציע יתרון, להתערב, להמר
long odds against סיכוי גבוה נגד
odds and ends שאריות, חפצים שונים
what's the odds? מאי נפקא מינה?
odds-on *adj.* בעל סיכויים (לנַצח)
ode *n.* אודה, שיר־תהילה
o′dious *adj.* נתעב, דוחה, שנוא
o′dium *n.* שנאה, שמצה, שם רע
expose to odium להוקיע ברבים
o′dor *n.* ריח; צחנה; שם, אהדה
in bad odor לא נושא חן (בעיני)
o′dorif′erous *adj.* ריחני
odorless *adj.* נטול־ריח
o′dorous *adj.* ריחני
od′yssey *n.* אודיסיאה, מסע הרפתקאות
oecumenical = ecumenical
Oed′ipus complex (ed-) תסביך אדיפוס
o′er = over (ôr)
oesophagus = esophagus
of (əv, ov) *prep.* מן; של, בעל־, על; ב־

a quarter of seven רבע לשבע
beloved of all אהוב על הכל
fear of God יראת שמיים
fool of a man טיפש, ממש טיפש
how kind of him כמה נאה מצידו
of all people דווקא הוא?
of an evening בערבים
of itself מעצמו, לבד
short of money דחוק בכסף
the four of us ארבעתנו
what of- מה בנוגע־
off (ôf) *prep.* מן, מעל, הלאה מ־, במרחק־
a street off the main road כביש המסתעף מהדרך הראשית
I'm off smoking נגמלתי מעישון
off one's food חסר תיאבון
off the coast מול/במרחק מה מהחוף
off the subject סוטה מהנושא
off *adj&adv.* הלאה, במרחק, מכאן, מהמקום; מכובה, מנותק; בטל; ימני
a day off יום חופש
badly off עני
better off במצב יותר טוב
have it off להסיר זאת
I'm off אני זז, אני הולך
it's a bit off לא בסדר, לא יאה
off and on מדי פעם, לא בקביעות
off chance סיכוי קלוש, שמץ תקווה
off color חיוור, חש ברע; לא צנוע
off with his head התיזו ראשו!
off you go! קדימה! זוזו! לך!
right/straight off מיד, כהרף עין
take time off לעשות פסק־זמן
the fish is off הדג מקולקל
the off season העונה המתה/החלשה
the off wheel הגלגל הימני
the runners are off הרצים יצאו לדרך (במירוץ)
this is one of my off days תפס אותי יום חלש
voices/noises off קולות מאחורי הקלעים
well off עשיר, מבוסס
with shoes off בלא נעליים, יחף
worse off במצב יותר גרוע
of'fal *n.* פסולת; חלקי הבהמה שאינם למאכל (לב, ראש)
off-beat *adj.* *לא רגיל, לא מקובל
off-day *n.* *יום חלש, יום ביש־מזל
offend' *v.* להעליב; לעבור על, להפר
offend against the law להפר חוק
offend the eye להוות מפגע לעין, להרגיז, לגרום אי נוחות לצופה
offender *n.* עבריין, עובר על החוק
first offender מורשע לראשונה
old offender עבריין ותיק/מועד
offense' *n.* עבירה, פשע; עלבון, פגיעה; מטרד; פגע; התקפה
cause/give offense לפגוע; להעליב
take offense at להיפגע, להיעלב מ־
offenseless *adj.* לא מעליב
offen'sive *adj.* דוחה; פוגע; מיתקפי
offensive language לשון גסה
offensive *n.* אופנסיבה, מיתקפה
peace offensive מתקפת שלום
take the offensive לפתוח במתקפה
offensiveness *n.* פגיעה; תוקפנות
of'fer *v.* להציע, להגיש; להביע רצון/נכונות; לנסות; להזדמן, לקרות
as occasion offers לפי ההזדמנות
offer a prayer להתפלל, להודות לאל
offer a sacrifice להקריב קורבן
offer battle להתגרות מלחמה
offer itself להזדמן, לבוא, להיקרות
offer one's hand לבקש את ידה; להושיט ידו לשלום
offer resistance לגלות התנגדות
offer *n.* הצעה; נסיון; הבעת נכונות
make me an offer נקוב הצעת מחיר
on offer מוצע למכירה
offering *n.* הצעה; מתנה; תרומה; קורבן
peace offering מתנת פיוס (לסולחה)
of'ferto'ry *n.* (בכנסייה) כספי תרומות; תפילת תרומות, איסוף תרומות
off-hand *adv&adj.* כלאחר יד, בלי שיקול דעת, מניה וביה; מיד; חסר־נימוס
off-handed *adj.* כלאחר יד
of'fice (-fis) *n.* משרד, לשכה; משרד ממשלתי; תפקיד, כהונה; חדר־שירות
enter upon office להיכנס לתפקיד
good offices שירותים, עזרה אדיבה
hold office לכהן בתפקיד
in (out of) office (לא) בשלטון
office work עבודה משרדית
perform the last offices לערוך טקס האשכבה
Foreign Office משרד החוץ
office-bearer *n.* מכהן בתפקיד
office block בניין משרדים
office boy נער שליח, חניך במשרד
office-holder *n.* מכהן בתפקיד
of'ficer *n.* קצין; פקיד, ממונה; שוטר
offi'cial (-fish'əl) *n.* פקיד

official *adj.* רישמי; פקידותי; סמכותי
officialdom *n.* פקידות; הפקידים
offi'cialese' (-fishəlēz') *n.* שפת פקידים; לשון משרדית
officially *adv.* רישמית, באופן רישמי
official receiver כונס נכסים
offi'ciate' (-fish'iāt) *v.* לשמש, לכהן, למלא תפקיד; לערוך טקס
offi'cious (-fish'əs) *adj.* להוט להציע שירותיו, משיא עצות, מתערב
off'ing (ôf-) *n.* אופק הים, מרחקי הים
in the offing באופק, עומד להתרחש
off'ish (ôf-) *adj.* עומד מנגד, מתבדל, צונן
off-key *adj.* לא הוגן, לא יאה, משונה
off license חנות למכירת משקאות (שאפשר לקחתם וללכת)
off-load *v.* לפרוק, להוריד
off-peak *adj.* (עונת) שפל, לא שיא
off-print *n.* תדפיס
off-putting *adj.* מביך; דוחה, לא־נעים
off-scourings *n-pl.* פסולת; חלאה
off'set' (ôf-) *n.* אופסט (שיטת הדפסה); קיזוז
offset *v.* לְפַצּוֹת, לקזז, לאזן
off'shoot' (ôf'sho͞ot) *n.* נצר, חוטר; ייחור
off-shore *adj.* מן החוף, מכיוון היבשה, לעבר הים; הרחק מהחוף
off'side' (ôf-) *adj.* נבדל; ימני (בבריטניה)
off'spring' (ôf-) *n.* בן, צאצא(ים), שגר
off-stage *adj.* מאחורי הקלעים
off-street *adj.* ברחובות צדדיים
off-the-cuff *adj.* מהשרוול, מאולתר
off-the-record *adj.* שלא לפרסום, לא לרישום בפרוטוקול
off-white *adj.* לבנבן, לא צחור לחלוטין, לבן־אפור, לבן־צהוב
oft = often (ôft)
of'ten (ôf'ən) *adv.* תכופות, פעמים רבות
as often as כל אימת ש־
as often as not ברוב המקרים
every so often מדי פעם
how often? באיזו תדירות?
more often than not ברוב המקרים
often as- למרות שלעיתים קרובות־
o'gle *v&n.* לנעוץ מבט, לקרוץ, ללטוש עין; קריצת־עין
o'gre (-gər) *n.* מפלצת, ענק אוכל־אדם
o'greish (-gərish) *adj.* מפלצתי
o'gress *n.* אישה־מפלצת
oh (ō) *interj.* או! הוי! (קריאה)
ohm (ōm) *n.* (בחשמל) אוהם, אום
o•ho' *interj.* אוהו! (קריאה)
oil *n&v.* שֶמֶן; נפט; לשמן; למרוח שמן
burn the midnight oil לעבוד/ללמוד/לקרוא עד שעה מאוחרת בלילה
oil his palm לשחדו
oil the wheels לשמן הגלגלים, לגלגל העניינים
oils צבעי שמן
pour oil on the flame להוסיף שמן למדורה, להחריף את המצב
pour oil on troubled waters להשכין שלום, ליישב מחלוקת
smells of (midnight) oil נושא סימני־שקדנות, עשו בו לילות כימים
strike oil למצוא נפט; לגלות מכרה־זהב; להתעשר לפתע, להצליח
oil-bearing *adj.* (אדמה) מכילה נפט
oil-burner *n.* פתילייה; מנוע־נפט; ספינה מונעת בנפט
oil-cake *n.* כוספה (מזון־בהמות)
oil-can *n.* אסוך (לסיכת מכונות)
oil-cloth *n.* שעוונית; לינוליאום
oil-colors *n-pl.* צבעי־שמן
oiled *adj.* שתוי, בגילופין
oiler *n.* מיכלית; אסוך (לסיכה)
oil-field *adj.* שדה־נפט
oil-fired *adj.* (תנור) פועל על נפט
oilman *n.* שַמָּן, מוכר שמנים
oil painting ציור שֶמֶן
no oil painting לא יפהפה
oil-paper *n.* נייר־שֶמֶן
oil-rig *n.* מתקן־קידוח (לנפט, בים)
oil-skin *n.* מעיל גשם; בד חסין־מים
oil slick שכבת נפט על הים
oil tanker מיכלית, מכלית־נפט
oil well באר נפט
oily *adj.* שמני, שמנוני; רווי־שמן; מחליק־לשון, חנפן
oink *n&v.* נחירת־חזיר; לנחור
oint'ment *n.* משחה, משחת־עור
a fly in the ointment קוץ באליה
o•ka'pi (-kä-) *n.* אוקאפי (חיה דומה לג'ירפה)
o•kay', OK *adv&n.* אוקיי, בסדר, טוב, נכון; אישור
okay, OK *v.* לאשר, לתת אוקיי
o'kra *n.* במיה (ירק־מאכל)
old (ōld) *adj.* בן, בגיל־; מבוגר; זקן,

קשיש; ישן; ותיק; של העבר; משומש
any old thing ⋆כל דבר שהוא
grow/get old להזקין; להתיישן
have a fine old time ⋆לבלות, ליהנות
how old? בן כמה?
of old שבעבר, מימי קדם
of the old school מהאסכולה הישנה
old age זיקנה
old age pension קצבת זיקנה
old and young מנער ועד זקן
old as the hills ישן מאוד
old boy תלמיד ביה"ס בעבר; חבר!
old country מולדת, ארץ המוצא
old fogy מיושן, מאובן־דיעות
old friend ידיד ותיק
old guard השמרנים
old hand מיומן, מנוסה, ותיק
old hat ⋆מיושן
old maid בתולה זקנה
old man ⋆בעל; אב; קברניט; חבר!
old master (יצירה של) צייר נודע
old offender עבריין ותיק/מועד
old school tie עניבת ביה"ס; רגש סולידריות בין בוגרי בי"ס
old woman/lady ⋆אישה, אם
the old הזקנים, הישישים
Old Glory הדגל האמריקאי
Old Nick/Harry/Scratch השטן
Old Testament התנ"ך
Old World העולם הישן; אירופה

old-clothesman *n.* סמרטוטר, סוחר בבגדים משומשים

old′en (ōld′-) *n.* ישן; של העבר

old-fashioned *adj.* מיושן, שיצא מן האופנה, שמרני

old fashioned קוקטייל ויסקי

old-fogyish *adj.* מיושן, שמרני

oldish *adj.* ישן במקצת

old-maidish *adj.* מתנהג כבתולה זקנה

old stager מנוסה (בפעילות מסוימת)

old′ster (ōld′-) *n.* זקן, קשיש

old-time *adj.* של העבר, עתיק, ישן

old timer ותיק; זקן

old-womanish *adj.* מתנהג כזקנה

old-world *adj.* של ימים עברו; אירופי

o′le•ag′inous *adj.* שמני, מפיק שמן

o′le•an′der *n.* הרדוף (שיח)

o′le•ograph′ *n.* תמונת שמן (מודפסת)

o′le•o•mar′garine (-jərin) *n.* מרגרינה (צמחית)

ol•fac′tory *adj.* של חוש הריח

ol′igarch′ (-k) *n.* אוליגרך

ol′igar′chy (-ki) *n.* אוליגרכיה, שלטון מיעוט רב־כוח

ol′ive (-liv) *n&adj.* זית; זיתי, זיתני
hold out an olive branch להראות נכונות לדון בהשכנת שלום

olive drab ירוק־זיתי (למדים)

olive oil שמן זית

Olym′piad′ *n.* אולימפיאדה

Olym′pian *adj.* אולימפי; כאליל יווני

Olympian calm שלווה אולימפית

Olym′pic *adj.* אולימפי

Olympics *n.* המשחקים האולימפיים

om•buds′man (-z-) *n.* אומבודסמן

o•meg′a *n.* אומגה (האות האחרונה באלפבית היווני)

om′elet, om′elette *n.* חביתה

o′men *n&v.* אות, סימן לבאות; לבשר
bad omen מבשר רע

om′inous *adj.* מהווה סימן רע, מאיים

omis′sion *n.* השמטה; אי־עשייה, מחדל

omit′ *v.* להשמיט, לפסוח; לזנוח
not omit to do it לעשות זאת

om′nibus′ *n.* קובץ, כתבי־סופר; אוטובוס

om•nip′otence *n.* יכולת אינסופית

om•nip′otent *adj.* כל־יכול, כביר כוח
the Omnipotent אלוהים

om′nipres′ent (-z-) *adj.* מלא עולם, שוכן בכל מקום

om•nis′cience (-nish′əns) *n.* ידיעת הכל

om•nis′cient (-nish′ənt) *adj.* יודע הכל

om•niv′orous *adj.* אוכל הכל, זולל הכל; קורא הכל, תולעת ספרים

on *prep.* על; ב־; לכיוון, לעבר; על־יד; מ־
(on) Monday ביום שני
a drink on me משקה על חשבוני
just on קרוב מאוד ל־, כמעט
on a committee חבר בוועדה
on seeing her, I- בראותי אותה־
I have something on him יש לי מידע נגדו
I've no money on me אין עמי כסף

on *adj&adv.* קדימה, הלאה; עליו; פועל, פתוח, דלוק; נמשך; מתרחש; בתוכנית
and so on וכן הלאה, וכו׳
on and off לסירוגים, מפעם לפעם
on and on ללא הפוגה, בלי הפסק
she had nothing on היתה ערומה
with his hat on כשהוא חבוש כובע
work on להמשיך לעבוד

once (wuns) *adv&conj.* פעם אחת; פעם, בעבר; ברגע ש־, אם אך
all at once פתאום
at once מיד, ללא דיחוי; בעת ובעונה אחת, באותו זמן, בו־זמנית
just the once, for once אך הפעם
not/never once אף לא פעם
once a week אחת לשבוע, פעם בשבוע
once and again לפעמים, מדי פעם
once in a while לפעמים, מדי פעם
once more שוב, עוד פעם
once or twice פעם - פעמיים
once upon a time פעם אחת (היה־)
once I see him ברגע שאראה אותו
once (and) for all אחת ולתמיד
once-over *n.* מבט חטוף/בוחן
on'coming (-kum-) *adj.* מתקרב, קָרֵב, בא
oncoming *n.* התקרבות, ביאה, הגעה
one (wun) *adj&n.* אחד, 1; מסוים; ראשון, א'; אדם, כל אחד
a right one ★טיפש
as one man כאיש אחד
be made one להתחתן
be one up להיות בעמדת יתרון
be (at) one with להיות תמים דעים
by ones and twos מעט מעט, אחדים מדי פעם
for one thing קודם כל, דבר ראשון, הסיבה הראשונה
he's a one! הוא נועז!
in one גם יחד, בבת אחת; ★במכה אחת
it's all one היינו הך, אין הבדל
like one dead כמו מת
number one עצמו, האינטרסים שלו
of one mind with תמים־דעים עם
one and all כולם, כל אחד
one and the same אותו ממש
one another זה את זה, זה לזה
one could see that… אפשר היה לראות ש־
one day יום אחד, באחד הימים, אי־פעם
one half חצי
one or two כמה, אחדים
the book is a good one הספר טוב
the one (that) זה ש־, האיש אשר
the ones (that) אלו ש־, אלה אשר
which one? איזה?
I, for one אני למשל, לדידי
one-armed *adj.* בעל זרוע אחת, גידם
one-armed bandit מכונת הימורים

one-eyed *adj.* בעל עין אחת
one-horse *adj.* רתום לסוס אחד
one-horse town עיר קטנה/משעממת
one-idead *adj.* שיגיוני, שוגה ברעיון אחד
one-legged *adj.* בעל רגל אחת
one-man *adj.* של איש אחד
one-man band תזמורת בת אדם אחד (המנגן בכלים שונים)
one-night stand מופע חד־פעמי
one-piece *adj.* (בגד ים) מחלק אחד
on'erous *adj.* מכביד, מעיק, כבד
oneself' (wunself') *pron.* (את/ל־) עצמו
one-sided *adj.* חד־צדדי; לא הוגן
one-step *n.* וַן־סטפ (ריקוד)
one-time *adj.* לשעבר, בעבר
one-track *adj.* בעל נתיב אחד
one-track mind מוח מוגבל (השוגה בנושא אחד)
one-up'manship (wun-) *n.* אמנות רכישת יתרון, הקדמת היריב
one-way *adj.* חד־סטרי; לכיוון אחד
on'go'ing *adj&n.* ממשיך; התקדמות
on'ion (un'yən) *n.* בָּצָל
knows his onions חכם, בעל ניסיון
on'look'er *n.* צופה, משקיף, מתבונן
o'nly *adj&adv&conj.* יחיד; אך ורק, בלבד, גרידא; רק, אלא ש־, דא עקא
an only son בן יחיד
if only אילו רק, הלוואי
one and only האחד והיחיד
only just בקושי; לפני רגע, זה עתה
only too- מאוד, ביותר, בהחלט
the only היחיד; הכי טוב
on'omat'opoe'ia (-pē-) *adj.* אונומטופיה (שימוש במלים המחקות צלילים טבעיים:"זמזם")
on'rush' *n.* הסתערות, נהירה, זרימה
on'set' *n.* התקפה; התחלה
on'shore' *adj&adv.* לעבר החוף; קרוב לחוף
on'side' *adj&adv.* לא בעמדת נבדל
on'slaught'(-lôt) *n.* התקפה, הסתערות
on'to (-to͞o) *prep.* אל, על
on•tol'ogy *n.* חקר ההוויה
o'nus *n.* אחריות, נטל, משא; אשמה
put the onus onto לטפול האשמה על
the onus of proof rests with חובת ההוכחה רובצת על, עליו הראיה
on'ward *adj&adv.* מתקדם; קדימה
onwards *adv.* קדימה, הלאה; אילך

on'yx *n.* אנך, שוהם, קווארץ צבעוני
oo'dles (-lz) *n-pl.* ⋆המון, הרבה
oof (ōōf) *n.* ⋆כסף
oomph *n.* ⋆מרץ, סקס־אפיל
oops *interj.* ⋆אוף! אויה!
ooze *n.* בוץ (בקרקע הנהר)
ooze *v.* לטפטף, לזוב באיטיות
ooze away לפוג, להימוג
oozing life שותת דם עד מוות
oo'zy *adj.* בוצי, נוזל
op = operation, opera, opus
o•pac'ity *n.* אטימות, אי־שקיפות
o'pal *n.* לֶשֶׁם (אבן יקרה), אוֹפָּל
o'pales'cent *adj.* מבהיק (בשלל־צבעים)
o•paque' (-pāk) *adj.* אטום, לא שקוף
op art אמנות אופטית
ope *v.* לפתוח
o'pen *adj.* פתוח; גלוי; כן, הוגן
in open court בדלתיים פתוחות
keeps open house ביתו פתוח לכל
lay oneself open to לחשוף עצמו ל־
open air תחת כיפת השמיים, חוץ
open boat סירה פתוחה (ללא גג)
open book כספר הפתוח, גלוי, ברור
open car מכונית פתוחה (ללא גג)
open check שיק לא משורטט
open city עיר פרוזות
open country שדה פתוח, שטח נרחב
open door policy מדיניות הדלת הפתוחה, סחר חופשי
open hands יד פתוחה, נדיבות
open letter מכתב גלוי
open mind ראש פתוח, רחב־אופק
open question שאלה תלויה ועומדת
open river נהר לא חסום בקרח
open sandwich פרוסה מרוחה בגבינה וכ׳
open season עונה מותרת בציד
open secret סוד גלוי
open shop מפעל פתוח (גם לפועלים לא־מאוגדים)
open to פתוח ל׳, לא מוגן מפני־
open town עיר חופשית (בעלת בתי הימורים וכ׳)
open university אוניברסיטה פתוחה
open winter חורף מתון (שאינו מאלץ להסתגר בבית)
the job is open המשרה פנויה
with open arms בזרועות פתוחות
with open eyes בעיניים פקוחות
open *v.* לפתוח; להיפתח; להתחיל
open fire לפתוח באש
open his eyes לפקוח את עיניו
open its doors לפתוח שעריו
open one's eyes לפעור עיניים בתדהמה
open one's heart לשפוך ליבו
open one's mind לגלות דיעותיו
open out להיפתח; לדבר בחופשיות; להיגלות לעין; לפתוח; לפתח
open up לפתוח; להיפתח; לפתוח באש; להגביר מהירות; לאפשר את פיתוחו
open *n.* חוץ, תחת כיפת השמיים
come out into the open לפרסם; להיגלות לציבור (דיעות)
open-air *adj.* בחוץ, תחת כיפת השמיים
open-and-shut *adj.* ברור, מפורש
open-cast *adj.* (פחם) ממרבץ עליון
open-ended *adj.* שמטרתו הסופית לא נקבעה מראש, שלא הוגבל בזמן
opener *n.* פותחן; פותח
open-eyed *adj&adv.* פעור־עיניים, נדהם; פקוח־עין, ער; בעיניים פקוחות
open-handed *adj.* שידו רחבה, נדיב
open-hearted *adj.* גלוי־לב; נדיב־לב
open-heart surgery ניתוח־לב פתוח
opening *adj.* ראשון, פותח
opening *n.* פתיחה; פתח, פרצה; משרה פנויה; הזדמנות, סיכוי
opening night ערב בכורה (של הצגה)
openly *adj.* גלויות, בפרהסיה
open-minded *adj.* רחב־אופק, נכון להקשיב; פתוח לדיעות חדשניות
open-mouthed *adj.* פעור פה
openness *n.* פתיחות
open-work *n.* מעשה־רשת
openwork stockings גרבי רשת
op'era *n.* אופרה
op'erable *adj.* נתיח, ניתן לניתוח
opera cloak שכמיית ערב
opera glasses משקפת תיאטרון
opera hat מגבע מתקפל
opera house בית האופרה
op'erate' *v.* לפעול; להפעיל; לתפעל; לנתח
op'erat'ic *adj.* של אופרה
operating table שולחן ניתוחים
operating theater חדר ניתוחים
op'era'tion *n.* פעולה; תפעול; מבצע (צבאי); ניתוח
come into operation להתחיל לפעול
in operation מופעל, בפעולה

military operation מבצע צבאי
operational *adj.* מבצעי; תפעולי; אופרטיבי; בפעולה, מוכן לשימוש
operational research מחקר תפעולי (לשיפור התפעול)
op'era'tive *n.* פועל, פועל מכונה
operative *adj.* תקף, בתוקף, פועל, משפיע; חשוב, משמעותי; ניתוחי, כירורגי
op'era'tor *n.* מפעיל, פועל; טלפונאי, מרכזנית; ★אדם יעיל, מצליח
op'eret'ta *n.* אופרטה, אופרית
oph•thal'mia *n.* דלקת העין
oph•thal'mic *adj.* של העיניים
oph'thal•mol'ogist *n.* רופא עיניים
oph'thal•mol'ogy *n.* אופתלמולוגיה, תורת מחלות העיניים
oph•thal'moscope' *n.* אופתלמוסקופ (מכשיר לבדיקת העין)
o'piate *n.* סם שינה, סם מרגיע
o•pine' *v.* לחשוב ש־, להביע דיעה
opin'ion *n.* דיעה, השקפה; דעת־הקהל; חוות־דעת, עצה מקצועית
act up to one's opinions לנהוג לפי השקפותיו
be of the opinion that לסבור ש־
high opinion הערכה, דיעה חיובית
in my opinion לדעתי
in the opinion of לדעת־
low opinion בח, דיעה שלילית
public opinion דעת הקהל
opin'iona'ted, -tive *adj.* עקשן, דוגמאטי, בטוח בנכונות השקפותיו
opinion poll משאל דעת הקהל
o'pium *n.* אופיום
opium den מאורת סמים
opos'sum *n.* אופוסום (חיית־כיס)
oppo'nent *n.* יריב
op'portune' *adj.* מתאים, ברגע הנכון, בעיתו
op'portu'nism' *n.* אופורטוניזם, סתגלנות
op'portu'nist *n.* אופורטוניסט
op'portu'nity *n.* הזדמנות, שעה נוחה
oppose' (-z) *v.* להתנגד; להעמיד מול
as opposed to בניגוד ל־
be opposed to להתנגד ל־
op'posite (-zit) *adj&n.* נגדי; ממול; הפוך; מנוגד; ניגוד, היפך
opposite number עמית, איש מקביל
op'posi'tion (-zi-) *n.* התנגדות, ניגוד; עימות; אופוזיציה
in opposition בניגוד, בעימות
oppress' *v.* לדכא; לרדות; להעיק
feel oppressed להיתקף דכדוך; לחוש מועקה
oppres'sion *n.* דיכוי; לחץ; מועקה
oppres'sive *adj.* מדכא, של דיכוי; מעיק
oppres'sor *n.* עריץ, רודן
oppro'brious *adj.* מעליב, פוגעני, מביש
oppro'brium *n.* עלבון, בושה, גידוף
ops = operations מבצעים צבאיים
opt *v.* לבחור, לברור, להעדיף
opt out of לבחור שלא לקחת חלק ב־
op'tative *adj.* מביע משאלה
op'tic *adj.* אופטי, של הראייה, של העין
op'tical *adj.* אופטי, ראייתי, חזותי
optical illusion אילחיה, תופעה אופטית
op•ti'cian (-tish'ən) *n.* אופטיקאי
op'tics *n-pl.* אופטיקה, תורת האור
op'timism' *n.* אופטימיות
op'timist *n.* אופטימיסט
op'timis'tic *adj.* אופטימי
op'timum *adj.* אופטימלי, מיטבי
op'tion *n.* אופציה; ברירה, בחירה
had no option לא נותרה לו ברירה
leave one's options open לא להתחייב, להשאיר אופציות פתוחות
option of a fine ברירת קנס
optional *adj.* של בחירה, לא חובה
op•tom'etrist *n.* אופטומטראי, מומחה להתאמת משקפיים
op'u•lence *n.* עושר, שפע
op'u•lent *adj.* עשיר, שופע
o'pus *n.* אופוס, מיצור, קומפוזיציה
magnum opus פאר יצירתו
or *conj.* או; או ש־, וָלא
a day or two יום ־ יומיים
or else וָלא, פן; אוי ואבוי לך!
or so בערך, בסביבות
somewhere or other איפשהו
or'acle *n.* אורקל, הכוהן המשיב לשאלות; אורים ותומים, בר־סמכא
work the oracle להשפיע מאחורי הקלעים, להצליח בדבר קשה
orac'u•lar *adj.* נבואי, כמו אורקל; סתום, לא ברור
or'al *adj&n.* שבעל־פה; בפה; אוראלי, של הפה; בחינה בעל־פה
orally *adv.* על־פה; דרך הפה
or'ange (-rinj) *n&adj.* תפוז; כתום

or′angeade′ (-jād) *n.* מיץ תפוזים, אורנג׳דה
orang′utan′ *n.* אורנג־אוטנג (קוף)
o•rate′ *v.* לנאום
o•ra′tion *n.* נאום
funeral oration הספד
or′ator *n.* נואם
or′ator′ical *adj.* של נואם; של נאום
or′ator′io′ *n.* אורטוריה
or′ato′ry *n.* בית תפילה (קתולי); תורת הנאום, רטוריקה
orb *n.* גרם־שמיים; כדור מעוטר נושא צלב (סמל המלך); עין
or′bit *n&v.* מסלול (של כוכב/לוויין); לשגר/לנוע/להקיף במסלול, להסליל
go into orbit להיכנס למסלול; להתפרץ בזעם
orbital *adj.* של מסלול, מסלולי
or′chard *n.* פרדס, מטע עצי־פרי
or′chestra (-ki-) *n.* תזמורת
or′chestral (-ki-) *adj.* תזמורתי
orchestra pit תא התזמורת
orchestra stalls המושבים הקדמיים
or′chestrate′ (-ki-) *v.* לתזמר
or′chestra′tion (-ki-) *n.* תזמור
or′chid, or′chis (-k-) *n.* סחלב (פרח), אורכידיה
or•dain′ *v.* להסמיך (כומר); לצוות, להורות; לגזור
or•deal′ *n.* ניסיון קשה, חוויה מרה; מבחן (הקובע אשמתו של אדם)
or′der *n.* סֵדר, הוראה, צו; הזמנה; מין, סוג; מחלקה; פקודה; מעמד; מסדר דתי; סמל המסדר; סגנון באדריכלות; מבנה/מערך צבאי
(holy) orders כמורה (סמכות הכומר)
be under orders לקבל הוראות
by order of לפי הוראת־
call to order לקרוא לסדר (בכנסת)
in close/open order ברווחים קטנים/גדולים (בין אנשים/מטוסים)
in good order בסדר, בצורה מסודרת
in order בסדר, במצב תקין
in order of size מסודר לפי הגודל
in order to/that כדי ל־/ש־
in short order מהר, ללא דיחוי
in working order פועל כהלכה
it's in order to זה בסדר ל־, זה לפי הכללים
keep (in) order לשמור על הסדר
large/tall order משימה קשה, דבר שקשה לספק אותו
law and order חוק וסדר
made to order לפי הזמנה (בגד)
money order המחאת כסף
on order בהזמנה (לגבי סחורה)
on the order of בערך, בסדר גודל של
order of the day סדר היום
order to view כתב־הרשאה (לבדיקת בית העומד למכירה)
order! אני קורא אותך לסדר!
orders are orders פקודות יש לבצע
out of order לא בסדר, לא פועל
postal order המחאת דואר
set/put in order לסדר, להסדיר
take orders להתמנות לכומר
order *v.* לצוות, לפקוד, להורות על; להזמין (סחורה/מונית); לסדר, לנהל
order around להציק בפקודות, לטרטר
order him out להורות לו לצאת
order one's affairs לסדר ענייניו
order book ספר הזמנות (לסחורה)
ordered *adj.* מסודר
order form טופס הזמנה
orderliness *n.* סֵדר
or′derly *adj.* מסודר; צייתן, ממושמע
orderly *n.* שַמָש, רץ; אח, סניטר
orderly officer קצין תורן
orderly room משרד המחנה
order paper רשימת הנושאים שעל סדר היום
or′dinal *adj&n.* סוֹדֵר; (מספר) סידורי
or′dinance *n.* חוק, תקנה, צו
or′dinand′ *n.* מועמד (לסמיכה) לכמורה
or′dinar′ily (-ner-) *adv.* בצורה רגילה, כרגיל; בדרך כלל
or′dinar′y (-neri) *adj.* רגיל
in an ordinary way בדרך כלל
in ordinary (רופא) קבוע, אישי
out of the ordinary יוצא דופן
ordinary seaman ימאי רגיל
or′dinate *n.* אורדינאטה
or′dina′tion *n.* הסמכה לכמורה
ord′nance *n.* תותחים, ארטילריה; תחמושת, חימוש
Ordnance Corps חיל חימוש
or′dure (-jər) *n.* צוֹאה, זבל
ore *n.* עפרה, מחצב
or′gan *n.* איבר; כלי, מכשיר; ביטאון; עוגב, אורגן
barrel organ תיבת נגינה
mouth organ מפוחית פה
organs of public opinion

מעצבי/מבטאי דעת הקהל, כלי־התקשורת

or′gandy *n.* אורגנדי (אריג עדין)

organ grinder מנגן בתיבת נגינה

or•gan′ic *adj.* אורגני, של החי, של האיברים; חיוני, בלתי נפרד

organic chemistry כימיה אורגנית

or′ganismʹ *n.* אורגניזם, יצור, ברייה; מנגנון, מערכת משולבת

or′ganist *n.* עוגבאי, מנגן בעוגב

or′ganiza′tion *n.* ארגון; גוף מאורגן, הסתדרות; מנגנון

or′ganizeʹ *v.* לארגן; לסדר; לאגד

organized *adj.* מאורגן

organizer *n.* מארגן, אורגניזטור

organ loft יציע העוגב

or′gasmʹ (-gaz′əm) *n.* אורגזמה, תרגושת, ריוויון

or′gias′tic *adj.* של אורגיה, מתהולל

or′gy *n.* אורגיה, נשף־חשק, זימה; סידרת בילויים

or′iel *n.* גבלית, חלון בולט

oriel window חלון הגבלית

or′ient *n&adj.* מזרח; אסיה; מזרחי

orient sun השמש העולה

orient = orientate

or′ien′tal *adj&n.* אוריינטלי, מזרחי

or′ien′talist *adj.* אוריינטליסט, מזרחן

or′ientateʹ *v.* להפנות/לבנות לכיוון מזרח; לאכן, לאתר; להנחות, לכוון

orientate oneself להתמזרח, להתמצא

or′ienta′tion *n.* אוריינטציה, התמצאות, התמזרחות; נטייה, מגמה

or′ifice (-fis) *n.* פתח, פה, נחיר

or′igin *n.* מקור, מוצא

orig′inal *adj.* מקורי; ראשון

original *n.* מקור, אוריגינל; איש מוזר

orig′inal′ity *n.* מקוריות

originally *adv.* בדרך מקורית; בתחילה

original sin החטא הקדמון

orig′inateʹ *v.* להתחיל, לצמוח, לנבוע מ־; ליצור, להמציא

originator *n.* מתחיל, יוצר, מחולל

or′ioleʹ *n.* זהבן (ציפור־שיר)

or′ison (-z-) *n.* תפילה

or′lonʹ *n.* אורלון (בד סינתטי), זהורית

or′lopʹ *n.* הסיפון התחתון

or′moluʹ (-lo͞o) *n.* זהב מלאכותי

or′nament *n.* קישוט, תכשיט, עיטור

or′namentʹ *v.* לקשט, לעטר

or′namen′tal *adj.* מקשט, קישוטי, עיטורי

or′namen•ta′tion *n.* קישוט

or•nate′ *adj.* מקושט, מליצי

or′nery *adj.* ★עקשן, רע־מזג

or′nithol′ogist *n.* אורניתולוג, צפר

or′nithol′ogy *n.* אורניתולוגיה, חקר העופות, צפרות

or′otundʹ *adj.* מתנפח, יומרני; מרשים

orotund voice קול חזק/מהדהד

or′phan *n&v.* יתום; לייתם

or′phanage *n.* בית־יתומים

or′rery *n.* פלנטאריום

or′ris *n.* איריס, אירוס

orrisroot *n.* שורש האירוס (בושם)

ortho- (תחילית) נכון, ישר

or′thodon′tics *n.* יישור שיניים

or′thodoxʹ *adj.* אורתודוכסי, אדוק, שמרני, חסיד, מאמין במוסכמות

or′thodox′y *n.* אורתודוכסיות

or′thograph′ic *adj.* אורתוגרפי, כתיבי

or•thog′raphy *n.* אורתוגרפיה, כתיב נכון

or′thope′dic *adj.* אורתופדי

orthopedics *n.* אורתופדיה, תיקון מומים (בעצמות)

or′tolan *n.* גיבתון (עוף־מאכל)

or′yx *n.* אוריקס, אנטילופה אפריקנית

Os′car *n.* אוסקר (פרס)

os′cillateʹ *v.* להיטלטל, להתנדנד; לנענע; להסס, לפקפק

os′cilla′tion *n.* תנודה; היסוס

os′cilla′tor *n.* מתנד, אוסילטור

oscil′lographʹ *n.* רושם תנודות

oscil′loscopeʹ *n.* אוסילוסקופ, משקף

os′cu•la′tion *n.* נשיקה, נישוק

o′sier (-zhər) *n.* סוג ערבה

os•mo′sis (oz-) *n.* אוסמוזה, פעפוע

os′prey *n.* עיט־הדגים (עוף)

os′se•ous *adj.* גרמי, מורכב מעצם

os′sifica′tion *n.* התגרמות, התקשות

os′sifyʹ *v.* להקשות כעצם; להתעצם, להתאבן

os•ten′sible *adj.* נראה, שלכאורה

ostensibly *adv.* למראית עין, כביכול

os′tenta′tion *n.* ראוותנות, התראוות, התפארות, הפגנה

os′tenta′tious (-shəs) *adj.* ראוותני, מתפאר

osteo- (תחילית) עצם

os′te•opathʹ *n.* רופא עצמות

os′te•op′athy *n.* ריפוי עצמות

os′tler (-sl-) *n.* סייס, מטפל בסוסים

os′tracismʹ *n.* נידוי; הגלייה

os′tracizeʹ *v.* לנדות, להחרים; להגלות

os′trich *n.* יען, בת־יענה
oth′er (udh′-) *adj&adv.* אחר, שני, נוסף, שונה; אחרת
each other זה את זה, זה לזה
every other כל שני; כל השאר
nobody other than אין איש זולת־
on the other hand מאידך
one after the other זה אחרי זה
other than בדרך שונה מ־, מלבד; זולת, אלא
other things being equal אילו היו שאר התנאים שווים
some day or other ביום מן הימים
some time or other בזמן מן הזמנים
somehow or other בדרך כלשהי
someone or other מאן דהו
the other day לפני כמה ימים
otherwise *adv.* אחרת; וָלא; חוץ מזה, בשאר המובנים
or otherwise ־או לא, ואם לאו
otherworldly *adj.* של עולם אחר, לא מעלמא הדין, מרחף בעולמות עליונים
o′tiose′ *adj.* מיותר, לא משרת שום מטרה
ot′ter *n.* (פרוות) לוטרה, כלב נהר
ot′toman *n.* ספה (בעלת ארגז)
ou′bliette′ (o͞o-) *n.* צינוק, בור
ouch *interj.* אוי! איי! (קריאת־כאב)
ought (ôt) *v.* להיות חייב/צריך
there ought to be- צריך שיהיה
oui′ja (wē′jə) *n.* לוח־ ספיריטואליסטים (שבעזרתו דורשים אל המתים)
ounce *n.* אונקייה; שמץ; מין נמר
our *pron.* שלנו
Our Lady מרים (אם ישו)
ours (-z) *pron.* שלנו
ourselves′ (-selvz) *pron.* (את/ל־/ב־) עצמנו; אותנו
(all) by ourselves לבדנו
oust *v.* לגרש, לסלק, לדחוק ממקומו
out *adj&adv.* החוצה; בחוץ; יצא; רחוק; לגמרי, כליל; טועה; לא נכון; בקול
all out במלוא הקיטור, בכל הכוחות
be out for לבקש את, לשאוף ל־
before the year is out לפני תום השנה
feel/be out of it לא להיות מעורב בדבר, לחוש עצבות עקב כך
have an evening out לצאת בערב (לבילויים)
he is out הוא יצא, הוא לא בבית
he's the best man out הוא האדם הטוב ביותר (עלי־אדמות)
is out to בכוונתו ל־, מנסה ל־
miniskirts are out חצאיות המיני יצאו מן האופנה
my day out יום חופשה שלי
on the outs מסוכסכים
out and about קם, מחלים, מסתובב
out and away בהחלט, במידה רבה
out and out לגמרי; מובהק, גמור
out from under ⋆נחלץ, נפטר מכך
out loud בקול רם
out of מחוץ ל־; מתוך; מן; מבין; חסר־, ללא־, אזל
out of one's mind יצא מדעתו
out with it! דבר! אמור זאת!
out you go! הסתלק! צא!
the book is out הספר יצא לאור; הספר לא בספרייה
the candle is out הנר לא דולק
the contract is out פג תוקף החוזה
the flower is out הפרח נפתח
the out tray מגש "דואר יוצא"
the party is out המפלגה לא בשלטון
the secret is out נתגלה הסוד
the tide is out גיאות־הים ירדה
the workers are out הפועלים שובתים
out *v.* להוציא
it will out זה יתפרסם
out′back′ *n.* האיזורים המרוחקים
out′bal′ance *v.* להכריע במשקל, להיות בעל משקל כבד מ־
out′bid′ *v.* להציע מחיר גבוה מ־
out′board′ motor מנוע חיצוני (בסירה)
out′bound′ *adj.* נוסע למדינה אחרת
out′brave′ *v.* להילחם באומץ
out′break′ (-brāk) *n.* התפרצות
out′buil′ding (-bil-) *n.* אגף, מבנה נוסף
out′burst′ *n.* התפרצות
out′cast′ *n&adj.* מנודה; חסר־בית; נע ונד
out′caste′ *n.* מנודה, מגורש מהכת
out′class′ *v.* לעלות (ברמתו) על־
out′come′ (-kum) *n.* תוצאה, תולדה
out′crop′ *n.* צמיחה, חלק הסלע הבולט מעל פני הקרקע, גב הסלע
out′cry′ *n.* צריחה; זעקה, מחאה
out′da′ted *adj.* מיושן, שיצא משימוש
out′dis′tance *v.* לעבור, להותיר מאחור

out'do' (-dōō) *v.* לעלות (בביצוע) על־
be outdone להיכשל, להפסיד
outdo oneself לעלות על עצמו
out'door' (-dôr) *adj.* של חוץ, מתרחש בחוץ, לשימוש מחוץ לבית
out'doors' (-dôrz) *adv.* בחוץ, מחוץ לבית
out'er *adj.* חיצוני, קיצוני, מרוחק
outer man האיש בהופעתו החיצונית; האדם כלפי חוץ
outermost *adj.* הקיצוני, המרוחק ביותר
outer space החלל החיצון
out'face' *v.* להעז פנים כלפי, לעמוד באומץ מול; להיישיר מבט, להביך
out'fall' (-fôl) *n.* שפך, מוצא, פי־הנהר
out'field' (-fēld) *n.* השדה החיצון
outfielder *n.* שחקן שדה־חיצון
out'fight' *v.* להיטיב ללחום מ־
out'fit' *n.* ציוד; כלים; יחידה, קבוצה
outfit *v.* לספק, לצייד (בבגדים)
outfitter *n.* בעל חנות בגדים
out'flank' *v.* לאגף, לרכוש יתרון
out'flow' (-ō) *n.* זרימה, שטף
out'fox' *v.* להערים, להשיג יתרון
out'gen'eral *v.* לנצח, לגבור על (אויב, עקב פיקוד טוב יותר)
out'go' *n.* הוצאה
outgoing *adj.* יוצא, פורש; מפליגה; חברותי, מעורה בחברה, ידידותי
outgoings *n-pl.* הוצאות
out'grow' (-ō) *v.* לגדול מהר מ־; לגבוה מ־; לנטוש, להיגמל מ־
he outgrew his clothes בגדיו נעשו קטנים עליו
out'growth' (-ōth) *n.* תוצאה טבעית; צמיחה
out-Her'od *v.* להתאכזר ביותר
out'house' *n.* בית־שימוש חיצוני; אגף
out'ing *n.* טיול נופש; אימון, תרגול
out•land'ish *adj.* מוזר, משונה
out'last' *v.* לחיות/לארוך יותר
out'law' *n.* פושע; משולל הגנת החוק
outlaw *v.* להכריז כפושע/כלא־חוקי, להוציא אל מחוץ לחוק
outlawry *n.* הוצאה אל מחוץ לחוק
out'lay' *n&v.* הוצאה; בזבוז; שיקוע (במיפעל); להוציא
out'let' *n.* מוֹצָא, יציאה; פורקן
out'line' *n.* מיתאר, קו מקיף; צורה כללית, תמצית, נקודות עיקריות
outline *v.* לתאר בקווים כלליים
out'live' (-liv) *v.* להאריך ימים מ־; לחיות אחרי (שהפשע נשכח)
out'look' *n.* מראה, מחזה, נוף; תחזית, סיכוי, תשקיף; השקפה
out'ly'ing *adj.* רחוק מהמרכז, נידח
out'maneu'ver (-nōō'-) *v.* להיטיב לתמרן מ־, לצאת וידו על העליונה
out'march' *v.* לגבור בצעידה על
out'match' *v.* להוות יריב עדיף, לעלות על, להתמודד בתנאים עדיפים
out'mo'ded *adj.* מיושן, לא באופנה
out'most' (-mōst) *adj.* הקיצוני, המרוחק ביותר
out'num'ber *v.* לעלות במספר על
out-of-date *adj.* מיושן
out-of-door *adj.* בחוץ, שמחוץ לבית
out-of-doors *adv.* בחוץ, מחוץ לבית
out-of-pocket expenses הוצאות־מזומנים, מעות כיס
out-of-the-way *adj.* רחוק, בודד, נידח; לא ידוע, לא רגיל
out'pa'tient (-shənt) *n.* חולה־חוץ, לא מאושפז
out'play' *v.* להיטיב לשחק מ־
out'point' *v.* לנצח בנקודות
out'port' *n.* נמל־חוץ (המרוחק מן המרכז המסחרי)
out'post' (-pōst) *n.* מוצב־חוץ, עמדת־תצפית מרוחקת; יישוב מרוחק
out'pour'ing (-pôr-) *n.* השתפכות (הלב)
out'put' (-poot) *n.* תפוקה, תוצרת; פלט
out'rage' *n.* שערורייה, פשע, זוועה; פגיעה, עלבון
outrage *v.* לפגוע; להתאכזר; לאנוס
out•ra'geous (-jəs) *adj.* מזעזע, אכזרי, מחפיר, מביש; פוגע
out'range' (-rānj) *v.* לקלוע לטווח יותר רחוק, לכסות מרחק רב יותר
out'rank' *v.* לעלות בדרגתו על־
outré (ōōtrā') *adj.* מוזר, לא רגיל
out'ride' *v.* לרכוב טוב/מהר ה־
out'ri'der *n.* שוטר־אופנוען מלווה
out'rig'ger *n.* קורה צדדית (הבולטת מצד הסירה כדי לייצבה)
out'right' *adj.* ברור; גמור, מוחלט; ישר
out'right' *adv.* לגמרי; בבת־אחת, מיד, בו־במקום; גלויות
out'ri'val *v.* לעלות על (מתחרה)
out'run' *v.* לרוץ מהר/טוב מ־; לעבור על, להרחיק מעבר ל־

out′run′ner *n.* כלב מוביל
out′sail′ *v.* לשוט מהר מ־
out′sell′ *v.* למכור יותר/מהר מ־
out′set′ *n.* התחלה, ראשית
out′shine′ *v.* לזהור יותר, להאפיל
out′side′ *n.* חוץ, הצד החיצוני
at the outside לכל היותר
out′side′ *adj.* חיצוני; שמבחוץ, של חוץ; מירבי, מכסימלי
outside broadcast שידור חוץ
outside chance סיכוי קלוש/קל
out′side′ *adv&prep.* בחוץ; מחוץ ל־, מעבר ל־, מחוץ לגבולות־; למעלה מ־
outside of מחוץ ל־, פרט ל־
out′si′der *n.* חיצוני, זר, לא חבר; בעל סיכויים קלושים
out′size′ *adj.* גדול מהמידה הרגילה
out′skirts′ *n-pl.* פרברים, פאתי עיר
out′smart′ *v.* להחכים מ־, להערים על־
outsmart oneself להתחכם ולהפסיד
out′spo′ken *adj.* גלוי, כן; מובע גלוויות
out′spread′ (-red) *adj.* (זרועות) פרושות
out′stand′ing *adj.* מצוין, בולט, ניכר; לפרעון, טרם נפרע; בטיפול
out′stay′ *v.* להישאר זמן ארוך מ־
outstay one's welcome להאריך שהותו יותר מדי, להכביד על מארחיו
out′stretch′ *v.* למתוח, להושיט
outstretched *adj.* מתוח, פרוש, שרוע
out′strip′ *v.* לחלוף על, לעבור
out′talk′ (-t-tôk) *v.* להיטיב לדבר מ־
out′vie′ (-vī′) *v.* לגבור בהתמודדות, להיטיב להתחרות מ־
out′vote′ *v.* לזכות בקולות רבים מ־
out′ward *adj.* חיצוני; כלפי חוץ
outward bound מפליגה מנמל הבית
outward man האדם כלפי חוץ
to all outward appearances כלפי חוץ, למראית עין
out′ward(s) *adv.* החוצה, לחוץ
out′wardly *adv.* כלפי חוץ, למראית עין
out′wear′ (-wār′) *v.* להאריך ימים יותר מ־, להיות שימושי זמן רב מ־
out′weigh′ (-wā′) *v.* להיות רב־משקל מ־, לשקול יותר מ־; להכריע
out′wit′ *v.* להערים על, לגבור על
out′work′ (-wûrk) *n.* עבודת־חוץ; ביצורי חוץ
out′worn′ *adj.* מיושן, בלה; נדוש, חבוט

ou′zel (o͞o′-) *n.* קיכלי (ציפור־שיר)
ou′zo (o͞o′-) *n.* אוזו (משקה יווני)
o′va = pl of ovum
o′val *adj.* סגלגל, אליפסי, ביצי
o′vary *n.* שחלה
o•va′tion *n.* מחיאות כפיים, תשואות
ov′en (uv′-) *n.* תנור, כבשן
ovenware *n.* כלי־תנור (חסיני־אש)
o′ver *prep.* על, מעל ל׳, על־פני; יותר מ־; במשך, תוך כדי; מעבר ל־
over and above נוסף על, מחוץ ל־
over the telephone בטלפון
over the years במרוצת השנים
over Saturday עד לאחר שבת
over *adv.* למטה, לגמרי; לצד האחר; מחדש, שוב, יותר מדי; עודף, שארית
(all) over again שוב, מחדש
all over כולו, על פני כולו
be over להיגמר, להסתיים
boys of ten and over נערים מגיל עשר ומעלה
it's all over הכל נגמר
not do it over well לא לעשות זאת הכי טוב, לעשות זאת גרוע
over against מול; לעומת, בהשוואה
over and over again שוב ושוב
over here כאן, פה
over there שם
over with קץ, תם, חסל
over! עבור! (באלחוט)
stay over till Sunday להישאר עד יום ראשון
that's him all over זה אופייני לו, זה מה שמצפים ממנו
think it over לשקול בכובד ראש
over- (תחילית) יותר מדי; נוסף, מעל; עליון
overactive פעיל מדי
overcoat מעיל עליון
overlong ארוך מדי (בזמן)
o′veract′ *v.* לשחק (תפקיד) בהגזמה
o′verage′ *adj.* מעל לגיל, מבוגר מדי
o′verall′ (-ôl) *adj&adv.* כולל, מקיף, מקצה עד קצה; בדרך כלל
dressed overall בהנפת כל הדגלים
o′verall′ (-ôl) *n.* סרבל; בגד־עבודה
overalls סרבל־עבודה
o′verarch′ *v.* ליצור קשת מעל־
o′verarm′ *adv.* בזרוע מונפת מעל לכתף
o′verawe′ (-vərô′) *v.* להטיל אימה על
o′verbal′ance *v.* לאבד שיווי המשקל,

ליפול; להפיל; להכריע במשקל
o'verbear' (-bār) *v.* לגבור, לנצח, להשתלט
overbearing *adj.* שתלטני, שחצן
o'verbid' *v&n.* להציע מחיר גבוה מ־, להפריז בהצעה; הצעה גבוהה
o'verblown' (-lōn) *adj.* אחרי פריחה; מוגזם, מנופח, בומבאסטי; יומרני
o'verboard' *adv.* מעבר לספינה, המימה
go overboard for להתלהב מ־
throw overboard להשליך, לא לתמוך
overbore = p of overbear
o'verbur'den *v.* להעמיס יותר מדי
overburdened with כורע תחת משא
o'vercall' (-kôl) *v.* להכריז יותר מדי (בברידג')
o'vercap'italiza'tion *n.* הפרזה באומדן ההון
o'vercap'italize' *v.* להפריז באומדן ההון; לממן יותר מהנדרש
o'vercast' *adj.* מעונן, מועב, קודר; עצוב
overcast *n.* שמים מעוננים
o'vercharge' *v.* לגבות מחיר מופרז; להעמיס/לטעון יותר מדי
o'vercharge' *n.* מחיר מופרז
o'vercloud' *v.* לקדור; להעיב
o'vercoat' *n.* מעיל עליון
o'vercome' (-kum) *v.* להתגבר, להכריע; להתיש, להחליש
o'vercom'pensa'tion *n.* פיצוי יתר
o'vercrop' *v.* להפריז בזריעה, להפיק יבולים רבים, לדלדל הקרקע
o'vercrowd' *v.* לדחוס, לצופף
o'verdo' (-do͞o') *v.* להפריז; להגזים במשחק/בעשייה; לבשל יותר מדי
overdo it להפריז, לעבור את הגבול
o'verdone' (-dun') *adj.* מבושל יותר מדי
o'verdose' *n.* מנה גדושה (של סם)
o'verdraft' *n.* משיכת יתר, אוברדראפט
o'verdraw' *v.* למשוך מעל היתרה; להגזים, להפריז
o'verdress' *v.* להתגנדר (בלבוש)
o'verdrive' *n.* הילוך מופלג
o'verdue' (-do͞o) *adj.* שזמן פרעונו עבר; מאחר
o'veres'timate' *v.* להפריז בהערכה
o'verflow' (-ō) *n.* גלישה, שפע, בירוץ; עודף; אוברפלאו; צינור בירוץ

overflow meeting אסיפה צדדית (לקהל עודף)
o'verflow' (-ō) *v.* לגלוש, לעלות על גדותיו; להימלא, לשפוע
o'verfly' *v.* לטוס מעל
o'vergrown' (-ōn) *adj.* שגדל במהירות; מכוסה
o'vergrowth' (-ōth) *n.* גידול יתר
o'verhand' *adj.* ביד מונפת מעל לכתף
o'verhang' *n.* בליטה, חלק בולט
o'verhang' *v.* לבלוט; להיות תלוי ממעל; לאיים, לעמוד לקרות
o'verhaul' *n.* שיפוץ, בדיקה, אוברול
o'verhaul' *v.* לשפץ, לעשות אוברול; לבדוק; להשיג, להדביק
o'verhead' (-hed) *adj&adv.* מעל לראש, בשמים, מורם, עילי; (הוצאות) כלליות
overhead(s) *n.* הוצאות כלליות, תקורה
o'verhear' *v.* לשמוע (במקרה)
o'verjoy' *v.* לשמח עד מאוד
overjoyed *adj.* שמח מאוד, עולץ
o'verkill' *n.* קטל־יתר (מנשק גרעיני)
o'verland' *adj.* יבשתי, בדרך היבשה
o'verlap' *n.* חפיפה; שיעור הריעוף
o'verlap' *v.* לחפוף; לרעף
o'verlay' *n.* כיסוי, ציפוי; מפית שולחן
o'verlay' *v.* לכסות, לצפות
o'verleaf' *adv.* מעבר לדף
o'verleap' *v.* לדלג, לקפוץ מעל
overleap oneself להפריז, לשאוף יותר מדי
o'verload' *n.* עומס יתר
o'verload' *v.* להעמיס יותר מדי
o'verlook' *v.* להשקיף; להיות נשקף על; להעלים עין, לוותר; להתעלם; להשגיח
o'verlord' *n.* אדון (ביחס למשועבדיו)
o'verly *adv.* יותר מדי; ביותר
o'verman' *v.* לאייש איוש יתר
o'vermas'ter *v.* להשתלט, להתגבר
o'vermuch' *adj&adv.* יותר מדי, הרבה
o'vernight' *adj&adv.* במשך הלילה; לשעות הלילה; בן לילה, לפתע
o'verpass' *n.* גשר, צומת עילי
o'verpay' *v.* לשלם יותר מדי
o'verplay' *v.* לשחק בהגזמה
overplay one's hand להפריז בערך כוחו, להסתכן מדי, להיכשל
o'verplus' *n.* עודף, יתרה
o'verpop'u•late' *v.* לאכלס מדי

o'verpow'er *v.* להשתלט, להכניע
overpowering *adj.* משתלט, עז, חזק
o'verprint' *v.* להדפיס מעל ל־
o'verrate' (-r-r-) *v.* להפריז בהערכה
o'verreach' (-r-r-) *v.* להערים, לגבור על
overreach oneself להיות שאפתני מדי, לקלקל לעצמו, להיכשל
o'verride' (-r-r-) *v.* לבטל, לדחוק הצידה, להתעלם מ־, לרמוס
overriding importance חשיבות עליונה
o'verrule' (-r-r-) *v.* לבטל, לפסוק נגד
o'verrun' (-r-r-) *n.* התפשטות, גלישה (בזמן)
o'verrun' (-r-r-) *v.* להתפשט, לפלוש, להציף; לגלוש, לעבור על הזמן
o'verseas' (-sēz) *adj&adv.* מעבר לים, בנכר
o'versee' *v.* לפקח, להשגיח, לנהל
o'verse'er *n.* מפקח, משגיח
o'versexed' (-sekst) *adj.* שטוף תאווה מינית
o'vershad'ow (-ō) *v.* להטיל צל על, להאפיל על, להמעיט מחשיבות
o'vershoe' (-sho͞o) *n.* ערדל
o'vershoot' (-sho͞ot) *v.* לירות מעבר ל־
overshoot the mark להחטיא המטרה, להרחיק לכת
o'vershot' wheel אופן טחנת־מים (המונע ע"י מים נופלים)
o'verside' *adv.* על הצד, מעבר לצד
o'versight' *n.* השמטה, שכחה, אי שימת לב; השגחה, פיקוח
o'versim'plify' *v.* לפשט מדי
o'verskirt' *n.* חצאית עליונה
o'versleep' *v.* לישון יותר מדי
o'verspill' *n.* תושבים עודפים (המתיישבים מחוץ לעיר מחוסר מקום)
o'verstate' *v.* להפריז בהודעתו
overstatement *n.* הגזמה, הפרזה
o'verstay' *v.* להאריך שהותו מדי
overstay one's welcome להישאר יותר מדי, להכביד על מארחיו
o'versteer' *v.* (לגבי הגה) לנטות לפנות בצורה חדה, "למשוך" הצידה
o'verstep' *v.* לחרוג, לעבור (הגבול)
o'verstock' *v.* לאגור מלאי רב מדי
o'verstuff' *v.* למלא יותר מדי
overstuffed *adj.* מרופד מדי
o'verstrung' *adj.* מתוח, עצבני

o'versubscribe' *v.* לחתום יותר מדי
oversubscribed *adj.* שדרישתו עולה על ההיצע/ההנפקה
o•vert' *adj.* גלוי, פומבי
o'vertake' *v.* להשיג, לעקוף; לבוא עליו לפתע, לתקוף
o'vertax' *v.* להטיל מס גבוה על; למתוח יותר מדי, לדרוש יותר מדי
o'verthrow' (-ō) *n.* נפילה, מהפך, הרס
o'verthrow' (-ō) *v.* להפיל, לשים קץ ל־
o'vertime' *n.* שעות נוספות
o'vertone' *n.* צליל עליון (מלווה)
overtones צלילים, רמזים
o'vertop' *v.* להתרומם מעל; לעלות על, להיות טוב מ־
o'vertrump' *v.* לשחק בקלף גבוה יותר
o'verture *n.* אוברטורה, פתיחה; גישוש, ניסיון הידברות
o'verturn' *v.* להפוך, להפיל
o'verween'ing *adj.* יהיר, יומרני
o'verweight' (-wāt) *n.* עודף מישקל
overweight *adj.* שוקל יותר מדי
overweight *v.* להכריע הכף, להניח משקל יתר
o'verwhelm' (-welm) *v.* להציף, לכסות; להכריע, להכניע; לגבור; למחוץ
overwhelming *adj.* מכריע, מוחץ, גדול
o'verwork' (-wûrk) *n.* עבודה רבה מדי
o'verwork' (-wûrk) *v.* לעבוד/להעביד קשה מדי; להשתמש יותר מדי ב־, לדוש
o'verwrought' (-vərôt) *adj.* מעובד מדי; מרוט־עצבים, נרגש; עייף, סחוט
o'viduct' צינור הביציות; חצוצרת הרחם
o•vip'arous *adj.* מטיל ביצים
o'void *adj&n.* ביצי, דמוי־ביצה
ov'u•la'tion *n.* ביוץ
o'vum (pl = o'va) *n.* ביצית, ביצה
ow *interj.* או! אוי! (קריאה)
owe (ō) *v.* להיות חייב; לייחס ל־
ow'ing (ō'-) *adj.* מגיע, חייב, לא נפרע
owing to בגלל, מפני, עקב
owl *n.* ינשוף
owl'et *n.* ינשוף קטן, ינשופון
owlish *adj.* ינשופי, בעל פני ינשוף
own (ōn) *adj.* שלו, של עצמו
be one's own man להיות עצמאי
come into one's own לזכות בדבר השייך לו, להוכיח שהוא ראוי לכבוד
have one's own back לנקום
hold one's own לעמוד איתן

of one's (very) own משלו, רק שלו
on one's own לבדו; בלא עזרה; בלא תלות; יחיד ומיוחד, מצוין
one's own שלו, של עצמו, שייך לו
own brother אח (בן אביו ואמו)
with my own eyes במו עיני
own *v.* להיות הבעלים של', להחזיק; להודות ב'/כי, להכיר
own a child להודות באבהותו
own oneself להודות, לראות עצמו
own up להודות באשמה
own'er (ōn'-) *n.* בעלים, בעל, אדון
owner driver בעל רכב פרטי
ownerless *adj.* חסר־בעלים, הפקר
owner occupier בעל בית, דר בדירתו שלו, לא דייר שכיר
ownership *n.* בעלות
ox (pl = ox'en) *n.* שור
Ox'bridge' *n.* אוקספורד וקימברידג'
oxcart *n.* עגלה רתומה לשוורים
ox-eye *n.* עין־השור (צמחים)
ox-eyed *adj.* בעל עינים גדולות
ox'ford *n.* אוקספורד (נעל נמוכה)
Oxford group קבוצת אוקספורד (דוגלת בוידוי פומבי של עבירות)
ox'ide *n.* תחמוצת
ox'idiza'tion *n.* חמצון, התחמצנות
ox'idize' *v.* לחמצן; להתחמצן; להחליד
Ox•o'nian *adj.* אוקספורדי
ox-tail *n.* זנב־שור (למרק)
ox'yacet'ylene *n.* תערובת חמצן ואצטילין (לריתוך), אוקסיאצטילין
ox'ygen *n.* חמצן
ox'ygenate', -nize' *v.* לחמצן
oxygen mask מסכת חמצן
oxygen tent אוהל חמצן
o'yez' *interj.* הקשיבו! שקט!
oy'ster *n.* צדפה
oyster bar מזנון צדפות
oyster bed, -bank מושבת צדפות (בים)
oyster catcher שולה צדפות (עוף)
oz = ounce
o'zone *n.* אוזון; אוויר צח/מרענן

P

p = page, penny, past
mind one's p's and q's להיות זהיר בהליכותיו
pa (pä) *n.* ⋆אבא
PA = public address
pab'u•lum *n.* מזון; מזון רוחני
pace *n.* קֶצב; קצב הליכה; צעד, פסיעה
change of pace שינוי קצב, הפוגה
go at a good pace להתקדם מהר
go the pace להתקדם מהר; לבזבז כסף
keep pace with להתקדם באותו קצב, להדביק; לא לפגר אחרי
put him through his paces לבחון אותו, לעמוד על טיבו, לבדוק כישוריו
set the pace לקבוע את הקצב
show one's paces להראות יכולתו
pace *v.* לצעוד; לפסוע (על פני); לדהור קלילות; לקבוע המהירות
pace off/out למדוד בצעדים
pace up and down לפסוע אנה ואנה
pa'ce (pā'si) *prep.* במחילה מכבוד־
pace-maker *n.* קובע קצב; קוצב לב
pace-setter *n.* קובע קצב
pach'yderm' (-k-) *n.* בעל עור עבה
pacif'ic *adj.* אוהב שלום, שליו, שקט
pac'ifica'tion *n.* פיוס, השקטה
pac'ifi'er *n.* מרגיע רוחות; מוצץ
pac'ifism' *n.* פציפיזם, אהבת השלום
pac'ifist *n.* פציפיסט, שוחר שלום
pac'ify' *v.* להרגיע, להשכין שלום
pack *n.* חבילה; צרור; חפיסה; קבוצה, להקה; תחבושת; משחה, תמרוק
pack of cigarettes חפיסת סיגריות
pack of lies ערימת שקרים
pack of wolves עדת זאבים
pack *v.* לארוז; להיארז; לדחוס; להצטופף; לשמר (בקופסאות); לעטוף, ללפף
pack a gun לשאת רובה
pack a jury להרכיב חבר מושבעים משוחד לטובתו
pack a punch להשתמש בלשון בוטה; לדעת להנחית מהלומת אגרוף
pack in למשוך קהל רב
pack it in לחדול, "עזוב את זה"
pack off לסלק, לשלוח
pack up ⋆להפסיק לעבוד/לפעול
send him packing לפטר אותו, לסלקו
pack'age *n.* חבילה; אריזה
package *v.* לארוז, לעשות חבילה
package deal עסקת חבילה
package tour סיור מאורגן
pack animal בהמת־משא
packed (-out) *adj.* מלא, דחוס, צפוף
packer *n.* אורז, פועל אריזה
pack'et *n.* חבילה, חפיסה; ⋆סכום נכבד
catch/cop/stop a packet ⋆להיפצע קשה; לספוג מכה; להסתבך בצרה
packet boat ספינת־דואר
pack ice גוש קרח צף
packing *n.* (חומרי) אריזה; אטימה, מילוי, ריפוד
packing case תיבת אריזה (גדולה)
packing needle מחט גדולה
pack'man *n.* רוכל
pack-saddle *n.* אוכף־משא (על חמור)
pack thread חוט אריזה (חזק)
pact *n.* חוזה, הסכם, ברית
pad *n.* פנקס, בלוק־כתיבה; כר, כרית; עקב; ⋆מעון, חדר
inking pad כרית־חותמות
launching pad כן שיגור
pad *v.* לרפד, למלא; ללכת, לצעוד
pad out לנפח, להאריך (מאמר) במשפטים מיותרים
pad the bill לנפח את החשבון
padded cell תא מרופד (למשוגעים)
pad'ding *n.* ריפוד; ניפוח (מאמר)
pad'dle *n.* משוט; חתירה; בחשה, כף בחישה; רגל הברווז; מחבט, רחת
double paddle משוט דו־כפי
paddle *v.* לחתור קלות; לשכשך במים; ללכת יחף במים; ⋆לסטור
paddle one's own canoe להיות עצמאי, להסתדר יפה לבד
paddle steamer אוניית גלגלים (בעלי משוטים המניעים אותה)
paddle wheel גלגל משוטים
paddling pool בריכת ילדים (רדודה)
pad'dock *n.* מגרש־דשא (לסוסי־מירוץ)

pad′dy *n.* אורֶז; כעס, התקף־זעם
paddy wagon ⋆מכונית אסירים
pad′lock′ *n&v.* מנעול; לנעול
padre (pä′drā) *n.* כומר
pae- = pe-
pa′gan *n&adj.* עובד אלילים, פגן, פרא
pa′ganism′ *n.* פגניות, עבודת אלילים
page *n.* עמוד, דף; משרת, נער; שוליית האביר
page *v.* למספר עמודים, לעמוד, לדפדף; לקרוא בשם, להכריז
pag′eant (-jənt) *n.* טקס, חיזיון, תהלוכה; מחזה היסטורי; הפגנת ראווה
pageantry *n.* מחזה מרהיב־עין
pag′ina′tion *n.* עימוד, דיפוף
pago′da *n.* פגודה (מסגד בודהיסטי)
pah (pä) *interj.* פוי! (להבעת בחילה)
paid = p of pay
pail *n.* דלי
pail′ful (-fool) *n.* מלוא הדלי
paillasse′ (pal′ias′) *n.* מזרן־קש
pain *n.* כאב, צער, סבל; עונש
be at pains להתאמץ, להשתדל מאוד
crying with pain צועק מכאבים
feels no pain מבוסם, בגילופין
for one's pains על (אף) מאמציו
give a pain ⋆להרגיז
go to great pains להתאמץ מאוד
he was in pain כאב לו
on/under pain of צפוי לעונש־
pain in the neck טרדן, נודניק
pains צירי־לידה; מאמצים, טרחה
spare no pains לעשות כל שביכולתו
take (great) pains להתאמץ, להקפיד
pain *v.* לצער, להכאיב, לגרום סבל
pained *adj.* נעלב, נפגע; של כאב
pain′ful *adj.* כואב, מכאיב, מצער
painfully *adv.* למרבה הצער; בכאב
painkiller *n.* משכך כאבים
painless *adj.* ללא כאב; ללא מאמץ
painstaking *adj.* זהיר, מדקדק; שקדני
paint *n&v.* צֶבַע; לצבוע; לצייר; לתאר; למרוח
coat of paint שכבת צבע
not so black as painted לא כה רע
paint in oils לצבוע בצבעי שמן
paint it in להוסיף זאת לציור
paint out לכסות בצבע, למחוק
paint the town (red) לחוג, להתהולל
paints מערכת צבעים (של צייר)
wet paint צבע לח! (אזהרה)
paint box קופסת־צבעים

paintbrush *n.* מברשת־צבע; מכחול
painter *n.* צַבָּע; צייר; כבל־החרטום
cut the painter להינתק; לנתק הקשר
painting *n.* ציור; תמונה; צבעות
paintwork *n.* שכבת צבע, ציפוי
pair *n.* זוג; צמד; בן־זוג מקוזז בהצבעה (ממפלגה יריבה)
by/in pairs בזוגות
happy pair הזוג המאושר
pair of scissors מספריים
pair of trousers מכנסיים
pair *v.* לזווג; לסדר/להסתדר בזוגות; להזדווג; להתקזז בהצבעה
pair off לסדר בזוגות; לצאת שניים שניים; לחתן; להתחתן
pair up לערוך/להיערך בזוגות
pais′ley (-z-) *n.* פייזלי (אריג עדין)
pajam′as *n-pl.* פיג'מה
Pak′istan′ *n.* פאקיסטאן
pal *n&v.* ידיד, חבר; ברנש
pal up with להתיידד עם
pal′ace (-lis) *n.* ארמון; אנשי הארמון
palace revolution הפיכת חצר
pal′adin *n.* אביר, לוחם, דוגל
palaeo- = paleo-
pal′ankeen′ *n.* אפיריון
pal′anquin′ (-kēn′) *n.* אפיריון
pal′atable *adj.* טעים, ערב, נעים
pal′atal *adj&n.* הגה חיכי; של החך
palat′alize′ *v.* לבטא בחך, לחכך
pal′ate *n.* חך; חוש טעם
pala′tial *adj.* כמו ארמון, מפואר
palat′inate *n.* פלטינאט (רוזנות)
palav′er *n.* שיחות, משא ומתן; חנופה, פטפוט, קשקוש; ⋆רעש, טרחה
palaver *v.* לפטפט, לקשקש, להחניף
pale *adj&v.* חיוור, חלש; להחוויר
pale before/beside להחוויר לעומת
pale *n.* מוט; קרש (לבניית גדר), כלונס
outside/beyond the pale מחוץ לחברה; עבר את הגבול, לא הוגן
paleface *n.* לבן (בפי האינדיאנים)
paleness *n.* חיוורון
pa′le•og′raphy *n.* פליאוגראפיה, מדע הכתבים העתיקים
pa′le•olith′ic *adj.* פליאוליתי, של תקופת האבן הקדומה
pa′le•on•tol′ogist *n.* פליאונטולוג
pa′le•on•tol′ogy *n.* פליאונטולוגיה, חקר המאובנים
pal′ette (-lit) *n.* לוח צְבָעִים
palette knife אולר ציירים, מורחת

pal′frey (pôl-) *n.* סוס רכיבה
pal′impsest′ *n.* פלימפססט (קלף עתיק שעליו כתב־יד מחוק)
pal′indrome′ *n.* פלינדרום (משפט הנקרא ישר והפוך)
pa′ling *n.* גדר־מוטות, גדר קרשים
pal′isade′ *n.* גדר, משוכה; שורת צוקים גבוהים (לאורך נהר)
palisade *v.* לגדור, לבצר בגדרות
pa′lish *adj.* חוורוור
pall (pôl) *n.* ארון־מתים; כיסוי בד (על ארון המת); עטיפה, מעטה כבד
pall *v.* לעייף, לשעמם; להיעשות תפל
Palla′dian *n.* פלאדי (סגנון בנייה)
pall-bearer *n.* נושא ארון־המת
pal′let *n.* מזרן־קש; מיטה קשה; כף־יוצרים; לוח (להעברת) משאות
pal′liasse′ *n.* מזרן־קש
pal′liate′ *v.* להקל, לשכך; לרכך (פשע)
pal′lia′tion *n.* הקלה; מרגיע
pal′lia′tive *n&adj.* פליאטיב; מרגיע, מקל
pal′lid *adj.* חיוור, לבן
pal′lor *n.* חיוורון
pal′ly *adj.* ידידותי
palm (päm) *n.* כף־יד; דקל, תמר; עלה־דקל, כף־תמר, סמל הניצחון
 bear/carry off the palm לנצח
 grease/oil his palm לשחד אותו
 has an itching palm אוהב שוחד
 has him in the palm of his hand שולט בו כליל
 yield the palm להודות בתבוסה
palm *v.* להסתיר בכף־היד; לגנוב
 palm off למכור/לתחוב במרמה
palmer *n.* צליין, עולה־רגל (שזכה בעלה־דקל); נזיר נודד
pal•met′to *n.* דקל קטן
palmist *n.* מנחש לפי כף־היד
palmistry *n.* חכמת־היד, כירומנטיה
palm oil שמן תמרים
Palm Sunday יום א׳ שלפני הפסחא
palmy (pä′mi) *adj.* משגשג, מצליח
 palmy days ימי שגשוג, תקופת זוהר
pal′pable *adj.* משיש, ממשי; ברור
pal′pate *v.* לבדוק, למשש
pal′pitate′ *v.* להלום (לב); לרעוד
pal′pita′tion *n.* הלמות־לב; רעד
palsied (pôl′zēd) *adj.* משותק
palsy (pôl′zi) *n.* שיתוק
pal′sy-wal′sy (-z-zi) *adj.* ★ידידותי
pal′ter (pôl-) *v.* להונות; להקל־ראש, לזלזל, להמעיט בערכו
pal′try (pôl-) *adj.* חסר־ערך, זעום
pam′pas *n.* פאמפאס, ערבה
pam′per *v.* לפנק
pam′phlet *n.* פאמפלט, חוברת
pam′phleteer′ *n.* מחבר פמפלטים
pan *n.* מחבת; סיר; אסלה; כברה; אגן, שקע, בריכה; ★פרצוף
 down the pan לא שווה, ירד לטמיון
 flash in the pan דבר חולף
 salt pan אגם מלח
pan *v.* לשטוף עפרה; לבקר קשות; לצלם פנורמה; לצלם גוף נע
 pan out להפיק זהב; להצליח
pan- (תחילית) פאן, כל־ (פאן־ערבי)
pan′ace′a *n.* תרופת־כל
panache′ (-nash) *n.* ביטחון, יומרה
Pan′ama′ hat (-mä) *n.* כובע קש
pan′atel′la *n.* סיגר ארוך
pancake *n.* לביבה (שטוחה)
pancake *v.* לנחות נחיתה מאונכת
Pancake Day יום הלביבות (ערב לנט)
pancake landing נחיתת־חירום (כנ״ל)
pan′chro•mat′ic (-k-) *adj.* (סרט צילום) רגיש לכל הצבעים
pan′cre•as *n.* לבלב, פנקריאס, בלוטת הכרס
pan′cre•at′ic *adj.* של הלבלב
pan′da *n.* פנדה (חיה דמויית־דוב)
Panda car מכונית שיטור
Panda crossing מעבר חציה
pan•dem′ic *adj&n.* מקיף, (מחלה) תוקפת רבים, נפוצה באיזורים נרחבים
pan′demo′nium *n.* אנדרלמוסיה, רעש
pan′der *n.* סרסור, רועה־זונות
pander *v.* לשמש כסרסור; לעודד, לספק; לפנות ליצרים, לנצל חולשות
 pander to desires לספק תשוקות
pan′dit *n.* חכם (בהודו)
pane *n.* שמשה, זגוגית־חלון
pan′egyr′ic *n.* הלל, שבח
pan′el *n.* פנל, ספין, שיפולת, לוח; רצועה, חתיכת בד; תמונה מוארכת; רשימה, צוות
 instrument panel לוח מכשירים
 on a panel בצוות מושבעים
 on the panel (רופא) בשירות הרפואי
 panel game משחק צוות
panel *v.* לספון, לקשט בפנלים
paneling *n.* פנלים, ספינים
panelist *n.* משתתף בצוות
pang *n.* כאב עז, ייסורים

pan'han'dle *n.* רצועת אדמה צרה (כידית־מחבת), אצבע (הגליל)
panhandle *v.* לבקש נדבות
pan'ic *n.* פאניקה, פחד; שפל, ירידה פתאומית (במסחר) ★מצחיק
at panic stations מבולבל, בלחץ
push the panic button לפעול בפזיזות
panic *v.* להיתפס לבהלה; ★להצחיק
pan'icky *adj.* אחוז פאניקה
panic-stricken *adj.* אחוז פאניקה
pan• jan'drum *n.* יהיר, מתנפח
pan'nier *n.* סל־משאות, תרמיל; חישוק־מותניים (לניפוח חצאית)
panniers שקיים (ע"ג בהמה)
pan'nikin *n.* ספלון־מתכת
pan'oplied (-lēd) *adj.* עוטה שריון
pan'oply *n.* חליפת־שריון
pan'oram'a *n.* פנורמה, מראה מקיף, נוף
pan'oram'ic *adj.* פנורמי
pan-pipe *n.* חליל קנים
pan'sy (-zi) *n.* אמנון ותמר (צמח); ★צעיר נשי; הומוסקסואל
pant *v.* להתנשם, לנשום ולנשוף; לדבר תוך התנשפות; להשתוקק
pant *n.* נשימה מהירה, נשימה כבדה
pan'taloon' (-lo͞on) *n.* ליצן, מוקיון
pantaloons מכנסיים
pan•tech'nicon (-tek-) *n.* משאית־רהיטים
pan'the•ism' *n.* פאנתיאיזם, אמונה באחדות האל והטבע
pan'the•ist *n.* פאנתיאיסט
pan'the•is'tic *adj.* פאנתיאיסטי
pan'the•on *n.* מקדש־אלים, פנתיאון
pan'ther *n.* פנתר, פומה, נמר
pan'ties (-tēz) *n.* תחתונים
pan'tile *n.* רעף
pan'to *n.* ★פנטומימה
pan'tograph' *n.* פנטוגרף, גלפכול
pan'tomime' *n.* פנטומימה
pan'try *n.* מזווה; חדר־כלי־אוכל
pants *n-pl.* מכנסיים; תחתונים
ants in one's pants ★קוצים בישבן
fancy pants ★נשי, מתנהג כבחורה
get the lead out of the pants ★להזדרז, להזיז הישבן
in long pants ★מבוגר, בשל
in short pants ★שטרם התבגר
with one's pants down ★כשמכנסיו למטה, לא מוכן

pan'ty hose גרבונים
pan'zer (-tsər) *adj.* משוריין
pap *n.* מזון־תינוקות, דייסה; פטמה; חומר קריאה קל
pa'pa (pä'-) *n.* ★אבא
pa'pacy *n.* אפיפיורות
pa'pal *adj.* של אפיפיור
papaw' *n.* פפיה (עץ)
pa'per *n&adj.* נייר; עיתון; טפט, נייר־קיר; מבחן, שאלון; מסה, חיבור
commit to paper להעלות על הנייר
on paper על הנייר, להלכה, תיאורטית
paper profit רווח על הנייר בלבד
paper tiger נמר־של־נייר, אפס
papers מסמכים, תעודות, ניירות
put pen to paper להתחיל לכתוב
send in one's papers להתפטר
paper *v.* להדביק טפטים (על קיר)
paper over להסתיר, לכסות
paper over the cracks להסתיר פגמים, לטאטא מתחת לשטיח
paper the house לחלק כרטיסי־חינם
paperback *n.* כריכת־נייר, כריכה רכה
paperbacked *adj.* (ספר) רך־כריכה
paper boy *n.* מחלק עיתונים
paper chase מירוץ־נייר (שבו משאירים הרצים פיסות־נייר אחריהם)
paper clip מהדק
paper hanger מדביק טפטים
paper knife סכין (לפתיחת) מעטפות
paper-mill *n.* בית־חרושת לנייר
paper money שטרי כסף
paperweight *n.* אבן־אכף, משקולת
paper-work *n.* ניהול ניירת (משרדית)
papery *adj.* ניירי, דומה לנייר
papier-maché (pā'pərməshā') *n.* עיסת־נייר, פפייה־משה
pa'pist *n.* קתולי
papis'tical *adj.* קתולי
papoose' *n.* תינוק; תרמיל (לנשיאת תינוק על הגב)
pap'py *n.* ★אבא
papri'ka (-rē'-) *n.* פפריקה, פלפלת
papy'rus *n.* פפירוס, גומא, כתב־יד
par *n.* שווי; ערך נקוב; ערך ממוצע
at par בערך הנקוב, בערך המקורי
below par, not up to par לא בקו הבריאות, לא כתמול שלשום
on a par (with) שווה, באותה רמה
par for the course ★טיפוסי, רגיל
par of exchange שער החליפין
par value ערך נקוב

par, para = paragraph
par′able *n.* משל, פרבולה, אלגוריה
parab′ola *n.* (בהנדסה) פרבולה
par′abol′ical *adj.* משלי, במשלים
par′achute′ (-shōōt) *n.* מצנח
parachute *v.* לצנוח; להצניח
parachutist *n.* צנחן
Par′aclete′ *n.* רוח הקודש
parade′ *n.* מסדר, מצעד, תהלוכה; תצוגה, הפגנה; טיילת
make a parade of להפגין, להציג לראווה, לנסות להרשים
parade *v.* לערוך מסדר/מצעד; להיערך במסדר; להפגין; לנפנף ב־
parade ground מגרש־מסדרים
par′adigm (-dim) *n.* תבנית, דוגמה, פרדיגמה, לוח נטיות (בדקדוק)
par′adise′ *n.* גן־עדן
bird of paradise ציפור־עדן
par′adisi′ac(al) (-z-) *adj.* גן־עדני
par′adox′ *n.* פרדוקס; חידה
par′adox′ical *adj.* פרדוקסאלי
par′affin *n.* פרפין
liquid paraffin שמן פרפין (משלשל)
paraffin oil נפט, קרוסין
paraffin wax שעוות פרפין
par′agon′ *n.* מופת, אדם מושלם
paragon of virtue צדיק מושלם
par′agraph′ *n&v.* פסקה, סעיף; סימן־פסקה; לחלק לפסקאות
par′akeet′ *n.* תוכי ארך־זנב
par′allel′ *n&adj.* קו מקביל; הקבלה; מקביל, שווה
draw a parallel לערוך השוואה
parallel of latitude קו־רוחב
without parallel אין דומה לו
parallel *v.* להקביל, להיות שווה ל־
parallel bars מקבילים
parallelism *n.* תקבולת, התאמה, הקבל
par′allel′ogram′ *n.* מקבילית
paral′ysis *n.* שיתוק; אפיסות־כוחות
par′alyt′ic *adj&n.* משותק; שתוי
paralytic laughter צחוק רב (להתפקע)
par′alyze′, -lyse′ (-z) *v.* לשתק
param′eter *n.* פאראמטר
par′amil′itar′y (-teri) *adj.* דומה לכוח צבאי; קשור/מסייע לצבא
par′amount′ *adj.* עליון, חשוב ביותר, ראשי, מעל לכל
par′amount′cy *n.* עליונות
par′amour′ (-moor) *n.* מאהב(ת)

par′anoi′a *n.* פרנויה, שיגעון הרדיפה
par′anoi′ac′ *adj&n.* חולה פאראנויה
par′anoid′ *n.* חולה פאראנויה
par′apet′ *n.* מעקה, חומת־מגן; תל־חזה, סוללת־עפר
par′apherna′lia *n.* כלים, חפצים, אביזרים
par′aphrase′ (-z) *n&v.* (לעשות) פרפרזה, גרסה חופשית, ניסות מחדש, תעקיף
par′aple′gia *n.* שיתוק הרגליים
par′as (-z) *n-pl.* צנחנים
par′asite′ *n.* פרזיט, טפיל
par′asit′ic(al) *adj.* פרזיטי, טפילי
par′asol′ *n.* שמשייה
par′athy′roid מיצד בלוטת־התריס
par′atroo′per *n.* צנחן
paratroops *n-pl.* צנחנים
par′aty′phoid *n.* פרטיפוס
par′boil′ *v.* להרתיח עד כדי בישול חלקי, לחמם יותר מדי
par′cel *n&v.* חבילה; מגרש; חבורה
parcel of land חלקת־אדמה
parcel out לחלק לחלקות/למנות
parcel up לצרור, לכרוך לחבילה
part and parcel חלק בלתי נפרד
parcel post דואר חבילות
parch *v.* לייבש, להצחיח; לקלות
parched *adj.* יבש; צחיח, חרב; קלוי
parch′ment *n.* קלף; נייר קלף
pard *n.* שותף*
par′don *n.* סליחה, מחילה; חנינה
pardon, I beg your pardon סליחה!
pardon *v.* לסלוח, למחול; לחון
pardon (me) סלח לי
pardonable *adj.* סליח, בר־מחילה
pardoner *n.* מוכר איגרות־מחילה
pare *v.* לקצוץ, לגזוז; לקלף
pare down לקצוץ, להפחית
par′egor′ic *n.* תרופת הרגעה
par′ent *n.* הורה, אב, אם
the parent of sins אם כל חטאת
par′entage *n.* הורות; מוצא
paren′tal *adj.* של הורים, הורי
parent company חברת־אם
paren′thesis *n.* סוגריים; מאמר מוסגר; (בתחביר) הסגר
par′enthet′ic *adj.* שבסוגריים
parenthood *n.* הורות
par′er *n.* מַקלף, סכין־קילוף
par ex′cellence′ (-läns) *adv.* אין דומה לו, מצוין, פאר אקסלאנס

par•he′lion *n.* שֶׁמֶשׁ מדומה, דמות שמש
pari′ah (-′ə) *n.* מנודה (בהודו)
par′i-mu′tuel (-cho͞oəl) *n.* הימור (שבו הזוכים מתחלקים בכספי המפסידים)
parings *n-pl.* קליפות; גזיזים
par′i pas′su (-pä′so͞o) *adv.* באותו קצב, סימולטאנית
par′ish *n.* קהילה, איזור (ובו כומר וכנסייה משלו); כפר; שטח, תחום
civil parish איזור/כפר בעל שלטון מקומי
go on the parish לקבל תמיכה כספית מן הקהילה
parish clerk פקיד כנסיית־הקהילה
parish′ioner (-shən-) *n.* איש־הקהילה
parish-pump *adj.* של עניינים מקומיים
Paris′ian (-rizh′ən) *n.* בן־פריז
par′ity *n.* שוויון; רמה שווה
parity of exchange שער חליפין רשמי
park *n.* פארק, גן ציבורי; חניון
ball park מגרש משחקים
car park חניון, מגרש חניה
national park פארק לאומי
park *v.* להחנות; לחנות; להניח
be parked לחנות
park oneself לשבת, להתיישב
par′ka *n.* מעיל (מבורדס), אנורק
parking *n.* חניה, שטח חניה
no parking חניה אסורה
parking lot מגרש חניה
parking meter מדחן
parking orbit מסלול זמני (של חללית לפני יציאתה לחלל)
Par′kinson's disease מחלת פרקינסון, רטטת
Parkinson's law חוק פרקינסון
parkland *n.* גן, פארק (מסביב לאחוזה)
par′ky *adj&n.* ⋆קריר; שומר פארק
par′lance *n.* ניב, לשון, עגה
par′ley *n.* משא ומתן, דו־שיח, דיון
parley *v.* לנהל מו"מ (להשכנת שלום)
par′liament (-ləm-) *n.* פארלמנט, בית־מחוקקים, כנסת, מורשון
enter parliament להיבחר לפארלמנט
open parliament לפתוח חגיגית את הפארלמנט
par′liamenta′rian (-ləm-) *n.* חבר פארלמנט מנוסה
par′liamen′tary (-ləm-) *adj.* פארלמנטרי, מורשוני
par′lor *n.* סלון, חדר־אורחים
beauty parlor סלון־יופי
parlor car קרון הטרקלין
parlor game משחק בית
parlor maid עוזרת, מגישה
par′lous *adj.* מסוכן
Par′mesan′ (-z-) *n.* גבינת פרמה
paro′chial (-kiəl) *adj.* קהילתי; נתמך ע"י גוף דתי; צר־אופק, מוגבל
parochialism *n.* צרות־אופק
par′odist *n.* מחבר פרודיות
par′ody *n.* פרודיה, חיקוי
parody *v.* לחבר פרודיה על
parole′ *n.* דברה, הבטחה (של אסיר שלא יברח); שחרור על תנאי
break one's parole להפר הבטחתו
on parole משוחרר על תנאי
parole *v.* לשחרר על תנאי
paroquet = parakeet
par′oxysm′ (-ksiz′əm) *n.* עווית, התקף פתאומי
par•quet′ (-kā′) *n.* פארקט, מרצפת־עץ
parr *n.* סלמון צעיר
par′ricide′ *n.* רצח אב; רוצח אב, רוצח קרוב
par′rot *n&v.* תוכי; לחקות
parrot-cry *n.* ביטוי נדוש, ביטוי חוזר
parrot fashion כתוכי, מבלי להבין
par′ry *v.* להדוף, להתחמק מ־, לתמגע
parry *n.* הדיפה, התחמקות, תנועת הגנה, תימנוע
parse *v.* לנתח מלה/משפט
par•see′ *n.* פרסי
par′simo′nious *adj.* קמצן
par′simo′ny *n.* קמצנות, חסכנות
par′sley *n.* פטרוסיליה
par′snip *n.* גזר לבן
par′son *n.* כומר (של קהילה)
par′sonage *n.* בית־הכומר
parson's nose אחורי העוף (בשר)
part *n.* חלק; איזור; פרק; תפקיד; צד בהסכם; פרטית, קול; שבילה, פסוקת
for my part מצידי, לדידי
for the most part לרוב, על־פי־רוב
in part בחלקו, במידת־מה
in these parts באיזורים אלה
man of parts אדם בעל כשרונות
on his part מצדו, ממנו, על ידיו
on the part of Smith מצד סמית, ע"י סמית
parts of speech חלקי־הדיבור

play a big part למלא תפקיד חשוב
play a part לשחק תפקיד; להעמיד פנים, לרמות
spare parts חלקי־חילוף, חלפים
take his part לצדד בו, לתמוך בו
take in good part לקבל ברוח טובה
take part להשתתף, ליטול חלק
take part with him לתמוך בו
the greater part of רוב, חלק־הארי
part *v.* להפריד; להיפרד; לחלק; לחצות; להיחצות
part company (with) להיפרד, לפרוש מ־; לחלוק על; לסיים יחסים
part friends להיפרד כידידים
part one's hair לעשות שבילה/פסוקת בשיער
part with לוותר על, להיפרד מ־
part *adj&adv.* לא שלם, חלקי; בחלקו
par•take′ *v.* לאכול, להתכבד ב־; להשתתף ב־; לדבוק בו שמץ, לדמות
par•terre′ (-tār) *n.* משטח־פרחים ודשא; מושבים בתיאטרון, פארטר
par′theno•gen′esis *n.* רביית־בתולים
Par′thian shot/shaft הערת־פרידה, מענה סופי (בשעת הפרידה)
par′tial *adj.* חלקי; משוחד, בעל דיעה מוקדמת; נושא פנים; אוהב, מחבב
par′tial′ity (-shi-) *n.* משוא־פנים, הפלייה; חיבה, אהבה, נטייה
partially *adv.* חלקית; באופן משוחד
par•tic′ipant *n.* משתתף
par•tic′ipate′ *v.* להשתתף, לקחת חלק
par•tic′ipa′tion *n.* השתתפות
par′ticip′ial *adj.* (בדקדוק) בינוני פועל
par′ticip′le *n.* בינוני פועל
par′ticle *n.* גרגיר, חלקיק, שמץ; מלית, מלת־יחס, מלת חיבור; טפולה
parti-colored = party-colored
partic′u•lar *adj&n.* מיוחד, לא רגיל; מפורט; מדקדק, קפדן; איסטניס; פרט
go into particulars להיכנס לפרטים, לפרט
in particular במיוחד, בפרט
particulars פרטים, פרטי־פרטים
partic′u•lar′ity *n.* קפדנות, הקפדה; ייחוד, מיוחדות
partic′u•larize′ *v.* לפרט (אחד־אחד)
particularly *adv.* במיוחד, בפרט
parting *n.* (שעת) פרידה; שבילה, פסוקת (בשיער)
at the parting of the ways על פרשת דרכים; תוהה לאן לפנות
parting kiss נשיקת פרידה
parting shot הערה אחרונה, מענה סופי (לפני הפרידה)
par′tisan, -zan *n&adj.* פרטיזן, לוחם־גרילה; תומך, חסיד, מצדד
partisanship *n.* תמיכה, צידוד
parti′tion (-ti-) *n&v.* חלוקה; מחיצה, חיץ; לחלק; להפריד במחיצות, לחייץ
partition off לחלק ע"י מחיצה
par′titive *n.* מלית חילוק, מלה המציינת חלק של דבר
partly *adv.* חלקית, בחלקו; במידת־מה
part′ner *n.* שותף; בן־זוג (לריקוד/במשחק); בעל, רעיה; חבר
active partner שותף פעיל
be partners with להיות חברו למשחק
sleeping partner שותף רדום
partner *v.* לשמש כשותף ל־
partner up להוות בן־זוג ל־; לזווג
partnership *n.* שותפות, שיתופה
par•took′ = pt of partake
part owner שותף (בבעלות)
par′tridge *n.* חוגלה, קורא (עוף)
part-singing *n.* שירה רב־קולית
part-song *n.* זמר רב־קולי
part-time *adj.* חלקי, לא מלא (עבודה)
part-timer *n.* עובד חלקי
par•tu′rient *adj.* יולדת
par′turi′tion (-ri-) *n.* לידה
par′ty *n&adj.* מפלגה; קבוצה; מסיבה; צד (בהסכם); שותף, מעורב; ⋆אדם
be party to ליטול חלק ב־, לתמוך
firing party כיתת יורים
give a party לערוך מסיבה
party line קו טלפון משותף
party politics מדיניות מפלגתית
party spirit רוח־צוות; דבקות במפלגה; מצב־רוח למסיבה
the party line הקו המפלגתי
throw a party ⋆לערוך מסיבה
party-colored *adj.* רבגוני, מגוון
party-spirited *adj.* מסור למפלגה
party wall קיר משותף
par′venu′ (-nōō) *n.* נחות־מעמד שעלה לגדולה, פארווניו
pas′chal (-skəl) *adj.* של פסח, של הפסחא
pash′a *n.* פחה, באשה (תואר)
pass *v.* לעבור; להעביר; לחלוף; לקרות; לעשות צרכיו; לתת, לאשר
bring to pass לבצע, להביא לידי

come to pass לקרות, להתרחש
it passes belief לא יאומן
let it pass להניח לזאת, לעזוב את זה; לעבור על כך לסדר־היום
pass a law להעביר/לאשר חוק
pass a remark/comment להעיר הערה
pass a test לעמוד במבחן
pass an opinion להביע דיעה
pass away למות; להסתלק; לחדול; לעבור, לחלוף
pass blood להפריש דם (בצואה, בשתן)
pass by לעבור (על פניו); להתעלם
pass down למסור (לדורות הבאים)
pass for/as להיחשב ל־
pass forged money להפיץ כסף מזויף
pass in review להעביר במסדר/במסקר; לחלוף כתסריט
pass off לעבור, להסתיים, להיפסק; לרמות, לתחוב
pass on למסור, להעביר; לעבור; לעבור על; לשקול, לשפוט; למות
pass one's eye להעיף עין, להציץ
pass one's understanding להיות מעל להשגתו, להיות נשגב מבינתו
pass one's word לתת דברתו, להבטיח
pass oneself off as- להתחזות כ־, להציג עצמו כ־
pass out להתעלף; לחלק, להפיץ; לסיים (בי"ס); למות
pass over לעבור על; להתעלם מ־
pass round, be passed round לעבור, להתפשט, להיפוץ
pass sentence להוציא פסק־דין
pass the hat לקבץ נדבות
pass the time להעביר הזמן, לבלות
pass the time of day לנהל שיחה קלה
pass through לעבור, להתנסות ב־
pass under/by the name of להיות ידוע בשם־
pass up להחמיץ, להזניח, לוותר
pass water להטיל מימיו, להשתין
that coin won't pass מטבע זה לא יתקבל (כסחיר/כהלך חוקי)

pass *n.* מעבר; הצלחה במבחן; מצב; תעודת מעבר; מסירת כדור; תנועת־יד
a pretty/fine/sad pass מצב ביש
free pass כרטיס נסיעה חופשי
hold the pass להגן (על רעיון)
make a pass להסתער, להתקיף; "להתחיל", "להתעסק" עם
pass degree ציון מעבר, "מספיק"
sell the pass לבגוד (ברעיון)

pass = passive

passable *adj.* עביר; מניח את הדעת; בינוני, מספק, לא רע

pas'sage *n.* מעבר; נסיעה; קטע, פסקה; מסדרון; אישור חוק
bird of passage ציפור נודדת; אדם העובר ממקום למקום
book one's passage להזמין טיסה
force a passage לפלס דרך
passage at arms צחצות חרבות, ריב
passage of time מרוצת־הזמן
passages חילופי דברים
rough passage ים סוער, שעה טרופה
work one's passage לעבוד (באונייה) תמורת נסיעה

passageway *n.* מעבר, פרוזדור

passbook *n.* פנקס בנק

passé (pasā') *adj.* מיושן; אחרי תקופת הזוהר

pas'senger *n.* נוסע; ★איש צוות לא־פעיל/שעבודתו לא יעילה

passe-partout (pas'pärtōō') *n.* סרט־דביק (למסגור תמונה); פותחת, מפתח כללי

passer-by *n.* עובר־אורח

pas'sim *adv.* (מופיע) תכופות (בספר)

passing *n.* עבירה, צאת, יציאה; הסתלקות, מוות
in passing דרך אגב

passing *adj.* עובר, חולף, שטחי, קצר

passing *adv.* מאוד, ביותר

passing bell פעמון המוות (באשכבה)

passing-out ceremony טקס סיום

pas'sion *n.* תאווה, להט; כעס, חימה
fly into a passion להתפרץ, להתלקח
the passion עינויי ישו ומותו

pas'sionate (-shən-) *adj.* מלא־תשוקה; נלהב, לוהט

passionately *adv.* בלהט; עד מאוד

passion-flower *n.* שעונית (צמח־נוי)

passion fruit פרי השעונית

passionless *adj.* חסר־רגש, חסר־להט

passion play מחזה־הייסורים (על ישו)

Passion Sunday יום א' החמישי (בתקופת לנט)

Passion Week השבוע הקדוש

pas'sive *adj&n.* פסיבי, סביל, בלתי־פעיל; נעדר־יוזמה, אדיש; נפעל

passive resistance התנגדות סבילה

passive voice בניין נפעל

pas•siv'ity *n.* פסיביות, סבילות

pas'sivize' *v.* להפוך לבניין נפעל
passkey *n.* מפתח; פותחת (מפתח כללי)
Pass'o'ver *n.* פסח, חג החירות
pass'port' *n.* דרכון, פספורט
password *n.* סיסמה
past *adj.* שעבר, בעבר, שחלף, קודם
for the past few days לאחרונה
in years past לפני שנים (רבות)
past *n.* עבר, היסטוריה; זמן עבר
past *prep&adv.* אחרי, לאחר; מעבר ל (כוחו, אפשרותו), לא מסוגל ל-
go past לעבור, לחלוף
past him/her אחריו/אחריה
past hope לאחר יאוש, חסר־תקווה
past it ★כבר אינו מסוגל לכך
past praying for במצב נואש
run past לחלוף בריצה (על פניו)
I wouldn't put it past him to לדעתי הוא מסוגל ל-
paste (pāst) *n.* בצק; דבק; ממרח; משחה; חומר לייצור יהלומים
paste *v.* להדביק; להכות, להלום
paste down להדביק
paste up להדביק; להדביק נייר על; להדביק קטעי־נייר על גליונות
pasteboard *n.* קרטון
pas•tel' *n.* פאסטל, עיפרון צבעוני; ציור פאסטל
pastel shade גוון עדין/רך
pas'tern *n.* מפרק הפרסה (החלק הצר מעל לפרסה)
paste-up *n.* קטעי נייר (מודבקים על גליונות לפני הדפסה)
pas'teuriza'tion (-tər-) *n.* פסטור
pas'teurize' (-tər-) *v.* לפסטר, לחטא
pas•tiche' (-tēsh) *n.* יצירה בנוסח מחבר אחר; יצירת טלאים (ממקורות שונים)
pas•tille' (-tēl) *n.* טבלית (למציצה)
pas'time' *n.* בידור, בילוי, משחק
pasting *n.* מכה, מהלומה, מכות
past master מומחה, בקי במקצוע
pas'tor *n.* כומר, רועה רוחני
pas'toral *adj.* פסטורלי, של רועים, אידילי, שליו; של כומר, של רבי
pastoral *n.* פסטורלה, שירת רועים, רועית
pastoral (letter) איגרת הבישוף
pastoral care סעד רוחני
pas'torale' (-räl) *n.* רועית
pastoral land אדמת מרעה (מדושאת)
pastoral staff מטה הבישוף
pas'torate *n.* כהונת כומר; חבר כמרים
past participle עבר נשלם
past perfect עבר נשלם
pastra'mi (-trä-) *n.* בשר מעושן
pa'stry *n.* עוגה, מאפה, קונדיטין
pastry-cook *n.* אופה עוגות
pas'turage (-'ch-) *n.* מרעה; אדמת־מרעה; זכות מרעה
pas'ture *n.* שדה־מרעה; אחו
put out to pasture ★להוציא לפנסיה, להביא לפרישה מעבודה
pasture *v.* לרעות
pas'ty *n.* פשטידה, כיסן־בשר
pa'sty *adj.* בצקי, חיוור, לבן
pasty-faced *adj.* חיוור־פנים
pat *adj&adv.* מיד, ללא דיחוי; מתאים
come pat לבוא בעיתו, לקלוע
have/know it pat לדעת על בוריו; לשלוף כמתוך השרוול
stand pat להיות נחוש בדעתו
pat *n.* טפיחה; גושיש (שנוצר בטפיחות)
pat *v.* לטפוח; לחבוט קלות
pat on the back לטפוח על השכם
pat'-a-cake' *n.* מחיאות כפיים
pat-ball *n.* משחק (טניס) גרוע
patch *n.* טלאי; כתם; תחבושת; רטייה; חלקה, שטח קטן
a bad patch תקופה קשה, עת מצוקה
not a patch on נופל בהרבה מ־
patch *v.* להטליא; לשמש כטלאי
patch up להטליא, לתקן, לסדר זמנית
patchiness *n.* טלאי על גבי טלאי
patch'ouli (-cho͞oli) *n.* פצ'ולי (בושם)
patch pocket כיס־טלאי, כיס חיצוני
patchwork *n.* מעשה טלאים
patch'y *adj.* טלוא, עשוי טלאי על גבי טלאי; לא מושלם; לא אחיד
pate *n.* ★ראש
-pated ★בעל־ראש
paté (pätā') *n.* פשטידה, ממרח
paté de foie gras ממרח כבד־אווז
patel'la *n.* פיקת־הברך
pat'ent *adj.* ברור, נהיר, גלוי; מוגן ע"י פטנט; מקורי, מתוחכם
letters patent פטנט
patent *n&v.* פטנט; לקבל פטנט על־
pat'entee' *n.* בעל פטנט
patent leather עור מבריק (שחור)
patently *adv.* גלויות, בצורה ברורה
patent medicine רפואה פטנטית; תרופה מוגנת; "תרופת פלא"
Patent Office לשכת הפטנטים

pa'ter *n.* אב*
pa'terfamil'ias' ראש המשפחה
pater'nal *adj.* אבהי; (קרוב) מצד האב
pater'nalism' *n.* שלטון אבהי, פטרונות, פטרנאליזם, אבהותיות
pater'nalis'tic *adj.* של שלטון אבהי
pater'nity *n.* אבהות; מקור
pat'ernos'ter *n.* אבינו (תפילה); חרוז במחרוזת־תפילה; מעלית
path *n.* שביל, נתיב, דרך; מסלול
beat a path לכבוש דרך
cross his path להיתקל בו
stand in his path לעמוד בדרכו
pathet'ic *adj.* פתטי, מעורר חמלה
pathetic fallacy אינוש
path-finder *n.* סייר, מגלה נתיבים, חלוץ; מטוס מנחה
pathless *adj.* חסר־דרכים, לא סלול
path'olog'ical *adj.* פאתולוגי; חולני
pathol'ogist *n.* פאתולוג
pathol'ogy *n.* פאתולוגיה, חקר התופעות החולניות (בגוף)
pa'thos' *n.* פאתוס, רגש, התלהבות
pathway *n.* דרך, שביל, נתיב
pa'tience (-shəns) *n.* סבלנות, אורך־רוח; פסיאנס (משחק קלפים)
be out of patience with להיות חסר סבלנות כלפי־, לא לסבול עוד
lost his patience פקעה סבלנותו
pa'tient (-shənt) *adj.* סבלני, ארך־רוח
patient *n.* חולה, פאציינט, מריע
pat'ina *n.* חלודת־נחושת/ארד; ברק־עתיקות; הופעה המקרינה ניסיון
pat'io' *n.* חצר מרוצפת, פאטיו, אכסדרה
patis'serie *n.* מזנון עוגות צרפתי
pat'ois (-twä) *n.* דיאלקט איזורי
pat'ri- (תחילית) אב
pa'trial *n.* בעל זכות לקבל אזרחות בריטית
pa'triarch' (-k) *n.* פטריארך, ראש בית־אב; זקן נשוא־פנים; ראש כנסייה
pa'triar'chal (-k-) *adj.* פאריארכאלי, של הפטריארך, של שלטון הגברים
pa'triarch'ate (-k-) *n.* פטריארכאט, תחום הפטריארך
pa'triarch'y (-ki) *n.* פטריארכיה
patri'cian (-rish'ən) *n&adj.* אציל
pat'ricide' *n.* רצח אב; רוצח אביו
pat'rimo'nial *adj.* שבירושה
pat'rimo'ny *n.* ירושה, עיזבון; נכס שהוקדש לכנסייה

pa'triot *n.* פטריוט, נאמן למולדת
pa'triot'ic *adj.* פטריוטי
pa'triotism' *n.* פטריוטיות
patrol' (-rōl) *n.* פטרול, משמר נייד, ניידת, סיור; סייר; צופים
patrol *v.* לפטרל, לסייר
patrol car ניידת משטרה
patrolman *n.* שוטר מקוף; סייר; מוסכאי נייד (למכוניות תקועות)
patrol wagon מכונית עצירים
pa'tron *n.* פטרון, אפוטרופוס, מצנט, תומך; לקוח קבוע
pat'ronage *n.* פטרונות, חסות, אדנות; תמיכה; חוג לקוחות; זכות מינוי
pa'troness *n.* פטרונה, מטרוניתא
pat'ronize' *v.* לשמש כפטרון; להיות לקוח; להתנשא, לנהוג בעליונות
patron saint הקדוש הפטרון
pat'ronym'ic *adj.* (שם) נגזר משם האב
pat'ten *n.* קבקב
pat'ter *v.* למלמל, לפלוט במהירות; לדפוק; לרוץ בהשמעת נקישות רגליים
patter *n.* ז'רגון, עגה; מלמול; נקישות צעדים, דפיקות
pat'tern *n.* דוגמה; מופת; דגם, הדגם; תבנית־קישוט; צורה, דרך
follow its usual pattern להתפתח כרגיל
pattern *v.* לקשט בדוגמה/בתבנית
pattern oneself upon לנהוג כדוגמת, לחקות
patter song שיר מהיר־דיבור
pat'ty *n.* פשטידית
pau'city *n.* מחסור, צמצום, מיעוט
paunch *n.* כרס, בטן
paunchy *adj.* כרסתני
pau'per *n.* עני, אביון, נתמך
pau'perism' *n.* עוני
pau'periza'tion *n.* דלדול, התרוששות
pau'perize' *v.* לדלדל, לרושש
pause (-z) *n.* הפסקה, הפוגה, אתנחתה
give him pause to לעורר ספק בלבו, להביאו שיתכוך בדעתו
pause *v.* להפסיק, לעצור לרגע
pause on להתעכב על, להאריך
pave *v.* לסלול, לרצף
pave the way for להכשיר הקרקע ל־
paved *adj.* מרוצף; רצוף, מלא
pavement *n.* מדרכה, מרצפת, מרצף
pavement artist צייר מדרכות (בגיר)
pavil'ion *n.* ביתן; מבנה מקושט,

פביליון, אפדן; אוהל
paving *n.* חומר ריצוף; מרצף
paving stone מרצפת
paw *n.* כף־רגל (של טורף), כפה; כף־יד
paw *v.* לנגוע, למשש, לשרוט בטפריו; להקיש בפרסה; *לשלוח ידיים
paw'ky *adj.* ערמומי, פיקחי
pawl *n.* תפס, קרס־עצירה
pawn *n&v.* משכון, ערבון; (בשחמט) רגלי; כלי־משחק; למשכן; לסכן, להמר
in pawn ממושכן
pawnbroker *n.* משכונאי
pawnshop *n.* בית־עבוט, מעבוט
pax *n.* שלום
pay *v.* לשלם, לפרוע; להשתלם; להיות כדאי/מועיל; לגמול, לתת, להגיש
it pays to כדאי ל־, משתלם ל־
make it pay לעשותו משתלם/רנטבילי
pay a compliment להחמיא
pay a debt לסלק חוב
pay a visit/call לערוך ביקור
pay as you go לשלם מיד
pay attention/heed לשים לב
pay back להחזיר; לגמול
pay for לשלם; לתת את הדין על־
pay into a bank להפקיד בבנק
pay off לשלם; להחזיר; לתת דמי לא־יחרץ; לשלם ולפטר; להצליח; להשתלם
pay one's respects לכבד (בביקור)
pay one's way לשלם עם הקנייה, לא להיכנס לחובות; להיות כדאי
pay out לשלם; לנקום; לרפות חבל
pay the fiddler לשאת בהוצאות
pay up להחזיר, לשלם כל המגיע
put paid to לחסל, לשים קץ ל־
pay *n.* שכר, משכורת
in the pay of מועסק/עובד אצל
payable *adj.* בר־פרעון; לתשלום
pay-day *n.* יום התשלום
pay dirt אדמת מחצב; מכרה זהב
PAYE = pay as you earn שיטת ניכוי מס הכנסה במקור
pay'ee' *n.* מקבל התשלום, זכאי לתשלום
pay envelope/packet מעטפת המשכורת
payer *n.* שַׁלָּם; משלם
pay load המטען המשולם (במטוס); כמות חומר־נפץ בראש הטיל
paymaster *n.* שלם
payment *n.* תשלום, שכר; גמול; עונש
pay'nim *n.* עובד־אלילים, פגן
pay-off *n.* הסדרת חשבונות, סילוק חוב; סוף, קלימאקס; שוחד
payo'la *n.* שוחד (מסחרי)
pay phone/station טלפון ציבורי
pay-roll *n.* גליון שכר, רשימת מקבלי המשכורות; סך המשכורות
pay slip תלוש משכורת
PC = police constable
pea *n.* אפונה
as two peas כשתי טיפות מים
peace *n.* שלום; שקט, שלווה; סדר
at peace בשלום, בהרמוניה
at peace with oneself שליו, רגוע
breach of the peace הפרת הסדר
hold one's peace לשתוק, להחשות
keep the peace לשמור על השקט (במדינה)
live in peace לחיות בשלום
make one's peace with להשלים עם
make peace with לעשות שלום עם
peace of mind שלוות הנפש
peaceable *adj.* שקט, אוהב שלום
peaceful *adj.* שקט, אוהב שלום
peacemaker *n.* משלים, משכין שלום
peace offering מתנת פיוס (לסולחה)
peacetime *n.* ימי שלום
peach *n.* אפרסק; אדום־צהבהב; *דבר נפלא, נהדר; חתיכה
peach *v.* *להלשין
pea-chick *n.* טווסון, אפרוח־טווס
Peach Mel'ba אפרסק עם גלידה
pea'cock' *n.* טווס
peacock blue כחול־ירקרק
pea-flour *n.* קמח־אפונה
pea-fowl *n.* טווס, טווסת
pea green ירוק בהיר
pea-hen *n.* טווסת
pea-jacket *n.* מעיל ימאים (מצמר)
peak *n.* פסגה, שיא; מצחייה; שיער מחודד; ירכתי־ספינה
off-peak (שעות) של ירידה בלחץ
peak hours שעות השיא, שעות העומס
peak *v.* להגיע לשיא; לרזות, להימק
peaked *adj.* בעל פסגה; בעל מצחייה
pea'ky, peaked *adj.* חלש, חולה; רזה, כחוש
peal *n.* צלצול פעמונים; מערכת פעמונים; רעם; קול מתגלגל/מהדהד
peals of laughter רעמי־צחוק
peal *v.* לצלצל; לרעום; להרעים
pea'nut' *n.* אגוז־אדמה, בוטן

peanut butter חמאת בוטנים
peanuts *n-pl.* ⋆סכום זעום ביותר
pear (pār) *n.* אגס
pear drop סוכרייה דמויית־אגס
pear (pûrl) *n.* פנינה; צדף הפנינים; "יהלום"; אדם יקר
cast pearls before swine לתלות נזם זהב באף חזיר
pearl *v.* לדלות פנינים, לחפש פנינים
go pearling לדלות פנינים
pearl-barley *n.* גריסי פנינה
pearl diver/fisher דולה פנינים
pearl fishery מקום דליית פנינים
pearlies *n-pl.* תלבושת רוכל (מעוטרת בכפתורי פנינים); ⋆שיניים
pearl-oyster *n.* צדפת־הפנינים
pearly *adj.* פניני; מקושט בפנינים
pearly king רוכל מקושט בפנינים
pear′main (pār′-) *n.* תפוח פרמה
peasant (pez′-) *n.* איכר; בור
peasantry *n.* האיכרים
pease (-z) *n.* אפונה
pea-shooter *n.* אקדח־אפונה (צעצוע)
pea soup מרק אפונה
pea souper ⋆ערפל סמיך
peat *n.* כבול (משמש להסקה ולזיבול)
peat bog ביצת כבול, אדמת טורף
peaty *adj.* (בעל ריח) של כבול
peb′ble *n.* חלוק אבן, אבן חצץ
not the only pebble on beach לא בן יחיד, יש רבים כמוהו
pebbledash *n.* מלט מעורב בחצץ
peb′bly *adj.* מכוסה חצץ; זרוע חלוקים
pe•can′ *n.* אגוז פיקאן
pec′cadil′lo *n.* חטא קל
pec′cary *n.* פקארי (חזיר בר)
peck *v.* לנקר; לאכול/לנשוך במקור; לחטט; ⋆לנשק חטופות
peck at one's food ⋆לאכול כאפרוח/בלי תיאבון
peck *n.* ניקור, נקירה; נשיקה חטופה; פק (כ־9 ליטר); כמות רבה
peck of trouble חבילת צרות
peck′er *n.* ⋆אף, חוטם; אומץ־לב
keep one's pecker up להחזיק מעמד, להישאר עליז
pecking order סולם הדרגות, היראַרכיית הנקירות, שליטת החזק בחלש ממנו
peck′ish *adj.* ⋆רעב
pec′tic *adj.* של פקטין, יוצר פקטין
pec′tin *n.* פקטין (חומר מקפא)

pec′toral *adj.* חזי, של החזה
pec′u•late′ *v.* למעול
pec′u•la′tion *n.* מעילה
pe•cu′liar *adj.* מיוחד; בלעדי, אופייני רק ל־; מוזר, משונה; ⋆חולה
pe•cu′liar′ity *n.* מוזרות; תכונה אופיינית; דבר משונה
peculiarly *adv.* במיוחד, באופן מוזר
Peculiar People ישראל, עם סגולה
pe•cu′niar′y (-eri) *adj.* כספי
ped′agog′ic (al) *adj.* פדגוגי, חינוכי
ped′agog′ics *n-pl.* פדגוגיה
ped′agogue′ (-gôg) *n.* פדגוג, מחנך
ped′agog′y *n.* פדגוגיה, חינוך, הוראה
ped′al *n&adj.* דוושה; מופעל בדוושה
pedal *v.* לדווש; לנוע תוך דיווש
pedal *adj.* של הָרגל
ped′ant *n.* פדנט, נוקדן, קפדן, מדקדק
pe•dan′tic *adj.* פדנטי, דקדקני
ped′antry *n.* פדנטיות, נוקדנות
ped′dle *v.* לרכול, לעסוק ברוכלות; למכור (רעיונות); להפיץ
peddler *n.* רוכל; סוחר סמים
ped′eras′ty *n.* מעשה סדום (בנער)
ped′estal *n.* בסיס, כן, מעמד
knock him off his pedestal לנפץ תדמיתו המהוללת, להנמיך קומתו
set him on a pedestal לסגוד לו
pedes′trian *n&adj.* הולך רגל; קשור בהליכה ברגל; חסר־מעוף, משעמם
pedestrian crossing מעבר־חציה
pedes′trianize′ *v.* להגביל לשימוש הולכי רגל, להפוך למדרחוב
pe′diatri′cian (-ri′shən) *n.* רופא ילדים
pe′diat′rics *n.* ריפוי ילדים
ped′icab′ *n.* תלת־אופן ציבורי
ped′icel, ped′icle *n.* ניצב, עוקץ, גבעול הפרח; זיז דמוי־גבעול (בחרק)
ped′icure′ *n.* פדיקור, טיפול ברגליים
ped′igree′ *n.* אילן־היחס, שושלת; ייחוס; מוצא, מקור; (כלב) מיוחס, גזעי
ped′iment *n.* גמלון (בחזית בניין), משולש מעל לכניסה/לחלון
ped′lar *n.* רוכל
pe•dom′eter *n.* מד־צעד, פדומטר
pee *n&v.* ⋆ (לעשות) פיפי; להשתין
peek *n&v.* הצצה; להעיף מבט
peek′aboo′ *n.* "קוקו", משחק עם תינוק
peel *v&n.* לקלף; להתקלף; קליפה
keep one's eyes peeled להשגיח

בשבע עיניים, להיות דרוך
peel off לקלף; להתקלף; להתפשט;
להיפרד (מלהקת מטוסים)
peeler *n.* מקלף, מכונת קילוף; ★שוטר
peelings *n-pl.* קליפות
peep *n.* הצצה, מבט חטוף; ציוץ; ★צפירה
have/take a peep להציץ
peep of day שחר, נצנוצי בוקר
peep *v.* להציץ, להעיף מבט; להפציע,
להופיע בהדרגה; לצייץ
peeper *n.* מציץ (בגניבה); ★עין
peep-hole *n.* חור הצצה
peeping Tom מציצן
peep show תיבת הצצה (שהמציץ בה
רואה תמונות וכ')
peer *n.* שווה־מעמד, שווה־דרגה, דומה,
חבר; אציל
life peer חבר בית הלורדים (למשך חייו)
one's peer אדם כמוהו, אדם השווה לו
peer of the realm אציל הזכאי לשבת
בבית הלורדים
peer *v.* להתבונן, להתאמץ לראות
peer'age *n.* אצולה; ספר האצילים
raise to the peerage להאציל
peer'ess *n.* אצילה
peer'less *adj.* אין כמוהו, אין שני לו
peeve *v.* ★להקניט, להרגיז, להציק
peeved *adj.* ★רוגז, מוקנט
pee'vish *adj.* נרגז, כועס, עצבני
peg *n.* יתד, פין; וו־תלייה; אטב־כביסה;
רגל (־עץ); פקק; כוסית־משקה
clothes peg אטב־כביסה, מהדק
off the peg (בגד) מוכן, לא בהזמנה
peg to hang on בסיס (לתירוץ/טענה)
square peg in a round hole אדם
שאינו מתאים לתפקיד
take him down a peg להנמיך קומתו,
להשפילו
tuning peg יתד־כוונון (בכינור)
peg *v.* לחזק ביתד; להדק באטב; להקפיא
(שכר), להחזיק במצב יציב
level pegging התקדמות בקצב אחיד
peg away at לעבוד בשקדנות על
peg down לחזק ביתדות; להצמיד
לקו־פעולה מסוים, להגביל לנוהלים
peg out לסמן (חלקת אדמה) ביתדות;
לתלות (כבסים) באטבים; ★למות
peg leg ★רגל עץ; בעל רגל עץ
peignoir (pānwär') *n.* חלוק־אשה
pe•jo'rative *adj.* מזלזל, שיש בו נימת
גנאי; מידרדר, משתנה לרעה
peke, pe'kinese' (-z) *n.* כלב סיני

pe'koe (-kō) *n.* תה משובח
pe•lag'ic *adj.* של לב־ים, של אוקיינוס
pelf *n.* ★כסף, עושר
pel'ican *n.* פליקן, שקנאי
pellag'ra *n.* פלגרה, חספסת (מחלה)
pel'let *n.* כדורית; כדור; קליע; גלולה
pell'mell' *adv.* באי־סדר, בבלגן
pellu'cid *adj.* צלול, זך, שקוף
pel'met *n.* וילונית (להסתרת כרכוב)
pelo'ta *n.* פלוטה (מישחק כדור)
pelt *n.* פרווה, עור, שיער; שלח
at full pelt במהירות רבה
pelt *v.* להשליך, לזרוק, לרגום; להמטיר
it's pelting ניתך גשם עז
pelt with questions להמטיר שאלות
pel'vic *adj.* של אגן־הירכיים
pel'vis *n.* אגן־הירכיים
pem'mican *n.* בשר מיובש
pen *n.* עט; סופר; סגנון כתיבה
live by one's pen להתפרנס מכתיבה
put pen to paper להתחיל לכתוב
take up one's pen להתחיל לכתוב
pen *v.* לכתוב
pen *n&v.* גדרה, מכלאה; לול־תינוק
pen up לכלוא במכלאה, לכנוס
submarine pen מקלט־צוללות
pe'nal *adj.* של עונש, בר־עונש, פלילי;
קשה, חמור, לא־נעים
penal colony/settlement ארץ גזירה
pe'naliza'tion *n.* הענשה
pe'nalize' *v.* להעניש, להטיל עונש
penal servitude עבודת פרך
pen'alty *n.* עונש, קנס; בעיטת־עונשין
penalty of fame סבל המוניטין
under penalty of צפוי לעונש
penalty area רחבת־העונשין
penalty clause פסקת הקנס (למפר
חוזה)
penalty goal שער מבעיטת־עונשין
penalty kick בעיטת־עונשין
pen'ance *n.* עונש עצמי, סיגוף, תשובה
do penance להסתגף, להיענש
pen-and-ink *adj.* משורטט בעט
pence = pl of penny
pen'chant *n.* חיבה, משיכה, נטייה
pen'cil (-səl) *n.* עיפרון
eyebrow pencil עפרון גבות
pencil *v.* לכתוב; לסמן בעיפרון
pen'dant *n.* תליון; קישוט תלוי; דגל
pen'dent *adj.* תלוי; תלוי ועומד
pen'ding *prep.* עד ש־, עד ל־; במשך
pending his return עד לשובו

pending *adj.* עומד להתרחש; מחכה להכרעה, תלוי ועומד
pen′dulous (-′j-) *adj.* תלוי (ברפיון), מתנודד, מדולדל
pen′dulum (-′j-) *n.* מטוטלת
swing of the pendulum תנודות דעת־הקהל (מן הקצה אל הקצה)
pen′etrabil′ity *n.* חדירות
pen′etrable *adj.* חדיר
pen′etrate′ *v.* לחדור; לחלחל; לחדור לנבכי־; להבין, לקלוט
penetrated with חדור־, מלא־, אחוז־
penetrating *adj.* חודר; מחלחל; שנון, מעמיק; (קול) חד, רם, ברור
pen′etra′tion *n.* חדירה; תפיסה, הבנה
pen′etra′tive *adj.* חודר; חריף, שנון
pen friend חבר לעט
pen′guin (-gwin) *n.* פינגווין
pen′icil′lin *n.* פניצילין
penin′sula *n.* חצי־אי
penin′sular *adj.* של חצי־אי
pe′nis *n.* איבר המין הגברי
pen′itence *n.* חרטה, חזרה בתשובה
pen′itent *adj&n.* מתחרט, חוזר בתשובה; מסתגף, מתענה
pen′iten′tial *adj.* של חרטה, של תשובה
pen′iten′tiary (-shəri) *n&adj.* בית־סוהר; של תשובה; של תיקון האסיר
penknife *n.* אולר
penman *n.* סופר, כתבן, תופס־עט
penmanship *n.* אמנות הכתיבה
pen name כינוי, שם בדוי, פסידונים
pen′nant *n.* דגל, נס
penniless *adj.* חסר־פרוטה, מרושש
pen′non *n.* דגל (של בי״ס/קבוצה); נס
pen′ny *n.* פני; סנט; פרוטה
a penny for your thoughts! על מה אתה חושב?
a pretty penny סכום נכבד
fourpenny שמחירו 4 פנים
in for a penny in for a pound דבר שמתחילים בו־צריך לסיימו
penny wise and pound foolish חוסך פרוטות ומבזבז אלפים
spend a penny ★להשתין
ten a penny עשרה בפרוטה, בזול
the penny dropped ההערה הובנה, המסר נקלט
turn an honest penny להרווית כסף בעבודה כלשהי
penny dreadful ספרות זולה
penny-halfpenny פני וחצי
penny pincher קמצן
pennyweight *n.* 1/20 של אונקייה
pennyworth *n.* במחיר פני, שווה פני
good pennyworth מציאה, מיקח טוב
pe•nol′ogy *n.* תורת העונשין, תורת ניהול בתי־סוהר
pen pal חבר לעט
pen pusher ★פקיד, לבלר
pen′sion *n&v.* פנסיה, קצבה, גמלה
old age pension קצבת זקנה
pension off להוציא לגמלאות
pension (pänsyōn′) *n.* פנסיון
en pension מתאכסן, בפנסיון
pensionable *adj.* בר־קצבה, זכאי לקצבה
pensioner *n.* פנסיונר, גימלאי, קיצבאי
pen′sive *adj.* מהורהר, שקוע במחשבות
pen′stock′ *n.* שער־סכר
pen′tagon′ *n.* פנטגון, מחומש
pen•tag′onal *adj.* מחומש
pen′tagram′ *n.* כוכב מחומש
pen•tam′eter *n.* פנטמטר, טור בן 5 רגליים (בשירה)
Pen′tateuch′ (-to͞ok) *n.* תורה, חומש
pen•tath′lon *n.* קרב חמש
pen′tecost′ *n.* חג השבועות
pent′house′ *n.* פנטהאוז, דירת־גג; גוגנת, גג משופע
pent-up עצור, מסוגר
pe•nul′timate *adj.* שלפני האחרון; מלעילי
penum′bra *n.* פלג־צל, פנומברה
penu′rious *adj.* עני; קמצן
pen′u•ry *n.* עוני; קמצנות
pe′on *n.* פועל (העובד לפרעון חוב)
pe′onage *n.* שיעבוד, עבדות (כנ״ל)
pe′ony *n.* אדמונית (פרח)
peo′ple (pē′-) *n.* אנשים, בני־אדם; ההמון, עמך; עם, אומה
go to the people ללכת אל העם, לערוך בחירות
one's people קרובים, משפחה, הורים
people *v.* לאכלס, למלא באנשים
pep *n&v.* מרץ, זריזות, פעילות נמרצת
pep up להמריץ, לדרבן, לעודד
pep′per *n&v.* פלפל; לפלפל, להוסיף/לזרות פלפל; לרגום, להמטיר
pepper-and-salt נקוד, שחור ולבן
pepper-box, -pot *n.* מבזק־פלפל
peppercorn *n.* גרגיר־פלפל; שכר־דירה סמלי

pepper-mill *n.* מטחנת־פילפל
peppermint *n.* נענע; (ממתק) מנתה
peppery *adj.* חריף, מפולפל; רגזן, כעסן
pep pill גלולת־מרץ
pep'sin *n.* פפסין, אנזים־עיכול
pep talk נאום מדרבן/מלהיב
pep'tic *adj.* עיכולי, של מערכת העיכול
per *prep.* לכל־ (אחד), ל־; ע"י, באמצעות
as per usual כרגיל
per day ליום, ביום אחד
per meter לכל מטר, המטר
per'adven'ture *adv&n.* אולי; ייתכן
if peradventure במקרה, פן, שמא
without peradventure בלי ספק
peram'bu•late' *v.* ללכת (דרך־, סביב־), לסייר; להסתובב; לשוטט
peram'bu•la'tion *n.* הליכה, הסתובבות
peram'bu•la'tor *n.* עגלת־תינוק
per an'num לשנה
per cap'ita לגולגולת, לנפש, לכל אדם
perceivable *adj.* מורגש
perceive' (-sēv) *v.* להרגיש, להבחין, לראות
per cent', percent' אחוז, למאה, %
100 per cent מאה אחוז; לגמרי
percen'tage *n.* תאחוז, אחוז; חלק
no percentage אין רווח, אין טעם
play the percentages לשער מה עשוי לקרות ולפעול בהתאם
percen'tile *n.* פרצנטיל, מאון
percep'tibil'ity *n.* מוחשות, תפיסות
percep'tible *adj.* מורגש, מוחש, תפיס, ניכר
percep'tion *n.* הרגשה, תחושה; הבחנה, תפיסה, השגה; קיבול, פרצפציה
percep'tive *adj.* מהיר־תפיסה, מבחין
perch *n.* ענף (שהעוף נח עליו); עמדה רמה, מקום בטוח
come off your perch אל תעשה רוח
knock him off his perch לנפץ תדמיתו, להורידו מגדולתו
perch *v.* לנחות, להתיישב; להושיב, להעמיד, להציב
perched שוכן, יושב, נמצא
perch *n.* פרץ' (5.5 יארדים); דקר (דג)
perchance' *n.* אולי, ייתכן
if perchance במקרה
percip'ient *adj.* מהיר־תפיסה, מבחין
per'colate' *v.* לחלחל, לפעפע; לסנן; לחלוט (קפה) במסננת; להסתנן

per'cola'tion *n.* חלחול, סינון
per'cola'tor *n.* מסננת־קפה, חלחול
percus'sion *n.* הקשה, דפיקה
percussion cap פיקת־הכדור
percussion instruments כלי־הקשה
percussionist *n.* נגן כלי־הקשה
percussion section נגני כלי־ההקשה
per di'em (-dē'-) *adv.* ליום
perdi'tion (-di-) *n.* גיהינום, תופת; הרס, אבדון
per'egrina'tion *n.* מסע, נדידה
per'egrine (-grin) *n.* הבז הנודד
peremp'tory *adj.* תקיף, דורש צייתנות; שאין לערער עליו, החלטי
peren'nial *adj&n.* נמשך כל השנה; תמידי, נצחי; צמח רב־שנתי
per'fect (-fikt) *adj.* מושלם, שלם, מצוין, ללא פגם; מדויק
perfect murder רצח מושלם (ללא עקבות)
perfect nonsense שטות גמורה
perfect stranger זר לגמרי
perfect' *v.* לשכלל, לעשותו מושלם
perfect oneself להשתלם
perfec'tibil'ity *n.* אפשרות השכלול
perfec'tible *adj.* ניתן לשכלול
perfec'tion *n.* שלמות, מתום; שכלול; השתכללות, השתלמות
to perfection בצורה מושלמת
perfectionist *n.* שואף לשלמות
per'fectly *adv.* באופן מושלם; לגמרי
perfect participle עבר נשלם
perfect tense (בדקדוק) זמן מושלם
perfer'vid *adj.* להוט, קנאי
perfid'ious *adj.* בוגד, מועל באמון
per'fidy *n.* בגידה, מעילה
per'forate' *v.* לנקב, לנקבב, לחרר
perforated *adj.* מנוקב, מחורר, נקבובי
per'fora'tion *n.* פרפורציה, ניקבוב
perforce' *adv.* בהכרח
perform' *v.* לעשות, לבצע; לשחק, להציג; לנגן; לערוך, לנהל; לפעול
perform a promise לקיים הבטחה
performing animal חיה מציגה (בקרקס)
performance *n.* עשייה; ביצוע; משחק; הצגה; קונצרט; מבצע; פעולה
what a performance! איזו התנהגות מחפירה!
performer *n.* מבצע, נגן, שחקן
per'fume' *n.* בושם, ריח ניחוח
perfume' *v.* לבשם; להזליף מי־בושם

perfu'mery *n.* בשמות; מיבשמה
perfu'mier *n.* בַּשָּׂם, מייצר בשמים
perfunc'torily *adv.* כלאחר יד
perfunc'tory *adj.* שטחי, חפוז, נעשה כלאחר יד/לצאת ידי חובה
per'gola *n.* עריס, מקלעת שריגי גפן; מערכת עמודים לצמחים מטפסים
perhaps' *adv.* אולי, אפשר, ייתכן
per'igee *n.* פריג'י (הנקודה הקרובה לכדור הארץ במסלול הגוף המקיפו)
per'ihe'lion *n.* פריהיליון (הנקודה הקרובה לשמש במסלול הכוכב המקיפה)
per'il *n.* סכנה
at one's peril על אחריותו
in peril of one's life בסכנת נפשות
per'ilous *adj.* מסוכן
perim'eter *n.* פרימטר, היקף
pe'riod *n.* תקופה; עונה; משך־זמן; שיעור; וֶסֶת; נקודה; מחזור; הקפה; (בתחביר) פריודה, מחזורת, משפט מלא
of the period מהתקופה, מהעת ההיא
period piece חפץ היסטורי/השייך לתקופה מסוימת; ⋆מיושן
period! נקודה! חסל! זהו זה!
periods סגנון נמלץ/מסולסל
put a period to לשים קץ ל-
pe'riod'ic(al) *adj.* תקופתי, מחזורי, עונתי, פריודי, עיתי
periodical *n.* כתב־עת, מגאזין, תקופון
periodic table המערכת המחזורית
per'ipatet'ic *adj.* נודד, מתהלך
periph'eral *adj.* היקפי, שולי, חיצוני
periph'ery *n.* פריפריה, היקף; קו היקפי; גבול חיצוני; קבוצה שולית
periphery of a town עיבורה של עיר
periph'rasis *n.* פריפראזה, דיבור עקיף, סחור־סחור; שימוש במלות־עזר
per'iphras'tic *adj.* של דיבור עקיף
per'iscope' *n.* פריסקופ (של צוללת)
per'ish *v.* למות, להישמד; להרוס, לקלקל; להתקלקל
perish the thought! אל תעלה זאת על דעתך! חס וחלילה!
perished with hunger "מת" מרעב
perishable *adj&n.* מתקלקל מהר
perishables מזון המתקלקל מהר
perisher *n.* ⋆אדם שנוא, "מזיק", "תכשיט"
perishing *adj&adv.* ⋆ממית, ארור; מאוד
perishing cold קור כלבים
per'istyle' *n.* מערכת עמודים המקיפה מיקדש; שטח מוקף עמודים
per'itoni'tis *n.* צפקת, דלקת־הצפק
per'iwig' *n.* פיאה נוכרית
per'iwin'kle *n.* פריווינקל; חלזון־ים, ליטורנה; וינקה (פרח)
per'jure (-jər) *v.* להישבע לשקר
perjure oneself להישבע לשקר
perjurer *n.* נשבע לשקר
per'jury *n.* שבועת שקר; עדות שקר
perk *n.* ⋆הטבה, הכנסה צדדית
perk *v.* לסנן; לחלחל
perk up להיות עירני/פעיל/עליז; לגלות עניין; להרים ראש
perkiness *n.* עליזות; חוצפה
perky *adj.* עליז, מלא חיים; חצוף
perm *n&v.* (לעשות) סלסול תמידי (בשיער), לקרזל
per'mafrost' (-frôst) *n.* שכבת אדמה קפואה
per'manence, -cy *n.* תמידות, קבע
per'manent *adj.* תמידי, קבוע, קיים
permanent (wave) סלסול תמידי
permanent way מסילת־ברזל
perman'ganate *n.* פרמנגנט, מלח מחטא
per'me•abil'ity *n.* חדירות, התפשטות
per'me•able *adj.* חדיר, ניתן לחלחול
per'me•ate' *v.* לחלחל, לפעפע, לחדור, להתפשט
per'me•a'tion *n.* חלחול, התפשטות
permis'sible *adj.* מותר, מורשה, כשר
permis'sion *n.* היתר, רשות, הסכמה
permis'sive *adj.* מתיר, מרשה; מתירני
permissiveness *n.* מתירנות
permissive society החברה המתירנית
permit' *v.* להתיר, להרשות; לאפשר
permit of לאפשר, לתת מקום ל-
weather permitting אם מזג־האוויר יאפשר
per'mit *n.* רשיון, רשות, היתר
per'mu•ta'tion *n.* (במתימטיקה) תמורה
permute' *v.* להחליף, לשנות הסדר, לתמור
perni'cious (-nish'əs) *adj.* מזיק, משחית; ממאיר, רציני, קטלני
pernick'ety *adj.* מקפיד בקטנות, נקדן
per'ora'tion *n.* החלק המסכם (בנאום)
per'oxide' *n.* נוזל להלבנת שיער
peroxide blonde בלודינית צבועה
per'pendic'u•lar *adj&n.* ניצב, אנכי,

מאונך; אנך
per′petrate′ *v.* לעשות, לבצע
per′petra′tion *n.* עשייה, ביצוע
perpet′ual (-cho͞oəl) *adj.* נצחי, תמידי, עולמי; לא פוסק
perpetually *adv.* לנצח, לעד
perpetual motion תנועה נצחית
perpet′uate′ (-cho͞oāt) *v.* להנציח
perpet′ua′tion (-cho͞oā-) *n.* הנצחה
per′petu′ity *n.* נצח; קצבה תמידית
in perpetuity לנצח, לצמיתות
perplex′ *v.* לבלבל, להביך; לסבך
perplexed *adj.* מבולבל, נבוך; מסובך
perplex′ity *n.* מבוכה, בלבול; תסבוכת
per′quisite (-zit) *n.* הטבה, הכנסה צדדית
per′ry *n.* משקה אגסים (תסוס)
per′secute *v.* לרדוף; להציק, לענות
per′secu′tion *n.* רדיפה; הטרדה
per′secu′tor *n.* רודף, צר
per′seve′rance *n.* התמדה, שקדנות
per′severe′ *v.* להתמיד, לשקוד
persevering *adj.* מתמיד, שוקד
Per′sian (-shən) *adj&n.* פרסי; פרסית
per′siflage′ (-fläzh) *n.* היתול, לגלוג
persim′mon *n.* אפרסמון
persist′ *v.* להתעקש, להתמיד; להמשיך; להימשך
persistence *n.* התעקשות; התמדה; קיום, הימשכות
persistent *adj.* עקשן; מתמיד; נמשך
persnick′ety *adj.* מקפיד בקטנות
per′son *n.* בן־אדם, איש; גוף
find a friend in the person of למצוא ידיד ב־, להיווכח שהוא ידיד
first/second/third person (בדקדוק) גוף ראשון/שני/שלישי
in person אישית, באופן אישי
offense against the person פגיעה גופנית, תקיפה
perso′na *n.* אדם, אישיות
persona (non) grata פרסונה (נון) גראטה, אישיות (בלתי) רצויה
per′sonable *adj.* יפה־תואר, נאה
per′sonage *n.* אישיות, אדם חשוב
per′sonal *adj.* אישי, פרטי; בכבודו ובעצמו; מיוחד; של הגוף, גופני
personal *n.* ידיעה על אדם (בעיתון)
personal assistant מזכיר אישי
personal column הטור האישי (בעיתון)
personal estate מיטלטלין, נכסי דניידי
per′sonal′ity *n.* אישיות
personalities הערות פוגעניות
personality cult פולחן אישיות
per′sonalize′ *v.* לאנש; לעבור לפסים אישיים; להדפיס שמו על
personally *adv.* אישית; באופן אישי
personal pronoun מלת־גוף
personal property מיטלטלין, נכסי דניידי
per′sonalty *n.* מיטלטלין, נכסי דניידי
per′sonate′ *v.* לגלם תפקיד; להתחזות
per′sona′tion *n.* גילום תפקיד; התחזות
person′ifica′tion *n.* האנשה, פרסוניפיקציה; התגלמות, סמל, מופת
person′ify′ *v.* להאניש, לאנש, לייחס תכונות־אנוש; לגלם, להוות סמל
per′sonnel′ *n.* פרסונל, חבר עובדים, סגל, אנשי צוות; מדור יחסי העובדים
perspec′tive *n.* פרספקטיבה, שקף, תישקופת; מראה, מבט
in perspective משורטט בהתאם לכללי הפרספקטיבה
out of perspective משורטט שלא בהתאם לכללי הפרספקטיבה
see it in the right perspective לראות זאת בפרספקטיבה הנכונה
per′spex′ *n.* פרספקס, חומר פלאסטי שקוף, תחליף־זכוכית
per′spica′cious (-shəs) *adj.* חד־תפיסה, מבין
per′spicac′ity *n.* חדות התפיסה, הבנה
per′spicu′ity *n.* בהירות־הביטוי
per′spic′uous (-ūəs) *adj.* בהיר, מנוסח בברורות
per′spira′tion *n.* הזעה; זיעה
perspire′ *v.* להזיע
persuadable *adj.* ניתן לשכנוע
persuade′ (-swād) *v.* לשכנע, להשפיע, לשדל, לפתות
persuade out of להניא, לשדל לבל־
persua′sion (-swā′zhən) *n.* השפעה; (כושר) שכנוע; שידול; אמונה; כת; סוג, מין
it's my persuasion אני משוכנע
persua′sive (-swā′-) *adj.* משכנע
pert *adj.* חצוף, חוצפני; עליז, מלא־חיים
pertain′ *v.* להיות שייך/קשור ל־
per′tina′cious (-shəs) *adj.* עקשן, מתמיד, דבק במטרה
per′tinac′ity *n.* עקשנות
per′tinence *n.* שייכות, רלוואנטיות

per′tinent *adj.* שייך, רלוואנטי, מתאים
perturb′ *v.* להדאיג; להביך, לגרום להתרגשות, לערער שלוות־נפשו
per′turba′tion *n.* דאגה, מבוכה; הפרעה
peruke′ *n.* פיאה נוכרית
peru′sal (-z-) *n.* קריאה בעיון
peruse′ (-z) *v.* לקרוא (בעיון)
Peru′vian *adj&n.* של פרו; בן פרו
pervade′ *v.* לחדור, להתפשט, למלא
perva′sion (-zhən) *n.* חדירה, התפשטות
perva′sive *adj.* חודר, מתפשט, פושה
perverse′ *adj.* עיקש, סוטה, נלוז; מנוגד, לא הגיוני, מסולף; רע
perver′sion (-zhən) *n.* סילוף, עיוות; נליזה, סטייה; שימוש שלילי בדבר
perver′sity *n.* עיקשות, סילוף, נליזה
pervert′ *v.* לסלף, לעוות; להשחית, להשפיע לרעה, להטות מדרך מישר
pervert the course of justice להטות משפט, לעוות דין
per′vert′ *n.* סוטה, מושחת; מעוות
pese′ta (-sā′-) *n.* פזטה (מטבע)
pes′ky *adj.* ⋆מטריד, מציק, מייגע
pe′so (pā′-) *n.* פזו (מטבע)
pes′sary *n.* התקן תוך־רחמי; פתילה
pes′simism′ *n.* פסימיות, פסימיזם
pes′simist *n.* פסימיסט, ייאושן, רואה־שחורות
pes′simis′tic *adj.* פסימי
pest *n.* מזיק (לצמחים); טרדן, נודניק
pes′ter *v.* להטריד, לנדנד (בדרישות)
pest-house *n.* בי"ח לחולי־דבר
pes′ticide′ *n.* מדביר מזיקים
pes•tif′erous *adj.* מביא מחלה, מדביק; משחית, מזיק; מטריד, מציק
pes′tilence *n.* מגיפה (קטלנית)
pes′tilent *adj.* מגיפתי, קטלני, מזיק; ⋆ארור, מטריד
pes′tilen′tial *adj.* מגיפתי, קטלני
pes′tle (-səl) *n&v.* (לכתוש ב) עלי
pet *n&adj.* חיית שעשועים; אהוב, חביב; מפונק; הכי (אהוב/שנוא); התקף־כעס
a perfect pet ⋆חמוד, מקסים
in a pet מצוברח; נתון בהתקף־כעס
one's pet aversion תועבת נפשו
one's pet hate שנוא נפשו
pet *v.* ללטף; לפנק; לנשק; ⋆להתגפף
pet′al *adj.* עלה־כותרת (בפרח)
petaled *adj.* בעל עלי־כותרת
pe•tard′ *n.* פצצה
hoist with one's own petard ליפול בעצמו למלכודת שטמן לזולתו
Pe′ter *n.* פטרוס (משליחי ישו)
rob Peter to pay Paul לקחת מזה כדי לתת לזה
pe′ter *v.* לאזול, לגווע
peter out לאזול, להיעלם, לדעוך
petit bourgeois בורגני זעיר
petite′ (-tēt) *adj.* קטנה, עדינה
peti′tion (-ti-) *n.* פטיציה, עצומה; בקשה, עתירה; תפילה
petition *v.* להגיש עצומה; לעתור; לבקש; להפציר
petitioner *n.* עותר; מבקש; תובע גט
petit mal′ (pətēm-) *n.* מחלת נפילה, כיפיון מיזערי
pet name כינוי חיבה, שם חיבה
pet′rel *n.* יסעור (עוף־ים)
stormy petrel גורם סערה/תסיסה
pet′rifac′tion *n.* איבון; הלם; מאובן
pet′rify′ *v.* לאבן; להתאבן; להקשות; לשתק, להפיל אימה
pet′ro•chem′ical (-kem-) *adj.* פטרוכימיקל
pet′rol *n.* בנזין
pe•tro′le•um *n.* נפט, פטרוליאום, שמן־אדמה
petroleum jelly וזלין
pe•trol′ogy *n.* פטרולוגיה, חקר האבנים
petrol station תחנת דלק
pet′ticoat′ *n.* תחתונית, שמלה תחתונה
petticoat government שלטון נשים
pet′tifog′ging *adj.* קטנוני, תחבולני
pettiness *n.* קטנוניות
pet′tish *adj.* כעסן, מהיר־חימה, רגזן; נפלט בעידנא דריתחא
pet′ty *adj.* קטן, זעיר, פעוט, פחות־ערך; זוטר; קטן־מוח, קטנוני
petty bourgeois בורגני זעיר
petty cash קופה קטנה
petty larceny גניבה פעוטה
petty officer מש"ק (בצי)
pet′ulance (-ch′-) *n.* רגזנות
pet′ulant (-ch′-) *adj.* רגזן, קצר־רוח
petu′nia *n.* פטוניה (צמח־נוי)
pew (pū) *n.* ספסל (בעל מיסעד), מושב
take a pew קח כיסא, שב
pe′wit *n.* קיווית (עוף ביצה)
pew′ter (pū′-) *n.* נתך עופרת ובדיל; כלי עופרת־ובדיל
pewter ware כלי עופרת־ובדיל
peyo′te (pāo′ti) *n.* מסקלין (סם)

pfen′nig *n.* פניג (מטבע גרמני)
pha′eton *n.* פאטון, כרכרה קלה
phag′ocyte′ *n.* פגוציט, זוללן (תא דם)
phalan′ges = pl of phalanx (-jēz)
pha′lanx′ *n.* פלאנגה, גוש חיילים צפוף; ארגון, קבוצה; עצם באצבע
phal′lic *adj.* של איבר המין הגברי
phal′lus *n.* איבר המין הגברי
phan′tasm′ (-taz′əm) *n.* רוח, פרי הדמיון
phan•tas′mago′ria (-z-) *n.* פנטסמגוריה, חזון־תעתועים
phan•tas′mal, -mic (-z-) *adj.* דמיוני, של חזון־תעתועים
phan′tasy = fantasy *n.* פנטסיה
phan′tom *n&adj.* רוח, שד; חזון־תעתועים, יצור דמיוני; כרוח רפאים
Pharaoh (fār′ō) *n.* פרעה
phar′isa′ic(al) *adj.* פרושי, צבוע
phar′isee *n.* פרוש (בבית השני); צבוע
phar′maceu′tical *adj.* של רוקחות
phar′macist *n.* רוקח
phar′macol′ogist *n.* מומחה לתרופות
phar′macol′ogy *n.* תורת התרופות
phar′macopoe′ia (-pē′-) *n.* ספר הרוקחים, פרמקופיה, ספר התרופות
phar′macy *n.* בית מרקחת; רוקחות
pha′ros′ *n.* מגדלור
phar′yngi′tis *n.* דלקת הלוע
phar′ynx *n.* לוע
phase (-z) *n.* שלב (בהתפתחות); תקופה; פזה, צד; מופע; צורה (של הירח:חרמש, מילוא)
  in phase מחזק (זה את זה), משתלב
  out of phase מחליש (זה את זה)
phase *v.* לתכנן/לארגן בשלבים
  phase in להכניס בשלבים/בהדרגה
  phase out לבטל בשלבים/בהדרגה
PhD דוקטור לפילוסופיה
pheas′ant (fez′-) *n.* פסיון (עוף)
phe′no•bar′bital (-tôl) *n.* פנובארביטל (סם שינה)
phe′nol′ *n.* פנול, חומצה קארבולית
phenom′ena=pl of phenomenon
phenom′enal *adj.* פנומנלי, לא־רגיל; של תופעות; נתפס ע״י החושים
phenomenally *adv.* בצורה לא־רגילה
phenom′enon′ *n.* פנומן; דבר לא רגיל, גאון; תופעה, דבר הנתפס ע״י החושים
phew (fū) *interj.* אוף! (מלת קריאה)
phi *n.* פיי (אות יוונית)
phi′al *n.* בקבוקון, צלוחית

philan′der *v.* לפלרטט, לחזר, להתעסק
philanderer *n.* מפלרטט
phil′anthrop′ic *adj.* פילנתרופי, נדבני
philan′thropist *n.* פילנתרופ, נדבן
philan′thropy *n.* פילנתרופיה, אהבת הבריות, צדקה, נדבנות
phil′atel′ic *adj.* בולאי, של בולים
philat′elist *n.* אספן־בולים, בולאי
philat′ely *n.* בולאות, איסוף בולים
-phile (סופית) אוהב
  Anglophile אוהב אנגלים
phil′har•mon′ic *adj.* פילהרמוני, מוסיקלי, שוחר מוסיקה
phil•hel′lene *adj&n.* אוהב יוון
phil′hel•len′ic *adj.* אוהב יוון
-phil′ia (סופית) אהבה
  necrophilia אהבת גוויות
philip′pic *n.* נאום־התקפה חריף
Phil′istine′ (-tēn) *n&adj.* פלישתי; חסר־תרבות, גס, גשמן
phil′olog′ical *adj.* פילולוגי, בלשני
philol′ogist *n.* פילולוג, בלשן
philol′ogy *n.* פילולוגיה, בלשנות
philos′opher *n.* פילוסוף, הוגה־דיעות; קר־רוח, שקול
philosopher's stone אבן החכמים "שהפכה מתכת לזהב"
phil′osoph′ical *adj.* פילוסופי, שליו
philos′ophize′ *v.* להתפלסף
philos′ophy *n.* פילוסופיה, חכמה; השקפת־עולם; קור־רוח, שלווה
  moral philosophy פילוסופית־המוסר
  natural philosophy פיסיקה
phil′ter *n.* שיקוי אהבה
phiz′og′, phiz *n.* ⋆פנים, הבעה
phle•bi′tis *n.* דלקת הוורידים
phle•bot′omy *n.* הקזת דם
phlegm (flem) *n.* ליחה, כיח; איטיות, אדישות, כבדות
phleg•mat′ic *adj.* פלגמטי, איטי, אדיש
phlox *n.* שלהבית (פרח)
pho′bia *n.* פוביה, בעת
  hydrophobia בעת־מים, כלבת
phoe′nix (fē′-) *n.* פניקס, חול (עוף)
phone *n&v.* ⋆טלפון; לטלפן, לצלצל
phone *n.* צליל־דיבור, הגה
phonebooth *n.* תא טלפון
phone-in *n.* תוכנית בהשתתפות המאזינים, שידור שאלות טלפוניות
pho′neme *n.* פונמה, הגה, הברה, היחידה הקטנה ביותר במבנה הלשון

phone′mic *adj.* פונמי, של פונמות
phone′mics *n.* פונמיקה, חקר הפונמות
phonet′ic *adj.* פונטי, הברוני, הגאי
pho′neti′cian (-tish′ən) *n.* פונטיקן
phonet′ics *n.* פונטיקה, היברון, תורת ההיגוי
phonetic spelling כתיב פונטי
pho′ney, pho′ny *n&adj.* מזויף, כוזב
phon′ic *adj.* קולי, של הגה, אקוסטי
phon′ics *n.* אקוסטיקה; שימוש בפונטיקה בהוראת הקריאה
pho′nograph′ *n.* פטיפון, מקול
phonol′ogy *n.* פונולוגיה, תורת ההגאים הקוליים (בלשון מסוימת)
phoo′ey *interj.* פוי! אה! (קריאה)
phos′phate (-fāt) *n.* פוספט, זרחה
phos′phores′cence *n.* זרחורנות
phos′phores′cent *adj.* מפיץ אור (בלי חום), זורח
phos•phor′ic *adj.* זרחני, זרחתי
phos′phorus *n.* זרחן, פוספור
pho′to *n.* תצלום, צילום, תמונה
photocopier *n.* מכונת צילום
pho′tocop′y *n.* צילום (של מסמך)
photocopy *v.* לצלם (מסמכים)
photo-electric *adj.* פוטואלקטרי, חשמלורי
photo-electric cell תא פוטואלקטרי; עין אלקטרונית
photo finish סיום צמוד (של מירוץ, שבו רק המצלמה קובעת מי ניצח)
pho′togen′ic *adj.* פוטוגני, נוח לצילום
pho′tograph′ *n.* תמונה, צילום, תצלום
take a photograph לצלם
photograph *v.* לצלם
photographs well מתקבל יפה בצילום
photog′rapher *n.* צלם
pho′tograph′ic *adj.* של צילום, מצולם
photographic memory זיכרון תמונתי, בור סוד שאינו מאבד טיפה
photog′raphy *n.* צילום
pho′to•lithog′raphy *n.* פוטוליתוגרפיה, הדפס־אבן מבוסס על צילום
pho′tom′eter *n.* פוטומטר, מד־אור
pho′tomon•tage′ (-täzh) *n.* פוטומונטאז׳, מיצרף־תמונות
pho′tosen′sitive *adj.* רגיש לאור
pho′tosen′sitize′ *v.* לעשות רגיש לאור
pho′tostat′ *n&v.* פוטוסטאט, מכונת צילום; צילום, העתק; לצלם (מסמך)
pho′tostat′ic *adj.* (מסמך) מצולם
pho′tosyn′thesis *n.* פוטוסינתיזה, הטמעת הפחמן
phr. = phrase
phra′sal (-z-) *adj&n.* ניבי, מורכב ממלים אחדות; פועל ניבי
phrase (-z) *n.* ניב, ביטוי, צירוף מלים; פראזה, פתגם; (במוסיקה) פסוק
coin a phrase לטבוע מטבע־לשון
to coin a phrase כמאמר הפתגם
turn a phrase לומר משפט מוצלח
phrase *v.* לנסח, להביע במלים
phrase-book *n.* ניבון, מילון־ניבים
phra′se•ol′ogy (-z-) *n.* פרזיאולוגיה, ניסוח, בחירת המלים, הרכבת המשפט
phre•net′ic *adj.* מטורף, משתולל, קנאי
phre•nol′ogist *n.* פרינולוג
phre•nol′ogy *n.* פרינולוגיה, קביעת האופי לפי צורת הגולגולת
phthi′sis (th-) *n.* שחפת הריאה
phut *n.* בום, קול התפוצצות (בלון)
go phut ★להתמוטט; לעלות בתוהו
phylac′tery *n.* תפילין, טוטפת
phyl′loxe′ra *n.* פילוקסרה (כנימה)
phy′lum *n.* מערכה (בממלכת החי)
phys′ic (-z-) *n&v.* (לתת) תרופה
phys′ical (-z-) *adj&n.* פיסי, גשמי; גופני; טבעי, לפי הטבע; פיסיקלי; בדיקה רפואית
physical education חינוך גופני
physical environment סביבה טבעית
physical examination בדיקה רפואית
physical exercise התעמלות, ספורט
physical geography גיאוגרפיה פיסית
physical jerks ★התעמלות, ספורט
physically *adv.* גופנית; לפי הטבע
physically impossible כלל לא אפשרי
physical training אימון גופני
physi′cian (-zish′ən) *n.* רופא
phys′icist (fiz-) *n.* פיסיקאי
phys′ics (fiz-) *n.* פיסיקה
phys′io′ (-z-) *n.* ★פיסיותרפיסט
phys′iog′nomy (-z-) *n.* חכמת הפרצוף; פרצוף, תווי־פנים; פני־השטח
phys′iolog′ical (-z-) *adj.* פיסיולוגי
phys′iol′ogist (-z-) *n.* פיסיולוג
phys′iol′ogy (-z-) *n.* פיסיולוגיה, חקר פעולות הגוף
phys′io•ther′apist (fiz-) *n.*

פיסיותרפיסט, מרפא באמצעים פיסיים
phys'io•ther'apy (-z-) *n.* פיזיותרפיה, ריפוי באמצעים פיסיים
physique' (-zēk) *n.* מבנה גוף
pi *n.* פי (אות יוונית), (בגיאומטריה) יחס היקף המעגל לקוטרו
pi'anis'simo' (pi-) *adv.* פיאניסימו, בשקט מוחלט
pian'ist *n.* פסנתרן
pian'o *n&adv.* פסנתר; פיאנו, בשקט
grand piano פסנתר־כנף
player piano פסנתר אוטומטי
upright piano פסנתר זקוף
pian'ofor'te (-fôr'ti) *n.* פסנתר
piano'la *n.* פיאנולה, פסנתר אוטומטי
pias'ter *n.* פיאסטר, גרוש
piaz'za *n.* מרפסת; רחבת־שוק
pi'ca *n.* פיקא (יחידת מידה בדפוס)
pic'ador' *n.* פיקאדור (במלחמת־שוורים)
pic'aresque' (-resk) *adj.* פיקארסקי, מתאר חיי הרפתקנים ונוכלים
pic'calil'li *n.* פיקלילי (מחמצים)
pic'canin'ny *n.* תינוק כושי
pic'colo' *n.* פיקולו, חלילון
pick *v.* לבחור, לברור; לקטוף; לתלוש; לנקר; לאכול כציפור; לקרוע; לחטט
has a bone to pick with him יש לו סיבה לריב עמו
pick a bone (clean) להסיר כל הבשר מהעצם (בכרסום)
pick a fight with לחרחר ריב
pick a guitar לפרוט על גיטרה (באצבע/במפרט)
pick a hole in לעשות חור ב־
pick a lock לפתוח מנעול (בגניבה)
pick a winner לקלוע בניחוש
pick and choose לברור ארוכות
pick and steal לגנוב
pick apart לקרוע לגזרים, לבקר
pick at לאכול בלי תיאבון; לבצע באדישות; לחפש פגמים; להציק; למשוך
pick him up לאסוף (במכונית); להכיר, להתיידד; לתפוס, לעצור
pick his brains לשאוב מידע ממנו, לנצל רעיונותיו
pick holes in לחפש פגמים ב־, לגלות את נקודות התורפה ב־
pick off לקטוף; להרוג בצליפה אחד־אחד
pick on לבחור ב־; להציק
pick one's nose לחטט באף
pick one's steps להתקדם בזהירות
pick one's teeth לחצוץ את השיניים
pick one's way להתקדם בזהירות
pick oneself up לקום על רגליו
pick out לבחור; להבחין, לראות; להבין; לנגן לפי שמיעה; להבליט לעין
pick over לברור, לבדוק ולבחור; לדבר שוב ושוב על־
pick pockets לכייס, לגנוב מכיסים
pick to pieces לקרוע לגזרים, לחפש פגמים
pick up להרים; לאסוף; להשתפר; להשיג, לרכוש; להתחיל שוב; לקלוט
pick up - להתאסף; לראות, להבחין; להתיידד; לעצור, לאסור; להחלים
pick up a living להתפרנס בדוחק
pick up a room לנקות/לסדר חדר
pick up and leave לארוז חפציו ולהסתלק
pick up health להחלים
pick up speed לצבור/להגביר מהירות
pick up the soil לעדור את האדמה
picks his words שוקל כל מלה
pick *n.* מעדר, מכוש; בחירה, ברירה; מיטב, מובחר; ⋆מפרט
take your pick קח כטוב בעיניך
the pick of the bunch הטוב מכולם
pick'aback' *adv.* על הכתפיים
pick'anin'ny *n.* תינוק כושי
pick'ax' *n.* מעדר, מכוש
picked *adj.* מובחר
picker *n.* מלקט, מקושש, אוסף
pick'erel *n.* פיקרל (דג)
pick'et *n.* שומר, זקיף; משמר; משמר־שובתים; יתד, מוט, כלונס
picket *v.* לשמור; להציב שומרים (סביב־); לגדור בכלונסאות
picket fence גדר כלונסאות
picket line משמר שובתים
picking *n.* בחירה; גניבה
pickings שאריות, רווחים משאריות, גניבות, הכנסות צדדיות
pick'le *n.* מי־מלח, ציר; מלפפון חמוץ, בצל כבוש; צרה; שובב, קונדס
a nice/pretty pickle ⋆מצב ביש
have a rod in pickle for him לשמור באמתחתו עונש עבורו
pickles כבושים, חמוצים, מחמצים
pickle *v.* לכבוש, להחמיץ, לשמר, לצמת
pickled *adj.* מצומת, כבוש; שתוי, שיכור
pick-me-up *n.* (משקה) מחזק, מעודד

pickpocket *n.* כייס
pick-up *n.* תפיסה; ראש־מקול; טנדר, משאית קלה; תאוצה; ★מכר מקרי
pick'y *adj.* בררן, קפדן
pic'nic *n&v.* פיקניק; לערוך פיקניק
no picnic כלל לא קל
pic'nick'er *n.* משתתף בפיקניק
pic'ric acid חומצה פיקרית (משמשת כחומר־צביעה וכחומר נפץ)
pictor'ial *adj.* מצויר, מצולם, תמונתי
pictorial *n.* כתב־עת מצולם
pic'ture *n.* תמונה, תצלום; ציור; מראה מרהיב; שלמות, התגלמות; סרט
a picture of health בריא למופת
get the picture ★להבין, לתפוס
he's the picture of his father הוא דומה לאביו
out of the picture לא בתמונה
political picture תמונת־מצב פוליטית
put him in the picture להכניסו לתמונה/לעניינים
take his picture לצלם אותו
the pictures הקולנוע
picture *v.* לצלם, לצייר; לתאר
picture (to) oneself לראות בעיני־רוחו, לדמיין לעצמו; לראות עצמו כ־
picture book ספר תמונות
picture card קלף־תמונה
picture gallery גלרית־ציורים
picture hat כובע־נשים (רחב־אוגן)
picture-postcard *n&adj.* גלוית־דואר; יפה, ציורי
pic'turesque' (-chəresk) *adj.* ציורי, יפה, ראוי לציור; מוזר, יוצא־דופן, פיטורסקי
picturesque language שפה ציורית
pid'dle *n&v.* ★להשתין, (לעשות) פיפי
pid'dling *adj.* חסר־ערך, קטנטן
pid'gin *n.* ז'רגון, תערובת־לשונות
not my pidgin לא ענייני, לא עסקי
pie (pī) *n.* פשטידה
easy as pie קל מאוד
has a finger in the pie קשור, נוטל חלק בזאת; מתערב בדבר
pie in the sky הרים וגבעות, חלום באספמיא
sand pie עוגת־חול לחה (מעשה־ילד)
piebald *adj.* מנומר, בעל חברבורות
piece (pēs) *n.* חתיכה; חלק; קטע; כלי; יצירה; מטבע; כמות; דוגמה; ★חתיכה; ברנש
come to pieces להתפרק לחלקים
give him a piece of one's mind לנזוף בו, לתת לו מנה הגונה, לומר דעתו עליו
go to pieces להישבר, להתמוטט
in one piece ★שלם, לא ניזוק
in pieces לחתיכות, לרסיסים
of a piece (with) מאותו מין, דומים; עולה בקנה אחד עם
pay by the piece לשלם לפי הכמות/העבודה/בקבלנות/לפי יחידות
piece by piece בחלקים, קמעה־קמעה
piece of advice עצה
piece of cake ★דבר קל, מישחק ילדים
piece of eight מטבע ספרדי (בעבר)
piece of furniture רהיט
piece of goods/work ברנש, טיפוס
piece of land חלקת־אדמה
piece of music קטע מוסיקלי
piece of paper פיסת־נייר; גליון
piece of work עבודה, יצירה
pull to pieces לקרוע לגזרים, לקטול (בביקורת)
say one's piece לומר דברו, לדקלם
take to pieces להתפרק/לפרק לחלקים
to pieces ★ביותר, עד מאוד
20-piece band תזמורת בת 20 כלים
piece *v.* לחבר, להרכיב מחתיכות
piece out לצרף פרט לפרט, להשלים לתמונה כללית
piece together לחבר, לאחות, לצרף
pièce de résistance המנה העיקרית; הדבר העיקרי
piece goods בדים בחתיכות
piece'meal' (pēs'-) *adj&adv.* קצת־קצת
piece-work *n.* עבודת קבלנות, קבלות
pie-crust *n.* קרום הפשטידה
pied (pīd) *adj.* מנומר, חברבור
pied-a-terre (pied'ətār') דירה נוספת
pie-eyed *adj.* שתוי
pier (pir) *n.* מזח, רציף; עמוד־תומך
pierce (pirs) *v.* לדקור, לחדור, לנקב
a cry pierced the air זעקה פילחה האוויר
pierce one's way להבקיע דרכו
piercing *adj.* חודר, חד, עז
pier glass ראי גדול
Pierrot (pē'ərō') *n.* פיארו, ליצן
pieta (pi'ātä') *n.* פיאטה (תמונת מרים המחזיקה את גופת ישו)
pi'ety *n.* אדיקות, דתיות, חסידות

filial piety כיבוד־אב־ואם
pi′e•zo′e•lec′tric *adj.*
פיאזואלקטרי, מופעל ע״י חשמל גבישי
pif′fle *n&v.* ★ (לדבר) שטויות
pif′fling *adj.* חסר־ערך, פעוט
pig *n.* חזיר; ברזל יצוק; ★שוטר
bring pigs to the wrong market
להיכשל במשימה, להיכשל במכירה
buy a pig in a poke לקנות חתול בשק
make a pig of oneself להתנהג כחזיר, לזלול
pigs might fly אם יתחולל נס, ״כשיצמחו שערות על כף ידי״
pig *v.* להמליט חזירים
pig it לחיות כחזיר (בזוהמה)
pigboat *n.* ★צוללת
pi′geon (pij′∂n) *n.* יונה; פתי, טיפש
clay pigeon מטרה מעופפת
not my pigeon לא עסקי, לא ענייני
put the cat among the pigeons
לגרום צרות, לפתוח תיבת פנדורה
pigeon-breasted/-chested *adj.*
בעל חזה בולט, צר־חזה
pigeonhole *n.* תא־מסמכים, תאון
pigeonhole *v.* לשים בתא; לזכור; לדחות, להתעלם, לשכוח, לדחוף למגירה; למיין
pigeon-toed *adj.* בעל רגלי־יונה (הפונות כלפי פנים)
pig′gery *n.* חוות־חזירים; דיר־חזירים
piggish *adj.* חזירי, מטונף, זולל וסובא
piggy *n&adj.* חזירון, חזרזיר; זולל
piggy-back *adv.* על הכתפיים
piggy bank קופה, קופסת חסכונות
pig-headed *adj.* עקשן
pig iron יצקת, ברזל יצוק
pig′let *n.* חזרזיר, חזירון
pig′ment *n.* פיגמנט, צבען
pig′men•ta′tion *n.* צביעה (בפיגמנט)
pig′my *n.* ננס, גמד
pig′nut′ *n.* קריה (אגוז)
pigpen *n.* דיר חזירים
pigskin *n.* עור חזיר; ★אוכף
pig-sticking *n.* ציד־חזירים (בחניתות), נחירת חזיר
pig′sty′ *n.* דיר־חזירים
pig′swill, pigwash *n.* פסולת, שירים, מזון־חזירים
pigtail *n.* זנב־סוס, צמת־עורף
pike *n&v.* חנית, כידון; להכות בחנית
pike *n.* ראש גבעה; זאב־המים (דג); כביש־אגרה, דרכייה; מחסום־מכס; מכס
pikestaff *n.* קנה־החנית
plain as a pikestaff ברור כשמש
pilaf′ (-läf) *n.* פילאף (אורז עם בשר)
pilas′ter *n.* עמוד מרובע (בולט מקיר)
pilau′ *n.* פילאף (אורז עם בשר)
pil′chard *n.* מליח קטן
pile *n.* ערימה; הון; בניין גבוה, גוש בניינים; סוללה; קורת־מסד; הצד השעיר והרך (בקטיפה/שטיח)
atomic pile כור אטומי
funeral pile ערימת עצים לשריפת מת
make one's pile לעשות הון
piles טחורים
piles of ★המון, הרבה
pile *v.* לערום, לצבור, לגבב; להיערם
pile arms להעמיד רובים במצובה
pile in/out לנהור/להידחק פנימה/החוצה (באי־סדר)
pile it on ★להגזים
pile on the agony להגזים בתיאור מאורע מעציב
pile up לצבור; להיערם; להתנגש
pile driver תוקע קורות־מסד; מהלומה
pile-up *n.* התנגשות, תאונת שרשרת
pil′fer *v.* לגנוב, לסחוב, ״להרים״
pil′ferage *n.* גניבה, סחיבה
pilferer *n.* גנב, גנבן, סחבן
pil′grim *n.* צליין, עולה־רגל, נוסע
pil′grimage *n.* עלייה לרגל, נסיעה
pilgrim fathers החלוצים (באמריקה)
pill *n.* גלולה; ★כדור; טיפוס לא נעים
bitter pill גלולה מרה
on the pill לוקחת גלולות (נגד הריון)
sugar the pill להמתיק את הגלולה
pil′lage *n&v.* ביזה; לבוז, לשדוד
pillager *n.* בוזז
pil′lar *n.* עמוד; יד, מצבה; תומך
driven from pillar to post נרדף ממקום למקום/מצרה לצרה
pillar of smoke עמוד עשן (מיתמר)
pillar-box *n.* תיבת־דואר (ברחוב)
pillbox *n.* קופסית־גלולות; כובע דמוי־קופסה; מצד, מצדית, ביצור קטן
pil′lion *n.* מושב אחורי (באופנוע)
ride pillion לרכוב במושב האחורי
pil′lock *n.* ★טיפש, נקלה
pil′lory *n&v.* סד (לראש ולידיים); לכבול בסד; להוקיע חרפתו, לעשותו ללעג
pil′low (-ō) *n&v.* כר; להניח (ראשו) על כר; לשמש ככר

pillow-case, -slip *n.* ציפת־כר
pi′lot *n.* טייס; נווט; נתב־ספינות
drop the pilot לסלק את היועץ
pilot *v.* לשמש כטייס; לנווט; להנחות
pilot through להעביר (חוק)
pilot *adj.* ניסיוני, ניסויי, של בדיקה
pilot engine קטר־בודק (את המסילה)
pilot fish דג נווט (המלווה כרישים)
pilot light/burner להבית (להצתת התנור)
pilot light/lamp נורה (הדולקת כשהמכשיר פועל)
pilot officer סגן־משנה (בח"א)
pilot plant מפעל/מתקן ניסיוני
pilot study מחקר ניסויי
pimen′to *n.* פימנטו (מין פלפל)
pimp *n.* סרסור־זונות; מלשין, מודיע
pimp *v.* לספק זונות, לפעול כסרסור
pim′pernel *n.* מרגנית (צמח, פרח)
pim′ple *n.* אבעבועה, חטט, פצעון
pim′ply, pimpled *adj.* מכוסה פצעונים
pin *n.* סיכה; סיכת־תכשיט; יתד, פין
clean as a new pin נקי ביותר
for two pins מבלי שיהיה צורך לשכנע, "כמו כלום"
not care a pin/two pins ★לא איכפת כלל
pins ★רגליים
pins and needles קוצר־רוח, מתח, "על קוצים"; עקיצות (באיבר שנרדם)
safety-pin סיכת־ביטחון, פריפה
pin *v.* להדק בסיכה; לנעוץ; לרתק
pin back one's ears להקשיב היטב; לנזוף, לגעור; להכות, להביס
pin down לרתק, להצמיד למקום; לגלות במדויק, למנוע מלהתחמק
pin it on him לטפול (האשמה) עליו
pin one's hopes on him לתלות בו תקוותו, להשליך יהבו עליו
pin up לתלות (בנעץ, תמונה)
pin′afore′ *n.* סינר
pin-ball machine כדורון וגומות (מישחק שבו מנחים כדור לגומות)
pince-nez (pans′nā) *n.* מצבטיים, משקפי־חוטם, מישקפי־צבט
pin′cer *n.* זרוע, צבת
pincers מלקחיים, צבת
pincer movement תנועת מלקחיים
pincette′ *n.* מלקט, מלקחית, פינצטה
pinch *v.* לצבוט; ללחוץ; לקמץ, לחסוך; לגנוב, לסחוב; לעצור, לאסור
pinch and scrape לחסוך ולקמץ
pinched for money דחוק בכסף
pinched his finger אצבעו נצבטה
pinched with סובל מ־, מיוסר־
where the shoe pinches מקור הקושי, היכן שלוחץ, פה קבור הכלב
pinch *n.* צביטה; לחיצה; כאב; קושי, מצוקה; שמץ, קורטוב
at a pinch בשעת הדחק, באין ברירה
if it comes to the pinch בשעת הדחק
pinch′beck′ *n&adj.* מסג־נחושת־ואבץ, זהב מלאכותי; מזויף
pinch-hit *v.* למלא מקום
pinchpenny *n.* קמצן
pincushion *n.* כרית־סיכות
pine *v.* להימק, לתשוש; לערוג, להשתוקק
pine *n.* אורן, צנובר; עץ אורן
pi′ne•al *adj.* איצטרובלי
pineapple *n.* אננס
pine cone איצטרובל, צנובר
pine needle מחט, עלה־אורן
pinewood *n.* יער־אורנים; עץ אורן
pine′y (pī′ni) *adj.* של אורנים
ping *n&v.* פינג, צלצול, שריקה; להרעיש
ping′-pong′ *n.* טניס־שולחן
pinhead *n.* ראש סיכה; ★טיפש
pin′ion *n&v.* כנף; נוצה, אברה; לקצוץ (נוצות־) כנף; לכבול, לכפות
pink *adj&n.* ורוד; ציפורן (פרח); שיא; שמאלי, שמאלני
in the pink (of health) בריא
pink elephant הזיות, "עורב לבן"
pink *v.* לדקור, לדקרר, לפגוע; לקשט בנקבים; לגזור שוליים
pinking scissors/shears מספרי־שוליים (למניעת פרימת שולי־הבד)
pink *v.* (לגבי מנוע) להרעיש
pink eye דלקת הלחמית
pink′ie, pink′y *n.* זרת (אצבע)
pinkish *adj.* ורדרד
pin′ko *n.* (בפוליטיקה) שמאלני
pin money הוצאות קטנות, דמי־כיס
pin′nace (-nis) *n.* סירת־אונייה
pin′nacle *n.* צריח; צוק; שיא, פסגה
pinnacle *v.* לצייד בצריחים
pin′nate (-nāt) *adj.* (עלה) מנוצה
pinned *adj.* נתקע (בלי יכולת לזוז)
pin′ny *n.* ★סינר
pinpoint *n.* חוד־סיכה, דבר זעיר
pinpoint of light נקודת־אור
pinpoint *adj.* (מטרה) זעירה, מדויקת

pinpoint *v.* לתאר במדויק, לאתר, לקלוע בדייקנות (במטרה זעירה)
pin-prick *n.* עקיצה; דקירת־סיכה
pin-stripe *n.* בד מפוספס/מקווקוו
pint (pīnt) *n.* פיינט, 1/8 גאלון
pin-table = pinball machine
pint-size *adj.* קטן, חסר־ערך
pin-up *n.* תמונה (תלויה/נעוצה בקיר)
pin-up girl נערת־תמונה (כנ"ל)
pin wheel גלגילון־רוח (מנייר, מסתובב ברוח); זיקוקין־די־נור
piny (pī′ni) *adj.* של אורנים
pi′oneer′ *n&v.* חלוץ; (בצבא) פלס; להיחלץ, לעבור כחלוץ; לסלול; ליזום
pi′ous *adj.* דתי, אדוק; מתחסד, צבוע
pip *n.* חרצן, גרעין; אות־זמן, צפצוף; נקודה (על קלף וכ'); כוכב־דרגה
give him the pip להעכיר רוחו
the pip מחלת־עופות; מצב־רוח רע
pip *v.* ★לנצח, להביס; להיכשל; להכשיל; לקלוע, לפגוע
pipped at the post נוצח ברגע האחרון
pipe *n.* צינור; מקטרת; מלוא המקטרת; קנה, חליל; משרוקית; שריקה; חבית
pipes חמת־חלילים
put it in your pipe and smoke it עליך לבלוע זאת על כורחך
pipe *v.* להזרים בצינורות; לשרוק; לנגן, לצייץ; לקשט שולי שמלה/עוגה
pipe down לשתוק; להנמיך הטון
pipe up להתחיל לזמר/לדבר/לנגן
pipe clay חומר־מיקטרות; חומר הלבנה וניקוי
pipe cleaner מנקה מקטרות
piped music מוסיקה מתמדת שקטה
pipe dream חלום באספמיא
pipeful (-fool) *n.* מלוא־המקטרת
pipe-line *n.* צינור (להזרמת נפט/מידע), קו צינורות
in the pipe-line בדרך, בטיפול
pipe opener אימון, חזרה
piper *n.* חלילן, מנגן בחמת־חלילים
pay the piper לשאת בהוצאות
pipe rack כונן מקטרות
pipette′ *n.* שפופרת, טפי, פיפטה
piping *n.* צנרת; צינורות; קישוט צינורי לשולי־בגד/עוגה; חילול; שריקה
piping *adj.* שורק, צווחני
piping hot חם מאוד
piping times ימי־רגיעה
pip′it *n.* ציפור קטנה
pip′pin *n.* סוגי תפוחי־עץ

pip-squeak *n.* ★אפס, חדל־אישים
pi′quancy (pē′kən-) *n.* פיקאנטיות
pi′quant (pē′kənt) *adj.* חריף, פיקאנטי, חיכני
pique (pēk) *n&v.* היפגעות, עלבון, תרעומת; לפגוע, להרגיז; לעורר (סקרנות)
pique oneself on להתגאות ב־
piqué (pikā′) *n.* פיקה (אריג כותנה)
piquet′ (-ket) *n.* פיקט (משחק קלפים)
pi′racy *n.* פיראטיות, שוד־ים; גניבה
pi′rate (-rit) *n.* (ספינת) פיראט, שודד־ים; גונב (זכות־יוצרים וכ')
pi′rate (-rit) *v.* לגנוב (כנ"ל)
pi•rat′ical *adj.* פיראטי, של שודד־ים
pir′ouette′ (-o͞oet′) *v&n.* (בבלט) להסתחרר; (לעשות) פירואט, סחרור (על הבוהן)
pis aller (pēz′alā′) *n.* מפלט אחרון, צעד נואש
pis′cato′rial *adj.* של דיג, חובב דיג
Pis′ces (-sēz) *n.* מזל דגים
pish *interj.* (קריאת בוז וכ')
piss *n&v.* ★שתן; להשתין, להרטיב
piss around ★להתמזמז, להתבטל
piss off ★הסתלק! להמאיס, לשעמם
pissed ★שתוי, שיכור
pista′chio′ (-tash′-) *n.* בוטן
pistachio green ירקרק
pis′til (-təl) *n.* עלי (בפרח)
pis′tol *n.* אקדח
hold a pistol to his head להצמיד אקדח לרקתו, לאיים עליו
pis′ton *n.* בוכנה
piston engine מנוע־בוכנות
piston ring טבעת־הבוכנה
piston rod טלטל־הבוכנה
pit *n.* בור; מכרה; מלכודת; מוסך; בור־בדיקה במוסך; זירת־קרב לחיות; שקע; צלקת, גממית; מושבים אחוריים; מדור בבורסה
dig a pit לכרות בור, להטמין מלכודת
pit of despair תהום היאוש
pit of the stomach השקע מתחת למפתח־הלב
the pit הגיהינום
pit *n&v.* גלעין; לגלען
pit *v.* לעשות גומות; לצלק; להציב מול
pitted מצולק, גמום; מלא בורות; מתייצב מול
pit′-a-pat′ *n.* תקתוק, נקישות, הלמות
go pit-a-pat (לגבי לב) להלום
pitch *n.* זפת; מקום העסקים; גֹּובה־צליל,

רמה, דרגה; זריקה, הטלה; מיגרש; טלטול (החרטום והירכתיים); שיפוע
dark as pitch חושך מצריים
fever pitch חום רב, התלהבות
queer his pitch לסכל תוכניתו
sales pitch שיטת־מכירה
pitch *v.* להקים, להציב; להטיל, לזרוק; לקבוע (גובה־צליל/רמה); ליפול; להיטלטל (כנ"ל); לשפע; להשתפע; ⋆לספר
pitch in להירתם במרץ לעבודה; לתרום חלקו
pitch into להסתער על, להתנפל על
pitch upon לבחור (במקרה)
pitch-and-toss הטלת־מטבע (משחק)
pitch-blende *n.* עפרת־ראדיום
pitch-dark *adj.* חושך־מצריים
pitched battle קרב ערוך, מערכה עזה
pitch′er *n.* כד; (בבייסבול) מגיש
pitchfork *n&v.* קלשון; להעמיס בקלשון; לדחוף (נגד רצונו), לכוף
raining pitchforks ניתך גשם עז
pitch pine סוג אורן
pit′e•ous *adj.* מעורר חמלה
pitfall *n.* פח, מלכודת, מהמורה
pith *n.* חומר ספוגי (בצמח); חוט השדרה; תמצית, עיקר, לשד; כוח, עוצמה
pithead *n.* פתח המכרה, כניסת־מכרה
pith helmet כובע קל (מהחומר הנ"ל)
pithiness *n.* תמציתיות
pith′y *adj.* תמציתי, מלא־תוכן
pitiable *adj.* מסכן, מעורר חמלה
pitiful *adj.* מעורר חמלה, בזוי; רחום
pitiless *adj.* אכזרי, חסר־חמלה
pitman *n.* כורה־פחם
pi′ton′ (pē-) *n.* יתד־מאחז (לטפסן)
pit pony סוסון מכרות (להובלת פחם)
pit prop סמוכת־מכרה (התומכת בתקרה)
pit′tance *n.* קצבה זעומה, סכום פעוט
pit′ter-pat′ter = pit-a-pat
pitu′itar′y (-teri) *n.* בלוטת יותרת־המוח
pit′y *n&v.* רחמים, חמלה; לרחם על
felt pity for נכמרו רחמיו על
for pity's sake למען השם, אנא
it's a pity, what a pity חבל
it's a thousand pities חבל
more's the pity חבל
out of pity מתוך רחמים
take pity on לרחם על
piv′ot *n.* ציר; מרכז, מוקד
pivot *v.* לסוב על ציר; לקבוע על ציר
pivot on להיות תלוי ב־
piv′otal *adj.* של ציר; מרכזי, חשוב
pix′ie, pix′y *n.* פיה, שדונת
pix′ila′ted *adj.* ⋆מטורף, מופרע; שתוי
pizza (pēt′sə) *n.* פיצה
piz′zica′to (pitsikä′-) *adv.* פיציקאטו, בפרוט
pl. = plural
plac′ard *n.* כרזה, מודעה, פלאקאט
placard *v.* לפרסם ב/להדביק מודעות
pla′cate *v.* לשכך, לפייס, להרגיע
pla′cato′ry *adj.* משכך, מרגיע
place *n.* מקום, איזור; מעמד; חובה; תפקיד; משרה; בית; אחד מ־3 הראשונים
all over the place בכל מקום; באי־סדר
come to my place בוא לביתי
give place to לפנות מקום ל־
go places ⋆להצליח
high places החלונות הגבוהים
in place במקום; יאה, נאות
in place of במקום־
in the first place ראשית כל, א׳
it's not my place אין זה חובתי
knows his place מודע למעמדו
lay/set a place for לערוך מקום ליד השולחן (לסועד)
make place for לפנות מקום ל־
out of place לא במקום; לא הוגן
pride of place מקום כבוד
put/keep him in his place להעמידו במקומו
take one′s/its place לתפוס מקום
take place לקרות, להתרחש
3 decimal places 3 מקומות אחרי הנקודה
place *v.* לשים, להניח; לסדר, לשכן; למנות; להציב; להשקיע, להפקיד; למקם, לאתר; לזכור, לזהות; לסיים שני במירוץ
be placed לסיים בין 3 הראשונים
place an order with להזמין אצל
place importance לייחס חשיבות
place bet הימור על אחד הראשונים
place′bo *n.* תרופת הרגעה
place card פתק־מקום (המראה מקומו של האורח ליד השולחן)
place kick בעיטה מהקרקע (בכדור)
placeman *n.* בעל משרה, פרוטקציונר
placement *n.* הנחה, שימה; הסדרת משרה

placen′ta *n.* שליה
placeseeker *n.* מחפש משרה (ממשלתית)
place setting עריכת שולחן (לסועד)
plac′id *adj.* שקט, שליו, רוגע, רגוע
placid′ity *n.* שקט, שלווה, רגיעה
plack′et *n.* כיס־חצאית, פתח־חצאית
pla′giarism′ (-jər-) *n.* פלגיאט, גניבה ספרותית, גניבת רעיונות
pla′giarist (-jər-) *n.* פלגיאטור
pla′giarize′ (-jər-) *v.* לגנוב (כנ״ל)
plague (plāg) *n&v.* דבר, מגיפה; מכה; מטרד; טרדן; להציק; לענות
plague of rats מכת עכברושים
plague on him! ילך לעזאזל!
plague-spot *n.* כתם־דבר; איזור נגוע; מקור־השחיתות
pla′guey, pla′guy (-gi) *adj.* ⋆מרגיז
plaice *n.* סנדל, דג משה רבינו
plaid (plad) *n.* רדיד־צמר צבעוני (סקוטי); אריג משובץ
plain *adj.* פשוט, ברור; מכוער; חלק
in plain words בשפה פשוטה, גלויות
plain as day ברור כשמש
plain chocolate שוקולד דל־סוכר
plain clothes (שוטר ב) בגדי־אזרח
plain dealing הגינות (בעסקים)
plain meal ארוחה פשוטה/צנועה
plain paper נייר חלק (לא מקווקוו)
plain sailing הפלגה שקטה; דרך־פעולה חלקה וחסרת־תקלות
to be plain with you אומר גלויות
plain *adv.* ברור, בפשטות
plain *n.* מישור, ערבה
plainchant *n.* שיר פשוט (בכנסייה)
plain-clothes *adj.* (בלש) בבגדי אזרח
plainly *adv.* ברור, בפשטות
plainsman (-z-) *n.* תושב־המישור
plainsong *n.* שיר פשוט (בכנסייה)
plain-spoken *adj.* דובר־גלויות, גלוי
plaint *n.* האשמה, תלונה; קינה
plain′tiff *n.* תובע, מאשים
plain′tive *adj.* עצוב, נוגה, מתחנן
plait *n&v.* צמה, מקלעת; לקלוע
plan *n.* תוכנית; תרשים, שרטוט
go according to plan להתנהל לפי התוכנית
plan *v.* לתכנן; לתרשם, לשרטט
plan on לתכנן, להתכוון ל־; ״לבנות על״
plan•chette′ (-shet) *n.* לוח (בעל עיפרון ״הרושם הודעות מהמתים״)
plane *n.* מישור, משטח; רמה, דרגה; מקצועה; עץ דולב; מטוס
plane *v.* להקציע, להחליק; לדאות
plane away לסלק (במקצועה), להחליק
plane down לדאות, לגלוש באוויר
plane *adj.* מישורי, שטוח
plane geometry הנדסת המישור
plane sailing (חישוב מקום הספינה ב־ הפלגה מישורית
plan′et *n.* כוכב־לכת, פלאנטה
plan′enta′rium *n.* פלנטאריום (מתקן להמחשת תנועות הכוכבים)
plan′etar′y (-teri) *adj.* של כוכב־לכת
plan′gent *adj.* (קול) רוטט, עצוב, מהדהד
plank *n.* קרש; קורה, לוח; עיקרון במצע
walk the plank ללכת על הקרש (הבולט מהאונייה, וליפול לים)
plank *v.* ללוות, לכסות בקרשים
plank down לשלם מיד, להטיל הכסף
planking *n.* לוחות, רצפת־קרשים
plank′ton *n.* פלנקטון, יצורים זעירים החיים במים, מזון־הדגים
planner *n.* מתכנן
planning permission היתר־בנייה
plant *n.* צמח, שתיל; מתקן, ציוד; מפעל, בית־חרושת; ⋆רמאות; סוכן שתול
plant *v.* לטעת, לזרוע; לשתול; להשריש; לתקוע, להנחית; לייסד, ליישב; ⋆לשתול (סוכן, סחורה גנובה)
plant oneself להתיישב/להיעמד בצורה איתנה
plant out להעביר שתיל לאדמה
plan′tain (-tən) *n.* לחך, עשב רע; סוג בננה
plan′ta′tion *n.* מטע
planter *n.* מטען, בעל מטעים; מכונת־נטיעה; עציץ, אדנית
plaque (plak) *n.* לוח, טבלה
plash *n.* חבטה במים, משק
plash *v.* לשקשק, לשכשך, לחבוט במים
plas′ma (-z-) *n.* פלאסמה (נוזל בדם)
plas′ter *n.* טיח, גבס; רטייה
in plaster נתון בגבס (איבר נקוע)
sticking plaster אספלנית דביקה
plaster *v.* לטייח, לכסות; להדביק אספלנית; לגבס; ⋆לנצח, להביס
plaster over לטייח, לכסות, לצפות
plasterboard *n.* לוח־טיח
plaster cast פסל־גבס, תבנית־גבס; תחבושת־גבס
plastered *adj.* ⋆שתוי, שיכור

plasterer *n.* טייח, סייד
plastering *n.* טיוח; ★תבוסה
plaster of Paris גבס
plas'tic *adj&n.* (חומר) פלאסטי; גמיש, נוח לעיצוב/להשפעה, בר־שינוי; של כיור
plastics (מדע) החומרים הפלאסטיים
plastic arts האמנויות הפלאסטיות
plastic bomb פצצה פלאסטית
plas'ticine (-sēn) *n.* פלאסטלינה, כיורת
plas•tic'ity *n.* פלאסטיות, גמישות
plastic surgery ניתוח פלאסטי
plas'tron *n.* מגן־חזה (בסיף)
plat du jour (plä'doozhoor') *n.* מאכל־היום, המנה המיוחדת במסעדה
plate *n.* צלחת; מנה; כלי־שולחן (מזהב); צלחת־תרומות; ציפוי; לוחית־שם; פרס; מירוץ־סוסים; לוח, ריקוע; תמונה; גלופה
dental plate שיניים תותבות; פלאטה
give on a plate להגיש על מגש
has too much on his plate עליו לטפל בעניינים רבים, עמוס עבודה
home plate תחנת־מוצא (בבייסבול)
plate *v.* לכסות בלוחות־מתכת; לצפות
silver-plated מוכסף, מצופה כסף
plat•eau' (-tō') *n.* רמה, מישור גבוה; דריכה במקום, אי־התקדמות, קיפאון
plateful (-fool) *n.* מלוא־הצלחת
plate glass זכוכית רקועה
platelayer *n.* מניח פסי־רכבת
plate rack כונן־צלחות, סריג־ייבוש, סריג־כלים
plat'form' *n.* דוכן, בימה, פלאטפורמה; רציף; רחבה; מישורת; מצע מפלגתי
platforms נעליים גבוהות־סוליה
plating *n.* ציפוי, ריקוע
plat'inum *n.* פלאטינה (מתכת יקרה)
platinum blonde בלונדית כסופת־שיער
plat'itude' *n.* שטחיות, שגרתיות; אמרה חבוטה, משפט בנאלי
plat'itu'dinous *adj.* שטחי, נדוש, חבוט
Pla'to *n.* אפלטון
platon'ic *adj.* אפלטוני, לא־חושני
platoon' (-to͞on) *n.* מחלקה (בצבא)
plat'ter *n.* צלחת, פינכה; ★תקליט
plat'ypus *n.* ברווזן (יונק)
plau'dit *n.* תשואות, שבחים
plau'sibil'ity (-z-) *n.* מהימנות
plau'sible (-z-) *adj.* מתקבל על הדעת, סביר, הגיוני; אמין, מהימן; מוליך שולל

play *n.* שעשוע, משחק; מחזה; תור (במשחק); ריצוד; הימור; חופש; רפיון; מרחב־תימרון
at play משחק, שקוע במשחק
bring into play להפעיל
child's play משחק־ילדים, דבר קל
come into play להתחיל לפעול
fair play מישחק הוגן, צדק לכל
foul play משחק לא־הוגן, אלימות
give play לרפות, לשחרר קמעה
good as a play מעניין, מבדר
in play בצחוק, לא־ברצינות; (לגבי כדור) במצב שמותר לשחק בו
make a play for לפעול כדי להשיג
out of play (לגבי כדור) במצב שאין לשחק בו
play on words משחק־מלים
play *v.* להשתעשע, לשחק (ב־/נגד/על/כ־); להציג; לנגן, לשתף במשחק; לכוון, לירות, להתיז; להמחיז; להעמיד פנים
play a joke on להתל ב־, למתוח
play a part למלא תפקיד
play a waiting game לחכות ולראות מה יקרה (לפני נקיטת פעולה)
play along להעמיד פנים כמסכים
play around/about להשתעשע
play at לשחק ב־/כ־, להשתעשע ב־
play back להשמיע (ההקלטה) מרשמקול
play ball ★לשתף פעולה
play both ends against middle להציב זה מול זה כדי להפיק יתרון
play down להמעיט את חשיבותו
play for safety לשחק בזהירות, לא להסתכן, לשחק "על בטוח"
play for time להשהות, להרוויח זמן
play guns on להפגיז, לירות על
play hard לשחק במרץ
play him a trick "לסדר" אותו
play him at fullback להציבו כמגן
play him for ★להתייחס אליו כ־
play in לנגן בשעת כניסתו; לתרגל
play into his hands לשחק לידיו, לפעול בדרך המקנה יתרון ליריב
play it cool ★לשמור על קור־רוח
play it one's own way לפעול בדרך הנראית לו
play off לסיים (תחרויות); לשחק משחק נוסף
play off against להציב (זה מול זה) כדי לזכות ביתרון

play on לפרוט על (גיטרה/רגשות)
play one's cards right לנצל יפה את המצבים/ההזדמנויות
play out לסיים; ללוות יציאתו בנגינה
play safe לפעול בדרך הבטוחה, מה שבטוח - בטוח
play the fool להשתטות
play the game לשחק משחק הוגן
play the horses להמר (במירוצי־סוסים)
play the man לנהוג כגבר (באומץ)
play the market לשחק בבורסה
play up להוסיף לחשיבותו, לנפח, להדגיש; להציק; לשחק במרץ
play up to להחניף ל־
play upon words לשחק במשחקי־מלים
play water on להתיז מים על
play with an idea להשתעשע ברעיון
played out עייף, סחוט; מיושן
plays the field יוצא עם כמה בנות
the pitch plays well המגרש מתאים למשחק

playable *adj.* (מגרש) יפה למשחק
play-acting *n.* משחק, העמדת־פנים
play-back *n.* השמעת הקלטה מרשמקול; כפתור ההחזרה
playbill *n.* מודעת־הצגה
play-box *n.* ארגז־צעצועים
playboy *n.* פלייבוי, רודף תענוגות
player *n.* שחקן; נגן
player piano פסנתר אוטומטי
playfellow *n.* חבר למשחק
playful *adj.* עליז, מלא־שחוק, שובבני; במשובה, שלא ברצינות
playgoer *n.* שוחר תיאטרון
playground *n.* מגרש־משחקים
play-group *n.* גן־ילדים, גנון
playhouse *n.* תיאטרון; בית־משחקים
playing card קלף
playing field מגרש כדורגל
play'let *n.* מחזה קצר
playmate *n.* חבר למשחק
play-off *n.* משחק חוזר (לאחר תיקו), פלייאוף, מישחק(ים) לקביעת האלוף
play-pen *n.* לול (לפעוטות)
playroom *n.* חדר־משחקים
play-school *n.* גנון, גן־ילדים
play-suit *n.* בגדי־משחק (לילד)
plaything *n.* צעצוע; כלי־משחק
playtime *n.* הפסקה, שעת־משחקים
playwright *n.* מחזאי

plaz'a *n.* כיכר, רחבת־שוק
plea *n.* בקשה, הפצרה; טענה, תירוץ; הצהרה, כתב־הגנה
pleach *v.* לשלב ענפים; לסבוך, לשזור
plead *v.* להתחנן; לטעון; לתרץ; לסנגר, ללמד זכות; לענות על אשמה
plead for לטעון מצד (בבי"ד)
plead guilty להודות באשמה
plead madness לטעון לאי־שפיות
plead with להפציר ב־, לבקש מ־
pleading *n.* טענה, הצהרה, טיעון
pleas'ant (plez-) *adj.* נעים, נוח, טעים
pleas'antry (plez-) *n.* הלצה, הערה מבדחת; הומור, צחוק
please (-z) *v.* להצביע רצון, לגרום הנאה, להנות, לרצות
as you please כטוב בעיניך; ★מאוד
if you please בבקשה, אנא, ברשותך; כמובן (באירוניה)
please yourself! עשה כחפצך
please God אם ירצה השם
please! אנא, בבקשה, הואל נא
pleased (with) שמח, מרוצה (מ־)
pleas'ing (-z-) *adj.* מהנה, נוח, נעים
pleas'urable (plezh-) *adj.* נעים, מהנה
pleasure (plezh'ər) *n.* הנאה, תענוג; תענוגות; רצון, חפץ
at your pleasure כרצונך
for pleasure כדי לבלות, להנאה
may I have the pleasure of? התואיל ל־? לעונג יהיה לי ל־
my pleasure התענוג שלי, היה נעים
take pleasure לשמוח, להפיק הנאה
with pleasure ברצון, בחפץ־לב
pleasure boat סירת־שעשועים
pleasure ground מגרש־משחקים
pleat *v&n.* לקפל; קיפול (בחצאית)
pleb, ple•be'ian (-bē'ən) *n&adj.* פלבי, נחות־מעמד, פשוט־עם; גס
plebe *n.* טירון
pleb'iscite' *n.* משאל־עם
plec'trum *n.* מַפרט (התקן־פריטה)
pled = p of plead
pledge *n.* משכון, ערבון; הבטחה, התחייבות; אות, סימן
as a pledge of לאות, כשי־
in pledge ממושכן, בעבוט
pledge of friendship אות־ידידות
sign/take the pledge להתחייב להתנזר ממשקאות חריפים
under pledge of secrecy תוך הבטחת סודיות

pledge *v.* להבטיח, להתחייב; למשכן, לתת בעבוט; לשתות לחיי־
pledge one's word לתת דברתו
pledge oneself להתחייב
pledged to secrecy מתחייב לשמור סוד
ple'nary *adj.* מלא, מוחלט, לא־מוגבל
plenary session ישיבת המליאה
plen'ipoten'tiary (-sh∂ri) *n&adj.* שגריר, ציר; נציג מוסמך; (ייפוי־כוח) מלא
plen'itude' *n.* מלאות, שפע, רוב, גודש
plen'te•ous *adj.* מלא, שופע
plen'tiful *adj.* מלא, שופע, עשיר, רב
plen'ty *n&adv.* שפע, עושר, כמות רבה; הרבה, די והותר, מספיק, מאוד
in plenty בשפע
in plenty of time בעוד מועד
live in plenty לחיות חיי רווחה
plenty more עוד הרבה, עוד כמות
ple'num *n.* מליאה (של פרלמנט)
ple'onasm' (-naz'∂m) *n.* יתור, פליאונאזם, גיבוב־מלים, שפת־יתר
pleth'ora *n.* שפע רב, גודש
pleu'risy (ploor-) *n.* דלקת האדרה, דלקת עטיפת־הריאות
plex'us *n.* רשת עצבים וכלי־דם
pli'abil'ity *n.* גמישות, כפיפות
pli'able, pli'ant *adj.* גמיש, כפיף, נוח לעיצוב, קל להשפעה, צייתן
pli'ancy *n.* גמישות, כפיפות
pli'ers *n-pl.* מלקחיים, מלקחת
plight *n.* מצב, מצב חמור, צרה, תסבוכת
plight *v.* להבטיח, להתחייב
plight one's honor/word לתת דברתו
plight one's troth להבטיח נישואים
Plim'soll line קו פלימסול, קו השוקע (בספינה)
plimsolls *n-pl.* נעלי ספורט
plinth *n.* בסיס־עמוד, אדן
PLO אש"ף
plod *v.* ללכת בכבדות, להשתרך; לעמול
plod along/away לעבוד ללא הפוגה
plod one's way להתקדם בכבדות
plodder *n.* שקדן, איטי (אך מצליח)
plonk *v.* לפרוט, לנגן סתם; ליפול (בשקשוק) למים; לצנוח
plonk *n&adv.* (ב־) קול נפילה למים
plonk *n.* יין זול
plop *v.* ליפול; ליפול למים
plop *n&adv.* (ב־) קול נפילה למים
plo'sive *n&adj.* (הגה) פוצץ
plot *n.* חלקה, מגרש; מפה, תרשים; עלילת־סיפור; קשר, קנוניה
plot *v.* לתכנן; לתרשם, למפות; לקשור, לעשות קנוניה
plot a curve ליצור עקומה מנקודות
plot a moving aircraft לסמן במפה (בעזרת המכ"ם) את תנועת המטוס
plot out לחלק (אדמה) לחלקות
plotter *n.* קושר קשר, חורש רעה
plo'ver *n.* חופמי (עוף)
plow, plough *n.* מחרשה; אדמה חרושה
put one's hand to the plow להירתם לעבודה
under the plow (אדמה) לגידולי־תבואה (ולא למרעה)
Plough דובה גדולה (קבוצת כוכבים)
plow, plough *v.* לחרוש; להתאים לחרישה; להתקדם במאמץ; להכשיל, לפסול, לדחות
plow a lonely furrow לעבוד ללא עזרה, לפעול לבד
plow back להשקיע שוב (רווחים בעסק)
plow into להסתער על; להתנגש
plow one's way לפלס דרך
plow the sand לעשות עבודה מיותרת
plow through the book לעבור על הספר בקריאה מאומצת
plow under לחרוש ולהשמיד, לקבור
plowboy *n.* נער־המחרשה
plowman *n.* חורש
plowman's lunch ארוחת־פונדק צנועה
plowshare *n.* סכין־המחרשה
ploy *n.* תכסיס, תחבולה להשגת יתרון
pluck *v.* למרוט; לתלוש; לקטוף; לפרוט על מיתרים; לפסול, להכשיל; לרמות
pluck at למשוך (באצבעותיו)
pluck up (courage) לאזור אומץ
pluck up/out לתלוש, למשוך, להוציא
pluck *n.* אומץ, תעוזה; משיכה; חלקי־בהמה (ריאות, כבד, לב)
plucky *adj.* אמיץ, נועז
plug *n.* פקק, מגופה; תקע; מצת; ברז־שריפה; חתיכת־טבק; פרסומת (למוצר)
pull the plug on לחשוף מעשיו
three-pin plug תקע משולש
plug *v.* לסתום, לפקוק; לפרסם (מוצר ברדיו); ★לירות, להכות
plug away at לעמול, לעבוד בשקדנות
plug in לחבר לחשמל, להכניס התקע
plug up לסתום, לפקוק

plughole *n.* פתח (הנסתם במגופה)
plug-ugly *n.* בריון
plum *n.* שזיף; ⋆משהו טוב, ג'וב מצוין
plum′age *n.* נוצות
plumb (-m) *n.* אנך, משקולת
plumb *v.* למדוד (עומק/קיר) באנך; לאנך; (לנסות) להבין
plumb the depths of לרדת לעומק־, להבין, להגיע עד שורשי־
plumb *adj&adv.* מאונך; אנכית; ⋆בדיוק, ממש; מוחלט, גמור, לגמרי
out of plumb לא מאונך
plumb in the middle בדיוק במרכז
plumb stupid טיפש גמור
plum•ba′go *n.* עופרית (צמח תכול־פרחים); גרפיט
plumb bob אנך, משקולת
plumb′er (-mər) *n.* שרברב
plumber's helper/friend משאבת־כיור (מגומי, לניקוי סתימות), פומפה
plumb′ing (-ming) *n.* שרברבות; רשת צינורות־המים (והביוב, בבניין)
plumb line חוט־האנך
plum cake עוגת־צימוקים
plum duff חביצת־צימוקים
plume *n.* נוצה; תימרה דמויית נוצה
dressed in borrowed plumes מתקשט בנוצות זרות
plume of smoke עמוד עשן
plume *v.* להחליק נוצות; לנקות עצמו
plume oneself on להתגאות על
plum′met *n.* אנך, משקולת; חוט־האנך
plummet *v.* ליפול, לצלול, לרדת
plum′my *adj.* ⋆טוב, (ג'וב) מצוין
plummy voice קול רם/סנובי/מעושה
plump *adj&v.* שמנמן, מלא־בשר
plump up למלא, לעגל; להשמין
plump *n&v&adv.* (בקול) נפילה, חבטה; פתאום, "טרח"; גלויות, בגסות
a plump no לא באלף רבתי
plump down להטיל ארצה; ליפול, לצנוח
plump for לבחור, להצביע בעד
tell him plump לומר לו בגלוי
plum pudding חביצת חג־המולד
plun′der *n&v.* שלל, ביזה; לשדוד, לבוז
plunge *v.* להטיל פתאום; להיזרק; ליפול; לצלול; לרדת; להמר, לבזבז
plunge in לקפוץ פנימה; להתפרץ, להיכנס לפתע
plunge into לצלול; לשקוע; להתחיל פתאום; לנעוץ
plunge into darkness להמיש חושך
the road plunged הכביש השתפע חדות
the ship plunged הספינה טולטלה בעוז (כשחרטומה עולה ויורד)
plunge *n.* צלילה; קפיצה ממקפצה
take the plunge להעז ולעשות הצעד
plung′er *n.* טובלן, בוכנת־משאבה; משאבת־כיור, "פומפה"; ⋆מהמר
plunging *adj.* (קו־צוואר) עמוק־מחשוף
plunk = plonk
plu•per′fect (plōō-fikt) *n.* עבר נשלם
plu′ral *n&adj.* (של) רבים, צורת הריבוי
plu′ralism′ *n.* כהונה במשרות רבות; פלורליזם, עקרון החיים בצוותא
plu′ralist *n.* פלורליסט
plu•ral′ity (ploo-) *n.* ריבוי; רוב קולות; כהונה במשרות רבות; תפקיד נוסף
plus *n&adj&prep.* פלוס; סימן החיבור (+); חיובי; מעל לאפס; ועוד, וכן
he's 7 plus הוא בן 7 ומשהו
plus factor גורם שיש לברך עליו
plus fours מכנסי־גולף
plush *n.* פלוסין, קטיפה
plush, plushy *adj.* קטיפתי; מפואר
Plu′to *n.* פלוטו (כוכב־לכב)
plu•toc′racy (plōō-) *n.* שלטון העשירים, פלוטוקרטיה; מעמד העשירים
plu′tocrat′ *n.* פלוטוקרט, עשיר
plu′tocrat′ic *adj.* פלוטוקרטי
plu•to′nium (plōō-) *n.* פלוטוניום
ply *v.* לנסוע במסלול קבוע (מונית, סירה); לעבוד ב־, להפעיל
ply him with לספק לו, להציפו ב־
ply one's needle לתפור
ply one's trade לעסוק במלאכתו
ply with questions להציק בשאלות
ply *n.* מידת־עובי (של חבל/קרש לפי מס' החוטים/השכבות שבו)
2-ply wool צמר דו־חוטי, צמר מס' 2
3-ply wood לביד, קרש תלת־שכבתי
plywood *n.* לביד, עץ־לבוד, דיקט
pm אחר הצהריים
PM = Prime Minister
pneu•mat′ic (nōōm-) *adj.* מלא אוויר; אווירי; מופעל ע"י לחץ־אוויר
pneu•mo′nia (nōōm-) *n.* דלקת ריאות
po *n.* ⋆משתן, סיר־לילה
PO = post office, postal order
poach *v.* לשלוק ברותחים; להסיג גבול;

לצוד ללא רשות הבעלים
poach on his preserves להסיג גבולו, לדחוק רגליו, להיכנס לתחומו
poached egg ביצה שלוקה/עלומה
poacher *n.* מסיג גבול; מחבת־שליקה
POB = Post Office Box
pock *n.* אבעבועה
pocked *adj.* מגומם, מצולק בגממיות
pock′et *n.* כיס; כסף; שקיק; כיס עפרה/נפט (בקרקע); קטן
air pocket כיס־אוויר
be in each other's pocket להיות תמיד ביחד
burns a hole in his pocket להוט לבזבז כספו
has him in his pocket מסובב אותו על אצבעו, שולט בו כליל
has it in his pocket מונח בכיסו
in pocket ברווח
line one's pockets לעשות כסף
out of pocket בהפסד, בחסרון־כיס
pick pockets לכייס, לגנוב מכיסים
pocket of resistance כיס־התנגדות
pocket of unemployment כיס־אבטלה
put his pride in his pocket מחל על כבודו, פעל למרות פחיתות־הכבוד
puts his hand in his pocket נותן ביד רחבה
pocket *v.* לשלשל לכיס; לגלגל הכדור פנימה (בביליארד)
pocket an insult לבלוע עלבון
pocket one's pride למחול על כבודו
pocket-book *n.* ספר־כיס; ארנק; פנקס
pocketful (-fool) *n.* מלוא־הכיס
pocket-handkerchief *n&adj.* ממחטה; קטן
pocket-knife *n.* אולר
pocket money דמי־כיס
pockmark *n.* גממית, סימן־אבעבועה
pockmarked *adj.* סטיף, מגומם, מצולק
pod *n.* תרמיל; מכל־דלק (במטוס); חלק נתיק (בחללית)
pod *v.* לתרמל; להוציא (אפונה) מתרמיל
podg′y *adj.* גוץ, שמן
podi′atrist *n.* רופא רגליים
podi′atry *n.* ריפוי רגליים
po′dium *n.* במה, דוכן, דוכן־מנצחים
po′em *n.* שיר, פואמה
po′esy *n.* שירה, פיט, פואסיה
po′et *n.* משורר, מחבר פיוטים, פייטן
po′etas′ter *n.* חרזן, כותב שירה דלה
po′etess *n.* משוררת
po•et′ic(al) *adj.* שירי, פיוטי, פואטי
poetic justice צדק אידיאלי
poetic license חירות פיוטית
poet laureate משורר המלוכה
po′etry *n.* שירה, פיוט; פיוטיות
po-faced *adj.* בעל הבעה מטומטמת
po′go stick עמוד קפיצה (דמוי צלב הפוך, שהילד מנתר בעזרתו)
pogrom′ *n.* פוגרום, פרעות
poignancy (poin′yənsi) *n.* חריפות
poignant (poin′yənt) *adj.* חריף, חד, עז
poignant memories זיכרונות מרים
poignant sorrow צער עמוק
poinset′tia *n.* פוינסטיה (צמח)
point *n.* נקודה; חוד, עוקץ; כף; צוק; עיקר; תכלית; כוונה; עניין; צד, אופי; גודל־אות; שקע־חשמלי
at all points בכל הנקודות, לגמרי
at gun point תוך איום באקדח
at the point of death על סף המוות
at this/that point בנקודה זו, ברגע זה, במקום זה
away from the point לא לעניין
carry/gain one's point להצליח לשכנע הזולת
case/example in point מקרה/דוגמה המתאימים לנושא, תקדים
come/get to the point להגיע לעיקר, לדבר "תכלית"
diligence isn't my strong point ההתמדה אינה מתכונותי החזקות, איני שקדן
give him points לתת לו מקדמה ("פור") במשחק; לשחק טוב ממנו
in point of בעניין־, באשר ל־
in point of fact למעשה
make a point of להקפיד, להתאמץ
make one′s point להוכיח טענתו
melting point נקודת ההתכה
miss the point לא להבין העוקץ
not to put too fine a point on לדבר גלויות
off the point לא רלוואנטי
on the point of עומד ל־
point by point פרט אחר פרט
point of land לשון־יבשה
score a point (off) לנצח בוויכוח, 0:1 לטובתו עקב תשובה קולעת
see the point להבין, לתפוס הכוונה

stretch a point לנהוג לפנים משורת הדין
take his point להבין/לקבל דבריו
that's (not) the point (לא) זה העניין, (לא) זה העיקר
the dog made a point הכלב נעצר במחוות־ציד (בהצביעו בכיוון החיה)
there's no point in אין טעם ל־
to the point לעניין
turning point נקודת־מפנה
what's the point? מה הטעם ב־? לשם מה?
when it came to the point ברגע המכריע, כשהגיעה העת לפעול
win on points לנצח בנקודות
you've got a point there יש משהו בדבריך, אתה צודק
point *v.* להצביע, להורות; לכוון, להפנות; להדגיש; למלא, לטייח; לחדד
point out לציין, להצביע על
point the finger להפנות אצבע מאשימה
point to להצביע על, להוות סימן
point up להדגיש, להבליט
the dog pointed הכלב נעצר במחוות־ציד (בהצביעו בכיוון החיה)
point-blank *adj&adv.* (בירייה) מטווח קרוב; חד וחלק; מפורשות
point duty הכוונת תנועה (ע"י שוטר)
pointed *adj.* מחודד; חד; מופגן, הפגנתי, מכוון; שנון, חריף
pointer *n.* מחווה, חוטר; מחוון, מחוג; פוינטר, כלב־ציד; רמז
point'illism' *n.* ציור בנקודות
pointless *adj.* חסר־טעם, מיותר; חסר־מובן; שנסתיים בתיקו־אפס
point of honor עניין של כבוד
point of no return נקודה שאין חזרה ממנה; פרשת דרכים (בדיון)
point of order שאלה של נוהל
point of view נקודת־מבט
points *n-pl.* מסוט, פסי־מעבר; קצות הבהונות; גפי הסוס וזנבו
pointsman *n.* פועל־מסוט, עתק־רכבות
point-to-point מירוץ סוסים (ממקום למקום)
poise (-z) *v.* לאזן, לייצב, לתלות, להניח/להחזיק באופן מסוים
poise oneself on לאזן גופו על
poise *n.* יציבות, איזון; שיקול־דעת; ביטחון עצמי; זקיפות הגוף/הראש
poised *adj.* מרחף, תלוי; מוכן; יציב
poi'son (-z-) *n&v.* רעל, ארס; להרעיל, לזהם, לאלח; להשחית
poison his mind להרעיל נשמתו
what's your poison? מה למזוג לך?
poison gas גאז מרעיל (קטלני)
poisonous *adj.* ארסי, רעלי; ★רע, גרוע
poison pen letter מכתב ארסי
poke *v.* לדחוף, לתחוב, לתקוע; להכות
poke a hole לעשות חור, לנקב
poke around/about לחטט, לחפש
poke fun at ללגלג על
poke one's nose לתחוב אפו
poke the fire לחתות הגחלים באש
poke *n.* דחיפה, תחיבה, תקיעה; מכה
a pig in a poke "חתול בשק"
take a poke לכוון מכה
poke bonnet כובע־נשים (דמוי ברדס רחב־אוגן)
po'ker *n.* פוקר; מחתה, מוט־גחלים
poker face (בעל) פני פוקר
pokerwork *n.* מעשה־חריכה (קישוט)
po'ky *adj.* קטן, מוגבל, צר
Po'lack' *adj.* ★פולני
Po'land *n.* פולין
po'lar *adj.* של הקוטב; קוטבי, מנוגד
polar bear הדוב הלבן
polar'ity *n.* קוטביות, קיטוב
po'lariza'tion *n.* קיטוב
po'larize' *v.* לקטב, לבוא לידי קיטוב; לנטות, להיות מגמתו
Po'laroid' *n.* פולרואיד, חומר מכהה זכוכית
Polaroid Land Camera מצלמת־בזק
Polaroids *n-pl.* משקפי־שמש
pol'der (pōl-) *n.* פולדר (שטח מכוסה ים שיובש והוכשר לחקלאות)
pole *n.* קוטב; ניגוד; מוט, עמוד; תורן; יצול; מידת אורך (כ־5 מ')
poles apart מנוגדים בתכלית, קיים פער ביניהם, כרחוק מזרח ממערב
under bare poles במפרשים מקופלים
up the pole מופרע; במבוכה, במצוקה
pole *v.* להניע סירה בעזרת מוט
Pole *n.* פולני
pole-ax *n&v.* גרזן־מלחמה; גרזן־שחיטה; להלום/לשחוט/לעלף בגרזן
pole'cat' (pōl'-) *n.* בואש (חיה)
polem'ic(al) *adj.* פולמוסי, וכחני
polem'ic(s) *n.* פולמוס, אמנות הוויכוח, פולמיקה
pole star כוכב הצפון, פולאריס
pole-vault *v.* לקפוץ קפיצת־מוט

pole vault/jump קפיצת־מוט
police′ (-lēs) *n.* משטרה; שוטרים
police *v.* לפקח על, לשמור על הסדר
police constable שוטר (מן השורה)
police court בית־דין לעבירות קלות
police dog כלב־משטרה, כלב־גישוש
policeman, police officer שוטר
police office מטה משטרה
police state מדינת משטרה
police station תחנת משטרה
policewoman *n.* שוטרת
pol′icy *n.* מדיניות; חוכמה, התנהגות נבונה; פוליסה, תעודת־ביטוח
policy-holder *n.* בעל פוליסת־ביטוח
po′lio′ *n.* שיתוק ילדים, פוליו
po′lio•my′eli′tis *n.* שיתוק ילדים
pol′ish *v.* להבריק, לצחצח, ללטש; לעדן, לשפר
 polish off לסיים, לחסל, ★להרוג
 polish the apple להתחניף, להשתדל למצוא חן בעיני
 polish up להבריק, לשפר, ללטש (ידיעות)
polish *n.* חומר־הברקה, משחה; צחצוח; ברק; עידון, ליטוש
Po′lish *n&adj.* פולני; פולנית
polished *adj.* מבריק, מלוטש
polisher *n.* לטש, מומחה לליטוש
polit′bu′ro *n.* פוליטבירו
polite′ *adj.* מנומס, אדיב; מעודן
pol′itic *adj.* נבון, שקול, זהיר, מחוכם
 body politic מדינה, גוף מדיני
polit′ical *adj.* מדיני, פוליטי
political asylum מקלט מדיני
political economy כלכלה מדינית
political geography גיאוגרפיה מדינית
political science מדע המדינה
pol′iti′cian (-tish′ən) *n.* פוליטיקאי, מדינאי; פוליטיקן, תחבלן
polit′iciza′tion *n.* פוליטיזציה
polit′icize′, -icalize′ *v.* לשוות אופי פוליטי; לעסוק בפוליטיקה; להכניס פוליטיזציה
pol′itick′ing *n.* פוליטיקניות
polit′ico′ *n.* פוליטיקן
pol′itics *n.* פוליטיקה, מדיניות; השקפות פוליטיות
 play politics לעסוק בפוליטיקניות, לחרחר, לסכסך, לחתור
pol′ity *n.* משטר, ממשל, שלטון; מדינה
po′lka *n.* פולקה (ריקוד צ׳כי)
polka dots דגם של עיגולים (על בד)

poll (pōl) *n.* הצבעה; מספר המצביעים; רשימת הבוחרים; תא; משאל; ★ראש
 declare the poll לפרסם (רשמית) תוצאות ההצבעה
 go to the polls להשתתף בבחירות
 heavy poll השתתפות ערה בבחירות
 light poll השתתפות דלה בבחירות
 opinion poll משאל דעת הקהל
 polls קלפי
poll (pōl) *v.* לקבל (קולות); להצביע; למנות הקולות; לערוך משאל
poll (pol) *n.* תוכי
poll (pōl) *v.* לגזום צמרת־עץ; לגדוע קרניים
pol′lard *n&v.* לגזום צמרת־עץ; לגדוע קרניים; עץ גזום־צמרת
pol′len *n.* אבקה (הנוצרת בפרח)
pollen count שיעור אבקת־הפרחים באוויר (כגורם למחלות)
pol′linate′ *v.* להאביק, להפרות פרח
pol′lina′tion *n.* האבקה
polling *n.* הצבעה, בחירות
polling booth תא־הצבעה
poll′ster (pōl-) *n.* עורך משאלים
poll tax מס גולגולת
pollu′tant *n.* חומר מזהם
pollute′ *v.* לזהם, לטמא, לחלל, להשחית
pollu′tion *n.* זיהום, חילול, השחתה
pol′lyan′na *n.* פוליאנה, אופטימיסט
po′lo *n.* פולו (הוקי על סוסים)
pol′onaise′ (-z) *n.* פולונז (ריקוד)
polo-neck *adj.* (אפודה) גבוהת־צווארון
polo′ny *adj.* נקניק־חזיר
pol′tergeist′ (pōl-gīst) *n.* שֵׁד
pol•troon′ (-rōōn) *n.* פחדן
pol′y *n.* פוליטכניון, טכניון
poly- (תחילית) רב־, בעל הרבה־
pol′yan′drous *adj.* נשואה לכמה גברים; רב־אבקנים
pol′yan′dry *n.* ריבוי בעלים
pol′yan′thus *n.* בכור אביב (פרח)
pol′yes′ter *n.* פוליאסטר (אריג)
pol′yeth′ylene′ *n.* פוליאתילן
polyg′amist *n.* פוליגמיסט
polyg′amous *adj.* פוליגמי
polyg′amy *n.* פוליגמיה, ריבוי נשים
pol′yglot′ *adj&n.* פוליגלוט, בלשן, שולט/כתוב בהרבה שפות; פוליגלוטה
pol′ygon′ *n.* פוליגון, רב־צלעון
pol′ymath′ *n.* ידען, מלומד
pol′ymer *n.* פולימר, מולקולה מורכבת

pol′ymor′phous, -phic *adj.* רב־צורות, רב־שלבי (בהתפתחות)
pol′yno′mial *n.* רב־איבר
pol′yp *n.* פוליפ, תפיחה בחלל־האף
pol′yphon′ic *adj.* פוליפוני, רב־קולי, ססקולי
polyph′ony *n.* פוליפוניה, רב־קוליות
pol′ypus *n.* פוליפ, תפיחה בחלל־האף
pol′ysyllab′ic *adj.* רב־הברי
pol′ysyl′lable *n.* מלה רב־הברית
pol′ytech′nic (-k-) *n.* פוליטכניון, טכניון
pol′ythe•ism′ *n.* פוליתיאיזם, אמונה באלהויות רבות
pol′ythe•is′tic *adj.* פוליתיאסטי
pol′ythene′ *n.* פוליאתילן (חומר פלאסטי)
pom *n.* ⋆מהגר בריטי (באוסטרליה)
po•made′ *v&n.* (לבשם ב־) משחת־שיער
po•man′der *n.* מפיץ בושם
pom′egran′ate *n.* רימון
pom′elo′ *n.* פומלו (ממיני ההדרים)
Pom′era′nian *n.* פומרני (כלב שעיר)
pom′mel *n&v.* תפוס, חרטום האוכף; גולת־הניצב (של החרב); לחבוט
pom′my *n.* ⋆מהגר בריטי (באוסטרליה)
pomp *n.* פאר, הוד, הדר
pom′pom′ *n.* פומפון, גולת־צמר, ציצה
pom′pon′ *n.* פומפון, גולת־צמר, ציצה
pom•pos′ity *n.* יהירות, התנפחות, עתק
pom′pous *adj.* יהיר, מתנפח
ponce *n.* סרסור, רועה־זונות
ponce *v.* לנהוג בצורה נשית/מרגיזה
pon′cho *n.* פונצ׳ו (גלימה)
pond *n.* בריכה
pon′der *v.* לחשוב, להרהר, לשקול ב־
ponderable *adj.* שקיל, ניתן להערכה
pon′derous *adj.* כבד, מגושם; משעמם
pone *n.* לחם־תירס
pong *n&v.* סרחון; להסריח
pon•gee′ *n.* פונג׳י (משי)
pon′iard *n&v.* (לדקור ב) פיגיון
pon′tiff *n.* האפיפיור
pon•tif′ical *adj.* של האפיפיור; סמכותי, מתנשא, נוהג כאפיפיור
pontificals *n-pl.* בגדי־כמורה
pon•tif′icate *n.* כהונת האפיפיור
pon•tif′icate′ *v.* לנהוג כאפיפיור, להתנפח, להתנשא
pon•toon′ (-to͞on) *n.* פונטון, 21 (משחק קלפים); סירת־גשר; מתקן נחיתה במטוס־ים
pontoon bridge גשר צף, גשר סירות
po′ny *n.* פוני, סוסון; ⋆העתקה (מתלמיד); 25 לי״ש; כוסית ליקר
pony-tail *n.* זנב־סוס (תסרוקת)
pony-trekking *n.* רכיבה על פונים
pooch (po͞och) *n.* ⋆כלב
poo′dle *n.* פודל, צמרון (כלב)
poof, poove *n.* ⋆הומוסקסואל
pooh (po͞o) *interj.* פוי, פויה!
pooh-pooh (po͞opo͞o′) *v.* להתייחס בביטול/בבוז ל־
pool (po͞ol) *n.* שלולית, בריכה; מעמקי־נהר
pool of blood שלולית־דם
swimming pool בריכת־שחייה
pool *n.* קרן משותפת, שירות מרכזי; התארגנות של מפעלים; קופה כללית פול, חבור; פול (מין ביליארד)
(football) pools טוטו כדורגל
typing pool שירות כתבנות מרכזי
pool *v.* לצרף, להפקיד בקרן משותפת
poolroom *n.* אולם ביליארד
poop (po͞op) *n.* ירכתי־הספינה, אחרה
pooped (po͞opt) *adj.* ⋆עייף, סחוט
poor *adj.* עני; מסכן; ביש־מזל; דל, עלוב
in my poor opinion לעניות דעתי
poor health בריאות לקויה
the poor העניים
poor box קופת־צדקה
poorhouse *n.* בית־מחסה, מוסד לעניים
poor laws חוקי־הסעד (לעניים)
poorly *adj&adv.* חולה, לא חש בטוב; בעוני; בצורה דלה/עלובה/גרועה
poorly off דחוק (בכסף)
thinks poorly of דעתו שלילית על־
poorness *n.* עוני; איכות גרועה
poor-spirited *adj.* פחדן, חסר־אומץ
poor white לבן מרושש (בארה״ב)
pop *v.* להשמיע ניפוץ; לצאת; להיכנס; לשים בפתאומיות; לירות; להכות
his eyes popped out עיניו יצאו מחוריהן (מתדהמה)
pop in/over ״לקפוץ״, לבקר חטופות
pop maize לעשות פופקורן (מתירס)
pop off להסתלק לפתע; למות
pop out ״לקפוץ״החוצה, לצאת לרגע
pop the question להציע נישואים
pop up להתרחש פתאום, לצוץ
popping in and out נכנס ויוצא
pop *n.* קול ניפוץ (כפקק נחלץ); גזוז;

מוסיקת־פופ; ⋆אבא, זקן
go pop להשמיע קול ניפוץ
in pop ⋆בעבוט, ממושכן
top of the pops תקליט־פופ רב־מכר
pop = popular עממי, פופולארי
pop art אמנות הפופ
pop concert קונצרט עממי
pop'corn' *n.* פופקורן, תירס קלוי
pope *n.* אפיפיור
pop-eyed *adj.* פעור־עיניים (מתדהמה)
po'pery *n.* קאתוליות, אפיפיורות
pop-gun *n.* אקדח־צעצוע, רובה־פקקים
pop'injay' *n.* שחצן, גנדרן
po'pish *adj.* קאתולי
pop'lar *n.* צפצפה (עץ־נוי)
pop'lin *n.* פופלין (אריג־כותנה)
pop'pa *n.* אבא
pop'per *n.* לחצנית; מקלה־פופקורן
pop'pet *n.* ⋆בובה'לה, מותק; שסתום
popping crease קו החובט (בקריקט)
pop'py *n.* פרג
poppycock *n.* ⋆שטויות
popshop *n.* ⋆בית־עבוט
pop'sy *n.* ⋆נערה, חברה
pop'u•lace (-lis) *n.* ההמון הפשוט
pop'u•lar *adj.* עממי, פופולארי, אהוב, אהוד; מקובל; נפוץ
popular front חזית עממית
popular prices מחירים עממיים
pop'u•lar'ity *n.* פופולאריות
pop'u•lariza'tion *n.* פופולריזציה, הימון
pop'u•larize' *v.* להפוך לפופולארי; לפשט, להסביר בצורה עממית; להפיץ ברבים
pop'u•larly *adv.* בציבור, בדרך כלל
pop'u•late' *v.* לאכלס; ליישב
pop'u•la'tion *n.* אוכלוסיה; אוכלוסין
pop'u•list *n.* איש מפלגת העם, פופוליסט
pop'u•lous *adj.* צפוף־אוכלוסין
por'celain (-lin) *n.* (כלי) חרסינה
porch *n.* אכסדרה, סטיו, מבוא מקורה; מירפסת
por'cine *adj.* חזירי, דומה לחזיר
por'cu•pine' *n.* דרבן
porcupine anteater קיפוד נמלים
pore *n.* נקבובית; נקבובית־זיעה
pore *v.* להתעמק, לקרוא בעיון
pork *n.* בשר־חזיר
pork barrel הקצבה ממשלתית המוענקת למטרות מדיניות
pork butcher קצב לבשר־חזיר
pork pie פשטידת חזיר
porkpie hat מגבעת נמוכה
porky *adj.* שמן, בעל־בשר
porn *n.* ⋆פורנוגרפיה
por'nograph'ic *adj.* פורנוגרפי, זימתי
por•nog'raphy *n.* פורנוגרפיה, זימה
po•ros'ity *n.* נקבוביות
po'rous *adj.* נקבובי, מחולחל
por'phyry *n.* פורפיר, בהט, סלע אדום
por'poise (-pəs) *n.* (סוג של) דולפין
por'ridge *n.* דייסה
do porridge "לשבת" בכלא
por'ringer *n.* קערית־דייסה
port *n.* נמל; עיר־נמל; חוף־מבטחים
any port in a storm היאחז בכל קרש־הצלה להיחלץ מהמיצר
port of call תחנה, מקום ביקור
port of entry נמל כניסה
port *n.* כניסה, פתח (בצידון); אשנב; כווה; שמאל (הספינה/המטוס)
port *v.* להפנות (הספינה) שמאלה
port *v&n.* לאחוז, לשאת (רובה)
at the port (נשק) בנשיאה אלכסונית
port arms! טול נשק (לבדיקת המפקד)
port *n.* יין פורט
por'tabil'ity *n.* ניידות
por'table *adj.* מיטלטל, בר־טלטול, נייד
por'tage *n.* הובלה; דמי הובלה
por'tal *n.* פתח, שער, כניסה מפוארת
at the portals of- על סף־
port•cul'lis *n.* שער סורגים (עולה ויורד, בכניסה למבצר)
porte co•chere' (-shār') *n.* כניסה מקורה, אכסדרה
por•tend' *v.* לבשר, להוות אות ל־
por'tent' *n.* אות, סימן, סימן לבאות
por•ten'tous *adj.* מבשר, מנבא, מאיים; מרשים; לא רגיל, נפלא; יהיר
por'ter *n.* שוער; סַבָּל; סדרן־רכבת; פורטר (בירה)
por'terage *n.* סבלות; דמי־סבלות
porterhouse (steak) נתח בשר־בקר
porter's lodge חדר־השוער
port•fo'lio' *n.* תיק; תיק ממשלתי; משרת שר; רשימת ניירות־הערך
minister without portfolio שר בלי תיק
porthole *n.* אשקף, אשנב, חלון
por'tico' *n.* אכסדרה, סטיו, כניסה
por•tiere' (-tyār') *n.* וילון־פתח

por′tion *n.* חלק; מנה; מנת־חלקו
marriage portion נדוניה
portion *v.* לחלק; לתת חלק
port′land cement מלט צהבהב
port′ly *adj.* שמנמן, חסון, מרשים
port•man′teau (-tō) *n.* מזוודה
portmanteau word מלה מורכבת
por′trait (-rit) *n.* דיוקן, תמונה, פורטרט
por′traitist (-rit-) *n.* דיוקנאי
por′traiture (-rich-) *n.* דיוקנאות, ציור פורטרטים
por•tray′ *v.* לתאר, לצייר, לשרטט דיוקן; לגלם תפקיד (במחזה)
por•tray′al *n.* תיאור, ציור
Por′tugal (-′ch-) *n.* פורטוגל
Por′tuguese′ (-chəgēz) *adj.* פורטוגלי; פורטוגזית
pose (-z) *v.* לעמוד/להעמיד/לשבת בפוזה (לצילום); להעלות, להציג; להתנהג בצורה מלאכותית
pose a problem לעורר בעיה
pose as להתחזות כ־, להעמיד פני
pose for לשמש כדוגמן (לצייר)
pose *n.* פוזה; תנוחה; תעמיד; מצג; העמדת פנים
pos′er (pōz-) *n.* בעיה קשה; דוגמן
po•seur′ (-zûr′) *n.* מתנהג בצורה מעושה, מנסה להרשים
posh *adj.* ⋆הדור, מפואר, מצוחצח
pos′it (-z-) *v.* להניח (הנחה)
posi′tion (-zi-) *n.* מקום; עמדה; מצב; תנוחה, תעמיד; מעמד; משרה, עבודה
in a position to במצב המאפשר ל־
in position במקומו הנכון; במקומו
maneuver for position לתמרן לעמדה טובה
out of position שלא במקומו הנכון
take a position לנקוט עמדה
position *v.* להעמיד; להציב במקומו
positional *adj.* של מיקום, של מקום
pos′itive (-z-) *adj.* חיובי; מפורש, מוחלט; מושלם; מעשי, קונסטרוקטיבי; בטוח בעצמו
he's positive הוא בטוח/משוכנע
positive advice עצה טובה/מעשית
positive change שינוי ניכר
positive fool טיפש גמור
positive! כן, בהחלט, חיובי (תשובה)
positive *n.* (בצילום) פוזיטיב; ערך השיווי/הדימיון; מספר חיובי
positive electricity חשמל חיובי
positively *adv.* בהחלט; מפורשות
positiveness *n.* ביטחון
positive pole קוטב חיובי, אנוד
pos′itivism′ (-zi-) *n.* פוזיטיביזם (הכרת העולם על פי העובדות המדעיות)
pos′itivist (-zi-) *n.* פוזיטיביסט
pos′itron′ (-z-) *n.* פוזיטרון (חלקיק חיובי)
poss. = possessive, possible
pos′se (-si) *n.* קבוצה, פלוגה, יחידה
possess′ (-zes) *v.* להיות לו, להיות בעל־, להחזיק ב־; לשלוט, להשתלט, להשפיע
is possessed of בעל־, יש לו
possess one's soul in peace למשול ברוחו, להפגין שלווה
what possessed him to do that? מה הניעו לעשות זאת?
possessed *adj.* אחוז־דיבוק; משוגע
like one possessed כאחוז־דיבוק
posses′sion (-zesh′ən) *n.* בעלות; שליטה; חזקה; מושבה; אחיזת דיבוק
come into possession of לזכות ב־, להיות בעל־
in full possession of his senses שפוי לגמרי
in one's possession ברשותו
in possession מחזיק (ברכוש/בכדור)
possession is 9/10 of the law המוציא מחבירו עליו הראיה
possessions רכוש, נכסים
take/enter into possession לתפוס; להשתלט
posses′sive (-zes-) *adj.* של בעלות, של קניין; קנאי לרכושו; דורש תשומת־לב
possessive adjective תואר הקניין
possessive case יחס הקניין
possessive pronoun כינוי הקניין
possessor *n.* בעלים, שיש לו־
pos′set *n.* חלב חם (מזוג ביין)
pos′sibil′ity *n.* אפשרות, ייתכנות
pos′sible *adj.* אפשרי; ייתכן; פוטנציאלי, שבכוח; בא בחשבון
as soon as possible בהקדם האפשרי
if possible אם הדבר אפשרי
possible *n.* אדם/דבר הבא בחשבון
possibly *adv.* אפשר, שבאפשרותו; אולי
can ('t) possibly (לא) יכול
pos′sum *n.* אופוסום (חיית־כיס)
play possum להעמיד פני ישן
post (pōst) *n.* עמוד; מזוזה; קורת־השער
starting/finishing post נקודת

הזינוק/הסיום (במירוץ־סוסים)
post *v.* להדביק (מודעות), לפרסם
posted missing היעדרותו מתפרסמת
post *n.* דואר; תיבת דואר; תחנת דואר
by return of post בדואר חוזר
post *v.* למעון, לשלוח בדואר; לנסוע בסוסי־דואר; לנסוע במהירות
keep him posted לעדכנו בידיעות
post up לרשום (מיומן) בספר ראשי
post *n.* עמדה, מוצב; משרה, תפקיד; (בצבא) תרועת־חצוצרה
at one's post במקום משמרתו
last post תרועת־אשכבה; תקיעת־הערב
trading post מקום־מסחר נידח
post *v.* (בצבא) להציב (ליחידה/זקיף)
post- (תחילית) שלאחר־, אחרי־, בתר
po′stage *n.* דמי־דואר
postage stamp בול־דואר
po′stal *adj.* של דואר; שנשלח בדואר
postal order המחאת דואר
postbag *n.* תרמיל הדוור; שק־דואר
postbox *n.* תיבת־דואר
postcard *n.* גלוית־דואר
post chaise כרכרת־דואר
postcode *n.* מיקוד
post′date′ (pōst-) *v.* לרשום בתאריך מאוחר, לתארך באיחור
post′er (pōst-) *n.* מודעה; כרזה; מדביק מודעות
poste restante (pōst′restänt′) *n.* דואר למכתבים שמורים
pos•te′rior *adj&n.* בא אחרי, מאוחר; אחורי; ⋆ישבן
pos•ter′ity *n.* צאצאים; הדורות הבאים
pos′tern *n.* כניסה צדדית/אחורית
post-free *adj&adv.* כולל דמי־משלוח; דמי־משלוח שולמו; פטור מדמי־דואר
post′grad′uate (pōst′graj′ōōit) *n.* (תלמיד/מחקר) שלאחר התואר הראשון
post-haste *adv.* במהירות, בחיפזון
post-horse *n.* (בעבר) סוס־דואר
post′humous (-chəm-) *adj.* לאחר המוות; נולד אחרי מות אביו
posthumous book ספר שיצא לאור אחרי מות המחבר
postil′lion *n.* רוכב (על גבי סוס הרתום לכרכרה)
posting *n.* הצבה (ליחידה)
postman *n.* דוור, מחלק דואר
postmark *n&v.* (להחתים ב) חותמת־דואר
postmaster *n.* מנהל משרד דואר

postmaster general מנכ"ל התקשורת
post meridiem = **PM** אחה"צ
post-mortem (בדיקה) שלאחר המוות
post office משרד דואר, סניף דואר
post office box = **POB** תא דואר
postpaid *adj.* דמי־משלוח שולמו
post′pone′ (pōst-) *v.* לדחות, להשהות
postponement *n.* דחייה, השהיה
post′pran′dial (pōst-) *adj.* שלאחר הארוחה
post′script′ = **P.S.** (pōst-) *n.* נכתב בצידו, נ"ב; הערה נוספת
pos′tulant (-′ch-) *adj.* מועמד
pos′tulate′ (-′ch-) *v.* להניח (הנחה)
pos′tulate (-′ch-) *n.* הנחה, דרישה, עיקרון־יסוד, אקסיומה, פוסטולאט
pos′ture *n.* צורת הגוף, אופן העמידה; פוזה, תעמיד, יציבה; מצב, עמדה
posture *v.* לעמוד/להעמיד בצורה מיוחדת/ראוותנית; להעמיד פנים
posturing *n.* גינוני ראווה, הצגות
postwar *adj.* שלאחר המלחמה, בתר־מלחמתי
po′sy (-zi) *n.* צרור פרחים
pot *n.* סיר, קדירה, כלי; קופה (בפוקר); גביע, פרס; חשיש
a pot of money ⋆המון כסף
big pot אישיות, "תותח כבד"; כרסתן
go to pot להיהרס, לרדת לטמיון
keep the pot boiling להשתכר כדי מחייתו; להמשיך הפעילות
pot calling kettle black כל הפוסל במומו פוסל, טול קורה מבין עיניך
pots and pans כלי בישול
take pot luck להתכבד בארוחה רגילה; לקחת בלא לברור הרבה
pot *v.* לשים בסיר; לשתול בעציץ; לירות, להרוג
pot a baby להושיב פעוט על סיר
pot away לירות בלי הרף
pot the ball לגלגל כדור פנימה בביליארד
po′table *adj.* ראוי לשתייה
pot′ash′ *n.* פוטש, אשלג, אשלגן פחמתי
potas′sium *n.* אשלגן
po•ta′tion *n.* שתייה, לגימה, טיפה מרה
pota′to *n.* תפוח־אדמה
no small potato לא קטלא קניא
sweet potato תפוד מתוק, בטטה
potato beetle חיפושית התפוד
potato chip טוגן תפוח־אדמה

pot-bellied *adj.* כרסתני; (כלי־קיבול) עגלגל, בולט
pot-belly *n.* כרס; כרסתן
pot-boiler *n.* יצירה גרועה
pot-bound *adj.* (שתיל) רווי־שורשים, ששרשיו מילאו העציץ
pot-boy *n.* עוזר, מלצר (במסבאה)
poteen′, potheen′ *n.* ויסקי
po′tency *n.* כוח, עוצמה; פוטנציה
po′tent *n.* רב־כוח, חזק; משפיע, אפקטיבי, פועל; בעל כוח גברא
po′tentate′ *n.* חזק, רב־השפעה; שליט
poten′tial *adj&n.* פוטנציאלי, שבכוח, כוחני, גנוז, אפשרי; פוטנציאל; יכולת
poten′tial′ity (-′sh-) *n.* פוטנציה, כוח גנוז, סגולות כמוסות
pot-head *n.* ⋆מעשן חשיש
poth′er (-dh-) *n.* רעש, מהומה
pot-herb *n.* ירק (בעל עלי־) בישול
pot-hole *n.* בור, חור, גומה, מערה
pot-hook *n.* אנקול (להחזקת) סיר
pot-house *n&adj.* בית־מרזח; גס
pot-hunter *n.* צייד־גביעים, רודף־פרסים; יורה בכל הנקרה בדרכו
po′tion *n.* שיקוי, סם
pot-man *n.* עוזר, מלצר (במסבאה)
potpourri (pō′pərē′) *n.* פופורי, ערבוב, יצירת חרוסת; תערובת בשמים
pot roast (נתח) בשר־בקר מבושל
potroast *v.* לבשל (בשר־בקר)
pot′sherd′ *n.* חרס, שבר
pot-shot *n.* ירייה מטווח קרוב; ירייה פשוטה, ירייה מקרית
pot′tage *n.* מרק סמיך
pot′ted *adj.* משומר (בכלי); נתון בעציץ; (ספר) מקוצר (בפשטות); ⋆שיכור
pot′ter *n.* קדר
potter = putter *v.* להתבטל, להתמזמז
potter's wheel אובניים
pot′tery *n.* בית־מלאכה לקדרות, בית־היוצר; קדרות; כלי־חרס
potting shed מחסן־כלים (לגינה)
pot′ty *adj.* ⋆מופרע, מטורף; קטנטן, קל־ערך
drive him potty להוציאו מדעתו
potty about משוגע על, "מת" על
potty *n.* סיר־לילה, עביט (לפעוט)
potty-trained *adj.* עושה (צרכיו) בסיר
pouch *n.* כיס; תיק; שקית (מתחת לעין)
pouf, pouffe (po͞of) *n.* כר־ישיבה, דרגש; ⋆הומוסקסואל

poul′terer (pōl-) *n.* סוחר־עופות
poul′tice (pōl′tis) *n.* רטייה (חמה)
poul′try (pōl-) *n.* עופות; עוף
pounce *v.* לעוט על, להסתער, להתנפל
pounce *n.* עיטה, הסתערות, התנפלות
pound *n.* ליטרה, ליברה; לירה; מקום־שמירה (למכוניות); מכלאה; חבטה
10-pound note שטר של 10 ליש"ט
pound *v.* להכות, לדפוק; להלום; לכתוש; לנפץ; לשעוט, לנוע בכבדות
pound away לחבוט בלי הרף; להפגיז
pound out להפיק (צלילים) בהקשות
pound the pavement להסתובב בכל מקום
pound′age *n.* תשלום לפי משקל (בליטראות); עמלה (על כל ליש"ט)
-pound′er שמשקלו (בליטראות)
4-pounder (דג) שמשקלו 4 ליטראות
pounding *n.* ⋆מכה, מפלה, תבוסה
pour (pôr) *v.* לשפוך, לצקת, למזוג; להישפך; ליזול; לזרום; להזרים; לפלוט
it never rains but it pours צרות באות בחבילות
pour cold water on לצנן התלהבותו, לרפות ידיו
pour into/out of לנהור אל/מן
pour it on להפליג בשבחים
pour oil on the flames להוסיף שמן למדורה, להחמיר המצב
pour oil on troubled waters להרגיע הרוחות, להשכין שלום
pour out one's troubles לשפוך מרי־שיחו
pour scorn on לשפוך בוז על
rain is pouring down גשם ניתך
pouring *adj.* (יום) גשום
pout *v&n.* לשרבב/להבליט השפתיים (ברוגז); שרבוב/הבלטת השפתיים
pov′erty *n.* עוני, דלות, חסרון
poverty-stricken *adj.* מוכה־עוני
POW = prisoner of war
pow′der *n.* אבקה; אבק־שריפה
keep one's powder dry להיות נכון לקרב, להיות מוכן לטפל בירִיב
take a powder ⋆לברוח, להסתלק
powder *v.* לאבק; לפדר; לשחוק לאבק
powdered *adj.* מאובק, מיובש
powdered milk אבקת חלב
powder horn/flask כלי־קיבול לאבק־שריפה
powder keg חבית אבק־שריפה
powder magazine מחסן אבק־שריפה

powder puff כרית־פידור; ★איש נשי
powder room שירותי־נשים, נוחיות
powdery *adj.* מאובק; אבקי
pow′er *n.* כוח, כושר, יכולת; עוצמה; סמכות; שליטה; (במתימטיקה) חזקה
beyond one's power מעבר ליכלתו
did a power of good ★היה מצוין
exceed one's powers לחרוג מסמכותו
fall into his power ליפול בידיו
have power over him לשלוט בו
in power בשלטון, שולט
more power to your elbow בהצלחה! תחזקנה ידיך!
my powers are failing תש כוחי
powers כוחות פיסיים/רוחניים
powers of darkness כוחות־השחור
the powers that be ★השלטונות
the Great Powers המעצמות
I have him in my power הוא בידי
power *v.* לספק כוח, להניע
power *adj.* מנועי, מכאני
power-boat *n.* סירת־מנוע
power-dive *n.* (לגבי מטוס) צלילת־עוצמה (במנועים פועלים)
powered *adj.* ממונע, בעל עוצמה
oil-powered מופעל ע"י נפט
powerful *adj.* חזק, רב־עוצמה
power house תחנת כוח; אדם נמרץ
powerless *adj.* חסר־אונים, קצר־יד
power of attorney ייפוי־כוח
power plant *n.* תחנת כוח; מתקן כוח
power point נקודת חשמל, שקע
power politics מדיניות הכוח
power station תחנת כוח
power steering היגוי כוח
pow′wow′ *v&n.* (לנהל) אסיפה, דיון
pox *n.* אבעבועות; עגבת
a pox on him! יקחהו אופל!
pp = pages, pianissimo
prac′ticabil′ity *n.* מעשיות
prac′ticable *adj.* מעשי, שימושי
prac′tical *adj.* מעשי, פרקטי, תועלתי
for all practical purposes למעשה
practical *n.* שיעור/מבחן מעשי
prac′tical′ity *n.* מעשיות, פרקטיות
practical joke מעשה קונדס
practically *adv.* למעשה; כמעט
prac′tice (-tis) *n.* נוהג, מנהג, הרגל; ניסיון, התמחות; תרגול, חזרה, אימון; פראקטיקה; משרד; רפואה, פרקליטות; קליינטורה
in practice באופן מעשי; מתאמן
make a practice להפוך להרגל
out of practice לא מתאמן
practices תוכניות, תחבולות
put into practice להוציא לפועל
sharp practice הונאה (במסחר)
practice *v.* לתרגל, להתאמן; להתמחות; לנהוג; לעשות; לעסוק ב־; לנצל
practice law להיות עורך־דין
practice on לנצל
practice one's religion לקיים דתו
practice patience לנהוג סבלנות
practice what one preaches להיות נאה דורש ונאה מקיים
practiced *adj.* מנוסה, מיומן
prac•ti′tioner (-tish′ənər) *n.* עוסק במקצוע (הרפואה/הפרקליטות)
general practitioner רופא כללי
prae = pre
prag•mat′ic *adj.* פרגמטי, מעשי; דוגמטי
prag′matism′ *n.* פרגמטיות, מעשיות; דוגמטיזם; פדנטיות, נוקדנות
prag′matist *n.* פרגמטי
prai′rie *n.* ערבה, פרריה
prairie dog כלב הערבה (מכרסם)
praise (-z) *v.* להלל, לשבח
praise *n.* תהילה, שבחים
in praise of- בשבח ה־
praise be! תודה לאל!
sing him praises להפליג בשבחו
praiseworthy *adj.* ראוי לתהילה
pra′line (prä′lēn) *n.* ממתק אגוזים, פראלין, מוליה
pram *n.* עגלת תינוק, עגלת ילדים
prance *v.* לפזז, לטפוף בעליצות/ביהירות; לקפץ (בהרמת רגליים קדמיות)
prance *n.* פיזוז, טפיפה, קיפוץ
prank *n&v.* מעשה קונדס; לקשט
prank′ster *n.* שובב, קונדס
prat *n.* ★טיפש, מטומטם; עכוז
prate *v.* לפטפט, לקשקש
prat′tle *v&n.* לפטפט, לקשקש; פטפוט
prattler *n.* פטפטן, קשקשן
prawn *n&v.* סרטן (למאכל)
go prawning לדוג סרטנים
prax′is *n.* מנהג, מעשיות
pray *v.* להתפלל, לבקש; להתחנן
past praying for במצב נואש
pray! אנא! בבקשה!
pray′er *n.* מתפלל
prayer (prār) *n.* תפילה

evening prayer תפילת ערבית, מעריב
prayer book ספר תפילות, סידור
prayer meeting תפילה בציבור
prayer rug/mat שטיחון תפילה
praying mantis גמל־שלמה (חרק)
pre (תחילית) לפני, קדם־, מראש
preach *v.* להטיף, לדרוש, לנאום
preacher *n.* מטיף, דרשן
preach′ify′ *v.* להטיף מוסר, לדרוש
pre′am′ble *n.* מבוא, הקדמה
pre′arrange′ (-rānj) *v.* לסדר מראש
prearrangement *n.* סידור מראש
preb′end *n.* קצבת־כומר, שכר־כומר
preb′endary *n.* כומר (מקבל קצבה)
pre•ca′rious *adj.* מסוכן, לא יציב, לא בטוח; תלוי במקרה; לא מבוסס
pre′cast′ *adj.* (בטון) יצוק לגושים
pre•cau′tion *n.* (אמצעי) זהירות
pre•cau′tionar′y (-sh∂neri) *adj.* של זהירות
pre•cede′ *v.* לבוא לפני, להקדים, לקדום; ללכת לפני
preceded by כשלפניו, בראשו, אחרי
prec′edence *n.* זכות עדיפות, משפט הבכורה; קדימה, ראשונות, עליונות
give precedence לתת (זכות) קדימה
order of precedence סדר עדיפויות, סדר המאורעות
takes precedence עליון בחשיבות
prec′edent *n.* תקדים, בניין־אב
set a precedent ליצור תקדים
preceding *adj.* קודם, שלפני כן
pre•cen′tor *n.* מנצח־מקהלה
pre′cept′ *n.* מצווה, הוראה, כלל
pre•cep′tor *n.* מורה
pre•ces′sion *n.* קדימה, שינוי כיוון, נקיפה
pre′cinct *n.* שטח, רחבה, חצר; איזור, סביבה; גבול, תחום
shopping precinct איזור חנויות
within the precincts of בין כותלי־
pre′cios′ity (presh′ios-) *n.* דקדקנות, נוקדנות, מלאכותיות
pre′cious (presh′∂s) *adj&adv.* יקר, רב־ערך; דקדקן, נוקדן, מלאכותי; ★גמור; מאוד
precious few מעט מאוד, בקושי כמה
precious liar שקרן מובהק
precious metal מתכת יקרה (זהב)
precious stone אבן יקרה, אבן חן
prec′ipice (-pis) *n.* צוק, מורד תלול; סף התהום, סכנה

pre•cip′itate′ *v.* לזרז, להחיש; להטיל, להשליך; לעבות (לטיפות)
precipitate a substance להפריד חומר (מוצק מנוזל); לשקע
pre•cip′itate *n.* משקע; חומר מופרד
pre•cip′itate *adj.* נמהר, בבהילות
pre•cip′ita′tion *n.* חיפזון, פזיזות; הפרדה (של מוצק); משקע; גשם, ברד וכו׳
precip′itous *adj.* תלול, מפחיד בגובהו
précis (prāsē′) *n&v.* תמצית, שְׁכתוב מקוצר; לתמצת
pre•cise′ *adj.* מדויק; דייקן; נוקדן
at the precise moment בדיוק ברגע
precisely *adv.* בדיוק; בהחלט, כן
pre•ci′sion (-sizh′∂n) *n.* דיוק
precision instrument מכשיר דיוק
precision landing נחיתה מדויקת
pre•clude′ *v.* למנוע, לעשות לבלתי אפשרי, לעצור
pre•clu′sion (-zh∂n) *n.* מניעה, עצירה
pre•co′cious (-sh∂s) *adj.* (ילד) מפותח מן הרגיל, מקדים בהתפתחותו
pre•coc′ity *n.* התפתחות מוקדמת
pre′cog•ni′tion (-ni-) *n.* ידיעה מראש, נבואה
pre′conceive′ (-sēv) *v.* לחשוב מראש, לעצב (דיעה) מראש
pre′concep′tion *n.* דיעה מוקדמת
pre′concert′ *v.* להסדיר מראש
pre′condi′tion (-di-) *n.* תנאי מוקדם
pre′cook′ *v.* לבשל מראש
pre•cur′sor *n.* מקדים, מבשר, בא לפני
pre•cur′sory *adj.* מקדים, מבשר
pre•da′cious (-sh∂s) *adj.* טורף
pred′ator *n.* טורף, חיית־טרף
pred′ato′ry *adj.* טורף; שודד, עושק
pre′de•cease′ *v.* למות לפני
pre′deces′sor *n.* קודם, בא לפני
pre•des′tinate′ *v.* לגזור (מלמעלה)
pre•des′tina′tion *n.* גזירה, גורל־אנוש (שנחרץ מלמעלה)
pre•des′tine (-tin) *v.* לגזור, להועיד מראש
predestined *adj.* נגזר (מלמעלה); נועד, קבוע מראש, מחויב המציאות
pre′de•ter′mina′tion *n.* קביעה מראש
pre′de•ter′mine (-min) *v.* לקבוע מראש; להשפיע, להטות מראש
pre•dic′ament *n.* מצב ביש, מצב קשה
pred′icate′ *v.* לבסס (מדיניות, פעולה) על; לקבוע, להצהיר, לייחס ל־

pred′icate *n.* (בתחביר) נשוא
pred′ica′tive adjective תואר נשואי
pre•dict′ *v.* לנבא, לחזות, לצפות
pre•dic′tabil′ity *n.* אפשרות החיזוי
predictable *adj.* שניתן לנבאו, צפוי
pre•dic′tion *n.* נבואה, חיזוי
predictor *n.* מנבא, מכשיר חיזוי
pre′di•gest′ *v.* לעבד (מזון/ספר) להקלת עיכולו/קריאתו
pred′ilec′tion *n.* נטייה, חיבה
pre′dispose′ (-z) *v.* להשפיע, להטות, לעשותו רגיש (למחלה מסוימת)
it predisposed him in her favor הדבר גרם שהיא תמצא חן בעיניו
pre′disposi′tion (-zi-) *n.* נטייה
pre•dom′inance *n.* עליונות, יתרון, רוב, שכיחות רבה
pre•dom′inant *adj.* עליון, בולט, שולט
predominantly *adv.* בעיקר, לרוב
pre•dom′inate′ *v.* לשלוט, לשרור; לבלוט, להיות רב־עוצמה/השפעה וכו׳
pre•em′inence *n.* עליונות, יתרון
pre•em′inent *adj.* עליון, בולט, דגול
preeminently *adv.* בראש ובראשונה
pre•empt′ *v.* לרכוש בדין־קדימה; לתפוס מקום; להשתלט על
pre•emp′tion *n.* דין־קדימה בקנייה; רכישה לפני הזולת; חזקה
pre•emp′tive *adj.* של דין־קדימה, של חזקה; של מנע
preemptive attack מתקפת מנע
preemptive bid (בברידג׳) הצעת־מנע (שמטרתה למנוע הצעות נוספות)
preen *v.* לנקות/להחליק נוצות במקור
preen oneself להתייפות; להתפאר ב־; להפגין שביעות־רצון עצמית
pre′ex•ist′ (-gz-) *v.* לחיות בגלגול קודם, להיות קיים קודם לכן
preexistence *n.* גלגול קודם
preexistent *adj.* חי בגלגול קודם
pre′fab′ *n.* בית טרומי, בניין טרומי
pre•fab′ricate′ *v.* לייצר (חלקי בית טרומי) לשם הרכבה; להמציא, לפברק
prefabricated *adj.* טרומי
pre•fab′rica′tion *n.* ייצור טרומי
pref′ace (-fis) *n.* מבוא, הקדמה
preface *v.* לפתוח, לשמש כמבוא
pref′ato′ry *adj.* של הקדמה, פותח
pre′fect′ *n.* פרפקט, ראש־משטרה; ממונה, תלמיד אחראי; מושל, נציב
pre•fec′tural (-′ch-) *adj.* של פרפקט

pre•fec′ture *n.* פרפקטורה, כהונת הפרפקט; מחוז
pre•fer′ *v.* להעדיף, לבכר; למנות, לקדם בתפקיד; להגיש, להביא לפני
prefer charges against להאשים
pref′erable *adj.* עדיף על, טוב מ־
preferably *adv.* מוטב, טוב, בהעדפה
pref′erence *n.* העדפה; מתן עדיפות; חיבה מיוחדת
have a preference for להעדיף
in preference to בהעדפת־, על פני־
pref′eren′tial *adj.* עדיף, מועדף
pre•fer′ment *n.* מינוי, קידום
preferred stock מניות בכורה
pre•fig′ure (-gyər) *v.* לתאר לעצמו, לדמיין מראש; לייצג, להוות אות
pre′fix *n.* תחילית; תואר (כגון מר); קידומת
pre•fix′ *v.* לטפול תחילית; להוסיף בראש (פרק)
preg′nancy *n.* הריון; פוריות; מלאות, שפע; משמעות
pregnancy test בדיקת־הריון
preg′nant *adj.* בהריון, הרה, מעוברת; רב־משמעות, עמוק; נושא פרי
fall pregnant להיכנס להריון
pregnant imagination דמיון עשיר
pregnant with הרה־, חדור, מלא
pre′heat′ *v.* לחמם מראש
pre′hen′sile (-sil) *adj.* תופס, לופת
pre′histor′ic (al) *adj.* פרהיסטורי, קדם־היסטורי; ⋆מיושן, ישן
pre•his′tory *n.* פרהיסטוריה
pre′judge′ *v.* לפסוק מראש, לגבש דיעה (שלילית) קודם לכן
prejudgement *n.* קביעת עמדה מראש
prej′udice (-dis) *n.* דיעה קדומה
to the prejudice of תוך פגיעה ב־
without prejudice to בלי לפגוע בזכויות, בלי לגרוע מהזכויות
prejudice *v.* לפגוע, להזיק, להחליש; לשחד דעתו
prejudiced *adj.* משוחד
prej′udi′cial (-di-) *adj.* מזיק, פוגע
prel′acy *n.* בישופות, כמורה בכירה
prel′ate *n.* בישוף, כומר בכיר
pre′lim *n.* ⋆מבחן מוקדם
prelims מבוא, תוכן, שער (בספר)
preliminaries *n-pl.* סידורים מוקדמים, פעולות הכנה
pre•lim′inar′y (-neri) *adj.* מוקדם, הקדמי, פותח, פרילימינארי, מיקדמי

preliminary to קודם ל־, טרם
pre•lit′erate *adj.* קדום, טרום־כתבי, שלא נרשמו קורותיו
prel′ude *n.* פתיחה; אקדמה, פרלוד
prelude *v.* לאקדם; להוות הקדמה ל־
pre•mar′ital *adj.* שלפני הנישואים
pre′mature′ (-toor) *adj.* לפני זמנו, בטרם עת; נמהר, פזיז
premature baby/infant פג
pre•med′itate′ *v.* לתכנן מראש
premeditated *adj.* מתוכנן, מכוון
pre•mier′ (-mēr) *n.* ראש ממשלה
premier *adj.* ראשון, עליון (בחשיבותו)
pre•miere′ (-mēr) *n.* פרמיירה, הצגת בכורה
premiership *n.* ראשות ממשלה
prem′ise (-mis) *n&v.* (להניח) הנחה
on the premise that בהנחה ש־
premises שטח, חצר, חצרים, בניינים, משרדים; חלקו הראשון של הסכם
to be eaten on the premises שיש לאכלו במקום, שאין לקחתו עמו
pre′mium *n.* פרמיה; תוספת; הטבה; בונוס, פרס; שכר לימוד
at a premium מעל לערך הנקוב; רב־ערך, יקר, קשה להשיגו
put a premium on לעודד, להמריץ
premium bond אג"ח נושאת פרסים
pre′moni′tion (-ni-) *n.* הרגשה מוקדמת
pre•mon′ito′ry *adj.* מזהיר, מבשר רע
pre′na′tal *adj.* לפני לידה, קדם־הולדת
pren′tice (-tis) *n.* שוליה, טירון
pre•oc′cu•pa′tion *n.* העסקת־הדעת, השתקעות, חוסר־ריכוז; רעיון מעסיק
preoccupied *adj.* שקוע, עסוק, מהורהר
pre•oc′cu•py′ *v.* להעסיק הדעת, לשקוע ראשו ורובו
pre′or•dain′ *v.* לגזור, לחרוץ מראש
prep *n.* ⋆שיעורי־בית; מכינה, אולפן
pre′pack′ *v.* לארוז לפני המשלוח
pre′paid′ *adj.* ששולם (עבורו) מראש
prep′ara′tion *n.* הכנה, סידור; מרקחת, תכשיר; שיעורי־בית, שיעורי־הכנה
in preparation בהכנה
pre•par′ative *adj.* מכין, מכשיר
pre•par′ato′ry *adj.* מכין, מכשיר
preparatory to לפני, לקראת, כהכנה
preparatory school מכינה, אולפנא
pre•pare′ *v.* להכין; להכשיר; להתכונן
prepare oneself להתכונן, להיערך
prepared *adj.* מוכן, ערוך; מוכן מראש
preparedness *n.* נכונות, היערכות
pre′pay′ *v.* לשלם מראש
pre•pon′derance *n.* עליונות, עדיפות
pre•pon′derant *adj.* עליון, עדיף, רב־משקל, שולט, עיקרי, מכריע
pre•pon′derate′ *v.* לעלות על, להכריע (במשקל), לעלות בחשיבותו על
prep′osi′tion (-zi-) *n.* מלת־יחס
prepositional *adj.* של מלת־יחס
prepositional phrase בטוי המשמש כמלת־יחס ("על־יד"); מלת־יחס והעצם שלאחריה
pre′possess′ (-zes) *v.* להעניק תחושה טובה, לרכוש לב, להרשים, להקסים
prepossessed *adj.* מתרשם לטובה, מוקסם
prepossessing *adj.* מרשים, מושך, מקסים
pre′posses′sion (-zesh′ən) *n.* נטייה, התרשמות חיובית
pre•pos′terous *adj.* מגוחך, אבסורדי
pre′puce *n.* עורלה
pre′re•cord′ *v.* להקליט (מראש)
pre′req′uisite (-zit) *adj&n.* תנאי מוקדם
pre•rog′ative *n.* זכות מיוחדת, פרורוגטיבה, עדיפות, זכות בכורה
pres = president, present
pres′age *n.* אות/רגש מבשר רע
pre′sage′ *v.* לבשר, להוות אות
pres′byter (-z-) *n.* כומר (קשיש)
Pres′byte′rian (-z-) *adj&n.* פרסביטרי, של הכנסייה הפרסביטרית
pres′byter′y (-z-) *n.* מזרח הכנסייה; מעון הכומר; בית־דין (בכנסייה הפרסביטרית)
preschool *adj.* שלפני גיל בית־הספר
pre′science (-shiəns) *n.* ראיית הנולד
pre′scient (-shiənt) *adj.* רואה את הנולד
pre•scribe′ *v.* לקבוע, לצוות, להמליץ
prescribe a medicine לרשום תרופה
prescribe punishment לקבוע עונש
prescribed *adj.* קבוע; (ספר) מומלץ
pre′script′ *n&adj.* הוראה, צו; קבוע
pre•scrip′tion *n.* הוראה, צו; מרשם, תרופה; תביעת־חזקה (על נכס)
prescription charge דמי־תרופות
pre•scrip′tive *adj.* קובע כללים; מושרש במנהג, מעוגן בחוק

pres′ence (-z-) *n.* ;נוכחות, הימצאות
הופעה, רושם; רוח, שכינה
in his presence בנוכחותו
presence chamber חדר קבלה (מלכותי)
presence of mind ,צלילות דעת
תושייה
pres′ent (-z-) *adj.* נוכח, קיים; הווה
in the present case במקרה דנן
present company excepted פרט לנוכחים
present to my mind חרות בזכרוני
pres′ent (-z-) *n.* (בדקדוק) הווה, בינוני
at present עתה, בשעה זו
for the present לפי שעה, לעת עתה
live in the present לחיות את ההווה
presents מיסמכים, תעודות
pres′ent (-z-) *n.* מתנה, שי, תשורה
make him a present of it לתת לו זאת במתנה
pre•sent′ (-z-) *v.* ,לתת, להעניק
להגיש; להציג (אדם/מחזה); להפגין, להראות
it presents no difficulty אינו מהווה כל קושי
present a gun at לכוון אקדח לעבר
present arms! !דגל שק
present itself לעלות בדעתו; להזדמן
present oneself להופיע, להתייצב
pre•sent′ (-z-) *n.* דיגול נשק, הצדעה
at the present (בדיגול־נשק (הצדעה
pre•sen′table (-z-) *adj.* נאה, יאה
להופיע בו (בציבור); ראוי להציגו
pre′senta′tion (-z-) *n.* ,נתינה, מתן
הענקה; הגשה, הצגה; תנוחת העובר
presentation copy (עותק־שי (של ספר
present-day *adj.* מודרני, נוכחי
pre•sen′timent (-z-) *n.* תחושה
מוקדמת, רגש מבשר רע
pres′ently (-z-) *adv.* ;בשעה זו, עתה
מיד, בקרוב
present participle בינוני פועל
present perfect הווה נשלם
preservable *adj.* שמיר, בר־שימור
pres′erva′tion (-z-) *n.* שמירה; שימור
preservation order צו־שימור (לאתר היסטורי)
pre•ser′vative (-z-) *n.* חומר־שימור
pre•serve′ (-z-) *v.* ;לשמור, להגן על
לשמר; לכבוש; להנציח
preserve *n.* שמורת־טבע; תחום פרטי
preserves שימורים; ריבה

preserved *adj.* משומר, שמור
preserver *n.* שומר, מגן, מציל
life-preserver חגורת־הצלה
pre′set′ *v.* לקבוע/לכוון מראש
pre′shrunk′ *adj.* בלתי־כוויץ
pre•side′ (-z-) *v.* לשבת בראש, לנהל
pres′idency (-z-) *n.* נשיאות
pres′ident (-z-) *n.* נשיא
president elect הנשיא הנבחר
pres′iden′tial (-z-) *adj.* נשיאותי
presidential year שנת הבחירות
(לנשיאות (בארה"ב
pre•sid′ium *n.* נשיאות, ועדה קבועה
press *n.* ;עיתונות; דפוס; מכבש; מסחט
מגהץ; גיהוץ; לחץ; לחיצה; ארון; המון, קהל
correct the press (להגיה (דפוס
freedom of the press חופש העיתונות
get a good press לזכות בביקורת חיובית בעיתונות
go to press להתחיל בהדפסה
in the press בהדפסה, בדפוס
press of events לחץ המאורעות
press of sail מירב המפרשים
press *v.* ;ללחוץ; לסחוט; לגהץ; להתגהץ
לדחוק; להידחק; לגייס, לחטוף לצבא; להחרים
hard pressed נתון בלחץ כבד
press an argument home לטעון טענה מכרעת, להביא נימוק משכנע
press an attack להתקיף, ללחוץ
press for ללחוץ, לדרוש, לתבוע
press heavily on להוות נטל על
press home ללחוץ בלי הרף (ולנחול הצלחה)
press into service לגייס (בשעת חירום)
press it on him לתחוב לו בכוח
press on/forward להמשיך, להתקדם
press one's way (לפלס דרך (בהמון
press the point לעמוד על הנקודה
pressed for money דחוק בכסף
time presses השעה דוחקת, אין זמן
press agency סוכנות פרסומת
press agent סוכן פרסומת
press baron איל־עיתונות
press box תא עיתונאים
press conference מסיבת עיתונאים
press cutting קטע עיתון, תגזיר
pressed *adj.* לחוץ, דחוק; כבוש
press gallery יציע עיתונאים
pressgang *n.* חוטפים, כנופיית־גיוס

pressgang *v.* לאלץ (לעשות על כרחו)
pressing *n.* (עותק של) תקליט
pressing *adj.* דוחק, לוחץ; מתעקש, מפציר
press lord איל־עיתונות
pressman *n.* עיתונאי
pressmark *n.* מספר הספר (בספרייה)
press photographer צלם עיתונות
press release תמסיר (לעיתונות)
press-stud *n.* לחצנית
press-up *n.* שכיבת־סמיכה
pres′sure (-shər) *n.* לחץ; נטל, עול
at high pressure במלוא הקיטור
atmospheric pressure לחץ אטמוספרי
blood pressure לחץ דם
bring pressure to bear on him להפעיל עליו לחץ
put pressure on ללחוץ על
under pressure בלחץ; מתוך כפייה
pressure *v.* ללחוץ
pressure cabin תא מווסת לחץ־אוויר
pressure cooker סיר־לחץ
pressure gauge מד־לחץ
pressure group קבוצת לחץ, שדולה
pres′surize′ (-sh′-) *v.* ללחוץ, לאלץ; לווסת לחץ־האוויר
pres′tidig′ita′tion *n.* להטוטנות
pres•tige′ (-tēzh) *n&adj.* פרסטיז'ה, יוקרה, מוניטין; יוקרתי, ראוותני
pres•tig′ious (-jəs) *adj.* יוקרתי
pres•tis′simo′ *adv.* במהירות רבה
pres′to *adv.* פרסטו, במהירות
pre′stressed′ (-st) *adj.* (בטון) מזוין
presumable *adj.* שניתן להניח, מסתבר
presumably *adv.* כפי הנראה
pre•sume′ (-z-) *v.* להניח, לשער, לחשוב; להרשות לעצמו, להעז
be presumed להיחשב, בבחינת
presume on לנצל (לרעה)
presuming *adj.* מעז, נועז, מרשה לעצמו
pre•sump′tion (-z-) *n.* הנחה, השערה; חזקה; העזה, עזות, חוצפה
pre•sump′tive (-z-) *adj.* משוער, סביר
presumptive heir יורש על תנאי
pre•sump′tuous (-zump′cho͞oəs)*adj.* בעל ביטחון עצמי מופרז, שחצן, יהיר, חצוף
pre′suppose′ (-z) *v.* להניח מראש; לרמוז על, להעיד על, לדרוש מלכתחילה

pre′sup•posi′tion (-zi-) *n.* הנחה
pre•tend′ *v.* להעמיד פנים, להתחזות; להתיימר, לטעון; ★לנסות, להעז
pretend to the crown לטעון לכתר
pretend *adj.* ★מדומה, כביכול
pretended *adj.* מדומה, לא אמיתי
pretender *n.* תובע, טוען לכתר, תבען
pre′tense′ *n.* העמדת־פנים, התחזות, מסווה; יומרה, פרטנסיה, תביעה; אמתלה
false pretenses פעולות הונאה
pre′ten′sion *n.* פרטנסיה, יומרה, טענה, יומרנות
make pretensions to לטעון ל־, להתיימר
pre•ten′tious (-shəs) *adj.* יומרני
pret′erit *n.* (בדקדוק) עבר
pre′ternat′ural (-ch′-) *adj.* על־טבעי
pre′test′ *n.* מיבחן מוקדם
pre′text′ *n.* תירוץ, אמתלה
pre′tor *n.* פרטור, שופט (ברומי)
pret′tify′ (prit-) *v.* לייפות, לקשט
prettily *adv.* בצורה נאה, יפה
pret′ty (prit′i) *adj.* יפה, נחמד, מקסים; "נהדר" (באירוניה)
pretty fortune סכום הגון
pretty mess תסבוכת, "דייסה"
sitting pretty במצב נוח, מבוסס
pretty *adv.* די־, למדי; במידת־מה; מאוד
pretty much/nearly כמעט
pretty well לא רע, מצוין; כמעט
pretty-pretty *adj.* יפה בצורה שטחית
pretz′el *n.* כעך קלוע, שלובית
pre•vail′ *v.* לנצח, לגבור; לשלוט, לשרור; להיות נפוץ/רווח
prevail on/upon לשכנע
prevailing *adj.* רווח, נפוץ, שכיח
prev′alence *n.* קיום נפוץ, שכיחות
prev′alent *adj.* רווח, נפוץ, שכיח, שורר
pre•var′icate′ *v.* לשקר, להסתיר האמת, לומר חצאי־אמת
pre•var′ica′tion *n.* הסתרת האמת
pre•vent′ *v.* למנוע; לעכב, להניא
preventable *adj.* מָניע, שאפשר למנעו
pre•ven′tative *n.* תרופה מונעת
pre•ven′tion *n.* מניעה, עיכוב
pre•ven′tive *adj.* מונע, מיועד למנוע
preventive custody מעצר מונע
preventive detention מעצר ללא משפט (למניעת פשע)
preventive medicine רפואה מונעת
preventive officer פקיד מכס

pre′view (-vū) *n&v.* הצגה מוקדמת, מופע מוקדם; להעלות/לחזות בהצגה מוקדמת
pre′vious *adj.* קודם; נמהר, פזיז
previous to לפני, טרם
previous conviction הרשעה קודמת
previously *adv.* לפני כן, קודם לכן
pre•vi′sion (-vizh′ən) *n.* ראייה מראש, נבואה
pre′war′ (-wôr) *adj.* טרום־מלחמתי
prey (prā) *n&v.* טרף; קורבן; לטרוף
beast of prey חית־טרף, טורף
become/fall prey to להיטרף, להיות טרף לשיני; ליפול קורבן ל־, לסבול מ־
bird of prey עוף דורס
easy prey טרף קל, קורבן
prey to fears תקוף־פחדים
prey upon לטרוף, לשדוד; לפשוט על
prey upon one's mind לנקר במוחו, להעיק עליו, להציק לו
price *n.* מחיר; ערך, שווי; שער, תנאי־הימור
above/beyond/without price יקר מאוד, אין ערוך לו
asking price המחיר הנתבע בתחילה
at a price במחיר גבוה
at any price בכל מחיר
every man has his price ניתן לקנות (לשחד) כל אדם
list price מחיר מומלץ (לא מחייב)
not at any price בשום תנאי לא
of a price עולים אותו סכום
put a price on לאמוד מחירו
quote a price לנקוב מחיר
set a price on his head לקבוע פרס על ראשו (ללוכד אותו)
starting price שער ההימורים עם פתיחת המירוץ
what price? ⋆מה הסיכויים ל־, מה דעתך על? (בלעג)
price *v.* לקבוע מחיר; לסמן מחיר; לשאול למחירו
price out of the market לתבוע מחיר מופרז (שאין הציבור יכול לשלמו)
price control פיקוח על מחירים
priceless *adj.* יקר מאוד, אין ערוך לו; ⋆מצחיק, מגוחך
price list מחירון, לוח מחירים
price tag תווית מחיר
pric′ey (prī′si) *adj.* ⋆יקר
prick *n.* דקירה; כאב; חריר; ⋆איבר המין
kick against the prick לצעוק חי וקיים; להתנגד לשווא (ולהיפגע מכך)
prick of conscience נקיפת מצפון
prick *v.* לדקור, לנקב; לחוש דקירות
my conscience pricks me מצפוני נוקף
prick out/off לשתול (בעזרת דקר)
prick up one's ears לזקוף אוזניו
pricker *n.* דוקר; דקר; מרצע
pricking *n.* דקירה, דקרור
prick′le *n.* קוץ, חוד; דקרור, עקצוץ
prickle *v.* לחוש דקירות, לעקצץ
prickly *adj.* דוקרני, דוקר; רגיש, עצבני
prickly heat חררה, עקצוץ בעור
prickly pear צבר (פרי)
pric′y (prī′si) *adj.* יקר
pride *n&v.* גאווה; התנשאות; כבוד עצמי; תפארת, מקור־גאווה; שיא, פריחה
a pride of lions להקת אריות
false pride גאוות־שווא, התנפחות
he is his father's pride הוא מקור־גאווה לאביו
in the pride of youth באביב ימיו
pride and joy נכס יקר
pride of place מקום כבוד
pride oneself on להתגאות ב־
swallow one's pride למחול על כבודו, להרכין ראש
take a pride in להתגאות ב־
prie-dieu′ (prēdyoo′) *n.* שולחן־תפילה (בעל שרפרף לכריעה)
priest (prēst) *n.* כומר; כוהן
priestcraft *n.* תחבלנות כמרים
priest′ess (prēst-) *n.* כוהנת
priesthood *n.* כמורה
priestlike *adj.* של כומר, כמו כומר
priestly *adj.* של כומר, כמו כומר
priest-ridden *adj.* נתון למרות כמרים
prig *n.* קפדן, דקדקן, צדיק בעיניו
priggish *adj.* קפדני, דקדקני
prim *adj.* מסודר, נקי; עדין, יפה־נפש
prim and proper עדין, סולד מגסות
prim *v.* ללבוש ארשת צדקנית
pri′ma (-rē′-) *adj.* ראשי
prima ballerina רקדנית ראשית
pri′macy *n.* ראשונות; עליונות; משרת ארכיבישוף
prima donna פרימדונה, זמרת ראשית
primaeval = primeval
pri′ma fa′cie (-shi) *adj.* לכאורה, על פי התרשמות ראשונית
prima facie evidence הוכחה מספקת (אם לא תופרך)

pri′mal *adj.* קדמון, ראשוני, היולי; עיקרי, בעל חשיבות עליונה
pri•mar′ily (-mer-) *adv.* בעיקר, קודם כל
pri′mary *adj.* מקורי, קדום, ראשון; עיקרי; בסיסי, יסודי
primary (election) בחירות מוקדמות (למינוי מועמדים)
primary accent/stress הטעמה ראשית
primary color צבע יסודי (אדום, צהוב, או כחול)
primary education חינוך יסודי
primary school בית־ספר יסודי
pri′mate *n.* ארכיבישוף; יונק עילאי (אדם, קוף־אדם, בבון), פרימאט
prime *n.* שלמות, פריחה, אביב, שחר; מיטב, עידית; מספר ראשוני
cut off in his prime נקטף באיבו
in the prime of life באביב ימיו
past one's prime תקופת זהרו חלפה
the prime of the year האביב
prime *adj.* ראשי, עיקרי; מעולה, מובחר, סוג א'; יסודי, ראשוני
prime importance חשיבות עליונה
prime time שעות השיא (בצפייה)
prime *v.* להפעיל; להכין (לשימוש); לתחל; לספק מראש; לכסות בצבע־יסוד
prime the pump להכשיר המשאבה; להשקיע ב/לשמן גלגלי עסק לא פעיל
primed by his lawyer הודרך ע״י פרקליטו
prime cost עלות הייצור
primed *adj.* ⋆שתוי, שבע
prime meridian מצהר אפס
prime minister ראש ממשלה
prime mover מקור־כוח ראשי; מניע עיקרי; יוזם
prime number מספר ראשוני
prim′er *n.* ספר לימוד למתחיל
pri′mer, pri′ming *n.* צבע־יסוד; תחל
pri•me′val *adj.* היולי, קדמון
primeval forest יער־עד, יער־בראשית
prim′itive *adj.* פרימיטיבי, קדמון, ראשיתי, קמאי; פשוט; גס; מיושן
primitive *n.* (יצירת) אמן מלפני הרנסאנס; צייר בנוסח פשוט
pri′mogen′itor *n.* אב קדמון
pri′mogen′iture *n.* (משפט ה) בכורה
pri•mor′dial *adj.* קדמון, היולי
primp *v.* לקשט; להתפרכס

prim′rose (-z) *n&adj.* רקפת; צהבהב
primrose path/way דרך התענוגות
prim′u•la *n.* בכור־אביב (פרח)
pri′mus *n&adj.* פרימוס; ראשון
pri′mus inter par′es (-ēz) ראשון בין שווים
prince *n.* נסיך, שליט, מלך
Prince Charming נסיך החלומות
prince consort בעל המלכה
princedom *n.* נסיכות
princely *adj.* של נסיך, כיאה לנסיך; אצילי, אדיב
Prince of Darkness השטן
Prince of Peace ישו, משיח
Prince of Wales יורש העצר
prin′cess *n.* נסיכה
prin′cipal *adj.* ראשי, עיקרי
principal *n.* מנהל; ראש מוסד; אחראי ראשי; נגן ראשי; קרן; קורת גג ראשית
principal boy בעל התפקיד הראשי בפנטומימה
prin′cipal′ity *n.* נסיכות
principally *adv.* בעיקר
prin′ciple *n.* עיקרון, פרינציפ, חוק
first principles עיקרים, יסודות
in principle עקרונית, להלכה
live up to one's principles לדבוק בעקרונות (ולחיות לפיהם)
man of principle איש עקרונות
on principle עקרונית, מתוך מניעים מוסריים
principled *adj.* עקרוני
high-principled נעלה־עקרונות
prink *n.* לקשט; להתגנדר
print *n.* דפוס; אותיות; הדפס; תמונה; עיתון; עקבה, סימן
fingerprints טביעת־אצבעות
in print בדפוס; הודפס, מצוי בחנויות
leave its print להותיר רישומו על
out of print אזל (ספר)
print dress שמלה מבד מודפס
rush into print לאוץ לפרסם (ספר)
small print אותיות זעירות
print *v.* להדפיס; לכתוב באותיות דפוס; להידפס; לחרות; להותיר סימן
print money להדפיס/להזרים כסף
print out להוציא תדפיס
printed wallpaper טפט־קיר מודפס
printable *adj.* דפיס, ניתן להדפסה
printed matter דברי דפוס, מידפס
printed papers דברי דפוס, מידפס
printer *n.* מדפיס; בעל דפוס; מדפסת

printer's devil שוליית המדפיס
printing *n.* הדפסה; דפוס; מהדורה; אותיות דפוס
printing house/office/shop בית־דפוס
printing ink דיו־הדפסה, חרתה
printing machine/press מכבש־הדפוס
print-out *n.* תדפיס (של מחשב)
pri′or *adj.* קודם, קודם בחשיבותו
prior to קודם ל־, לפני, טרם
prior *n.* ראש מנזר
pri′oress *n.* מנהלת מנזר
pri•or′ity *n.* עדיפות, (זכות) קדימה
take priority over לזכות בעדיפות
top priority עדיפות עליונה
pri′ory *n.* מנזר
prise (-z) *v.* לפתות, לפרוץ, להוציא
prism (priz′əm) *n.* פריסמה, מנסרה
pris•mat′ic (-z-) *adj.* מנסרתי
prismatic colors צבעים מנסרתיים
pris′on (-z-) *n.* בית סוהר
prison-breaking *n.* בריחה מבית סוהר
prison camp מחנה שבויים
prisoner *n.* אסיר; עציר
prisoner of war שבוי מלחמה
prison visitor מבקר אסירים (לעודדם)
pris′sy *adj.* קפדן (בצורה מרגיזה)
pris′tine (-tēn) *adj.* קדמוני, פרימיטיבי; מקורי, טהור, זך
prith′ee (-dh-) *interj.* אנא!
pri′vacy *n.* פרטיות, צנעה, חשאיות
in privacy בחשאי; בבדידות
pri′vate *adj&n.* אישי; פרטי; סודי; טוראי
in private בחשאי, לא בפומבי
private person אדם פרטי; מתבודד
privates איברי המין, מבושים
private account חשבון אישי/נפרד
private enterprise יוזמה פרטית
pri′vateer′ *n.* (קברניט) ספינת מלחמה
private eye/detective בלש פרטי
private house בית־מגורים, דירה
private member חבר פרלמנט מן השורה (לא שר)
private parts איברי המין, מבושים
private school בית־ספר פרטי
private soldier טוראי
pri•va′tion *n.* מחסור, עוני, מצוקה, סבל; שלילה, מניעה
priv′et *n.* ליגוסטרום (שיח־נוי)
priv′ilege (-lij) *n.* פריבילגיה, זכות, יתרון; יחסנות; טובה, הנאה; חסינות
privileged *adj.* בעל פריבילגיות; מיוחס, יחסן; חסוי, סודי
under-privileged מעוט יכולת, דל
privily *adv.* באורח פרטי; בחשאי
priv′y *adj.* פרטי; חשאי; בעל מידע סודי
privy to בא בסוד ה־
Privy Council מועצת המלך
Privy Purse הוצאת פרטיות (של המלך)
prize *n.* פרס; נכס יקר; שלל, שלל־ספינה; "מציאה" (נחטפת)
consolation prize פרס תנחומים
prize *v.* להוקיר מאוד, להעריך ביותר
prized יקר, יקר־ערך
prize *adj.* שזכה בפרס; ראוי לפרס; מיוחד במינו; מוענק כפרס
prize idiot אידיוט מושלם
prize *v.* לפתות, לפרוץ, להוציא
prize out להוציא, לסחוט (מידע)
prize-fight *n.* קרב אגרוף (לשם כסף)
prize-fighter *n.* מתאגרף (כנ"ל)
prizeman *n.* זוכה בפרס
prize money כספי הפרס; תמורת השלל
prize-ring *n.* זירת אגרוף
pro *n&adv.* בעד, מחייב, תומך
pro and con בעד ונגד
pros and cons התומכים והשוללים; הנימוקים בעד ונגד
pro- (תחילית) תומך, מצדד; פועל במקום־
pronoun כינוי־השם (במקום שם־עצם)
proslavery תומך בעבדות
pro *n.* ⋆מקצוען, שחקן מקצועי; זונה
PRO = public relations officer
prob′abil′ity *n.* קרבה לוודאות; סיכוי; הסתברות; אפשרות, ייתכנות
in all probability קרוב לוודאי
prob′able *adj.* קרוב לוודאי, כמעט ודאי; צפוי, קרוב לאמת, מסתבר
probable *n.* מועמד כמעט ודאי (לנצח)
probably *adv.* קרוב לוודאי
pro′bate′ *n.* אישור צוואה
probate *v.* לאשר (תקפות ה) צוואה
probate copy העתק צוואה מאושר
pro•ba′tion *n.* (תקופת) מבחן, ניסיון
on probation בניסיון, למבחן
2 years' probation (מאסר על תנאי) למשך שנתיים, בשתי שנות מבחן
probationary *adj.* של מבחן, לניסיון
probationer *n.* אחות מתמחה; עבריין

ששוחרר לניסיון; מועמד לחברה דתית
probation officer קצין מבחן
probe *n.* מַבחן, מכשיר בדיקה, מתקן בדיקה; חקירה, בדיקה
probe *v.* לבדוק (במכשיר); לחקור, לחטט
pro'bity *n.* יושר, הגינות; שלמות, תום
prob'lem *n&adj.* בעיה, שאלה; אדם קשה; (מחזה) עוסק בבעיות החברה
prob'lemat'ic *adj.* בעייתי, מפוקפק
problem child ילד בעייתי
pro bo'no pub'lico' לטובת הכלל
probos'cis *n.* חדק (הפיל/החרק); ★אף
proce'dural (-'j-) *adj.* נוהלי
proce'dure (-jər) *n.* נוהל, פרוצדורה, הליך
proceed' *v.* להמשיך; להתקדם; להתחיל
proceed against לנקוט הליך נגד
proceed from לנבוע מ־, לצמוח מ־
proceed to לעבור (הלאה) ל־; להמשיך ל (תואר שני)
proceed with your story המשך בסיפורך; התחל בסיפורך
proceed'ing *n.* התנהגות; פעולה; מעשה
proceedings התדחשויות; פרוטוקול
start proceedings לפתוח בהליכים
way of proceeding דרך פעולה
pro'ceeds *n-pl.* הכנסה, תשואה
proc'ess' *n.* תהליך; שיטה (בייצור); התקדמות; הזמנה לדין; זיז, בליטה
in process מתקדם, בשלבי עשייה
in process of בתהליך; במשך־
proc'ess' *v.* לעבד (מזון/חומר/פילם); להכין, לבדוק
process information לעבד נתונים
process' *v.* לצעוד בסך
proces'sion *n.* תהלוכה, מצעד; ★ (בספורט) ניצחון קל, "טיול"
funeral procession הלוויה
processional *adj&n.* של תהלוכה (דתית); מזמור תהלוכה
process server מחלק הזמנות לדין
proclaim' *v.* להכריז, להודיע על, להצהיר; להעיד על, לגלות, להוות אות
proclaim war להכריז מלחמה
was proclaimed king הוכרז למלך
proc'lama'tion *n.* הכרזה, הצהרה
pro•cliv'ity *n.* נטייה
pro•con'sul *n.* נציב; פרוקונסול
pro•con'sulate *n.* כהונת הפרוקונסול

pro•cras'tinate' *v.* לדחות (למחר)
pro•cras'tina'tion *n.* דחייה, סחבת
pro'cre•ate' *v.* להוליד; להתרבות
pro'cre•a'tion *n.* הולדה
proc'tor *n.* מפקח, משגיח
procu'rable *adj.* בר־השגה, בר־רכישה
proc'u•ra'tor *n.* סוכן, מיופה־כוח
procure' *v.* להשיג, לרכוש; לסרסר לזנות; לגרום, להביא ל־
procurement *n.* השגה, רכישה, רכש
procurer *n.* סרסור, רועה זונות
procuress *n.* סרסורית, מספקת זונות
prod *v&n.* לדחוף, לתקוע (אצבע/מרפק); להמריץ, לעורר; דחיפה; מקל, מַלמד
prod'igal *adj&n.* בזבזני; נדיב, שופע, פורה, עשיר; בזבזן
prod'igal'ity *n.* בזבזנות; שפע
prodi'gious (-dij'əs) *adj.* עצום, כביר; נפלא, מדהים
prod'igy *n.* פלא, דבר נפלא; עילוי
child prodigy ילד פלא
produce' *v.* להציג, להראות; להוציא, לשלוף; להצמיח; ללדת; לייצר; להפיק; ליצור; לגרום; לחולל
produce a film להפיק סרט
produce a line להמשיך/להאריך קו
produce a play להעלות מחזה
produce a sensation לעורר סנסציה
produce eggs להטיל ביצים
produce evidence להביא ראיות
produce lambs להמליט טלאים
pro'duce *n.* תוצרת; יבול
produ'cer *n.* יצרן; מפיק
prod'uct *n.* תוצרת; מוצר, תוצר; פרי־יצירה; תוצאה, תולדה; מכפלה
produc'tion *n.* ייצור; יצירה; תפוקה; הפקה; הצגה
production of a ticket הצגת כרטיס
production line קו ייצור
produc'tive *adj.* פרודוקטיבי, יוצר, פורה, יצרני; מועיל, מביא ברכה
productive land אדמה פורייה
productive of גורם, יוצר, מביא ל־
prod'uctiv'ity *n.* פרודוקטיביות, פוריות, פריון עבודה, יצרנות
pro'em' *n.* מבוא, הקדמה
prof = professor
prof'ana'tion *n.* חילול (הקודש)
profane' *v.* לחלל (הקודש); לטמא
profane *adj.* מחלל (הקודש), מגדף; גס; חילוני, לא מקודש

חובה; (חשבון) פרופורמה
profound′ *adj.* עמוק, מעמיק, עז, רב
profound silence שקט מוחלט
profound thinker עמקן
profoundly *adv.* עמוקות, מעומק הלב
profun′dity *n.* עומק, מחשבה עמוקה
profuse′ *adj.* שופע, רב, נדיב, פזרני
profu′sion (-zh∂n) *n.* שפע, ריבוי
prog *n&v.* ⋆מפקח; להאשים בעבירה
pro•gen′itor *n.* אב קדמון; אב, יוצר (שיטה חדשה)
prog′eny *n.* צאצאים, פרי־בטן
prog′nathous *adj.* (לסת) בולטת; לסתני
prog•no′sis *n.* פרוגנוזה, סכייה, סכות
prog•nos′tic *n&adj.* אות, מבשר, מנבא
prog•nos′ticate′ *v.* לנבא, לצפות
prog•nos′tica′tion *n.* ניבוי
pro′gram′ *n.* תוכנית; תוכנייה
program *v.* להתוות תוכנית; לתכנת
programme = program
programmed course קורס תוכניתי (שבו הלומד מתקדם שלב־שלב)
programmed learning לימוד עצמי בקורס תוכניתי
programme music מוסיקה תוכניתית
programme note תיאור קצר, הסבר קצר (בתוכנייה)
pro′gram′mer *n.* מתכנת, תוכניתן
prog′ress′ *n.* התקדמות; קדמה
in progress מתקדם, בעיצומו
make progress להתקדם
progress′ *v.* להתקדם
progres′sion *n.* התקדמות; טור
progres′sive *adj&n.* מתקדם, פרוגרסיבי; מודרני, בן־זמננו; הולך ומחמיר
progressively better הולך ומשתפר
pro•hib′it *v.* לאסור; למנוע, לפסול
pro′hibi′tion (-bi-) *n.* איסור; צו־איסור; איסור מכירת משקאות חריפים
prohibitionist *n.* תומך באיסור מכירת משקאות חריפים
pro•hib′itive *adj.* אוסר, מונע
prohibitive price מחיר מופרז
pro•hib′ito′ry *adj.* אוסר, מונע
proj′ect′ *n.* תוכנית; מפעל; פרוייקט
project′ *v.* לתכנן; לבלוט; להבליט; להטיל, להשליך; להקרין; להציג תדמית
project a missile לשגר טיל

profane art אמנות חילונית
profan′ity *n.* חילול הקודש, גסות
profanities חירופים, נאצות
profess′ *v.* לטעון; להתיימר, להעמיד פנים; להאמין ב־; לעסוק ב־; ללמד
profess a belief/an interest in לטעון שהוא מאמין/מתעניין ב־
profess gaiety להפגין שמחה (מעושה)
profess law להיות עורך־דין
profess mathematics להיות מרצה למתימטיקה
profess Judaism להצהיר על אמונתו ביהדות
professed *adj.* מוצהר, מושבע; מעמיד פנים, מזויף; מוסמך (למסדר דתי)
professedly *adv.* לטענתו, כמוצהר
profes′sion *n.* מקצוע; אנשי המקצוע (כגוף/ארגון); הצהרה, הודאה
professional *adj&n.* מקצועי; מקצוען
turn professional להפוך למקצוען
professionalism *n.* מקצועיות; מקצוענות
profes′sor *n.* פרופסור, מורה
prof′esso′rial *adj.* של פרופסור
professorship *n.* פרופסורה
prof′fer *v&n.* להציע; הצעה
profi′ciency (-fish′∂n-) *n.* מומחיות
profi′cient (-fish′∂nt) *adj.* מומחה, בקי
pro′file′ *n.* פרופיל, צדודית, דיוקן
low profile פרופיל נמוך, אי התבלטות
profile *v.* להציג בפרופיל; לשרטט דיוקן
prof′it *n.* רווח; תועלת, יתרון, טובה
gross profit רווח ברוטו
net profit רווח נטו
read for profit/to one's profit לקרוא לשם רכישת השכלה
sell at a profit למכור ברווח
profit *v.* להפיק רווח; להצמיח תועלת
profit by/from להפיק תועלת מ־
profited me nothing לא הועיל לי
profitable *adj.* רווחי; תועלתי, מועיל
profit and loss רווח והפסד
prof′iteer′ *n&v.* רווחן, ספסר, מפקיע מחירים; להפקיע מחירים
profitless *adj.* חסר־תועלת
profit margin הפרש־הרווח, הבדל בין העלות ומחיר המכירה
profit sharing חלוקת רווחים
prof′ligacy *n.* הוללות; בזבזנות
prof′ligate *adj&n.* הולל, מופקר; בזבזן
pro for′ma למען הסדר; לצאת ידי

project a map להטיל מפה, לעשות היטל/השלכה של מפה
project oneself ליצור תדמית חיובית
project onto להטיל על (הזולת)
projected *adj.* מתוכנן
projec'tile (-til) *n&adj.* טיל, קליע; ניתן לשיגור, בר־שיגור
projecting *adj.* בולט
projec'tion *n.* תכנון; השלכה; הטלה; היטל, פרוייקציה; הקרנה; בליטה
projectionist *n.* מקרין, מטולן
projection room חדר הקרנה
projector *n.* מטול, מקרן, זרקור
pro•lapse' *v.* לצנוח, להישמט, לשקוע
pro'lapse' *n.* צניחה, שמיטה, שקיעה
prolapsed uterus רחם צנוחה
prole *n.* פועל, חבר הפרוליטריון
pro'legom'ena *n.* הקדמה, מבוא
pro'leta'rian *adj&n.* פועל, פרוליטארי, חבר הפרוליטריון
pro'leta'riat *n.* פרולטריון
pro•lif'erate' *v.* להתרבות במהירות
pro•lif'era'tion *n.* התרבות, התפשטות
non-proliferation אי־הפצה (נשק)
pro•lif'ic *adj.* פורה, שופע; מתרבה
pro•lix' *adj.* משעמם, ארוך, ארכן
pro•lix'ity *n.* ארכנות, רוב מלים
pro•log' (-lôg) *n.* פרולוג, פתיחה
prologue = prolog
pro•long' (-lông) *v.* להאריך
pro'lon•ga'tion (-lông-) *n.* הארכה
prolonged *adj.* ארוך, ממושך
prom = promenade
prom'enade' *n.* נשף ריקודים; טיול; טיילת; רחבת־טיול (בתיאטרון), מטולה
promenade *v.* לטייל, לקחת עמו לטיול
promenade concert קונצרט־טיול (שבו חלק מהקהל מאזין בעמידה)
promenade deck סיפון הטיילת
promenader *n.* שוחר קונצרטי־טיול
prom'inence *n.* התבלטות; בליטה
bring into prominence להבליט
come into prominence להתבלט
prom'inent *adj.* בולט; חשוב; ידוע
prom'iscu'ity *n.* ערבוב, אי־אבחנה; הפקרות, זנות, נאפופים
promis'cuous (-kūəs) *adj.* מעורבב, לא מבחין; (יחסי מין) מגוונים; מופקר, נאפופי
prom'ise (-mis) *n&v.* הבטחה; תקווה; להבטיח; לגרום לתקווה; לבשר

as good as one's promise נאה דורש ונאה מקיים
break a promise להפר הבטחה
bring promise לעורר תקווה
it promises to be a fine day בטח יהיה יום נאה
promise well לעורר ציפיות
show promise להיות מבטיח, לעורר תקוות, לגלות סימני הצלחה
I promise you אני מבטיח לך, אין ספק בכך
Promised Land הארץ המובטחת
promising *adj.* מבטיח, בעל עתיד מבטיח
prom'isso'ry *adj.* של הבטחה
promissory note שטר חוב
prom'onto'ry *n.* צוק, כף, ראש יבשה
promote' *v.* לקדם (בדרגה); לסייע; לארגן; לייסד; לעודד, לעורר, לגרום
promote a bill להגיש הצעת חוק
promote a product לפרסם מוצר
promote sales לקדם מכירות
promoter *n.* יוזם, מקדם
promo'tion *n.* קידום (בדרגה); סיוע; ארגון; ייסוד; עידוד; מוצר מתפרסם
sales promotion קידום מכירות
prompt *adj.* מיידי, מוכן; זריז, מהיר
at 12 prompt בשעה 12 בדיוק
prompt *v.* להניע, לדחוף; לעורר, לעודד; לעזור; ללחוש (לשחקן/לנואם)
prompt a witness לרמוז לעד כיצד להמשיך
prompt thoughts לעורר מחשבות
prompt *n.* לחישה לשחקן
prompt box תא הלחשן
prompt copy עותק (שבידי) הלחשן
prompter *n.* לחשן
promp'titude' *n.* זריזות, נכונות
promptly *adv.* מיד, מהר; בדיוק
prom'ulgate' *v.* לפרסם רשמית; להפיץ
prom'ulga'tion *n.* פרסום, הפצה
prone *adj.* (שוכב) על בטנו, אפיים ארצה; נוטה ל־, מועד ל־
accident prone נוטה לתאונות
prong *n&v* שן (של קלשון); חוד (של קרן) לדקור/להפוך/להעמיס בקלשון
2-pronged attack התקפה בשני ראשים
pro•nom'inal *adj.* של כינוי־השם
pro'noun' *n.* כינוי־השם, כינוי
pronounce' *v.* לבטא; להודיע, להצהיר,

להכריז; להביע דיעה; לפסוק
pronounce for לפסוק לטובת
pronounce oneself לחוות דעתו
pronounceable *adj.* בר־ביטוי
pronounced *adj.* מוגדר, מוצהר; מובהק, ניכר, בולט
pronouncement *n.* הודעה, הצהרה
pron′to *adv.* ⋆מהר, תכף ומיד
pronun′ciamen′to *n.* הודעה, מיצהר
pronun′cia′tion *n.* מיבטא
proof (proo͞f) *n.* הוכחה; ראיה; מבחן; טיוטת הגהה; עוצמת־כוהל
capable of proof בר־הוכחה, יכיח
put to the proof להעמיד במבחן
stand the proof לעמוד במבחן
20 per cent under proof 20 אחוזים מתחת לעוצמה התקנית
proof *adj.* חסין, מחוסן, עמיד; אטים; של עוצמה (כוהלית)
bullet-proof חסין־קליעים
proof *v.* לחסן, לאטם; להגיה
proofread *v.* להגיה
proofreader *n.* מגיה
proof sheet עלה־הגהה
proof spirit כוהל תקני
prop *n.* משענת, סמוכה, עמוד; תומך
clothes prop עמוד (לחבל־) כביסה
prop and stay תומך ומעודד
prop *v.* לתמוך, להשעין
prop a door open with a chair להחזיק הדלת פתוחה בעזרת כיסא
prop against להשעין על
prop up לתמוך
prop = propeller, property
prop′agan′da *n.* תעמולה, פרופגנדה
prop′agan′dist *n.* תעמלן, תועמלן
prop′agan′dize *v.* לנהל תעמולה
prop′agate′ *v.* להפרות; להפיץ; להעביר; להתפשט; להתרבות
prop′aga′tion *n.* הפצה; התפשטות
propagator *n.* מפיץ
pro′pane *n.* פרופן (גאז)
propel′ *v.* לדחוף, להניע קדימה
propel′lant *adj&n.* דוחף, הודף; חומר נפץ (להפלטת כדור, להזנקת טיל)
propellent = propellant
propel′ler *n.* מדחף, פרופלר
propelling pencil עיפרון בורגי
propen′sity *n.* נטייה, תכונה מיוחדת
prop′er *adj.* נכון, מתאים; יאה; נאה; הגון; מושלם; כהוגן; ממש, גופא
a proper fool טיפש גמור
proper time שעה מדויקת
proper to שייך ל־, מיוחד ל־
Haifa proper חיפה גופא (לא הפרוורים)
proper fraction שבר אמיתי (פשוט)
properly *adv.* היטב, כהלכה; כהוגן
properly speaking למען הדיוק
proper noun/name שם־עצם פרטי
propertied *adj.* בעל נכסים
prop′erty *n.* נכס; רכוש, מקרקעין; אחוזה; בעלות; תכונה, סגולה; חפץ בימתי
common/public property נחלת הכלל
man of property עתיר־נכסים
personal property מיטלטלים
real property מקרקעין, נדל"ן
property man/master אחראי על החפצים הבימתיים
proph′ecy *n.* נבואה
proph′esy′ *v.* לנבא; להתנבא
proph′et *n.* נביא, חוזה; חלוץ־רעיון
prophet of doom רואה־שחורות
Prophets נביאים (בתנ"ך)
proph′etess *n.* נביאה
prophet′ic *adj.* נביאי; נבואי, חזוני
pro′phylac′tic *adj&n.* תמנעי, מונע מחלה, פרופילקטי; אמצעי מניעה
pro′phylax′is *n.* טיפול מונע
pro•pin′quity *n.* קרבה, דמיון
propi′tiate′ (-pish-) *v.* לפייס
propit′ia′tion (-pish-) *n.* פיוס
propit′iato′ry (-pish-) *adj.* מפייס
propi′tious (-pish′əs) *adj.* מתאים, נוח, נעים; (סימן) טוב, של רצון טוב
prop′jet′ *n.* מדחף סילון־טורבינה
propo′nent *n.* תומך, חסיד; מציע
propor′tion *n.* פרופורציה, יחס; חלק, שיעור, אחוז; (במתימטיקה) מתכונת
in proportion בפרופורציה נכונה
in proportion to לפי, ביחס ל־
out of (all) proportion ללא כל פרופורציה
proportions מידות, ממדים, גודל
sense of proportion חוש פרופורציה
proportion *v.* לתאם, להתאים
proportional *adj.* פרופורציונלי, יחסי, מתכונתי
proportionally *adv.* יחסית
proportional representation ייצוג יחסי, בחירות יחסיות
propor′tionate *adj.* פרופורציוני

propo′sal (-z-) *n.* הצעה; תוכנית; הצעת נישואים
propose′ (-z) *v.* להציע; להתכוון, לתכנן; להציע נישואים
propose a toast/his health לשתות לחייו, להרים כוסית
prop′osi′tion (-zi-) *n.* הצעה; תוכנית; בעיה; הנחה; (בהנדסה) משפט; טענה; הצעה מגונה
tough proposition אגוז קשה
proposition *v.* להציע הצעה מגונה*
propound′ *v.* להציע, להעלות, להביא
propound a riddle לחוד חידה
propri′etar′y (-teri) *adj.* של בעלים, קנייני; מתאדן, כמו אדון
proprietary medicine רפואה פטנטית
proprietary name שם מסחרי (מוגן)
propri′etor *n.* בעל, בעלים, אדון
propri′etress *n.* בעלה (בעלת־המלון)
propri′ety *n.* הגינות, קורקטיות, נימוס; התאמה, נכונות
proprieties כללי התנהגות
propul′sion *n.* דחיפה, כוח הנעה
jet propulsion הינע סילון
propul′sive *adj.* דוחף, מניע קדימה
pro′pylene′ *n.* פרופילן (גאז)
pro ra′ta באופן יחסי, בפרופורציה
pro′roga′tion *n.* נעילת ישיבה, דחייה
pro•rogue′ (-rōg′) *v.* לנעול ישיבה, לדחות (המשך) הדיון (למועד אחר)
pro•sa′ic (-z-) *adj.* פרוזאי, יבש, פשוט
pro•sce′nium *n.* קדמת הבימה
pro•scribe′ *v.* לאסור, להחרים; להכריז כמסוכן; להוציא אל מחוץ לחוק
pro•scrip′tion *n.* איסור, החרמה
prose (-z) *n.* פרוזה, סיפורת
pros′ecute′ *v.* להעמיד לדין, לתבוע; לעסוק, לנהל, להמשיך, להתמיד ב־
prosecute an inquiry לנהל חקירה
pros′ecu′tion *n.* תביעה; המשכה
in the prosecution of בעיסוקו כ־, במסגרת (תפקידו)
pros′ecu′tor *n.* תובע
pros′elyte′ *n&v.* גֵר; מומר; עריק פוליטי; לגייר; להתגייר; להפוך עורו
pros′elytize′ *v.* לגייר; לעשות נפשות
pros′ody *n.* תורת המשקל, פרוסודיה
pros′pect′ *n.* תקווה, סיכוי, אפשרות סבירה; נוף; מראה, מחזה; (מועמד) צפוי; לקוח אפשרי
in prospect צפוי, בעתיד הקרוב
I don't like the prospect of אני נרתע מפני הרעיון (הסיכוי) ש־
prospect *v.* לחפש (זהב, נפט)
prospec′tive *adj.* צפוי, עתידי, אפשרי, (מועמד) כמעט ודאי
prospector *n.* מחפש (זהב, נפט)
prospec′tus *n.* פרוספקט, תוכנייה, תסביר, תשקיף
pros′per *v.* להצליח, לשגשג, להתפתח
pros•per′ity *n.* הצלחה, שגשוג, שפע
pros′perous *adj.* מצליח, משגשג; עשיר
pros′tate′ *n.* ערמונית, פרוסטאטה
pros•the′sis *n.* קביעת איברים תותבים; פרותיזה, איבר תותב
pros′titute′ *n&v.* זונה; לזנות; למכור (כישרון/כבוד) בעד בצע־כסף
prostitute herself למכור גופה
pros′titu′tion *n.* זנות
pros′trate′ *adj.* משתטח, אפיים ארצה; מנוצח, חסר־אונים
prostrate with grief הלום־יגון
prostrate *v.* להפיל; להכניע; להכריע
prostrate oneself להשתחוות; להשתטח; להתרפס
pros•tra′tion *n.* אפיסת־כוחות; חוסר־אונים; השתחוויה; השתטחות
pros′y (prō′zi) *adj.* פרוזאי, משעמם
pro•tag′onist *n.* שחקן ראשי, גיבור; תומך (ברעיון), נושא דגל
pro•te′an *adj.* לובש צורות שונות
protect′ *v.* להגן על, לשמור; לבטח
protected *adj.* מוגן
protec′tion *n.* הגנה, שמירה; מגן; ביטוח; פרוטקשן, דמי־סחיטה
protectionism *n.* מדיניות־מגן
protectionist *n.* חסיד מדיניות־מגן
protection racket אירגון פרוטקשן
protec′tive *adj.* מגן, הגנתי
protective coloring/coloration צבע מגן, צבע הסוואה
protective custody מעצר הגנתי
protective foods מזון בריאות
protective tariff מכס־מגן
protector *n.* מגן, שומר
protec′torate *n.* ארץ־חסות
pro′tégé (-tǝzhā) *n.* בן־חסות
pro′tégée (-tǝzhā) *n.* בת־חסות
pro′tein (-tēn) *n.* פרוטאין, חלבון
pro tem′(pore) (-ri) *adv.* זמנית
pro′test′ *n.* מחאה; פרוטסט, העדה
enter a protest להגיש מחאה

under protest באי־רצון, מתוך מחאה
without protest בדומייה
protest′ *v.* למחות (על); לטעון בתוקף, להצהיר
Prot′estant *n&adj.* פרוטסטנט(י)
Protestantism *n.* פרוטסטנטיות
prot′esta′tion *n.* הצהרה; מחאה
protest movement תנועת מחאה
pro′to- ראשון, אב־, קדם־
prototype אב־טיפוס
pro′tocol′ *n.* פרוטוקול, תקנון־נוהג, זכרון־דברים, דו"ח
pro′ton′ *n.* פרוטון (חלקיק באטום)
pro′toplasm′ (-plaz′əm) *n.* פרוטופלאסמה, אבחומר
pro′totype′ *n.* אב־טיפוס, פרוטוטיפוס
pro′tozo′a *n-pl.* אבחיים, פרוטוזואה, חד־תאיים
pro′tozo′on *n.* אבחי, פרוטוזואון, קידומית
pro•tract′ *v.* להאריך, למתוח
protracted *adj.* ארוך, ממושך
pro•trac′tion *n.* הארכה, הימשכות
pro•trac′tor *adj.* מדזווית
pro•trude′ *v.* לבלוט; להבליט
pro•tru′sion (-zhən) *n.* הבלטה; היבלטות; בליטה
pro•tru′sive *adj.* בולט
pro•tu′berance *n.* בליטה; תפיחה
pro•tu′berant *adj.* בולט
proud *adj.* גא, גאה; יהיר, שחצן; נפלא, מרשים
do proud למלא גאווה, לחלוק כבוד
proud sight מחזה נהדר, מראה נפלא
proud flesh תפיחת בשר (מסביב לפצע)
provable *adj.* שאפשר להוכיחו, יכיח
prove (pro͞ov) *v.* להוכיח; לבחון, לנסות; להראות; להימצא, להתברר
it goes to prove זה מעיד/מוכיח
prove a will לאמת (תקפות) צוואה
proved true אומת, נמצא נכון
the book proved (to be) very good הספר (כך נתברר) טוב מאוד
he proved to be התברר שהוא
prov′en (pro͞ov-) *adj.* מוכח, בדוק
not proven לא הוכחה (אשמה)
prov′enance *n.* מוצא, מקור
prov′ender *n.* מספוא; ⋆מזון
prov′erb *n.* פתגם, מימרה; משל, שם דבר
Proverbs משלי (בתנ"ך)
prover′bial *adj.* פתגמי; ידוע, מפורסם

provide′ *v.* לספק, לתת, להעניק; לקבוע
provide against לנקוט צעדים לקראת/נגד; לאסור
provide for לפרנס, לקיים, לדאוג ל־; להכין ל־; לספק; להתיר, לאפשר
the law provides החוק קובע (ש־)
provided *conj.* בתנאי ש־, רק אם־
prov′idence *n.* ההשגחה, אלוהים; מזל משמיים; דאגה, חיסכון; זהירות
prov′ident *adj.* דואג לעתיד, חסכני
provident fund קופת תגמולים
prov′iden′tial *adj.* השגחי; בר־מזל
provider *n.* מפרנס; סַפָּק
providing *conj.* בתנאי ש־, רק אם־
prov′ince *n.* מחוז, איזור; פרובינציה, מושבה; תחום, שטח
the provinces ערי־השדה
provin′cial *adj&n.* פרובינציאלי, קרתני, כפרי, מוגבל, צר־אופק
provincialism *n.* קרתנות
proving ground שדה־ניסויים
provi′sion (-vizh′ən) *n.* הספקה; ציוד; הכנות, דאגה; אספקה; מזון; תנאי
make provision לנקוט אמצעים, לדאוג; לעשות הכנות, להתכונן
with the provision that בתנאי ש־
provision *v.* לצייד, לספק מזון
provi′sional (-vizh′ən-) *adj.* זמני, ארעי, פרוביזורי
provisionally *adv.* זמנית, לפי שעה
provi′so (-z-) *n.* תנאי
with the proviso that בתנאי ש־
provi′sory (-z-) *adj.* כפוף לתנאי, מכיל תנאי; פרוביזורי, זמני
prov′oca′tion *n.* פרובוקציה, התגרות; עוקבה; שיסוי, הקנטה, גירוי
provoc′ative *adj.* מעורר; מגרה; פרובוקטיבי
provoke′ *v.* להרגיז, להתגרות ב־; לעורר, לגרום; לגרות
provoke into להביא לידי, לאלץ
provoking *adj.* מרגיז
pro′vost *n.* ראש מכללה; ראש עיר
provost marshal מפקד משטרה צבאית
prow *n.* חרטום (הספינה)
prow′ess *n.* גבורה, אומץ; כישרון יוצא מן הכלל
prowl *v.* לשחר לטרף; לחפש, להסתובב
prowl *n.* חיפוש, סיבוב, שוטטות
on the prowl משחר לטרף

prowl car מכונית שיטור, ניידת
prowler *n.* משוטט; גנב
prox *adj.* בחודש הבא, לחודש הבא
prox′imal *adj.* קרוב, מקורב, סמוך
prox′imate *adj.* הקרוב ביותר, סמוך
prox•im′ity *n.* קרבה, סמיכות
in the proximity of קרוב ל־
proximity fuse מרעום קרבה (המפעיל את הפגז בקרבת המטרה)
prox′imo′ *adj.* שבחודש הבא
prox′y *n.* ייפוי כוח, הרשאה; בא־כוח
by proxy באמצעות בא־כוח
prude *n.* מתחסד, מצטנע, אנין־נפש
pru′dence *n.* זהירות, פיקחות
pru′dent *adj.* זהיר, פיקח, שוקל צעדיו
pru•den′tial (proo-) *adj.* זהיר, פיקחי
pru′dery *n.* הצטנעות, אנינות־נפש
pru′dish *adj.* מצטנע, מפריז בצניעות, מזדעזע (כביכול) מניבול־פה
prune *n.* שזיף מיובש; ★טיפש
full of prunes ★טיפש
prune *v.* לגזום, לקצץ, לחתוך, לסלק
prune away/back/down לגזום, לסלק
pruners *n-pl.* מזמרה, מספריי־גיזום
pruning *n.* גיזום, קיצוץ
pruning knife/hook מזמרה
pru′rience, -cy *n.* תאוותנות
pru′rient *n.* תאוותני, שטוף זימה
pru•ri′tus (proo-) *n.* עקצוץ, גירוי
Prus′sian (-shən) *adj.* פרוסי
prussian blue כחול עז
prus′sic acid חומצה פרוסית/קטלנית
pry *v.* להציץ, לחטט בעסקי הזולת
pry about להתבונן בסקרנות
pry off/open לפתוח, לפרוץ, להסיר
pry out להוציא, לסחוט (מידע)
ps = postscript, public school
psalm (säm) *n.* מזמור (בתהילים)
psalm′ist (säm-) *n.* מחבר מזמורים; דוד המלך, מחבר תהילים
psal′modize′ (säm-) *v.* לתהלל
psal′mody (säm-) *n.* (קריאת) פרקי תהילים, זמרת מזמורים, תהלילה
Psalms (sämz) *n-pl.* תהילים (בתנ״ך)
Psal′ter (sôl-) *n.* ספר תהילים, תהילימון (לזמרה)
psal′tery (sôl′) *n.* נבל (קדום)
pse•phol′ogy (si-) *n.* מדע הבחירות, חקר הנטיות בקרב המצביעים
pseu′do (sōō′-) *adj.* פסידו־, מדומה, מזויף, כביכול
pseu′donym (sōō′-) *n.* שם בדוי, פסידונים, כינוי ספרותי
pseu•don′ymous (sōō-) *adj.* בשם בדוי
pshaw *interj.* אוף! (קריאה)
psit′taco′sis (s-) *n.* פסיטקוסיס (מחלת עופות)
psori′asis (s-) *n.* ספחת, מחלת עור
psyche (sī′ki) *n&v.* נפש האדם
psyche out ★להבין, לחדור לנשמת־; להשתגע
psyched up ★דרוך, מוכן
psy′chedel′ic (sīk-) *adj&n.* פסיכודלי, (סם) משפיע על הנפש/החושים
psy′chiat′ric (sīk-) *adj.* פסיכיאטרי
psychi′atrist (sikī′-) *n.* פסיכיאטר, נפשאי
psychi′atry (sikī′-) *n.* פסיכיאטרייה, חקר מחלות הנפש
psy′chic (sī′k-) *n.* בעל כוח על־טבעי, מדיום, דורש אל המתים
psy′chic (al) (sī′k-) *adj.* פסיכי, נפשי, רוחני; על־טבעי, על־פיסי
psychical research חקר התופעות העל־טבעיות
psy′cho (sī′kō) *n.* פסיכי, מופרע; (תחילית) פסיכו־, נפשי
psy′cho•anal′ysis (sīk-) *n.* פסיכואנליזה
psy′cho•an′alyst (sīk-) *n.* פסיכואנליטיקאי
psy′cho•an′alyt′ic (sīk-) *adj.* פסיכואנליטי
psy′cho•an′alyze′ (sīk-) *v.* לטפל בשיטה פסיכואנליטית
psy′cholog′ical (sīk-) *adj.* פסיכולוגי
psychological moment רגע פסיכולוגי/מכריע/גורלי; שעה נוחה
psychological warfare מלחמה פסיכולוגית
psychol′ogist (sik-) *n.* פסיכולוג
psychol′ogy (sik-) *n.* פסיכולוגיה, תורת הנפש; אופי, מנטליות
psy′chopath′ (sī′k-) *n.* פסיכופת
psy′chopath′ic (sīk-) *adj.* פסיכופתי
psy•cho′sis (sīk-) *n.* פסיכוזה, הפרעה נפשית
psy′cho•somat′ic (sīk-) *adj.* פסיכוסומטי, קשור בגוף ובנפש
psy′cho•ther′apy (sīk-) *n.* פסיכותרפיה
psy•chot′ic (sīk-) *adj.* מופרע
pt = part, payment, pint, point

PT = physical training
pto = please turn over
Ptol′ema′ic system (t-) שיטת תלמי (שלפיה הארץ במרכז היקום)
pto′maine (t-) *n.* פטומאין (רעל)
pub *n.* מסבאה, פאב; פונדק
pub-crawl *n&v.* ★ (לעשות) סיבוב במסבאות (ללגימת כוסית)
pu′berty *n.* בגרות מינית, התבגרות
pu•bes′cent (pū-) מתבגר, שהגיע לבגרות
pu′bic *adj.* של הערווה
pu′bis *n.* אגן הירכיים הקידמי
pub′lic *adj.* ציבורי, כללי; פומבי
be in the public eye להיראות תכופות בציבור, להיות בכותרות
go public להפוך לחברה ציבורית
make public לפרסם, להודיע לכל
public *n.* ציבור, קהל
an admiring public קהל־מעריצים
in public בפומבי, בפרהסיה
public-address system מערכת רמקולים (להשמעת נאומים לציבור)
pub′lican *n.* בעל בית־מרזח
public assistance תמיכה סוציאלית
pub′lica′tion *n.* פרסום, הוצאה לאור; ספר, כתב־עת
public bar באר עממי, מזנון זול
public convenience שירותים
public enemy אויב העם, פושע
public house מסבאה, פאב; פונדק
pub′licist *n.* פובליציסט, עיתונאי, סופר; סוכן פרסום
pub•lic′ity *n.* פרסום; פרסומת; פומבי
publicity agent סוכן פרסום
pub′licize′ *v.* לפרסם
public nuisance מטרד ציבורי; עבירה ציבורית
public opinion דעת הקהל
public opinion poll משאל דעת הקהל
public ownership בעלות המדינה
public prosecutor תובע מטעם המדינה
public purse קופת המדינה
public relations יחסי ציבור
public relations officer קצין יחסי ציבור
public school (בארה"ב) בית־ספר ציבורי; (בבריטניה) בית־ספר פרטי
public servant עובד מדינה
public spirit נפש ציבורית, נכונות לשרת את הציבור
public-spirited *adj.* בעל נפש ציבורית
public transport תובלה ציבורית
public utility חברה לאספקת שירות ציבורי
public works עבודות ציבוריות
pub′lish *v.* להוציא לאור; לפרסם
publisher *n.* מוציא לאור, מו"ל
puce *n&adj.* חום־ארגמן
puck *n.* דיסקוס־גומי (בהוקי־קרח); שֵׁד, קונדס
puck′er *v&n.* לכווץ (שפתיים/גבות); לקמט; להתקמט; קמט
puck′ish *adj.* שדוני, שובבני, קונדסי
pud (pood) *n.* ★חביצה, פודינג
pud′ding (pood-) *n.* חביצה, פודינג, רפרפת; פשטידה; ★עיסה, בוץ
black pudding נקניק (שחור)
pudding face פרצוף גדול ושמן
pudding head ★טיפש
pudding stone תלכיד, קונגלומראט
pud′dle *n.* שלולית; טיט, תערובת (למניעת חלחול מים)
puddle *v.* לערבב; ליצור תערובת (כנ"ל); לגבול ברזל מותך
puddler *n.* גבל־ברזל
pu′dency *n.* ביישנות, צניעות
pu•den′da (pū-) *n-pl.* איברי המין החיצוניים
pudg′y *adj.* גוץ, עבה, שמן
pueb′lo (pweb-) *n.* כפר אינדיאני
pu′erile (pyoor′il) *adj.* ילדותי, שטותי
pu′eril′ity (pyoor-) *n.* ילדותיות; שטות
pu•er′peral (pū-) *adj.* של לידה
puff *n.* נשיפה, שאיפה; נשימה; פליטה (של עשן); דבר קל/מוכי/תפוח; שבח מופלג; עוגה ממולאת, פחזנית
cream puff פחזנית (עוגה)
out of puff חסר־נשימה, מתנשף
powder puff כרית פידור
puff sleeve שרוול מנופח
puff *v.* לנשוף; להתנשם; לנפח; לעשן; לפלוט (עשן); לנוע בהתנשפות
puff a book להפליג בשבח הספר
puff and blow/pant להתנשם
puff out לנפח (שיער); לכבות בנשיפה
puff up לנפח; להתנפח; לתפוח
puff (away) at a pipe לעשן/למצוץ מקטרת (בלי הרף)
puffed up מנופח, חדור גאווה
puff adder נחש ארסי מתנפח
puff-ball *n.* פטרייה דמויית כדור

puff box קופסת פידור
puffed *adj.* חסר־נשימה, מתנשם
puff′er *n.* דג־הכדור; ★קטר
puf′fin *n.* פרטרקולה (עוף־ים)
puff pastry בצק עלים
puff′y *adj.* נפוח, שמן; חסר־נשימה
pug *n.* פג (כלב דמוי־בולדוג); חמר, חומר; עקבות חיה; ★מתאגרף
pug *v.* לגבול; למלא בחומר (לאטימה)
pu′gilism *n.* אגרוף, התאגרפות
pu′gilist *n.* אגרופן, מתאגרף
pu′gilis′tic *adj.* של אגרוף
pug mill מַגבלת־חומר
pug•na′cious (-shəs) *adj.* אוהב מדון, שש לקרב
pug•nac′ity *n.* אהבת מדון
pug nose אף סולד/קצר/רחב
pug-nosed *adj.* בעל אף סולד
puis′sance (pwis-) *n.* דילוג משוכות (של סוסים); כוח, עוצמה
puke *v&n.* ★להקיא; הקאה
pul′chritude′ (-k-) *n.* יופי
pul′chritu′dinous (-k-) *adj.* יפה
pule *v.* לייבב, לבכות
pull (pool) *v.* למשוך, לגרור; להוציא; לקטוף; לחתור; לפספס; ★לשדוד, לגנוב
pull (in) crowds למשוך קהל
pull (out) a tooth לעקור שן
pull a fast one on לרמות
pull a gun on לשלוף ולכוון אקדח
pull a muscle למתוח שריר
pull a proof להדפיס טיוטת־הגהה
pull about למשוך לכאן ולכאן
pull ahead of לחלוף על פני־, לנסוע לפניו
pull an oar לתפוש משוט
pull apart לקרוע לגזרים (בביקורת)
pull at למשוך ב־; למצוץ (מקטרת); ללגום (לגימה ארוכה) מ־
pull away להשתחרר; להתרחק, להותיר מאחור; להתחיל לנוע
pull back לסגת; לרסן ההוצאות
pull down להרוס; להחליש, לערער הבריאות; לדכא; להרוויח (כסף); להפיל
pull for לקוות להצלחת־, לתמוך
pull in להיכנס לתחנה; להתקרב ולעצור; לאסור, לעצור
pull in money להרוויח, לעשות כסף
pull off להצליח; לזכות; לנוע לשולי־הכביש
pull on/off ללבוש/לחלוץ (גרב/מגף)
pull one's weight למלא מכסת עבודתו, לעשות מלאכתו; לנצל משקלו בחתירה
pull oneself in להכניס הכרס; להזדקף
pull out לצאת; להוציא; להגיח; לתלוש; לנטוש, למשוך ידו
pull over לנוע לצד הכביש
pull round להתאושש; להשיב לאיתנו
pull strings/wires למשוך בחוטים
pull the trigger ללחוץ על ההדק
pull through להצליח, להתגבר, להתאושש; להשיב לאיתנו; להעביר, לעזור
pull to pieces לקרוע לגזרים
pull together לפעול בצוותא; לרסן עצמו; לקחת (עצמו/העסק) בידיים
pull up לעצור; להדביק, להשיג; לשפר מצבו; לגעור, לנזוף
pull votes למשוך קולות (מצביעים)
the boat pulls 4 oars הסירה היא בעלת 4 משוטים
pull *n.* משיכה; עלייה, טיפוס; פרוטקציה, השפעה; שייט; פספוס, החטאה; טיוטת־הגהה; ידית־משיכה
a pull at a bottle לגימה מבקבוק
a pull at a pipe מציצה ממקטרת
long pull זמן רב, מרחק רב
pull-back *n.* נסיגה
pul′let (pool-) *n.* פרגית
pul′ley (pool-) *n.* גלגילה, גלגלת
pulley block בית הגלגלת
pull-in *n.* מזנון (לנהגים) בצד הדרך
Pull′man (pool-) *n.* קרון שינה; קרון בעל מושבים ושירות נוחים
pull-out *n.* דף תליש; נטישה, יציאה
pullover *n.* מפשול, אפודה, פולובר
pull-through *n.* משחולת
pul′lu•late′ *v.* להתרבות, לשרוץ
pull-up *n.* מזנון (לנהגים) בצד הדרך
pul′monar′y (-neri) *adj.* של הריאות
pulp *n.* ציפה, בשר־הפרי; כתש; דייסה; מחית; סחיט
beat to a pulp "לרסק עצמותיו"
pulp literature ספרות זולה
reduce to a pulp לכתוש, לרכך; להכות מכה קשה
pulp *v.* להוציא ציפת הפרי; לכתוש, לעשות לעיסה (לייצור נייר)
pul′pit *n.* דוכן (למטיף בכנסייה)
the pulpit מקצוע ההטפה; הכמורה
pulpy *adj.* בשרי, מכיל ציפה
pul′sar′ *n.* פולסאר (כוכב לא־נראה)
pul′sate′ *v.* לדפוק; להלום; לרעוד

pulsating *adj.* מרגש, עוצר נשימה
pul•sa′tion *n.* פעימה, הלמות־לב
pulse *n.* דופק; פעימה; קטנית
stir his pulses לרגש, להפעים
take/feel his pulse למשש הדופק
pulse *v.* לדפוק, להלום; לזרום, לרחוש; לשגר פעימות
pul′veriza′tion *n.* כתישה, הריסה
pul′verize′ *v.* לטחון, לכתוש, לשחוק; לנפץ, להרוס; לחבוט; להישחק
pu′ma *n.* פומה, אריה אמריקני
pum′ice (-is) *n.* אבן ספוג (לניקוי)
pum′mel *v.* להכות, לחבוט, להלום
pump *n.* משאבה; שאיבה
all hands to the pump! תנו כתף!
give his hand a pump ללחוץ ידו בכוח, לטלטלה מעלה ומטה
pump *v.* לשאוב; לנענע כמשאבה; לקלוח
pump away להפעיל משאבה
pump him full of lead למלא גופו בעופרת, לנקבו בכדורים
pump into להחדיר (רעיונות) ל־
pump out of לשאוב (מידע) מ־
pump up a tyre לנפח צמיג
pump *n.* נעל קלה (לריקודים)
pum′pernick′el *n.* פומפרניקל, לחם שיפון גס
pumping station תחנת שאיבה
pump′kin *n.* דלעת
pump room חדר שתייה (של מי־מעיינות־מרפא)
pun *n&v.* משחק מלים היתולי; לשון נופל על לצון; לשחק במלים
punch *v.* להלום, להכות, לחבוט; לנקב; להכות במקב
punch in להחתים הכרטיס עם הכניסה; לתקוע (המסמר) פנימה
punch out להחתים הכרטיס עם היציאה; לחלץ (בורג)
punch *n.* מכת־אגרוף; עוצמה; אפקטיביות; מקב; מקביים; מנקב; מטבעת; חולץ ברגים
beat to the punch להקדים ולהלום (בירִיב); לנקוט צעדים לפני הזולת, להטרים
not pull one's punches להכות, להתקיף, לא לטמון ידו בצלחת
packs a punch בעל מכת־מחץ
roll with the punch להירתע הצידה (להחלשת עוצמת המכה)
take a punch ★לכוון מכה

punch *n.* פונש (משקה ממותק)
Punch *n.* פאנץ' (דמות במחזה)
pleased as Punch מדושן עונג
punch ball שק אגרוף (לאימונים)
punch bowl קערת־פונש
punch-drunk, punchy *adj.* ספוג־מהלומות, הלום־חבטות, מטושטש
punched card כרטיס ניקוב (למחשב)
punched tape סרט ניקוב (למחשב)
punching bag שק אגרוף (לאימונים)
punch line עוקץ, שיא הסיפור
punch-up *n.* ★תגרה, התכתשות
punc•til′io′ *n.* דקדקנות, קטנוניות, הקפדה בקטנות, שמירת כללי הנימוס
punc•til′ious *adj.* דקדקני, זהיר
punc′tual *adj.* דייקני, מדייק
punc′tual′ity (-cho͞oal-) *n.* דיוק
punc′tuate′ (-cho͞oāt) *v.* לפסק, להטיל סימני פיסוק; לשסע, לקטוע, לפרוץ ב־
punc′tua′tion (-cho͞oā′-) *n.* פיסוק; (הטלת) סימני־פיסוק
punctuation marks סימני־פיסוק
punc′ture *n.* נקב; נקר, פאנצ'ר, תקר
puncture *v.* לנקב; להתהוות בו נקר; להוציא האוויר, לתקר; לנפץ (תדמיתו)
pun′dit *n.* חכם, מלומד
pun′gency *n.* חריפות; עוקצנות
pun′gent *adj.* חריף; עוקץ, חד
Pu′nic *adj.* פוני, של קרתגו
pun′ish *v.* להעניש; להלום, להפליא מכותיו; לזלזל
punishable *adj.* עניש, בר־עונשין
punishing *adj&n.* מייגע, מפרך; הולם, חובט; נזק; תבוסה
punishment *n.* עונש; נזק, טיפול גס
pu′nitive *adj.* מעניש; קשה, (מס) כבד
punitive expedition כוח־עונשין, חיל־משלוח לדיכוי מרידות
punk *n&adj.* עץ רקוב (להצתה); ★פושע, חדל־אישים; הבלים; רקוב, מזופת
pun′ka *n.* מניפה (תלויה בתקרה)
pun′net *n.* סל־פירות (מידה)
pun′ster *n.* משַחק במלים
punt *n&v.* סירה שטוחה (מלבנית); לשוט/להשיט בסירה שטוחה
punt *v.* להמר, להתערב
punt *v&n.* לבעוט בכדור (בעודו באוויר); בעיטה (כנ"ל)
punter *n.* משיט סירה; מהמר
pu′ny *adj.* חלש, קטן

pup *n&v.* כלבלב, גור; יהיר; להמליט
 in pup (כלבה) בהריון, מעוברת
 sell a pup לרמות, לתחוב דבר
 חסר־ערך; למכור יין ונמצא חומץ
pu'pa *n.* גולם (גלגול של חרק)
pu'pal *adj.* (בשלב) של התגלמות
pu'pate *v.* להתגלם, להתגלגל לגולם
pu'pil (-pəl) *n.* תלמיד; אישון העין
pup'pet *n.* בובה, מריונטה
 glove puppet בובת־כסיה (המונעת באצבעות)
 string puppet בובת־חוטים (הנמשכת בחוטים)
pup'peteer' *n.* שחקן־בובות, מופיע עם בובה
puppet government ממשלת בובות
puppet show מחזה בובות (בבובטרון)
pup'py *n.* כלבלב, גור; שחצן, טיפש
puppy fat ⋆שומן נעורים
puppy love אהבת נער (ה)
pur'blind' (-blīnd) *n.* כמעט עיוור; חסר־שכל
purchasable *adj.* ניתן לקנותו, מכיר
pur'chase (-chəs) *n.* קנייה; מצרך שנקנה; מאחז, אחיזה; ערך (בשנות־החכרה)
 not worth an hour's purchase על סף המוות, אין תקווה לחייו
purchase *v.* לקנות; לרכוש
purchaser *n.* קונה, לקוח
purchase tax מס קנייה
purchasing power כוח קנייה
pur'dah (-də) *n.* (שיטת ה)פרגוד להסתרת נשים מעיני גברים
pure *adj.* טהור; נקי; כליל; מוחלט; גרידא
 by pure chance רק במקרה
 pure and simple מוחלט, גרידא, פשוט
 pure science מדע טהור/תיאורטי
 pure wickedness רשעות לשמה
pureblooded *adj.* טהר־גזע
purebred *adj.* גזעי, טהר־גזע
puree (pyoorā') *n.* מחית, פיורה
purely *adv.* אך ורק, גרידא, לחלוטין
pur•ga'tion *n.* טיהור, הרקת מעיים
pur'gative *adj&n.* מטהר; (סם) משלשל
pur'gato'rial *adj.* מטהר, מצרף
pur'gato'ry *n.* מקום־טיהור, כור־מצרף, גיהינום; סבל זמני
purge *v.* לנקות, לטהר, לצרוף; לערוך טיהורים; לכפר; לשלשל
purge *n.* סם משלשל; טיהור
pu'rifica'tion *n.* טיהור, צריפה
pu'rify' *v.* לטהר, לנקות
pu'rism' *n.* פוריזם, טהרנות
pu'rist *n.* פוריסטן, טהרן
pu'ritan *n&adj.* פוריטני, דוגל בצניעות ופשטות; איש־מוסר
pu'ritan'ical *adj.* פוריטני
pu'ritanism' *n.* פוריטניות
pu'rity, pureness *n.* טוהר
purl *n&v&adj.* (לסרוג) עין הפוכה; סריגת שמאל; (עין) הפוכה
purl *n&v.* פכפוך; לזרום בפכפוך
purl'er *n.* נפילה; מכה, מהלומה
pur'lieu (-lōō) *n.* קצה, פאתי עיר
pur'lin *n.* קורה אופקית (של גג)
pur'loin *v.* לגנוב
pur'ple *adj&n.* ארגמן; סמוק; מחלצות ארגמן, בגדי חשמן; מלכות
 born in the purple בן למשפחה מלכותית
 raise to the purple להעלות לדרגת חשמן
purple heart גלולה (דמויית לב)
Purple Heart מדליה לפצועי מלחמה
purple patch/passage קטע נמלץ
purplish *adj.* ארגמני
pur'port *n.* משמעות כללית, כוונה
purport' *v.* לטעון (כביכול), להתכוון, להתיימר, להיראות
pur'pose (-pəs) *n.* כוונה, מטרה, תכלית; החלטיות, דבקות במטרה
 answers the purpose עונה לצרכים
 of set purpose בכוונה
 on purpose בכוונה, במזיד
 on purpose to בכוונה ל־, כדי
 to good/some purpose לתועלת/לתכלית רבה/כלשהי
 to no/little purpose לתועלת אפסית, ללא (שום) תועלת
 to the purpose לעניין, רלוואנטי
purpose *v.* להתכוון, להיות בדעתו
purpose-built *adj.* מתוכנן במיוחד, בנוי/מורכב למטרה מסוימת
purposeful *adj.* תכליתי; רב־משמעות
purposeless *adj.* חסר־תכלית/־משמעות
purposely *adv.* בכוונה, במזיד
pur'posive *adj.* תכליתי; החלטי
purr *v&n.* לנהום (כחתול) בהנאה; לטרטר; נהימה, ריטון־הנאה; טרטור
purse *n.* ארנק; כסף; קרן, קופה;

סכום־כסף, פרס
beyond/within one's purse (לא) יכול להרשות לעצמו לקנות זאת
hold the purse strings לשלוט בהוצאות הכספיות
line one's purse למלא ארנקו (בשוחד)
loosen/tighten his purse strings להוציא ביד רחבה/קמוצה יותר
make up a purse לאסוף כסף
public purse קופת המדינה
purse *v.* לכווץ (השפתיים)
purs'er *n.* גזבר־אונייה; ממונה על החדרים וכו'
purse-snatcher *n.* חטפן־ארנקים
pursu'ance *n.* ביצוע; המשך
in pursuance of תוך ביצוע, בהמשך
pursu'ant *adj.* ממשיך, רודף
pursuant to בהתאם ל, בעקבות
pursue' (-sōō') *v.* לרדוף אחרי; להמשיך; להתמיד, לשקוד
pursuer *n.* רודף
pursuit' (-sōōt) *n.* רדיפה, מרדף; פעילות, עיסוק, מקצוע
hot pursuit רדיפה נמרצת בסמוך לעקבותיו
pursuit plane מטוס רדיפה
pu'rulence *n.* מוגלה
pu'rulent *adj.* מוגלתי
pur•vey' (-vā') *v.* לספק
purveyance *n.* אספקה, הספקת מזון
purveyor *n.* סַפָּק
pur'view (-vū) *n.* תחום פעילות, גבול, היקף
pus *n.* מוגלה
push (poosh) *v.* לדחוף; לדחוק ב־; ללחוץ; לאלץ; לשכנע (להכיר בערכו); למכור סמים
is pushing 40 ⋆מתקרב לגיל 40
push ahead/along/forward/on להמשיך
push along להסתלק, ללכת
push around להציק, לטרטר
push back להדוף, לכפות נסיגה
push for ללחוץ, לדרוש בתוקף
push goods לשכנע לקנות הסחורה
push in להפריע, לשסע
push off ⋆להסתלק, להתחפף
push on למהר; להמריץ, להטיל על
push one's luck להסתכן ביותר
push one's way להידחק, לפלס דרך
push oneself להידחק, להידחף; לגלות יוזמה, להבליט עצמו; לאלץ עצמו
push oneself forward להידחק, להבליט עצמו
push out לסלק, להיפטר מ־
push out/off לדחוף (הסירה) לנהר
push over/down להפיל
push through להעביר, לעזור לעבור, להעביר במאמץ; לנבוט, לבצבץ
push up להעלות (מחיר), לייקר
push up the daisies להיקבר, למות
push *n.* דחיפה; לחץ; התקפת מחץ; מאמץ עליון; סיוע; דחף, יוזמה
at a push באין ברירה, בשעת הדחק
give the push ⋆לפטר, לסלק
got the push ⋆פוטר מעבודתו, הועף
when it comes to the push בשעת מבחן, בהתעורר צורך מיוחד
push-bike *n.* אופניים, אופני־דיווש
push button לחיץ, מתג, כפתור
push-button *adj.* של לחיצים/כפתורים
push-button war מלחמת כפתורים, מלחמת טילים ארוכי־טווח
push-cart *n.* עגלה, עגלת־יד
push-chair *n.* עגלת־ילדים
pushed *adj.* לחוץ, דחוק, נתון בקשיים
pushed for money דחוק בכסף
pusher *n.* נדחק, נדחף; סוחר סמים
pushing, -ful *adj.* נדחק, נדחף, מבליט עצמו, סופה עצמו על הזולת
push-over *n.* דבר קל, משחק ילדים; פתי, טרף קל, מושפע/מובס בקלות
push-up *n.* שכיבת־סמיכה
pushy = pushing
pu'sillanim'ity *n.* פחדנות
pu'sillan'imous *adj.* פחדן
puss (poos) *n.* חתול; ⋆נערה; פָּנים
puss'y (poos-) *n.* חתול; ⋆מישגל
pussy-cat *n.* חתול; נערה
pussyfoot *v.* להתגנב, להסתובב בגניבה; לחשוש לפעול, לחשוש להביע דיעה
pus'tular (-'ch-) *adj.* מוגלתי
pus'tule (-chōōl) *n.* תפיחה, סמטה, מוגלית
put (poot) *v.* לשים; להניח; להכניס; להטיל; לסמן, לכתוב; להביע; להציע
(hard) put to it to בצרה, במצוקה
is put upon מנצלים אותו
never puts himself out to help הוא לעולם לא יטרח לעזור
put a bullet through לתקוע כדור ב־
put a knife לנעוץ סכין
put a pen through a word למחוק מלה

put a play on להעלות מחזה
put a price on לנחש/לנקוב מחיר
put a question להציג שאלה
put a ship/horse to להפנות סוס/ספינה לעבר־
put a stop to לשים קץ ל־, לחסל
put about לשנות כיוון; להפיץ שמועות; להטריד, להדאיג
put across להעביר; להסביר יפה; לבצע בהצלחה; ★לרמות, לתחוב
put ahead להקדים, לגרום שיקדים
put an end to לשים קץ ל־, לחסל
put aside לחסוך; להניח; להתעלם
put at 20 להעריך ב־20 (גיל, מחיר)
put away להניח (במקומו); לחסוך; לנטוש (רעיון); ★לחסל, לזלול, להמית
put back לחזור; להחזיר; לעכב, לעצור התקדמות; לדחות (פגישה)
put by לחסוך (לעתיד)
put down להניח; לרשום; לדכא, להשתיק; לארוז, לאחסן; להנחית; ללחוץ
put down as/for לחשוב (אותו ל־)
put down to לייחס ל־; לזקוף ל־
put forth להפעיל, להשתמש ב־; להוציא, להצמיח
put forward להציע, להעלות; להקדים; לקדם; להבליט (עצמו)
put forward/on לקדם (מחוגי־השעון)
put her away לגרש (אישה); להכניסה (למוסד/לכלא)
put him down להוריד נוסע; להשפיל
put him in his place להעמידו במקומו
put him on לשתפו (במשחק); ★לרמות
put him out להרגיז, להביך, לגרום אי־נעימות, להוציאו מכליו; לגרש
put him through it להעבירו במבחן קשה; לענותו
put him up לארח, לאכסן
put him wise לגלות לו
put in לומר, לשסע; להעביר, לבלות; לבחור ב־; למנות; לטעת
put in a blow להנחית מכה
put in a claim להגיש תביעה
put in for לפנות רשמית; להמליץ
put in his hands להפקיד בידיו
put in/into להכניס; להיכנס; להקדיש, להשקיע (זמן/כסף)
put into execution להוציא לפועל
put it להביע, לומר, לנסח
put it about ★להתעסק עם גברים
put it on ★להפריז; להשמין; להתנפח, להתנהג ביומרנות; להפקיע מחירים
put it there! נלחץ ידיים! הוסכם!
put me down for $20 רשום שאשתתף ב־/אתרום 20 דולר
put money on לשים כסף על, להמר
put off לדחות; להתחמק, לפטור; להיפטר; להפריע, להניא; להבחיל, להסליד
put off clothes לפשוט בגדים
put off from להפליג מ־, לצאת מ־
put on להעמיד פנים; ללבוש; להוסיף; להוסיף מישקל; להעסיק, להפעיל
put on flesh להשמין
put on the light להדליק את האור
put on trial להעמיד לדין
put on/upon him להכביד עליו
put one's mind to לתת דעתו על
put one's thoughts together לרכז מחשבותיו
put one's trust in לשים מבטחו ב־
put oneself into it לשקוע ראשו ורובו ב־, להיכנס בעובי הקורה
put out לכבות; להוציא; לנקע (עצם); לייצר; להפליג (מנמל); להתעסק עמו
put out $10, 000 at 10% להלוות 10000 דולר בריבית של 10 אחוז
put out a newspaper להוציא עיתון
put out a statement לפרסם הודעה
put over לנוע הצידה; להעביר בהצלחה; להסביר יפה
put over - לדחות (לעתיד); לרמות, לתחוב
put paid to לחסל, לשים לאל
put right/straight לתקן
put the blame on להטיל האשמה על
put the shot להדוף כדור־ברזל
put through להעביר; להשלים, לסיים; לקשר בטלפון, לצלצל
put to להציג (שאלה) ל־
put to a vote להעמיד להצבעה
put to bed להשכיב לישון; להשלים העריכה לדפוס
put to death להמית; הוצא להורג
put to good use לנצל לטובה
put to the sword הומת בחרב
put to use להשתמש, להפעיל
put together לבנות, להרכיב; לצרף
put up להקים; להרים; לייקר; להתאכסן; לספק; לארוז; להפגין, להראות
put up - להכין, לערוך; לאכסן; לאחסן; להניח בצד

נתון לשליטתו
put-up job מעשה מתוכנן, רמאות
put-upon *adj.* מרומה, מנוצל
puz′zle *n.* חידה, תעלומה; בעיה; משחק הרכבה, פאזל; מבוכה
puzzle *v.* להפליא; להביך; להתמיה
puzzle one's brain "לשבור ראשו"
puzzle out לפתור, לפענח
puzzle over/about להתעמק ב־
puzzled *adj.* נבוך
puzzlement *n.* מבוכה, פליאה
puzzler *n.* חידה, בעיה קשה
PX = post exchange חנות צבאית, שקם
pyg′my *n&adj.* ננס, גמד; זעיר
pyjam′a (pəj-) *adj&n.* של פיג'מה
pyjamas פיג'מה; מכנסי מוסלמי
pyjama bottoms מכנסי־פיג'מה
py′lon *n.* עמוד־חשמל; מגדל־הנחיה (למטוסים); שער
pyr′amid′ *n.* פירמידה, חדודית
pyramid *v.* לבנות כפירמידה; לעלות, להתייקר
pyre *n.* מדורה (לשריפת מת)
py′rex′ *n.* פיירקס, זכוכית חסינת־אש
py•rex′ia *n.* קדחת, פירכסיה
pyri′tes (-tēz) *n.* סולפיד, תרכובת של גופרית עם מתכת
py′roma′nia *n.* פירומניה, שיגעון־ההצתות
py′roma′niac′ *n.* פירומן, גחמון
py′rotech′nic (-k-) *adj.* של פירוטכניקה
pyrotechnics *n.* פירוטכניקה, הפרחת זיקוקין־די־נור; מפגן מבריק
Pyr′rhic (-rik) *adj.* (ניצחון) פירוס
py′thon *n.* פיתון (נחש חונק)
pyx *n.* כלי ללחם־הקודש

put up a fight להפגין רוח־קרב
put up a notice לתלות מודעה
put up an animal להבריח חיה ממקום המחסה
put up for להציג מועמדות ל־
put up for sale להציע למכירה
put up her hair לעשות תיסרוקת
put up money לממן, לשלם
put up to להסית, להדיח; להודיע, להורות
put up with לשאת, לסבול, להשלים עם
stay put להישאר במקומו
put *n.* הדיפת כדור־ברזל
pu′tative *adj.* ידוע כ־, מקובל
put-down *n.* ⋆השפלה, ביטול, "שטיפה"
put-off *n.* התחמקות, דחייה, תירוץ
put-on *n.* העמדת־פנים, משחק, רמאות
pu′trefac′tion *n.* ריקבון
pu′trefac′tive *adj.* מרקיב
pu′trefy′ *v.* להרקיב
pu•tres′cence (pū-) *n.* רקב, צחנה
pu•tres′cent (pū-) *adj.* מרקיב, מסריח
pu′trid *adj.* רקוב, מסריח; ⋆רע, מחורבן
putsch (pooch) *n.* פוטש, הפיכת נפל
putt *v&n.* (בגולף) לחבוט קלות בכדור; חבטה קלה
he 3-putted the hole הוא גלגל הכדור לגומה ב־3 חבטות קלות
put′tee *n.* חותלת, מוק, מוקיים
put′ter *v.* להתבטל
putt′er *n.* מקל גולף שטוח־ראש
putting green ערוגת־הגומה (בגולף)
putting iron מקל גולף (לחבטה קלה)
put′ty *n&v.* מֶרק, טיט שמשות; לקבוע (שמשה) במרק; למלא במרק
putty in his hands כחומר ביד היוצר,

Q

q, qq = question, questions
QC = Queen's Counsel פרקליט בכיר
QED זאת ביקשנו להוכיח
QM = quarter-master
qr = quarter
qt, qty = quantity
qt = quiet
on the q.t. בחשאי, בסוד
qu = question
qua (kwä) *prep.* בתור שכזה, כשלעצמו
quack *v&n.* לגעגע (כברווז); געגוע
quack *n&adj.* רמאי, מתחזה; שווא
quack doctor רופא אליל, רופא שווא
quack'ery *n.* רמאות, התחזות
quack-quack *n.* ★ברווז
quad = quadrangle, quadruplet
Quad'rages'ima (kwod-) *n.* יום א' הראשון (בתקופת לנט)
quad'ran'gle (kwod-) *n.* מרובע, ריבוע; רחבה מרובעת (במכללה)
quad•ran'gu•lar (kwod-) *adj.* מרובע, ריבועי
quad'rant (kwod-) *n.* קוודראנט, רביע, רבע מעגל; רובע, מודד זוויות
quad'rate (kwod-) *adj&n.* רבוע; ריבוע
quad•rat'ic (kwod-) *adj.* ריבועי
quadratic equation משוואה ריבועית
quad'ri- (kwod-) (תחילית) ארבע־
quad'rilat'eral (kwod-) *adj&n.* (מצולע) מרובע
quad•rille' (kwod-) *n.* קדריל, ריקוד ריבועי
quad•ril'lion (kwod-) *n.* קוודריליון (בארה"ב:10 בחזקת 15; באנגליה:10 בחזקת 24)
quad•roon' (kwodrōōn') *n.* קוודרון, בן מולאט ולבן
quad'ruped' (kwod-) *n.* הולך־על־ארבע
quad•ru'ple (kwod-) *v.* לרבע, לכפול/להיכפל ב־4
quadruple *adj&n.* מרובע, כפול 4
quad•rup'let (kwod-) *n.* אחד מרביעייה (שנולדו בלידה אחת)
quadruplets רביעייה
quad•ru'plicate (kwod-) *adj&n.* מועתק 4 פעמים; פי ארבעה
in quadruplicate ב־4 העתקים
quad•ru'plicate' (kwod-) *v.* לכפול ב־4, לרבע
quaff *v.* ללגום, לשתות, לגמוע
quag'mire' *n.* אדמת בוץ; ביצה; בוץ
Quai d'Orsay' (kā dôr-) *n.* קאי דאורסיי, משרד החוץ הצרפתי
quail *n.* שליו (עוף)
quail *v.* לחרוד, להירתע, לגלות פחד
quaint *adj.* מוזר, יוצא־דופן, מעניין
quake *v&n.* לרעוד; רעדה; ★רעידת אדמה
Qua'ker *n.* קוויקר (בן כת נוצרית)
qual'ifica'tion (kwol-) *n.* קוליפיקציה, כשירות, הכשרה; תעודה; הסתייגות, הגבלה
qualifications כישורים, סגולות
qualified *adj.* מוגבל, מסויג; מוכשר, כשיר; מוסמך
qualifier *n.* (בדקדוק) מגביל, מגדיר
qual'ify' (kwol-) *v.* להכשיר; להסמיך; לרכוש הכשרה; להגיע לרמה דרושה; להגביל
qualify as להגדיר כ־, לתאר כ־
qualify for/to להיות כשיר ל־
qualifying *adj.* של כשירות
qual'ita'tive (kwol-) *adj.* איכותי
qual'ity (kwol-) *n.* איכות, טיב; תכונה מיוחדת, סגולה
man of quality איש החברה הגבוהה
the quality העילית, מסלתה ומשמנה
qualm (kwäm) *n.* נקיפת מצפון, פקפוק; בחילה; חולשה
quan'dary (kwon-) *n.* מבוכה, תהייה
quan'tifica'tion (kwon-) *n.* כימוי
quan'tify' (kwon-) *v.* למדוד הכמות
quan'tita'tive (kwon-) *adj.* כמותי
quan'tity (kwon-) *n.* כמות; כמות רבה
an unknown quantity נעלם
in quantities בכמויות, הרבה
quantity surveyor שמאי כמויות

quan′tum (kwon-) *n.* קוואנט, כמות
quantum theory תורת הקוואנטים
quar′antine′ (kwôr′ənten) *n&v.* הסגר (רפואי), בידוד; להחזיק בהסגר
quar′rel (kwôr-) *n.* ריב, סכסוך, מחלוקת, קטטה; סיבה לתלונה
fight his quarrel לריב את ריבו
make up a quarrel להתפייס
pick a quarrel לחפש עילה לריב
quarrel *v.* לריב; לחלוק על; להתלונן
quarrelsome *adj.* איש־ריב, מהיר־חימה
quar′ry (kwôr-) *n&v.* חיה נרדפת, דבר נרדף; מחצבה; לחצוב; לחפש, לנבור
quarryman *n.* פועל־מחצבה
quart (kwôrt) *n.* קווארט, רבע גאלון
put a quart into a pint pot לנסות את הבלתי אפשרי
quar′ter (kwôr′-) *n.* רבע; רביעית (מידה); רבע שנה; רבע דולר; רובע, שכונה; מקום; כיוון; מקור; ירכתיים, אחרה
a bad quarter of an hour שעה של אי־נעימות
a quarter of six רבע לשש
ask for quarter לבקש רחמים
at close quarters מקום צפוף; פנים אל פנים; בסמיכות מקום
from all quarters מכל העברים
give no quarter להילחם עד חורמה
married quarters שיכון־חילים
quarter of beef נתח בשר עם רגל
quarters מקום מגורים; עמדות קרב
the quarter מירוץ רבע מיל
quarter *v.* לרבע, לחלק ל־4; לשכן
quarterback *n.* (בראגבי) רץ
quarter day יום התשלום התלת־חודשי
quarter-deck *n.* (סיפון־) המפקדים
quarter-final *n.* רבע הגמר
quartering *n.* חלוקה ל־4; אכסון
quarterly *adj&adv&n.* אחת לרבע שנה; תלת־חודשי; רבעון
quarter-master *n.* אפסנאי; הגאי
quarter-master-general *n.* אפסנאי ראשי
quar′tern (kwôr-) *n.* רבע פיינט; כיכר לחם (בן 4 ליטראות)
quarter note (במוסיקה) רבע תו
quarter plate לוח צילום (של כ־4 על 3 אינצ׳ים)
quarter sessions מושב תלת־חודשי (של בי״ד)
quarter-staff *n.* (בעבר) מוט מלחמה

quar•tet′, -tette′ (kwôr-) *n.* קוורטט, רבעית, רביעייה
quar′to (kwôr-) *n.* קווארטו
quartz (kwôrts) *n.* קווארץ (מינרל)
quartz watch שעון קווארץ
qua′sar′ (-z-) *n.* קוויזאר (גרם שמיימי)
quash (kwôsh) *v.* לבטל; לדכא
qua′si- כאילו, מדומה, דומה ל־; בחציו
quasi-success הצלחה מדומה
quat′ercen′tenar′y (kwot-neri) *n.* יובל ה־400 שנה
quat′rain (kwot-) *n.* שיר מרובע
qua′ver *v.* לרעוד; לזמר/לדבר בקול רועד; רעד; שמינית תו
quavery *adj.* רועד
quay (kē) *n.* מזח, רציף, מיגשה
quean *n.* נערה חצופה, לא צנועה
quea′sy (-zi) *adj.* מבחיל; חש בחילה; עדין, רגיש, אנין; קפדן, ברנן
queen *n.* מלכה; ★הומוסקסואל
beauty queen מלכת יופי
queen bee מלכת הדבורים; אישה שמכרכרים סביבה
queen of hearts מלכה (קלף)
queen *v.* (בשחמט) להכתיר (רגלי)
queen it לנהוג כמלכה, להתנשא
queen consort אשת המלך
queen dowager אלמנת המלך
queenly *adj.* של מלכה, יאה למלכה
queen mother המלכה האם
Queen's Bench בית המשפט העליון
Queen's Counsel פרקליט בכיר
queen's evidence עד המלך
queer *adj&n.* משונה, מוזר; לא בקו הבריאות; ★מופרע, מטורף; הומוסקסואל
feels queer לא חש בטוב
in queer street ★שקוע בחובות; בצרה
queer *v.* לשבש, לקלקל
queer his pitch לשבש תוכניותיו
quell *v.* לדכא, להכניע, לשכך
quench *v.* לכבות; להרוות; לצנן; לשים קץ ל־
quench one's thirst להשקיט צימאונו
quenchless *adj.* שלא ניתן לכבותו
quern *n.* מטחנת־יד
quer′ulous *adj.* מתלונן, נרגן
que′ry *n.* שאלה; ספק; סימן שאלה
query *v.* לשאול; לחקור; להטיל סימן שאלה; להביע ספקות לגבי
quest *n&v.* חיפוש; חקירה; לחפש
in quest of בחיפוש אחר־, מחפש

ques′tion (-′chən) *n.* שאלה; בעיה; ספק
beside the question לא רלוואנטי
beyond/past question מעל לכל ספק
call in question להעלות ספקות לגבי־, להתנגד ל־
come into question לעלות על הפרק
in question הנדון, שדנים בו; בספק, שנוי במחלוקת
out of the question לא בא בחשבון
put questions להציג שאלות
put the question להצביע על ההצעה
question! אל תסטה מהנושא!
there's no question אין ספק ש־; לא ייתכן ש־; לא דנים ב־
without question בלי ספק
question *v.* לשאול; להטיל ספק ב־
questionable *adj.* מפוקפק; מוטל בספק
question mark סימן שאלה, (?)
question master מנחה חידון
ques′tionnaire′ (-chən-) *n.* שאלון
question time שעת (תשובות ל) שאלתות
quetzal′ (ketsäl′) *n.* קווטצאל (עוף ארך־זנב; מטבע בגווטמאלה)
queue (kū) *n&v.* תור; שורה; טור מכוניות; צמה (של גבר); לעמוד בתור
jump the queue להידחף לראש התור
queue (up) for לעמוד בתור ל־
quib′ble *n&v.* התחמקות, התפלפלות; להתחמק (מתשובה); להתפלפל; להתווכח
quibbler *n.* מתחמק, מתפלפל, קטנוני
quick *adj.* מהיר; מהיר־תפיסה; זריז
a quick child ילד פיקח
a quick one כוסית, לגימה חטופה
quick march קדימה צעד!
quick *adv.* מהר, חיש, במהירות
quick *n.* בשר, בשר־הציפורניים
cut/sting/touch to the quick לפגוע קשות, להעליבו עד עמקי נשמתו
the quick (האנשים) החיים
quick-change *adj.* מחליף תלבושת חיש
quick′en *v.* למהר, להחיש; להחיות, לעורר; לגלות סימני חיים
quick-eyed *adj.* מהיר־מבט
quick-freeze *v.* להקפיא במהירות
quick′ie *n.* ★יצירה חטופה, סרטון
quicklime *n.* סיד חי
quickly *adv.* מהר, חיש, מיד, במהירות
quicksand *n.* חול טובעני
quickset hedge גדר־שיחים, גדר חיה
quicksilver *n.* כספית
quickstep *n.* קוויקסטפ (ריקוד מהיר)
quick-tempered *adj.* מהיר־חימה, מתלקח
quick time (בצבא) קצב צעידה (כ־120 צעדים בדקה)
quick-witted *adj.* מהיר־תפיסה
quid *n.* חתיכת טבק־לעיסה; ★לירה שטרלינג
quid pro quo′ דבר תמורת דבר
qui•es′cence *n.* שקט, מנוחה, אי־פעילות
qui•es′cent *adj.* שקט, נח, ללא תנועה
qui′et *adj.* שקט, חרישי, רגוע; חבוי
keep quiet לשמור בסוד; לשתוק
on the quiet בחשאי, בסוד
quiet *n.* שקט, שלווה; רגיעה
quiet *v.* להשתיק; להרגיע; להירגע; לשתוק, להחשות
qui′eten *v.* להשתיק; להחריש
qui′etism′ *n.* שתקנות, קבלת הדברים בדומייה; שאננות, רגיעה
qui′etist *n.* שתקן, מתנזר מתאוות
qui′etude′ *n.* שקט, שלווה, דממה
qui•e′tus *n.* מוות; אי־פעילות
give a quietus להמית
quiff *n.* בלורית, תלתל (על המצח)
quill *n.* נוצה (ארוכה); דרבון
quill pen קולמוס, עט־נוצה
quilt *n.* שמיכה, כסת, שמיכת־פוך
quilted *adj.* ממולא, מרופד, כסתני
quin, quint *n.* ★אחד מחמישייה
quince *n.* חַבּוּשׁ
qui′nine *n.* כינין (תרופה למלריה)
Quin′quages′ima *n.* יום א' לפני לנט
quin•quen′nial *adj.* אחת לחמש שנים
quin′sy (-zi) *n.* דלקת שקדים
quin′tal *n.* קווינטאל, 100 ק"ג
quintes′sence *n.* מופת, דוגמה מושלמת, התגלמות; תמצית, עיקר
quintet′, -tette′ *n.* קווינטט, חמשית, חמישייה
quintup′let *n.* אחד מחמישייה
quintuplets חמישייה
quip *n.* פלפול, חידוד, הערה עוקצנית
quip *v.* להשתמש בחידודים; לעקוץ, להתבדח
quire *n.* 24 גליונות נייר, קווירה
quirk *n.* פלפול; הרגל משונה, תכונה מוזרה; מקרה מוזר; תחבולה

quis′ling (-z-) *n.* קוויזלינג, בוגד
quit *v.* לנטוש, לעזוב; לחדול, להפסיק; להתפטר; להתנהג
notice to quit הוראה לפנות דירה; הודעת פיטורים
quit *adj.* חופשי, משוחרר, נפטר מ־
quite *adv.* לגמרי, בהחלט; מאוד; די, למדי; במידה מסוימת; פחות או יותר
not quite לאו דווקא
quite a boy/girl בחור כארז/נערה לא רגילה
quite a few די הרבה, לא מעט
quite a number מיספר ניכר
quite a year ago לפחות לפני שנה
quite something משהו לא רגיל
quite the thing באופנה, הדבר הנכון
quite (so) ! בהחלט! אמנם כן!
quits *adj.* שווה ל־, לא חייב ל־, מקוזז
call it quits להסכים שחילוקי הדעות יושבו; לחדול, לנטוש זאת
double or quits כפליים או אפס
is quits with him פרע חובו ל־; נקם נקמתו; הסדיר חשבונותיו עמו
quit′tance *n.* (כתב) פטור
give him his quittance להורות לו לצאת
quitter *n.* נוטש; אומר נואש
quiv′er *n.* אשפת חיצים, תלי; רעד
quiver *v.* לרעוד, להזדעזע; להרעיד
qui vive? (kēvēv′) מי שם?
on the qui vive על המשמר, עירני
quixot′ic *adj.* דון־קישוטי, אבירי
quiz *n.* חידון, תחרות שאלות; מבחן
quiz *v.* לשאול, לבחון; לערוך חידון
quizmaster *n.* מנחה־חידון
quiz′zical *adj.* קומי, מצחיק; תוהה; נבוך; בוחן; לעגני, מקנטר
quod *n.* ⋆בית־סוהר, חד־גדיא
quoit *n.* טבעת (שמטילים על יתד במשחק הטבעות)
quoits משחק הטבעות (כנ״ל)
quon′dam *adj.* בעבר, לשעבר, לא עתה
Quon′set *n.* צריף גדול (דמוי מנהרה)
quo′rum *n.* קוורום, מנין חוקי
quo′ta *n.* מיכסה, כמות מוגבלת
quo′table *adj.* בר־ציטוט, שראוי לצטטו
quo•ta′tion *n.* ציטוט, ציטטה, מובאה; מחיר; הצעת מחיר
quotation marks מרכאות (כפולות)
quote *v&n.* לצטט; לומר, להזכיר (כחיזוק לדבריו); לנקוב (מחיר)
he said (quote) "I go" (unquote) אמר, (ציטוט) ״אני הולך״, (סוף ציטוט)
in quotes ⋆במרכאות
quoth (kwōth) *v.* אמר
quoth I אמרתי
quo•tid′ian *adj.* יומי, יומיומי
quo′tient (-shənt) *n.* מנה (בחילוק)
qv = quod vide עיין, ראה, ר׳

R

R = river, Rabbi, road
the 3 R's קריאה, כתיבה, וחשבון
rab'bi' *n.* רבי, רב
rab'binate *n.* רבנות
rabbin'ical *adj.* רבני
rab'bit *n&v.* ארנב; פרוות־שפן; ★שחקן גרוע; לצוד ארנבות; ★לדבר, לקטר
rabbit burrow נקיק־ארנב
rabbit hutch כלוב ארנבות, ארנבייה
rabbit punch מכת עורף (באגרוף)
rabbit warren חלקת ארנבות, שטח זרוע נקיקי ארנבות; מבוך סמטאות
rab'ble *n.* אספסוף; ההמון הפשוט
rabble-rousing *adj.* מלהיב המונים, דמגוגי
Rab'elai'sian (-zhən) *adj.* ראבליאני, (הומור) גס
rab'id *adj.* (כלב) שוטה, נגוע־כלבת; קיצוני, קנאי, פנאטי, לוהט
ra'bies (-bēz) *n.* כלבת
rac•coon' (-ko͞on) *n.* ראקון, דביבון
race *n.* מירוץ; ריצה; זרם חזק; תנועה; מרוצת הזמן/החיים
his race (of life) is nearly run חלפו ימי חלדו, יום מותו קרב
race against time מירוץ נגד השעון
races (סדרת) מירוצי סוסים
race *v.* לרוץ; להשתתף/לשתף במירוץ; להתחרות; להעביר במהירות
race by/along לחלוף מהר
the engine raced המנוע פעל במהירות (במצב סרק)
race *n.* גזע, מין, זן; מוצא
human race הגזע האנושי
race relations יחסים בין־גזעיים
race card תוכניית מירוצי הסוסים
race-course *n.* מסלול־מירוץ
race-horse *n.* סוס־מירוץ
raceme' *n.* אשכול־פרחים
race meeting סדרת מירוצי סוסים
racer *n.* סוס מירוץ; מכונית מירוץ
race-track *n.* מסלול־מירוץ
rachi'tis (-k-) *n.* רככת (מחלה)
ra'cial *adj.* גזעי, גזעני
racialism, ra'cism' *n.* גזענות
racialist, ra'cist *n.* גזען
racily *adv.* נמרצות, בצורה חיה
racing *adj.* של מירוצים, חובב מירוצים
rack *n.* כונן, מדף, סריג, מקלב; איבוס; פס שיניים; ענן נישא
on the rack (בעבר) על מתקן העינויים; סובל מאוד, מתענה
rack and ruin הרס, עיי חרבות
rack *v.* לענות, לייסר, ללחוץ; לדרוש שכר דירה מופרז
rack one's brains לשבור את הראש
rack up points לצבור נקודות
racked by/with מתייסר ב־
rack'et *n.* רעש, מהומה, פעילות, התרוצצות; רמאות; סחיטה; עסק, מקצוע
on the racket מבלה, מתהולל
stand the racket לעמוד במבחן; לקבל עליו האחריות, לשאת בהוצאות
racket *v.* לבלות יפה, להתהולל
racket *n.* מחבט, רחת
rackets ראקטס (משחק דמוי־טניס)
rack'eteer' *n.* סחטן, מאפיונר
racketeering *n.* סחטנות, עסקי סחיטה, "פרוטקשן"; רמאות
rack railway רכבת משוננת־פסים
rack rent שכר־דירה מופרז
rac'on•teur' (-tûr') *n.* מספר
racoon = raccoon
rac'quet (-kət) *n.* מחבט, רחת
ra'cy *adj.* מלא חיים, נמרץ, מבדר; מקורי; חריף
ra'dar' *n.* ראדאר, מכ"ם
ra'dial *adj.* ראדיאלי, טבורי; מוקדי, מרכזי, של רדיוס
radial tyre צמיג ראדיאלי
ra'diance *n.* קרינה, זוהר, קרינות
ra'diant *adj.* קורן; מקרין; זורח, זוהר
ra'diate' *v.* לקרון; להקרין, להפיץ; להתפשט, להתפזר, לצאת ממוקד
ra'dia'tion *n.* קרינה; רדיואקטיביות
radiation sickness מחלת קרינה
ra'dia'tor *n.* רדיאטור; מקרן, מצנן
rad'ical *adj.* רדיקאלי, קיצוני, שורשי
radical *n.* רדיקאל, תובע תיקונים

יסודיים; שורש; קבוצת אטומים; שורשון
radicalism *n.* רדיקאליות, יסודיות
rad′icalize′ *v.* לעשות לרדיקאלי
rad′icle *n.* שורשון
ra′dii′ = pl of radius (-dīī)
ra′dio′ *n.* רדיו; אלחוט
on the radio ברדיו, משדר
radio *v.* לשדר ברדיו/באלחוט
ra′dio•ac′tive *adj.* רדיואקטיבי
ra′dio•ac•tiv′ity *n.* רדיואקטיביות
radio beacon תחנת איתות (למטוסים)
radio beam אותות רדיו (מהתחנה)
radio frequency תדר גלי־רדיו
ra′dio•gram′ *n.* רדיוגראמה, מברק; רדיו־פטיפון; צילום־רנטגן
ra′dio•graph′ *n.* צילום רנטגן
ra′diog′rapher *n.* עובד רנטגן
ra′diog′raphy *n.* צילומי רנטגן
ra′dio•i′sotope′ *n.* איזוטופ רדיואקטיבי
radio link משדר משולב (המקשר שידורים ממקומות שונים)
ra′dio′lo•ca′tion *n.* ראדאר
ra′diol′ogy *n.* טיפול בהקרנה
radio set מקלט, רדיו
radio telescope רדיו־טלסקופ
ra′dio•ther′apy *n.* רדיותרפיה, ריפוי בהקרנה
rad′ish *n.* צנון; צנונית
ra′dium *n.* ראדיום, אורית
ra′dius *n.* רדיוס, מחוג; עצם אמת־היד
RAF = Royal Air Force
raf′fia *n.* רפיה, לכש
raf′fish *adj.* פראי, הולל, מביש
raf′fle *n.* הגרלה, מכירת־הגרלה
raffle *v.* למכור בהגרלה, להגריל
raft *n.* רפסודה, דוברה; המון, הרבה
life raft סירת הצלה
raft *v.* לרפסד, לשוט/להשיט/לחצות ברפסודה
raft′er *n.* קורת־רעפים, קורת־גג
raftered *adj.* (אולם, גג) בעל קורות־גג, חסר־תקרה
raftsman, rafter *n.* רפסודאי
rag *n.* סמרטוט, מטלית; חתיכה, פירור; עיתון זול; קרנבל; תעלול
glad rags ★בגדי חג
like a red rag to a bull מבעיר חימה, כמטלית אדומה לשור
like a wet rag ★כמו סמרטוט, סחוט
rags בלואים, סחבות
rag *v.* להקניט, לקנטר; לשחק, להרעיש; לעשות מעשי־קונדס
rag′amuf′fin *n.* זאטוט לבוש־סחבות
rag-bag *n.* שקית (לשמירת) סמרטוטים; תערובת, בליל, ערב־רב; ★מרושל־לבוש
rag day יום הקרנבל (של סטודנטים)
rage *n.* זעם, חימה; סערה; תשוקה, התעניינות עזה; אופנה
all the rage (המלה האחרונה) באופנה
fly into a rage להתלקח בזעם
rage *v.* לזעום, להיתקף חימה; לסעור; להשתולל
battles raged קרבות השתוללו
rage out לעמוד מזעפו
rag′ged *adj.* קרוע, מרופט; בסחבות; מדובלל; מחוספס; לא מהוקצע; חסר־שלמות
run him ragged להלאותו, להתישו
rag′lan *n&adj.* ראגלאן, (מעיל, שרוול) חסר תפרי־כתף
ragout (ragōō′) *n.* ראגו, תבשיל בשר וירקות, תרביך
rag paper נייר־סמרטוטים (משובח)
rag′tag′ *n.* אספסוף
ragtag and bobtail האספסוף
rag′time′ *n.* רגטיים (מוסיקה מסונקפת)
rag trade ★הלבשה, ענף הביגוד
rag week שבוע הסטודנט, שבוע הקרנבל
rah (rä) *interj.* הידד!
raid *n&v.* פשיטה; התקפה; הסתערות; הפצצה; שוד; לפשוט על, להתקיף
raider *n.* מתקיף; מפציץ
rail *n.* מעקה; מתלה; פס; רכבת
by rail ברכבת
jump the rails לרדת מן הפסים
off the rails ירד מן הפסים
rail *v.* לגדור; להקים מעקה (סביב)
rail *v.* לרגון, להתמרמר; להטיח טענות
rail car קרון רכבת (ממונע)
railhead *n.* קצה מסילת־ברזל
railing *n.* תלונות, הטחת טענות
railings *n-pl.* מעקה, גדר
rail′lery *n.* קנטור, לגלוג, התבדחות
railroad *n&v.* רכבת; להעביר ברכבת; לאלץ, ללחוץ; להשליך לכלא
railroad a bill להעביר חוק בחיפזון
railway *n.* רכבת
rai′ment *n.* בגד, לבוש
rain *n.* גשם, מטר
looks like rain נראה שירד גשם

rain of questions מטר שאלות
rain or shine בין שירד גשם ובין לאו, באש ובמים
right as rain בקו הבריאות
the rains עונת הגשמים
rain *v.* לרדת גשם, ליפול; להמטיר
it never rains but it pours הצרות באות בחבילות
it's raining, it rains יורד גשם
rain down להמטיר, להציף; לזלוג
rain off/out לחדול (הגשם)
rained out בוטל בגלל הגשם
rains cats and dogs ניתך גשם עז
rainbow *n.* קשת (בשמיים)
rain check כרטיס למשחק חוזר (במקרה גשם); הזמנה מעותדת
raincoat *n.* מעיל גשם
raindrop *n.* טיפת גשם
rainfall *n.* כמות הגשמים, משקעים
rain forest יער עבות, יער טרופי
rain gauge מדגשם
rainless *adj.* חסר־גשם
rainproof *adj.* חסין־גשם
rainstorm *n.* סופת־גשמים
rainwater *n.* מי־גשמים
rainy *adj.* גשום
for a rainy day (לחסוך) לקראת ימים קשים, לעת הצורך
raise (-z) *v.* להרים, להעלות; לעורר; לגרום; לגדל; להקים; להסיר; לגייס
raise a dust להקים רעש
raise a hand להושיט יד, לנקוף אצבע
raise a laugh לעורר צחוק
raise a point להעלות נקודה/נושא
raise a voice/hand להרים קול/יד
raise an embargo להסיר אמברגו
raise children לגדל ילדים
raise eyebrows להכות בהלם; להרים גבה
raise from the dead להשיב לתחייה
raise havoc with לעשות שמות ב־
raise his hopes לנטוע בו תקווה
raise land לראות יבשה (מספינה)
raise money לגייס כסף
raise one's glass להרים כוס
raise the devil/heck לעורר מהומה
raise to the power of להעלות בחזקת־
raise Cain/hell/the roof להרעיש/להפוך עולמות
raise *n.* העלאה (במשכורת)
raised *adj.* מורם, מוגבה, בולט

-raiser *n.* מגדל; גורם ל־
fire-raiser מבעיר שריפות (בזדון)
rai'sin (-z-) *n.* צימוק
raison d'etre (rā'zōndet'rə) סיבת־קיום, תכלית חייו
raj (räj) *n.* ראג', שלטון
ra'ja (rä'-) *n.* ראג'ה, מושל
rake *v.* לגרוף; לאסוף; לסרוק; להמטיר אש־מקלעים לאורך־
is raking it in ★עושה כסף
rake around/over לחפש, לחטט
rake in ★לגרוף, לעשות (הון)
rake out/up לחשוף, לחטט ולמצוא
rake over the coals לנזוף
rake up an old quarrel לעורר ריב שנשכח, לגרד פצעים שהגלידו
rake *v&n.* לנטות/להטות לאחור; להשתפע; לשפע; שיעור השיפוע, נטייה
rake *n.* מופקר, רודף תענוגות, ריקא
rake *n.* מגרפה; מגוב
rake-off *n.* עמלה, תגמול, חלק ברווח
ra'kish *adj.* מופקר, מתהולל; עליז, שובבני; (ספינה) בנויה לשם מהירות
at a rakish angle נטוי הצידה
ral'lentan'do *n.* האטה
ral'ly *v.* ללכד; להתלכד; לקבץ; להיערך מחדש; לאזור כוח; להתאושש
rally round לבוא לעזרת־
rally *n.* ליכוד; התאוששות; אסיפה, מפגן; מירוץ מכוניות; חילופי־כדור
rally *v.* להקניט, לקנטר, ללגלג
ram *n.* איל; איל־ברזל; ספינת־כר; מתקן דחיפה/הלימה; משאבה; מזל טלה
ram *v.* לנגח; לדחוף; לבטוש; לתקוע
ram it down his throat לחזור ולשנן לו, לכפות עליו רעיון
Ram'adan' (-dän) *n.* רמדאן, חודש הצום
ram'ble *v.* לטייל, להסתובב; לדבר/לכתוב בבלבול; להשתרג, להתפשט
ramble *n.* טיול, סיור, סיבוב
rambler *n&adj.* טייל; (ורד) מטפס, מתפשט
rambling *adj.* מבולבל, חסר־קשר; לא־מתוכנן; מפותל
ram•bunc'tious (-shəs) *adj.* רעשני, פראי
ram'ekin *n.* גבינה־עם־ביצים
ram'ifica'tion *n.* הסתעפות; ענף
ram'ify' *v.* להסתעף, להתענף
ram jet מנוע סילון (דוחס אוויר)

ramp *n.* כבש, מישור משופע; סוללה, רמפה; ⋆סחיטה, דרישת מחיר מופרז
ramp *n&v.* השתוללות; להשתולל, להתפרע
ram′page′ *n&v.* השתוללות; להשתולל
go on the rampage להשתולל
ram•pa′geous (-jəs) *adj.* משתולל, מרעיש
ram′pant *adj.* משתולל, נפוץ; שופע, פורה, מתפשט; קם על רגלו האחורית
the crime is rampant הפשע משתולל
ram′part′ *n.* סוללה, דייק; הגנה, מגן
ram′rod′ *n.* מדוך (לדחיקת פגז בלוע); חוטר־ניקוי
stiff as a ramrod זקוף; קפדן
ram′shack′le *adj.* רעוע, מט ליפול
ran = pt of run
ranch *n.* חווה
rancher *n.* חוואי, בוקר, פועל־חווה
ranch house בית חד־קומתי
ranch wagon מכונית סטיישן
ran′cid *adj.* מקולקל, מעופש, מבאיש
ran•cid′ity *n.* קלקול, ריקבון
ran′cor *n.* שנאה, התמרמרות
ran′corous *adj.* שונא, מתמרמר, לא־סולח
rand *n.* רנד (מטבע בדרום אפריקה)
ran′dom *adj&n.* מקרי, בלי מטרה, סתם
at random באקראי, בלי תכנון, לתומו
random sample מדגם מקרי (במשאל)
ran′dy *adj.* שטוף תאווה; מתפרע
rang = pt of ring
range (rānj) *n.* רכס, שורה; אחו; מטווח; טווח; תחום, גבולות; מקום מחייה; מיגוון; תנור
at short range מטווח קרוב
beyond/out of range מחוץ לטווח
mountain range רכס הרים
range of colors קשת של צבעים
range of voice מגבול הקול
within range בטווח ראייה/שמיעה
range *v.* להגיע לטווח־; לנוע בין; להשתרע; לשוטט; לערוך, להציב
ages ranging from 3 to 6 גילים הנעים בין 3 ל־6
range cattle להחזיק חוות בקר
range over להקיף, להשתרע על פני
range through לטייל, לשוטט ב־
range finder מד־טווח
ran′ger (rān′-) *n.* שומר־יערות; איש־חוק, שוטר; איש קומנדו; צופה
rank *n.* דרגה; מעמד חברתי; שורה;
break ranks לצאת מן השורות, להיווצר אי־סדר, להתבלבל
keep ranks להישאר בשורות
of the first rank מהשורה הראשונה, בין המצוינים
pull one's rank לנצל לרעה את דרגתו
rank and file החוגרים, החיילים; האנשים מן השורה, ההמון הפשוט
reduce to the ranks לשלול דרגתו
rise from the ranks לעלות לקצונה מדרגת טוראי
taxi rank שורת מוניות (בתחנה)
the ranks, other ranks חוגרים
rank *v.* לסדר בשורה; לכלול בין, לסווג, להימנות; לעלות בדרגה על
rank high לתפוס מקום נכבד
rank *adj.* מכוסה עשבים; פורה, עבות, גדל פרא; מסריח, דוחה; גמור; גס
rank liar שקרן מובהק
ranker *n.* שעלה לקצונה (מטוראי)
ranking *adj.* בעל הדרגה הגבוהה ביותר
ran′kle *v.* לכרסם בלב, להותיר צלקת עמוקה בזיכרון
ran′sack′ *v.* לשדוד, לבוז; לחפש ביסודיות, לחטט
ran′som *n.* כופר; שחרור תמורת כופר
hold him to ransom להחזיקו במאסר ולדרוש כופר תמורת שחרורו
king's ransom סכום הגון, הון רב
ransom *v.* לשחרר תמורת כופר
rant *v&n.* לדבר גבוהה־גבוהה, להשתמש במליצות ריקות; לדקלם; עתק
rant and rave לצעוק ולגעוש
rap *v.* לדפוק, להקיש; לנזוף, לגעור; לגנות; לדבר בחופשיות ובקלילות
rap out לפלוט (פקודה, קללה); להביע בנקישות
rap *n.* דפיקה, נקישה; אשמה, אחריות
beat the rap ⋆לחמוק מעונש
not give a rap ⋆לא איכפת כלל
rap on the knuckles נזיפה, גערה
take a rap ⋆לספוג מכה
take the rap ⋆להיענש, להינזף
rapa′cious (-shəs) *adj.* עושק, גוזל, רודף־בצע; טורף
rapac′ity *n.* עושק, חמס, אהבת־בצע
rape *v&n.* לאנוס; לחטוף, לשדוד; להרוס; אונס; חטיפה; שוד; הרס
rape *n.* גפת, פסולת ענבים; צמח מפיק

שמן והמשמש למספוא

rap′id *adj&n.* מהיר; תלול; אשד, זרם נהר

shoot the rapids לשוט במורד האשד

rapid-fire *adj.* של אש שוטפת; (בדיחות) נפלטות בצרורות/ברציפות

rapid′ity *n.* מהירות, שטף

ra′pier *n.* סַיִף

rapier thrust מענה חד, הערה שנונה

rap′ine (-pin) *n.* ביזה, שוד

ra′pist *n.* אנס; גזלן

rap•port′ (-pôr) *n.* יחסי־קרבה, הבנה

rap•pro′chement′ (-shmän′) *n.* פיוס, התיידדות מחדש

rap•scal′lion *n.* נָבָל

rapt *adj.* שקוע, מרותק, מתלהב

rapt attention תשומת־לב רבה

rap′ture *n.* התלהבות, תרגושת גיל

went into raptures התלהב, לבו הוצף גיל, לא ידע נפשו מרוב אושר

rap′turous (-ch-) *adj.* נלהב, מלהיב

rare *adj.* נדיר; מצוין; דליל, קלוש; נא, מבושל בחלקו

rare old ★לא רגיל, מיוחד במינו

rare′bit (rãr′-) *n.* טוסט־גבינה

rare earth עפרה נדירה

ra′refac′tion *n.* הקלשה; עידון

ra′refy′ *v.* לדלל, להקליש; לעדן, לטהר

she moves in rarefied circles היא מתחככת באנשי החברה הגבוהה

rarely *adv.* לעיתים נדירות; בצורה בלתי רגילה

ra′ring *adj.* ★להוט, משתוקק

ra′rity *n.* נדירות; דבר נדיר

ras′cal *n.* נָבָל; ★שובב, מזיק, תכשיט

ras•cal′ity *n.* מעשה־נבלה

rascally *adj.* נבזה, שפל

rash *adj.* פזיז, נמהר, לא שקול

rash *n.* פריחה אדומה (בעור); הופעה פתאומית, הצפה, בצבוע

come out in a rash להתכסות פריחה

rash′er *n.* פרוסת בשר מטוגנת

rasp *n.* משוף, פצירה גסה; צרימה

rasp *v.* לשייף; לגרד; לצרום, לחרוק

rasp away/off לשייף, להסיר בשיוף

rasp his nerves למרוט עצביו

rasp out לפלוט בקול מחוספס

rasp′ber′ry (raz′beri) *n.* פטל, תות־סנה; ★קול נפיחה (מלמטה/מהפה); תנועה מגונה

blow a raspberry at ★להפליץ על

rat *n.* חולדה, עכברוש; פחדן, מפר שביתה, בוגד

like a drowned rat רטוב עד לשד עצמותיו

rats! שטויות!

smell a rat לחוש שמשהו לא בסדר

rat *v.* להפר הבטחה, לסגת; להתחמק

go ratting לצאת ללכוד חולדות

rat out on לנטוש, לבגוד ב־

ratable = rateable

rat′-a-tat′ *n.* נקישות, הקשה

ratch′et *n.* גלגל משונן, מחגר

ratchet wheel גלגל מחגר

rate *n.* שיעור; מחיר; מהירות, קצב; מס, ארנונה; סוג

at a fast rate במהירות גבוהה

at any rate בכל אופן, בכל מקרה

at that/this rate בקצב כזה; אם העניינים יתנהלו כך; אם כך הדבר

bank rate ריבית בנקאית

birth/death rate ילודה/תמותה

first-rate מעולה, משובח

rate of exchange שער החליפין

second-rate בינוני, סוג ב׳

rate *v.* לאמוד, לקבוע שומה; להעריך, להחשיב, לכלול; לנזוף

rateable *adj.* ניתן להערכה; חייב במס

rateable value ערך לצרכי שומה

rate-payer *n.* משלם מיסים

rath′er (-dh-) *adv.* למדי, די־, במידת־מה, קמעה; מוטב ש־; אדרבה

or, rather ליתר דיוק

rather than מאשר־, יותר מש־

I'd rather הייתי מעדיף

rather *interj.* בהחלט! אדרבה! כן!

rat′ifica′tion *n.* אישור, אשרור

rat′ify′ *v.* לאשר (רשמית), לאשרר

ra′ting *n.* שומה, אומדן; דרגה; דירוג, סיווג; פופולריות (של תוכנית)

ratings חוגרים, חיילים

rating *n.* נזיפה, תוכחה

ra′tio (-shō) *n.* יחס, פרופורציה

rat′ioc′ina′tion *n.* חשיבה שיטתית

ra′tion (rash′ən) *n.* מנה, מנת מזון

iron ration מנת ברזל, מנת חירום

short rations מנות מזון מקוצצות

ration *v.* להקציב; להטיל פיקוח, להנהיג קיצוב

ration out לחלק, לספק מנות

ra′tional (rash′ən-) *adj.* רציונאלי, נבון, שכלי; הגיוני, סביר; ממושכל

ra′tionale′ (rash′ənal′) *n.* בסיס הגיוני

ra'tionalism' (rash'ən-) *n.*
רציונאליזם, שכלתנות
ra'tionalist (rash'ən-) *n.* שכלתן
ra'tionalis'tic (rash'ən-) *adj.*
שכלתני, רציונאליסטי
ra'tional'ity (rash'ən-) *n.*
רציונאליות, הגיוניות
ra'tionaliza'tion (rash'ən-) *n.*
שכלון, רציונליזאציה
ra'tionalize' (rash'ən-) *v.* לשכלן,
להסביר על דרך ההיגיון; לארגן מחדש,
לייעל
ration book פנקס מזון
rat'lin *n.* שלב, חווק (בסולם חבלים)
rat race מירוץ בלתי פוסק לקידום;
רמיסת הזולת
rattan' *n.* דקל בעל חוטר גמיש;
מקל־הליכה; מעשה־קליעה (מדקל זה)
rat'-tat' *n.* נקישה, הקשה
rat'ter *n.* תופס עכברושים
rat'tle *v.* לדפוק, להקיש, לתקתק;
לקשקש; לטרטר; למתוח, לעצבן
my bones rattled רעדתי (מקור)
rattle off לדקלם במהירות
rattle on/away לפטפט, לדבר בשטף
rattle through להעביר/לבצע מהר
rattle *n.* נקישות, תקתוק; קשקוש;
פטפוט; רעשן
death rattle חרחורי־גסיסה
rattle-brain *n.* קשקשן, נבוב־מוח
rattle-pate *n.* קשקשן, טיפש
rattlesnake, rattler *n.* נחש ארסי
(המקשקש בזנבו)
rattletrap *n.* מכונית טרטרנית
rattling *adj&adv.* ⋆מהיר, מצוין; מאוד
rat'ty *adj.* שורץ עכברושים; מתרגז
rau'cous *adj.* צרוד, צורמני, מחוספס
raunch'y *adj.* שטוף־תאווה
rav'age *v.* להרוס, להשמיד; לשדוד
ravage *n.* הרס, חורבן
rave *v.* לדבר בטירוף, להטיח צעקות;
לזעוף, לגעוש, להשתולל
rave about לדבר בהתלהבות על
rave itself out לעמוד מזעפו
rave oneself hoarse להצטרד
מצעקות
rave *n&adj.* ⋆שבח מופלג; מסיבה עליזה
in a rave ⋆מלא התלהבות
rave notices ביקורות נלהבות
rav'el *v.* להיפרד, להיפרם; להתיר (קצה
חבל); לסבך; להסתבך (לפקעת)
ra'ven *n&adj.* עורב; שחור־מבריק
rav'en *v.* לזלול, לטרוף; לשחר לטרף
raven-haired *adj.* שחור־שיער
rav'ening *adj.* עז, פראי, מסוכן, רעב
rav'enous *adj.* רעב, זוללני, להוט
ra'ver *n.* ⋆הולל, מבלה במסיבות
rave-up *n.* ⋆מסיבת־הוללות
ravine' (-vēn) *n.* גיא, עמק צר
ra'ving *adj&n.* מטורף, צועק כמשוגע
raving mad משתולל כמשוגע
ravings דברי טרוף, קשקושים
rav'io'li *n.* ראביולי, כיסני־בשר
rav'ish *v.* לאנוס; לחטוף; להקסים
ravished by מוקסם, מלא התפעלות
ravishing *adj.* מרהיב עין, כובש לב
ravishment *n.* אונס; חטיפה; הקסמה
raw *adj.* חי, לא מבושל; גולמי, טבעי;
חסר־ניסיון; כואב, משופשף־עור; גס
raw deal יחס גס, עוול
raw materials חומרי גלם
raw recruit טירון, "בשר טרי"
raw spirit כוהל לא מהול
raw weather מזג אוויר קר ולח
raw wound פצע טרי, פצע פתוח
raw *n.* פצע, מקום רגיש (בעור)
in the raw במצבו הטבעי; ערום
touch on the raw לפגוע במקום רגיש,
להזכיר נושא עדין ביותר
raw-boned *adj.* רזה, דל־בשר
raw'hide' *n.* שֶׁלַח, עור גולמי; שוט,
מגלב
ray *n.* קרן (אור); דג־ים שטוח
ray of hope זיק תקווה, שביב תקווה
ray'on' *n.* זהורית, משי מלאכותי
raze *v.* להרוס, להחריב עד היסוד
razed *adj.* מגולח
ra'zor *n.* סכין גילות, תער
electric razor מכונת גילוח
razor's edge מצב קריטי
safety razor מכשיר גילות, מגלח
razorback *n.* סוג לווייתן; חזיר יער
razor-backed *adj.* בעל גב מחודד
raz'zle (-daz'zle) *n.* שמחה, הילולה;
רעש, "סאמאתוכה"
go on the razzle להתהולל
RC=Roman Catholic, Red Cross
rd = road
re (rā) *n.* רה (צליל)
re (rē) *prep.* בנושא־, בעניין־
re- (תחילית) מחדש, שוב; לש־
rewrite/revaluate לשכתב/לשערך
're = are, we're = we are
reach *v.* להגיע ל־; להשיג; להושיט יד;

להביא, לתת; להשתרע
reach down להוריד (ממדף, ממתלה)
reach for להושיט יד; להשתרע עד
reach for the sky ידיים למעלה!
reach out a hand להושיט יד
reach *n.* קטע (נהר) ישר (לא מפותל); הושטת־יד; הישג־יד; השגה
a long reach (הושטת) יד ארוכה
beyond/out of reach מחוץ להישג ידו, רחוק מ־, מעבר להשגתו, נשגב
within (easy) reach קרוב ל־, סמוך ל־; בתחום השגתו
reach-me-downs ★בגדים משומשים; בגדים זולים, בגדים מוכנים
re•act′ *v.* להגיב (על); לענות; להשפיע
react against להגיב בשלילה, להתקומם כנגד, לפעול בניגוד
react on לפעול על, להשפיע על
react to להגיב על, להיות מושפע
re•ac′tion *n.* תגובה; נסיגה, שינוי גמור; ריאקציה; התנגדות לקדמה, נסגנות
re•ac′tionar′y (-shəneri) *n&adj.* ריאקציונר, חשוך; נסגן, נסגני
re•ac′tivate′ *v.* להפעיל שוב, לשפעל
re•ac′tive *adj.* מגיב, הגבי
re•ac′tor *n.* מגיב, תגובן, כור אטומי, מגוב, ריאקטור
read *v.* לקרוא; להקריא; להיקרא; להבין; ללמוד; להורות; לפרש
be read as להתפרש כ־
read a dream לפתור חלום
read a lesson/lecture לנזוף
read between the lines לקרוא בין השיטין
read for ללמוד לקראת (תואר)
read him like a book לקרוא אותו כספר, להבינו היטב
read him to sleep להרדימו בקריאה
read his mind לקרוא מחשבותיו
read his palm לקרוא בכף ידו
read into להסיק (בטעות), לפרש
read out לקרוא; להקריא; לסלק, לגרש
read over/through לקרוא (מחזה) בעת חזרה (בלי תנועות)
read the time לקרוא את השעון
read up on לקרוא, ללמוד על
take it as read להניח שזה בסדר, להסכים שאין צורך לדון בכך
the thermometer read 38 המדחום הראה על 38
the 2 books read differently שני הספרים גרסו אחרת
this book reads well הספר הזה יפה לקריאה
read *n.* קריאה
a good read (ספר) יפה לקריאה; שעה של קריאה מהנה
read = p of read (red)
widely-read (ספר) נקרא, נפוץ ביותר; שקרא הרבה, שמילא כרסו
read′abil′ity *n.* קריאות
readable *adj.* קריא, נוח לקריאה
re′address′ *v.* למעַן מחדש
read′er *n.* קורא; מגיה; מקראה, ספר לימוד למתחילים; מרצה
lay reader קורא התפילות (בכנסייה)
publisher's reader קורא כתבי־יד
readership *n.* מספר קוראים, תפוצת־קריאה; כהונת מרצה
read′ily (red′-) *adv.* ברצון, בחפץ־לב, מיד; בלי פקפוק; בלא שום קושי
read′iness (red′-) *n.* נכונות, רצון; מהירות, מידיות
in readiness for ערוך, מוכן ל־
read′ing *n.* קריאה; השכלה; נוסחה, גרסה, פירוש; מידה (במדחום)
2nd reading קריאה שנייה (בכנסת)
reading desk עמוד קריאה
reading glasses משקפי־קריאה
reading lamp מנורת קריאה
reading room חדר קריאה
re′adjust′ *v.* לסדר מחדש, להתקין מחדש; להתאים מחדש
readjustment *n.* סידור מחדש
read′out′ *n.* הצגת נתונים (של מחשב)
ready (red′i) *adj.* נכון, מוכן, ערוך; נוטה, רוצה; מהיר, מיידי; בהישג־יד
at the ready מוכן לירייה
make ready להכין; להיערך
ready cut חתוך מראש, מוכן בחתיכות
ready tongue לשון מהירה, דברנות
ready, steady, go! מוכנים, היכון, רוץ
too ready with/to להוט
ready *v.* להכין; להתכונן
ready-made *adj&n.* (בגד) מוכן, לא בהזמנה; שגרתי, סטנדרטי, לא מקורי
ready money/cash מזומנים
ready reckoner ספר טבלאות, לוחות חישוב
ready-to-wear (בגד) מוכן
re′affirm′ *v.* לאשר מחדש
re′affor′est *v.* לייער מחדש
re′affor′esta′tion *n.* ייעור מחדש
re•a′gent *n.* חומר מגיב (בכימייה)

re′al *adj&adv.* מציאותי, ממשי, אמיתי, מעשי, ריאלי; ★באמת, מאוד
for real ★ברצינות
real (rääl′) *n.* ריאל (מטבע)
real estate/property מקרקעין
real estate agent סוכן מקרקעין
re′align′ (-līn′) *v.* לערוך מחדש
re′alism′ *n.* ריאליזם; מעשיות
re′alist *n.* ריאליסט; אדם מעשי
re′alis′tic *adj.* ריאליסטי; מציאותי
re•al′ity *n.* ריאליות, מציאות
in reality למעשה, באמת
realizable *adj.* בר־ביצוע, ממיש
re′aliza′tion *n.* הבנה; המחשה; הגשמה; התגשמות; מימוש
re′alize′ *v.* להבין, לתפוס במלואו; להמחיש, להגשים; לממש; למכור; להתממש
realize a profit on a house לצאת ברווח ממכירת בית
really *adv.* באמת; ברצינות
realm (relm) *n.* ממלכה; עולם; תחום
real′politik (rääl′politēk) *n.* ריאלפוליטיק, מדיניות ריאלית
re′altor *n.* סוכן מקרקעין
re′alty *n.* מקרקעין, נדל"ן
ream *n.* חבילה, 500 גליונות נייר
write reams of- ★לכתוב המון־
re•an′imate′ *v.* להשיב לתחייה, להזרים כוח חדש, לעודד
reap *v.* לקצור, לאסוף; לזכות ב־
reap a profit לצאת ברווח
reaper *n.* מקצרה; קוצר
reaper and binder מאלמת
reaphook *n.* חרמש
re′appear′ *v.* להופיע שנית
re′apprais′al (-z-) *n.* בדיקה מחדש, הערכה מחדש
rear *n&adj.* אחור; עורף; אחוריים; אחורי
bring up the rear להיות אחרון
rear *v.* לגדל; להקים, לבנות, להציב; להרים; להתרומם
rear admiral סגן־אדמירל
rear end צד אחורי; אחוריים
rearguard *n.* יחידה עורפית (להגנה)
rearguard action קרב תוך נסיגה
re•arm′ *v.* לחמש/להתחמש מחדש
re•ar′mament *n.* חימוש מחדש
rearmost *adj.* האחורי ביותר
re′arrange′ (-rānj′) *v.* לסדר מחדש/אחרת
rearward *adj&n.* (הכיוון ה) אחורי
to rearward of במרחק־מה מאחורי־
rearwards *adv.* אחורנית
rea′son (-z-) *n.* סיבה, טעם; שכל, תבונה, כושר חשיבה; היגיון, שכל ישר
bring him to reason לשכנעו לפעול בהיגיון
by reason of בגלל, מסיבת
do anything within reason לעשות כל שביכולתו (בגבולות ההיגיון)
in reason בהיגיון, לפי השכל הישר
it stands to reason that סביר ש־
listen to/hear reason להטות אוזן קשבת לקול ההיגיון
lose all reason לאבד השכל הישר
lose one's reason לצאת מדעתו
past all reason לא הגיוני כלל
with reason בצדק
reason *v.* לחשוב; לטעון, לנמק
reason into לשכנע (שיפעל בהיגיון)
reason out לפתור לאחר בחינת הנימוקים, לשבת על המדוכה
reason out of לשכנע שיתנער, להניא
reason with him לדבר על ליבו
reasonable *adj.* הגיוני; סביר; נבון
reasoned *adj.* שקול, שלאחר מחשבה
reasoning *n.* דרך־חשיבה, הסקת מסקנה
reasonless *adj.* חסר־היגיון
reassurance *n.* הרגעה, הבטחה
re′assure′ (-shoor) *v.* להרגיע, לסלק פחדיו, להבטיח מחדש
re•bar′bative *adj.* דוחה, לא נעים
re′bate′ *n.* הנחה, הפחתה
reb′el *n&adj.* מורד, מתקומם
re•bel′ *v.* למרוד, להתקומם
re•bel′lion *n.* מרד, התקוממות
re•bel′lious *adj.* מורד, מרדני
re′bind′ (-bīnd) *v.* לכרוך מחדש
re′birth′ *n.* תחייה, רנסאנס
re′born′ *adj.* (כאילו) נולד מחדש
re•bound′ *v.* לנתר לאחור, להיהדף, להיתקל ולחזור
rebound upon לפגוע ב־, לפעול כבומראנג על
re′bound′ *n.* קפיצה לאחור, ריבאונד; כדור ניתר
marry on the rebound להתחתן "דווקא" עם אחר (כתגובה לאהבה נכזבת)
re′bound′ *adj.* שנכרך מחדש
re•buff′ *v&n.* לדחות, לא להיענות;

official receiver כונס נכסים
receivership *n.* תפקיד כונס נכסים
receiving *n.* קניית סחורה גנובה
receiving set מַקלט
re•cen'sion *n.* רוויזיה, רצנזיה, עריכה, סיקורת; נוסח מתוקן
re'cent *adj.* חדש, שאירע לאחרונה
re'cently *adv.* לאחרונה, זה לא כבר
re•cep'tacle *n.* כלי־קיבול
re•cep'tion *n.* קבלה; קבלת פנים; מסיבה; חדר־קבלה; קליטה
reception clerk פקיד־קבלה
reception desk דלפק־קבלה
receptionist *n.* פקיד־קבלה
reception room חדר־אורחים, סלון
re•cep'tive *adj.* פתוח (לרעיונות)
re'cep•tiv'ity *n.* פתיחות
re'cess' *n.* חופשה, הפסקה; פגרה; גומחה; מגרעה; מקום עמוק, נבך
re•cess' *v.* לצאת לחופשה; להניח בגומחה; לשקע
re•ces'sion *n.* נסיגה, ירידה, שפל, מיתון
recessional *n&adj.* הימנון סיום (בכנסייה); של פגרה
re•ces'sive *adj.* נכנע, נסגני; רצסיבי
re'charge' *v.* לטעון (סוללה) מחדש
recherché (rəshār'shā) *adj.* מובחר, נדיר, משונה, נברר בקפדנות
re•cid'ivism' *n.* הישנות, חזרה; רצידיב
re•cid'ivist *n.* חוזר לסורו, פושע ללא תקנה; רצידיביסט
rec'ipe' (-sipi) *n.* מרשם, מתכון
re•cip'ient *n.* מקבל
re•cip'rocal *adj.* הדדי, משותף
re•cip'rocate' *v.* להחזיר, להשיב, לגמול טובה; לנוע הלוך ושוב (כטלטל)
reciprocating engine מנוע בוכנות
re•cip'rocat'tion *n.* הדדיות
rec'iproc'ity *n.* הדדיות; הקלות הדדיות (במסחר)
re•ci'tal *n.* רסיטאל, מיפע, מופע־יחיד; סיפור, תיאור השתלשלות
rec'ita'tion *n.* קריאה; קטע; תיאור, סיפור; דקלום, חזרה
rec'itative' (-tēv) *n.* רציטאטיב, קטע מדוקלם (המשובץ באופרה)
re•cite' *v.* לספר, לקרוא, לדקלם; למנות; לענות על שאלות המורה
reck *v.* לדאוג, לחשוש, לשים לב
reck nothing of לא איכפת, בז ל־
reck'less *adj.* פזיז, נמהר; לא איכפתי

דחייה, אמירת לאו
suffer a rebuff להיתקל בלאו מוחלט
re'build' (-bild) *v.* לבנות מחדש
re•buke' *v&n.* לנזוף, לגעור; נזיפה
administer a rebuke לנזוף
re'bus *n.* רבוס, חידת ציורים
re•but' *v.* לסתור, להפריך, להזם
re•but'tal *n.* סתירה, הפרכה
re•cal'citrancy *n.* מרדנות, עקשנות
re•cal'citrant *adj.* מרדן, לא מקבל מרות, עקשן
re•call' (-kôl) *v.* לזכור; להחזיר, לקרוא בחזרה, לבטל (הוראה)
recall *n.* זיכרון, זכירה; החזרה, ביטול; אות־השיבה, תרועת־החזרה
beyond/past recall שאין לבטלו; אין להשיב
re•cant' *v.* לוותר על, להתכחש, להתנכר, לכפור, לנטוש אמונה
re'can•ta'tion *n.* הצהרת־ויתור
re'cap' *v&n.* (לסכם ב) ראשי פרקים
re'cap' *v.* לגפר, לחדש צמיג
re'capit'ulate (-ch'-) *v.* לחזור על עיקרי הדברים, לסכם
re'capit'ula'tion (-ch'-) *n.* סיכום, חזרה על ראשי פרקים
re'cap'ture *v.* לכבוש בחזרה; ללכוד מחדש; לזכור, להיזכר ב־; להזכיר
re'cast' *v.* לעצב/לצקת מחדש; לשכתב; לשנות תפקידי השחקנים
rec'ce (rek'i) *n.* ★סיור
recd = received
re•cede' *v.* להיסוג; לסגת; לרדת; להתרחק; להשתפע אחורנית
receding chin סנטר משופע (לאחור)
re'ceipt' (-sēt') *n.* קבלה; מירשם, מתכון, רצפט
make out a receipt לכתוב קבלה
on receipt of עם קבלת־
receipts הכנסות, תקבולים
we are in receipt of קיבלנו (מכתבך)
receipt *v.* לכתוב קבלה, לאשר שנפרע
receipt book פנקס קבלות
receivable *adj&n.* ראוי להתקבל; שטל"ק
re•ceive' (-sēv') *v.* לקבל; לספוג; לקבל פני אורחים, לארח; לקלוט
be received להתקבל (כחבר)
on the receiving end מקבל, קולט
received *adj.* מקובל
receiver *n.* סוחר־גניבות; אוזנית, שפופרת; מַקלט; כונס נכסים, מפרק

reckless driving נהיגה מסוכנת
reck′on *v.* ;לחשוב, להעריך, לכלול בין לשער, לסבור; לחשב
reckon in לכלול, לקחת בחשבון
reckon on לסמוך על, לבטוח ב־
reckon up לחשב, לסכם
reckon with "לטפל" ב', להיות לו עסק עם; להתחשב ב־
reckon without לא להביא בחשבון
to be reckoned with שאין להתעלם ממנו, שיש להביאו בחשבון
reckoner *n.* מחַשב
reckoning *n.* ;חישוב, חישובים; חשבון חישוב מקום הספינה
day of reckoning יום הדין
out in one's reckoning טועה בחשבון
re•claim′ *v.* להחזיר למוטב; לדרוש בחזרה; להכשיר (קרקע/חומרים) לשימוש
rec′lama′tion *n.* ;החזרה למוטב דרישה, תביעה; הכשרה לשימוש
re•cline′ *v.* ;לשכב, לנוח, להישען להניח, להשעין
rec′luse *n.* מתבודד, חי כנזיר
rec′ogni′tion (-ni-) *n.* ;הכרה; היכר זיהוי; (שי־) הוקרה
change out of all recognition להשתנות עד כדי כך שאין להכירו
recognizable *adj.* שניתן להכירו
re•cog′nizance *n.* התחייבות; ערבות
enter into recognizances לחתום על התחייבות
on one's own recognizance בלא ערבות; על־פי הבטחתו
rec′ognize′ *v.* לזהות; להכיר; להודות
re•coil′ *v.* ,להירתע, לרתוע, לסגת לקפוץ אחורנית
recoil on לפעול כבומראנג על
recoil *n.* נסיגה; רתיעה, רתע
rec′ollect′ *v.* לזכור, להיזכר ב־
rec′ollec′tion *n.* זכירה, זיכרון
to the best of my recollection למיטב זיכרוני
rec′ommend′ *v.* ,להמליץ על; להציע לייעץ; לעשותו חביב/מושך
recommend to להפקיד בידי
rec′ommenda′tion *n.* ;המלצה הצעה; תכונה חיובית, סגולה
rec′ompense′ *n.* ,פיצוי, תשלום תמורה
recompense *v.* לפצות, לשלם, לגמול
reconcilable *adj.* ניתן לפיוס

rec′oncile′ *v.* ;לפייס, לפשר, ליישב להתאים, למצוא מכנה משותף, לגשר
reconcile to להשלים עם (מצב)
rec′oncil′ia′tion *n.* פיוס
rec′ondite′ *adj.* עמוק, נסתר, ליודעי חן
re′condi′tion (-di-) *v.* לחדש, לשפץ
re•con′naissance (-nəs-) *n.* ;סיור סקר
rec′onnoi′ter *v.* (לסייר (בשטח אויב
re′consid′er *v.* לשקול מחדש
re′con′stitute′ *v.* ;להרכיב מחדש (להמס (אבקת חלב
re′construct′ *v.* לבנות שוב; לשחזר
re′construc′tion *n.* ;שחזור, קימום תחזורת
re•cord′ *v.* לרשום; להקליט; (לגבי (מחוון/מדחום) להראות (שיעור
rec′ord *n.* ,רשימה, דו"ח; שם, רקורד עבר; עדות; רשומה; שיא; תקליט
bear record to להעיד על
beat a record לשבור שיא
go/be on record להודיע בגלוי
matter of record עובדה ידועה, רשום
military record עבר צבאי
off the record שלא לפרסום
on record רשום, ידוע
put/place on record לרשום, לכתוב
rec′ord *adj.* של שיא
a record number מספר שיא
record-breaking *adj.* שובר־שיא
record changer מחלף־תקליטים
recorded delivery דואר רשום
re•cord′er *n.* חלילית; שופט; רשמקול
re•cord′ing *n.* הקלטה
record library ספריית תקליטים
record player פטיפון, מקול
re•count′ *v.* לספר, לתת דו"ח
re′count′ *v.* (למנות מחדש (קולות
re′count′ *n.* ספירה חוזרת
re•coup′ (-ko͞op′) *v.* ;לקבל חזרה לפצות
re•course′ (-kôrs) *n.* עזר, מפלט
have recourse to ,לבקש עזרה מ־ לפנות ל', להיזקק ל־
re•cov′er (-kuv-) *v.* להשיב, להחזיר לעצמו, לקבל חזרה; להחלים, להתאושש
recover consciousness לשוב להכרתו
recover one's strength ,להתחזק לשוב לאיתנו
recover oneself לשלוט בעצמו
re′cov′er (-kuv-) *v.* לכסות מחדש

recoverable *adj.* שאפשר לקבלו בחזרה
recovery *n.* השבה, החזרה; החלמה
recovery room חדר התאוששות
rec′re•ant *n.* פחדן, בוגד
re′cre•ate′ *v.* ליצור מחדש
rec′re•ate′ *v.* לשעשע; להשתעשע
rec′re•a′tion *n.* שעשועים, בילוי
recreational *adj.* משעשע, מבדר
recreation ground מגרש משחקים
recreation room חדר משחקים
re•crim′inate′ *v.* להטיח אשמה נגדית
re•crim′ina′tion *n.* האשמה נגדית, החזרת אשמה; הטחת אשמות הדדיות
re•crim′inato′ry *adj.* של אשמה נגדית
re′cru•des′cence (-kro͞o-) *n.* התפרצות מחדש
re•cruit′ (-kro͞ot) *n.* מגויס, טירון, חבר חדש
recruit *v.* לגייס; להשיג, לצרף (חבר חדש); להקים; להחלים, לשוב לאיתנו
recruitment *n.* גיוס
rec′tal *adj.* של החלחולת, של הרקטום
rec′tan′gle *n.* מלבן
rec•tan′gu•lar *adj.* מלבני
rec′tifica′tion *n.* תיקון; זיקוק חוזר; יישור זרם, רקטיפיקציה
rec′tifi′er *n.* מתקן; (בחשמל) מיישר
rec′tify′ *v.* לתקן; לזקק; ליישר (זרם)
rec′tilin′e•ar *adj.* של קו ישר, בקו ישר; בעל קווים ישרים
rec′titude′ *n.* יושר, הגינות, מוסריות
rec′to *adj&n.* ימין־הספר, עמוד ימני
rec′tor *n.* רקטור; נשיא מכללה; כומר קהילה
rectory *n.* בית הכומר
rec′tum *n.* רקטום, חלחולת, פי־הטבעת
re•cum′bent *adj.* שוכב, בתנוחת שכיבה
re•cu′perate′ *v.* לשוב/להשיב לאיתנו; להחלים, להבריא, להחליף כוח
re•cu′pera′tion *n.* החלמה
re•cu′pera′tive *adj.* של החלמה
re•cur′ *v.* לשוב, לחזור ולהישנות, להופיע שוב
let's recur to your idea הבה נחזור לרעיון שלך
recurs to his mind עולה בדעתו
recurrence *n.* הישנות; תופעה חוזרת
recurrent *adj.* חוזר (ונשנה); (הוצאות) שוטפות, חוזרות
recurring decimal שבר מחזורי

re•curve′ *v.* לכפוף לאחור, לקמר
recurved *adj.* כפוף, מעוקם, קמור
rec′u•sancy (-z-) *n.* מרדנות
rec′u•sant (-z-) *n.* מרדן, לא מציית
re′cy′cle *v.* למחזר
red *adj&n.* אדום; רוסי, קומוניסט; חובה; גרעון, אוברדרפט
in the red שקוע בחובות, בגירעון
out of the red נחלץ מהחובות
paint the town red להתהולל
red hands ידיים מגואלות בדם
see red להשתולל מזעם, להתלקח
turn red להסמיק, להאדים
re•dact′ *v.* לערוך, להכין לדפוס
red blood cell כדורית דם אדומה
red-blooded *adj.* חזק, גברי, נמרץ
redbreast *n.* אדום־החזה (ציפור)
redbrick *n.* אוניברסיטה (באנגליה)
redcap *n.* סבל־רכבת; שוטר צבאי
red carpet שטיח אדום (לאורח נכבד)
red cent "קליפת השום"
redcoat *n.* (בעבר) חייל בריטי
Red Crescent הסהר האדום
Red Cross הצלב האדום
red′cur′rant *n.* דמדמנית
red′den *v.* להסמיק, להאדים
red′dish *adj.* אדמדם
red duster ⋆דגל אוניות הסוחר
re•dec′orate′ *v.* לחדש דקורצית־פנים
re•deem′ *v.* לפדות; לגאול; לקיים, לבצע; לפצות, לכפר על
redeem from sin לגאול (נפש) מחטא
redeem one's honor להחזיר את כבודו
redeemable *adj.* שאפשר לפדותו
Redeemer *n.* ישו הנוצרי
redeeming feature סגולה חיובית (המכפרת על פגמים אחרים)
re•demp′tion *n.* פדיון; גאולה; ישועה; הצלה; קיום; כפרה; פיצוי
beyond/past redemption ללא תקנה
re•demp′tive *adj.* פודה, של גאולה
red ensign דגל אוניות־הסוחר
re′deploy′ *v.* לפרוס/לארגן מחדש
redeployment *n.* רה־ארגון
red flag דגל המהפכה; המנון השמאל
red-handed *adj.* (נתפס) בעת ביצוע הפשע
redhead *n.* אדום־שיער
red herring דבר שכוונתו להסיח הדעת מהנושא
red-hot *adj.* לוהט, נלהב; זועם

re′did′ = pt of redo
re′diffu′sion (-zhən) *n.* שידור תוכניות במקומות ציבוריים
Red Indian אינדיאני
re′direct′ *v.* למען שוב, לכוון מחדש
re′distrib′ute *v.* לחלק מחדש
red lead תחמוצת עופרת
red-letter day יום חג, יום מאושר
red light אור אדום, נורה אדומה
saw the red light נדלקה אצלו נורה אדומה, עמד על חומרת המצב
red-light district רובע הזונות
red meat בשר בקר, בשר כבש
re′do′ (-dōō′) *v.* לעשות מחדש, לצבוע מחדש
red′olent *adj.* מדיף ריח, אפוף, מזכיר
redolent of mystery אפוף מסתורין
re′done′ = pp of redo (-dun′)
re•doub′le (-dub-) *v.* להכפיל; להגביר; להתעצם, להתגבר, לגדול
re•doubt′ (-dout) *n.* ביצור, מעוז
re•doubt′able (-dout-) *adj.* נורא, מפיל אימה
re•dound′ *v.* להגדיל, לתרום, להוסיף
red pepper פלפלת, פלפל אדום
re•dress′ *v.* לתקן (עוולה), לפצות
redress the balance להשיב האיזון
re′dress′ *n.* תיקון, פיצוי
redskin *n.* אינדיאני
red tape ביורוקרטיה, סחבת משרדית
re•duce′ *v.* להקטין, להפחית; לרזות, לרדת במשקל; להפוך; לפרק; לכבוש
hunger reduced him to stealing הרעב אילצו לגנוב
reduce to להביא לידי; להחליף; לפשט
reduce to an absurdity לחשוף האבסורד שבו
reduce to ashes להפוך לאפר
reduce to tears להביא לידי דמעות
reduce to writing להעלות על הנייר
reduce 3/9 (to 1/3) לצמצם 3/9
reduced to silence הושתק
re•duc′tio′ ad ab•sur′dum הפרכת הנחה (בהוכחת האבסורד שבה)
re•duc′tion *n.* הקטנה, הפחתה; הנחה; צילום מוקטן, העתק מוקטן
re•dun′dancy *n.* שפע, גודש, עודף; ייתור, פליאונזם
re•dun′dant *adj.* שופע; גדוש, עודף, מיותר; יתיר
re•du′plicate′ *v.* להכפיל, לחזור על
re•du′plica′tion *n.* הכפלה

redwing *n.* קיכלי (אדום־כנף)
redwood *n.* עץ אדום (מחטני)
re•ech′o (-ek-) *v.* לחזור ולהדהד
reed *n.* קנה־סוף, אגמון; לשונית; כלי־נשיפה בעל לשונית
broken reed משענת קנה רצוץ
reeds קנים מיובשים (לסכך)
re′ed′ucate′ (-ej′-) *v.* לחנך מחדש
reedy *adj.* זרוע קנים, מלא קנים
reedy voice קול צייצני, קול דק
reef *n.* שונית, שרטון; קצה המפרש (חלק מתקפל במפרש להקטנת שטחו)
take in a reef לקצר המפרש, להתקדם בזהירות
reef *v.* לגולל/לקפל חלק המפרש
reef′er *n.* מעיל ימאים; סיגרית חשיש
reef knot קשר מרובע/שטוח/כפול
reek *n.* סרחון, צחנה; עשן
reek *v.* לעשן, לפלוט עשן; להסריח, להדיף צחנה, לעורר רושם של־
reek with להיות מכוסה/שטוף־
reeks of corruption אפוף שחיתות
reel *n.* סליל; אשווה; סליל־סרט
off the reel בשטף, ללא הפסק
reel *v.* לגלגל, לגלול, לכרוך סביב־
reel off להוציא (חוט מאשווה) בגלגול; לדקלם בשטף, לצטט ברציפות
reel up למשות (דג) ע״י גלגול סליל־החכה
reel *v.* להתנודד; להסתחרר; להסתובב
reel *n.* ריל (ריקוד סקוטי)
re′en′try *n.* חזרה (לכדור הארץ)
reeve *n.* ראש מועצה עירונית; (בעבר) שופט מחוזי ראשי
ref=referee, reference, referred
re′face′ *v.* לצפות, לשים שכבה חדשה
re•fec′tion *n.* ארוחה קלה; מזון, משקה
re•fec′tory *n.* חדר־אוכל
re•fer′ *v.* להתייחס; לייחס; לאזכר; לפנות; להפנות; לעיין; להעביר
referring to בהתייחס ל־, בעניין־
ref′erable *adj.* ניתן לייחסו ל־
ref′eree′ *n&v.* שופט; בורר; לשפוט
ref′erence *n.* הערה, התייחסות, אזכור; עיון; מראה־מקום; אפנייה; סימוכין; הפנייה; המלצה; ממליץ
in/with reference to בקשר ל־
make reference to להתייחס ל־, לאזכר, להעיר; לעיין, לפנות ל־
within his terms of reference בתחום הנושא שהוא מטפל/מעיין בו
without reference to בלי קשר עם

reference book ספר עיון, ספר עזר, ספר־יַעַן
reference library ספריית־עיון
reference mark סימן הערה (בספר)
ref′eren′dum *n.* משאל עם
re′fill′ *v.* למלא מחדש
re′fill′ *n.* מילוי, מילוי לעט
re•fine′ *v.* לזקק, לטהר; לצחצח
refine upon לשכלל, ללטש; לעלות על
refined *adj.* מזוקק; טהור; מעודן
refinement *n.* זיקוק; עידון; שכלול
refinements שכלולים, תוספות
refiner *n.* מזקק, מכונת זיקוק
re•fi′nery *n.* בית־זיקוק
re•fit′ *v.* לשפץ, להכין להפלגה; לעבור טיפול (לגבי אונייה)
re′fit′ *n.* תיקון; שיפוץ, טיפול
re•flect′ *v.* להחזיר, להטיל חזרה (אור); לשקף, לבטא; להרהר, לחשוב
reflect credit להוסיף לשמו הטוב, להנחיל לו כבוד
reflect on לשקול; להטיל דופי
reflecting telescope טלסקופ מחזירור
re•flec′tion *n.* החזרה; בבואה; מחשבה; רעיון, הערה; דופי; אשמה; פגיעה
cast reflections להטיל דופי
on reflection לאחר שיקול
re•flec′tive *adj.* שוקל, מעמיק לחשוב
re•flec′tor *n.* רפלקטור, מחזירור, מחזר
reflector stud מחזירור־כביש, עין־חתול
re′flex′ *n.* רפלקס, תגובה; החזר
re′flex′ive (-siv) *n.* רפלקסיבי, חוזר אל עצמו
reflexive verb פועל חוזר, התפעל
re′float′ *v.* להשיט/לשוט מחדש
ref′lu•ent (-lōō-) *adj.* זורם לאחור
re′flux′ *n.* זרימה לאחור, שפל
re′foot′ *v.* לחדש רגל (הגרב) בסריגה
re•for′est *v.* לייער מחדש
re•for′esta′tion *n.* ייעור מחדש
re•form′ *v.* לתקן; לשפר; להשתפר; להחזיר למוטב; לשדד מערכות
re•form′ *n.* רפורמה, תיקון, תקנה
re′form′ *v.* ליצור מחדש, לגבש מחדש; להסתדר/להיערך מחדש
ref′orma′tion *n.* רפורמציה; שינוי ערכין; תנועת תיקונים דתית
reformatory *n.* מוסד לעבריינים
re•for′mato′ry, -tive *adj.* מתקן
reformed *adj.* שחזר לדרך הישר, רפורמי
reformer *n.* רפורמטור, מתקן
re•form′ist *n.* רפורמי
re•fract′ *v.* לשבור (קרני אור)
refracting telescope רפרקטור
re•frac′tion *n.* רפרקציה, השתברות, שבירת־אור
re•frac′tory *adj.* עקשן, מרדני; (מחלה) קשת־ריפוי; (מתכת) שקשה להתיכה/לעבדה
refractory brick לבנת־כבשן
re•frain′ *v.* להימנע, לעצור עצמו
refrain *n.* חיזורת, פזמון חוזר
re•fresh′ *v.* לרענן; להתרענן; לאכול, ללגום
refresh one's memory לרענן זכרונו
refresher *n.* תוספת, תשלום נוסף לפרקליט; משקה, לגימה
refresher course קורס השתלמות
refreshing *adj.* מרענן, נדיר, מעניין
refreshment *n.* ריענון, אוכל, משקה
refreshment room מזנון
re•frig′erant *n.* (חומר) מקרר
re•frig′erate′ *v.* לקרר, להחזיק בקירור; להקפיא
re•frig′era′tion *n.* קירור
re•frig′era′tor *n.* מקרר
re′fu′el *v.* לתדלק
ref′uge *n.* מחסה, מפלט; אי־תנועה
take refuge למצוא מחסה
ref′u•gee′ (-fū-) *n.* פליט
re•ful′gence *n.* נוגה, זיו, זוהר
re•ful′gent *adj.* זוהר, קורן, מבריק
re•fund′ *v.* לשלם בחזרה, להחזיר הכסף
re′fund′ *n.* החזר (של תשלום)
re•fur′bish *v.* לצחצח, ללטש
re•fus′al (-fūz′-) *n.* סירוב, דחייה
first refusal אופציה, זכות־קדימה
re•fuse′ (-z) *v.* לסרב; לדחות; לסרב לתת, לא להעניק; לסרב לקבל
ref′use *n.* אשפה, זבל
refuse collector פועל ניקיון
refuse dump מזבלה עירונית
re•fuse′nik (-fūz′-) *n.* מסורב־עלייה
re•fu′table *adj.* שאפשר להפריכו
ref′u•ta′tion (-fū-) *n.* הפרכה, סתירה
re•fute′ *v.* להפריך, לסתור
re•gain′ *v.* לרכוש מחדש; להגיע בשנית
regain one's footing/balance להתייצב על רגליו (לאחר מעידה)
regain one's health לשוב לאיתנו
re′gal *adj.* מלכותי, יאה למלך; מפואר
re•gale′ *v.* לשמח, להנות, לענג
re•ga′lia *n-pl.* אותות המלכות, סמלי

המעמד, סמלי השלטון, מחלצות

re•gard′ *n.* כבוד, הוקרה; שימת־לב, התחשבות; מבט

have regard for להתחשב ב־

hold in high regard להוקיר מאוד

in this regard בעניין זה

in/with regard to בנוגע ל־

pay regard to להקדיש תשומת לב ל־

regards איחולים, דרישות שלום

with kind regards בברכה

regard *v.* להסתכל; להתייחס; להעריך; להקדיש תשומת־לב; לנגוע ל־

as regards ביחס ל־, אשר ל־

is regarded מתייחסים אליו (ב־)

regard him as להתייחס אליו כ־

regardful *adj.* מתחשב, מכבד

regarding *prep.* בנוגע ל־, ביחס ל־

regardless *adj&adv.* לא מתחשב, מתעלם; בלי תשומת־לב; יקרה אשר יקרה

re•gat′ta *n.* מירוץ סירות

re′gency *n.* עֶצֶר, כהונת העוצר

re•gen′erate *adj.* נולד מחדש, מתחדש

re•gen′erate′ *v.* לתקן (במוסריות); להשתפר; להפיח חיים; להתחדש, לצמוח מחדש

re•gen′era′tion *n.* חידוש, תחייה

re′gent *n&adj.* עוצר, רגנט; חבר־הנהלה

reg′icide′ *n.* הריגת מלך; הורג מלך

regime′ (-zhēm′) *n.* שלטון, משטר

reg′imen *n.* משטר בריאות, תוכנית מסודרת (לאכילה ושינה)

reg′iment *n.* חטיבה; עוצבה; גדוד; להקה

reg′iment′ *v.* לארגן; למשטר; למשמע

reg′imen′tal *adj.* חטיבתי; גדודי

regimentals *n-pl.* מדים, מדי החטיבה

reg′imen•ta′tion *n.* ארגון, משטור

Re•gi′na *n.* מלכה; המדינה

re′gion (-jən) *n.* איזור

in the region of בסביבות, בערך

lower regions גיהינום, שאול

regional *adj.* אזורי

reg′ister *n.* רשימה; פנקס; משלב, מגבול; וַסָת, מונה; סגנון, לשון

cash register קופה רושמת

register *v.* לרשום; להראות, להורות; להביע (בפרצוף); לשלוח בדואר רשום; להירשם; ★להרשים, להזיז לו

registered mail/post דואר רשום

registered nurse אחות מוסמכת

reg′istrar′ *n.* רשם

reg′istra′tion *n.* הרשמה; רישום

registration book יומן מכונית

registration number מספר הרישוי

reg′istry *n.* משרד רישום, מרשמה; ארכיב; הרשמה

registry office משרד רשם־נישואים

Re′gius professor פרופסור מלכותי

reg′nant *adj.* מולך; שולט

queen regnant מלכה (מולכת)

re•gress′ *v.* להיסוג (למצב נחשל)

re•gres′sion *n.* תסוגה, נסיגה, רגרס

re•gres′sive *adj.* רגרסיבי, נסוג

re•gret′ *v&n.* להצטער; להצטער על אובדן, להיות חסר; להתחרט; צער

(much) to my regret לצערי (הרב)

has no regrets אינו מצטער

it is to be regretted חבל

regrets צער, התנצלויות (על דחייה)

regretful *adj.* דואב; מביע צער

regrettable *adj.* מצער

regrettably *adv.* למרבה הצער

re′group′ (-grōōp′) *v.* לערוך/להיערך מחדש (בקבוצות)

reg′u•lar *adj.* קבוע; רגיל; סדיר; וסית; מוכר, מוסמך, מקובל; סימטרי; ★מושלם

keep regular hours לשמור על שעות קבועות, לנהל אורח חיים סדיר

regular behavior התנהגות מקובלת

regular guy ★בחור טוב, ברנש חביב

regular rascal ★נבל מושלם

regular *n.* חיל סדיר; לקוח קבוע

regular army צבא סדיר, צבא הקבע

regular clergy נזירים, נזורה

reg′u•lar′ity *n.* קביעות, סדירות

reg′u•lariza′tion *n.* הסדרה

reg′u•larize′ *v.* להסדיר, לתקנן

regularly *adv.* בקביעות, סימטרית

regular verb פועל שלם (שנטיותיו רגילות)

reg′u•late′ *v.* להסדיר, להביא למצב קבוע/תקין, לכוון, לכוונן, לווסת

regulate a watch לתקן שעון (לבל יפגר/ימהר)

regulated family משפחה מסודרת

reg′u•la′tion *n&adj.* תקנה, חוק, כלל, תקנון; הסדרה, תיקון, ויסות; תקנוני, רשמי

reg′u•la′tor *n.* רגולטור, וַסָת

reg′u•lo′ *n.* דרגת חום (בתנור)

re•gur′gitate′ *v.* להקיא, להעלות גרה; לזרום בחזרה

re′habil′itate′ *v.* לשפץ; לשקם; לטהר

שמו, להחזירו לתפקידו
re'habil'ita'tion *n.* ריהביליטציה, טיהור שם; שיקום, קימום
re•hash' *v.* לעבד, להשתמש שנית ב־
re'hash' *n.* חומר (ספרותי) מעובד
re'hear' *v.* לשמוע/לדון מחדש
re•hears'al (-hûrs'-) *n.* חזרה, תשנון
re'hearse' (-hûrs') *v.* לחזור, להתאמן, לערוך חזרה; לספר, לתאר
re'house' (-z) *v.* לשכן בבית חדש
Reich (rīk) *n.* רייך, גרמניה
re'ify' *v.* להמחיש
reign (rān) *n.* (תקופת) שלטון
reign *v.* למלוך; לשלוט; לשרור
reign of terror משטר טרור
re'imburse' *v.* להחזיר, לשלם בחזרה
reimbursement *n.* החזר (הוצאות)
rein (rān) *n&v.* מושכה, רסן
draw rein לעצור, להאיט, לרסן
give (free) rein to להתיר הרסן, לתת פורקן ל־, לקרוא דרור ל־
keep a tight rein לרסן בתקיפות
rein back/in/up לרסן, לבלום, להאיט
rein of government הגה השלטון
take the reins לאחוז ברסן השלטון
re'incar'nate *v.* להלביש גוף חדש (לנשמה), להתגלגל
re'incar'nate *adj.* מגולגל
re'incar•na'tion *n.* גלגול
rein'deer' (rān-) *n.* (סוג) אַיָּל
re'inforce' *v.* לחזק; לתגבר
reinforced concrete בטון מזוין
reinforcement *n.* חיזוק; תגבורת
re'instate' *v.* להשיב על כנו, להחזירו (לתפקידו הקודם)
reinstatement *n.* החזרה (כנ"ל)
reinsurance *n.* ביטוח משנה
re'insure' (-shoor') *v.* לבטח בביטוח משנה
re'is'sue (-ish'ōō) *v&n.* להוציא (לאור) מחדש, להדפיס מחדש; הדפסה חדשה
re•it'erate' *v.* לחזור על, לומר שוב
re•it'era'tion *n.* חזרה, שינון
re•ject' *v.* לדחות; לזרוק; לפסול
re'ject' *n.* פסול־שירות; מוצר פגום
re•jec'tion *n.* דחייה, סירוב, פסילה
rejection slip הודעת דחייה (ממו"ל)
re'jig' *v.* לצייד במיכון חדש
re•joice' *v.* לשמוח; להימלא גיל; לשמח
rejoices in the name of- שמו
rejoicing *n.* שמחה; חגיגה, הילולה
re•join' *v.* לענות; להשיב על (אשמה/תביעה); לשוב/להסתפח ליחידתו
re'join' *v.* לחבר מחדש; להתאחד שוב
re•join'der *n.* תשובה, מענה
re•ju'venate' *v.* להשיב נעורים, להצעיר, לרענן
re•ju'vena'tion *n.* חידוש נעורים
re•kin'dle *v.* להצית/להידלק מחדש
re•laid' = p of relay
re•lapse' *v.* להידרדר שוב, לחזור, לשקוע בשנית
re'lapse' *n.* הידרדרות, חזרה
re•late' *v.* לספר; לקשר, למצוא קשר
relate to להתייחס ל', לנגוע ל־; לקשר ל־; להסתדר (יפה) עם
related *adj.* קרוב; קרוב־משפחה
re•la'tion *n.* קרוב (־משפחה); יחס, קרבה, קשר, הקשר; סיפור
bears no relation to לא עומד בשום פרופורציה ל־
have relations with לקיים יחסים
in/with relation to בקשר ל־
out of all relation בלי שום יחס
relations יחסים, קשרים
relationship *n.* קרבה (משפחתית); קשר
rel'ative *n.* קרוב־משפחה, קרוב
relative *adj.* יחסי, לא־מוחלט; קשור, שייך, נוגע ל־
relative to באשר ל־; יחסית ל־
relative adverb תואר הזיקה (של פועל הפותח משפט זיקה, כגון:"היכן ש־")
relative clause משפט זיקה
relatively *adv.* באופן יחסי, יחסית
relative pronoun כינוי זיקה
rel'ativism' *n.* רלטיביות, יחסיות
rel'ativ'ity *n.* (תורת ה־) יחסות
re•lax' *v.* להירגע, להיות נינוח; לרפות; להרגיע; להרפות; לשחרר; להתבדר
re'lax•a'tion *n.* רגיעה, נינוחות; הרפייה; שחרור, פורקן; בידור
relaxed *adj.* רגוע, נינוח
relaxing *adj.* מרגיע; (אקלים) מדכא מרץ, גורם לעצלות
re'lay' *n.* משמרת; קבוצת־החלפה; ממסר, תווך; שידור מועבר; מירוץ שליחים
work by relays לעבוד במשמרות
re'lay' *v.* להעביר (שידור)
re'lay' *v.* להניח (כבל) מחדש

relay race מירוץ שליחים
relay station תחנת שידור
re•lease′ *v.* לשחרר; להתיר לפרסום, להוציא לשוק (סרט/תקליט); לפטור
release *n.* שחרור; כתב שחרור; סרט/תקליט חדש; פטור; תמסיר; מַתֵּר
carriage release מתר־הגרר
on general release מוקרן בקולנוע
press release תמסיר (לעיתונות)
rel′egate′ *v.* להעביר, למסור; להוריד (בדרגה/לליגה נמוכה)
rel′ega′tion *n.* העברה; הורדה
re•lent′ *v.* להתרכך לבו, לגלות רחמים, לפוג עקשנותו; לשכוך
relentless *adj.* אכזרי, קשוח, קשה
rel′evancy *n.* רלוואנטיות, שייכות
rel′evant *adj.* רלוואנטי, שייך, נוגע, אירייני, קשור
re•li′abil′ity *n.* מהימנות, אמינות
re•li′able *adj.* מהימן, אמין, מוסמך
re•li′ance *n.* ביטחון, אמון; מבטח
place reliance on לסמוך על, לבטוח ב־
re•li′ant *adj.* סומך, בוטח ב־
rel′ic *n.* שריד (מהעבר); מזכרת־קודש
relics עצמות־מת; שיורי־גופה
rel′ict *n&adj.* אלמנה; שריד, לא נכחד
re•lief′ (-lēf′) *n.* הקלה, הרגעה; שחרור; סעד, עזרה; מחליף, ממלא מקום; הנחה; גיוון
light relief שינוי/גיוון קליל
relief of a town שחרור עיר
sigh of relief אנחת־רווחה
to my relief נגולה אבן מעל לבי
relief *n.* תבליט, רליף; בהירות
high relief תבליט עמוק/בולט
low relief תבליט רדוד/שטוח
stand out in bold/strong relief לבלוט ברורות
relief fund קרן סעד
relief map מפת־תבליט
relief road כביש צדדי (להקלת עומס)
relief works עבודות דחק
re•lieve′ (-lēv′) *v.* להקל, להרגיע; להגיש סיוע; להחליף; לחלץ; לשחרר; לגוון
relieve a guard להחליף משמר
relieve one's feelings להתפרקן
relieve oneself לעשות את צרכיו
relieve (him) of לשחרר מ־, להסיר נטל, להקל על; לפטר, לשלח; ★לגנוב, לסחוב

relieved *adj.* רגוע, נושם לרווחה
relieving officer פקיד סעד
re•li′gion (-lij′ən) *n.* דת, אמונה; פולחן, דבר שמקפידים לקיימו; חיי נזירות
re•li′gious (-lij′əs) *adj&n.* דתי, אדוק; קפדן, מחמיר; נזיר, נזירים
religious care הקפדה יתירה
religious house מנזר
religious liberty חופש הדת
religiously *adv.* בדביקות, ברצינות
re′line′ *v.* לבטן בבטנה חדשה
re•lin′quish *v.* לוותר על, לנטוש; להרפות מן
rel′iquar′y (-kweri) *n.* ארגז שרידים, כלי למזכרות־קודש
rel′ish *n.* עונג, הנאה; טעם מיוחד; תבלין, מחמצים, נותן טעם
has no relish for לא נהנה, לא מתלהב מ־
relish *v.* ליהנות, להתענג על
re′live′ (-liv) *v.* לחיות מחדש; לחוות שנית
re′load′ *v.* לטעון (רובה) מחדש
re•lo′cate *v.* להקים במקום חדש, לעקור ל־, לעבור ל־
re′lo•ca′tion *n.* עקירה, פינוי
re•luc′tance *n.* אי־רצון, אי־נטייה
re•luc′tant *adj.* לא רוצה, לא מתלהב
reluctantly *adv.* באי־רצון; לדאבוני
re•ly′ *v.* לסמוך על־
rely on לסמוך על, לבטוח ב־
re•main′ *v.* להישאר
it remains to be seen נחיה ונראה
re•main′der *n.* שארית, יתרה
the remainder השאר, היתר
remainder *v.* למכור (שאריות) בזול
remains *n-pl.* שיירים, שרידים; הריסות, חורבה; גופה, עצמות־מת
re′make′ *v.* לעשות מחדש, להפיק שוב
re′make′ *n.* עשייה מחדש, הפקה חוזרת
re•mand′ *v&n.* להחזיק במעצר (עד לסיום ההליכים); המשך המעצר
remand home בית־מעצר
re•mark′ *v&n.* להעיר, לומר; להבחין, לראות; הערה; הבחנה, תשומת־לב
can't escape remark ניכר, בולט
pass a remark להשמיע הערה
remark on להעיר על, לדבר על
worthy of remark ראוי לתשומת־לב
remarkable *adj.* מצוין, נפלא; לא־רגיל

re′mar′ry *v.* להתחתן שוב
re•me′diable *adj.* רפיא; בר־תיקון
re•me′dial *adj.* רפואי, מַרְפֵּא
rem′edy *n.* תרופה, רפואה; תיקון, תקנה
beyond remedy ללא תקנה, חסר־מרפא
evil past remedy רעה חולה
remedy *v.* לתקן, למצוא תקנה ל־
re•mem′ber *v.* לזכור; לתת שי/תשר
remember her in one's will להזכירה בצוואתו
remember him in one's prayers להתפלל בעבורו
remember me to her מסור לה ד"ש
re•mem′brance *n.* זיכרון; מזכרת
in remembrance of לזכר
remembrances ברכות, ד"ש
Remembrance Day יום הזיכרון
re′mil′itariza′tion *n.* חימוש מחדש
re′mil′itarize′ *v.* לחמש מחדש, לבצר מחדש
re•mind′ (-mīnd) *v.* להזכיר
he reminds me of- הוא מזכיר לי, הוא דומה ל־
reminder *n.* תזכורת
rem′inisce′ (-nis) *v.* להעלות זכרונות, להחליף חוויות מן העבר
reminiscence *n.* זיכרון; היזכרות
reminiscences זיכרונות
reminiscent *adj.* מזכיר, דומה ל־; זוכר, נזכר; מפליג בזכרונות העבר
re•miss′ *adj.* רשלני, מזניח, לא אחראי
re•mis′sible *adj.* בר־מחילה
re•mis′sion *n.* מחילה; ויתור; הפוגה; הקלה; פטור; שחרור; הפחתת מאסר
re•mit′ *v.* למחול; לשלוח, להעביר; לפטור, לשחרר; להפסיק זמנית; להפחית
kindly remit הואל־נא לשלוח
remit a debt למחול על חוב
remit efforts להפחית מאמצים
remit to להעביר (תיק לבי"ד)
re•mit′tance *n.* העברת כסף; תשלום
re•mit′tent *adj.* מרפה, שוכך זמנית
rem′nant *n.* שיור, שארית, שריד
remnant sale מכירת שאריות בד
re•mod′el *v.* לעצב מחדש
re•mold′ (-mōld) *v.* לעצב מחדש
re•mon′strance *n.* מחאה, תוכחה
re•mon′strate *v.* למחות, להוכיח
re•morse′ *n.* חרטה, צער, מוסר־כליות
without remorse בלי רחמנות
remorseful *adj.* אכול חרטה
remorseless *adj.* אכזרי, נטול־מצפון
re•mote′ *adj.* רחוק; נידח; מתבדל, שומר על מרחק
has not the remotest idea אין לו כל מושג
remote chance סיכוי קלוש/דל
remote control פיקוח מרחוק
remotely *adv.* במידה מועטה; מרחוק
not remotely לגמרי לא
remotely related קרוב (משפחה) רחוק
re′mount′ *v.* לעלות שנית; לרכוב שוב; לספק סוסים רעננים; למסגר מחדש
re′mount′ *n.* סוס רענן; אספקת סוסים
removable *adj.* שניתן לסלקו
re•mov′al (-mo͞ov′-) *n.* הורדה, הסרה; סילוק; פיטורים; העברת דירה
removal van משאית־העברה
re•move′ (-mo͞ov′) *v.* להוריד, להסיר; לסלק; להעביר; להוציא; לפטר; לחסל; לעבור דירה
remove one's shoes לחלוץ נעליו
remove *n.* דרגה, שלב; עלייה לכיתה
only one remove from כפשע בינו ובין
removed *adj.* רחוק; מרוחק בדור
first cousin once removed בן דודן
twice removed ראשון בשלישי
remover *n.* מעביר רהיטים; מסיר
paint remover מסיר כתמי־צבע
re•mu′nerate′ *v.* לשלם; לפצות
re•mu′nera′tion *n.* תשלום
re•mu′nera′tive *adj.* משתלם, רווחי
ren′aissance′ (-nəsäns′) *n.* תחייה; רנסאנס
re′nal *adj.* של (איזור) הכליות
re•name′ *v.* לתת שם חדש
re•nas′cence *n.* תחייה, רנסאנס
re•nas′cent *adj.* נולד מחדש, מחודש
rend *v.* לקרוע; לתלוש בכוח; להיקרע
a cry rent the air זעקה פילחה האוויר
ren′der *v.* לעשות, להפוך, להביא למצב; לבצע; לתת, למסור, לגמול; לטייח
account rendered חשבון שהוגש
render an account לשלוח חשבון
render down להמס ולזכך (שומן)
render helpless להותיר חסר־אונים
render into לתרגם ל־
render thanks להודות (לה')
render up למסור, להסגיר

rendering *n.* (אופן) ביצוע; תרגום
rendezvous (rän′dəvōō′) *n&v.* פגישה, מקום מפגש, קביעת פגישה; להיפגש
ren•di′tion (-di-) *n.* (אופן) ביצוע, תרגום
ren′egade′ *n&v.* בוגד, מומר; עריק; המיר דת; לערוק
re•nege′ (-g) *v.* להפר הבטחה, להתכחש; (בקלפים) להפר הכללים
renegue = renege
re•new′ (-nōō′) *v.* לחדש; לחזור שוב על; להתחדש
renewable *adj.* בר־חידוש, ניתן לחידוש
renewal *n.* חידוש
ren′net *n.* מסו (חומר המקריש את חלבון־החלב)
re•nounce′ *v.* לוותר על; להתנכר, להתכחש ל־; לנטוש; לנער חוצנו מן
renounce the world לפרוש מהבלי העולם הזה, לחיות כנזיר
ren′ovate′ *v.* לשפץ, לחדש
ren′ova′tion *n.* שיפוץ, חידוש
re•nown′ *n.* מוניטין, שם טוב, פרסום
renowned *adj.* מפורסם
rent *n.* שכר דירה; דמי שכירות; רנטה, מלוג; קרע
for rent להשכרה
free of rent ללא שכ״ד, חינם
rent *v.* לשכור; להשכיר; לחכור; להחכיר
rent at $100 להישכר תמורת $100
rent out להשכיר
rent = p of rend
rentable *adj.* בר־השכרה, בר־שכירות
rent′al *n.* (הכנסה מ) דמי שכירות
rent-collector *n.* גובה דמי־שכירות
renter *n.* שוכר, משכיר (סרטים)
rent-free *adj.* פטור משכר־דירה
rentier (ron′tyā) *n.* בעל השקעות, מתקיים מהשכרת דירות, לא עובד
rent roll רשימת חייבי שכירות
rent strike סירוב לשלם שכ״ד
re•nun′cia′tion *n.* ויתור, התנכרות, התכחשות; נטישה; פרישות
re•o′pen *v.* לפתוח מחדש; להיפתח שנית
re•or′ganiza′tion *n.* ריאורגניזציה, שרגון, רה־ארגון
re•or′ganize′ *v.* לארגן/להתארגן מחדש, לשרגן; לערוך/להיערך מחדש
re•or′ient *v.* לכוון מחדש
rep, repp *n.* רפ, אריג־ריפוד

rep = repertory, republican
rep = reprobate *n.* ★רשע, מופקר
re•paid′ = p of repay
re•pair′ *v.* לתקן; להיות בר־תיקון
repair to ללכת ל־, לבקר, לנהור אל
repair *n.* תיקון
in good/bad repair במצב (לא) תקין
under repair בתיקון
repairable *adj.* ניתן לתיקון
repairer *n.* מתַקן
rep′arable *adj.* ניתן לתיקון
rep′ara′tion *n.* פיצוי; תיקון, שיפוץ
reparations שילומים
rep′artee′ *n.* תשובה שנונה, מענה מהיר; צחצוח־מלים מבדח
re•past′ *n.* ארוחה, סעודה
re•pa′triate′ *v.* להחזיר למולדתו
re•pa′tria′tion *n.* חזרה לארץ־מולדת
re•pay′ *v.* להחזיר, לשלם בחזרה, לפרוע, לגמול
repayable *adj.* שיש לפרעו, שניתן להחזירו, בר־סילוק
repayment *n.* החזר, פרעון, גמול
re•peal′ *v&n.* לבטל (חוק); ביטול
re•peat′ *v.* לחזור (על); לחזור ולומר; לגלות; לדקלם; להשאיר טעם בפה
not bear repeating (ניבול פה) שאין להעלותו על השפתיים
repeat a year להישאר שנה (בכיתה)
repeat an article לספק שנית מצרך
repeat itself לחזור על עצמו
repeat oneself לעשות (זאת) שוב
the figures 52 repeat הספרות 52 חוזרות (בשבר מחזורי)
repeat *n.* חזרה, שידור חוזר; ביצוע חוזר; (במוסיקה) סימן חזרה
repeat order הזמנה חוזרת (דומה)
repeated *adj.* נשנה, חוזר
repeatedly *adv.* תכופות, שוב ושוב
repeater *n.* רובה אוטומאטי/מִיטַעַן; מהדר (טלפוני)
repeating clock אורלוגין מצלצל
re•pel′ *v.* להדוף; לדחות; להגעיל
re•pel′lent *adj&n.* דוחה, מעורר שאט־נפש; אטים; חומר דוחה (יתושים)
water repellent אטים־מים
re•pent′ *v.* להתחרט, להימלא חרטה
repentance *n.* חרטה, צער
repentant *adj.* מתחרט, בעל תשובה
re′percus′sion *n.* הד; תהודה, גלים; תגובות; רתיעה, הטלה לאחור
rep′ertoire′ (-twär) *n.* רפרטואר

rep′erto′ry *n.* רפרטואר, מלאי, אוסף; מבחר; אוצר בלום
repertory theater תיאטרון בעל רפרטואר (של הצגות)
rep′eti′tion (-ti-) *n.* חזרה, הישנות; שינון על־פה; קטע ללימוד
rep′eti′tious (-tish′əs) *adj.* חוזר, משעמם, נשנה
re•pet′itive *adj.* חוזר, משעמם, נשנה
re•pine′ *v.* להתלונן, לרטון, לרגון
re•place′ *v.* להחזיר למקומו; למלא מקום־, לבוא במקום־, להחליף
replaceable *adj.* שניתן להחליפו, חליף
replacement *n.* החזרה למקום; החלפה; תחליף; ממלא מקום
re•plant′ *v.* לשנטע, לנטוע מחדש
re′play′ *v.* לערוך משחק חוזר; לנגן שנית
re′play′ *n.* משחק חוזר; הקרנה חוזרת (של קטע מישחק בטלוויזיה)
re•plen′ish *v.* לחדש המלאי, למלא שנית
replenishment *n.* חידוש המלאי
re•plete′ *adj.* מלא, גדוש, דחוס; שבע
re•ple′tion *n.* מלאות; שובע
rep′lica *n.* העתק מדויק, רפרודוקציה
rep′licate′ *v.* לחזור על; לעשות העתק
rep′lica′tion *n.* תשובה; הד; רפרודוקציה, שעתוק
re•ply′ *v&n.* לענות, להשיב; תשובה
reply for לענות בשם
reply-paid *adj.* דמי־תשובה שולמו
re•point′ *v.* לטייח שנית
re•port′ *n.* דו"ח, דיווח; כתבה, ידיעה; תעודה; שמועה, רכילות; קול־נפץ
of evil report ידוע לשמצה
of good report בעל שם טוב
report has it אומרים ש־
report *v.* להודיע; לדווח; לכתוב (בעיתון); לרשום; להתלונן על; להתייצב
it is reported that נמסר ש־
report back לדווח, להחזיר דיווח
report for work להתייצב לעבודה
report progress לדווח על התקדמות העניינים
report (oneself) to להתייצב בפני
re•port′age *n.* דיווח; רפורטאז'ה, כתבה; כתיבה עיתונאית
report card תעודה (מבית־ספר)
reportedly *adv.* כפי שנמסר
reported speech דיבור עקיף
reporter *n.* כתב, עיתונאי; רשמן

re•pose′ (-z) *v.* לנוח, לשכב; להניח; להשעין; לנוח (בקבר), להיטמן
repose in לשים (מבטחו) ב־, להשליך יהבו על, לתלות תקוותו ב־
repose on להסתמך/להתבסס על
repose *n.* מנוחה, שינה; רגיעה; שלווה
reposeful *adj.* שקט, שליו
re•pos′ito′ry (-z-) *n.* מחסן, מאגר, בית־קיבול; איש־סוד; קבר
re′possess′ (-zes) *v.* להחזיר לרשותו; לרכוש מחדש
re′pot′ *v.* להעביר לעציץ אחר
rep′re•hend′ *v.* לנזוף ב־, לגנות
rep′re•hen′sible *adj.* ראוי לגינוי
rep′re•hen′sion *n.* נזיפה, גינוי
rep′re•sent′ (-z-) *v.* לייצג; לסמל; לתאר; להציג
represent oneself להציג עצמו; להתחזות
represent to לומר, להציג בפני־
represent Othello לגלם את אותלו
re′pre•sent′ (-z-) *v.* להציג שנית
rep′re•sen•ta′tion (-z-) *n.* ייצוג; תיאור, הצגה, משחק, ביצוע; נציגות
make representations להגיש מחאה
representational *adj.* (ציור) תיאורי
rep′re•sen′tative (-z-) *adj.* ייצוגי; מייצג; טיפוסי; יציג
representative *n.* נציג, נבחר; בא־כוח; דוגמה
house of representatives בית הנבחרים
representative government ממשלה נבחרת
re•press′ *v.* לדכא (התקוממות); להדחיק; לרסן; לכבוש (יצר)
repressed *adj.* מדוכא; מודחק
re•pres′sion *n.* דיכוי, רדיפות; הדחקה
re•pres′sive *adj.* מדכא; תקיף, נוגש
re•prieve′ (-rēv′) *n.* דחייה (של הוצאה להורג); המתקה; פסק־זמן
reprieve *v.* לדחות; להמתיק; להקל
rep′rimand′ *v.* לנזוף; להוכיח
reprimand *n.* נזיפה רשמית; תוכחה
re′print′ *v.* להדפיס/להידפס שוב
re′print′ *n.* הדפסה חדשה
re•pri′sal (-rīz-) *n.* פעולת תגמול
re•prise′ (-z) *n.* רפריזה, שנאי
re•proach′ *v&n.* להאשים, לנזוף, לגנות, להוכיח; האשמה; גערה; תוכחה; חרפה
above/beyond reproach ללא דופי

reproach oneself להאשים עצמו, להצטער, להתחרט
reproachful *adj.* מאשים, מוכיח
rep′robate′ *v&n&adj.* לגנות בכל פה; להתייחס בשלילה; מופקר, מושחת
rep′roba′tion *n.* גינוי; הסתייגות
re′produce′ *v.* להוליד; להתרבות; ליצור/להצמיח מחדש; לשחזר; לשעתק; להעתיק; לראות/להשמיע שוב
reproducer *n.* מוליד; משעתק
re′produ′cible *adj.* בר־העתקה
re′produc′tion *n.* הולדה; רבייה; העתקה, רפרודוקציה, שעתוק; שחזור
re′produc′tive *adj.* של העתקה, של שחזור; של רבייה
reproductive organs איברי־המין
re•proof′ (-roo͞f′) *n.* גערה, גינוי, תוכחה
re′proof′ (-roo͞f′) *v.* לחסן שנית, לאטם מחדש
re•prove′ (-proo͞v′) *v.* לגעור, להוכיח
reproving *adj.* גוער, מגנה, מוכיח
rep′tile (-til) *n.* זוחל
rep•til′ian *adj&n.* של זוחל, דומה לזוחל; כמו צב/לטאה; זוחל
re•pub′lic *n.* רפובליקה, קהילייה
republic of letters עולם הסופרים
re•pub′lican *adj&n.* רפובליקני
republicanism *n.* רפובליקניות
re•pu′diate′ *v.* להתכחש, להתנכר, לנער חוצנו מ־; לדחות; להכחיש; לסרב להכיר
repudiate a debt להשתמט מחוב
repudiate a son לנער חוצנו מבנו
repudiate an offer לדחות הצעה
re•pu′dia′tion *n.* התכחשות, שלילת כל קשר, התנערות; דחייה; הכחשה
re•pug′nance *n.* שאט־נפש; התנגדות
re•pug′nant *adj.* דוחה, מעורר גועל
re•pulse′ *v.* להדוף; לדחות, לסרב
repulse *n.* הדיפה; דחייה, סירוב
re•pul′sion *n.* שאט־נפש; דחייה
re•pul′sive *adj.* דוחה
rep′u•table *adj.* מכובד; בעל מוניטין
rep′u•ta′tion *n.* שם, מוניטין, כבוד, פירסום
live up to one's reputation לחיות הלכה למעשה ברמה (הגבוהה) שמצפים ממנו
of bad reputation ידוע לשמצה
re•pute′ *n&v.* שם, מוניטין, תהילה
he is reputed as הוא ידוע כ־
of repute שמו הולך לפניו
I know him by repute שמעתי עליו
reputed *adj.* ידוע כ־, מפורסם, נחשב ל־
reputedly *adv.* כפי שאומרים
re•quest′ *n.* בקשה, משאלה, דרישה
at his request לפי בקשתו
by request לפי בקשה (מיוחדת)
grant his request למלא בקשתו
in request מבוקש, פופולארי
on request לפי בקשה, עם הבקשה
request *v.* לבקש, לדרוש
request stop תחנה (שהאוטובוס עוצר בה לפי בקשה/איתות ביד)
req′uiem *n.* רקוויאם, תפילת אשכבה
re•quire′ *v.* לדרוש, לתבוע; להיות זקוק ל־, להצריך, לחייב
requirement *n.* דרישה, צורך
meet his requirements לעשות כדרישתו; לענות על צרכיו
req′uisite (-zit) *adj&n.* נחוץ, דרוש; צורך, חפץ דרוש, אביזר, תקשיט
req′uisi′tion (-zi-) *n&v.* דרישה; צו־החרמה, עיקול; לדרוש; להחרים
in/under requisition דרוש, נחוץ
re•qui′tal *n.* גמול, החזרה, נקמה
in requital of תמורת־
re•quite′ *v.* לגמול, להחזיר, לנקום
rer′edos′ *n.* קיר מעוטר (מאחורי מזבח־הכנסייה)
re•run′ *v.* להציג שנית, להקרין שוב
re′run′ *n.* הצגה חוזרת, הקרנה חוזרת
re•scind′ *v.* לבטל
re•scis′sion (-zhən) *n.* ביטול
re′script′ *n.* צו, פקודה; פסיקת־האפיפיור
res′cue (-kū) *v&n.* להציל; הצלה
come to his rescue לבוא לעזרתו
rescuer *n.* מציל, משחרר
re•search′ (-sûrch′) *n&v.* מחקר, חקירה; לערוך מחקר של, לחקור
research work עבודת מחקר
re′seat′ *v.* לספק מושב חדש; להטליא אחורי המכנסיים; להושיב (עצמו) מחדש
re•sem′blance (-z-) *n.* דימיון
re•sem′ble (-z-) *v.* להיות דומה ל־
re•sent′ (-z-) *v.* להתרעם, להתמרמר
resentful *adj.* כועס, מתרעם, נעלב
resentment *n.* כעס, תרעומת, עלבון
res′erva′tion (-z-) *n.* הסתייגות; שמורה; הזמנת מקום מראש; סידורים; שמירה
without reservation ללא סייג

Indian reservation שמורת־אינדיאנים
Reservation of the Sacrament
הפרשה מלחם־הקודש
re•serve′ (-z-) *v.* לשמור; להזמין מראש; להניח בצד, להפריש
reserve judgment לדחות פסק־דין
reserve *n.* רזרבה, מלאי; מילואים; שמורה; איפוק, שתקנות; שחקן מילואים
gold reserve רזרבות הזהב
hold in reserve לשמור לעת הצורך
nature reserve שמורת־טבע
reserve price מחיר מינימום
reserves חיל מילואים, עתודות
without reserve בלי הסתייגות; כליל, ללא סייג; בלא להעלים דבר
reserved *adj.* מאופק, עצור, שתקני; שמור
all rights reserved כל הזכויות שמורות
reserved seat מקום/מושב שמור
reser′vist (-z-) *n.* איש־מילואים
res′ervoir′ (-zərvär) *n.* בריכה, מאגר; כלי קיבול, מכל; מלאי, אוצר
re′set′ *v.* להחזיר/לשבץ/לקבוע שוב במקומו; לסדר שנית; להשחיז מחדש
re′set′ *n.* החזרה, סידור מחדש
re•set′tle *v.* ליישב/להתנחל מחדש
resettlement *n.* התיישבות חדשה
re•ship′ *v.* לשגר שוב (מישלוח)
re′shuf′fle *v&n.* לטרוף (הקלפים) מחדש; לעשות חילופי־גברי; חלוקה מחדש
re•side′ (-z-) *v.* לגור, לדור, לחיות
reside with/in להימצא בידי־, להיות נתון בידי־
res′idence (-z-) *n.* מגורים; בית
in residence דר במקום (במכללה)
take up residence להשתקע (בדירה)
res′idency (-z-) *n.* בית־הנציב; בית, מגורים; תקופת התמחות (של רופא)
res′ident (-z-) *n&adj.* תושב; דר במקום; נציב; מקומי
res′iden′tial (-z-) *adj.* של מגורים
residential qualification ישיבה במקום (תנאי שהמצביע בבחירות חייב למלא)
re•sid′ual (-zij′o͞oəl) *adj&n.* נשאר, נותר
re•sid′uar′y (-zij′o͞oeri) *adj.* של שארית, של עודף
residuary legatee יורש השארית
res′idue (-zido͞o) *n.* שארית; משקע; שארית העיזבון
re•sign′ (-zīn′) *v.* להתפטר, לוותר על; להיכנע
resign him to- להפקידו בידי־
resign oneself to לסבול בדומייה, להשלים עם (מר גורלו); להפקיד רוחו בידי־
res′igna′tion (-z-) *n.* (מכתב) התפטרות; ויתור; השלמה, הכנעה
resigned *adj.* משלים, סובל בדומייה
re•sil′ience, -cy (-z-) *n.* גמישות; עליזות
re•sil′ient (-z-) *adj.* גמיש, חוזר לצורתו המקורית; עליז, מתאושש מהר
res′in (-z-) *n.* שרף
res′ina′ted (-z-) *adj.* מעורבב בשרף
res′inous (-z-) *adj.* דומה לשרף
re•sist′ (-zist) *v.* להתנגד; לעמוד בפני; להימנע, להתאפק, לוותר על
can't resist לא יכול להימנע מ־
resistance *n.* התנגדות; מחתרת
line of least resistance קו־פעולה המעורר התנגדות מעטה, הדרך הקלה ביותר
resistance movement תנועת התנגדות
resistant *adj.* מתנגד; חסין
resister *n.* מתנגד
resistible *adj.* שניתן לעמוד בפניו
resistless *adj.* שאין לעמוד בפניו
resistor *n.* (בחשמל) נַגָּד
re′sole′ *v.* להתקין סוליה חדשה
res′olute′ (-z-) *adj.* החלטי, תקיף
res′olu′tion (-z-) *n.* החלטיות, תקיפות; החלטה; פתרון, הסדרה; הפרדה, התפרקות
good resolutions החלטות לעשות מעשים טובים
resolution of doubts הסרת ספקות
New Year resolution נדר ה־1 בינואר (שאדם נודר)
re•solv′able (-z-) *adj.* פריק; פתיר
re•solve′ (-z-) *v.* להחליט; לפתור, להסדיר, ליישב; להפיג
resolve into להפריד; להתפרק ל־
resolve light להפריד אור (במינסרה)
resolved that הוחלט ש־
resolve *n.* החלטיות; החלטה נחושה
res′onance (-z-) *n.* תהודה, רזונאנס
res′onant (-z-) *adj.* מהדהד, מצלצל, מלא
res′onate′ (-z-) *v.* לתהד, ליצור תהודה

resonator *n.* מהוד, מגביר תהודה, הדן
re•sort′ (-z-) *n.* מקום־ביקור; מקום נופש; שימוש, הזדקקות; מפלט, פנייה ל־
as a last resort כאמצעי אחרון
have resort to להשתמש ב־, לנקוט שיטה של, להזדקק ל־
resort to force שימוש בכוח
resort *v.* להשתמש ב־, לפנות ל־; לנקוט שיטה של; לבקר, להיכנס, ללכת
resort to lying להיאחז בשקרים
re•sound′ (-z-) *v.* להדהד, לצלצל; להתפשט, להינשא בפי כל
resounding *adj.* מהדהד; (הצלחה) כבירה
re•source′ (-sôrs) *n.* אמצעי, מפלט, בידור, מקור־נחמה; תושייה, יכולת
as a last resource כאמצעי אחרון
inner resources כוחות פנימיים
leave him to his own resources להניחו לבלות זמנו כאוות־נפשו
resources משאבים, עושר, מקורות, אוצרות, עתודות
resourceful *adj.* רב־תושייה
re•spect′ *n.* כבוד; הוקרה; תשומת־לב, התחשבות; נקודה, יחס, פרט
in all respects מכל הבחינות
in respect of מבחינת־, בנוגע ל־; בתמורה, כתשלום
in some respect מכמה בחינות
pay one's last respects להשתתף בהלוויה/בטקס קבורה
pay one's respects לערוך ביקור
pay respect להקדיש תשומת־לב
send him my respects דרוש בשלומו
show respect for לכבד, לחלוק כבוד
with respect to בקשר ל־, בעניין
without respect to בלי להתחשב ב־
respect *v.* לכבד, לחלוק כבוד
respects himself בעל כבוד עצמי
re•spec′tabil′ity *n.* מכובדות, כבוד; דבר המכבד את בעליו
re•spec′table *adj.* מכובד, הגון; ראוי להערכה; נאה, די הרבה
respectable income הכנסה נאה
respecter *n.* מכבד, חולק כבוד
respectful *adj.* רוחש כבוד
yours respectfully שלך, בכבוד רב
respecting *prep.* בנוגע ל־, בעניין־
re•spec′tive *adj.* שלו, המתאים לו, השייך לו, המיוחד לו
respectively *adv.* בהתאמה, לפי הסדר הנ"ל

res′pira′tion *n.* נשימה, נשם; הנשמה
artificial respiration הנשמה מלאכותית
res′pira′tor *n.* מסכת־גז; מנשמה
res′pirator′y *adj.* של הנשימה
re•spire′ *v.* לנשום, לשאוף ולנשוף
res′pite (-pit) *n&v.* הפוגה, הפסקה, מנוחה; דחייה; להעניק ארכה
re•splen′dence, -cy *n.* זוהַר
re•splen′dent *adj.* זוהר, זורח; מצוחצח
re•spond′ *v.* לענות, להשיב; להגיב
re•spon′dent *n.* נתבע; משיב
re•sponse′ *n.* תשובה; תגובה; היענות
in response to בתשובה ל־
re•spon′sibil′ity *n.* אחריות
on one's own responsibility על אחריותו, על דעת עצמו, מבלי שיתבקש
re•spon′sible *adj.* אחראי; רב־אחריות
responsible criticism ביקורת מתונה
responsible to him אחראי כלפיו
re•spon′sion *n.* מבחן ראשון לב"א
re•spon′sive *adj.* נענה מהר, עונה בחום/בהבנה, מגיב בחיוב
rest *n.* מנוחה, נופש; הפסקה; משען, מסעד; דמימה; הפסק, שהי; מקום נופש
at rest במנוחה; שליו; מת
come to rest לעצור, להיעצר
lay to rest לקבור, לטמון גופו
parade rest עמידת נוח (של מיסדר)
set his fears/mind at rest להרגיעו, לסלק חששותיו
rest *v.* לנוח, לפוש; לשכב; לתת/להמציא מנוחה; להניח, להשעין; לסיים; לעצור; להישאר
his eyes rested on מבטו נפל על
it rests with him to זה תלוי בו, הדבר בידיו, הוא אחראי ל־
rest a case לסיים טיעונים (במשפט)
rest against להשעין/להישען על
rest assured היה בטוח ש־
rest on one's oars לפוש מעבודה
rest on/upon להתבסס על, להישען על; להיות תלוי ב־; להיות פרוש/מוטל על
the field rests השדה בשנת שמיטה
I'll not rest לא אנוח ולא אשקוט
rest *n.* השאר, השארית, העודף
for the rest ובנוגע לשאר
re′stage′ *v.* להעלות (מחזה) מחדש
re′state′ *v.* לומר שוב, לנסח מחדש
restatement *n.* הודעה נוספת

res′taurant (-tər-) *n.* מסעדה
restaurant car קרון־מזנון
res′taurateur′ (-tərətûr′) *n.* בעל מסעדה
rest center מרכז נופש
rest cure ריפוי במנוחה
restful *adj.* שקט, מרגיע, נינוח
rest home בית מרגוע, בית החלמה
rest house אכסניית נוסעים
resting place קבר
res′titu′tion *n.* השבה, החזרה; פיצוי; הישבון
res′tive *adj.* עצבני, לא שקט; לא מציית, סורר, מרדני
restless *adj.* לא־שקט, עצבני; קצר־רוח
re′stock′ *v.* לספק מלאי חדש
res′tora′tion *n.* החזרה, השבה; בינוי, חידוש, שיקום, קימום; דגם משוחזר
Restoration *n.* הרסטוראציה (באנגליה ב־1660)
re•stor′ative *n&adj.* תרופה; (מזון) מבריא, מחזק, מאושש
re•store′ *v.* להחזיר, להשיב; להחזיר לקדמותו; להשיב לאיתנו; לשחזר, לשקם
restorer *n.* משחזר (עתיקות)
re•strain′ *v.* לרסן, לעצור, להבליג
restrained *adj.* מרוסן, מאופק, שקט
re•straint′ *n.* ריסון, איפוק; כליאה; הגבלה, כבל, מעצור
under restraint בבית־חולי־רוח
without restraint בצורה חופשית
re•strict′ *v.* להגביל, לצמצם, לתחום
restricted *adj.* מוגבל, מצומצם
re•stric′tion *n.* הגבלה, צמצום
re•stric′tive *adj.* מגביל, מצמצם
rest room חדר־שירותים
re′struc′ture *v.* לבנות/לארגן מחדש
re•sult′ (-z-) *n.* תוצאה; ★ניצחון
as a result כתוצאה; לפיכך
without result לשווא, בלי הצלחה
result *v.* לנבוע, לקרות; לבוא כתוצאה; להסתיים
result from לנבוע מ־, להיגרם ע״י
result in לגרום, להסתיים ב־
re•sul′tant (-z-) *adj&n.* נובע, מתרחש כתוצאה; תוצאה
re•sume′ (-z-) *v.* לחדש, להמשיך, להתחיל שוב; לתפוס בשנית (את מקומו)
résumé (rez′oomā′) *n.* תקציר, תמצית; תולדות־חיים (תיאור קצר)
re•sump′tion (-z-) *n.* חידוש, המשך
re′sur′face (-fis) *v.* לצפות (כביש) מחדש; (לגבי צוללת) לצוף, לעלות למעלה
re•sur′gence *n.* תחייה, התעוררות
re•sur′gent *adj.* קם לתחייה, מתעורר
res′urrect′ (-z-) *v.* להחיות, להחזיר לשימוש; להוציא מהקבר; לחפור ולהוציא
res′urrec′tion (-z-) *n.* החייאה, חידוש, התחדשות; תחיית המתים
Resurrection *n.* תחיית־ישו
re•sus′citate′ *v.* להחיות; לשוב להכרה
re•sus′cita′tion *n.* החייאה
ret *v.* לרכך, להשרות במים
re′tail *n&adj&adv.* קמעונות; קמעוני; בקמעונות
retail *v.* למכור בקמעונות
retails at נמכר ב־, מחירו לצרכן
re′tail′ *v.* לחזור על, להפיץ רכילות
re′tail′er *n.* קמעונאי, חנווני
re•tain′ *v.* לשמור; להחזיק, לא לאבד
retain a lawyer לשכור עורך־דין
retain a memory of לזכור
retainer *n.* שכר טרחה; משרת
retaining fee שכר עורך־דין
retaining wall קיר עוצר
re′take′ *v.* לקחת בחזרה; לצלם שוב; ללכוד בשנית
re′take′ *n.* צילום שני
re•tal′iate′ *v.* לגמול, להחזיר, לנקום
re•tal′ia′tion *n.* גמול, נקמה
re•tal′ia′tive *adj.* גומל, נוקם
re•tal′iato′ry *adj.* גומל, נוקם
re•tard′ *v.* להאט, לעכב, לעצור
re′tar•da′tion *n.* האטה, עיכוב
retarded *adj.* מפגר
retch *v.* לנסות להקיא (בלי הצלחה)
retd = returned, retired
re′tell′ *v.* לספר שוב (בצורה שונה)
re•ten′tion *n.* שמירה, החזקה; זיכרון
retention of urine עצירת שתן
re•ten′tive *adj.* שומר, מחזיק; זוכר; (בור סוד) שאינו מאבד טיפה
re′think′ *v.* לשקול שנית, להרהר בכך
re′think′ *n.* שיקול־דעת נוסף
ret′icence *n.* שתקנות, מיעוט הדיבור
ret′icent *adj.* שתקן, ממעט בדיבור
re•tic′u•late′ *v.* לרשת; להתרשת
re•tic′u•late *adj.* מרושת, רשות; מכוסה משבצות, עשוי מעשה־תשבץ
re•tic′u•la′tion *n.* מעשה רשת
ret′icule′ *n.* ארנק, ארנקון
ret′ina *n.* רשתית־העין

ret′inue′ (-nōō) *n.* פמליה, מלווים
re•tire′ *v.* ללכת, להסתלק, לפרוש; לסגת; להתפטר, לצאת לגמלאות; לפטר
retire from the world להתבודד
retire into oneself להסתגר
retire to bed ללכת לישון
retire *n.* אות נסיגה
retired *adj.* בדימוס, שהתפטר, פורש; שקט, שליו, בודד
retired list רשימת קצינים בדימוס
retired pay פנסיה, גמלאות
retirement *n.* פרישה; נסיגה; התבודדות
retiring *adj.* מסתגר; של פרישה
retiring age גיל פרישה
re•tort′ *v&n.* לענות, להשיב, להחזיר; לגמול; תשובה, מענה; אביק, רטורטה
re•touch′ (-tuch) *n&v.* רטוש, ריטוש, הגהת תצלום; להגיה, לשפר (ציור)
re•trace′ *v.* לחזור על, לשחזר במוחו
retrace one's steps לשוב על עקבותיו
re•tract′ *v.* לחזור בו, לבטל; לסגת; להכניס, למשוך לאחור
retractable *adj.* שנמשך פנימה, נסיג; בר־ביטול
re•trac′tile (-til) *adj.* נמשך פנימה
re•trac′tion *n.* חזרה, ביטול; נסיגה; משיכה פנימה
re′tread′ (-red) *n.* צמיג מגופר
re′tread′ (-red) *v.* לגפר, לחדש (צמיג)
re•treat′ *v.* לסגת; להסתלק, להימלט; להשתפע לאחור
retreat *n.* (אות) נסיגה; תסוגה; מפלט, חוף מבטחים; מקום־מנוחה; התבודדות; חשבון־נפש
beat a retreat לסגת, להסתלק
in full retreat נסוג, נס, נמלט
make good one's retreat לבצע נסיגה מוצלחת
re•trench′ *v.* לחסוך, לקמץ; להצטמצם
retrenchment *n.* קיצוץ, קימוץ
re′tri′al *n.* משפט חוזר
ret′ribu′tion *n.* עונש, גמול
re•trib′u•tive *n.* של ענישה, מעניש
retrievable *adj.* בר־הצלה; בר־תקנה
re′triev′al (-rēv-) *n.* חזרה; השבה; תיקון
beyond/past retrieval ללא תקנה
retrieval system (שיטה של) שליפת מידע (בעת הצורך)
re′trieve′ (-rēv) *v.* להחזיר, להשיב לעצמו; למצוא; לשלוף מידע; להציל; לתקן; לפצות; (לגבי כלב) להחזיר ציד
retrieve one's fortunes להחזיר לעצמו את הונו
retriever *n.* מחזיר־ציד (כלב)
retro- (תחילית) לאחור, למפרע
ret′ro•ac′tive *adj.* רטרואקטיבי, מפרעי
retroactively *adv.* רטרואקטיבית, למפרע, מפרעית
ret′rocede′ *v.* לחזור; להחזיר
ret′roflex′ *adj.* כפוף לאחור
ret′rograde′ *adj.* נסוג אחורה, מידרדר
retrograde *v.* להידרדר, להחמיר
ret′rogress′ *v.* להיסוג אחורה, להידרדר, ללכת ולהחמיר
ret′rogres′sion *n.* נסיגה, הידרדרות
ret′rogres′sive *adj.* נסיג, הולך ורע
ret′ro•rock′et *n.* טיל־האטה
ret′rospect′ *n.* מבט לאחור
in retrospect במבט לאחור
ret′rospec′tion *n.* מבט אל העבר, שקיעה בחוויות העבר
ret′rospec′tive *adj.* של העבר, של זכרונות, רטרוספקטיבי, רטרואקטיבי
ret′roussé′ (-rōōsā′) *adj.* (אף) סולד
ret′rover′sion (-zhən) *n.* פנייה לאחור
re•turn′ *v.* לחזור; להחזיר; לענות; להודיע רשמית; להצהיר על; לתת; לבחור לפרלמנט
return a compliment להחזיר מחמאה
return a favor לגמול טובה
return details לתת פרטים, לפרט
return him guilty לפסוק שהוא אשם
return interest לתת תשואה
return thanks להודות, לברך
return to dust לשוב אל עפר, למות
return *n&adj.* חזרה; החזרה; רווח, תשואה; דוח; הצהרה; גמול
by return בדואר חוזר
day return כרטיס הלוך ושוב
elections return תוצאות הבחירות
in return בתמורה; בתגובה
many happy returns of the day ברכות ליום הולדתך!
returns מחזור, פדיון; סיכומים
tax return דו"ח מסים
returnable *adj.* שאפשר/שיש להחזירו
return fare דמי נסיעה חזרה
return half תלוש הנסיעה חזרה
returning officer פקיד בחירות

return match משחק גומלין
return ticket כרטיס הלוך ושוב
re•u′nion *n.* איחוד מחדש; כנס, מפגש
re′u•nite′ (-ū-) *v.* לאחד/להתאחד מחדש
re′use′ (-z) *v.* להכניס לשימוש חוזר
rev *n&v.* סיבוב
rev up להגביר הסיבובים (במנוע)
Rev = Reverend
re′val′u•a′tion (-lū-) *n.* שיערוך, ייסוף
re′val′ue (-lū) *v.* לשערך
re′vamp′ *v.* להתקין פנת חדשה; לחדש; לשפר
re•veal′ *v.* להראות, לגלות, לחשוף
revealing *adj.* חושף, חושפני
rev′eille (-vəli) *n.* תרועת השכמה
rev′el *v.* להתהולל, לשמוח
revel in להתענג על, ליהנות מ־
revel *n.* הילולה, שמחה
rev′ela′tion *n.* גילוי; חשיפה; גילוי־שכינה, התגלות
Revelation *n.* החיזיון (הספר האחרון בברית החדשה)
reveler *n.* מתהולל, חוגג
rev′elry *n.* הילולה, שמחה
re•venge′ *v&n.* לנקום; נקמה, נקמנות
be revenged on לנקום, להינקם
give him his revenge להתמודד במשחק גומלין (ולתת לו הזדמנות לנצח)
out of revenge מתוך נקמה
revenge oneself on לנקום, להינקם
take revenge לנקום, לקחת נקם
revengeful *adj.* נקמני, אכול נקמה
rev′enue′ (-nōō) *n.* הכנסה
revenue stamp בול הכנסה
re•ver′berant *adj.* מהדהד
re•ver′berate′ *v.* להדהד, להרעים
re•ver′bera′tion *n.* הדהוד, הד
re•vere′ *v.* להעריץ, לרחוש כבוד רב
rev′erence *n&v.* יראת כבוד, הערצה; אות כבוד, קידה, מיכרוע; לכבד, להעריץ
show reverence for להעריץ
His Reverence הוד קדושתו
rev′erend *adj.* נכבד, ראוי להערצה
Reverend *n.* כומר, איש־דת
Right Reverend בישוף
rev′erent *adj.* מעריץ, רוחש כבוד
rev′eren′tial *adj.* מלא יראת־הכבוד
rev′erie *n.* חלום בהקיץ; הזיות, הרהורים; קטע מוסיקלי שקט
re•vers′ (-vir′) *n.* דש, בטנת הדש
re•vers′al *n.* היפך, היפוך, הפיכה
re•verse′ *adj.* הפוך, אחורי, מנוגד
in reverse order בסדר הפוך, מהסוף להתחלה
reverse *v.* להפוך; לנוע/להסיע לאחור; להסתובב אחורה; לשנות, לבטל
reverse arms להפוך הנשק
reverse the charge לחייב בגוביינה (את מקבל שיחת־הטלפון)
reverse *n.* היפך; צד נגדי; רוורס, הילוך אחורי; מפלה, מכה
in reverse לאחור, אחורנית
the reverse ההיפך; הצד השני
reverse gear הילוך אחורי
re•ver′sibil′ity *n.* הפיכות
re•vers′ible *adj.* הפיך, ניתן להפכו
re•ver′sion (-zhən) *n.* חזרה (לבעלים קודמים/לסורו); זכות־בעלות (על עיזבון)
reversionary *adj.* של זכות־בעלות
re•vert′ *v.* לחזור (למצב קודם/לבעלים קודמים)
revert to the state (לגבי נכסים) לעבור לבעלות המדינה
revert to type לחזור לתכונתו המקורית, לגלות האופי הטבוע בו
reverted to bad habits חזר לסורו
reverting to נחזור ל־ (רישא)
re•ver′tible *adj.* בר־חזרה
rev′ery = reverie
re•vet′ment *n.* קיר תומך, ציפוי־בטון
re•view′ (-vū′) *v.* לבחון, לשקול שוב; להעביר בדמיון; לערוך מִסקר; לסקור; לסקר
review for לכתוב סיקורות ב־
review *n.* בחינה, שיקול; מִסקר; סיקור; סקירה; סיקורת, ביקורת, תסקיר; כתב־עת
come under review להיבחן מחדש
hold a review לערוך מִסקר
review copy עותק ביקורת (של ספר)
reviewer *n.* מבקר, כותב ביקורות
re•vile′ *v.* לגדף, להשמיץ, לגנות
re•vise′ (-z) *v.* לשנות (דעתו); לשפר (ציון), ללמוד שנית; לעיין מחדש; להגיה
revise *n.* עלה־הגהה מתוקן
Revised Version הנוסח המתוקן (של התנ״ך באנגלית)
reviser *n.* מגיה, מתקן
re•vi′sion (-vizh′ən) *n.* שינוי, שיפור; עיון מחדש; רביזיה, בקרה, תיקון, עריכה; מהדורה
revisionism *n.* רביזיוניזם
revisionist *n.* רביזיוניסט

re•vi′taliza′tion *n.* החייאה, תחייה
re•vi′talize′ *v.* להשיב לתחייה
re•vi′val *n.* תחייה, התעוררות; חידוש; כנס להגברת התודעה הדתית
revivalist *n.* מארגן כינוסי דת
Revival of Learning הרנסאנס
re•vive′ *v.* לקום לתחייה; להשיב לחיים; לחדש; להתחדש; להתאושש; להתעורר
revive a play להעלות מחדש מחזה ישן
re•viv′ify′ *v.* להחיות, לעורר לחיים
rev′ocable *adj.* שניתן לבטלו
rev′oca′tion *n.* ביטול
re•voke′ *v&n.* לבטל; לשלול; (בקלפים) להפר כללי המשחק; ביטול
re•volt′ (-vōlt) *n.* מרד, התקוממות
in revolt בשאט־נפש; מתקומם
revolt *v.* למרוד, להתקומם; לזעזע, לעורר שאט־נפש; להזדעזע
revolting *adj.* מגעיל, מבחיל
rev′olute′ *adj.* (עלה) גלול לאחור
rev′olu′tion *n.* מהפכה; מהפך; סיבוב, הקפה; מחזור
revolutionary *adj&n.* מהפכני; מהפכן
rev′olu′tionize′ *v.* להחדיר רעיונות מהפכניים; לשנות מן הקצה אל הקצה
re•volve′ *v.* לסובב; להסתובב; להקיף
revolve around להתמקד/להתרכז ב־
revolve around/about להקיף
revolve in one's mind לגלגל במוחו
re•volv′er *n.* אקדח
re•vue′ (-vū′) *n.* רביו, תסקורת
re•vul′sion *n.* בחילה, שאט־נפש; זעזוע; שינוי פתאומי
re•ward′ (-wôrd) *n&v.* פרס, גמול; פיצוי, שכר; לגמול, לשלם, לפצות
rewarding *adj.* כדאי, ראוי לעשותו
re′wire′ *v.* לחדש חוטי חשמל
re′word′ (-wûrd′) *v.* לנסח מחדש
re′write′ *v.* לכתוב מחדש, לשכתב
re′write′ *n.* כתיבה מחדש, שכתוב
Rex *n.* המלך; המדינה
rh = right hand
rhap′sodize′ (r-) *v.* להתלהב, לדבר בלהט, להפליג בשבחים, לגמור את ההלל
rhap′sody (r-) *n.* רפסודיה; התלהבות
go into rhapsody להתלהב, להתפעל
rhe′a (r-) *n.* יען דרום־אמריקני
Rhen′ish (r-) *n.* יין הריין, הוק
rhe′ostat′ (r-) *n.* ריאוסטט, מכוון זרם
rhe′sus (r-) *n.* רזוס (קוף)

rhet′oric (r-) *n.* רטוריקה, אמנות הנאום; דברנות; לשון נמלצת
rhe•tor′ical (r-) *adj.* רטורי, נמלץ, מזויף
rhetorical question שאלה רטורית
rhet′ori′cian (r-rish′ən) *n.* מומחה לרטוריקה, רטוריקן
rheum (rōōm) *n.* ריר נזלתי, ליחה
rheu•mat′ic (rōō-) *adj&n.* של שיגרון, שיגרוני; חולה שיגרון
rheumatics שיגרון, רימטיזם
rheumatic fever קדחת השיגרון
rheu′matism′ (rōō′-) *n.* שיגרון
rheu′matoid′ (rōō′-) *adj.* שיגרוני
rheumatoid arthritis דלקת פרקים כרונית
Rh factor גורם Rh (בדם)
rhi′nal (r-) *adj.* אפי, חוטמי, נחירי
Rhine (r-) *n.* ריין (נהר בגרמניה)
rhinestone *n.* קווארץ, אבן־צור מגובשת; יהלום מלאכותי
Rhine wine יין הריין, הוק
rhi•ni′tis (r-) *n.* דלקת האף
rhi•noc′eros, rhi′no (r-) *n.* קרנף
rhi′zome (r-) *n.* קנה־שורש, גבעול תת־קרקעי
rho′doden′dron (r-) *n.* רודודנדרון (פרח)
rhomb (rom) *n.* רומבוס, מעוין
rhom′boid (r-) *n&adj.* רומבואיד (מקבילית); דמוי־מעוין
rhom′bus (r-) *n.* רומבוס, מעוין
rhu′barb′ (rōō-) *n.* ריבס (צמח־מאכל); ★המולה, ריב, ויכוח
rhyme (r-) *n.* חרוז; חריזה
nursery rhyme שיר ילדים
rhyme or reason היגיון, טעם, סיבה
write in rhyme לכתוב בחרוזים
rhyme *v.* לחרוז; לכתוב שירה; להתחרז
rhymed *adj.* חרוז, מחורז
rhyme′ster (rīm′s-) *n.* חרזן
rhyming couplet צמד חרוזים
rhyming slang עגה חרזנית
rhythm (ridh′əm) *n.* קצב, מקצב, משקל, ריתמוס; מחזור קבוע
rhyth′mic(al) (ridh′-) *adj.* קצוב, ריתמי, קצבי, מקצבי
rib *n.* צלע; עורק־עלה; פס בולט (באריג, בחול); קנה־מטרייה; לוח־חיזוק (בסירה)
dig/poke in the ribs לתקוע אצבע/מרפק בצלעותיו; לעורר תשומת־לבו

rib *v.* להתקין צלעות; לחזק בלוחות; לסמן פסים; לקנטר, ללעוג
rib'ald *adj.* גס, של ניבול פה
rib'aldry *n.* גסות, ניבול פה
ribbed *adj.* מפוספס (בפסים בולטים)
ribbing *n.* צלעות, פסים בולטים
rib'bon *n.* סרט; רצועה; סרט־דיו
ribbons מושכות; קרעים, גזרים
ribbon development רצועת מבנים (לאורך כביש)
rib cage בית החזה
ri'bofla'vin *n.* ריבופלווין (ויטמין)
rice *n.* אורז
ground rice אורז טחון
polished rice אורז מקולף
rice paper *n.* נייר אורז; נייר אכיל
rice pudding חביצת־אורז
rich *adj.* עשיר; מפואר; מלא, עמוק
rich and poor כעשיר כעני
rich field קרקע פורייה
rich in עשיר ב־, שופע
rich voice קול מלא/עמוק
strike it rich לגלות מיכרה זהב
that's rich! זה כביר! זה מגוחך!
the rich העשירים
riches *n-pl.* עושר; שפע
richly *adv.* בשפע; בהידור
richly deserves ראוי בהחלט ל־
richness *n.* עושר; פאר; פוריות
rick *n&v.* גדיש; ערימת־חציר; לערום
rick *v.* לנקוע; למתוח (שריר)
rick'ets *n.* רככת (התרככות העצמות)
rick'ety *adj.* רעוע, חלש, רופף
rick'sha (-shô) *n.* ריקשה
ric'ochet' (-shā') *n&v.* נתז, נתיר; קליע חוזר; פגיעת נתז; ניתור; לנתר; להינתז
rid *v.* לשחרר, לחלץ; לטהר
get/be rid of להיפטר מ־, להשתחרר
rid'dance *n.* היפטרות
good riddance ברוך שפטרני!
rid'den = pp of ride נרדף, נשלט בידי, נתון לחסדי; סובל מ־, מלא
guilt-ridden חדור רגשות אשמה
rid'dle *n&v.* חידה, תעלומה; לפתור
riddle *n&v.* כברה, נפה גדולה; לכבור, לנפות; לנקב; להפריך, לנפץ
riddle a grate לנענע סבכה (באח)
riddle with לעשותו ככברה, לנקב
ride *v.* לרכוב; לנסוע; לעבור ברכיבה; לשוט, לצוף; להרכיב; להציק
let it ride להניח לזאת
ride a race להתחרות במירוץ סוסים
ride at anchor לעגון
ride down להדביק ברכיבה; לרמוס
ride for a fall לרכוב בצורה מסוכנת, לדהור כמשוגע; לנהוג בפזיזות
ride herd on לפקח, להשגיח על
ride high ליהנות מפופולאריות
ride out (a storm) לעבור את הסערה, להיחלץ ממשבר; לצאת בשלום
ride the clutch להחזיק את הרגל על דוושת המצמד
ride the wind לרחף באוויר
ride to hounds לצאת לציד
ride up לסוט ממקומו למעלה (בגד)
rides 60 kg משקל הרווץ 60 ק"ג
the course rides hard המסלול קשה
ride *n.* רכיבה; נסיעה; שביל; בהמת־רכיבה
along for the ride משתתף למען הכיף בלבד, טפיל
go for a ride לצאת לרכיבה
take for a ride להונות, לרמות; לחטוף ולרצוח
rider *n.* רוכב, רווץ, פרש; תוספת, נספח
riderless *adj.* ללא פרש
ridge *n.* רכס, קר־פסגה, ראש, קצה; קו־פרשת־מים; תלם, חריץ
ridge *v.* לתלם, לחרוש (קמטים)
ridge-pole *n.* קורה עליונה (באוהל)
ridge tile רעף עליון (לראש הגג)
rid'icule' *n&v.* צחוק, לעג; ללעוג ל־
hold up to ridicule ללעוג ל־
lay oneself open to ridicule לשים עצמו לצחוק
ridic'u•lous *adj.* מגוחך; אבסורדי
riding *n&adj.* (של) רכיבה; פרשות; מחוז
riding breeches מכנסי־רכיבה
riding habit חליפת רכיבה (של אישה)
riding light פנס־עגינה (של ספינה)
riding master מדריך רכיבה
Ries'ling (rēs'-) *n.* יין ריסלינג
rife *adj.* נפוץ, רווח; מלא, זרוע
riff *n.* קטע חוזר (במוסיקת־ג'ז), ריף
rif'fle *v&n.* לטרוף קלפים; לעלעל, לדפדף; (להעלות) אדווה; טריפת קלפים
riff'raff' *n.* האספסוף, חלאת אדם
ri'fle *n&v.* רובה; לחרוץ חריקים (בקדח־הרובה); לשדוד, לחפש, לרוקן
rifles רובאים, קלעים
rifleman *n.* רובאי
rifle range מטווח רובים; טווח רובה

rifle shot טווח רובה; קלע, צלף
ri′fling *n.* חריצת חריקים, חירוק
rift *n.* סדק; קרע
rift valley בקעה עמוקה, גיא עמוק
rig *v.* לצייד (ספינה) במעטה, לערוך החיבל; להיערך (להפלגה); לרמות; לזייף, לסדר
rig out לספק בגדים, להלביש
rig the market לגרום לעליות/לירידות בשוק המניות
rig up להרכיב, לבנות, להקים
rig *n.* מעטה, צורת החיבל; ציוד, מתקן; ⋆תלבושת, בגדים
rigger *n.* מותח חיבלים; מכונאי מטוס
rig′ging *n.* חיבל, מעטה (של ספינה)
right *adj.* ימני, ימיני; נכון; צודק, ישר, הוגן; מתאים, עדיף; בריא, תקין
all right בסדר גמור, או קיי
get it right להבין זאת כהלכה
get on the right side of לזכות באהדת־
give one's right arm לשלם כל מחיר
he was right in- הוא צדק כאשר־
his right hand יד ימינו, עוזרו
keep on the right side of law לשמור חוק
on the right side of 30 פחות מבן 30
put one's right hand to work להירתם לעבודה במרץ
put/set right לסדר, לתקן; לרפא
right angle זווית ישרה
right as rain בריא לגמרי
right enough משביע רצון, לא רע, טוב למדי; כמצופה
right in the mind בסדר, שפוי
right side צד ימין/חיצוני (בבגד)
right you are! right oh! בסדר, או קיי
right *adv.* ימינה; ישר, היישר; בדיוק, ממש; מיד; אל נכון, כהלכה; לגמרי
eyes right! לימין־ שור!
right along במשך כל הזמן; הלאה
right and left מכל העברים, על ימין ועל שמאל, בכל מקום
right away/off מיד
right now ברגע זה ממש, עתה
right on ⋆נכון, מדויק
right out גלויות, במפורש
right through כליל, מא' ועד ת'
right to- עד ל', כל הדרך עד־
serves him right מגיע לו
too right נכון מאוד, מסכים!

right *n.* ימין; יד ימין; צדק; יושר; זכות
all rights reserved כל הזכויות שמורות
as of right מכוח הצדק
by right of בזכות־, מכוח־, בגלל־
by rights בצדק, על פי דין
dead to rights ⋆אשם בהחלט, נסתתמו טענותיו
in one's own right בזכות עצמו
is in the right הצדק עמו
keep to the right להיצמד לימין
put/set to rights לתקן; לרפא; להשליט סדר
right of common זכות לשימוש בשטח
right of primogeniture זכות בכורה
right of way זכות קדימה; זכות מעבר
stand on one's rights לעמוד על זכויותיו
the rights and the wrongs העובדות לאשורן, כל הבחינות
within one's rights בגדר זכויותיו
right *v.* ליישר, לסדר, לתקן; לזקוף
right itself להתיישר; להסתדר
right-about face/turn פנייה לאחור
send to the rightabout לפטר, לסלק
right-angled *adj.* ישר־זווית
right-down *adj&adv.* גמור, מובהק; לגמרי, מאוד
right′eous (rī′chəs) *adj.* צדיק; צודק
the righteous הצדיקים
rightful *adj.* חוקי; הוגן
rightful owner בעלים חוקיים
right-hand, right-handed *adj.* ימני
right-hander *n.* ימני, לא איטר; מכת (יד־) ימין
right-hand man יד־ימינו, עוזר
rightist *n.* ימני, איש־הימין
rightly *adv.* בצדק; נכון; ⋆לבטח
right-minded *adj.* מאמין בצדק, הוגן, נוהג לפי הדין
rightward *adj.* ימני
rightwards *adv.* ימינה
right wing אגף ימני; קיצוני ימני
right winger קיצוני ימני; ימני
rig′id *adj.* קשה, קשוח; קפדן; מאובן
shake him rigid להקפיא דמו
rigid′ity *n.* קשיות, קשיחות; קפדנות
rig′marole′ *n.* פטפוט, סיפור מבולבל
rig′or *n.* חומרה, הקפדה, קשיחות; קפדנות, דייקנות; תנאים קשים
the rigor of the law חומר הדין

rig′or mor′tis התקשות המת
rig′orous *adj.* קשה; קפדני, מחמיר
rig-out *n.* ★תלבושת, בגדים
rile *v.* ★להרגיז
rill *n.* פלג קטן, פלגלג
rim *n&v.* שפה, קצה, זר, מסגרת, שוליים; חישוק; לעטר; לעשות שפה סביב
rime *v&n.* (לכסות ב) כפור
rime = rhyme חרוז
rimless *adj.* (משקפיים) חסרי־מסגרת
rimmed *adj.* ממוסגר, מוקף
rind (rīnd) *n.* קליפה
rin′derpest′ *n.* דֶבֶר־בהמות
ring *n.* טבעת; מעגל; קבוצה, חוג; זירה, זירת־אגרוף; הימור
engagement ring טבעת אירוסין
key ring מחזיק מפתחות
make/run rings round him לעלות עליו בהרבה; לפעול מהר ממנו
the ring סוכני־הימורים
throw one's hat into the ring ליטול חלק בהתמודדות
ring *v.* להקיף; להטיל טבעת (במשחק); לשים טבעת על; לנוע/לרוץ במעגל
ring a bull לשים חח באף השור
ring *v.* לצלצל; לטלפן; להשמיע; להדהד
his ears rang צללו אוזניו
his story rings hollow סיפורו יוצר רושם שאין בו אמת (מצלצל כשקר)
it rings a bell זה מזכיר משהו
it rings true/false מתקבל הרושם שהדבר נכון/אמיתי/לא נכון/מזויף
ring in/out ללוות בצלצול פעמונים את כניסת/צאת (השנה)
ring off לסיים שיחת טלפון
ring out לצלצל, להדהד; להחתים הכרטיס בסיום העבודה
ring the bell להצליח
ring the changes לגוון, להכניס שינויים; לצלצל בפעמונים בצורות שונות
ring the curtain down לצלצל להורדת המסך; לסיים
ring the curtain up לצלצל להעלאת המסך; להתחיל
ring the knell of- לבשר את קץ־
ring up לטלפן; לרשום (בקופה)
ring *n.* צלצול; נעימה; צליל
give a ring להתקשר, לטלפן
ring of truth נעימה (נימה) של אמת
ring binder כורכן טבעות
ringbolt *n.* בורג (בעל) טבעת (בראשו)
ringer *n.* פעמונר; רמאי, כפיל
dead ringer ★כשתי טיפות מים
ring finger קמיצה
ring-leader *n.* מנהיג, ראש כנופיה
ring′let *n.* תלתל
ring-master *n.* מנהל מופעי־קרקס
ring road כביש עוקף, מעקף
ringside *n&adj.* (מקום) קרוב לזירה
ringside seat מושב קדמי; עמדה קרובה לזירת האירוע
ringworm *n.* גזזת (מחלת עור)
rink *n.* חלקלקה; רחבת גלגיליות
rinse *v.* לשטוף, להדיח
rinse down לבלוע (בעזרת משקה)
rinse out/off לשטוף
rinse *n.* שטיפה; נוזל לצביעת שיער
ri′ot *n.* מהומה, התפרעות; רעש, הילולה; גילוי, התפרצות (רגשות); הצלחה
is a riot קוצר הצלחה כבירה
riot of color שלל צבעים
run riot להשתולל; לגדול פרא
riot *v.* להקים מהומות, להשתולל
riot in לשקוע ב־, להתענג על
Riot Act חוק איסור מהומות
read him the riot act להזהירו לבל ישתולל, לנזוף בו קשות
rioter *n.* פרוע, מתהולל, משתולל
ri′otous *adj.* פרוע, הולל; רעשני
rip *v.* לקרוע; להיקרע; לפרום; לנסר; לשוט/לנסוע מהר, "לקרוע הכביש"
let things rip להניח להם להשתולל
rip into לנזוף; להתנפל על, להתקיף
rip off לקרוע, להסיר (בגד) במהירות; ★לגנוב; לדרוש מחיר מופקע
rip up לקרוע לגזרים
rip *n.* קרע; שיבולת־מים; קטע גועש; סוס בלה; ★מופקר, הולל
RIP "ינוח בשלום על משכבו"
ripa′rian *adj.* של חוף, של גדות
riparian rights זכויות (על) חוף
rip cord *n.* חבל שחרור (לפתיחת מצנח/לשחרור אוויר מכדור־פורח)
ripe *adj.* בשל; ראוי לאכילה; מפותח, מנוסה; מבוגר; ★גס
of ripe age מבוגר, מנוסה
of riper years בגיל מתקדם
ripe for מוכן ל־, מתאים ל־
the time is ripe הזמן בשל, הגיעה השעה
rip′en (rīp′-) *v.* להבשיל
rip-off *n.* ★גניבה; הפקעת מחיר

riposte′ (-pōst′) *n&v.* מכת־סיף חוזרת; תשובה שנונה; להחזיר, לענות
rip′ping *adj.* ★נהדר, נפלא
rip′ple *n&v.* אדווה, גלים קלים, רחש; להעלות אדווה; ליצור גלים; להתפכפך
ripple of applause תשואות
rip-roaring *adj.* ★מלהיב; רעשני
rip-saw *n.* מסור גס
rip-tide *n.* גיאות גועשת
rise (-z) *v.* לקום; לעלות; להתרומם; לסיים ישיבה; להתעורר; לתפוח; להתגבר; להופיע, להיראות
his spirits rose מצב רוחו עלה
houses have risen צצו בתים
rise above להתעלות מעל ל־
rise again/from the dead לקום לתחייה
rise against להתקומם, למרוד
rise to the occasion להתמודד יפה עם הבעיה, להוכיח את עצמו
the river rises in- מוצא הנהר ב־
the storm is rising הסערה מתגברת
rise *n.* גבעונת; שיפוע, מעלה; עלייה; העלאה; מוצא, מקור; עליית דגים
get a rise out of him להצליח להרגיזו
give rise to לעורר, לגרום
rise and fall עלייה ונפילה
rise of day עלות היום
riser *n.* קם ממיטתו; גובה מדרגה
early riser משכים קום
ris′ibil′ity (-z-) *n.* נטייה לצחוק
ris′ible (-z-) *adj.* מצחיק; של צחוק
rising *n.* מרד, התקוממות; עלייה
rising *adj&prep.* עולה, שכוכבו דורך
rising 30 מתקרב לגיל 30
rising damp רטיבות העולה בקירות
rising generation הדור העולה/הצעיר
risk *n.* סכנה, סיכון; אחריות; מבוטח
at one's own risk על אחריותו
at the risk of תוך סיכון
calculated risk סיכון מחושב
poor risk אדם/חפץ שחבל לבטחו
run/take a risk להסתכן
risk *v.* לסכן, לחשוף לסכנה, להסתכן
risky *adj.* מסוכן, הרה־סכנות
risot′to (-zô-) *n.* תבשיל אורז
risqué′ (riskā′) *adj.* גס, נועז
ris′sole *n.* קציצה
rite *n.* טקס, מנהג
rit′ual (-ch-) *n&adj.* טקס, תהליך פולחני, מערכת מנהגים; של טקסים, דתי, ריטואלי
ritualism *n.* טקסיות, פולחן
ritualist *n.* מומחה לטקסים דתיים
rit′ualis′tic (-ch′-) *adj.* פולחני
ritually clean כשר
ritz′y *adj.* ★מפואר, יקר
ri′val *n&adj.* מתחרה, יריב
rival *v.* להתחרות ב־, להשתוות אל
rivalry *n.* התחרות, תחרות
rive *v.* לשבור, לבקע, לקרוע
riv′en = pp of rive שבור, קרוע
riv′er *n.* נהר
rivers of blood נהרי־נחלי־דם
sell down the river לרמות, למעול באימון
river basin אגן־נהר
river-bed *n.* אפיק־נהר, קרקע נהר
riverside *n&adj.* גדה, שפת נהר; שעל שפת־הנהר
riv′et *n.* מסמרת, פין
rivet *v.* לסמרר, לחבר במסמרות; לרכז, לנעוץ (מבט), לרתק (תשומת־לב)
rivet on למקד (תשומת־לב) על
riveter *n.* מסמרר
riveting *adj.* מעניין, מרתק
riv′ier′a *n.* ריביירה, חוף נופש
riv′u•let *n.* נחל קטן, פלג, פלגלג
RN = Registered Nurse
roach *n.* מין קרפיון; מקק, תיקן; ★בדל סיגרית־חשיש
road *n.* כביש, דרך; מעגן; מסילת ברזל
get the show on the road להתחיל בעבודה, לפתוח בתוכנית
middle of the road מחצית הדרך, שביל הזהב
no royal road to- הדרך ל־ אינה סוגה בשושנים, יש לעמול כדי ל־
on the road נוסע, בסיור; בסיבוב הופעות; בדרך ל־, לפני־
rules of the road כללי נהיגה
take the road להתחיל במסע
take to the road לצאת לנדודים
the road to הדרך ל־, האמצעי ל־
road accident תאונת דרכים
road-bed *n.* תשתית, יסוד הכביש
road-block *n.* מחסום־כביש, בריקדה
road gang עובדי כבישים
road hog חזיר דרכים, "מלך הכביש"
road-house *n.* פונדק, מסעדה, מועדון (לנוסעים)
road junction מסעף
roadless *adj.* חסר כבישים
roadman, -mender פועל כביש

road metal חצץ
roads, roadstead (-sted) *n.* מעגן
road safety בטיחות בדרכים
road sense חוש למניעת תאונה
road show הצגה נַיידת
roadside *n&adj.* שולי הכביש; בצד הדרך
road sign תמרור דרכים
road′ster *n.* מכונית פתוחה
road test מיבחן נהיגה; מיבחן רכב
roadway *n.* כביש
road works "עובדים בכביש" (שלט)
roadworthy *adj.* כשיר לתנועה
roam *v.* לשוטט, לנדוד, לנוד
roan *n&adj.* חום-לבן, (סוס) מעורב-צבעים; עור כבש (לכריכה)
roar *v.* לשאוג; להרעיש; לזעוק
roar down להחריש (נואם) בצעקות
roar out לשאוג, להשמיע בקול רם
roar past לחלוף ברעש (כגון רכב)
roar with laughter להתפקע מצחוק
roared himself hoarse ניחר גרונו מצעקות, צרח עד שנצטרד
roar *n.* שאגה, רעש, רעם, שאון
set in a roar לעורר רעמי צחוק
roaring *adj&adv.* ⋆מצוין, כביר; מאוד
do a roaring business לעשות חיל בעסקים, למכור סחורתו במהירות
roaring drunk שיכור כלוט
roaring success הצלחה עצומה
roast *v.* לצלות, לקלות; להיצלות
a fire fit to roast an ox אש גדולה
roast in the sun להתחמם בשמש
roast *adj&n.* צלוי; צלי; צלייה; פיקניק
roaster *n.* תנור-צלייה, אסכלה; מקלה-קפה; בשר-צלי
roasting *adj&n.* חם מאוד, לוהט
give a roasting לנזוף קשות; למתוח ביקורת חריפה; לשים ללעג
rob *v.* לשדוד, לגזול
rob the cradle להתחתן עם צעיר(ה)
robber *n.* שודד, גזלן
robbery *n.* שוד, גזל
daylight robbery שוד לאור היום, הפקעת מחירים
robe *n.* גלימה; חלוק; כסות
robe *v.* להלביש, לעטות גלימה
rob′in (redbreast) *n.* אדום-החזה
ro′bot *n.* רובוט; בובה
robust′ *adj.* חסון; בריא; גס
roc *n.* רוק (עוף גדול)
rock *n.* אבן; סלע; ממתק; רוקנרול, רוק
firm as a rock קשה כסלע; איתן; ראוי לאימון
has rocks in his head ⋆מטומטם
on the rocks על שרטון; לפני משבר; במצוקה כספית; עם קוביות-קרח
see rocks ahead להבחין במשבר קרב
Rock of Ages ישו הנוצרי
Rock of Israel צור ישראל
rock *v.* לנענע, לנדנד; לזעזע; להתנועע; לרקוד רוקנרול
rock the boat לטלטל את הסירה; להקשות על עבודת הצוות, להפריע להתקדמות
rock to sleep להרדים בנענועים
rock and roll רוקנרול
rock bottom נקודת שפל; נמוך ביותר
rock-bound *adj.* מוקף-סלעים, סלעי
rock cake עוגה קשה
rock-climbing *n.* טיפוס סלעים (ספורט)
rock crystal בדולח-סלע (קווארץ)
rock′er *n.* כסנוע; לוח מקושת (שעליו מתנועע הכסנוע)
off one's rocker יצא מדעתו
rock′ery *n.* גן טרשים
rock′et *n.* טיל; זיקוקית, רקטה
give a rocket ⋆לגעור קשות
rocket *v.* לעלות, להרקיע שחקים; לנוע במהירות, לדהור
rocket base בסיס טילים
rocket range שדה טילים (לניסויים)
rock′etry *n.* טילאות, מדע הטילים
rock garden גן טרשים
rocking chair כסנוע
rocking horse סוס עץ, סוס מתנדנד
rock 'n' roll רוקנרול (ריקוד)
rock salt מלח (גבישי)
rocky *adj.* סלעי, מסולע, מלא טרשים; קשה כסלע; ⋆רעוע, מתנועע
roco′co *adj.* רוקוקו, מצועצע ביותר
rod *n.* מוט, קנה, מקל; עונש; הכאה; רוד (כ-5 מטר); ⋆אקדח
has a rod in pickle for- שומר באמתחתו עונש עבור-
make a rod for one's own back להזמין צרות לעצמו
spare the rod and spoil the child חושך שבטו שונא בנו
rode = pt of ride
ro′dent *n.* מכרסם
ro′de•o′ *n.* רודיאו, איסוף בקר, מופע בוקרים (רכיבה על סוסים וכו')

rod′omontade′ *n.* התרברבות
roe (rō) *n.* איילה; ביצי דגים
roebuck *n.* אַיָּל
roe deer איילה
roent′gen (ren′tgən) *n.* רנטגן
ro•ga′tion *n.* תפילה (שמזמרים בכנסייה ערב חג עליית ישו)
Rogation week שבוע התפילה (הנ"ל)
rog′er *interj.* בסדר! קלטתי! (באלחוט)
rogue (rōg) *n&adj.* נוכל, נבל; שובב, קונדס; (פיל) מתבודד; (בעבר) נווד
roguery *n.* נוכלות; מעשה קונדס
rogues' gallery אלבום פושעים
ro′guish (-gish) *adj.* נוכל; שובבני
roil *v.* לעכור (נוזל); להרגיז, להציק
roi′ster *v.* להתהולל, להקים רעש
role *n.* תפקיד
roll (rōl) *n.* גליל; גלילה, רולאדה; מגילה; לחמנייה; רשימת שמות; גלגול, טלטול; רעש, רעם
call the roll להקריא השמות
roll of honor מגילת החללים
strike off the rolls למחוק שמו מרשימת החברים
roll *v.* לגלגל; להתגלגל; להתנודד; להתנועע; להיטלטל; לגלול; לכבוש (במכבש); להיכבש; להדהד, להרעים
keep the ball rolling לגלגל את השיחה; להמשיך את פעילות העסק
roll a drunk ★לשדוד שיכור
roll about להסתובב; להתגלגל מצחוק
roll around להסתובב; לנקוף (שנה)
roll back להדוף; להוריד (מחירים)
roll by/on לעבור, לחלוף
roll dice להטיל קוביות
roll dough לגלגל בצק (במערוך)
roll flat לשטח, לרקע, לכבוש
roll in לבוא, לנהור, לזרום פנימה; לעטוף ב־
roll in mud להתפלש בבוץ
roll on להתגלגל; לחלוף; לזרום; לגרוב/להיגרב בגלילה (גרבונים)
roll on! בוא! התקרב! (מופנה לזמן)
roll one's r's לגלגל את הריש
roll oneself up להצטנף
roll out לרקע (במערוך); לערגל; לשטח, לרדד; להרעים, להשמיע; לייצר
roll up לבוא, להצטרף, להגיע; לגלול; לקפל; להפשיל; לאגוף
roll up to להתקרב ולעצור (כרכרה)
roll bar מגן־גלגולים (לוח מתכת בגג מכונית להגנת הנוסעים)
roll call מיפקד, מיסדר נוכחות
rolled *adj.* מעורגל, מצופה שכבה דקה
roll′er (rōl′-) *n.* מכבש; מעגילה; מוט גלילי; גליל־תלתול; גל, משבר
roller bandage גליל תחבושת
roller blind וילון מתגלגל
roller coaster רכבת (בגן שעשועים)
roller-skate *v.* להחליק על גלגיליות
roller skate גלגילית, סקט
roller towel מגבת גלולה (על מתקן)
rol′licking *adj.* עליז, שמח, קולני
rolling *adj.* (שטח) גלי, עולה ויורד
rolling in money מתגולל בכסף, עשיר מופלג
rolling mill מערגולת
rolling pin מערוך
rolling stock מערכת קרונות וקטרים
rolling stone נע ונד, נווד
roll-on *n.* גרבון (הנגרב בגלילה)
roll-top desk שולחן כתיבה בעל מכסה (המחליק לאחור בשעת השימוש)
ro′ly-po′ly *n&adj.* פשטידה מגולגלת; שמנמן
Ro•ma′ic *adj&n.* יוונית מודרנית
Ro′man *adj&n.* רומאי, רומי; קתולי; רומאן (אות רגילה/זקופה)
Roman nose אף נשרי, אף קשתי
Roman arch קשת רומית
Roman Catholic קתולי
Roman Catholic Church הכנסייה הרומית
ro•mance′ *n.* רומאן; עלילת אהבה; הרפתקה; פרשת אהבים; רומאנסה; גוזמה
romance *v.* לנהל רומאן; לדמיין; להגזים, לתבל בשקרים
Romance *adj.* (לשון) רומנית
Ro′manesque′ (-sk) *adj.* (סגנון) רומי
Roman numerals ספרות רומיות
ro•man′tic *adj&n.* רומנטי, רגשי, דמיוני; רומנטיקן
ro•man′ticism′ *n.* רומנטיקה, רומנטיזם
ro•man′ticist *n.* רומנטיקן
ro•man′ticize′ *v.* לאפוף באווירה רומנטית; להגזים
Rom′any *n&adj.* צועני; שפת־הצוענים
Ro′mish *adj.* קתולי
romp *v.* להשתובב, להרעיש, לשחק
romp home לנצח בקלות (במירוץ)
romp through לעבור (מבחן) בקלות
romp *n.* השתובבות; משחק עליז; שובב
romp′er (s) *n.* מִצרפת־ילדים

ron′deau (-dō) *n.* רונדו (שיר קצר)
ron′do *n.* רונדו (יצירה מוסיקלית)
Ro′ne•o′ *n&v.* שכפלה; לשכפל
ront′gen (rent′gən) *n.* רנטגן
rood (ro͞od) *n.* צלב (בכנסייה); רוד (יחידת שטח, רבע אקר)
rood-screen *n.* מחיצת הצלב
roof (ro͞of) *n&v.* גג; קורת־גג; להתקין גג; לכסות
  live under the same roof לדור בכפיפה אחת עם
  raise the roof להפוך עולמות
  roof in/over לכסות בגג
  roof of the mouth חיך
roof garden גינת־גג
roofing *n.* חומרי־גג
roofless *adj.* חסר קורת־גג; חסר גג
roof rack גגון (במכונית)
rooftree *n.* קורת הגג; בית
rook *n.* סוג עורב; (בשחמט) צריח
rook *n&v.* רמאי, קלפן (המציג יריביו ככלי ריק); לרמות; להפקיע מחירים
rook′ery *n.* קיני עורבים, מושבת עורבים; מושבת פינגווינים/כלבי־ים
rook′ie *n.* ⋆טירון, "בשר טרי"
room *n&v.* חדר, מקום; לגור, לדור
  no room for doubt אין מקום לספק
  room in להתגורר במקום עבודתו
  rooms דירה
  4-roomed house בית בן 4 חדרים
roomer *n.* דייר (בחדר שכור)
rooming house בית־חדרים (להשכרה)
room′mate′ (-m-m-) *n.* חבר לחדר
room service שירות חדרים
room′y *adj.* מרווח, רחב
roost (ro͞ost) *n&v.* מוט, ענף; לול; (לגבי עוף) לישון על מוט
  at roost נח על גבי מוט
  come home to roost (לגבי פשע) לפעול כבומראנג, לחזור אל ראשו
  rule the roost למשול בכיפה
roo′ster *n.* תרנגול
root (ro͞ot) *n.* שורש; מקור; בסיס, יסוד
  cube root שורש מעוקב
  get to the root of לרדת לשורש ה־
  pull up one's roots לעקור מביתו
  put down roots להשריש, להתערות
  root and branch כליל, עד תום
  root cause סיבת הסיבות
  root of all evil שורש הרע
  square root שורש מרובע
  strike/take root להכות שורש

root *v.* להשריש, להכות שורש; לשתול; לרתק, לאַבֵּן; לנבור, לחטט
  root around/about לנבור, לחפש
  root for לעודד (קבוצתו), להריע
  root out לשרש, לעקור; למצוא
  root up לעקור על שורשיו
root beer שיכר שורשים
root-bound *adj.* רווי־שורשים (שהמקום צר מהכילם); מושרש במקום
root crop ירק שורשי (כגון גזר)
rooted *adj.* מושרש; מאובן, מרותק, קפוא
roo′tle *v.* לנבור, לחטט
rootless *adj.* חסר־שורשים, לא מעורה
rope *n.* חבל; מחרוזת; תלייה
  at the end of one's rope בקצה כוחותיו/סבלנותו, אובד עצות
  give him rope לתת לו חופש פעולה
  money for old rope רווח קל, כסף קל
  on the ropes נכשל, חסר־אונים
  the rope תלייה
  the ropes חבלי הזירה; כללים, מנהגים, עניינים, תהליך
rope *v.* לקשור, לכבול; להיקשר; להשתלשל בחבל; לפלצר
  rope in לשדל, לשכנע (שיתן יד)
  rope off להפריד, לסגור, להקיף בחבל
rope-dancer *n.* שוור, מהלך על חבל
rope ladder סולם חבלים
rope-walk *n.* בית מלאכה לחבלים
rope-walker *n.* מהלך על גבי חבל
ropeway *n.* רכבל־דליים (מערכת דליים הנעים על גבי כבל)
ro′pey, ro′py *adj.* ⋆מאיכות ירודה
rope-yard *n.* ביח"ר לקליעת חבלים
rope-yarn *n.* חומר לקליעת חבלים
roque′fort (rōk′f-) *n.* גבינת רוקפור
Ror′schach test (-shäk) *n.* בוחַן רורשך (ניתוח האופי ע"י כתמי דיו)
ro′sary (-z-) *n.* גן־שושנים; ספר תפילה (קתולי); תפילה; מחרוזת־תפילה
rose (-z) *n.* שושנה; ורד; דבר דמוי־ורד, ראש מזלף, משפך; צרור סרטים
  bed of roses מקום נעים, גן עדן
  gather life's roses לרדוף תענוגות
  no rose without a thorn אין שושנה בלי חוחים
  not all roses לא מושלם, אליה וקוץ בה
  see with rose-colored glasses לראות ורודות, להיות אופטימי
  under the rose בחשאי
rose *adj.* ורוד

ro'sé' (-zā') *n.* יין־רוזה
rose = pt of rise (-z)
ro'se•ate (-z-) *adj.* ורוד, שושני
rose-bed *n.* ערוגת ורדים
rose-bud *n.* ניצת ורד
rosed *adj.* דמוי־ורד, בעל משפך
rose-leaf *n.* עלה־ורד
rose'mar'y (rōz'māri) *n.* רוזמרין (שיח־נוי)
rose-red *adj.* אדום כשושנה
ro•sette' (-zet) *n.* רוזטה, שושנת; תוברה, טבעת־רצועות; צרור סרטים; תגליף שושנה
rose-water *n.* מי־ורדים
rose window חלון־שושנה (עגול)
rosewood *n.* (סוג) עץ קשה
ros'in (-z-) *n&v.* שרף (למשיחת מיתרי־כינור); למשוח בשרף
ros'ter *n.* לוח תורנויות
ros'trum *n.* במה, דוכן־נואמים
rosy (rōz'i) *adj.* ורוד (לחי, עתיד)
rot *v.* להרקיב; להימק; ★לדבר שטויות
rot away להרקיב
rot off להרקיב ולנשור
rot *n.* רקב, ריקבון; נמק; רצף־כשלונות, סדרת מפלות; ★שטויות
dry rot ריקבון, ריקבון כמוס
ro'ta *n.* לוח תורנויות, רשימת תורנים
Ro•ta'rian *n.* חבר מועדון רוטרי
ro'tary *adj.* סיבובי, רוטציוני, מסתובב
rotary *n.* אי־תנועה, כיכר, סובה
Rotary Club מועדון רוטרי
rotary press מכונה סיבובית (בדפוס)
ro'tate *v.* להסתובב; לסובב; להחליף (במחזוריות); להנהיג רוטאציה
ro•ta'tion *n.* סיבוב; מחזוריות; רוטאציה
in rotation חליפות, במחזוריות
rotation of crops מחזור־זרעים
ro'tato'ry *adj.* סיבובי, רוטאציוני
rote *n.* שינון, שגרה
by rote בעל־פה, בצורה מכאנית
rot'gut' *n.* משקה חריף (מזיק לקיבה)
ro•tis'serie *n.* שפוד מסתובב; מסעדת צלי
ro'togravure' *n.* רוטוגרוויר, מכונה סיבובית מחורטת; הדפס רוטוגרוויר
ro'tor *n.* רוטאטור, חלק מסתובב; מערכת מדחפים; רוטור, חוגה
rot'ten *adj.* רקוב, מקולקל; ★רע, גרוע, מזופת; עייף, סחוט
rotten to the core מושחת עד היסוד

rot'ter *n.* ★נבל, חדל־אישים
ro•tund' *adj.* עגלגל, שמנמן; (קול) מלא, עשיר, עמוק; (סגנון) נמלץ
ro•tun'da *n.* רוטונדה, בניין עגול
ro•tun'dity *n.* עגלגלות; מלאות
rou'ble (rōō'-) *n.* רובל (מטבע רוסי)
roué (rōōā') *n.* מופקר, נואף
rouge (rōōzh) *n&v.* אודם, פודרה, צבע; לפדר
rough (ruf) *adj.* קשה; מחוספס; גס; לא חלק; סוער, גועש; מתפרע; צורמני; לא מעובד; לא מלוטש
give the rough side of tongue להצליף בלשונו, לדבר קשות
it's rough on him איתרע מזלו
rough and ready טוב למדי, פשוט, לא הכי נוח
rough diamond אדם קשה/גס (אך טוב ביסודו)
rough luck מזל ביש
rough paper נייר־טיוטה/־שרבוט
rough time שעה קשה, שעת מצוקה
rough tongue לשון קשה/חריפה
rough voice קול מחוספס/צורמני
rough *adv.* קשה, בצורה נוקשה, גסות
cut up rough ★להתרגז
live/sleep rough לחיות/לישון תחת כיפת השמים
play it rough לשחק בנוקשות
rough *n.* מצב קשה; מצוקה; משטח לא חלק/מלא עשבים; בריון; טיוטה
in the rough במצב לא מתוגמר
take the rough with the smooth לקבל את הרע כשם שמקבלים את הטוב
rough *v.* לחספס; לפרוע (שיער); לערוך שרטוט ראשוני
rough it לחיות בתנאים קשים
rough up לנהוג בגסות; להתנפל על; לחספס, לפרוע
rough'age (ruf'-) *n.* מזון גס
rough-and-tumble *adj&n.* פרוע, אלים, קולני; מאבק פרוע
rough-cast *n&v.* טיח גס (מכיל חצץ וחלוקי־אבנים); לצפות בטיח גס
rough-dry *v.* לייבש ללא גיהוץ
rough'en (ruf'-) *v.* לחספס; להתחספס
rough-hewn *adj.* מסותת/חטוב בגסות
roughhouse *n&v.* תגרה קולנית, מהומה; להתכתש, להקים מהומה
roughly *adv.* בערך; באופן גס, גסות
roughly speaking בהשערה גסה, בערך

rough-neck *n.* בריון
roughness *n.* חספוס; מקום מחוספס
rough-rider *n.* מאלף סוסי־פרא
roughshod *adj&adv.* מסומר־פרסות
ride roughshod over לרמוס; לנהוג בגסות/בזלזול; להתעלם, לבוז
rough-spoken *adj.* בעל לשון קשה
rough stuff אלימות, התפרעות
rou•lette′ (rōōlet′) *n.* רולטה
round *adj.* עגול; מעוגל; עגלגל, שמנמן; שלם, מלא; פשוט, גלוי, כן
in round figures/numbers במספרים עגולים, בקירוב
round dance ריקוד מעגלי; ריקוד סיבובי, ואלס, פולקה
round dozen תריסר שלם
round pace קצב מהיר/נמרץ
round sum סכום נכבד
round tone צליל מלא/נעים
round *adv.* בסיבוב; מסביב, בהיקף, בחזרה; מזה לזה; בסביבה; לביתו
all round מסביב, בכל היקפו
all the year round במשך כל השנה
come round! בוא אלי, ״קפוץ אלי״
come/be round again לחזור, לבוא
go round להסתובב; להלך (שמועה); להספיק לכל; לבקר; להקיף
go round and round להסתחרר
hand round לחלק, להעביר לכולם
it's the other way round להיפך!
look round לראות, להזין עיניו
right round בהיקף מלא
round about בסביבה; בסביבות, בערך
taking it all round אם נשקול את העניין מכל הבחינות
turn round לסובב; להסתובב
round *prep.* סביב־, מסביב ל־, סביב ה־; בסביבות, בקירוב
round the bend ⋆מטורף
round the clock ביום ובלילה
round *n.* עיגול; מחזור, סיבוב; מערכה; סדרה; מקוף; פרוסה; ירייה; קנון; שלב, חווק
daily round עיסוקים יומיומיים
go the rounds לעבור מפה לפה
in the round מוצג במרכז, שאפשר לחזות בו מכל הצדדים
make rounds לערוך סיבוב ביקורים
milk round מסלול החלבן
round of drinks משקה לכל המסובים
rounds סיורים, סיבוב, ביקורת
round *v.* לעגל; להתעגל; להקיף
round down לעגל כלפי מטה
round off לעגל (מספר); לסיים כראוי, לקנח ב־
round out לעגל; להתעגל; להשלים
round up לעגל כלפי מעלה; לקבץ, לאסוף; ללכוד (פושעים)
round upon להתנפל על, להסתער על
round = around
roundabout *adj.* עקיף, סחור־סחור
roundabout *n.* סחרחרה, קרוסלה; אי־תנועה, כיכר, סובה
round-backed *adj.* גיבן, גבנוני
round brackets סוגריים עגולים
roun′del *n.* דיסקית־עיטור; עיגול
roun′delay′ *n.* רונדלי (שיר קצר)
roun′ders *n-pl.* מעגלים (משחק הדומה לבייסבול)
round-eyed *adj.* פעור־עיניים
round-hand *n.* כתב־יד עגול
round-house *n.* מוסך־קטרים; (בעבר) תא (בספינה); בית־סוהר
roundish *adj.* עגלגל
roundly *adv.* כליל, לגמרי; במלים קשות, בחריפות, נמרצות
roundness *n.* עגילות, עוגל
round robin עצומה (מעגלית); תחרות, טורניר; אסיפה, דיון
round-shot *n.* כדור תותח, פגז
round-shouldered *adj.* כפוף־גו
roundsman *n.* שליח, מחלק־סחורה, מקבל הזמנות
round table שולחן עגול
round-the-clock ביום ובלילה
round-trip *adj.* (כרטיס) הלוך ושוב
round trip נסיעה הלוך ושוב
round-up *n.* איסוף; מצוד, לכידה
roup (rōōp) *n.* מחלת עופות
rouse (-z) *v.* להעיר; להקים; לעורר; להלהיב; להרגיז; להתעורר
rouse to anger להרגיז, לעורר זעם
rousing *adj.* מלהיב; נלהב, חם; רם
rousing cheers תשואות רמות
roust′about *adj.* פועל שחור, פועל נמל
rout *n.* תבוסה מלאה, מנוסת בהלה; מהומה; מסיבה; התקהלות קולנית
put to rout להביס, להכות קשות
rout *v.* להביס; להניס
rout out לחשוף; לגרש; להוציא
route (rōōt) *n.* דרך, נתיב, מסלול
en route בדרך
route *v.* להעביר בנתיב מסוים, לנתב; לתכנן נתיב

route march מסע אימונים
rou•tine′ (rōōtēn′) *n&adj.* שגרה, רוטינה; קטע בימתי; שגרתי, רגיל
rove *v.* לשוטט, לתור, לנוע
roving eye עין תרה (בתאוותנות)
rover *n.* משוטט; צופה בכיר
roving commission היתר תנועה (לחוקר המרבה בנסיעות)
row (rō) *n.* שורה, טור; שיט, חתירה; רחוב
hard row to hoe משימה קשה
hoe one's own row לשאת לבדו בעול
row (rō) *v.* לחתור; לשוט; לתפוש משוט; להשיט
row a race להשתתף בתחרות חתירה
rowed out עייף ממאמץ החתירה
row (rou) *n&v.* מריבה, ויכוח קולני; רעש; לריב, להתקוטט; לנזוף, לגעור
get into a row לספוג נזיפה
kick up a row לעורר מהומה, לצעוק
row′an *n.* חוזרר
row-boat *n.* סירת־משוטים
row club מועדון משוטאים
row′dy *n&adj.* פרחח; פרחחי, קולני, מתפרע, גס
rowdyism *n.* פרחחות, התפרעות
row′el *n.* גלגילון־דרבן, דרבן
row′er (rō) *n.* חותר, תופש משוט
rowing *n.* שיוט, חתירה
rowing boat סירת משוטים
rowlock *n.* בית־משוט, ציר־משוט
roy′al *adj&n.* מלכותי; מפואר; ממלכתי; ממשפחת המלוכה
right royally כיאה למלך
His Royal Highness הוד מלכותו
royal commission ועדת חקירה ממלכתית
roy′alist *adj&n.* מלוכני
Royal Society אגודה לקידום המדע
roy′alty *n.* משפחת המלוכה; מלכות; תמלוג, חלק ברווחים
rpm = revolutions per minute
RSVP הואל־נא לענות (להזמנה)
rub *v&n.* לשפשף, לחכוך; למרוח, למשוח; להשתפשף; שפשוף
rub against להשתפשף ב־
rub along להצליח איכשהו, להסתדר בדוחק
rub along together לחיות בצוותא
rub away/off להסיר בשפשוף; להשתחק
rub down לייבש בשפשוף; לקרצף; לשפשף, להחליק, ללטש; לעסות
rub dry לייבש בשפשוף
rub him up the wrong way להרגיזו
rub in למרוח (פנימה) תוך שפשוף; לשנן, לחזור על, להחדיר
rub it in לזרות מלח על הפצעים
rub one's hands לחכוך ידיו בהנאה
rub out למחוק; להימחק; ★לחסל, לרצוח
rub shoulders/elbows with להתחכך ב־, לפגוש, להתרועע עם
rub up לצחצח, למרק, ללטש; לרענן (ידיעות)
rub up against לפגוש, להיתקל ב־
there's the rub פה טמון הקושי, כאן מקור הצרה, פה קבור הכלב
rub′-a-dub′ *n.* קול תיפוף
rub′ber *n&v.* משפשף; גומי; מחק; מטלית־ניקוי; ★כובעון; לצפות בגומי
rubbers ערדליים, נעלי־גומי
rubber *n.* סדרה, 3 משחקים רצופים; 2 נצחונות בסדרה; משחק מכריע
rubber band גומייה
rubber check שיק בלי כיסוי
rub′berize′ *v.* לצפות בגומי
rubberneck *n&v.* סקרן, תייר, להוט לראות; לשרבב צוואר; להסתכל; לטייל, לסייר
rubber sheath כובעון
rubber stamp חותמת גומי
rubber-stamp *v.* להוות חותמת־גומי, לאשר בלי שיקול דעת
rubber tree עץ הגומי
rubbery *adj.* כמו גומי
rubbing *n.* מעשה־שפשוף (שפשוף גיר וכ׳ על נייר המונח על תבליט)
rub′bish *n&interj.* אשפה, זבל; שטויות
rubbish bin פח אשפה
rubbishy *adj.* שטותי, חסר־ערך
rub′ble *n.* חצץ, שברי אבן
rub down שפשוף נמרץ, ניגוב, קרצוף
ru•bel′la (rōō-) *n.* אדמת
Ru′bicon′ *n.* רוביקון (נהר)
cross/pass the Rubicon לחצות את הרוביקון, לעשות צעד גורלי/שאין ממנו חזרה
ru′bicund *adj.* אדום, סמוק־פנים
ru′ble *n.* רובל (מטבע רוסי)
ru′bric *n.* הוראה, הנחייה; כותרת
rub-up *n.* ליטוש, צחצוח
ru′by *n&adj.* אודם (אבן יקרה); אדום

ruck *v&n.* לקמט; להתקמט; קמט
ruck up להתקמט
ruck *n.* ההמון הפשוט; חיי שגרה; חבורת שחקנים המתגודדים על כדור
ruck′sack′ *n.* תרמיל גב
ruck′us *n.* מהומה, רעש
ruc′tion *n.* מהומה, רעש
rud′der *n.* סנפיר הזנב (של ספינה)
rud′dle *n&v.* אוכרה אדומה (לסימון כבשים); לסמן באוכרה אדומה
rud′dy *adj&n.* ;אדום, סמוק, אדמדם ארור, לכל הרוחות
rude *adj.* ;גס, לא מנומס; חצוף; פתאומי חריף; פשוט, פרימיטיבי, גולמי, טבעי
in rude health בריא לגמרי, איתן
rude awakening יקיצה מרה, אכזבה
rude shock הלם רציני
rudely *adv.* בגסות, בפשטות
ru′dimen′tary *adj.* ;יסודי, אלמנטרי שהחל לצמוח, שלא התפתח
ru′diments *n-pl.* ;יסודות, עיקרים ניצנים (שלא התפתחו), סימנים
rue (ro͞o) *v.* להתחרט, להצטער, להיעצב
rue it להצטער על כך
rue *n.* פיגם (צמח רפואי)
rue′ful (ro͞o′-) *adj.* עצוב, מלא יגון
ruff *n.* ;צווארון מסולסל; טבעת נוצות (בקלפים) טראמפ
ruf′fian *n.* בריון, חוליגן, פרחח
ruffianism *n.* בריונות, חוליגניות
ruffianly *adj.* בריוני, חוליגני
ruf′fle *v.* להרגיז; להתרגז; לקמט; לפרוע (שיער/נוצות); להעלות אדווה
ruffle *n.* פריעה (כנ"ל); שוליים מקובצים (בבגד); קפל מסולסל; אדווה
rug *n.* שטיח; מעטה־צמר
pull the rug from under להפוך הקערה על פיה, להשמיט הקרקע מתחת
rug′by *n.* רגבי
rugby league רגבי של 13 שחקנים
rugby union רגבי של 15 שחקנים
rug′ged *adj.* ;קשה, מוצק; גס, מחוספס חרוש־קמטים; מסולע, מטורש
rug′ger *n.* ★רגבי
ru′in *n.* הרס, חורבן; מקור־ההרס; ממיט האסון; חורבה, בית חרב
bring to ruin להמיט הרס על
fall into ruin להיהרס, להיחרב
ruins הריסות; התמוטטות
ruin *v.* להרוס; להחריב; להשחית
ru′ina′tion *n.* הרס, חורבן
ruined *adj.* הרוס, שאיבד כל רכושו

ru′inous *adj.* הרסני, ממיט אסון; הרוס
rule *n.* כלל, חוק, תקנה; מנהג, הרגל קבוע; שלטון; סרגל
according to/by rule לפי הכללים
as a rule בדרך כלל
bend/stretch the rules להגמיש הכללים, לנהוג לפנים משורת הדין
rule of thumb שיטת פעולה המבוססת על הניסיון
work to rule לעבוד לפי הספר, להאט קצב העבודה
rule *v.* ,לשלוט, למלוך; לפסוק, להחליט לקבוע; לסרגל (קווים ישרים)
prices rule high המחירים גבוהים
rule off למתוח קו, להפריד בקו
rule out להוציא מכלל חשבון, להוריד מהפרק, לפסול, למנוע, לדחות
rule with an iron hand לשלוט ביד ברזל
ruled by fear פועל מתוך פחד
rule book תקנון, ספר כללים
ru′ler *n.* שליט, מלך; סרגל
ru′ling *n.* פסק־דין, קביעה
ruling *adj.* שולט, שורר
ruling passion תשוקה שולטת, דיבוק
rum *n&adj.* ;רום, משקה חריף; ★משונה קשה
rum′ba *n.* רומבה (ריקוד)
rum′ble *v.* ,לרעום; להרעים; להרעיש לנוע ברעש; ★לגלות, להבין, לפענח
his stomach rumbles קיבתו מקרקרת
rumble *n.* ;רעם, רעש; מושב אחורי ★תגרת רחוב
rum′bling *n.* שמועה, רינון; ריטון
rum•bus′tious (-chəs) *adj.* ,קולני מרעיש
ru′minant *adj&n.* מעלה גירה
ru′minate′ *n.* ,להעלות גירה; להרהר לשקול בדעתו
ru′mina′tion *n.* העלאת גירה; שיקול
ru′mina′tive *adj.* ;מהרהר; מהורהר שוקל
rum′mage *v&n.* ;לחפש, לפשפש (לערוך) חיפוש יסודי; חפצים, בגדים ישנים
rummage sale מכירת חפצים משומשים
rum′my *adj&n.* ;רמי (משחק קלפים) ★מוזר
ru′mor *n&v.* שמועה; להפיץ שמועה
rumor has it מתהלכת שמועה
rumored *adj.* ידוע מפי השמועה

rumor-monger (-g-) *n.* מפיץ שמועות
rump *n.* עכוז; ישבן; שריד (של ארגון)
rum′ple *v.* לקמט; לפרוע (שיער)
rum′pus *n.* מהומה, רעש, ריב
kick up a rumpus לעורר מהומה
rumpus room חדר משחקים
rum-runner *n.* מבריח משקאות חריפים
run *v.* לרוץ; לברוח; לנוע; לחלוף; לנסוע; לשוט; להעביר; לנהל; לפעול; להפעיל; לזרום; לשפוך; להפוך, להיעשות; להימשך; להימס; להתפשט
also ran נכשל במירוץ
can't run to a car לא יכול להגיע למכונית, אין לו כסף לקנות מכונית
cut and run ⋆להימלט
feelings ran high הרוחות נשתלהבו
he ran third הגיע שלישי (במירוץ)
he runs a car יש לו מכונית
his blood ran cold דמו קפא
his mind keeps running on girls הוא חושב על בחורות תמיד
his nose was running חוטמו זב
is run out עייף, חסר־נשימה
is running out of time זמנו אוזל
ran up a bill צבר חשבון (בקניות)
run a horse לשתף סוס במירוץ
run a life/hotel לנהל חיים/מלון
run a pen through למתוח קו על
run a race לקיים/להשתתף במירוץ
run a risk להסתכן
run a temperature לקבל חום
run across להיתקל ב־, לפגוש
run afoul of להתנגש, להסתבך
run after לרדוף אחרי
run against להתמודד עם
run along! הסתלק! התחפף!
run an engine להפעיל מנוע
run arms להבריח נשק
run around לצאת בחברת־, להסתובב
run at להתנפל על
run away לברוח; לגנוב ולהסתלק
run away with לעלות, לכלות הכסף; לצאת מכלל שליטה; לנצח בקלות
run away with the idea להיחפז להניח, להיות נמהר במסקנתו
run back לרדת (מניות); לגלגל לאחור
run back over לסקור, לעבור שוב
run candidates למנות מועמדים
run down להיעצר (שעון), לאזול (סוללה); להוריד העומס, להפחית פעילות
run for it לברוח, להימלט
run for president לרוץ לנשיאות
run him a bath למלא לו אמבטיה
run him clean off his legs להריצו עד לאפיסת כוחות
run him close להגיע כמעט לרמתו
run him down לדרוס; לרדוף ולתפוס; לבקרו קשות; להמעיט בערכו
run him hard להשתוות אליו כמעט
run him off להבריחו
run in לבקר חטופות; להשגיר, להריץ (מנוע); לאסור, לעצור
run into לנעוץ; להינעץ; להתנגש ב־; להיכנס, להסתבך ב־; להתערבב
run into debt להיכנס/להכניס לחובות
run into him להיתקל בו, לפגוש
run into hundreds להגיע למאות
run into the ground להעביד בפרך; להכות שוק על ירך; לדוש בכך
run into trouble להסתבך בצרה
run it down להתנגש; לחפש ולמצוא
run its course להתפתח בדרכו
run messages לעשות שליחויות
run off לברוח; להפעיל מ־; לנקז, לרוקן; להדפיס, לכתוב; לצטט בשטף
run off a race לערוך מירוץ נוסף
run off him לא להשפיע עליו
run off one′s feet להיות עסוק ביותר, "ליפול מהרגליים" מעומס העבודה
run on להמשיך; להימשך; לעבור, לחלוף; לחבר, לצרף (אותיות); לפטפט
run on/upon להתגלגל (שיחה/מחשבה)
run one's eyes להעביר מבטו
run out לאזול, להיגמר; לבלוט, להזדקר; ⋆לגרש
run out a rope לגלגל/למשוך חבל
run out on ⋆לזנוח, לנטוש
run over לגלוש; לדרוס; לסקור, לחזור על; להעביר (מבטו) על
run over/round לערוך ביקור חטוף
run riot להשתולל; לגדול פרא
run the chance/danger להסתכן
run the show לפקח על העניינים
run the streets לשחק ברחובות
run through לדקור, לנעוץ; להינעץ; לבזבז, לכלות; לרפרף; לעבור; להעביר
run to להגיע ל־, להספיק ל־; לנטות ל־, להיות מגמתו ל־
run to earth למצוא לאחר חיפוש
run to his help לאוץ לעזרתו

run up לבנות/לתפור מהר; לגרום לעליית־; לצבור מהירות
run up a flag להניף דגל
run up against להיתקל ב־, לפגוש
run well להתנהל כשורה
run wild להתפרע; לגדול פרא
runs in the family אופייני למשפחה
tears ran דמעות זלגו
the play ran המחזה הוצג (ברציפות)
the road runs הרחוב נמשך/עובר
the stocking ran נוצרה רכבת בגרב
the story runs סיפור המעשה הוא־
run *n.* ריצה; נסיעה; מסלול; מרחק; מגמה, נטייה; (בספורט) נקודה; פלג, יובל; ירידה, נפילה; סדרה, רציפות; שטח לבעלי־חיים
a run for one's money תמורה לכספו/למאמציו; תחרות קשה למשהו
at a run בריצה
common run הטיפוס הרגיל/השכיח
go for a run לצאת לריצה
in the long run בסופו של דבר
in the short run לטווח קצר, לעתיד הקרוב
make a run for it לעשות "ויברח"
on the run במנוסה; ממהר; מתרוצץ
run in a stocking רכבת בגרב
run of cards הקלפים שבידי השחקן
run of salmon להקת סלמונים
run on milk התנפלות/בהלה לחלב
run on the bank הסתערות הקהל על הבנק (למשיכת כספם)
the run of a place חופש השימוש במקום, רשות לבקר במקום
run-about *n.* מכונית; סירה; מתרוצץ
run-around *n.* התחמקות, רמאות
runaway *adj&n.* בורח, נמלט; פליט
runaway marriage נישואי זוג בורחים (מהוריהם)
runaway prices מחירים דוהרים
run-down *n.* ירידה, צמצום; דוח מפורט
run-down *adj.* עייף, ירוד; רעוע
rune *n.* כתב־סתרים; מלות־קסם
rung *n.* שלב (בסולם), חווק; מדרגה; דרגה, רמה; פס־חיזוק (בכיסא), פסקית
rung = pp of ring
run-in *n.* ⋆ריב, סכסוך; תקופת־הכנה
run'nel *n.* יובל, פלגלג; תעלה
run'ner *n.* רץ; אצן; שליח; שטיח; מפה; פס־המחליקיים; מבריח; גבעול משתרג
blockade-runner חומק ממצור
gun-runner מבריח נשק
runner bean שעועית ירוקה
runner-up *n.* שני (בתחרות)
running *n.* ריצה, מירוץ
in the running בעל סיכויים לזכות
make the running לקבוע המהירות
out of the running אפסו סיכוייו
running *adj&adv.* רץ, בריצה; זורם; זב, נוזל; רצוף, לא חדל; (הוצאה/עלות) שוטפת
in running order פועל כהלכה
per running meter למטר רץ
running commentary שידור חי
running fight קרב (תוך) מנוסה
running fire מטר אש/שאלות
running hand כתב־יד רצוף/מחובר
running kick בעיטה תוך כדי ריצה
running water מים זורמים, מי ברז
take a running jump! הסתלק!
5 days running 5 ימים רצופים
running board מדרגה (במכונית ישנה)
running head/title כותרת המשכית (בכל עמוד בספר)
running mate שותף למירוץ
running start התחלה נאה, זינוק טוב
run'ny *adj.* ⋆נוזל, ניגר
run-off *n.* מירוץ קובע (לאחר תיקו)
run-of-the-mill *adj.* רגיל, בינוני
run-on *adj.* מצורף, נספח, רצוף, המשכי
runs *n-pl.* ⋆שלשול
runt *n.* ננס, לא מפותח
run-through *n.* חזרה, תשנון
run-up *n.* ריצת־צבירה (לפני קפיצה); תקופת הכנה/פעילות (לבחירות)
run'way' *n.* מסלול המראה, מימראה
ru•pee' (rōō-) *n.* רופיה (מטבע)
rup'ture *n.* שבר, קרע, התפקעות; בקע
rupture *v.* להיקרע, להתפקע; לנתק
rupture oneself לקבל שבר
ru'ral *adj.* כפרי, של כפר
Ru'rita'nia *n.* רוריטניה (ארץ דמיונית רווית הרפתקאות ותככים)
ruse *n.* תכסיס, תחבולה
rush *v.* למהר, לרוץ בבהילות; להסתער; לכבוש בסערה; להחיש, להעביר
rush for- לגבות מחיר מופרז עבור־
rush him להאיץ בו, לדחוק בו
rush into print לאוץ לפרסם
rush off his feet להעביד בפרך
rush out לייצר בכמויות גדולות
rush something לעשות דבר בתופזה
rush through להשלים מהר, להעביר

במהירות, לסיים חיש
rush to a conclusion להיחפז להסיק
rush *n.* מהירות, חיפזון, מהומה; הסתערות; בהלה; זינוק
bum's rush השלכה החוצה
gold rush בהלה לזהב
rush hour שעת העומס, שעת הדוחק
rushes טיוטות־סרט (לפני העריכה)
rush *n.* קנה־סוף, אגמון
rush-light *n.* נר אגמון
rush′y *adj.* שופע קני־סוף
rusk *n.* צנים
rus′set *adj&n.* חום־זהבהב; תפוח חורפי
Rus′sia (rush′ə) *n.* רוסיה
Rus′sian (rush′ən) *adj&n.* רוסי; רוסית
Russian roulette רולטה רוסית
Rus′so- של רוסיה
rust *n&v.* חלודה; חילדון; להחליד
rust away/out להחליד כליל
rus′tic *adj&n.* פשוט, גס, מחוספס, לא מהוקצע; כפרי, קרתני; איכר
rus′ticate′ *v.* לחיות בכפר; להרחיק זמנית; להשעות; לסתת בחספוס/בזיזים
rus′tica′tion *n.* חיי כפר; הרחקה, השעייה; חספוס; זיז, בליטה
rus•tic′ity *n.* כפריות
rus′tle (-səl) *v&n.* לרשרש; לנוע ברשרוש; ⋆לגנוב, לסחוב; רשרוש
rustle up ⋆להכין, לארגן, לספק
rustler *n.* גונב בקר
rustless *adj.* לא חליד
rustling *n.* רשרוש; גניבת בקר
rustproof *adj.* חסין־חלודה
rustproof *v.* לחסן כנגד חלודה
rusty *adj.* חלוד; לא מלוטש, טעון רענון; דהוי
rut *n&v.* חריץ, עקבות אופן; (חיי) שגרה; להותיר חריצים (באדמה)
get into a rut להיכנס לשגרה
rut *n&v.* עונת הייחום; להתייחם
ruth (ro͞oth) *n.* רחמים; צער
ruthless *adj.* אכזרי, חסר־רחמים
rut′ting *adj&n.* מיוחם; התייחמות
rye (rī) *n.* שיפון; ויסקי שיפון; לחם שיפון
rye bread לחם קיבר, לחם שיפון

S

S = South, Sunday, Saturday
Sab'bata'rian *n.* שומר שבת, שבתיין
Sab'bath *n.* שבת; יום ראשון
break the Sabbath לחלל את השבת
sabbat'ical *adj.* שבתי, כמו שבת
sabbatical year שנת שבתון
sa'ber *n&v.* חרב כבדה (כפופת־להב), סיף; לדקור/להכות בחרב
saber-rattling *n&adj.* צחצוח חרבות, איומי־קרב; מלחמתי, שש לקרב
sa'ble *n&adj.* צובל (טורף קטן); פרוות־צובל; שיער־צובל; שחור, קודר
sables בגדי אבל, שחורים
sab'ot (-bō) *n.* נעל עץ, קבקב
sab'otage' (-tazh) *n&v.* סבוטאז', מעשה־חבלה; לחבל (בעבודה)
sab'oteur' (-tûr') *n.* מחבל
sa'bra (sä'-) *n.* צבר, יליד ישראל
sabre = saber
sac *n.* כיס, שלפוחית, שק
sac'charin (-k-) *n.* סאכארין
sac'charine' (-kərēn) *adj.* סאכאריני, סוכרי, מתקתק, מתוק מדי
sac'erdo'tal *adj.* כוהני, של אנשי־דת
sacerdotalism *n.* שלטון אנשי־דת
sachet (sashā') *n.* שקית בושם; אבקה ריחנית, עלים ריחניים
sack *n&v.* שק; סל־נייר; פיטורים; לפטר
give the sack לפטר, לסלק מהעבודה
got the sack ★פוטר, הועף מעבודה
hit the sack ★ללכת לישון
left holding the sack ★נותר נושא באחריות, נשאר עם הלשון בחוץ, נדפק
sack out/in ★לשכב לישון
sack *v&n.* לשדוד, לבוז; ביזה; הרג
sack *n.* סק, יין לבן
sack'but' *n.* טרומבון קדום
sackcloth *n.* לבוש שק, אריג שק
sackcloth and ashes שק ואפר
sack'ful' (-fool) *n.* מלוא השק
sacking *n.* אריג שק
sack race מירוץ שקים (כשהרגליים נתונות בשק)
sa'cral *adj.* דתי, של דת, פולחני
sac'rament *n.* סאקרמנט, טקס נוצרי, פולחן; לחם הקודש
sac'ramen'tal *adj.* פולחני, קדוש
sa'cred *adj.* קדוש, של הדת, דתי; מוקדש ל־; רציני, חגיגי
sacred promise הבטחה חגיגית
sacred cow "פרה קדושה"
sacred music מוסיקה דתית/כנסייתית
sacredness *n.* קדושה
sacred writings כתבי הקודש
sac'rifice' *n&v.* קורבן, הקרבה עצמית; ויתור, אובדן; להקריב; למכור בהפסד
make a sacrifice להקריב (למענו)
sell at a sacrifice למכור בהפסד
sac'rifi'cial (-fish'əl) *adj.* של קורבן
sac'rilege (-lij) *n.* חילול קודש
sac'rile'gious (-lij'əs) *adj.* של חילול קודש
sac'ristan *n.* שמש־כנסייה
sac'risty *n.* חדר תשמישי־קדושה
sac'ro•il'iac' *n.* איזור העצה
sac'ro•sanct' *adj.* קדוש ביותר
sac'rum *n.* עצם העצה
sad *adj.* עצוב, מצער; עגום, מביש, רע
sad color צבע כהה/קודר/משעמם
sad to say מצער לומר, לדאבוני
sad'den *v.* להעציב; להיעצב
sad'dle *n.* אוכף; גב־בהמה; אוכף־אופניים; אוכף־הרים
in the saddle בעמדת שליטה, מפקח
saddle of mutton נתח בשר־כבש
saddle *v.* לאכף, לשים אוכף על
saddle on להטיל (האשמה) על
saddle up לאכף, לחבוש סוס
saddle with להעמיס, להטיל, לחייב
saddled with debts שקוע בחובות
saddlebag *n.* אמתחת, כיס־אוכף
saddle-bags שַׂקַיִם, בית פגים
saddler *n.* אוכפן, עושה אוכפים
saddlery *n.* אוכפים, כלי־רתמה; בית מלאכה לאוכפים; ייצור אוכפים
saddle shoe נעל מאוכפת
saddle-sore *adj.* סובל מחככי־רכיבה
saddle stitch תפר קישוט (בשוליים); הידוק (חוברת) בסיכות־חיבור
Sad'du•cee' *n.* צדוקי

sa'dism' *n.* סאדיזם, אכזריות
sa'dist *n.* סאדיסט
sadis'tic *adj.* סאדיסטי
sadly *adv.* בעצב; לרוע המזל
sadly mistaken טועה מאוד (לצערי)
sadness *n.* עצבות
safa'ri (-fä'-) *n.* סאפארי, משלחת־ציד; טיול מאורגן (באפריקה); שיירת סאפארי
safari park פארק סאפארי
safe *adj.* בטוח; מוגן; לא־ניזוק, שלם; זהיר; לא מסוכן; ודאי
on the safe side נוקט זהירות רבה
play it safe לשחק בזהירות
safe and sound בריא ושלם
safe as houses בטוח ביותר
safe seat מקום בטוח (לכנסת)
safe *n.* כספת; ארון איוורור (למזון)
safe-breaker, -cracker *n.* פורץ קופות, מפצח כספות
safe-conduct *n.* חסיונות רשמית, רשות מעבר (בשטח אויב); רשיון מעבר
safe deposit הפקדה בכספת; בית־כספות
safe-deposit box כספת (בבנק)
safeguard *n&v.* אמצעי־הגנה, אמצעי־בטיחות, מחסה; להגן, לשמור
safe-keeping *n.* שמירה בטוחה
safe'ty (sāf'-) *n.* ביטחון; בטיחות
play for safety לשחק בזהירות
road safety בטיחות בדרכים
safety first קודם כל - זהירות
safety belt חגורת ביטחון
safety bolt בריח־ביטחון
safety catch נצרה
safety curtain מסך (חסין־אש)
safety glass זכוכית ביטחון
safety island/zone אי־תנועה
safety lamp פנס־בטיחות
safety match גפרור
safety pin סיכת ביטחון, פריפה
safety razor מגלח, מכונת גילוח
safety valve שסתום ביטחון; אמצעי־התפרקות (כגון ספורט)
saf'fron *n.* זעפרן, כרכום; תפוז־צהוב
sag *v&n.* לשקוע, לרדת, לצנוח, ליפול; לתלות ברפיון; שקיעה, ירידה
his spirit sagged נפלה רוחו
sa'ga (sä'-) *n.* סאגה, הגדה, סיפור
saga'cious (-shəs) *adj.* נבון, חכם, חריף
sagac'ity *n.* תבונה, חוכמה, חריפות
sage *adj&n.* חכם, מלומד, עתיר־ניסיון
sage *n.* (סוג של) נענה; ירוק־אפור
sagebrush *n.* לענה (צמח־בר)
Sag'itta'rius *n.* מזל קשת
sag'ittate' *adj.* חיצי, דמוי־חץ
sa'go *n.* סאגו, עמילן מדקל־הסאגו
sago palm *n.* סאגו (סוג דקל)
sa'hib (sä'-) *n.* אדון (בהודו)
said = p of say (sed)
the said האמור, הנ"ל
sail *n.* מיפרש; מיפרשית; ספינה; ספינות; שיוט, הפלגה; זרוע טחנת־רוח
in full sail בשכל מיפרשיה פרושים
make sail לפרוש מיפרשים, להפליג
set sail לצאת להפלגה
take in sail לקפל (חלק מ) המיפרשים; למתן שאיפותיו/פעילותו
take the wind out of his sails להוציא הרוח ממיפרשיו
under sail שטה במיפרשים פרושים
sail *v.* לשוט; להשיט; להפליג; לחצות (ים); לנוע, לרחף, לעוף
go sailing לצאת לשייט
sail close to the wind להיות קרוב לביצוע עבירה
sail for London להפליג ללונדון
sail in להירתם במרץ (לעבודה)
sail into him להתנפל עליו
sail-boat *n.* מיפרשית, סירת מיפרשים
sailcloth *n.* אריג מיפרשים
sailing *n.* הפלגה; שיט־מיפרשית
sailing master נווט־יכטה
sailing ship מיפרשית
sailing vessel מיפרשית
sailor *n.* מַלח, ימאי, יורד־ים
bad sailor סובל ממחלת־ים
good sailor אינו סובל ממחלת־ים
sailorly *adj.* כמלח, מצוחצח
sailor suit חליפת ימאים
sail plane דאון
saint *n.* קדוש; צדיק; "מלאך"
Saint Bernard סיינט ברנארד (כלב)
sainted *adj.* קדוש, שהפך לקדוש, המנוח
sainthood *n.* קדושה, מעמד הקדוש
saintlike *adj.* קדוש, דומה לקדוש
saintliness *n.* קדושה, חסידות
saintly *adj.* קדוש, כיאה לקדוש
saint's day יום הקדוש
saith = says (seth) אומר
sake *n.* תועלת; טובה; מטרה
for heaven's/mercy's sake! למען

השם! אנא!
for my sake למעני
for the sake of למען, בשביל, לטובת
sake, saki (sä′ki) *n.* סאקי (משקה יפני)
salaam′ (-läm) *n&v.* שלום, סלאם; קידה עמוקה; לברך לשלום; לקוד
sal′able (sāl′-) *adj.* מָכיר, ראוי למכירה
sala′cious (-shəs) *adj.* שטוף־זימה, תאוותני; גס, של ניבול־פה
salac′ity *n.* תאוותנות; גסות
sal′ad *n.* סאלאט; תערובת; ירק
salad days נעורים, חוסר ניסיון
salad dressing מיונית, רוטב־סאלאט
sal′aman′der *n.* סלמנדרה
sala′mi (-lä′-) *n.* סאלאמי (נקניק)
salaried *adj.* מקבל משכורת
sal′ary *n.* משכורת, שכר
sale *n.* מכירה; מכירה פומבית; מכירה כללית
bill of sale שטר־מכר
for sale למכירה, מוצע למכירה
no sale! לא! בהחלט לא!
on sale למכירה; במכירה כללית
sale of work מכירת עבודות־בית וכ׳ (שהכנסתה קודש לצדקה)
sale or return מכירה על־תנאי
saleable *adj.* מכיר, ראוי למכירה
sales chat דברי־שידול, שכנוע
sales clerk מוכר, זבן
sales girl/lady מוכרת, זבנית
salesman *n.* סוכן מכירות, זבן
salesmanship *n.* זבנות; כושר שיכנוע
sales resistance התנגדות הקונה לקנייה (שאיש המכירות מנסה לשבור)
salesroom *n.* אולם מכירות
sales slip/check תלוש קבלה (בחנות)
sales talk שידול הקונה, דברי שכנוע
sales tax מס קנייה
saleswoman *n.* סוכנת מכירות
sa′lience *n.* בליטה; חשיבות
sa′lient *adj&n.* בולט; חשוב; ניכר; זווית בולטת; ראש־חץ, טריז (בקו־האויב)
salif′erous *adj.* מלחי; מפיק מלח
sal′ify′ *v.* להפוך למלח; להספיג במלח
sa′line *adj&n.* מלחי, מלוח, מכיל מלח; תמיסת מלח; מעיין מים מלוחים
salin′ity *n.* מלחות
sal′inom′eter *n.* מד־מלחות
Salis′bur′y steak (sôlz′beri) *n.* פשטידית סולזברי (מבשר טחון, ביצים וכ׳)
sali′va *n.* רוק
sal′ivar′y (-veri) *adj.* של רוק, רירי
salivary glands בלוטות הרוק
sal′ivate′ *v.* להפריש רוק, לריר
sal′low (-ō) *adj&v&n.* צהוב; חולני; להצהיב; סוג של ערבה
sal′ly *n.* גיחה, הבקעה; התפרצות (של רגשות); הערה שנונה; טיול, הרפתקה
sally *v.* לערוך גיחה, לפרוץ
sally forth/out לצאת למסע/לטיול
Sal′ly Lunn′ סלי לאן (עוגייה)
salm′on (sam′-) *n.* סלמון, אלתית; ורוד־צהבהב
salmon trout טרוטה
salon′ *n.* סלון, טרקלין, חדר־אורחים; כנס אנשי רוח; בית אופנה
beauty salon סלון־יופי
saloon′ (-lo͞on) *n.* מסבאה, באר; אולם; מכונית
dancing saloon אולם ריקודים
saloon bar מיזנון משקאות (בבאר)
saloon car מכונית, מכונית נוסעים
sal′sify′ *n.* זקן־תיש (צמח)
salt (sôlt) *n.* מֶלַח; מלחייה; מוסיף טעם (לחיים); ימאי ותיק
(not) worth one's salt (לא) ראוי למשכורתו, (לא) כדאי להחזיקו
back to salt mines ⋆חזרה לעבודה
common salt מלח בישול
salt of the earth מלח הארץ, סולת האדם, עידית האנושות
salts מלח שלשול, סם משלשל
table salt מלח שולחן, מלח דק
take it with a grain of salt לקבל הדבר מתוך פקפוק באמיתותו
salt *v.* למלוח, להמליח, להוסיף מלח; לזרות מלח; לתבל (סיפור); לרמות
salt a mine להוסיף מחצב עשיר למיכרה (לשם הטעייה)
salt away לחסוך (כסף)
salt down לשמר במלח
salt out לשקע (חומר בתרחיף) ע״י הוספת מלח
salt *adj.* מלוח, מָלֵחַ
salt-cellar *n.* מלחייה, מבוק־מלח
salt-lick *n.* מלחת־ליקוק (לחיות)
salt-pan *n.* בריכת־מלח
salt′pe′ter (sôlt-) *n.* מלחת
saltshaker *n.* מלחייה, מיבוזקת־מלח
saltwater *adj.* של מים מלוחים
salt-works *n-pl.* מיפעל מלח
salty *adj.* מלוח, חריף, ממולח; ⋆של הים

salu′brious *adj.* מבריא, יפה לבריאות
salu′brity *n.* בריאות
sal′u•tar′y (-teri) *adj.* טוב, מועיל, בריא
sal′u•ta′tion *n.* ברכה, אות־שלום; פתיחה, פנייה (במכתב)
salu′tato′ry *adj.* מביע ברכה
salute′ *v.* להצדיע, לברך לשלום, לקדם פניו בברכה
salute *n.* הצדעה, הבעת כבוד, מטח־כבוד, סאלוט, סילוד; ברכת שלום דיגול נשק; פצצת־רעש
take the salute לקבל את המיסדר
sal′vage *n.* הצלת־רכוש; חילוץ ספינה; שכר הצלה; רכוש ניצל; ניצולת, שיירים
salvage *v.* להציל
sal•va′tion *n.* הצלה, ישועה, גאולה
Salvation Army צבא־הישע
salvationist *n.* איש צבא־הישע
salve (sav) *n&v.* מישחה, תרופה; מזור; להרגיע, להשקיט, לשכך
salve (salv) *v.* להציל
sal′ver *n.* מגש, טס
sal′via *n.* מרווה (פרח)
sal′vo *n.* מטח; התפרצות; תשואות
sal volat′ile (-tili) *n.* תמיסת פחמת אמוניום, מלח הרחה (להשיב להכרה)
Samar′itan *n.* שומרוני
Good Samaritan צדיק, איש חסד
sam′ba *n.* סאמבה (ריקוד)
same *adj&adv&pron.* זהה, שווה, אותו, אותו הדבר, הנ״ל; באופן דומה
all the same אף על פי כן
at the same time באותה שעה, בו־זמנית; בבת אחת; יחד עם זאת, ברם
it amounts to the same thing היינו הך, אין שוני, התוצאה דומה
it's all the same היינו הך
just the same היינו הך, אותו דבר; אף על פי כן
not the same without someone ⋆לא הכי נעים, מאחר שאחד חסר
on that same day באותו יום (ממש)
one and the same אותו איש עצמו
same here ⋆גם לי, גם אני; כנ״ל
same to you! ברכות גם לך!
the same book (את) אותו הספר
the very same man אותו אדם ממש
sameness *n.* דימיון, זהות; חדגוניות
sam′ovar′ *n.* סמובר, מיחם
sam′pan′ *n.* סירה סינית
sam′ple *n.* דוגמה, דגם, מידגם
sample *v.* לבדוק מידגם, לטעום, לנסות
sam′pler *n.* דוגמת מעשה־ריקמה
sam′urai′ (-moorī) *n.* סמוראי (אציל צבאי יפני)
san′ative *adj.* מרפא, בעל כוח לרפא
san′ator′ium *n.* סנאטוריום, בית־מרפא
sanc′tifica′tion *n.* קידוש
sanc′tify′ *v.* לקדש; לטהר מחטא
sanctified by custom מקודש במינהג
sanc′timo′nious *adj.* מתחסד, דתי צבוע
sanc′tion *n.* אישור, רשות; עידוד; מניע לשמירת חוק; סנקציה, עונש; עיצומים
sanction *v.* לאשר, להרשות, לעודד
sanc′tity *n.* קדושה; דבר קדוש/חשוב
sanc′tuary (-choo͞əri) *n.* מקום קדוש; מקום תפילה; מיקלט; מחסה; שמורת־חיות; בית המיקדש; קודש הקודשים
sanc′tum *n.* מקום קדוש; ⋆חדר פרטי
sanctum sanc•to′rum קודש קודשים
Sanc′tus *n.* ״קדוש קדוש״ (תפילה)
sand *n.* חול; חוף־הים
build on sand לבנות בחול (לחינם)
hide one's head in the sand לטמון ראשו בחול
sands חולות; החול בשעון־חול
sand *v.* לשפשף בחול; לכסות בחול
san′dal *n.* סנדל
sandaled *adj.* מסונדל, נעול סנדלים
sandalwood *n.* אלמוג (עץ); חום
sandbag *n&v.* שק־חול; לבצר בשקי־חול; לכפות, להכריח
sandbank *n.* תל־חול, שרטון
sandbar *n.* שרטון
sandblast *n&v.* זרם חול עז; לנקות/לחתוך/לחרות בזרם חול
sandbox *n.* ארגז חול (לפעוטות)
sandboy *n.* נער המשחק בחול
happy as a sandboy עליז, מאושר
sandcastle *n.* ארמון חול (מעשה־ילד)
sand dune דיונה, חולית
sand′er *n.* מכונת ליטוש
sand fly זבוב החול
sandglass *n.* שעון חול
sanding machine מכונת ליטוש
sand-lot *adj&n.* (מיגרש) של חובבים
sand′man′ *n.* שר השינה
sandpaper *n&v.* נייר־זכוכית, נייר־שמיר; לשפשף בנייר־שמיר
sand′pi′per *n.* ביצנית, עוף־בִּצה

sandpit *n.* ארגז־חול, בור־חול
sandshoe *n.* נעל טניס, נעל־ים
sandstone *n.* אבן־חול
sandstorm *n.* סופת־חול
sand trap גומת־מיכשול (בגולף)
sand'wich *n&v.* כריך, סנדוויץ; עוגת־רבדים; להרביד, לדחוק, להכניס
sandwich boards לוחות פירסום (הצמודים לאדם מלפניו ומאחוריו)
sandwich course קורס תיאוריה (בעסקים)
sandwich man נושא לוחות (כנ"ל)
sandy *adj&n.* חולי, מלא חול, מכיל חול; צהוב־אדמדם; ★ג'ינג'י
sane *adj.* שפוי, הגיוני, שקול
San'forize' *v.* לעשות לבלתי־כוויץ
sang = pt of sing
sangfroid (sänfrwä') *n.* קור־רוח
san'guinar'y (-gwineri) *adj.* עקוב מדם; צמא־דם, אכזרי; (לשון) רוויית קללות
san'guine (-gwin) *adj.* אופטימי, מלא־תיקווה, בעל מרה אדומה; אדום, סמוק
san'ita'rium *n.* סנטוריום, בית־מרפא
san'itar'y (-teri) *adj.* נקי, סניטארי, תברואני, היגייני
sanitary napkin/towel תחבושת היגיינית, פד
san'ita'tion *n.* סניטאציה, תברואנות
san'itize' *v.* לעשות היגייני, לחטא
san'ity *n.* שפיות, שיקול־דעת
sank = pt of sink
sans (sanz) *prep.* בלי, בלא
San'skrit *n.* סאנסקריט (השפה ההודית העתיקה)
sans ser'if אות־דפוס חסרת־תגים
San'ta Claus (-z) *n.* סאנטה קלאוס
sap *n.* מוהַל, לשד־הצמח; כוח, און, חיות, מרץ; ★טיפש, פתי
sap *n.* חפירה, מחתרת; חפץ להכות בו
sap *v.* להחליש, להתיש, להרוס, לחתור תחת־, לערער אושיות־
sap-head *n.* פתח־המחתרת, קצה החפירה
sa'pience *n.* חוכמה
sa'pient *adj.* חכם; "חכם בלילה"
sapless *adj.* חסר־חיות, חסר־מרץ, יבש
sap'ling *n.* עץ צעיר; נער, עלם
sap'per *n.* חפר, חייל בחיל־ההנדסה; חבלן, חודר למחנה האויב
Sap'phic (saf'-) *adj.* של סאפו; במישקל שירי סאפו; לסבית
sap'phire (saf'-) *n.* ספיר; כחול עז
sap'py *adj.* מלא חיות, נמרץ; ★טיפש
sap'wood' *n.* שיכבת העץ החיצונית
Sar'acen *n.* ערבי, מוסלמי
sar'casm' (-kaz'əm) *n.* סרקאזם
sar•cas'tic *adj.* סרקאסטי, עוקצני
sar•coph'agus *n.* סרקופאג, גלוסקמה
sar•dine' (-dēn') *n.* סרדין, טרית
like sardines כמו סרדינים, דחוסים
sar•don'ic *adj.* בז, ציני, לגלגני
sarge *n.* סרג'נט, סַמל
sa'ri (sä'-) *n.* סארי, שימלה הודית
sar'ky *adj.* ★סארקאסטי
sarong' *n.* סארונג, לבוש מלאיי
sar'saparil'la *n.* סארספארילה (משקה)
sar•tor'ial *adj.* של ביגדי גברים, של חייטות
sash *n.* אבנט; מסגרת השמשה
sa•shay' (sa-) *v.* לנוע בקלילות
sash line חוט חלון זחיח (שבקצהו משקולת להחזקת החלון)
sash window חלון זחיח (עולה ויורד)
sass *n&v.* ★חוצפה; להתחצף כלפי־
sas'sy *adj.* ★חצוף
sat = p of sit
Sat = Saturday
Sa'tan *n.* השטן
satan'ic *adj.* שטני, רע, אכזרי
Sa'tanism' *n.* פולחן השטן
satch'el *n.* ילקוט
sate *v.* לפטם, להלעיט, להשביע
sateen' *n.* סאטין, אריג כותנה מבריק
sat'ellite' *n.* לוויין, ירח; חסיד, כרוך אחרי; גרורה, ארץ חסות
communications satellite לוויין־תקשורת
satellite town עיר־לוויין, עיר־בת
sa'tiable (-shəbl) *adj.* שניתן להשביעו
sa'tiate' (-'sh-) *v.* להשביע, לפטם
sati'ety *n.* שובע, שביעות, תקוצה
sat'in *n&adj.* סטין; (אריג) משי
satinwood *n.* עץ משובח (חלק)
sat'iny *adj.* חלק, משיי, מבריק
sat'ire *n.* סאטירה
satir'ical *adj.* סאטירי
sat'irist *n.* סאטיריקן, כותב סאטירות
sat'irize' *v.* לתקוף בסאטירה, ללגלג
sat'isfac'tion *n.* שביעות רצון, סיפוק; מילוי צורך; פיצוי, תגמול, נקם
demand satisfaction לתבוע פיצוי

take satisfaction לשאוב סיפוק
to one's satisfaction לשביעות רצונו
sat'isfac'tory *adj.* מספק, מניח את הדעת, משביע רצון
satisfied *adj.* מרוצה; משוכנע
sat'isfy' *v.* לספק; למלא, לענות על; להשביע רצון; לפצות; לשכנע; להשביע
satisfy the examiners לעמוד בבחינה, לקבל "מספיק"
satisfying *adj.* משביע; מספק
sa'trap' *n.* אחשדרפן (בפרס)
sat'urate' (-ch'-) *v.* להרוות; להספיג
saturated *adj.* רווי, ספוג; מילא כרסו
sat'ura'tion (-ch'-) *n.* רוויה; הספגה; בהירות צבע
saturation bombing הפצצה כבדה
saturation point נקודת רוויה
Sat'urday *n.* שבת
Saturdays *adv.* בימי־שבת, בשבתות
Sat'urn *n.* שבתאי (כוכב לכת)
sat'urna'lia *n.* הילולה, הוללות
sat'urnine' *adj.* זועף, רציני, קודר
sat'yr (-tər) *n.* סאטיר, אל היער והפריצות; שטוף־תאווה, הולל, פרוץ
sauce *n.* רוטב; תבלין; רסק, מחית; ★חוצפה
hit the sauce ★נותן בכוס עינו
sauce *v.* להתחצף כלפי; לתבל
saucepan *n.* סיר, קלחת, אילפס
sau'cer *n.* תחתית (לספל); צלחת
flying saucer צלחת מעופפת
saucer-eyed *adj.* פעור־עיניים
sau'cy *adj.* חצוף; ★נאה, נוצץ
sauer'kraut' (sour'krout) *n.* כרוב כבוש
sau'na *n.* סאונה, מרחץ־אדים
saun'ter *v.* להלך בנחת, לפסוע לאט
saunter *n.* טיול־הנאה, הליכה בנחת
sau'rian *adj&n.* דמוי־לטאה; זוחל
sau'sage *n.* נקניק, נקניקית
sausage dog ★כלב גרמני
sausage meat בשר קצוץ (לנקניקים)
sausage roll גליל־נקניקית
sauté (sôtā') *v&adj&n.* לטגן חטופות; (מטוגן) טיגון קצר
sav'age *n&adj.* פרא, פרימיטיבי; פראי, אכזר, עז, גס; זועם, רותח
savage *v.* (לגבי חיה) לתקוף, לנשוך
savagery *n.* פראות, אכזריות
savan'na *n.* סוואנה, ערבה
savant' (-vänt) *n.* מלומד, חכם
save *v.* להציל; לשמור; לחסוך; לגאול
save from sin לגאול מחטא
save him trouble לחסוך לו טירחה
save on לחסוך, להוציא מעט על־
save one's bacon להינצל
save one's breath לשתוק, להחריש
save one's face להציל את כבודו
save one's skin להינצל, למלט נפשו
save the day לנחול ניצחון, להציל
save up לחסוך (לעתיד)
save *n.* הצלת שער (ע"י השוער)
save *prep.* חוץ מ־, פרט ל־
sav'eloy' *n.* נקניק חזיר
saver *n.* מציל; גואל; חוסך; חסכן
saving *n.* חיסכון; הצלה
savings חסכונות
saving *adj.* מפצה, מאזן; מגביל
saving *prep.* חוץ מ־, פרט ל־
saving your presence במחילה מכבודך
saving clause פיסקת הסתייגות
saving grace סגולה מפצה (פגמים)
sa'vior *n.* מציל; מושיע; ישו
sav'oir-faire' (sav'ärfār') *n.* טאקט, חוש מידה, התנהגות בטעם ובנימוס
sa'vor *n.* טעם, ריח, אופי, סממן, עניין
savor *v.* ליהנות, להתענג, לטעום לאט
savors of בעל טעם של, מדיף ריח
sa'vory *n.* צתרה (צמח־תבלין)
savory *adj&n.* טעים, מתָאבן; טוב, נעים; מלוח, חריף; פרפרת מלוחה
savoy' *n.* סבוי (כרוב)
sav'vy *v&n.* ★להבין; הבנה, תבונה
saw *n.* מסור; פיתגם, מימרה
saw *v.* לנסר; להינסר; להניע כמסור
saw off לנסר, להסיר בנסירה
saw up לנסר לגזרים
saw wood ★לנחור
sawed-off shotgun רובה קטום־קנה
saw = pt of see
sawbones *n.* ★מנתח, רופא
sawbuck *n.* שטר בן 10 דולרים
sawdust *n.* נסורת
saw-horse *n.* שולחן־נסירה, כן־נסירה
saw-mill *n.* מנסרה
saw'yer (-yər) *n.* נַסָּר
sax *n.* ★סאקסופון
sax'horn' *n.* קרן סאקס (כלי־נשיפה)
Sax'on *n.* סאקסוני, אנגלו־סאקסי
sax'ophone' *n.* סאקסופון
sax'opho'nist *n.* נגן סאקסופון
say *v&adv.* לומר; לדבר, להגיד, להביע;

להעריך, לשער, לחשוב; נניח, לדוגמה
let's say נניח
nothing to say for it אין מה לומר על כך, אין להצדיק זאת
say a good word for לומר מלה טובה על, ללמד זכות על
say on! המשך! הוסף לדבר!
say the word לומר כן, לתת האות
say to oneself לומר בליבו, לחשוב
say what you like תגיד מה שתגיד
says you ★כך אתה אומר, מה פיתאום?
that is to say כלומר, הווי אומר
there's no saying אין לדעת/להעריך
they say אומרים, השמועה אומרת
what do you say? מה דעתך?
you can say that again נכון מאוד!
you don't say! מה אתה סח!
you said it! ★בטח! בהחלט!
I say שמע! האומנם?! (ביטוי סתמי)
I wouldn't say no לא אתנגד, כן
I'd say הייתי אומר ש־, נראה לי
I'll be there, say, 5.30 אהיה שם, נניח, ("בוא נאמר") ב־5:30
I'll say ★בטח, כמובן
It goes without saying ברור ש־
It says נאמר, רשום, כתוב
It's said that אומרים ש־
say *n.* דיעה, הבעת דיעה; זכות דיבור
has a say הוא קובע, יש מישקל למלתו
say one's say לומר את דברו
saying *n.* פיתגם, מימרה
say-so *n.* אמירה, דיבור; צו; סמכות
scab *n.* גלד, קרום־פצע; גרדת; ★מפר־שביתה, עובד לא מאורגן
scab'bard *n.* נדן
scab'by *n.* מכוסה־גלדים; מוכה־שחין
sca'bies (-bēz) *n.* גרדת, גרבת
sca'bious *adj.* של גרדת; מוכה שחין
sca'brous *adj.* מחוספס, דוקרני; לא צנוע, גס; מסובך, קשה
scads *n-pl.* ★הרבה, מספר רב
scaf'fold *n.* פיגום; גרדום
go to the scaffold לעלות לגרדום
scaffolding *n.* מערכת פיגומים
scal'awag' (-'əwag) *n.* ★נבל, נבזה
scald (skôld) *v&n.* לכוות, להכוות; לנקות ברותחים; לחמם עד לרתיחה; לחלוט, למלוג; כוויה
scalding *adj.* צורב; מתקיף, חריף
scalding tears דמעות רותחות
scale *n&v.* כף־המאזניים; לשקול
(pair of) scales מאזניים
hold the scales even לשפוט בצדק
tip/turn the scales להכריע את הכף, לחרוץ את גורל (הקרב); לשקול
scale *n.* קשקשת; קליפה; אבנית; אבן־שיניים
remove scales from his eyes לפקוח את עיניו
scales קשקשים
scale *v.* להסיר קשקשים, לקשקש; לכסות באבנית
scale off לקלף; להתקלף
scale *n.* סולם, סקאלה; סרגל; קנה־מידה; לוח־חלוקה (מכויל); שיעור, מידה
decimal scale השיטה העשרונית
drawn to scale משורטט בקנה־מידה אחיד
on a large scale בקנה־מידה גדול
social scale סולם־החברה
Major scale סולם מז'ור, רביב
scale *v.* לטפס; לעלות; לשרטט לפי קנה־מידה
scale down להקטין בשיעור קבוע
scale up להגדיל בשיעור קבוע
scale insect כנימת־מגן
sca'lene *n.* משולש שונה־צלעות
scaling ladder סולם־טיפוס
scal'lion *n.* בצל ירוק צעיר
scal'lop *n.* צדפה (מתולמת־קשוות); שוליים מסולסלים; דוגמה מתולמת
scallop *v.* לבשל בקשוות־צדפה; לבשל ברוטב; לתלם שוליים; לקשט בחריצים
scal'lywag' *n.* ★נבל, נבזה
scalp *n.* קרקפת, עור הגולגולת
call for his scalp לתבוע ראשו
out for scalps יוצא לצוד ראשים
scalp *v.* לקרקף; לספסר (בכרטיסים)
scal'pel *n.* איזמל־ניתוחים
sca'ly *adj.* קשקשי; מתקלף
scamp *n.* נבל, חדל־אישים; מזיק
scamp *v.* לעשות בשטחיות/בחיפזון
scam'per *v&n.* לרוץ, לנוס; ריצה, מנוסה
scam'pi *n-pl.* סרטנים
scan *v.* לבחון, לבדוק; לסרוק; לרפרף; לנתח (שיר); להיות בנוי במיקצב
scan *n.* מבט בוחן
scan'dal *n.* שערורייה, סקאנדאל; רכילות
scan'dalize' *v.* לעורר שערורייה, לשערר; לפגוע ברגשות, לזעזע
scandalmonger *n.* שערורן
scan'dalous *adj.* שערורי, מביש; רכלן

scandal sheet עיתון שערוריות
Scan′dina′vian *n&adj.* סקאנדינאבי
scan′ner *n.* סורק; בוחן, בודק
scan′sion *n.* ניתוח (של חרוז/שיר)
scant *adj.* מועט, זעום, מצומצם, בקושי
scant of חסר־, מספיק בקושי
scant *v.* לקמץ, לצמצם, לקצץ
scantily *adv.* בצמצום, בקושי
scant′ling *n.* קורה קטנה; קורטוב
scan′ty *adj.* מועט, זעום, מספיק בקושי
-scape נוף, מראה
landscape/seascape נוף יבשתי/ימי
scapegoat *n.* שעיר לעזאזל
scapegrace *n.* שלומיאל, בן־בליעל
scap′u•la *n.* עצם השכם
scar *n&v.* צלקת; סימן; לצלק, להותיר צלקת; לסטוף; להצטלק
face scarred with sorrow פנים חרושי־צער
scar′ab *n.* חיפושית־פרעה; חרפושית, חיפושית־זבל, זיבלית
scarce (skārs) *adj&adv.* מצומצם; נדיר, יקר־המציאות; בקושי, כמעט שלא
make oneself scarce להסתלק
scarcely *adv.* בקושי, כמעט שלא; אך
scarcely ever לעיתים נדירות
scarcely had I come in, when- אך נכנסתי והנה
scar′city (skār-) *n.* חוסר, נדירות
scare *v&n.* להפחיד; להיבהל; בהלה
give a scare להפחיד
scare away/off להבריח; להרתיע
scare stiff להפחיד עד מאוד
scare up להשיג; להכין בבהילות
scare *adj.* מפחיד, גורם פחד
scarecrow *n.* דחליל
scared *adj.* נבהל, אחוז פחד
scared out of his wits פוחד פחד־מוות
scare headline כותרת רעשנית
scaremonger *n.* זורע בהלה, תבהלן
scarf *n.* צעיף, סודר, רדיד
scarf pin סיכת צעיף
scar′ify′ *v.* לתחח; לפורר; למתוח ביקורת חריפה; לחתוך בעור
scar′lati′na (-tē′-) *n.* שנית (מחלה)
scar′let *n&adj.* שָׁני; אדום
scarlet fever שנית (מחלה)
scarlet hat כובע החשמן
scarlet runner שעועית אדומת־פרחים
scarlet woman פרוצה, יצאנית
scarp *n.* מתלול; שורת־צוקים
scar′per *v.* לברוח*
scary *adj.* מפחיד; פוחד*
scat *v.* להסתלק, להתחפף*
scath′ing (skādh-) *adj.* פוגע, קטלני
scat′ter *v.* לפזר, להפיץ; להתפזר
scatter *n.* פיזור; כמות מעטה
scatterbrain *n.* מפוזר, פזור־נפש
scatterbrained *adj.* מפוזר, פזור־נפש
scattered *adj.* מפוזר, פזור
scattering *n.* כמות מעטה/פזורה
scat′ty *adj.* מפוזר; מטורף*
scav′enge (-vinj) *v.* לנקות; לחטט באשפה, לחפש מזון; לנקות רחובות
scav′enger *n.* פועל־ניקיון, מנקה רחובות; חיה ניזונה מנבלות
scena′rio′ *n.* תסריט, סצינאריו
scena′rist *n.* תסריטאי
scene *n.* מקום־אירוע, זירה; מראה, נוף; מחזה; תפאורה; סצינה; עלילה; תמונה; פרץ־רגשות
behind the scenes מאחורי הקלעים
come on the scene לעלות על הבמה
make a scene לעשות סצינה, להתפרץ
make the scene להיות נוכח, להשתתף
on the scene בשדה־פעילות (מסוים)
political scene הבמה הפוליטית
set the scene להכשיר את הקרקע
steal the scene לגנוב את ההצגה
scene-painter *n.* תפאורן
sce′nery *n.* תפאורה; מראה־נוף
scene-shifter *n.* מחליף תפאורות
sce′nic *adj.* של נוף; של תפאורה
scent *v.* להריח; לחשוד, להרגיש; לבשם
scent *n.* ריח; בושם; חוש־ריח; חשד, תחושה; עקבות
false scent עקבות מטעים
on the scent בעקבות, בדרך הנכונה
throw him off the scent להטעותו
scentless *adj.* נטול־ריח
scep′ter *n.* שרביט
scep′tic = **skeptic** (sk-)
sched′ule (skej′ool) *n&v.* רשימה; מחירון; לוח־זמנים; תוכנית; לתכנן; לרשום בלוח־זמנים
behind schedule באיחור, בפיגור
on schedule בזמן, לא באיחור
scheduled *adj.* רשום, לפי לוח־זמנים
sche′ma (sk-) *n.* סכימה, שרטוט
sche•mat′ic (sk-) *adj.* סכימאתי, משורטט בקווים כלליים; מתורשם
sche′matize′ (sk-) *v.* לתאר בקווים כלליים

scheme (sk-) *n&v.* תוכנית, שיטה, סכימה; תחבולה, מזימה; לתכנן, לתחבל, לזום
schemer *n.* תחבולן
scher′zo (sker′tsō) *n.* סקרצו
schism (siz′əm) *n.* פילוג, שסע
schismat′ic (siz-) *adj.* פלגני; פלגן, בעל מחלוקת
schist (shist) *n.* צפחה (אבן פצילה)
schiz′o (skits-) *n.* ★סכיזופרני
schiz′oid (skits-) *adj.* סכיזופרני
schiz′ophre′nia (skits-) *n.* סכיזופרניה, שסעת, פיצול האישיות
schiz′ophren′ic (skits-) *adj&n.* סכיזופרני
schlemiel′ (shləmēl′) *n.* שלומיאל
schlep (shlep) *v&n.* לסחוב, לגרור; בטלן, "שלפר"; מסע מעייף, מרחק רב
schmaltz (shmältz) *n.* שמאלץ, סנטימנטאליות; שומן
schnapps (sh-) *n.* שנפס, משקה חריף
schnitz′el (shnits-) *n.* שניצל, כתיתה
schnor′kel (sn-) *n.* שנורקל
schol′ar (sk-) *n.* מלומד; מלגאי; תלמיד; ★יודע קרוא וכתוב; משכיל
scholarly *adj.* מלומד, ידעני
scholarship *n.* למדנות, ידענות; מלגה
scholas′tic (sk-) *adj.* לימודי, של הוראה; סכולאסטי, דוגמאטי, פדאנטי, נוקדני
scholas′ticism′ (sk-) *n.* סכולאסטיקה, פילוסופיית ימי־הביניים
school (skōōl) *n.* בית־ספר; מיכללה, אוניברסיטה; שעות־לימוד; פאקולטה; אסכולה
of the old school מהאסכולה הישנה
school of experience כור־ניסיון
school of thought אסכולה
school *v.* לחנך, לאמן, לרסן
school *n.* להקת דגים
school age גיל בית־ספר
school board מועצה חינוכית
school book ספר לימוד
schoolboy *n.* תלמיד
school-days ימי הלימודים
schoolfellow *n.* חבר לבית־ספר
schoolgirl *n.* תלמידה
schoolhouse *n.* בניין בית־הספר
schooling *n.* חינוך, השכלה
schoolman *n.* מורה (לסכולסטיקה)
schoolmarm (skōōl′märm′) *n.* מוֹרָה
schoolmaster *n.* מורה
schoolmastering *n.* הוראה
schoolmate *n.* חבר לבית־ספר
schoolmistress *n.* מוֹרָה
school report תעודה (מבי"ס)
schooltime *n.* שעות הלימוד
schoolwork *n.* שיעורים
schoon′er (skōō′n-) *n.* מיפרשית; כוס גבוהה
schwa (shwä) *n.* שְׁוָא
sci•at′ic *adj.* של הירך
sci•at′ica *n.* נשית
sci′ence *n.* מדע; תורה; ידע, מומחיות
applied science מדע שימושי
natural sciences מדעי הטבע
social sciences מדעי החברה
science fiction מדע בידיוני
sci′entif′ic *adj.* מדעי, שיטתי
sci′entist *n.* מדען
scil′icet′ *adv.* כלומר, הווי אומר
scim′itar *n.* חרב כפופת־להב
scintil′la *n.* שביב, זיק; שמץ, קורטוב
scin′tillate′ *v.* לנצנץ; להבריק
scin′tilla′tion *n.* נצנוץ, הברקה
sci′olism′ *n.* ידע מדומה/שיטחי
sci′on *n.* חוטר, נצר
scis′sors (-zərs) *n-pl.* מספריים
pair of scissors מספריים
scissors-and-paste (מאמר) שחובר מפרי־עטם של אחרים
sclero′sis *n.* טרשת, סקלרוסיס
scoff *v.* ללגלג, להתייחס בבוז ל־; ★לזלול, לאכול בלהיטות
scoff *n.* לעג; מטרה ללעג; ★אוכל
scoffer *n.* לגלגן
scold (skōld) *v&n.* לגעור; לצעוק; צעקנית
scolding *n.* גערה, נזיפה; "שטיפה"
scol′lop = scallop צדפה
sconce *n.* פמוט־קיר, נברשת; גולגולת
scone *n.* רקיק, אפיפית, ביסקוויט
scoop (skōōp) *n.* יעה; כף; תרווד; גריפה; רווח הגון; סקופ עיתונאי
scoop *v.* לגרוף, להעלות בכף; להקדים; לזכות; לפרסם סקופ
scoop a hole לעשות חור (בעזרת כף)
scoop up/out להעלות בגריפה
scoopful *n.* מלוא הכף, מלוא היעה
scoot (skōōt) *v.* לרוץ; לברוח
scoo′ter *n.* קטנוע; גלגיליים
scope *n.* תחום, שטח; מרחב, כר־פעולה, אפשרות־פיתוח; מכשיר־ראייה
outside the scope of מעבר לתחום

scor•bu′tic *adj.* חולה־צפדינה
scorch *v.* לחרוך; לשרוף; להישרף; להצחיח; ★לדהור (בכביש)
לדהות; להצחיח; ★לדהור (בכביש)
scorch *n.* מקום חרוך; דהירה (בכביש)
scorched earth אדמה חרוכה
scorcher *n.* ★דוהר; חם, חזק; יום לוהט
scorching *adj.* צורב, חם; רותח
score *n.* תוצאה, נקודת זכייה; נקד; שער; חתך, חריץ; סימן; חוב, חשבון; תכליל, פרטיטורה; עשרים
keep the score לרשום את הנקודות
know the score להבין המצב לאשורו
make a score off him לענות לו תשובה ניצחת
on more scores than one מסיבות שונות
on the score of על בסיס־, בשל־
on this/that score בשל כך
run up a score להיכנס לחוב
scores of המון, מספר רב
settle a score להסדיר חשבון
score *v.* לזכות (ב־); להשיג; להעניק נקודות; לרשום הנקודות; לחרץ; לסמן; לבקר, לגנות
score a goal לכבוש שער
score a victory לנחול ניצחון
score for לתזמר, לעבד ל־
score high לזכות בציון גבוה
score off להביס (במענה שנון)
score through/out למחוק
score up against לזקוף לחובתו
score-board *n.* לוח הנקודות (בספורט)
score-book *n.* פינקס נקודות
score-card *n.* כרטיס ניקוד
score-keeper *n.* רושם הנקודות
scoreless *adj.* ללא שערים; בתיקו אפס
scorer *n.* כובש שערים; רושם נקודות
sco′ria *n.* לבה קרושה; סיגים
scorn *v.* לבוז, ללעוג; לדחות בבוז
scorn *n.* בוז, לעג.קורבן לעג
laugh to scorn לשים ללעג וקלס
pour scorn on לשפוך בוז על
scornful *adj.* מלא־בוז, לעגני
Scor′pio′*n.* מזל עקרב
scor′pion *n.* עקרב
scot *n.* מס
pay scot and lot לשלם כפי יכולתו
Scot, Scots *n.* סקוטי
scotch *v.* לחסל, לשים קץ ל־; לפצוע
Scotch *adj&n.* סקוטי; סקוטש, ויסקי
Scotchman, Scotsman *n.* סקוטי
Scotch mist ערפל כבד
Scotch tape נייר דבק (מצלופן)
Scotch terrier כלב סקוטי
Scotch whisky ויסקי סקוטי
Scotchwoman *n.* סקוטית
scot-free *adj.* פטור; בלי פגע, שלם
Scot′tish *adj.* סקוטי; ★קמצן
scoun′drel *n.* נוכל, נבל
scoundrelly *adj.* שפל, נבזה
scour *v.* לשפשף, לנקות, לצחצח; ליצור (תעלה) אגב סחף; לחפש; לסרוק
scour after לרדוף אחרי
scour away/off/out להסיר בשפשוף
scour down לשפשף; לנקות
scour *n.* שפשוף, ניקוי, צחצוח
scour′er *n.* מנקה, כרית שיפשוף
scourge (skûrj) *n.* שוט, מגלב; מכה, פורענות, מקור־סבל, שוט (איוב ט׳)
scourge *v.* להלקות; להכות; לייסר
scout *n.* צופה; סייר; גשש; חולץ מכוניות תקועות; סיור; תצפית; שרת
boy scout צופה
good scout אדם טוב
talent scout צייד כישרונות
scout *v.* לדחות בבוז, לפטור בלעג
scout around לסייר, לחפש, לסרוק
scout out לגלות (אגב סיור)
scoutmaster מדריך צופים
scow *n.* ארבה, סירת הובלה
scowl *v.* להזעיף פנים
scowl *n.* מבט זועף, הבעה מאיימת
scrab′ble *v.* לשרבט, לקשקש; לחטט, לגרד, לזחול; לחטוף; להיאבק
scrabble *n.* שירבוט; טיפוס; היאבקות; חטיפה; חיטוט, גירוד; שבץ־נא
scrag *n.* כחוש, צנום, שחיף; צוואר־כבש
scrag *v.* לחנוק; לסובב הצוואר; ללפות הצוואר
scrag end נתח גרמי מצוואר הכבש
scrag′gly *adj.* מדובלל, לא מסודר, פרוע
scrag′gy *adj.* כחוש, צנום
scram *interj.* הסתלק! עוף! התחפף!
scram′ble *v.* לטפס (בזחילה); לערבב; לדחוף, להידחק; להיאבק
scramble a message לשדר הודעה במחלף־תדר (לבילבול האויב)
scramble eggs לטרוף ביצים; לטגן חביתה
scramble *n.* טיפוס, תנועה בשטח קשה; מירוץ־מכשולים; הידחקות
scrambler *n.* מחלף־תדר (כנ״ל)
scrap *n.* חתיכה; קורטוב; גרוטה;

פסולת; גזר־עיתון, תגזיר; מריבה
not a scrap of אף לא שמץ־
scrap of paper פיסת־נייר
scraps שיירי־אוכל, שירײם; שאריות
scrap *v.* לזרוק (כגרוטה); לריב
scrap-book *n.* ספר תגזירים
scrape *v.* לגרד, לשפשף; להסיר, לנקות; לקרצף; לשרוט
bow and scrape להתרפס
scrape a living להתפרנס בדוחק
scrape along/by להתקיים בקושי
scrape an acquaintance with להידחק, להתחכך, להשתדל להכיר, לכפות היכרותו
scrape away להסיר בשיפשוף
scrape out a hole לכרות בור
scrape the bottom of the barrel להשתמש באיכות הזולה ביותר
scrape through לעבור (מיבחן) בקושי
scrape together/up לקבץ, לאסוף
scrape *n.* גירוד, שיפשוף; שריטה; צרה, תסבוכת, מצב ביש
scra'per *n.* מגרד; גרוד־בוץ, מגרדת
scrap heap ערימת פסולת
put on the scrap heap להשליך ככלי אין חפץ בו
scra'pings *n-pl.* גרודת, גרודה
scrap-iron *n.* גרוטות־ברזל
scrap paper נייר טיוטה; פסולת נייר
scrap'py *adj.* עשוי טלאים־טלאים, לא בנוי כהלכה; ★אוהב מדון, שש לריב
scratch *v.* לגרד; להתגרד; לשרוט; לשפשף; למחוק (מרשימה); לשרבט (פתק)
scratch a living להתפרנס בדוחק
scratch about לחטט
scratch my back שמור לי (ואשמור לך)
scratch off/out למחוק, למתוח קו
scratch one's head לגרד פדחתו, לגלות סימני מבוכה, לחכוך בדעתו
scratch the surface לטפל בשיטחיות
scratch together/up לאסוף, "לגרד"
scratch *n.* גירוד; שריטה; חיכוך; צרימה; קו־הזינוק; נמחק מתחרות; ★כסף
scratch of the pen שירבוט מספר מלים; חתימה; משיכת קולמוס
start from scratch להתחיל מאפס/מההתחלה/בלא הכנה
up to scratch למצב תקין, ברמה הנאותה, מוכן כהלכה
without a scratch בלא פגע

scratch *adj.* חסר־יתרון, מתחיל מאפס; חטוף, חפוז, מאולתר
scratch-pad *n.* פינקס שירבוטים
scratch paper נייר טיוטה
scratch race מירוץ שווה־תנאים
scratchy *adj.* מקושקש, משורבט; צורמני, חורק; מגרד, מעקצץ, דוקרני
scrawl *v&n.* לקשקש, לשרבט, לכתוב חטופות; קישקוש, שירבוט
scraw'ny *adj.* רזה, צנום; גל־עצמות
scream *v.* לצעוק, לזעוק, לצרוח, ליילל
scream for help לשווע לעזרה
scream one's head off לצווח
the wind screamed הרוח יללה
scream *n.* צעקה, זעקה; צריחה; יללה; דבר מצחיק, אדם משעשע
screaming *adj.* צורח; מצחיק ביותר
screamingly funny מצחיק ביותר
scree *n.* שברי־אבן (בצלע־הר)
screech *v&n.* לצרוח, לצווח; לחרוק; להחריק; צווחה; חריקה
screeching halt עצירה חרקנית
screed *n.* נאום ארוך, מכתב משעמם
screen *n.* מחיצה; מסך; מגן; מסווה; מירקע, אקרן, בד, קולנוע; כברה; רשת
silver screen מסך־הכסף, הקולנוע
screen *v.* להסתיר; להגן; למסך; לסוכך; לרַשת; לסנן; לבדוק בקפדנות; להסריט, להקרין
screen off לחייץ, להפריד במחיצה
screen out לסנן, לסלק (במיבחן); לעצור (קרני־אור)
screens well מתקבל יפה על האקרן
screening *n.* הקרנה, העלאה על הבד
screen play תסריט
screen test מיבחן בד
screw (skroo͞) *n.* בורג; הברגה; מדחף; לחץ; שקיק טבק/תה; ★קמצן; משכורת; סוהר; סוס בלה; מישגל
a screw loose בורג רופף (במוחו)
put the screw on להפעיל לחץ על
turn of the screw הברגה; לחץ
screw *v.* להבריג; להיברג; לסובב; לגלגל; ללחוץ; לסחוט; ★לסדר; לבעול
has his head screwed on right נוהג בהיגיון, ראשו על כתפיו
screw around ★להתמזמז, להתבטל
screw up להדק בברגים; ★לבלבל, לשבש
screw up one's courage להתאזר עוז
screw up one's eyes לכווץ עיניו
screw up one's face לעוות פניו

screw-ball *n.* ★מטורף
screwdriver *n.* מברג
screwed *adj.* ★שיכור, שתוי
screw top מיכסה בורגי; פתח בורגי
screwy *adj.* ★מוזר, מטורף, מגוחך
scrib′ble *v&n.* לשרבט, לרשום קישקושים; שירבוט, קישקוש
scribbler *n.* סופר, מחבר גרוע
scribbling block בלוק שירבוטים
scribe *n.* סופר, לבלר, כתבן; חכם
scribe *v.* לחרות, לחקוק, לפתח
scri′ber *n.* חֶרֶט, מכתֵב
scrim′mage *n.* תיגרה, מריבה; מישחק
scrimmage *v.* להתקוטט, לריב
scrimp *v.* לקמץ, לחסוך
scrim′shank′ *v.* ★להשתמט
scrim′shaw′ *n.* תגליף, גילוף (בשנהב)
scrip *n.* תעודת בעלות, ניירות, מיסמכים; שטר כסף זמני
script *n.* כתב־יד, כתב; עותק־קריאה
scripted *adj.* נקרא מן הכתב
scrip′tural (-′ch-) *adj.* תנכי, מיקראי
Scrip′ture *n.* התנ"ך, כתבי הקודש
scriptwriter *n.* תסריטאי
scriv′ener *n.* סופר, כתבן, לבלר
scrof′u•la *n.* חזירית (מחלה)
scrof′u•lous *adj.* סובל מחזירית
scroll (skrōl) *n.* מגילה; קישוט שבלולי
scrollwork *n.* מעשה־שבלול (עיטור)
scrooge *n.* קמצן
scro′tum *n.* כיס האשכים, מאשכה
scrounge *v.* ★לחפש, לבקש; לשנורר
scrounger *n.* ★קבצן, שנורר
scrub *n&adj.* (עץ) בתה, צמחייה נמוכה; ננסי; עלוב, גמוד
scrub *v&n.* לשפשף; לנקות, לשטוף; לבטל; שיפשוף; שטיפה
scrub′ber *n.* מיברשת; ★שטופת־מין, זונה
scrub brush מיברשת קשה
scrub′by *adj.* קטן, גמוד, קל־ערך; עלוב; מכוסה שיחים; מכוסה זיפים
scruff *n.* עורף, אחורי הצוואר
scruf′fy *adj.* ★מלוכלך, מוזנח
scrum′, scrum′mage *n.* (ברגבי) היערכות דחוסה של שחקנים; תיגרה
scrum′cap′ *n.* קסדת־רגבי
scrum-half *n.* (ברגבי) רץ
scrump′tious (-shəs) *adj.* מצוין, טעים
scrunch *v&n.* למעוך; ללעוס, לגרוס; להישחק; מעיכה; גריסה

scru′ple *n.* היסוס, פיקפוק; נקיפת מצפון; 20 גרעינים (מישקל)
without scruple בלא נקיפת־מצפון, ללא ניד עפעף
scruple *v.* להסס, לייסרו מצפונו
scru′pu•lous *adj.* בעל מצפון, איש מוסר; קפדני, דייקן, מדוקדק
scru′tineer′ *n.* בודק, פקיד־קלפי
scru′tinize′ *v.* לבחון, לבדוק
scru′tiny *n.* בדיקה קפדנית, בחינה יסודית; ספירה חוזרת של קולות
scu′ba (skōō′-) *n.* מכשיר נשימה תת־מימי, סקובה
scud *v&n.* להחליק, לשוט במהירות; תנועה מהירה; עננים חולפים; מטר
scuff *v.* לדשדש, לשרוך רגליו; לשחוק; להתדשדש; להשתחק
scuf′fle *n&v.* תיגרה, התכתשות; להתכתש
scuffmark *n.* סימן שחיקה, שיפשוף
scull *n&v.* משוט; סירת משוטים; חתירה; לחתור
sculler *n.* תופש משוט, משוטאי
scul′lery *n.* חדר־שטיפה, חדר־כלים
scullery maid עוזרת־מיטבח
scul′lion *n.* (בעבר) עוזר מיטבח
sculpt *v.* לפסל, לגלף, לחקוק
sculp′tor *n.* פַּסָל, גלף
sculp′tress *n.* פסלת, גלפת
sculp′tural (-′ch-) *adj.* פיסולי
sculp′ture *n&v* פֶּסֶל, תגליף; פיסול; פסלות; לפסל, לגלף, לחקוק
scum *n.* קופי, קֶצֶף, קרום, דוק־זוהמה; שפלה אדם
scum of the earth חלאת אדם
scum′my *adj.* מכוסה דוק־זוהמה
scup′per *n&v.* פתח־הרקה (בצידון הספינה); להטביע ספינה; ★להרוס, לחסל
scurf *n.* קשקשים, עור נושר
scurfy *adj.* מכוסה קשקשים
scurril′ity *n.* לשון גסה; גידופים
scur′rilous *adj.* גס, מלא גידופים
scur′ry *v&n.* לרוץ, למהר; ריצה, נקישות צעדים, ענן־אבק, משב־שלג
scur′vy *adj&n.* שפל, נבזה; צפדינה (מחלה)
scut *n.* זנבנב, זנב קצר וזקוף
scutch *v.* לנפץ (פישתן)
scutch′eon (-chən) *n.* מגן מעוטר
scut′tle *n.* כלי לפחם; פתח (באונייה); ריצה, מנוסה, בריחה
scuttle *v.* להטביע ספינה; להרוס

scuttle away/off לרוץ, לברוח
Scyl′la and Charybdis סקילה וקריבדה (2 מיפלצות), (בין) הפטיש והסדן
scythe (sīdh) *n&v.* (לקצור ב) חרמש
sea *n.* ים, אוקיינוס; גל, נחשול
at sea בים; נבוך, אובד עצות
beyond the sea מעבר לים
by sea באונייה, בדרך הים
follow the sea להיות ליורד־ים
go to sea להיות לימאי
half seas over ★שיכור, שתוי
heavy sea נחשול, ים זועף
high seas לב־ים, הים הפתוח
not the only fish in the sea לא בן יחיד, יש רבים כמותו
on the sea על חוף הים
put to sea להפליג, לצאת לים
sea of flames ים להבות
sea anemone שושנת־ים
sea animal בעל־חיים ימי
sea bathing רחיצה בים
seabed *n.* קרקע הים
sea-bird *n.* עוף־ים
seaboard *n.* חוף הים, שפת הים
sea-boat *n.* כלי־שיט, ספינה
sea-borne *adj.* ימי, מובל באוניות
sea breeze רוח ימית
sea captain קברניט, רב־חובל
sea change שינוי גמור/פיתאומי
sea cow פרת־ים
sea dog כלב־ים; מלח ותיק
seafaring *adj.* של הפלגה, ימי
seafish *n.* דג־ים
sea fog ערפל ימי (הבא מן הים)
seafood *n.* מאכלי־ים (דגים וכ׳)
sea-front *n.* חזית הים (של עיר)
sea-girt *adj.* מוקף ים
sea-god *n.* אל הים
sea-going *adj.* של הפלגה, ימי
sea green ירוק־כחלחל
seagull *n.* שחף
sea-horse *n.* סוסון־הים
sea island סוג כותנה
seal *n&v.* כלב־ים; לצוד כלבי־ים
seal *n.* חותמת; חותָם; אות, סימן; ערובה, אישור; אטם
given under my hand and seal נכתב ונחתם על ידי
seal of secrecy חותם הסודיות
set the seal לתת גושפנקה
seal *v.* לחתום, לשים חותמת; לסגור, לאטום; להשלים, לסיים
my lips are sealed פי חתום
seal his fate לחרוץ גורלו
seal in לכלוא, לשמור בפנים
seal off an area לסגור שטח
seal up לאטום, לסגור
sealed orders הוראות כמוסות (במעטפה חתומה)
sea legs רגליים יציבות, הליכה יציבה על גבי ספינה מיטלטלת
sealer *n.* אוטם, סוגר; צייד כלבי־ים; ספינת־צייד
sea level פני־הים
sealing *n.* ציד כלבי־ים
sealing wax שעוות־חותם
sea lion ארי־הים
seal ring טבעת חותם
sealskin *n.* פרוות כלב־ים
seam *n.* תפר, קו־תפר; קו־חיבור; קמט; חריץ; מַשק; שיכבת מירבץ
burst at the seams להימלא, להתפקע
seam *v.* לחבר, לתפור; לחרץ, לתלם
seaman *n.* יורד־ים; ימאי פשוט
seamanlike *adj.* כמלח, אופייני לימאי
seamanship *n.* ימאות; כושר ניווט
sea mile מיל ימי
seamless *adj.* ללא תפר, מחתיכה אחת
seam′stress *n.* תופרת
seam′y *adj.* גרוע, פחות נעים
seamy side of life הצד המכוער בחיים, העולם התחתון וכ׳
séance (sā′äns) *n.* ישיבה, פגישה; סיאנס (של ספיריטואליסטים)
seaplane *n.* מטוס־ים
seaport *n.* עיר נמל
sea power מעצמה ימית; כוח ימי
sear *adj.* יבש, קמול, נובל
sear *v.* לצרוב, לכוות, לחרוך, לייבש, להקמיל; להקשיח (לב), לחשל
search (sûrch) *v&n.* לחפש, לבדוק בקפידה; לחדור; חיפוש; חקירה; חדירה
in search of בחיפוש אחר־
search him לערוך חיפוש על גופו
search me! איני יודע!
search out לגלות לאחר חיפוש
searched his soul עשה חשבון־נפש
searcher *n.* מחפש, בודק
searching *adj.* בוחן, חודר, מקיף
searchlight *n.* זרקור
search party קבוצת מחפשים
search warrant צו־חיפוש
searing *n.* צורב; מרגש

searing iron מצרב
sea rover שודד־ים; ספינת שודדים
seascape *n.* נוף ימי
sea-shell *n.* קונכייה, קשוות־צדפה
seashore *n.* חוף־ים
seasick *n.* סובל ממחלת־ים
seasickness *n.* מחלת־ים
seaside *n.* שפת־ים
sea′son (-zən) *n.* עונה, תקופה, זמן; כרטיס מנוי
a word in season דבר בעיתו
for a season לשעה קלה
in and out of season בכל עת
in season בעונה; בעיתו; בעונת הייחום; בעונת הצייד
out of season לא בעונה
season's greetings איחולי חג שמח
season *v.* לתבל, להוסיף תבלין; לאקלם, להרגיל; להקשיח, "לשפשף" בניסיון
season wood לייבש עץ (לשם שימוש)
seasonable *adj.* עונתי; בעיתו, בזמן המתאים
seasonal *adj.* עונתי
seasoned *adj.* מתובל; (חייל) משופשף
seasoning *n.* תבלין; תיבול
season ticket כרטיס מנוי
seat *n.* מושב; כיסא; מקום; בית; מרכז; אחוריים; צורת רכיבה
by the seat of one's pants מתוך ניסיון, לאחר דגירה; באינסטינקט
country seat אחוזה כפרית
have/take a seat! שב נא!
in the driver's seat ליד ההגה
keep one's seat להישאר במקומו
seat of learning בית מדרש
take a back seat לתפוס מושב אחורי; להמעיט בחשיבות עצמו
win a seat לזכות במושב, להיבחר
seat *v.* להושיב, להכיל מושבים; לתקן המושב; לקבוע
please be seated נא לשבת
seat oneself לשבת, להתיישב
seats 900 מכיל 900 מקומות ישיבה
seat belt חגורת בטיחות
-seater מושבי, בעל מושבים
2-seater דו־מושבי
seating *n.* סידור מקומות ישיבה
seating room מקומות ישיבה
sea urchin קיפוד־ים
sea-wall *n.* קיר־ים, שובר־גלים
seaward(s) *adj&adv.* כלפי הים, ימה
sea-water *n.* מי־ים
seaway *n.* נתיב ימי; התקדמות, הפלגה
seaweed *n.* אצה, אצת־ים
seaworthy *adj.* ראוי להפלגה
se•ba′ceous (-shəs) *adj.* שומני
sec = second, secretary
se′cant *n.* סקאנס
sec′ateurs′ (-tûrz) *n.* מזמרה
se•cede′ *v.* לפרוש, להיפרד, להתפלג
se•ces′sion *n.* פרישה, התבדלות
secessionist *n.* פורש
se•clude′ *v.* לבודד, להפריד; להסתגר
secluded *adj.* בודד, מבודד, שקט
se•clu′sion (-zhən) *n.* בידוד; התבודדות; הסתגרות; מקום מבודד
se•clu′sive *adj.* מתבודד, מסתגר
sec′ond *adj&adv.* שני; נוסף, אחר; שנית
came off second best נחל תבוסה
in the second place שנית, ב'
on second thought לאחר הירהור שני, לאחר שחכך בדעתו
second best שני במעלה
second fiddle כינור שני (למישהו)
second floor קומה ב'
second nature טבע שני, הרגל
second teeth שיני קבע
second to none אין טוב ממנו
sec′ond *n.* שנייה, רגע; שני; עוזר, נושא־כלים; תמיכה; ציון בינוני
seconds סחורה מסוג ב'; מנה נוספת
sec′ond *v.* לתמוך, לצדד ב־; להצביע בעד; לעזור, לשמש כעוזר
se•cond′ *v.* להעביר (זמנית) לתפקיד
Second Advent שיבת ישו (ביום הדין)
sec′ondar′y (-deri) *adj.* שני, מישני, שניוני, תנייני, סקונדארי; צדדי; תיכון
secondary education חינוך תיכון
secondary stress טעם מישני, מתג
second chamber בית עליון
second childhood זיקנה, סניליות
second-class *adj&adv&n.* מדרגה שנייה, סוג ב', נחות; מחלקה שנייה; ציון בינוני
go second class לנסוע במחלקה שנייה
Second Coming ביאת ישו השנייה, שיבת ישו (ביום הדין)
second cousin דודן מישנה, שלישי בשלישי
second-degree *adj.* ממדרגה שנייה
seconder *n.* תומך, מצדד
second-hand *adj.* משומש, (סחורת) יד שנייה; מכלי שני, לא מהמקור

second hand מחוג השניות
second-in-command סגן מפקד
second lieutenant סגן מישנה
secondly *adv.* שנית, ב׳
se•cond′ment *n.* העברה זמנית
second person גוף שני, נוכח
second-rate *adj.* בינוני, נחות
second sight ראיית העתיד, נבואה
second-string *adj.* בינוני, שחקן ספסל
se′crecy *n.* סודיות; שמירת סודות
swear to secrecy להשביעו לשמור בסוד
se′cret *adj.* סודי, חשאי, נסתר, כמוס; שקט, מבודד
secret *n.* סוד; תעלומה, מיסתורין
in secret בסוד, בסתר, בחשאי; במיסתור
in the secret בין בעלי־הסוד
keep a secret לשמור סוד
let him into a secret להמתיק סוד עמו
open secret סוד גלוי
secret agent סוכן חשאי, מרגל
sec′reta′rial *adj.* של מזכיר
sec′reta′riat′ *n.* מזכירות
sec′retar′y (-teri) *n.* מזכיר; שר
secretary-general מזכיר כללי
Secretary of State שר החוץ, מזכיר המדינה
se•crete′ *v.* להפריש, לייצר; להסתיר
se•cre′tion *n.* הפרשה; הסתרה
se′cre•tive *adj.* סודי, שתקן, לא־גלוי
secret service השירות החשאי
sect *n.* כת, כיתה, פלג, סקטה
sec•ta′rian *adj&n.* כיתתי, צר־אופק, מפלגתי, קנאי
sectarianism *n.* כיתתיות, מפלגתיות
sec′tion *n.* קטע; חלק; איזור; פלח; פרק, חתך; חיתוך; כיתה; מחלקה
Cesarean section ניתוח קיסרי
section *v.* לחתוך, לחלק לקטעים
sectional *adj.* מתפרק, מורכב מחלקים; מקומי, אזורי; עדתי; של חתך
sectionalism *n.* נאמנות לאינטרסים מקומיים, עדתיות
section gang/crew פלוגת קטע (המאחזקת קטע של פסי־רכבת)
section mark סימן סעיף, סימן פיסקה
sec′tor *n.* גיזרה; מיגזר, סקטור, ענף, תחום
sec′u•lar *n.* חילוני; לא חי במינזר
secularism *n.* חילוניות, שיחרור מהדת
secularist *n.* חילוני
sec′u•lariza′tion *n.* חילון
sec′u•larize′ *v.* לחלן, להפוך לחילוני
se•cure′ *adj.* בטוח, מוגן; חסר־דאגה; ודאי, מובטח; סגור, נעול; חזק, איתן
secure *v.* להשיג, לרכוש; להבטיח, לאבטח; לסגור, לנעול
se•cu′rity *n.* ביטחון; הגנה; אבטחה; בטיחות; ערבון, משכון; ערובה
securities ניירות־ערך, אג״ח
Security Council מועצת הביטחון
security forces כוחות הביטחון
security risk סכנה ביטחונית (אדם)
se•dan′ *n.* מכונית נוסעים; אפריון
sedan chair אפריון
se•date′ *adj.* שליו, שקט, רציני
sedate *v.* להרגיע, להשקיט
se•da′tion *n.* הרגעה; מצב רגוע
sed′ative *adj&n.* מרגיע; תרופת־הרגעה
sed′entar′y (-teri) *adj.* של ישיבה, מצריך ישיבה, במיושב; לא נודד; לא פעיל
sedge *n.* כריך (צמח־ביצות)
sedgy *adj.* מכוסה כריכים (כנ״ל)
sed′iment *n.* מישקע; סחופת
sed′imen′tary *adj.* של מישקע, של סחופת
sedimentary rocks סלעי מישקע
sed′imenta′tion *n.* היווצרות מישקע
se•di′tion (-di-) *n.* הסתה, חירחור, שיסוי
se•di′tious (-dish′əs) *adj.* מסית, מחרחר, מדיח
se•duce′ *v.* לפתות, לשדל; להקסים
seducer *n.* מפתה, פתאי
se•duc′tion *n.* פיתוי
se•duc′tive *adj.* מפתה, מושך
sed′ulous (-j′-) *adj.* מתמיד, שקדני
see *v.* לראות; להבין; ללמוד, למצוא; לחוות, להתנסות; לדאוג ש־; ללַוות
as far as I can see למיטב הבנתי
has seen better days ראה ימים טובים יותר, מצבו היה טוב יותר
he'll never see 30 again הוא עבר את גיל ה־30
let me see רגע אחד, תן לחשוב
see a doctor לבקר אצל רופא
see a lot of him לראותו הרבה
see about לטפל ב־, לדאוג ל־; לשקול ב־; להימלך ב־, להיוועץ בנוגע ל־
see after לדאוג ל־, להשגיח על
see for oneself לראות במו עיניו

see him home ללוותו הביתה
see him through לתמוך בו עד תום
see into להבין, לרדת לנבכי־
see it through לטפל בזה עד תום
see nothing of him לא לראותו
see off ללוות (עד היציאה); לעמוד איתן ב־
see one's way clear to למצוא הדרך ל־, להיות חופשי ל־
see oneself לראות עצמו כ־
see out ללוות החוצה; להישאר עד הסוף
see over לבדוק, לבחון, לבקר
see stars "לראות כוכבים" (ממכה)
see the back/last of להיפטר מ־, לגמור עם
see the light of day להיוולד
see the point להבין העוקץ/הנקודה
see the sights לבקר, לסייר
see things לראות מחזות־שווא
see through לראות מבעד, לקרוא בין השיטין, לא ללכת שולל; להספיק
see to לדאוג ל־, לטפל ב־
see visions לחזות, לראות עתידות
see you, be seeing you להתראות
seeing is believing כשאראה ־ אאמין, אינו דומה ראייה לשמיעה
you see אתה מבין (ביטוי סתמי)
I don't see my way (clear) to איני מוצא לנכון ל־, איני רואה הצדקה
I'll have to see עלי לברר זאת
I'll see you dead first לא באלף רבתי
see *n.* כהונת הבישוף; מחוז הבישוף
Holy See הכס הקדוש, אפיפיורות
seed *n&adj.* זרע; גרעין; צאצאים; מקור; שחקן מוצב; זעיר; לזריעה
go/run to seed להפסיק לפרוח; להידרדר, להפוך למוזנח
in seed נושא זרעים
seed pearls פנינים זעירות
seeds of trouble זרע הפורענות
seed *v.* לזרוע; להוציא זרעים; לגרען; להציב שחקן (מול)
seed-bed *n.* מנבטה; קרקע נוחה
seed-cake *n.* עוגת־זרעונים
seed-corn *n.* זרעי־תבואה
seedless *adj.* חסר־זרעים
seed'ling *n.* שתיל
seedsman *n.* סוחר זרעים; זורע
seedtime *n.* עונת הזריעה, זריע
seedy *adj.* זרעי, מלא זרעים; מרופט, מוזנח; ⋆חולה, לא בקו־הבריאות

seeing that לאור העובדה, מכיוון ש־
seek *v.* לחפש, לבקש; לדרוש; לנסות
not far to seek אין צורך לחפש רחוק (אחר הסיבה), ברור
seek advice לבקש עצה, להיוועץ
seek after לדרוש, לחזור אחרי
seek for לבקש, לרדוף אחרי
seek out לחפש (ולמצוא)
seem *v.* להיראות, ליצור רושם, להופיע
he seems to- כנראה שהוא־
it seems, it would seem כנראה
seeming *adj.* נראה, יוצר רושם, מדומה
seemingly *adv.* כנראה, לכאורה
seem'ly *adj.* יאה, נאה; מכובד, הוגן
seen = pp of see
seep *v.* לנטוף, לדלוף, לחלחל, לחדור
seep'age *n.* טיפטוף, דליפה, חילחול
seer *n.* חוזה, נביא
seer'suck'er *n.* אריג מפוספס
see'saw' *n.* נדנדת־קרש (עולה ויורדת); התנדנדות; תנועת התקדמות ונסיגה
seesaw *v.* להתנדנד, להיטלטל
seethe (-dh) *v.* לרתוח; לתסוס; לגעוש
see-through *adj.* שקוף, נראה
seg'ment *n.* קטע; פלח; (בהנדסה) מיקטע
segment *v.* לחלק לקטעים; להתחלק
seg'menta'tion *n.* חלוקה; התחלקות
seg'regate' *v.* להפריד, לבודד
segregated *adj.* מופרד, נבדל
seg'rega'tion *n.* הפרדה גיזעית, הבדלה
seigneur (sēnyûr') *n.* אדון, סיניור, אציל פיאודלי
seine (sān) *n.* רשת, מכמורת
seis'mic (sīz'-) *adj.* רעשי, סיסמי
seis'mograph' (sīz'-) *n.* סיסמוגרף, מד־רעש
seismol'ogist (sīz-) *n.* סיסמולוג
seismol'ogy (sīz-) *n.* סיסמולוגיה, מדע רעידות האדמה
seize (sēz) *v.* לתפוס; להשתלט על; לאחוז, להחזיק; לעקל; לתקוף
seize on לנצל בהתלהבות, לקפוץ על
seize up להיתקע, להיעצר
seized with pain תקוף כאב
sei'zure (sē'zhər) *n.* תפיסה, השתלטות; עיקול; התקף־לב, שבץ
sel'dom *adv.* לעיתים נדירות
seldom if ever בקושי פעם ביובל
se•lect' *v.* לבחור, לברור
select *adj.* מובחר; אקסקלוסיבי, בלעדי

select committee ועדה מיוחדת
se•lec′tion *n.* בחירה, סלקציה; מיבחר
natural selection הברירה הטיבעית
selection committee ועדה בוחרת
se•lec′tive *adj.* של בחירה, סלקטיבי; לא כללי; ברֵרני; (רדיו) קולט ברורות
selective service שירות חובה
se•lec′tiv′ity *n.* סלקטיביות
selector *n.* בורר, מרכיב קבוצה
se•len′ium *n.* סלניום (יסוד כימי)
sel′enol′ogy *n.* מדע הירח
self *n.* אני, עצמי; עצמיות, אישיות; האינדיבידואום, טובת עצמו
not his old self לא כתמול שילשום
one's better self האדם הטוב שבו
thinks of self דואג לעצמו
to self לעצמי, לחתום מטה
self- עצמי, את עצמו, מעצמו
self-abasement *n.* השפלה עצמית
self-absorbed *adj.* שקוע בעצמו
self-absorption *n.* השתקעות בעצמו, אהבה עצמית
self-abuse *n.* אוננות
self-acting *adj.* אוטומאטי
self-activating *adj.* מופעל מאליו
self-addressed *adj.* ממוען לשולח
self-appointed *adj.* שמינה עצמו
self-assertion *n.* הבלטה עצמית; הידחפות; עמידה על זכויות
self-assertive *adj.* מתבלט
self-assurance *n.* ביטחון עצמי
self-assured *adj.* בעל ביטחון עצמי
self-centered *adj.* מרוכז בעצמו
self-collected *adj.* קר־רוח, מיושב
self-colored *adj.* חד־צבעי, חד־גוני
self-command *n.* שליטה עצמית, ריסון
self-complacent *adj.* שבע רצון מעצמו, מדושן־עונג
self-confessed *adj.* לפי דבריו, מוצהר
self-confidence *n.* ביטחון עצמי
self-confident *adj.* בעל ביטחון עצמי
self-conscious *adj.* מודע לעצמו; ביישן, נבוך, מתוח
self-contained *adj.* שולט בעצמו, מסתגר, מאופק; שלם, לא משותף, עצמאי
self-contradictory *adj.* סותר עצמו
self-control *n.* שליטה עצמית, איפוק
self-defense *n.* הגנה עצמית
self-denial *n.* הקרבה עצמית, הינזרות
self-denying *adj.* מקריב עצמו, מתנזר
self-determination *n.* הגדרה עצמית (של עם); קביעה עצמית של אורח חיים
self-discipline *n.* משמעת עצמית, מישטר עצמי (של אדם)
self-drive *adj.* (רכב) לנהיגה עצמית
self-educated *adj.* בעל חינוך עצמי
self-effacing *adj.* מצטנע, לא מתבלט
self-employed *adj.* עצמאי, לא שכיר
self-esteem *n.* הערכה עצמית, גאווה
self-evident *adj.* ברור, מובן מאליו
self-examination *n.* ביקורת עצמית
self-explanatory *adj.* מסביר עצמו, ברור
self-government *n.* שלטון עצמי, אוטונומיה
self-help *n.* עזרה עצמית, אי־תלות
self-importance *n.* חשיבות עצמית
self-important *adj.* מחשיב עצמו, גאה
self-imposed *adj.* שהטיל על עצמו, שקיבל עליו
self-indulgence *n.* התמכרות לתאוות
self-indulgent *adj.* מתמכר לתאוות
self-interest *n.* תועלת אישית, אינטרס עצמי, אנוכיות
self-interested *adj.* אנוכיי
selfish *adj.* אנוכיי
selfless *adj.* דואג לזולת, לא אנוכיי
self-locking *adj.* ננעל אוטומאטית
self-made (man) *adj.* (אדם) שבנה את עצמו, שעלה בכוחות עצמו
self-opinionated *adj.* דבק בדעותיו, עקשן, איתן באמונתו (המוטעית)
self-pity *n.* חמלה עצמית
self-possessed *n.* קר־רוח, מיושב
self-possession *n.* קור־רוח, יישוב הדעת, שלווה, ביטחון עצמי
lost his self-possession אבדו עשתונותיו, איבד את קור־רוחו
self-preservation *n.* שמירה עצמית
self-reliance *n.* הסתמכות עצמית, ביטחון עצמי, אי־תלות בזולת
self-reliant *adj.* בטוח בעצמו
self-respect *n.* כבוד עצמי
self-respecting *adj.* בעל כבוד עצמי
self-righteous *adj.* מאמין בצדקנותו
self-rising flour קמח תופח
self-rule *n.* שילטון עצמי
self-sacrifice *n.* הקרבה עצמית
self′same′ *adj.* אותו ממש, זהה
self-satisfaction *n.* שביעות־רצון עצמית
self-satisfied *adj.* שבע רצון מעצמו,

מדושן עונג

self-sealing *adj.* (תקר) נאטם אוטומאטית

self-seeker *adj.* דורש טובת עצמו, אנוכי

self-seeking *adj.* אנוכיי

self-service *n.* שירות עצמי

self-sown *adj.* שנזרע מאליו

self-starter *n.* (רכב בעל) מתנע

self-styled *adj.* מכנה את עצמו, בעל תואר עצמי, מתחזה כ־

self-sufficiency *n.* עצמאות, סיפוק צרכים עצמית, אי־תלות; ביטחון מופרז

self-sufficient *adj.* עצמאי, לא־תלוי

self-sufficing *adj.* עצמאי, לא־תלוי

self-supporting *adj.* מחזיק עצמו, מפרנס עצמו

self-will *n.* עקשנות, קשיות־עורף

self-willed *adj.* עקשן

self-winding *adj.* (שעון) מכנן עצמו, אוטומאטי

sell *v.* למכור; להימכר; לסחור; לגרום למכירת־, למשוך קונים; ★לרמות

be sold out להימכר, לאזול, להיחטף

has been sold סידרו אותו, רימוהו

is sold on it מכור לדבר, משוכנע בכך, מאמין בו, "נדלק עליו"

it sells badly אין קופצים עליו

it sells well יש לו קונים/שוק

sell an excuse "למכור" תירוץ

sell down the river לבגוד, להסגיר

sell off למכור, להיפטר מהסחורה

sell one's life dearly לגבות מחיר גבוה תמורת חייו, "תמות נפשי עם פלישתים"

sell one's soul למכור נשמתו

sell oneself להרשים, להציג עצמו בצורה משכנעת; למכור עצמו/כבודו

sell out למכור הכול; למכור חלקו בעסק; לבגוד, להתכחש

sell the pass לבגוד, למעול באימון

sell up למכור נכסיו, לחסל העסק

sells like hot cakes נחטף כמו לחמניות טריות

sell *n.* מכירה; ★אכזבה, רמאות, סידור

hard sell מכירת לחץ (על הקונה)

soft sell מכירה בשיכנוע עדין

seller *n.* מוכר; סחורה מבוקשת/נמכרת

sellers' market שוק המוכרים

selling price המחיר לצרכן

sell-out *n.* בגידה, הפרת־אמון; מישחק שכל כרטיסיו נמכרו

sel'vage, sel'vedge (-vij) *n.* שולי־בגד, שפת־האריג (מתוגמרת למניעת התפרמות)

selves = pl of self (selvz)

se•man'tic *adj.* סמאנטי, משמעותי

se•man'tics *n.* סמאנטיקה, חקר משמעות המלים, תורת הסימנים

sem'aphore' *n.* סמאפור, תמרור־רכבת; איתות בדגלים, סימון בזרועות

semaphore *v.* לאותת בדגלים

sem'blance *n.* דמיון, מראה, רושם, חזות

se'men *n.* זרע

se•mes'ter *n.* סמסטר, מחצית שנת לימודים

sem'i (תחילית) חצי־, חלקי־

sem'ian'nu•al (-nū-) *adj.* חצי־שנתי

sem'ibreve' *n.* תו שלם, 4 ריבועים

sem'icir'cle *n.* חצי־עיגול

sem'icir'cu•lar *adj.* חצי־עיגולי

sem'ico'lon *n.* נקודה ופסיק, (;)

sem'iconduc'tor *n.* חצי־מוליך (חומר)

sem'icon'scious (-shəs) *adj.* בהכרה חלקית

sem'ide•tached' (-tacht') *adj&n.* (בית) בעל קיר משותף, חצי וילה

sem'ifi'nal *n.* חצי־גמר

sem'ifi'nalist *n.* מתחרה בחצי־גמר

sem'inal *adj.* של זרע; מקורי, בעל ניצנים, מצמיח, מוליד

sem'inar' *n.* סמינר, קורס

sem'ina'rian *n.* תלמיד מיכללת־כמרים

sem'inarist *n.* תלמיד מיכללת־כמרים

sem'inar'y (-neri) *n.* סמינר, בית־מדרש; מיכללת־כמרים

sem'ina'tion *n.* זריעה; זרייה

sem'ioffi'cial (-fish'əl) *adj.* חצי־רישמי

sem'iol'ogy *n.* סמיולוגיה, חקר הסימנים (של שפה)

sem'ipre'cious (-presh'əs) *adj.* (אבן) יקרה למחצה

sem'iqua'ver *n.* 1/16 של תו, טזית

Sem'ite *n&adj.* שמי

Semit'ic *adj.* שמי, יהודי

sem'itone' *n.* חצי טון (הבדל צלילים)

sem'itrail'er *n.* סמיטריילר, מיגרר

sem'itrop'ical *adj.* סובטרופי

sem'ivow'el *n.* חצי־תנועה

sem'iweek'ly *n&adj&adv.* (עיתון)

חצי־שבועי; פעמיים בשבוע

sem'oli'na (-lē-) *n.* סולת

semp'stress *n.* תופרת

sen'ate *n.* סנאט; בית מחוקקים עליון

sen'ator *n.* סנאטור, חבר־סנאט

sen'ato'rial *adj.* של סנאט, של סנאטור

send *v.* לשלוח, לשגר; לזרוק; לגרום, להביא, לעורר; ★להקסים, לענג

heaven send מי יתן, יהי רצון

send about his business לסלקו

send away לשלוח; לפטר

send away for להזמין (סחורה) בדואר

send down להוריד; לגרש מאוניברסיטה; להשליך לכלא

send flying להפיל, להטיל, להעיף

send for להזמין, לקרוא, להזעיק

send forth להוציא, להצמיח

send in להגיש, לשלוח למוקד/למרכז

send mad/crazy להוציאו מדעתו

send off ללוות (עד התחנה); לשלוח, לשגר; להוציא שחקן מהמיגרש

send on למען ולשגר (מכתב) הלאה; לשגר מראש

send one's name in להציג עצמו, למסור שמו למשרת

send out להפיץ, לשלוח (ממוקד); להוציא, להצמיח; לקבל, להזמין

send packing לשלח בבושת פנים

send up להעלות; להטיל למעלה; לחקות, לעשות פארודיה; להשליך לכלא

send word לשלוח הודעה

sender *n.* שולח

send-off *n.* שילוח, שיגור; ליווי; איחולי הצלחה למתחיל

send-up *n.* פארודיה, חיקוי

se•nes'cence *n.* הזדקנות

se•nes'cent *adj.* מזדקן

se'nile *adj.* סנילי, של זיקנה

se•nil'ity *n.* סניליות, זיקנה

se'nior *n&adj.* קשיש; בכיר; גדול; מבוגר; ותיק; האב; תלמיד שנה ד'

senior citizen קשיש, בגיל הפרישה

se'nior'ity *n.* קשישות, בגרות; ותק; בכירות בדרגה

sen'na *n.* קסיה (תרופה)

senor (senyôr') *n.* אדון, סניור

senora (senyôr'ə) *n.* גברת, סניורה

senorita (sen'yərē'tə) *n.* עלמה, סניוריטה

sen'sate' *adj.* מסוגל לחוש

sen•sa'tion *n.* הרגשה, תחושה, חישה; סנסאציה; התרגשות, תירגושת

sensational *adj.* תחושתי; סנסאציוני; מכה גלים, מעורר עניין; ★כביר, מצוין

sensationalism *n.* רדיפת־סנסאציות

sense *n.* חוש; הרגשה, תחושה; הכרה, תבונה, חוכמה; משמעות, מובן

bring him to his senses לפקוח עיניו

business sense חוש מיסחרי

come to one's senses לחזור לצלילות דעתו, להתפכח

common sense שכל ישר

horse sense שכל ישר

in a sense במובן מסוים, בחלקו

in one's senses שפוי, צלול־דיעה

in the broad sense במובן הרחב

in the strict sense במובן הצר

lose one's senses לצאת מדעתו

make sense להתקבל על הדעת; להיות משמעי/הגיוני

make sense of להבין, למצוא משמעות

out of one's senses יצא מדעתו

sense of a meeting הדיעה הכללית בקרב המשתתפים, הנטייה באסיפה

sense of locality חוש התמצאות

senses חמשת החושים; צלילות הדעת

take leave of one's senses לצאת מדעתו

talk sense לדבר בהיגיון

there's no sense in- אין טעם ב־

sense *v.* לחוש, להרגיש; לגלות

senseless *adj.* חסר־הכרה, מעולף; חסר־טעם, אבסורדי, טיפשי

sense organ איבר חישה (כגון עין)

sen'sibil'ity *n.* רגישות, עדינות־הטעם; דקות־ההבחנה; מודעות

sen'sible *adj.* הגיוני, נבון; מעשי, פראקטי; ניכר, משמעותי; מודע, חש

sen'sitive *adj.* רגיש; פגיע, מהיר להיעלב; עדין; כמוס, ביטחוני

sen'sitiv'ity *n.* רגישות

sen'sitize' *v.* לעשות לרגיש

sen'sor *n.* (מכשיר) מגלה, חיישן, חישן

sen'sory *adj.* חושי, של החושים

sen'sual (-sho͞oəl) *adj.* חושני, של תענוגות, תאוותני; חושי

sensualism *n.* חושניות; סנסואליזם

sensualist *n.* שטוף־תאווה

sen'sual'ity (-sho͞oal'-) *n.* תאוותנות, שקיעה בתענוגות

sen'suous (-sho͞oəs) *adj.* חושי, מהנה, פועל על החושים

sent = p of send

sen′tence *n&v.* פסק־דין, עונש; (בתחביר) מישפט; לדון, לגזור דין
life sentence מאסר עולם
pass sentence לגזור דין
under sentence of death נדון למוות
sen•ten′tious (-shəs) *adj.* נמלץ, מנופח, מפגין חוכמתו; גדוש אימרות־מוסר, פיתגמי
sen′tience (-shəns) *n.* כושר חישה
sen′tient (-shənt) *adj.* מרגיש, חש
sen′timent *n.* סנטימנט, רגש; רגשיות; דיעה, השקפה, נקודת־מבט; ביטוי
sen′timen′tal *adj.* סנטימנטאלי, ריגשי
sentimentalism *n.* סנטימנטאליזם, סטנימנטאליות, רגשנות
sentimentalist *n.* רגשני
sen′timental′ity *n.* רגשנות
sen′timen′talize′ *v.* להיות רגשני, להשתפך; להעניק ציביון סנטימנטאלי
sen′tinel *n.* זקיף, שומר
stand sentinel לעמוד על המישמר
sen′try *n.* זקיף, שומר
on sentry-go שומר, עומד על המישמר
sentry box תא־השומר, ביתן־הזקיף
sep′al *n.* עלה־גביע
sep′arabil′ity *n.* היפרדות, נתיקות
sep′arable *adj.* בר־הפרדה, פריד, נתיק
sep′arate *adj.* נפרד, נבדל; שונה; לחוד
keep separate from להפריד מן
live separate לחיות בנפרד (מאשתו)
sep′arate′ *v.* להפריד, להבדיל; לחלק; להתפלג; להיפרד; לפרוש, ללכת
sep′ara′tion *n.* הפרדה, הבדלה; פירוד, ניתוק; הבדל, רווח
separation of Church and State הפרדת הדת מהמדינה
separation allowance קצובת־פירוד (לנשי־ימאים וכ׳)
sep′aratism′ *n.* בדלנות, ספאראטיזם
sep′aratist *n.* בדלן
sep′ara′tor *n.* מפרדה (להפרדת שמנת)
se′pia *n.* חום־כהה, דיו חומה
sep′sis *n.* אלח, אלח־הדם
Sep•tem′ber *n.* ספטמבר
sep′tenar′y (-neri) *adj.* של 7 (שנים)
sep•ten′nial *adj.* חל פעם ב־7 שנים; אחת בשמיטה
sep•tet′ *n.* שבעית, (יצירה ל) 7 כלים
sep′tic *adj.* אלוח, מזוהם; רקוב
sep′tice′mia *n.* הרעלת־דם
septic tank בור שפכין
sep′tuagena′rian (-cho͞oəj-) *n.* בן 70 (עד 80)
Sep′tuages′ima (-cho͞oəj-) *n.* יום א׳ השלישי לפני לנט
Sep′tuagint (-cho͞oəj-) *n.* תרגום השבעים, ספטואגינטה
sep′ulcher (-k-) *n.* קבר
whited sepulcher צבוע
Holy Sepulcher קבר ישו
se•pul′chral (-k-) *adj.* של קבר, של קבורה; קודר, עצוב
sep′ulture *n.* קבורה, הטמנה בקבר
se′quel *n.* תוצאה, תולדה; עלילת־המשך
se′quence *n.* רצף, המשך, סידרה; עוקב, מעקובת, סקוונצה; סדר
in sequence בסדר עוקב, זה אחר זה
sequence of disasters שורת אסונות
sequence of events סדר המאורעות
se′quencing *n.* סידור, עריכה בסדר, סידרור
se′quent *adj.* עוקב, בא כתוצאה
se•quen′tial *adj.* עוקב, רצוף, רציף; בא אחרי; סקוונציאלי, סידרתי
se•ques′ter *v.* להפריד, לבודד, להרחיק; לפרוש; לעקל, לתפוס
sequestered *adj.* מבודד, שקט
se′questrate′ *v.* לעקל, להחרים
se′questra′tion *n.* עיקול, החרמה
se′quin *n.* דיסקית־עיטור, נצנצים
se•quoi′a *n.* סקוויה (עץ)
se•ra′glio′ (-ral′yō) *n.* הרמון, ארמון
ser′aph *n.* שרף, מלאך
se•raph′ic *adj.* של מלאך, מלאכי, יפהפה
sere *adj.* יבש, קמול
ser′enade′ *n&v.* סרנאדה, רמשית; לנגן סרנאדה
ser′endip′ity *n.* הצלחה בגילויים, כושר לגלות תגליות (בעזרת המזל)
serene′ *adj.* שקט, שליו, רגוע; בהיר
His Serene Highness הוד רוממותו
seren′ity *n.* שלווה; בהירות
serf *n.* איכר צמית, עבד, משועבד
serfdom *n.* עבדות, מעמד איכר צמית
serge *n.* סרג׳ (אריג צמר)
ser′geant (sär′jənt) *n.* סַמל
sergeant at arms קצין טקסים, ממונה על הסדר
sergeant major רב־סמל
se′rial *adj.* סידורי, סודר, של סידרה; ערוך בהמשכים; טורני
serial *n.* סידרה, סידרון, עלילת־המשכים

se′rializa′tion *n.* פירסום בהמשכים
se′rialize′ *v.* לפרסם בהמשכים
serial number מיספר סידורי
serial rights זכות לפירסום בהמשכים
se′ria′tim *adv.* בזה אחר זה, אחד־אחד
ser′icul′ture *n.* ייצור משי
se′ries (-rēz) *n.* סידרה, סריה, מערכה, שורה; סידרה טלוויזיונית
concert series סידרת קונצרטים
in series (בחשמל) ערוכים בסידרה
series of mistakes שורת טעויות
ser′if *n.* תג (על אות); אות מתוייגת
se′rio•com′ic *adj.* רציני־קומי
se′rious *adj.* רציני; חמור
seriously *adv.* ברצינות, בצורה רצינית
take seriously להתייחס ברצינות
seriousness *n.* רצינות; חומרת־המצב
in all seriousness בכל הרצינות
ser′mon *n.* דרשה, הטפת־מוסר
ser′monize′ *v.* לדרוש; להטיף מוסר
se′rous *adj.* של נסיוב; מימי
ser′pent *n.* נחש; רשע, נוכל; השטן
ser′pentine′ *adj.* נחשי, מתפתל
ser′ra•ted *adj.* משונן, מחוספס־שפה
ser′ried (-rēd) *adj.* דחוס, צפוף, צמוד
se′rum *n.* נסיוב
ser′vant *n.* משרת; פועל־בית; עוזרת
civil servant עובד מדינה
domestic servant עוזרת־בית
public servant עובד ציבורי
your humble servant עבדך הנאמן
serve *v.* לשרת; לשמש; לעבוד; לספק, לתת; להגיש לשולחן; להתייחס כלפי; להגיש כדור; להרביע
as occasion serves בהזדמנות מתאימה
if memory serves למיטב זיכרוני
serve (with) a summons לשלוח הזמנה משפטית
serve a sentence לרצות עונש מאסר
serve as/for לשמש כ־, למלא תפקיד של
serve dinner לערוך השולחן לארוחה
serve fairly להתייחס בהגינות
serve on a jury להשתתף בצוות מושבעים
serve one's needs לענות על צרכיו
serve one's time להשלים תקופתו
serve out לחלק; לשלם, לגמול; למלא התקופה, לעבוד עד תום־
serve the purpose לשרת את המטרה
serve time לשבת בכלא
serve under לשרת תחת פיקודו של
serve up להכין ולהגיש (אוכל)
serve God לעבוד אלוהים
serve 8 years לשבת 8 שנים בכלא
serves him right מגיע לו
serve *n.* (בטניס) חבטת פתיחה
server *n.* מגיש; משרת; (בטניס) פותח; עוזר הכומר; כלי־הגשה, מגש
ser′vice (-vis) *n.* שירות; תפקיד; עזרה; שימוש; מערכת־כלים, סט; תפילה, טקס דתי; (בטניס) חבטת־פתיחה; מסירת הזמנה; הרבעה
at your service לשירותך
bus service שירות אוטובוסים
can I be of service to you? האוכל לעזור לך?
civil service שירות המדינה
go into service להיות לעוזרת־בית
has seen good service שירת נאמנה
he did us a great service הוא עשה לנו טובה גדולה
see (active) service לשרת בשירות פעיל
the (fighting) services זרועות־הצבא
service *adj.* לשירות העובדים (בלבד)
service *v.* לתת שירות (לרכב)
serviceable *adj.* שמיש, שימושי, יעיל; (בגד) חזק, מאריך ימים
service charge דמי שירות
service dress מדי־שירות
service flat דירת־שירות (ששוכרה מקבל גם שירות)
serviceman *n.* חייל, איש־צבא
service rifle רובה צבאי
service road כביש מקומי (המסתעף מדרך ראשית)
service station תחנת־דלק (עם שירות)
ser′viette′ *n.* מפית, מפיונת
ser′vile *adj.* מתרפס, כעבד נרצע, עבדותי; של עבדים
servil′ity *n.* התרפסות, עבדות
ser′ving *n.* מנה
ser′vitor *n.* משרת
ser′vitude′ *n.* שיעבוד, עבדות
ser′vo•mech′anism′ (-mek-) *n.* מנגנון עזר (המספק כוח למכונה)
ses′ame (-sədmi) *n.* שומשום
open sesame! שער – היפתח! (סיסמה)
ses′qui- פעם וחצי, אחד וחצי
ses′quicen•ten′nial *n.* יובל ה־150
ses′quipe•da′lian *adj.* רבת־הברות

ses'sion *n.* מושב; ישיבה; עונת־לימודים, זמן; שעות־הלימוד; פגישה
sessions ישיבות בית־דין
set *v.* להניח, לשים; להציב; לקבוע; לעורר, לגרום; לערוך; לסדר; להכין; להטיל על; לכוון; להקריש; לגבש; לשבץ; לנטות, לזרום
all set ערוך, מוכן ומזומן
get set להיערך, להתכונן לפעולה
her star has set כוכבה דעך
is set upon נחוש בדעתו (להשיג)
public opinion set דעת הקהל נטתה ל־
set a bone לקבוע עצם (שבורה)
set a clock לכוון שעון
set a day/price לקבוע יום/מחיר
set a dye לייצב צבע (לבל ידהה)
set a hen להדגיר תרנגולת
set a match to להדליק גפרור
set a saw להשחיז ולסכסך שיני מסור
set about להתחיל ב־, לטפל ב־; לתקוף, להכות; להפיץ (שמועות)
set against להציב מול, להעמיד מול; לסכסך; לקזז, לאזן
set an example לשמש דוגמה
set apart להפריד, להבדיל
set aside להפריש, להקציב; להתעלם מ־; לדחות, לבטל (פס"ד)
set at ease להרגיע, לסלק חששות
set at liberty לשחרר, לקרוא דרור
set back להרחיק ; לעכב, לעצור; להחזיר לאחור; ⋆לעלות (סכום הגון)
set beside להשוות ל־
set by לשים בצד, להפריש, להקציב
set diamonds לשבץ יהלומים
set down להניח ארצה; להוריד (ממכונית) לכתוב, לרשום, לייחס ל־
set down as לתאר כ־, לראותו כ־
set eggs להדגיר ביצים; להקריש ביצים
set eyes on לראות
set forth לצאת לדרך; להודיע, לפרסם, לרשום; לפרוש, להסביר
set free לשחרר
set hair לעשות תיסרוקת (מקורזלת)
set her cap for him ניסתה לכבוש את ליבו
set him a task להטיל עליו משימה
set him off לעוררו ל־, להביאו ל־
set him on his way ללוותו כיברת־דרך
set him over- למנותו מפקד על־
set him right להעלותו על דרך הישר; לאושש אותו, להשיבו לאיתנו
set him up להשיבו לאיתנו, לאוששו; לסדרו, לציידו, לספק צרכיו
set his teeth on edge לעצבנו
set in להתחיל, להגיע; להתמקם (ריקבון/זוהמה); לזרום, לנשוב
set in order לסדר, להכניס סדר
set it going להפעילו, להניעו
set it off לפוצץ, להפעיל; לגרום, לעורר; לקזז; להבליט (יופי); להפריד
set it to- לקרבו ל־, להגיעו ל־
set light/fire to להדליק, להבעיר
set off לצאת לדרך; לפתוח ב־
set on להתקדם; להתקיף, לשסות
set on fire להבעיר, להדליק
set on its feet להעמידו על רגליו
set one's face against להתנגד ל־
set one's heart/mind on להשתוקק, לחפוץ בכל ליבו; להיות נחוש בדעתו
set one's jaw/teeth להדק שיניו, להיות נחוש־החלטה; להקשות עורפו
set one's seal לחתום, להטביע חותמו
set oneself to להחליט, להירתם ל־
set out לערוך, לסדר; להציג; להצהיר, לפרסם; לצאת, להפליג; להתחיל
set pen to paper להתחיל לכתוב
set right/to rights לתקן
set sail להפליג, לצאת לדרך
set store by להעריך, להחשיב
set the ax to לגדוע, להרוס
set the scene להעלות המסך על, לתאר המקום; להוביל, להכין הרקע ל־
set the table לערוך השולחן
set to להתחיל בלהיטות, להתחיל לאכול; להירתם לעבודה; לפתוח בריב
set to music להלחין (לחן למלים)
set up להרכיב; להקים; להציב; לייסד; לגרום, ליצור; לסדר (בדפוס)
set up a cry לפלוט צעקה
set up as להתחיל לעסוק ב־; להתיימר, להציג עצמו כ־
set up house להתחיל לדור בבית
set up type לסדר אותיות־דפוס
set upon להתנפל על; לשסות
the current set המים זרמו
the dress sets well הבגד מונח טוב (על הגוף)
the setter set הכלב הצביע (בזרבוביתו) על הציד
the sun set השמש שקעה
the tree set העץ עשה פרי

the wind set from הרוח נשבה מ־
well set up מצויד כראוי, שסיפקו צרכיו; בנוי היטב, חטוב־גוף
set *adj.* קבוע; יציב; קבוע מראש; עקשני; נחוש־דיעה; מוכן, ערוך
deep-set eyes עיניים שקועות
set fair (מזג־אוויר) נאה
set in one's ways בעל הרגלים קבועים
set opinion דיעה מאובנת
set phrase ביטוי שיגרתי
set procedure תהליך קבוע מראש
set smile חיוך נצחי (שלא מש מפיו)
set to go מוכן ללכת
set *n.* מערכה; סט; אנשים, חוג; קבוצה; מיבנה, תנוחה; כיוון, נטייה; התקרשות; מקלט; שתיל; אתר־הסרטה; תיסרוקת; מרצפת
make a dead set at לחבור יחד על, להתאחד בהתקפה; לנסות לכבוש ליבו
set of a dog הצבעת כלב (על ציד)
set of a dress התאמת בגד (לגוף)
set of sun שקיעת־החמה
setback *n.* עצירה, עיכוב; מפלה, תבוסה
setoff *n.* קישוט; פיצוי; קיזוז; יציאה (למסע); תביעה נגדית
set piece *n.* מעשה־אמנות, מלאכת־מחשבת; זיקוקין־די־נור
setscrew *n.* בורג הידוק
setsquare *n.* משולש־שירטוט
sett *n.* מרצפת
set•tee′ *n.* ספה
set′ter *n.* קובע, מניח, סדר; כלב־ציד
bone-setter קובע עצמות (שבורות)
set theory תורת־הקבוצות (במתימאטיקה)
set′ting *n.* רקע, סביבה; תפאורה; מיסגרת, מישבצת; לחן; מערכת כלי־אוכל
setting-up exercises התעמלות בוקר
set′tle *v.* לסדר; לקבוע; להניח; להסדיר; ליישב; להתיישב; להתנחל; לרדת; לנחות; להרגיע; לשכון; להחליט; לשלם; לשקוע; להשקיע
marry and settle down להתחתן ולהתחיל לנהל אורח־חיים מסודר
settle a dispute ליישב מחלוקת
settle an account לחסל חשבון
settle down להתרווח; להתיישב; להשתקע; להשקיט; להירגע; להתרגל; להתבסס
settle down to להתרכז ב־
settle for להסתפק ב־, להשלים עם
settle in לשכון; להסתדר; להשתקע
settle into להתרגל ל־, להסתגל ל־
settle on/upon להחליט, לבחור; להעביר רכוש ל־, להעניק
settle one's affairs להסדיר ענייניו
settle oneself להתיישב; להתרווח
settle out of court ליישב (סיכסוך) מחוץ לכותלי בית־המישפט
settle the dust להרביץ האבק
settle up להסדיר, לשלם (חשבון)
settle wine להצליל יין
that settles it זה חורץ גורלו
settle *n.* ספסל גבה־מיסעד
settled *adj.* יציב, קבוע; מיושב, מאוכלס; מסודר, נפרע
settlement *n.* התיישבות; התנחלות; יישוב; הסדרה; סידור; הסדר; פירעון; שקיעה; הענקה, העברת־רכוש; מרכז קהילתי
marriage settlement העברת נכסים לאישה
settlement of wine הצללת יין
settlement house מרכז קהילתי
settler *n.* מתיישב, מתנחל
set-to *n.* קטטה, תיגרה, התכתשות
set-up *n.* מיבנה, צורת אירגון; מישחק קל (שתוצאתו ידועה)
sev′en *n&adj.* שבע, 7
sevenfold *adj&adv.* שבעתיים, פי 7
sev′enteen′ *adj&n.* שבע־עשרה, 17
sev′enteenth′ *n&adj.* (החלק) ה־17
sev′enth *adj&n.* שביעי; שביעית
in the seventh heaven ברקיע השביעי, מאושר, שטוף־גיל
Seventh Day שבת
sev′entieth *n&adj.* (החלק) ה־70
seventhly *adv.* שביעית, במקום השביעי
sev′enty *n.* שבעים, 70
the seventies שנות ה־70
seven-year itch גירוי השנה השביעית, משבר השנה השביעית (לאחר הנישואים)
sev′er *v.* לחתוך, לנתק; להינתק
sev′eral *adj&pron.* כמה, מיספר, אחדים; נפרד, לחוד; שונים
went their several ways הלכו כל אחד לדרכו
severally *adv.* בנפרד, אחד־אחד
sev′erance *n.* ניתוק; הינתקות
severance pay פיצויי פיטורים
severe′ *adj.* חמור, קשה, רציני; נוקשה, מקפיד; חריף, נוקב; פשוט
severe competition תחרות קשה

severe face פנים חמורי־סבר
severe pain/cold כאב/קור עז
severe style סיגנון פשוט
sever'ity *n.* חומרה, רצינות; נוקשות
severities תנאים קשים, סבל
sew (sō) *v.* לתפור
sew up לתפור, לסגור בתפירה; לסגור, לסיים; לסדר; להשתלט על
sew up a deal לסגור עיסקה
sewed up סגור; תפור; מוכרע
sew'age (sōō'-) *n.* שופכין, מי־ביוב
sewage farm/works מיפעל ביוב
sew'er (sō'-) *n.* חייט, תופר
sew'er (sōō'-) *n.* צינור־ביוב, תעלה
sew'erage (sōō'-) *n.* רשת תיעול, מערכת ביוב
sewing *n.* תפירה
sewing machine מכונת־תפירה
sewn = pp of sew (sōn)
sex *n.* מין, סקס; יחסי־מין, זוויג
have sex with לקיים יחסים עם
the fair/gentle sex המין היפה
sex *v.* לברר מינו
sex'agena'rian *adj&n.* בן 60 (עד 70)
Sex'ages'ima *n.* יום א׳ השני לפני לנט
sex appeal משיכה מינית, סקסאפיל
sexed *adj.* מיני
over-sexed שטוף תאווה מינית
sexism *n.* סקסיזם, עליונות הגבר
sexist *n&adj.* סקסיסט, בז למין הנשי
sexless *adj.* חסר־מין, לא סקסי
sex'tant *n.* סקסטאנט (מכשיר למדידת זוויות בין גופים שמימיים)
sex•tet' *n.* שישית, (יצירה ל) 6 כלים
sex'ton *n.* שמש (בכנסייה)
sex•tup'let *n.* אחד משישייה (תינוק)
sextuplets שישייה
sex'ual (sek'shōōəl) *adj.* מיני, סקסואלי, זוויגי
sexual intercourse מגע מיני
sex'ual'ity (sek'shōōal'-) *n.* מיניות
sexy *adj.* מיני, סקסי, מגרה
SF = science fiction
sh *interj.* ששש־, הס, שקט
shabbiness *n.* מראה מרופט; שפלות
shab'by *adj.* מרופט, בלוי, קרוע; לבוש בלואים; דל, עלוב, לא־הוגן
shabby treatment יחס שפל
shabby-genteel *adj.* עני־מנומס, דל־הופעה השומר על גינוני־נימוס
shack *n&v.* צריף, סוכה, ביתן, ביקתה
shack up with להתגורר, לדור עם
shack'le *n&v.* אזק; חית־המנעול; לכבול
shackles כבלים; אזיקים
shad *n.* עלוזה (דג־מאכל)
shad'dock *n.* פומלו (ממיני ההדרים)
shade *n.* צל; עוצמת־צבע, גוון, ניואנס; אהיל; רוח, שד; מעט, משהו
eye-shade מיצחייה, מחפה־עיניים
put in the shade להעיב על, להאפיל על, להעמיד בצל, לגמד
shade of doubt ספק־מה
shades חשיכה, דימדומים; ⋆מישקפי־שמש
shades of ⋆זה מזכיר לי
the shades מישכן הרוחות, שאול
shade *v.* לפרוש צל, להצל, לחפות, לסוך, להאפיל; להשתנות (גונו) בהדרגה
shade in (בציור) להכהות, לקווקו
shade tree עץ־צל, עץ המטיל צל
shading *n.* שוני קל, גוון, וואריאציה; (בציור) הצללה, השחרה
shad'ow (-ō) *n.* צל; רוח, הבל, תעתועים; תחושת־מועקה, אות מאיים; שמץ
a shadow of doubt צל של ספק
a shadow of one's former self צל של עצמו, כחוש, גל־עצמות
afraid of one's own shadow מוג לב
cast a shadow להטיל צל, להצל
one's shadow כצל שלו, לא מש ממנו
shadows צללים, דימדומים
worn to a shadow הפך לצל, סחוט
shadow *adj.* של מילואים, להפעלה בעת הצורך
shadow factory מיפעל העובר לפסי־ייצור צבאיים בעיתות־מילחמה
shadow *v.* להטיל צל; לבלוש, לעקוב
shadowbox *v.* להתאגרף נגד רוח, להכות ביריב מדומה
shadow cabinet ממשלת צללים
shadowy *adj.* מוצל, מטיל צל; מעורפל, לא ברור; שרוי בצל
sha'dy *adj.* פורש צל, מצל; מוצל; צללי; מעורפל, מפוקפק; לא־הגון
shaft *n.* מוט, חנית, חץ; ידית, קת; יצול; (במכונה) גל; עמוד; פיר, חלל, מעבר, ארובה; קנה־נוצה
get the shaft ⋆לקבל ״חזוק״
shaft of light קרן־אור
shaft of wit חץ שנון
shaft *v.* ⋆לסדר כהוגן, לתת ״חזוק״
shag *n&v.* טאבאק גס; ⋆לקיים יחסים

shagged *adj.* ★עייף, סחוט
shagginess *n.* גסות, חיספוס
shag′gy *adj.* גס, מחוספס; עבות, סבוך, שעיר; פרוע־שיער
shaggy-dog story בדיחה ארוכה (חסרת־עוקץ)
shagreen′ *n.* שאגרין, עור מחוספס
shah (shä) *n.* שח, מלך איראן (בעבר)
shake *v.* לנענע; להתנענע; לרעוד; לנער; לזעזע; להחליש
(let's) shake! הבה נלחץ ידיים
shake a leg להזדרז, להחיש צעדיו
shake down להתרגל; להטיס טיסת־מיבחן; ★לשכב, ללון; לסחוט כספים; לחפש
shake hands ללחוץ ידיים
shake his faith לערער אמונתו
shake in one's boots/shoes לרעוד מפחד
shake it up ★להזדרז
shake off להיפטר מ־, להשתחרר מ־
shake one's fists לנופף אגרופיו
shake one's head להניד בראשו
shake out לפרוש, לנער; להתפזר
shake up לנער; לנענע; לארגן מחדש; להדאיג
shake *n.* נענוע; זעזוע; רעד; ★רגע קט; יחס, טיפול; מילקשייק
in two shakes מיד, כהרף־עין
no great shakes ★לא מי־יודע־מה
the shakes ★צמרמורת, רטט
shake-down *n.* טיסת־מיבחן; ★מיטה מאולתרת; סחיטת כספים; חיפוש
shaker *n.* מנענע; מבזק־מלח; מנער
shake-up *n.* חילופי־גברי; רה־אירגון
shakiness *n.* חוסר־יציבות, רעיעות
shaking *n.* נענוע; זעזוע
shak′o *n.* שאקו, כובע צבאי
sha′ky *adj.* חלש, לא יציב, רעוע, רועד
shale *n.* ציפחה, אבן פצלתית
shall (shal) *v.* (פועל עזר לציון עתיד)
you shall do it עליך לעשות זאת
I shall do it אעשה זאת
shal′lop *n.* סירה קלה
shallot′ *n.* בצלצל, בצל־פרא
shal′low (-ō) *adj.* רדוד, לא־עמוק, שיטחי, חסר־עמקות, לא־רציני
shallow *v.* להידדד, להיעשות רדוד
shallows *n-pl.* מים רדודים, שטח רדוד
shalom′ (-lōm) *interj.* שלום! (ברכה)
shalt = shall
sham *v.* להעמיד פנים, להתחזות; לזייף
sham *n&adj.* העמדת־פנים, התחזות, שקר, בלוף; מעמיד פנים; מזויף, מדומה
sham′ble *v&n.* ללכת בכבדות, להשתרך; גרירת רגליים, השתרכות
make a shambles לבלבל, לבלגן
shambles שדה־קטל; מקום הפוך, אי־סדר, תוהו ובוהו
shame *n.* בושה, חרפה, קלון
bring shame on להמיט קלון על
cry shame on לומר התבייש לך
feel shame להתבייש, להימלא בושה
for shame! התבייש לך!
put to shame להמיט חרפה על; להאפיל על, לעלות על
shame on you! התבייש לך!
shame! בושה! בוז!
what a shame! חבל! מצער מאוד
shame *v.* לבייש, להמיט קלון על; להעמיד בצל, לעלות על
shame him into volunteering לאלצו להתנדב תוך איום בהכלמה
shamefaced *adj.* מבויש, נבוך, נכלם
shameful *adj.* מביש, מגונה, מחפיר
shameless *adj.* חסר־בושה, חצוף
sham′my *n.* יעל, עור־יעל
sham•poo′ *n&v.* שמפו; חפיפת־ראש; לחפוף הראש; לנקות (שטיח) בשמפו
sham′rock′ *n.* תילתן (סמל אירלנד)
sha′mus (shä′-) *n.* ★שוטר; בלש פרטי
shan′dy *n.* מזג־שיכר (עם לימונאדה)
shandy gaff מזג־שיכר (כנ"ל)
shang′hai′ (-hī) *v.* לעלף ולחטוף; לאלץ בתחבולה, להערים
shan′gri-la′ (-lä) *n.* גן־עדן
shank *n.* שוק, נתח־רגל; קנה, חלק צר בכלי, קנה־המסמר (־המפתח וכ׳)
go on shank's mare ללכת רגלי
shan't = shall not (shant)
shan′tung′ *n.* שנטון, בד משי
shan′ty *n.* צריף, ביקתה; שיר ימאים
shantytown *n.* מישכנות־עוני, סלאמס
shape *n.* צורה; דמות; מצב; אימום
give shape להלביש צורה, לגלם
in good shape במצב טוב, תקין, בכושר; משביע רצון
in shape בכושר; במראה, בהופעה
in the shape of בדמות־, בצורת־
knock out of shape לעוות צורתו
not in any shape or form בשום צורה שהיא (לא)
out of shape לא בכושר
put into shape לגבש, לעצב, לערוך

בצורה מסודרת
take shape ללבוש צורה, להתגבש; למצוא את ביטויו ב־
shape *v.* לעצב, לצור צורה; לגבש; להתגבש; ללבוש צורה
is shaping well מתפתח יפה
shape his future לעצב את עתידו
shape one's course לכוון דרכו, לשים פעמיו
shape up ללבוש צורה, להתפתח
shaped *adj.* בצורת־, דמוי־; (בגד) צמוד
shapeless *adj.* נטול־צורה, אמורפי
shapely *adj.* (גוף) חטוב, נאה
shard *n.* חרס, שבר
share *n.* חלק; מנה; מניה; סכין־מחרשה
go shares להתחלק שווה בשווה
has no share in אין לו חלק/יד ב־
have a share להשתתף, ליטול חלק
lion's share חלק הארי
ordinary shares מניות רגילות
preference shares מניות בכורה
take share להשתתף, ליטול חלק
share *v.* לחלק; להתחלק; להשתתף, לקחת חלק; לתת חלק
share and share alike להתחלק שווה בשווה
share in להשתתף, להיות שותף ב־
share out לחלק
share with לשתף (בחוויה), לספר
share certificate תעודת־מניה
share-cropper *n.* אריס, עובד אדמה
shareholder *n.* בעל מניות
share index מדד מניות
share-out *n.* חלוקה
shark *n.* כריש; רמאי, נוכל; עשקן, מלווה בריבית קצוצה
sharkskin *n.* אריג חלק ונוצץ
sharp *adj.* חד; מחודד; חריף; ברור; תלול; פיקח, ערמומי; עז; מהיר, נמרץ
sharp as a tack מבריק; מצוחצח
sharp lookout שמירה עירנית
sharp practice תרמית, עסק מפוקפק
sharp rise עלייה תלולה (במחירים)
sharp turn תפנית חדה
sharp words דברים כדורבנות
sharp (piece of) work עבודה נאה
C sharp דו נסק, דו דיאז
sharp *adv.* בצורה חדה; לפתע; בדיוק; (לזייף) בחצי־טון, בדיאז
at 12 sharp בשעה 12 בדיוק
look sharp! הזדרז! היזהר!
sharp *n.* דיאז, נסק; רמאי

sharp'en *v.* לחדד, להשחיז; להתחדד
sharpener *n.* מחדד, משחז
sharper *n.* רמאי, נוכל
sharp-eyed *adj.* חד־עין, חד־מבט
sharp-looking *adj.* בעל הופעה נאה
sharp-set *adj.* רעב
sharpshooter *n.* צלף
sharp-sighted *adj.* חד־עין
sharp-tongued *adj.* חד־לשון
sharp-witted *adj.* חד־מוח, חריף־שכל
shat'ter *v.* לנפץ; להתנפץ; להרוס
shattered *adj.* הרוס, סחוט; מזועזע
shave *v.* לגלח; להתגלח; להקציע; לשפשף, לחלוף קרוב ל־
shave off לקלף, לשבב, לשפות
shave *n.* גילוח, תיגלחת
close/narrow shave הינצלות בנס
shaven (pp of shave) *adj.* מגולח
cleanshaven מגולח למישעי
shaver *n.* מגלח, מכונת־גילוח; ★נער
shaving *n.* גילוח
shavings נסורת, שבבים
shaving brush מיברשת גילוח
shaving cream מישחת גילוח
shawl *n.* סודר, צעיף
praying shawl טלית
shay *n.* כירכרה, מרכבה
she *pron&n.* היא; נקבה
she-goat/-bear עז/דובה
sheaf *n.* אלומה; חבילה, צרור
shear *v.* לגזוז; לספר; לחתוך; לשלול, להציגו ככלי ריק
shorn of שאיבד, שניטל ממנו
shears *n-pl.* מיספריים; מגזזה; מזמרה
sheath *n.* נדן, נרתיק; בגד צמוד; כובעון
sheathe (shēdh) *v.* לשים בנדן; לנרתק; לצפות
sheathe the sword להחזיר החרב לנדנה, להפסיק הלחימה
sheathing (-dh-) *n.* ציפוי לוחות
sheath knife סכין מנורתקת
sheaves = pl of sheaf (shēvz)
she•bang' *n.* ★דבר, עניין, עסק, מצב
shebeen' *n.* בית־מרזח (לא־חוקי)
shed *v.* לשפוך; להשיר; להסיר, לפשוט; לדחות (מים); להפיץ; להקרין
shed blood להקיז דם; לשפוך דם
shed light on לשפוך אור על
shed tears לשפוך דמעות
shed *n.* צריף, ביקתה; מחסן; דיר
she'd = she had/would (shēd)
sheen *n.* ברק; זוהר

sheep *n.* כבש; צאן
a wolf in sheep's clothing זאב בעור כבש
black sheep כיבשה שחורה
cast/make sheep's eyes at לנעוץ מבטי אהבה, ללטוש עיני־אוהב
the sheep and the goats הטובים והרעים
sheep-dip *n.* טבילת חיטוי לכבשים
sheep dog כלב רועים
sheep-fold *n.* דיר, מיכלאה
sheepish *adj.* נבוך, מבויש, מפוחד
sheep run מקום מירעה (לצאן)
sheepskin *n.* עור־כבש; דיפלומה
sheer *adj.* מוחלט, גמור, אך ורק; טהור; שקוף, דק; תלול, מאונך
sheer nonsense שטות גמורה
sheer *adv.* בצורה תלולה; לגמרי
sheer *v.* לשנות כיוון, לפנות הצידה; לסטות ממסלול
sheer off להתרחק; להסתלק
sheet *n.* סדין; גיליון; לוח; שיכבה; ריקוע־מתכת; מישטח נרחב; חבל מיפרש; עיתון
in sheets (גשם) ניתך בעוז; (ספר) בגיליונות, טרם נכרך
white as a sheet חיוור מאוד
sheet anchor עוגן הצלה
sheeting *n.* בד־סדינים; ריקועים
sheet lightning ברק רחב (לא זיגזגי)
sheet metal ריקוע מתכת
sheet music מוסיקה בגיליונות
sheik(h) (shēk) *n.* שיך (ערבי)
sheikhdom *n.* איזור השיך
shei′la (shē′-) *n.* ⋆נערה
shek′el *n.* שקל, כסף
shel′drake′ *n.* ברווז בר
shelf *n.* מדף; בליטה, זיז
on the shelf כאבן שאין לה הופכין, לא עובד; שאין מבקשים את ידה
shell *n.* קליפה; קונכייה; קשווה; שלד־בניין; פגז; תרמיל; כדור; סירה
come out of one's shell להגיח מקליפתו, להתערות בחברה
retire into one's shell להיחבא אל הכלים, להסתגר בד' אמותיו
shell *v.* לקלף; להתקלף; להוציא מהקליפה; להפציץ, להרעיש
easy as shelling peas קל ביותר
shell out לשלם, לפרוע
she'll = she will/shall (shēl)
shellac′ *n&v.* (לצפות ב) לכה; ⋆להביס
shellack′ing *n.* ⋆מכה, תבוסה, מפלה
shellfish *n.* רכיכה (עוטה קונכייה); סרטן
shell-proof *adj.* חסין־פגזים
shell-shock *n.* הלם־קרב
shel′ter *n.* מחסה; מיקלט; ביתן; דיור
bus shelter תחנת אוטובוס (מקורה)
take shelter למצוא מחסה
shelter *v.* לסוכך, להגן על; להעניק מיקלט; לפרוש חסותו על; לתפוס מחסה
sheltered *adj.* מוגן, מסוכך
shelve *v.* למדף, לערוך על מדף; לדחות (לעתיד); לפטר; להשתפע בהדרגה
shelves = pl of shelf (shelvz)
shelving *n.* מדפים; חומר־מדפים
she•nan′igan *n.* מעשה־קונדס, תעלול
shep′herd (-pərd) *n.* רועה צאן
Good Shepherd ישו
shepherd *v.* לרעות, להוביל
shepherdess *n.* רועת־צאן
shepherd's pie בשר קצוץ עם מחית תפוחי־אדמה
shepherd's plaid דגם משבצות (בבד)
shepherd's purse ילקוט (צמח־בר)
Sher′aton *adj.* שראטוני (סיגנון ריהוט)
sher′bet *n.* גלידת־פירות, משקה־פירות, אבקת־שתייה
sherd *n.* חרס, שבר
sher′iff *n.* שריף
sher′ry *n.* שרי (יין)
she's = she is, she has (shēz)
shib′boleth′ *n.* שיבולת, סיסמה; ניב מיושן, מנהג עתיק; מאפיין קבוצתי
shied = p of shy
shield (shēld) *n.* מגן; שלט־גיבורים
shield *v.* להגן על, לשמור, לחפות על
shift *n.* שינוי, העתקת־מקום, העברה, תזוזה; מישמרת; תחבולה, תכסיס; שימלה; מחליף הילוכים
make shift להסתדר (איכשהו)
night shift מישמרת לילה
shift *v.* להעביר, להזיז, לשנות כיוון; לנוע, לזוז; להחליף הילוכים; להחליף בגדים
shift for oneself להסתדר לבד
shift one's ground לשנות עמדתו
shiftiness *n.* ערמומיות
shift key מקש האותיות הגדולות
shiftless *adj.* נטול־תושייה; עצלן; לא־יוצלח
shift′y *adj.* ערמומי, תחבולני
shil′ling *n.* שילינג
shil′ly-shal′ly *v.* להסס, לא להחליט

shim′mer *v&n.* לנצנץ (רכות); ניצנוץ
shin *n&v.* שוק; לטפס, לעלות על
shin-bone *n.* שוקה (מעצמות השוק)
shin′dig′ *n.* ⋆מסיבה עליזה; ריב, מהומה
shin′dy *n.* ⋆ריב, מהומה, ויכוח קולני
shine *v.* לזרוח; להקרין; להזהיר, להבריק; להצטיין; לצחצח
shine up to ⋆לנסות להתיידד עם
shine *n.* זוהר; ברק; ציחצוח
come rain or shine בין שירד גשם ובין לאו, יקרה אשר יקרה, בכל מזג־אוויר
take a shine to לחבב, "להידלק על"
shiner *n.* זוהר; "פנס" (בעין)
shin′gle *n.* רעף, לוחית ציפוי; שלט; חלוקי־אבנים; תיספורת קצרה
hang up one's shingle לפתוח מישרד
shingle *v.* לרעף; לעשות תיספורת קצרה
shingles *n-pl.* שלבקת חוגרת
shingly *adj.* (חוף) זרוע חלוקי־אבנים
shinguard *n.* מגן־שוק
shining *adj.* מבריק, מזהיר; מצוין
shin′ny *v.* לטפס
shi′ny *adj.* מבריק
ship *n.* אונייה, ספינה; ⋆מטוס
give up the ship לוותר, להרים ידיים
on board ship/on ship board באונייה, על אונייה
take ship להפליג
when my ship comes in לכשאתעשר
ship *v.* להעביר באונייה, לשגר (ברכבת, בדואר); לשרת באונייה
ship oars להכניס המשוטים לסירה
ship off לשלוח, להעביר
ship out להפליג
ship water להיות מוצף מים
ship biscuit מציית־מלחים
ship-breaker סוחר ספינות ישנות
ship-broker *n.* סוכן חברת הובלה ימית; סוכן ביטוח ימי; סוחר ספינות
shipbuilding *n.* בניית אוניות
ship canal תעלת־אונייות
ship chandler ספק אבזורי־ספינות
shipload *n.* מיטען אונייה
ship′mate′ *n.* מלח חבר, חבר לספינה
shipment *n.* מישלוח; הטענה, מיטען
ship-owner *n.* בעל אונייה
shipper *n.* סוכן־מישלוחים, מוביל
shipping *n.* צי, אוני, כלי־השיט; מישלוח
shipping agent סוכן הובלה ימית
shipping office מישרד הובלה ימית
ship′shape′ *adj.* מסודר, מטופח, מצוחצח
ship's papers תעודות האונייה
ship′way′ מיבנה משופע לבניית האונייה ולהשקתה
ship′wreck′ (-rek) *n&v.* אסון־אונייה, טביעת־אונייה; להיטרף בים, להרוס, לנפץ
ship′wright′ (-rīt) *n.* בונה־אוניות
ship′yard′ *n.* מספנה, מבדוק
shire *n.* מחוז
Shires אזורי המרכז (באנגליה)
shire horse סוס־משא
shirk *v.* להשתמט, להתחמק
shirker *n.* שתמטן
shirr *v.* לעשות קיבוצים, לכווץ בד
shirt *n.* חולצה, כותונת
give the shirt off one's back לתת כל אשר לו
keep your shirt on ⋆משול ברוחך
lose one's shirt לאבד כל רכושו
put one's shirt on a horse לשים כל כספו בהימור על סוס
stuffed shirt ⋆טיפוס מנופח
shirtfront *n.* חזית־החולצה
shirting *n.* אריג־כותונות
shirt sleeve *n&adj.* שרוול־החולצה; פשוט; חסר־רישמיות; בלי מעיל
shirttail *n.* שולי־החולצה
shirtwaist(er) *n.* חולצת־אישה
shirt′y *adj.* ⋆מרוגז
shish kebab קבאב
shit *n&interj&v.* ⋆צואה, חרה; עשיית צרכים; חשיש; שטויות; לחרבן
not worth a shit ⋆לא שווה כלום
shit on him ⋆להודיע עליו
shit oneself ⋆לעשות במכנסיים (מפחד)
shits ⋆שילשול
shiv′er *v&n.* לרעוד; רעד, צמרמורת
the shivers ⋆צמרמורת, חלחלה
shiver *n&v.* רסיס; לשבור/להתנפץ לרסיסים
shivery *adj&adj.* רועד; קר, חודר עצמות
shoal *n&v.* שירטון, מקום רדוד; להירדד
shoals סכנות חבויות, מהמורות
shoal *n.* להקת־דגים; המון, מיספר רב
shoal *v.* להתלהק, ליצור להקות
shock *n.* הלם; זעזוע; מכת־חשמל; מנחת־זעזועים; ערימת עומרים, אלומות
shock of hair גוש שיער סבוך

shock *v.* לזעזע; להדהים; לחשמל
shock absorber מנחת־זעזועים
shocker *adj.* מזעזע, רע, לא־מוסרי
shock-headed *adj.* סבוך־שיער
shocking *adj&adv.* מזעזע, רע, גרוע; מאוד
shockingly *adv.* ★מאוד, נורא
shock-proof *adj.* חסין־זעזועים
shock tactics טאקטיקת־הלם
shock therapy ריפוי בהלם
shock treatment טיפול בהלם
shock troops יחידות־מחץ
shod (= p of shoe) *adj.* נעול
shod′dy *adj.* זול, דל־איכות, מזויף; שפל
shoddy *n.* אריג זול; בגד מצמר משומש
shoe (shōō) *n&v.* נעל; פרסה; סנדל־הבלם; לנעול; להנעיל; לפרזל
as an old shoe נוח, נעים; צנוע, חביב, פשוט
fill his shoes להיכנס לנעליו
if the shoe fits- אם סבור אתה שהכוונה אליך־
in his shoes בנעליו, במקומו, במצבו
step into his shoes להיכנס לנעליו
the shoe is on the other foot נתחלפו היוצרות, התהפך הסדר
where the shoe pinches היכן שכואב, פה קבור הכלב, מקור־הקושי
shoeblack *n.* מצחצח נעליים
shoehorn *n.* כף נעליים
shoelace *n.* שרוך נעל
shoeleather *n.* עור נעליים
shoemaker *n.* סנדלר, תופר נעליים
shoemaking *n.* סנדלרות
shoeshine *n.* ציחצוח נעליים
shoestring *n&adj.* שרוך נעל, סכום זעום; ארוך, דק, זעום
on a shoestring באמצעים דלים
shone = p of shine
shoo *v&interj.* ★להבריח, לגרש; קישטא!
shoo-in *n.* ★מנצח ודאי, זוכה
shook = pt of shake
shoot (shōōt) *v.* לירות; לפגוע; לצוד; לפלוט; להטיל; לחלוף, לבעוט לשער; לעבור; לנוע ביעף; לצמוח, לנבוט
shoot a bolt להבריח; למשוך בריח
shoot a film להסריט סרט
shoot a game of- לשחק ב־
shoot a line להתרברב, להתנפח
shoot a look לנעוץ מבט
shoot ahead לפרוץ קדימה
shoot away לירות בלי הרף, לקטוע (איבר) בירייה
shoot dice להטיל קוביות
shoot down להפיל (מטוס); לשלול, לדחות בתוקף
shoot for/at לחתור ל־, לקבוע יעד
shoot him dead לירות למוות
shoot off לקטוע (איבר) ביריות; לירות באוויר
shoot off one's mouth/face להתיר הרסן מפיו, לדבר שטויות, לפטפט
shoot one's bolt/wad לעשות ככל שביכולתו
shoot out לפלוט, להשליך; לקלוח; להכריע (סיכסוך) בקרב־יריות
shoot questions להמטיר שאלות
shoot rubbish לשפוך פסולת
shoot square/straight לפעול בהגינות
shoot the bull ★לשוחח, לפטפט
shoot the works להמר על כל כספו, לעשות מאמץ עליון
shoot to kill לירות כדי להרוג
shoot up לזנק, לעלות, להתרומם, לגדול; לירות בלי הבחנה, להשליט טרור
shoot! קדימה! דבר! פתח פיך!
shoot *n.* חוטר, נצר; ירי; ציד; איזור־ציד; מגלש; אשד; שיגור־חללית
shooter *n.* יורה
shooting *n&adj.* ירי; זכות ציד, ציד
a shooting pain כאב דוקר
the whole shooting match כל הדבר, כל העסק
shooting box ביקתת ציידים
shooting gallery אולם קליעה
shooting range מיטווח
shooting star מטאור, כוכב נופל
shooting stick מקל־כיסא, מקל־הליכה ההופך למושב כשנועצים אותו באדמה
shooting war מלחמה חמה
shoot-out *n.* קרב, חילופי־ירידות
shop *n.* חנות; בית־מלאכה; מיקצוע, עסק
all over the shop באי־סדר, בכל מקום, בכל הכיוונים
came to the wrong shop טעה בכתובת, לא פנה לאדם הנכון
closed shop מוסד המעסיק רק חברי איגוד מיקצועי
keep a shop לנהל חנות
set up shop לפתוח עסק
shop hours שעות המכירה

shut up shop לנעול העסקים
talk shop לדבר על עבודתו
shop *v.* לערוך קניות; לחפש בחנויות; ★להלשין, להודיע
go shopping לצאת לערוך קניות
shop around לסייר בחנויות; להשוות מחירים, לערוך הקבלות; לחפש
shop assistant זבן, מוכר
shopboy *n.* זבן, מוכר
shop floor חדר הסדנאות; אולם הפועלים
shop front חזית החנות
shopgirl *n.* זבנית, מוכרת
shopkeeper *n.* חנווני, בעל חנות
shoplift *v.* לגנוב מחנויות, "להרים"
shoplifter *n.* גנב־חנויות, גנבן
shoplifting *n.* גניבה מחנויות
shoppe *n.* חנות
shopper *n.* קונה, מבקר בחנויות
shopping *n.* קניות, עריכת קניות
window shopping הסתכלות בחלונות ראווה
shopping basket סל קניות
shopping center מרכז קניות
shop-soiled *adj.* פגום, מלוכלך, בלוי (לגבי חפץ המונח זמן רב בחנות)
shop steward נציג הפועלים
shopwalker *n.* מדריך לקוחות (בחנות)
shop window חלון ראווה
shopworn *adj.* פגום, מלוכלך, בלוי (משמירה בחנות); ישן, שחוק, דהוי, נדוש
shore *n.* חוף, יבשה; מיתמך, סמוכה
on shore ליבשה, על החוף
shore *v.* לתמוך
shore leave חופשת־חוף (של מלחים)
shorn = pp of shear
short *adj.* קצר; נמוך; חסר, לא מספיק, קטן, פחות; תמציתי; קצר־רוח, גס; קצר־מועד; פריך
for short לשם קיצור
in short בקיצור
in short order על רגל אחת, מיד
in short supply בכמות מצומצמת
little/nothing short of לא פחות מ־, כמעט
make short work of לחסל מהר
on short time עובד פחות מהרגיל
short and sweet קצר ולעניין
short drink כוסית־משקה
short for קיצור של, צורה מקוצרת
short haul מרחק קצר
short of לא מגיע ל־, על סף־, חסר; לפני; דחוק ב־; פחות מ־; פרט ל־
short of breath חסר־נשימה, מתנשם
short of money דחוק בכסף
short on- ★חסר, נטול־, נעדר־
short pastry בצק פריך
short temper רגזנות, קוצר־רוח
short vowel תנועה קצרה
the long and the short of it סיכומו של דבר
the short end החלק הגרוע ביותר
was short with her דיבר איתה קצרות, פטר אותה בלשון בוטה
win by a short head לנצח בהפרש זעום
short *adv.* פתאום, לפתע; בקצרה
be taken/caught short להיתקף לפתע בכאב בטן, לחוש צורך לעשות צרכיו
cut short להפסיק, לקצר, לשסע
fall short of לא להספיק, לא להגיע ל־, לאכזב
go short of להיות דחוק ב־, לסבול מחוסר־
pull up short לעצור פתאום
run short לאזול, להיגמר; לעמוד על סף מחסור ב־
sell short למעט בערכו, לא להעריך כוחו; למכור (מניות) לפני רכישתן
stop short לעצור לפתע
take him up short להפסיקו, לשסעו
short *n.* ★סרטון; קצר חשמלי; לגימה
shorts שורטס, (מיכנסיים) קצרים
short'age *n.* מחסור, חוסר, גרעון
short bond אג"ח קצרת מועד
shortbread *n.* עוגת־חמאה
shortcake *n.* עוגת־פירות (עם קצפת)
short-change *v.* להחזיר עודף חסר, לרמות במתן העודף
short-circuit *n&v.* קֶצֶר; לגרום לקצר; לקרות קצר; לקצר, לפשט
shortcoming *n.* פגם, ליקוי, חיסרון
short cut קפנדריה, קיצור דרך
short-dated *adj.* קצר־מועד
short'en *v.* לקצר; להתקצר
short'ening *n.* שומן לבצק פריך
shortfall *n.* גירעון, דפיציט
short'hand' *n.* קצרנות
short-handed *adj.* חסר־עובדים (במכסה הדרושה)
shorthand typist קצרנית־כתבנית
shorthorn *n.* בקר קצר־קרניים
short'ie *n.* ★גוץ, נמוך־קומה

short list רשימת מועמדים (מנופה)
short-list *v.* לכלול ברשימה מנופה
short-lived *adj.* קצר־ימים
shortly *adv.* מיד, תכף; בקרוב, במהרה; בקיצור, קצרות; בגסות
short-order *adj.* (מזון) מהיר־הכנה
short-range *adj.* לטווח קצר
short sight קוצר ראייה
shortsighted *adj.* קצר־ראות
short-spoken *adj.* קצר־מלים
short story סיפור קצר
short-tempered *adj.* רגזני, לא מושל ברוחו, קצר־רוח
short-term *adj.* קצר־מועד
short time עבודה חלקית (פחות מהרגיל)
short wave גל קצר
short-winded *adj.* קצר־נשימה
shorty *n&adj.* גוץ, נמוך־קומה; קצר
shot *n.* ירייה; קלע; ניסיון, פגיעה, ניחוש, קליעה, בעיטה; שיגור חללית קליע; כדור; כדור־ברזל; צילום; סיכוי; *זריקה; תזריק; כוסית
big shot *"תותח כבד", אישיות
call one's shot *לנבא
call the shots לתת הוראות, לפקח
dead shot צלף מומחה
foul shot בעיטת עונשין
have a shot at לנסות
lead shot רסס, כדורי עופרת
like a shot במהירות רבה, כחץ מקשת; בחפץ לב
long shot ניסיון דל־סיכויים; צילום מרחוק; בעל סיכויים קלושים
not by a long shot בשום תנאי לא
pay one's shot לשלם חשבונו (בבאר)
shot in the arm זריקת עידוד
shot in the dark ניחוש בעלמא
shot *adj.* מגוון, ארוג בגוונים שונים; *הרוס, סחוט
be shot of it להיפטר מזאת
shot silk משי המשנה גונו
shot through מגוון, מתובל, שזור
shot = p of shoot
shot-gun *n.* רובה־ציד
shot put הדיפת כדור־ברזל
should (shood) *v.* צריך, חייב, עליו ל־
you should אתה חייב, עליך ל־
you shouldn't אל לך, בל
I said that I should go אמרתי שאלך (עתיד פשוט בדיבור עקיף)
I should have come if- הייתי בא אילו
I should think not! בוודאי שלא!
should = pt of shall
shoul′der (shōl′-) *n.* כתף, שכם; כתף־הר, כתף־בקבוק; שולי־הכביש
broad shoulders כתפיים רחבות
cold shoulder יחס צונן
head and shoulders above משכמו ומעלה, עולה לאין שיעור על
put one's shoulder to the wheel להטות שכמו, להירתם לעבודה במרץ
rub shoulders with להתחכך ב־, להימצא בחברת־
shoulder to shoulder שכם אל שכם, יד־ביד, בשיתוף פעולה
straight from the shoulder גלויות
shoulder *v.* לכתף, לטעון על הכתף; לשאת על כתפיו, ליטול על עצמו
shoulder arms! הכתף נשק!
shoulder one's way לפלס דרך בכתפיו
shoulder blade עצם השיכמה
shoulder flash תג יחידה
shoulder strap כותפת, כתפה, כתפייה
shouldn't = should not
shout *v.* לצעוק, לזעוק, לצרוח
shout down להחריש (נואם) בצעקות
shout oneself hoarse לצעוק עד כדי הצטרדות
shout *n.* צעקה, זעקה, צריחה
shouting *n.* צעקות
all over bar the shouting המיבצע הוכתר בהצלחה/נסתיים
within shouting distance בטווח שמיעה
shove (shuv) *v&n.* לדחוף; דחיפה
shove around להציק, לטרטר
shove off להתרחק מהחוף; *להסתלק
shove over לזוז, להזיז עצמו
shov′el (shuv-) *n.* יעה, את, כף
shovel *v.* להעביר/לגרוף ביעה
shovel-board = shuffle board
shovelful (-fool) *n.* מלוא היעה
show (shō) *v.* להראות, להציג, לגלות; להדריך, להנחות; להוכיח, להעיד על; להסביר; להיראות, להופיע; לסיים שלישי
has nothing to show for it אין לו שום רווח מכך
it goes to show דבר זה מוכיח
show a leg *לקום מן המיטה
show fight להפגין נכונות להילחם

show him over/around להראות לו את הסביבה, לקחתו לביקור
show him the door לבקשו לצאת
show in/out ללוותו פנימה/החוצה
show itself להיראות, להיות ניכר
show mercy/pity לרחם, לחמול
show off להתפאר, לחשוף לראווה, לנפנף ב־, לנסות להרשים; להבליט
show one's face להופיע ברבים
show one's hand/cards לגלות קלפיו
show one's teeth ללבוש ארשת־זעף
show oneself להיות נוכח, להשתתף
show oneself brave להוכיח אומץ־ליבו
show round להראות הסביבה
show the way לתת דוגמה
show up להוקיע, לחשוף פרצופה, לגלות האמת; להיראות; להופיע; ★להביך
show *n.* ראווה; גילוי, העמדת־פנים; הצגה; תצוגה, תערוכה; מיפגן; רושם, גנדרנות; ★ביצוע, עסק, עניין; הזדמנות
for show למען הרושם
give the show away לגלות מה מסתתר מאחורי זה
good show מלאכה נאה, ביצוע מוצלח
good show! כל הכבוד!
on show מוצג לראווה
poor show ביצוע עלוב
put on a show להציג הצגה
run the show לנהל את העניינים
show of hands הצבעה בהרמת ידיים
steal the show לגנוב את ההצגה
show biz עסקי שעשועים
show-boat *n.* ספינת־תיאטרון
show business עסקי שעשועים
show-case תיבת־תצוגה (מזכוכית)
show-down הצהרת־כוונות, עימות גלוי/מכריע/ישיר; גילוי הקלפים
show'er *n.* מטר, מימטר, גשם; מקלחת, מקלח; מסיבת־מתנות; ★חבורה מטונפת
shower of questions מטר־שאלות
shower *v.* לרדת גשם; להמטיר, להרעיף; להתקלח
shower bath מקלחת, התקלחות
showery *adj.* של מימטרים
show-girl *n.* נערת־להקה
showiness *n.* ראוותנות
showing *n.* תצוגה; הצגה, הופעה; ביצוע; הכרת העובדות, הבנת המצב
poor showing הופעה עלובה, אי־הצלחה
show jumping דילוג־משוכות (של סוסים)
showman *n.* מנהל מופעי־בידור, מפיק הצגות; שחקן תיאטרלי
showmanship *n.* שחקנות
shown = pp of show (shōn)
show-off *n.* רודף רושם, ראוותן
showpiece *n.* מוצג מופתי
showplace *n.* מקום ראווה, אתר־תיירות
showroom *n.* חדר תצוגה
show-window *n.* חלון־ראווה
showy *adj.* ראוותני, צעקני, מצועצע
shrank = pt of shrink
shrap'nel *n.* שראפנל, פציצים, רסיסים
shred *n.* קרע, פיסה, קטע; שמץ, קורט
tear to shreds לקרוע לגזרים
shred *v.* לקרוע לגזרים, לחתוך
shred'der *n.* מכשיר קיצוץ; חותך־נייר
shrew (shrōō) *n.* מירשעת, כלבתא; חדף (בע"ח דומה לעכבר)
shrewd (shrōōd) *adj.* פיקח, ממולח, מחושב
shrewish *adj.* מרושע, חד־לשון
shrew-mouse חדף (יונק דומה לעכבר)
shriek (shrēk) *v&n.* לצרוח, לצעוק; צריחה
shrift *n.* וידוי
give short shrift להקדיש תשומת־לב מעטה, להתייחס בזילזול
shrike *n.* חנקן (ציפור)
shrill *adj.* צורחני, צווח, חד
shrimp *n.* סרטן, שרימפ, חסילון; ננס, גוץ
shrine *n&v.* קבר; ארון עצמות־מת; מיקדש, מקום־פולחן; לשמור במקום קדוש
shrink *v&n.* לכווץ; להתכווץ; להצטמק; התכווצות; ★פסיכיאטר
shrink from להירתע מ־, להימנע מ־
shrink'age *n.* התכווצות, ירידה
shrive *v.* לשמוע וידוי (של חוטא) ולמחול
shriv'el *v.* לצמק; להצטמק; להתייבש
shroud *n.* תכריכים; מעטה; רכסה, חבל־תורן; חבל־מצנח
shroud *v.* לכסות, לעטוף, לאפוף
shrove = pt of shrive
Shrove Tuedsay ערב תקופת לנט
shrub *n.* שיח
shrub'bery *n.* חלקת־שיחים, שיחים
shrug *v&n.* למשוך בכתפיו; משיכת כתפיים
shrug off לבטל במשיכת כתפיים

shrug one's shoulders למשוך בכתפיו
shrunk = pp of shrink
shrunk′en *adj.* מכווץ, מצומק
shuck *n&v.* קליפה, קשווה; לקלף
shuck away/off להסיר, לפשוט (בגד)
shucks *interj.* ★שטויות! חבל! אוף!
shud′der *v&n.* לרעוד, להתחלחל, להזדעזע; רעד, חלחלה, צמרמורת
shuf′fle *v.* לערבב, לטרוף; לגבב; להשתרך; להשתמט, להתחמק, לעשות בשטחיות
shuffle off לפשוט, להסיר; להיפטר
shuffle on ללבוש תוך פיזור־נפש
shuffle one's feet להשתרך, לשרוך/לגרור רגליו
shuffle *n.* עירבוב; השתרכות, גרירת רגליים; חילופי־גברי; הולכת־שולל
shuffleboard *n.* מישחק דיסקיות (שמזיזים אותן על לוח ממוספר)
shuffler *n.* מערבב; גורר רגליו
shuf′ty (shoof′-) *n.* ★מבט חטוף
shun *v.* להימנע, להתרחק, להינזר מ־
'shun = attention! הקשב!
shunt *v.* לעתק, לעבור למסילה צדדית; להעביר, להסיט; לשים בצד
shunter *n.* עתק, מעביר קרונות
shush *v&interj.* להסות; לשתוק; שקט!
shut *v.* לסגור; להיסגר; לנעול; לסתום
shut down לשבות ממלאכה; להשבית
shut her dress in the door שמלתה נתפסה בדלת
shut in לכלוא; להקיף, לסגור מסביב
shut off לנתק, להפסיק, לסגור
shut one's eyes לעצום עיניים; להעלים עין
shut oneself away להסתגר, להתבודד
shut out למנוע כניסתו, לחסום
shut the door on לנעול דלת בפני, לסתום פתח בפני, להוציא מכלל חשבון
shut up לסגור, לנעול; לכלוא; לשמור במקום בטוח; ★לשתוק; להשתיק
shut up shop לנעול העסק
shut up! ★בלום פיך!
shut-down *n.* השבתה
shut-eye *n.* ★תנומה, שינה
shut-in *n&adj.* מרותק (לבית/למוסד)
shut′ter *n&v.* תריס; להגיף תריסים
put up the shutters לנעול העסק
shuttered מוגף, מותרס
shut′tle *n.* בוכייר; תנועת הלוך ושוב; מסע דילוגים
space shuttle מעבורת חלל
shuttle *v.* לנוע/להעביר הלוך ושוב
shuttlecock *n.* כדור־נוצות (במישחק הנוצית)
shuttle service שירות הלוך ושוב
shy *adj.* ביישן; פחדן; חשדן; זהיר; ★חסר
fight shy of להתרחק, להתחמק
once bitten, twice shy הנכווה ברותחין, נזהר בצוננין
shy of מהסס ל־, זהיר ב־
shy of money ★דחוק בכסף
shy *v.* להירתע, להתחלחל, להיסוג; לפנות הצידה; להטיל, להשליך
shy away/off להתחמק, להירתע
shy *n.* הטלה, השלכה, זריקה; ★ניסיון
have a shy at לנסות כוחו ב־
shy′ster *n.* פרקליט חסר־מצפון, נוכל
si (sē) *n.* סי (צליל)
Si′amese′ *adj&n.* סיאמי; חתול סיאמי
Siamese cat חתול סיאמי
Siamese twins תאומי סיאם
Si•be′ria *n.* סיביר
sib′ilant *n&adj.* עיצור שורק; שורקני
sib′ling *n.* אח, אחות, אחאים
sib′yl *n.* סיבילה, נביאה
sib′yline′ *adj.* של סיבילה, נבואי
sic *adv.* כך, כך כתוב, טעות סופר
sic, sick *v.* לשסות, להתקיף
Sic′ily *n.* סיציליה
sick *adj&v.* חולה, חולני; חש בחילה; מבחיל; מדוכדך; חש אי־נוחות; מתגעגע
be sick להקיא
fall sick ליפול למישכב
feel sick לחוש בחילה
go/report sick להתייצב למיסדר חולים
it makes me sick זה מגעיל אותי
look sick להיראות חולה, להחוויר לעומת, ליפול בהרבה מ־
on the sick list ★חולה
sick at heart עצוב, שבור־לב
sick jokes בדיחות זוועה
sick up להקיא
take sick ליפול למישכב
the sick החולים
I'm sick (and tired) of it נמאס לי מזה
sick-bay *n.* חדר־חולים, מירפאה
sickbed *n.* מיטת חולי, ערש דווי
sick benefit דמי מחלה
sick-berth *n.* חדר חולים, מירפאה
sick call מיסדר חולים
sick′en *v.* להבחיל, לעורר קבס;

להתיקף בחילה; לחלות
he sickened of נמאס לו מ־
sickening *adj.* מגעיל, קבסתני
sick headache כאב ראש, מיגרנה
sickish *adj.* לא חש בטוב; תקוף־בחילה
sick′le *n.* מגל
sick leave חופשת מחלה
sick′ly *adj.* חולני, חלוש; חיוור; חוורוור; מעורר בחילה; אווילי, טיפשי
sickness *n.* מחלה; בחילה; הקאה
sickness benefit דמי מחלה
sick parade מיסדר חולים
sick pay דמי מחלה
sick-room *n.* חדר־חולה
side *n.* צד; צלע (של משולש/הר); בחינה, אספקט; קבוצת ספורט
at one's side לצידו, לידו
be on his side לצדד בו
by the side of ליד, לעומת, בהשוואה
from every side מכל עבר
from side to side מצד לצד
let the side down לאכזב קבוצתו
offside בעמדת נבדל, אופסייד
on all sides מכל העברים
on my mother's side מצד אמי, ממשפחת אמי
on one's bad side לא אהוד עליו
on one's good side חביב עליו
on side לא בעמדת נבדל
on the high side גבוה
on the right/wrong side of 40 מעל/מתחת לגיל 40
on the side (הכנסה/עבודה) צדדית, מהצד; בחשאי; נוסף על כך
put on one side להניח בצד, לשמור לעתיד; לדחות
put on side להתנשא, להתנפח
side by side זה ליד זה, צד בצד
side glance מבט מלוכסן
split/burst/hold/one's sides להתפקע מצחוק
take sides לצדד, לתמוך
side *adj.* צדדי; משני, של לוואי
side *v.* לתמוך, לצדד
side against לחבור מול, להתנגד
side with לצדד ב־
side-arms *n-pl.* נשק חגור
sideboard *n.* מיזנון, תרכוס
sideboards *n-pl.* פיאות־לחיים
sideburns *n-pl.* פיאות־לחיים
side-car *n.* סירה (של אופנוע)
-sided מצולע, בעל צדדים
one-sided חד־צדדי
side dish מנה נוספת, תוספת
side drum תוף־צד
side effect השפעה צדדית
side-face *adv.* בפרופיל, בצדודית
side issue בעייה מישנית
side-kick *n.* חבר, עוזר
sidelight *n.* פנס צדדי (ברכב); אור צדדי; חלון צדדי; מידע נוסף
side-line *n.* עבודה צדדית, עיסוק נוסף; סחורה מישנית; קו צד (במיגרש)
on the side-lines מחוץ לגבולות המיגרש, על הספסל
sidelong *adv&adj.* הצידה; מהצד; אלכסונית; מצודד
side order הזמנת תוספת (במיסעדה)
si•de′re•al *adj.* כוכבי, סידרי
sidereal month חודש סידרי (כ־27 יום)
side-road *n.* דרך צדדית, כביש מסתעף
side-saddle *n&v.* אוכף־אישה, אוכף צד; (לרכוב) רכיבת־צד (כדרך הנשים)
side-show *n.* הצגה צדדית; דבר טפל
side-slip *n&v.* החלקה הצידה, גלישה קשתית; להחליק הצידה
sidesman *n.* גבאי־כנסייה
side-splitting *adj.* מצחיק ביותר
sidestep *v&n.* לפסוע הצידה, לרתוע לצד, להתחמק; פסיעה הצידה, התחמקות
side street רחוב צדדי
side-stroke *n.* שחיית־צד
side-swipe *v&n.* לפגוע בצד; פגיעה בצד; הערת־אגב פוגענית
side-track *v.* לעתק, להעביר למסילה צדדית; להטות, להסיח הדעת מהנושא
side-track *n.* מסילה צדדית; סטייה
side-view *n.* מראה מן הצד
sidewalk *n.* מדרכה
sideward *adj&adv.* מלוכסן, מצודד; לצד
sidewards *adv.* הצידה, במלוכסן
sideways *adv&adj.* הצידה, לצד, מהצד
side-whiskers *n.* זקן־לחיים
sid′ing (sīd-) *n.* מסילת־עיתוק; לוחות ציפוי (על קיר)
si′dle *v.* ללכת במצודד, להתקדם בחשאי, לנוע בהססנות
siege (sēj) *n.* מצור
lay siege to להטיל מצור, לכתר
raise a siege להסיר מצור
sien′na (sien′-) *n.* סיאנה (חומר צביעה)

sier'ra (sier'-) *n.* רכס, שרשרת הרים
sies'ta (sies'-) *n.* סיאסטה, שנת־צהריים
sieve (siv) *n&v.* כברה, נפה; לנפות, לסנן
head like a sieve זיכרון חלש
sift *v.* לנפות, לסנן, לכבור; לבזוק; לבדוק; להפריד; לברור; להסתנן
sifter *n.* נפה, כברה
sigh (sī) *n&v.* אנחה; להיאנח; לייבב
heave a sigh לפלוט אנחה
sigh for להתגעגע, להיכסף ל־
sigh of relief אנחת רווחה
sight *n.* מראה, מחזה, נוף; ראייה; טווח־ראייה; נקודת־ראות; כיוון; כוונת; מראה מגוחך; ⋆הרבה
a sight better ⋆טוב בהרבה
a sight for sore eyes מחזה משיב נפש
a sight to see מחזה מרהיב עין
at first sight במבט ראשון
at the sight of למראה־
at/on sight עם ראייתו, מיד; (לתשלום) עם דרישה ראשונה, עם הצגתו
catch sight of לראות
has near sight קצר־ראייה
have a sight of לראות
he looks a sight! איך שהוא נראה! (מלוכלך, מגוחך וכ')
in my sight לדעתי, אליבא דידי
in one's sights על הכוונת שלו
in sight בטווח ראייה, באופק
in the sight of מנקודת ראות
is within sight of יכול לראות
keep sight of לשמור בטווח־ראייה
know by sight להכיר מראייה בלבד (לא היכרות אישית)
lose sight of לא לראות, לשכוח; לאבד הקשר עם
lost his sight נתעוור
not by a long sight כלל לא
out of sight מחוץ לשדה־ראייה; ⋆גבוה, מרקיע שחקים; כביר, נפלא
play at sight לנגן ישר מהתווים
set one's sights לכוון (מאמציו)
sight unseen בלי לראות
sights מקומות־סיור, אתרי־תיירות
take a sight לכוון
sight *v.* לראות; לצפות; לכוון; לכוונן; להתקין כוונת
sight draft מימשך בנקאי לתשלום עם ההצגה
sighted *adj.* פיקח, לא עיוור
nearsighted קצר־ראייה

sighting *n.* טיווח; ראייה
sightless *adj.* עיוור
sightly *adj.* נעים למראה
sightread *v.* לנגן ישר מהתווים
sightseeing *n.* סיור, ביקור, תיור
sightseer *n.* מבקר, תייר
sign (sīn) *n.* סימן; אות; מופת; שלט; רמז; תנועה; מזל (בגלגל־המזלות)
sign and countersign מלים וסיסמאות
sign of the cross סימן הצלב
sign of the times מאותות הזמן
sign of the zodiac מזל (בגלגל־המזלות)
traffic sign, road sign תמרור
Indian sign עין רעה, קללה
sign *v.* לחתום; לסמן, לרמוז; לאותת; להחתים
sign away/over להעביר (ע"י חתימה)
sign in לחתום בבואו
sign off לסיים, לחתום
sign on לחתום; להחתים; להתגייס; לחתום בבואו; להתחיל במישדר
sign out לחתום בצאתו
sign up לחתום; להחתים; לגייס; להירשם
sig'nal *n.* אות, סימן, רמז; איתות; תמרור, רמזור; קליטה (של מקלט)
signal *v.* לאותת; לתת אות; לסמן
signal *adj.* בולט, יוצא דופן, מרשים
signal box מיגדל איתות (לרכבות)
Signal Corps חיל קשר
signaler *n.* אַתת, קַשר
sig'nalize' *v.* להבליט, לציין, לסמן
signally *adv.* בצורה בולטת/מרשימה
signalman *n.* אַתת, קַשר
signal tower מיגדל־איתות (לרכבות)
sig'nato'ry *n.* חותם, חתום
sig'nature *n.* חתימה; אות; גיליון מקופל (בדפוס)
key signature סימן מפתח (במוסיקה)
signature tune אות המישדר
sign-board *n.* שלט
signer *n.* חותֵם, חתום
sig'net *n.* חותָם, חותמת
signet ring טבעת־חותם
signif'icance *n.* משמעות; חשיבות
signif'icant *adj.* משמעותי, ניכר, בולט, חשוב; משמעי, בעל משמעות
sig'nifica'tion *n.* משמעות, הוראה
sig'nify' *v.* לציין; לסמן; לרמוז; להורות על; להודיע, להביע; להיות

חשוב/משמעותי
doesn't signify לא חשוב, לא משנה
sign language שפת סימנים
signor (sēnyôr′) *n.* סיניור, אדון
signora (sēnyôr′ə) *n.* גברת
signorina (sēn′yərē′nə) *n.* עלמה
sign-painter *n.* צייר־שלטים
signpost *n.* תמרור, עמוד־ציון
signposted *adj.* מתומרר, משולט
si′lage *n.* תחמיץ (השמור בסילו)
si′lence *n.* שקט, דומייה; שתיקה
reduce to silence להשתיק (בטענה ניצחת)
silence gives consent שתיקה כהודאה
silence *v.* להשתיק; להסות; לשתק
silencer *n.* עמעם; מַשתק; עמם־פליטה
si′lent *adj.* שקט, שותק, מחריש; אילם; חרישי; פוסח על, לא מזכיר
keep silent לשתוק, להחריש
silent film סרט אילם
silent letter אות אילמת/עלומה
silent majority הרוב הדומם
silent *n.* ★סרט אילם
silent partner שותף רדום
sil′houette′ (-lo͞oet′) *n&v.* צללית, סילואט; מראה, עיצוב; להראות בצללית
silhouetted against נראה כצללית (על רקע בהיר)
sil′ica *n.* דו־תחמוצת הצורן
sil′icate *n.* סיליקאט, מלח חומצה צורנית
sil′icon *n.* צורן (יסוד כימי)
sil′icone′ *n.* סיליקון (תרכובת לייצור חומרים פלאסטיים/שמנים)
sil′ico′sis *n.* צורנת, אֲבקת־ריאות
silk *n.* משי, חוט־משי; אריג־משי; פרקליט־המלך
silk and satins שש ומשי, מחלצות
take silk להתמנות לפרקליט־המלך
silk *adj.* משיי, עדין כמשי
silken *adj.* משיי, רך, עדין, עשוי משי
silk hat צילינדר, מיגבע
silk screen שיכפול בבד־משי
silkworm *n.* תולעת־המשי
silky *adj.* משיי, רך, עדין כמשי
sill *n.* אדן־חלון; סף
sil′labub′ *n.* מזג יין וחלב, סילבוב
sil′ly *adj&n.* טיפשי, מגוחך; רפה־שכל; המום, הלום־חבטה; טיפש
si′lo *n.* סילו, מיגדל־החמצה, בור־החמצה; בסיס־טילים תת־קרקעי

silt *n&v.* סחופת, גרופת, אדמת־סחף
silt up לסתום/להיסתם בסחופת
sil′van *adj.* יערי, של יער
sil′ver *n.* כסף (מתכת); מטבעות כסף, מצלצלים; כלי־כסף
table silver כלי שולחן מכסף
with a silver spoon (נולד) עם כפית של כסף (בפיו), בעושר
silver *adj.* כספי, עשוי כסף, כסוף, מוכסף; צלול, מצלצל; שני במעלה
silver tongue פה מפיק מרגליות
silver *v.* להכסיף; להלבין; להאפיר
silver-fish *n.* דג־הכסף (חרק מזיק)
silver-gray *adj.* אפור־כסוף
silver jubilee יובל הכסף (25 שנה)
sil′vern *adj.* כסוף, עשוי כסף, כספי; צלול
silver paper/foil נייר כסף, נייר אלומיניום
silver plate כלי מיכסף; מיכסף
silver screen מסך הכסף, מירקע, אקרן
silverside *n.* נתח בשר־בקר משובח
silversmith *n.* כַּסף, צורף כסף
silver-tongued *adj.* פה מפיק מרגליות
silverware *n.* כלי־כסף
silver wedding חתונת הכסף (25 שנה)
silvery *adj.* כסוף, ככסף, מוכסף; מצלצל
sim′ian *adj&n.* קופי, כמו קוף; קוף
sim′ilar *adj.* דומה, בעל דימיון ל־
similar triangles משולשים דומים
sim′ilar′ity *n.* דימיון, נקודת־דימיון
similarly *adv.* באופן דומה, במקביל
sim′ile (-məli) *n.* ד מוי, השוואה מליצית (כגון:רע כצבי)
simil′itude′ *n.* דמות, צורה; דימוי, משל; דימיון, השוואה
sim′mer *v.* להזיד, (להוסיף) לרתוח; להרתיח; לתסוס, לעמוד לפרוץ ב־
simmer down להירגע; להפחית ברתיחה
simmer with anger לרתוח מזעם
simmer *n.* רתיחה, רתיחה ממושכת
sim′ony *n.* מסחר במינויי־דת
simoom′ (-mo͞om′) *n.* סימום (רוח מידברית)
simp *n.* ★פתי, רפה־שכל
sim′per *v&n.* (לחייך) חיוך אווילי; חיוך מאולץ
sim′ple *adj.* פשוט; רגיל; ישר; תם; טיפש, פתי
simple life חיי פשטות, חיי צנע

simple *n.* עשב מרפא
simple fraction שבר פשוט
simple-hearted *adj.* גלוי־לב, תמים
simple interest ריבית פשוטה
simple-minded *adj.* טיפשי; תם, תמים
simple sentence (בתחביר) משפט פשוט
sim'pleton (-pəltən) *n.* פתי
simplic'ity *n.* פשטות, תמימות
simplicity itself קל מאוד, פשוט
sim'plifica'tion *n.* פישוט
sim'plify' *v.* לפשט
sim'ply *adv.* פשוט, בפשטות; אך ורק, גרידא; ממש, לגמרי
sim'u•la'crum *n.* דימיון, דמות, צלם
sim'u•late' *v.* להעמיד פנים, ללבוש ארשת של; לחקות, לזייף
simulated *adj.* מזויף, מלאכותי
sim'u•la'tion *n.* העמדת פנים; חיקוי; סימולאציה, הדמייה
sim'u•la'tor *n.* סימולאטור, מדמה, מיתקן־דמה
si'mulcast' *n.* שידור סימולטאני
si'multane'ity *n.* סימולטאניות
si'multa'ne•ous *adj.* סימולטאני, מתרחש בעת ובעונה אחת, בו־זמני
simultaneously *adv.* סימולטאנית, בו־זמנית
sin *n&v.* חטא, עבירה, פשע; לחטוא
deadly sin חטא־מוות, אב־חטא (בנצרות)
live in sin לחיות כבעל ואישה
since *adv&prep&conj.* מאז, מהיום ההוא, לאחר מכן; לפני זמן רב; אחרי־, מ־
ever since מאז ועד היום
how long since? לפני כמה זמן?
long since לפני זמן רב
since then מאז, מני אז
since yesterday מאתמול
since *conj.* מכיוון ש־, הואיל ו־
sincere' *adj.* ישר, אמיתי, רציני, כן
sincerely *adv.* בכנות, ברצינות
yours sincerely שלך בנאמנות
sincer'ity *n.* כנות, הגינות, יושר
sine *n.* סינוס (בטריגונומטריה)
si'ne (sī'ni) *prep.* בלי, ללא
si'necure' *n.* סינקורה, מישרה בעלת הכנסה נאה (שאינה כרוכה באחריות)
sine die (sī'ni dī'i) *adv.* בלי לקבוע תאריך
sine qua non' (sī'ni kwä-) *n.* תנאי יסודי, דבר נחוץ, שאין בלעדיו
sin'ew (-nū) *n.* גיד; שרירים, כוח פיזי, מרץ; מקור־עוצמה
sinews of war כסף (למימון מלחמה)
sin'ewy (-nūi) *adj.* מכיל גידים, מגויד; חזק, שרירי
sing *v.* לשיר, לזמר; לשרוק, לזמזם; להלל בזמרה; ★להלשין, להודיע
my ears were singing צללו אוזניי
sing another tune לזמר זמירות חדשות, לשנות הטון
sing away להוסיף לשיר, לזמזם בלי הרף; לסלק (דאגות) בזימרה
sing his praises לזמר שבחיו
sing out לצעוק; לשיר בקול
sing small להנמיך הטון
sing to sleep ליישן בשיר (ערש)
sing up לשיר בקול רם
sing. = singular
singable *adj.* שניתן לשיר אותו
singe *v&n.* לחרוך; להיחרך; להבהב; חריכה
singer *n.* זַמר, משורר; ציפור־שיר
singing *n.* שירה, זימרה; שריקה
sin'gle *adj.* יחיד, אחד, בודד; ליחיד; פנוי, רווק; נפרד
every single כל אחד ואחד
single bed מיטת יחיד
single file טור, שורה עורפית
single flower פרח חד־דורי, פרח בעל דור אחד של עלי־כותרת
single life חיי רווקות
single ticket כרטיס לכיוון אחד
singles משחק יחידים (בטניס)
single *n&v.* משחק יחידים; כרטיס לכיוון אחד; חדר ליחיד; דולר אחד
single out לברור, לבחור דווקא ב־
single-breasted *adj.* (מעיל) בעל שורת כפתורים אחת
single combat דו־קרב, פנים־אל־פנים
single-decker *n.* אוטובוס חד־קומתי
single-handed *adj&adv.* בודד; לבד, בלי עזרה, בכוחות עצמו
single-hearted *adj.* ישר, כן
single-minded *adj.* דבק במטרה אחת
singleness *n.* יחידות; התרכזות
singleness of purpose דבקות במטרה
single-stick *n.* היאבקות במקל
sin'glet *n.* גופייה
sin'gleton (-lt-) *n.* קלף בודד (מסידרת קלפים בידי שחקן)
single-track *adj.* חד־נתיבי; צר־אופק

singly *adv.* בנפרד, אחד אחד, יחידי; בכוחות עצמו, לבד
sing'song' (-sông) *n.* קול חדגוני, טון עולה ויורד; מסיבת־שירה
sin'gu•lar *adj&n.* יחיד, יוצא מן הכלל, לא רגיל; מוזר, משונה; לשון יחיד
sin'gu•lar'ity *n.* ייחוד
sin'gu•larize' *v.* לייחד
singularly *adv.* בצורה לא רגילה; במיוחד, מאוד
Sin'halese' *n.* ציילוני
sin'ister *adj.* מבשר רע, מאיים, מרושע
bar sinister סימן ממזרות
sink *v.* לשקוע; להשקיע; לצלול; לטבוע; להטביע; ליפול, לצנוח, לרדת; להוריד; להניח באדמה; לשכוח; לסלק
is sinking fast גווע, גוסס
my heart sank ליבי נפל
sink a well לחפור באר
sink down לרדת, לשקוע, לדעוך
sink his plans לשבש תוכניותיו
sink in להיספג, לחדור, להיקלט
sink into לנעוץ ב־; לשקוע ב־
sink money להשקיע כסף
sink or swim להמר על הכול; להיכשל או להצליח
sink *n.* כיור; בור שופכין; מאורה, חממת־פושעים, מערת־פריצים
sinker *n.* משקולת (לחכה/למיכמורת)
sinking fund קרן לסילוק חוב
sinless *adj.* חף, נקי מחטא
sinner *n.* חוטא, עבריין
Si'no- של סין, סיני
Si•nol'ogist *n.* סינולוג
Si•nol'ogy *n.* סינולוגיה, מדע סין
sin'u•os'ity (-nū-) *n.* התפתלות
sin'uous (-nūəs) *adj.* מתפתל, נחשי
si'nus *n.* סינוס, גת, חלל בעצם
si'nusi'tis *n.* דלקת הגיתים, סינוסיטיס
sip *v&n.* ללגום, לטעום מעט; לגימה
si'phon *n&v.* סיפון, גישתה; לשאוב/להוציא בסיפון
siphon off לשאוב, להעביר, להוציא
sir *n&adj.* אדון; אדוני; סר (תואר)
Dear Sir אדון נכבד, א.נ., נכבדי
sirdar' *n.* סירדר, מפקד
sire *n&v.* אב; מוליד; אב קדמון; הוד מלכותך; להוליד, להיות הורה של
si'ren *n.* סירנה, צופר; יפהפיה קטלנית
sir'loin' *n.* בשר־מותניים, בשר־ורד
siroc'co *n.* סירוקו (רוח חמה)
sir'rah (-rə) *n.* בן־אדם (בבוז)

sir'up *n.* סירופ, שירוב
sis *n.* *אחות
si'sal *n.* סיסל, סיב־אגבות
sissified *adj.* נשי, מתנהג כילדה
sis'sify' *v.* להפוך (גבר) לנשי
sis'sy *n&adj.* נשי, מתנהג כילדה
sis'ter *n.* אחות
sisterhood *n.* קירבת־אחיות; מיסדר נשים צדקניות
sis'ter-in-law' *n.* גיסה
sisterly *adj.* של אחות, אוהב, מסור
sister ship אונייה־אחות
sit *v.* לשבת; להתיישב; להושיב; לדון; לשכון, להיות מונח; לעמוד לבחינה; לדגור
sit around לשבת בחיבוק ידיים
sit back להתיישב, להתרווח; לנוח, לא לעשות דבר; להימצא במרחק
sit by לשבת בחיבוק ידיים; לשבת ליד־, לטפל ב־
sit down לשבת, להתיישב; להושיב
sit down under לקבל בדומייה
sit for לשבת לפני (צייר, בפוזה); לגשת לבחינה; לייצג (בפרלמנט)
sit in לפלוש ולתפוס (בניין)
sit in for למלא מקומו בישיבה
sit in on להשתתף (כמשקיף), לנכוח
sit on להיות חבר (בגוף, בצוות); לשבת, לדון, לחקור; *לדחות, לא לטפל
sit on him *להשתיקו, לדכאו, לרסנו
sit on one's hands לשבת בחיבוק ידיים
sit out a dance לא להשתתף בריקוד
sit out/through לשבת עד תום־
sit tight לשבת איתן במושבו
sit up לשבת, להתיישב; להרים; לשבת זקוף; לאחר לשכב לישון; להידהם
sit up and take notice להתעורר, להתעניין; להיבהל, להידהם
sit with להתיישב עם, להתקבל על
sits his horse well יושב יפה על־גבי הסוס
sitting pretty במצב מצוין
the coat sits well הבגד מונח טוב
sitar' *n.* סיטאר (כלי־מיתרים)
sit-down meal ארוחת־ישיבה
sit down strike שביתת־שבת
site *n&v.* מקום, אתר, אתר־בנייה; למקם
sit-in *n.* פלישה (לבניין, לאות מחאה)
sitter *n.* יושב (להצטייר), דוגמן; ציד קל, מישחק ילדים; דוגרת; שמרטף
sitting *n.* ישיבה; מושב; הסבה לסעודה;

דגירה; מידגר־ביצים

sitting duck מטרה קלה, טרף קל
sitting member בעל מושב (בכנסת)
sitting room סאלון, חדר אורחים
sitting tenant דייר (הגר בדירה)
sit'uate' (sich'ōōāt) *v.* למקם
situated *adj.* ממוקם, שוכן, נמצא; במצב, בתנאים
sit'ua'tion (sichōōa'-) *n.* מצב, סיטואציה; עמדה, סביבה, רקע; מישרה, עבודה
situation comedy סידרת טלוויזיה קומית
sit-up תרגיל ישיבה (ממצב שכיבה)
sit-upon *n.* ★ישבן, אחוריים
six *n&adj.* שש, 6
at sixes and sevens מבולבל
six bits 75 סנט
sixfold *n.* פי שישה, ששתיים
six-footer *n.* גבוה 6 רגליים
six-pack *n.* חצי־תריסר (בקבוקים)
sixpence *n.* 6 פנים
sixpenny *n.* ששווייו 6 פנים
six-shooter, sixgun *n.* אקדח תופי (בעל 6 כדורים)
six'teen' *n.* שש עשרה, 16
sixteenth *n&adj.* ה־16; 1/16
sixth *n.* שישי; שישית
sixth form השישית, הכיתה השישית
sixthly *adv.* שישית, ו'
sixth sense החוש השישי, אינטואיציה
six'tieth *adj&n.* ה־60; 1/60
six'ty *n&adj.* שישים, 60
like sixty במהירות רבה, בעוצמה
sixty-four dollar question השאלה המרכזית, שאלת השאלות
the sixties שנות ה־60
sizable = sizeable
size *n.* גודל, שיעור; מידה; דבק זגוגי
cut him down to size להנמיך קומתו, להעמידו במקומו
of a size מאותו גודל
of some size גדול למדי
size 38 shoes נעליים מספר 38
that's the size of it ★כך הם פני הדברים
size *v.* לסדר לפי גודל; להדביק, לזגג בדבק
size up להעריך, לגבש דעה לגבי־
sizeable *adj.* גדול למדי, ניכר
sized *adj.* בעל מידה, ששיעורו
small-sized קטן־ממדים

siz'zle *v&n.* לרחוש, לתסוס, ללהוט; רחישה, תסיסה
sizzler *n.* ★יום חם, יום לוהט
skate *n.* גלגילית, סקט; תריסנית (דג)
put one's skates on למהר, להזדרז
skates מחליקיים
skate *v.* להחליק (על קרח)
skate on thin ice להלך על גבי חבל דק, לשוחח על נושא רגיש
skate over/round לטפל בשיטחיות
skateboard *n.* לוח גלגיליות
skater *n.* מחליקן
skating *n.* החלקה (על קרח)
skating rink חלקלקה, רחבת־החלקה
ske•dad'dle *v.* להסתלק, לברוח
skeet *n.* אימוני קליעה (באוויר)
skein (skān) *n.* פקעת־חוטים, סליל־חוטים; להקת־אווזים
skel'eton *n&adj.* שלד; מסגרת; שלד־אדם, כחוש; מצומצם, מינימלי
skeleton in the closet סוד משפחתי (שמתביישים בו)
skeleton crew צוות מצומצם
skel'etonize' *v.* להפוך לשלד
skeleton key פותחת, פותח־כל
skep'tic *n.* ספקן, סקפטיקן
skep'tical *adj.* ספקני, סקפטי
skep'ticism' *n.* ספקנות, סקפטיציזם
sketch *n.* סקיצה, מיתווה; תיאור; שירטוט קל; מירשם; רשומת
sketch *v.* לשרטט, לתוות, לתאר
sketch out/in לשרטט באופן כללי
sketchbook/-pad/-block פינקס שירטוטים
sketcher *n.* תווה, רושם סקיצות
sketchily *adv.* בקווים כוללים, חטופות
sketch map מפה כללית (לא מפורטת)
sketchy *adj.* גס, כללי; שיטחי, לא מהוקצע
skew (skū) *adj.* נוטה לצד, מלוכסן, עקום
on the skew במלוכסן, בהטייה
skew *v.* לסטות הצידה; לפזול
skewbald *adj.* (סוס) חברבר, טלוא
skew'er (skū-) *n&v.* שפוד; לשפד
skew-eyed *adj.* פוזל, פוזלני
skew-whiff *adj.* נוטה לצד, מלוכסן
ski (skē) *n&v.* סקי, מיגלש; לגלוש, להחליק על שלג
ski-bob *n.* אופני־סקי
skid *v&n.* להחליק; החלקה; בלם, מעצור; קורת החלקה (להעברת חפץ)

on the skids מידרדר, דועך
put the skids on לבלום, לעצור, לסכל; להאיץ, לזרז
skid lid *n.* קסדת־מגן
skidpan *n.* חלקלקת אימונים (לרכב)
skid row ⋆משכנות עוני
skier *n.* גלשן, גלש, מיגלשן
skiff *n.* סירה קלה, סירת יחיד
skif′fle *n.* סקיפל (ג׳אז ושירי־עם)
skiing *n.* גלישה, סקי
ski jump קפיצת סקי
ski lift רכבל־גלשנים
skill *n.* מומחיות, מיומנות, זריזות, כושר, מוכשרות, אומנות
skilled *adj.* מומחה, מיומן; דורש מומחיות
skil′let *n.* מחבת
skillful *adj.* מומחה, מיומן, זריז
skim *v.* לקפות, להסיר שיכבה צפה (בכף/במקפה); לרחף; להרחיף; לזרוק
birds skimmed the waves ציפורים חלפו ברחף מעל לגלים
skim a stone over the water לזרוק/להקפיץ/להחליק אבן על פני המים
skim through לרפרף, לקרוא חטופות
skimmer *n.* מקפה, כף־קיפוי; עוף־ים
skim milk חלב רזה (מקופה)
skimmings *n.* קפה, קיפוי, קופי, דוק
skimp *v.* לקמץ, לנהוג בחסכנות, לחוס
skimpiness *n.* עין רעה, קמצנות
skimpy *adj.* מועט, מצומצם, לא־מספיק
skin *n.* עור; קליפה; קרום; נאד, חמת; מישטח חיצוני, מסגרת
by the skin of one's teeth בעור־שיניו, בקושי
get under his skin להרגיזו; להקסימו, להלהיבו
in a whole skin בלי פגע, שלם
no skin off his nose ⋆לא עיסקו, לא עניינו, לא יזיק לו
save one's skin להציל את עורו
skin and bone עור ועצמות, שלד
thick skin עור עבה, "עור של פיל"
thin skin עור דק, רגישות
under the skin מתחת לחזות חיצונית
skin *v.* לפשוט עור; לשרוט; ⋆לרמות, לעשוק, להציגו ככלי ריק
keep one's eyes skinned לפקוח עיניים, להיזהר
skin alive ⋆להביס, להרוג
skin over להגליד, להעלות קרום
skin-deep *adj.* לא־עמוק, שיטחי
skin diving צלילת־עור, צלילה בלי חליפת־אמודאי
skin flick ⋆סרט סקס
skin′flint′ קמצן, כילי
skinful *n.* ⋆לגימה יתירה (של יין)
skin game מישחק רמאות, הונאה
skin graft השתלת עור
skinhead *n.* פירחח מגולח־ראש
skinned *adj.* בעל עור
thick-skinned עבה־עור, לא רגיש
skinny *adj.* רזה, דל־בשר; קמצן
skint *adj.* ⋆חסר פרוטה לפורטה
skin-tight *adj.* (בגד) צמוד, הדוק
skip *v.* לקפוץ, לנתר, לכרכר; לדלג; לפסוח, להשמיט; להיעצר
skip it! שכח מזה! הניח לזאת!
skip off/out להסתלק, לברוח
skip rope לדלג בחבל־קפיצה
skip *n.* קפיצה, דילוג; ראש קבוצת כדורת; מעלית־מיכרה
ski plane מטוס־מיגלשיים
ski pole מוט סקי
skip′per *n.* קברניט; ראש קבוצה
skipper *v.* לשמש ראש קבוצה, להוביל
skipping rope חבל קפיצה, דלגית
skirl *n.* קול חד, קול צורחני
skir′mish *n&v.* התנגשות, קרב צדדי, תיגרה; ציחצוח־מלים; להתכתש
skirmisher *n.* סייר, לוחם
skirt *n.* חצאית, שימלנית; שפה, שוליים; פרוור; ⋆אישה, חתיכה
a bit of skirt ⋆אישה, חתיכה
skirt *v.* לעבור מסביב, להקיף, לסבוב; להתחמק
skirting board פאנל, ספין, לוח (לאורך הקירות), שיפולת
ski stick מוט סקי
skit *n.* פארודיה, מערכון, מהתלה
skit′ter *v.* לרוץ, לרפרף, לרחף, להגליש
skit′tish *adj.* קלת־דעת, שובבנית; (לגבי סוס) עצבני, פחדן
skit′tle *n.* בובה, יתד (בכדורת)
life is not all beer & skittles החיים אינם פיקניק, אדם לעמל יולד
skittles סוג כדורת
skive *v.* להימנע מעבודה
skiv′vy *n&v.* ⋆שיפחה, משרתת; גופייה; ⋆לשרת
sku′a *n.* סקואה (עוף־ים)
skulk *v.* להסתתר; לנוע בגניבה, לארוב
skull *n.* גולגולת; ראש, מוח
has a thick skull מטומטם

skull and cross-bones גולגולת וצלב־עצמות, סמל המוות
skull-cap *n.* כיפה
skull'dug'gery *n.* רמאות, תככים
skunk *n.* בואש (חיה); נבזה, חלאת־אדם
skunk *v.* להנחיל תבוסה, לנצח
sky *n.* שמיים, רקיע; אקלים
out of the clear (blue) sky כרעם ביום בהיר
praise to the skies להפליג בשבחו
the sky's the limit לאין שיעור
under the open sky תחת כיפת השמיים
sky *v.* לחבוט (בכדור) אל על/לשחקים
sky blue תכלת, גון־השמיים
skydiving *n.* צניחה חופשית
sky-high *adv.* לגובה רב; לרסיסים
skyjack *v.* לחטוף (מטוס)
skylark *n.* עפרוני השדה (ציפור־שיר)
skylark *v.* להשתובב, להתהולל
skylight *n.* צוהר, אשנב־גג
skyline *n.* קו רקיע, אופק טבעי
sky pilot ★כומר, איש־דת
sky-rocket *v.* להאמיר, להרקיע שחקים
skyscraper *n.* גורד שחקים
skywards *adv.* השמיימה, לשחקים
sky-writing *n.* רישומים ברקיע (בעזרת שובל־עשן ממטוס)
slab *n.* לוח, לוח־אבן; טבלה; פרוסה
slack *adj.* רפה, רפוי, חלש; קלוש; רשלני, איטי, חסר־מרץ, נרפה, עצלן
at slack water כשהמים שקטים, לא בשעות הגיאות/השפל
keep a slack rein לרפות הרסן
slack season עונת שפל (במסחר)
slack *v.* להתעצל, להתרשל, להתבטל
slack off לרפות; להירפות; להאיט
slack up להאיט
slack *n.* ריפיון, קלישות; אבק־פחם
slacks מכנסיים, מכנסי יום־יום
take up the slack למתוח החבל, להגביר הייצור
slack'en *v.* להאיט, להחליש; להקליש; לרפות; להירפות
slack'er *n.* עצלן, שתמטן
slag *n.* סיגים, פסולת־מתכת; ★מכוערת
slag-heap *n.* ערימת סיגים
slain = pp of slay
slake *v.* להשקיט, להשביע, להרוות, להפיג, לשכך; לכבות (סיד)
slaked lime סיד כבוי
sla'lom (slä'-) *n.* סקי זיגזאגי

slam *v.* לטרוק; להיטרק; לדחוף בעוצמה; להטיח; לתקוף בחריפות
slam the door in his face לטרוק הדלת בפניו
slam *n.* טריקה; ביקורת חריפה
grand/small slam (בברידג') זכייה גדולה/קטנה (12/13 לקיחות)
slan'der *n.* דיבה, השמצה, לעז, שם רע
slander *v.* להוציא דיבה, להשמיץ
slanderer *n.* מוציא דיבה, רכלן
slan'derous *adj.* מוציא דיבה; של דיבה
slang *n.* סלאנג, עגה, דיבור המוני
slang *v.* לגדף, לתקוף בגסות
slanging match החלפת גידופים
slangy *adj.* סלאנגי; המוני, גס
slant *v.* לשפע; להשתפע; להטות; לנטות; לעוות, להציג במגמתיות
slant *n.* שיפוע; השקפה, נקודת־ראות
at a slant בשיפוע
slantwise *adv.* במשופע, אלכסונית
slap *n&v.* סטירה; לסטור, לטפוח; להטיח
slap down להטיח, להטיל בחבטה; לדכא, להשתיק; לשלול, לדחות
slap in the face סטירת לחי
slap on the wrist נהיגה ביד רכה
slap together להכין בחופזה
slap *adv.* ישר, היישר, פתאום
slap and tickle ★מיזמוזים
slap-bang *adv.* היישר, פתאום, בעוז
slap'dash' *adj.* נמהר, פזיז
slap-happy *adj.* פזיז; הלום־חבטות
slapstick *n.* קומדיה זולה/פראית
slap-up *adj.* ★מצוין, ממדרגה ראשונה
slash *v.* לחתוך, לפצוע, לשרוט, לקרוע; לקצץ, להוריד; להצליף, להכות; לתקוף, למתוח ביקורת, לקטול
slash taxes לקצץ במיסים
slashed skirt חצאית מאושנבת (בעלת פתחים שהביטנה נראית דרכם)
slash *n.* חתך, פצע, שריטה; לוכסן, קו נטוי, (/), ★השתנה, הטלת מים
slat *n.* פס, לוח עץ דק, פסיס
slate *n.* ציפחה, רעף; לוח ציפחה; אפור־כחול; רשימת מועמדים
clean slate גיליון חלק, עבר נקי
slate *v.* לרעף, להציע מועמדות; להועיד, לתכנן; לגנות, לתקוף, לקטול
slate club מועדון־תרומות, גמ"ח
slate pencil חרט ציפחה
slath'er (-dh-) *v.* למרוח בשפע

slating *n.* ריעוף; ביקורת קשה
slat′ted *adj.* בעל פסים, עשוי לוחות
slat′tern *adj.* מרושלת־לבוש
sla′ty *adj.* דומה לציפחה, אפור־כחול
slaugh′ter (slô′-) טבח, קטל, שחיטה; תבוסה; לשחוט, לקטול, לערוך טבח
slaughter-house בית־מטבחיים
Slav (släv) *n&adj.* סלאבי
slave *n&v.* עבד, שיפחה; משועבד, מכור
slave away לעבוד בפרך, לעמול
slave driver מפקח על עבדים; מעביד בפרך, נוגש, רודה
slave labor עבודת־עבד, עבודת־פרך
sla′ver *n.* סוחר עבדים; ספינת עבדים
slav′er *n&v.* ריר; לריר, לזוב; להתלהב
sla′very *n.* עבדות; עבודה מפרכת
slave ship ספינת עבדים
Slave States מדינות העבדות, מדינות הדרום באה"ב (בעבר)
slave trade/traffic סחר עבדים
sla′vey *n.* משרתת, עוזרת־בית
Slav′ic, Slavon′ic *adj.* סלאבי
sla′vish *adj.* כעבד, מתרפס, שפל
slavish translation תרגום נאמן מדי למקור/חסר מעוף/חסר מקוריות
slaw *n.* סלאט כרוב
slay *v.* להרוג, לקטול, להמית, לרצוח
slayer *n.* הורג, רוצח
slea′zy *adj.* מוזנח, זול, מלוכלך
sled *n.* מזחלת, מגררה, שלגית
sled *v.* לנסוע/להעביר במזחלת; לגלוש/להחליק במזחלת
sledding *n.* גלישה, נסיעה; התקדמות
sledge (-hammer) קורנס, פטיש כבד
sledge = sled *n&v.* (לנסוע ב) מזחלת
sleek *adj.* חלק, מבריק; מטופח, מצוחצח
sleek *v.* להחליק; להבריק; לצחצח
sleep *n.* שינה, תרדמה; הפרשת עיניים
get to sleep להצליח להירדם
go to sleep להירדם
had his sleep out ישן כל צרכו
lose sleep לנדוד שנתו
put to sleep ליישן, להשכיב לישון
the big sleep שנת־עולם, מוות
sleep *v.* לישון, להירדם; להלין, לספק מקומות לינה
let sleeping dogs lie שינה לרשעים - הנאה להם והנאה לעולם
not sleep a wink לא לעצום עין
sleep around "לקפוץ ממיטה למיטה"
sleep away לבלות (זמן) בשינה
sleep in ללון במקום עבודתו; לאחר קום
sleep it off להפיג שכרות בשינה
sleep off לסלק (כאב־ראש) בשינה
sleep on להמשיך לישון, להוסיף לישון
sleep on it להלין, לדחות החלטה למחר, לשקול במשך הלילה
sleep out ללון שלא במקום עבודתו; לישון תחת כיפת השמיים/בחוץ
sleep the clock round לישון 12 שעות רצופות
sleep through it לישון בעת שהדבר קורה, לא להתעורר (מהרעש)
sleep with לשכב עם, לשכב את
sleeper *n.* ישנן, ישן; קרון־שינה; אדן, קורה; מיטה; עגיל זמני
light sleeper קל־שינה
sound sleeper עמוק־שינה, בעל שינה עמוקה
sleeping bag שק־שינה
sleeping car קרון־שינה
sleeping partner שותף רדום
sleeping pill גלולת־שינה
sleeping sickness מחלת השינה
sleepless *adj.* ללא שינה, נדוד־שינה
sleepwalker *adj.* סהרורי
sleepwalking *n.* סהרוריות
sleepy *adj.* רדום, ישנוני, מנומנם; שקט
sleepy fruit פרי בשל מדי/רקוב
sleepy-head *adj.* מנומנם, חולמני
sleet *n&v.* (לרדת) שלג מעורב בגשם
sleety *adj.* של שלג מעורב בגשם
sleeve *n.* שרוול; שרוול־רוח; מעטפת־תקליט; נרתיק־ספר; גליל, תותב
keep it up one's sleeve לשמור זאת באמתחתו/בציקלונו
laugh up one's sleeve לצחוק בקירבו, לצחוק מתחת לשפמו
roll up one's sleeves להפשיל שרוולים, להירתם לעבודה
wear his heart on his sleeve להפגין רגשותיו
sleeved *adj.* משורוול, בעל שרוולים
short-sleeved קצר־שרוולים
sleeveless *adj.* חסר־שרוולים
sleeve notes תוכן התקליט
sleigh (slā) *n&v.* מזחלת, מגררה, שלגית; להעביר/לנוע במזחלת
sleight of hand (slāt) להטוטנות
slen′der *adj.* רזה, דק; עדין; דל, מצומצם, לא מספיק, זעום, פעוט
slen′derize′ *v.* לרזות, להכחיש

slept = p of sleep
sleuth (slōōth) *n.* ⋆בלש; כלב־גישוש
slew (slōō) *v.* לסובב; להסתובב, לעשות תפנית
slew *n.* ⋆הרבה, המון
slew = pt of slay
slewed (slōōd) *adj.* ⋆שתוי, מבוסם
slice *n.* פלה, פרוסה; חלק, נתח, מנה; כף־הגשה; פיספוס, חבטה גרועה
slice *v.* לפרוס, לבצוע, לחתוך, לפלח; לחבוט חבטה גרועה (בכדור)
any way you slice it ⋆בכל דרך שתראה זאת
slicer *n.* מחתכה, מבצעה, מפרסה
slick *adj&adv&v.* חלק; חלקלק; פיקחי, ערמומי; היישר, ישר, כליל; ⋆מצוין
slick down להחליק, להבריק (שיער)
slick *n.* שיכבת נפט (על הים); כתב־עת מצולם
slick′er *n.* ערמומי, נוכל; מעיל־גשם
slid = p of slide
slide *v.* לגלוש; להחליק; לחמוק
let things slide להניח לדברים להתגלגל/להידרדר
slide around/over לחלוף, לעקוף, להשתמט
slide into לשקוע ב׳, לעבור אט־אט למצב־
slide *n.* גלישה, החלקה; ירידה, מפולת; מיגלש; שקופית; חלק זחיח; זכוכית העצם (במיקרוסקופ)
hair slide סיכת־שיער
slide rule סרגל־חישוב, גרדה
sliding door דלת זחיחה, דלת זזה
sliding scale סולם נע (למשכורת, מיסים וכו׳)
sliding seat מושב זחיח
slight *adj.* דק, שברירי; חלש; קטן, זעום; קל, לא רציני
not in the slightest כלל לא
slight *v.* לפגוע, להעליב, להקל בכבוד
slight *n.* פגיעה, עלבון, הקלה בכבוד
slightly *adv.* מעט, קצת, משהו, קימעה
slim *adj.* דק, רזה; קטן, מצומצם, דל, קלוש
slim *v.* לרזות, להרזות, להכחיש
slime *n.* בוץ, רפש; הפרשה רירית
sli′my *adj.* מטונף, מכוסה רפש; חלק, רירי; מתרפס, מחניף; מעורר שאט־נפש
sling *v.* להטיל, לזרוק; לקלוע בקלע; לתלות (ברצועה/במענב)
sling hash ⋆לעבוד כמלצר
sling mud להטיל בוץ ב׳, להשמיץ
sling one's hook ⋆להסתלק
sling *n.* הטלה; קליעה; קלע, מיקלעת; מענב; רצועת־רובה; מתלה־זרוע
slinger *n.* קלע; יורה, מטיל, משליך
slingshot *n.* מקלעת, קלע
slink *v.* להתגנב, לחמוק
slip *v.* להחליק, ליפול, למעוד; לחמוק, לחלוף; להידרדר; להגניב; לשחרר; להשתחרר
let slip להחמיץ, לתת לחמוק; לפלוט (סוד)
slip a calf (לגבי פרה) להפיל עגל
slip a cog ⋆לעשות טעות
slip a disc לסבול מחוליה מוחתת
slip by/past לחלוף, לחמוק, לעבור
slip off להחליק; לפשוט, להסיר
slip on/into ללבוש (בזריזות)
slip one's mind לפרוח מראשו, להישכח
slip over on him "לסדר אותו"
slip the memory לפרוח מהזיכרון
slip up לשגות, להיכשל, לעשות טעות
slip *n.* החלקה, נפילה, מעידה; תחתונית, חמוקית; ציפית; בגד קל; כבש־ספינות; שחקן־קריקט
give the slip לחמוק, להימלט
pillow slip ציפית־כר
slip of the pen פליטת־קולמוס
slip of the tongue/lip פליטת־פה
slips עמדות שחקני הקריקט; אחורי־הקלעים
slip *n.* פתק, פיסת־נייר; ייחור, נצר; חומר־ציפוי (בקדרות)
slip of a boy נער רזה
slip-carriage *n.* קרון־רכבת נתיק
slip-case *n.* קופסת־ספר
slip-cover כיסוי (מבד, לרהיט)
slip-knot *n.* לולאה זחיחה, קשר מתהדק; עניבה המותרת במשיכה
slip-on *adj.* (בגד) מתלבש בנקל/מהר
slipover *n.* מיפשול, אפודה
slipped disk חוליה מוחתת, דיסקוס
slip′per *n.* נעל־בית; (במנוע) זחלן
slippered *adj.* נועל נעלי־בית
slip′pery *adj.* חלק, חלקלק, מועד להחלקה; נוכל, חמקמק
slippery slope מידרון מסוכן
slip′py *adj.* חלקלק; ערמומי
look slippy! הזדרז!
slip road כביש־גישה, רחוב צדדי

slip′shod′ *adj.* רשלני, מרושל, מוזנח
slip-stream *n.* סילון־אוויר (ממנוע/מדחף)
slip-up *n.* מישגה, טעות, פליטת־פה
slipway *n.* כבש־ספינות, מיגלש
slit *n&v.* חתך, חריץ, סדק; לחתוך, לעשות חריץ; להיחתך
slith′er (-dh-) *v.* להחליק, לגלוש
slithery *adj.* חלק, חלקלק
sliv′er *n.* פרוסה, חתיכה; קיסם, רסיס
sliver *v.* לפרוס; לנפץ; לשבב; להישבר
sliv′ovitz *n.* סליבוביץ, בראנדי־שזיפים
slob *n.* ⋆מטונף, מרושל, גס
slob′ber *v.* לריר, להזיל רוק
slobber over להשתפך; להרעיף נשיקות (רטובות)
slobber *n.* רוק, ריר; השתפכות
sloe (slō) *n.* שזיף בר
sloe gin ג׳ין שזיפים
slog *v.* לעמול, לעבוד בפרך; להתמיד; להתקדם בכבדות; לחבוט בעוצמה
slog away להתנהל בכבדות; לעמול
slog *n.* חבטה עזה; עבודה מפרכת
slo′gan *n.* סיסמה
slogger *n.* חובט חבטה עזה
sloop (slo͞op) *n.* ספינה חד־תורנית; משחתת
slop *v.* לשפוך; להישפך; להרטיב; להתיז; ללכלך; לבוסס בבוץ/בשלולית
slop out לסלק השופכין (מחדר)
slop over להשתפך ברגשנות
slop *n.* מזון נוזלי
slops פסולת־מזון; מים דלוחים; צואה, שתן; בגדים זולים; כלי־מיטה
slop basin/bowl משיירת, קערת כל־בו
slope *n.* שיפוע; מידרון; הכתפה
at the slope (נשק) מוכתף
slope *v.* לשפע; להשתפע, לנטות
slope arms להכתיף נשק
slope off ⋆להסתלק, לחמוק
slop pail דלי־שופכין
slop′py *adj.* רטוב, מלוכלך; מרושל, לא קפדני; רפוי; אווילי, משתפך
slop-shop חנות לבגדים זולים
slosh *v.* להתפלש, להשתכשך; לנענע; לנער; להתנענע; ⋆לחבוט
sloshed *adv.* ⋆שתוי, בגילופין
slot *n.* חריץ, פתח צר; מקום מתאים (בתוך מערכת); עקבות חיה
slot *v.* לחרץ; לשים בחריץ; למצוא מקום (מתאים, כנ״ל) ל־
sloth (slōth) *n.* עצלות; עצלן (בע״ח)
slothful *adj.* עצל, בטלן
slot machine מכונת מכירה אוטומאטית
slouch *n.* הליכה מרושלת, עמידה שמוטת־כתפיים, תנוחה עצלנית; ⋆בטלן
slouch *v.* ללכת/לעמוד/לשבת ברשלנות (כנ״ל)
slouch hat מגבעת רכת־אוגן
slough (slou) *n.* בצה; מצב ביש
slough of despond דיכאון עמוק
slough (sluf) *n&v.* עור (נחש) נשול
slough off להשיל, להיפטר, לנטוש
slov′en (sluv-) *n.* רשלן
slovenly *adj.* רשלני, מרושל־לבוש
slow (slō) *adj&adv.* איטי, מתמהמה; כבד; קשה־תפיסה; משעמם; (שעון) מפגר; לאט, אט
go slow להאט הקצב; לשבות שביתת־האטה
slow burn כעס גואה, התרתחות
slow off the mark קשה־תפיסה
slow surface מישטח מאט תנועה (שכדור מתגלגל עליו באיטיות)
slow to anger קשה לכעוס
slow *v.* להאט
slow down/up להאט
slow-coach *n.* איטי, מיושן־דעות
slow-down *n.* האטה; השבתת־האטה
slowly *adv.* לאט, אט־אט, מתון־מתון
slow march צעידת אבל (צבאית)
slow motion הקרנה איטית, של סרט אט־נועי
slow-poke *n.* איטי, כבד־תנועה
slow-worm *n.* קמטן (זוחל דמוי־נחש)
sludge *n.* בוץ, בוצה, רפש; שופכין; שמן (מנוע) מלוכלך
slue (slo͞o) *v.* לסובב; להסתובב
slug *n.* שבלול, חילזון חסר־קונכייה; אסימון; כדור, קליע; שורת־סדר
slug *v.* ⋆לחבוט בעוצמה
slug it out להילחם עד הסוף
slug′gard *adj.* עצלן; איטי
slug′gish *n.* עצל, איטי, נרפה
sluice (slo͞os) *n&v.* סכר; תעלת־מים; זרם, שטיפה; להזרים; לשטוף; להציף
sluice out לפרוץ בזרם
sluice gate שער־סכר
sluice valve מגוף סכר
sluice-way תעלת מים
slum *n.* משכנות עוני; מקום מלוכלך
slums משכנות עוני, סלאמס
slum *v.* לבקר במשכנות עוני

slum it לחיות חיי עוני
slum'ber *n&v.* שינה; לישון, לנום
slumber away לבלות (זמן) בשינה
slumberer *n.* ישנן
slum'berous *adj.* רדום; מרדים; שקט
slum'my *adj.* של רובעי־עוני; מלוכלך
slump *v&n.* ליפול; לצנוח; להתמוטט; נפילה; ירידה תלולה; תקופת שפל
slung = p of sling
slunk = p of slink
slur *v.* להדביק (מלים), להבליע; לבטא שלא־בבירור; לנגן לגאטו; לסמן חליק; להשמיץ, להטיל דופי
slur over לנגוע בריפרוף, לטשטש
slur *n.* דיבור לא ברור; חליק, קשת־קישור; השמצה, דופי, רבב
slurp *v.* ללעוס/ללגום ברעש
slur'ry (slûr'i) *adj.* תערובת דלילה; מלט
slush *n.* שלג מימי; בוץ, רפש; רגשנות, ספרות משתפכת
slush fund קרן צדדית, שוחד פוליטי
slushy *adj.* בוצי, מרופש
slut *n.* זונה, פרוצה; רשלנית, לכלכנית
slut'tish *adj.* כזונה; מרושלת, מלוכלכת
sly *adj.* ערמומי, שובבני, קונדסי
on the sly בחשאי, בגניבה
sly dog הולל בחשאי
smack *n.* סטירה; (קול) חבטה; נשיקה מצלצלת; שיקשוק שפתיים
have a smack at לנסות כוחו ב־
smack in the eye מכה קשה, אכזבה
smack of the whip צליף־השוט
smack *v.* לסטור; להטיל בחבטה
smack one's lips לשקשק בשפתיו בהנאה, לצקצק בשפתיים
smack *adv.* היישר, פתאום, בעוצמה
smack *n&v.* (להדיף) ריח; טעם־לוואי; שמץ, פורתא, עקבות
smacks of corruption מדיף ריח שחיתות
smack *n.* מיפרשית־דיג
smack-dab *adv.* ישר, היישר
smack'er *n.* ⋆נשיקה מצלצלת; דולר
smacking *n.* סטירה, סטירות מצלצלות
smacking *adj.* נמרץ, חריף, עז
small (smôl) *adj.* קטן; מצומצם, מועט; מעט; קטנוני; קל־ערך
feel small לחוש בושה/השפלה
great and small הכל, כקטון כגדול
in a small way בלי יומרות, בפשטות, בצינעה
on the small side קטן מדי
small beer בירה חלשה; קוטל קנים
small eater מתון באכילה
small man איש נמוך; אדם קטנוני
small shopkeeper חנווני זעיר
small wonder לא פלא, מובן מאליו
small *n.* החלק הצר (של הגב)
smalls חפצי־ביגוד (ממחטות, לבנים)
small arms נשק קל
small change כסף קטן, מצלצלים, פרוטרוט; שיחה קלה
small fry דגי־רקק; איש קל־ערך
small holder חקלאי זעיר
small holding חלקת־אדמה (ששטחה פחות מ־50 אקרים)
small hours השעות הקטנות של הלילה
small intestines המעיים הדקים
small-minded *adj.* צר־אופק, קטן־מוח
smallpox *n.* אבעבועות
small-scale *adj.* של קנה־מידה קטן
small talk שיחה קלה
small-time *adj.* מוגבל, מצומצם; חסר־חשיבות, קל־ערך
smar'my *adj.* ⋆מתרפס, מחניף
smart *adj.* פיקח, מבריק; מצוחצח, מטופח, נוצץ; אופנתי; מהיר, נמרץ, עז; קשה, מכאיב, חמור
look smart! הזדרז!
play it smart לפעול בחוכמה
smart blow מכה חזקה
smart set החוג הנוצץ
smart *v.* לכאוב; להכאיב; להתייסר
smart for לסבול, לשלם בעד
smart *n.* כאב עז
smart aleck "חכם גדול", "ידען"
smart'en *v.* לייפות, ללטש; להצטחצח
smash *v.* לנפץ; להתנפץ; לשבור; לרסק; להתרסק; להרוס; להביס; לפשוט את הרגל; (בטניס) להנחית
smash into להתנגש בעוצמה ב־
smash one's fist against לחבוט באגרופו בכוח ב (שולחן)
smash *n.* ניפוץ, התנפצות; התנגשות; מכה, חבטה; התמוטטות; פשיטת רגל; הנחתה; ⋆להיט
go smash להיהרס
smash-and-grab (שוד תכשיטים) תוך ניפוץ חלון־ראווה
smashed *adj.* ⋆שתוי, בגילופין
smasher *n.* מהלומה; מהמם, יפה, "פצצה"
smash hit ⋆להיט; הצלחה כבירה

smashing *adj.* ⋆מצוין, נפלא, כביר
smash-up *n.* התנגשות; התמוטטות
smat′ter *v.* לדבר אגב ידע מוגבל
smat′tering *n.* ידיעה שיטחית
smear *v.* למרוח; ללכלך; להכפיש, להשמיץ; לטשטש, למחוק; להתמחק
smeared with blood מגואל בדם
smear *n.* כתם; הכפשת שם, השמצה
smear word כינוי גנאי
smell *v.* להריח, לרחרח; להדיף ריח; לחוש ב־; להסריח, להצחין
smell a rat לחוש שמשהו לא כשורה
smell out לגלות בריחרוח; למלא צחנה
smell round לרחרח, לחפש מידע
smell up להדיף צחנה
smells of the lamp ניכר שהושקע בו עמל רב, עשו לילות כימים בהכנתו
smell *n.* ריח, חוש־הריח; ריחרוח; צחנה
take a smell להריח
smelling bottle בקבוקון הרחה
smelling salts מלחי הרחה (חריפי־ריח, כדי לעורר מעילפון)
smelly *adj.* מסריח, מדיף צחנה
smelt *v.* להתיך, לצרוף, לזקק
smelt *n.* אוסמרוס (דג־מאכל קטן)
smelt = p of smell
smelt′er *n.* כור היתוך, מצרפה
smid′gen *n.* קורטוב, כמות זעומה
smi′lax′ *n.* קיסוסית (צמח מטפס)
smile *v&n.* לחייך, להביע בחיוך; חיוך
smile on/upon להאיר פנים ל־
was all smiles אורו פניו, שמח
smirch *v.* ללכלך, להכתים, להכפיש שם
smirch *n.* ליכלוך, כתם, דופי
smirk *v&n.* (לחייך) חיוך מעושה; חיוך אווילי, חיוך שחצני
smite *v.* להכות, לחבוט, להלום; להשמיד, להביס; לייסר
smitten by conscience נקוף־מצפון
smitten with her charms שבוי בקסמיה
smitten with terror אחוז אימה
smith *n.* נַפָּח, חרש־ברזל
smith′ereens′ (-dh-z) *n.* רסיסים
smith′y *n.* נפחייה, מפחה
smit′ten = pp of smite
smock *n.* מעפורת, סרבל, חלוק
smock′ing *n.* קישוט קפלים, קיבוצים תפורים
smog *n.* ערפיח, ערפל ועשן
smoke *n.* עשן; עישון; ⋆סיגרייה, סיגאר
end up in smoke להיגמר בלא כלום
go up in smoke להתנדף כעשן
there's no smoke without fire אין עשן בלא אש, יש רגליים לדבר
smoke *v.* לפלוט עשן; להעלות עשן; לעשן (סיגרייה/דגים); לפייח
smoke oneself sick לחלות מרוב עישון
smoke out לעשן (צמחים), להדביר בעשן; לגרש (ממחבוא), לגלות
the pipe smokes poorly המיקטרת אינה נוחה לעישון
smoke bomb פצצת־עשן
smoke-dried *adj.* (דג) מעושן
smokeless *adj.* ללא עשן
smoker *n.* מעשן, עשנן; קרון־עישון (למעשנים); מסיבת גברים
smoke-screen *n.* מסך־עשן
smoke-stack *n.* ארובה, מעשנה
smoking *n&adj.* עישון; מותר בעישון
smoking car קרון־עישון (למעשנים)
smoking jacket מיקטורן ביתי
smoking room חדר עישון
smoky *adj.* עָשֵׁן, מעלה עשן, עשון
smol′der (smōl′-) *v&n.* לבעור בלא להבה; לבעור בקירבו; אש חסרת־להבה, בעירה סמויה
smoldering *adj.* בוער בחשאי, עצור
smooch (smo͞och) *v&n.* ⋆להתנשק, להתגפף; נשיקה
smooth (smo͞odh) *adj.* חלק; חסר בליטות; יציב; שקט; ללא טילטולים; ערב, נעים; חלקלק
make smooth ליישר, לסלק מיכשולים
smooth paste עיסה בלולה היטב/חסרת גושישים
smooth *v&n.* להחליק, לגהץ; החלקה
smooth away להסיר, לסלק (קמטים)
smooth down להחליק; להרגיע; להירגע
smooth his path לסלול דרכו, להקל התקדמותו
smooth over ליישר (הדורים), לזער
smooth-bore *adj.* חסר־חריק, חלק־קדח
smooth-faced *adj.* חלק־פנים; צבוע
smoo′thie, smoo′thy (-dhi) *adj.* חלק־הליכות, בעל גינונים נאים; צבוע
smoothing-iron *n.* מגהץ
smoothing-plane *n.* מקצועה
smoothly *adv.* באופן חלק, בלי תקלות
smooth-spoken *adj.* חלַק־לשון
smooth-tongued *adj.* חלַק־לשון

smor′gasbord′ *n.* מיסעדת שירות עצמי, ארוחה מגוונת
smote = p of smite
smoth′er (smudh′-) *v.* להחניק; להיחנק; לדכא, לכבוש, לעצור (זעם); לכסות; לכבות
smother with love להרעיף אהבה
smother *n.* הצפה, אפיפה
smoulder = smolder
smudge *v&n.* ללכלך, להכתים; כתם, סימן־ליכלוך; מדורה, עשן סמיך
smudgy *adj.* מלוכלך, מוכתם
smug *adj.* שבע־רצון מעצמו, מדושן־עונג
smug′gle *v.* להבריח, להגניב
smuggler *n.* מבריח
smut *n.* גרגיר פיח, כתם, רבב; שידפון; ניבול־פה
smut *v.* לפייח, להכתים, ללכלך
smut′ty *adj.* מלוכלך, גס
snack *n.* ארוחה חפוזה; חטיף
snack *v.* לאכול חפוזות, לחטוף משהו
snack bar מיזנון מהיר, מיזנון חטיפים
snaf′fle *n.* מתג (בפי הסוס)
snaffle *v.* לרסן במתג; ⋆לגנוב, לסחוב
snag *n.* זיז מסוכן, עצם חד, מיכשול סמוי, מקור סכנה
snag *v.* להיתפס/להסתבך בזיז; לחטוף
snag a profit ⋆לעשות רווח מהיר
snail *n.* חילזון, שבלול
snail's pace צעדי צב
snake *n.* נחש; קפיץ (לפתיחת סתימות)
see snakes לשקוע בהזיות
snake in the grass נחש מתחת לקש
snake *v.* להתפתל כנחש, להתנחש
snakebite *n.* הכשת נחש
snake charmer קוסם נחשים
snaky *adj.* נחשי, מתפתל; ארסי
snap *v.* לחטוף בשניים; לסגור לסתות; לנשוך, להכיש; להקיש; לשבור; להישבר; להיקרע; לדבר קצרות/בכעס; לצלם בחטף
his nerves snapped עצביו התמוטטו
snap a whip להצליף בשוט
snap at לחטוף, לקפוץ על, לקבל בלהיטות; לענות בגסות, לשסע במלים
snap his head off לשסעו בגסות, לענות בקוצר־רוח
snap it up/snap to it! הזדרז!
snap one's fingers להכות באצבע צרידה; לזלזל, להפגין בוז
snap out of it להתאושש, לצאת מזה
snap up לחטוף (מציאה)
snap *n.* חטיפה; נשיכה; נקישה; שבירה; ניתוק; צליף; מרץ, חיות; רקיק, עוגייה; סנאפ (מישחק קלפים); לחצנית; תמונת־בזק; ⋆משימה קלה
cold snap גל קור, תקופת קור
snap *adj&adv.* מהיר, חפוז, ללא התראה; בקול פיצפוץ, פתע
snap′drag′on *n.* לוע־הארי (צמח)
snap fastener לחצנית
snap′per *n.* לוטיינוס (דג)
snap′pish *adj.* עונה בגסות, חד־לשון, קצר־רוח, עצבני, גס
snap′py *adj.* מלא חיים, נמרץ; אופנתי
look snappy הזדרז!
make it snappy הזדרז!
snapshot *n.* תמונת־בזק
snare *n.* מלכודת; מיתר תוף־צד
snare *v.* ללכוד; להעלות בחכתו
snare drum תוף צד (במערכת תופים)
snarl *v&n.* לנהום, לרטון; לחשוף שיניו; נהימה, ריטון
snarl *v&n.* לסבך; להסתבך; תיסבוכת; פקק־תנועה
snarl-up *n.* תיסבוכת, פקק־תנועה
snatch *v.* לחטוף, לתפוס, לנסות לחטוף
snatch *n&adj.* חטיפה; תפיסה, מאמץ להשיג; קטע, חלק; חטוף
in snatches קטעים־קטעים
make a snatch at לנסות לחטוף
snaz′zy *adj.* נאה, מטופח, מצוחצח
sneak *v.* להתחמק, לחמוק, להתגנב; ⋆לגנוב, לסחוב; להלשין
sneak up להתגנב, לבוא כגנב
sneak *n.* חמקן, גנב; נבזה, שפל; לא צפוי, מפתיע; ⋆מלשין
sneaker *n.* מתחמק, שתמטן
sneakers נעלי התעמלות, נעלי טניס
sneaking *adj.* חשאי, כמוס; מתגנב ללב
sneak thief גנב, גנבן, סחבן
sneaky *adj.* מתגנב, חשאי, רמאי
sneer *v.* לגלגל, ללעוג, לגחך, לבוז
sneer *n.* ליגלוג, לעג, הבעת בוז
sneeze *v&n.* להתעטש; התעטשות
not to be sneezed at שאין לזלזל בו, ראוי להערכה
snick *n&v.* חתך, חריץ; סטייה קלה (של כדור); לעשות חתך קטן; להסיט
snick′er *n&v.* לצחוק בציניות, לצחוק בקרבו; לצהול; צחוק כבוש; צהלת־סוס
snide *adj.* לגלגני, פוגעני
sniff *v.* לרחרח; לשאוף באף; לחטום
sniff at לזלזל, לדחות בבוז

sniff out לרחרח, לגלות
sniff *n.* ריחרוח; שאיפה באף
snif'fle *v&n.* לשאוף בחוטם, להעלות ריר האף (שוב ושוב); שאיפה בחוטם
sniffles ⋆נזלת
snif'fy *adj.* מעקם חוטמו, בז; מסריח
snif'ter *n.* כוסית משקה, כוסית יי"ש
snig'ger = snicker
snip *v.* לגזור, לחתוך במספריים
snip *n.* גזירה, גזיזה; חתיכה, פיסה; ⋆מציאה, מיקח טוב; ברנש, טיפוס גס
snipe *n.* חרטומן (עוף בצה); חרטומנים
snipe *v.* לצלוף, לפגוע ממארב
sniper *n.* צלף
snip'pet *n.* חתיכה, קטע, גזר
snipping *n.* חתיכה, קטע, פיסה
snip'py *adj.* מורכב מחתיכות; ⋆גס
snips *n-pl.* מיספריים, מיספרי־פח
snit *n.* ⋆רוגז, כעס
snitch *v.* ⋆לגנוב, לסחוב; להלשין
snitch *n.* ⋆גנב, מלשין; אף, חוטם
sniv'el *v.* לבכות, להתלונן, לרגון; לזוב מאפו; לחטום
sniveling *adj.* מתלונן; זב־חוטם
snob *n.* סנוב, יהיר, שחצן
snob'bery *n.* סנוביות
snob'bish, snob'by *adj.* סנובי
snog *n.* ⋆נשיקה
snood (snōōd) *n.* רשת־שיער, שביס
snook *n.* תנועת בוז
cock a snook להביע בוז (בכף־יד פרושה, כשהבוהן נוגעת באף)
snook'er *n.* סנוקר (מישחק ביליארד)
snooker *v.* להכניס למצב ביש
snoop (snōōp) *v&n.* לחטט, לרחרח, לתחוב חוטמו, לחפש הפרות חוק; חטטן, בלש
snooper *n.* חטטן, תוחב אפו
snoot (snōōt) *n.* ⋆אף, חוטם; פרצוף
snoo'ty *adj.* שחצן, יהיר, סנובי
snooze *v&n.* (לחטוף) תנומה קלה
snore *v&n.* לנחור; נחירה
snorer *n.* נחרן
snor'kel *n.* שנורקל, מכשיר נשימה לצוללים
snort *v.* לנחור, לנחרר, להרחר; לפלוט בנחירה; לפרוץ בצחוק
snort *n.* נחירה, חירחור; לגימה, גמיעת־משקה; שנורקל
snorter *n.* נחרן; סערה; ⋆עצום, כביר, קשה במיוחד, חזק, נפלא וכו'
snot *n.* ⋆ריר־אף, ליחת־חוטם
snot'ty *adj.* ⋆זב־חוטם; מנופח, סנוב
snotty-nosed *adj.* ⋆מתנשא, מנופח, סנוב
snout *n.* חוטם, אף; זרבובית; ⋆טאבאק; סיגריה
snow (-ō) *n&v.* שלג; אבקת־קוקאין; (לגבי שלג) לרדת; ⋆לשכנע, להרשים
it's snowing יורד שלג
snow in לבוא בכמויות, להציף
snowed in/up כלוא/חסום בשלג
snowed under כורע תחת, מוצף
snowball *n.* כדור־שלג
snowball's chance in hell סיכוי אפסי
snowball *v.* להטיל כדורי־שלג; להתגלגל ככדור־שלג, לגדול במהירות
snowbank *n.* תל־שלג
snow-berry *n.* שיח לבן־גרגירים
snow-blind *adj.* מוכה עיוורון־שלג
snow-blindness *n.* עיוורון־שלג, הסתנוורות (מחמת) שלג
snow-bound *adj.* חסום־שלג, תקוע בשלג
snow-capped *adj.* (פיסגת־הר) מכוסה שלג
snow-clad *adj.* עוטה שלג, מושלג
snowdrift *n.* ערימת שלג, תל־שלג
snowdrop *n.* שלגייה (צמח־פקעת)
snowfall *n.* ירידת שלג, שליגה; כמות מישקעי־שלג
snowfield *n.* מישור מכוסה שלגי־עד
snowflake *n.* פתית־שלג
snow job גוזמה, הבאי, הבל
snow-line *n.* קו־השלג (שמעלה הימנו אין השלג נמס לעולם)
snowman *n.* בובת־שלג, איש־שלג
snowplow *n.* דחפור־שלג, מפלסת
snowshoe *n.* נעל־שלג (להליכה בשלג)
snowstorm *n.* סופת־שלג
snow-white *adj.* לבן כשלג, צח, צחור
snowy *adj.* מושלג, מכוסה שלג; לבן כשלג
snowy weather מזג־אוויר שלוג
Snr = senior
snub *v&n.* להתייחס בזילזול; לדחות בגסות, להתעלם מ־; זילזול; השפלה
snub *adj.* (אף) סולד, קצר, פחוס
snub-nosed *adj.* בעל אף סולד; (אקדח) קצר־קנה
snuff *v.* למחוט, לסלק מוחט הנר, לחתוך קצה הפתילה (השרוף)
snuff it ⋆למות

snuff out לכבות; לשים קץ ל־; למות
snuff *n.* טאבאק־ריחה, אבקת הרחה
up to snuff ★פיקח, ממולח, לא ילדותי; בקו הבריאות; ברמה טובה
snuff = sniff *n&v.* לרחרח, לשאוף באף; ריחרוח, שאיפה באף
snuff-box *n.* קופסת־טבק, טבקייה
snuff-colored *adj.* חום־צהוב (כטבק)
snuff'er *n.* התקן לכיבוי נרות (דמוי־פעמון)
snuffers מיספרי־מוחט (לסילוק קצה הפתילה השרוף)
snuf'fle *v.* לשאוף בחוטם, להעלות ריר האף; לחטום, לאנפף
snuffle *n.* שאיפה בחוטם, חיטום, אינפוף; צביעות
snug *adj.* חם, נוח, נעים; בטוח, מוגן; נקי, מסודר; צמוד, מהודק לגוף
snug income הכנסה מספקת
snug-fitting *adj.* צמוד, מהודק לגוף
snug'gery *n.* מקום נוח, חדר נעים
snug'gle *v.* להתרפק, לשכב בנוחות, להצטנף, להתקרב; לחבק, לקרב
so *adv&conj.* כך, ככה; כה, כל כך; כן, כמו כן; מאוד; ובכן; על כן, לכן
a month or so חודש בערך
and so on/forth וכו', וכד', וגו'
even so אף על פי כן
ever so מאוד
if so אם כך, אם (אמנם) כן
is that so? האומנם?
it so happened that אינה הגורל, רצה המיקרה, יצא ש־
just so כך ממש, בדיוק כך; אמנם כן; נקי, מסודר; כל זמן ש־
not so - as לא כל כך, לא עד כדי כך (כפי ש־)
not so much as אפילו לא
or so בערך, פחות או יותר
so as to כך ש', כדי ש־, באופן ש־
so be it יהי כן, בסדר
so far עד כה, עד הנה
so far as I know למיטב ידיעתי
so far from במקום ש־, לא זו בלבד שלא־, אדרבה, רחוק מ־
so far, so good עד כאן הכל בסדר
so help me חי נפשי
so long as כל זמן ש־, כל עוד
so long! שלום! להתראות!
so much לגמרי, כליל, גרידא
so much for him זה הכל לגביו
so much so that עד כדי כך ש־
so much the better מוטב כך
so much/many כך וכך, מיספר מוגבל
so that כך ש־; כדי ש־
so to say/speak אם להתבטא כך, "הייתי אומר"
so what? ובכן מה? אז מה?
soak *v.* לשרות; להישרות; להספיג; להטביל; לגבות מחיר מופרז, לסחוט
soak in להיקלט, להיות מובן
soak oneself in להשקיע עצמו ב־
soak out לסלק (ליכלוך) בשרייה
soak through לחלחל, לחדור בעד
soak up לספוג (נוזלים, מכות)
soak *n.* שרייה, הספגה; ★שיכור, שתיין
soaked *adj.* רטוב לגמרי; רווי, מלא, ספוג, אפוף; ★שתוי, בגילופין
soaked to the skin רטוב עד העצמות (מגשם)
soaker *n.* ★גשם כבד, מבול; שיכור
so-and-so *n.* פלוני, זה וזה; ★רשע, גס
soap *n&v.* סבון; לסבן; ★להחניף
cake of soap חתיכת סבון
no soap ★ללא הצלחה, ללא הועיל
soapbox *n.* דוכן נואם (מאולתר)
soapbox orator נואם רחוב
soap bubble בועת סבון
soap opera אופרת סבון (סידרה המשכית של מחזה סנטימנטלי)
soap-suds *n-pl.* קצף סבון, מי־סבון
soapy *adj.* סבוני, מכיל סבון; חלק־לשון, מחניף; מלודרמאטי
soar *v.* להמריא, להרקיע שחקים; לרחף במרומים, לדאות; לעלות, לנסוק
soaring *adj.* רם, מתנשא, מרקיע
soaring imagination דימיון מפליג
soaring flight דאייה
sob *v&n.* להתייפח, לייבב; התייפחות, בכי
sob one's heart out להתייפח מרה
sob out לספר אגב התייפחות
sob to sleep להירדם תוך בכי
so'ber *adj.* פיכח, צלול־דעת, לא שתוי; רציני, מיושב; שקט, מאופק
sober *v.* לפכח; לצלל דעת; להתפכח
sober down/up לפכח; להתפכח
sober-minded *adj.* מפוכח, צלול
sobri'ety *n.* פיכחון, צלילות־דעת
so'briquet' (-kā) *n.* כינוי, שם־לוואי
sob story סיפור סוחט דמעות
sob stuff ספרות סוחטת דמעות
so-called *adj.* המכונה, הנקרא; כביכול, במרכאות, המפוקפק

soc′cer (sok′ər) *n.* כדורגל
so′ciabil′ity (-shəb-) *n.* חברותיות
so′ciable (-shəb-) *adj&n.* חברותי, איש חברה; מסיבה
so′cial *adj&n.* חברתי, סוציאלי; ידידותי, של רעים; של מעמד חברתי; מסיבה
social evening ערב בין רעים
social set בני אותו מעמד חברתי
social clibmer טפסן חברתי, שואף להתקדם בחברה
social club מועדון חברים
social democrat סוציאל־דמוקראט
socialism *n.* סוציאליזם, שתפנות
socialist *n&adj.* סוציאליסט; סוציאליסטי
so′cialite′ (-shəl-) *n.* איש החוג הנוצץ
so′cializa′tion (-shəl-) *n.* חיברות, החבְרָה
so′cialize′ (-shəl-) *v.* לחברת, להלאים; להקנות ערכי חברה; להתרועע
socialized medicine רפואה ציבורית
social science/studies מדעי החברה
social security ביטוח לאומי; עזרה סוציאלית
social service עבודה סוציאלית; שירותים ציבוריים
social work עבודה סוציאלית
social worker עובד סוציאלי
soci′ety חֶברה; החברה הגבוהה, החוג הנוצץ; חוג, מועדון
high society החברה הגבוהה
in the society of בחוג־, בחברת־
society occasion אירוע בחוג הנוצץ
so′cio (-shō) סוציו־, של חברה
so′ciolog′ical *adj.* סוציולוגי
so′ciol′ogist *n.* סוציולוג
so′ciol′ogy *n.* סוציולוגיה
sock *n.* גרב, מידרס; ★מכה, מהלומה
pull one's socks up לסדר עצמו, לשנס מותניו
put a sock in it! ★הס! חדל לקשקש!
take a sock at לכוון מכה לעבר
sock *v.* להכות, להלום; להטיל, להשליך
sock it to him! תן לו מנה הגונה!
sock *adv.* ★היישר, בדיוק, בעוצמה
sock′et *n.* בית, בית־נורה; שקע, חלל, חור, ארובת־העין
Soc′rates (-tēz) *n.* סוקראטס
Socrat′ic *adj.* סוקראטי
sod *n.* עשבה, אדמת־עשב; פיסת עשבה
sod *n&v.* ★ברנש, טיפש, "חזיר"; סדומי
not care a sod לא איכפת כלל
sod it! לעזאזל! לכל הרוחות!
sod off! הסתלק! עוף מפה!
so′da *n.* סודה; גזוז; מי־סודה
baking soda סודת־אפייה
washing soda סודת־כביסה
soda biscuit/cracker אפיפית חלבית
soda fountain דלפק־משקאות
soda jerk מוכר גזוז
so•dal′ity *n.* אחווה, אגודה, חברה
soda pop משקה תוסס, גזוז
soda water מי־סודה
sod′den *adj.* רווי, ספוג, לח, רטוב; בצקי, לא אפוי; שתוי, מטומטם
so′dium *n.* נתרן (מתכת)
sodium chloride מלח־הבישול
sod′omite′ *n.* עושה מעשה־סדום, הומו
sod′omy *n.* מעשה־סדום
so•ev′er *adv.* כלשהו, (מי) שלא יהיה
howsoever איך שלא יהיה
in any way soever בכל דרך שהיא
so′fa *n.* ספה
soft (sôft) *adj.* רך; חלק; עדין; נעים, נוח; שקט, חרישי; רפה; ★מטורף, מאוהב
has a soft spot for יש לו חולשה ל־, רוחש חיבה מיוחדת ל־
soft answer מענה רך, תשובה מתונה
soft breeze בריזה קלה, רוח קלה
soft drink משקה קל (לא חריף)
soft goods בדים, אריגים
soft heart לב רך, לב רחום
soft in the head רפה־שכל
soft job ג'וב קל/מכניס
soft light אור נעים (לא מסנוור)
soft on- ידו רכה כלפי־
soft tongue לשון רכה, רכות
soft water מים רכים
soft C C רכה (המבוטאת כ־S)
soft G G רכה (המבוטאת כ־J)
softball *n.* כדור־בסיס רך (מישחק דמוי־בייסבול)
soft-boiled egg ביצה רכה
soft coal פחם ביטומני
soft currency מטבע רך, כסף לא יציב
soft drugs סמים רכים (לא קשים)
soft′en (sôf′ən) *v.* לרכך; להתרכך
soften up לרכך (בהרעשה)
softener *n.* חומר מרכך, מרכך מים
softer sex המין החלש, המין היפה
soft-footed *adj.* פוסע בעדינות, טפוף־צעד
soft furnishings כלי־בד, וילונות, רפד

(וכ' לקישוט הבית)
soft-headed *adj.* רפה־שכל, אידיוטי
soft-hearted *n.* רך־לבב, רחום
soft'ie (sôf'ti) *n.* רכרוכי, טיפש
softish *adj.* רכרך, רך כלשהו
soft landing נחיתה רכה (של חללית)
softly *adv.* ברוך, בנחת
softness *n.* רכות, עדינות
soft option ברירה הכרוכה במעט עבודה
soft palate החיך הרך, וילון
soft pedal דוושת העימעום (בפסנתר)
soft-pedal *v.* להמעיט ערכו, לבטל חשיבותו, לטשטש, לעמעם, למתן
soft sell מכירה בשיכנוע עדין
soft soap סבון נוזלי; חנופה
soft-soap *v.* להחניף
soft solder לחָם (מתכת־הלחמה) רך
soft-spoken *adj.* רך־לשון, נעים־דיבור
software *n.* תוכנה
soft-witted *adj.* רפה־שכל
softwood *n.* עץ רך
softy *n.* רכרוכי; טיפש, פתי
sogginess *n.* רטיבות
sog'gy *adj.* רטוב, ספוג מים; חסר־חיים
soigné (swänyā') *adj.* מסודר, מטופח, מצוחצח, לבוש בקפידה
soil *n.* אדמה, קרקע; ליכלוך; צואה
good/poor soil עידית/זיבורית
native soil מולדת, מכורה
soil *v.* ללכלך, לזהם; להתלכלך
soil his reputation להכפיש שמו
soiled *adj.* מלוכלך, מזוהם, מגואל
soiree (swärā') *n.* מסיבה, נשף
so'journ (-jûrn) *v&n.* להתגורר זמנית, לשהות; התגוררות; שהייה
sol (sōl) *n.* סול (צליל); השמש, החמה
sol'ace (-lis) *n&v.* נחמה, מקור־נחמה, עידוד, הקלת סבל; לנחם, למצוא נחמה
so'lar *adj.* סולארי, שמשי, של השמש
solar cell תא סולארי, תא־שמש, מיתקן להפקת חשמל מאנרגיית השמש
sola'rium *n.* חדר־שמש, חדר־זכוכית
solar system מערכת השמש
solar year שנת החמה, שנה שמשית
sold = p of sell (sōld)
sol'der (sod'-) *n.* לַחָם, מתכת־הלחמה
solder *v.* להלחים, להדביק בלַחָם
soldering iron מלחם
sol'dier (sōl'jər) *n.* חייל, איש־צבא
private soldier טוראי
soldier in the cause of לוחם למען
soldier of fortune שכיר־חרב
soldier *v.* לשרת בצבא
soldier on להמשיך חרף הקשיים
soldier-like *adj.* כמו חיל, אמיץ
soldierly *adj.* אמיץ, בן־חיל
soldiery *n.* חיילים, אנשי־צבא
sole *n.* סוליה; כף הרגל
sole *v.* להתקין סוליה, לתפור סוליה
sole *n.* סנדל, דג־משה־רבינו, סול
sole *adj.* יחיד; בלעדי, בלבדי
sol'ecism' *n.* טעות־לשון, שגיאה דיקדוקית; הפרת כללי התנהגות, מישגה
-soled (נעל) בעלת סוליה
rubber-soled בעלת סולית גומי
solely *adv.* אך ורק, בלבד, גרידא
sol'emn (-m) *adj.* טקסי, חגיגי; קדוש, מעורר כבוד; רציני; חמור־סבר
solemn duty חובה קדושה
solem'nity *n.* חגיגיות; טקס חגיגי; קדושה; רצינות
sol'emniza'tion *n.* חגיגה, עריכת טקס; הרצנה
sol'emnize' *v.* לחוג, לטקס, לערוך טקס; להעניק צביון חגיגי, להרצין
solemnly *adv.* חגיגית, ברצינות
sol-fa *n.* סול־פה (שימוש בהברות דו־רה וכ' לייצוג צלילים)
sol•feg'gio (-fej'ō) *n.* סולפג', סולמיזציה
solic'it *v.* לבקש; לחזר אחרי, להפציר; (לגבי זונה) להציע גופה, לשדל
solic'ita'tion *n.* בקשה, חיזור, הפצרה; שידול לקוח
solic'itor *n.* מבקש, מחזר (אחרי לקוחות/בוחרים); עורך־דין (זוטר)
solicitor general היועץ המשפטי
solic'itous *adj.* דואג ל־, חרד ל־; להוט, חפץ, משתוקק
solic'itude' *n.* דאגה, חרדה; השתוקקות
sol'id *adj.* מוצק, קשה; מלא, לא חלול; חזק, איתן; מבוסס; רציני, שקול; סולידי; אחיד; תלת־ממדי
solid argument טיעון/נימוק מבוסס
solid backing תמיכה מאוחדת
solid for/on/against תמימי־דעים/פה אחד/כאיש אחד בעד/נגד
solid gold זהב טהור
solid line of people שורה רצופה של אנשים (ללא רווחים ביניהם)
solid word מלה אחידה (חסרת־מקף)
2 solid hours שעתיים תמימות
solid *n.* חומר מוצק; מזון מוצק; גוף

תלת־ממדי
sol'idar'ity *n.* סולידאריות
solid geometry הנדסת המרחב
solid'ifica'tion *n.* מיצוק, גיבוש
solid'ify' *v.* למצק, לעשות למוצק; לגבש; להתמצק
solid'ity *n.* מוצקות, איתנות, יציבות
sol'idus *n.* קו נטוי, לוכסן
solil'oquize' *v.* לשאת מונולוג, לנאום לעצמו, להרהר בקול
solil'oquy *n.* מונולוג, חד־שיח; הירהור בקול
sol'itaire' *n.* פאסיאנס, מישחק קלפים ליחיד; תכשיט בעל יהלום
sol'itary *adj&n.* בודד, מתבודד, גלמוד; מבודד, נידח; אחד ויחיד
solitary *n.* נזיר; מתבודד; ★צינוק
solitary confinement השלכה לצינוק
sol'itude' *n.* בדידות; מקום נידח
sol'miza'tion *n.* סולמיזציה
so'lo *n.* סולו, יצירה ליחיד; מיבצע יחיד; מישחק קלפים דמוי־ויסט
solo *adj&adv.* של סולו; ללא ליווי
solo *v.* לבצע (טיסת) סולו
so'lo•ist *n.* סוליסט, סולן
Sol'omon *n.* שלמה (המלך)
So'lon *n.* סולון, מחוקק חכם
sol'stice (-tis) *n.* זמן ההיפוך, מיפנה השמש, סולסטיס
summer solstice היפוך הקיץ (ב־21 ביוני)
winter solstice היפוך החורף (ב־22 בדצמבר)
sol'u•bil'ity *n.* מסיסות; פתירה
sol'u•ble *adj.* מסיס, עשוי להימס; פתיר
solu'tion *n.* פיתרון, פתירה; תשובה; תמיסה; המסה
solvable *adj.* פתיר, ניתן לפתרו
solve *v.* לפתור, לפענח
sol'vency *n.* כושר סילוק חובות; מסיסות
sol'vent *adj.* שבאפשרותו לסלק חובותיו; מסיס; ממוגג, ממס; חומר ממס
som'ber *adj.* קודר, אפל; עצוב, מדוכדך
sombrer'o (-rār'ō) *n.* סומברירו (מיגבעת רחבת־תיתורה)
some (sum) *adj&adv&pron.* קצת, מעט; כמה, אחדים; מסוים, איזה־שהוא; בערך; ★מצוין, כהלכה
and then some ועוד, ויותר מכך
for some time לזמן־מה; לפרק זמן ניכר
go some way ללכת כיברת דרך
some friend he is! גם כן ידיד! אוי לי מידיד כזה!
some more עוד מעט, עוד
some of these days באחד הימים
some other time בזמן אחר
some place or other היכן שהוא
some say אומרים, הפיתגם אומר־
some 20 or 30 כעשרים־שלושים
some 30 years ago לפני כ־30 שנה
somebody *pron.* מישהו; אישיות (חשובה)
someday *adv.* באחד הימים, בעתיד
somehow *pron.* איכשהו, בדרך כלשהי; מסיבה כלשהי, לא ברור למה
somehow or other איכשהו
someone *pron.* מישהו
someplace *adv.* ★איפשהו, היכן שהוא
som'ersault' (sum-) *v&n.* (לעשות) סאלטה, קפיצת התהפכות; גילגול באוויר
something *pron&adv.* משהו; משהו/מישהו חשוב
has something going for him יש לו משהו מיוחד, בעל קשרים
has something on her יודע משהו עליה
made something of himself עשה מעצמו משהו, הצליח
make something of it ★להתחיל לריב על כך, לעשות מזה "עסק"
or something או משהו דומה
see something of him לראותו מדי פעם
something like- משהו כמו־; בערך, בסביבות
something of a במידה מסוימת, במידת־מה, משהו, מעין
something to do with קשור ל־
that's something else again זה משהו אחר
that's something! זה משהו! אין זה דבר של מה־בכך
there is something in it יש בזה משהו, יש דברים בגו
sometime *adv&adj.* באחד הימים, פעם (בעבר/בעתיד); לשעבר, בעבר
sometime actor שחקן לשעבר
sometimes *adv.* לפעמים, לעתים
someway *adv.* איכשהו
somewhat *adv.* משהו, במשהו, במידת־מה, קצת
more than somewhat יותר מקצת,

במידה רבה
somewhat of a- משהו, מעין;
במידת־מה, במידה מסוימת
somewhere *adv.* במקום כלשהו, היכן
שהוא, איפשהו, אנשהו, אישהו, אישם
get somewhere להגיע למשהו, להשיג
תוצאות חיוביות, להצליח
som•nam'bu•lism' *n.* סהרוריות
som•nam'bu•list *n.* סהרורי
som•nif'erous *adj.* מרדים, גורם שינה
som'nolence *n.* רדימות, נטייה לשינה
som'nolent *adj.* רדים, מנומנם; מרדים
son (sun) *n.* בן
favorite son מועמד לנשיאות
son of a bitch ★בן־כלבה, בן־זונה
son of a gun ★בן־חיל, "גבר"
son of the soil בן־אדמה, איש־אדמה
the Son ישו הנוצרי
so'nar *n.* סונאר (מיתקן לגילוי ואיתור
עצמים מתחת למים)
sona'ta (-nä-) *n.* סונאטה (במוסיקה)
son et lumiere (sonālōō'myûr) *n.*
חיזיון אור־קולי
song (sông) *n.* שיר; שירה; מנגינה
burst into song לפצוח בשיר
for a song בזיל הזול
nothing to make a song about
דבר קל ערך, לא צריך להתלהב ממנו
song and dance שטויות, הבלים
songbird *n.* ציפור־שיר
song-book *n.* ספר שירים
song'ster (sông-) *n.* זַמר; משורר;
ציפור־שיר
song'stress (sông-) *n.* זמרת; משוררת;
ציפור־שיר
son'ic *adj.* קולי, של גלי/מהירות הקול
sonic boom/bang בום על־קולי
son'-in-law' (sun'-) *n.* חתן, בעל
הבת
son'net *n.* סונטה, שיר־זהב
son'ny (sun'i) *n.* ★ילד, ילדי, בני
sonor'ity *n.* צוללות, בהירות הצליל
sonor'ous *adj.* מצלצל, עמוק, רם,
מלא; רב־רושם
son'sy *adj.* נאה, שמנמונת, עליזה
soon (sōōn) *adv.* מיד, בקרוב, בתוך זמן
קצר, מהר; במהרה, בהקדם, מוקדם
as soon as מיד לאחר ש־, ברגע ש־, אך
as soon as not בחפץ לב
as soon as possible בהקדם האפשרי
at the soonest לכל המוקדם
no sooner had I seen her than-
אך ראיתיה והנה/וכבר־
no sooner said than done הדבר
נעשה תוך־כדי־דיבור/מיד
soon after- מיד לאחר־
sooner or later במוקדם או במאוחר
the sooner the better מוטב מהר ככל
האפשר
too soon מהר מדיי, מוקדם מדיי
I'd just as soon הייתי מוכן/חפץ
באותה מידה ל־, הייתי מעדיף
I'd sooner die than marry her
אעדיף למות מאשר להתחתן עמה
soot *n&v.* פיח; לפייח, לכסות בפיח
sooth (sōōth) *n.* אמת
in sooth באמת, באמונה
soothe (sōōdh) *v.* להרגיע, לשכך
soothsayer *n.* מגיד עתידות
soot'y *adj.* מפויח, שחור כפיח
sop *v.* להטביל, לשרות, להספיג, להרוות
sop up לספוג, לקלוט נוזלים, לנגב
sop *n.* חתיכת לחם שרויה; מזון ספוג
נוזלים; שוחד; מינחת פיוס
sop to Cerberus שוחד, מתנת־פיוס
soph'ism' *n.* סופיזם, פלפלנות כוזבת
soph'ist *n.* סופיסט, פלפלן, חכמן
sophis'ticate *adj.* מתוחכם, רב־ניסיון
sophis'ticate' *v.* להתפלפל; לסבך
sophis'tica'ted *adj.* מתוחכם, מסובך,
מורכב; חריף, מפולפל; בקי בארחות־חיים
sophis'tica'tion *n.* סופיסטיקציה
soph'istry *n.* פלפלנות; סופיזם,
הטעאה
soph'omore' *n.* תלמיד השנה השנייה
sop'orif'ic *adj&n.* מרדים; חומר
מרדים
sop'ping *adj&adv.* (רטוב) לגמרי
sop'py *adj.* רטוב מאוד; טיפשי, רגשני
sopran'o *n.* סופראנו (קול)
sor'bet = sherbet גלידת־פירות
sor'cerer *n.* מכשף, קוסם, מג
sor'ceress *n.* מכשפה, קוסמת
sor'cery *n.* כישוף; מעשה־כשפים
sor'did *adj.* מלוכלך, מטונף; נבזה,
שפל; גס, אנוכיי
sore *adj&adv.* כואב; מכאיב, מצער;
עצוב, עגום; נפגע, נעלב; (באופן) חמור,
קשה
feel/get sore להיפגע, לכעוס
sight for sore eyes מחזה משיב נפש
sore spot נקודה עדינה, נושא כאוב
sore subject נושא רגיש/כאוב
I'm sore כואב לי, גופי כואב

sore *n.* פצע, דלקת; נושא כאוב
sorehead *n.* נוח לכעוס, רגזן
sorely *adv.* באופן חמור, מאוד, ביותר
sor′ghum (-g-) *n.* דורה, עסיס־דורה
soror′ity *n.* מועדון סטודנטיות
sor′rel *n.* חומעה (צמח חצמצץ־עלים)
sorrel *n.* (סוס) חום־אדמדם
sor′row (-ō) *n&v.* צער, עצב; צרה; מקור־צער, גורם סבל; להצטער, להתאבל
sorrowful *adj.* עצוב, מצטער; מצער
sor′ry *adj.* מצטער; עצוב; מתחרט, עלוב, אומלל, מעורר חמלה
feel/be sorry for him לרחם עליו
sorry condition מצב עלוב
sorry! אני מצטער! סליחה?
I'm sorry אני מצטער, צר לי
sort *n.* מין, סוג; אדם, ברנש, טיפוס
after a sort במידה מסוימת
it takes all sorts ⋆קיימים כל מיני טיפוסים
of a sort/of sorts מסוג נחות
out of sorts לא חש בטוב; מצוברח
sort of ⋆במידת־מה, משהו, כעין
sort *v.* למיין, לסווג; לברור
sort ill/well with (לא) להלום/להתאים/לעלות בקנה אחד עם
sort out למיין; לברור; לפתור, לסדר, להסדיר, לטפל ב־
sorter *n.* מַיָּן, ממיין, מסווג
sor′tie *n.* גיחה, יציאה, התקפה
sort-out *n.* סידור, טיפול
SOS אס או אס! הצילו! קריאת עזרה
so-so *adj&adv.* ככה־ככה, לא הכי טוב
sot *n.* שיכור, שתיין, מטומטם
sot′tish *adj.* שיכור, מטומטם מיין
sot′to vo′ce (-vō′chi) *adv.* בחצי קול, בלחש
sou (sōō) *n.* סו, מטבע פחות־ערך
hasn't a sou חסר כל, מרושש
sou•brette′ (sōōbret′) *n.* שובבנית
soubriquet = sobriquet
soufflé (sōōflā′) *n.* תפיחה, תפיחית, סופלה, מאפה־ביצים וגבינה
sough (sou) *n&v.* רישרוש; לרשרש
sought = p of seek (sôt)
sought-after *adj.* מבוקש, נדרש
soul (sōl) *n.* נפש, נשמה, רוח; איש; התגלמות, מופת; לב, רגש עמוק; שירי נשמה
dear soul נשמה יקרה, "מלאך"
has no soul חסר־לב, אנוכיי
heart and soul בלב ונפש
his novels lack soul סיפוריו נטולי "נשמה"
sell one's soul למכור את נשמתו
the life and soul of הרוח החיה ב־
the soul of integrity התגלמות התום
upon my soul! חי נפשי!
70 souls 70 נפש, 70 איש
soul *adj.* ⋆כושי, של כושים
soul brother/sister כושי/כושית
soul-destroying *adj.* מדכא־רוח, משעמם
soulful *adj.* מלא־רגש, מביע רגש
soulless *adj.* נטול־רגש, חסר־לב
soul music מוסיקה כושית, שירי נשמה
soul-searching *n.* חשבון הנפש
soul-stirring *adj.* מלהיב, מרגש
sound *n.* קול; צליל, נימה; הגה
consonant sound עיצור, צליל עיצורי
vowel sound תנועה, צליל תנועי
within the sound of בטווח קול
sound *v.* להישמע; ליצור רושם; לצלצל; להשמיע; לתקוע; לבדוק; להאזין; לבטא; לפרסם
it sounds- זה מצלצל/נשמע כ־
sound a chest לבדוק את בית־החזה
sound a trumpet/horn לחצצר/לצפור
sound off לבטא בקול, להטיח נגד
sound *v.* למדוד עומק (המים, בגשוש), לבדוק (ע"י כדור פורח)
sound out למשש הדופק, לעמוד על טיבו, לתהות על קנקנו
sound *adj&adv.* בריא, שלם; חסון, חזק; הגיוני, שפוי; שקול; מבוסס; יעיל
sound asleep ישן שינה עמוקה
sound character אופי הוגן
sound investment השקעה בטוחה
sound mind דעה שפויה
sound thrashing מכה הגונה, תבוסה
sound *n.* מיצר, מיצר־ים
sound archives ארכיון מישדרים
sound barrier מחסום הקול
sound box תיבת־תהודה
sound effects אפקטים קוליים
sound film סרט קול
sounding balloon כדור פורח (לבדיקות באטמוספירה)
sounding board לוח־תהודה (מאחורי הנואם); אמצעי להפצת רעיונות
sounding line גשוש, חבל־מדידה
sounding rod גשוש, מוט־מדידה
soundings *n-pl.* בדיקות־עומק; מידות עומק; קירבת החוף

soundless *adj.* חסר־קול; עמוק, תהומי
soundproof *adj&v.* אטים־קול; לאטם, לעשות בלתי־חדיר לקול
sound recording הקלטת קול
sound track פסקול; רצועת הקול (בשולי סרט, שעליה הוקלט הקול)
sound waves גלי קול
soup (sōōp) *n&v.* מרק
from soup to nuts ⋆מא' ועד ת'
in the soup בצרה, בבוץ, בתיסבוכת
soup up להגביר עוצמת מנוע, להתקין מדחס־גידוש; לעשותו מעניין
soupçon (sōōpsōn′) *n.* שמץ, משהו
soup kitchen בית־תמחוי
sour *adj.* חמוץ; רוגז, חמוץ־פנים
go/turn sour להחמיץ; לאכזב
sour grapes זילזול כביכול בדבר שחפצים בו ואין להשיגו
sour *v.* להחמיץ; להפוך מר־נפש
sour on לשנות דעתו לגבי, להתנגד
source (sôrs) *n.* מקור; מוצא, ראשית
sources מקורות, צינורות־מידע; חומר מקורי (למחקר)
sour′ish *adj.* חמצמץ
sour′puss (-poos) *n.* ⋆חמוץ־פנים
sou′saphone′ (sōōz-) *n.* סוזאפון (כלי נשיפה)
souse *v.* לשרות, להרטיב, לטבול, להרוות, להספיג; לכבוש, לשמר (דג)
soused *adj.* ⋆שיכור, מבוסם
soutane (sōōtän′) *n.* גלימת־כומר
south *n&adj&adv.* דרום; דרומי; דרומה
south′bound′ *adj.* נוסע דרומה, מדרים
south′east′ *n&adj&adv.* דרום־מזרח; דרום־מזרחי; דרומה־מזרחה
south′east′er *n.* רוח דרום־מזרחית
south′east′erly *adj.* דרום־מזרחי
south′east′ern *adj.* דרום־מזרחי
south′east′ward *adv.* דרומה־מזרחה
south′erly (sudh-) *adj.* דרומי
south′ern (sudh-) *adj.* דרומי
south′erner (sudh-) *n.* דרומי
southern lights זוהר דרומי
southernmost *adj.* הדרומי ביותר
south′paw′ *n.* ספורטאי שמאלי; ⋆איטר
south pole קוטב דרומי
south′ward *adv.* דרומה
south′west′ *n&adj&adv.* דרום־מערב; דרום־מערבי; דרומה־מערבה
south′west′er *n.* רוח דרום־מערבית
south′west′erly *adj.* דרום־מערבי
south′west′ern *n.* דרום־מערבי
south′west′ward *adv.* דרומה־מערבה
sou′venir′ (sōōvənēr′) *n.* מזכרת
sou′west′er *n.* כובע חסין־מים
sov′ereign (-rən) *n.* שליט, מלך; סוברן, מטבע־זהב
sovereign *adj.* ריבוני, עצמאי, סוברני; נפלא, מצוין, (תרופת) פלא
sovereignty *n.* סוברניות, ריבונות
so′viet′ *n&adj.* מועצת־פועלים; סובייט; סובייטי, של ברית־המועצות
so′vietize′ *v.* לעשות לסובייטי
sow (sō) *v.* לזרוע; לפזר, להפיץ
sow hate לזרוע שינאה
sow (sou) *n.* חזירה
sox = socks גרביים
soy *n.* סויה, פולי־סויה
soy bean פול־סויה
soy sauce רוטב־סויה, סויה תסוסה
soz′zled (-ld) *adj.* ⋆שיכור כלוט
spa (spä) *n.* אתר־מרפא; מעיין מים מינראליים
space *n.* חלל, מרחב; רווח, מרחק, מירווח; מקום; פרק־זמן, תקופה
open space שטח פנוי/לא בנוי
space *v.* לרווח, לסדר ברווחים
space out לפזר, לשים רווחים בין
space bar מקש־הרווחים, מבהן
spacecraft *n.* חללית
spaced out ⋆מסומם
space heater מיתקן חימום, תנור
space helmet/suit קסדת/חליפת חלל
space probe חללית מחקר
spaceship *n.* חללית, ספינת חלל
space shuttle מעבורת חלל
space vehicle רכב חלל
spacing *n.* ריווח (בין שורות)
single/double spacing הדפסה בריווח רגיל/כפול
spa′cious (-shəs) *adj.* מרווח, רחב
spade *n.* את־חפירה; (בקלפים) עלה, פיק; ⋆שחור, כושי
call a spade a spade לדבר ברורות
spade *v.* לחפור/לעבוד באת
spadeful *n.* מלוא האת
spade-work *n.* עבודת הכנה מפרכת
spaghet′ti (-g-) *n.* ספאגטי, אטריות
Spain *n.* ספרד
spake = pt of speak
spam *n.* ספאם, בשר חזיר מתובל

span *n.* סיט, זרת (כ־23 ס"מ); מימתח; מרחק (בין ירכתי־גשר/עמודי מיקמרת); אורך, משך, תקופה; צמד
span *v.* לגשר, לעבור/להימתח מעל, לחצות; לכסות, להקיף, להשתרע; לזרת
span′gle *n.* דיסקית־עיטור, נצנצים
spangle *v.* לקשט בנצנצים; לנצנץ
Span′iard *n.* ספרדי
span′iel *n.* ספאנייל (כלב נמוך)
Span′ish *adj&n.* ספרדי; ספרדית
spank *v.* לסטור על הישבן, להכות; לפסוע/להפליג במהירות
spanking *n.* סטירות/מכות על הישבן
spanking *adj&adv.* מהיר, זריז; מצוין, כביר, חזק; מאוד; כליל
span′ner *n.* מפתח־ברגים
throw a spanner in the works לתקוע מקל בגלגליו, לסכל תוכניתו
span roof גג דו־שיפועי
spar *n.* קורה, מוט־מיפרש; פצלת (מחצב)
spar *v.* להתאגרף, להתאמן; לחבוט מהלומות קלות; להתנצח, להתפלמס
spare *v.* לחוס על, לחמול, לא לפגוע; לחסוך; לקמץ; לוותר; להואיל לתת
be spared להישאר בחיים
can be spared אפשר לוותר עליו
can you spare me 10 minutes? התוכל להקדיש לי 10 דקות?
enough and to spare די והותר
nothing was spared לא חסכו מאמצים
spare his feelings להתחשב ברגשותיו
spare his life לחוס על חייו
spare me the details אל תיכנס לפרטים, אל תספר לי בפרוטרוט
spare no expense לא לקמץ בהוצאות
spare oneself לחסוך לעצמו (טירדה)
to spare שארית, עודף
spare *adj.* נוסף, רזרבי, לעת הצורך; פנוי, מיותר; רזה, צנום; זעום, דל
go spare ★להתרגז, להתרתח
spare time פנאי, שעה פנויה
spare wheel גלגל רזרבי
spare *n.* תחליף, חלף; צמיג רזרבי
sparely *adv.* בצימצום, בדוחק
spare parts חלפים, חלקי חילוף
spare-part surgery ★השתלת איברים
spare-rib *n.* צלע־חזיר
spare tyre צמיג רזרבי; ★מותניים עבים, "צמיגים"
sparing *adj.* חסכוני, מקמץ

spark *n.* ניצוץ, רשף, גץ; זיק, שביב; שמץ; ברנש עליז
spark *v.* לפלוט ניצוצות, לרשוף; להצית, לעורר, לדרבן
spark off להוביל ל־, לגרום, לעורר
spar′kle *v.* לנצנץ, להבריק; לתסוס, לבעבע
sparkle with wit להבריק בפיקחות
sparkle *n.* ניצוץ; ניצנוץ; הברקה
sparkler *n.* זיקוק־ניצוצות; ★יהלום
sparkling *adj.* מבריק; תוסס, מבעבע
spark plug מצת (במנוע)
sparring *n.* התאגרפות; ציחצוח־מלים
sparring partner יריב־אימונים
spar′row (-ō) *n.* דרור (ציפור)
sparse *adj.* דליל, קלוש, לא צפוף
spar′sity *n.* דלילות, קלישות
Spar′tan *adj.* ספראטני, גיבור, צנוע, חי בפשטות; פשוט, קשה
spasm (spaz′əm) *n.* עווית, התכווצות, התקף; התפרצות
spas•mod′ic (-z-) *adj.* עוויתי; לא־סדיר, לא־רצוף, פתאומי
spas′tic *n&adj.* חולה־עוויתות; ★טיפש
spat *n.* מחפה, כסוי־רגל, בית־קרסול
spat *n&v.* ביצי־צדפות; לשרוץ
spat *n&v.* (לתת) סטירה קלה; ריב קל
spat = p of spit
spatch′cock′ *n&v.* עוף שבושל עם קטילתו; ★להכניס, להוסיף מלים/קטעים
spate *n.* שטף, מספר רב, מבול
in spate (נהר) זורם בשטף
spa′tial *adj.* מרחבי
spat′ter *v&n.* להתיז, להזות, לפזר, לטפטף; להינתז; התזה, הזאה; טיפטוף
spat′ula (-ch′-) *n.* מרית, כף־מריחה
spav′in *n.* תפיחת קרסול (בסוס)
spavined *adj.* צולע, סובל מקרסול נפוח
spawn *v.* לשרוץ; להוליד, להטיל ביצים
spawn guesses להוליד ניחושים
spawn *n.* ביצי־דגים, פקעת־ביצים; תפטיר־פטריות
spay *v.* לעקר, לסרס
speak *v.* לדבר, לומר; להביע, לבטא; לנאום; להשמיע קול/צליל
generally speaking באופן כללי, מבחינה כללית, במובן הכולל של המלה
not to speak of שלא לדבר על, נוסף על
nothing to speak of לא ראוי להזכירו, לא משהו מיוחד
on speaking terms ביחסי דיבור,

מדברים זה עם זה, מכירים זה את זה
so to speak אם מותר לומר כך, "הייתי אומר"
speak a piece לצטט קטע מהזיכרון
speak for לדבר בשמו, לשמש לו דובר; להעיד על־, להוות עדות על־
speak one's mind להביע דעתו בגלוי, לומר את אשר בליבו
speak out להתבטא בחופשיות/בגלוי
speak to him לנזוף בו; לדבר לליבו, לעניינו, למשכו, לרתקו
speak to the subject לדבר לעניין, להיצמד לנושא
speak up לדבר בקול, להרים קולו
speak volumes להעיד כמאה עדים
speak well for להוות עדות בשבחו
speaks for itself מדבר בעדו, ברור
spoken for (סחורה) מוזמנת/שמורה
strictly speaking למען הדיוק, במובן הצר של המלה
speak-easy *n.* חנות־משקאות מחתרתית
speaker *n.* נואם, דברן; דובר; יושב־ראש הפרלמנט; רמקול
speakership *n.* כהונת היושב־ראש
speaking *adj.* מדבר, דיבורי, קולי
speaking likeness דימיון מרשים/רב־הבעה
speaking tube צינור דיבור (בספינה)
spear *n&v.* חנית; עלה מחודד; לדקור בחנית, לנעוץ, לשפוד; לנוע במהירות
spearhead *n.* כיתת־חוד, ראש־מחץ, חלוץ, ראש חנית
spearhead *v.* להוביל התקפה, להיחלץ ראשון
spearman *n.* חניתאי, נושא־חנית
spearmint *n.* נענה; גומי־לעיסה
spec *n.* ספקולציה, הימור, סיכון
on spec (קניית מניות) בספקולציה
spe'cial (spesh'əl) *adj.* מיוחד, לא־רגיל, יוצא־דופן, ספציאלי
special *n.* רכבת מיוחדת; מונית ספיישל; שוטר מיוחד; הוצאה מיוחדת
on special מיצרך השבוע (בחנות)
special delivery מישלוח מיוחד (בדואר)
specialist *n.* מומחה, ספציאליסט; רופא מומחה, מומחן
spe'cial'ity (spesh'ial'-) *n.* מומחיות, התמחות; ייחוד, מיוחדות, ספציאליות
spe'cializa'tion (spesh'əl-) *n.* התמחות, התמקצעות
spe'cialize' (spesh'əl-) *v.* להתמחות, להתמקצע, להתרכז
specialized *adj.* מיוחד, של מומחיות
special license רשיון נישואים מיוחד
specially *adv.* במיוחד; באופן מיוחד
special pleading טיעון לא הוגן
spe'cialty (spesh'əl-) *n.* מומחיות, התמחות; ייחוד, מיוחדות, ספציאליות
spe'cie (-shi) *n.* מטבעות, מצלצלים
spe'cies (-shēz) *n.* מין, סוג; זן
human species המין האנושי
spe•cif'ic *adj.* מדויק, מפורט; מיוחד, ספציפי; סגולי, פרטי, אופייני
specific *n.* תרופה מיוחדת
specifics פרטים, דברים ספציפיים
specifically *adv.* מפורשות, ספציפית, במיוחד, בייחוד
spec'ifica'tion *n.* פירוט, ציון, תיאור; מיפרט, הוראות, ספציפיקציה
specific gravity מישקל סגולי
spec'ify' *v.* לפרט, לציין, לתאר; לכלול במיפרט
spec'imen *n.* דוגמה, מידגם; דבר טיפוסי; דבר מגוחך, טיפוס, ברנש
specimen page דף לדוגמה
spe'cious (-shəs) *adj.* נכון לכאורה, צודק למראית עין, הוגן כביכול, מטעה, מזויף
speck *n.* כתם זעיר, נקודה; שמץ
specked *adj.* מנומר, מנוקד, נקוד
speck'le *n.* נקודה, כתם זעיר
speckled *adj.* מנומר, נקוד
specs *n-pl.* משקפיים★
spec'tacle *n&adj.* מראה, מחזה, הצגה, מיפגן; של משקפיים
make a spectacle of oneself להופיע בצורה נלעגת, להשתטות
rose-colored spectacles משקפיים ורודים, ראייה אופטימית
spectacles משקפיים
spectacled *adj.* ממושקף
spec•tac'u•lar *adj&n.* מרהיב־עין, מרתק, שובה־עין, ראוותני; הצגה, מחזה
spec'ta'tor *n.* צופה (בתחרות)
spec'ter *n.* רוח־רפאים, צל־בלהות
spec'tral *adj.* כמו רוח, של רפאים, מטיל אימה; ספקטראלי, של ספקטרום
spec'troscope' *n.* ספקטרוסקופ
spec'trum *n.* ספקטרום, תחזית
wide spectrum קשת רחבה, מיגוון (של דעות)

spec′u•late′ *v.* לשקול, להרהר; לעיין, להתבונן; לספסר, לעסוק בספקולציות
spec′u•la′tion *n.* שיקול־דעת, הירהור, התבוננות; ספסרות, ספקולציה
spec′u•la′tive *adj.* עיוני, הסתכלותי; ספסרי, ספקולטיבי
speculator *n.* ספקולאנט, ספסר
sped = p of speed
speech *n.* דיבור; מיבטא, ניב; שפה, לשון; נאום, הרצאה
speech day יום הנאומים, יום חלוקת־התעודות
speech′ify′ *v.* לנאום, "לקשקש"
speechless *adj.* נאלם, נטול־דיבור, דבקה לשונו לחיכו
speech therapy ריפוי עילגות
speed *n.* מהירות; הילוך; ⋆קוקאין
at speed מהר, במהירות גבוהה
low speed הילוך נמוך (ברכב)
more haste - less speed מחיפזון ייצא רזון
speed *v.* למהר, לאוץ, לנוע/לנסוע במהירות; לחלוף; לשלח, לשגר
speed up לאוץ; להגביר תאוצה
God speed you! דרך צלחה!
speed-boat *n.* סירת־מנוע מהירה
speed-cop *n.* ⋆שוטר־תנועה
speeder *n.* נוהג במהירות מופרזת
speedily *adv.* מהר, במהירות רבה
speed-indicator *n.* מד־מהירות
speeding *n.* נהיגה במהירות מופרזת
speed limit גבול המהירות המותרת
speed merchant ⋆נוהג במהירות מופרזת, עבריין־תנועה
spee′do *n.* ⋆מד־מהירות, ספידומטר
speedom′eter *n.* מד־מהירות, מד־אוץ
speed trap מלכודת מהירות, מארב משטרתי לעברייני תנועה
speed-up *n.* תאוצה, הגברת הקצב
speedway *n.* כביש מהיר; מסלול־מירוץ
speed′well′ *n.* בירוניקה (צמח־נוי)
speedy *adj.* מהיר
spe′le•ol′ogist *n.* חוקר מערות
spe′le•ol′ogy *n.* חקר מערות; סיורי מערות
spell *n.* כישוף; מלות־קסם; הקסמה
cast a spell on להקסים
under a spell אחוז בחבלי־קסם
spell *n.* תקופה, פרק־זמן, תור, תורנות, משך־פעילות; התקף־מחלה
spell *v.* להחליף; למלא מקום
spell *v.* לאיית; לכתוב נכון; ליצור מלה; להביא ל־, להיות פירושו
smoking spells death for him אם ימשיך לעשן - ימות
spell out להסביר, לפרט; לקרוא באיטיות; לאיית, לאבגד
spellbind *v.* לרתק, להקסים
spellbinder *n.* נואם מרתק
spellbound *adj.* מרותק, מוקסם
speller *n.* מאיית, מאבגד
spelling *n.* איות, כתיב
spelt זן של חיטה
spelt = p of spell
spend *v.* להוציא, לשלם, לבזבז; לכַלות, לצרוך; לבלות, להעביר
spend an hour לבלות/להעביר שעה
spend itself להתבזבז, לאזול
spend money להוציא כסף, לבזבז
spender *n.* בזבזן, פזרן
spending money דמי־כיס, מעות־כיס
spendthrift *n.* בזבזן, פזרן
spent *adj.* עייף, סחוט; מנוצל, משומש
spent = p of spend
sperm *n.* זרע, תא־זרע, זרעון
sper′macet′i *n.* חֵלב לוויתן־הזרע
sper′matozo′a *n-pl.* תאי־זרע
sper′matozo′on *n.* תא־זרע, זרעון, חיזרע
sperm whale לוויתן־הזרע
spew (spū) *v.* להקיא; לפלוט; להיפלט
sphag′num *n.* ספאגנום, סוגי טחב
sphere *n.* כדור; גלובוס; כוכב; שמיים, גלגל; חוג, סביבה, היקף, ספֵירה
music of the spheres מוסיקת־הגלגלים, מוסיקת גרמי־השמיים
sphere of influence תחום־השפעה
spher′ical *adj.* כדורי, עגול
sphe′roid *n.* ספירואיד, כדור אליפטי
sphinx *n.* ספינקס; אדם־חידה
spice *n&v.* תבלין; סממן, עקבות; לתבל
spiciness *n.* תבלין, תיבול
spick and span חדש, מצוחצח, מבריק
spi′cy *adj.* מתובל, של תבלין; פיקאנטי
spi′der *n.* עכביש; מחבת
spidery *adj.* עכבישי; (כתב־יד) ארוך ודק, כרגלי עכביש
spied = p of spy
spiel (spēl) *n&v.* ⋆נאום ארוך, שיחת־שיכנוע, סיפור; לדבר בשטף, לנאום, לספר
spig′ot *n.* מגופה, פקק; ברז
spike *n.* יתד, מסמר, חוד; נקודת־תפנית (בגראף); שיבולת

spike *v.* לתקוע יתדות; למסמר, לסמרר; לסכל; למהול במשקה חריף
spike his guns לסכל תוכניותיו
spike′nard′ (spīk′n-) *n.* נרד (צמח־בושם)
spi′ky *adj.* מחודד, בעל חודים; דוקרני; קשה לרצותו
spill *v.* לשפוך; להישפך; (לגבי סוס) להפיל רוכב; ★לספר, להלשין; לגלות
spill blood לשפוך דם
spill over לגלוש, לעבור על גדותיו
spill the beans ★לפלוט סוד
spill *n.* שפיכה; נפילה; פיסת־נייר מגולגלת; גזר־עץ, קיסם
spillover *n.* עודף, גודש
spillway *n.* מיגלש, תעלה, מיברץ
spilt = p of spill
spin *v.* לטוות, לארוג, לשזור; לסובב; להסתובב, להסתחרר
spin a coin לסובב/להעיף מטבע
spin a top לסובב סביבון
spin a yarn/story לספר סיפור
spin along לנוע במהירות
spin out להאריך (ככל האפשר)
spin round לפנות לאחור, להסתובב
spin *n.* סיבוב, סיחרור; נפילה, צלילה; נסיעה קצרה
in a flat spin נבוך, מבוהל
take a spin לעשות "סיבוב" ברכב
spin′ach (-ich) *n.* תרד (ירק־גינה)
spi′nal *adj.* של עמוד השידרה
spinal column עמוד־שידרה
spinal cord חוט־השידרה
spin′dle *n.* כוש, כישור, פלך; ציר, סרן
spindle-legged *adj.* בעל רגליים דקות וארוכות
spindle shanks איש ארך־רגליים
spin′dly *adj.* דק, צנום, ארוך
spin drier מייבש כבסים, תוף מסתובב (במכונת־כביסה)
spin-dry *v.* לייבש כבסים (כנ"ל)
spine *n.* עמוד־השידרה; גב־הספר; קוץ, דרבן, מחט, עוקץ
spine-chilling *adj.* מסמר שיער, מפחיד
spineless *adj.* חסר שידרה; נטול אופי, הפכפך, לא יציב
spin′et *n.* צ'מבלו קטן, פסנתר
spine-tingling *adj.* מרגש, מלהיב
spin′naker *n.* מיפרש משולש, ספינאקר
spinner *n.* טווה; כדור מסובב; חץ מסתובב (על לוח ספרות)

spin′ney *n.* חורשה
spinning jenny מכונת טווייה
spinning wheel גלגל־טווייה
spin-off *n.* מוצר־לוואי; תוצאה צדדית
spin′ster *n.* רווקה, בתולה זקנה
spinsterhood *n.* רווקות, בתולים מזקינים
spi′ny *adj.* קוצני, מחטני, דוקרני
spi′ral *adj&n.* ספיראלי, בורגי, לולייני; סליל, תנועה בורגית
spiral *v.* להסתלסל, להתחלזן, לעלות
spire *n.* צריח, מיבנה חרוטי, מיגדל־מחט
spir′it *n.* נפש, נשמה, רוח; שד; אדם; כוונה, נטייה; מרץ, חיות; נאמנות; יי"ש; כוהל, ספירט
high spirits מצב־רוח מרומם
in spirit בליבו, בנפשו, ברוחו
in the spirit בנפשו, ברוחו
low spirits דיכדוך, מצב־רוח ירוד
out of spirits מדוכדך, מצוברח
spirit of the age רוח הזמן
spirits תמיסה כוהלית; יי"ש, משקה חריף; מצב־רוח
the spirit of the law רוח־החוק
spirit *v.* לעורר, להמריץ, לעודד
spirit away/off לסלק בחשאי, להבריח
spirited *adj.* מלא־חיים, נמרץ; אמיץ
high-spirited במצב־רוח מרומם
low-spirited במצב־רוח ירוד
spirit lamp מנורת ספירט
spiritless *adj.* חסר־חיים, נטול־מרץ; מדוכדך, מצוברח
spirit level פלס־מים
spirit rapper דורש אל המתים, מדיום (המקיש בשולחן)
spirit rapping העלאת רוח מת
spir′itu•al (-cho͞oəl) *adj.* רוחני, נפשי; דתי; קדוש; על־טבעי
lords spiritual בישופים
spiritual *n.* ספיריטואל, שיר כושי
spiritualism *n.* ספיריטואליזם, ספיריטיזם, דרישה אל המתים
spiritualist *n.* ספיריטואליסט
spir′itu•alis′tic (-cho͞o-) *adj.* ספיריטואליסטי
spir′itu•al′ity (-cho͞o-) *n.* רוחניות
spir′itu•aliza′tion (-cho͞o-) *n.* טיהור, צריפה מגשמיות
spir′itu•alize′ (-cho͞o-) *v.* לטהר, לצרוף מגשמיות; לתת צביון רוחני
spir′ituelle′, -el′ (-cho͞oel′) *n.* עדינה, חיננית, אצילית

spir′ituous (-cho͞oəs) *adj.* כוהלי
spirt = spurt לפרוץ; התפרצות
spit *n.* שפוד; לשון־יבשה; עומק־האת (עומק חפירה כמידת כף־את)
spit *v.* לירוק; לפלוט; להטיח קללות; להשמיע קול־יריקה; לטפטף, לרעוף; לשפד, לשפוד, לדקור
spit it out דבר! שפוך מליך!
spit out לירוק; לפלוט
spit up לירוק; לפלוט; להקיא
spit *n.* רוק; יריקה; דימיון, זהות
spit and image of/dead spit of העתק מדויק, כשתי טיפות מים
spit and polish ציחצוח והברקה
spite *n.* רוע־לב; טינה, איבה
in spite of למרות, חרף
out of spite מרוע־לב, להכעיס
spite *v.* להכעיס, להרגיז במתכוון
spiteful *adj.* רע־לב, רוצה להרע
spit′fire′ *n.* רתחן, חמום־מוח, מתלקח
spitting image העתק מדויק, כפיל
spit′tle *n.* רוק
spittoon′ (-to͞on′) *n.* מרקקה, רקקית
spiv *n.* ⋆טיפוס מפוקפק, נוכל, פאראזיט
spivvy *adj.* ⋆פאראזיטי, טפילי, מפוקפק
splash *v.* לשכשך; להתיז, להזליף, להרטיב; להינתז; להשתכשך, להתפלש
splash a story להבליט כתבה (בעיתון)
splash down לנחות במים
splash out/about לבזבז (כסף)
splash *n.* התזה, קול שיכשוך; כתם; הבלטה, סנסציה; תוספת מי־סודה
make a splash להרשים, לרתק תשומת־לב
splash *adv.* בקול התזה, בחבטה במים
splash-down *n.* נחיתת חללית בים
splashy *adj.* בולט, מושך תשומת־לב
splat′ter *v.* להתיז
splay *v.* להרחיב; לשפע, להטות, ללכסן; להתרחב וללכת
splay *n.* התרחבות, התפשקות, שיפוע; מישטח משופע (בפתח/בחלון)
splay *adj.* מתרחב והולך, מופנה הצידה
splay feet רגליים שטוחות
splayfoot *n.* רגל שטוחה
splayfooted *adj.* שטוח־רגליים
spleen *n.* טחול; דיכדוך; כעס, זעם
vent one's spleen לפרוק זעמו על
splen′dent *adj.* מבריק; רב־רושם
splen′did *adj.* מצוין, נפלא; מפואר, מרשים
splen•dif′erous *adj.* ⋆מצוין, מפואר
splen′dor *n.* פאר, הדר, הוד
sple•net′ic *adj.* רתחן; מרושע; של הטחול
splice *v&n.* לחבר, לאחות, לשזור זה בזה, לשלב, להדביק; חיבור, איחוי
get spliced ⋆להתחתן
splice the main brace ⋆ללגום/לחלק כוסית־משקה (בתום יום עבודה)
splicer *n.* מחבר, אביזר־חיבור
splint *n.* קישושת, גשיש, לוח־יישור (לעצם שבורה)
splin′ter *n.* קיסם, שבב, רסיס
splinter *v.* לשבור/להישבר לשבבים, להתפלג, להתפצל
splinter group פלג, סיעה פורשת
splinter-proof *adj.* חסין־רסיסים
splintery *adj.* מלא רסיסים; פציל
split *v.* לפלג, לפצל, לסדוק; לבקע; לחלק; לרסק; להתחלק; להיקרע; להיפרם
he split with her הוא נפרד ממנה
let's split ⋆נסתלק, נלך
split hairs להתפלפל, לדקדק ביותר
split on ⋆להלשין על
split one's sides להתפקע (מצחוק)
split the difference להתפשר על ההפרש
split up לחלק, לפצל; להתפצל
split *n.* פילוג, פיצול; סדק, בקע; קרע; גלידת־בננה; חצי בקבוק משקה
splits פישוק רגליים רחב (כשהגוף שוקע עד הקרקע)
split *adj.* מפוצל, משוסע
split infinitive מקור מפוצל (כגון to hardly know)
split-level house בית בעל קומות־ביניים, בית בעל חצאי־מיפלסים
split peas אפונה יבשה (מפוצלת)
split personality שסעת, פיצול האישיות, סכיזופרניה
split ring טבעת־מפתחות
split second חלקיק שנייה, כבזק
splitting *adj.* (כאב־ראש) חריף, עז
splodge, splotch *n.* כתם, מריחה
splurge *v&n.* לבזבז; לעשות רושם, להפגין בראוותנות; הפגנת ראווה
splut′ter *n.* התזה, קול שיכשוך; מילמול, גימגום
splutter *v.* להתיז, לפלוט, להטיח; למלמל, לגמגם
spoil *v.* לקלקל; להתקלקל; להשחית, להרוס; לפנק; לבוז, לשדוד

spoil for להשתוקק ל־; לגרום שימאס ב־/שלא יהיה מרוצה מן
spoil him of his money לחמוס כספו
spoiling for a fight שש לריב
spoilt child בן תפנוקים
spoil *n.* שלל, ביזה; חפורת, עפר חפור
spoils טובות הנאה, מישרות פוליטיות, פרוסה מעוגת השילטון
spoil'age *n.* קילקול; דבר שהושחת
spoil-sport *n.* משבית שימחה
spoilt = p of spoil מקולקל; מפונק; פסול
spoke *n.* חישור, זרוע־אופן; שלב, חווק
put a spoke in his wheel לתקוע מקל בגלגליו, לסכל תוכניותיו
spoke = pt of speak
spoken *adj.* מובע, מבוטא; בעל־פה
soft-spoken בעל לשון רכה
spo'ken = pp of speak
spokeshave *n.* מעצד (כעין מקצועה)
spokesman *n.* דובר
spo'lia'tion *n.* שוד, ביזה; השחתה
spon'dee *n.* (בשירה) רגל בעלת שתי הברות ארוכות או מוטעמות
sponge (spunj) *n.* ספוג; נצלן, טפיל
pass the sponge over למחוק, לשכוח
throw in the sponge להודות במפלה
sponge *v.* לנקות/לנגב בספוג; לספוג; לסחוט, לנצל
sponge down/off לשטוף בספוג
sponge on him לחיות על חשבונו, להיטפל אליו כעלוקה, לנצלו
sponge out למחוק בספוג; למחוק מליבו
sponge up לספוג, לנגב בספוג
sponge bag נרתיק לכלי־רחצה
sponge bath רחיצת־ספוג (קלה)
sponge cake עוגה ספוגית, לובנן
sponger *n.* טפיל, נצלן, עלוקה
spongy *adj.* ספוגי
spon'sor *n.* אחראי; פטרון, סנדק; בעל־חסות (לתוכנית־רדיו)
sponsor *v.* ליטול תחת חסותו
sponsorship *n.* אחריות, חסות
spon'tane'ity *n.* ספונטאניות
spon•ta'ne•ous *adj.* ספונטאני
spoof (spōōf) *v&n.* לרמות, להתל, לסדר; רמאות, מתיחה; פארודיה
spook (spŏŏk) *n&v.* ⋆רוח, שד; להפחיד
spoo'ky *adj.* ⋆מפחיד; מלא־רוחות
spool (spōōl) *n.* אשווה, מזרבה, סליל, גליל

spoon (spōōn) *n&v.* כף, כפית; להעביר בכף; ⋆לתנות אהבים
spoon up/out לחלק/לצקת בכף
spoo'nerism *n.* שיבוש־הברות (כגון "אמר גומר" במקום "גמר אומר")
spoon-feed *v.* להאכיל בכף; להגיש לפה, להסביר בשיטה קלה להבנה
spoonful *n.* מלוא הכף, כף
spoo'ny *adj.* ⋆רגשני, משתפך, מאוהב
spoor *n.* עיקבות־חיה
sporad'ic *adj.* ספוראדי, לא־סדיר, מופיע מפעם לפעם
spore *n.* נבג
spor'ran *n.* כיס (של חצאית סקוטית)
sport *n.* ספורט; שעשוע, צחוק, שחוק; אדם הוגן/ספורטיבי; יצור משונה
in sport בצחוק, לא ברצינות
make sport of לצחוק על־, ללעוג ל־
sport of fortune כדור־מישחק בידי הגורל
sport of kings מירוצי־סוסים
sports ספורט; תחרויות אתלטיקה; של ספורט, ספורטיבי
sport *v.* להשתעשע, לשחק; להתהדר ב־, להתפאר ב־, להציג לראווה
sporting *adj.* הוגן, בעל רוח ספורטיבית; שוחר ספורט
sporting blood העזה, הרפתקנות
spor'tive *adj.* עליז, שובבני
sports car מכונית ספורט
sports jacket מותניית ספורט
sportsman *n.* ספורטאי; שוחר ספורט; ספורטיבי, הוגן
sportsmanlike *adj.* ספורטיבי, הוגן
sportsmanship *n.* ספורטיביות
sportswriter *n.* כתב ספורט
sport'y *adj.* ⋆ (בגד) מהודר, צעקני
spot *n.* נקודה; מקום; כתם; חטטית; מישרה; רבב מוסרי; מקום בשידור; מעט, קורטוב, טיפה; זרקור
change one's spots לשנות אורח חייו, להפוך עורו
hit the high spots להתרכז בראשי הפרקים; לסייר במקומות החשובים
hit the spot לקלוע למטרה
in a spot בצרה, במצב ביש
knock spots off him לעלות עליו, להיות טוב הימנו, להביסו
on the spot מיד; לאלתר; על המקום, במקום; ⋆בצרה, במצב ביש
put him on the spot להעמידו במצב קשה; להוציא עליו גזר־דין מוות

soft spot חולשה, חִבה
tender spot מקום רגיש, נושא עדין
weak spot נקודת תורפה, עקב אכילס
spot *v.* להכיר, לזהות, להבחין; להכתים; להתלכלך; למקם, לאתר; להציב; להסיר כתם; לתת יתרון (לריב)
spot out/up להסיר כתמים
spotting with rain מטפטף גשם
spot *adj&adv.* מיידי, נעשה במקום; מזירת האירוע; לתשלום עם הקנייה; בדיוק
spot on time ⋆בדיוק בזמן
spot-check *n&v.* (לערוך) בדיקת מידגם, בדיקה מיקרית
spotless *adj.* נקי, ללא דופי
spotlight *n&v.* זרקור; מוקד ההתעניינות; להפנות הזרקור אל
spot-on *adj&adv.* ⋆מדויק; בדיוק
spotted *adj.* מנומר, מנוקד, חברבור
spotted dick/dog פשטידת דמדמניות
spotted fever קדחת אבבית
spotter *n.* צופה, מזהה, מאכן, מאתר
spot'ty *adj.* מנוקד, מנומר; זרוע פצעונים; מטולא; לא אחיד, משתנה
spouse *n.* בן־זוג, בעל, אישה
spout *v.* לפרוץ, לקלוח; לפלוט; לדקלם
spout *n.* זרבובית, צינור; מרזב; פרץ, זרם
up the spout ⋆ממושכן; אבוד, הרוס, בקשיים; בהריון
sprain *v.* לנקע (מיפרק), לסובב
sprain *n.* נקע, סיבוב, תפיחה
sprang = pt of spring
sprat *n.* סלתנית (דג־מאכל)
sprawl *v.* להשתרע; לשבת/לשכב בפישוט איברים/בריפיון
sprawl out להשתרע; להתפשט
sprawl *n.* השתרעות; תנוחת ריפיון; איזור (מיבנים) לא מסודר
spray *n&v.* תרסיס, ספריי; מרסס; טיפות זעירות; לרסס, לזלף
spray *n.* ענף קטן (בעל עלים ופרחים); קישוט דמוי־ענף
sprayer *n.* מרסס
spray gun מרסס, מכשיר ריסוס
spread (spred) *v.* לפרוש, לשטוח, לפשוט; למרוח; להפיץ, לפזר; להשתרע; להתפשט, להתרחב
spread butter למרוח חמאה
spread it on thick להתחנף
spread oneself לפזר ביד רחבה, לנסות להרשים; להתרווח; להרחיב הדיבור
spread out לפרוש

spread over 5 years פרוש על פני 5 שנים
spread rumors להפיץ שמועות
spread the table לערוך השולחן
spread *n.* התפשטות, גידול; תפוצה; רוחב, מוטה; שטח; פרישה; מפה; כיסוי; קטע ארוך (בעיתון); ארוחה, סעודה; מימרח
bedspread כיסוי־מיטה
middle age spread כרס, "צמיגים"
spread of wings מוטת־כנפיים
spreadable *adj.* פריש, ניתן לפרישה
spread-eagle *adj&v.* (נשר) פרוש־כנפיים; מתנשא; להשתרע; לפשוט איברים
spread-eagled *adj.* שרוע בפישוט איברים
spreader *n.* מַמרח, כף מריחה
spread-over *n.* הסדרת שעות עבודה
spree *n.* הילולה, עשיית חיים, סביאה
shopping spree בולמוס קניות, הילולת קניות; ביזבוז כספים
sprig *n.* ענף, זלזל, שריג; נצר; צעיר, עלם; מסמר
sprigged *adj.* מעוטר בדגמי ענפים
spright'ly *adj.* עליז, מלא־חיים
spring *v.* לקפוץ, לנתר; להיווצר, להיוולד, להופיע, לנבוע, לבוא, לצמוח, לצוץ; לסדוק; להיסדק; להביא לפתע; להפעיל; ⋆לשחרר מהכלא
spring a leak להתחיל לדלוף
spring a mine להפעיל מוקש
spring a surprise on להפתיע
spring from לצאת מ־, לנבוע מ־; להיות צאצא־, לצאת מחלציו
spring into life להתעורר לחיים
spring it on him להודיע לו זאת באופן בלתי צפוי; להפתיעו בכך
spring open להיפתח בתנופה
spring up לצמוח, לצוץ, לעלות
spring *n.* קפיצה, ניתור; מעיין; מקור, מוצא; קפיץ; קפיציות, גמישות; אביב
spring *adj.* אביבי; קפיצי
spring-balance *n.* מאזני־קפיץ
spring-board *n.* מקפצה; קרש־קפיצה
spring'bok' *n.* צבי דרום אפריקני
spring chicken פרגית; ⋆צעירה, צעיר
spring-clean *v.* לנקות באורח יסודי
spring-cleaning *n.* ניקוי יסודי
springer spaniel כלב ספאנייל
springless *adj.* חסר־קפיצים
springlike *adj.* אביבי

spring mattress מיזרן־קפיצים
springtail *n.* קפזנב, קפציץ (חרק)
springtide *n.* עונת האביב
spring tide גיאות מירבית
springtime *n.* עונת האביב
springy *adj.* קפיצי, גמיש
sprin′kle *v.* להתיז, להזליף, להמטיר; לפזר; לבזוק; לטפטף
sprinkle *n.* גשם קל; מעט, קומץ
sprinkler *n.* מזלף; ממטרה; צנרת־כיבוי אוטומאטית
sprinkling *adj.* מעט, קומץ (מפוזר)
sprint *n.* מאוץ, מאוץ־סיום; ריצה
sprint *v.* לרוץ במירב המהירות
sprinter *n.* אצן, גמאן
sprit *n.* מוט־תורן (המחובר למיפרש)
sprite *n.* פייה, רוח, שד
spritsail *n.* מיפרש מוט־התורן
sprock′et *n.* שן (של אופן משונן)
sprocket wheel גלגל־שרשרת, גלגל־שיניים, אופן משונן
sprout *v.* לנבוט, להוציא ניצנים; לגדול, ללבלב; לגדל, להצמיח
sprout up לצמוח, לבצבץ
sprout *n.* נבט, נצר; ⋆צעיר, בחור
Brussels sprouts כרוב הניצנים
spruce *adj&v.* נקי, מסודר, מצוחצח, מטופח; לסדר הופעתו
spruce up להצטחצח, להתהדר; לצחצח
spruce *n.* סוג עצים מחטניים
sprung *adj.* קפיצי, בעל קפיצים
sprung = pp of spring
spry *adj.* מלא־חיים, פעיל, קל־תנועה
look spry להזדרז
spud *n.* את צר־כף (לניכוש עשבים); ⋆תפוח־אדמה
spue (spū) *v.* להקיא
spume *n.* קצף
spun = p of spin
spun glass חוטי־זכוכית
spunk *n.* ⋆אומץ, אומץ־לב
spunky *adj.* אמיץ
spun silk משי זול, משי שיירים
spur *n.* דרבן; תמריץ; גורם מזרז; שלוחה; בליטה ברגל עוף, פריש
on the spur of the moment לפי דחף הרגע, בלא הכנה, לפתע
win one's spurs לזכות לשם ולכבוד
spur *v.* לדרבן; לדהור, לרכוב מהר
spur on לדרבן, להאיץ ב־
spu′rious *adj.* מזויף, מלאכותי

spurn *v.* לדחות בבוז, לסרב ביוהרה
spurt *n.* התפרצות; זרם, סילון; פליטה; מאמץ מוגבר/פתאומי
spurt *v.* לפרוץ, לזרום, לקלוח; להיפלט, לעשות מאמץ מוגבר
sput′ter *v.* למלמל, לגמגם בהתרגשות; להתיז, לירוק, לפלוט קולות ניפוץ
sputter out לדעוך בהשמעת פיצפוצים
sputter *n.* גימגום; קול התזה
spu′tum *n.* רוק, כיח
spy *n.* מרגל, סוכן שתול
spy *v.* לראות, להבחין; לסייר; לרגל
spy on/into לבלוש, להתחקות בחשאי
spy out לתור, לסייר; לגלות בחשאי
spyglass *n.* מישקפת, טלסקופ
spyhole *n.* חור הצצה
sq = square
squab (skwob) *n.* גוזל, עוף רך; מושב מרופד
squab′ble (skwob-) *v&n.* לריב, להתקוטט; ריב קולני, מהומה
squad (skwod) *n.* יחידה, כיתה, חוליה
flying squad ניידת משטרה
squad car מכונית משטרה
squad′ron (skwod-) *n.* גדוד, יחידה; טייסת, שייטת, אסקדרון
squadron leader מפקד טייסת
squal′id (skwol-) *adj.* מיסכן; מטונף
squall (skwôl) *v&n.* לצרוח; צריחה; סופת גשם, סופת שלג
squally *adj.* סגרירי, סוער, סופתי
squal′or (skwol-) *n.* ליכלוך, זוהמה
squan′der (skwon-) *v.* לבזבז
squanderer *n.* בזבזן, פזרן
squandermania *n.* תאוות־הביזבוז
square *n.* ריבוע; משבצת; מטפחת; זוויתון; רחבה, כיכר; בלוק־בניינים; חזקה שנייה; מערך חיילים ריבועי; שמרן
on the square הוגן, בהגינות
out of square לא בזווית ישרה
square one נקודת המוצא
L-square זוויתון־אל
T-square זוויתון־טי
square *adj.* מרובע, רבוע; ישר־זווית; הוגן, כן; מוסדר, מאוזן; מסולק; בשוויון נקודות; ⋆מיושן, לא באופנה
all square הכול מוסדר, אין חוב עוד
get square להסדיר החשבון; לנקום
square deal עיסקה הוגנת
square meal ארוחה משביעה
square refusal סירוב מוחלט, דחייה בשתי ידיים

square *adv.* בזווית ישרה, ישר, היישר; בהגינות, בכנות
fair and square בהגינות
square *v.* לרבע; ליישר (שיפוע); לשבץ; לאזן, להסדיר, לסלק; לשחד
square a debt לסלק חוב
square an account להסדיר חשבון
square away לסדר; להיערך לקרב
square off לעמוד עמידת מתאגרף; לסמן במשבצות
square one's shoulders לעמוד איתן, לאזור אומץ, לנהוג כגבר
square the circle לרבע את העיגול, לנסות את הבלתי אפשרי
square up ליישר, לאנך; לשלם, להסדיר
square up to להתייצב איתן מול; לעמוד עמידת מתאגרף כנגד
square with להתאים ל־, לעלות בקנה אחד עם
3 squared = 9 3 בריבוע = 9
square-bashing *n.* אימונים, תרגיל־צעידה
square brackets אריחיים (סוגריים)
square-built *adj.* רחב־כתפיים
square dance ריקוד מרובע (שבו 4 זוגות יוצרים ריבוע)
square game מישחק הוגן; מישחק מרובע (שבו השחקנים ערוכים בריבוע)
square knot קשר מרובע, קשר שטוח
squarely *adv.* בהגינות, בכנות; בניצב, בזווית ישרה; היישר מול
square measure מידת־שטח (כגון מ"ר)
square-rigged *adj.* (ספינה) מרובעת־מיפרשים; שמיפרשיה נמתחים בניצב לתורן
square root שורש מרובע (של מספר)
square-shouldered *adj.* רחב־כתפיים
square-toed *adj.* (נעל) בעלת חרטום מלבני, מרובעת־חרטום; שמרני, קפדני
square-toes *n.* שמרן, קפדן
squash (skwosh) *v.* למעוך; להימעך; לדחוס; להידחס; להידחק; להשתיק; לדכא
squash *n.* (קול) מעיכה; דוחק, קהל צפוף; סקווש; משקה פירות; דלעת, קרא
squash rackets סקווש (מישחק)
squashy *adj.* מעיך; רטוב ורך
squat (skwot) *v.* לשבת ישיבה שפופה; להושיב על העקבים; לפלוש, לתפוס קרקע; לגחון; לרבוץ; ★לשבת
squat *n.* ישיבה שפופה; ★בית לפולשים
squat *adj.* נמוך; גוץ; שפוף
squatter *n.* פולש; תופס קרקע, מתנחל
squatter's rights חזקת הפולש
squaw *n.* אישה אינדיאנית
squawk *v.* לצרוח; לקרקר; ★להתלונן
squawk *n.* צריחה; קירקור; ★תלונה
squeak *v&n.* לחרוק; לצייץ; לצווח; להלשין; חריקה; ציוץ; צווחה
narrow squeak הינצלות בנס
squeak by לעבור/לנצח בקושי
squeak out להביע בקול ציוצני
squeak through ★לעבור בקושי
squeaker *n.* ★מלשין
squeaky *adj.* חורק; צווחני; צייצני
squeaky clean ★נקי מאוד
squeal *v&n.* לצרוח; לחרוק; להלשין; צריחה; קול חרקני
squealer *n.* ★מלשין
squeam'ish *adj.* עדין־נפש, איסטניס; רגיש, פגיע; קפדני, נוקדני
squee'gee *n&v.* מגב, מגב־שמשות; מגב־גליל (בצילום); לנגב במגב
squeeze *v.* לסחוט; לדחוק; ללחוץ; לדחוס; לצבוט; להיסחט, להידחק
squeeze in להידחק פנימה
squeeze money לסחוט כספים
squeeze one's way להידחק
squeezed by taxes כורע תחת נטל המיסים
squeezed his fingers אצבעותיו נצבטו
squeeze *n.* סחיטה; לחיצה; דוחק; צפיפות; לחץ, מצוקה; מיסוי גבוה
squeeze of lemon קורטוב מיץ לימון
tight squeeze היחלצות בנס/בקושי; דוחק רב
squeeze bottle מזלח, מרסס
squeezer *n.* מסחט
squelch *n&v.* לדכא, להשתיק; לרמוס; לבוסס; (להשמיע) קול פסיעה בבוץ
squib *n.* זיקוק־די־נור; מאמר התקפה
damp squib דבר שהחטיא מטרתו
squid *n.* סוג של דיונון
squidg'y *adj.* ★רך, רטוב, כעיסה
squif'fy *adj.* ★שתוי, בגילופין
squig'gle *n.* קו קטן, קו מתפתל
squint *v.* לפזול; להציץ; לעצום כמעט עיניו; להביט אלכסונית
squint *n.* פזילה; הצצה
have a squint להציץ, לחטוף מבט
squint-eyed *adj.* פוזלני; עוין, רע
squire *n.* שופט שלום; בעל אחוזה; נושא כלים; אביר, בן־לוויה

squire *v.* לשמש בן־לוויה ל (אישה)
squirm *v&n.* לעוות גופו, להתפתל (במבוכה); התפתלות
squir'rel (skwûr'əl) *n.* סנאי
squirt *v.* להתיז, להזליף; להזריק; לפרוץ בזרם דק
squirt *n.* קילוח, סילון; מזרק; ⋆מנופח, "עושה רוח"
squirter *n.* מתיז קילוחים; אסוך
Sr = senior, sir, sister
SS = steamship
-st, 1st = first
St = Saint, street
stab *v&n.* לדקור, לנעוץ, לתחוב; דקירה; פצע; ⋆ניסיון
make a stab at ⋆לנסות כוחו ב־
stab in the back לנעוץ סכין בגב
stab of regret ייסורי חרטה
stabber *n.* דוקר, סכינאי
stabbing *adj.* דוקר, (כאב) דוקרני
stabil'ity *n.* יציבות
sta'biliza'tion *n.* ייצוב, סטביליזאציה
sta'bilize' *v.* לייצב, להקנות יציבות
stabilizer *n.* מייצב
sta'ble *adj.* יציב, קבוע; החלטי
stable *n.* אורווה; צוות (סוסי־מירוץ)
stable *v.* להכניס/לשמור באורווה
stable boy/lad/man אורוון
stabling *n.* מקום באורווה
stacca'to (-kä-) *adv.* סטקאטו, נתוקות
stack *n.* ערימה; גדיש; מצובת־רובים; מדפי־ספרים; ארובה; ארובות
blow one's stack להתפרץ בזעם
stacks of ⋆המון, הרבה
stack *v.* לערום; לסוור; לחוג באוויר לפני נחיתה
stack the cards לסדר הקלפים שלא כהוגן, להבטיח יתרון מראש
stack up להתנהל, להתקדם; להשתוות ל', להידמות; ליצור תור ממתין
sta'dium *n.* איצטדיון
staff *n.* מקל, מטה, שרביט; מוט; משען; חמשה, מחמושת; סגל, חבר עובדים
staff of life (מטה־) לחם
General Staff המטה הכללי
10 staff 10 אנשי סגל
staff *v.* לספק עובדים, לאייש בסגל
well staffed מצויד כראוי בעובדים
staff officer קצין מטה
staff sergeant סמל ראשון
stag *n&adj.* צבי; ספסר מניות; לגברים בלבד; גדוש מין
stage *n.* במה, בימה; זירה, מוקד פעילות; שלב, תקופה; כירכרה; תחנה; מרחק בין תחנות; מיבנה־מדפים
at an early stage בשלב מוקדם
at this stage of the game בשלב זה, בנקודה זו
be/go on the stage להיות שחקן
by easy stages תוך חניות מרובות; לאט, בהדרגה
hold the stage לגנוב את ההצגה, לרתק תשומת לב; למשוך צופים
set the stage להכשיר את הקרקע
stage left/right שמאל/ימין השחקן
the stage אמנות המישחק, התיאטרון
3-stage תלת־שלבי
stage *v.* לביים, להציג לקהל; לארגן, לערוך, לבצע; להתאים להמחזה
stage-coach *n.* כירכרת־נוסעים
stage-craft *n.* אמנות הבמה, מחזאות
stage direction הוראות הבימוי
stage door כניסה אחורית (בבימה)
stage fright אימתא דציבורא
stage-manage *v.* לביים, לערוך, לארגן
stage manager מנהל במה, במאי
sta'ger *n.* בעל־ניסיון
stage-struck *adj.* משתוקק להיות שחקן, נגוע בחיידק המישחק
stage whisper לחישה בקול רם, לחישה באוזני כול
stag'ger *v.* להתנודד, לנוע בחוסר־יציבות; לזעזע, לטלטל; לסדר (אירועים) בזמנים שונים
stagger to one's feet לעמוד בחוסר־יציבות, להתנודד
stagger work shifts לפזר משמרות־עבודה, לסדר משמרות לסירוגין
staggered to hear נדהם לשמוע
stagger *n.* התנודדות, התמוטטות
staggers סחרחורת
staggering *adj.* מזעזע; ממוטט; מדהים
staging *n.* ביום, המחזה; פיגום, מערכת פיגומים; נסיעה בכרכרות; היערכות
staging area שטח היערכות
staging post תחנת־ביניים
stag'nancy *n.* קיפאון, חוסר תנועה
stag'nant *adj.* לא זורם, עומד, מעופש; קופא על השמרים, לא פעיל, לא מתפתח
stag'nate *v.* לעמוד, לא לזרום, לחדול לנוע; להבאיש; לדרוך במקום
stag•na'tion *n.* קפיאה; דריכה במקום
stag party מסיבת גברים

sta′gy *adj.* תיאטרלי, מלאכותי
staid *adj.* רציני, מתון, מיושב
stain *v&n.* להכתים, לגוון; לצבוע, להיכתם; כתם; דופי; צבע
blood-stained מגואל בדם
stained glass זכוכית ציבעונית
stainless *adj.* חסר־כתם; ללא דופי
stainless steel פלדה חסינת־חלודה
stair *n.* מדרגה
above stairs למעלה, בחדרי האדונים
below stairs למטה, במרתף
flight of stairs מערכת מדרגות (בין 2 מישטחים)
stairs מדרגות, מערכת מדרגות
stair carpet שטיח מדרגות
staircase (-s) *n.* מערכת מדרגות
stairway *n.* מערכת מדרגות
stairwell *n.* (חלל) חדר המדרגות
stake *n.* יתד, כלונס, מוט; עמוד השריפה; מיתת שריפה; סכום הימור; השקעה; אינטרס, עניין
at stake מוטל על כף המאזניים, בסכנה, לשבט או לחסד
go to the stake לעלות על המוקד; לאכול את פרי־מעלליו
pull up stakes לעקור למקום אחר
stakes מירוץ־סוסים; תחרות; פרס
stake *v.* להמר, לסכן, להתערב; לתמוך/לחזק במוטות
stake a claim to לתבוע חזקה על
stake one's life לחרף נפשו
stake out להציב (בלשים) במעקב
stake out/off לתחום (שטח) ביתדות
stake to לשלם בעד, לכבד ב־, לרכוש
stake-holder *n.* מחזיק דמי ההימורים; אפיטרופוס, נאמן זמני
stalac′tite *n.* סטאלאקטיט, נטיף, אבן טיפין עילית
stalag′mite *n.* סטאלאגמיט, זקיף, אבן טיפין תחתית
stale *adj.* ישן, לא־טרי, מקולקל; מסריח; משעמם, נדוש, תפל
get/become stale לרדת בכושר (מרוב מאמץ), להתנוון
stale *v.* להתיישן; להסריח; להימאס
stale′mate′ (stāl′māt) *n.* (בשחמט) פאט, תיקו; קיפאון, מבוי סתום
stalemate *v.* להביא לידי קיפאון
staleness *n.* יושן, אי־טריות
stalk (stôk) *v.* לעקוב אחרי, לצוד, להתקרב ממארב; לנוע חרש; לפסוע בגאווה
pestilence stalked through- מגיפה פשטה ב־
stalk *n.* גיבעול
stalker *n.* צייד (העוקב אחרי טרפו)
stalking horse סוס מחפה (על הצייד); אמתלה, אמצעי הסוואה
stall (stôl) *n.* תא (לסוס), אורווה, רפת; תאון; דוכן, דלפק, ביתן; מושב־ כומר (בכנסייה); כובעון־אצבע; איבוד שליטה (במטוס)
stalls שורות קידמיות בתיאטרון
stall *v.* להכניס/לשמור באורווה; (לגבי מנוע) לִכבות; לכַבות; לעצור; להיתקע; לאבד השליטה (במטוס)
stall *v.* לדחות; לעכב; להשהות; להתחמק, להשתמט
stall-fed *adj.* אבוס, מפוטם (באורווה)
stallholder *n.* בעל דוכן־מכירה
stal′lion *n.* סוס־הרבעה
stal′wart (stôl-) *n&adj.* חזק, חסון, מוצק, איתן, שרירי; חסיד, תומך
sta′men *n.* אבקן
stam′ina *n.* כושר עמידה, סבולת, כוח נפשי
stam′mer *v&n.* לגמגם; גימגום
stammerer *n.* גמגמן, מגמגם
stamp *v.* לרמוס, לדרוך; לפסוע בכוח; לבטוש; לביַיל; להחתים, להטביע
stamp him as לציינו כ־, לייחדו כ־
stamp one's foot לרקוע ברגליו
stamp out לבער, לדכא, לשים קץ ל־; להטביע, לצור צורה, לעצב, ליצור
stamped on one's memory נחרת בזיכרונו
stamp *n.* בול; תו־קנייה; חותמת, חותם; סימן; בטישה, דריסה; סוג, מין
bears the stamp of נושא את חותם, ניכר בו ציביון־
leave its stamp להותיר רישומו
of the same stamp as his father טיפוס דומה לאביו, כרעיה דאבוה
postage stamp בול־דואר
trading stamp בול קנייה, תו קנייה
stamp album אלבום בולים
stamp collector אספן בולים
stamp duty מס בולים, דמי ביול
stamped *adj.* מוחתם, מבויל
stam•pede′ *n&v.* מנוסת בהלה; ריצה מבוהלת; להניס/לנוס בבהלה
be stampeded into לפעול מתוך בהילות, לעשות צעד נמהר
stamping ground מקום התקבצות,

stand over לפקח על; להידחות
stand pat להיות נחוש בדעתו
stand prepared להיערך, להתכונן
stand still לעמוד דום, לא לזוז
stand to להיות בכוננות (צבאית)
stand treat לשלם בעד כיבוד/בידור
stand trial לעמוד לדין
stand up לקום; להתקבל כנכון; ⋆לא לבוא לפגישה
stand up for להגן על, לתמוך
stand up to להחזיק מעמד, לעמוד בפני, להיות חסין כנגד
stand up with ⋆לשמש שושבין
stand with להיות ביחסים (טובים) עם
stands a chance יש לו סיכוי
stands first מדורג ראשון, מוביל
stands on his own feet עומד על רגליו, עצמאי
stands to gain עשוי לזכות
stands to lose עלול להפסיד
stands 150 feet מתנשא לגובה 150 רגל
still stands עומד בעינו, עדיין בתוקף
the decision stands ההחלטה תקפה

stand *n.* עמידה, עצירה; עמדה; הגנה, הדיפה; תחנת־מוניות; דוכן, שולחנון; יבול
come to a stand לעצור
make a stand לעמוד איתן (מול)
one-night stand הופעה חד־פעמית
stands מושבי הצופים (באיצטדיון)
take a stand לנקוט עמדה, להביע השקפה; לתפוס מקומו, לעמוד
take the stand לעלות לדוכן העדים

stan′dard *n.* סטנדארד, תקן, מתכונת; קנה־מידה; רמה; דגל; מעמד, כן, בסיס; כיתה; שיח זקוף; עמוד
below standard מתחת לרמה, תת־תיקני
gold standard בסיס הזהב (למטבע)
high standard רמה גבוהה
living standard רמת־חיים
standard of revolt נס־המרד
up to standard ברמה הנאותה

standard *adj.* סטנדארטי, תיקני, מתוקנן; רגיל, מקובל; נכון; טוב; משובח; זקוף

standard-bearer *n.* נושא הדגל

stan′dardiza′tion *n.* תיקנון, תקינה

stan′dardize′ *v&v.* לתקנן, לערוך לפי סטנדארד, לקבוע תקן, לדגם

standardized *adj.* מתוקנן

standard lamp מנורת עמוד

אתר ביקורים

stance *n.* צורת־עמידה; עמדה, השקפה, נקודת־מבט

stanch *v.* לעצור, לחסום, להפסיק

stanch *adj.* נאמן, מסור, איתן, חזק

stan′chion (-shən) *n.* עמוד, מוט, כלונס; מיסגרת לצוואר בהמה, מחסום־צוואר

stand *v.* לעמוד; להעמיד; לקום; להתייצב; להתנשא (לגובה); להישאר כמות שהוא; להיות, להימצא; לשאת, לסבול; לכבד, להזמין; לרוץ, להיות מועמד; להיות במצב־/במעמד־
can't stand her לא סובל אותה
it stands to reason סביר ש־
let it stand השאר זאת כמות שהוא
no standing אין עצירה, אין חנייה
stand alone להיות יחיד במינו/משכמו ומעלה
stand and deliver עצור ומסור את חפציך (הוראת השודד)
stand aside לזוז הצידה; לעמוד באפס־מעשה, לשבת בחיבוק ידיים
stand at ease לעמוד נוח
stand back לסגת, לזוז אחורה; להימצא במרחק־מה
stand by להיות נוכח; לעמוד מהצד באפס־מעשה; לעמוד הכן לפעולה
stand by him לעמוד לצידו
stand by one's promise לקיים הבטחתו
stand clear of להתרחק מ־
stand corrected לקבל את התיקונים
stand down להסיר מועמדות; לרדת מדוכן העדים; לשחרר מתפקיד
stand fast/firm לעמוד איתן
stand for לייצג, לסמל, להיות פירושו; לדגול ב־; ⋆לסבול, לשאת
stand for president לרוץ לנשיאות
stand in for him למלא מקומו
stand in well with him להיות חביב עליו
stand in with להצטרף, להשתתף
stand off להשעות, לפטר זמנית; להתרחק, לשמור מרחק; לעצור, להרחיק
stand on להיות מבוסס על; לעמוד על, לדרוש בתוקף
stand on end לסמור (שערות)
stand one's ground לעמוד איתן
stand out לבלוט, להיות ניכר; לעמוד איתן, לא להיכנע
stand out from להתרחק מ (החוף)

standard of living רמת־חיים
standard time זמן תיקני
stand-by *n&adj.* מצב הכן, כוננות; ניתן לסמוך עליו; לעת הצורך, למקרה חירום
stand-in *n.* ממלא מקום, מחליף
standing *n.* מעמד, עמדה; משך־זמן
of long standing ישן, רב־ימים
of standing מכובד, רם־מעלה
standing *adj.* עומד, זקוף; קבוע; מתמיד
standing joke בדיחה מתמדת, דבר מצחיק
standing ovation תשואות בקימה
standing army צבא קבוע, צבא קבע
standing committee ועדה מתמדת
standing corn קמה
standing jump קפיצה (הנעשית) מהמקום
standing order פקודת־קבע
standing room מקום בעמידה
stand′off′ (-ôf) *n.* תיקו; התנשאות
stand′off′ish (-ôf-) *adj.* צונן, שומר דיסטאנץ, לא־ידידותי, פורמאלי
standout *n.* בולט, מצוין
standpipe *n.* צינור מים, צינור שריפה
standpoint *n.* נקודת מבט, בחינה
standstill *n&adj.* עמידה, עצירה; חוסר־תנועה; קיפאון; (הסכם) הקפאה
bring to a standstill לעצור
stand-up *adj.* זקוף, עומד; נעשה בעמידה; פראי, אלים
stand-up comedian קומיקן־בדיחות (המצחיק בבדיחות ולא במישחק)
stank = pt of stink
stan′za *n.* (בשירה) בית, סטאנצה
sta′ple *n.* סיכת־הידוק, כליב; חית־מנעול; מסמר כפוף (דמוי־U)
staple *v.* להדק בכליב
staple *n.* מוצר עיקרי, סחורה ראשית; מרכיב עיקרי; מיצרך; חוט, סיב
staple *adj.* עיקרי, ראשי
stapler *n.* מכונת־הידוק, מכלב, מהדק
stapling machine מכונת־הידוק
star *n.* כוכב; מזל; כוכבית, (★); עיטור
all-star (הצגה) עם גדולי־הכוכבים
born under an unlucky star נולד בלי מזל
film star כוכב קולנוע
fixed star כוכב־שבת
gets stars in his eyes מתלהב, ראשו בעננים
his star set כוכבו דעך, ירד מגדולתו
see stars לראות כוכבים (ממכה)
shooting star מטיאור, כוכב נופל
star turn כוכב המופע, מסמר התוכנית
thank one's lucky stars לברך "ברכת הגומל", להודות לאל
Stars and Stripes דגל ארה"ב
Star of David מגן דוד
3-star hotel מלון בעל 3 כוכבים
star *v.* לעטר בכוכבים; לסמן בכוכבית; לככב
star′board (-bərd) *n&v.* ימין הספינה, ימין המטוס; להפנות ימינה
starch *n&v.* עמילן, מזון עמילני; נוקשות, קשיחות, קפדנות; לעמלן
take the starch out of ★להתיש
star chamber בית־דין חשאי
starchy *adj.* עמילני, קשוח, מקפיד
star-crossed *adj.* חסר־מזל, ביש־גדא
star′dom *n.* מעמד הכוכב (בקולנוע)
stardust *n.* הזיה, אבק פורח
stare *v.* לנעוץ מבט; לפעור עיניו
make him stare להדהימו
stare down/out לגרום שיסב עיניו בכוח מבטו, לנצח בקרַב־מבטים
stare into silence להשתיק במבט חודר
staring in the face קרוב מאוד, מתחת לחוטמו; בלתי נמנע, ודאי
stare *n.* מבט, לטישת־עיניים
vacant stare מבט בוהה
starfish *n.* כוכב־ים
star-gazer *n.* ★אסטרונום; אסטרולוג
star-gazing *n.* הזיה, חולמנות
staring *adj.* בולט, רועש, צעקני, מסנוור
stark *adj&adv.* מוחלט, גמור; קשה, נוקשה
stark naked ערום כביום היוולדו
stark staring mad מטורף לגמרי
stark truth האמת לאמיתה
starless *adj.* בלי כוכבים
star′let *n.* כוכבת, כוכבנית
starlight *n.* אור הכוכבים
star′ling *n.* זרזיר (ציפור־שיר)
starlit *adj.* מואר באור הכוכבים
starred *adj.* ככוב, מכוכב, זרוע כוכבים; מסומן בכוכבית
starry *adj.* מכוכב; מנצנץ, מבריק
starry-eyed *adj.* תמים, הוזה, חדור תיקוות־שווא, נלהב, נאיבי
Star-Spangled Banner ההימנון הלאומי, דגל הלאום (של ארה"ב)
star-studded *adj.* משובץ כוכבים

start *v.* להתחיל; לפתוח ב־; לקפוץ, להזדעזע; לצאת לדרך; לפרוץ, לזרום; לרופף; להתרופף; לעורר; לגרום; להקים, לייסד; להתניע; להפעיל
it started him thinking הדבר עוררו לחשוב
start a fire להבעיר אש
start all over להתחיל שוב מא׳
start an animal להחריד חיה מריבצה
start an engine להפעיל מנוע
start back לצאת לדרך חזרה
start for לצאת/ללכת לכיוון
start in להתחיל
start on להתחיל ב׳, לפתוח ב־
start out/off לצאת לדרך; להתחיל
start something ⋆לעשות צרות
start up להתחיל; להפעיל; להתניע; לקפוץ (בפחד); לצמוח, לצוץ פתאום
to start with ראשית כל, קודם כל, א׳; בהתחלה, בשלב הראשון
start *n.* התחלה; ראשית; קפיצה, זעזוע; יציאה לדרך; זינוק; יתרון
a good start עמדת־זינוק טובה (לקריירה)
false start זינוק פסול
get a start לרכוש עמדת יתרון
give a start להפתיע, לזעזע
head start יתרון, פור
twenty-foot start פור של 20 רגל
starter *n.* מתחיל במירוץ, יוצא לדרך; מריץ, מזניק; מתחיל; פותח; מתנע
for starters ⋆ראשית כל, א׳
starters ⋆מנה ראשונה (בארוחה)
starting *adj.* מקפיץ; של זינוק
starting block אבן־הזינוק
starting gate שער־הזינוק (במירוץ)
starting point נקודת הזינוק
starting post עמדת־זינוק
starting price שער ההימורים עם פתיחת הזינוק
start′le *v.* להחריד, להקפיץ, לזעזע
startling *adj.* מדהים, מזעזע
star•va′tion *n.* רעב, מיתת רעב
starvation wages משכורות רעב
starve *v.* לרעוב, למות מרעב; להרעיב
be starved of- לרעוב ל׳, לסבול מחוסר־
starving for love צמא־אהבה
starve′ling (stärv′l-) *n.* רזה, גל־עצמות, מזה־רעב
stash *v.* לאגור, לצבור, לגנוז
state *n.* מצב, מעמד, תנאים; מדינה; פאר, הדר; בילבול, באלאגאן
get into a state ⋆להתרגש
lie in state להיות מונח לפני הקהל (לגבי ארון־מת)
robes of state מחלצות
state of mind מצב רוח
state of play מצב (הנקודות ב) מישחק
the States ארצות הברית
state *adj.* ממלכתי, של המדינה, מדיני; טיקסי, רישמי
in a bad state of repair טעון תיקון, מקולקל
state secrets סודות מדינה
state visit/call ביקור ממלכתי
state *v.* לומר, להביע, לבטא, להצהיר; לקבוע; לציין
statecraft *n.* מדינאות, חוכמת השילטון
stated *adj.* קבוע; אמור, נקוב, מוצהר
statehood *n.* מעמד מדינה
statehouse *n.* בית־מחוקקים
stateless *adj.* חסר־אזרחות, נטול־נתינות
stateliness *n.* פאר, רושם
stately *adj.* מפואר, מרשים, אצילי, מעורר כבוד
stately home אחוזת אציל (עתיקה)
statement *n.* הצהרה; גילוי־דעת; הודעה; הבעה, התבטאות; דו״ח, חשבון; מאזן
State Registered Nurse אחות מוסמכת
stateroom *n.* תא, תא־שינה
state's evidence עדות (עד־) המדינה
turn state's evidence להפוך לעד המדינה
stateside *adj&adv.* של/ב־/אל ארצות הברית
statesman *n.* מדינאי
statesmanlike *adj.* מדינאי, נבון, רחב־אופקים
statesmanship *n.* מדינאות
stat′ic *adj&n.* סטאטי, נייח, לא דינאמי; קפוא, לא נע; הפרעות חשמל
statics *n.* סטאטיקה
sta′tion *n&v.* תחנה; עמדה; מעמד; בסיס צבאי; חווה; להציב, למקם
at action stations (לגבי חיילים) ערוכים לפעולה בעמדות
fire station תחנת כיבוי־אש
keep station (לגבי אונייה) לשמור על מקומה (במערך־אוניות)
marry beneath one's station להינשא לאדם ממעמד נחות יותר

sta′tionar′y (-shəneri) *adj.* יציב, נייח, עומד, קבוע
station break הפסקת תחנה (לשידור שם התחנה)
sta′tioner (-shənər) *n.* מוכר מכשירי כתיבה
sta′tioner′y (-shəneri) *n.* מכשירי כתיבה, נייר מיכתבים
station-master *n.* מנהל תחנת־רכבת
stations of the Cross תחנות הייסורים (תמונות של ייסורי ישו)
station wagon מכונית סטיישן
statis′tic *n.* מיספר סטאטיסטי
statis′tical *adj.* סטאטיסטי
stat′isti′cian (-tish′ən) *n.* סטאטיסטיקן, מומחה לסטאטיסטיקה
statis′tics *n.* סטאטיסטיקה
stat′uar′y (-cho͞oeri) *n&adj.* פסלים; פסלות, פיסול; פסלי, של פסלים
stat′ue (stach′o͞o) *n.* פֶּסֶל
stat′uesque′ (-cho͞oesk′) *adj.* כפסל, נאה, חטוב, מעורר כבוד, לא נע
stat′uette′ (-cho͞oet′) *n.* פיסלון
stat′ure (stach′ər) *n.* קומה, גובה; רמה מוסרית, שיעור קומה
sta′tus *n.* סטאטוס, מִיצב, מֵיצב; עמדה, מעמד (רם); מצב, פני הדברים
status quo סאטאוס קוו, המצב הקיים
status quo ante המצב הקודם
stat′ute (stach′o͞ot) *n.* חוק
statute book ספר החוקים
statute law החוק, מיכלול החוקים
stat′uto′ry (-ch′-) *adj.* מעוגן בחוק
staunch *v.* לעצור, לחסום, להפסיק
staunch *adj.* נאמן, מסור, איתן, חזק
stave *n.* לימוד, לוח־חבית; חמשה, מחמושת; בית, סטאנצה
stave *v.* לשבור; להיפרץ, להימעך
stave in לפרוץ; לשבור; להיפרץ
stave off לדחות, להרחיק, להדוף
stay *v.* להישאר; להתארח, לשהות; לחכות; להמשיך עד הסוף; להתמיד; לדחות, לעכב, לעצור
come to stay להישאר לתמיד
stay in להישאר בבית, להירתק
stay on להישאר
stay one's hand למשוך ידו, לעצור
stay one's stomach/thirst לשבור זמנית רעבונו/להשקיט צימאונו
stay out להמשיך בשביתה
stay put להישאר במקומו
stay the course להמשיך עד הסוף
stay up להישאר ער, לאחר לישון
stay! עצור! רגע!
stay *n.* שהייה; דחייה, עיכוב
stay *n.* חבל־תורן; עוזר; תומך; משען
her husband's stay עזר כנגדו
stays מחוך
stay *v.* לתמוך (בחבל); להשעין
stay-at-home יושב־אוהל, אוהב בית
stayer *n.* בעל סבולת
staying power סבולת, כושר עמידה
St Bernard סיינט ברנארד (כלב)
std = standard
stead (sted) *n.* מקום
in his stead במקומו, תחתיו
stood him in good stead הועיל לו
stead′fast′ (sted-) *adj.* מסור, נאמן; איתן, קבוע, יציב
steadiness *n.* יציבות, קביעות, התמדה
stead′y (sted′i) *adj.* יציב, קבוע, לא משתנה, מתמיד; איתן, חזק; רציני
go steady "לצאת" בקביעות
steady hand יד יציבה (לא רועדת)
steady *v.* לייצב, לחזק; להתייצב
steady on! זהירות! שים לב!
steady *interj.* זהירות! שים לב!
steady *n.* ⋆חבר(ה) קבוע(ה)
steak (stāk) *n.* סטייק, אומצה
steal *v.* לגנוב; לנוע בגניבה; להתגנב
steal a kiss להחטיף נשיקה
steal a look לשלוח מבט גנוב
steal a march on להקדים, לרכוש יתרון על־
steal away להתגנב, להסתלק
steal the show/scene/spotlight לגנוב את ההצגה
steal *n.* ⋆"מציאה", מיקח מצוין
stealth (stelth) *n.* סתר, התגנבות
by stealth בגניבה, באין רואים
stealthy *adj.* מתגנב, חשאי
steam *n.* אדים; (כוח) קיטור, הבל
get up steam להתרגש; להתרתח; להתחיל לנוע; להגביר לחץ הקיטור
let/work/blow off steam להתפרק, לשחרר מרץ; לתת פורקן
run out of steam להתמצות, לאזול כוחו
under one's own steam בכוחות עצמו
steam *v.* להעלות אדים, לקטור, להבהיל; לאדות (בשר); לנוע בכוח קיטור
steam ahead להתקדם במלוא הקיטור
steam open לרכך/לפתוח באדים

steam up להתכסות באדים
steamed up ⋆מתרגש, זועם, רותח
steamboat *n.* סירת־קיטור
steam-boiler *n.* דוד־קיטור
steam coal פחם לדודי־קיטור
steam engine קטר־רכבת
steamer *n.* אוניית־קיטור; סיר־לחץ
steam hammer פטיש־קיטור
steam heat חימום בקיטור
steam iron מגהץ־אדים
steam-roller *n&v.* מכבש־קיטור; כוח מדכא; לכבוש, למחוץ, לרמוס
steamship *n.* אוניית־קיטור
steam shovel מחפר
steamy *adj.* אדי, ספוג/מכוסה אדים
steed *n.* סוס
steel *n.* פלדה; חרב; כוח
cold steel חרב, פגיון; נשק קר
give him a taste of one's steel לדקרו בחרב
has a mind like a steel trap בעל מוח חריף, בור סוד שאינו מאבד טיפה
steel *v.* לפלד, להקשיח, להקשות, לחשל
steel one's heart להכביד את ליבו
steel oneself להתחזק, להקשיח עצמו
steel band תיזמורת כלי־הקשה
steel-clad *adj.* עוטה שריון־פלדה
steel-plated *adj.* מצופה־פלדה, משוריין
steel wool צמר פלדה
steelworker פועל במיפעל־פלדה
steelworks *n.* מיפעל־פלדה
steely *adj.* פלדי, מפולד, קשוח
steel′yard′ *n.* מאזניים, פלס
steen′bok′ *n.* סוג של אנטילופה
steep *adj.* תלול; ⋆מוגזם, לא הגיוני
steep rise עלייה תלולה (במחירים)
steep *v.* לשרות, להרוות, להספיג
steeped in מלא/רווי/אפוף/שקוע ב־
steepen *v.* להתליל; להשתפע חדות
steepish *adj.* תלול למדי
stee′ple *n.* צריח־כנסייה
steeplechase *n.* מירוץ־מיכשולים (ל־3 ק"מ); מירוץ סוסים
steeplejack *n.* מְתַקן צריחים; טפסן־ארובות
steer *v.* לנווט, להטות, להפנות, לנהוג, לכוון (הספינה); להתנווט
steer clear of ⋆להתרחק, להימנע
steer for לעשות דרכו ל־
steer *n.* שור צעיר, בן־בקר
bum steer עצה רעה, מידע מטעה
steer′age *n.* ירכתי הספינה; מחלקה זולה; מדור אונייה
steerage-way *n.* מהירות מינימאלית (של ספינה, הדרושה כדי לנווטה)
steering column צינור ההגה
steering committee ועדה מתמדת
steering gear מנגנון ההגה
steering wheel הגה
steersman (-z-) *n.* הגאי
stein (stīn) *n.* ספל (בירה) ענק
stele *n.* אסטלה, מצבה, עמוד־זיכרון
stel′lar *adj.* כוכבי, של הכוכבים
stem *n.* גיבעול; פטוטרת; קנה־הגביע; זרוע־המיקטרת; שורש־מלה; קורת־החרטום; שושלת
from stem to stern מקצה אל קצה
stem *v.* לנבוע מ־; לעצור, להפסיק, לסכור, לחסום; להדוף; להסיר גיבעול
stems from נובע מ־, מקורו ב־
stemmed *adj.* בעל גיבעול
long-stemmed ארך־גיבעול, ארך־קנה
stench *n.* סירחון, צחנה
sten′cil (-səl) *n&v.* סטנסיל; שעווית; לשכפל בסטנסיל
Sten gun תת־מקלע סטן
stenog′rapher *n.* קצרן, סטנוגראף
stenog′raphy *n.* קצרנות
sten•to′rian *adj.* (קול) רם, חזק
step *n.* צעד; פסיעה; מרחק־מה; מדרגה; שלב; דרגה; מעלה
break step לשבור הקצב האחיד
footsteps צעדים, פעמי רגליים
get one's step לקבל דרגה
in step צועד בקצב אחיד, בצעידה אחידה; שוחה עם הזרם
keep step לצעוד בקצב אחיד
long step צעד גדול, התקדמות רבה
mind the step היזהר מן המדרגה
out of step שלא בקצב אחיד, חורג מן המיסגרת
pair of steps סולם
retrace one's steps לשוב על עקבותיו
step by step צעד־צעד, בהדרגה
steps סולם (רחב־שלבים)
take steps לנקוט צעדים
watch one's steps לנהוג בזהירות
step *v.* ללכת; לעשות צעד, לפסוע; לדרוך
step all over לרמוס, לנצל
step aside לזוז הצידה; לפנות מקומו
step down להתפטר; להאיט; לרדת
step in להיכנס; להתערב
step into להיכנס, להתחיל

step it out לרקוד בעליזות
step off למדוד (מרחק) בצעדים
step on it להזדרז, להחיש צעדיו
step on the gas ללחוץ על דוושת הדלק
step out למדוד (מרחק) בצעדים; להחיש צעדיו; ★ליהנות מהחיים, להתהולל
step this way היכנס נא לכאן!
step up להגדיל, להעלות, להגביר, להאיץ; לעלות; לגשת, להתקרב
step- (תחילית) חורג
stepbrother *n.* אח חורג
stepchild *n.* בן חורג, בת חורגת
stepdaughter *n.* בת חורגת
stepfather *n.* אב חורג
step-ladder *n.* סולם (רחב־שלבים)
stepmother *n.* אם חורגת
stepparent *n.* הורה חורג
steppe *n.* ערבה
stepping-stone *n.* אבן־חצייה (לעובר במים); קרש־קפיצה, אמצעי
stepsister *n.* אחות חורגת
stepson *n.* בן חורג
step-up *n.* עלייה, גידול, הסלמה
ster′e•o′ *n&adj.* מערכת סטריאופונית; סטריאו, סטריאופוני; תלת־ממדי
ster′e•om′etry *n.* סטריאומטריה, הנדסת המרחב
ster′e•ophon′ic *adj.* סטריאופוני, מפיק קולות משני רמקולים
ster′e•oscope′ *n.* סטריאוסקופ, מישקפיים תלת־ממדיים
ster′e•oscop′ic *adj.* סטריאוסקופי
ster′e•otype′ *n.* (בדפוס) סטריאוטיפ, אימהה; דוגמה, דבר טיפוסי; דבר נדוש
stereotype *v.* להדפיס מסטריאוטיפ; להטפיס; לקבוע כטיפוסי; להפוך לנדוש
ster′ile (-rəl) *adj.* סטרילי, מעוקר, מחוטא; עקר; לא פורייה; סרק, חסר־מעוף
steril′ity *n.* עקרות
ster′iliza′tion *n.* סטריליזציה, עיקור
ster′ilize′ *v.* לעקר, לחטא
ster′ling *n.* שטרלינג (מטבע)
sterling *adj.* אמיתי, תיקני; מעולה, מצוין
sterling area גוש השטרלינג
stern *adj.* קשה, קשוח; חמור; קפדני
stern *n.* ירכתי־הספינה, אחרה; ★אחוריים
ster′num *n.* עצם־החזה
ster′torous *adj.* נחרני, קולני בנשימתו

stet *v.* (בהגהה) להתעלם מהתיקון, לא למחוק, לא לתקן, להשאיר כך
steth′oscope′ *n.* סטתוסקופ, מַסְכֵּת, אבוב־רופאים
stet′son *n.* כובע (קאובוי) רחב־אוגן
ste′vedore′ *n.* סוור, פורק מיטענים
stew (sto͞o) *v.* לבשל; להתבשל
stew in one's own juice לאכול את הדייסה שהוא עצמו בישל
stew *n.* תבשיל, נזיד־בשר; בית־בושת
in a stew נבוך, עצבני, מודאג
stew′ard (sto͞o′-) *n.* דייל, כַּלכל; בן משק־הבית, מנהל־אחוזה; מארגן, מסדר תחרות
stew′ardess (sto͞o′-) *n.* דיילת, כלכלת
stewardship *n.* ניהול משק־בית
stewed *adj.* מבושל; ★שתוי, מבוסם
stick *n.* מקל; מקל־הליכה; ענף; קנה; חתיכה; ★טיפוס משעמם
dry old stick אדם משעמם, "עץ יבש"
get the wrong end of the stick להבין שלא כהלכה
give the stick להלקות
out in the sticks רחוק ממרכז העניינים
stick of rock ממתק
sticks (of furniture) רהיטים פשוטים
take stick לספוג עונש
the big stick הכוח (כגורם מרתיע)
the sticks איזורים כפריים
stick *v.* לתמוך (שריג) במקל
stick *v.* לנעוץ, לתקוע; לתחוב; לדקור; להדביק; להידבק; להינעץ, להיתקע; לשים, להניח; לסבול, לשאת
be stuck להיתקע (במקום)
can't stick him ★לא סובל אותו
is stuck with relatives נתקע עם קרוביו (אינו יכול להיפטר מהם)
stick 'em up ידיים למעלה!
stick a pig לנחור (לדקור) חזיר
stick around להישאר בסביבה, לחכות
stick at להתמיד ב־, לשקוד על; להירתע מ־, להרפות ידיו
stick by לדבוק ב־, להיות נאמן
stick down להדביק; ★לרשום; לשים, להניח
stick in one's craw להרגיזו
stick it on לגבות מחיר מופרז
stick it out ★להחזיק מעמד עד תום
stick one's chin/neck out לסכן עצמו
stick out לבלוט, להזדקר; להמשיך עד תום; להוציא, לשרבב (לשון)
stick out for לעמוד בתוקף על

stick to לדבוק ב־, להיות נאמן ל־; להיות צמוד ל־; להתמיד ב־
stick together לשמור אמונים; להיות בצוותא
stick up להזדקר; להרים; לשדוד
stick up for להגן, לתמוך ב־
stick with לשמור אמונים ל־, לא לנטוש; לתחוב, לרמות
sticks at nothing לא בוחל בשום אמצעי, לא נרתע ממאומה
sticks in the throat עומד כעצם בגרון; קשה לעכל/לקבל/לבטא/זאת
sticks out a mile ★בולט מאוד
sticks to the ribs (מזון) משביע
stick'er *n.* מדבקה, תווית דביקה; מתמיד; (אדם) נצמד, נדבק
sticking plaster איספלנית דביקה
stick-in-the-mud נחשל, מאובן־דעות
stick'ler *n.* קפדן, עומד בתוקף על
stick-on *adj.* (תווית) להדבקה, דביקה
stickpin *n.* סיכת־עניבה
stick-up *n.* שוד מזוין
stick'y *adj.* דביק; בוצי; קשה, לא נעים; מתנגד, מערים קשיים, לא עוזר
has sticky fingers ★גנב
sticky end סוף מר, מוות קשה
sticky wicket מצב ביש
stiff *adj.* קשה, קשוח, לא גמיש; צונן, מסויג; מפרך, מאמץ; כואב; חזק; עז
it's stiff to- לא סביר ל־, מוגזם ל־
keep a stiff upper lip להפגין עוז רוח, לא להישבר
stiff back גב "תפוס"/כואב
stiff collar צווארון קשה/מעומלן
stiff price מחיר מופרז
stiff smile חיוך צונן/לא ידידותי
stiff whisky ויסקי חזק
stiff *adv.* מאוד, כליל, עד מוות
bore stiff לשעמם עד מוות
stiff *n.* ★גופה, גוויה
big stiff טיפש מטופש
stiffen *v.* להקשות; להתקשות; להתקשח
stiffener *n.* מקשה; מקשיח
stiffening *n.* חומר מקשה
stiff-necked *adj.* קשה־עורף
sti'fle *v.* לחנוק; להיחנק; לדכא; לעצור, לכבוש, לאפק
stifling *adj.* מחניק; מעיק
stig'ma *n.* אות־קלון, תחושת־בושה, סטיגמה; כתם, רבב; (בפרח) צלקת
stig'mata *n-pl.* פצעי ישו
stig'matize' *v.* להשמיץ, להכפיש שמו
stile *n.* מדרגות־גדר, אמצעי־מעבר (לעבור מעל גדר)
help a lame dog over a stile לעזור לאדם הנתון במצוקה
stilet'to *n.* פגיון; ★נעל גבוהת־עקב
stiletto heel עקב גבוה וצר
still *adj.* שקט; דומם; לא־נע; לא־תוסס
keep still לא לנוע, לא לזוז
still small voice קול המצפון
still wine יין לא־תוסס
still *v.* להשקיט, להרגיע, לשכך
still *n.* דממה, דומייה, שקט; תמונה (מתוך סרט, בעיתון); מזקקה
in the still of- בדומיית ה־
still *adv.* עדיין, עוד; אף־על־פי־כן, למרות זאת; ברם
still colder עוד יותר קר
still-birth *n.* ולד מת
still-born *adj.* נולד מת
still life ציור עצמים דוממים
stillness *n.* דום; דומייה, שקט
still-room *n.* מזקקה; מזווה, מחסן
stilly *adj.* שקט, דומם
stilt *n.* קב, כלונס־הליכה
stilt'ed *adj.* מאולץ, מלאכותי, מנופח
Stil'ton *n.* גבינת סטילטון
stim'u•lant *adj&n.* מעורר, מדרבן; סם פעילות; משקה מגרה; תמריץ
stim'u•late' *v.* לעורר, לדחוף, לדרבן, לגרות, להמריץ
stimulating *adj.* מעורר, מדרבן, ממריץ
stim'u•la'tion *n.* דירבון, המרצה
stim'u•li' = pl of stimulus
stim'u•lus *n.* גורם ממריץ, דחיפה
sti'my = stymie
sting *v.* לעקוץ; לכאוב; להכאיב; לייסר; לעורר, לדרבן; לרמות
sting for ★לסחוט, "לסדר" בסכום של־
sting *n.* עוקץ; סיב צורבני; עקיצה; כאב חד
sting in its tail אליה וקוץ בה
sting of remorse מוסר כליות
sting of the tongue ארסיות־הלשון
stinger *n.* עוקץ; מכה חדה//כואבת
stingless *adj.* נטול עוקץ
stin'go *n.* שיכר חריף
sting-ray *n.* טריגון (דג ארסי)
stin'gy (-ji) *adj.* קמצן
stink *v&n.* להסריח, להצחין; ★להגעיל, להבחיל; סירחון; שערורייה
her name stinks היא ידועה לשימצה

raise a stink להקים שערורייה
stink out למלא בצחנה; להספיג
סירחון; להבריח בסירחון/בעשן
stinks ★כימייה
the play stinks ★ההצגה רעה/מחורבנת
stinker *n.* מסריח; ★אדם שפל, נבזה,
מלשין; דבר קשה/סתום; מיכתב חריף
stinking *adj.* מסריח; ★רע, מזופת
cry stinking fish לגנות מרכולתו
stinking rich ★עשיר מופלג
stint *v.* לקמץ, לחסוך, לצמצם
stint *n.* קימוץ; מיכסת עבודה; תפקיד
without stint ללא הגבלה, בלי לחסוך
מאמץ; ביד נדיבה, בעין יפה
sti′pend *n.* סטיפנדיה, מילגה; משכורת
(של איש־דת)
sti•pen′diar′y (-dieri) *adj&n.*
מקבל סטיפנדיה, מילגאי; מקבל משכורת;
שופט
stip′ple *v.* לצייר בנקודות, לנקדד, לנמר
stip′u•late′ *v.* להתנות, לקבוע תנאי,
לדרוש (בסעיף בחוזה)
stip′u•la′tion *n.* תנאי; קביעת תנאי
stir *v.* לנוע, לזוז; להניע; להניד; לבחוש,
לערבב; לעורר, לרגש; להתעורר;
להסתובב; ★לחרחר
rumors were stirring התהלכו
שמועות
stir a finger לנקוף אצבע
stir an eyelid להניד עפעף
stir his hair לפרוע שערותיו
stir one's stumps להרחיב צעדיו
stir oneself להזיז עצמו, לפעול
stir the blood להלהיב
stir the fire לחתות האש
stir up לעורר, להלהיב; להמריץ, לדרבן;
לגרום; לחרחר
stir *n.* ניע, תנועה; בחישה; התרגשות,
רעש, מהומה; ★בית סוהר, כלא
stirrer *n.* ★חרחרן, סכסכן, תככן
stirring *adj.* מרגש, מלהיב, מעורר
stir′rup (stûr′-) *n.* מישוורת, ארכוף,
רכובה; עצם בתוך האוזן
stirrup cup *n.* כוס פרידה (ליוצא לדרך)
stitch *n.* תפר, תך; (בסריגה) עין; תפירה;
★כאב חד (במותן); ★בגדים
in stitches מתפתל מצחוק
not a stitch on ערום לחלוטין
stitch *v.* לתפור, להכליב, לכלב
stoat *n.* סוג של סמור (טורף)
stock *n.* מלאי, סחורה; גזע־עץ; בול־עץ;
כן, בסיס; קת; משק־החי; מניות; אג"ח;
חומר־גלם; תמצית־מרק; כַּנָּה; שושלת,
מוצא; מנתור (פרח)
fat stock בקר־שחיטה
in stock במלאי, ניתן לקנותו
lock, stock and barrel בכל מכל כל
on the stocks בשלבי בנייה
out of stock אזל (מן המלאי)
stocks כבש בנייה, מיבדוק; ארכוף, סד
stocks and stones עצמים דוממים
take stock לספור המלאי; לערוך
חשבון, להעריך, לשקול; להאמין
take stock of him לעמוד על טיבו
stock *v.* לשמור במלאי, לצייד, לאגור
stock up לאחסן, לאגור; להצטייד
well stocked מצויד היטב
stock *adj.* רגיל, שיגרתי, קבוע; מוחזק
במלאי; ממוצע; נדוש
stock•ade′ *n&v.* גדר־כלונסאות,
קיר־הגנה; להגן, לבצר (בקיר־הגנה)
stockbreeder *n.* מגדל בקר
stockbroker *n.* סוכן מניות, ברוקר
stockcar *n.* קרון־בקר; מכונית־מירוץ
stock company להקת־רפרטואר
(קבוע); חברת מניות
stock cube קוביית־מרק
stock exchange בורסה
stock-farmer *n.* מגדל בקר
stockfish *n.* דג מיובש
stockholder *n.* בעל מניות
stockily *adv.* בצורה חסונה
stock′inet′ *n.* אריג גמיש, בד לבנים
stock′ing *n.* גרב (ניילון); גמישון
in one's stocking feet בגרביים, לא
נועל נעליים
stocking cap כובע גרב
stockinged *adj.* בגרביים, מגורב
stock in trade סחורה; מלאי־העסק;
דבר אופייני, תכונה מיוחדת
stock′ist *n.* מחזיק במלאי
stock′job′ber *n.* סוחר מניות
stock-list *n.* רשימת המלאי; לוח שערי
המניות
stockman *n.* מנהל חווה
stock market בורסה
stockpile *n&v.* מאגר־מלאי; לאגור
מלאי (לשעת חירום)
stockpot *n.* סיר לתמצית מרק, קלחת
stock-room *n.* מחסן סחורה
stock-still *adv.* ללא כל תנועה
stocktaking *n.* ספירת מלאי; הערכת
מצב
stock′y *adj.* חסון, נמוך, מוצק

stockyard *n.* מיכלא־בקר
stodge *n.* ★מזון סמיך, אוכל כבד; ספר משעמם
stodg'y *adj.* סמיך, כבד, קשה; משעמם; חסר־מרץ, חסר־מעוף
sto'ic *n&adj.* סטואיקן; סטואי, כובש יצריו, מושל ברוחו, אדיש לרגשות
sto'ical *adj.* סטואי, סובל בדומייה
sto'icism' *n.* סטואיות, כיבוש היצר
stoke *v.* לספק פחם, להוסיף דלק
stoke up לחתות (אש), לספק פחם
stoke-hole/-hold *n.* מַסקה, חדר־הסקה
sto'ker *n.* מסיק, מתקן הסקה
stole *n.* צעיף, סודר, רדיד
stole = pt of steal
sto'len = pp of steal
stol'id *adj.* נטול־הבעה, לא מפגין רגשות
stolid'ity *n.* אי־רגישות
stom'ach (stum'∂k) *n&v.* קיבה; בטן; תיאבון; לאכול, לבלוע, לעכל; לסבול
can't stomach it לא סובל זאת
has no stomach for אין לו תיאבון/חשק ל־
turn his stomach לעורר בו בחילה
stomach-ache *n.* כאב־בטן
stomachful *n.* מלוא הכרס, זרא
stomach pump משאבת־קיבה
stomp *v&n.* לדרוך, לרקוע, לפסוע/לרקוד בצעדים כבדים; מחול־רקיעה
stone *n.* אבן; גלעין; אבן־חן, יהלום; מצבה; ברד; סטון (14 ליטראות)
leave no stone unturned לעשות כל מאמץ, לנסות כל דרך
precious stone אבן יקרה
rolling stone נע ונד, נווד
stone's throw כמטחווי־אבן, קרוב
throw stones להטיל דופי, להשמיץ
up against a stone wall עומד מול קיר אטום
stone *v.* לסקול, לרגום; לגלען, להוציא הגלעינים
stone- לגמרי, לחלוטין, גמור, מובהק
Stone Age תקופת האבן
stone-blind *adj.* עיוור לחלוטין
stonebreaker *n.* מנפץ אבנים (לחצץ)
stone-broke *adj.* חסר־כל, מרושש
stone-cold *adj.* קר כקרח
stonecutter *n.* סתת, מקציע אבנים
stoned *adj.* מגולען; ★שיכור, מסומם
stone-dead *adj.* מת, ללא רוח חיים
stone-deaf *adj.* חירש גמור
stone fruit פרי גלעיני
stoneless *adj.* חסר גלעין, מגולען
stone mason סתת
stone-pit *n.* מחצבה
stone-wall *v.* (בפרלמנט) להאריך בנאומים, לעכב ההתקדמות; לשחק באיטיות
stoneware *n.* כלי־חרס
stonework *n.* סתתות; מעשה־אבן
stonily *adv.* בקרירות, באופן צונן
sto'ny *adj.* אבני, מטורש, מסולע; קשה, קשוח; קר, צונן; חסר־כל, חסר פרוטה
stony broke ★חסר־פרוטה, חסר־כל
stony heart לב אבן
stood = p of stand
stooge *n.* מוקיון, שוטה הבימה, קורבן הקומיקן; בובה, עבד נרצע; "לקקן"
stooge *v.* לשמש כמוקיון, לספוג הלעג; לנוע/לטוס אילך ואילך
stool (stōōl) *n.* שרפרף; הדום; צואה
fall between two stools ליפול בין הכיסאות, לצאת קירח מכאן ומכאן
stoo'lie *n.* ★מלשין, מודיע משטרתי
stool-pigeon *n.* יונת־פיתיון; מלשין, מודיע משטרתי
stoop (stōōp) *v.* לכופף; להתכופף; לרכון; לעמוד שחוח; לעוט (על טרפו)
stoop to לרדת ל (שפל המדרגה)
stoop *n.* קומה כפופה; עמידה שחוחה; מרפסת־כניסה, אכסדרה
stop *v.* לעצור; לחדול; למנוע; לעכב; לשים קץ ל־; להפסיק; לסתום, לחסום; להישאר, לשהות
stop a check לעכב/לבטל המחאה
stop a tone לסתם צליל
stop a tooth לסתום שן
stop at nothing לא להירתע ממאומה, לקחת כל סיכון, לא לבחול בשום אמצעי
stop by/round לעצור לביקור קצר
stop dead/cold לעצור לפתע
stop off/over לעצור, לעשות חניה
stop one's ears לאטום אוזניו
stop out לנכות (ממשכורת)
stop short לעצור לפתע; להימנע מ־; לא להרחיק לכת עד כדי־
stop up לחסום; לאחר לישון
I stopped eating הפסקתי לאכול
I stopped to eat עצרתי כדי לאכול
stop *n.* עצירה; מניעה, עיכוב; קץ; הפסקה; סתימה; תחנה; מסתם צלילים; סימן־פיסוק; הגה פוצץ; וסת־אור

(במצלמה); מעצר
bus stop תחנת אוטובוסים
come to a stop לעצור, להיעצר
full stop נקודה (סימן פיסוק)
pull all the stops out לעשות כל המאמצים; לעורר כל הרגשות
put a stop to לשים קץ ל־
stopcock *n.* ברז, וסת־מים, שסתום
stopgap *n.* תחליף ארעי, ממלא מקום
stop-go *n.* תקופת שינויים כלכליים (של אינפלציה ודפלציה לסירוגין)
stop-over *n.* שהייה, חניית ביניים
stoppable *adj.* שניתן לעצרו
stop'page *n.* עצירה; בלימה; עיכוב; שביתה; מעצור; סתימה (בצינור)
stopper *n.* פקק, מגופה
put the stopper on להפסיק
stopping *n.* סתימה (בשן)
stop press חדשות הרגע האחרון
stop-watch *n.* שעון־עצר, סטופר
stor'age *n.* אחסנה; מחסן; דמי אחסנה
store *v.* לאגור, לצבור; לאחסן, לשמור במחסן; להחזיק במלאי; לצייד
store *n.* חנות; מחסן; מאגר, מלאי; אספקה; כמות רבה
has a store of יש לו מלאי של
in store צפוי, עתיד לקרות
keep in store להכין, לשמור באמתחת
set great store by להעריך, להוקיר
set no store by לזלזל, לבטל
stores סחורה; מלאי; מחסן; חנות כל־בו
store-house *n.* מחסן, אוצר
storekeeper *n.* חנווני
storeroom *n.* מחסן
sto'rey *n.* קומה, דיוטה, מיפלס
the upper storey ★הראש, המוח
sto'ried (-rid) *adj.* מסופר, נושא לסיפורים, מפורסם; בעל קומות, קומתי
2-storied דו־קומתי, בעל 2 קומות
stork *n.* חסידה
storm *n.* סערה, סופה; התפרצות, געש, סערת־רגשות
cause a storm לעורר סערה/תסיסה
storm in a teacup סערה בצלוחית־מים, רוב מהומה על לא מאומה
storm of arrows מטר חיצים
take by storm לכבוש בסערה
storm *v.* לסעור, לגעוש; לכבוש בסערה; להסתער; להשתולל; להתפרץ בזעם
storm-beaten *adj.* מוכה־סערות
storm-bound *adj.* תקוע מחמת סערות
storm center מוקד הסערה, מרכז־הצרה
storm cloud ענן קודר, ענן־סופה; אות פורענות
storm lantern פנס־רוח
storm-proof *adj.* חסין־סערות
storm signal אות סערה (קרבה)
storm-tossed *adj.* מטולטל־סערות
storm trooper איש פלוגות הסער
storm troops פלוגות סער
stormy *adj.* סוער, גועש, מתפרץ
stormy petrel יסעור (עוף־ים); גורם סערה/תסיסה
sto'ry *n.* סיפור; מעשה; עלילה; כתבה; סיפור־בדים; קומה, דיוטה
old story דבר שכיח
tell stories "לספר סיפורים", לשקר
the same old story שוב אותו סיפור/תירוץ
the story goes אומרים ש־
to make a long story short בקיצור
story-book *adj.* כמו באגדות־ילדים
story line עלילה
story-teller *n.* מספר סיפורים; שקרן
stoup (sto͞op) *n.* קובעת, קערת מים קדושים; כד, כלי־שתייה
stout *adj.* שמן, שמנמן; חזק, חסון; נועז, אמיץ; החלטי, תקיף, נאמן, עיקש
stout resistance התנגדות עיקשת
stout stick מקל חזק/לא שביר
stout supporter חסיד נאמן
stout *n.* שיכר חריף
stout-hearted *adj.* אמיץ־לב, תקיף
stove *n.* תנור, כיריים, כירה
stove = p of stave
stove-pipe *n.* מעשנה, ארובת־תנור; ★מיגבע, צילינדר
stow (stō) *v.* לארוז; לטעון (מיטען); לאחסן; לסדר (חפצים, במיזוודה)
stow it! בלום פיך!
stow away לארוז, לסדר, לאחסן; להסתתר (כנוסע סמוי)
stow'age (stō-) *n.* אריזה, אחסנה, סידור; ספנה, מקום המיטען; דמי אחסנה
stowaway *n.* נוסע סמוי
Strad *n.* סטרדיבאריוס (כינור)
strad'dle *v.* לפשק רגליים; לשבת בפישוק רגליים על־, לטרטן; לפגוע מסביב למטרה
Strad'iva'rius *n.* סטרדיבאריוס (כינור)
strafe *v.* להפציץ; להוכיח, לייסר
strag'gle *v.* לפגר, להשתרך, להשתרג; לסטות; להתפשט/לצמוח באי־סדר

straggler *n.* מפגר, משתרך
strag′gly *adj.* מפוזר, סבוך, משתרג
straight (strāt) *adj.* ;ישר; מסודר; זקוף ניצב; הוגן, כן, גלוי; טהור
keep one's face straight להתאפק מצחוק
keep straight ללכת בדרך הישר
put straight להכניס סדר ב־
put the record straight לתאר אל נכון
set things straight להעמיד דברים על נכונותם
straight angle זווית שטוחה (בת 180 מעלות)
straight face פני פוקר
straight fight התמודדות בין שניים (בבחירות), דו־קרב
straight hair שיער חלק
straight tip עצה ממקור מהימן
straight whisky ויסקי טהור
straight *adv.* ,ישר, היישר, ישירות; מיד ללא דיחוי; גלויות
go straight ללכת בדרך הישר
go straight to the point לגשת מיד לעניין, לא ללכת סחור־סחור
hit straight לפגוע בדיוק במטרה
sit up straight לשבת בזקיפות
straight away/off מיד, ללא דיחוי
straight from the shoulder גלויות
straight up ★באמת, אמנם כן
straight out גלויות, ללא היסוס
tell straight לומר גלויות
straight *n.* יושר, יַשרות; קטע ישר (במסלול מירוצים)
on the straight and narrow שומר חוק, הולך בדרך הישר
straightaway *adv.* מיד, ללא דיחוי
straightedge *n.* סרגל
straighten *v.* ליישר, לסדר; להתיישר
straighten out ,לסדר; להכניס סדר ליישר הדורים, לתקן טעות; להזדקף
straighten up להזדקף; לסדר
straight′for′ward (strāt-) *adj.*
ישר, הוגן, כן, גלוי, לא חמקמק; קל, פשוט, ברור
straightness *n.* יושר, יַשרות
straightway *adv.* מיד, ללא דיחוי
strain *v.* ;למתוח, למשוך; לאמץ להתאמץ; להפריז במאמצים; לעוות, להוציא מידי פשוטו; לסנן
strain a muscle למתוח שריר
strain against ללחוץ בחוזקה על
strain at למתוח, למשוך; לעשות מאמץ עליון; להסס
strain at the leash להתאמץ להשתחרר מהרסן, להשתוקק לחופש
strain every nerve לעשות כל שביכלתו, לעשות מאמץ עליון
strain off לסנן, להעביר במסננת
strain one's authority לחרוג מסמכותו
strain one's eyes לאמץ עיניו
strain the heart לאמץ הלב יתר על המידה, להזיק ללב
strain the truth לאנוס את האמת
strain to one's bosom לאמץ לחיקו
strain *n.* ;מתיחה; מתח; לחץ מאמץ־יתר; נקיעה, נקע
is under a strain שרוי בלחץ
strain *n.* ;לחן, נעימה; צליל, נימה, טון רוח, מגמה; אופי, סיגנון; סוג, זן; מוצא, גזע; תכונה תורשתית
strained *adj.* מאולץ, לא־טיבעי, מתוח
strained face פנים מתוחים
strained meaning פירוש דחוק
strained relations יחסים מתוחים
strainer *n.* מסננת
strait *n.* מיצר, רצועת־ים; מצוקה
straits מצרים; מצוקה, קשיים
strait *adj.* צר, קשה
strait′en *v.* להצר; להביא במצוקה
straitened *adj.* קשה, במצוקה
strait-jacket *n.* מעיל משוגעים; דבר כובל, מונע התפתחות, מגביל תנועה
strait-laced *adj.* ,קפדני, פוריטאני מוסרי
strand *n.* ;גדיל, חוט, שערה; קווצה חוט־השתלשלות (בסיפור); חוף, גדה
strand *v.* ;לעלות/להעלות על שירטון לעלות לחוף; להיתקע
stranded *adj.* נטוש, עזוב לאנחות
strange (strānj) *adj.* ,מוזר, משונה; זר נוכרי; לא רגיל; לא מוכר
strange to say מוזר, אבל־, מעניין־
stran′ger (strān′-) *n.* זר, נוכרי
no stranger to מנוסה ב־, מכיר
you are quite a stranger זה זמן רב שלא ראינוך
stran′gle *v.* לחנוק (למוות)
strangle-hold *n.* לפיתת־חנק
stran′gu•late′ *v.* לשנק, לחסום זרם הדם
stran′gu•la′tion *n.* שינוק; חניקה
strap *n.* רצועה, סרט

give the strap להלקות (ברצועת־עור)
strap *v.* לקשור, להדק ברצועה; לחבוש; להלקות ברצועה
strap up לקשור; לחבוש
strap-hanger *n.* נוסע בעמידה
strap-hanging *n.* נסיעה בעמידה
strapless *adj.* (שימלה) חסרת־כתפיות
strap'ping *adj.* חזק, חסון, גבוה
stra'ta = pl of stratum
strat'agem *n.* תחבולה, תכסיס
strate'gic (al) *adj.* אסטרטגי, תכססי
strate'gics *n.* אסטרטגיה
strat'egist *n.* אסטרטג
strat'egy *n.* אסטרטגיה, תכסיסנות; תכסיס, תחבולה
strat'ifica'tion *n.* ריבוד, עריכה בשכבות, הרבדה; התרבדות
strat'ify' *v.* לרבד, לערוך בשכבות; להתרבד
strat'osphere' *n.* סטראטוספירה
stra'tum *n.* שיכבה, רובד, מעמד חברתי
straw *n&adj.* קש, תבן; גיבעול; קשית, קש־מציצה; קש וגבבא; עשוי קש
grasp at straws להיאחז בקש
last straw הקש ששבר את גב הגמל
make bricks without straw לעשות לבנים ללא תבן
man of straw אפס, "עושה רוח", נמר של נייר
not care a straw לא איכפת כלל
straw in the wind רמז לבאות
strawberry *n.* תות שדה, תות גינה
strawberry mark כתם אדמדם (בעור)
strawboard *n.* קרטון (עשוי קש)
straw boss מפקח מישנה
straw-colored *adj.* קשי, צהוב בהיר
straw man איש קש
straw poll מישאל ניסיוני
stray *v.* לתעות; לסטות
stray *adj&n.* תועה; בודד; מיקרי; נראה פה ושם; ילד תועה
waifs and strays ילדים חסרי־בית
stray bullet כדור תועה
streak *n.* קו, רצועה, פס; עקבות; נטייה; תכונה; תקופה, שעה
like a streak of lightning במהירות הבזק
losing streak תקופת כישלונות
streak of bad luck תקופה של חוסר מזל
winning streak סידרת ניצחונות
streak *v.* לנוע במהירות, לרוץ; לפספס, לסמן בפסים; לרוץ ערום
streaker *n.* רץ ערום ברחובות
streaky *adj.* מפוספס, בעל פסים
stream *n.* נחל, פלג; זרם, תנועה, שטף
down stream במורד הנהר
go with the stream לשחות עם הזרם
stream of consciousness זרם התודעה, שטף המחשבות
up stream במעלה הנהר
stream *v.* לזרום, לשטוף, להינגר; לנהור; להתנופף; לגלוש
streamer *n.* נס, דיגלון; סרט
streamer headline כותרת ענק
stream'let *n.* פלג, יובל, פלגלג
streamline *v.* לעשות זרים, להחליק; לפשט, לייעל
streamlined *adj.* זרים, נוח לזרימה, חלק; יעיל, שוטף
street *n.* רחוב, דרך
be on the streets לעסוק בזנות
man in the street האיש הממוצע
not in the same street as לא מגיע לרמתו
on easy street מבוסס, עשיר
streets ahead of עולה בהרבה על
up my street בתחום שלי, בשטח שלי
street Arab ילד רחוב, זאטוט רחוב
streetcar *n.* חשמלית
street door דלת (הפונה ל) רחוב
street-girl *n.* נערת רחוב, יצאנית
street-walker *n.* יצאנית
strength *n.* חוזק, עוצמה, כוח, גבורה; תוקף; כוח מיספרי; מַצָּבָה, תקן
below strength מתחת לתקן
in strength במיספר רב (של אנשים)
on the strength בתקן
on the strength of בתוקף־, מכוח־, על סמך־, על יסוד־
strength'en *v.* לחזק; להתחזק
stren'u•ous (-ūəs) *n.* דורש מאמץ; מאמץ, קשה; נמרץ, פעיל
strep'tococ'cus *n.* סטרפטוקוקוס, נקד שרשרת (בקטריות)
strep'to•my'cin *n.* סטרפטומיצין
stress *n.* לחץ; מתיחות, מצוקה; דגש, חשיבות, מישקל; נגינה, טעם
lay stress on לשים דגש על
under financial stress במצוקה כספית
under the stress of- בלחץ ה־
stress *v.* ללחוץ; להדגיש, להטעים
stress mark סימן הטעם, נגינה; מתג

stretch *v.* למתוח; להימתח; למשוך;
להימשך; להושיט; להשתרע, להתפשט;
להגמיש; להתמתח
fully stretched מפעיל כל כוחותיו
stretch a law להגמיש חוק, לנהוג
לפנים משורת הדין
stretch a muscle למתוח שריר
stretch a point לנהוג בגמישות
stretch it a bit ★להגזים
stretch one's legs לנער הרגליים,
לטייל
stretch one's neck לשרבב צווארו
stretch out להתמתח, לחלץ עצמותיו;
להשתרע; לפשוט, לשלוח; להושיט (יד)
stretch over להימשך על פני, לארוך
stretch *n.* מתיחה, חילוץ עצמות;
מתיחות, גמישות; מישטח, מישור;
קטע־מסלול; רצף, משך־זמן; ★תקופת
מאסר
at full stretch עובד במלוא הקיטור
home stretch קטע הסיום
stretch of the imagination הפלגת
הדימיון
3 hours at a stretch 3 שעות רצופות
stretch *adj.* גמיש, מתיח
stretchable *adj.* מתיח, גמיש
stretcher *n.* אלונקה; מותח
stretcher-bearer *n.* אלונקאי
stretcher party כיתת אלונקאים
stretchy *adj.* גמיש, מתיח, אלסטי
strew (strōō) *v.* לפזר, לכסות, לבזוק
strewn מפוזר על פני, זרוע
stri'a'ted *adj.* מפוספס, מתולם, מחורץ
stri•a'tion *n.* קו, חריץ; תילום
strick'en (= pp of strike) *adj.*
מוכה, הלום (־יגון), אחוז, חדור; נגוע
stricken in years זקן מופלג
strict *adj.* קפדן, מחמיר; חמור; מפורש,
ברור; מדויק; שלם, גמור, מוחלט
in strict secrecy בסוד גמור
in the strict sense במובן הצר
strictly *adv.* במפורש, בקפדנות
strictly speaking במובן הצר של המלה
stric'ture *n.* ביקורת, תוכחה, נזיפה;
(ברפואה) היצרות (צינור בגוף)
stride *v.* לפסוע, לצעוד; לחצות בפסיעה
גסה; לשבת בפישוק רגליים
stride *n.* פסיעה גסה; צעד ארוך
hit one's stride לרוץ במירב המהירות;
להשתדל ביותר
make great strides להתקדם יפה
strides התקדמות, שיפור

take it in his stride לעשות זאת בלא
מאמץ מיוחד, לקבל כדבר רגיל
stri'dence, stri'dency *n.* צרימה
stri'dent *adj.* צורמני, צרצרני
strid'ulate' (-j'-) *v.* לצרצר
strid'ula'tion (-j'-) *n.* צירצור
strife *n.* סיכסוך, חיכוך, ריב, מריבה
strike *n.* שביתה; התקפה, הפצצה; גילוי,
מציאה, הצלחה, מזל
general strike שביתה כללית
go on strike לפתוח בשביתה
has two strikes against him
★במצב ביש, במצוקה
oil strike גילוי נפט
strike *v.* להכות, לחבוט, להלום; לפגוע;
להתקיף, להסתער; להרשים; לעלות
בדעתו; לחשב, להגיע ל־; למצוא, לגלות;
לשבות; לפנות
be struck dumb להיאלם דום
how does she strike you? כיצד היא
מרשימה אותך? איך היא מוצאת חן
בעיניך?
it struck me that- צץ בראשי ש־
strike (up)on להיתקל; לצוץ בראשו
strike a balance למצוא את האיזון
strike a bargain לסכם עיסקה
strike a coin לטבוע מטבע
strike a flag להוריד דגל
strike a light להדליק אש
strike a match להדליק גפרור
strike a note of לנקוט נימה של
strike a pose לעשות תנוחה (מסוימת)
strike all of a heap להדהים
strike camp לפרק מחנה
strike cuttings לשתול ייחורים
strike down להפיל, להשכיב
strike it rich להתעשר לפתע
strike off למחוק, לסלק מרשימה;
להדפיס; לפנות, ללכת; להתיז, לערוף
strike oil לגלות נפט; להאיר לו מזלו
strike one's colors להיכנע
strike out לצאת; לפנות, ללכת;
לשחות נמרצות; להכות, לחבוט; למחוק
strike out on one's own להיות
עצמאי
strike root להכות שורש
strike tents לפרק אוהלים
strike terror להפיל אימה
strike the road למצוא את הדרך
strike through למחוק
strike up להתחיל, לפצות (בזמר)
strike up a friendship להתיידד

the clock struck השעון צילצל
the hour has struck הגיעה השעה הגורלית
the place strikes cold נוצר רושם שהמקום קר
strike-bound *adj.* מושבת
strikebreaker *n.* מפר שביתה
strikebreaking *n.* הפרת שביתה
strike fund קרן שביתה
strike leader מנהיג שובתים
strike pay דמי שביתה
striker *n.* שובת; חלוץ (בכדורגל)
striking *adj.* מרשים, שובה לב; מכה
within striking distance קרוב מאוד
string *n.* חוט, שרוך, פתיל; מיתר; מחרוזת; סידרה, מערכת, שורה; סיב
harp on the same string לפרוט על אותה נימה, לדוש בנושא
has 2 strings to his bow שומר באמתחתו ברירה שנייה
have him on a string למשול בו, לעשות בו כרצונו
no strings attached בלא תנאים מגבילים
play second string לנגן כינור שני, לעמוד בצילו
pull strings למשוך בחוטים
string of curses צרור קללות
strings כלי־מיתרים
string *v.* לקשור; לתלות; למתוח מיתרים; לחרוז (פנינים/מלים)
highly strung רגיש ביותר, פגיע
string along לרמות, להוליך שולל; לשתף פעולה; להילוות, להיצמד
string out לפרוש (ברווחים) בשורה; למתוח, להאריך
string up לקשור בחוט, לתלות; ★להוציא להורג בתלייה
strung up מתוח, עצבני, מתרגש
string band תיזמורת כלי־מיתרים
string bean שעועית ירוקה
stringed instrument כלי־מיתרים
strin'gency *n.* חומרה, קפדנות; מחסור
strin'gent *adj.* מחמיר, חמור, קפדני; מצומצם, מוגבל, דחוק בכסף
string orchestra תיזמורת כלי־מיתרים
stringy (-ngi) *adj.* חוטי, חוטני, סיבי
strip *v.* לפשוט; להפשיט; להתפשט; להסיר, לקלף; לפרק; לגזול; לרוקן
strip a bolt לקלקל חריצי הבורג
strip a cow לחלוב פרה עד תום
strip down a car לפרק מכונית
strip off להסיר; להתפשט
stripped of his rank נשללה דרגתו
strip *n.* רצועה, סרט, פס; תילבושת־שחקנים; סטריפטיז, התערטלות
strip cartoon סיפור מצויר (בעיתון)
stripe *n.* רצועה, פס; סרט־דרגה; הלקאה, הצלפה, מכת־שוט
stripe *v.* לפספס
striped *adj.* מנומר, מפוספס
strip lighting תאורה בשפופרות־ניאון
strip'ling *n.* נער, עלם, בחור
strip'per *n.* חשפנית
strip show סטריפטיז, חשפנות
strip-tease *n.* סטריפטיז, חשפנות
stri'py *adj.* מנומר, מפוספס
strive *v.* לחתור, לשאוף, להיאבק, להילחם; להתאמץ, להשתדל, לנסות
striver *n.* חותר, נלחם; מתאמץ
strobe light אור הבזק (בצילום)
stro'boscope' *n.* חינוע, סטרובוסקופ
strode = pp of stride
stroke *n.* מכה, חבטה; הצלפה; שבץ; שחייה, חתירה; משוטאי אחורי; לטיפה; משיכת־קולמוס, תנועת־מיכחול; צילצול־שעון
at a stroke "במכה אחת", מיד
at the stroke of 7 בשעה 7
breast stroke שחיית־חזה
hasn't done a stroke of work ישב בטל
on the stroke בדיוק, בשעה שנקבעה
stroke of business עיסקה טובה
stroke of genius הברקה גאונית
stroke of luck הארת־מזל
stroke *v.* ללטף; לתפוס משוט אחורי; להכות, לחבוט
stroke down להרגיע
stroke the wrong way להרגיז
stroll (strōl) *v&n.* לטייל בנחת, לפסוע לאיטו; הליכה בנחת
stroller *n.* עגלת־ילדים; מטייל
strolling *adj.* מסייר, עורך מופעים
strong (-rông) *adj.* חזק, חסון, איתן; תקיף; עז; עולה, מאמיר; מסריח
go it strong ★להרחיק לכת, להגזים
still going strong לא נס ליחו
strong argument טענה ניצחת
strong drink משקה חריף
strong form צורה מודגשת (במיבטא)
strong language קללות, גידופים
strong measures אמצעים חריפים

strong point נקודה חזקה, צד חזק
strong verb פועל יוצא־דופן
1000 strong 1000 במיספר, אלף איש
strongarm *adj.* אלים, בריוני
strongbox *n.* כספת
stronghold *n.* מיבצר, מעוז
strongly *adv.* באורח תקיף, נמרצות
strong-minded *adj.* תקיף בדעתו
strong room חדר מבוצר, כספת
stron'tium *n.* סטרונציון (יסוד מתכתי)
strop *n&v.* (להשחיז ב) רצועת השחזה
strop'py *adj.* ⋆עקשן, מרדני
strove = pt of strive
struck = p of strike
struc'tural (-'ch-) *adj.* מיבני, של בניין; סטרוקטוראלי, תבניתי
struc'ture *n&v.* מיבנה, בניין; לבנות; לגבש
stru'del *n.* כרוכית, שטרודל
strug'gle *v.* להיאבק; להתאמץ; לנסות להיחלץ; להתחבט; להתקדם בקושי
struggle for להיאבק למען, לחתור
struggle *n.* מאבק, מלחמה; מאמץ
strum *n&v.* לפרוט, לנגן בעלמא/בצורה גרועה; פריטה גרועה
strum'pet *n.* יצאנית
strung = p of string
strut *v.* ללכת ביהירות, לטפוף בחשיבות עצמית
strut *n.* הילוך גאוותני; סמוך, סמוכה, יתד תומך
strych'nine (-k-) *n.* סטריכנין
stub *n.* חבור, זנב, בדל, קצה, שארית
stub *v.* להיתקל; ללחוץ
stub one's foot להיתקל ברגלו
stub out לכבות (סיגרייה) במעיכה
stub'ble *n.* שלף, גיבעולים שנשארו אחרי הקציר; זיפי־זקן, שלפי־זקן
stub'bly *adj.* זיפי, מכוסה שלף
stub'born *adj.* עקשן, קשה לטיפול
stub'by *adj.* קצר ועבה
stuc'co *n.* טיח־קישוט, טיח־קירות
stuck (= p of stick) *adj.* תקוע; נתקע; דבוק
get stuck in קדימה! להתחיל במרץ
is stuck on her מאוהב בה
stuck-up *adj.* מתנפח, מתנשא, שחצן, סנוב
stud *n.* כפתור (דו־ראשי); יתד, מסמר־קישוט, נעץ; סוס־הרבעה; מערכת סוסים
stud *v.* לשבץ, לקשט, לפזר

star-studded זרוע כוכבים, מכוכב
stud-book *n.* ספר היוחסין
stu'dent *n.* תלמיד, סטודנט; חוקר
stud farm חוות־סוסים
stud horse סוס הרבעה
stud'ied (-did) *adj.* מכוון, מתוכנן, מחושב
stu'dio' *n.* סטודיו, אולפן
studios אולפני־הסרטה
studio apartment דירת־חדר
studio audience צופי־אולפן
studio couch ספה־מיטה
stu'dious *adj.* שקדן, מתמיד, שוחר־תורה; מכוון, מחושב, קפדני
stud'y *n.* לימודים, מדרש, מחקר; נושא לעיון; חדר־עבודה; שירטוט; סקיצה
brown study שקיעה בהירהורים
study *v.* ללמוד, לעיין, לשנן; לבדוק, לבחון, להתבונן; לדאוג, לתת הדעת
study one's needs לדאוג לצרכיו
stuff *n.* חומר; אריג־צמר; דברים, חפצים; שטויות
do one's stuff להראות כוחו, להפגין יכולתו, לעשות המוטל עליו
doctor's stuff רפואות, תרופות
knows his stuff בקי במלאכתו
stuff and nonsense הבלים, שטויות
stuff of life תמצית החיים
that's the stuff (to give them) ! ⋆כך צריך! כך יאה להם!
the stuff he is made of החומר שממנו הוא קורץ
stuff *v.* למלא, לדחוס, לדחוק; לפטם; לזלול; לפחלץ; לסתום
stuff a chicken למלא עוף (במלית)
stuff a person לרמותו, למלא ראשו בדברי הבל
stuff a ballot box לזייף קולות
stuff oneself לזלול, למלא כרסו
stuff up לסתום
stuffed up nose אף סתום
stuffed *adj.* גדוש; ממולא; מפוחלץ
stuffed shirt ⋆טיפוס מתנפח
stuffing *n.* מלית, חומר מילוי
knock the stuffing out of him להתישו; ליטול ביטחונו העצמי
stuffy *adj.* מחניק, לא מאוורר; צר־אופק; משעמם; שמרני; כעסן, רגזן
stul'tifica'tion *n.* עשייה לצחוק
stul'tify' *v.* לעשות למגוחך, להציג כחסר־תועלת, לשים ללעג, לסכל, לבטל
stum'ble *v&n.* להיכשל, למעוד;

לגמגם; לנוע בחוסר־יציבות; מעידה
stumble across/on להיתקל ב־, לפגוש
stumble into crime להיכשל בדבר־פשע
stumbling block מיכשול, אבן נגף
stump *n.* כּוֹרֶת, גֶּדֶם, גזע, איבר כרות; בדל, זנב, שורש; רגל־עץ; צעד כבד
on the stump עוסק בתעמולת בחירות
stir one's stumps ללכת, למהר
up a stump ⋆נבוך, מבולבל
stump *v.* לצעוד בכבדות; לשאת נאומי בחירות; להביך, להציג שאלה קשה
it stumps me אני נבוך, לא אבין
stump up לשלם, לפרוע
stump'er *n.* שאלה קשה
stump speeches נאומי בחירות
stump'y *adj.* קצר ועבה
stun *v.* להמום (במהלומה בראש); להדהים, לזעזע
stung = p of sting
stunk = p of stink
stun'ner *n.* ⋆אדם מקסים, דבר נפלא
stunning *adj.* מקסים, נפלא
stunt *v.* לעצור (צמיחה/התפתחות); לגמד, לעכב, לצמצם
stunt *n.* מיבצע (מסוכן); מעשה נועז; להטוט פירסומת; להטוט טיסה; מעשה ראווה
stunted *adj.* מפגר, מגומד, שלא התפתח
stunt flying אווירובטיקה
stunt man כפיל (למיבצעים מסוכנים)
stu'pefac'tion *n.* טימטום, עירפול מחשבה, טישטוש חושים; תדהמה
stu'pefy' *v.* לטמטם, לערפל המחשבה; להכות בתדהמה
stu•pen'dous (stōō-) *adj.* מדהים, נפלא, ענק, כביר, עצום
stu'pid *adj&n.* טיפשי, אווילי, מגוחך; מטומטם; מעורפל־חושים; ⋆טיפשון
stu•pid'ity (stōō-) *n.* טיפשות, טימטום
stu'por *n.* טימטום, קהות־חושים
stur'dy *adj.* חזק, חסון, נמרץ, בריא
sturdy opposition התנגדות עיקשת
stur'geon (-jən) *n.* חידקן (דג)
stut'ter *v&n.* לגמגם; גימגום
sty *n.* דיר־חזירים; שעורה, דלקת בעפעף
Styg'ian *adj.* חשוך, קודר, אפל
style *n.* סיגנון, נוסח; אופנה; סוג, מין; תואר, כינוי; חרט, מַכתב; עמוד־העלי
every style of pen כל סוגי העטים
hair style עיצוב שיער
high style האופנה האחרונה
in style בהידור, לפי צו־האופנה
live in style לחיות ברמה גבוהה
style *v.* לתכנן, לעצב; לכנות, לקרוא
styleless *adj.* נטול סיגנון
sty'lish *adj.* אופנתי, מהודר
sty'list *n.* מסגנן, סגנן; מעצב־אופנה
hair stylist מעצב־שיער
sty•lis'tic *adj.* של סיגנון, סיגנוני
stylistics *n.* תורת הסיגנון
sty'liza'tion *n.* סיגנון, סטיליזציה
sty'lize *v.* לסגנן, לעצב בסיגנון מיוחד
sty'lus *n.* חֶרֶט, מַכתֵב, שרד; מחט־מקול
sty'mie *v.* לעצור, לסכל, לתסכל
styp'tic *adj.* עוצר דימום
Styx *n.* סטיקס, נהר־השאול
cross the Styx למות
su'able *adj.* בר־תביעה
sua'sion (swā'zhən) *n.* שיכנוע
suave (swäv) *adj.* מנומס, אדיב, נעים
suav'ity (swäv'-) *n.* נימוסיות, נעימות
sub- (תחילית) תחת, למטה, מתחת ל־; תת, ־מישנה
subeditor עורך־מישנה
substandard תת־תיקני
sub *n.* ⋆צוללת; מיקדמה; עורך־מישנה; ממלא־מקום; קצין זוטר; סגן־מישנה; דמי־חבר
sub *v.* ⋆לקבל/לתת מיקדמה; למלא מקום; לערוך עריכת־מישנה
sub•al'tern (-bôl'-) *n.* קצין זוטר
sub'atom'ic *adj.* תת־אטומי
sub'commit'tee *n.* ועדת־מישנה
sub•con'scious (-shəs) *n&adj.* תת־הכרה, תת־ידע; תת־הכרתי
sub•con'tinent *n.* תת־יבשת
sub•con'tract' *n.* חוזה־מישנה
sub'contract' *v.* להעסיק קבלן־מישנה
sub'contrac'tor *n.* קבלן־מישנה
sub'cu•ta'ne•ous (-kū-) *adj.* תת־עורי, שמתחת לעור
sub'divide' *v.* לחלק לתת־חלקות; להתחלק חלוקת־מישנה
sub'divi'sion (-vizh'ən) *n.* תת־חלקה; חלוקת־מישנה
subdue' (-dōō') *v.* להכניע, לכבוש, להתגבר על, לדכא; לעדן, לרכך, להחליש; לעמעם
subdued *adj.* עמום; עצור, מאופק
sub•ed'it *v.* לשמש עורך־מישנה
sub•ed'itor *n.* עורך־מישנה
sub'head'ing (-hed-) *n.* כותרת־

מישנה, תת־כותרת
sub•hu'man *adj.* תת־אנושי
sub'ject (-jikt) *n.* נתין, אזרח; חומר; נושא; עניין; מיקצוע, ענף; הגלם, חיית־ניסוי; אדם; (בתחביר) נושא
nervous subject טיפוס עצבני
subject for ridicule מטרה ללעג
subject of much criticism מטרה לחיצי ביקורת
sub'ject (-jikt) *adj.* כפוף; נשלט; נוטה; מותנה
subject to כפוף/מותנה/תלוי ב־
subject to allergy נוטה לאלרגיה
subject to his approval מותנה באישורו, טעון אישורו
subject to the law כפוף לחוק
subject' *v.* להכניע, להשתלט על; לחשוף, להעביר; לגרום לניסיון/חוויה
subject to suffering לענות
subjected to heat נתון בחום
subjec'tion *n.* הכנעה, שיעבוד, דיכוי
subjec'tive *adj.* סובייקטיבי; דימיוני; אישי; נושאי
sub'jec•tiv'ity *n.* סובייקטיביות, נושאיות, יחס אישי
subject matter נושא, תוכן
subjoin' *v.* להוסיף (הערה) בסוף
sub judice (soob'jōō'dikā') סוב יודיצה, בשלב בירור מישפטי
sub'jugate' *v.* לכבוש, להכניע, לשעבד
sub'juga'tion *n.* כיבוש, הכנעה
subjunc'tive *adj&n.* דרך המישאלה/התנאי (כגון God save the king)
sub•lease' *v.* להשכיר שכירות מישנה
sub'lease' *n.* שכירות־מישנה
sub•let' *v.* להשכיר לדייר־מישנה; להעביר לקבלן־מישנה
sub'lieu•ten'ant (-lōō-) *n.* סגן־מישנה
sub'limate' *v.* להפוך מוצק לגאז, לצרוף, לזכך, לטהר, לעדן (דחפים מיניים)
sub'limate *n.* סובלימאט, מוצק מזוכך
sub'lima'tion *n.* סובלימציה, המראה, הפיכת מוצק לגאז; זיכוך, עידון
sublime' *adj&n.* נעלה, נשגב, שמיימי, אצילי; ⋆מדהים, נורא, גמור
the sublime הנעלה, הנשגב
sub•lim'inal *adj.* תת־הכרתי
sublim'ity *n.* עילאות, אצילות
sub'machine' gun (-məshēn') תת־מקלע

sub'marine' (-rēn) *adj.* תת־ימי
submarine *n.* צוללת
submarine pen מחסה־צוללות
submariner *n.* צוללן
submerge' *v.* לשקע; לכסות במים; להסתיר; לשקוע; לצלול
submerged tenth העשירון התחתון
submergence *n.* שיקוע; שקיעה; צלילה
submer'sible *adj.* בר־צלילה, שקיע
submer'sion (-zhən) *n.* שיקוע; שקיעה; צלילה
submis'sion *n.* כניעה; הכנעה; צייתנות; טענה, הצהרה; הגשה, מסירה
submis'sive *adj.* נכנע, מקבל מרות
submit' *v.* להיכנע, לא להתנגד, להשלים; להגיש, למסור, להציע; לטעון
submit oneself להיכנע, לקבל מרות
submit to להשלים עם, לעבור
sub•nor'mal *adj.* תת־נורמלי
sub•or'bital *adj.* תת־הקפי, תת־מסלולי
subor'dinate *adj&n.* נחות; נמוך, כפוף, טפל, מישני; זוטר
subor'dinate' *v.* להכניע, לשעבד, להעמיד בדרגה נחותה, לייחס חשיבות מישנית
subordinate clause מישפט טפל
subor'dina'tion *n.* שיעבוד, נחיתות
subor'dina'tive *adj.* משעבד, מנמיך
suborn' *v.* להסית לדבר־עבירה
sub'or•na'tion *n.* הסתה לדבר־עבירה
subpe'na (səp-) *n&v.* (להוציא) כתב־הזמנה לבית־דין
sub'plot' *n.* עלילה טפלה, עלילה מישנית
sub ro'sa (-zə) בחשאי, בסוד
subscribe' *v.* לחתום; לתרום, להיות מנוי; להבטיח, להתחייב
subscribe oneself לחתום שמו
subscribe to לתמוך ב־, להסכים
subscriber *n.* חותם; מנוי
subscrip'tion *n.* חתימה; תרומה; (דמי־) מינוי; דמי־חבר; תמיכה, הסכמה; התחייבות
sub'sequent *adj.* שבא לאחר מכן, מאוחר
subsequent to אחרי־, לאחר־
subsequently *adv.* לאחר מכן
subserve' *v.* להיות לעזר, להועיל
subser'vience *n.* התרפסות
subser'vient *adj.* מתרפס, כפוף;

תומך, יסוד

subsume′ *v.* לכלול, להכליל בסוג

sub•ten′ant *n.* דייר־מישנה

subtend′ *v.* (בהנדסה) להימצא מול (כגון צלע מול זווית)

sub′terfuge′ *n.* תחבולה, תכסיס, התחמקות, השתמטות; אמתלה, תואנה

sub′terra′ne•an *adj.* תת־קרקעי

sub′ti′tle *n.* כותרת מישנית (של ספר)

subtitles תרגום בגוף הסרט

sub′tle (sut′əl) *adj.* עדין, דק, רך, סובטילי; חריף, שנון; מורכב, מתוחכם

subtle smile חיוך מיסתורי

sub′tlety (sut′əlti) *n.* עדינות, דקות; חריפות, שנינות; מורכבות; הבחנה דקה

sub•to′pia *n.* איזור שיכונים

sub′to′tal *n.* סיכום ביניים

subtract′ *v.* לחסר, לנכות, להפחית

subtrac′tion *n.* חיסור

sub•trop′ical *adj.* סובטרופי

sub′urb′ *n.* פרוור, עיבורה של עיר

subur′ban *adj.* של פרוורים; חסר־מעוף

subur′banite′ *n.* תושב פרוור

subur′bia *n.* פרוורים, אורח החיים של תושבי הפרוורים

subven′tion *n.* מענק, סעד כספי

subver′sion (-zhən) *n.* חתירה, חתרנות, עירעור

subver′sive *adj.* חתרני, הרסני, מערער

subvert′ *v.* לחתור תחת, לערער

sub′way′ *n.* (רכבת) תחתית; מינהרת־חציה

succeed′ *v.* להצליח; לעלות יפה; לבוא אחרי, לבוא תחת־; לרשת; למלוך אחרי

succeed to לרשת, לנחול

success′ *n.* הצלחה; (אדם/דבר) מצליח

successful *adj.* מצליח, עושה חיל

succes′sion *n.* רציפות, ביאת זה אחר זה; שורה, סידרה; (זכות) ירושה

in succession בזה אחר זה

succession of misfortunes שורת אסונות

succes′sive *adj.* זה אחר זה, רצופים

succes′sor *n.* יורש, בא בעקבותיו

succinct′ *adj.* תמציתי, מובע בקיצור

suc′cor *n.* עזרה, סיוע בעת מצוקה

succor *v.* לעזור, לסייע

suc′cu•bus *n.* שֵׁדָה (מתנה אהבים)

suc′cu•lence *n.* עסיסיות

suc′cu•lent *adj.* עסיסי; (צמח) בשרני

succumb′ (-m) *v.* להיכנע, לא לעמוד בפני; למות

מועיל; משמש אמצעי להשגת מטרה

subside′ *v.* לשקוע; לרדת; להירגע, לשכון

subside into a chair לצנוח לתוך כיסא

subsidence *n.* שקיעה, ירידה, רגיעה

subsid′iar′y (-dieri) *adj&n.* עוזר, מסייע; מישני, טפל; חברת־בת

subsidiary company חברת־בת

sub′sidiza′tion *n.* סיבסוד

sub′sidize′ *v.* לסבסד

sub′sidy *n.* סובסידיה, סעד כספי

subsist′ *v.* להתקיים, לחיות על

subsistence *n.* קיום; פרנסה, מחיה; חיים מן היד אל הפה, פרנסה דחוקה

subsistence crop יבול־צריכה

subsistence level רמת קיום דחוקה

sub′soil′ *n.* תשתית, שיכבה תת־קרקעית

sub•son′ic *adj.* (מהירות) תת־קולית

sub′stance *n.* חומר; ישות; ממשות; תוכן; תמצית; מוצקות, חוזק; רכוש, ממון

in substance בעצם, ביסודו של דבר

man of substance בעל רכוש

sub•stan′dard *adj.* תת־תיקני

substan′tial *adj.* חזק, איתן, מוצק; ניכר, גדול, חשוב; יסודי, עיקרי, ממשי, ריאלי, מהותי; אמיד

in substantial agreement תמימי דעים באופן עקרוני

substantial meal ארוחה דשנה

substantial success הצלחה ניכרת

substantially *adv.* באורח יסודי, יפה

substan′tiate′ (-′sh-) *v.* להוכיח, לאמת

substan′tia′tion (-′sh-) *n.* הוכחה, אימות

sub′stanti′val *adj.* של שם עצם

sub′stantive *adj&n.* ישותי, עצמאי, ממשי, קיים; (בדיקדוק) שם עצם

substantive rank דרגת־קבע

sub′sta′tion *n.* תחנת־מישנה

sub′stitute′ *n.* תחליף, ממלא מקום

substitute *v.* להחליף, למלא מקום; להשתמש בתחליף; לתחלף

sub′stitu′tion *n.* מילוי מקום, תחליף; תיחלוף

sub′stra′ta = pl of substratum

sub′stra′tum *n.* יסוד, בסיס, תשתית; רובד תחתי; תת שיכבה

sub′struc′ture *n.* תת־מיבנה, בסיס

suffice it to say אסתפק באומרי
suffic′iency (-fish′∂nsi) *n.* כמות מספקת
suffic′ient (-fish′∂nt) *adj.* מספיק, די
suf′fix *n.* סופית, סיומת (טפולה)
suf′focate′ *v.* לחנוק; להיחנק
suf′foca′tion *n.* חניקה; היחנקות
suf′fragan *n.* עוזר־בישוף
suf′frage *n.* זכות־הצבעה, זכות־בחירה; הצבעת־הסכמה
suf′fragette′ *n.* סופראז׳יסטית, תועמלנית למען זכויות־נשים
suffuse′ (-z) *v.* להתפשט על־פני, לכסות
a face suffused with happiness פנים קורנים מאושר
suffu′sion (-zh∂n) *n.* התפשטות, כיסוי
sug′ar (shoog′-) *n.* סוכר; ⋆מותק
sugar *v.* להוסיף סוכר, לסכרר, להמתיק
sugar the pill להמתיק את הגלולה
sugar beet סלק־סוכר
sugar-cane *n&n.* קנה־סוכר
sugar-coated *adj.* מסוכר, מצופה בסוכר, ממותק; מקושט, מוסווה
sugar daddy ⋆מאהב זקן, אשמאי זקן
sugarless *adj.* נטול־סוכר
sugarloaf *n.* חרוט־סוכר; כובע חרוטי
sugar refinery בית־זיקוק לסוכר
sugar tongs מלקחי־סוכר
sugary *adj.* סוכרי, מכיל סוכר; מתקתק
suggest′ (s∂gjest′) *v.* להציע; להמליץ; להעלות במחשבה, להזכיר, לתת סימנים, לרמוז
suggest itself לצוץ במוחו (רעיון)
suggestible *adj.* בר־השאה, מושפע
sugges′tion (s∂gjes′ch∂n) *n.* הצעה; רמז, סימן קל, שמץ; סוגסטיה, השאה
sugges′tive (s∂gjest′-) *adj.* מרמז, מעורר מחשבות; מגונה, גס, לא־צנוע
su′ici′dal *adj.* של התאבדות; ממיט אסון על עצמו
su′icide′ *n.* התאבדות; מתאבד
commit suicide להתאבד
suit (so͞ot) *n.* חליפה; תביעה; משפט; בקשה, הפצרה; חיזור; (בקלפים) סידרה
bring a suit לתבוע לדין
follow suit לעשות כמוהו, להחרות־להחזיק אחריו
press one's suit לבקש/לחזור נמרצות
space suit חליפת־חלל
suit *v.* להתאים, להלום, להיות נוח/טוב ל־; לתאם; להשביע רצון

succumb to one's wounds למות מפצעיו
such *adj&adv&pron.* כמו, דומה; כה, כל כך, עד כדי כך; כזה, כאלה
and such וכיוצא בזה, וכדומה
as such בתור שכזה, כשלעצמו, ככזה
some such thing כגון דא, מעין זה
such a fool! טיפש כזה!
such and such כזה וכזה, כך וכך
such as כמו, כגון; כל כך, עד כדי
such as it is חרף ערכו הדל
such that כך ש־
suchlike *adj.* ⋆כדומה, מסוג זה
suck *v.* לינוק; למצוץ; לבלוע; לסחוף
suck a lozenge למצוץ טבלית
suck dry למצוץ עד תום
suck in/up לספוג, לקלוט; לשטות ב־
suck up to להתחנף ל־
suck *n.* יניקה, מציצה
give suck to להיניק, להניק
suck′er *n.* יונק, מוצץ; שלוחת־שורש; איבר־מציצה, איבר־הצמדה; מתלה גומי (מוצמד בוואקום); ⋆מטומטם
sucking pig חזרזיר, חזירון יונק
suck′le *v.* להיניק, להניק
suck′ling *n.* תינוק, יונק
su′crose *n.* סוכר
suc′tion *n.* מציצה, יניקה; שאיבה, ספיגה; הצמדת־וואקום
suction pump משאבת־יניקה
sud′den *adj.* פתאומי, לא־צפוי
all of a sudden פתאום, לפתע
suddenly *adv.* פתאום, לפתע
suds *n-pl.* קצף־סבון, בועות־סבון
sue (so͞o) *v.* לתבוע, להגיש תביעה משפטית; לבקש, להתחנן
suede (swād) *n.* זמש (עור רך)
su′et *n.* חֵלב־כליות
su′ety *adj.* מכיל חלב־כליות; חלבי
suf′fer *v.* לסבול; להתענות; להיפגע, להינזק; להרשות, להניח
can't suffer him לא סובל אותו
suffer defeat לנחול מפלה
suffer from backaches לסבול מכאבי־גב
sufferable *adj.* נסבל, שאפשר לשאתו
sufferance *n.* רשות, היתר
on sufferance ברשות (מסוייגת)
sufferer *n.* סובל (ממחלה)
suffering *n.* סבל, ייסורים
suffice′ *v.* להספיק; להיות די; למלא צרכים, ל.זשביע רצון, לספק

suit oneself לעשות כאוות־נפשו
suited to מתאים ל־, ראוי ל־
suits his health יפה לבריאותו
suits the action to the word אומר ועושה
that color suits you הצבע מחמיא לך
suit'abil'ity (sōōt-) *n.* התאמה
suit'able (sōōt'-) *adj.* מתאים, הולם, טוב
suit'case (sōōt'-) *n.* מיזוודה
suite (swēt) *n.* מערכת חדרים, מדור, מערכת רהיטים; דירה; פמליה, סגל; סוויטה
suit'ing (sōōt'-) *n.* אריג־חליפות
suit'or (sōōt'-) *n.* מחזר; מגיש תביעה
sul'fa *n.* סולפה, סם־רפואה
sul'fate (-fāt) *n.* סולפאט, גופרה
sul'fide *n.* סולפיד, תרכובת־גופרית
sul•fon'amide' *n.* סולפונאמיד, סם סולפה
sul'fur *n.* גופרית
sul'furate' *v.* לגפר
sul•fu're•ous *adj.* גופריתי
sul•fu'ric *adj.* גופריתני, גופרתי
sulfuric acid חומצה גופריתנית
sul'furous *adj.* גופריתי
sulk *v&n.* לזעוף, לשתוק מתוך רוגז
be in the sulks לזעוף, למאן לדבר
sulk'y *adj.* זועף, רוגז, שותק; רגזן
sulky *n.* כירכרת־מירוץ (דו־אופנית)
sul'len *adj.* קודר; עצוב; זועף בדומייה
sul'ly *v.* ללכלך, לטנף
sully his name להכפיש שמו
sul'pha = sulfa
sul'phur = sulfur
sul'tan *n.* סולטאן (שליט מוסלמי)
sul•tan'a *n.* סולטאנה (בת/אשת/אם הסולטאן); צימוק־סולטאנה (חסר־חרצנים)
sul'tanate' *n.* סולטאנות
sul'try *adj.* חם, מחניק, מעיק; לוהט, אחוז־תאווה
sum *n&v.* סכום; סיכום; סך הכל; חישוב, חשבון; לסכם
do sums לחשב, לעשות תרגילי־חשבון
in sum בקיצור, בקצרה
sum him up לגבש דעה עליו
sum of money סכום כסף
sum total סך הכל
sum up לסכם
su'mach (-mak) *n.* סוג של אוג
summarily *adv.* בקיצור, בקצרה
sum'marize' *v.* לסכם, לתמצת
sum'mary *adj.* קצר, תמציתי, מתומצת; מזורז, מהיר, מידי, ללא דיחוי
summary *n.* תמצית, קיצור, סיכום
sum'mat *n.* ⋆משהו, דבר
summa'tion *n.* חיבור, סיכום, תמצית
sum'mer *n&adj.* קיץ; תקופת השיגשוג; קייצי
high summer אמצע הקיץ
of 10 summers בן 10
summer *v.* לקיץ, לבלות את הקיץ; להחזיק (משק־החי) בקיץ
summerhouse *n.* ביתן־קיץ
summer school קורס קיץ
summertime *n.* עונת הקיץ
summer time שעון קיץ
sum'mery *adj.* קייצי
summing up דברי סיכום
sum'mit *n.* שיא, פיסגה
summit meeting ועידת פיסגה
sum'mon *v.* לזמן, לכנס; לקרוא; להזמין (לדין); לדרוש; להורות להופיע
summon to surrender לדרוש להיכנע
summon up strength לאזור כוח
sum'mons (-z) *n&v.* הזמנה, צו־הופעה; תביעה, דרישה; לשלוח צו־הופעה
sump *n.* עוקה; עוקת־שמן; בור־ניקוז
sump'ter *n.* בהמת־משא
sump'tuar'y (-chōōeri) *adj.* מגביל הוצאות
sump'tuous (-chōōəs) *adj.* מפואר, יקר; נדיב
sun *n.* שמש; אור־שמש, חום־שמש
a place in the sun מקום נוח, תנאים נוחים
get up with the sun להשכים קום עם הנץ החמה
under the sun תחת השמש, על הארץ
sun *v.* לחשוף (עצמו) לקרני השמש; לחמם/להתחמם בשמש
sunbaked *adj.* חרוך־שמש, קשה־שמש
sun bath השתזפות, אמבט־שמש, רחץ־שמש
sunbeam *n.* קרן־שמש; זאטוט עליז
sunblind *n.* גגוגנת, סוכך, גגון
sun-bonnet *n.* כובע־שמש
sunburn *n.* השתזפות; כוויית־שמש
sunburnt *adj.* שזוף; צרוב־שמש
sunburst *n.* הפצעת קרני־השמש
sun'dae (-di) *n.* גלידת־פירות
Sun'day *n.* יום ראשון

in one's Sunday best בבגדי שבת
month of Sundays תקופה ארוכה
Sunday clothes בגדי שבת
Sunday school בי"ס של ימי א'
sundeck *n.* סיפון עליון; גג שיזוף
sun'der *v.* להפריד, לחלק; לנתק
sun'dew' (-dōō) *n.* טללית (צמח אוכל חרקים)
sundial *n.* שעון־שמש
sundown *n.* שקיעת־החמה
sundowner *n.* ⋆לגימת־ערב
sundrenched *adj.* ספוג־שמש, מוכה־שמש
sundried *adj.* מיובש בשמש
sun'dries (-drēz) *n-pl.* שונות, פרטים שונים
sun'dry *adj.* שונים, כמה, אחדים
all and sundry הכל, כל אדם
sunfish *n.* דג־השמש (דג כדורי)
sunflower *n.* חמנית (צמח־תרבות)
sung = p of sing
sunglasses *n-pl.* משקפי־שמש
sun god אל־השמש
sun helmet כובע־שמש
sunk = p of sink
sunk'en *adj.* שקוע, טבוע; מועמק, נמוך
sunken cheeks לחיים שקועות
sunken ship אונייה טבועה
sun-lamp *n.* מנורה כחולה (לריפוי)
sunless *adj.* חסר־שמש, נטול־אור
sunlight *n.* אור־שמש
sunlit *adj.* שטוף־שמש, מוצף שמש
sun lounge אולם שטוף־שמש
sun'ny *adj.* שטוף־שמש; בהיר, לא מעונן; עליז, שמח
sunny-side up ביצת־עין
sun parlor חדר מוצף שמש
sun porch מירפסת־זכוכית
sun-ray *n.* קרן אולטרה סגולית
sunray lamp מנורה כחולה (לריפוי)
sunrise *n.* זריחת השמש, הנץ החמה
sun-roof *n.* גג שטוח, גג פתוח
sunset *n.* שקיעת השמש
sunshade *n.* שמשייה; גגוגנת, גגון
sunshine *n.* אור־שמש; מקום מוצף שמש; אושר, שימחה
ray of sunshine קרן־אור; אדם עליז
sunshine roof גג זחיח (במכונית)
sunspot *n.* כתם־שמש; ⋆אתר־נופש שטוף־שמש
sunstroke *n.* מכת־שמש

sun'tan' *n.* שיזוף, השתזפות
suntanned *adj.* שזוף, שחום־עור
sun-trap *n.* מקום מוצף שמש
sun-up *n.* זריחת השמש, הנץ החמה
sun worship פולחן השמש; אהבת ההשתזפות
sup *v&n.* ללגום, לגמוע; לאכול ארוחת־ערב; לגימה, טעימת משקה
sup on/off לאכול ארוחת ערב של־
su'per *n.* ⋆מפקח; ניצב, סטאטיסט
super *adj.* ⋆נפלא, מצוין, כביר
super- (תחילית) על, סופר־, ביותר
su'perabun'dance *n.* שפע רב
su'perabun'dant *adj.* שופע, משופע
su'peran'nu•ate' (-nū-) *v.* להוציא לגימלאות, לפטר
superannuated *adj.* זקן מדי לעבודה, מיושן; יצא מכלל שימוש, יצא מן האופנה
su'peran'nu•a'tion (-nū-) *n.* יציאה/הוצאה לגימלאות; פנסיה
su•perb' (soo-) *adj.* נפלא, מצוין
su'percar'go *n.* ממונה על המיטען
su'percharge' *v.* לגדש, לדחוס
supercharged *adj.* מצויד במדחס־גידוש; נמרץ, מלא־חיים
supercharger *n.* מדחס־גידוש
su'percil'ious *adj.* יהיר, מתנשא
su'perdu'per *adj.* ⋆נפלא, נהדר
su'pere'go *adj.* האני העליון
su'perer'oga'tion *n.* עשייה מעבר לנדרש
su'pere•rog'ato'ry *adj.* לפנים משורת הדין, מעבר לנדרש
su'perfi'cial (-fish'əl) *adj.* שיטחי, לא עמוק
su'perfi'cial'ity (-fishial'-) *n.* שיטחיות
su'perfi'cies (-fish'ēz) *n.* שטח, פני השטח; הופעה חיצונית
su'perfine' *adj.* עדין מאוד, דק ביותר
su'perflu'ity *n.* שפע, עודף
super'fluous (soopûr'flōōəs) *adj.* שופע, עודף; למעלה מהדרוש, מיותר
su'perhu'man *adj.* על־אנושי
su'perimpose' (-z) *v.* להניח על־, לשים על־
su'perintend' *v.* לפקח על־, להשגיח על־
superintendence *n.* פיקוח, השגחה
superintendent *n.* מפקח, משגיח, ממונה; (במישטרה) רב־פקד
supe'rior *adj.* עליון; גבוה, רם; נעלה,

משובח, טוב; רב, עדיף; יהיר, מתנשא
rise superior to לא להיות מושפע מ־, לא להיכנע ל־, לעמוד מעל ל־
superior to עולה על; טוב מ־; מעל ל־, מחוסן בפני, לא מושפע מ־
superior *n.* ממונה, גבוה בדרגה/במעמד
has no superior אין טוב הימנו
one's superiors הממונים עליו
Father Superior ראש מינזר
supe'rior'ity *n.* עליונות; עדיפות
superiority complex תסביך עליונות
super'lative *adj.* עילאי, מופלג, של הדרגה הגבוהה ביותר
superlative *n.* (בדיקדוק) ערך־ההפלגה
talk in superlatives לדבר בסופרלאטיבים, להגזים
su'perman' *n.* אדם עליון, סופרמן
su'permar'ket *n.* סופרמארקט, מרכול
su•per'nal (sōō-) *adj.* שמיימי
su'pernat'ural (-ch'-) *adj.* על טיבעי
su'pernor'mal *adj.* על־נורמאלי
su'pernu'merar'y (-reri) *adj&n.* נוסף, מיותר, מעל לרגיל; ניצב, סטאטיסט
su'perpow'er *n.* מעצמת־על
su'perscrip'tion *n.* כתובת עליונה, כותרת; כתובת, מען
su'persede' *v.* להחליף, ליטול מקום, לבוא במקום; להכניס לשימוש אגב שיפור
su'perses'sion *n.* החלפה (כנ"ל)
su'person'ic *adj.* על־קולי
su'perstar' *n.* כוכב מזהיר, כוכב־על
su'persti'tion (-stish'ən) *n.* אמונה טפלה
su'persti'tious (-stish'əs) *adj.* של אמונות תפלות; חדור אמונות תפלות
su'perstruc'ture *n.* עילית, מיבנה עליון; מיבנה־על
su'pertax' *n.* מס נוסף, תוספת מס
su'pervene' *v.* לבוא לפתע; להתרחש פתאום, להתערב, להפריע, לגרום לשינוי
su'pervise' (-z) *v.* לפקח, להשגיח על
su'pervi'sion (-vizh'ən) *n.* פיקוח, ניהול
su'pervi'sor (-z-) *n.* מפקח, מנהל
su'pervi'sory (-z-) *adj.* מפקח, ניהולי
su•pine' (sōō-) *adj.* אפרקדן, על הגב; עצלן, איטי, נטול־מרץ
sup'per *n.* ארוחת־ערב
supplant' *v.* להחליף, לבוא במקום; להדיח ולתפוס מקום־
sup'ple *adj.* רך, גמיש, כפיף
supple intellect תבונה דקה/מהירה
sup'plement *n.* תוספת, נספח; מוסף
supplement *v.* להוסיף, להשלים
sup'plemen'tary *adj.* נוסף, משלים
supplementary angles זוויות צמודות, זוויות משלימות
supplementary benefit הטבת־סעד
sup'pliant *adj&n.* מבקש, מתחנן, מתפלל
sup'plicant *adj&n.* מבקש, מתחנן, מתפלל
sup'plicate' *v.* לבקש, להתחנן
sup'plica'tion *n.* בקשה, התחננות, תפילה
supplier *n.* סַפָּק; חברת הספקה
supply' *v.* לספק, לצייד, לתת, להמציא
supply a need לספק צורך
supply the place of למלא מקום
supply with an answer לתת תשובה
supply *n.* הספקה; אספקה; מלאי
in short supply מצומצם, חסר
on supply כממלא מקום
supplies אספקה, תיספוקת; הקצבות
supply and demand היצע וביקוש
supply teacher ממלא מקום (מורה)
support' *v.* לתמוך, לשאת; לדגול; לסייע, לאשר; לחזק, לעודד; לפרנס
can't support it לא סובל זאת
support a party לתמוך במיפלגה
support a theater לתמוך בתיאטרון, לבקר בקביעות בהצגות
supported by נשען על, מתבסס על
support *n.* תמיכה; סעד, סיוע; אישור, חיזוק; פרנסה; תומך; מפרנס
in support of בְּעד, למען, בתמיכה
means of support אמצעי מחייה
the team gets a lot of support לקבוצה אוהדים רבים
supportable *adj.* נסבל, ניתן לשאתו
supporter *n.* תומך; דוגל, שוחר
supporting *adj.* תומך, מסייע; של סיוע
supporting program סירטון, סרט לוואי
supporting role תפקיד מישני (במחזה)
suppor'tive *adj.* תומך, מסייע, מעודד
suppose' (-z) *v.* לשער, להאמין, להניח; לחשוב; לרמז על; לדרוש הנחה
is not supposed to- אסור לו, אל לו
is supposed to- עליו/חובתו/מצפים ממנו ל־
suppose- מה דעתך ש־; הבה; נניח ש־
I suppose not אני משער שלא

supposed *adj.* משוער, מדומה, מקובל
supposedly *adv.* לפי ההנחה, כנראה
supposing *conj.* אם, בהנחה ש־
suppoṡi′tion (-zish′ən) *n.* הנחה; השערה
suppos′ito′ry (-z-) *n.* נר, פתילה (לפי־הטבעת)
suppress′ *v.* לדכא; לאפק, לעצור, להדחיק; להסתיר
suppress a revolt לדכא מרד
suppress a smile לאפק חיוך
suppress a story/newspaper למנוע הפצת סיפור/עיתון
suppress evidence להעלים עדות
suppres′sion *n.* דיכוי; הסתרה; הדחקה
suppres′sive *adj.* מדכא, עוצר
suppres′sor *n.* מַדבר (מונע הפרעות)
sup′pu•rate′ *v.* להתמגל, להפריש מוגלה
sup′pu•ra′tion *n.* התמגלות
su′pra- (תחילית) על־, מעל ל־
su′prana′tional (-nash′ən-) *adj.* על־לאומי
suprem′acist *n.* דוגל בעליונות
suprem′acy *n.* עליונות
supreme′ *adj.* עליון, עילאי, נעלה, סופי
supreme happiness אושר עילאי
supreme sacrifice הקרבת החיים
Supreme Being ההשגחה העליונה, האל
Supreme Court בית המשפט העליון
sur′charge′ *v.* לתבוע תשלום נוסף; להעמיס יותר מדי
surcharge *n.* תוספת תשלום; סכום נוסף; קנס; ציון מחיר חדש (על בול)
sur′coat′ *n.* מעיל עליון
surd *n.* מיספר אי־ראציונאלי
sure (shoor) *adj&adv.* בטוח; משוכנע; ודאי; מהימן, בדוק; בטח, בוודאי, בלי ספק
be sure to come! השתדל לבוא!
feel sure להיות בטוח/משוכנע
for sure בלי ספק, אמנם כן
make sure לוודא, להבטיח, לשריין
sure enough בהחלט, אמנם, כצפוי
sure friend ידיד נאמן
sure of oneself בטוח בעצמו
sure remedy תרופה בדוקה
sure thing ⋆ודאות; ללא ספק
to be sure אין ספק
sure-enough *adj.* אמיתי, לא מזויף
sure-fire *adj.* שהצלחתו ודאית
sure-footed *adj.* יציב־רגל, לא מועד
surely *adv.* ללא ספק, בוודאי, בהחלט; כמובן; בביטחה, בביטחון
surety (shoor′əti) *n.* עָרֵב; ערבות
of a surety בוודאי, ללא ספק
stand surety for לערוב ל־
surf *n.* גלים; קצף־גלים, מישברים
surf *v.* לגלוש (על גלים)
surf ride לגלוש (על גלים)
sur′face (-fis) *n.* שטח, פני־שטח, מישטח; פני־המים; פיאה (בקוביה)
on the surface על פני־השטח; למראית עין, כלפי חוץ
surface *adj.* שיטחי, חיצוני, לא עמוק
go surface להישלח בדואר רגיל
surface worker פועל־קרקע (במיכרה)
surface *v.* לצַפּוֹת; לסלול, ליישר; לעלות על פני המים; להופיע; להגיח
surface mail דואר רגיל (יבשה/ים)
surface noise רעש החיכוך (בתקליט)
surface-to-air *adj.* (טיל) יבשה־אוויר
surf-board *n.* קרש גלישה (על גלים)
surf-boat *n.* סירת־גלים
sur′feit (-fit) *n&v.* שפע; שובע, זלילה; זרא; להלעיט, לפטם; לזלול
surfer *n.* גלשן, גלש־מים
surf riding גלישה על מים
surge *v.* לנוע כגלים, להתנחשל, לגעוש; לזרום, לנהור; להתפרץ
surge *n.* תנועה גלית; נחשול; התפרצות
surge of love פרץ־אהבה
sur′geon (-jən) *n.* מנתח; קצין־רפואה
dental surgeon רופא־שיניים מנתח
sur′gery *n.* כירורגיה, מנתחות, מדע הניתוח; ניתוח; מירפאה
sur′gical *adj.* כירורגי, של ניתוח
surgical shoe נעל אורטופדית
sur′ly *adj.* סר וזעף, גס, לא־ידידותי
surmise′ (-z) *n.* ניחוש, השערה
surmise *v.* לנחש, לשער
surmount′ *v.* להתגבר על, לנצח; לעבור מעל; להיות בראש/מעל
surmounted by בראשו נישא
surmountable *adj.* ניתן להתגבר עליו
sur′name′ *n.* שם מישפחה
surpass′ *v.* לעלות על, להצטיין
surpass all expectation לעלות על כל הציפיות
surpass him in- לעלות עליו ב־
surpasses understanding נשגב מבינה
surpassing *adj.* מצוין, אין כמוהו

surpassingly *adv.* מאוד, ביותר
sur'plice (-lis) *n.* גלימה
surpliced *adj.* עוטה גלימה
sur'plus' *n.* עודף, מותר, יתרה
surplus *adj.* עודף, מיותר, יתר
surprise' (-z) *n.* הפתעה; תדהמה
surprise attack התקפת־פתע
take by surprise להפתיע; ללכוד בהתקפת־פתע
to my surprise להפתעתי
surprise *v.* להפתיע; להדהים; לתקוף לפתע, להסתער פתאום
surprise him into a confession להפתיעו ולגרום שיודה (תוך מבוכה)
surprised *adj.* מופתע, נדהם
surprising *adj.* מפתיע
surre'al *adj.* סוריאליסטי
surre'alism' *n.* סוריאליזם, על־מציאותיות
surre'alist *n.* סוריאליסט
surre'alis'tic *adj.* סוריאליסטי
surren'der *v.* להיכנע; לוותר; לנטוש; להסגיר, למסור
surrender a policy להפדות פוליסה
surrender one's seat לוותר על מושבו (בכנסת)
surrender oneself להיכנע
surrender *n.* כניעה, הסגרה; מסירה
sur'repti'tious (sûrəptish'əs) *adj.* חשאי, מתגנב
surreptitious look מבט גנוב
surreptitiously *adv.* בגניבה
sur'rey (sûr'i) *n.* כירכרה, מרכבה
sur'rogate (sûr'-) *n&adj.* ממלא־מקום, סגן; תחליף, סורוגאט, פונדקאית
surround' *v.* להקיף, לכתר, לאפוף
surrounded מוקף, מכותר; אפוף
surround *n.* (ציפוי) שולי־הריצפה
surrounding *adj.* סובב, מקיף, קרוב
surroundings *n-pl.* סביבה
sur'tax' *n.* מס נוסף, תוספת מס
surveil'lance (-vāl'-) *n.* פיקוח, השגחה
survey' (-vā') *v.* לסקור; להשקיף; לבחון, לבדוק; למדוד, למפות
survey *n.* סקירה; סקר; תסקיר; בדיקה; מדידה; תרשים, שירטוט, מפה
surveyor *n.* סוקר; מודד; בודק; מעריך, שמאי; מפקח, משגיח
survi'val *n.* הישרדות, הישארות בחיים, נשארות, שרידות; שריד
survival of the fittest ברירה טיבעית, הישרדות המתאימים ביותר
survival kit זווד־הצלה
survive' *v.* לשרוד, להוסיף להתקיים; להישאר בחיים
survived his sons חי אחרי מות בניו, בניו מתו על פניו
survivor *n.* שריד, ניצול, נשאר בחיים
suscep'tibil'ity *n.* רגישות, פגיעות; קבלת השפעה, התרשמות בנקל
wound his susceptibilities לפגוע ברגשותיו
suscep'tible *adj.* רגיש; מושפע/מתרשם בנקל; מתאהב מהר; ניתן ל־, בר־, מסוגל
susceptible of improvement ניתן לשפרו
suspect' *v.* לחשוד; לסבור, להאמין, לחשוש; להטיל ספק ב־, לפקפק
suspect him of murder לחשדו ברצח
I suspect חוששני, סבורני
sus'pect' *adj&n.* חשוד; מפוקפק
suspend' *v.* לתלות; לעכב, לדחות ביצוע, להתלות; להפסיק, לחדול; להשהות; להשעות
suspend a license לשלול זמנית רישיון
suspend a player להשעות שחקן
suspended in a liquid מרחף בתוך נוזל (כגון חלקיקים)
suspended animation חוסר־הכרה, אי־מתן אות חיים
suspender belt חגורת־גרביים
suspenders *n-pl.* כתפות, ביריות
suspense' *n.* ציפייה, מתח, דריכות, התרגשות; חוסר ודאות, אי־הכרעה
suspen'sion *n.* תלייה; עיכוב, דחיית ביצוע, התלייה; הפסקה; השעיה; (במכונאות) מיתלה; תרחיף (בנוזל)
suspension bridge גשר תלוי
suspi'cion (-pish'ən) *n.* חשד; חשדנות; חשש; שמץ, משהו, עקבות
above suspicion נקי מחשד, ללא דופי
under suspicion of חשוד ב־
suspi'cious (-pish'əs) *adj.* חשוד; מפוקפק; מעורר חשד; חשדני, חושד
sustain' *v.* לשאת, לתמוך; לסבול; להאריך; לחזק; לקיים, להחזיק; לאשר, לאמת
faith sustained me האמונה עודדה אותי
sustain a blow לספוג מהלומה
sustain a defeat לנחול תבוסה
sustain a note להאריך צליל

sustain damage לסבול נזק
sustain findings לאשר מימצאים
sustain pressure לעמוד בפני לחץ
sustained attempt ניסיון ממושך
sustaining meal ארוחה מזינה
the objection was sustained
ההתנגדות נתקבלה/אושרה (ע"י השופט)
sus'tenance *n.* מזון; מיחיה; תמיכה
sut'tee *n.* שריפת אלמנה; אלמנה מוקדת (בעבר בהודו)
su'ture *n.* תפר־פצע; קו־החיבור
su'zerain' *n.* מושל; מדינה שלטת
su'zerain'ty *n.* שילטון
svelte *adj.* דקת־גו, חטובה
SW = southwest
swab (swob) *n.* סחבה, מטלית, חומר ספוגי; ליחה (לבדיקה); ★אדם מגושם
swab *v.* לשטוף, לנקות, לנגב; להוציא ליחה (לבדיקה)
swad'dle (swod-) *v.* לחתל, לעטוף ברצועות־בד
swaddling clothes/bands חיתולים; מיגבלות, אמצעים כובלים
swag *n.* ★שלל, ביזה
swag'ger *v&n.* ללכת ביהירות; לדבר בהתנשאות; "להשוויץ"; יהירות, התנשאות
swaggerer *n.* גאוותן, "שוויצר"
swain *n.* צעיר, בן־כפר; מאהב, מעריץ
swal'low (swol'ō) *v.* לבלוע; לבלוע רוקו; להאמין בלא פיקפוק
swallow a lie לבלוע/להאמין ל/שקר
swallow an insult לספוג עלבון בדומייה
swallow one's pride למחול על כבודו
swallow one's words לחזור בו מדבריו; להבליע מליו
swallow the bait לבלוע הפיתיון, ליפול בפח
swallow up לבלוע, לכלות עד תום
swallow *n.* בליעה, לגימה; סנונית
1 swallow doesn't make a summer
סנונית אחת אינה מבשרת את האביב
swallow dive צלילת ברבור
swallowtailed *adj.* בעל זנב ממולג
swam = pt of swim
swa'mi (swä-) *n.* חכם הודי
swamp (swomp) *n&v.* בִּצה, אדמת בוץ; להציף, למלא במים; להכריע, להעמיס
swamped with requests מוצף בקשות
swamped with work עמוס עבודה
swampy *adj.* בִּצתי, בוצי, טובעני
swan (swon) *n&v.* ברבור
swan off ★לנסוע, לטייל
swan dive צלילת־ברבור
swank *v.* ★להתרברב, "להשוויץ"
swank *n.* ★התרברבות; "שוויצר"
swanky *adj.* ★מתגנדר, מתרברב; מרשים
swan's-down *n.* פלומת־ברבור, אריג רך
swan song שירת־הברבור
swap (swop) *v&n.* ★להחליף; חליפין
sward (swôrd) *n.* דשא, חלקה מדושאת
swarm (swôrm) *n.* נחיל, עדה, להקה נודדת; קהל, המון
swarm *v.* לשרוץ; לנוע בנחיל; לנהור; להתאסף; לטפס בידיו ורגליו
swarms with people שורץ באנשים
swarth'y (swôr'dhi) *adj.* כהה, שחום־עור
swash (swosh) *v&n.* להתיז; לשכשך; להתרברב; שיכשוך; רברבן
swash'buck'ler (swosh-) *n.* הרפתקן, שחצן, פוחז, נועז
swashbuckling *adj.* הרפתקני, שחצני
swas'tika (swos'-) *n.* צלב־קרס
swat (swot) *v&n.* להצליף, לחבוט, לקטול (זבוב); מכה, חבטה; מצלף
swatch (swoch) *n.* פיסת־אריג (לדוגמה)
swath (swoth) *n.* עומר, אלומה קצורה; נתיב (בעקבות המקצרה)
cut a wide swath להרשים ביותר
swathe (swodh) *v.* לעטוף, לחבוש; להקיף, לאפוף
swat'ter (swot-) *n.* מצלף (־זבובים)
sway *v.* לנדנד; להתנדנד, להתנועע; לנטות; להטות; להשפיע; למשול, לשלוט
sway *n.* התנדנדות, טילטול; השפעה; שליטה, שילטון
swayback *n.* שקיעת הגב
swaybacked *adj.* (סוס) קעור־גב
swear (swār) *v.* להישבע; להצהיר בתוקף; להשביע; לקלל, לחרף, לנבל פיו
swear (in) a witness להשביע עד
swear a charge להאשים בשבועה
swear by להישבע ב־/בשם־; להאמין באמונה שלמה ב־, לתת אמון ב־
swear him in להשביעו לתפקיד
swear off להישבע להינזר מ־
swear out a warrant להשיג צו־מאסר בשבועה
swear to it להישבע על כך
swear to silence להשביעו לשתוק

swear-word *n.* קללה, נאצה, גידוף
sweat (swet) *n.* זיעה; הזעה; לחות, טיפות; עבודה מפרכת
by the sweat of one's brow בזיעת אפיו
cold sweat זיעה קרה, חרדה
get into a sweat להתכסות זיעה, להימלא פחד, להיכנס למתח
old sweat חייל משופשף, אדם מנוסה
sweat *v.* להזיע; לגרום להזעה; להעביד/לעבוד קשה; לפלוט טיפות
sweat blood ⋆לעמול, לעבוד קשה
sweat it out לעסוק בהתעמלות קשה; לסבול אי־נוחות עד לסיום
sweat out לרפא (הצטננות) בהזעה; ⋆להמתין בחרדה
sweat-band *n.* רצועה לספיגת זיעה
sweated *adj.* שטוף־זיעה; מיוצר בזיעת אפיים; מנוצל; הופק בניצול פועלים
sweated labor עבודה נצלנית
sweat′er (swet′-) *n.* אפודה, מיזע, סוודר
sweat gland בלוטת־זיעה
sweat-shirt *n.* חולצת־טי
sweat-shop *n.* מיפעל נצלני
sweaty *adj.* מזיע, שטוף־זיעה; ספוג־זיעה; חם, גורם הזעה
swede *n.* סוג של לפת
Swede *n.* שוודי
Swe′den *n.* שוודיה
Swe′dish *adj&n.* שוודי; שוודית (שפה)
sweep *n.* טיאטוא; גריפה; תנועה חדה, תנופה; תחום, שטח, היקף; טווח; מרחב; מנקה־ארובות; כנף טחנת־רוח; משוט; יציאה, הסתערות
clean sweep טיאטוא כללי, היפטרות טוטאלית; טיהור יסודי; ניצחון סוחף
sweep of a sword תנופת־חרב
sweep of desert שטח מידברי
sweep of hair קווצת־שיער גולשת
הצידה
sweeps הימורים (במירוץ־סוסים)
sweep *v.* לטאטא, לנקות; לגרוף, לסחוף; לבער, לטהר; לשטוף; לחלוף, לעבור על פני; להניע בתנופה; להימשך; להשתרע; לסרוק; לסקור, לבחון
hills sweep along the coast גבעות נמשכות לאורך החוף
his eyes swept the newspaper עיניו סקרו את העיתון
sweep a curtsey להחוות קידה
sweep a minefield לסרוק
שדה־מוקשים
sweep away לטאטא, לסלק
sweep him off his feet להפילו; לכבוש את ליבו; להלהיבו; לשכנעו
sweep off/up לסלק בתנופה, לחטוף
sweep the board לגרוף את כל הקופה, לקצור הצלחות
sweep up לנקות, לטאטא
swept all before him נחל הצלחה סוחפת
the lady swept from the room הגברת יצאה מן החדר בהילוך גאה
the party swept the country המיפלגה זכתה בניצחון סוחף במדינה
sweeper *n.* מטאטא, מנקה; מנקה־שטיחים; (בכדורגל) שחקן מחפה (מאחור)
sweeping *adj.* סוחף; מקיף, כולל; כללי, כוללני; מרחיק לכת; ללא הגבלה
sweepings *n-pl.* אשפה, פסולת
sweep-stake *n.* הימורים (במירוץ־סוסים)
sweet *adj.* מתוק; ערב; נעים, נוח; ריחני; מושך; טרי, רענן; טהור; חמוד
at one's own sweet will כרצונו החופשי, כאוות נפשו
is sweet on her מאוהב בה
short and sweet קצר ועינייני
sweet singer זמר נעים־קול
sweet talk חנופה, דברי חלקות
sweet tooth אהבת ממתקים
sweet water מים מתוקים, מי־שתייה
sweet *n.* סוכרייה, ממתק; מיני־מתיקה; ליפתן; מנה אחרונה
my sweet יקירי, יקירתי; מותק
sweets תענוגות, תרגימה, מעדנים
sweet-and-sour *adj.* מתוק־חמצמץ
sweetbreads *n.* לבלב־עגל (לאכילה)
sweet-briar *n.* סוג של ורד
sweet corn תירס מתוק
sweeten *v.* להמתיק; להנעים; לעדן
sweetener *n.* מַמתק, חומר ממתיק
sweetening *n.* מַמתק, חומר ממתיק
sweetheart *n.* אהוב, אהובה; "מותק"
sweet′ie *n.* ⋆אהוב, "חמוד", "מותק"
sweetish *adj.* מתקתק
sweetmeat *n.* ממתק; פרי משומר בסוכר
sweetness *n.* מתיקות
sweet pea טופח, אפונה ריחנית
sweet pepper פילפל ירוק (לא חריף)
sweet potato תפו"א מתוק, בטאטה
sweet-scented *adj.* ריחני

swell *v.* להתנפח, לתפוח; לגדול; להרחיב; לנפח; להתמלא גאווה
happiness swelled his heart אושר הציף את ליבו
swell up להתנפח, לתפוח
swell *n.* התנפחות; תפיחה; מלאות, עגלגלות; גאות המים ושקיעתם; התעצמות קול
swell *adj.* ⋆מצוין, כביר; מהודר, מפואר
swelled head "ראש נפוח", יהירות
swelling *n.* התנפחות, תפיחה; גידול
swel′ter *v.* להזיע, לסבול מחום
sweltering *adj.* חם, מעיק, מחניק
swept = p of sweep
swept-back *adj.* (כנפי מטוס) משוכות לאחור; (שיער) מסורק הצידה
swerve *v&n.* לסטות; לעשות תפנית; סטייה; תפנית
swift *adj.* מהיר; מידיי; קצר, חטוף
swift to- מהיר ל־, ממהר ל־, קל ל־
swift *n.* סיס (ציפור)
swig *v.* ⋆לשתות, ללגום בשקיקה
swig *n.* ⋆לגימה ארוכה
swill *v&n.* לשטוף; ⋆ללגום; שטיפה; פסולת־מזון, מאכל־חזירים
swill out/down לשטוף; שטיפה
swim *v&n.* לשחות; לצלוח בשחייה; להשחות; לצוף; להציף; שחייה
clouds swimming in the sky עננים שטים בשמים
go for a swim ללכת לשחות
her eyes swam with tears עיניה הוצפו דמעות
in the swim מעורה, הולך בתלם
my head swims ראשי עלי סחרחר
swim a race להשתתף במישחה
swim against the current לשחות נגד הזרם
swim with the tide לשחות עם הזרם, ללכת בתלם
swimmer *n.* שחיין
swimming *n.* שחייה
swimming bath/pool בריכת־שחייה
swimming costume בגד־ים
swimmingly *adv.* בקלות, היטב, יפה
swimming trunks בגד־ים, מיכנסי־ים
swim-suit *n.* בגד־ים
swin′dle *n&v.* לרמות, להונות, להוליך שולל; רמאות; תרמית; זיוף
swindler *n.* רמאי, מוליך שולל, נוכל
swine *n.* חזיר; חזירים
swineherd *n.* רועה־חזירים

swing *v.* לנדנד; להתנדנד; לנענע; להתנועע; להניע/לנוע בתנופה/בקשת; לנופף; לצעוד קלילות, לטפוף; לרקוד/לנגן סווינג
no room to swing a cat מקום צר
swing one's weight להטיל מלוא כובד מישקלו
swing round להסתובב אחורה
the door swung to הדלת נטרקה בתנופה
the gate swung shut השער נסגר בתנופה
you'll swing for it ⋆יתלו אותך בשל כך
swing *n.* נענוע; טילטול; התנדנדות; תנופה; טווח תנועה קשתית; טפיפה; נדנדה; סווינג; שינוי, תפנית
goes with a swing מתקדם יפה; (לחן) קל־מיקצב, ריתמי
in full swing בתנופה רבה, פעיל
ride on a swing להתנדנד בנדנדה
swing of public opinion תנודת דעת־הקהל
swingeing (swin′jing) *adj.* גדול, ענק
swing′er (-ng-) *n.* עליז, חופשי, מתירני
swing′ing (-ng-) *adj.* ⋆עליז, מלא־חיים; משוחרר; מודרני
swing-wing *adj.* (מטוס) בעל כנפיים מסתובבות
swi′nish *adj.* חזירי, מתועב, גס
swipe *v.* להכות, לחבוט; ⋆לגנוב, לחטוף
swipe *n.* מכה, חבטה, מהלומה
swirl *v.* להסתובב, להתערבל; לערבל
swirl away לסחוף במערבולת
swirl *n.* הסתובבות; מערבולת; שיבולת; דבר גלי/מסולסל
swish *v&n.* להצליף, להשמיע שריקה, לחלוף ברעש; לרשרש; רישרוש; צליף
swish *adj.* ⋆מפואר, הדור, יוקרתי
Swiss *adj.* שווייצי, שווייצרי
Swiss chard סלק
Swiss cheese גבינה שוויצרית
Swiss roll רולאדה (עוגה)
switch *n.* מפסק, מַתֵּק, מתג, כפתור; מסוט; מעתק; שבט, מקל; תלתל (בפיאה נוכרית); שינוי, העברה
asleep at the switch מחמיץ שעת־כושר
switch *v.* להסיט, לעתק; להכות, להצליף; להחליף, לשנות; לחטוף; להניע בתנופה
switch off לכבות, לנתק, להפסיק

switch on להדליק, להפעיל
switch over לעבור/להעביר (לתחנה אחרת); לערוק (למיפלגה יריבה)
switchback *n.* רכבת (בגן־שעשועים); מסלול רב־פניות; דרך עולה ויורדת
switchblade אולר קפיצי
switchboard *n.* רכזת, לוח בקרה
switched-on *adj.* ★ער, נלהב, שמח; מודרני, מעורה בחיים; מסומם
switchman *n.* עתק־רכבות, פועל־מסוט
Switz'erland *n.* שווייצריה, שוויץ
swiv'el *n.* סביבול, חח; כן בעל ציר
swivel *v.* להסתובב על סביבול
swivel chair כיסא מסתובב
swiz *n.* אכזבה מרה, רמאות
swiz'zle *n.* משקה מעורב, תמזיג
swizzle stick קנה־עירבוב (למשקאות)
swob = swab
swol'len (-swōl'-) *adj.* נפוח, מנופח, יהיר
swollen = pp of swell
swollen head "ראש נפוח", יהירות
swoon (swōōn) *v&n.* להתעלף; התעלפות
swoop (swōōp) *v&n.* לעוט, לנחות, להשתער; עיטה; השתערות, פשיטה; חטיפה
at one fell swoop בחטף, בבת אחת
swoop up לחטוף; לסלק פתאום
swop (= swap) *v&n.* להחליף; החלפה
sword (sôrd) *n.* חרב
at swords' points מצחצחים חרבות
cross swords להתנצח, להילחם
draw one's sword לשלוף חרבו
put to the sword להחרים לפי חרב
sword cane מקל־חרב (מקל־הליכה ובתוכו חרב)
sword-cut *n.* פצע־חרב, צלקת־סיף
sword dance מחול חרבות
swordfish *n.* דג־החרב
sword-play *n.* סיוף, הסתייפות; התנצחות, ציחצוח־חרבות; ציחצוח מלים
swordsman *n.* סייף; נושא חרב
swordsmanship *n.* סייפות
sword stick = sword cane
swore = pt of swear
sworn (= pp of swear) *adj.* מושבע, מובהק, גמור, מוחלט
swot *n&v.* שקדן, דגרן, מתמיד; עבודה קשה; לשקוד על לימודיו
swot up לשקוד, לשנן לימודיו

swum = pp of swim
swung = pp of swing
syb'arite' *n.* רודף תענוגות; אוהב חיי מותרות
syb'arit'ic *adj.* של חיי מותרות
syc'amore' *n.* שיקמה (עץ)
syc'ophancy *n.* התרפסות, חנופה
syc'ophant *n.* מתרפס, חנפן
syc'ophan'tic *adj.* מתרפס, חנפני
syl'labar'y (-beri) *n.* רשימת סימנים; אלף־בית הברי
syllab'ic *adj.* הברי, של הברה
syllab'icate' *v.* לחלק להברות
syllab'ica'tion *n.* חלוקה להברות
syllab'ifica'tion *n.* חלוקה להברות
syllab'ify' *v.* לחלק להברות
syl'lable *n.* הברה; שמץ, פירור
closed syllable הברה סגורה
not a syllable of doubt אף לא צל של ספק
open syllable הברה פתוחה
-syllabled *adj.* הברי
2-syllabled word מלה דו־הברית
syl'labub' *n.* מזג יין וחלב
syl'labus *n.* תוכנית לימודים, רשימת נושאים, תמצית
syl'logism' *n.* סילוגיזם, היקש
syl'logis'tic *adj.* סילוגיסטי, היקשי
sylph *n.* עלמה דקת־גו, יעלת־חן; סילפה, נערת־האוויר
sylph-like *adj.* חיננית, דקת־גו
syl'van *adj.* יערי, שבתוך היער
sym'bio'sis *n.* סימביוזה, חיי שיתוף, חיים הרמוניים
sym'bol *n.* סמל, סימן, סימבול
symbol'ic(al) *adj.* סימלי, סימבולי
sym'bolism' *n.* סימבוליזם, סימליות, הבעה בסמלים
sym'bolist *n.* סימבוליקן
sym'boliza'tion *n.* סימבוליזציה
sym'bolize' *v.* לסמל, לייצג/לבטא/להביע בסמלים/בסימבולים
symmet'ric (al) *adj.* סימטרי, הרמוני, מתואם, תאום, תאים
sym'metry *n.* סימטרייה, תואַם, מיתאם, תאימות, התאמה
sym'pathet'ic *adj.* מביע אהדה, משתתף ברגשות הזולת, סימפאתי
sym'pathize' *v.* לאהוד, לראות בעין יפה, להביע אהדה; להשתתף ברגשות
sympathizer *n.* אוהד, חסיד
sym'pathy *n.* סימפתיה, אהדה,

השתתפות ברגשות; תנחומים; רחמים
come out in sympathy לשבות
שביתת־אהדה
felt sympathy נכמרו רחמיו
has sympathy with her views
אוהד את השקפותיה, תמים־דעים עמה
in sympathy with רואה בחיוב, אוהד
my sympathies lie with אהדתי נתונה
ל־
you have my sympathy אני משתתף
בצערך
symphon'ic *adj.* סימפוני
sym'phony *n.* סימפוניה
sympo'sium (-'z-) *n.* סימפוזיון
symp'tom *n.* סימפטום, תסמין,
סימן־היכר, תופעת־תורפה
symp'tomat'ic *adj.* סימפטומאטי,
מסמן
syn'agogue' (-gog) *n.* בית־כנסת
sync *n.* סינכרוניזציה
syn'chromesh' (-k-) *n.* שילוב
סינכרוני (של הילוכים)
syn'chronism' (-k-) *n.* סינכרוניזם,
תזמונת, התרחשות בו־זמנית; לוחות
כרונולוגיים
syn'chroniza'tion (-k-) *n.*
סינכרוניזציה; סינכרון, תיאום בו־זמני
syn'chronize' (-k-) *v.* לסנכרן, לתאם;
להתרחש בו־זמנית
synchronize a motion picture
לסנכרן/לתאם הקול והתמונה של/סרט
קולנוע
synchronize marchers לתאם פסיעות
הצועדים
synchronize watches לכוון שעונים
לאותה שעה
syn'chronous (-k-) *adj.* סינכרוני,
בו־זמני, סימולטאני, מתרחש בעת ובעונה
אחת
syn'chrotron' (-k-) *n.* סינכרוטרון,
מאיץ חלקיקים
syn'cline' *n.* סינקלינה, קער
syn'copate' *v.* (במוסיקה) לשנות
המיקצב, לנגן בסינקופה, לסנקף
syncopated *adj.* (במוסיקה) מסונקף
syn'copa'tion *n.* סינקופה, שינוי
מיקצב; הטעמה מכוונת של פעימות
חלשות

syn'cope (-kəpi) *n.* סינקופה, השמטת
הגה/אות באמצע המלה; איבוד־ההכרה,
התעלפות
syn'dic *n.* נציג; חבר־ועדה; שופט
syn'dicalism' *n.* סינדיקאליזם, ניהול
המיפעלים ע"י איגודים מיקצועיים
syn'dicalist *n.* סינדיקאליסט
syn'dicate *n.* סינדיקאט, איגוד
בעלי־עסקים; ארגון לאספקת כתבות
לעיתון
syn'dicate' *v.* למכור/לפרסם ע"י
סינדיקאט; לאגד; להתאגד
syn'dica'tion *n.* התאגדות
syn'drome *n.* תיסמונת
syn'od *n.* סינוד, כנס גדולי הכנסייה
syn'onym *n.* סינונים, מלה נרדפת
synon'ymous *adj.* סינונימי, נרדף,
קרוב במשמעותו
synon'ymy *n.* נרדפות, זהות מלים
synop'sis *n.* תמצית, סיכום מרוכז
synop'tic *adj.* תמציתי, סינופטי
synoptic chart מפה סינופטית (של
מזג־האוויר במקומות שונים באותה שעה)
syntac'tic *adj.* תחבירי
syn'tax' *n.* תחביר
syn'thesis *n.* סינתזה; תירכובת,
תיצרופת
syn'thesize' *v.* לסנתז, לערוך סינתזה
synthet'ic *adj.* סינתטי; מלאכותי
synthetic smile חיוך מלאכותי
syph'ilis *n.* עגבת, סיפיליס
syph'ilit'ic *adj.* חולה עגבת
sy'phon *n.* סיפון, גישתה
Syr'ia *n.* סוריה
Syr'ian *adj&n.* סורי
syrin'ga *n.* לילך (שיח־נוי)
syringe' *n&v.* מזרק; חוקן; להזריק
syr'up *n.* סירופ, שירוב
syrupy *adj.* מתוק, סירופי
sys'tem *n.* סיסטמה; מערכת, שיטה;
שיטתיות; תוכנית; גוף, מערוכת; מחשב
nervous system מערכת העצבים
sys'temat'ic *adj.* שיטתי, סיסטמאטי
systematics *n.* סיסטמאטיקה, מיון
sys'tematiza'tion *n.* שיווט
sys'tematize' *v.* לשווט, לסדר בשיטה
system'ic *adj.* מערוכתי
systems analyst מנתח מערכות

T

T, t דמוי־T, בצורת T
to a T בדיוק, בצורה מושלמת
T-shirt חולצת־טי (קצרת־שרוולים)
ta (tä) *interj.* ★תודה
tab *n.* תווית, פיתקה; מתלה, לולאה; חשבון (לתשלום); טבלר, טאבולאטור
keep a tab on להשגיח, לשים לב ל־
tab′ard *n.* מעיל קצר (של אביר)
tab′by *n.* חתול חברבר; חתולה
tab′ernac′le *n.* המישכן, אוהל־מועד; בית־תפילה; תיבת לחם־הקודש (הנוצרי)
Feast of Tabernacles חג הסוכות
ta′ble *n.* שולחן; שולחן ערוך; סעודה; מזון; מסובים; לוח; טבלה; לוח הכפל; רמה
at table סועד, בשעת הסעודה
lay on the table לדחות למועד מאוחר יותר
on the table על שולחן הדיונים
table of contents תוכן העניינים
turn the tables להפוך הקערה על פיה, לצאת וידו על העליונה
under the table ★מבוסס, בגילופין; מתחת לשולחן, בחשאי, בתורת שוחד
Tables of the Law לוחות הברית
table *v.* להניח (הצעה) על השולחן; לדחות לעתיד; ללוות, לערוך בלוחות
tab′leau (-lō) *n.* תמונה (על במה) של אנשים דוממים; סיטואציה דראמאטית
tablecloth *n.* מפת־שולחן
table-d′hote (tä′bədōt′) (ארוחה) במחיר קבוע
table-knife *n.* סכין־שולחן
table-land *n.* רמה, מישור גבוה, טבלה
table linen מפות שולחן
table manners נימוסי־שולחן
table-mat *n.* תחתית (לצלחת חמה)
tablespoon *n.* כף גדולה, כף־מרק
tablespoonful *n.* כף, מלוא הכף
tab′let *n.* טבלית, גלולה; טבלה; לוח; לוחית; טבלת־זיכרון; פינקס; דפדפת
table talk שיחת־סעודה (ליד השולחן)
table tennis טניס שולחן, פינג־פונג
tableware *n.* כלי־שולחן
tab′loid *n.* עיתון עממי (מצולם)

taboo′ *n&adj.* טאבו, חרם, איסור, הקדש; אסור במגע/בביטוי/בשימוש; קדוש
taboo *v.* לאסור, להחרים, להקדיש
ta′bor *n.* תוף קטן
tab′u·lar *adj.* מלוּוָח, ערוך בטבלאות
tab′u·late′ *v.* לְלַווֵת, לערוך בטבלה
tab′u·la′tion *n.* ליווּח
tab′u·la′tor *n.* טבלר, טאבולאטור, מלַוּוַחַת
tac′it *adj.* ללא מלים, מובן, מרומז, לא כתוב; שותק, שבשתיקה
tac′iturn′ *adj.* שתקני, ממעט במלים
tac′itur′nity *n.* שתקנות
tack *n.* נעץ, מסמר שטוח־ראש; מיכלב, תפר ארעי; כיוון הספינה (לפי זווית מיפרשיה); פקימה; דרך, קו־פעולה
go sit on a tack ★חדל לקשקש!
hard tack מציות, מרקועים
on the right tack בדרך הנכונה
on the wrong tack בדרך המוטעית
thumb tack נעץ
tack *v.* לחבר בנעץ; לצרף, להכליב; להפליג בזיגזגים; לפקום; לשנות כיוון
tack down לחבר בנעץ; להכליב
tack on להוסיף, לחבר, לצרף
tackiness *n.* דביקות; ★מוזנחות
tacking stitch מיכלב, תפר־מכליב
tack′le *n.* ציוד, כלים; חיבל; גלגילות; תיקול, בלימה, הפלה ארצה
flying tackle הפלה אגב זינוק באוויר
tackle *v.* לטפל ב־; לבלום, להפיל, לתקל; לתפוס, לעצור
tackle the matter לטפל בעניין; לתקוף/לגשת אל הנושא
tackle him about it לשוחח עמו על כך גלויות/בתקיפות
tack′y *adj.* דביק, לח; ★מרושל, מוזנח
tact *n.* טאקט, נימוס, תבונה בהתנהגות
tactful *adj.* טאקטי, מנומס
tac′tic *n.* טאקטיקה, תכסיס; אמצעי להשגת מטרה
tactical *adj.* טאקטי, תכסיסי, תחבולני
tac·ti′cian (-tish′ən) *n.* תכסיסן
tac′tics *n-pl.* טאקטיקה, תכסיסים

tac′tile (-til) *adj.* מישושי, של חוש המישוש
tactless *adj.* חסר־נימוס, נעדר־טאקט
tac′tual *adj.* מישושי, של חוש המישוש
tad′pole′ *n.* ראשן
taf′feta *n.* טאפטה (אריג־משי)
taff′rail′ *n.* מעקה־הירכתיים
taf′fy *n.* טופי (סוכריות)
Taf′fy *n.* ★ולשי, יליד ויילס
tag *n.* תווית, מדבקה; חוד־השחלה, קצוות־שרוך; ביטוי, קלישה; תלתל; שוליים מדובללים; תופסת (מישחק)
question tag תוספת שאלה (במישפט, כגון ?ISN'T IT)
tag end קצה, סוף
tag *v.* להדביק תווית; לצרף, לספח
tag along להצטרף; לעקוב; להזדנב
tail *n.* זנב; שובל; קצה; ★בלש; מרגל; נערה, חתיכה; ישבן; בעילה
cow's tail ★מפגר, אחרון
tail of the eye זווית העין
tails מעיל מזונב; אחורי המטבע
turn tail להפוך עורף, לנוס
wag the tail לכשכש בזנב
with his tail between his legs מובס, כשזנבו מקופל, חפוי־ראש
with his tail up במצב־רוח מרומם
tail *v.* לעקוב, לבלוש; להזדנב, להשתרך; לקשור הקצוות; לזנב, לקצץ
tail away/off לפחות וללכת, להיעלם
tail *adj.* אחורי, בא מאחור
tailback *n.* שורת מכוניות (בפקק תנועה)
tailboard *n.* דופן אחורי (במשאית)
tailcoat *n.* מעיל מזונב, מעיל־ערב
tailed *adj.* מזונב, בעל זנב
long-tailed ארך־זנב
tail end קצה, סוף, שלהי
tailgate *n.* דופן אחורי (במשאית)
tailless *adj.* חסר־זנב
tail-light *n.* אור אחורי, פנס אחורי
tail′or *n&v.* חייט, תופר; לחייט, לתפור, לעסוק בחייטות; לעבד, להתאים
tailor-made *adj.* מעשה־חייט, תפור במיוחד ללקוח; מתאים, הולם
tailpiece *n.* תוספת, נספח; עיטורת (בסוף פרק), קישוט בתחתית־עמוד
tailspin *n.* צלילה לוליינית, נפילה
go into a tailspin ★ליפול ברוחו, לשקוע ביאוש
tailwind *n.* רוח אחורית
taint *n.* כתם, רבב, דופי; ריקבון, אילוח; עקבות (של שיגעון)
taint *v.* להכתים, להכפיש; לזהם, להרקיב; להשחית
taintless *adj.* ללא דופי, טהור
take *v.* לקחת, ליטול; לקבל; לאחוז; לתפוס; לכבוש; ללכוד; לעשות; לקנות; לבחור; לקטול; להפחית; להבין, להסיק; לחשוב, להאמין, להניח
be taken ill לחלות, ליפול למישכב
it takes strength to דרוש כוח ל־
not able to take it לא יכול (לסבול) יותר, נשבר
she takes well תמונותיה מוצלחות
she took it out on him היא שפכה כעסה עליו, פרקה זעמה עליו
take a bath לעשות אמבטיה
take a beating לספוג מכות
take a chance לנסות מזלו, להסתכן
take a letter לכתוב מיכתב בהכתבה
take a newspaper לקנות עיתון (מסוים) בקביעות, לחתום על עיתון
take a picture/photograph לצלם
take a walk לטייל, להלך
take a wife לקחת אישה, להתחתן
take aback להדהים, להפתיע, להביך
take after לדמות ל־, להיראות כמו־; לרדוף אחרי
take an apartment לשכור דירה
take an oath להישבע
take apart לפרק
take away לגרוע, להפחית; לקחת, לסלק
take back לקחת בחזרה, לקבל בחזרה
take by surprise להפתיע
take by the throat ללפות הגרון
take coffee להתכבד בקפה
take cold להצטנן
take criticism לשאת/לעמוד בביקורת
take down להוריד; לרשום; לפרק; לגמד קומתו; להוציא הרוח ממיפרשיו
take effect להיכנס לתוקף, לחול; לפעול, להשפיע
take from לגרוע מ־, להפחית מ־
take him for לחשוב אותו ל־, לראות אותו כ־; לטעות בו
take him in להכניסו, לארחו; לרמותו, לסדר אותו
take him up לשמש לו פטרון, לסייע
take hold of לתפוס, להחזיק, לאחוז
take in לקבל (עבודה) בבית; להבין, לעכל; לספוג בחושיו; לכלול, להקיף
take in a dress להצר/לקצר שימלה

take in a lie להאמין ל/לבלוע שקר
take in sail לגלול/לקפל המיפרשים
take it להבין זאת; לקבל זאת; לסבול זאת
take it from me! האמן לי!
take it or leave it קבל זאת או משוך ידך; (מחיר) סופי
take it out of him להותירו חסר אונים, למצות כוחו, להתישו
take it out on לפרוק זעמו על
take it seriously לקחת זאת ברצינות
take it up with להעלות זאת בפני
take measures לנקוט אמצעים
take my word! האמן לי! על דברתי!
take notes לרשום
take off לרוץ; לפשוט; להוריד, לסלק; להפחית; לזנק; להמריא; לחקות
take off from work לקחת חופשה מהעבודה
take offense להיעלב, להיפגע
take on להעביד, להעסיק; ליטול על עצמו; לקבל (תכונה); להתמודד מול;
take on the look of ללבוש צורת־
take on- לצאת מול; להתקבל (בציבור/באופנה); להתרגש; לכעוס; להעמיס
take one's eyes from לגרוע עיניו מ־, להסיר מבטו מן
take one's fancy לשבות דימיונו
take one's time לא למהר, להתמזמז
take out להוציא; לסלק; להסיר; להשיג, לקבל; לרוץ; לפתוח בריצה
take over לקבל לידיו, להתחיל לנהל
take pride in להתגאות ב־
take sick לחלות
take the cake ⋆להיות ראשון; לעבור כל גבול
take the temperature למדוד החום
take the train לנסוע ברכבת
take time לקחת זמן, לגזול זמן
take to לחבב, להימשך ל־; לברוח ל־, למצוא מחסה; להתחיל ב־, לעסוק
take up להרים; להתחיל להתעניין ב־; להמשיך; להתחיל שוב; לאסוף
take up room/time לתפוס מקום/זמן
take up with להתיידד עם
take up- לספוג, לקלוט; להמס, למוסס
take your eyes off me הסבי עינייך מנגדי
take 2 from 5 להפחית 2 מ־5
take 3 hours לארוך 3 שעות, לקחת 3 שעות, להצריך 3 שעות

taken up with מתעניין ב־, שקוע ב־
the book took הספר נקלט/הצליח
the bottle takes a liter הבקבוק - קיבולו ליטר אחד
the color took הצבע נקלט/נספג
the fish took הדג בלע הפיתיון
the shop takes $500 a day הכנסות החנות הן $500 ליום
the verb takes a direct object הפועל מתקשר עם מושא ישיר
took it for yes הבין זאת כ"הן"
was taken by/with her כבשה ליבו
I take it that אני מבין ש־
take *n.* מיקח, קבלה; הכנסה, שלל, רווח; צילום (בהסרטה)
is on the take ⋆רודף בצע
takeaway *n.* חנות־תבשילים
take-home pay משכורת נטו
take-off *n.* המראה, זינוק; נקודת־הזינוק; חיקוי, קריקטורה
take-over *n.* שליטה, השתלטות; קבלת הפיקוד, העברת הניהול
taking *adj.* מושך, שובה־לב
takings *n-pl.* הכנסות, רווחים
talc *n.* טאלק (מינראל פריך)
tal'cum powder אבקת טאלק
tale *n.* סיפור, מעשייה; בדותה, שקר
tell tales לספר סיפורים, להלעיז
talebearer *n.* רכלן, מפיץ שמועות
tal'ent *n.* (בעל) כישרון; בעלי כישרונות; כיכר, מטבע עתיק; ⋆חתיכה
talented *adj.* בעל כישרון, מחונן
talent scout צייד־כישרונות
taleteller *n.* רכלן, מפיץ שמועות
tal'isman *n.* קמיע, טליסמה
talk (tôk) *n.* דיבור; שיחה; הרצאה
have a talk לשוחח, לדון
it's just talk אלו דברי־הבל
small talk שיחה קלה
talk of the town שיחת־היום
talk *v.* לדבר; לשוחח על; להביע, לבטא
talk about לדבר על; לרכל על
talk away לדבר בלי הרף
talk back לענות בגסות
talk big להתרברב
talk down a plane לשדר הוראות נחיתה לטייס, להנחית מטוס
talk down to לדבר בהתנשאות
talk him down להשתיקו, להחרישו
talk him into לשדלו בדברים
talk him out of לדבר על ליבו לבל־

להניאו מ־
talk him over לשכנעו, לשדלו
talk him round לשכנעו, לשדלו
talk it over לדון בכך
talk one's way out of להיחלץ (מצרה) בעזרת פיו/בחלקת־לשונו
talk out ליישב (מחלוקת) בשיחות; למצות עד תום; לשפוך ליבו
talk out a law לסכל חוק בנאומים ארוכים
talk round לדבר סחור־סחור
talk up לדבר בקול, לומר גלויות; ללמד זכות על
talk'ative (tôk-) *adj.* דברני, פטפטן
talker *n.* דברן, מרבה מלים
talk'ie (tôk'i) *n.* סרט קולנוע
talking *n.* דיבור, שיחה
talking point נושא השיחה; נקודה משכנעת (בדיון)
talking-to *n.* נזיפה, גערה
a good talking-to "מנה הגונה"
tall (tôl) *adj.* גבוה; מוגזם, מופרז
tallboy *n.* שידה, ארון מגירות
tallish *adj.* גבוה למדי
tall order משימה קשה, דרישה קשת־ביצוע
tal'low (-ō) *n.* חֵלֶב, חלב־נרות
tall story גוזמה, סיפור מפוקפק
tall tale גוזמה, סיפור מפוקפק
tal'ly *n.* תווית, פתק־זיהוי; חישוב, חשבון; מספר הנקודות; מקל מחורץ
tally *v.* לתאם; להתאים; לחשב; לספור
tal'ly-ho' *interj.* טאלי־הו! (קריאת ציידים)
tallyman *n.* מונה נקודות (במישחק)
Tal'mud *n.* תלמוד, תורה שבעל־פה
Tal•mu'dic *adj.* תלמודי
Tal'mudist *adj.* תלמודאי
tal'on *n.* טופר, ציפורן עוף דורס
ta'lus *n.* שפיע, גל־אבנים לרגלי צוק
ta'mable *adj.* ניתן לאילוף
tamale (-mä'li) *n.* טאמאלי (מאכל מקסיקני)
tam'arind' *n.* תומר הודי, תמרהינדי
tam'arisk' *n.* אשל (עץ, שיח)
tam'bour (-boor) *n.* חישוקי־רקימה (להחזקת האריג); תריס, מיכסה לרהיט; תוף
tam'bourine' (-bərēn') *n.* טנבור, תוף־מרים
tame *adj.* מאולף, מבוייתת; צייתן, נכנע; חסר־מרץ; משעמם, לא מרתק
tame *v.* לאלף, לביית
tameable *adj.* ניתן לאילוף
tamer *n.* מאלף (חיות)
Tam'many *n.* טאמאני, אירגון פוליטי רב־השפעה, אירגון מושחת
tam'my, tam *n.* כומתה סקוטית
tam-o'-shan'ter כומתה סקוטית
tamp *v.* לדחוס (בחבטות קלות); לסתום
tam'per *v.* לטפל ב־, להתעסק, להתערב
tamper with a document לטפל ב/לזייף מיסמך
tam'pon' *n.* טמפון
tan *v.* לשזוף; להשתזף; להשחים; לעבד עור, לעפץ, לברסק; להלקות, להצליף
tan his hide להלקותו כהוגן
tan *n&adj.* שיזוף; שיזפון; שזוף, חום־צהבהב, שחום
tan = tangent
tan'dem *n.* אופניים דו־מושביים
tandem *adv.* זה מאחורי זה
tang *n.* טעם חריף, ריח חריף; נימה
tan'gent *n.* משיק; טנגנס
go/fly off at a tangent לסטות לפתע; לעשות תפנית
tan•gen'tial *adj.* משיק, נוגע; סוטה
tan'gerine (-rēn) *n.* מנדרינה
tan'gibil'ity *n.* מוחשיות, ממשות
tan'gible *adj.* משיש, ניתן למישוש; מוחשי; ממשי; ברור, מוגדר, ריאלי
tan'gle *n.* תסבוכת, פקעת, פלונטר; ריב
tangle *v.* לסבך; להסתבך
tangle with להסתבך עם, לריב עם
tan'go *n&v.* טאנגו; לרקוד טאנגו
tan'gram *n.* טאנגראם (מישחק)
tank *n&v.* טאנק; מיכל, דוד
tanked up שתוי, שיכור, מבוסם
tan'kard *n.* קנקן, ספל־בירה
tank car קרון־מיכל, מיכלית
tank'er *n.* מיכלית; משאית־מיכל
tan'ner *n.* בורסקי, מעבד עורות
tannery *n.* בורסקי, מיפעל עורות
tan'nic acid, tan'nin *n.* טאנין, דיבעון, עפץ, חומר לעיבוד עורות
tan'ning *n.* בורסקאות; שיזוף; הלקאה
tan'talize' *v.* להתעלל, לגרום לייסורי טאנטאלוס, לעורר תיקוות־שווא
tan'talus *n.* מעמד לבקבוקי־משקה
tan'tamount' *adj.* כמוהו כ־, דינו כ־, שקול כנגד, שווה־ערך ל־, בבחינת־
tan'trum *n.* השתוללות זעם
tap *n.* ברז; פקק; מגופה

on tap מהחבית; מוכן ומזומן, זמין
tap *v.* לברז; להתקין מגופה; להוציא, לסחוט; לצותת, לחבר קו־ציתות
tap *n&v.* נקישה, דפיקה; להקיש, לטפוח
taps תרועת כיבוי אורות (במחנה)
tap dance ריקוד נקישות (ברגל)
tape *n.* רצועה, שרוך; סרט; רשמקול; טייפ; סרט־מידה, מגלול
breast the tape לנצח במירוץ
red tape ביורוקרטיה, סחבת מישרדית
tape *v.* לקשור, לשרוך; לחבוש; להקליט
have him taped *להבינו היטב
tape measure סרט־מידה, מגלול
ta′per *n&adj.* נר דקיק; היצרות, הפחתה הדרגתית בעובי; הולך וצר, מיותד
taper *v.* להתחדד, להשתחז וללכת, לרדת בהדרגה בעובי; להצר, לטרוז
taper off להתחדד; לפחות (וללכת)
tape-record *v.* להקליט (על סרט)
tape recorder רשמקול
tap′estry *n&v.* שטיח, מרבד; ציפוי־רהיט; לקשט בשטיחים, לצפות במרבדים
tapeworm *n.* שרשור, תולעת טפילה
tap′io′ca *n.* טאפיוקה (מזון עמילני)
ta′pir (-pər) *n.* טפיר (יונק)
tap′pet *n.* דחיף (במנוע)
tap′room′ *n.* מיסבאה, באר
tap-root *n.* שורש ראשי
tap′ster *n.* מוזג, מגיש משקאות
tar *n&v.* זפת; מלח, ימאי; לזפת
tar and feather לצקת זפת (על אדם) ולכסותו בנוצות (כעונש)
tarred with the same brush לוקה באותם החסרונות
tar′antel′la *n.* טאראנטלה (מחול)
taran′tula (-′ch-) *n.* עכשוב, עקרבות
tar•boosh′ (-bōōsh′) *n.* תרבוש (כובע מוסלמי)
tardiness *n.* איחור, איטיות, השתהות
tar′dy *adj.* מאחר; איטי, משתהה
tare *n.* טארה (מישקל האריזה); עשב שוטה
tar′get (-g-) *n.* מטרה, יעד
tar′iff *n.* תעריף; תעריפון; מכס־מגן
tariff wall מכס מגן
tar′mac *n&v.* טארמאק, תערובת זפת וחצץ; מסלול המראה; לרבד בטארמאק
tar′macad′am *n.* תערובת זפת וחצץ
tarn *n.* אגם־הרים קטן
tar′nish *v.* לעמם, להכהות; להכתים; ללכלך; לפוג זוהרו, לכהות
tarnish his name להכתים שמו
tarnish *n.* כהות; עימום, הכהייה; כתם
tar•pau′lin *n.* טארפולין, צדרה (בד אטים־מים משוח בזפת)
tar′pon *n.* טרפון (דג־ים גדול)
tar′ragon′ *n.* סוג של לענה
tar′ry *v.* לשהות, להתעכב; להישאר, לדור; להשתהות, להתמהמה
tar′ry (tär′i) *n.* מרוח בזפת, מזופת
tar′sal *n&adj.* של שורש־הרגל; עצם־הקרסול
tar′sus *n.* שורש־הרגל, מיפרק כף הרגל
tart *n.* חריף, חמוץ, מר; עוקצני
tart *n&v.* פשטידת־פירות; עוגת־פירות; *זונה, יצאנית
tart up לקשט בצורה צעקנית
tar′tan *n.* טארטאן (אריג סקוטי)
tar′tar *n.* אבן־שיניים; מישקע־יין; חמום־מזג, פרא אדם, טאטארי
catch a tartar לתפוס טאטארי, לשקוע בבוץ, להסתבך באופן לא־צפוי
cream of tartar מישקע יין (מעובד, המשמש כמרכיב באבקת־אפייה)
tar•tar′ic acid חומצת טארטאר
tartar sauce סאלאט ירקות ומיונית
tartness *n.* חריפות; עוקצנות
task *n.* משימה, מטלה, עבודה
take to task לנזוף, לגעור
task *v.* להטיל משימה; להכביד, לאמץ
task force כוח משימה
taskmaster *n.* מטיל משימות, מפקח קפדן
tas′sel *n.* ציצית, ציצה, מלל, גדיל
tasseled *adj.* מצויץ, בעל ציצה
taste (tāst) *n.* טעם, חוש הטעם; טעימה, לגימה; טעם טוב, תבונה; חיבה, נטייה
bad/poor taste חוסר־טעם
left a bad taste in the mouth הותיר טעם מר בפה
to my taste לטעמי, לרוחי
taste *v.* לטעום; להיות טעמו (מר/מתוק וכ'); להתנסות, לחוות
taste power לטעום את טעם השררה
tastes bitter טעמו מר
taste buds תאי הטעם (שבלשון)
tasteful *adj.* טעים, בעל טעם טוב
tasteless *adj.* חסר־טעם, תפל
taster *n.* טעמן, טועם (יינות)
tastily *adv.* בטוב־טעם
tasty *adj.* טעים, ערב, מעניין

tat *v.* לרקום, לעשות תחרה
tat *n.* בד מרופט, אריג גס
ta-ta (tatä′) *interj&n.* ⋆שלום!
go ta-tas לצאת לטיול
tat′ter *n.* קרע, חתיכה מדובללת
tatters סחבות, בלואים, קרעים
tatter *v.* לקרוע; לרפט; להיקרע
tat′terdemal′ion *n.* לבוש בלואים
tattered *adj.* מרופט; לבוש בלואים
tat′ting *n.* תחרה, מלמלה
tat′tle *v.* לפטפט; לרכל; להלשין
tattle *n.* פיטפוט; רכילות
tattler *n.* פטפטן; רכלן
tattletale *n.* פטפטן; רכלן
tat•too′ *n.* כתובת קעקע; תיפוף, תרועה, כיבוי אורות; מיפגן, מיצעד לילי
tattoo of rain תיקתוק טיפות גשם
tattoo *v.* לחרות כתובת קעקע, לקעקע
tattooist *n.* חורת כתובות־קעקע
tat′ty *adj.* מוזנח, מרופט
taught = p of teach (tôt)
taunt *n.* ליגלוג, קינטור, התגרות
taunt *v.* ללגלג, ללעוג, להקניט, לבוז
Tau′rus *n.* מזל שור
taut *adj.* מתוח; מסודר, נקי
tau′tolog′ical *adj.* של ייתור לשון
tau•tol′ogy *n.* טבטולוגיה, ייתור לשון, פליאונזם
tav′ern *n.* פונדק; מיסבאה
taw *n.* גולה, גולת־מישחק
taw′dry *adj.* חסר טעם, צעקני, זול
taw′ny *adj.* חום־צהוב, שחמחם־צהוב
tax *n.* מס, היטל; מעמסה, מאמץ רב
tax *v.* להטיל מס; להכביד, לדרוש יותר מדי; לתבוע (מחיר); להאשים; לנזוף
tax his patience להפקיע סבלנותו
tax one's brain "לשבור את ראשו"
tax′abil′ity *n.* אפשרות המיסוי
tax′able *adj.* חייב מס, טעון מס
tax•a′tion *n.* מיסוי, גביית מיסים
tax collector גובה מיסים
tax-free *adv.* פטור ממס
tax′i *n&v.* מונית; (לגבי מטוס) לנוע/להסיע על מסלול ההמראה
taxi-cab *n.* מונית
tax′ider′mist *n.* מתקין פוחלצים
tax′ider′my *n.* פיחלוץ, התקנת אדרים
tax′ime′ter *n.* מונה, טאקסימטר
taxi rank/stand תחנת מוניות
tax•on′omy *n.* תורת המיון
tax payer משלם מיסים
T.B. = tuberculosis שחפת

T-bone אומצת־טי (אומצה המכילה עצם דמויית־T)
tea *n.* תה; כוס תה; ארוחת־מינחה
not my cup of tea לא לטעמי
tea-bag *n.* שקית־תה
tea break הפסקת־תה
tea caddy קופסת־תה
tea cake עוגת תה
teacart *n.* שולחן־תה, עגלת־תה
teach *v.* ללמד, לחנך, להורות
teach′abil′ity *n.* למידות
teach′able *adj.* למיד, בר־לימוד
teach′er *n.* מורה, מדריך
tea chest תיבת תה
teach-in *n.* דיון בנושא אקטואלי
teaching *n.* הוראה, הדרכה; תורה
teachings תורה, דוקטרינה
teaching hospital בית־ספר רפואי
teaching machine מכונת־הוראה, מחשב־לימוד
tea cloth מפת־שולחן; מטלית־ניגוב
tea cosy מטמן, כיסוי־תיון
teacup *n.* ספל־תה
storm in a teacup סערה בצלוחית־מים
teacupful *n.* מלוא־הספל
tea dance ריקוד מינחה
tea garden גן־תה, מטע תה
tea gown שימלת־מינחה
teahouse *n.* בית־תה
teak *n.* טיק, שגא (עץ)
teakettle *n.* קומקום, קומקום־תה
teal *n.* שרשיר (ברווז); כחול־ירוק
tea-leaf *n.* עלה־תה; ⋆גנב
team *n.* קבוצה (בתחרות); צוות; צמד, מערכת סוסים רתומים, עגלה
team *v.* לרתום; להעביר בעגלה
team up לחבור יחדיו, לשתף פעולה
team′ster *n.* עגלון; נהג משאית
teamwork *n.* עבודת־צוות, מאמץ משותף
tea party מסיבת־תה, מסיבת־מינחה
teapot *n.* תיון, קומקומון־תה
tear (tār) *v.* לקרוע; לפצוע; לתלוש; לשסע; להיקרע; לרוץ בחיפזון
cannot tear his eyes away לא יכול להסיר מבטו/לגרוע עיניו מן
tear at לתלוש; לקרוע בפראות
tear down להרוס, להחריב, לקעקע
tear into להתקיף, להתנפל, להסתער
tear off a letter ⋆לשרבט מיכתב במהירות

tear one's hair למרוט שערות ראשו
tear oneself away לנתק עצמו
tear out לתלוש, לקרוע
tear up/apart לקרוע לגזרים
was torn between- ליבו נקרע בין
tear (tār) *n.* קרע; קריעה; ★הילולה
tear (tēr) *n.* דימעה
shed tears להזיל דמעות
tears דמעות, בכי
tear′away′ (tār-) *adj.* ★תוקפן, פירחח
tear-drop *n.* דימעה, אגל־דמע
tearful *adj.* בוכה, דומעני
tear gas גאז מדמיע
tear-jerker *n.* ★ (סרט) סוחט דמעות
tearless *adj.* חסר דמעות
tearoom *n.* מיזנון־תה, בית־קפה
tease (-z) *v.* להרגיז, להציק, לקנטר; להפריד לסיבים, לסרוק להתפיח בהברשה
tease *n.* קנטרן, לגלגן
tea′sel, -zle (-zəl) *n.* קרדה, צמח קוצני לסריקת אריג
teaser *n.* קנטרן; ★בעייה קשה
tea set, tea service מערכת תה
teaspoon *n.* כפית, כפית תה
teaspoonful *n.* מלוא הכפית
tea strainer מיסננת־תה
teat *n.* פיטמה, דד
tea table שולחן־תה, שולחנון־תה
tea-time *n.* שעת התה, שעת מינחה
tea towel מטלית־ניגוב
tea tray מגש־תה
tea trolley שולחן־תה, עגלת־תה
tea urn מיחם־תה
tea wagon שולחן־תה, עגלת־תה
tec = detective ★בלש
tech (tek) *n.* בי״ס טכני, טכניון
tech′nical (-k′-) *adj.* טכני, מעשי
tech′nical′ity (tek-) *n.* טכניות, נקודה טכנית
technical knockout נוק־אאוט טכני
tech•ni′cian (teknish′ən) *n.* טכנאי
tech′nicol′or (tek′nicul-) *n.* טכניקולור
technique′ (teknēk′) *n.* טכניקה
tech•noc′racy (tek-) *n.* טכנוקרטיה
tech′nocrat′ (tek-) *n.* טכנוקראט
tech′nolog′ical (tek-) *adj.* טכנולוגי
tech•nol′ogist (tek-) *n.* טכנולוג
tech•nol′ogy (tek-) *n.* טכנולוגיה
tech′y *adj.* רגזן, כעסן
ted′dy bear דובון (צעצוע)

Te De′um טה דאום (מיזמור נוצרי)
te′dious *adj.* משעמם, מעייף, חדגוני
te′dium *n.* שיעמום, חדגוניות
tee *n&v.* (בגולף) תלולית, גבשושית; להניח הכדור על התלולית
tee off לחבוט בכדור מהתלולית; להרגיז; להתקיף
tee up להכין (הכדור לחבטה) על התלולית; להכין, לארגן, לסדר
to a tee בדיוק, באופן מושלם
teem *v.* לשפוע; לשרוץ, לרחוש; להיות מלא ב־; לרדת, להינתך
the rain teemed down הגשם ניתך
teen′age′ *adj.* של גיל־העשרה
teenager *n.* בגיל העשרה, נער, נערה
teens *n-pl.* שנות העשרה
teen′sy (-zi) *n.* זעיר, קטנטן
tee′ny *n.* זעיר, קטנטן
teeny weeny זעיר, קטנטן
tee shirt חולצת־טי (קצרת־שרוול)
tee′ter *v.* להתנדנד, להתנודד
teeth = pl of tooth
teethe (tēdh) *v.* להצמיח שיניים
teething troubles כאבי שיניים (של תינוק בעת צמיחתן); חבלי לידה
tee′to′tal *adj.* מתנזר (ממשקאות חריפים); לגמרי, כליל
teetotaler *n.* מתנזר (כנ״ל)
tee′to′tum *n.* סביבון־קובייה
tef′lon′ *n.* טפלון
teg′u•ment *n.* קליפה, עור, כיסוי
tele- (תחילית) רחוק, למרחק, ־רחק
tele (tel′i) *n.* ★טלוויזיה
tel′ecast′ *n&v.* שידור טלוויזיה; לשדר בטלוויזיה
tel′ecommu′nica′tion *n.* טלקומוניקציה, בזק, תיקשורת־רחק
tel′egram′ *n.* מיברק
tel′egraph′ *n.* מיברקה, טלגראף
bush telegraph העברת הודעות למרחקים ע״י אותות־עשן/תיפוף
telegraph *v.* להבריק, לטלגרף
teleg′rapher *n.* מיברקן, טלגרפאי
tel′egraphese′ (-z) *n.* סיגנון טלגרפי
tel′egraph′ic *adj.* טלגרפי
teleg′raphist *n.* מיברקן, טלגרפאי
telegraph pole עמוד טלגראף/טלפון
telegraph wire חוט טלגראף/טלפון
teleg′raphy *n.* טלגראפיה, טילגרוף
tel′eme′ter *n.* טלמטר, מד־רוחק, מכשיר המשדר מימצאים ממרחקים
telem′etry *n.* טלמטריה, מדידת־רוחק

tel'e•olog'ical *adj.* טלאולוגי
tel'e•ol'ogist *n.* טלאולוג
tel'e•ol'ogy *n.* טלאולוגיה, תכליתיות, תורת התכלית
tel'epath'ic *adj.* טלפאתי
telep'athist *n.* טלפאת
telep'athy *n.* טלפאתיה
tel'ephone' *n.* טלפון; מכשיר טלפון
on the telephone בטלפון, מצלצל
telephone *v.* לטלפן, לצלצל, להתקשר
telephone booth תא־טלפון
telephone directory מדריך טלפון
telephone exchange מירכזת
tel'ephon'ic *adj.* טלפוני
teleph'onist *n.* טלפונאי, טלפן
teleph'ony *n.* טלפונאות
tel'epho'to *adj.* של צילום־רחק
tel'epho'tograph' *n.* תמונת־רחק
tel'epho'tograph'ic *adj.* של צילום־רחק
tel'ephotog'raphy *n.* צילום־רחק
telephoto lens עדשת צילום־רחק
tel'eprin'ter *n.* טלפרינטר, מדפס־רחק
tel'epromp'ter *n.* טלפרומפטר, מיתקן הקראה לקריין־טלוויזיה
tel'escope' *n.* טלסקופ, מַקרבת
telescope *v.* לקצר; להתקצר; להימעך; להישחל זה בתוך זה
tel'escop'ic *adj.* טלסקופי; מתקצר
tel'etype'writ'er (-tīp'rīt-) *n.* טלפרינטר
tel'evise' (-z) *v.* לשדר בטלוויזיה
tel'evi'sion (-vizh'ən) *n.* טלוויזיה
on television בטלוויזיה
tel'evi'sual (-vizh'o͞oəl) *adj.* של טלוויזיה
tel'ex' *n&v.* טלקס; להעביר בטלקס
tel'fer *n.* רכבל־משא (במחצבה)
tell *v.* לומר, לספר, להגיד; לדעת, להבחין, לגלות; להכיר; להורות, לצוות; לתת אותותיו, להשפיע; למנות, לספור
all told בסך הכל
do tell! האומנם?
it is telling on him הדבר נותן בו את אותותיו/משפיע לרעה עליו
tell a thing or two ⋆להוכיח, לנזוף, לתת מנה
tell against לפעול נגדו, להילקח בחשבון לרעתו
tell him from- להבחין בינו ובין־
tell him where to get off לנזוף בו, לתת לו מנה
tell me another! ספר לסבתא!
tell off לנזוף, לגעור; למנות ולהקצות (למשימה), להפריש
tell on להתיש, לעייף; ⋆להלשין על
tell one's beads לומר תפילותיו
tell tales לספר סיפורים, להלעיז
tell the time לקרוא את השעון
tell them apart להבחין ביניהם
tell you what אגיד לך משהו, שמע!
there's no telling אין לדעת
you never can tell אין לדעת
you tell 'em ⋆תן להם (מנה) !
you're telling me? אתה מספר לי?
I can't tell you how glad I am אין מלים בפי לתאר את שימחתי
I tell you! אני אומר לך! על דיברתי!
I told you! אמרתי לך! הזהרתיך!
teller *n.* מונה (קולות); קופאי
telling *adj.* מרשים, אפקטיבי
telltale *n.* רכלן, מגלה סוד
telltale *adj.* מגלה, מרמז, מעיד
tel'ly *n.* ⋆טלוויזיה
tel'pher *n.* רכבל־משא (במחצבה)
tel'star' *n.* לוויין תיקשורת
temer'ity *n.* העזה, פזיזות, נמהרות
temp *n.* ⋆עובד זמני
tem'per *n.* מצב־רוח, הלך־נפש; מזג, אופי; קשיות, קשיחות־מתכת
fly into a temper להתרתח, להתלקח
get into a temper להתרתח, להתלקח
hold/keep one's temper לשמור על שלוות־נפשו, להתאפק
in a (bad) temper במצב־רוח רע, כועס
lose one's temper לאבד שלוות־נפשו, לאבד עשתונותיו
out of temper כועס, זועם
temper *v.* לרכך, לרפות; למתן; למהול, לערבב; להקל, להמתיק
temper justice with pity לגלות רחמים בדין
temper steel לרפות פלדה
tem'pera *n.* טמפרה (צבע מעורבב בחלמון־ביצה ומים); ציור טמפרה
tem'perament *n.* טמפראמנט, מזג, טבע
tem'peramen'tal *adj.* מיזגי, טיבעי; הפכפך, סוער, נתון למצבי־רוח
tem'perance *n.* מתינות, איפוק, ריסון; כיבוש היצר; הינזרות ממשקאות חריפים
temperance hotel בית־מלון שאין מגישים בו משקאות חריפים

tem′perate *adj.* מתון, מרוסן, מאופק; (אקלים/איזור) ממוזג
tem′perature *n.* חום, טמפראטורה
has a temperature יש לו חום
ran a temperature קיבל חום
take his temperature למדוד חומו
tempered *adj.* בעל מזג
bad-tempered כעסן, סר וזעף
hot-tempered חם־מזג, חמום־מוח
tem′pest *n.* סערה, סופה; המולה, מהומה
tempest in a teapot סערה בכוס מים
tem•pes′tuous (-choo͞ǝs) *adj.* סוער, גועש
tem′plate *n.* מד־חיתוכים (לוח בעל נקבים וחריצים לחיתוכי מתכת וכ')
tem′ple *n.* מיקדש; בית־כנסת; כנסייה; רקה, צדע
the Temple בית המיקדש
tem′po *n.* טמפו, קצב, מיפעם, זימנה
tem′poral *adj.* זמני, מוגבל בזמן; חילוני, של חולין; של העולם הזה
temporal conjunction מלת־חיבור זמנית (כגון "כאשר", "בשעה ש־")
tem′poral′ity *n.* זמניות
temporalities נכסי חולין
tem′porar′ily (-rer-) *adv.* זמנית, ארעית
tem′porar′y (-reri) *adj.* זמני, ארעי
tem′poriza′tion *n.* דחייה, השתמטות
tem′porize′ *v.* לדחות (פעולה/החלטה), להשתמט מתשובה (כדי להרוויח זמן)
tempt *v.* לפתות, לשדל; להשפיע, למשוך
tempt fate להתגרות בגורל, להסתכן
tempt Providence להסתכן
temp•ta′tion *n.* פיתוי, משיכה
tempting *adj.* מפתה, מושך
tempt′ress *n.* אישה מפתה/מגרה
ten *n&adj.* עשר, 10
count to ten להמתין, להירגע
ten a penny לא יקר, זול
ten to one קרוב לוודאי
upper ten העשירון העליון, האצולה
ten′abil′ity *n.* עמידות (כנגד התקפה)
ten′able *adj.* עמיד, בר־הגנה, שאין לפצחו/להפריכו; שניתן להחזיק בו
post tenable for 2 years מישרה שניתן להחזיק בה במשך שנתיים
te•na′cious (-shǝs) *adj.* מחזיק, תופס בחוזקה, לא מרפה; עקשן, לא מוותר, החלטי; דביק, מידבק
tenacious memory זיכרון מצוין, בור־סוד שאינו מאבד טיפה
te•nac′ity *n.* החזקה; לפיתה; עקשנות
ten′ancy *n.* אריסות; (תקופת) שכירות
ten′ant *n.* אריס; שוכר, חוכר; דייר
tenant *v.* לשכור, לחכור
tenant farmer אריס
ten′antry *n.* כלל האריסים
tench *n.* סוג של קרפיון
Ten Commandments עשרת הדיברות
tend *v.* לנטות, להיות בעל מגמה/נטייה/כיוון/שאיפה ל־
tend to לנטות ל־
tend *v.* לפקח, להשגיח; לנהל, לטפל ב־; לשרת לקוחות
tend a machine להפעיל מכונה
tend to להשגיח על, לטפל ב־
tend to your own affairs ⋆התעסק בעניינים שלך!
ten′dency *n.* נטייה, מגמה, כיוון
ten•den′tious (-shǝs) *adj.* מגמתי, בעל נטייה
ten′der *adj.* עדין; רגיש; רך; שביר; כואב
tender age/years גיל רך
tender beef בשר־בקר רך/לעיס
tender touch מגע רך
tender *v.* להציע, להגיש, להגיש הצעה
tender money לשלם
tender resignation להגיש התפטרות
tender *n.* מיכרז, הצעה למיכרז
legal tender מטבע חוקי, הילך חוקי
tender *n.* מטפל, מפקח, משגיח; קרון־משא; סירת־אספקה; סירת־שירות, שמשת
tenderfoot *n.* מתחיל, טירון; משתקע חדש (במערב ארה"ב)
tenderhearted *adj.* רחמן, רגשן
ten′derize′ *v.* לרכך (בשר)
ten′derloin′ *n.* בשר־אחוריים
tenderness *n.* עדינות, רוך
ten′don *n.* (באנטומיה) מיתר, גיד
ten′dril *n.* קנוקנת; תלתלון
ten′ebrous *adj.* קודר, חשוך
ten′ement *n.* דירה, בית; בית־משותף; בית־דירות; אחוזה
ten′et *n.* עיקר, אמונה, דוקטרינה
tenfold *adv.* פי עשרה, עשר פעמים
ten′ner *n.* ⋆עשירייה, 10 ליש"ט
ten′nis *n.* טניס

tennis court מיגרש טניס
tennis elbow דלקת המרפק
ten'on *n.* מַחבָּר, שגם
ten'or *n.* טנור (קול/כלי-נגינה); מגמה, כיוון, נטייה, רוח-הדברים
the tenor of his life אורח-חייו, שיגרת-חייו, מגמת-חייו
tenpence *n.* עשרה פנים
tenpin *n.* בובת-עץ (במישחק הכדורת)
tenpin bowling כדורת (מישחק)
tenpins *n-pl.* כדורת (מישחק)
tense *adj.* מתוח, דרוך, נרגש
tense *v.* למתוח; להימתח
tensed up מתוח, במתיחות
tense *n.* (בדיקדוק) זמן
present tense הווה, זמן בינוני
ten'sile *adj.* מתיח, של מתיחות
tensile strength כוח המתיחות, התנגדות (החבל) למשיכה, עמידות בפני קריעה
ten'sion *n.* מתיחה; לחץ-משיכה; מתיחות; התרגשות; מתח (חשמלי)
ten'sity *n.* מתיחות
tent *n&v.* אוהל; לשכון באוהל
oxygen tent אוהל-חמצן
ten'tacle *n.* זרוע (של תמנון)
tentacles of crime זרועות הפשע
ten'tative *adj.* ניסיוני, זמני; הססני
ten'ter *n.* מַמתח (למתיחת בדים)
tenterhook *n.* וו, אנקול, הדק-ממתח
on tenterhooks מתוח, דרוך, מודאג
tenth *adj&n.* עשירי; עשירית, מעשר
tent peg יתד-אוהל
te•nu'ity *n.* דקות, עדינות; דלילות
ten'uous (-nūəs) *adj.* דק, עדין; דליל, קלוש; חלש, לא משכנע
ten'ure (-nyər) *n.* חזקה; אחיזה, החזקה; תקופה, קדנציה; קביעות (בעבודה)
te'pee' *n.* טיפי, אוהל חרוטי
tep'id *adj.* פושר, לא חם
te•pid'ity *n.* פושרות
tequi'la (-kē'lə) *n.* טאקילה (משקה)
ter'cen•ten'ary *n.* יובל ה־300
ter'giversate' *v.* לשנות עמדותו; לבגוד בעקרונות; לערוק; להיות הפכפך; להתחמק
ter'giversa'tion *n.* הפכפכנות
term *n.* מלה, ביטוי, מונח, מושג; תקופה, מועד; זמן, עונת-לימודים; מיתנה; (באלגברה) איבר
bring to terms לאלץ לקבל התנאים
come to terms להגיע לידי הסכם; להשלים, לקבל
getting near its term תאריך סיומו קרוב
in no uncertain terms חד וחלק
in terms of במונחי', מבחינת, בקשר
in the long term לטווח ארוך
make terms להגיע לידי הסכם
not on speaking terms לא מדברים זה עם זה
on equal terms כשווים
on friendly terms ביחסי ידידות
terms תנאים, מיתנים; מונחים; יחסים
terms of reference תחום הסמכות (של הוועדה שדנה בנושא)
think in terms of לשקול (פעולה)
term *v.* לקרוא, לכנות
ter'magant *n.* אשת-מריבות, קולנית
ter'minable *adj.* בר-סיום, לא תמידי
ter'minal *adj.* עונתי; סופי; קרוב לסיום; נגמר במוות; ממאיר
terminal *n.* מסוף; טרמינאל; תחנה סופית; נקודת-חיבור
ter'minate' *v.* לסיים; להסתיים
ter'mina'tion *n.* סיום; תוצאה; סיומת
ter'minolog'ical *adj.* של מינוח
ter'minol'ogy *n.* מינוח, טרמינולוגיה
ter'minus *n.* מסוף, תחנה סופית
ter'mite' *n.* טרמיט, נמלה לבנה
tern *n.* שחפית (עוף-ים)
ter'nary *adj.* משולש, של שלושה
terp'sichore'an (-sik-) *adj.* ריקודי
ter'race (-ris) *n.* טראסה, מידרג; מדרגה (ביציע-הצופים); מירפסת פתוחה; שורת בתים
terrace *v.* למדרג, לבנות טראסות
terraced *adj.* ממודרג, דמוי-טראסות
ter'ra cot'ta כלי-חרס; חום-תפוז
ter'ra fir'ma יבשה, קרקע מוצקה
terrain' *n.* שטח, פני-הקרקע
ter'ra incog'nita ארץ לא נודעת
ter'rapin' *n.* צב-מים
terres'trial *adj.* יבשתי, ארצי; של העולם הזה; שוכן יבשה
ter'rible *adj.* איום, נורא; מזעזע; ⋆נורא, גרוע ביותר, מזופת
terribly *adv.* ⋆נורא, מאוד מאוד
ter'rier *n.* שפלן, טרייר (כלב נמוך)
terrif'ic *adj.* איום, נורא; ⋆מצוין, גדול, עצום, כביר, משגע
terrifically *adv.* ⋆נורא, מאוד, ביותר
ter'rify' *v.* להפחיד, למלא אימה

ter'rito'rial *adj&n.* טריטוריאלי, ארצי, של ארץ מסוימת; חייל טריטוריאלי
Territorial Army צבא טריטוריאלי, אירגון אנשי הגנה
territorial waters מי־חופין
ter'rito'ry *n.* טריטוריה, חבל־ארץ; שטח־אדמה; תחום
ter'ror *n.* פחד, אימה; טרור; מטיל אימה, זורע בהלה; ⋆מזיק, טרדן, שובב
strike terror להטיל אימה
ter'rorism' *n.* טרוריזם, אימתנות
ter'rorist *n.* טרוריסט, מחבל
ter'rorize' *v.* להפחיד, להשליט טרור
terror-stricken *adj.* אחוז־אימה
terror-struck *adj.* אחוז־אימה
ter'ry *n.* אריג־מגבות
terse *adj.* תמציתי, קצר; ממעט במלים
ter'tian (-'sh∂n) *adj.* (קדחת) תוקפת אחת ליומיים
ter'tiar'y (-'shieri) *adj.* שלישי; שלישוני; חמור, בדרגה ג' (כגון כוויות)
Tertiary period עידן השלישון
ter'ylene' *n.* טרילין (אריג)
tes'sellate' *v.* לשבץ בפסיפס, לרצף במוזאיקה, לפספס
tessellated *adj.* מפוספס, רצוף פסיפס
test *n.* מיבחן, בוחן, בדיקה, טסט; ניסיון; אבן־בוחן, קריטריון
(with)stand the test of time לעמוד במיבחן הזמן
driving test מיבחן נהיגה, טסט
put to the test להעמיד למיבחן
test *v.* לבחון, לבדוק, לנסות
test out as (במיבחן) לגלות סגולות של
testing times ימי ניסיון, עת קשה
tes'tament *n.* צוואה
New Testament הברית החדשה
Old Testament ספר התנ"ך
tes'tamen'tary *adj.* של צוואה
tes'tate' *adj.* שכתב צוואה, המנוח
tes'ta'tor *n.* בעל צוואה
tes•ta'trix *n.* בעלת צוואה
test ban איסור ניסויים גרעיניים
test case מישפט העשוי לשמש תקדים
test drive נסיעת־מיבחן
tester *n.* בּוֹחֵן; מַבדק, מַבחן
tes'tes = pl of testis (-tēz)
tes'ticle *n.* אשך
tes'tify' *v.* להעיד (על); להצהיר
testily *adv.* בקוֹצר רוח, בכעס
tes'timo'nial *n.* מיכתב־המלצה; תעודת־הוקרה, שי־פרידה, מתנת־הוקרה
tes'timo'ny *n.* עדות; הצהרה; הודעה; הוכחה, ראייה
bear testimony להעיד
tes'tis *n.* אשך
test pilot טייס־ (טיסות) מיבחן
test tube מבחנה
test-tube baby תינוק־מבחנה
tes'ty *adj.* רגזני, קצר־רוח
tet'anus *n.* צפדת, טטאנוס
tetch'y *adj.* רגזני, נוח לכעוס, רגיש
tete-à-tete (tāt' ∂ tāt') *n&adv.* שיחה אינטימית; פנים אל פנים, בארבע עיניים
teth'er (-dh'-) *n.* אפסר, רצועה, חבל
at the end of one's tether סבלנותו פוקעת, אינו יכול לסבול עוד
tether *v.* לקשור (בהמה) ברצועה
tet'rahe'dron *n.* ארבעון, טטראדר, פירמידה משולשת
tetral'ogy *n.* טטראלוגיה, סידרה של ארבע יצירות־אמנות
Teu•ton'ic (too-) *adj.* טבטוני, גרמני
text *n.* טקסט, מלים, פנים, גירסה; מקור; תמליל; ספר־לימוד; מובאה
textbook *n.* ספר־לימוד
tex'tile *n&adj.* (של) טקסטיל, אריג
tex'tual *adj.* של טקסט, של נוסח
tex'ture *n.* מיבנה, מטווה, טווי, מישזר, מירקם, ארג, מארג, מסכת
texture *v.* לארוג
coarse-textured בעל אריגה גסה
-th (סופית) לציון מיספר סידורי
7th (החלק) השביעי; שביעית
thalid'omide' *n.* תאלידומיד (תרופה)
thalidomide baby תינוק (שנולד לאחר השימוש בתאלידומיד)
than (dh-) *conj&prep.* מ־, יותר מן, מאשר
more than יותר מאשר, מאוד
no --- other than שום --- זולת־
no other than בכבודו ובעצמו
nothing more or less than לגמרי, אך ורק, גרידא
thane *n.* תין, אציל, בארון (בעבר)
thank *v.* להודות, להביע תודה
has only himself to thank for- הוא עצמו אשם ב־/אחראי ל־
thank goodness/heaven תודה לאל
thank you תודה!
I'll thank you אודה לך, אבקשך
thankful *adj.* אסיר־תודה; מביע תודה

thankless *adj.* כפוי־תודה; חסר־הערכה, שאין מביעים תודה עליו
thank offering קורבן תודה
thanks *n-pl&interj.* תודות; הודיות, ברכות; רוב תודות! תודה!
small thanks to (באירוניה) "תודה רבה ל־"
thanks to הודות ל־, בגלל
thanksgiving *n.* הודיה, הבעת תודה
Thanksgiving Day יום ההודיה (החל ביום ה' בשבוע הרביעי בנובמבר)
thankyou *n.* תודה, הבעת תודה
that (dh-) *adj.* זה, הזה, זאת; ההוא; אותו; כזה
after that אחר כך, לאחר מכן
and (all) that "והכל", וכ'
at that בנקודה זו, אז; נוסף על כך, וחוץ מזה, כמו כן
at that point בנקודה זו, אז
like that כך, באופן זה
that is כלומר, דהיינו
that is to say כלומר, במלים אחרות
that's that! זהו זהו! נקודה!
that *adv.* כה, כל כך, עד כדי כך
I'm not that rich איני עשיר עד כדי כך
that *conj&pron.* אשר, ש־; כדי ש־
so that כך ש־, כדי ש־
Oh, that- מי יתן! הלוואי ש־
thatch *n.* סכך, כיסוי קש; ⋆סבך־שיער
thatch *v.* לכסות בסכך, לסוך
thaw *v&n.* להפשיר, להימס, למוג; להתרכך; לרכך (קשיחות); הפשרה
the (dhə, dhē) *adj.* ה', הא־הידוע
$6 the dozen תריסר ב־6$
pay by the hour לשלם לפי שעות
the impossible הבלתי־אפשרי
the rich/the poor העשירים/העניים
the *adv.* ככל ש־, במידה ש־
the more --- the more ככל ש (ירבה ל---) כן־
the sooner the better יפה שעה אחת קודם
the′ater *n.* תיאטרון; זירה, שדה־התרחשות; אולם הרצאות; חדר־ניתוחים
operating theater חדר־ניתוחים
theater of war זירת מילחמה
theatergoer *n.* מבקר בהצגות, שוחר תיאטרון
the•at′rical *adj.* תיאטרוני, תיאטרלי, דרמאתי, מבוים, מזויף
the•at′rical′ity *n.* תיאטרליות
theatricals *n-pl.* הצגות חובבים
thee (dh-) *pron.* אותך
theft *n.* גניבה
thegn = **thane** (thān)
their (dhār) *adj.* שלהם
theirs (dhārz) *pron.* שלהם
a friend of theirs ידידם
the′ism′ *n.* תיאיזם, אמונה באל
the′ist *n.* תיאיסט, מאמין באל
the•is′tic *adj.* תיאיסטי, מאמין באל
them (dh-) *pron.* אותם; להם
the•mat′ic *adj.* תימאטי, נושאי
theme *n.* תימה, נושא; לחן חוזר
theme tune לחן חוזר (בסרט)
themselves (dhəmselvz′) *pron.* (את־/ל־/ב־/מ־) עצמם
by themselves לבדם, בעצמם
came to themselves התאוששו
were not themselves לא היו כתמול שילשום, חל בהם שינוי
then (dh-) *adv&adj&n.* אז; אחר כך, אחרי כן; אזי, אם כן; לכן, איפוא; חוץ מזה
and then- וחוץ מזה־
before then לפני כן
but then ואולם, ברם, מאידך גיסא
by then אז
now and then מפעם לפעם
now then ובכן
sometimes...then... פעם ־ ופעם ־
the then king המלך בעת ההיא
then and there בו במקום, מיד
thence (dhens) *adv.* מאז; משם; לכן, מכאן ש־
thenceforth *adv.* מאז; אחרי כן
thence′for′ward (dhens′-) *adv.* מאז; אחרי כן
the•oc′racy *n.* תיאוקראטיה, שילטון הדת
the′ocrat′ic *adj.* תיאוקראטי
the•od′olite′ *n.* תיאודוליט, מד־זוויות (מכשיר של מודדי קרקעות)
the′olo′gian (-jən) *n.* תיאולוג
the′olog′ical *adj.* תיאולוגי
the•ol′ogy *n.* תיאולוגיה, תורת האלוהות
the′orem *n.* משפט, כלל, תיאורמה
the′oret′ic(al) *adj.* תיאורטי, מופשט, עיוני, היפותיטי
theoretically *adv.* להלכה, תיאורטית
the′oreti′cian (-tish′ən) *n.* תיאורטיקן

the′orist *n.* תיאורטיקן
the′orize′ *v.* ליצור תיאוריה
the′ory *n.* תיאוריה, תורה, הנחה, דעה
in theory להלכה, תיאורטית
the•os′ophist *n.* תיאוסוף
the•os′ophy *n.* תיאוסופיה, חוכמת האלוהים, הכרת האלוהות
ther′apeu′tic(al) (-pū-) *adj.* רפואי
ther′apeu′tics (-pū-) *n.* תורת הריפוי
ther′apist *n.* מרפא, מומחה־ריפוי
ther′apy *n.* תראפיה, ריפוי
there (dhār) *adv.* שם, לשם, שמה; כאן, בנקודה זו; הנה
all there שפוי, "בסדר"
get there להצליח, להשיג המטרה
hello there! הלו! שמע נא!
here and there פה ושם
not all there לא שפוי, "לא בסדר"
there and then בו במקום
there is/there was יש, ישנו/היה
there you are הנה! הרי לך!
there! הנה
there, there לא נורא! (להרגעה)
there's a good girl את ילדה טובה
I agree with you there בנקודה זו אני מסכים אתך
there′abouts′ (dhār-) *adv.* בערך, פחות או יותר; בסביבה, בקירבת מקום
there•af′ter (dhār-) *adv.* לאחר מכן
there•at′ (dhār-) *adv.* באותו מקום/זמן, אז; לכן, לפיכך
there•by′ (dhār-) *adv.* על ידי זה, אגב כך; בקשר לזה, בהקשר זה
there′fore′ (dhār′-) *adv.* לכן, לפיכך
there•in′ (dhār-) *adv.* בזה; בדבר זה; בו; בפרט זה, בנקודה זו
there′in•af′ter (dhār-) *adv.* להלן
there•of′ (dhāruv′) *adv.* מזה, מכך
there•on′ (dhārôn′) *adv.* על כך, על זאת; מיד לאחר מכן
there•to (dhārtōō′) *adv.* נוסף על כך, כמו כן; לזה, אל זאת, לכך
there′tofore′ (dhār′-) *adv.* עד אז
there•un′der (dhār-) *adv.* מתחת לזה
there′upon′ (dhār′-) *adv.* כתוצאה מכך, לכן; מיד לאחר מכן, בו בזמן
there•with′ (dhārwidh′) *adv.* עם זאת; מיד לאחר מכן
therm *n.* תרם (יחידת חום)
ther′mal *adj.* תרמי, של חום, חומני
thermal *n.* זרם אוויר חם
thermal springs מעיינות חמים
ther′mion *n.* תרמיון, חלקיק טעון חשמל
ther′mion′ic *adj.* תרמיוני
ther′mo•dy•nam′ics *n.* תרמודינמיקה
thermom′eter *n.* מדחום
ther′mo•nu′cle•ar *adj.* תרמוגרעיני
thermonuclear warfare מלחמה גרעינית
ther′moplas′tic *adj.* תרמופלאסטי, מתרכך בחום
ther′mos *n.* שמרחום, תרמוס
ther′mo•set′ting *adj.* (חומר פלאסטי) מתקשה לצמיתות (לאחר חימום)
ther′mostat′ *n.* וסת־חום, תרמוסטאט
ther′mostat′ic *adj.* תרמוסטאטי
thesau′rus *n.* אוצר מלים, מילון למלים נרדפות
these = pl of this (dhēz) אלה, אלו
the′ses = pl of thesis (-sēz)
the′sis *n.* תיזה, הנחת־יסוד; מסה, מחקר, עבודה
doctoral thesis עבודת דוקטור
thes′pian *adj.* דרמאתי, של תיאטרון
thews (thōōz) *n-pl.* שרירים; כוח
they (dhā) *pron.* הם, הן; אנשים
they say אומרים ש־
they'd = they had/would (dhād)
they'll = they will/shall (dhāl)
they're = they are (dhār)
they've = they have (dhāv)
thick *adj&adv.* עבה; סמיך; צפוף, דחוס; עכור, לא צלול; עמום; מלא, שופע; מטומטם; ידידותי; ⋆מוגזם
a bit thick מוגזם; בלתי נסבל
as thick as thieves בידידות גמורה
as thick as two short planks ⋆טיפש גמור, גולם, בול־עץ
give him a thick ear להכותו על אוזנו
lay it on thick להחניף
lay it thick לשפוע, להרעיף
they're thick ⋆הם ידידים בלב ונפש
thick accent מיבטא ברור/בולט
thick and fast במהירות, בשפע
thick beard/forest זקן/יער עבות
thick with שופע/מלא/מכוסה ב־
3-feet thick בעובי 3 רגליים
thick *n.* עובי, עבי, מעבה; זירת הפעילות המרכזית
in the thick of במרכז', בעבי־
through thick and thin באש ובמים,

בשעות היפות והרעות, בכל הנסיבות
thick′en *v.* לעבות; להתעבות; להרביך, להסמיך; לסבך; להסתבך
thickening *n.* עיבוי; רביכה, בלילה
thick′et *n.* סבך, חורש שיחים
thick-headed *adj.* מטומטם, קשה־תפיסה
thickness *n.* עובי; שיכבה, רובד
thick-set *adj.* חסון, מוצק, רחב־גוף; צפוף, מסודר בצפיפות
thick-skinned *adj.* עב־עור, נטול־רגש, קהה־רגש, בעל עור של פיל
thick-witted *adj.* מטוטמס, קשה־תפיסה
thief (thēf) *n.* גנב
thieve (thēv) *v.* לגנוב
thiev′ery (thēv′-) *n.* גניבה
thieves = pl of thief (thēvz)
thievish *adj.* גנבני, כגנב
thigh (thī) *n.* ירך
thighbone *n.* עצם־הירך, קולית
thill *n.* יצול
thim′ble *n.* אצבעון
thimbleful *n.* מלוא האצבעון, קורטוב
thin *adj&adv.* דק; רזה, כחוש; דליל, קלוש; דל, חלש, קטן, זעום; שקוף, מיימי
 out of thin air יש מאין
 thin excuse תירוץ חלש/לא משכנע
 thin gravy רוטב־בשר מיימי/דליל
 thin on the ground מצומצם, חסר
 thin on top מקריח
 thin time עת קשה, שעת מצוקה
 thin wine יין חלש
thin *v.* להרזות; להקליש; לדלל, לקלש
 thin out/down להרזות; לדלל
thine (dh-) *pron&adj.* שלך
thing *n.* דבר, חפץ; מעשה, עניין; נושא; יצור; רעיון; בגד
 do one's own thing ⋆לפעול לפי נטיותיו
 first thing מוקדם, לפני הכל
 for one thing ראשית כל
 has a thing for/about ⋆יש לו שיגעון ל־/נרתע מפני־
 it's a good thing טוב ש־, מזל ש־
 make a good thing of להפיק תועלת מן
 make a thing of לעשות "עניין" מ־
 near thing הינצלות בנס
 poor thing מיסכן, יצור אומלל
 see things לראות חזיונות־שווא
 take things as they are לקבל את הדברים כמות שהם
 taking one thing with another בהתחשב בכל הדברים
 the thing האופנה האחרונה
 the thing is הבעיה היא, העיקר הוא
 things בגדים; כלים, אביזרים; חפצים
thing′amabob′, -jig *n.* ⋆איך־קוראים־לו, ששמו פרח מזיכרוני
think *v.* לחשוב, להרהר, להגות; לסבור, להאמין; לזכור; להיזכר; לצפות
 can't think of לא יכול לזכור את
 can't think why/how- לא מבין/לא יודע מדוע/איך־
 come to think of it בהירהור שני, אמנם
 he can think on his feet הוא מהיר־מחשבה
 think about לחשוב על, להרהר ב־
 think aloud להרהר בקול רם
 think better of לראות בעין יפה, להחשיב יותר; לשנות דעתו, לשקול שוב
 think fit לחשוב לנכון
 think highly/much/well/a lot of להחשיב ביותר, להעריך
 think little/poorly of לזלזל ב־, להיות בעל דעה שלילית על־
 think nothing of לראות זאת כדבר קל/רגיל, להמעיט ערכו
 think nothing of it "על לא דבר"
 think of לחשוב על, לשקול; להעלות על הדעת; לזכור, להיזכר
 think oneself לחשוב עצמו ל־
 think out/through לשקול היטב, לחשוב בכובד־ראש; להחליט לאחר עיון בדבר
 think over לשקול שוב, להקדיש מחשבה
 think twice לחשוב פעמיים
 think up להמציא, לתכנן, לזום
 wouldn't think of לא יעלה על דעתו ל־
 I think not חושבני שלא
 I thought as much כך חשבתי
think *n.* מחשבה, הירהור
 he has another think coming הוא יצטרך להרהר שנית בכך
thinkable *adj.* מתקבל על הדעת
thinker *n.* הוגה דעות, מעמיק לחשוב
thinking *n.* חשיבה, מחשבה, דעה
 hard thinking מחשבה עמוקה
 put on one's thinking cap לחשוב בהתעמקות, לשקול בכובד־ראש

way of thinking דרך־מחשבה
thinking *adj.* חושב, הוגה
think tank צוות־חשיבה
thinner *n.* חומר מדלל (כטרפנטין)
thin-skinned *adj.* דק־קליפה; רגיש, פגיע
third *adj&n.* שלישי, ג'; שליש; טרצה
third degree הדרגה השלישית, חקירת־עינויים
third-degree burn כוויה חמורה, כוויה מדרגה ג'
thirdly *adv.* שלישית, ג'
third party צד שלישי, צד ג'
third person גוף שלישי, נסתר
third rail (בחשמלית) פס שלישי
third-rate *adj.* מסוג ג', דל־איכות
Third World העולם השלישי, גוש המדינות הבלתי מזדהות
thirst *n.* צמא, צימאון; ערגה, תשוקה
thirst *v.* לצמוא; להשתוקק
thirst'y *adj.* צמא; תאב; מצמיא
thir'teen' *adj&n.* שלוש עשרה
thirteenth *adj&n.* (החלק) השלושה עשר
thir'tieth *adj&n.* (החלק) השלושים
thir'ty *adj&n.* שלושים
the thirties שנות ה־30
this (dh-) *pron&adj&adv.* זה, זאת; כך, כה
like this כך, בדרך זו
talking about this and that משוחח על דא ועל הא
this day week היום בעוד שבוע
this late/far כה מאוחר/רחוק
this much כדי כך
this'tle (-səl) *n.* דרדר, קוץ
thistle-down *n.* מוך הדרדר
thith'er (-dhər) *n.* שמה, לשם
hither and thither הנה והנה
tho = though (dhō)
thole *n.* יתד־משוט, בית־משוט
tholepin *n.* יתד־משוט, בית־משוט
thong (thông) *n.* רצועת־עור, ערקה
tho'rax' *n.* חזה
thorn *n.* קוץ; דרדר
thorn in one's flesh כצנינים בעיניו, כעצם בגרון
thorny *adj.* קוצני, דוקרני; קשה, מטריד
thorough (thûr'ō) *adj.* מוחלט, גמור, מובהק; יסודי, קפדני
thorough search חיפוש יסודי
thoroughbred *n&adj.* (כלב) גיזעי; מתורבת, מחונך, מנומס
thoroughfare *n.* רחוב, כביש, מעבר
no thoroughfare אין כניסה
thorough-going *adj.* מוחלט, גמור; יסודי
thoroughly *adv.* ביסודיות; כליל
those (dhōz) *adj&pron.* ההם, אותם, אלו
thou (dh-) *pron.* אתה, את
though (dhō) *conj&adv.* למרות, חרף; בכל זאת, אף על פי כן
as though כאילו
even though אפילו, למרות
thought (thôt) *n.* מחשבה; הירהור; חשיבה; תשומת־לב; כוונה; רעיון; מעט, משהו
give some thought להקדיש מחשבה
has no thought of- אין בדעתו ל־
on second thought לאחר הירהור שני
take thought לדאוג ל־
thought = p of think
thoughtful *adj.* שקוע במחשבה, מהורהר; דואג, זהיר, מתחשב
thoughtless *adj.* חסר־מחשבה; לא מתחשב בזולת; לא זהיר; פזיז, נמהר; אנוכיי
thought-out *adj.* מחושב, נעשה במחשבה
thoughtreader *n.* קורא מחשבות
thou'sand (-z-) *adj&n.* אלף, 1000
one in a thousand אחד מני אלף
thousandfold *adj.* פי אלף, אלף מונים
thousandth *adj&n.* האלף; אלפית
thrall (-rôl) *n.* עבד, משועבד
thralldom *n.* עבדות, שיעבוד
thrash *v.* להכות, לחבוט, להצליף; להביס; להניע; לפרפר; להתחבט
thrash out לדון ביסודיות, להבהיר, להגיע ל (פיתרון) לאחר שקלא וטריא
thrash over להפוך ב (בעיה)
thrashing *n.* חבטה, הצלפה; תבוסה
thread (thred) *n.* חוט, משיחה, פתיל; חוט מקשר (בסיפור); תבריג, תיברוגת
his life hangs by a thread חייו תלויים לו מנגד
thread of light קרן אור
thread *v.* להשחיל (חוט/חרוזים); לתברג, לחרץ תיברוגת; לפספס
the river threads הנהר מתפתל
thread a film לשים סרט במטולנוע
thread one's way לפלס דרכו
threadbare *adj.* בלה, מרופט; נדוש,

חבוט; לבוש קרעים

threadlike *adj.* חוטי, ארוך, דק

threat (thret) *n.* איום, סכנה; אות מבשר רעות

threat′en (thret-) *v.* לאיים על, להשמיע איומים; לסכן; לבשר, להוות אות

three *adj&n.* שלוש, שלושה, 3

three sheets to the wind ★שתוי

three-cornered *adj.* משולש־פינות; של 3 מתמודדים

three-D תלת־ממדי

three-decker *n.* אונייה תלת־סיפונית; כריך תלת־רובדי

three-dimensional *adj.* תלת־ממדי

three-figure *adj.* תלת־סיפרתי

threefold *adj&adv.* פי שלושה

three-halfpence *n.* פני וחצי

three-lane *adj.* (כביש) תלת־נתיבי

three-legged race מירוץ תלת־רגלי (של 2 רצים הקשורים זה לזה ברגל)

threepence *n.* שלושה פנים

three-piece *adj.* של 3 חלקים

three-ply *adj.* תלת־רובדי; תלת־חוטי

three-quarter *adj&n.* של שלושה רבעים; מגן (בראגבי)

three-ring circus בילבול, המולה, שאון, באלאגאן

three R's קריאה, כתיבה, וחשבון

three′score′ *n.* שישים (20 כפול 3)

threesome *n.* שלישייה, 3 אנשים

three-storeyed *adj.* תלת־קומתי

three-wheeled *adj.* בעל 3 אופנים

thren′ody *n.* קינה, שיר־אבל

thresh *v.* לדוש, לחבוט שיבולים

thresh = thrash

thresher *n.* דייש; מכונת־דישה; כריש ארך־זנב

threshing floor גורן

threshing machine מכונת דישה

thresh′old (-ōld) *n.* סף, מיפתן; גבול, קצה

on the threshold of- על סף ה־

threw = pt of throw (thro͞o)

thrice *adv.* פי שלושה, שלושתיים

thrift *n.* חסכנות, קימוץ

thriftless *adj.* בזבזני, לא חסכני

thrifty *adj.* חסכני, מקמץ; משגשג, פורח

thrill *n.* רטט, התרגשות, חוויה עזה

thrill *v.* להרטיט, לרעוד, להתרגש; להזדעזע; להתחלחל; לזעזע

thriller *n.* מרטיט; סיפור/סרט מתח

thrive *v.* להצליח, ללבלב, לשגשג

throat *n.* גרון, גרגרת; צוואר

cut one's throat להתאבד; להיהרס

fly at/jump down his throat להתנפל עליו לפתע

force/ram/shove down his throat לכפות עליו (דעתו), לאלצו להסכים

lie in one's throat לשקר בגסות

stick in one's throat להיתקע בגרון

throat of a bottle צוואר־בקבוק

-throated *adj.* בעל גרון

white-throated לבן־גרון

throaty *adj.* גרוני, צרוד

throb *v.* לדפוק, לפעום, להלום

throb *n.* דפיקה, פעימה, הלמות, תיקתוק

throe (thrō) *n.* ייסורים, עווית־כאב

in the throes of נאבק עם, שקוע ב־

throes חבלי־לידה; ייסורי גסיסה

throm•bo′sis *n.* תרומבוזה, פקקת, תקריש

throne *n.* כיסא כבוד; כס מלכות

come to the throne להיות למלך

throng *n&v.* קהל, המון; להתקהל, להצטופף; למלא עד אפס מקום; לנהור

thros′tle (-səl) *n.* קיכלי, טרד

throt′tle *n&v.* משנק (במנוע); לחנוק, להחניק; לשנק, להשניק

throttle down להפחית המהירות

through (thro͞o) *prep.* דרך, בעד, מבעד; בתוך, ב־; בין; באמצעות, ע"י; עקב, בגלל; במשך

be through it לסיים זאת

go through- לעבור, להתנסות, לחוות; לעבור על, לבדוק

read through לקרוא (ספר) מתחילתו ועד סופו

travel through Europe לטייל ברחבי אירופה

Monday through Saturday מיום שני עד שבת (ועד בכלל)

through *adv.* מצד לצד, מא' עד ת'; עד לסיום; כליל, לחלוטין

all through כל הזמן

are you through? סיימת?

get through לסיים בהצלחה

go through with לבצע עד תום

let through להניח לעבור (בשער)

put through לקשר טלפונית

see it through לדאוג לכך עד הסוף

through and through לחלוטין, כליל

wet through רטוב עד לשד עצמותיו

I'm through with it סיימתי זאת; די לי בכך, עייפתי מזה
through *adj.* ישיר, ללא תחנות ביניים; גמור, סיים
through street רחוב בעל מעבר חופשי
through ticket כרטיס ישיר
through•out′ (throo-) *prep&adv.* בכל, ברחבי־; במשך, בכל תקופת־; כולו, בכל מקום, מא' עד ת'
throughput *n.* הספק־פלט (במחשב)
throughway *n.* כביש מהיר
throve = pt of thrive
throw (-ō) *v.* לזרוק, להטיל, להשליך; להפיל ארצה; לשזור; להמליט; לעצב (על האובניים); ★להביך, להדהים
threw himself at her head חיזר אחריה נמרצות
threw its skin (הנחש) השיל עורו
throw a blow להנחית מכה
throw a curve ★לשקר, להוליך שולל; להדהים
throw a fit להתפרץ בזעם
throw a game להפסיד מישחק במתכוון
throw a look לשלוח מבט
throw a party לערוך מסיבה
throw about להשליך מסביב, לפזר
throw away להשליך, לזרוק; לאבד, לבזבז; להחמיץ (הזדמנות)
throw back לגלות תכונות תורשתיות
throw back on לאלץ לחזור ל־
throw doubt upon להטיל ספק ב־
throw him out להשליכו החוצה; להסיח דעתו, להוציאו מריכוזו
throw in להוסיף חינם; לזרוק פנימה
throw in one's hand למשוך ידו
throw into confusion להביך, לבלבל
throw it in his face/teeth להטיח בפניו, להזכיר נשכחות
throw light on לשפוך אור על
throw off לפשוט במהירות; להיפטר מ־, להשתחרר מ־, לחבר/להלחין בקלות
throw on ללבוש במהירות
throw oneself at לחזר נמרצות אחרי; להטיל עצמו על, להסתער על
throw oneself at his feet להפיל עצמו לפני רגליו, לקבל מרותו
throw oneself down להשתטח מלוא קומתו
throw oneself into להירתם במרץ לעבודה, להטיל עצמו למערכה
throw oneself on להשליך יהבו על־, להפקיד עצמו בידי־
throw open לפתוח לקהל הרחב; לפתוח בתנופה
throw out לדחות; לזרוק; לפלוט, לומר דרך אגב; להוסיף (אגף/מיבנה)
throw over לנטוש, לסיים יחסים
throw punches להחליף מהלומות
throw together לחבר/להכין בחיפזון; להפגיש
throw up לוותר, להתפטר; להצמיח, להוציא מקרבו; לבנות בחיפזון; להקיא
throw up one's hands להרים ידיים, לוותר, להתייאש
throw *n.* זריקה, הטלה, השלכה; מרחק ההטלה; צעיף, רדיד; כיסוי
free throw (בכדורסל) זריקה חופשית
stone's throw הטלת־אבן, קרוב מאוד
throwaway *n.* עלון־פירסומת
throwaway *adj.* לשימוש חד־פעמי; (הערה) מובעת כלאחר יד
throw-back *n.* גילוי תכונה תורשתית
throw-in *n.* זריקת־חוץ (בכדורגל)
thru = through
thrum *v.* לפרוט (על גיטרה) בחדגוניות/ברשלנות; להקיש, לדפוק, לתופף
thrush *n.* קיכלי, טרד; פטרת הפה
thrust *v.* לדחוף; לדחוק; לתחוב, לנעוץ, לתקוע; להידחק
be thrust upon להיכפות על
thrust one's way לפלס דרכו בכוח
thrust oneself forward להידחק קדימה
thrust *n.* דחיפה; תחיבה, נעיצה; לחץ; מכה, מהלומה; התקפה; עקיצה
thruster *n.* מרפקן, נדחק קדימה
thru′way′ *n.* כביש מהיר
thud *n.* קול עמום, קול חבטה
thud *v.* להשמיע חבטה עמומה
thug *n.* בריון, אלם, פושע
thug′gery *n.* בריונות, אלימות
thumb (-m) *n.* אגודל, בוהן
all thumbs "בעל ידיים שמאליות"
rule of thumb כלל המבוסס על הניסיון
thumbs up! מצוין! נהדר! (קריאה)
turn thumbs down לדחות, לסרב
twiddle one's thumbs להתבטל
under his thumb תחת השפעתו המוחלטת, נתון למרותו
thumb *v.* לדפדף, להפוך דפים, ללכלך באגודל; לבקש/לקבל הסעה

thumb a ride ★לנסוע בטרמפ
thumb one's nose להביע בוז (בניפנוף אצבעות, כשהבוהן צמודה לאף)
thumbnail *n&adj.* ציפורן האגודל; קטן, זעיר; קצר
thumbnail sketch סקירה קצרה, סקיצה חטופה
thumbscrew *n.* מלחצי־בוהן (כלי־עינויים); בורג־כנפיים (שטוח־ראש)
thumbtack *n.* נעץ
thump *v.* להכות, להלום, לחבוט
thump along לפסוע בכבדות
thump *n.* מכה, מהלומה, חבטה
thump *adv.* בקול חבטה
thump′ing *adj.* ★מאוד, כביר, עצום
thun′der *n.* רעם; רעש; זעם
by thunder! חי נפשי!
steal his thunder להקדימו, לגנוב שיטותיו, לסכל תוכניתו להרשים
thunder of applause רעם מחיאות־כפיים
why, in thunder- למה, לעזאזל-
thunder *v.* לרעום; להרעים בקולו
thunder at לצאת בשצף־קצף נגד
thunderbolt *n.* חזיז, ברק; רעם ביום בהיר; אסון פיתאומי, מיקרה מזעזע
thunderclap *n.* נפץ־רעם; מהלומה
thundercloud *n.* ענן־רעם, ענן־ברק
Thunderer *n.* יופיטר (אליל)
thundering *adj.* מאוד, כביר, עצום
thun′derous *adj.* רועם, מרעים, מרעיש
thunderstorm *n.* סופת־רעמים
thunderstruck *adj.* הלום־רעם; המום
thundery *adj.* מלווה רעמים, מבשר רעם
thu′rible *n.* מַחתה, מַקטר
Thurs′day (-z-) *n.* יום חמישי
Thursdays בימי חמישי
thus (dh-) *adv.* כך, ככה, באופן זה; לכן, לפיכך
thus and so כך וכך, בדרך זו
thus far עד כה
thwack *v&n.* לחבוט; חבטה
thwart (thwôrt) *v&n.* לסכל, להניא, להכשיל, למנוע הביצוע; ספסל־משוטאי
thy (dhī) *adj.* שלך
thyme (t-) *n.* קורנית (צמח)
thy′roid gland בלוטת־התריס
thy•self′ (dh-) *pron.* אתה בעצמך
ti (tē) *n.* סי (צליל)
tiar′a *n.* כתר, נזר, עטרה, טיארה
Tibet′an *adj&n.* טיבטי; טיבטית (שפה)
tib′ia *n.* שוקה, עצם השוק הפנימית
tic *n.* טיק, התכווצות־שרירים (בפנים)
tick *n.* טיקטוק, תיקתוק; סימן־בדיקה, סימן־אימות (V), ★רגע
tick *v.* לטקטק, לתקתק; לסמן, לאמת
tick away לטקטק בלי הרף
tick off לסמן, לאמת; ★לנזוף; להרגיז
tick over לפעול בהילוך סרק, להמשיך בקצב איטי
what makes him tick מה מריץ אותו
tick *n.* קרצית; "עלוקה"; אריג־כיסוי; ציפה; אשראי, הקפה
tick′er *n.* טיקר (רושם (חדשות) על סרט־נייר); ★לב, שעון
ticker-tape סרט־נייר; פיסות־נייר
tick′et *n.* כרטיס; תווית; פתק; תעודה; דו"ח־תנועה; רשימת־מועמדים
got the ticket ★סולק מהצבא
just the ticket הדבר הנכון/הנחוץ
split ticket רשימה מפוצלת (של מועמדים מכמה מפלגות)
straight ticket רשימת מועמדי המיפלגה
ticket *v.* לשים פתק על; לייעד
ticket collector כרטיסן
ticket of leave שיחרור מוגבל
tick′ing *n.* אריג־ציפות (לכלי־מיטה)
ticking off ★נזיפה
tick′le *n&v.* לדגדג, לעקצץ; לגרות; לחוש גירוי; לשעשע, להצחיק; דיגדוג
tickle him pink/to death לשעשעו עד מאוד, להצחיקו
tick′ler *n.* בעיה קשה, מצב מיוחד
ticklish *adj.* רגיש לדיגדוג, נוח לצחוק; עדין, דורש טאקט/זהירות
tick′tock′ *n.* תיקתוק, טיק־טאק
tick-tack-toe *n.* טיקטאקטו (מישחק לשניים בסימון איקסים ואפסים)
ti′dal *adj.* של גיאות ושפל
tidal wave גל הרסני, נחשול מסוכן; גל גואה (של התלהבות/מחאה)
tid′bit′ *n.* מנה יפה; ידיעה, רכילות
tid′dler *n.* ★דגיג; תינוק, פעוט
tid′dly *adj.* ★קטן, זעיר; בגילופין
tiddlywinks *n.* מישחק־דיסקיות (שבו מקפיצים אסימונים לתוך גביע)
tide *n.* גיאות ושפל, מועדי הים; זרם; נטייה, מגמה
go with the tide ללכת בתלם
high/low tide גיאות/שפל

rising tide גל גואה
swim against the tide לשחות נגד הזרם
turn of the tide מיפנה, תפנית
turn the tide לחולל מיפנה
tide *v.* לזרום, לגאות
tide over להתגבר; לסייע להיחלץ, לעזור בתקופה קשה
tidemark *n.* קו־גיאות; ⋆כתם ליכלוך
tidewater *n.* מי־גיאות, מי־שיטפון; איזור חופי נמוך
tideway *n.* תעלת מי־גיאות
tidily *adv.* באופן מסודר/נקי
ti'dings *n-pl.* חדשות, בשורות
ti'dy *adj.* נקי, מסודר; הגון, נכבד, גדול
tidy *v.* לנקות, לסדר
tidy up לנקות, לסדר
tidy *n.* ציפית; כלי לפסולת, תיבה
tie (tī) *n.* עניבה, חבל, שרוך; מוט־חיבור; אדן; קשר; דבר כובל; תיקו; שיוויון; קשת (מעל תווים)
ties of friendship קשרי ידידות
tie *v.* לקשור, לחבר, להדק; להיקשר; לעשות לולאה; לסיים בתיקו; להשתוות; לחבר (תווים) בקשת
fit to be tied ⋆מאוד; זועם
tie down לכבול; לקשור, להגביל חופש
tie his hands לכבול ידיו
tie in לחבר, לקשר; להשתלב
tie into להתנפל על, להתקיף
tie on לקשור בשרוך
tie the knot ⋆להתחתן
tie up לקשור, לקשר; לעכב (תנועה); להגביל; להשקיע בחשבון סגור
tie up a deal לסיים/לסכם עיסקה
tied up קשור, כבול, טרוד, עסוק
tiebreak *n.* (בטניס) שובר תיקו, חבטות הכרעה
tied *adj.* כבול, קשור, מוגבל בתנאים
tie-in *n.* קשר, הקשר; חפץ־לוואי; מכירה צמודה
tie-on *adj.* קשור, מהודק בשרוך
tiepin *n.* סיכת עניבה
tier (tēr) *n.* שורה, נידבך, מדרגה
tie-up *n.* קיפאון, שיתוק; ⋆קשר, הקשר
tiff *n.* מריבה קלה, ריב קל
ti'ger (-g-) *n.* נמר, טיגריס
paper tiger נמר של נייר
ride the tiger ⋆לנהל אורח־חיים מסוכן
tigerish *adj.* נמרי, עז כנמר, אכזרי
tiger lily שושן מנומר (פרח)
tight *adj.* הדוק, מהודק; מתוח; צמוד; לוחץ; צר; דחוס, דחוק; אטים; חסר, מצומצם, קשה להשיג; ⋆שתוי
jobs are tight קשה להשיג עבודה
tight boat סירה אטימת־מים
tight control פיקוח חמור
tight corner/spot מצב ביש
tight feeling הרגשת מועקה
tight market שוק דחוק
tight race מירוץ צמוד
tight rope חבל מתוח
tight schedule לוח־זמנים עמוס
tight squeeze דחוק, צפוף
tight *adv.* במהודק, בחוזקה, היטב
sit tight לשבת איתן במושבו; לדבוק בעמדתו; להימנע מפעולה
sleep tight לישון שינה עמוקה
tighten *v.* להדק; להיהדק; למתוח, לחזק
tighten the belt להדק החגורה
tighten up להדק; להחמיר
tight-fisted *adj.* קמצן, קמוץ־יד
tight-laced *adj.* קפדני, פוריטאני, מוסרי
tight-lipped *adj.* חתום־פה, שתקני
tight-rope *n.* חבל מתוח (של לוליין)
tight-rope walker לוליין, מהלך על גבי חבל
tights *n-pl.* מיכנסי־גוף, מיכנסי־באלט, מיכנסי־לוליין; גמישונים
tight'wad' (-wod) *n.* ⋆קמצן
ti'gress *n.* נמרה, נקבת־הטיגריס
Ti'gris *n.* חידקל (נהר)
tike = tyke *n.* ילדון, זאטוט
til'de (-də) *n.* טילדה, סימן מעל ל־n, זרקא
tile *n.* רעף; אריח, מרצפת; טבלת־מישחק
has a tile loose ⋆מופרע, לא־שפוי
on the tiles ⋆מתהולל
tile *v.* לרעף; לכסות ברעפים/באריחים
ti'ler *adj.* רעפן, רַצף
till *prep&conj.* עד, עד ל־, עד ש־
till *v.* לעבד אדמה, לחרוש
till *n.* מגירת־קופה, מגירת־כסף
rob the till למעול, לשלוח יד
til'lage *n.* עיבוד אדמה; אדמה חרושה
til'ler *n.* עובד אדמה, איכר; ידית־הסנפיר, ידית־ההגה (בסירה)
tilt *v.* להטות; להרכין; להרים קצה אחד; לנטות; לשפע; להשתפע
tilt at לתקוף, להתנפל על; (בעבר) להסתער בחנית נטויה
tilt at windmills להילחם בטחנות־רוח

tilt *n.* שיפוע, ליכסון, הטיה; נטייה; הסתערות, התקפה
full tilt במהירות רבה, בעוצמה
tilth *n.* ניר, אדמה חרושה
tilt-yard *n.* שדה מלחמת־חניתות
tim'bal *n.* תונפן, תוף הכיור
tim'ber *n.* עצים, עצה, עצי־בנייה, עצי־נגרות; קורה; תכונות, סגולות
tim'ber'! זהירות! עץ כרות נופל!
timbered *adj.* עשוי עץ; מכוסה עצים
timber line קו העצים (שמעבר לו העצים אינם גדלים)
tim'bre (-bər) *n.* טמבר, גון הקול, נעימה
tim'brel *n.* טנבורית, תוף מרים
time *n.* זמן, עת, תקופה, שעה; פעם; קצב, מיפעם, מישקל
against time נגד השעון, מהר
ahead of one's time מתקדם בדעותיו, מקדים את תקופתו, נאור, חלוץ
ahead of time מוקדם, בטרם עת
all the time כל הזמן
at one time פעם, בעבר
at the same time בו־זמנית, בעת ובעונה אחת; יחד עם זאת, ברם
at the time אז, באותה שעה
at times לפעמים
beat time להקיש בקצב
behind the times מיושן־דעות
behind time מפגר, מאחר
bide one's time לחכות להזדמנות
big time ★שעה נפלאה, בילוי מהנה
do time לשבת בכלא
easy time חיים קלים/נוחים
every time I turn around ★כל רגע
for a time לזמן־מה
for the time being לפי שעה
from time to time מפעם לפעם
gain time להרוויח זמן
get double time לקבל שכר כפול
had the time of his life נהנה עד מאוד
have a time לעבור שעה קשה
have a (good) time לעשות חיים
his time is drawing near יומו קרוב
in good time בשעה הנכונה, בתוך זמן סביר, מהר, מוקדם
in no time כהרף עין, מהר
in time בבוא היום, במרוצת הזמן; בזמן, לא באיחור; בקצב הנכון
it's time הגיעה השעה ש־
keep time (בצעדה) לשמור על הקצב; (לגבי שעון) לדייק
kill time להרוג את הזמן
last time בפעם האחרונה
live on borrowed time לחיות יותר מהצפוי
make good time להתקדם במהירות
many a time תכופות, לא אחת
march with the times לצעוד עם הזמן
near her time עומדת ללדת
on time במועד, בשעה המדוייקת
one at a time אחד אחד
out of time לא בקצב
pass one's time להעביר זמנו
pass the time of day לנהל שיחה קלה
play for time לשחק על הזמן, לדחות הכרעה לשעת־כושר
pressed for time דחוק בזמן
serve time לשבת בבית־סוהר
take one's time לא למהר
time after time שוב ושוב
time and a half תשלום של פעם וחצי (לשעות נוספות)
time and again שוב ושוב
time is up תם הזמן
time out of mind לפני זמן רב
times ימים, זמנים; פעמים; כפול
took time לקח זמן, ארך זמן
two at a time שניים שניים, בזוגות
waltz time קצב הוואלס (3 רבעים)
what is the time? מה השעה?
work part time לעבוד עבודה חלקית
2 times 4 = 8 שתי פעמים ארבע שווה לשמונה
3 times larger גדול פי שלושה
time *v.* לעתת, לקבוע העיתוי; לתזמן/לרשום הזמן; לכוון (זמן/קצב)
well timed בעיתוי נכון
time bomb פצצת־זמן
time card כרטיס נוכחות (לעובד)
time clock שעון נוכחות (לעובד)
time-expired *adj.* (חייל) שסיים שירותו
time exposure (בצילום) חשיפה ריגעית (לאור); תמונה (מחשיפה כזו)
time fuse מרעום זמן, שעון־השהייה
time-honored *adj.* מכובד מדור־דור, עתיק־יומין
timekeeper *n.* שופט־זמן (בתחרות); רשם־נוכחות (של עובדים); שעון
time lag הפרש זמן
timeless *adj.* ניצחי
time limit הגבלת־זמן; מועד סופי
timeliness *n.* עיתוי נכון, דייקנות

timely *adj.* בעיתו, בשעה הנכונה
time out *n.* פסק־זמן
timepiece *n.* שעון
ti'mer *n.* שעון, שעון־עצר
timesaving *adj.* חוסך זמן
timeserver *n.* סתגלן, אופורטוניסט, מתיישר לפי הקו של השליטים
time-sharing *n.* טיפול בו־זמני של כמה תוכניות (במחשב)
time sheet גיליון נוכחות (לעובד)
time signal אות הזמן (ברדיו)
time signature ציון הקצב (בחמשה)
time switch מתג זמן (אוטומאטי)
timetable *n.* לוח זמנים; מערכת שעות
timetable *v.* לערוך לפי לוח זמנים
time-work *n.* עבודה (משולמת) לפי זמן
timeworn *adj.* בלה, אכול־שנים
time zone איזור שעה (רצועה ברוחב 15 מעלות בין קווי־האורך)
tim'id *adj.* ביישן, פחדן, רך־לבב
timid'ity *n.* ביישנות, פחדנות
timing *n.* עיתוי, תיזמון; תיאום קצב
tim'orous *adj.* פחדן, חסר־אומץ
tim'othy *n.* איטן (צמח־בר)
tim'pani *n.* מערכת תונפנים (תופים)
tim'panist *n.* תונפנאי
tin *n.* בדיל; פח; פחית; קופסה; ⋆כסף
little tin god ⋆מתנפח, מחשיב עצמו; זוכה בכבוד/בהערצה ללא הצדקה
tin *v.* לשמר בפחיות, לצפות בבדיל
tinc'ture *n.* טינקטורה, תמיסת־כהל, תשרית; גוון, שמץ, קורטוב
tincture *v.* לצבוע, לגוון; לתבל
tin'der *n.* חומר דליק/מתלקח
tinderbox *n.* קופסת־הצתה; מצב מסוכן, "חבית חומר־נפץ"
tine *n.* שן, חוד, זיז
tin'foil' *n.* נייר כסף, נייר אלומיניום
ting *v&n.* (לצלצל) צילצול רם
ting'aling' *n.* צילצול פעמון
tinge *v&n.* לצבוע, לגוון, לתבל, להוסיף נופך; גוון; סימן, רמז, שמץ
tin'gle *v.* לחוש דקירות קלות; לרטוט
tingle *n.* תחושת דקירות קלות
tin hat ⋆קסדה, קובע
tin'ker *n.* פחח, מתקן כלים; תיקון שלומיאלי; ⋆שובב; בטלן
not worth a tinker's damn לא שווה כלום
tinker *v.* לתקן כלי־בית; לטפל באופן חובבני; להתבטל, להתמזמז
tin'kle *v.* לצלצל, להקיש, לקשקש
tinkle *n.* צילצול, נקישות, קישקוש
tin'ny *adj.* של בדיל, מכיל בדיל; (צליל) מתכתי; ⋆זול, חסר־ערך
tin opener פותחן־קופסאות
tin pan alley מלחיני המוסיקה העממית ונגניה; תעשיית המוסיקה העממית
tin plate ריקועי מתכת מצופים פח
tin'sel *n.* פיסות מתכת נוצצות; נצנצים; קישוט צעקני; ברק מזויף
tinsel *v.* לקשט בנצנצים
tinsmith *n.* פחח, חרש־פחים
tint *n&v.* צבע, גוון קל; לגוון; להוסיף צבע; לצבוע (שיער)
tin-tack *n.* נעץ־בדיל
tin'tinnab'u•la'tion *n.* צילצול
ti'ny *adj.* זעיר, קטנטן
tip *n&v.* קצה, חוד, עוקץ, בדל; פייה; להוסיף קצה/חוד ל־
on the tip of one's tongue על קצה לשונו
tip *v.* להטות; לנטות; לשפע; להפוך; להפיל; לשפוך; להשליך (פסולת)
tip one's hat להרים הכובע (בברכה)
tip over ליפול; להפיל; להפוך
tip the scales/balance להטות את הכף
tip up להטות, להרים הקצה; לנטות
tip *n.* שיפוע; מיזבלה
tip *n.* דמי־שתייה, טיפ, תשר; עצה, הצעת מומחה; רמז
straight tip מידע ממקור מהימן
tip *v.* להעניק תשר; לתת עצה/רמז
tip off להזהיר, לספק מידע; לרמוז
tip the wink להזהיר, לתת מידע
tip *v&n.* לחבוט קלות; חבטה קלה
tip-and-run (שוד של) פגע וברח
tip-off *n.* רמז, אזהרה, מידע
tip'pet *n.* סודר, צעיף, רדיד
tip'ple *v&n.* לשתות, לחבב הטיפה המרה, להשתכר; משקה חריף
tippler *n.* שתיין
tip'staff' *n.* שמש בית־המישפט
tip'ster *n.* מספק מידע (למהמרים)
tip'sy *adj.* שתוי, מבוסם
tip'toe' (-tō) *v&n.* להלך על קצות הבהונות
on tiptoe על קצות הבהונות; נרגש
tip-top *adj&adv.* ⋆מעולה, מצוין, נפלא
tip-up seat *n.* כיסא מתקפל, כיסא בעל מושב מזדקף (כבתיאטרון)
ti•rade' *n.* תוכחה, נאום־ביקורת חריף, טיראדה, נאום חוצב להבות־אש

tire *v.* לעייף; להתעייף; לשעמם
tire out להלאות, לעייף
tire = tyre *n.* צמיג
tired *adj.* עייף, לאה, יגע
tired of עייף מ־, נמאס לו מ־
tired out עייף מאוד, אזל כוחו
tireless *adj.* לא יודע ליאות, מתמיד
tiresome *adj.* מעייף, מרגיז, משעמם
ti'ring room חדר־הלבשה (בתיאטרון)
ti'ro *n.* טירון, מתחיל
tis'sue (tish'oo) *n.* ריקמה; ממחטת נייר, נייר משי; אריג; מירקם, מסכת, סידרה
tissue of lies מסכת שקרים
tissue paper נייר דק, נייר עטיפה
tit *n.* ירגזי (ציפור־שיר); ★שד, פיטמה, "ציצי"; טיפש
get on one's tits ★להרגיזו
tit for tat עין תחת עין, תגמול
ti'tan *n.* טיטאן, ענק
ti·tan'ic *adj.* ענק, כביר, עצום, טיטאני
ti·ta'nium *n.* טיטאניום (יסוד כימי)
tit'bit' *n.* מנה יפה; ידיעה מעניינת
tit'fer *n.* ★כובע
tithe (tīdh) *n.* מעשר, עשירית
tit'illate' *v.* לדגדג, לגרות
tit'illa'tion *n.* דיגדוג, גירוי
tit'ivate' *v.* לקשט, לפרכס; להתגנדר
ti'tle *n.* תואר, כינוי־כבוד; שם, כותרת; זכות, בעלות, חזקה; אליפות
a title to- זכות־בעלות על־
title fight קרב אליפות
titled *adj.* בעל תואר (אצולה)
title deed שטר קניין
titleholder *n.* מחזיק התואר, אלוף
title page שער (הספר), עמוד השער
title role תפקיד השם (במחזה, כגון הדמות המגלמת את האמלט)
tit'mouse' *n.* ירגזי (ציפור־שיר)
tit'ter *v&n.* לצחקק, לגחך; ציחקוק, צחוק כבוש
tit'tle *n.* חלקיק, כמות זעומה
tittle-tattle *n&v.* רכילות, פיטפוט, קישקוש; לרכל, לפטפט
tit'ty *n.* ★שד, פיטמה, "ציצי"
tit'ular (tich'-) *adj.* תוארי, נומינאלי, של שם, חסר־סמכות; בעל תואר
titular character שחקן ראשי (הדמות המגלמת את תפקיד השם, כגון האמלט)
tiz'zy *n.* ★התרגשות, מתח, מבוכה
T-junction *n.* צומת־טי, הצטלבות־טי
TNT *n.* ט.נ.ט., חומר־נפץ

to (too, to͞o, tə) *prep.* אל־, ל־, לעבר־; עד ל־; לעומת, בהשוואה ל־; יחד עם; לכל; כדי
as to אשר ל־, בנוגע ל־
dance to music לרקוד לצלילי המוסיקה
slow to anger קשה לכעוס
to a man עד אחד, הכל
to and fro הנה והנה, אילך ואילך
to me לדידי, לגביי
to-ing and fro-ing התרוצצות
2 to 1 1:2 (בתחרות)
to (to͞o) *adv.* למצב קודם, למצב סגור
come to לשוב להכרה, להתאושש
slam the door to לטרוק הדלת
toad *n.* קרפדה; שפל, נבזה
toadstool *n.* סוג של פיטרייה
toad'y *n&v.* חנפן, מתרפס; להתרפס
toast *n.* לחם קלוי, טוסט; הרמת כוס, שתיית לחיים; חתן־המסיבה
toast *v.* לקלות (פת); לצנום; לחמם; להרים כוס, לשתות לחיים
toaster *n.* מצנם, מקלה, טוסטר
toasting fork מזלג־קלייה (ארוך)
toast-master *n.* מנחה־המסיבה
tobac'co *n.* טבק, עלי טבק
tobac'conist *n.* טבקאי, מוכר טבק
tobog'gan *n&v.* מיזחלת־שלג, שלגית; לגלוש (בשלגית), להחליק; לרדת
to'by *n.* ספל־שתייה (בדמות איש שמן)
tocca'ta (-kä'-) *n.* טוקאטה
toc'sin *n.* פעמון אזעקה; אות אזעקה
tod *n.* טוד (12.7 ק"ג)
on one's tod ★לבד, לבדו
today' *adv&n.* היום; בזמן הזה
tod'dle *v.* להתנודד, ללכת בחוסר יציבות, להתקדם בצעדים קצרים
toddle off/over ★ללכת
toddler *n.* תינוק (הלומד ללכת)
tod'dy *n.* טודי (מזג של ויסקי ומים חמים); משקה־תמרים
to-do (tədo͞o') *n.* המולה, התרגשות
toe (tō) *n.* בוהן, אצבע־הרגל; חרטום־הנעל; קצה־הגרב
from top to toe מכף רגל ועד ראש
on one's toes ער, ערוך לפעולה
tread on his toes לדרוך על יבלותיו, לפגוע ברגשותיו
toe *v.* לנגוע בבהונות הרגל
toe the line/mark לרכון בקו־הזינוק; לציית להוראות; ללכת בתלם
toe-cap *n.* חרטום־הנעל

toe-hold *n.* מאחז לרגל (למטפסים)
toe-nail *n.* ציפורן הבוהן
tof′fee, tof′fy *n.* טופי, סוכרייה
tog *v&n.* ללבוש; להלביש
togs בגדים★
to′ga *n.* טוגה, גלימה
togeth′er (-gedh-) *adv.* יחד, ביחד; בעת ובעונה אחת, בו־זמנית; בלי הרף, ברציפות
bring together להפגיש
come together להיפגש; להתרחש בעת ובעונה אחת
get together להיוועד, לשתף פעולה
live together לחיות כבעל ואישה
near together קרובים זה לזה
put heads together להיוועץ זה בזה, לשבת על המדוכה
put together יחד; להרכיב
together with ביחד עם; וכן
7 days together 7 ימים רצופים
togetherness *n.* אחווה, אחדות; "יחד"
tog′gle *n.* כפתור־עץ, כפתור מוארך
toil *n.* עמל, עבודה מפרכת; רשת
toils רשת, מלכודת
toil *v.* לעמול, להתייגע, לטרוח הרבה; להתנהל בכבדות, לנוע בליאות
toi′let *n.* רחצה, התלבשות, התייפות; סידור־שיער, הופעה; שירותים; אסלה
make one's toilet להתרחץ ולהתמרק
toilet paper נייר טואלט
toilet powder פודרה, אבקת־תמרוקים
toilet roll גליל נייר־טואלט
toi′letry *n.* אביזר־תמרוקים
toilet table שולחן־טואלט
toilet train ללמד (פעוט) לעשות צרכיו באסלה
toilet water מי־קולון
toilsome *adj.* מעייף, מייגע
To•kay′ *n.* טוקאי (יין)
to′ken *n&adj.* אות, סימן; מזכרת, עדות; אסימון; תו־קנייה, תלוש; סימלי
by the same token באורח דומה
in token of לאות־, להוכחת־
token fee תשלום סימלי
token money אסימון (עובר לסוחר)
token payment תשלום קטן (ע"ח החוב)
token strike שביתת־אזהרה (קצרה)
token vote הקצבה סימלית
told = p of tell (tōld)
tol′erable *adj.* נסבל, טוב למדיי
tolerably *adv.* די, בשיעור מסוים

tol′erance *n.* סובלנות; סבולת, תיסבולת; כוח־סבל
tol′erant *adj.* סובלני
tol′erate′ *v.* לסבול, לשאת; להתיר, להרשות, לאפשר
tol′era′tion *n.* סובלנות
toll (tōl) *n.* מס, מס־דרכים, מס־עגינה; מחיר; קציר־דמים; צילצול
took a heavy toll of lives תבע קרבנות־אדם רבים
toll *v.* לצלצל; להודיע (בצילצול)
toll bar מחסום־מס (כנ"ל)
toll call שיחה בין־עירונית
toll-gate *n.* שער־מס (כנ"ל)
toll-house *n.* בית גובה־המס, דרכייה
tom *n.* זכר, חתול זכר
Tom, Dick, and Harry מישהו, פלוני אלמוני
tom′ahawk′ *n.* טומאהוק, גרזן קל
toma′to *n.* עגבנייה
tomb (to͞om) *n.* קבר
tom•bo′la *n.* טובמולה (מישחק הגרלה)
tom′boy′ *n.* נערה נמרצת, שובבנית, מעדיפה מישחקי־נערים
tom′boy′ish *adj.* שובבה, נמרצת
tombstone *n.* מצבה
tom′cat′ *n.* חתול (זכר)
tome *n.* כרך עבה, ספר כבד
tom′fool′ (-fo͞ol′) *n&adj.* טיפש; אווילי
tom′foo′lery *n.* טיפשות, שטות
Tom′my gun טומיגאן, תת־מקלע
tom′my-rot′ *n.* שטויות, הבלים
tomor′row (-ō) *adv&n.* מחר; העתיד
tomorrow's world עולם המחר
tom′tit′ *n.* ירגזי (ציפור־שיר)
tom′tom′ *n.* טאם־טאם, תוף אפריקאי
ton (tun) *n.* טונה; 100 מיל בשעה
long ton טונה אנגלית (כ־1016 ק"ג)
metric ton טונה מטרית (1000 ק"ג)
short ton טונה אמריקאית (כ־907 ק"ג)
tons of המון, כמות עצומה★
to′nal *adj.* צלילי, טוני, טונאלי
to•nal′ity *n.* צליליות, טונאליות
tone *n.* טון, צליל; נימה; אווירה, רוח; אופי, ציביון; גוון; תיפקוד תקין (של הגוף); גמישות
tone of voice טון־דיבור, נימה
tone *v.* לשוות צליל/גוון מיוחד ל־
tone down לרכך; להנמיך הטון; להחליש; לעדן, למתן
tone in with להתאים, להשתלב עם

tone up להגביר, לחזק, להמריץ
-toned *adj.* בעל צליל־
tone-deaf *adj.* חירש לצלילים
toneless *adj.* חסר־גוון, חסר־רוח, יבש
tone poem פואימה סימפונית
tong *v.* לאחוז במלקחיים
tongs *n-pl.* מלקחיים
tongue (tung) *n.* לשון; שפה
bite one's tongue off להצטער על דבריו
couldn't find his tongue נאלם
give tongue להרים קול
has a ready tongue מהיר־תשובה
hold one's tongue לשתוק, להחריש
keep a civil tongue לדבר בנימוס
lost his tongue דבקה לשונו לחיכו
mother tongue שפת־אם, לשון־אם
set tongues wagging הפך לשיחת היום
the cat got his tongue שתק
tongue in cheek לא רציני, אירוני
tongue of flame לשון־אש
tongue of land לשון־יבשה
tongued *adj.* בעל לשון
fork-tongued ממולזג־לשון
tongue lashing הצלפת־לשון, נזיפה
tongue-tied *adj.* נטול־דיבור, שתקן
tongue twister מלה קשת־ביטוי, ביטוי קשה־הגייה, "שובר שיניים"
ton′ic *n&adj.* טוניק, אתן, סם חיזוק; טוניקה; יסד, טון יסודי; מחזק, מרענן
tonic sol-fa טוניק סול־פה (שיטה בלימוד זימרה)
tonic water מי־כינין (שמוסיפים למשקה חריף)
tonight′ *adv&n.* הלילה, בלילה זה
ton′nage (tun-) *n.* טונאז', תפוסת־ספינה; דמי־הובלה; טונאז' כולל
ton′sil (-səl) *n.* שקד (בלוטה)
ton′silli′tis *n.* דלקת־שקדים
ton•so′rial *adj.* של סַפָּר, של תיספורת
ton′sure (-shər) *n&v.* גילוח הראש (לנזיר); גלחת (בראש); לגלח הקרקפת
ton′tine (-tēn) *n.* טונטינה (חברי קרן שהאחרון שבהם הנותר בחיים זוכה בה)
ton-up *adj.* נוהג במהירות גבוהה
too *adv.* יותר מדיי; ביותר; גם כן, כמו כן; גם, אף
all too soon מהר מדיי
had one too many לגם כוסית יתירה
not too sorry לא מצטער ביותר
only too- מאוד, בהחלט, ביותר
too much/too many יותר מדיי
I'll come, too גם אני אבוא
took = pt of take
tool (to͞ol) *n&v.* מכשיר, כלי; כלי־עבודה; אמצעי; כלי־שרת; לעצב; לקשט, לעטר
down tools לשבות, להפסיק לעבוד
tool along לנסוע; לנהוג
tool up לצייד (מיפעל) בכלים
toot (to͞ot) *n&v.* צפירה; שריקה; לצפור
tooth (to͞oth) *n.* שן; חוד, זיז
armed to the teeth חמוש מכף רגל ועד ראש
by the skin of one's teeth (להימלט) בעור שיניו, (להיחלץ) בנס
cast it in his teeth לגעור בו
fight tooth and nail להילחם בציפורניו
in the teeth of למרות, חרף
lie in one's teeth לשקר בגסות
long in the tooth זקן, ישיש
pull his teeth לעקור שיניו, ליטול עוקצו, להותירו חסר־אונים
set his teeth on edge לעצבנו
show one's teeth לחשוף שיניו, לאיים
sink one's teeth into לשקוע ראשו ורובו ב־, לתת כל מעייניו ב־
sweet tooth לקקנות
teeth שיניים, כוח אפקטיבי
toothache *n.* כאב־שיניים
toothbrush *n.* מיברשת־שיניים
tooth-comb *n.* מסרק צפוף־שיניים
toothed *adj.* בעל שיניים, משונן
toothless *adj.* חסר־שיניים
toothpaste *n.* מישחת־שיניים
toothpick *n.* קיסם־שיניים, מחצצה
toothpowder *n.* אבקת שיניים
toothsome *adj.* טעים, ערב
toothy *adj.* (חיוך) חושף שיניים
too′tle *v&n.* לצפור (ממושכות); ללכת בנחת, לנהוג באיטיות; צפירה*
toots, toot′sy *n.* מותק, חביב*
top *n.* ראש; שיא, פיסגה; חלק עליון, צמרת; מיכסה; סביבון
at the top of בראש ה־
at the top of voice ברום קולו
blow one's top להתפרץ בזעם*
come to the top לזכות בשם, לקצור הצלחה, להגיע לפיסגה; לעלות לכותרות
from top to bottom מא' ועד ת'
from top to toe מכף רגל ועד ראש
get back into top gear לחזור למיטבו

go over the top לפעול במהירות
in top (gear) בהילוך הגבוה ביותר
off the top of one's head ללא מחשבה תחילה, ללא הכנה מראש
on top למעלה; ידו על העליונה
on top of מעל ל', על־גבי; בראש
on top of that נוסף על כך
on top of the world ברקיע השביעי
over the top מעבר ליעד
sleep like a top לישון כמו אבן
to the top of one's bent עד לקצה גבול יכולתו; כאוות־נפשו המלאה
top of the table ראש השולחן (מקום־כבוד); לוח השולחן
top of the tree שיא הקריירה
top *v.* להגיע לפיסגה; לשמש חלק עליון ל־; לעלות על, להיות טוב מ־ לקטום העלים העליונים
to top it all ומעל כל זאת
top $1000 לעבור את ה־1000$
top off להשלים, לסיים, לגמור
top out לחגוג סיום, לחנוך
top the bill לשחק בתפקיד הראשי
top up למלא (כוסית/כלי), להוסיף
topped by/with בראשו, עליו
top *adj.* ראשי, עליון, ראשון, מירבי
top dog ⋆מנצח, ידו על העליונה
top people אנשי הצמרת
top speed מהירות מירבית
to'paz' *n.* פיטדה, טופאז
top boot נעל גבוהה, נעל רכיבה
top brass ⋆קצונה גבוהה
topcoat *n.* מעיל עליון; ציפוי עליון
top drawer ⋆ (מן) המעמד העליון
top-dress *v.* לזבל, לפזר דשן; לרצף
top-dressing *n.* זיבול; ריצוף
tope *v.* לשתות לשוכרה
to'pee', to'pi *n.* כובע־שמש
top-flight *adj.* מהשורה הראשונה, מצוין
top-gallant *n.* תורן רם, מיפרש רם
top hat מיגבע, צילינדר
top-heavy *adj.* כבד למעלה, עלול ליפול
to'piar'y (-pieri) *n.* גננות־נוי, גיזום צורות
top'ic *n.* נושא, נושא לשיחה
top'ical *adj.* מקומי; מענייני דיומא, מבעיות השעה, אקטואלי
top'ical'ity *n.* נושא אקטואלי
topknot *n.* ציצת־קודקוד, בלורית
topless *adj.* חשופת־שדיים, ללא חזייה
topmast *n.* תורן עילי
topmost *adj.* גבוה ביותר, עליון
top-notch *adj.* ⋆מצוין, מעולה
top'ograph'ical *adj.* טופוגרפי
topog'raphy *n.* טופוגרפיה, תורת פני הקרקע
top'per *n.* ⋆מיגבע, צילינדר
top'ping *n.* ציפוי עליון, קישוט
topping *adj.* ⋆מצוין, משובח
top'ple *v.* ליפול, להתמוטט; להפיל
topple over להתמוטט, לקרוס
top-ranking *adj.* מהשורה הראשונה
tops *adj.* ⋆הטוב ביותר
topsail *n.* מיפרש עילי
top secret סודי ביותר
topside *n.* צידון, חלק עליון (בספינה); נתח מובחר (של בשר)
topsoil *n.* שיכבה עליונה (בקרקע)
top'sy-tur'vy *n&adj.* תוהו ובוהו, אנדרלמוסיה; הפוך
toque (tōk) *n.* כובע־אישה (חסר־תיתורה)
tor *n.* גיבעה (מסולעת)
To'ra, To'rah (-rə) *n.* תורה
torch *n.* לפיד, אבוקה; מבער; פנס־יד
carry a torch for להיות מאוהב ב־
hand on the torch למסור (התורה) לדור הבא; לשמור על הגחלת
torch of knowledge אור הדעת
torchbearer *n.* לפידאי, נושא לפיד
torchlight *n.* אור־לפיד
torch singer זמרת שירי־אהבה נוגים
tore = pt of tear
tor'e•ador' *n.* טוריאדור
tor'ment' *n.* כאב, סבל, ייסורים; גורם סבל, מרגיז
tor•ment' *v.* להכאיב, לייסר, לענות
tor•men'tor *n.* מייסר, מענה
torn = pp of tear
tor•na'do *n.* טורנאדו, סופה עזה
tor•pe'do *n.* טורפדו, פגז תת־מימי
torpedo *v.* לטרפד; להשמיד; לסכל
torpedo boat *n.* טרפדת, סירת־טורפדו
tor'pid *adj.* איטי, עצלתני; רדום, ישן; לא־פעיל; חסר־תחושה, לא נע
tor'por, tor•pid'ity *n.* איטיות, עצלנות; אי־פעילות; חוסר־תחושה
torque (tôrk) *n.* ענק, קולר; אצעדה; (במכניקה) מומנט הסיבוב
tor'rent *n.* זרם, שטף; מטר, מבול
torren'tial *adj.* זורם, שוטף; ניתך
tor'rid *adj.* חם, לוהט, צחיח; נלהב
torrid'ity *n.* חום, להט, צחיחות
tor'sion *n.* פיתול, עיקום

tor′so *n.* טורסו, גוף נטול ראש וגפיים; מיפעל שלא הושלם
tort *n.* עוול, נזק
tor•til′la (-tē′yə) *n.* מצה עגולה
tor′toise (-təs) *n.* צב
tortoise shell שיריון הצב
tor′tuous (-′chōōəs) *adj.* מתפתל, רב־עיקולים, עקום; לא ישר, סחור־סחור
tor′ture *n.* סבל, ייסורים, כאב; עינוי
torture *v.* לענות, לגרום ייסורים
torturer *n.* מענה, מכאיב
Tor′y *n&adj.* טורי, שמרן, קונסרבטיבי
Toryism *n.* שמרנות
tosh *n.* ⋆שטויות, הבלים
toss (tôs) *v.* לזרוק, להטיל; להפיל; לטלטל; להיטלטל; להתנפנף; לבחוש
toss a coin להטיל מטבע (באוויר)
toss about להתהפך (על מישכבו)
toss off ליצור במחי־יד, לשרבט; לגמוא בגמיעה אחת
toss one's head לטלטל ראשו לאחור
toss up/for להטיל מטבע (באוויר)
toss *n.* זריקה; הטלה; הטלת מטבע; הגרלה; טילטול
take a toss ליפול מסוס
toss-up *n.* הטלת־מטבע; אפשרות שקולה
tot *n&v.* פעוט, תינוק; כוסית משקה
tiny tot פעוט, תינוק
tot up לסכם, לחבר
tot up to להסתכם ב־
to′tal *adj.* טוטאלי, מקיף, כוללני; שלם, גמור, מוחלט
total eclipse ליקוי מלא
total war מלחמה טוטאלית
total *n.* סך הכל, סיכום
in total בסך הכל
total *v.* לסכם; להסתכם ב־; להגיע ל־
to•tal′ita′rian *adj.* טוטליטארי, רודני
totalitarianism *n.* טוטליטאריות
to•tal′ity *n.* שלמות; סך הכל
to′taliza′tor *n.* מכונת־סיכום (בהימורים, המראה את סכומי הזכיות)
to′tally *adv.* לגמרי, כליל
tote *v.* לשאת (נשק)
tote = totalizator
to′tem *n.* טוטם, אליל השבט, עצם נערץ, חיה פולחנית
totem pole עמוד טוטם
to′to *n.* סך הכל
in toto בסך הכל, בשלמותו
tot′ter *v.* לפסוע בחוסר־יציבות; להתנדנד; להתמוטט, למעוד
tottery *adj.* לא־יציב, מתנדנד
tou′can′ (tōō′-) *n.* טוקאן (עוף)
touch (tuch) *v.* לנגוע; למשש; להגיע ל־; להקיש/ללחוץ קלות; להשתוות אל; לעסוק/לדון ב־; לנגוע ללב; לקלקל; לפגוע ב־; להעביר מיכחול
there's nothing to touch- אין כמו־
touch at לעגון ב־, לעצור ב־
touch bottom לנגוע בקרקע־הים; לרדת פלאים, להגיע לשפל המדרגה
touch down לנחות
touch for ⋆לסחוט (הלוואה), לשנורר
touch off לגרום, להפעיל, לפוצץ, להצית
touch on/upon לנגוע ב־, להתייחס בקיצור (לנושא)
touch port להגיע לנמל
touch the spot ⋆להוות הדבר הנכון/הנחוץ, לקלוע למטרה
touch up לשפר, לשפץ, לתקן, לתגמר
touch wood הקש בעץ, בלי עין הרע
touched his heart נגע ללבו
touched with gray (שיער) מכסיף
you'll never touch him לעולם לא תשתווה אליו, אתה נופל ממנו
touch *n.* מגע, נגיעה; (חוש ה) מישוש; התקף קל; מכה קלה; שיפוץ; קורטוב; נימה; סיגנון; העברת מיכחול; מגוע; (בכדורגל) חוץ
at a touch בנגיעה קלה ביותר
common touch מגע עם הקהל
easy touch ⋆טרף קל לשנוררות
keep in touch לשמור על קשר
lose touch לאבד הקשר
near touch היניצלות בנס
out of touch with מנותק מ־
put the touch on ⋆לשנורר מ־
touch of genius אותות־גאוניות
touch of irony נימה אירונית
touch of the flu התקף שפעת קל
touchable *adj.* בר־נגיעה, משיש
touch-and-go (מצב) עדין; מסוכן, לא בטוח, תלוי באוויר
touchdown *n.* (ברגבי) שער; נחיתה
touche (tōōshā′) *interj.* תשובה יפה! 0:1 לטובתך!
touched *adj.* נרגש, נסער; מופרע
touching *adj.* מרגש, נוגע ללב
touching *prep.* בנוגע ל־, ביחס ל־
touch-line *n.* קו־צד (במיגרש)
touchstone *n.* אבן־בוחן, קריטריון

touch-type *n&v.* כתבנות עיוורת, דרך העילום; לתקתק בעל־פה
touch'y (tuch'i) *adj.* פגיע, רגיש, עדין
tough (tuf) *adj&n.* חזק; קשה; קשוח; קשה לחיתוך, צמיג; עקשני; גס; פראי; אלים
be tough on לנהוג בתקיפות כלפי־
tough customer איש קשה
tough luck מזל ביש
toughen *v.* להקשות; להתקשות; להקשיח
toughie (tuf'i) *n.* ⋆אֲלָם, איש־זרוע
toupee (to͞opā') *n.* פיאה נוכרית
tour (toor) *n.* טיול; סיור; תיור; סיבוב־הופעות; שירות בחו"ל
conducted tours טיולים מאורגנים
guided tour סיור מודרך
on tour עורך סיבוב־הופעות
tour *v.* לטייל, לסייר
tour de force מעשה גבורה
tour'ism' (toor'-) *n.* תיירות
tour'ist (toor'-) *n&adj.* תייר; לתיירים
tourist class מחלקה שנייה, מחלקת תיירים
tour'nament (toor'-) *n.* תחרות, סידרת מישחקים, טורניר; התמודדות־אבירים
tourney = tournament (toor'-)
tourniquet (toor'nikət) *n.* חסם, חוסם־עורקים
tou'sle (-zəl) *v.* לפרוע (שיער)
tout *v.* לשדל קונים, להציע סחורה; למכור מידע (על מירוצים); לספסר
tout *n.* משדל לקוחות, מציע מרכולתו
ticket tout ספסר־כרטיסים
tout ensemble (to͞ot änsän'bəl) *n.* מיכלול הפרטים; אפקט כללי
tow (tō) *v.* לגרור, למשוך, לסחוב
tow *n.* גרירה, משיכה, סחיבה; נעורת פישתים (לקליעת חבלים)
on tow, in tow נגרר, בגרירה
toward, towards (tôrd(z)) *prep.* אל, לעבר, כלפי, לקראת, לגבי; לשם, למען; זמן קצר לפני
toward morning לפנות בוקר
tow'el *n&v.* מגבת, אלונטית; לנגב
throw in the towel להיכנע, לוותר
towel horse מקלב־מגבות
toweling *n.* אריג־מגבות
towel rack מתלה־מגבות
towel rail מתלה־מגבות
tow'er *n.* מיגדל, מצודה, צריח
tower of strength מיבטח עוז (אדם)
water tower מיגדל מים
tower *v.* להתנשא, להתרומם
tower over להיות משכמו ומעלה
tower block בניין רב־קומות
towering *adj.* רם, מתנשא; גדול
towering rage חימה שפוכה
tow-line *n.* כבל־גרירה
town *n.* עיר, כרך
down town למרכז המיסחרי בעיר
go to town להתהולל, להתפרק, לבזבז; לפעול בכישרון וביעילות
man about town אוהב לבלות
on the town מבלה, מבקר במועדונים
paint the town red לחוג, להתהולל
town and gown אזרחים ואקדמאים
town clerk מזכיר העיר
town council מועצת העירייה
town councillor חבר מועצת העירייה
town crier כרוז העיר
tow'nee *n.* עירוני, בן־כרך
town gas גאז ביתי (לבית ולתעשייה)
town hall בניין העירייה
town house בית עירוני; בית בעיר
townscape *n.* נוף־עיר (ציור)
townsfolk *n.* תושבי העיר, עירוניים
township *n.* עיר, עיירה, מחוז
townsman *n.* תושב עיר, בן־כרך
townspeople *n.* תושבי עיר, עירוניים
tow-path *n.* שביל־גרירה (לאורך נהר)
tow-rope *n.* כבל־גרירה
tox•e'mia *n.* רעלת־דם
tox'ic *adj.* טוקסי, רעלי, רעלני
tox•ic'ity *n.* רעילות
tox'icol'ogist *n.* טוקסיקולוג
tox'icol'ogy *n.* טוקסיקולוגיה, תורת הרעל
tox'ico'sis *n.* רעלת
tox'in *n.* טוקסין, רעלן
toy *n&adj.* צעצוע; (כלב־שעשועים) קטן
toy *v.* לשחק; להשתעשע
toy with an idea להשתעשע ברעיון
toyshop *n.* חנות־צעצועים
trace *n.* עקב, עקבות; סימן, זכר; רושם; קורטוב; נימה; מושכה, ריתמה
kick over/jump the traces לשלח מפניו רסן, לסרב לקבל מרות
traces עקבות, סימנים
trace *v.* לעקוב, לעלות על עקבות; לגלות; למצוא; לחקור; לשרטט; להעקיב, להעתיק בגיליון שקוף; לכתוב

אט־אט
trace back להתחקות על שורשי־; לגלות את המקור; להתייחס, להשתלשל
trace out לשרטט; לנתב (מסלול)
traceable *adj.* בר מעקב, בר התחקות
trace element יסוד כימי (הנמצא (בחי/בצומח) בכמויות זעומות)
tracer *n.* עוקב, חוקר; קליע נותב, קליע בעל שובל־עשן
tra'cery *n.* עיטורים, מעשה־אבן; קישוט, מירקם
tra'che•a (-k-) *n.* קנה־הנשימה, גרגרת
tracho'ma (-k-) *n.* גרענת, טראכומה
tracing *n.* עיקוב, מעקב; התחקות; העתקה (של מפה) בנייר שקוף
tracing paper נייר שקוף (להעתקה)
track *n.* עקבות, סימנים; מסלול, נתיב, דרך, מסילה; פסי־רכבת; זחל, שרשרת
beaten track דרך כבושה/סלולה
cover (up) one's tracks לטשטש עקבותיו
follow in the same track ללכת בדרכו, בעקבותיו
in one's tracks בו במקום, על עמדו
inside track מסלול פנימי; יתרון
keep track of לעקוב אחרי־
lose track לאבד הקשר/המגע
make tracks *להסתלק, לעשות ויברח
make tracks for לשים פעמיו אל־
off the track סוטה מהמסלול; חורג מהנושא; נוקט קו מוטעה
on his track בעיקבותיו
single-track mind מוח צר־אופק
the right track הדרך הנכונה
the wrong track הדרך הלא נכונה
track and field אירועי ספורט (הליכה, ריצה, קפיצה, והטלה)
track event תחרות ריצה, מירוץ
tracks עקבות, טביעות־נעל; הגבול בין רובעי העניים והעשירים
wrong side of the tracks משכנות־העוני
track *v.* לעקוב; ללכת בעקבות; להותיר עקבות; לצלם תוך תנועה
track down למצוא, לגלות לאחר מעקב
tracked *adj.* זחלי, נע על זחלים
tracker *n.* צייד, עוקב אחרי חיות
tracker dog כלב־גישוש
tracking station תחנת־מעקב (לחלליות)
trackless *adj.* חסר־שבילים; ללא מסילה
tracksuit *n.* בגד־אימונים, אימונית
tract *n.* חיבור, חוברת, קונטרס; איזור, שטח, מרחב; מערכת (בגוף)
urinary tract מערכת איברי־השתן
trac'tabil'ity *n.* צייתנות, נוחות
trac'table *adj.* צייתן, ממושמע, מקבל מרות, נוח; חשיל, בר־עיצוב
trac'tion *n.* גרירה; (כוח־) משיכה
traction engine קטר־גרירה
trac'tor *n.* טרקטור
trade *n.* סחר; עסק, מיקצוע; עבודה, מלאכה; אומנות; סחר־חליפין
the trade יצרני משקאות, סוחרי משקאות; אנשי העסק, אנשי המיקצוע
trades = trade winds
trade *v.* לסחור; להחליף; לקנות
trade in להחליף (משומש בחדש); לתת כחלק מהתשלום
trade on לנצל, להשתמש לרעה
trade gap פער מיסחרי
trade-in *n.* עיסקת־חליפין; החלפת משומש בחדש (כחלק מהתשלום)
trademark *n.* סימן מיסחרי; סימן היכר
trade name שם מיסחרי
trade price מחיר סיטוני
trader *n.* סוחר, אוניית־סוחר
tradesfolk *n.* סוחרים, חנונים
tradesman *n.* סוחר, חנווני
tradespeople *n.* סוחרים, חנונים
trade union איגוד מיקצועי
trade unionism התאגדות מיקצועית
trade unionist חבר איגוד מיקצועי
trade winds רוחות טרופיות (הנושבות בקביעות לעבר קו המשווה)
trading estate איזור תעשייה
trading post חנות־ספר
trading stamp בול־קנייה, תווית־שי
tradi'tion (-di-) *n.* מסורת, מסורה
traditional *adj.* מסורתי
traditionalism *n.* מסורתיות
traditionalist *n.* שומר מסורת
traduce' *v.* להוציא דיבה, להשמיץ
traducer *n.* מוציא דיבה, משמיץ
traf'fic *n&v.* תעבורה, תחבורה, תנועה; סחר; עסקים; לסחור ב־
traf'fica'tor *n.* נורת־איתות
traffic circle אי־תנועה, כיכר, סובה
traffic indicator נורת־איתות
traf'ficker *n.* סוחר, עוסק בסחר
traffic light/signal רמזור
trage'dian *n.* טראגיקון, שחקן

טראגדיות, מחבר טראגדיות
trage′dienne′ *n.* טראגיקונית
trag′edy *n.* טראגדיה, חזיון תוגה
trag′ic *adj.* טראגי, מעציב, נוגה
trag′icom′edy *n.* טראגיקומדיה
trag′icom′ic *adj.* טראגיקומי
trail *n.* עקב, עקבות, סימנים, שובל; נתיב, שביל
blaze a trail לפלס דרך; להיות חלוץ
hot on his trail עומד להדביקו
trail *v.* לגרור, למשוך; לעקוב; ללכת בעיקבות; להיגרר, להשתרך; לפגר
trail along/behind להשתרך (אחרי)
trail off לדעוך, להימוג, לגווע
vines trailed over the wall גפנים השתרגו/התפשטו על הקיר
trail-blazer *n.* חלוץ, ממציא
trail′er *n.* קרון־מגורים; גרור, נגררת, נגרר, מיגרר; קטעי־סרט; רוגלית, צמח מטפס/מתפשט
train *n.* רכבת; שיירה, תהלוכה; פמליה; שובל, שוליים; סידרה
bring in its train להביא בעיקבותיו
in train בהכנה
train of events שורת אירועים
train of thought חוט־מחשבה
train *v.* לאמן, לאלף, לחנך; לתרגל; להכשיר; להתאמן
train for להתאמן לקראת; להכשיר
train hair/a plant לגדל שיער/צמח בכיוון רצוי, לכוון גידול
train on/upon לכוון לעבר־
train up לחנך
trainable *adj.* בר־אימון
trainbearer *n.* נושא שובל־שימלה
trained *adj.* מאומן, מוסמך, מכושר
trainee′ *n.* מתאמן, דוכש הכשרה, מתמחה; טירון, חניך, שוליה
trainer *n.* מדריך, מאלף; מטוס־אימון
train ferry מעבורת־רכבות
training *n.* הכשרה; אימונים; תירגול
go into training להתאמן
in/out of training (לא) בכושר
training college סמינר למורים
training ship אוניית־אימונים
trainman *n.* פועל־רכבת
traipse *v.* לשוטט, להשתרך בליאות
trait *n.* תכונה, סגולה, מאפיין
trai′tor *n.* בוגד
trai′torous *adj.* בוגדני
trai′tress *n.* בוגדת
trajec′tory *n.* מסלול, נתיב (של טיל)

tram *n.* חשמלית, קרון־פחם (במיכרה)
tramcar *n.* חשמלית
tramline *n.* מסילת־חשמלית; מסלול־חשמלית
tram′mel *v&n.* לכבול, לעצור, להכביד
trammels כבלים, מעצור
tramp *v.* לצעוד בכבדות; ללכת, לשוטט, לעבור ברגליו; לדרוך, לרמוס
tramp *n.* פסיעות כבדות; פעמי־רגל; טיול רגלי; קבצן נודד; יצאנית
tram′ple *v.* לדרוך, לרמוס; לפגוע
trample down לרמוס; לדכא
trample *n.* רמיסה; מירמס
tram′poline′ (-lēn) *n.* טרמפולינה, קפצת, רשת־קפיצה
tramp steamer אוניית־משא משוטטת (חסרת נתיב קבוע)
trance *n.* טראנס, חרגון, היפנוט
tran′ny *n.* ★טראנזיסטור
tran′quil *adj.* שקט, שליו, רגוע
tran•quil′ity *n.* שקט, שלווה, מרגוע
tran′quilize′ *v.* להשקיט, להרגיע
tranquilizer *n.* סם הרגעה, משאנן
trans- (תחילית) טראנס־, מעבר ל־
trans•act′ *v.* להוציא לפועל, לבצע, לנהל
trans•ac′tion *n.* ביצוע; עסק, עיסקה, טראנסאקציה; דו"ח, פרוטוקול
trans•al′pine *adj.* מעבר להרי האלפים
trans′atlan′tic *adj.* טראנסאטלאנטי
tran•scend′ *v.* להתעלות מעל, לעלות על, לעבור; להישגב מ־
tran•scend′ence, -cy *n.* טראנסצנדנטיות, עליונות
tran•scend′ent *adj.* טראנסצנדנטי, עילאי, נעלה, נשגב מבינת אנוש
tran′scen•den′tal *adj.* מעבר להכרה, טראנסצנדנטאלי, מופלא; ★מעורפל
transcendentalism *n.* טראנסצנדנטאליות
trans′con•tinen′tal *adj.* טראנס־יבשתי, עובר־יבשת
tran•scribe′ *v.* להעתיק, לתעתק; לשכתב; להקליט; לערוך תסדיר
tran′script′ *n.* תעתיק
tran•scrip′tion *n.* תיעתוק, תעתיק, טראנסקריפציה; הקלטה; תסדיר
tran′sept′ *n.* אגף־רוחבי, קטע הערב (של כנסייה מצולבת)
trans′fer *v.* להעביר; למסור; לעבור
transfer *n.* העברה; מסירה; כרטיס־מעבר; שטר־העברה; דוגמה

מועתקת
trans•fer'abil'ity *n.* עֲבירוּת
trans'ferable *adj.* עביר
trans'ference *n.* העברה
transfer fee דמי העברה (לשחקן)
trans•fig'u•ra'tion *n.* שינוי צורה; ההִשתנות (של ישו); חג ההִשתנות (ב־6 באוגוסט)
trans•fig'ure (-gyər) *v.* לשנות צורה; להלביש ארשת־הוד, לעלות
trans•fix' *v.* לדקור, לשפד; לסמר, לנעוץ; לשתק, לאבן, להקפיא (דם)
trans•form' *v.* לשנות, להפוך
trans•form'able *adj.* בר־שינוי, הפיך
trans•forma'tion *n.* שינוי, היפוך
trans•form'er *n.* טרנספורמטור, שנאי
trans•fuse' (-z) *v.* לערות (דם)
trans•fu'sion (-zhən) *n.* עירוי
trans•gress' *v.* להפר (חוק/זכויות), לעבור על; לחרוג
trans•gres'sion *n.* הפרה; חריגה
trans•gres'sor *n.* מפר, עבריין
tran•ship' = transship
tran'sience (-'shəns) *n.* ארעיות
tran'sient (-'shənt) *adj&n.* ארעי, ריגעי, חולף, חטוף; מתאכסן זמני
tran•sis'tor (-zis-) *n.* טראנזיסטור
tran•sis'torize' (-zis-) *v.* לצייד בטראנזיסטורים
tran'sit *n.* העברה, מעבר
in transit בדרך, בעת ההעברה
transit camp מחנה מעבר
tran•si'tion (-zi-) *n.* מעבר, שינוי
period of transition תקופת־מעבר
transitional *adj.* חולף, של מעבר
tran'sitive verb פועל יוצא
tran'sito'ry *adj.* ארעי, ריגעי, חולף
Trans•jor'dan *n.* עבר־הירדן
trans•la'table *adj.* בר־תירגום
trans•late' *v.* לתרגם; להיתרגם; לפרש, להסביר; להעביר, להעתיק; להעלות לשמים
trans•la'tion *n.* תרגום, תירגום
trans•la'tor *n.* מתרגם
trans•lit'erate' *v.* לתעתק
trans•lit'era'tion *n.* תעתיק
trans•lu'cence *n.* שקיפות עמומה
trans•lu'cent *adj.* שקוף עמומות
trans'mi•gra'tion *n.* גילגול נשמה
trans•mis'sion *n.* העברה; מסירה; שידור; מימסרה
trans•mit' *v.* להעביר; למסור; להוליך; לשדר; לשגר; להנחיל
his face transmitted his anger פניו הסגירו את זעמו
trans•mit'ter *n.* מעביר; מְשַׁדֵר
trans•mog'rifica'tion *n.* שינוי גמור
trans•mog'rify' *v.* לשנות כליל
trans•mu'table *adj.* בר־שינוי, הפיך
trans'mu•ta'tion *n.* שינוי, היפוך
trans•mute' *v.* לשנות, להפוך
trans'o•ce•an'ic (-shi-) *adj.* טראנס־אוקיינוסי, חוצה־אוקיינוס
tran'som *n.* משקוף; חווק, קורת־רוחב; אשנב (מעל לדלת)
trans•par'ency *n.* שקיפות; שקופית
trans•par'ent *adj.* שקוף, חדיר לאור; ברור, פשוט; נהיר
transparent lie שקר שקוף/מובהק
tran•spira'tion *n.* הזעה, הפרשה, אידוי, פליטה, דיות
tran•spire' *v.* להזיע, להפריש, לפלוט, לדיית; להתגלות, להתברר; לקרות, להתרחש
trans•plant' *n.* השתלה; שתיל
transplant *v.* להשתיל, לשנטע; להעביר (תושבים); להישתל; להיקלט
trans'plan•ta'tion *n.* השתלה, שיתול
trans•po'lar *adj.* טראנס־קוטבי
trans•port' *v.* להוביל, להעביר; לשגר; להגלות, לגרש; להלהיב, למלא גיל
trans'port' *n.* תובלה, העברה, מישלוח; אמצעי־הובלה; רכב; מטוס־/ספינת־תובלה
in a transport מלא־, אחוז־, נסחף
trans•port'able *adj.* בר־הובלה, יביל
trans'porta'tion *n.* הובלה, העברה; כלי־תובלה; הגליה, גירוש
trans'port' cafe מיזנון דרכים
trans'port'er *n.* מוביל, רכב־תובלה
transporter bridge גשר תלוי (להעברת כלי־רכב), גשר נע
transporter crane עגורן נע (על מסילה)
trans'pose' (-z) *v.* לשנות סדר, להחליף מקומות, להפוך; (במוסיקה) להשיא
trans'posi'tion (-zi-) *n.* חילוף, שינוי סדר; (במוסיקה) הֶשֵׂא
trans•ship' (-s-sh-) *v.* לשטען
transshipment *n.* שיטעון
trans•verse' *adj.* רוחבי, מונח לרוחב
trans•vest'ism' *n.* נטייה להתלבש בבגדי המין האחר

trans•ves'tite *n.* לובש בגדי המין האחר, אוהבת מלבושי גברים
trap *n.* מלכודת; מארב; סיפון, גישתה; מרכבה; יורה־מטרה; כלוב־גיחה
keep your trap shut! בלום פיך!
traps חפצים אישיים, מיטען
trap *v.* ללכוד; לחסום, לסכור (זרם).
trapdoor *n.* דלת־ריצפה, דלת־תיקרה
trapeze' *n.* טרפז; מתח נע
trape'zium *n.* מרובע; טרפז
trap'ezoid' *n.* מרובע; טרפז
trap'per *n.* צַיָד
trap'pings *n-pl.* קישוטים, עיטורים
Trap'pist *n.* טראפיסט, שתקן (נזיר)
trapse = traipse (trāps)
trap-shooting *n.* קליעה למטרה עפה
trash *n.* זבל, פסולת, אשפה; הבלים, שטויות; נקלה, שפל־אנשים
trash can פח אשפה
trash'y *adj.* חסר־ערך, ריק מתוכן
trau'ma *n.* טראומה, חבלה, פגיעה, פצע
traumat'ic *adj.* טראומאתי, של פצע
travail' *n.* עמל; צירי־לידה
trav'el *v.* לנסוע; לשוטט, לסייר, לטייל; לנוע, לנדוד; ★לנהוג במהירות
travel in/for לעבוד כסוכן־נוסע
travel light לנסוע במיטען קל
travel over לעבור על פני, לבחון
travel *n.* נסיעה, מסע; סיור, טיול; תנועה; מחזור, שיעור התנועה
travel agency סוכנות נסיעות
travel agent סוכן נסיעות
travel bureau סוכנות נסיעות
traveled *adj.* שהרבה לנסוע, מנוסה־תיורים; שהרבו לנסוע עליו/לבקרו
traveler *n.* נוסע; סוכן־נוסע
traveler's check המחאת־נוסעים
traveling fellowship מענק נסיעה (להשתלמות)
traveling salesman סוכן־נוסע
trav'elog(ue) ' (-lôg) *n.* שיחה על (רישמי־) מסע; סרט־מסע
travel sickness מחלת־נסיעה; שילשול
travel-worn *adj.* (רכב) מרופט נסיעות
traverse' *v.* לעבור, לחצות; לבחון; לצדד (תותח); להפר, להתנגד
trav'erse *n.* חצייה; טיפוס במצודד (על הרים); מעקול (בחפירה)
traverse' *adj.* רוחבי, חוצה
trav'esty *n&v.* פארודיה, חיקוי, סילוף, קאריקטורה; לשים ללעג, לחקות
trawl *v.* לדוג במיכמורת; לכמור

trawl *n.* מיכמורת, רשת־דייגים
trawl'er *n.* ספינת מיכמורת
trawl line חבל רב־פיתיונים (המתוח בתוך המים)
tray *n.* מגש, טס
in tray מגש דואר נכנס
out tray מגש דואר יוצא
treach'erous (trech'-) *adj.* בוגדני; מסוכן, שאין לבטוח בו
treach'ery (trech'-) *n.* בגידה
trea'cle *n.* דיבשה, נוזל דיבשי
trea'cly *adj.* דביק; דיבשי, מתקתק
tread (tred) *v.* לדרוך, לצעוד, ללכת; לבטוש, לרמוס
tread a path לכבוש שביל
tread on air לרחף ברקיע השביעי
tread on his heels ללכת בעיקבותיו
tread on his toes/corns לדרוך על יבלותיו, לפגוע בו
tread out לכבות (אש) בדריכה
tread the boards להיות שחקן־במה
tread water לשחות זקוף
tread *n.* דריכה; צעד; הילוך, מידרך; פני־מדרגה; מחרץ־הצמיג
tread'le (tred-) *n&v.* דוושה; לדווש
tread-mill *n.* מיתקן דיווש, חגורת דוושות אינסופית; עבודה חדגונית
trea'son (-z-) *n.* בגידה
treasonable *adj.* בוגדני, בגדר בגידה
trea'sonous (-z-) *adj.* בוגד
trea'sure (trezh'ər) *n&v*; אוצר; מטמון; יקיר; להעריך, להוקיר
treasure up לאצור, להטמין, לשמור
treasure house בית־גנזים, אוצר
treas'urer (trezh'-) *n.* גזבר
treasure trove אוצר, מטמון (שאין בעליו ידועים)
treas'ury (trezh'-) *n.* בית־אוצר, קופה (ציבורית); טימיון; אוצר בלום
Treasury משרד האוצר
treasury note שטר־האוצר
treat *v.* לנהוג ב־, להתייחס ל־; לטפל ב־; לעסוק; להזמין, לכבד; לעבד
treat a patient/a disease לטפל בחולה/במחלה
treat of לדון ב־, לעסוק ב־
treat oneself to לכבד עצמו ב־
treat to a meal לכבד בארוחה
treat with לשאת ולתת עם
treat with a chemical לעבד בתכשיר כימי
treat *n.* תענוג, מקור־הנאה; טיול; הזמנה,

כיבוד, תיקרובת
it's my treat תורי להזמין/לכבד
stand treat לשלם עבור כולם
trea′tise (-tis) *n.* מחקר, מסה
treatment *n.* טיפול; יחס, התנהגות
trea′ty *n.* חוזה, הסכם, ברית, אמנה
in treaty with נושא ונותן עם
treaty port נמל פתוח
treb′le *n.* דיסקאנט, סופראנו
treble *adj&n.* פי שלושה, שלושתיים
treble *v.* לשלש, להכפיל ב־3; להישלש
treble clef מפתח סול
tree *n.* עץ; שיח; קורה
at the top of the tree בצמרת
clothes tree מקלב, קולב־עמוד
family tree אילן־היחס
shoe tree אימום
up a tree במצב ביש, בבוץ
tree *v.* להבריח (חיה) אל עץ
tree fern שרך־עץ (שרך גדול)
treeless *adj.* נטול־עצים, קירח
treetop *n.* צמרת
tre′foil′ *n.* תילתן, קישוט תילתני
trek *n&v.* מסע ארוך; לנסוע לאט
trel′lis *n&v.* סורג, סבכה, מסגרת
כלונסאות (למטפסים); לתמוך בסורג
trem′ble *v.* לרעוד; להזדעזע; לחרוד
tremble *n.* רעדה, רעד; חרדה
all of a tremble אחוז רעדה
tre•men′dous *adj.* גדול, עצום, כביר; נפלא, מצוין
trem′olo′ *n.* (במוסיקה) טרמולו, רעדוד
trem′or *n.* רעד, רעידה, זעזוע
trem′u•lous *adj.* רועד; נפחד, נבהל
trench *n&v.* חפירה, תעלה; לחפור חפירה/תעלה; להתחפר; לבצר בחפירות
trench on להסיג גבול
tren′chancy *n.* נמרצות, שנינות
tren′chant *adj.* נמרץ, עז, שנון, חריף
trenchant repartee תשובה ניצחת
trench coat מעיל גשם
trench′er *n.* לוח לבציעת־לחם
trencherman *n.* אכלן, זללן
trend *n.* כיוון, נטייה, מגמה
set the trend ליצור סיגנון חדש
trend *v.* לנטות, לפנות, להימשך
trend-setter *n.* חלוץ־אופנה, אופנתן, יוצר סיגנון חדש
trend′y *adj.* אופנתי
tre•pan′, tre•phine′ *n&v.* מסור־מנתחים; לנסר עצמות
trep′ida′tion *n.* פחד, מתח; רעדה

tres′pass *v&n.* להסיג גבול, לחדור לתחום הזולת; הסגת גבול; עבירה
trespass upon his generosity לנצל את רוחב־ליבו
tress *n.* תלתל, קווצת־שיער, מחלפה
tresses שער־אישה (גולש)
tres′tle (-səl) *n.* חמור, כן־שולחן, חצובת־שולחן; גשר־מיתמכים
trestle table שולחן־חמור (לוח מונח על חמורים כנ"ל)
trews (tro͞oz) *n.* מיכנסי טארטאן הדוקים
tri- תלת־, שלוש־, 3
tri′ad *n.* שלישייה, החוט המשולש
tri′al *n.* משפט, שפיטה; מיבחן, בחינה; ניסיון, ניסוי; מצוקה; מקור־סבל
give a trial לנסות, לבחון
on trial לניסיון; בבדיקה; בדין
put on trial העמיד לדין'
put to trial לנסות, לבחון
stand trial לעמוד לדין
trial and error ניסיון וטעייה
trial balance מאזן־בוחן
trial balloon כדור־גישוש
trial flight טיסת־מיבחן
trial marriage נישואי־מיבחן
trial period תקופת־ניסיון
trial run נסיעת מיבחן
tri′an′gle *n.* משולש
eternal triangle המשולש הניצחי
tri•an′gu•lar *adj.* משולש
tri′bal *adj.* שיבטי
tri′balism′ *n.* שיבטיות
tribe *n.* שבט, מישפחה; קבוצה, חוג
the cat tribe מישפחת החתולים
tribesman *n.* בן־שבט
trib′u•la′tion *n.* סבל, מצוקה, תלאה
tri•bu′nal *n.* בית־דין, מועצת־שופטים; טריבונאל; ועדה
trib′une *n.* טריבון, מנהיג; דוכן, במה
trib′u•tar′y (-teri) *n.* פלג, יובל, זרוע־נהר; משלם מס; מדינה משועבדת
tributary *adj.* (יובל) נשפך אל נהר
trib′ute *n.* מס; שי; מחוות־הוקרה
lay under tribute להטיל מס
pay tribute להביע הערכה, לחלוק כבוד
trice *v&n.* למשוך ולהדק (מיפרש) בחבל
in a trice כהרף עין
trick *n.* תכסיס, תחבולה; טריק, להטוט; תעלול; הרגל אופייני; (בקלפים) סיבוב; (בימאות) תורנות־הגה
a trick worth two of that דרך טובה

יותר לעשות זאת
dirty trick מעשה מביש, מעשה שפל
do/turn the trick להשיג המטרה
not miss a trick לדעת כל המתרחש
play tricks לעשות מעשי־קונדס
tricks of the trade סודות המיקצוע
trick *adj.* תחבלני, מטעה; חלש, קורס
trick knee ברך חלשה/לא יציבה
trick *v.* לרמות, להוליך שולל
trick him into- לשדלו במירמה ל־
trick him out of his money ליטול ממנו את כספו במירמה
trick out/up לקשט, לגנדר
trick'ery *n.* רמאות, הולכת־שולל
trick'le *v.* לטפטף; לזוב, לזרום
trickle *n.* טיפטוף; זרם
trick'ster *n.* רמאי, נוכל
trick'y *adj.* ערמומי, תחבלני; עדין, מסובך, מטעה, טומן קשיים
tri'col'or (-kul-) *n.* דגל תלת־גוני; דגל צרפת
tri'cot (trē'kō) *n.* טריקו (אריג)
tri'cycle *n.* תלת־אופן
tri'dent *n.* קילשון תלת־שיני
tried (p of try) *adj.* בדוק, מנוסה
tried-and-true *adj.* בדוק ומנוסה
tri•en'nial *adj.* תלת־שנתי
tri'er *n.* מנסה, נסיין, בוחן
tri'fle *n.* דבר קל־ערך, דבר פעוט; סכום זעום; קצת, משהו; עוגה
a trifle annoyed קצת מוטרד
trifle *v.* לשחק, להשתעשע, לזלזל
trifle away לבזבז
trifle with לזלזל ב־; להקל ראש ב־
tri'fler *n.* משחק, משתעשע; מקל ראש
tri'fling *adj.* חסר־ערך, פעוט, זעום
trig *adj.* נקי, מסודר, מטופח
trig'ger *n&v.* הדק; לעורר, להפעיל
quick on the trigger שולף במהירות, יורה מהר; אומר ועושה
trigger off לגרום, לעורר, להפעיל
trigger-happy *adj.* שש ללחוץ על ההדק, לא מרוסן
trig'onom'etry *n.* טריגונומטריה
trike *n.* תלת־אופן
tri•lat'eral *adj.* תלת־צדדי
tril'by (hat) *n.* כובע לבד
tri•lin'gual (-ngwəl) *adj.* תלת־לשוני
trill *n.* סילסול־קול, טריל, טירלול
trill *v.* לסלסל (קול), לטרלל
tril'lion *n.* טריליון
tri'lobate' *adj.* (עלה) תלת־אונתי
tril'ogy *n.* טרילוגיה (3 יצירות הקשורות ברעיון אחד)
trim *v.* לסדר, לגזוז, לגזום; לקשט, לעטר; לשנות עמדותיו, להתיישר לפי הקו; ⋆להבים; לנזוף
trim a boat לאזן/לשפע סירה
trim a sail לכוון/לתאם מיפרש
trim a wick להיטיב את הנר
trim the costs להפחית המחירים
trim *adj.* מסודר, מטופח, נקי
trim *n.* סידור, גיזום; סדר, מצב תקין, כשירות; קישוט, עיטור; שופע (הספינה)
in fighting trim ערוך לקרב
in (good) trim במצב תקין, כשיר
out of trim שלא במצב תקין
tri•mes'ter *n.* טרימסטר, רבע שנה
trim'mer *n.* מסדר, גוזם; משנה עמדותיו, סתגלן, אופורטוניסט
trimming *n.* סידור, גיזום; קישוט; גזומת, נסורת; קישוטי־ארוחה
trin'ity *n.* שלישייה; שילוש
The Trinity השילוש הקדוש, שְׁלֹשָׁה
Trinity Sunday יום א' שלאחר חג השבועות (הנוצרי), יום א' של שילוש
trin'ket *n.* תכשיט (פחות־ערך)
tri'o (trē'-) *n.* טריו, שלישייה, שלשית
tri'olet *n.* טריולט (שיר בן 8 שורות)
trip *v.* למעוד, להיכשל; להכשיל; להפיל; ללכת/לרוץ בצעדים קלילים
trip a spring להפעיל/לשחרר קפיץ
trip out ⋆להפליג ב"טריפ" של סמים
trip over a word לגמגם מלה
trip up לטעות; להכשיל; להפיל בפח
trip *n.* מעידה; נפילה; הכשלה; טעות; מסע, טיול; התקן־הפעלה; ⋆טריפ, הפלגת־הזיה
trip of the tongue פליטת־פה
tri•par'tite *adj.* תלת־צדדי; בעל 3 חלקים
tripe *n.* כותל־קיבה; ⋆שטויות, הבלים
trip'le *adj.* משולש; פי 3; בן 3 חלקים
triple *v.* לשלש; להישלש
triple crown כתר־האפיפיור
triple jump (בספורט) קפיצה משולשת
trip'let *n.* שלישייה, מישלוש
triplets שלישייה (שנולדה)
triple time מיקצב משולש
trip'lex' *n&adj.* דירה תלת־מיפלסית; זכוכית לא־שבירה; משולש
trip'licate' *v.* לשלש, להכפיל ב־3
trip'licate *adj&n.* (העתק) משולש; שָׁלֹשׁ

in triplicate ב־3 העתקים
tri'pod' *n.* חצובה, תלת־רגל
tri'pos' *n.* מיבחן לתואר ב"א
trip'per *n.* טַיָּל; מפליג בטריפ־סמים
trip'ping *adj.* קל, קליל, זריז, מהיר
trip'tych (-k) *n.* תמונה משולשת, ציור מתקפל (המורכב מ־3 לוחות)
trip wire חוט־הפעלה (של מלכודת)
tri'reme *n.* טרירמה, ספינת־קרב
tri•sect' *v.* לחלק (קטע) ל־3, לשלש
trite *adj.* נדוש, חבוט, מיושן
tri'umph *n.* ניצחון; הצלחה מלאה; שימחת־ניצחון
triumph *v.* לנחול ניצחון; לצהול
triumph over לצהול בניצחונו על
tri•um'phal *adj.* של ניצחון, חגיגי
triumphal arch שער ניצחון
tri•um'phant *adj.* מנצח; חוגג ניצחון
tri•um'virate *n.* טריאומוויראט; שלישיית־שליטים
tri'une (-ūn) *n.* שלושה (אלוהויות) באחד (באמונה הנוצרית)
triv'et *n.* חצובה (לסיר)
as right as a trivet תקין, בריא
triv'ia *n-pl.* קטַנות, דברים חסרי־ערך
triv'ial *adj.* קל־ערך, פעוט, חסר־חשיבות; רגיל, שיגרתי, פשוט, שיטחי
triv'ial'ity *n.* דבר פעוט/נטול חשיבות; חוסר חשיבות
trivialities קטנות, הבלים
triv'ialize' *v.* להמעיט בחשיבות
tro•cha'ic (-k-) *adj.* של טרוכיאוס
tro'chee (-k-) *adj.* טרוכיאוס, עולה, קצב דו־הברי
trod = p of tread
trod'den = pp of tread
trog'olodyte' *n.* שוכן־מערות
troi'ka *n.* טרואיקה, שלישייה שלטת
Tro'jan *n.* טרויאני, אמיץ
work like a Trojan לעבוד בפרך
Trojan horse סוס טרויאני, גוף חתרני
troll (trōl) *v.* לדוג בחכה, לחכות מסירה; לשיר זה אחר זה/במעגל
troll *n.* טרול; ענק; גמד
trol'ley *n.* עגלת־יד; שולחן־תה; קרונית־יד; גלגילון־מגע (בחשמלית)
off one's trolley מטורף*
trolley (car) חשמלית
trolley bus טרוליבוס, אוטובוס חשמלי
trol'lop *n.* יצאנית, מופקרת; מרושלת
trom•bone' *n.* טרומבון (כלי־נשיפה)
trom•bo'nist *n.* טרומבונאי
troop (trōōp) *n.* קבוצה, להקה; יחידה, פלוגה
troops חיילים, אנשי־צבא
troop *v.* לצעוד בקבוצה, לנהור
troop the color לשאת הדגל במיסדר
troop carrier (מטוס/ספינה) מוביל צבא
troo'per *n.* שוטר; פרש; שירויונאי
swear like a trooper לקלל בשטף
troopship *n.* (אונייה) נושאת חיילים
trope *n.* ביטוי ציורי, דימוי
tro'phy *n.* פרס; מזכרת־ציד (כגון ראש אריה); שלל
trop'ic *n.* טרופיק, מהפך, חוג
tropics האיזור הטרופי (החם)
trop'ical *adj.* טרופי, חם
Tropic of Cancer חוג הסרטן
Tropic of Capricorn חוג הגדי
trot *v.* להוט, לרוץ; לדהרר, להרהיט, להריץ; להוליך/להעביר מהר
trot along למהר, להזדרז; להסתלק
trot out להראות, להפגין, להציג*
trot *n.* רהיטה, ריצה, דיהרור; צעדים מהירים
be on the trot לסבול משילשול*
have the trots לסבול משילשול*
on the trot בזה אחר זה; ברציפות; בתנועה, רץ ממקום למקום
troth *n.* נאמנות, כנות; אמת
in troth באמת, באמונה
plight one's troth להבטיח נישואים
trot'ter *n.* רהטן, סוס מהיר־הליכה; רגל חזיר (למאכל)
trou'badour' (trōō'bədôr) *n.* טרובאדור, פייטן נודד
troub'le (trub'-) *v.* להציק, להדאיג, להרגיז; להטריח; להכאיב; להעלות אדווה
can I trouble you-? התואיל ל־?
don't trouble אל תטרח, אין צורך
fish in troubled waters לדוג במים עכורים
troubled מודאג, מוטרד
I'll trouble you to- אבקשך ל־
trouble *n.* צרה, צרות, דאגה, קושי; טירחה; אי־נעימות; אי־שקט; מיחוש, מחלה; תקלה
ask/look for trouble להזמין צרות
borrow trouble להזמין צרות
get into trouble להסתבך בצרות; לסבך; להכניס להריון

go to/take the trouble לטרוח
heart trouble מיחוש־לב
in trouble בצרות, הסתבך
put to trouble להטריח
what's the trouble? מה הבעיה?
trouble-maker *n.* עושה־צרות
trouble-shooter *n.* מיישר־הדורים, מתווך; מגלה תקלות, מתקן פגמים
troublesome *adj.* מרגיז, מדאיג
troub′lous (trub′) *adj.* של מצוקה
trough (trôf) *n.* איבוס, שוקת; מישארת, עריבה; תעלה, מרזב; שקע, אוכף
trounce *v.* להכות, להלקות; להביס
troupe (tro͞op) *n.* להקה, קבוצה
troup′er (tro͞op-) *n.* חבר־להקה; נאמן, חרוץ, שקדן; בחור־כארז
trou′ser (-z-) *adj.* של מיכנסיים
trouser-leg *n.* מיכנס
trou′sers (-z-) *n-pl.* מיכנסיים
pair of trousers זוג מיכנסיים
wear the trousers ללבוש את המיכנסיים, להיות השליט בבית
trousseau (tro͞o′sō) *n.* חפצי־הכלה (בגדים, לבנים וכ׳)
trout *n.* טרוטה (דג); זקנה בלה
trow (-ō) *v.* לחשוב, להאמין, לסבור
trow′el *n.* כף־סיידים, מרית; כף־גננים (להוצאת שתילים)
troy weight מישקל טרוי (לשקילת זהב וכסף)
tru′ancy *n.* היעדרות, שתמטנות
tru′ant *n.* נעדר (מבי״ס), שתמטן
play truant להיעדר, לברוח (מבי״ס)
truce *n.* הפוגה, הפסקת־אש
truck *n.* משאית; קרון־משא; עגלת־יד; חליפין; ירקות־שיווק
has no truck with אין לו עסק עם, מנער חוצנו מן
truck farm משק ירקות־שיווק
trucking *n.* הובלה במשאיות
truck′le *v.* להיכנע, להתרפס
truckle bed מיטה תחתית, מיטה זחיחה
truck system תשלום בשווה־כסף
truc′u•lence, -cy *n.* אכזריות; עזות
truc′u•lent *adj.* אכזרי, פראי; עז, חריף; נוקב; מאיים, שש לקרב
trudge *v&n.* ללכת בכבדות, להשתרך, לפסוע בליאות; הליכה מייגעת
true (tro͞o) *adj&n.* נכון, אמיתי, כן, נאמן; מקורי; מדויק, מהימן; ודאי, בטוח; קבוע היטב, מותקן כהלכה
come true להתגשם, להתאמת, להתממש
in true מותאם, מותקן בדייקנות
out of true לא מותאם, לא במקום
run true to form לפעול כצפוי
true heir יורש חוקי
true to type נאמן לטיפוס מסוגו, פועל בצורה אופיינית לסוגו
true to- נאמן ל־, מקיים
true *adv&v.* באמת, נאמנה; בדיוק
breed true (לגבי צמח/בהמה) להיות נאמן למוצא
true up לכוון/להתאים בדייקנות
true blue מסור, נאמן, אמיתי; שמרן
true-born *adj.* מבטן ומלידה, כשר, חוקי
true-hearted *adj.* ישר־לב, נאמן
true-life *adj.* אמיתי, עובדתי
true-love *n.* אהוב, אהובה
truf′fle *n.* כמהה (פיטרייה), שמרקע
trug *n.* סל־גננים (לפרחים)
tru′ism *n.* אמיתה, אמת ברורה
tru′ly *adv.* באמת; בלב תמים; אליבא דאמת; נכונה; בדייקנות
yours truly שלך בנאמנות
trump *n.* קלף־ניצחון; חצוצרה; בן־חיל, חברה׳מן, אדם מצוין
holds all the trumps כל הקלפים בידיו
last trump תרועת יום־הדין
trump card קלף הניצחון, הקלף האחרון
turn up trumps להתגלות כידידותי/כמועיל (דווקא); לשחק לו מזלו
trump *v.* לנצח, לזכות, לשחק בקלף הניצחון
trump up להמציא, לבדות
trump′ery *adj.* צעקני, חסר־ערך
trum′pet *n.* חצוצרה; תקיעת חצוצרה; דבר דמוי חצוצרה; שאגת הפיל
blow one's own trumpet להלל עצמו
trumpet *v.* לחצצר; להריע; להכריז, לפרסם
trumpeter *n.* חצוצרן
trun′cate *v.* לקטום, לקצץ
trun′cheon (-chən) *n.* אַלה, מקל
trun′dle *v.* לגלגל; להתגלגל; לדחוף
trundle bed מיטה תחתית, מיטה זחיחה
trunk *n.* גזע; גופה, עיקר־השלד;

מיזוודת־נוסעים; תא־המיטען; חדק־הפיל
trunks מיכנסיים קצרים; בגד־ים
trunk call שיחת־חוץ (טלפונית)
trunk line קו־ראשי (ברכבת); קו־טלפון בינעירוני
trunk road כביש ראשי
truss *v.* לקשור, לאגוד, לצרור; לעקוד (צלי), לכפּת; לתמוך (גג)
truss up לקשור, לכבול; לאגוד
truss *n.* מיתמך, שלד תומך; חגורת־שבר/־בקע; חבילה, צרור, אגד
trust *n.* ביטחון, אמון; פיקדון, שמירה; נאמנות, אפיטרופסות; טראסט, מונופול
brains trust טראסט מוחות
it is my trust that אני מאמין ש־
leave in trust with להפקיד בידי־
on trust בהקפה, באשראי
put/place trust in לבטוח ב־
take on trust לקבל, להאמין
trust *v.* לבטוח ב־, לסמוך על; להאמין ל־; לאפשר, להרשות; למכור בהקפה
trust in לבטוח ב־, להאמין ל־
trust to לסמוך על; להפקיד בידי
I trust אני בטוח/משוכנע/מקווה
trus•tee′ *n.* נאמן, ממונה, מפקח
trusteeship *n.* (שטח) נאמנות
trustful *adj.* מאמין, בוטח, לא חשדני
trust fund קרן נאמנות
trusting *adj.* מאמין, בוטח, לא חשדני
trust money כספי נאמנות
trustworthy *adj.* ראוי לאמון, אמין
trusty *adj&n.* מהימן, שניתן לסמוך עליו; אסיר מהימן (בעל זכויות)
truth (tro͞oth) *n.* אמת, אמיתה; כנות, יושר; עיקרון, יסוד, עובדה
in truth לאמיתו של דבר, למעשה
tell the truth לומר את האמת
to tell the truth, I hate her האמת היא שאני שונא אותה
truthful *adj.* אמיתי, אמין, דובר אמת
try *v.* לנסות; לבדוק, לבחון; לשפוט, לדון; לאמץ, להלאות, למתוח; לצער, להרגיז
try for לנסות לזכות, להתמודד על
try his nerves למרוט עצביו
try his patience למתוח סבלנותו
try on למדוד (בגד); לעשות ניסיון מחוצף, להרחיק לכת בהתנהגותו
try one's best לעשות כל שביכולתו
try one's hand לנסות כוחו ב־
try out לנסות, לבחון
try out for להתמודד על (מקום)
try the eyes לעייף/לאמץ העיניים
try *n.* ניסיון; בדיקה; (ברגבי) זכייה
have a try לנסות
trying *adj.* קשה, מרגיז; מֵלאה, מאמץ
try-on *n.* ניסיון מחוצף
try-out *n.* מיבחן התאמה (לתפקיד)
tryst *n.* פגישה, מקום מיפגש
tsar *n.* צאר (ברוסיה)
tsetse (tset′si) *n.* טסה־טסה (זבוב)
T-shirt *n.* חולצת טי (קצרת שרוול)
T-square *n.* סרגל־טי, סרגל שירטוט
tub *n.* גיגית, קערה, עביט; ⋆אמבט, אמבטיה; גוץ, שמן; סירה איטית
tub *v.* לעשות אמבטיה, להתאמבט
tu′ba *n.* טובה (כלי־נשיפה)
tub′by *adj.* דמוי־גיגית; גוץ, שמן
tube *n.* אבוב, שפופרת, צינור, קנה; נורת־רדיו; מינהרה, רכבת תחתית
bronchial tubes סימפונות
inner tube אבוב, פנימון, פנימית
toothpaste tube שפופרת מישחת־שיניים
tubeless *adj.* (צמיג) חסר־פנימון
tu′ber *n.* פקעת, גיבעול מעובה (טמון באדמה, כגון תפוח־אדמה)
tu•ber′cu•lar (to͞o-) *adj.* שחפני
tu•ber′cu•lo′sis (to͞o-) *n.* שחפת
tu•ber′cu•lous (to͞o-) *adj.* שחפני
tubful *n.* מלוא־הגיגית
tu′bing *n.* צינורות, חומר צינורות
tub-thumper *n.* דמאגוג, נואם מלהיב
tu′bu•lar *adj.* צינורי; בעל צינורות
tuck *v.* להכניס, לתחוב; לקפל, לחפות; לתפור חפתים
tuck away לשמור, להסתיר; ⋆לזלול
tuck in לזלול, לאכול בתיאבון; לכסות היטב בשמיכה
tuck up להתכרבל; להפשיל; לקפל
tuck *n.* קפל, חפת; ⋆אוכל, ממתקים
tuck′er *n.* סודר, רדיד, צעיף
best bib and tucker ביגדי חג
tuck-in *n.* ⋆ארוחה הגונה
tuck shop חנות־ממתקים
Tues′day (to͞oz′-) *n.* יום שלישי
Tuesdays בימי ג' (בשבוע)
tuft *n.* ציצה, צרור (שערות/נוצות)
tufted *adj.* מצויץ, בעל ציצת־שערות
tug *v.* למשוך; לסחוב, לגרור
tug *n.* משיכה, גרירה; ספינת־גרר
tug of war משיכת־חבל (תחרות)
tug-boat *n.* ספינת־גרר
tu•i′tion (to͞oish′ən) *n.* הוראה, לימוד

tu′lip *n.* ציבעוני (צמח, פרח)
tulle (to͞ol) *n.* טול, אריג משי דק
tum′ble *v.* ליפול; להפיל; למעוד, להיכשל; להתגלגל; לנוע באי־סדר; לפרוע (שיער), לבלבל
prices tumbled המחירים ירדו
tumble down להתמוטט, לקרוס תחתיו
tumble in bed להתהפך על מישכבו
tumble over ליפול, להתהפך
tumble to ★לתפוס, לקלוט, להבין
tumble *n.* נפילה, מעידה; אנדרלמוסיה
tumble-down *adj.* רעוע, נוטה ליפול
tum′bler *n.* כוס; לוליין, אקרובאט; מנוף־המנעול (שמסובבים במפתח)
tumble-weed *n.* סוג של שיח ערבה (הנתלש ומתגלגל ברוח), ירבוז
tum′brel *n.* עגלה, עגלת־אסירים
tu•mes′cence (to͞o-) *n.* תפיחות, נפיחות
tu•mes′cent (to͞o-) *adj.* תופח, נפוח
tu′mid *adj.* נפוח; (סיגנון) מנופח
tu•mid′ity (to͞o-) *n.* נפיחות, תפיחות
tum′my *n.* ★בטן
tu′mor *n.* גידול (בגוף), שאת
tu′mult *n.* רעש, המולה; מבוכה, ריגוש
tu•mul′tuous (to͞omul′cho͞oəs) *adj.* רועש, קולני; נרגש, סוער
tu′mu•lus *n.* גל, תל (על קבר)
tun *n.* חבית; טאן (252 גאלונים)
tu′na *n.* טונה, טונוס, אטונס (דג)
tun′dra *n.* טונדרה, ערבה ארקטית
tune *n.* לחן, מנגינה, נעימה; הרמוניה
call the tune להחליט עבור הכל, למשול בכיפה
change one's tune לשנות טון דיבורו, לזמר זמירות חדשות
in tune בהרמוניה, משתלב; מכוונן
out of tune לא בהרמוניה; מזייף, לא מכוונן
sing another tune לזמר זמירות חדשות
to the tune of בסך, טבין ותקילין
tune *v.* לכוון, לכוונן, לתאם
tune an engine לתאם/לכוונן מנוע
tune in לכוון (רדיו לגל מסוים); להיות מודע לרחשי הציבור
tune oneself to להסתגל ל (סביבה)
tune up לכוונן כלי נגינה
tuneful *adj.* נעים לאוזן, מלודי
tuneless *adj.* לא־מוסיקלי, צורמני
tu′ner *n.* כוונן, מומחה לכיוונון

tune-up *n.* כיוונון, תיאום (מנוע)
tung oil שמן טאנג (להברקה)
tung′sten *n.* וולפראם (מתכת)
tu′nic *n.* טוניקה (כותונת); מותנייה צבאית; מעיל קצר; לסוטה
tuning fork *n.* מזלג־קול, קולן, מצלל
tun′nel *n.* מינהרה, ניקבה, מחילה
tunnel *v.* לחפור מינהרה
tun′ny *n.* טונה, טונוס, אטונס (דג)
tup *n.* אַיִל
tup′pence *n.* ★שני פנים
tup′penny *n.* ★שני פנים
tu quo′que (to͞o kwō′kwā) אף אתה (עשית) כך!
tur′ban *n.* טורבאן, מיצנפת, תרבוש; כובע־נשים (צר־אוגן)
turbaned *adj.* חבוש טורבאן, מתורבש
tur′bid *adj.* בוצי, עכור, לא־צלול; מבולבל, מופרע; (עשן) סמיך, כבד
tur•bid′ity *n.* עכירות, דליחות
tur′bine *n.* טורבינה
tur′bo•jet′ *n.* (מטוס־סילון בעל) מנוע טורבינה
tur′bo•prop′ *n.* (מטוס בעל־) טורבינה המפעילה מדחף
tur′bot *n.* שיבוט (דג שטוח)
tur′bu•lence *n.* תסיסה, התפרעות, רעש
tur′bu•lent *adj.* תוסס, רוגש; נסער, פרוע, נטול־רסן
turd *n.* ★חרה, צואה, גלל, רעי
tureen′ *n.* מגס, קערת־שולחן עמוקה
turf *n.* טורף, כבול; עשבה, אדמת־עשב; שטח (עמדה) הנשמר בקנאות
the turf (מסלול) מירוצי־סוסים
turf *v.* לכסות (חלקת־אדמה) בעשבה
turf out ★לזרוק, להשליך
tur′gid *adj.* נפוח; (סיגנון) נמלץ, מנופח
tur•gid′ity *n.* נפיחות, תפיחות
Turk *n.* טורקי; ★שובב, תכשיט
Tur′key *n.* טורקיה
tur′key *n.* תרנגול־הודו; ★כישלון
cold turkey גמילה פתאומית (מסם); מיחוש־ראש; אמת מרה
talk turkey לדבר גלויות/לעניין
Tur′kish *adj&n.* טורקי; תורכית (שפה)
Turkish bath מרחץ טורקי, מרחץ זיעה
Turkish delight חלקום (ממתק)
Turkish towel מגבת טורקית (גסה)
tur′meric *n.* כרכום (צמח־בר)
tur′moil *n.* מבוכה, מהומה, אי־שקט

turn *v.* לסובב; להסתובב; להפנות; לפנות; לנטות; להפוך; להתהפך; להיות, להיעשות; לשנות; להשתנות; לכוון; להגיע; לעבור; ליצור, לעצב (במחרטה)
about turn! לאחור ־ פנה!
has turned 60 הגיע לגיל 60
his stomach turned נתקף בחילה
it turned out נתברר, נמצא, נסתיים
it's just turned 7 השעה כבר 7
not know which way to turn להיות אובד עצות
not turn a hand לא לנקוף אצבע
the milk turned החלב החמיץ
turn (to the) right לפנות ימינה
turn a blind eye להעלים עין
turn a charge להדוף הסתערות
turn a circle ליצור/לרשום מעגל
turn a collar להפוך צווארון
turn a corner לפנות בסיבוב
turn a deaf ear לאטום אוזנו
turn a gun on לכוון אקדח לעבר־
turn a phrase לטבוע ביטוי נאה
turn a profit להרוויח
turn about להסתובב, לפנות לאחור
turn against להפוך עורף; להשניא
turn away להסתלק, לסור מ־; להסב עיניו מ־; להשיב פניו ריקם, לגרש
turn back לחזור, לשוב על עקבותיו; להחזיר; לקפל
turn color להשתנות צבעו
turn down לדחות, לא להיענות; להקטין, להנמיך; לקפל
turn him adrift לשלחו לנוע ולנוד
turn him from להניאו מ־
turn him up ★להבחיל, לגרום לבחילה
turn his head לסחרר ראשו (מהצלחה)
turn in לקפל; להחזיר, להשיב; למסור, לתת; להסגיר; ★ללכת לישון
turn in on oneself להתבודד, לנתק מגע עם הזולת
turn inside out להפוך (הפנים כלפי חוץ)
turn into להפוך ל־, להיעשות ל־
turn into English לתרגם לאנגלית
turn loose לשחרר, להתיר הרסן
turn off לשנות כיוון, לפנות (בצומת); לסגור; לכַבּות; ★לאבד עניין
turn on לפתוח; להדליק; להפעיל; להיות תלוי ב־; ★לענג, להלהיב
turn on/upon להתקיף, להתנפל על
turn one's ankle לעקם קרסולו
turn one's attention להפנות תשומת־ליבו
turn one's back להפנות עורף
turn one's coat להפוך את עורו
turn one's eyes להפנות מבטו
turn one's hand to ליטול על עצמו, לטפל ב־
turn out לסגור; לכַבּות; להפוך; לרוקן; לנקות; לגרש, לפטר; להתאסף,
turn out להופיע; להפיק, לייצר; להתגלות, להיווכח, להתברר, להסתבר;
turn out ★לקום מהמיטה
turn out the guard לקרוא למישמר להתייצב
turn over להפוך; להתהפך; (לגבי מנוע) להתחיל לפעול
turn over $1000 (לגבי מחזור/פדיון) להסתכם ב־1000$
turn over in mind להרהר, לשקול
turn over to למסור, להעביר; להסגיר ל־
turn pages לדפדף, לעלעל
turn round להסתובב; לסובב; להקיף
turn soil לחרוש, לתחח האדמה
turn the corner לעבור את המשבר
turn thief להפוך לגנב
turn to לפנות אל; לעיין ב (ספר); להירתם לעבודה
turn to account להפיק תועלת
turn up להופיע, להגיע; להתגלות, להימצא; למצוא, לגלות; לחשוף,
turn up לקפל, להפשיל; להגביר; לקרות
turn up one's nose לעקם חוטמו
turn wood לחרוט עץ (במחרטה)
turn yellow/brown להצהיב/להשחים
turned the milk (החום) קלקל החלב
turn *n.* סיבוב; פנייה; מיפנה; תור, סדר, הזדמנות; תורנות; מעשה, פעולה; מטרה, צורך; מופע, קטע; נטייה, כישרון; טיול, הליכה; ★הלם, זעזוע; התקף
a good turn טובה, מיצווה
at every turn על כל צעד ושעל
by turns חליפות, לסירוגין
call the turn לנבא
done to a turn מבושל כדבעי
in turn לפי תור, בזה אחר זה
it'll serve my turn הדבר יענה על דרישותיי
it's my turn to- תורי ל־
on the turn על סף שינוי; (לגבי חלב) עומד להחמיץ
out of turn שלא בסדר הנכון, שלא לפי התור; לא בעיתו; לא בחוכמה

take a turn להשתנות מצבו; לעשות סיבוב, ללכת ולבוא

take turns להתחלף, לעשות חליפות

turn and turn about חליפות, בזה אחר זה

turn of the century סוף המאה

turnabout *n.* תפנית, שינוי־כיוון

turncoat *n.* עריק מפלגתי, בוגד

turncock *n.* ממונה על אספקת־המים

turn-down *adj.* מתקפל

turned *adj.* הפוך; מעוצב; מובע

nicely-turned מובע יפה

turned out לבוש; מצויד

turn'er *n.* חרט, פועל מחרטה

turning *n.* פנייה, מיסעף

turning point נקודת־מיפנה

tur'nip *n.* לפת (ירק)

turnkey *n.* שומר המפתחות, סוהר

turn-off *n.* כביש צדדי (מסתעף)

turn-out *n.* נוכחים, צופים; תילבושת; ציוד; פינוי, ניקוי; קטע רחב (בכביש); תפוקה

turn-over *n.* שינוי, הפיכה; מחזור, פדיון; תחלופה; עובדים מוחלפים; קיפולית (עוגה)

turn'pike' *n.* כביש מהיר; כביש אגרה

turn-round *n.* הכנה (של אונייה/מטוס) להפלגה/לטיסה בחזרה

turn'spit' *n.* מסובב שפודים

turn'stile' *n.* שער מסתובב

turntable *n.* מישטח מסתובב (לקטרי־רכבת); דיסקה מסתובבת (במקול)

turn-up *n.* חפת, קפל (בשולי־המיכנס); הפתעה, אירוע לא־צפוי

turn-up for the book הפתעה

tur'pentine' *n.* טרפנטין, שמן האלה

tur'pitude' *n.* רישעות, שיפלות

turps *n.* טרפנטין

tur'quoise (-z) *n.* טורקיז, פרוזג, נופך

tur'ret (tûr'-) *n.* צריח

tur'tle *n.* צב, צב־ים

turn turtle (לגבי ספינה) להתהפך

turtle-dove *n.* תור, יונת־בר

turtle-neck *n.* אפודה גבוהת־צווארון

tush *interj.* די! (הבעת קוצר־רוח)

tusk *n.* ניב; שן־הפיל, שנהב

tusk'er *n.* פיל; חזיר־בר

tus'sah (-sə) *n.* משי גס

tus'sle *v&n.* להיאבק, להילחם; תיגרה

tus'sock *n.* גבשושית־דשא

tut *interj.* נו־נו! אוי! (הבעת קוצר־רוח)

tu'telage *n.* אפיטרופסות, חסות, פטרונות; פיקוח, הדרכה

tu'telar *adj.* אפיטרופסי, מפקח, משגיח

tu'telar'y (-leri) *adj.* אפיטרופסי, מפקח, משגיח

tu'tor *n.* מורה פרטי; חונך, מדריך

tutor *v.* לשמש כמורה פרטי, לאמן, לאלף

tu•to'rial (tōō-) *adj&n.* של מורה, של הוראה, לימודי; שיעור

tut'ti-frut'ti (tōō-frōō-) *n.* טוטי־פרוטי, גלידת פירות

tut'-tut' אוף! (הבעת קוצר־רוח); נו־נו, לא, אסור!

tu'tu' *n.* חצאית־באלט

tux•e'do *n.* טוקסידו, חליפה מהודרת

TV = television טלוויזיה

twad'dle (twod-) *n&v.* שטויות, פיטפוט, קישקוש; לדבר שטויות, לקשקש

twain *n.* שניים

twang *n.* צליל (של מיתר); אינפוף

twang *v.* להשמיע צליל; לאנפף

'twas = it was (twoz)

tweak *v.* לצבוט, למשוך, למרוט

tweak *n.* צביטה, משיכה, מריטה

tweed *n.* טוויד (אריג צמר רך)

tweeds ביגדי־טוויד

tweedy *adj.* של טוויד, לובש ביגדי טוויד; לא רישמי, פשוט

'tween = between

tweet *n&v.* ציוץ; לצייץ

tweet'er *n.* רמקול (לתדירות גבוהה)

twee'zers *n-pl.* מַלקט, מלקטת; מלקחית

twelfth *adj&n.* (החלק) השנים־עשר

Twelfth day היום השנים־עשר (יום חג, החל ב־6 בינואר)

Twelfth night ערב היום השנים־עשר

twelve *adj&n.* שנים־עשר, תריסר

the Twelve 12 השליחים (של ישו)

twelvemonth *n.* שנה, 12 חודש

twen'tieth *adj&n.* (החלק) העשרים

twen'ty *n.* עשרים, 20

the twenties שנות העשרים

twenty-one *n.* 21 (מישחק קלפים)

twerp *n.* ⋆טיפוס דוחה, דל־אישים

twice *adv.* פעמיים, כפליים, פי שניים

think twice לחשוב פעמיים

twice-told *adj.* שסופר כבר, ידוע

twid'dle *v.* להשתעשע; לסובב, לגלגל

twiddle one's thumbs להתבטל

twig *n.* ענפנף, זלזל, זרד, שריג
twig *v.* ★להבין, לתפוס, לראות
twiggy *adj.* רב־זלזלים, בעל ענפנפים
twi'light' *n.* דימדומי־ערב, ניצנוצי־שחר; בין־הערביים; תקופת־שקיעה
twill *n.* אריג מלוכסן־קווים
twilled *adj.* מלוכסן
twin *adj&n.* תאום; תאומי, זהה
twins תאומים
twin *v.* ללדת תאומים; לקשר/לזווג עיר תאומה
twin beds זוג מיטות
twine *n.* חוט, פתיל, משיחה
twine *v.* לשזור, לפתל; לכרוך; להשתרג
twinge *n.* כאב עז, ייסורים
twin'kle *v&n.* לנצנץ, לזהור, לרצד; למצמץ; ניצנוץ, זוהר; מיצמוץ
twinkling *n.* ניצנוץ; רגע קט
in the twinkling of an eye כהרף עין
twin set מערכת חולצה ואפודה
twirl *v&n.* לסובב; להסתובב; לגלגל; לסלסל; סיבוב; הסתובבות
twirp *n.* ★נבזה, טיפוס דוחה
twist *v.* לשזור, לפתל; לכרוך, לקלוע; לסובב; לגלגל; להתפתל; לעקם; לעוות; לסלף; לרקוד טוויסט
twist his arm לעקם זרועו (מאחורי גבו); ללחוץ עליו
twist his words לסלף דבריו
twist off לתלוש בסיבוב; לפתוח (מיכסה) בסיבוב
twist round one's little finger לסובבו על אצבעו הקטנה
twist *n.* שזירה, פיתול, קליעה; פתיל, חבל; סיבוב, עיקול; עיוות; חלה קלועה; טוויסט
sadistic twist נטייה סאדיסטית
twist of paper שקית־נייר גלולת־קצוות
twist of tobacco גלולית־טבק
twister *n.* רמאי, עקמן; בעיה קשה; טורנאדו, סופה; רקדן טוויסט
twisty *adj.* עקלתון, פתלתול, עקלקל
twit *v.* להקניט, ללגלג, לצחוק על
twit *n.* ליגלוג; נזיפה; ★טיפש
twitch *v.* להניע, להרעיד; לזוע, לפרפר; להתעוות; למשוך, לחטוף
twitch *n.* עווית, טיק, זיע; משיכה
twit'ter *v.* לצייץ; לדבר בהתרגשות
twitter *n.* ציוץ; התרגשות
all of a twitter נרגש

twixt = betwixt *prep.* בין
two (to͞o) *adj&n.* שניים, שתיים, 2, דו
by twos, in twos שניים־ שניים
in two (לחתוך) לשניים, לשני חלקים
one or two כמה, מספר מועט
put two and two together להסיק מראיית העובדות, לצרף אחד לאחד ולפתור הבעיה
two cents ★דבר חסר־ערך, סכום זעום; דעה, השקפה
two-bit *adj.* ★חסר־ערך, זול
two-edged *adj.* בעל שני להבים, בעל פיפיות; דו־משמעי, תרתי משמע
two-edged sword חרב פיפיות
two-faced *adj.* דו־פרצופי
twofold *adj&adv.* פעמיים, כפליים
two-handed *adj.* דו־ידי; בעל שתי ידיות; מצריך שתי ידיים
twopence *n.* שני פנים
not care twopence לא איכפת כלל
twopenny *adj.* שמחירו 2 פנים; דל־ערך
twopenny-halfpenny *adj.* דל־ערך
two-piece *adj&n.* (חליפה/בגד־ים) בן שני חלקים
two-ply *adj.* דו־חוטי, דו־רובדי
two-seater *n.* דו־מושבי
twosome *n.* זוג, צמד, שניים
two-step *n.* טו־סטפ (ריקוד)
two-time *v.* לבגוד (באהובתו), לרמות
two-tone *adj.* דו־גוני, בעל 2 גוונים
two-way *adj.* דו־סיטרי; (מקלט) קולט ומשדר אותות
ty•coon' (-ko͞on') *n.* איל־הון, תעשיין עשיר
ty'ing = pres p of tie
tyke *n.* זאטוט, "מזיק"; כלב
tym'panum *n.* תוף האוזן; אוזן תיכונית
type *n.* טיפוס, סוג, מין; דוגמה, צורה, תבנית; אותיות, סְדָר
in type מסודר להדפסה
true to type אופייני לטיפוס מסוגו
type *v.* להדפיס, לתקתק; לסווג, לקבוע סוג (דם); לייצג, לסמל
typecast *v.* להטיל תפקיד (על שחקן), לשבץ בתפקיד אופייני לאישיותו
typescript *n.* חומר מודפס
typesetter *n.* סַדָּר, מסדר אותיות
typewriter *n.* מכונת־כתיבה
typewritten *adj.* מודפס במכונת־כתיבה
ty'phoid *n.* טיפוס־המעיים/־הבטן

ty•phoon′ (-fōōn′) *n.* טייפון, סערה עזה
ty′phus *n.* טיפוס־הבהרות
typ′ical *adj.* טיפוסי, אופייני
typically *adv.* בדרך אופיינית
typ′ify′ *v.* לייצג, לסמל, לאפיין, להיות טיפוסי ל־
typing pool שירות כתבנות מרכזי
ty′pist *n.* כתבנית, כתבן
ty•pog′rapher *n.* טיפוגראף, דפס
ty′pograph′ic *adj.* טיפוגראפי, דפוסי
ty•pog′raphy *n.* טיפוגרפיה, הדפסה, דפסות
tyran′nical *adj.* רודני, עריצי, טיראני
tyr′annize′ *v.* לרדות, למשול בעריצות
tyr′annous *adj.* רודני, עריצי, טיראני
tyr′anny *n.* רודנות, עריצות
ty′rant *n.* רודן, עריץ, טיראן
tyre *n.* צמיג
Tyre *n.* צור (עיר)
ty′ro *n.* טירון, מתחיל, ירוק
tzar (zär) *n.* צאר (ברוסיה)
tzetze (tset′si) *n.* טסה־טסה (זבוב)

U

U *n&adj.* (סרט) לכל הגילים
U-turn פניית־פרסה (בכביש)
u•biq′uitous (ū-) *adj.* נמצא בכל מקום
u•biq′uity (ū-) *n.* נוכחות בכל מקום
U-boat *n.* צוללת גרמנית
ud′der *n.* עטין
UFO עב"מ (עצם בלתי מזוהה)
ugh (ug) *interj.* אוף! (קריאת סלידה)
ug′lify′ *v.* לכער, להשחית היופי
ugliness *n.* כיעור
ug′ly *adj.* מכוער, דוחה; מאיים, מבשר־רע, קודר
in an ugly mood במצב־רוח רע
ugly customer טיפוס רע
ugly duckling הברווזון המכוער
UHF = ultra-high frequency
UK = United Kingdom בריטניה
u′kase′ *n.* צו רישמי
u′kule′le (-lā′li) *n.* גיטארה האוואית
ul′cer *n.* כיב, אולקוס; פצע; שחיתות
ul′cerate′ *v.* לגרום/להתפתח כיב/פצע
ul′cera′tion *n.* כיוב, התכייבות
ul′cerous *adj.* כיבי
ul′lage *n.* כמות האוויר בבקבוק
ul′na *n.* קנה, עצם אמת־היד, גומד
ul′ster *n.* מעיל אלסטר (ארוך)
ult *adj.* של החודש שעבר
ul•te′rior *adj.* כמוס, נסתר, חבוי; מרוחק, רחוק; שלאחר מכן
ul′timate *adj.* סופי, אחרון, קיצוני, מרוחק; יסודי; שאין מעבר לו, מוחלט
ultimately *adv.* בסופו של דבר
ul′tima′tum *n.* אולטימאטום, אתראה
ul′timo′ *adj.* של החודש שעבר
ul′tra *adj.* קיצוני, ביותר, אולטרה
ultra-high frequency תדר אולטרה־גבוה
ul′tramarine′ (-rēn′) *adj&n.* כחול־עז
ul′tramon•tane′ *adj.* שמעבר להרים; דוגל בסמכות עליונה של האפיפיור
ul′tramun′dane *adj.* שמעבר לעולם הזה, לא מעלמא הדין
ul′trason′ic *adj.* על־קולי, על־שימעי
ul′travi′olet *adj.* אולטרה־סגול
ultraviolet rays קרני אולטרה
ul′tra vi′res (-rēz) מעבר לסמכות
ul′u•late′ *v.* לקונן, ליילל, לייבב
ul′u•la′tion *n.* יללה, יילול, ייבוב
um′ber *n&adj.* חום, חום־אדמדם
burnt umber חום־אדמדם
um•bil′ical cord *n.* חבל הטבור
um′brage *n.* פגיעה, עלבון
take umbrage להיפגע, להיעלב
um•brel′la *n&adj.* מיטרייה, סוכך; חיפוי, הגנה; כולל, מקיף
um′pire *n.* שופט (במישחק); בורר
umpire *v.* לשפוט; לשמש כבורר
ump′teen′ *adj&n.* ★הרבה, המון
for the umpteenth time בפעם האלף
un- (תחילית) לא־, אי־, חסר־, נטול־
’un = one (∂n)
a good ’un טוב
UN = United Nations
un′abashed′ (-basht′) *adj.* לא בוש, לא נבוך
un′aba′ted *adj.* ללא הפוגה, לא רוגע
un•a′ble *adj.* לא יכול, לא מסוגל
un′abridged′ (-brijd′) *adj.* לא מקוצר, שלם
un′accept′able *adj.* לא רצוי
un′accom′panied′ (-kum′p∂nēd) *adj.* בלי ליווי
un′account′able *adj.* נטול־הסבר, מוזר, מפתיע
un′accus′tomed (-t∂md) *adj.* לא מורגל, לא רגיל, מוזר
un′adopt′ed *adj.* לא מאומץ; (רחוב) לא מתוחזק (ע"י העירייה)
un′adult′era′ted *adj.* לא מהול, טהור
unadulterated nonsense טיפשות גמורה
un′advised′ (-vīzd′) *adj.* לא נבון, נמהר, פזיז
un′affect′ed *adj.* טיבעי, לא מזויף, לא מאולץ, אמיתי; לא מושפע מ־
un′alloyed′ (-loid) *adj.* לא מהול, טהור
un•al′terable (-ôl′-) *adj.* שאין לשנותו

un'-Amer'ican *adj.* לא אמריקני, אנטי־אמריקני
u'nanim'ity *n.* הסכמה מלאה, פה אחד, תמימות דעים
u•nan'imous (ū-) *adj.* תמימי דעים, פה אחד
un'announced' (-nounst') *adj.* מופיע באורח בלתי צפוי, בלא הודעה על בואו
un•an'swerable (-sər-) *adj.* ללא מענה; שאין להפריכו
un'approach'able *adj.* לא נגיש; מגלה יחס צונן; שאין דומה לו
un•armed' (-ärmd') *adj.* לא חמוש, ללא נשק; חסר אמצעי הגנה
un•asked' (-askt') *adj.* שלא נתבקש
un•assail'able *adj.* שאין להכחישו, שאין להפריכו; שאין להתקיפו
un'assu'ming *adj.* צנוע, לא מתבלט
un'attached' (-tacht') *adj.* עצמאי, לא קשור; לא נשוי, לא מאורס
un'attend'ed *adj.* ללא ליווי; לבד, בגפו; ללא השגחה; ללא נוכחים
un'avail'ing *adj.* עקר, חסר־תועלת
un'avoid'able *adj.* בלתי־נמנע, מחויב המציאות
un'aware' (-awār') *adj.* לא מודע
unawares *adv.* בהיסח הדעת, בלי משים, בלא כוונה
take him unawares להפתיעו
un•backed' (-bakt') *adj.* חסר תמיכה; (סוס מירוץ) שלא הימרו עליו
un•bal'ance *v.* להוציאו משיווי מישקלו, לערער יציבותו
unbalanced *adj.* לא מאוזן, לא שפוי
un•bar' *v.* להסיר הבריח; לפתוח
un•bear'able (-bār'-) *adj.* בלתי נסבל
un•beat'en *adj.* בלתי מנוצח
un'be•com'ing (-kum'-) *adj.* לא יאה, לא נאות; לא הולם, לא מתאים
un'be•known' (-binōn'-) *adj.* לא ידוע, בלי ידיעת־
un'be•lief' (-lēf') *n.* חוסר אמונה
un'be•liev'able (-lēv'-) *adj.* לא יאומן
un'be•liev'er (-lēv'-) *adj.* לא מאמין, כופר
un'be•liev'ing (-lēv'-) *adj.* לא מאמין, מפקפק
un•bend' *v.* ליישר; לרכך, לרפות, להפיג; להגמיש, להתרכך (בהתנהגות)
un•bend'ing *adj.* קשוח, נוקשה, תקיף
un•bi'ased (-əst) *adj.* לא משוחד, הוגן, בלי משוא פנים
un•bid'den *adj.* שלא נתבקש, לא מצווּה; לא מוזמן, לא קרוא; ספונטאני
un•bind' (-bīnd') *v.* להתיר, לשחרר
un•blush'ing *adj.* חסר־בושה, מחפיר
un•born' *adj.* שטרם נולד, עתידי
un•bos'om (-booz'-) *v.* לשפוך שיחו, לגלות
un•bound'ed *adj.* בלתי מוגבל, בלי מיצרים, אינסופי
un•bowed' (-boud) *adj.* בלתי מנוצח, לא כפוף, לא מורכן
un•bri'dled (-dəld) *adj.* לא מרוסן
un•bro'ken *adj.* שלם, רצוף, לא משוסע; (שיא) שטרם נשבר
unbroken horse סוס לא מאולף
un•buck'le *v.* להתיר האבזם
un•bur'den *v.* לפרוק משא מ־; לשפוך נפשו, לגלות
unburden one's heart לשפוך ליבו
un•but'toned (-tənd) *adj.* לא מכופתר; לא רישמי, פתוח
un•called'-for' (-kôld'-) *adj.* לא־נחוץ, מיותר, גס
un•can'ny *adj.* לא־טיבעי, מיסתורי, מוזר
un•cared'-for' (-kārd'-) *adj.* מוזנח, לא מטופח
un•ceas'ing *adj.* לא פוסק, מתמיד
un'cer•emo'nious *adj.* לא רישמי, בלי טקסים, בלי גינונים; בחוסר נימוס
un•cer'tain (-tən) *adj.* לא בטוח, לא ודאי, מפוקפק; מפקפק; הפכפך, לא יציב; לא ברור
of uncertain age (אישה) שגילה לא ברור, לא צעירה
un•cer'tainty (-tən-) *n.* חוסר ביטחון, אי־ודאות, פיקפוק; הפכפכנות; אי־בהירות
un•char'itable *adj.* לא אדיב, לא סלחני, קשה, קשוח, קפדן, מחמיר
un•chart'ed *adj.* לא ממופה, לא מצוין במפה, שלא נחקר
un•checked' (-chekt') *adj.* לא מרוסן, לא נעצר; לא מבוקר, לא נבדק
un•chris'tian (-kris'chən) *adj.* לא נוצרי, לא ברוח הנצרות; לא אדיב; לא נוח
un•cir'cumcised' (-sīzd) *adj.* ערל, שלא נימול
un•civ'il *adj.* לא מנומס, גס

un•clad′ *adj.* לא לבוש, ערום, מעורטל
un•claimed′ (-klāmd′) *adj.* שאין לו דורשים
un′cle *n.* דוד; ★משכונאי
say/cry uncle להיכנע, להרים ידיים
un•clean′ *adj.* לא נקי, מטונף; טמא, טרף
Uncle Sam הדוד סם, ארצות הברית
Uncle Tom הדוד תום, עבד כושי נאמן
un•cloud′ed *adj.* בהיר, לא מועב
un•col′or ed-kul′ərd) *adj.* פשוט, לא מיופה, ללא כחל ושרק
un•com′fortable (-kum′-) *adj.* לא נוח
un′commit′ted *adj.* לא מתחייב, לא מחויב, עצמאי, חופשי, בלתי תלוי
un•com′mon *adj.* לא רגיל
uncommonly *adv.* בצורה בלתי רגילה; ★מאוד, ביותר
un•com′promi′sing (-z-) *adj.* תקיף, לא ותרני, בלתי מתפשר
un′concern′ *n.* חוסר־עניין; אי־דאגה
unconcerned *adj.* לא מודאג, אדיש; לא מתעניין, לא נוטל חלק ב־
un′condi′tional (-dish′ən-) *adj.* ללא תנאים
un′condi′tioned (-dish′ənd) *adj.* לא מותנה
un•con′scionable (-′shən-) *adj.* לא הגיוני, לא סביר, מופרז; לא מצפוני
un•con′scious (-shəs) *adj&n.* לא מודע; חסר־הכרה; לא חש; לא מכוון
the unconscious התת־מודע
un′consid′ered (-dərd) *adj.* לא מחושב, לא שקול; לא נחשב, קל־ערך
un•cork′ *v.* לחלוץ פקק, לפקק
un•coup′le (-kup′-) *v.* להתיר, לנתק
un•couth′ (-ko͞oth′) *adj.* לא מנומס, גס, מחוספס
un•cov′er (-kuv′-) *v.* להסיר המיכסה; לגלות, לחשוף
un•crit′ical *adj.* לא ביקורתי
un•crossed′ (-krôst′) *adj.* (שק) לא משורטט
un•crown′ *v.* להסיר את הכתר
un•crush′able *adj.* לא מתקמט, לא קמיט; חזק, שאין להכניעו
unc′tion *n.* משיחה, יציקת־שמן; רצינות, התלהבות; העמדת פנים
extreme unction משיחת הגוסס
unc′tuous (-cho͞oəs) *adj.* חלקלק, שמני; מפריז באדיבות, מנומס מדיי, מעושה
un•cut′ *adj.* לא חתוך; לא מקוצר; לא מלוטש
un•da′ted *adj.* חסר תאריך
un•daunt′ed *adj.* עשוי לבלי חת
un′de•ceive′ (-sēv′) *v.* להעמידו על טעותו, לפקוח עיניו
un′de•ci′ded *adj.* מהסס, מפקפק, חוכך בדעתו; לא מוכרע, תיקו
un′de•clared′ (-lārd′) *adj.* לא מוצהר
un′de•fend′ed *adj.* חסר־הגנה
un′de•mon′strative *adj.* עצור, מאופק, מרוסן
un′de•ni′able *adj.* שאין להכחישו, שאין לערער עליו, לא מוטל בספק
un′der *adv.* מטה, למטה, מתחת
go under להיכשל; לשקוע
keep under לדכא, לרסן
under *prep.* מתחת ל־; תחת־; למטה מ־; פחות מ־; לרגלי־, ב־; בתהליך; לפי, בהתאם ל־; בימי־
come under להשתייך ל־, להיכלל ב־
under age קטין, צעיר מדיי
under arrest במעצר
under control בפיקוח, בשליטה
under cover of מוסתר, בחסות ה־
under discussion בדיון
under repair בתיקון
under rice (אדמה) זרועה אורז
under sentence of נידון ל־
under the counter בצורה לא חוקית
under these circumstances בנסיבות אלה
under- (תחילית) כפוף, תת־; מעט מדיי
un′deract′ *v.* לשחק בשיטחיות, לא להבליט התפקיד
un′derarm′ *adj&adv.* ביד מונפת מתחת לגובה הכתף; של בית־השחי, שחיי
un′derbel′ly *n.* שיפולי־בטן; "בטן רכה", עקב אכילס, נקודת תורפה
un′derbid′ *v.* להציע פחות מ־
un′derbred′ *adj.* חסר־נימוס, גס
un′derbrush′ *n.* שיחים, סבך
un′dercar′riage (-rij) *n.* מערכת נחיתה (של מטוס); שילדה, תושבת
un′dercharge′ *v.* לתבוע מחיר נמוך מדיי
un′dercharge′ *n.* מחיר נמוך מדיי
un′derclothes′ (-klōz) *n.* בגדים תחתוניים, לבנים

un′derclo′thing (-dh-) *n.* בגדים תחתוניים, לבנים
un′dercoat′ *n.* שיכבה תחתית, צבע יסוד
un′dercov′er (-kuv′-) *adj.* חשאי, סודי, בגניבה
undercover agent סוכן מושתל
un′dercur′rent (-kûr-) *n.* זרם תחתי; נימה מוסתרת, מגמה סמויה
un′dercut′ *v.* להציע (שירות/סחורה) במחיר נמוך מ־; לערער, להחליש, לקצץ
undercut *n.* נתח בשר־אחוריים
un′derde•vel′oped (-∂pt) *adj.* לא מפותח דיו
un′derdog′ (-dôg) *n.* מקופח, מפסיד, מנוצח
un′derdone′ (-dun′) *adj.* לא מבושל כדבעי
un′deres′timate′ *v.* לא להעריך כראוי, לזלזל ב־; לאמוד בסכום נמוך
un′deres′timate *n.* הערכה נמוכה מדיי
un′derex•pose′ (-z) *v.* לחשוף (צילום) לזמן קצר מדיי
un′derex•po′sure (-zh∂r) *n.* חשיפה קצרה מדיי
un′derfed′ *adj.* חסר תזונה מספקת
un′derfeed′ *v.* להזין למטה מהדרוש
un′derfoot′ *adj.* מתחת לרגליים
un′dergar′ment *n.* בגד תחתון
un′dergo′ *v.* להתנסות ב־, לחוות; לשאת, לסבול, לעבור
undergone = pp of undergo
un′dergrad′ *n.* סטודנט*
un′dergrad′uate (-j′o͞oit) *n.* סטודנט, תלמיד אוניברסיטה, לומד לתואר ב"א
un′derground′ *adj&adv.* תת־קרקעי; תחתי; מחתרתי; מתחת לאדמה
go underground לרדת למחתרת
underground *n.* מחתרת; רכבת תחתית
un′dergrowth′ (-grōth) *n.* שיחים, סבך
un′derhand′ *adv&adj.* ביד מונפת מתחת לגובה הכתף; חשאי, ערמומי, בוגדני
un′derhand′ed *adj.* חשאי, ערמומי, בוגדני
un′derhung′ *adj.* (לסת תחתונה) בולטת

un′derlay′ *v.* להניח מתחת/כבסיס
un′derlie′ (-lī′) *v.* להיות מונח ביסוד־, להוות בסיס ל־; להסתתר מאחורי־
un′derline′ *v.* למתוח קו תחת־; להדגיש, להבליט
un′derline′ *n.* קו תחתי
un′derling *n.* כפוף, משועבד, נחות
un′derly′ing *adj.* מונח ביסוד, בסיסי, מסתתר מאחורי
un′dermanned′ (-mand′) *adj.* מאוייש למטה מהדרוש
un′dermen′tioned (-sh∂nd) *adj.* דלהלן, דלקמן
un′dermine′ *v.* לערער, להרוס בהדרגה; לחתור תחת־
un′derneath′ *adv&prep.* מתחת (ל־)
un′dernour′ish (-nûr′-) *v.* להזין למטה מהדרוש
undernourished *adj.* דל־תזונה
undernourishment *n.* תת־תזונה
un′derpants′ *n-pl.* תחתונים
un′derpass′ *n.* מעבר תחתי
un′derpay′ *v.* לשלם מעט מדיי
underpayment *n.* תשלום זעום
un′derpin′ *v.* לתמוך, להניח מיתמך, להשעין; לחזק; להוות בסיס ל־
un′derplay′ *v.* לשחק בשיטחיות; לא להדגיש ביותר, לא להבליט
underplay one's hand לפעול בזהירות, להסתיר כוונותיו
un′derpop′u•la′ted *adj.* דל־אוכלוסין
un′derpriv′ileged (-lijd) *adj.* דל־זכויות, מקופח
un′derproduc′tion *n.* תפוקת־חסר
un′derproof′ (-o͞of′) *adj.* מכיל מעט מדיי כוהל
un′derquote′ *v.* להציע מחיר נמוך מ־
un′derrate′ (-r-r-) *v.* לא להעריך כראוי, לזלזל ב־
un′derscore′ *v.* למתוח קו תחת־; להדגיש, להבליט
un′dersec′retar′y (-teri) *n.* תת־מזכיר
un′dersell′ *v.* למכור במחיר נמוך מ־
un′dersexed′ (-sekst′) *adj.* דל־תשוקה מינית
un′dersher′iff *n.* סגן־שריף
un′dershirt′ *n.* גופייה
un′dershoot′ (-o͞ot′) *v.* לנחות לפני המסלול/המטרה
un′dershot′ *adj.* (לגבי אופן־טחנה)

מופעל בזרם שמתחתיו; (לסת) בולטת

un′derside′ *n.* צד תחתון, פאה תחתית

un′dersign′ (-sīn) *v.* לחתום למטה

the undersigned החתום מטה

un′dersized′ (-sīzd′) *adj.* קטן מהרגיל, גמוד

un′derskirt′ *n.* תחתונית

un′derslung′ *adj.* (שילדה) תת־סרנית

un′derstaffed′ (-staft′) *adj.* בעל סגל־עובדים קטן מדיי

un′derstand′ *v.* להבין, לתפוס; להסיק, ללמוד

give to understand לתת להבין

make oneself understood להסביר עצמו, להבהיר דבריו

understand each other להבין זה את זה

understand me! שיהיה לך ברור!

understandable *adj.* שיש להבינו, מובן

understanding *adj.* מבין, מגלה הבנה

understanding *n.* הבנה, תבונה, השגה; הסכם

beyond my understanding נשגב מבינתי

come to an understanding להגיע להסכם

on the understanding that מתוך הבנה ש־

un′derstate′ *v.* להביע בלשון מאופקת; להפחית מחשיבות; לייפות האמת

understatement *n.* לשון המעטה; התבטאות מאופקת; אנדרסטייטמנט

understock *v.* לספק מלאי קטן מהדרוש

un′derstood′ *adj.* מובן

understood = p of understand

un′derstrap′per *n.* כפוף, נחות־דרגה

un′derstud′y *n&v.* מחליף, ממלא מקום השחקן; להחליף, לגלם תפקיד (במקום־)

un′dertake′ *v.* ליטול על עצמו, להתחייב; להבטיח, לערוב ש־

un′derta′ker *n.* עורך הלוויות, מסדר אשכבות

un′derta′king *n.* משימה, מיפעל, מיבצע; התחייבות, הבטחה; עריכת הלוויות

un′dertone′ *n.* טון נמוך, נימה מאופקת; צליל מוסתר; גוון קל

un′dertook′ = p of undertake

un′dertow′ (-tō) *n.* זרם תחתי (של גל חוזר)

un′derval′u•a′tion (-lū-) *n.* הערכת־חסר

un′derval′ue (-lū) *v.* להעריך מתחת לערך האמיתי, לא לאמוד כראוי

un′dervest′ *n.* גופייה

un′derwat′er (-wôt′-) *adj&adv.* תת־מימי; מתחת למים

un′derwear′ (-wār) *n.* בגדים תחתונים, לבנים

un′derweight′ (-wāt) *adj.* מתחת למישקל (הנחוץ)

un′derwent′ = pt of undergo

un′derworld′ (-wûrld) *n.* העולם התחתון

un′derwrite′ (-rīt′) *v.* להתחייב לרכוש עודפי המניות; להתחייב לממון, לבטח, לערוב

un′derwrit′er (-rīt-) *n.* סוכן ביטוח, מממן

un′de•signed′ (-zīnd′) *adj.* לא מכוּוָן

un′de•sir′able (-zīr′-) *adj.* בלתי רצוי

un′de•terred′ (-tûrd′) *adj.* לא נרתע

un′de•vel′oped (-əpt) *adj.* לא מפותח

un•did′ = pt of undo

un′dies (-dēz) *n-pl.* תחתונים

un′discharged′ (-chärjd′) *adj.* (חוב) לא מסולק

un•disguised′ (-gīzd′) *adj.* גלוי, לא מסוווה

un′distin′guished (-gwisht) *adj.* לא מבריק, לא מצוין

un′divi′ded *adj.* שלם, לא חלקי

un•do′ (-do͞o′) *v.* להתיר, לפתוח, לשחרר; להרוס, לחסל; לקלקל

undo a package להתיר חבילה

un•dock′ *v.* לנתק מחללית

un•do′ing (-do͞o′-) *n.* חיסול, הרס, חורבן

drink will prove his undoing השתייה תחסל אותו

un′domes′tica′ted *adj.* לא מאולף, לא מבוית; לא עוסק במשק־בית

un•done′ (= pp of undo) (-dun′) *adj.* מותר, לא קשור; לא מושלם; הרוס, מחוסל

come undone להינתק

I am undone! עולמי חרב עליי!

un•doubt′ed (-dout-) *adj.* לא מוטל בספק, ודאי

undoubtedly *adv.* ללא ספק, בוודאי
un•dreamt′ (-dremt′) *adj.* שלא נחלם
undreamt-of בל־יתואר, למעלה מכוח הדימיון
un•dress′ *v&n.* לפשוט, להסיר בגדים; להתפשט; עירום; תילבושת פשוטה
undressed *adj.* ערום, מעורטל
get undressed להתפשט
undressed wound פצע לא חבוש
un•due′ (-dōō′) *adj.* יותר מדיי, מופרז, מרחיק לכת; לא הוגן
un′dulate′ (-′j-) *v.* לנוע כגל, להתנחשל, לעלות ולרדת
undulating *adj.* גלי, עולה ויורד
un′dula′tion (-′j-) *n.* גליות, התנחשלות; דבר גלי
un•du′ly *adv.* יותר מדי, ביותר
un•dy′ing *adj.* ניצחי, אלמותי
un•earned′ (-ûrnd′) *adj.* שזכה בו ללא עמל; שאינו ראוי לו
unearned increment עליית ערך הנכס ללא השקעה או מאמץ
un•earth′ (-ûrth′) *v.* לחפור; לגלות, לחשוף
unearthly *adj.* על־טיבעי, לא מעלמא הדין; מיסתורי, מפחיד; לא נוח, מגוחך
unearthly hour ⋆שעה לא נוחה
un•ease′ (-z) *n.* אי־נוחות, עצבנות
un•eas′y (-z-) *adj.* לא־נוח, לא שליו, מודאג, עצבני
un•eat′en *adj.* (אוכל) שלא נאכל
un′e•conom′ic *adj.* בזבזני
un•ed′uca′ted (-j′-) *adj.* לא מחונך
un′em•ploy′able *adj.* שאי־אפשר להעסיקו
un′em•ployed′ (-ploid′) *adj.* חסר־עבודה, מובטל
the unemployed המובטלים
un′em•ploy′ment *n.* אבטלה, חוסר־תעסוקה
unemployment pay דמי אבטלה
un•end′ing *adj.* אינסופי, ניצחי
un′en•light′ened (-ənd) *adj.* בור, לא מחונך; לא יודע, טועה; בעל דעה קדומה
un•en′viable *adj.* שאין לקנא בו
un•e′qual *adj.* לא שווה, לא זהה; לא אחיד; לא מתאים, לא מסוגל ל־
unequaled *adj.* שאין שני לו, מצוין
un′e•quiv′ocal *adj.* חד־משמעי, ברור
un•err′ing *adj.* לא טועה, מדויק
un•e′ven *adj.* לא חלק, לא ישר; לא קבוע, לא קיצבי; לא אחיד; לא זוגי
un′e•vent′ful *adj.* נטול־אירועים, רגיל, משעמם
un′examp′led (-igzamp′əld) *adj.* ללא אח ורע, חסר־תקדים, בלתי־רגיל
un′excep′tionable (-iksep′shən-)*adj.* ללא דופי, מצוין
un′ex•pect′ed *adj.* לא צפוי
un•fail′ing *adj.* נאמן; לא־פוסק, תמידי, לא כלה, בלתי־נדלה
unfailingly *adj.* תמיד, לעולם
un•fair′ *adj.* לא הוגן, לא צודק
un•faith′ful *adj.* לא נאמן, בוגדני
un•fal′tering (-fôl-) *adj.* לא הססני, בטוח
un′famil′iar *adj.* לא מוכר; לא מכיר, לא מתמצא ב־, זר
un•fath′omable (-dh-) *adj.* עמוק, תהומי, סתום, בלתי מובן
un′fath′omed (-dhəmd) *adj.* לא מובן, שאין לרדת לעומקו; (פשע) שלא פוענח
un•fa′vorable *adj.* לא־נוח; לא בעין־יפה, ביקורתי; שלילי
un•feel′ing *adj.* חסר־לב, אכזרי
un•feigned′ (-fānd′) *adj.* לא־מעושה, כן
un•fet′ter *v.* לשחרר, להתיר כבלים
un•fit′ *adj.* לא מתאים, לא כשיר, פסול
unfit *v.* לשלול כושרו, להפוך לבלתי מתאים
un•flag′ging *adj.* בלתי פוסק, מתמיד, בלתי־נלאה
un•flap′pable *adj.* ⋆קר־רוח, שליו
un•fledged′ (-lejd′) *adj.* חסר־ניסיון; שטרם הצמיח נוצות
un•flinch′ing *adj.* ללא חת, החלטי, תקיף
un•fold′ (-fōld′) *v.* לפתוח, לגולל, לפרוש; לגלות, להבהיר; להתגלות, להתבהר
unfold a story לגולל סיפור
un′fore•seen′ (-fôrs-) *adj.* בלתי־צפוי
un′forget′table (-g-) *adj.* בלתי נשכח
un•for′tunate (-′ch-) *adj&n.* חסר־מזל; לא מוצלח; אומלל
unfortunate remark הערה אומללה
unfortunately *adv.* לרוע המזל, לדאבוני
un•found′ed *adj.* נטול־יסוד, חסר־שחר
un′fre•quent′ed *adj.* לא מבוקר,

שמבקרים בו לעיתים נדירות

un•friend′ly (-frend-) *adj.* עוין; לא נוח

un•frock′ *v.* להדיח (כומר) מכמורה

un•fruit′ful (-rōōt′-) *adj.* לא נושא פרי

un•furl′ *v.* לגולל, לפתוח, לפרוש

un•fur′nished (-nisht) *adj.* לא מרוהט

un•gain′ly *adj.* חסר־חן, מגושם

un•gen′erous *adj.* קמצן; לא הוגן

un•gird′ (-g-) *v.* להתיר, לפתח

un•god′ly *adj.* לא ירא־אלוהים, כופר; ★מרגיז, מזעזע, לא נוח

un•gov′ernable (-guv′-) *adj.* שאין לשלוט בו

un•gra′cious (-shəs) *adj.* לא מנומס

un•grate′ful (-grāt′f-) *adj.* כפוי־טובה; (מלאכה/משימה) לא נעימה

un•grudg′ing *adj.* נדיב, רחב־לב; מפרגן

un•guard′ed (-gärd′-) *adj.* לא־זהיר; נטול־שמירה

un′guent (-gwənt) *n.* מִשְׁחָה

un•hal′lowed (-lōd) *adj.* לא מקודש; מרושע

un•hand′ *v.* לסלק ידיו מ־, להרפות

unhappily *adv.* לרוע המזל, לדאבוני

un•hap′py *adj.* עצוב, נוגה; ביש־מזל; לא מתאים, לא טאקטי

unhappy mistake טעות אומללה

un•health′y (-hel′-) *adj.* לא בריא, חולני; מזיק לבריאות; מסוכן

un•heard′ (-hûrd′) *adj.* לא נשמע; שלא דנו בו (בבית־משפט)

went unheard לא מצא אוזן קשבת

unheard-of *adj.* שלא נשמע כמוהו

un•hinge′ *v.* להסיר מהצירים; לשגע, להוציא מדעתו

unhinged *adj.* מופרע, לא שפוי

un•ho′ly *adj.* לא קדוש; רשע, מרושע; ★נורא

unholy racket ★רעש נוראי

un•hook′ *v.* להסיר מאונקל; להתיר, לפתוח, לשחרר (לחצנית)

un•hoped′ (-hōpt′) *adj.* לא צפוי, לא מיוחל

unhoped-for *adj.* לא צפוי; לא מיוחל

un•horse′ *v.* להפיל מעל־גבי הסוס

u′ni- (תחילית) חד־

u′nicorn′ *n.* קרש, חדקרן (סוס בעל קרן אחת)

un′i•den′tified′ (-fīd) *adj.* בלתי מזוהה

unidentified flying object עצם בלתי מזוהה, עב"מ

u′nifica′tion *n.* איחוד

u′niform′ *adj.* אחיד, קבוע, בלתי־משתנה, מואחד, שווה־צורה, אוניפורמי

uniform *n.* מדים

in uniform לבוש מדים; בצבא

uniforms מדים

uniformed *adj.* לבוש מדים

u′niform′ity *n.* אחידות, חד־צורתיות

u′nify′ *v.* לאחד, להעניק צורה אחידה

u′nilat′eral *adj.* חד־צדדי

unilateral disarmament פירוק נשק חד־צדדי

un′impeach′able *adj.* שאין לפקפק בו, שאין להטיל בו דופי

un′informed′ (-fôrmd′) *adj.* חסר־מידע, ללא ידיעה מספקת; נטול־ידע, בור

un′inhab′itable *adj.* לא בר־יישוב

un′inhib′ited *adj.* לא מרוסן, לא מאופק

un′inspired′ (-pīrd′) *adj.* נטול־השראה

un•in′terest′ed *adj.* לא מעוניין, אדיש

un•in′terrupt′ed *adj.* רצוף, מתמיד

u′nion *n.* איגוד; איחוד; אחדות; נישואים; הרמוניה; מחבר־צינורות

the Union ארצות הברית

trade union איגוד מיקצועי

unionism *n.* עקרונות האיגוד המיקצועי

unionist *n.* חבר איגוד מיקצועי; דוגל בהתאגדות מיקצועית

u′nionize′ *v.* לאגד; להתאגד

Union Jack/Flag הדגל הבריטי

union suit מיצרפת

u•nique′ (ūnēk′) *adj.* יחיד במינו, יחיד ומיוחד; בלתי רגיל; אין מושלו

uniqueness *n.* מיוחדות

u′nisex′ *adj.* (בגד) חד־מיני, לשני המינים

u′nisex′ual (-kshōōəl) *adj.* חד־מיני

u′nison *n.* אוניסון; זהות בגובה־קולות; הרמוניה, התאמה; תיאום

answer in unison לענות כאיש אחד

u′nit *n.* יחידה; רהיט; מיתקן

army unit יחידה צבאית

housing unit יחידת דיור

unit of time יחידת זמן

X-ray unit יחידת (צוות־) רנטגן

u'nita'rian *adj.* אוניטארי, מאמין באל אחד, כופר באמונת השילוש
unitarianism *n.* אוניטאריות
u•nite' (ū-) *v.* לאחד; להתאחד; לחבר; להתחבר; ללכד; להתלכד; להתחתן
united *adj.* מאוחד; מלוכד; מחובר
United Kingdom בריטניה
United Nations האומות המאוחדות, או"ם
United States ארצות־הברית
unit furniture ריהוט (עשוי) יחידות
unit trust חברת השקעות
u'nity *n.* איחוד; אחידות; אחדות; שלמות; הרמוניה, התאמה; אחד, 1
u'niver'sal *adj.* אוניברסאלי, עולמי; כללי, מקיף
u'niversal'ity *n.* אוניברסאליות
universal joint מיפרק אוניברסאלי (המאפשר תנועה לכל הכיוונים)
universally *adv.* בכל מקום; ללא יוצא מן הכלל
universal suffrage זכות הצבעה לכל
u'niverse' *n.* עולם, יקום, תבל
u'niver'sity *n.* אוניברסיטה
un•just' *adj.* לא צודק; בלתי הוגן
un•kempt' *adj.* לא נקי; לא מסורק, פרוע
un•kind' (-kīnd') *adj.* לא טוב־לב, אכזרי
unkindly *adv.* בצורה פוגעת
took it unkindly נפגע מכך
un•know'ing (-nō'-) *adj.* לא יודע, לא מכיר
unknowingly *adv.* בלי ידיעה/כוונה
un•known' (-nōn') *adj&n.* לא ידוע; אלמוני; נעלם
un•law'ful *adj.* בלתי־חוקי
un•learn' (-lûrn') *v.* להשכיח מלב, להזניח
unlearned *adj.* לא מלומד, בור; שלא נלמד; חסר־חינוך
un•leash' *v.* להתיר, לשחרר
unleash one's anger לפרוק זעמו
un•leav'ened (-lev'ənd) *adj.* ללא שאור
unleavened bread מצה
un•less' *conj.* אלא אם כן, אם לא, עד שלא
un•let'tered (-tərd) *adj.* לא מחונך, בור, אנאלפביתי
un•like' *adj&prep.* לא דומה, שונה; שלא בדומה ל־
it's unlike him to- אין זה אופייני/טיפוסי לו ל־
unlikelihood *n.* אי־הסתברות
unlikely *adj.* לא עשוי, לא עלול, לא צפוי, לא נראה, לא סביר, מפוקפק
un•list'ed *adj.* לא רשום (בבורסה)
un•load' *v.* לפרוק; להיפטר מ־, למכור; להוציא (תחמושת מרובה)
unload one's anger לפרוק זעמו
un•lock' *v.* לפתוח (מנעול)
un•looked'-for' (-lookt'-) *adj.* לא־צפוי
un•loose' *v.* לשחרר, לרפות, להתיר
un•loo'sen *v.* לשחרר, לרפות, להתיר
un•luck'y *adj.* ביש־מזל
un•made' *adj.* (מיטה) לא מוצעת
un•make' *v.* לבטל; להפוך; להדיח (מלך); להרוס, להשמיד
un•man' *v.* לערער רוחו, לדכדך
un•man'ly *adj.* חלש, פחדני, נשי
un•manned' (-mand') *adj.* לא מאויש
un•man'nerly *adj.* לא־מנומס, גס
un•mar'ried (-rid) *adj.* רווק, לא נשוי
un•mask' *v.* לחשוף, לגלות, להסיר המסווה, לקרוע המסיכה מעל פניו
un•matched' (-macht') *adj.* שאין מושלו
un•mean'ing *adj.* נטול־משמעות
un•meas'ured (-mezh'ərd) *adj.* חסר־מידה, לא־מרוסן; לאין שיעור, מפליג
un•men'tionable (-shən-) *adj.* שאין להעלותו על דל־שפתיו, מביש, מחפיר, מזעזע
unmentionables *n-pl.* תחתונים
un•mind'ful (-mīnd'-) *adj.* שוכח, לא מתחשב ב־, לא זהיר; נמהר, פזיז
un'mista'kable *adj.* שאין לטעות בו, ברור, מובהק
un•mit'iga'ted *adj.* מוחלט, גמור, מושבע; שלא נחלש, שלא פג
un•moved' (-mōōvd') *adj.* לא־מושפע, שליו, אדיש
un•nat'ural (-ch'-) *adj.* לא טיבעי; בלתי־רגיל; לא־אנושי, מיפלצתי; מעושה, מזויף
un•nec'essar'y (-seri) *adj.* מיותר, לא נחוץ
un•nerve' (-n-n-) *v.* לשלול ביטחונו העצמי, לערער שלוותו, ליטול אומץ ליבו
un•no'ticed (un-nō'tist) *adj.* בלא שיבחינו בו

un•num′bered (un-num′bərd) *adj.* לא ממוספר; שלא ייספר מרוב, לאין ספור
un′obtru′sive *adj.* לא בולט, לא מתבלט
un′offi′cial (-fish′əl) *adj.* לא־רישמי
un•or′thodox′ *adj.* לא־דתי; לא שיגרתי, חורג מהמקובל
un•pack′ *v.* לרוקן (מיזוודה); להוציא (מהאריזה); לפרוק משא
un•par′alleled′ (-leld) *adj.* שאין כמוהו, שאין דומה לו
un′par•liament′ary (-ləm-) *adj.* לא פרלאמנטארי
un′per′son *adj.* לא־איש, אדם שאין מכירים בקיומו
un•pick′ *v.* להוציא תפרים מ־
un•placed′ (-plāst′) *adj.* לא בין שלושת הראשונים (בתחרות)
un•play′able *adj.* (מיגרש) לא מתאים למישחקים; (תקליט) לא בר־נגן
un•pleas′ant (-plez′-) *adj.* לא־נעים; חפץ לריב, של מריבה
unpleasantness *n.* אי־נעימות; ריב
un•plumbed′ (-plumd′) *adj.* שאין לרדת לעומקו
un•pop′u•lar *adj.* לא פופולארי
un•prac′ticed (-tist) *adj.* חסר־ניסיון, לא מיומן
un•prec′edent′ed *adj.* חסר־תקדים
un•prej′udiced (-dist) *adj.* משוחרר מדעה קדומה, לא־משוחד
un′pre•ten′tious (-shəs) *adj.* חסר־יומרות, צנוע, לא מתבלט
un•prin′cipled (-pəld) *adj.* בלתי־מוסרי, נטול־עקרונות; חסר־מצפון
un•print′able *adj.* לא ראוי לדפוס, גס
un•priv′ileged (-lijd) *adj.* משולל־זכויות, מקופח
un′profes′sional (-shən-) *adj.* לא־מיקצועי
un•prompt′ed *adj.* ספונטאני
un′provi′ded *adj.* לא מצויד; ללא אמצעי־מחייה
un′provoked′ (-vōkt′) *adj.* ללא פרובוקציה
un•qual′ified′ (-kwol′ifīd) *adj.* לא מוגבל, לא מסויג, מוחלט; לא כשיר, לא מוסמך
un•ques′tionable (-chən-) *adj.* שאינו מוטל בספק, ודאי
un•ques′tioned (-chənd) *adj.* שאין עליו עוררין
un•ques′tioning (-chən-) *adj.* ללא פיקפוק
un•qui′et *adj.* לא שקט; לא־נוח
un•quote′ *adv.* "סוף ציטוט"
un•rav′el *v.* להתיר, לפרום, לדבלל; לפתור; להבהיר, לפענח; להיפרם
un•read′able *adj.* בלתי־קריא
un•re′al *adj.* לא־אמיתי, לא־ריאלי, דימיוני
un•rea′sonable (-z-) *adj.* לא הגיוני, לא סביר, מופרז
un•rea′soning (-z-) *adj.* לא הגיוני, לא נשלט ע"י השכל, ללא מחשבה
un′relent′ing *adj.* קשוח, קשה, תקיף; בלתי־פוסק, לא פג, לא פוחת
un′re•li′able *adj.* שאין לסמוך עליו
un′re•lieved′ (-lēvd′) *adj.* ללא הקלה, ללא גיוון, מתמיד, שלם, מלא
un′re•mit′ting *adj.* לא חדל, מתמיד
un′re•qui′ted *adj.* בלי גמול, ללא שכר
unrequited love אהבה לא הדדית
un′re•served′ (-zûrvd′) *adj.* בלתי־מסויג, לא מוגבל, שלם; גלוי, לא מאופק
unreservedly *adv.* ללא סייג
un•rest′ *n.* אי־שקט, תסיסה
un′re•strained′ (-rānd′) *adj.* לא מאופק, לא מרוסן
un′re•strict′ed *adj.* לא מוגבל
un•rip′ *v.* לקרוע, לפרום
un•ripe′ *adj.* לא בשל
un•ri′valed (-vəld) *adj.* שאין שני לו
un•roll′ (-rōl′) *v.* לגולל, לפרוש; להיפתח
un•ruf′fled (-fəld) *adj.* שקט, שליו
un•ru′ly *adj.* שאין לשלוט בו; פרוע
un•sad′dle *v.* להוריד האוכף; להפיל (רוכב) מגב הבהמה
un•said′ (-sed) *adj.* לא אמור, לא מדובר
better left unsaid יפה לו שתיקה
un•sa′vory *adj.* לא נעים, דוחה, בלתי מוסרי
un•say′ *v.* לחזור בו, לבטל
un•scathed′ (-skādhd′) *adj.* לא נפגע, שלם, ללא פגע
un•schooled′ (-skōōld′) *adj.* לא מחונך, חסר הדרכה; לא נרכש, טיבעי
un•scram′ble *v.* לפענח, להבהיר
un•screw′ (-skrōō′) *v.* להוציא הברגים, לנתק; לפתוח (מיכסה) בסיבוב
un•script′ed *adj.* (שידור) לא מהכתב

un•scru′pu•lous *adj.* חסר־מצפון, ללא מוסר־כליות, נעדר עקרונות־מוסר
un•sea′soned (-zənd) *adj.* לא מתובל
un•seat′ *v.* להפיל (רוכב); להדיח מכיסאו
un•see′ing *adj.* לא מבחין, עיוור
un•seem′ly *adj.* לא יאה, לא נאות
un•seen′ *adj&n.* לא נראה; (במיבחן) קטע שיש לתרגמו
the unseen עולם הרוחות
un•ser′viceable (-səbl) *adj.* לא־שמיש
un•set′tle *v.* לבלבל, להדאיג; לשלול היציבות, ליטול שלווה; להזיק לבריאות
unsettled *adj.* לא מיושב, הפכפך
un•sex′ *v.* לשלול סגולות מיניות
un•shak′able (-shāk′-) *adj.* איתן, לא מעורער
un•shod′ *adj.* יחף; לא־מפורזל
un•sight′ly *adj.* מכוער
un•skilled′ (-skild′) *adj.* לא מיומן, לא מיקצועי
un•so′ciable (-shəbl) *adj.* לא חברותי
un•so′cial *adj.* לא חברתי
un′sophis′tica′ted *adj.* לא מתוחכם, תמים, פשוט, נאיבי; חסר־ניסיון
un•sound′ *adj.* לא בקו־הבריאות, רעוע; חסר־יסוד; (שינה) לא־עמוקה
of unsound mind לא שפוי בדעתו
un•spa′ring *adj.* חסר־רחמים, קשוח־לב; נדיב, רחב־יד, מפזר, לא מקמץ
un•speak′able *adj.* שאין להביעו, בל־יתואר
un•spot′ted *adj.* ללא רבב, טהור
un•sta′ble *adj.* לא יציב, רעוע
un•stop′ *v.* לחלוץ מגופה, לפתוח, לשחרר סתימה
un•strung′ *adj.* נטול־מיתרים, רפה־מיתרים; חלש, לא שולט בעצביו
un•stuck′ *adj.* לא דבוק; פתוח
come unstuck להשתבש, לא להצליח
un•stud′ied (-did) *adj.* טיבעי, לא מעושה, ספונטאני
un•sul′lied (-lid) *adj.* ללא רבב, טהור
un•sung′ *adj.* לא מהולל, שלא שרו לכבודו
un•swerv′ing *adj.* איתן, נאמן; ישר
un•tan′gle *v.* להתיר הסבך, להחליק, ליישר; להבהיר
un•tapped′ (-tapt′) *adj.* לא מנוצל, שלא שאבו ממנו
un•ten′able *adj.* לא בר־הגנה, רופף
un•think′able *adj.* שאין להעלותו על הדעת, לא בא בחשבון
un•think′ing *adj.* ללא שיקול דעת; אי־זהיר, נמהר; לא מתחשב
un•thought′-of′ (-thôt′ov) *adj.* שלא חשבו עליו, לא־צפוי כלל, שלא העלוהו בדימיון
un•ti′dy *adj.* לא מסודר, הפוך; לא נקי, מרושל
un•tie′ (-tī′) *v.* להתיר, לשחרר, לחלץ
un•til′ *prep&conj.* עד, עד ל־, עד ש־
not until לא לפני
un•time′ly (-tīm′li) *adj.* לא בעיתו; טרם זמנו, מוקדם
un•tinged′ (-tinjd′) *adj.* לא מתובל, לא מגוון
not untinged with בעל סממנים של
un•ti′ring *adj.* שאינו יודע ליאות
un′to = to (-to͞o) *prep.* ל־, אל
un•told′ (-tōld′) *adj.* שלא סופר; עצום, לאין שיעור, מופלג
un•touch′able (-tuch′-) *adj.* טמא (בהודו)
un•toward′ (-tôrd′) *adj.* לא־נעים, לא־נוח; ביש־מזל; לא יאה, לא נאות
un•truth′ (-tro͞oth) *n.* שקר, היעדר־אמת
untruthful *adj.* כזבני, משקר
un•tu′tored (-tərd) *adj.* חסר־הדרכה, לא־מחונך, בור
un•used′ (-ūzd′) *adj.* חדש, לא משומש; לא בשימוש, שלא השתמשו בו
unused to לא מורגל ב־, לא רגיל ל־
un•u′sual (-ūzho͞oəl) *adj.* בלתי רגיל, יוצא דופן
unusually *adv.* במידה בלתי רגילה
un•ut′terable *adj.* שאין להביעו במלים, בל־יתואר; ★נורא, גמור, שלם
un•var′nished (-nisht) *adj.* לא מיופה, פשוט
unvarnished truth האמת הערומה
un•veil′ (-vāl′) *v.* לגלות, לחשוף; להסיר הלוט/הצעיף; להציג (מוצר) לראשונה
un•versed′ (-vûrst′) *adj.* לא מנוסה, לא בקי
un•voiced′ (-voist′) *adj.* שלא הובע במלים
un•war′ranted (-wôr-) *adj.* לא־מוצדק; נטול יסוד
un•well′ *adj.* חולה; בתקופת הווסת
un•wiel′dy (-wēl′-) *adj.* מסורבל, כבד

un•wind′ (-wīnd′) *v.* לפתוח, להתיר (אשווה), לגולל; להיפתח; להתבהר; ⋆להירגע
un•wit′ting *adj.* לא מכוון; לא יודע
un•wont′ed *adj.* בלתי רגיל, נדיר
un•writ′ten (-rit′-) *adj.* לא כתוב, לא בכתב
unwritten law החוק הבלתי כתוב
un•zip′ *v.* לפתוח רוכסן
up *adv&adj.* למעלה, אל על; למצב זקוף; ער; עומד; לגמרי, כליל; תם, נגמר
 all up חסל, נגמר, תם; אבוד
 bring him up to date לעדכנו
 eat up לאכול הכל, לחסל
 get up לקום
 go up לעלות; להאמיר
 it's up to you הדבר תלוי בך; עליך ל־, חובתך ל־
 something is up משהו "מתבשל" כאן
 speak up! הרם קולך! דבר בקולו!
 the score is 3 up התוצאה היא 3:3
 time is up הזמן תם
 up against ניצב בפני (קשיים)
 up and about קם, מסתובב
 up and down מעלה ומטה; אילך ואילך
 up before עומד לפני (שופט)
 up for discussion עומד לדיון
 up for murder עומד לדין באשמת רצח
 up for sale מוצע למכירה
 up on, up in בקי ב־
 up to עד, עד ל־, עד כדי; טוב כדי, מסוגל ל־; עומד ל־, על סף־
 up to date עדכני, מעודכן
 up to mischief זומם מעשה־קונדס
 up to no good חורש רעה
 up to now עד כה
 up to the minute מעודכן ביותר
 up with you! קום! עמוד!
 use up לכלות, לחסל
 what are you up to? מה אתה זומם לעשות?
 what's up? מה קרה? מה העניינים?
up *prep.* במעלה־, מול הזרם; בהמשך־; לעבר פנים־(הארץ)
 paddle up a river לחתור במעלה הנהר
up *n.* עלייה, מעלה; תנועה אל על
 on the up and up הוגן, ישר; משתפר, מצליח
 ups and downs עליות וירידות, הצלחות וכישלונות
up *v.* להעלות; לייקר; להגביר; להרים (שולי בגד); לקום (לפתע)
 the lovers upped and eloped האוהבים (קמו ו) ברחו
 up production להגביר התפוקה
up- (תחילית) כלפי מעלה
up-and-coming מוכשר, מבטיח
up-beat *n.* פעמה רפה/אחרונה
up•braid′ *v.* לגעור, לנזוף
upbringing *n.* גידול־בנים, חינוך
upcoming *adj.* הבא, הקרוב
upcountry *n&adv&adj.* פנים־הארץ; אל פנים־הארץ; לא בן־תרבות
up•date′ *v.* לעדכן
up•end′ *v.* להעמיד/לעמוד על קצהו; להפיל
up′grade′ *v&n.* לקדם בדרגה; לשפר, להשביח; עלייה, מעלה; שיפור
 on the upgrade משתפר; מתקדם
up•heav′al *n.* התפרצות (הר־געש); מהפכה, מהפך; מהומה
up•held′ = p of uphold
up•hill′ *adj&adv.* קשה, מייגע, מפרך; עולה, משופע; במעלה ההר
up•hold′ (-hōld′) *v.* לתמוך; לקיים, לאשר; לראות בחיוב, לעודד
 uphold a decision לאשר החלטה
 uphold a tradition לקיים מסורת
up•hol′ster (-hōl′-) *v.* לרפד
 well upholstered (אדם) שמן ⋆
upholsterer *n.* רַפָּד
upholstery *n.* רפדות; ריפוד
up′keep′ *n.* (עלות ה) אחזקה, תחזוקה
up′land *n&adj.* רמה; של רמה
up•lift′ *v.* לרומם; להעלות; לעודד
up′lift′ *n.* התרוממות־הרוח; הרמה; העלאה; עידוד
up′most′ (-mōst) *adj.* עליון
upon′ = on *prep.* על, על גבי; בשעת־
 once upon a time פעם אחת (היה)
 upon my arrival בהגיעי
 upon my word בהן צידקי
up′per *adj.* עליון; שוכן בפנים הארץ
 gained the upper hand ידו היתה על העליונה
 upper storey המוח
 upper ten העשירון העליון
upper *n.* פנת, פנתה, עור עליון בנעל; ⋆סם משכר
 on one's uppers בלוי־נעליים, מרופט־סוליות; חסר פרוטה לפורטה
upper case אותיות גדולות (בדפוס)
upper class המעמד הגבוה

upper crust ⋆העשירים
upper-cut *n.* סנוקרת (מכת־מגל מלמטה למעלה)
upper house/chamber הבית העליון
uppermost *adj&adv.* עליון, גבוה ביותר, שולט, במקום ראשון
come uppermost לעלות על דעתו
she's uppermost in his mind היא בראש מעייניו
up′pish *adj.* יהיר, שחצן, גבה־אף
up′pity *adj.* יהיר, שחצן, סנוב
up′right′ *adj&adv.* זקוף, אנכי, ניצב; הוגן, ישר; זקופית
upright *n.* זקיפות; קורה אנכית
upright piano פסנתר זקוף (זקוף־מיתרים)
up′ri′sing (-z-) *n.* התקוממות, מרד
up′roar′ *n.* רעש, מהומה, בילבול, צעקות
up•roar′ious *adj.* רועש, קולני, עליז
up•root′ (-ro͞ot′) *v.* לשרש, לעקור, להשמיד
uproot oneself לעקור, להעתיק מגוריו
up•set′ *v.* להפוך; להתהפך; לקלקל, לשבש, לבלבל; להדאיג, לצער
the food upset him האוכל קילקל קיבתו
upset his plans לשבש תוכניותיו
upset his stomach לקלקל קיבתו
upset the milk להפוך/לשפוך החלב
up•set′ *adj.* מודאג, מזועזע; מבולבל
upset stomach קיבה מקולקלת
up′set′ *n.* מהפיכה, בילבול; שיבוש; קילקול (קיבה); ריב; מצוקה נפשית
up′shot′ *n.* תוצאה, תולדה
up′side down′ *adv.* הפוך, מהופך; מבולבל, מבולגן, באנדרלמוסיה
turn upside down להפוך, לבלבל
up′stage′ *adj.* יהיר, שחצן, סנוב
upstage *adv.* לעבר ירכתי הבימה
upstage *v.* להסיט תשומת־הלב אליו, להאפיל, לגנוב את ההצגה
up′stairs′ (-z) *adv&adj&n.* למעלה, של/ב/ל/קומה עליונה; הקומות העליונות
kick upstairs לבעוט למעלה, להיפטר (מפקיד) ע״י קידום במישרה
up•stand′ing *adj.* זקוף, חזק; ישר, הגון
up′start′ *n.* אדם שעלה לגדולה
up•stream′ *adv.* במעלה הנהר, מול הזרם
up′surge′ *n.* גאות, גל, פרץ (רגשות)
up′swing′ *n.* עלייה ניכרת, שיפור
up′take′ *n.* תפיסה, הבנה
quick on the uptake מהיר־תפיסה
slow on the uptake קשה־תפיסה
up•tight′ *adj.* ⋆מתוח, עצבני
up′-to-date′ *adj.* מעודכן, עדכני
up′town′ *adj&adv.* אל/ב/מעלה העיר, ברובע המגורים, לא במרכז המיסחרי
up′turn′ *n.* שינוי לטובה; מגמת־עלייה
up•turn′ *v.* להפנות למעלה; להפוך
upturned nose חוטם סולד
up′ward *adj.* עולה, מופנה למעלה
upward, upwards *adv.* למעלה, יותר, והלאה; למצב טוב יותר
upwards of מעל ל־, יותר מ־
10$ and upward 10$ ומעלה
u•ra′nium (yoo-) *n.* אורניום
U′ranus *n.* אורנוס (כוכב־לכת)
ur′ban *adj.* עירוני
ur•bane′ *adj.* אדיב, מנומס, אלגאנטי
urban′ity *n.* אדיבות, נימוס
ur′baniza′tion *n.* עיור, אורבניזציה
ur′banize′ *v.* לעייר, להפוך לעירוני
ur′chin *n.* ילד, פירחח, זאטוט
urge *v.* להמריץ, להחיש, להאיץ, לזרז; לדחוק ב־, ללחוץ; לנסות לשכנע
urge on לדרבן, להמריץ
urge on him להדגיש בפניו, להטיף
urge *n.* דחף, יצר
ur′gency *n.* דחיפות, מידיות, תכיפות
ur′gent *adj.* דחוף, מיידי, דוחק
u′ric *adj.* של שתן, נמצא בשתן
u′rinal *n.* משתן, עביט־שתן; מישתנה
u′rinar′y (-neri) *adj.* של (מערכת ה) שתן
u′rinate′ *v.* להשתין
u′rina′tion *n.* השתנה
u′rine (-rin) *n.* שתן, מי־רגליים
urn *n.* קנקן, מיחם; כד־אפר (של מת)
u•rol′ogy (yoo-) *n.* אורולוגיה, חקר השתן
Ur′sa Major/Minor דובה גדולה/קטנה (קבוצות כוכבים)
us *pron.* אותנו, לנו
US, USA ארצות־הברית
us′abil′ity (ūz-) *n.* שמישות
us′able (ūz-) *adj.* שמיש, שימושי
us′age (ū′sij) *n.* שימוש, השתמשות; נוהג, דפוסי־התנהגות; שימוש־הלשון
English usage שימוש הלשון האנגלית (הצורה המקובלת בשימוש השפה)
use (ūs) *n.* שימוש; ניצול; תועלת, טעם,

תכלית, יתרון; מינהג
come into use להיכנס לשימוש
fall out of use לצאת מכלל שימוש
has no use for אינו מחבב
in use בשימוש
it's no use אין תועלת, אין טעם
make use of לנצל, להפיק תועלת מ־
of use to him תועלתי לגביו
out of use (כבר) לא בשימוש
put to use להשתמש ב־, ליישם
what's the use of מה תועלת ב־, מה טעם ב־
use (ūz) *v.* להשתמש ב־; לנצל; לצרוך, לכלות; להתייחס, לנהוג
use him ill/badly להתייחס אליו בצורה רעה
use up לכַלות, לחסל
used (ūzd) *adj.* משומש, לא חדש
used (ūst) *adj.* רגיל, מורגל
get used to להתרגל ל־
it used to be thought נהגו לחשוב, סברו
there used to be פעם היה־
used to רגיל ל־, מורגל ב־
I used to dislike her לא חיבבתיה
use'ful (ūs'-) *adj.* מועיל, שימושי
use'less (ūs'-) *adj.* חסר־תועלת, נטול־ערך, לא־יעיל
us'er (ūz'-) *n.* משתמש; צורךְ
ush'er *n.* סדרן; שוער, שמש בית־דין
usher *v.* להכניס, להוביל, להנחות
the change ushered in a new era השינוי פתח עידן חדש
usher in להכניס, לפתוח, להביא
ush'erette' *n.* סדרנית
USSR ברית־המועצות
u'su•al (-zhōōəl) *adj.* רגיל, מקובל
as usual כרגיל, כמקובל
usually *adv.* בדרך כלל, לרוב
u'surer (-zh-) *n.* מלווה בריבית קצוצה, נושך נשך
u•su'rious (ūzhoor'iəs) *adj.* של ריבית קצוצה; (מחיר) מופרז
u•surp' (ū-) *v.* לתפוס (כהונה/שילטון) שלא כחוק; ליטול בכוח הזרוע; לחמוס
u'surpa'tion *n.* תפיסת שילטון שלא כדין, חמסנות, אוזורפציה
usurper *n.* תופס שילטון ללא חוק, חמסן, אוזורפאטור
u'sury (-zh-) *n.* הלוואה בריבית קצוצה
u•ten'sil (ūten'səl) *n.* כלי; מכשיר
kitchen utensils כלי־מיטבח
writing utensils מכשירי־כתיבה
u'terine' *adj.* רחמי, של רחם; מאותה אם
uterine sisters אחיות חורגות (מאותה אם), בנות אב חורג
u'terus *n.* רחם
u•til'ita'rian (ū-) *n&adj.* תועלתן; תועלתי, אוטיליטארי, מעשי
utilitarianism *n.* תועלתנות
u•til'ity (ū-) *n.* תועלת; תועלתיות, שימושיות; שירות ציבורי (מים, תחבורה)
public utility שירות ציבורי
utility *adj.* שימושי, רב־תכליתי
u'tili'zable *adj.* בר־ניצול, שניתן לנצלו, שאפשר להפיק ממנו תועלת
u'tiliza'tion *n.* ניצול, הפקת תועלת
u'tilize' *v.* לנצל, להפיק תועלת מן, ליישם בצורה מועילה
ut'most' (-mōst) *adj&n.* הגדול ביותר, רב, מרבי; עליון, קיצוני; מרב־האפשר
do one's utmost לעשות כמיטב יכולתו
to the utmost עד קצה הגבול
utmost importance חשיבות עליונה
u•to'pia (ū-) *n.* אוטופיה, חברה אידיאלית
u•to'pian (ū-) *adj.* אוטופי, דימיוני, אידיאלי, לא מעשי, לא מציאותי
ut'ter *adj.* מוחלט, גמור, טוטאלי
utter *v.* לבטא, להביע; לפלוט, להוציא; להכניס למחזור (כסף מזויף)
utter a cry לפלוט צעקה
utterance *n.* ביטוי, הבעה; דבר, דיבור; אופן־דיבור
give utterance to לתת ביטוי ל־, לבטא
utterly *adv.* לגמרי, כליל, עד מאוד
uttermost = utmost
U-turn *n.* פניית פרסה; תפנית לאחור
u'vu•la *n.* עינבל, להאה (בקצה החך)
u'vu•lar *adj&n.* (עיצור) עינבלי
ux•o'rious *adj.* מחבב אישתו חיבה יתירה, מסור לרעייתו במידה מופרזת

V

v = versus, vide (= see)
V = victory (סמל) ניצחון, וי
vac = vacation חופשה, פגרה
va′cancy *n.* חלל ריק; מקום פנוי; מישרה פנויה; ריקות, העדר־מחשבה
va′cant *adj.* ריק; פנוי; בטל
vacant look מבט בוהה/ריק
vacant possession כניסה מיידית
va′cate *v.* לפנות (דירה/מושב); להתפטר; לבטל (חוזה)
vaca′tion *n.* חופשה; פגרה; פינוי
on vacation בחופשה, נופש
vacation *v.* לצאת לחופשה, לבלות ב־
vacationer, vacationist *n.* נוֹפֵש
vac′cinate′ *v.* להרכיב, לחסן
vac′cina′tion *n.* הרכבה, תירכוב, חיסון
vac′cine (-ksin) *n.* תרכיב, תזריק
vac′illate′ *v.* להתנועע, להיטלטל; להסס, לפקפק, לפסוח על שתי הסעיפים
vac′illa′tion *n.* התנועעות; היסוס
vacu′ity *n.* ריקות; חלל; העדר־תוכן
vacuities הבלים
vac′u•ous (-kūǝs) *adj.* ריק, נבוב, בוהה; נטול־תוכן, חסר־תכלית
vac′u•um (-kūǝm) *n&v.* חלל ריק; רִיק, ואקום; לנקות בשואב־אבק
vacuum bottle תרמוס, שמרחום
vacuum cleaner שאבק, שואב־אבק
vacuum flask תרמוס, שמרחום
vacuum-packed *adj.* ארוז אריזת־ואקום
vacuum pump משאבת־ואקום
vacuum tube שפופרת־ואקום
va′de me′cum (vā′di-) מדריך, סיפרון (לעיון בעת הצורך)
vag′abond′ *n&adj.* נווד, נע ונד
va′gary *n.* קפריסה, גחמה, שיגעון
vagi′na *n.* נרתיקה, מבוא־הרחם
vag′inal *adj.* של הנרתיקה
va′grancy *n.* שוטטות, נוודות
va′grant *n&adj.* נע ונד, נווד, שוטטן, שַטְטָ; שוטטני
vague (vāg) *adj.* מטושטש, מעורפל, לא ברור, לא מתבטא ברורות, לא בטוח
hasn't the vaguest idea אין לו כל מושג
vain *adj.* שחצן, יהיר, מנופח; שווא, חסר־תועלת, שעלה בתוהו; ריק, הבלי
in vain לשווא, חינם, לריק
take his name in vain לשאת שמו לשווא; לדבר עליו בחוסר־כבוד
vain promises הבטחות־שווא
vain′glo′rious *adj.* שחצן, יהיר
vain′glo′ry *n.* שחצנות, יהירות
vainly *adv.* לשווא, בכדִי, ללא הועיל
val′ance *n.* וילונית, וילון קצר
vale *n.* עמק, ביקעה
vale of tears עמק הבכא
val′edic′tion *n.* נאום־פרידה, אמירת־שלום
val′edic′tory *adj.* של פרידה
va′lence, -cy *n.* (בכימיה) ערכיות
val′entine′ *n.* (כרטיס־ברכה ל) אהוב, אהובה
Valentine's Day יום ואלנטינוס הקדוש (שבו שולחים כרטיסי־ברכה)
vale′rian *n.* ואלריאן (תרופה); ואלרינה (צמח)
val′et *n&v.* משרת, שַמָש; לשרת
val′etu′dina′rian *n&adj.* חולה (מדומה), חולני; נתון ראשו ורובו במצב בריאותו
val′iant *adj.* אמיץ, של עוז־רוח
val′id *adj.* כשר, שריר, בר־תוקף; מבוסס, הגיוני; נכון
val′idate′ *v.* להשריר, לתת תוקף ל־
val′ida′tion *n.* תשריר, מתן תוקף חוקי
valid′ity *n.* תוקף, תקפות
valise′ (-lēs′) *n.* מיזוודית, מיזווד
val′ley *n.* עמק, ביקעה, גיא
val′or *n.* גבורה, אומץ, עוז־רוח
val′oriza′tion *n.* ייצוב מחיר
val′orous *adj.* אמיץ, של עוז־רוח
valse (väls) *n.* ואלס (ריקוד)
val′u•able (-lū-) *adj&n.* בעל־ערך, רב־ערך, יקר, רב־חשיבות; חפץ־ערך
valuables חפצי־ערך, תכשיטים
val′u•a′tion (-lū-) *n.* הערכה, אומדן, שומה

val′ue (-lū) *n.* ערך; הערכה, חשיבות; שווי; תמורה; משך של תו; (בציור) בהירות
articles of value חפצי־ערך
moral values ערכי־מוסר
of great value רב־ערך
of little value נטול־ערך, קל־ערך
of value בר־ערך
set a high/low value on לייחס חשיבות רבה/מעטה ל־
value for money תמורה בעד כסף
value *v.* להעריך, לאמוד; להוקיר
value added tax מס ערך מוסף
valueless *adj.* חסר־ערך
valuer *n.* שמאי, מעריך
valve *n.* שסתום; שסתום־הלב; נורת־רדיו/־טלוויזיה; קשוות־צידפה
val′vu•lar *adj.* של שסתום (הלב)
vamoose′ *v.* ⋆להסתלק, להתחפף
vamp *n.* חרטום־נעל, פנת; נגינה מאולתרת, קטע פותח; סחטנית
vamp *v.* להטליא, לשים פנת; לאלתר (לחן); לסחוט, לנצל (גבר)
vamp up לחבר, להטליא; לבדות, להמציא
vam′pire *n.* ערפד, ואמפיר, עלוקה, מוצץ־דם; נצלן, סחטן
vampire bat ערפד (עטלף)
van *n.* טנדר, מכונית־מישלוח, מיטענית; קרון־רכבת; חלוץ
in the van נחלץ, ראשון, נחשון
vana′dium *n.* ואנאדיום (מתכת)
van′dal *n.* פרא, ואנדאלי, ברברי, משחית יצירות־תרבות
vandalism *n.* ואנדאליות, ברבריות
van′dalize′ *v.* להשחית, לחבל
vane *n.* שבשבת; כנף (של מדחף)
van′guard′ (-gärd) *n.* חיל חלוץ; חלוץ, נחשון
in the vanguard חלוץ, מוביל
vanil′la *n.* שנף, ואניל
van′ish *v.* להיעלם, לחלוף; להיכחד
all hope vanished אפסה כל תיקווה
vanish into thin air להיעלם כלא היה, להתנדף כעשן
vanishing cream מישחת־עור נספגת
vanishing point נקודת־מיפגש (של קווי־פרספקטיבה); נקודת־היעלמות
van′ity *n.* גאווה, התרברבות; הבל, הבלים; חוסר־ערך; שולחן־טואלט
out of vanity מתוך גאווה
vanity case קופסת־תמרוקים
van′quish *v.* לנצח, להביס, לגבור על
van′tage *n.* יתרון, עמדת־יתרון
point of vantage עמדת־יתרון, עמדת־תצפית נוחה
vantage ground עמדת־יתרון
vantage point עמדת־יתרון, עמדת־תצפית נוחה; נקודת־מבט/־ראות
vap′id *adj.* תפל, חסר־טעם, משעמם
vapid′ity *n.* תיפלות; חוסר־טעם
va′por *n&v.* אדים, קיטור, הבל; דימיון, חזון־שווא; להתאדות, להתנדף
vapor bath מרחץ אדים
va′poriza′tion *n.* אידוי, איוד; התאדות
va′porize′ *v.* לאדות, לאייד; להתאדות
va′porous *adj.* אדי, מעלה אדים, מהביל
vapor trail שובל־אדים (של מטוס)
va′riabil′ity *n.* (סגולת ה) השתנות
va′riable *n&adj.* משתנה; ניתן לשינויים; לא־יציב; הפכפך
va′riance *n.* שינוי; ניגוד; מחלוקת
at variance נוגד, סותר; בחילוקי דעות, במחלוקת
va′riant *adj.* שונה, אחר, משתנה
variant *n.* ואריאנט, נוסח שני, גירסה
va′ria′tion *n.* שינוי, השתנות; הבדל, שוני; ואריאציה; סטייה
var′icol′ored (-kul′∂rd) *adj.* רבגוני, ססגוני
var′icose′ *adj.* של דליות, מתרחב, נפוח
varicose veins דליות, התרחבות בוורידי־הרגליים
va′ried (-rid) *adj.* שונה, שונים, מסוגים שונים; משתנה, מגוון
va′riegate′ *v.* לגוון
variegated *adj.* טלוא, מגוון
va′riega′tion *n.* רבגוניות, גיוון
vari′ety *n.* גיוון, רבגוניות; מיגוון, מיבחר; סוג, זן; ורייאטי (הצגה)
variety of items מספר פריטים
variety show הצגת־וראייטי, וודביל
va′riform′ *adj.* מגוון, רב־צורות
va′rio′rum *n.* ספר רב־מפרשים
va′rious *adj.* שונה, שונים, מגוונים, אחדים, מיספר, כמה
variously *adv.* באופן שונה; בדרכים שונות; בזמנים שונים; בשמות שונים
var′mint *n.* שרצים; ⋆מזיק, שובב
var′nish *n&v.* לכה, ברק, ציפוי; ברק חיצוני; לצפות בלכה, ללכות, לייפות

varnish over לייפות, לטשטש, להעלים
var′sity *n.* (קבוצת־) אוניברסיטה
va′ry *v.* לשנות; להשתנות; לגוון; להיות מגוונים; להתחלף
vary from לסטות מ־
vas′cu•lar *adj.* צינורי, נימי, של כלי־הדם
vase *n.* אגרטל, ואזה, צינצנת־נוי
vas•ec′tomy *n.* ניתוח צינור־הזרע
vas′eline′ (-lēn) *n.* ואזלין
vas′sal *n.* ואסאל, אריס פיאודאלי; משועבד; עבד; משרת
vas′salage *n.* ואסאליות, שיעבוד
vassal state גרורה, מדינה משועבדת
vast *adj.* גדול, עצום, כביר, נרחב
vastly *adv.* בשיעור עצום, הרבה מאוד
vat *n.* מיכל, דוד, חבית, גיגית
VAT = value added tax מע"מ
Vat′ican *n.* ואתיקאן
vau′deville *n.* וודביל, הצגת וראייטי, תוכנית בידור קלה
vault *n.* קשת, כיפה, תיקרת־קימרונות; מרתף; חדר־כספות; קבר
vault of heaven כיפת השמים
wine vault מרתף־יינות
vault *v&n.* לקפוץ מעל (בתמיכת הידיים/מוט); קפיצה; קפיצת־מוט
vaulted *adj.* מקומר, מקושת; גבנוני
vaulter *n.* קופץ; קפצן־מוט
vaulting *n.* קימרונים, מיקמר
vaulting *adj.* קופץ; מופרז, מרחיק־לכת
vaulting horse חמור (בהתעמלות)
vaunt *v&n.* להתפאר, להתגאות; התפארות
VC = Victoria Cross
VD = venereal disease
veal *n.* בשר־עגל
vec′tor *n.* וקטור; חרק מעביר מחלה; נתיב־מטוס
veer *v.* לפנות, לשנות כיוון/נתיב, לסטות, לנטות; (לגבי הרוח) לחוג
veg (vej) *n.* ⋆ירק, ירקות
ve′gan (-jən) *n.* טיבעוני (מתנזר מביצים, חלב, וגבינה)
veg′etable *n&adj.* ירק; צומח; צמח; בטלן; מחוסר־הכרה; צימחי
vegetables ירקות
vegetable kingdom ממלכת הצומח
vegetable marrow קישוא
veg′eta′rian *n&adj.* צימחוני, וגטארי
vegetarianism *n.* צימחונות
veg′etate′ *v.* לצמוח; לחיות כצמח, לנהל חיי בטלה
veg′eta′tion *n.* צימחייה, צומח; צמיחה
ve′hemence (vē′əm-) *n.* עוז; נלהבות
ve′hement (vē′əm-) *adj.* חזק, עז, נמרץ, תקיף, נלהב
ve′hicle (vē′ik-) *n.* כלי־רכב; מכשיר, כלי־העברה/הפצה; אמצעי־פירסום
space vehicle רכב־חלל
ve•hic′u•lar *adj.* של כלי־רכב
veil (vāl) *n&v.* צעיף, רעלה; מעטה; מסווה; לכסות, להליט, לצעף, להסתיר
draw a veil over לאפוף בשתיקה, להסתיר, לא לדבר על
take the veil להיות לנזירה
under the veil of במסווה של־
veil of secrecy מעטה סודיות
veiled *adj.* מצועף, עוטה צעיף; מוסתר
veiled threat איום כמוס
vein (vān) *n.* וריד; עורק; נימה; גיד; רצועה; מצב־רוח, אווירה
isn't in the vein הוא מצוברח
vein of sarcasm נימה סארקאסטית
vein of silver עורק־כסף (במירבץ)
veined *adj.* מעורק, מגויד, מלא ורידים
veining *n.* תבנית עורקים
ve′lar *adj&n.* וילוני, של החיך הרך; הגה וילוני
veld, veldt (velt) *n.* ערבת־דשא
vel′lum *n.* קלף; נייר חלק ועבה
ve•loc′ipede′ *n.* אופניים; אופני־ילד
ve•loc′ity *n.* מהירות
ve•lour(s)′ (-loor′) *n.* ואלור, אריג קטיפתי
ve′lum *n.* החיך הרך
vel′vet *n&adj.* קטיפה; קטיפתי, רך, ענוג
iron hand in a velvet glove יד ברזל בכפפת־משי, זאב בעור כבש
on velvet מצליח, חי בנוחיות
velvet tread פסיעה רכה
vel′veteen′ *n.* אריג כותנה קטיפתי
vel′vety *adj.* קטיפתי, רך, לטפני
ve′nal *adj.* שחיד, בר־שיחוד, מושחת, אוהב בצע
ve•nal′ity *n.* שחיתות, אהבת בצע
vend *v.* למכור, לרכול
vend•ee′ *n.* קונה, לקוח
ven•det′ta *n.* גאולת־דם, נקמת־דם
vending machine מכונת־מכירה אוטומאטית (המופעלת בשילשול מטבע)

vend′or, vend′er *n.* מוכר, רוכל
veneer′ *n.* לביד, פורניר, ציפוי בלוח משובח; מסווה, כסות, ברק חיצוני
veneer *v.* ללבד, לצפות בלוח משובח
ven′erable *adj.* נכבד, נשוא־פנים; ראוי להערצה, מקודש (תואר כנסייתי)
ven′erate′ *v.* להעריץ, לכבד, להוקיר
ven′era′tion *n.* הערצה, הערכה עמוקה
vene′re•al *adj.* מיני, של יחסי־מין
venereal disease מחלת־מין
ve•ne′tian blind תריס ונציאני, תריס רפפות, צלון
venge′ance (ven′jәns) *n.* נקמה
swear vengeance להישבע לנקום
take vengeance לקחת נקם, לנקום
with a vengeance בעוצמה רבה
venge′ful (venj′fәl) *adj.* נקמני
ve′nial *adj.* סליח, בר־מחילה, קל
ven′ison *n.* בשר־צבי
ven′om *n.* ארס, רעל
venomed *adj.* ארסי, חדור שינאה
ven′omous *adj.* ארסי, מרושע; "מזופת"
ve′nous *adj.* ורידי, של הוורידים; (עלה) בעל עורקים
vent *n.* אֲוור, פתח; פה, נקב; מוצא; פתח אחורי (במעיל); פי־הטבעת
find a vent לצאת, למצוא מוצא
give vent to לתת ביטוי ל־, למצוא פורקן, לפרוק (זעמו)
vent *v.* לתת ביטוי ל־, למצוא מוצא ל־; לפרוק (זעמו); להתקין פתח
vent-hole *n.* פתח־אוויר, ארובה
ven′tilate′ *v.* לאוורר; להעלות לדיון פומבי, להביא לידיעת הציבור
ven′tila′tion *n.* איוורור; דיון ציבורי
ven′tila′tor *n.* מאוורר
ven′tricle *n.* קבית, שקע בגוף, חלל; חדר־הלב
ven•tril′oquism′ *n.* דיבור מהבטן
ven•tril′oquist *n.* פיתום, מדבר מהבטן
ven′ture *n.* סיכון, הימור, הרפתקה
at a venture לתומו, בניחוש, במיקרה
venture *v.* לסכן; להסתכן; להעז; להַהין; להמר על
nothing ventured, nothing gained יגעת ומצאת תאמין
venture a storm להסתכן (ולהפליג) בסערה
venture an opinion להעז להביע דעה
venture on להסתכן ב־, לנסות
venture one's life לשים נפשו בכפו
venturesome *adj.* מסתכן, נועז; מסוכן
ven′turous (-′ch-) *adj.* הרפתקני, נועז; מסוכן
ven′ue (-nū) *n.* זירת־הפשע; מקום המישפט; מקום מיפגש
Ve′nus *n.* ונוס, נוגה (כוכב־לכת)
vera′cious (-′shәs) *adj.* אמיתי, מהימן
verac′ity *n.* אמיתות, מהימנות
veran′da *n.* מירפסת, אכסדרה
verb *n.* (בדיקדוק) פועל
ver′bal *adj.* שבעל־פה; מלולי, דיבורי; מלה במלה; של מלים; של פועל, פועלי
verbal skill אמנות המלים
verbal *n.* הודאה באשמה (בע"פ); ציחצוח מלים, התנצחות מילולית
ver′balize′ *v.* להביע במלים
verbally *adv.* בעל־פה
verbal noun שם פועלי
verba′tim *adv.* מלה במלה
verbe′na *n.* ורבינה (צמח בעל פרחים ססגוניים)
ver′biage *n.* רוב מלל, גיבוב מלים
verbose′ *adj.* רב־מלל, מכביר מלים
verbos′ity *n.* רוב מלל
ver′dancy *n.* יַרקוּת; תמימות
ver′dant *adj.* ירוק; תמים, נעדר־ניסיון
ver′dict *n.* פסק־דין, מישפט; החלטה; דעה
ver′digris *n.* דוק ירוק (מעין חלודה)
ver′dure (-jәr) *n.* יַרקוּת, ליבלוב; רעננות; דשא
verge *n.* קצה, גבול, שוליים, סף; שרביט
on the verge of על סף־, עומד ל־
verge *v.* לגבול ב־, להתקרב ל־
verge on insanity לגבול בשיגעון
ver′ger *n.* שַמש־כנסייה; נושא־שרביט
veriest *adj.* הכי, הגדול ביותר
ver′ifi′able *adj.* שניתן לוודאו
ver′ifica′tion *n.* אימות, וידוא; הוכחה, אישור
ver′ify′ *v.* לאמת, לוודא; להוכיח, לאשר
ver′ily *adv.* אומנם, אכן
ver′isimil′itude′ *n.* היראות כאמת; מראה־אמת; דבר הנראה כאמת
ver′itable *adj.* ממשי, אמיתי
veritably *adv.* ממש, באמת
ver′ity *n.* אמת, אמיתה; אמיתיות
ver′micel′li *n.* ורמיצ'לי (איטריות)
ver•mic′u•lite′ *n.* ורמיקוליט (סוג

נציץ המשמש כמבדד חום)
ver′miform′ *adj.* תולעי, תולעתי
vermiform appendix תוספתן
ver′mifuge′ *n.* (סם) מגרש תולעים
vermil′ion *n&adj.* שָׁנִי, אדום עז
ver′min *n.* חרקים טפיליים, כינים וכו׳; מזיק, פאראזיט; שרץ, נבזה
ver′minous *adj.* נגוע בכינים וכו׳, מכונם; שורץ רמשים; טפילי; ★רע, דוחה
vermouth′ (-mōōth′) *n.* ורמוט, יין־לענה
vernac′u•lar *adj&n.* (של) מקומי, שפת המקום; שפת הדיבור, ניב
ver′nal *adj.* אביבי, של האביב
ver′onal *n.* ורונאל (סם שינה)
veron′ica *n.* ברוניקה (צמח־נוי)
verru′ca *n.* יבלת (ברגל)
ver′satile (-til) *adj.* רב־צדדי; בקי בתחומים רבים, מגוון; רב־תכליתי
ver′satil′ity *n.* רב־צדדיות
verse *n.* חרוז, בית; שיר; שירה
blank verse חרוזים לבנים
chapter and verse ציטטה מדויקת, "ברחל בתך הקטנה"
versed (vûrst) *adj.* בקי, מנוסה, מיומן
ver′sifica′tion *n.* חריזה, חרזנות; מיקצב, מישקל, תבנית השיר
ver′sifi′er *n.* חרזן, פייטן, משורר
ver′sify′ *v.* לחרוז, לכתוב חרוזים
ver′sion (-zhən) *n.* גירסה; נוסח; תרגום; תרגום התנ"ך
movie version גירסה קולנועית
ver′so *n.* שמאל־הספר, עמוד שמאלי; העבר השני (של דף/מטבע)
ver′sus *prep.* מול, נגד, לעומת
ver′tebra *n.* חוליה
ver′tebral *adj.* של חוליה, בעל חוליות
ver′tebrate *adj&n.* בעלי־חוליות
ver′tex′ *n.* שיא, פיסגה, ראש, קודקוד
ver′tical *adj&n.* אנכי, זקוף; ניצב
out of the vertical לא אנכי, נוטה
vertical takeoff המראה אנכית, נסיקה
ver′tices = pl of vertex (-sēz)
vertig′inous *adj.* מסחרר, גורם סחרחורת, של סחרחורת; מסתובב
ver′tigo′ *n.* סחרחורת
verve *n.* התלהבות, להט; חיות, רוח, מרץ, נמרצות
ver′y *adj.* הוא הוא, אותו עצמו, ולא אחר, ממש; קיצוני; גמור, מוחלט
a verier fool I've never met מעודי לא נתקלתי בטיפש גדול ממנו
caught in the very act נתפס בעצם המעשה
that very thing דבר זה ממש
the veriest fool הטיפש הכי גדול
the very idea עצם הרעיון
very *adv.* מאוד, ביותר
at the very latest לכל המאוחר
for one's very own לעצמו בלבד
the very best/worst cook הטבח הטוב/הגרוע ביותר
very good טוב מאוד; בסדר, כמובן
very much הרבה; מאוד
very well טוב מאוד; או קיי
Ver′y light אור איתות, זיקוק
Ver′y pistol אקדח־זיקוקין
ves′icle *n.* שלחופית, ציסטה, בועית
ve•sic′u•lar *adj.* משולחף, שלפוחי
ves′per *adj.* של תפילת ערבית
vespers *n-pl.* תפילת ערבית
ves′sel *n.* כלי, כלי־קיבול; כלי־דם; אונייה, כלי־שייט, ספינה
blood vessel כלי־דם
vest *n.* חזייה, לסוטה, מעיל חסר־שרוולים; גופייה
vest *v.* ללבוש; להלביש; להעניק, לתת סמכות, להקנות
vest rights in him להעניק לו סמכויות
vested in מוענק ל׳, נמצא בידי־
vested with full powers בעל סמכויות מלאות
ves′tal *adj.* בתולה, צנועה, טהורה
vested *adj.* עוטה (גלימה); קבוע, מוקנה
vested interest עניין מיוחד, אינטרס אישי, טובת־הנאה; גורם אינטרסנטי
ves′tibule′ *n.* פרוזדור; אולם־כניסה; תא (בקצה קרון־רכבת)
ves′tige (-tij) *n.* שריד, שארית; עיקבות, זֵכֶר, סימן; שמץ, קורטוב
a vestige of truth שמץ אמת
ves•tig′ial *adj.* של זכר, של סימן
vest′ment *n.* בגד, גלימה
vest-pocket *n&adj.* כיס־חזייה; קטן
ves′try *n.* מלתחת כנסייה; חדר כלי־קודש; חדר־תפילה; אסיפת הקהילה
vestryman *n.* חבר ועד הקהילה
ves′ture *n&v.* לבוש; להלביש
vet *n&v.* ★וטרינאר; חייל ותיק; לבדוק בדיקה רפואית; לבחון, לבדוק
vetch *n.* בקיה (ממשפחת הקיטניות)
vet′eran *adj&n.* ותיק, מנוסה; חייל ותיק; שועל־קרבות; יוצא־צבא
Veterans Day יום החייל המשוחרר

(החל ב־11 בנובמבר)
vet′erina′rian *n.* וטרינאר, רופא בהמות
vet′erinar′y (-neri) *adj.* וטרינארי
ve′to *n.* וטו, סמכות לבטל/לשלול/לדחות/למנוע
put a veto להטיל וטו; לאסור
veto *v.* להטיל וטו, לבטל, לאסור
vex *v.* להרגיז, להציק; לענות
vex•a′tion *n.* רוגז; הרגזה; דאגה
vex•a′tious (-shəs) *adj.* מציק, מרגיז
vexed (vekst) *adj.* רוגז, מרוגז
vexed question שאלה קשה, בעיה פולמוסית, נושא שמרבים לדון בו
VHF = very high frequency תג״ם, תדר גבוה מאוד
vi′a *prep.* דרך, באמצעות
via Athens (לנסוע) דרך אתונה
vi′abil′ity *n.* יכולת הקיום
vi′able *adj.* יכול לחיות, מסוגל להתקיים, בן־חיים, בר־קיימא
vi′aduct′ *n.* גשר דרכים, ויאדוקט
vi′al *n.* בקבוקון, צלוחית
vi′a me′dia שביל הזהב, דרך ממוצעת
vi′ands *n-pl.* מיצרכי מזון, מעדנים
vibes = vibraphone (vībz)
vi′brancy *n.* חיות, נמרצות; ריטוט
vi′brant *adj.* מלא־חיים; נמרץ, עז, חזק; רועד, רטטני
vi′braphone′ *n.* ויבראפון (כלי נגינה המפיק צלילים רטטניים)
vi′brate *v.* להרעיד, להרטיט
vi•bra′tion *n.* רעד, זעזועים; רטט, ריטוט, ויבראציה; תנודה
vibra′to (-rä′-) *n.* תרטיט, ויבראטו
vi′bra•tor *n.* מַרטט, רַטט, ויבראטור
vic′ar *n.* כוהן־דת; כומר־הקהילה; ממלא־מקום, נציג
vic′arage *n.* מעון־הכומר
vica′rious *adj.* עקיף, באמצעות הזולת; למען אחרים; ייצוגי; ממלא מקום
vicar of Christ האפיפיור
vice *n.* מידה מגונה; פשיעה, שחיתות; רישעות; חסרון, פגם, מום; הרגל רע
vice- (תחילית) סגן־
vi′ce (vī′si) *prep.* במקום־, כממלא מקום
vice = vise *n.* מלחציים
vice-chairman *n.* סגן היושב־ראש
vicelike *adj.* איתן, כמו במלחציים
vi•cen′nial *adj.* אחת ל־20 שנה
vice-president *n.* סגן הנשיא
vice′re′gal (vīsrē′-) *adj.* של מישנה למלך
vice′roy′ (vīs′r-) *n.* מישנה למלך, נציב
vice squad חוליית שוטרים (ממחלק־המוסר)
vice ver′sa *adv.* להיפך, ולהיפך
vicin′ity *n.* שכנות, קירבה, סמיכות־מקום; סביבה
in the vicinity of בסביבות־, בערך־
vi′cious (vish′əs) *adj.* רע, אכזרי, מרושע; בלתי־מוסרי; מושחת; פגום, משובש, לקוי
vicious dog כלב מסוכן, כלב נושך
vicious horse סוס מרדני
vicious circle מעגל־קסמים
vicis′situde′ *n.* עליות וירידות, תהפוכות, תמורות, שינויים
vic′tim *n.* קורבן
fall victim to ליפול קורבן ל־
vic′timiza′tion *n.* פגיעה, הענשה
vic′timize′ *v.* לפגוע, להעלות לקורבן, להפכו לשעיר לעזאזל, להעניש; לרמות
vic′tor *n.* מנצח
Victo′ria Cross צלב ויקטוריה (עיטור בריטי על אומץ־לב)
Victo′rian *adj.* ויקטוריאני, של המלכה ויקטוריה (1837־1901)
victo′rious *adj.* מנצח, של ניצחון
vic′tory *n.* ניצחון
victual (vit′əl) *n&v.* לצייד, לספק מיצרכי־מזון; להצטייד
victuals מיצרכי־מזון
victualer *n.* ספק־מזונות
vi′de (vī′di) *v.* ראה, עיין
vide infra ראה להלן
videl′icet′ *adv.* כלומר, דהיינו
vid′e•o′ *n&adj.* וידיאו; של וידיאוטיפ
videotape *n.* וידיאוטייפ
videotape *v.* להקליט על וידיאוטייפ
vide supra ראה לעיל
vie (vī) *v.* להתחרות, להתמודד
view (vū) *n.* מראה, מחזה; נוף; תמונה; (שדה־) ראייה, ראות, מבט; השקפה, דעה; תצוגה; סקירה; בחינה
a house with a view over- בית המשקיף על־
come in view of להתגלות לעיניו
come into view להתגלות לעיניו
fall in with/meet his views להסכים עמו, להיות תמים־דעים עמו
form a view לגבש דעה
in full view of לעיני כל ה־

in my view לדעתי, לדידי
in view בעיון, לנגד עיניו, בכוונתו
in view of לאור, בשים לב ל־
keep in view לשמור בליבו (לעתיד)
on view מוצג לראווה
out of view מחוץ לשדה־הראייה
point of view נקודת־ראות
take a dim view לראות בעין רעה, להתייחס בשלילה
take the long view לראות לטווח רחוק
with a view to במטרה/בתיקווה ל־
within view בתחום שדה־הראייה
view *v.* לראות, לבחון, לבדוק; להסתכל, להשקיף; לצפות בטלוויזיה
order to view כתב־הרשאה (לבדיקת בית העומד למכירה)
view it as לראות זאת כ־
viewer *n.* רואה; צופה־טלוויזיה
viewfinder *n.* כוונת, עדשת־התמונה
viewless *adj.* חסר השקפות, נעדר דעות
viewpoint *n.* נקודת־ראות
vig'il *n.* ערות, אי־שינה; ערב חג
keep vigil להישאר ער (בלילה)
vig'ilance *n.* ערנות, כוננות, דריכות
vigilance committee מישמר אזרחי
vig'ilant *adj.* ער, על המישמר, דרוך
vig'ilan'te (-lan'ti) *n.* איש המישמר האזרחי
vignette' (vinyet') *n.* וינייטה, תקשיט, עיטורת, ציור (בסוף פרק); דיוקן; תיאור קצר
vig'or *n.* כוח, חוסן; מרץ, נמרצות
vig'orous *adj.* חזק, חסון; נמרץ
vi'king *n.* ויקינג, פיראט סקאנדינאבי
vile *adj.* שפל, נתעב, דוחה; מרושע; גרוע, "מזופת"
vil'ifica'tion *n.* השמצה, לעז
vil'ify' *v.* להשמיץ, להלעיז, להכפיש שם
vil'la *n.* וילה, חווילה, אחוזה
vil'lage *n.* כפר; אנשי הכפר
villager *n.* כפרי; בן־כפר
vil'lain (-lən) *n.* בן־בליעל, נבל; פושע; ★שובב, "תכשיט"; צמית, אריס
vil'lainous (-lən-) *adj.* מרושע, יאה לנבל; ★רע, גרוע, "מזופת"
vil'lainy (-ləni) *n.* נבזות, רישעות
villainies מעשים רעים, פשעים
vil'lein (-lən) *n.* צמית, אריס
vil'leinage (-lən-) *n.* אריסות
vim *n.* מרץ, נמרצות, כוח, עוצמה, להט

vin'aigrette' (-nigret') *n.* תערובת חומץ, שמן, תבלינים וכו'
vin'dicate' *v.* להצדיק, להגן; לזכות, לנקות מאשמה; להוכיח נכונות, לאשר
vin'dica'tion *n.* הצדקה; הגנה; הוכחה
vin'dicative *adj.* מצדיק, מגן
vindic'tive *adj.* נקמני, תאב־נקמה
vine *n.* גפן; צמח מטפס
clinging vine אישה תלויה בבעלה
die on the vine להיכשל בשלבים הראשונים
vin'egar *n.* חומץ
vin'egary *adj.* חמוץ; של חומץ; רוגז, מר
vi'nery *n.* חממת־גפנים, כרם
vine'yard (vin'yərd) *n.* כרם
vin'o *n.* יין זול
vi'nous *adj.* ייני
vin'tage *n.* בציר; עונת הבציר; שנת הבציר; יין משובח; תוצרת
a car of 1930 vintage מכונית משנת 1930
vintage *adj.* משובח, מובחר; קלאסי
vint'ner *n.* ייְנן, סוחר יינות
vi'nyl *n.* וייניל (חומר פלאסטי)
vi'ol *n.* ויאול (כלי־מיתרים קדום)
vio'la *n.* ויאולה, כונרת
vi'ola *n.* סגל (סוג צמחי נוי)
vi'olate' *v.* להפר, לעבור על; לאנוס; לחלל; לפגוע; להפריע
violate a sanctuary לחלל מיקדש
vi'ola'tion *n.* הפרה, עבירה; אונס; חילול; פגיעה; הפרעה
vi'olence *n.* עוז, כוח, עוצמה; אלימות
do violence to לפגוע, להזיק; לסלף, לעוות; להוות הפרה של
vi'olent *adj.* חזק, רב־עוצמה; אלים, פראי; מתפרע; חריף, עז
violent contrast ניגוד חריף
violent death מיתה מכוערת/משונה
violent language אלימות מילולית
vi'olet *n.* סגל, סיגלית (פרח); סגול
modest violet אדם צנוע
vi'olin' *n.* כינור
vi'olin'ist *n.* כנר
vi'oloncel'list (-chel-) *n.* מנגן בבטנונית
vi'oloncel'lo (-chel-) *n.* ויאולונצ'לו, בטנונית
VIP = very important person אח"ם, אישיות חשובה מאוד
vi'per *n.* צפע (נחש ארסי)

vira′go *n.* מירשעת, כלבתא
vi′ral *adj.* נגיפי, ויראלי, של וירוס
vir′gin *n&adj.* בתולה; בתול; בתולי, תמים, טהור, שלא הושחת, שלא נגעו בו
the Virgin הבתולה הקדושה (אם ישו)
virgin forest יער בתולה
virgin snow שלג טהור (שלא נפגם)
virgin soil קרקע בתולה
vir′ginal *adj.* בתולי, צנוע, תמים, טהור
virginal (s) *n.* צ׳מבלו (קטן)
virgin birth לידת בתולים (של ישו)
Virgin′ia *n.* וירג׳ינה (טבק)
Virginia creeper (סוג של) מטפס
virgin′ity *n.* בתולים, בתוליות, טוהר
Virgin Mary מרים הבתולה (אם ישו)
Vir′go *n.* מזל בתולה
vir′gule *n.* קו נטוי, לוכסן (/)
vir′ides′cent *adj.* ירקרק
vir′ile (vir′əl) *adj.* גברי, חזק; נמרץ, תקיף; בעל כוח־גברא
viril′ity *n.* גבריות, עוצמה, און
vi•rol′ogist *n.* וירולוג
vi•rol′ogy *n.* וירולוגיה, חקר הווירוסים
vir•tu′ (-tōō′) *n.* חפצי־אומנות; חיבה לעתיקות
objects of virtu חפצי־אמנות
vir′tual *adj.* למעשה, במציאות, בעצם
virtually *adv.* למעשה, בעצם
vir′tue (-chōō) *n.* טוב, חסידות, יושר, מוסריות; מידה טובה; צניעות, טוהר; כוח; יעילות; יתרון, סגולה; מיצווה
by/in virtue of בתוקף־, בגין־
make a virtue of necessity להציג חובה כמיצווה
woman of easy virtue פרוצה
vir′tu•os′ity (-chōō-) *n.* וירטואוזיות; ביצוע מעולה
vir′tu•o′so (-chōō-) *n.* וירטואוז, אמן הביצוע, אמן הטכניקה
vir′tu•ous (-chōōəs) *adj.* טוב, חסיד, ישר, מוסרי, צדיק
vir′ulence *n.* ארסיות; קטלנות; שינאה
vir′ulent *adj.* ארסי; מסוכן, קטלני; עז; מר; חדור־שינאה
vi′rus *n.* וירוס, נגיף
visa (vē′zə) *n&v.* ויזה, אשרה; לתת ויזה, להחתים אשרה (בדרכון)
vis′age (-z-) *n.* פנים, פרצוף, מראה
vis′aged (-zijd) *adj.* בעל פני
dark-visaged כהה־פנים, כהה
vis-a-vis (vē′zəvē′) *adv&prep.* פנים אל פנים, ממול; בהשוואה ל־, לעומת, בייחס ל־
vis′cera *n.* קרביים, מעיים
vis′ceral *adj.* של הקרביים
vis′cid *adj.* צמיג, סמיך, דביק
viscos′ity *n.* צמיגות, דביקות
vis′count′ (vī′k-) *n.* ויקונט (תואר־אצולה)
vis′count′cy (vī′k-) *n.* ויקונטיות
vis′count′ess (vī′k-) *n.* ויקונטית, אשת־ויקונט
vis′cous *adj.* צמיג, סמיך, דביק
vise *n.* מלחציים
vise (vē′zā) *n&v.* ויזה, אשרה; לתת ויזה, להחתים אשרה (בדרכון)
vis′ibil′ity (-z-) *n.* היראות; ראות, ראִייוּת, דרגת השקיפות (באטמוספירה)
vis′ible (-z-) *adj.* נראה; נראה לעין; ברור, גלוי
visibly *adv.* ברורות, באופן גלוי
vi′sion (vizh′ən) *n.* ראייה, ראות; חזון, מעוף; מראה, מחזה מרהיב; דימיון, חלום, הזיה
field of vision שדה־ראייה
man of vision אדם בעל מעוף
vi′sionar′y (vizh′əneri) *adj&n.* דימיוני, הזייתי; חולם, שקוע בהזיות; איש חזון
vis′it (-z-) *v.* לבקר; להתארח; לערוך ביקורת; לתקוף, לבוא על
a plague visited the country מגיפה השתוללה בארץ
visit on/upon לפקוד (עוון) על־
visit with לשוחח עם
visited by a dream חלם חלום
visit *n.* ביקור, התארחות; ביקורת
pay a visit לבקר, לערוך ביקור
vis′itant (-z-) *n.* מבקר, אורח; רוח (הפוקדת אדם); ציפור נודדת
vis′ita′tion (-z-) *adj.* ביקור; עונש משמיים, גמול
visiting *n.* ביקור, ביקורים
visiting card כרטיס ביקור
visitor *n.* מבקר; אורח; ציפור נודדת
visitors′ book ספר האורחים
vi′sor (-z-) *n.* מיצחייה; מסיכה, סנוורת; מגן־פנים (בקסדה); מגן־שמש
vis′ta *adj.* מראה, מחזה; נוף; שרשרת־אירועים (בעיני־רוחו)
open up new vistas לפתוח אופקים חדשים
vis′u•al (-zhōōəl) *adj.* חזותי, ראייתי, ויזואלי; של חוש הראייה

visual aids עזרים חזותיים (ללמידה/זכירה, כגון תמונות/מפות)
vis'u•aliza'tion (-zhōōəl-) *n.* החזייה, העלאה בדימיון, ראייה בעיני־הרוח
vis'u•alize' (-zhōōəl-) *v.* לראות בעיני־הרוח, לדמיין, לראות בדימיון
visually *adv.* באופן חזותי; במראה, בהופעה; באמצעות עזרים חזותיים
visual memory זיכרון חזותי
vi'tal *adj&n.* חיוני, נחוץ, הכרחי; שופע־חיים, נמרץ, ויטאלי
vitals האיברים החיוניים (בגוף)
vital force/principle כוח החיים, יסוד החיות
vi'talism' *n.* ויטאליזם, תורת החיוניות
vi'talist *n.* ויטאליסט, מאמין בוויטאליזם
vi•tal'ity *n.* חיוּת, חיוניות, ויטאליות; כוח החיים, כושר הישרדות
vi'talize' *v.* להפיח רוח חיים ב־, להחיות, למלא בחיוּת
vital statistics סטטיסטיקת החיים (לידות וכו'); ★מידות (של גוף אישה)
vi'tamin *n.* ויטאמין
vit'iate' (vish'-) *v.* להחליש, לקלקל, לפגום; לערער; להשחית
vit'ia'tion (vish-) *n.* החלשה, קילקול, פגימה; השחתה
vit'icul'ture *n.* גידול גפנים
vit're•ous *adj.* זגוגי, זכוכיתי
vit'rify' *v.* לזגג; להזדגג
vit'riol *n.* חומצה גופרתית; סארקאזם
blue vitriol גופרת נחושת
vit'riol'ic *adj.* מר, עוקצני, סארקאסטי
vitu'perate' *v.* להשמיץ, לגדף, לגנות
vitu'pera'tion *n.* השמצה, נאצה
vitu'pera'tive *adj.* משמיץ, מגדף
vi'va (vē'-) *n.* בחינה בעל־פה
viva'ce (-vä'chā) *adv.* (במוסיקה) בערנות, ברוח־חיים
viva'cious (-shəs) *adj.* עליז, שופע חיים, מלא התלהבות
vivac'ity *n.* עליזות, חיים, התלהבות
viva'rium *n.* ביבר
vi'va vo'ce (-si) *adv&n.* על־פה; מיבחן בעל־פה
viv'id *adj.* חי, שופע חיים, נמרץ, עז; בהיר, מבריק
vivid color צבע חי/עז/בהיר
vivid description תיאור חי
viv'ify' *v.* להחיות, להפיח חיים ב־
vi•vip'arous *adj.* (לגבי יונקים) ממליטה ולדות (ולא ביצים)
viv'isect' *v.* לנתח (חיה, לשם לימוד)
viv'isec'tion *n.* ווויסקציה, ניתוח בעלי־חיים בעודם בחיים
viv'isec'tionist (-shən-) *n.* דוגל בוויוויסקציה; מנתח בעלי־חיים
vix'en *n.* שועלה; מירשעת, אשת־ריב
vix'enish *adj.* רשעית, אשת־ריב
viz *adv.* דהיינו, כלומר
vizier' (-zir') *n.* ואזיר, שר טורקי
V-neck *n.* צווארון דמוי־וי
vo'cab' = vocabulary
vo•cab'u•lar'y (-leri) *n.* אוצר מלים; מילון, אגרון, לקסיקון
vo'cal *adj&n.* קולי, של הקול, ווקאלי; קולני, דברני, מתבטא; קטע מושר
vocal chords/cords מיתרי הקול
vo'calist *n.* זַמָּר
vo'caliza'tion *n.* התנעה
vo'calize' *v.* לשיר, לזמר; לבטא, להפוך (עיצור) לתנועה; להניע; לנקד
vocal music מוסיקה ווקאלית/מושרת
vo•ca'tion *n.* ייעוד; שליחות; מישלח־יד, מיקצוע; כישרון, התאמה; עבודה
vocational *adj.* מיקצועי; של עבודה
vocational counselor יועץ מיקצועי
vocational guidance הדרכה מיקצועית
voc'ative *adj&n.* יחסת־הפנייה
vo•cif'erate' *v.* לצעוק, לדבר בקול
vo•cif'era'tion *n.* צעקה; קולניות
vo•cif'erous *adj.* צעקני, קולני
vod'ka *n.* וודקה (משקה חריף)
vogue (vōg) *n.* אופנה, מודה; פירסום, פופולאריות
all the vogue המלה האחרונה (באופנה); פופולארי, חדיש
come into vogue להיכנס לאופנה
in vogue אופנתי, באופנה
is out of vogue יצא מן האופנה
vogue words מלים שבאופנה/רווחות
voice *n.* קול; הבעת דעה; הגה קולי/צלילי; (בדיקדוק) בניין
active voice בניין פעיל
at the top of one's voice ברום קולו
give voice to להביע, לתת ביטוי ל־
has a voice in בעל דעה ב־, בעל השפעה על־
his voice is breaking קולו מתחלף
is in good voice מדבר/שר יפה
lose one's voice לאבד קולו

passive voice בניין נפעל
raise one's voice להרים קולו
sing by 2 voices לשיר בשני קולות
voice of conscience קול המצפון
with one voice קול אחד, פה אחד
voice *v.* להביע, לבטא; להפיק הגה קולי
voiced *adj.* בעל קול; (הגה) קולי
sweet-voiced בעל קול ערב
voiceless *adj.* חסר־קול; נאלם; חסר־דעה, נטול־השפעה; (הגה) לא קולי
voice-over *n.* קול־רקע (בסרט)
void *adj.* ריק; חסר־תוקף (חוקי); פנוי
null and void בטל ומבוטל
void of ריק מ־, נטול, ללא
void *n.* חלל; החלל החיצון; ריק
left a void הותיר חלל ריק (בלב)
void *v.* לבטל (תוקף); לרוקן
void'able *adj.* בר־ביטול
voile *n.* אריג־שמלות דק
vol = volume
vo'lant *adj.* מעופף; זריז, קליל
vol'atile (-təl) *adj.* נדיף, מתאדה בקלות; משתנה, הפכפך, קל־דעת
vol'atil'ity *n.* נדיפות; הפכפכנות
vol•can'ic *adj.* וולקאני, געשי
vol•ca'no *n.* הר־געש, וולקאן
vole *n.* עכברוש, חולדה
vo•li'tion (-li-) *n.* רצון, בחירה
volitional *adj.* רצוני
vol'ley *n.* מטח, צרור, מטר, מבול; מכת־יעף, חבטה בכדור באוויר
half volley מכת חצי־יעף
on the volley (לגבי כדור) באוויר
volley of complaints מבול תלונות
volley *v.* לירות מטח; להכות ביעף, לחבוט בכדור בעודו באוויר
volleyball *n.* כדור־עף
volt (vōlt) *n.* וולט (יחידת־מידה בחשמל)
vol'tage (vōlt-) *n.* (בחשמל) וולטאג'
volte-face (vôlt fäs') פנייה לאחור, תפנית (של 180 מעלות)
vol'u•bil'ity *n.* שטף־הלשון, רהיטות הדיבור, מללנות
vol'u•ble *adj.* מובע בלשון שוטפת; רהוט בדיבורו, מללן
vol'ume *n.* כֶּרֶךְ; סֵפֶר; כמות; נפח, תפוסה; שיפעה, רוב; עצמת קול, צוללות
speak volumes להעיד בברורות על
volumes כמויות רבות
volu'minous *adj.* גדול, רב־כמות; רב־כרכים; רב־תכולה; פורה
voluminous skirt חצאית מלאה/עתירת־בד
voluminous writer סופר פורה
vol'untar'y (-teri) *adj.* רצוני, חופשי, וולונטארי; לא־כפוי, התנדבותי
voluntary hospital בי"ח הנתמך בתרומות
voluntary *n.* קטע סולו לעוגב
vol'unteer' *n&v.* מתנדב; להתנדב; להתגייס; לנדב, להציע
volup'tu•ar'y (-chōōeri) *n.* מתמכר להנאות, נהנתן, רודף תענוגות, שטוף־תאווה
volup'tu•ous (-chōōəs) *adj.* חושני, מעורר תאווה; רודף תענוגות; מהנה
volute' *n.* עיטור חלזוני (בראש עמוד)
voluted *adj.* חלזוני, סלילי; מקושט בעיטור חלזוני (כנ"ל)
vom'it *v&n.* להקיא, לפלוט; קיא; הקאה
voo'doo' *n.* וודו, פולחן־כשפים
voodooism *n.* וודואיזם, כישופים
vora'cious (-shəs) *adj.* רעבתני, זולל
voracious reader זולל ספרים
vorac'ity *n.* רעבתנות; זוללות
vor'tex' *n.* מערבולת; מצב סוחפני
vo'tary *n.* חסיד, מעריץ, סוגד
vote *n.* קול; הצבעה; פתק־הצבעה; דעה; החלטה; זכות הצבעה; מניין קולות; תקציב
cast one's vote להצביע
floating vote קולות צפים
give one's vote לתת קולו, להצביע
put to the vote להעמיד להצבעה
record one's vote להצביע
take a vote לערוך הצבעה
vote of confidence הצבעת אמון
vote of thanks הצבעת תודה
vote *v.* להצביע; לבחור; להקציב; להצהיר, להכריז, להסכים
be voted out להפסיד בבחירות
the show was voted a success הדעה הכללית הייתה שהמחזה הצליח
vote down לדחות/לסכל בהצבעה
vote in לבחור
vote on להצביע/לערוך הצבעה על
vote through לאשר (ברוב קולות)
I vote- ★אני מציע ש־
voteless *adj.* חסר זכות־הצבעה
voter *n.* מצביע, בוחר
vo'tive *adj.* מוקדש, של קיום נדר
vouch *v.* להעיד על, לערוב ל־, ליטול

האחריות; להבטיח

vouch′er *n.* שובר, תלוש, מיסמך

gift voucher תעודת־שי

vouch•safe′ *v.* לתת, להואיל לתת; להעניק (ברוב חסדו)

vow *n.* נדר, הבטחה חגיגית; הצהרה

perform a vow לקיים נדר

take vows להצטרף למיסדר דתי

under a vow מודר (בתוקף נדר)

vow *v.* לנדור, להצהיר, להבטיח חגיגית, להתחייב, להישבע

vow fidelity להישבע אמונים

vow one's life להקדיש חייו

vow′el *n.* תנועה, ווקאל

vox *n.* קול

vox pop מישאל דעת־הקהל

vox pop′u•li′ דעת הקהל, קול המון

voy′age *n.* הפלגה; מסע; נסיעה

maiden voyage מסע בכורה, הפלגת בתולים

voyages תיאורי מסעות

voyage *v.* להפליג, לנסוע

voyager *n.* נוסע, איש־מסעות

voyeur′ (vwäyûr′) *n.* מציצן, מציץ בגניבה (בפעילויות מיניות)

VS = versus מול, נגד, לעומת

V-sign סימן־וי (להבעת ניצחון)

VTOL (vē′tōl) *adj.* ממריא אנכית

vul′canite′ *n.* גומי מגופר

vul′caniza′tion *n.* גיפור

vul′canize′ *v.* לגפר, לעבד בגופרית

vul′gar *adj.* גס, המוני, וולגארי; עממי, רווח

vulgar fraction שבר פשוט

vulgar herd ההמון הפשוט, המון העם

vul•ga′rian *adj.* וולגארי, גס, המוני

vul′garism′ *n.* וולגאריזם, ביטוי המוני; וולגאריות

vul•gar′ity *n.* וולגאריות, המוניות

vul′gariza′tion *n.* וולגאריזציה, הימון, מתן צורה המונית

vul′garize′ *v.* לעשות לוולגארי

Vulgar Latin לאטינית עממית

Vul′gate *n.* וולגאטה (התרגום הלאטיני של התנ"ך, שנעשה במאה ה־4)

vul′nerabil′ity *n.* פגיעות, תורפה

vul′nerable *adj.* פגיע, חלש, לא מבוצר

vulnerable spot נקודת תורפה, עקב אכילס

vul′pine′ *adj.* שועלי, ערמומי, פיקח

vul′ture *n.* נשר (עוף דורס); עשקן

vul′va *n.* פות, ערוות האישה

vy′ing = pr.p of vie מתחרה, נאבק

W

w = watt, week, west
WAC=Women's Army Corps
wack'y *adj.* ⋆מוזר, אבסורדי, תימהוני
wad (wod) *n.* גושיש רך/גמיש, סְתם, רפיד; מוך; צרור, חבילה, כרוכת
wad *v.* לסתום, לרפד, לצרור, לכרוך
wad'ding (wod-) *n.* מילוי, ריפוד
wad'dle (wod-) *v&n.* לפסוע בצעדי ברווז, להתנדנד מצד לצד; הילוך ברווזי
wade *v.* לחצות, לעבור בקושי, לפלס דרכו בכבדות
wade in/into להירתם במרץ ל׳, לשקוע ראשו ורובו ב־; להתנפל על, להתקיף
wade through לסיים בקושי
wader *n.* חוצה, עובר בקושי; עוף ארך־רגליים (אנפה, עגור וכ׳)
waders מגפיים גבוהים (לדייג)
wa'di, wa'dy (wä'di) *n.* ואדי, נחל
wading bird = wader
wa'fer *n.* אפיפית, מרקוע; פת (בסעודת־ישו); מדבקה
waf'fle (wof-) *n.* ואפל, אפיפית; עוגה מתולמת; ⋆שטויות, הבלים
waffle *v.* ⋆לקשקש, לדבר שטויות
waffle iron תבנית (לאפיית) אפיפיות
waft *v.* לשאת; להדיף, להפיץ; להינשא באוויר, לרחף
waft *n.* הינשאות; נדף; בריזה, רוח קלה; ניפנוף יד
wag *v.* לכשכש, לנענע; להתנועע
tail wagging the dog הזנב מכשכש בכלב, הלך הדלי אחר החבל
the story set chins wagging הסיפור הפך לשיחת היום
their tongues wagged פיטפטו, קישקשו, הלכו רכיל
wag one's finger at להוכיחו בתנועת אצבע, להניע אצבעו כנגד
wags its tail (הכלב) מכשכש בזנבו
wag *n.* כישכוש, ניענוע; ליצן, תעלולן
wage *v.* לערוך, לנהל
wage war לערוך מלחמה, להילחם
wage *n.* שכר, משכורת
living wage שכר מיחייה, משכורת קיום
minimum wage שכר מינימום
wages שכר, משכורת; גמול
wage earner עובד בשכר
wage freeze הקפאת שכר
wa'ger *n.* התערבות, הימור
wager *v.* להתערב; להמר (על)
wage scale סולם שכר
wag'gery *n.* ליצנות, קונדסות
wag'gish *adj.* ליצני, תעלולני
wag'gle *v.* לכשכש; לנענע; להתנועע
waggle *n.* כישכוש, ניענוע
wag'on, wag'gon *n.* קרון; עגלה
fix his wagon ⋆לנקום בו; להכותו
hitch one's wagon to a star לשאוף לגדולות
off the wagon ⋆הופך שוב לשתיין
on the wagon ⋆מתנזר ממשקאות
station wagon מכונית סטיישן
tea wagon עגלת־תה
wag'oner *n.* עגלון
wag'onette' *n.* מרכבה קלה
wagon-lit (vag'ənlē') *n.* קרון־שינה
wag'tail' *n.* נחליאלי
waif *n.* חסר־בית, זאטוט־רחוב
waifs and strays עזובים ותועים
wail *v.* לבכות, לייבב, לקונן, ליילל
wail *n.* בכייה, בכי, יללה, קינה
Wailing Wall הכותל המערבי
wain'scot *n.* פאנל, ספין; ליווח
wainscoted *adj.* מצופה בספינים
waist *n.* מותניים, חלציים; מותני־כינור; אמצע האונייה; לסוטה, חולצה
waist-band *n.* חגורת מותניים
waistcoat (wes'kət) *n.* חזייה
waist-deep *adj&adv.* עד המותניים
waist-high *adj&adv.* בגובה המותניים
waist-line *n.* קו־המותניים
wait *v.* לחכות, להמתין; לדחות
in waiting משמש, משרת
keep him waiting לאלצו לחכות
no waiting אין חנייה (תמרור)
wait at table להגיש, לשמש כמלצר
wait dinner לדחות את הארוחה
wait for לחכות ל־
wait on him hand and foot

לשרתו בכל צרכיו
wait on/upon לשרת, לשמש, להגיש; לבקר; לבוא אחרי; להיות תלוי ב־
wait one's turn לחכות לשעת כושר; להמתין עד שיגיע תורו
wait up להישאר ער, לאחר לישון
wait *n.* המתנה, ציפייה
lie in wait לארוב, להסתתר במארב
waits זמרי חג־המולד
wait′er *n.* מלצר
waiting list תור הממתינים
waiting room חדר המתנה
wait′ress *n.* מלצרית
waive *v.* לוותר על, לא לעמוד על
waive a question לדחות הבעיה
waiv′er *n.* ויתור, כתב־ויתור
wake *v.* לעורר, להעיר; להתעורר; להיות ער; להיות מודע ל־
wake his pity לעורר את רחמיו
wake up לעורר; להתעורר; להקשיב
wake *n.* ליל־שימורים (למת, לפני הקבורה); שובל, עיקבה
in the wake of בעיקבות־, אחרי־
wakeful *adj.* ער, לא ישן; ללא שינה
wa′ken *v.* להעיר, לעורר; להתעורר
waking *adj.* ער, של שעות הערות
wale *n.* חבורה, סימן־הצלפה; פס בולט באריג (כגון בקורדרוי)
walk (wôk) *v.* ללכת, לפסוע, לצעוד; לטייל; להוליך, להוביל; להעביר; לַלַוות
walk away from לצאת בשלום (מתאונה), לנצח בקלות (במירוץ)
walk away with, walk off with לגנוב; לזכות בפרס; לנצח בקלות
walk him off his feet לעייפו בהליכה
walk him to exhaustion להצעידו עד לאפיסת כוחות
walk in peace לחיות בשלום
walk into לגעור, לנזוף; לצעוד היישר (למלכודת); לזלול, לאכול בלהיטות
walk into a job לקבל עבודה בקלות
walk off להפחית (שומן) ע״י הליכה
walk on לשחק תפקיד אילם (במחזה)
walk out לשבות, לקיים שביתה; לצאת, לעזוב (במורת־רוח)
walk out on him לנטוש, לזנוח
walk out with ״לצאת עם״ (חבר)
walk over לנצח, להביס; לרמוס, לנצל
walk the boards להיות שחקן
walk the chalk ללכת בתלם
walk the floor לפסוע הנה והנה
walk the hospitals ללמוד רפואה
walk the plank לצעוד על הקרש (הבולט מהספינה, וליפול למים)
walk the streets להיות יצאנית
walk up לגשת; להיכנס; ללכת
walks on air הוא ברקיע השביעי
walk *n.* הליכה, צעידה, הילוך; טיול; שביל, דרך; מהירות נמוכה
all walks of life כל חוגי הציבור
go for a walk לטייל ברגל
walk of life אורח־חיים
win in a walk לנצח בקלות
5-minute walk מרחק 5 דקות הליכה
walk-about *n.* טיול; טיול בין ההמונים, התערבות בתוך הקהל
walkaway *n.* ⋆ניצחון קל
walker *n.* הלכן; הליכון (לנכה)
walk′ie-talk′ie (wô′ki tô′ki) *n.* ווקי־טוקי, משדר רדיו נייד
walk-in *adj.* גדול, מרווח; (ניצחון) קל
walking *adj.* של טיול, להליכה
walking dictionary מילון מהלך, אדם בעל אוצר מלים גדול
walking papers מיכתב פיטורים
walking stick מקל הליכה
walking tour טיול ברגל, תיורגל
walk-on *n.* תפקיד אילם (על הבמה)
walk-out *n.* שביתה; יציאה הפגנתית
walk-over *n.* ניצחון קל
walk-up *n&adj.* (בניין) חסר־מעלית; דירה ללא מעלית
walkway *n.* טיילת
wall (wôl) *n.* קיר, כותל, חומה, דופן
climb the wall ⋆לצאת מדעתו
go to the wall להיאלץ להיכנע, לנחול תבוסה
push to the wall ללחוץ אל הקיר
run one's head against a wall לטפס על קירות חלקים, להטיח ראשו בכותל
up the wall רותח מזעם
wall of people חומת אנשים
wall of water נד־מים
wall-to-wall מקיר לקיר
walls have ears אוזניים לכותל
with one's back to the wall כשגבו אל הקיר, דפון, נתון במיצר
wall *v.* להקיף בחומה/בגדר; לסתום, לאטום (פתח)
wall off להפריד במחיצה, לחייץ
wall up לאטום (פתח/חלון, באבנים)
wal′laby (wol-) *n.* וולאבי (חיה דמויית קנגורו)

wal′let (wol-) *n.* ארנק, תיק
wall-eyed *adj.* פוזל (שאישוניו פונים החוצה); בעל לובן עין
wall-flower *n.* נערת־פינה (שאין מזמינים אותה לריקודים)
wal′lop (wol-) *v&n.* ⋆להכות, לחבוט, להביס; מכה, מהלומה; בירה
walloping *n.* ⋆מכה, תבוסה, מפלה
walloping *adj.* ⋆גדול, כביר, עצום
wal′low (wol′ō) *v.* להתפלש, להתגולל, להתבוסס; לשכשך; להתענג
 wallowing in money עשיר מופלג
wallow *n.* (מקום) התפלשות
wall painting ציור קיר, פרסקו
wallpaper *n.* טפט, נייר־קיר
wallpaper *v.* לצפות (קיר) בטפטים
Wall Street וול־סטריט, המרכז הפינאנסי של ארה"ב
wal′nut′ (wôl-) *n.* אגוז, אגוז המלך; עץ אגוז
wal′rus (wôl-) *n.* ואלרוס, סוס־ים
 walrus moustache שפם דמוי־חית
waltz (wôlts) *n&v.* ואלס (ריקוד); לרקוד ואלס; להוביל בוואלס; לנוע בקלילות
wam′pum (wom-) *n.* חרוזים, צדפים; ⋆כסף
wan (won) *adj.* חיוור; חלוש, עייף
wand (wond) *n.* שרביט; מטה־קסם
wan′der (won-) *v.* לשוטט, לנדוד; לטייל; לתעות; לסטות (מדרך הישר/מהנושא)
 his mind is wandering הוא מבולבל, נותק חוט־מחשבותיו
 the river wanders הנהר מתפתל
 wander in לקפוץ לביקור
 wander off לסטות
wanderer *n.* משוטט, נודד
wandering *adj.* נודד; מתפתל, נחשי
wanderings *n-pl.* מסעות, נדודים
wanderlust *n.* בולמוס־נסיעות
wane *v.* להתמעט, לקטון, לדעוך, לגווע
wane *n.* התמעטות, דעיכה
 on the wane דועך, פוחת והולך
wan′gle *v.* ⋆לסחוט, להשיג בתחבולה; לשדל, לפתות; לרמות; להיחלץ מקושי
wangle *n.* תחבולה; שידול, פיתוי
want (wont) *v.* לרצות, לחפוץ; להיות חסר/זקוק/דרוש/צריך/חייב/נטול/נעדר־; לסבול ממחסור
 be wanted להיות רצוי/מבוקש
 it wants some doing הדבר מחייב פעולה של ממש
 it wants 5 minutes to 7 השעה 7 פחות 5 דקות
 want for להיות חסר, לסבול ממחסור
 wanted for murder מבוקש בעוון רצח
 wants experience חסר ניסיון
 wants for nothing לא חסר דבר, יש לו הכל
 you want to see a lawyer עליך להיוועץ בעורך־דין
 I want you to go אני רוצה שתלך
want *n.* רצון, חפץ; מחסור, חוסר; צורך; עוני, דלות
 from/for want of מחוסר־, מהעדר־
 is in want of צריך, זקוק ל־
 long-felt want דבר שזקוקים לו זה זמן רב
 wants צרכים, דרישות
want ad מודעת "דרוש" (בעיתון)
wanting *adj.* חסר, נעדר, לא מספיק
 was found wanting נמצא חסר/לא מספיק, לא עמד בדרישות
wanting *prep.* ללא, בלי; בהעדר; פחות
wan′ton (won′-) *n.* מופקר, מופקרת, פרוצה
wanton *adj.* שובבני, פרוע, קפריזי; שופע, גדל פרא; זדוני, מרושע; מופקר
 wanton cruelty אכזריות מרושעת
wanton *v.* להשתובב, להתהולל; לבזבז
war (wôr) *n&v.* מלחמה, מערכה, תורת הלחימה; להילחם, להיאבק
 at war במצב מלחמה, נלחמים
 been in the wars ⋆יצא בשן ועין
 civil war מלחמת אזרחים
 class war מלחמת מעמדות
 declare war להכריז מלחמה
 go to war לאסור מלחמה (על)
 make war לעשות מלחמה, להילחם
 wage war לצאת למערכה, להילחם
war baby תינוק (שנולד בעת) מלחמה
war′ble (wôr-) *v&n.* לטרלל, לזמר בסילסול; סילסול, טירלול; טריל
war′bler (wôr-) *n.* סיבכי (ציפור)
war bride כלת מלחמה; אשת חייל מגויס; אשת חייל מצבא־כיבוש
war clouds ענני־מלחמה, סימני מלחמה קרבה ובאה
war crimes פשעי־מלחמה
war cry זעקת־הקרב; סיסמת־בחירות
ward (wôrd) *n.* מחלקה, ביתן; רובע מינהלי; בן־חסות; אפיטרופסות; שמירה; חריץ־המפתח (המתאים למנעול)

keep watch and ward לשמור, להגן
ward *v.* למנוע, להדוף
ward off למנוע, להדוף, לתמנע
-ward(s) (wərd(z)) לכיוון, ־ה
northward(s) לכיוון צפון, צפונה
skyward(s) השמיימה
war dance מחול מלחמה, מחול קרב
war′den (wôr′-) *n.* סוהר, מפקד בית־סוהר; ממונה, מפקח; פקח; מנהל
traffic warden פקח־חנייה
ward′er (wôrd′-) *n.* שומר; סוהר
ward′robe′ (wôrd′-) *n.* ארון־בגדים, מלתחה
ward′room′ (wôrd′-) *n.* מגורי־קצינים
wardship *n.* אפיטרופסות
ware *n&v.* כלים; סחורה; לאחסן
glassware כלי־זכוכית
wares מוצרים, מרכולת, סחורה
ware *v.* להיזהר מ־
warehouse *n.* מחסן, מחסן־סחורות
warfare *n.* מלחמה, לוחמה
warhead *n.* ראש חץ, ראש טיל
warhorse *n.* סוס־מלחמה, שועל־קרבות
wa′rily *adv.* בזהירות
warlike *adj.* מלחמתי, ערוך למלחמה; שואף־קרבות, שש לקרב
warlord *n.* מצביא, מפקד צבאי
warm (wôrm) *adj.* חם, חמים; לבבי; לוהט, נלהב; חביב, נלבב
he is warm חם לו, יש לו חום
make things warm for him לגרום לו אי־נוחיות, לעשות לו צרות
warm color צבע חם (אדום/צהוב/תפוז)
warm debate ויכוח חם/סוער
warm trail עקבות טריים
warm work עבודה מחממת; פעילות מסוכנת
you're getting warm אתה מתקרב (לתשובה הנכונה)
warm *v.* לחמם; להתחמם
he warmed (up) to the idea הוא התלהב מהרעיון, הוא נדלק לרעיון
warm over לחמם/להתחמם שוב; להשתמש שוב (באותו נימוק)
warm the bench לחבוש את הספסל
warm to one's work להתלהב מעבודתו
warm toward him להתחיל לחבבו
warm up לחמם; להתחמם; להתיידד; לחמם שוב

warm-blooded *adj.* חם־דם; חמום־מזג
warm-hearted *adj.* חם־לב, לבבי
warming pan אילפס־חימום (למיטה)
warmonger (-mung-) *n.* מחרחר מלחמה
warmth (wôrmth) *n.* חמימות; חום
warm-up *n.* חימום; התחממות
warn (wôrn) *v.* להזהיר, להתרות; להודיע
warn away/off להרחיק; להזהיר לבל יתקרב
warning *n&adj.* אזהרה; התראה; הודעה; מזהיר, מתרה
give a week's warning להודיע על פיטורים שבוע מראש
take warning להיזהר; לראות כאזהרה
war of nerves מלחמת עצבים
warp (wôrp) *n.* (באריגה) שתי; עיקום; פיתול; כבל־גרירה
warp *v.* לעקם; להתעקם; לפתל, לעוות, לסלף; להסתלף
warped mind מוח מעוות
war paint צבע מלחמה (למריחה על הגוף); בגדי־שרד; ★איפור, אודם
war-path *n.* דרך המלחמה
on the war-path ערוך לקרב, במלחמה, נאבק; זועם, רותח
war′rant (wôr′-) *n.* הצדקה, סמכות; הרשאה; ערובה; כתב; צו־חיפוש; פקודת מעצר; כתב מינוי
death warrant תעודת פטירה
warrant *v.* להצדיק; להרשות; לערוב ל־; להבטיח
I warrant אני מבטיח (לך), אין ספק
war′rantee′ (wôr-) *n.* מקבל תעודת־אחריות
warrant officer נגד בכיר (בצבא)
war′rantor′ (wôr′-) *n.* נותן אחריות, ערב
war′ranty (wôr′-) *n.* אחריות, תעודת אחריות; סמכות
war′ren (wôr′-) *n.* ארנבייה, שפנייה; מקום מאוכלס בצפיפות; מבוך־סימטאות
warring *adj.* נלחם, נאבק
war′rior (wôr′-) *n.* לוחם
warship *n.* אוניית־מלחמה, ספינת־קרב
wart (wôrt) *n.* יבלת; ★אדם דוחה
wart hog חזיר היבלות
wartime *n.* עת מלחמה
war-torn *adj.* (ארץ) שסועת־קרבות
wart′y (wôr′ti) *adj.* יבלני, מיובל
war widow אלמנת מלחמה

wa′ry *adj.* זהיר, חשדני
was = pt of be (woz)
wash (wôsh) *v.* לרחוץ, לכבס, להדיח; לשטוף; להציף; לסחוף; להישטף; להתכבס יפה
the water washed a hole המים שחקו חור (באבן)
wash away/off לשטוף, לסחוף
wash clean לשטוף, לרחוץ, לנקות
wash down לשטוף (בסילון מים); לבלוע (גלולה) בעזרת משקה
wash one's hands of להתנער מכל אחריות ל-, לרחוץ בניקיון כפיו
wash out לכבס, לשטוף; להתכבס; להדהות/לדהות בכביסה; לגרוף; להיסחף
wash up לשטוף (פנים/כלים)
washed out חיוור, עייף, סחוט; (כביש) מוצף
washed out race מירוץ שהופסק (עקב הצפה)
your story won't wash (with me) איני מאמין לסיפורך, איני "בולער"
wash *n.* רחיצה, כביסה, שטיפה, סחיפה; כבסים; מֵשק־מים; גל; נוזל דליל; נוזל־שטיפה; מימשח; פסולת־מיטבח
come out in the wash להיוודע ברבים; להסתיים על הצד הטוב ביותר
eyewash תרחיץ לעיניים
in/at the wash בכביסה, בכבסים
mouth wash תשטיף פה
wash *adj.* כביס, מתכבס יפה
wash′abil′ity (wôsh-) *n.* כביסות
wash′able (wosh′-) *adj.* כביס, מתכבס
wash-basin *n.* כיור
wash-board *n.* לוח־כביסה, כסכסת
wash-bowl *n.* כיור
wash-cloth *n.* מטלית־רחיצה
wash-day *n.* יום הכביסה (השבועי)
wash-down *n.* רחיצה, שטיפה
wash drawing ציור בצבעי־מים (בגוון אחד)
washed-out *adj.* חיוור, דהה; עייף, סחוט
washed-up *adj.* ⋆מחוסל; עייף; הרוס
washer *n.* רוחץ, שוטף; מכבס, מכונת כביסה; דיסקית (לבורג)
dish-washer מדיח כלים
washerwoman *n.* כובסת
wash-house *n.* מיכבסה
washing *n.* רחיצה, כביסה; כבסים
washing-day *n.* יום הכביסה (השבועי)
washing machine מכונת כביסה
washing soda סודה לכביסה
washing-up *n.* שטיפת כלים
wash-leather *n.* מטלית־ניקוי (מעור)
wash-out *n.* חור, תעלה (בכביש, עקב סחף־מים); כישלון; לא־יוצלח
washroom *n.* חדר־שירותים, נוחיות
wash-stand *n.* שולחן־רחיצה, כיור
wash-tub *n.* גיגית־כביסה
washwoman *n.* כובסת
wash′y (wosh′i) *adj.* דליל, מימי; חלש, חיוור; חסר־נמרצות, נטול־עוצמה
wasn′t = was not (woz′ənt)
wasp (wosp) *n.* צירעה
waspish *adj.* דמוי־צירעה, צר־מותניים; עוקצני, רגזני, חריף־מענה
wasp-waisted *adj.* צר־מותניים
was′sail (wos′əl) *n.* מסיבה חגיגית, מישתה; קריאת לחיים; משקה מתובל
wassail *v.* לשתות לחיים; ללגום במסיבה; לשיר שירי חג־המולד
wast = pt of be (wost) (אתה) היית
wa′stage *n.* הפסד, ביזבוז, אובדן
waste (wāst) *n.* ביזבוז, איבוד; שממה, מידבר, שטח חדגוני; פסולת, אשפה
go/run to waste להתבזבז, לרדת לטמיון
waste *v.* לבזבז; לאבד; לכַלות, לדלדל; להחריב; להשחית; להידלדל; להתבזבז
my efforts were wasted מאמציי עלו בתוהו
waste away להידלדל, להתנוון
waste not, want not חסוך היום, ולא תחסר מחר
waste one's breath לשחת דבריו
waste *adj.* שמם, לא־מיושב, הרוס; מיותר, חסר־שימוש, פגום; של פסולת
lay waste להרוס, לשים לשמה
waste land שממה, אדמת בור
waste basket סל פסולת, סל אשפה
waste bin סל פסולת, פח אשפה
wasteful *adj.* בזבזני, פזרני
wasteland *n.* שממה; ריקנות
wastepaper *n.* פסולת־נייר
wastepaper basket סל פסולת
waste pipe צינור שפכין
waste product מוצר פסולת
waster *n.* בזבזן; משחית
wasting *adj.* מכלה, מדלדל; מחריב, משחית
wa′strel *n.* בזבזן; בטלן, לא־יוצלח
watch (woch) *n.* שעון, שעון־יד;

שמירה; עירנות; שומרים, שוטרים; משמר; משמרת
keep a close watch on להשגיח בשבע עיניים על, לעקוב בדריכות אחר
keep watch לעמוד על המשמר
night watch שומרי לילה; אשמורת ליל
on the watch על המשמר, פוקח עין
set a watch on להפקיד שמירה על
the first watch האשמורה הראשונה (בלילה), מישמרת א'
the watches of the night שעות לילה ללא שינה, אשמורות הלילה
watch *v.* לראות, להתבונן, להסתכל; לחכות, לצפות; להשגיח, לשמור; לפקוח עין, להיזהר, לשים לב
watch for לחכות ל־, להיות על המישמר
watch it! היזהר!
watch my smoke ★שים לב למהירותי
watch one's step להיזהר שלא למעוד
watch one's time לחכות לשעת כושר
watch out להיזהר
watch out for לחפש, לבקש, לשים לב
watch television לִצְפּוֹת בטלוויזיה
watch the clock לִצְפּוֹת (בקוצר רוח) לסיום יום העבודה
watch the time לשים לב לשעה
watchband *n.* רצועת־שעון (לשעון־יד)
watch chain שרשרת־שעון
watchdog *n.* כלב שמירה
watcher *n.* רואה, מתבונן, צופה
watchful *adj.* ער; זהיר, פוקח־עין
watch-glass *n.* זכוכית השעון
watch-guard *n.* רצועת־שעון
watch-key *n.* מפתח־שעון
watchmaker *n.* שען
watchman *n.* שומר
watch-tower *n.* מיגדל שמירה
watchword *n.* סיסמה
wat′er (wôt′-) *n.* מים; נוזל; גובה מי־הים
above water לא בקשיים, לא במצוקה
by water בדרך הים, בהפלגה בספינה
cast your bread upon the water שלח לחמך על פני המים
get into hot water להסתבך בצרה
go on the water לשוט בסירה
high/low water גיאות/שפל
hold water להיות הגיוני/סביר
in deep water בצרה, שקוע בקשיים
in low water דחוק בכסף
in smooth water נחלץ מצרה, על מי־מנוחות
keep one's head above water לא להסתבך בקשיים, להחזיק מעמד
like a fish out of water כדג ביבשה, לא שרוי בסביבתו הטיבעית
like water בכמויות, בשפע
of the first water ממדרגה ראשונה
open water מים פתוחים (נוחים לשיט)
pass/make water להשתין, להטיל מים
still waters run deep מים שקטים חודרים עמוק
through fire and water באש ובמים
throw cold water on לשפוך צוננים על, לקרר התלהבות, לקצץ כנפיו
tread water לשחות זקוף
under water מוצף
waters מים; ימים; מי־מרפא
written in water נשכח מהר, בן־חלוף
water *v.* להשקות (צמח/סוס); להזליף; להתיז; לדמוע, לריר; להנפיק מניות (בצורה מנופחת)
made his mouth water מילא פיו ריר, גירה את תיאבונו
the ship watered הספינה הצטיידה במים
water down למיים, להחליש, לדלל
water bird עוף־מים
water biscuit מצייה (מקמח ומים)
water blister בועת־מים, פצע־מים
water-borne *adj.* מובל בדרך הים; (מחלות) מועברות במים מזוהמים
water bottle מימייה; כלי למים
water buffalo תאו־המים
water butt חבית (למי־גשם)
water cannon תותח מים (לפיזור מפגינים)
water cart עגלת־מים (למכירת מים או לשטיפת רחובות)
water closet בית שימוש, שירותים
watercolor *n.* (ציור ב) צבעי־מים
watercool *v.* לצנן (מנוע) במים
watercourse *n.* נחל, תעלה; אפיק־מים
watercress *n.* גרגיר הנחלים (תבלין)
watered *adj.* מושקה; (רחוב) מרובץ
watered shares מניות מנופחות (שהונפקו בלא גידול מקביל בהון)
watered silk מואר, משי גלי/מימי
waterfall *n.* מפל־מים, אשד
waterfall of suggestions מבול הצעות
water-finder *n.* מחפש מים (תת־קרקעיים)

water-fowl *n.* עוף־מים (לציד)
waterfront *n.* שטח החוף, איזור הגדה
cover the waterfront לכסות הנושא מכל היבטיו
waterglass *n.* כוס מים; נוזל זכוכי
water gun/pistol אקדח מים (צעצוע)
water hole בריכה, שקע־מים
water ice שלגון, מיקפא רפרפת
wateriness *n.* מימיות
watering *n.* השקאה, השקייה; הזלפה
watering can/pot מזלף (של גנן)
watering place אתר מעיינות־מרפא; בריכה, שקע־מים; מקום אספקת־מים
water jacket חלוק־מים (לקירור מנוע)
water jump מיכשול מים (במירוץ)
water level גובה־מים, מיפלס־מים
water lily נימפיאה (צמח־מים)
waterline *n.* קו־המים (באונייה)
load waterline קו השוקע
water-logged *adj.* מלא מים, רווי מים
wat′erloo′ (wot-) *n.* ,וטרלו, תבוסה מפלה כבדה
water main צינור־מים ראשי
waterman *n.* מעבוראי, משכיר סירות
watermark *n.* ;סימן מיפלס המים סימן־מים (טבוע בנייר)
water meadow שדה מוצף (תכופות)
watermelon *n.* אבטיח
watermill *n.* טחנת־מים
water nymph נימפת־המים
water polo כדור־מים (מישחק)
water power כוח מים (בטורבינה)
waterproof *adj.* חסין־מים, אטים־מים
waterproof *n.* מעיל־גשם
waterproof *v.* לעשות לחסין־מים
water rate אגרת מים
watershed *n.* פרשת־מים; קו מפריד (בין אגני־נהר/אירועים); נקודת מיפנה
waterside *n.* חוף, גדה, גדת־נהר
water skiing סקי־מים
waterskin *n.* נאד, חמת־מים
water spaniel ספאנייל המים (כלב ציד)
water-spout *n.* ,צינור, גישמה, מזחילה דילפה; זרבובית; עמוד מים, טורנאדו
water supply אספקת־מים
water table מיפלס המים (התת־קרקעי)
watertight *adj.* אטים־מים; ברור לחלוטין, לא מותיר מקום לטעות
water tower מיגדל מים
water vapor אדים, אדי־מים
water vole חולדת־מים
water wagon עגלת מים

waterway *n.* נתיב־מים (עביר לספינה)
waterwheel גלגל (מסתובב בכוח) מים
waterwings מצופים (ללומד לשחות)
waterworks *n-pl.* מיפעלי־מים; מכון לאספקת מים; ★מערכת השתן; דמעות
turn on the waterworks ★להתחיל לבכות
water-worn *adj.* שחוק־מים
watery *adj.* ;מימי, רווי־מים; דומע חיוור, חלש; מבשר גשם
find a watery grave לטבוע
watery color צבע חיוור/חלש
watt (wot) *n.* ואט (בחשמל)
watt′age (wot-) *n.* ואטאז' (כוח חשמלי מבוטא בוואטים)
wat′tle (wot-) *n.* ,שבכה, מסגרת ענפים מחיצה קלועה; שיטה (עץ)
wattle *n.* דילדול בשרי (בצוואר תרנגול־הודו)
wave *v.* ,להתנועע, להתנופף; לנענע לנופף; לנפנף; לסלסל; להסתלסל
wave aside לבטל, לדחות הצידה
wave away לסלק בניפנוף יד
wave good-by לנופף לשלום (ביד)
wave hair לסלסל שיער
wave him on לרמוז (ביד) שיתקדם
wave *n.* גל; נחשול; ניפנוף יד; סילסול
a wave of fear גל פחד
in waves גלים־גלים
long waves גלים ארוכים
permanent wave סילסול תמידי
waves ים
wave band תחום־גלים
wavelength אורך גל
on different wavelengths לא משדרים על אותו גל, לא מבינים זה את זה
wa′ver *v.* ,להתנועע; להבליח; להסס לפקפק; להתמוטט, להתחיל לקרוס
waverer *n.* מהסס, לא החלטי
wa′vy *adj.* גלי; מסולסל, מתולתל
wax *n.* דונג, שעווה; ★זעם, התלקחות
ear-wax שעוות האוזן
wax in his hands כחומר ביד היוצר
wax *v.* ,לדנג, למרוח שעווה; לגדול להיות, להיעשות, להפוך
the moon waxes הירח מתמלא
wax fat להשמין
wax doll בובת שעווה
wax′en *adj.* שעווי, דונגי; חיוור
wax paper נייר שעווה
waxwork *n.* בובת־שעווה, דמות־שעווה

waxworks *n-pl.* בית בובות־שעווה
waxy *adj.* שעווי, חיוור; ⋆זועם
way *n.* דרך, אורח, נתיב; אופן, שיטה, צורה; כיוון; ⋆סביבה, מקום
a long way מרחק ניכר; מאוד, בהרבה
a long way off רחוק; רחוק מ־
all the way from $10 to $100 בין $10 ל־$100
any way בכל אופן, על כל פנים
better by a long way טוב בהרבה
by the way דרך אגב; בשעת הנסיעה
by way of דרך; במקום, בצורת־, בכעין־, בכוונה ל־, במטרה ל־
by way of Rome דרך רומא
child on the way ילד בדרך, הרה
do it one's own way לעשות זאת בדרכו שלו
do it this way לעשות זאת בדרך זו
fall his way להזדמן לו, ליפול בחלקו
from way back מזה שנים רבות
gather way לצבור מהירות
get in the way להפריע, לחסום דרך
get it out of the way להסדיר זאת; להיפטר ממנו
get under way להתחיל להתקדם
get/have one's own way להשיג את מבוקשו, לעשות כרצונו (למרות הכל)
give way להיכנע, לוותר, לסגת; לקרוס
go all the way with להסכים לחלוטין עם
go one's way ללכת לדרכו, להיפרד
go out of one's way to לעשות מאמץ מיוחד ל־
have it both ways להשיג 2 דברים מנוגדים, לאחוז החבל בשני קצותיו
have way on להפליג במים
he has a way with him יש לו קסם מיוחד, יש לו דרך משלו
in a bad way במצב רע
in a big way ⋆"בגדול", ברוב רושם
in a small way בקנה־מידה קטן; בפשטות, בצנע
in a way במידה מסוימת
in any way בדרך כלשהי
in no way כלל לא
in one's way בדרכו, חוסם, מפריע
in the family way בהריון
in the same way באופן דומה
in this way בדרך זו, בשיטה זו
know one's way around להכיר הליכות עולם
lead the way להוליך, לשמש דוגמה
look his way להסתכל לעברו
lose one's way לאבד דרכו
lose way לאבד מהירות, להאיט
make one's way לפלס דרכו; ללכת; לשים פעמיו; להצליח
make the best of one's way להחיש צעדיו
make way להתקדם, לעשות דרכו
make way for לפנות דרך ל־
mend one's ways לתקן דרכיו
no way! ⋆בשום אופן לא! שלילי!
not see one's way (clear) to לא לראות דרך/אפשרות/טעם/הצדקה/כיצד ל־
on the way בדרך, לקראת
on the way out עומד לצאת (מן האופנה)
out of the way יוצא דופן, בלתי רגיל; נידח, מרוחק; לא מפריע, לא חוסם
parting of the ways פרשת־דרכים
pave the way for להכשיר הקרקע ל־, לסלול הדרך ל־
pay one's way לשלם את חלקו (בהוצאות); להתרחק מחוב, לא לשקוע בחובות
permanent way מסילת הברזל
pick one's way להתקדם בזהירות
put him in the way of לתת לו הזדמנות ל־, לעזור לו להתחיל
put out of the way לחסל, לרצוח; להשליך לכלא
right of way זכות מעבר
set in one's ways בעל מינהגים קבועים
take one's own way לנקוט שיטה עצמאית, לנהוג על פי דרכו
that's only his way זו דרכו, כך הוא מתנהג
the whole way לגמרי, מא' ועד ת'
there's no way אין שום דרך/אפשרות
under way מתקדם; בתנועה; בביצוע
way of life אורח חיים
way of the world דרך העולם
way of thinking דרך מחשבה, דעה
ways כבש־השקה (לאוניות)
ways and means אמצעים (לגיוס כספים)
way *adv.* רחוק
way behind הרחק מאחור
way-ahead *adj.* מתקדם
waybill *n.* רשימת סחורות; רשימת נוסעים

wayfarer *n.* הלך, צועד, נוסע
wayfaring *n&adj.* צעידה; נסיעה; צועד
way'lay' *v.* לארוב, לתקוף; לגשת אל־
way-out *adj.* משונה, מוזר ביותר
-ways (wāz) *adv.* (סופית) לציון כיוון/אופן
sideways הצידה, במצודד
wayside *n.* שולי הדרך, צד הכביש
drop by the wayside להיכשל לפני הסיום
way'ward *adj.* עקשן, קפריזי, הפכפך
WC = water closet בית שימוש, שירותים
we (wē) *pron.* אנו, אנחנו; אני
weak *adj.* חלש, רפה; מימי, דליל
weak argument טענה חלשה/לא משכנעת
weak point נקודת תורפה
weak'en *v.* להחליש; להיחלש
weaker sex המין החלש, האישה
weak form צורה חלשה (במיבטא, בהבלעת תנועה)
weak-headed *adj.* רפה־שכל
weak-kneed *adj.* נמוג־ברכיים, מוג־לב
weak'ling *adj&n.* (אדם) חלש
weakly *adj&adv.* חלש, עדין; בחולשה
weak-minded *adj.* רפה־שכל
weakness *n.* חולשה; פגם, חיסרון
a weakness for ice cream חולשה לגלידה
weal *n.* אושר, הצלחה, טובה; פס־מלקות, סימן־חבטה, חבורת־פס
in weal and woe בטוב וברע
the general weal טובת הכלל
weald *n.* יער (באנגליה)
wealth (welth) *n.* עושר; שפע, רוב
wealth'y (welth'i) *adj.* עשיר
wean *v.* לגמול (מיניקה); להגמיל
weap'on (wep'-) *n.* נשק, כלי־נשק
weaponless *adj.* חסר־נשק
weap'onry (wep'-) *n.* כלי־נשק
wear (wār) *v.* ללבוש; לשאת; ללבוש ארשת; להיות מראהו; לבלות, לשחוק; להשתמר, להתקיים; ★להסכים, לאפשר
wear a bracelet לענוד צמיד
wear a frown ללבוש ארשת זועפת
wear a hat לחבוש כובע
wear a hole ליצור חור (ע"י חיכוך)
wear a path לכבוש דרך (בהליכה)
wear away לשחוק; להישחק; לחלוף
wear down לשחוק/להישחק (בשיפשוף); להחליש, לייגע, להתיש; לדלדל
wear glasses להרכיב משקפיים
wear his nerves למרוט עצביו
wear off להימוג, להיעלם; לשחוק
wear on להתקדם, להימשך, לעבור; להרגיז, להציק; לעייף
wear out לשחוק; להישחק; להתבלות; לעייף; לפקוע (סבלנותו)
wear thin להישחק; להשתפשף
wear through לשחוק; להישחק; לבלות
wear well להיראות צעיר (חרף גילו); להחזיק מעמד
wears her hair long בעלת שיער ארוך
wear *n.* לבוש; הלבשה; שחיקה; התבלות; יציבות, אי־בלייה
evening wear תלבושת ערב
footwear הנעלה, תנעולת
is the worse for wear מגלה סימני שחיקה (בשל שימוש)
wear and tear התבלות, פחת
women's wear בגדי נשים
wearable *adj.* לביש, בר־לבישה
wea'riness *n.* עייפות, ליאות
wear'ing (wār'-) *adj.* של מלבושים; מעייף
wearing apparel מלבושים, בגדים
wea'risome *adj.* מעייף; משעמם
wea'ry *adj.* עייף, יגע; מעייף, משעמם
weary *v.* לעייף; להתעייף; לשעמם
wea'sel (-z-) *n&v.* סמור (טורף קטן)
weasel (out) להתחמק; להיות חמקמק
weasel word מלה דו־משמעית
weath'er (wedh'-) *n.* מזג־אוויר
keep a weather eye open להיות ערוך ל־, לעמוד על המישמר
make heavy weather of it למצוא שהדבר קשה
under the weather לא מרגיש בטוב, לא בקו־הבריאות; מבוסם, שתוי
weather *v.* לעבור בשלום, להחזיק מעמד, להתגבר על; לחשוף לאוויר; לדהות; להישחק; להפליג מצד הרוח
weather out להחזיק מעמד, לעבור
weather-beaten *adj.* מוכה־רוחות, שזוף־שמש, (פנים) שחומים, חרושי קור וחום
weather-board *n.* ציפוי־לוחות (מרועפים, נגד גשם)
weather-bound *adj.* תקוע עקב

מזג־אוויר, מעוכב בגלל מזג־אוויר
weather bureau שירות מטאורולוגי
weather chart/map מפה סינופטית
weathercock *n.* שבשבת, נס־הרוח; הפכפך
weather forecast תחזית מזג־האוויר
weatherglass *n.* בארומטר
weatherman *n.* חזאי
weatherproof *adj&v.* חסין־רוח, אטים־גשם; לחסן כנגד מזג־אוויר
weather ship אוניית־חיזוי (לתצפיות מטאורולוגיות)
weather station תחנת־חיזוי
weather strip פס־אוטם
weatherstrip *v.* לאטם (דלת) בפס־אוטם
weather vane שבשבת, נס הרוח
weatherwise *n.* חזאי, מומחה־חיזוי
weave *v.* לארוג, לטוות; לשזור; לבנות, להרכיב; לפתל; להתפתל
get weaving ★להירתם במרץ לעבודה
weave a basket לקלוע סל
weave a plan לרקום תוכנית
weave a story לשזור סיפור
weave into לשבץ, לשזור ב־
weave one's way להתקדם בפיתולים
weave *n.* מארג, מישזר, מירקם, מטווה
weaver *n.* אורג, טוואי
web *n.* קורים; רשת, מסכת, מארג; קרום־שחייה; גליל־נייר
web of lies מסכת־שקרים
webbed *adj.* בעל קרומי־שחייה
web'bing *n.* אריג, רצועה, חגורה
web-footed, web-toed *adj.* בעל קרומי־שחייה
web offset הדפסה בגליל־נייר (רציף)
wed *v.* להתחתן, להינשא; להצמיד
Wed = Wednesday
we'd = we would, we had (wēd)
wedded *adj.* נשוי; מחובר, צמוד; דבק, מסור, מכור ל (רעיון)
wed'ding *n.* חתונה, טקס־כלולות
diamond wedding חתונת־יהלום (למלאת 75/60 שנה לנישואים)
golden wedding חתונת־זהב, יובל ה־50 לנישואים
silver wedding חתונת־כסף (למלאת 25 שנה לנישואים)
wedding breakfast סעודת נישואים
wedding cake עוגת־כלולות
wedding ring טבעת נישואים
wedge *n.* יתד, טריז; פלח טריזי
drive a wedge לתקוע טריז (ביניהם)
thin end of the wedge חוד־הטריז (שינוי קל העשוי להוליד תהפוכות)
wedge of cake פרוסת עוגה (טריזית)
wedge *v.* לייתד, לטרז; לנעוץ (ב) טריז; לדחוק; לדחוס
wedged *adj.* טריזי; תקוע, נתקע
wed'lock' *n.* נישואים, נישואין
born in wedlock נולד בנישואים
born out of wedlock נולד מחוץ לנישואים, בלתי־חוקי, ממזר
Wednes'day (wenz'd-) *n.* יום רביעי
(on) Wednesday ביום רביעי
Wednesdays *adv.* בימי רביעי
wee *adj.* קטן, קטנטן, זעיר
a wee bit מעט, קצת, משהו
wee hours השעות המוקדמות, השכם
wee, wee-wee *v&n.* ★ (לעשות) פיפי
weed *n&adj.* עשב רע, עשב שוטה; טבק, סיגריות; חשיש; כחוש וגבוה, חלש
weed *v.* לנכש (עשבים), לייבל, לעשב
weed out לשרש, לסלק (המיותרים)
weeds *n-pl.* בגדי אלמנות, שחורים
weed'y *adj.* מלא עשבים שוטים; חלש; רפה; גבוה ורזה
wee folk גמדים, פֵיות וכ׳
week *n.* שבוע; שבוע עבודה
a week on Friday שבוע מיום ו׳
this day week שבוע מהיום
tomorrow week מחר בעוד שבוע
week in, week out במשך שבועות רצופים
Sunday week שבוע אחרי יום א׳
5-day week שבוע־עבודה בן 5 ימים
weekday *n.* יום חול
work weekdays לעבוד בימי חול
weekend *n.* סופשבוע, ויקאנד
weekend *v.* לבלות סופשבוע
weekender *n.* מבלה סופשבוע
weekly *adj&adv.* שבועי; אחת לשבוע
weekly *n.* שבועון
weeknight *n.* ליל־חול
wee'ny *adj.* ★קטנטן, זעיר
weep *v.* לבכות; לזלוג, לזוב
weep bitter tears למרר בבכי
weep one's fate לבכות על מר גורלו
weep oneself to sleep להירדם תוך בכי
weep over- לבכות על־
weeping *adj.* (עץ) שחוח־ענפים
weepy *adj.* בכייני; סוחט דמעות
wee'vil (-vəl) *n.* חידקונית (חיפושית)

weft *n.* עֵרֶב, חוטי־הרוחב
weigh (wā) *v.* לשקול
weigh an idea לשקול רעיון
weigh anchor להרים עוגן
weigh down להכביד, להעיק, לכופף
weigh in להישקל לפני תחרות
weigh in with להצטרף לוויכוח, להטיל למערכה (טענות/מידע)
weigh on- להכביד על־, להעיק על־
weigh one's words לשקול את דבריו
weigh out לשקול, למדוד במישקל
weigh up לשקול בכובד־ראש; להבין
weigh with him להיות רב־חשיבות בעיניו, להשפיע עליו
weigh-bridge *n.* מאזני־רכב
weight (wāt) *n.* מישקל; אבן־שקילה, מישקולת; משא, נטל; מעמסה, מועקה
carry weight להיות כבד־מישקל
have weight with להיות בעל מישקל בעיני
lose weight לרדת במישקל, לרזות
of great weight רב־חשיבות, כבד־מישקל
over weight כבד מדיי
pull one's weight להטות שכם, לתרום חלקו
put on weight לעלות במישקל, להשמין
throw one's weight around להשתלט על סביבתו, להתנפח, לעשות רוח
under weight קל מדיי
weight *v.* להוסיף מישקל, להכביד, לעשות לכבד; להעניק יתרון; לשקלל
weight against להעמיד בעמדה נחותה
weight down להכביד, להעמיס; להעיק
weight in favor of להעניק יתרון ל־
weighting *n.* תוספת, הטבה; שקלול
weightless *adj.* נטול־מישקל
weightlessness *n.* חוסר־מישקל
weight lifter מרים משקלות
weight lifting הרמת־מישקלות
weighty *adj.* כבד־מישקל, רב־חשיבות
weir (wēr) *n.* סכר; מחסום, רשת, גדר־כלונסאות (במים, ללכידת דגים)
weird (wērd) *adj.* משונה; לא־טיבעי
weird'ie (wēr'di) *n.* תימהוני
welch *v.* להתחמק מתשלום
wel'come (-kəm) *adj.* רצוי, מתקבל בחפץ־לב; נעים; רשאי, חופשי (להשתמש)
'Thanks', 'You're welcome' "תודה", "על לא דבר"
is welcome to רשאי, מכובד ב־
make him welcome לקדמו בחמימות
welcome home ברוך בואך הביתה
you're welcome to try נסה! אדרבה!
welcome *n.* קבלת־פנים, קידום־פנים
hearty welcome קבלת פנים לבבית
wear out one's welcome לשהות זמן רב מדיי, לבקר תכופות מדיי
welcome *v.* לקבל פנים, להקביל פניו, לקדמו בשימחה, לשחר פניו
welcome advice לקבל עצה ברצון
weld *v.* לרתך, להצמיד; לחבר; להתרתך
weld *n.* ריתוך; חלק שחובר בריתוך
wel'fare' *n.* אושר, טובה, רווחה; עזרה סוציאלית, סעד
welfare officer קצין סעד
welfare state מדינת סעד
welfare work עבודה סוציאלית
wel'kin *n.* שמיים, שחקים
well *n.* באר, באר־מים, באר־נפט; מקור, מעיין; פיר, ארובת־מעלית; מחיצת הפרקליטים
stair well (חלל) חדר־המדרגות
well *v.* לפרוץ, לזרום, לקלוח
tears welled in her eyes דמעות ניקוו בעיניה
well out לפרוץ, לזוב, לנבוע
well over לגלוש, לשפוע
well up לעלות, לגאות, למלא; להימלא
well *adv.* טוב, היטב, יפה; כיאות, כראוי; בהרבה; במידה ניכרת; בצדק, בדין
as well גם כן, נוסף לכך, כמו כן
as well as נוסף ל־, וגם
come off well להיות בר־מזל; להסתיים בטוב
do oneself well לפנק עצמו, לאפוף עצמו בנוחיות
do well להצליח, להתקדם
do well by- להתייחס יפה אל־
do well out of לצאת ברווח מ־
go well להלום, להתאים
he did well to tell me טוב עשה/בחוכמה נהג בספרו לי
is doing well מחלים, מתאושש
is well out of it "יצא מזה", בר־מזל להיחלץ מכך, נפטר מצרה זו
just as well "לא נורא", אין נזק, אין להצטער על כך
may (just) as well עשוי באותה מידה ל־, היינו הך, מוטב ש־
may well עלול/עשוי בצדק ל־

pretty well כמעט; לא רע, מצוין
speak well of לדבר טובות על
stand well with לשאת חן בעיני־
very well טוב מאוד; היטב היטב
well and good טוב, אוקיי
well and truly כליל, לגמרי
well away מתקדם; ★שתוי, בגילופין
well done! יפה מאוד! כל הכבוד!
well off עשיר, אמיד; בר־מזל
well up in בקי ב־
I can't very well accept it קשה לי לקבל זאת, מן הדין שלא אסכים לכך
well *adj.* טוב, בריא; במצב טוב; בסדר; מוטב, רצוי
all is not well with לא הכל בסדר אצל־
get well להחלים, להבריא
it's all very well, but- כל זה טוב ויפה, אבל־
it's well that טוב ש־; רצוי ש־
well *n.* טוב, טובה, רווחה, אושר
let well alone להניח לו כמות שהוא
wish him well לאחל לו כל טוב
well *interj.* ובכן, טוב, או קיי, בסדר
well, well! יופי! מצוין! האומנם!
we'll = we will/shall (wēl)
well-advised *adj.* נבון, חכם
well-appointed *adj.* מצויד כהלכה
well-balanced *adj.* מאוזן; נבון, שקול
well-behaved *adj.* מתנהג־כהלכה; מנומס
well-being *n.* טוב, טובה, אושר, רווחה; בריאות
well-born *adj.* מיוחס, ממשפחה טובה
well-bred *adj.* מחונך, מנומס
well-chosen *adj.* הולם, קולע, מתאים
well-connected *adj.* בעל קשרים טובים, מקורב לאנשים רבי־השפעה
well deck עימקה (על סיפון האונייה)
well-defined *adj.* מוגדר ברורות
well-disposed *adj.* ידידותי, מגלה אדיבות
well-doer *n.* צדיק, עושה מעשים טובים
well-doing *n.* חסידות, מעשים טובים
well-done *adj.* מבושל היטב
well-earned *adj.* ראוי, מגיע בצדק
well-established *adj.* מבוסס היטב
well-favored *adj.* יפה־תואר, נאה
well-fixed *adj.* מבוסס (מבחינה כספית)
well-found *adj.* מצויד כראוי
well-founded *adj.* מבוסס (על עובדות)
well-groomed *adj.* מצוחצח, מטופח
well-grounded *adj.* מבוסס; בקי היטב
well-head *n.* מקור, מעיין
well-heeled *adj.* ★עשיר
well-informed *adj.* רחב־ידע; בעל גישה למקורות־מידע
wel'lington *n.* מגף
well-intentioned *adj.* בעל כוונות טובות, מתכוון לטוב
well-knit *adj.* חסון, מוצק, בנוי היטב
well-known *adj.* ידוע, מפורסם
well-lined *adj.* ★גדוש בכסף
well-marked *adj.* מסומן בבירור
well-meaning *adj.* בעל כוונות טובות
well-meant *adj.* מתכוון לטובה
well-nigh *adv.* כמעט
well-off *adj.* עשיר, אמיד
well-oiled *adj.* ★שתוי, מבוסם
well-preserved *adj.* שמור יפה (חרף גילו)
well-read *adj.* שקרא הרבה, שמילא כרסו בספרים; אוצר בלום
well-rounded *adj.* רחב־ידע, מגוון; חטוב; מושלם, סימטרי
well-set *adj.* בנוי כהלכה, מוצק
well-spoken *adj.* מנומס, יפה־דיבור, אנין־לשון; אמור בטוב־טעם
wellspring *n.* מקור, מעיין המתגבר, מקור בלתי נדלה
well-thought-of *adj.* בעל שם טוב, אהוד, נערץ
well-timed *adj.* בעיתו, קולע בעיתויו
well-to-do *adj.* עשיר, אמיד
well-tried *adj.* בדוק ומנוסה
well-turned *adj.* מובע יפה, מנוסח בחן
well water מי־באר
well-wisher *adj.* מאחל טוב, מברך
well-worn *adj.* משומש; נדוש, חבוט
Welsh *adj&n.* ולשי; ולשית (שפה)
welsh *v.* להתחמק מתשלום; להשתמט; להפר הבטחה
welsher *n.* מתחמק, משתמט מתשלום
Welsh rabbit גבינה מותכת (על טוסט)
welt *n.* פס־מלקות, חבורה; רצועת־עור (בנעל); פתיל־חיזוק
wel'ter *v.* להתבוסס, להתפלש, להתגולל
welter *n.* בילבול, ערבוביה; בליל
welterweight *n&adj.* חצי־כבד, (מתאגרף/מתאבק בעל) מישקל מצוע
wen *n.* תפיחה, ציסטה, גושיש (בעור)
wench *n.* בחורה, נערת־כפר; פרוצה
wench *v.* להתחבר עם פרוצות

wend *v.* ללכת, לנסוע, לנוע
wend one's way לשים פעמיו, ללכת
went = pt of go
wept = p of weep
were = pt of be (wûr)
as it were בביכול, כאילו
if I were/were I אילו הייתי
we're = we are (wēr)
were'wolf' (wir'wŏŏlf) *n.* אדם־זאב (באגדה), אדם שהזדאב
wert = were
west *n&adj&adv.* מערב; מערבי; מערבה
go west ★למות
west of- מערבה ל-
west'bound' *adj.* נוסע/מפליג מערבה
West End וסט־אנד, מערב לונדון
west'erly *adj&adv.* מערבי; מערבה
west'ern *adj&n.* מערבי; מערבון
west'erner *n.* בן־המערב, איש־המערב
west'erniza'tion *n.* מיערוב
west'ernize' *v.* למערב, להחדיר מערביות, להנהיג אורח־חיים מערבי
westernmost *adj.* המערבי ביותר
westward (s) *adj&adv.* מערבי; מערבה
wet *adj.* רטוב, לח; גשום, סגרירי; ★חסר־מרץ, נרפה
all wet ★מבולבל; טועה לחלוטין
wet paint צבע לח, צבע טרי
wet through רטוב לגמרי, ספוג מים
wet town עיר רטובה (המתירה מכירת משקאות חריפים)
wet *n.* רטיבות; גשם; ★לגימת־כוסית
wet *v.* להרטיב
wet blanket מדכא, מרפה ידיים
weth'er (-dh-) *n.* איל מסורס
wet nurse מינקת
wet suit חליפת־צולל (חמה)
wetting *n.* הירטבות
we've = we have (vēv)
whack *v.* להכות, להלקות, להצליף
whack *n.* (קול) חבטה, הצלפה; ★ניסיון; חלק
have a whack at ★לנסות
have one's whack ★ליטול חלקו
out of whack ★לא תקין; לא תואם
whacked *adj.* ★עייף, סחוט
whack'er *n.* גדול, כביר; ★שקר גס
whacking *n&adj.* מכות; ★כביר, ענק
whale *n.* לווייתן; ★דבר כביר/עצום
whale of a time ★בילוי מענג, כיף

whale *v.* לצוד לווייתנים
whale away ★להכות, לחבוט, להצליף
whalebone *n.* עצם לווייתן
whaler *n.* צייד־לווייתנים; ספינת־לווייתנים
whaling *n.* ציד־לווייתנים
whaling gun רובה־צילצלים
whang *n&adv.* (בקול) חבטה, צילצול; בדיוק, היישר
whang *v.* להכות, לחבוט
wharf (wôrf) *n.* רציף, מזח, מעגן
wharfage *n.* (דמי) שימוש ברציף
what (wot) *adj&adv&pron.* מה? איזה? איזו? כמה? מה ש־; הדבר ש־
and what not וכדומה, וכולי
and what's more יתר על כן
give him what for לתת לו מנה הגונה, להענישו
has what it takes יש לו נתונים להצליח
know what's what לדעת דבר לאשורו
or/and what have you וכדומה, וכ׳
so what? אז מה? ומה בכך?
what a fool is he! טיפש שכמותו!
what a pity! חבל!
what about מה בקשר ל־? מה דעתך על? בקשר למה?
what d'you call him "מה שמו", שמו פרח מזיכרוני
what did he do that for? לשם מה/למה עשה זאת?
what for? למה? מדוע? לשם מה?
what if? מה (יקרה/תגיד) אם?
what is he? מה הוא? מה עיסוקו?
what little he has המעט שיש לו
what of it? ובכן, מה בכך?
what the hell/devil- מה, לעזאזל-
what though? ומה אם? ומה בכך ש־?
what with- עקב, מהסיבות (הבאות)
what's his name "מה־שמו", שמו פרח מזיכרוני
what's it "מה־שמו"
what's she like? איך היא? תאר אותה, מה מצאת בה?
what's the (big) idea? מה הרעיון? מה פתאום? למה?
what's up? מה קורה? מה נשמע?
what•ev'er (wot-) *adj&pron.* כלשהו, איזשהו; לא חשוב איזה/מה; כל מה; מה; כלל
no man whatever שום אדם (לא)
what'not' (wot'-) *n.* כל דבר, כל

שתרצה; כוננית (לחפצי־נוי)
and whatnot ומה לא, ומה שתרצה
what'so•ev'er = whatever
wheat *n.* חיטה
wheat'en *adj.* של חיטה
whee'dle *v.* לפתות, לשדל
wheedle out לסחוט, להשיג בפיתוי
wheel *n.* גלגל, אופן; (גלגל ה) הגה; סיבוב (על ציר)
at the wheel ליד ההגה, בשילטון
big wheel ⋆אישיות חשובה
put one's shoulder to the wheel להטות שכם, לתת כתף, לעזור
steering wheel גלגל ההגה
wheels כלי־רכב, אופניים
wheels within wheels מניעים סמויים, מצב מורכב, סבך גורמים
wheel *v.* לגלגל, לדחוף, לגרור (עגלה); להסיע; לפנות; להתגלגל; לחוג
right wheel! ימינה פנה!
wheel and deal לא לבחול בשום אמצעי להשגת מטרתו
wheel around להסתובב, לסוב לאחור
wheelbarrow *n.* מריצה, חדופן
wheelbase *n.* רוחק הסרנים (ברכב)
wheelchair *n.* כיסא־גלגלים
wheeler *n.* מגלגל; בעל גלגלים
4-wheeler מכונית בעלת 4 גלגלים
wheelhouse *n.* תא־ההגה (בספינה)
wheelwright *n.* מתקן גלגלים, יוצר גלגלים, חרש־אופן
wheeze *v.* לנשום בקול (שורקני)
wheeze out לפלוט/לדבר בנשימה שורקנית
wheeze *n.* נשימה שורקנית; ⋆בדיחה, רעיון מבריק, טריק
wheezy *adj.* נושם בקול שורקני
whelk *n.* שבלול (ימי)
whelp *n&v.* גור, כלבלב, כפיר; עזפנים, חסר־חינוך; להמליט
when *adv&conj&pron.* מתי? בשעה ש־, כאשר, כש־; (הזמן) שבו; ואז; למרות ש־
since when? ממתי? מאימתי?
until when? עד מתי?
whence *adv&conj.* מאין? מנין? מהיכן ש־, אשר משם־, שממנו; למקום ש־
whence are you? מאין באת?
when•ev'er *conj&adv.* בכל שעה ש־, כל אימת ש־; לא חשוב מתי; מתי?
where (wār) *adv&conj&pron.* איפה? לאן? היכן; במקום ש־; אך, ואילו
the when and where השעה והמקום
where is he from? מנין הוא?
where it's at ⋆מצוין, כביר
where to? לאן?
where'abouts' (wār'-) *n&adv.* מקום, סביבה, מקום־מישכן; איפה? באיזו סביבה?
where•as' (wāraz') *conj.* ואילו, אך; בעוד ש־; הואיל ו־
where•at' (wārat') *adv.* אשר בו; לפיכך
where•by' (wārbī') *adv.* שדרכו, שבאמצעותו; שלפיו
where'fore (wār'-) *adv&conj&n.* למה? לכן
the whys and wherefores הסיבות
where•in' (wārin') *conj&adv.* אשר בו, במקום ש־, היכן ש־; היכן? באיזה מובן?
where•of' (wārov') *adv.* שממנו; שעל־אודותיו
where•on' (wāron') *adv.* שעליו, שעל גבו
where'so•ev'er = wherever
where•to' (wārtōō') *adv.* לשם מה? לאן? להיכן? שאליו, שלשם; שעל כך
where'upon' (wār'-) *conj.* אשר על כן; ומיד אחר כך, ואז
wherev'er (wār-) *adv.* לכל מקום ש־, בכל מקום ש־; במקום כלשהו; איפה?
wherever he goes - I go באשר ילך אלך
where•with' (wār-) *adv.* במה? במה ש־
where'withal' (wār'widhôl') *n.* אמצעים; כסף, מימון
wher'ry *n.* ארבה, סירת־משוטים
whet *v.* להשחיז, לחדד; לעורר, לגרות
wheth'er (-dh-) *conj.* אם; בין ש־; האם
whether by accident or design במיקרה או שלא במיקרה
whether or no בכל מיקרה, ויהי מה
whether I walk or run בין שאלך ובין שארוץ
whetstone *n.* אבן משחזת
whew (hū) *interj.* אוף! יו! (קריאה)
whey (wā) *n.* מי־חלב (שהופרדו מהקום)
which *adj&pron.* איזה? ב־/ל־/מאיזה? ש־, אשר; שהוא־, שאותו, והוא־; וזאת
at which שעליו, שלעברו, שבו
by which שדרכו, שבאמצעותו

during which time ובמשך זמן זה
into which שבו, שבתוכו
of which ממנו, מהם
which is which איזה א' ואיזה ב'
which•ev'er *adj&pron.* איזה; איזה שהוא; איזה ש־; כל מה ש־; לא חשוב איזה
whiff *n.* משב, ריח קל, נֶדף; שאיפה; מציצת־סיגאר
whiff *v.* לנשב; להדיף ריח; לשאוף; לנשוף
Whig *n&adj.* ויג; ויגי (בבריטניה)
while *n&v.* שעה, זמן; להעביר (זמן)
(all) the while במשך (כל) הזמן
a long while ago לפני זמן רב
a short while ago לפני זמן־מה
a while back לפני תקופה קצרה
after while בתוך זמן קצר
between whiles לפרקים
for a while לזמן־מה
in a (little) while בתוך זמן קצר
once in a while מפעם לפעם
while away להעביר הזמן; להתבטל
worth (one's) while כדאי, משתלם
while *conj.* בשעה ש־, בעת־; כל עוד ש־; למרות ש־; אך, ואילו־
while speaking תוך כדי דיבור
whilst = while (wīlst)
whim *n.* קפריזה, שיגעון, בולמוס
whim'per *v&n.* לבכות, לייבב; יבבה
whim'sical (-z-) *adj.* קפריזי, שיגעוני, מוזר, חדור מושגים משונים
whim'sical'ity (-z-) *n.* קפריזה, שיגעון; קפריזיות
whim'sy, whim'sey (-z-) *n.* קפריזה, שיגעון; הומור משונה; מוזרות
whin *n.* אולקס (שיח קוצני)
whine *v.* לבכות, לייבב, ליילל
whine *n.* בכי, יבבה, יללה
whiner *n.* בכיין, בוכה, מתלונן
whin'ny *n&v.* צהלת־סוס, צנפה; לצהול, לצנוף
whip *n.* שוט; מצליף־סיעה; הזמנה להצביע; מיקצפת; מְרַכֵּז כלבי־ציד
crack the whip ⋆להעניש
three-line whip הזמנה דחופה
whip hand עמדת שליטה
whip *v.* להצליף; להכות; להביס; להקציף, לטרוף; לחטוף, לנוע/להניע בחטף; לדוג (בחכה); לקשור, לתפור שוליים
whip a top לסובב סביבון
whip in לרכז (כלבי ציד), לאסוף
whip off להסיר בחטף, לחטוף
whip out לשלוף במהירות; לצאת מהר
whip round להתרים, לאסוף תרומות; לכרוך, ללפף סביב
whip up לעורר, להלהיב; להכין חטופות
whipcord *n.* חבל־שוט, ערקה; אריג צמרי חזק
whiplash *n.* הצלפה; הלם; חבלה בצוואר
whipper-in *n.* מְרַכֵּז כלבי־ציד
whipper-snapper *n.* אפס נפוח, שחצן
whip'pet *n.* ויפט (כלב־מירוץ)
whipping *n.* הצלפה, מלקות
whipping boy סופג המלקות, שעיר לעזאזל, קורבן
whipping post עמוד המלקות
whipping top סביבון, כירכר
whip'poorwill' (-pər-) *n.* (מין) ציפור־לילה
whip'py *adj.* גמיש, קפיצי
whip-round *n.* איסוף תרומות, התרמה
whir(r) *n&v.* רעש, משק, זימזום, רישרוש; לחלוף ברישרוש; לשקשק
whirl *v.* לסובב; להסתובב; להסתחרר; לנוע/להניע במהירות; להסיע
my head whirls ראשי סחרחר
whirl away/off לסלק/להסתלק מהר
whirl *n.* סיבוב, הסתובבות; סחרחורת; בילבול; רצף פעילויות/אירועים
give it a whirl ⋆לנסות זאת
whir'ligig' (wûr'ligig) *n.* סביבון; סחרחרה; סיבוב, גלגל חוזר
whirlpool *n.* מערבולת, שיבולת־מים
whirlwind *n.* סופה, עמוד־רוח מסתובב
whirlybird *n.* ⋆הליקופטר
whisk *n.* מטאטא, מיברשת; מקצף, מטרף; תנועה חטופה, תנופה
whisk *v.* לטאטא; להבריש; להקציף, לטרוף; להניע חטופות; לסלק
whisk away/off לסלק חיש, לחטוף
whisk'er *n.* שפם, זיף־מישוש
whiskers זקן־לחיים, שער־הלחי
whiskered *adj.* משופם; עטור זקן־לחי
whis'ky, whis'key *n.* ויסקי (משקה)
whis'per *v&n.* ללחוש; לאווש, לרשרש; לחישה, לחש, שמועה; איוושה
whispering campaign מסע־לחישות
whist *n.* ויסט (מישחק קלפים)
whist drive סידרת מישחקי ויסט
whis'tle (-səl) *n.* שריקה; משרוקית
blow the whistle on ⋆להלשין, לבגוד;

לעצור, להפעיל יד קשה כלפי
wet one's whistle ★ללגום כוסית
whistle *v.* לשרוק, לצפצף
whistle for it לרצות זאת ללא הועיל, "לשכוח מזה"
whistle up להרכיב (מחומר דל)
whistle stop תחנת רכבת (קטנה); סיור/סיבוב בחירות רצוף תחנות
whit *n.* שמץ, קורטוב, משהו
not a whit אף לא שמץ, כלל לא
Whit = Whitsun
white *adj.* לבן; צחור, צח; חיוור
bleed him white לדלדלו, לרוששו, להציגו ככלי ריק
go white להפוך לבן; להחוויר
white coffee קפה עם חלב
white *n.* גוון לבן; לובן; אדם לבן; לובן־שבעין; חלבון; לחמית
whites בגדים לבנים, ביגדי־לבן
white alloy מסג לבן, סגסוגת זולה
white ant נמלה לבנה, טרמיט
whitebait *n.* דגיגי־מאכל
white bear הדוב הלבן
white blood cell ליקוציט, כדורית לבנה
whitecap *n.* מישבר, גל עטור־קצף
white-collar *adj.* של הצווארון הלבן
whited sepulcher עיט צבוע
white dwarf ננס לבן (כוכב)
white elephant פיל לבן, נכס יקר וחסר־תועלת
white ensign דגל הצי הבריטי
white feather פחדנות, ריפיון ידיים
white flag דגל לבן, אות כניעה
Whitehall *n.* הממשלה הבריטית
white heat חום לוהט; להט, רגש עז
white hope תיקווה גדולה (אדם)
white horse מישבר, גל עטור קצף
white-hot *adj.* לוהט, נלהב, רותח
White House הבית הלבן
white lead עופרת לבנה
white lie שקר לבן, שקר כשר
white-livered *adj.* פחדני, מוג־לב
white magic כישוף לבן (למטרות טובות); מאגיה לבנה
white man האדם הלבן
white meat בשר לבן, בשר־עגל, בשר־חזיר, בשר־עוף
white metal מסג לבן, בעץ, מתכת לבנה
whi'ten *v.* להלבין; להפוך לבן
whiteness *n.* לובן, צבע לבן, לַבנות
white paper ספר לבן, דו"ח ממשלתי

רישמי
white sale מכירת לבנים בהנחה
white scourge שחפת
white sheet גלימה לבנה, גלימת החוזר בתשובה
white slave שיפחה לבנה; נערה שנמכרה לזנות
white slavery סחר נשים, סחר זונות
whitethorn *n.* עוזרד
whitethroat *n.* סיבכי (לבן־צוואר)
white tie עניבת־פרפר (לבנה); תילבושת ערב
whitewash *n.* סיד; טיוח, חיפוי, העלמה
whitewash *v.* לסייד; לטייח, לחפות
whith'er (-dh-) *adv.* לאן? אנה? להיכן, למקום ש־; לאן פניו, מה עתידו
whi'ting *n.* עיט־הים (דג־ים); סיד, חומר הלבנה
whi'tish *adj.* לבנבן
whit'low (-ō) *n.* מורסה (באצבע)
Whit'sun *n.* חג השבועות (הנוצרי)
Whit Sunday חג השבועות (הנוצרי)
Whit'suntide' *n.* השבוע של חג השבועות (הנוצרי)
whit'tle *v.* לחתוך, לקלוף, לגלף; לקצץ, לצמצם; לעצב
whittle away/down לחתוך, לקצץ, להפחית
whiz *v&n.* לשרוק; (לחלוף ב) שריקה; זימזום; ★מבריק, מוכשר, שד
who (hōō) *pron.* מי? (האיש) ש־
who did I give it to? למי נתתי זאת?
who's who מי הוא מי; מי ומי
WHO=world health organization
whoa (wō) *interj.* עצור! (לסוס)
who'd = who had/would (hōōd)
who•dun'it (hōō-) *n.* סיפור בלשי
who•ev'er (hōō-) *pron.* מי ש־; מי שלא יהיה, לא חשוב מי; ★מי?
whole (hōl) *adj&n.* שלם, תמים, כל; יחידה, אחד; שלמות
a whole lot ★המון; בהרבה
as a whole כשלמות אחת; באופן כללי, בסך הכל
on the whole בסך הכל, כללית
swallow it whole לבלוע בשלמותו; לקבל בלי פיקפוק
the whole lot הכל, כליל
the whole of כל ה־
the whole town העיר כולה
the whole week כל השבוע

whole show ⋆אישיות חשובה
with a whole heart בלב שלם
whole-hearted *adj.* בכל ליבו, בחפץ־לב; מסור, כן, מלא, נלהב, ללא סייג
wholemeal *n&adj.* (של) חיטה שלמה
whole note תו שלם, 4 רבעים
whole number מיספר שלם
wholesale *n.* סיטונות, מכירה בסיטונות
wholesale *adj&adv.* סיטוני; בסיטונות, בממדים גדולים
wholesaler *n.* סיטונאי
wholesome *adj.* בריא; טוב
wholewheat *adj.* של חיטה שלמה, של קיבר
who'll = who will (hōōl)
whol'ly (hōl'-) *adv.* כליל, לחלוטין
whom (hōōm) *pron.* מי? את מי? שאותו, ש־, האיש אשר־
of whom שממנו
to whom למי? שאליו
with whom עם מי? שאיתו, שעמו
whoop (hōōp) *v&n.* לצעוק, לפלוט קריאה; צעקה; קריאה; שאיפה שורקנית (בשעלת)
whoop it up ⋆לעשות שמח, לכייף
whoop'ee (wōōp'-) *interj.* הידד!
make whoopee ⋆להתהולל, לעלוז בקול
whooping-cough שעלת
whop *v&n.* ⋆להכות; להביס; חבטה
whop'per *adj&n.* ⋆גדול, כביר; שקר גס
whop'ping *adj.* ⋆גדול, עצום
whore (hôr) *n.* זונה
who're = who are (hoor)
whorehouse *n.* בית־בושת
whoremaster *n.* זנאי
whoremonger (-mung-) *n.* זנאי
whorl (wûrl) *n.* דור (עלים/פרחים); קו סלילי (בקונכיה/בטביעת אצבעות)
whorled *adj.* בעל דורים; סלילי, חלזוני
whor'tle (wûr'-) *n.* אוכמנית
who's = who is, who was (hōōz)
whose (hōōz) *pron.* של מי? שלו
the man whose wife האיש שאישתו־
who've = who have (hōōv)
why (wī) *adv&conj&n.* למה, מדוע; הסיבה
the reason why הסיבה שבגללה
the whys and wherefores הסיבות
why *interj.* הנה! (קריאה)

wick *n.* פתילה
get on his wick ⋆להציק לו
wick'ed *adj.* רע, רשע; זדוני; מושחת
wick'er *adj&n.* (עשוי) מעשה־מיקלעת
wicker basket סל־נצרים
wickerwork *n.* מעשה־מיקלעת
wick'et *n.* פישפש, שער קטן; אשנב; (בקריקט) (איזור ה) שער
keep wicket (בקריקט) להיות שוער
wicket gate/door פישפש (פתח בשער)
wicket keeper (בקריקט) שוער
wide *adj&adv.* רחב; נרחב; רחוק מהמטרה/מהאמת; ⋆ממולח, ערמומי
far and wide על פני שטח רחב
go wide (לגבי כדור) להחטיא המטרה
wide awake ער לגמרי
wide eyes עיניים פעורות לרווחה
wide of the mark לא נכון כלל; רחוק מהמטרה
wide open פתוח לרווחה, פעור
wide *n.* (כדור) מחטיא המטרה בהרבה
wide-angle *adj.* (עדשה) רחבת־זווית
wide-awake *adj.* ער לגמרי; פעור־עיניים; עירני, פוקח עין
wide-eyed *adj.* פעור־עיניים
widely *adj.* במידה ניכרת, בהרבה; בהיקף רחב; על פני שטח נרחב
widely known נודע, ידוע ברבים
widely read שקרא הרבה
wi'den *v.* להרחיב
widespread *adj.* נפוץ, רווח, נרחב
wid'geon (-jən) *n.* (מין) ברווז־בר
wid'ow (-ō) *n.* אלמנה
widowed *adj.* אלמן, שנתאלמן
widower *n.* אלמן
widowhood *n.* אלמנות, אלמון
width *n.* רוחב; חתיכה (ברוחב מסוים)
wield (wēld) *v.* לתפוס, להחזיק; להשתמש ב־, להפעיל
wield a sword לתפוס חרב
wield authority להפעיל סמכות
wife *n.* אישה
old wives story סיפורי סבתא
take to wife לשאת לאישה
wifely, wifelike *adj.* של אישה, כיאה לאשת־חיִל
wig *n.* פאה נוכרית, קפלט
big wig ⋆אישיות חשובה, תותח כבד
wigged *adj.* חבוש פיאה נוכרית
wig'ging *n.* ⋆נזיפה, מנה הגונה
wig'gle *v.* לנדנד; להניע; להתנועע; לזוע; להתפתל (בכיסא)

wiggle *n.* הנעה; נידנוד; התנועעות
wight *n.* אדם, ברנש
wig'wam' (-wom) *n.* ויגוואם, אוהל אינדיאני
wild (wīld) *adj&adv.* פראי; בר; שומם; פרוע; משתולל; רותח; לא שקול; מטורף; בפראות
drive wild לשגע, להוציא מדעתו
go wild להתלהב; להתרתח
run wild לגדול פרא; להתיר הרסן; לנהוג כאוות־נפשו
wild about מתלהב מ־, מטורף אחרי־
wild disorder אנדרלמוסיה גמורה
wild flower פרח בר
wild guess ניחוש בעלמא
wild hair שיער פרוע
wild idea רעיון מטורף, רעיון נמהר
wild throw הטלה בלא לכוון
wild *n.* שממה, יער
wild boar חזיר בר
wildcat *n&adj.* חתול בר; פרא־אדם; פראי; נמהר, מסוכן; לא שקול
wildcat strike שביתה פראית
wil'debeest' *n.* גנו (בעל חיים)
wil'derness *n.* מידבר, שממה; מרחב; שטח משתרע; מידבר פוליטי
wilderness of houses יער בתים
wildfire *n.* אש משתוללת
like wildfire במהירות, (מתפשט) כאש בשדה־קוצים
wildfowl *n.* עופות בר (לציד)
wild-goose chase מירדף סרק, מיבצע מיותר, מאמץ חסר־תוחלת
wildlife *n.* חיות־פרא; צמחי־בר
wildly *adv.* בפראות; בגוזמה
wile *n&v.* תחבולה, תכסיס, הונאה
wile away לבלות (זמנו)
wil'ful = willful
will *n.* רצון, רצייה; כוח־רצון; צוואה
at will כרצונו, כאוות־נפשו
free will בחירה חופשית
good will רצון טוב, רצון להיטיב
have one's will להשיג את מבוקשו
ill will רצון רע, רצון להרע
of one's own free will מרצונו הטוב
take the will for the deed לא המעשה עיקר, אלא הכוונה
with a will במרץ, בהתלהבות
God's will רצון האל
will *v.* (פועל עזר לציון עתיד)
sit down, will you? שב, בבקשה
you won't leave me, will you? לא תעזבני, הלא כן?
will *v.* לרצות, לחפוץ; לאלץ/להשפיע/להפעיל בכוח הרצון; לצוות, להוריש, להנחיל
as you will כטוב בעיניך
will oneself לאלץ עצמו ע"י הרצון
willed *adj.* בעל רצון
strong-willed חזק־רצון
weak-willed רפה־רצון
will'ful *adj.* עיקש, עקשן; במכוון, מתוך כוונה, במזיד
wil'lies (-lēz) *n.* ∗עצבנות, חרדה
gives the willies ∗מעביר צמרמורת
willing *adj.* רוצה, חפץ; משתוקק, להוט; נעשה בכל לב
with a willing heart בחפץ לב
will-o'-the-wisp אור ביצות; אשליה; דבר מטעה/שאין להשיגו; פאטה מורגאנה
wil'low (-lō) *n.* ערבה (עץ)
willow herb ערברבה (צמח)
willow pattern קישוט סיני (על חרסינה)
willowy *adj.* גמיש, חינני, תמיר
will-power *n.* כוח־רצון
wil'ly-nil'ly *adv&adj.* ברצון או שלא ברצון, אם יחפוץ ואם לאו; הססני
wilt *v.* לנבול, לקמול; להקמיל; להיות נרפה, לפוג כוחו
wilt, thou wilt = you will
wi'ly *adj.* ערמומי, מלא תככים
wim'ple *n.* כובע־נזירות, צניף
win *v.* לזכות; לנצח; לרכוש, להשיג; לקנות; להגיע (במאמץ)
win a reputation לקנות שם (לעצמו)
win a victory לנחול ניצחון
win back לזכות בשנית, להשיב אליו
win clear/free להיחלץ לבסוף
win hands down לנצח בקלות
win him over/round to לשכנעו, להשיג תמיכתו
win out/through להצליח, לנצח
win the day/field לנצח
win the shore להגיע לחוף במאמץ
win *n.* זכייה; ניצחון
wince *v&n.* להירתע; להתכווץ; רתיעה
winch *n.* כננת, מיתקן הרמה
winch *v.* להניף; להרים בכננת
wind (wind) *n.* רוח; נשימה; גאזי־מעיים; דברי הבל; כלי־נשיפה
before the wind בעזרת הרוח
bend with the wind להתיישר לפי הקו השולט, ללכת בתלם

break wind לפלוט נפיחה
down the wind בכיוון הרוח
get one's wind להחזיר אליו נשימתו
get wind of לקלוט אוזנו משהו
gone with the wind חלף עם הרוח
have the wind up להיבהל
how the wind blows לאן נושבת
הרוח, מהי דעת־הקהל
in the wind באוויר, עומד להתרחש
into the wind לקראת/מול הרוח
like the wind (לרוץ) במהירות רבה
off the wind כשהרוח בגבו
put the wind up him להפחידו
raise the wind להשיג הכסף הדרוש
sail close to the wind להיות על סף
אי־ההגינות
second wind נשימה מחדש,
התאוששות
sound in wind and limb בכושר
מצוין, בריא אולם
take the wind out of his sails
להוציא הרוח ממפרשיו, להשמיט הקרקע
מתחתיו
the wind was rising הרוח התגברה
the 4 winds ארבע רוחות השמיים
there's something in the wind
משהו מתבשל כאן, רוקמים מזימה כלשהי
throw to the winds לשלוח לכל
הרוחות, לנטוש, לא להתחשב
winds (נגני) כלי־נשיפה
wind (wind) *v.* לאבד/להכביד נשימה;
לאפשר לנשום, להשיב רוח; להריח
עיקבות
wind (wīnd) *v&n.* לסובב; לפתל;
להתפתל; לכרוך; ללפף; לגלגל; לכונן;
סיבוב; ליפוף
wind a clock לכונן/למתוח שעון
wind a horn לתקוע בשופר
wind down לנוח, להירגע; להתחיל
לפגר; לחסל (עסק)
wind him round one's finger
לסובבו על אצבעו הקטנה, לשעבדו לרצונו
wind in לגלגל פנימה (על אשווה)
wind its way להתפתל בדרכו
wind off לפתוח, להתיר (פקעת)
wind round לכרוך; ללפף סביב
wind up לחסל, לפרק; לסיים;
להסתיים; למתוח (קפיץ); לסדר
(עסקים)
wind up in prison לסיים (חייו) בכלא
wind up with a drink לקנח במשקה
wind wool לגלגל צמר (לפקעת)

wound up מתוח, נרגש
wind'bag' *n.* פטפטן, מרבה לדבר
windbreak *n.* שובר־רוח, שברות
windbreaker/-cheater *n.* מעיל־רוח
windfall *n.* נשר־רוח, פרי שנשר; ירושה
בלתי־צפויה, מתת־פתע
windflower *n.* כלנית
wind gauge מד־רוח
windiness *n.* משב־רוחות, סערה
winding *adj.* מתפתל, לוליני
winding sheet תכריכים (למת)
wind instrument כלי־נשיפה
wind-jammer *n.* אוניית־מיפרשים
wind'lass *n.* כננת, מנוף
windless *adj.* חסר־רוחות
windmill *n.* טחנת־רוח; גלגילון רוח
tilt at windmills להסתער על
טחנות־רוח
win'dow (-ō) *n.* חלון, אשנב
window box אדנית
window dressing קישוט חלונות
ראווה; כסות־עיניים, אמצעי למשיכת
לקוחות
window envelope מעטפת־חלון
window-pane *n.* שימשה
window shade וילון
window shop *v.* לסייר בחלונות־ראווה
window-sill *n.* אדן־חלון
windpipe *n.* קנה, צינור־הנשימה
windscreen *n.* שימשה קידמית (ברכב)
windscreen wiper מגב (במכונית)
windshield *n.* שימשה קידמית (ברכב)
wind sock שרוול־רוח
windstorm *n.* סערת־רוח
wind-swept *adj.* חשוף לרוחות,
סחוף־רוח; פרוע
wind tunnel מינהרת־אוויר
wind-up *n.* סיכום, סיום
windward *adj&n&adv.* (הצד) הגלוי
לרוח; צד הרוח; לעבר הרוח
wind'y *adj.* מלא־רוחות, רב־רוחות,
סוער; מכביר מלים; עושה רוח; ⋆פחדן
wine *n&v.* יין; ללגום יין
blackberry wine יין־אוכמניות
wine and dine לארח לסעודה ויין
winebibbing *n.* שתיינות, סביאה
wineglass *n.* כוס־יין
wine press גת, מכבש יין
wineskin *n.* נאד יין
wing *n.* כנף; יחידת־טייסות; אגף; יציע;
ירכתי הבמה; (בספורט) קיצוני
clip his wings לקצץ את כנפיו

in the wings נסתר, מחכה לפעולה
lend wings to להצמיח כנפיים ל־
on the wing עף, טס; במעופו; נע הנה והנה
right wing אגף הימין (במיפלגה)
take wing לעוף; לחלוף
under his wing בצל כנפיו, בחסותו
wing of a building אגף בניין
wings כנפי־טייס
wing *v.* לעוף, לטוס; להכניף; להצמיח כנפיים; לזרז; לפצוע בכנף/בזרוע
wing it לאלתר, לבצע בלי הכנה
wing chair כורסת־כנפיים
wing commander מפקד כנף
winged *adj.* מכונף, מכניף, בעל כנפיים
winger (-ng-) *n.* (בספורט) קיצוני
left-winger שמאלני, איש השמאל
wingless *adj.* חסר כנפיים
wing nut אום־כנפיים, אום מכונף
wing screw בורג־כנפיים
wing-span/-spread *n.* מוטת־כנפיים
wink *v.* לקרוץ; למצמץ; להבהב; לסלק (גוף זר מהעין) במיצמוץ
wink at להעלים עין מ־
wink *n.* קריצה, מיצמוץ; איתות; היבהוב; רגע קט, שינה חטופה
didn't sleep a wink לא עצם עין
forty winks תנומה קלה, נימנום
tip the wink ★לרמוז, למסור מידע
wink'er *n.* נורת־היבהוב, פנס־איתות
win'kle *n&v.* חלזונים
winkle out להוציא בכוח, לעקור
winner *n.* זוכה, מנצח
winning *adj.* מנצח; מושך, מקסים
winnings *n-pl.* כספי הזכייה
win'now (-ō) *v.* לזרות (תבואה); לנפות; להפריד
win'some (-səm) *adj.* מושך, מקסים
win'ter *n&adj.* חורף; חורפי
winter *v.* לחרוף; לבלות חורף
winter garden חממה (לצמחים טרופיים)
winter sport ספורט החורף
wintertime *n.* עונת החורף
win'try *adj.* חורפי, סגרירי, קר, קודר
wintry smile חיוך צונן/מסויג
wi'ny *adj.* ייני
wipe *v.* לנגב, למחות, לנקות, לקנח; ★להכות, לחבוט
wipe away/off לסלק בניגוב
wipe down לנגב (במטלית לחה)
wipe dry לנגב, לייבש בניגוב
wipe off a debt לסלק חוב
wipe out לנגב, לנקות; להשמיד; למחות; להרוס; לחסל; לשכוח
wipe the floor with להנחיל תבוסה, "לעשות ממנו סמרטוט"
wipe the slate clean לפתוח דף חדש
wipe up לנגב, לנקות; לספוג (במטלית)
wipe *n.* ניגוב, ניקוי, קינוח
give a wipe לנגב, לנקות
wiper *n.* מנגב, מנקה; מגב (במכונית)
wire *n.* תיל, חוט־מתכת; מיברק
barbed wire תיל דוקרני
live wire אדם נמרץ ופעלתני
pull wires למשוך בחוטים
under the wire בזמן
wire *v.* לתייל, להדק בתיל; לחרוז על תיל; לחבר לרשת־חשמל; להבריק
wire a message להבריק הודעה
wire in ★להירתם במרץ לעבודה
wirecutters *n-pl.* מיגזריים
wire gauge מד־תיל
wire-haired *adj.* (כלב) מסומר שיער
wireless *n&adj.* אלחוט; רדיו; אלחוטי
on/over the wireless ברדיו
wireless operator אלחוטאי, אלחוטן
wireless set רדיו, מכשיר אלחוט
wire netting רשת תיל
wire-puller *n.* מושך בחוטים
wire rope כבל
wiretap *v.* לצותת (לטלפון)
wiretapping *n.* ציתות טלפוני
wire wool צמר־תיל (לניקוי)
wireworm *n.* תולעת התיל
wiring *n.* מערכת תילי־חשמל; תיול
wi'ry *adj.* רזה, שרירי, חזק
wis'dom (-z-) *n.* חוכמה, תבונה
wisdom tooth שן־בינה
cut one's wisdom teeth להגיע לבגרות
wise (-z) *adj&v.* חכם, נבון
be/get wise to ללמוד, להבין, להיות מודע ל־
none the wiser לא יותר חכם, לא החכים, לא יודע עתה יותר
put him wise to להודיעו, להסביר לו
wise after the event חכם לאחר מעשה
wise up ללמוד, להבין; להסביר, להודיע
wise *n.* אופן, צורה, דרך
in no wise בשום אופן
-wise בכיוון; כדרך; ★בנוגע
likewise באופן דומה

moneywise מבחינה כספית
sidewise הצידה, במצודד
wiseacre (wīz′a′kər) *n.* "חכם"
wisecrack *n&v.* (להעיר) הערה ★
שנונה/היתולית/סרקאסטית; חידוד
wise guy "חכם גדול"
wish *v.* לרצות; להשתוקק; לאחל, לברך;
לבקש; להתפלל
wish for לבקש, להתאוות, להתפלל
wish good morning לברך בבוקר טוב
wish him ill לדרוש רעתו, לקללו
wish him well לאחל לו כל־טוב
wish on להביע מישאלה ב (קמיע)
wish (off) on להעביר, להטיל על־
I wish הלוואי, מי יתן ו־
I wish him further הייתי רוצה
שיסתלק מכאן/להיפטר ממנו
I wish him joy of it יבוסם לו
I wish him to go אני רוצה שילך
I wish I were- לו הייתי־
wish *n.* רצון; חפץ; מישאלה; איחול
got his wish מישאלתו נתמלאה
make a wish להביע מישאלה
wishbone *n.* עצם הבריח (בעוף)
wishful *adj.* רוצה; נכסף, כמה
wishful thinking ראיית המצב בהתאם
למאוויים (ולא לאשורו)
wish′y-wash′y (-wôsh′i) *adj.*
חלש, מימי, רפה; רזה, כחוש; נרפה
wisp *n.* צרור, אגודה; כריכה; חתיכה
wisp of hair פקעת שיער
wisp of smoke סליל־עשן
wisp′y *adj.* דק, קלוש; בצרורות
wiste′ria *n.* ויסטריה (צמח מטפס)
wist′ful *adj.* עצוב, מתגעגע, עורג, כמה
wit *n.* תבונה, הבנה, שכל; חריפות,
פיקחות; אדם חריף
at one's wits end אובד־עצות
has a ready wit פיקח, חריף־שכל,
מהיר־תבונה
has/keeps his wits about him
עיניו בראשו, שומר על קור־רוח
live by one's wits להתקיים
מתחבולות, להשיג מיחייתו בדרכים
מתוחכמות
out of one's wits יצא מדעתו
to wit דהיינו, כלומר
wits שכל, תושייה; יישוב הדעת
witch *n&v.* מכשפה; לכשף
witchcraft *n.* כישוף, קסמים
witchdoctor *n.* רופא־אליל
witch′ery *n.* כישוף, קסם

witch hazel הממליס (שיח); תמיסת
הממליס (לריפוי פצעים)
witch hunt ציד־מכשפות
witching *adj.* מכשף, מקסים
with (-dh) *prep.* עם־, בלוויית־, ב־,
אצל־, מ־, את־, בעל־, לטובת־, למען־
break with לנתק קשריו עם
down with! away with! הלאה! הקץ
ל־!
in with חבר ל־, מתרועע עם
it's all right with me לדידי זה בסדר
leave it with me השאר זאת אצלי
part (company) with להיפרד מ־
pleased with it מרוצה מזאת
rests with him (ההחלטה) בידיו
with all- למרות־, חרף, עם כל־
with it ★מודרני, אופנתי
with young/child מעוברת/הרה
withal′ (-dhôl′) *adv&prep.* נוסף על
כך, כמו כן; עם
withdraw′ *v.* למשוך, להוציא; לסגת,
להסיג; להסתלק, לצאת; לקחת בחזרה
withdraw $100 למשוך 100$
withdraw′al *n.* משיכה, הוצאה; נסיגה;
לקיחה בחזרה; גמילה (מסם)
withdrawn′ *adj.* מסתגר, מתכנס
בעצמו
withe (with) *n.* ענף, נצר, זרד־ערבה
with′er (-dh-) *v.* לקמול; להקמיל;
לנבול; להתנוון; לגווע; להשתיק, להביך
wither away להתנוון
wither up להקמיל, להכמיש
withering *adj.* נובל; משתיק, מביך
with′ers (-dh-) *n-pl.* עורף (הסוס)
with•hold′ (-hōld′) *v.* לעכב, למנוע;
להימנע מלתת; לעצור (זעמו)
withholding tax מס מנוכה במקור
within′ (-dh-) *adv&prep.* בפנים,
פנימה; בתוך, בתחום, בטווח־
inquire within שאל בפנים, פרטים
בפנים
within an hour בתוך שעה
within hearing בטווח שמיעה
within reach בהישג יד
within the law במיסגרת החוק
without′ (-dh-) *prep&adv.* ללא, בלי,
בלעדי־; בלא ש־, חסר־, נטול־; בחוץ
do without להסתדר בלי/בלעדי
it goes without saying למותר לומר
without doubt בלי ספק
without fail בכל מיקרה, לעולם
without number לאין מיספר, אין

ספור, לאין שיעור
withstand′ *v.* לעמוד בפני
with′y (-dh-) *n.* ענף, נצר, זרד־ערבה
witless *adj.* טיפשי, טיפש
wit′ness *n.* עד; עד־ראייה; עדות; אות
bear witness להעיד; להיות עדות
eyewitness עד־ראייה
witness *v.* לראות, להבחין; להיות עד (ראייה) ל־; להעיד על־, להראות
witness to להעיד, למסור עדות ש־
witness box תא העדים
witness stand דוכן העדים
witted *adj.* בעל תפיסה, בעל שכל
quick-witted מהיר־תפיסה
wit′ticism′ *n.* הערה שנונה, חידוד
wit′ting *adj.* נעשה ביודעין, מכוון
wittingly *adv.* במכוון, במזיד, ביודעין
wit′ty *adj.* פיקח, חריף, שנון, מבדח
wives = pl of wife (wīvz)
wiz′ard *n&adj.* מכשף, קוסם; אשף, גאון; ⋆מצוין, כביר, נפלא
financial wizard אשף־כספים
wizardry *n.* מכשפות; מומחיות, שליטה
wiz′en *v.* לנבול; להקמיל
wizened *adj.* נובל, קמול; (זקנה) בלה
wk = week, work
wo *interj.* עצור! (לסוס)
woad *n.* צבע כחול (לצביעת הגוף)
wob′ble *v.* לנענע; להתנודד; להסס; לפסוח על שתי הסעיפים; לרעוד
wobble *n.* נענוע, התנודדות; רעד
wob′bly *adj.* מתנודד; מהסס; רועד, רטטני
woe (wō) *n.* צער, יגון; צרה
woe to אוי ל־, ארור יהא־
woe′be•gone′ (wō′bigôn) *adj.* עצוב, נוגה
woeful *adj.* עצוב; מעציב; אומלל
woke = pt of wake
wo′ken = pp of wake
wold (wōld) *n.* יער, אדמת בור
wolf (woolf) *n&v.* זאב; רודף נשים; לזלול, לאכול בלהיטות
cry wolf לצעוק זאב זאב
keep the wolf from the door למנוע רעב ומחסור
throw him to the wolves לזרוק אותו לכלבים
wolf down לזלול, לבלוע מהר
wolf in sheep's clothing זאב בעור כבש, מתחסד, צבוע
wolf-cub *n.* גור־זאב, זאבאב
wolf-hound *n.* כלב־זאבי, כלב־ציד
wolfish *adj.* זאבי, של זאב
wol′fram (wool′-) *n.* וולפראם, טונגסטן (מתכת)
wolf's-bane *n.* אקוניטון (צמח)
wolf whistle שריקת זאב, שריקת גבר (לחתיכה)
wolves = pl of wolf (woolvz)
wom′an (woom′-) *n&adj.* אישה, המין הנשי, האישה; גבר נשי
single woman רווקה
woman of the world אשת העולם
woman physician רופאה
womanhood *n.* נשיות; בגרות
womanish *adj.* נשי
wom′anize′ (woom′-) *v.* לרדוף נשים, לנאוף
womanizer *n.* רודף נשים, נואף
womankind *n.* נשים, המין הנשי
womanlike *adj.* נשי, כיאה לאישה
womanly *adj.* נשי, כיאה לאישה
womb (wōōm) *n.* רחם
womb of the future חיק־העתיד
wom′bat′ *n.* ומבאט (חיה אוסטרלית)
wom′en = pl of woman (wim′-)
womenfolk *n-pl.* נשים, נשי מישפחתו
won = p of win
won′der (wun′-) *n.* התפלאות, השתאות; פליאה, תמיהה; פלא, נס
do/work wonders לחולל נפלאות
for a wonder למרבה הפלא
it's a wonder that מפליא ש־
nine days' wonder פלא קיקיוני
no wonder מה הפלא, בוודאי
signs and wonders אותות ומופתים
small wonder מה הפלא, בוודאי
wonder *v.* להתפלא, להשתאות; לתמוה; לשאול עצמו, לחפוץ לדעת, להסתקרן
wonder at להתפלא, להשתומם למראה־
I wonder אני שואל את עצמי; אני תוהה; אני מפקפק בכך
wonderful *adj.* נפלא, נהדר; מפליא
wonderland *n.* ארץ פלאות
wonderment *n.* פליאה, תימהון
won′drous (wun′-) *adj&adv.* נפלא; להפליא
won′ky *adj.* ⋆רעוע, חלש, רופף
wont *n.* הרגל, מינהג, נוהג
wont *adj.* רגיל, נוהג
won't = will not (wōnt)

sit down, won't you? שב, בבקשה
you'll come, won't you? תבוא, הלא כן?
wont'ed *adj.* רגיל, מורגל, נהוג, מקובל
woo *v.* לחזר אחרי; לבקש; לרדוף
pitch woo ★להתעלס
woo fame לרדוף פירסום
woo support לבקש תמיכה (ציבורית)
wood *n&adj.* עץ; עצים; יער, חורש; חבית; מקל גולף; עשוי עץ
can't see the wood for trees מרוב עצים אין רואים את היער
knock on wood הקש בעץ
out of the woods נחלץ מסכנה/מצרה/מקשיים
took to the woods ★ברח, הסתתר
wine from the wood יין מהחבית
woods יער, חורש, חורשה
wood alcohol כוהל מתילי
wood-block *n.* גלופת־עץ
woodcarving *n.* גילוף; תגליף־עץ
woodcock *n.* חרטומן (עוף)
woodcraft *n.* תורת היער, התמצאות ביער; אומנות העץ, חיטוב בעץ
woodcut *n.* הדפס־עץ; גלופת־עץ, חיתוך עץ
woodcutter *n.* חוטב עצים
wooded *adj.* מיוער, מכוסה עצים
wood'en *adj.* עשוי עץ, מעוצה, עצי; חסר־חום, צונן, נטול־הבעה; מסורבל
wooden-headed *adj.* טיפש, מטומטם
woodenware *n.* כלי־עץ
woodland *n.* יער, שטח מכוסה עצים
wood louse כינת־העץ, טחבית
wood'peck'er *n.* נקר (עוף)
woodpile *n.* ערימת עצי־הסקה
nigger in the woodpile כאן קבור הכלב, מקור הקושי
wood pulp כתושת־עצים
woodshed *n.* מחסן־עצים
woodsman *n.* יערן; חוטב עצים
woodwind *n.* כלי (נשיפה עשוי) עץ
woodwork *n.* מלאכת־עץ; אומנות־העץ; מעשה־עץ; נגרות
woodworm *n.* (נזק מ) תולעת־העץ
woody *adj.* מיוער, מכוסה עצים; עצי, מעוצה
woo'er *n.* מחזר; רודף
woof *n.* (באריגה) ערב; נביחה
woof'er *n.* רמקול
wool *n&adj.* צמר; לבוש צמר; שיער צמרי ומקורזל; עשוי צמר, צמרי
all wool and a yard wide בחור טוב
dyed in the wool צבוע לפני האריגה; גמור, מוחלט, מובהק, מושבע
keep your wool on! הירגע!
lose one's wool ★להתרגז, להתלקח
much cry and little wool הרבה זמר ומעט צמר
pull the wool over his eyes לרמות, להוליך שולל; להטעות
woolen, woollen *adj.* צמרי, עשוי צמר
woolens, woollens *n-pl.* אריגי־צמר, דברי־צמר
woolgathering *n&adj.* פיזור־דעת; מפוזר
woolsack *n.* מושב הלורד צ'נסלר
wooly, woolly *adj.* צמרי, צמרירי, מכוסה צמר; מבולבל, מעורפל
wooly, woolly *n.* אפודה, סודר
wooly-headed *adj.* מעורפל־מחשבה
woo'zy *adj.* ★שתוי, מבוסם; סחרחר
wop *n.* ★זר, איטלקי
word (wûrd) *n.* מלה; דבר, דיבור; ידיעה, הודעה; סיסמה; פקודה; דיברה, הבטחה
as good as one's word עומד בדיבורו
big words גבוהה־גבוהה, עתק
break one's word להפר הבטחתו
by word of mouth בעל פה, בדיבור
eat one's words לחזור בו מדבריו
exchange a few words להחליף כמה מלים
get the word ★לקלוט המסר, להבין
give one's word להבטיח, לתת דיברתו
give the word to fire לתת פקודה לירות
had a word in his ear גלה אוזנו, העיר אוזנו
has no words to אין מלים בפיו ל־
have a word with לשוחח עם
have words with לריב
in a word בקיצור
in other words במלים אחרות
in so many words ברורות, בדיוק
in words of one syllable בפשטות
keep one's word לעמוד בדיבורו
man of few words ממעט במלים
man of his word עומד בדיבורו
of many words מכביר מלים
on the word מיד, בו במקום
play on words מישחק מלים
put in a good word לומר מלה טובה

put into words לבטא במלים
say the word לתת האות, לומר הן
send word להודיע, לשגר ידיעה
suits the action to the word אומר ועושה
take him at his word להתייחס לדבריו ברצינות
take his word for it לקבל דבריו, להאמין לו
the last word המלה האחרונה
took the words out of my mouth הוציא את המלים מפי
upon my word על דיברתי
waste words on לשחת דבריו על־
word came הגיעה ידיעה
word for word מלה במלה, מילולי
word in season דבר בעיתו, עצה בזמן שצריכים לה
word of honor מלת־כבוד
words fail me אין מלים בפי
word *v.* לנסח, לסגנן
word blindness עיוורון מלים
wordbook *n.* מילון, אגרון, ספר מלים
worded *adj.* מנוסח, מסוגנן
wordiness *n.* רוב מלל, להג
wording *n.* ניסוח, סיגנון
wordless *adj.* חסר־מלים; נטול־דיבר; שאין לבטאו במלים
word order סדר המלים (במישפט)
word painting תיאור חי במלים
word-perfect *adj.* בקי בעל פה; מדויק, דייקני
word picture תיאור חי במלים
word-play *n.* מישחק מלים
word-splitting *n.* פלפלנות; דקדקנות על קוצו של יוד
wordy *adj.* רב מלל, מכביר מלים
wore = pt of wear
work (wûrk) *n.* עבודה, מלאכה; מישלח־יד, מיקצוע; מעשה; יצירה, מוצר; ספר
all in the day's work רגיל, כצפוי
at work עובד, בעבודה; בביצוע
busy work עבודת־דחק, עבודה לשם תעסוקה גרידא
give him the works *להחסלו, לתת לו מנה הגונה
go about one's work להתחיל/לטפל בעבודתו
go to work להתחיל, לגשת לעבודה
good works מעשים טובים, מעשי־חסד
has his work cut out עליו לבצע דבר קשה, עומד לפני משימה קשה
in the works בהכנה, בתיכנון
in work מועסק, עובד
make hard work of it למצוא קשיים (מדומים) בדבר
make short work of לסיים חיש קל
needlework מעשה־מחט, תפירה
out of work מובטל, מחוסר עבודה
public works עבודות ציבוריות
set to work להתחיל, לגשת לעבודה
waterworks מיפעלי־מים
work of art יצירת אומנות
works יצירות, יצורה, כתבים; בית־חרושת, מיפעל; ביצורים; מנגנון
work *v.* לעבוד, לעשות, לפעול; להעביד; להפעיל; לנהל; להתקדם לאט; לחדור; לעצב, ליצור; להתעוות; לתסוס; לרקום, לתפור
his features worked פניו נתעוותו
work a farm לנהל חווה
work a machine להפעיל מכונה
work a problem לפתור בעיה
work against לפעול נגד, להתנגד ל־
work at לעבוד על (נושא)
work away לעבוד בלי הרף
work clay ללוש טיט
work him hard להעבידו בפרך
work in/into להכניס, לשבץ, לכלול; לחדור פנימה; להחדיר בשיפשוף
work it *לארגן זאת, לסדר זאת
work it out לחשב; לסכם, לסיים; לפתור; להמציא, לפתח; לתכנן; לעבד
work like a charm לפעול כבמטה־קסם
work loose להתרופף; להיפרע (שיער)
work miracles לחולל נפלאות
work off לסלק, להיפטר; לחסל; לפרוק
work on/upon לפעול על; להשפיע על
work one's fingers to the bone לעמול, לעבוד קשה
work one's passage לעבוד באונייה (כתשלום דמי־נסיעה)
work one's way לפלס דרכו
work one's way through school לעבוד בבית־ספר (כתשלום שכ"ל)
work one's will on להפעיל רצונו על
work oneself (up) להתלהב, לשלהב עצמו
work out להיפתר; להסתיים, להתפתח; לפתור; לעבד; להשתרבב החוצה
work out at להסתכם ב־

work out at the gym להתאמן באולם ההתעמלות
work over להכות, לתקוף
work round לשנות כיוון בהדרגה
work through לחדור בהדרגה, לחלחל
work to rule לעבוד לפי הספר
work up להלהיב, לעורר; לפתח, לבנות
work up to להתקדם, להתפתח ל־
worked out כלה, מרוקן, מנוצל
worked up משולהב, נסער, תוסס
works by electricity פועל על חשמל
workable *adj.* שניתן לעבוד בו, עביד; מעשי, בר־ביצוע
workable clay טיט בר־גיבול
work′aday′ (wûrk′-) *adj.* רגיל, שיגרתי, יומיומי, יבש
workbag *n.* תיק כלי־תפירה
workbasket *n.* סל כלי־תפירה
workbench *n.* שולחן־עבודה
workbook *n.* יומן עבודה; חוברת הוראות; ספר תרגילים
workbox *n.* תיבת כלי־תפירה
workday *n.* יום עבודה, יום חול
worker *n.* פועל, עובד; פועל־כפיים
work force כוח אדם, כוח עבודה
workhorse *n.* סוס־עבודה
workhouse *n.* מוסד לעבריינים; בית־מחסה, בית־עבודה
work-in *n.* השתלטות פועלים (על מיפעל)
working *n.* דרך פעולה, תיפעול
workings מיכרה, מחצבה
working *adj.* של עבודה, עובד, פועל; שימושי, מעשי
in working order פועל כיאות, תקין
working dinner ארוחת־עבודה
working hypothesis/theory היפותיזה/תיאוריה פועלת (מספקת בתור בסיס)
working capital הון חוזר
working class מעמד הפועלים
working clothes בגדי עבודה
working day יום עבודה, יום חול
working knowledge ידע מעשי/שימושי
working-out *n.* חישוב, פתירה; תיכנון
working party צוות ייעול, ועדת מחקר
working week שבוע עבודה
workman *n.* פועל, עובד; אומן
workmanlike *adj.* מיקצועי, אופייני לבעל־מלאכה

workmanship *n.* אומנות, טיב־עבודה; אופן ביצוע; מוצר של בעל־מלאכה
work-out *n.* אימון, תירגול; בדיקה
workpeople *n.* פועלים, עובדים
workroom *n.* חדר־עבודה
workshop *n.* סדנה, בית־מלאכה
work-shy *adj.* עצלן, מתחמק מעבודה
work study חקר פיריון העבודה
worktable *n.* שולחן־עבודה; שולחן־תופרת
worktop *n.* מישטח־עבודה (במיטבח)
work-to-rule *n.* עבודה לפי הספר, שביתת האטה
world (wûrld) *n.* עולם, העולם; תבל; העולם הגשמי
a/the world of הרבה, המון
all the world כל העולם, הכל, כל האנשים
all the world and his wife הכל בלי יוצא מן הכלל
animal world עולם/ממלכת החי
bring into the world להביא לעולם
come into the world לבוא לעולם
come up in the world לעלות, להתקדם, להצליח
dead to the world לא חש דבר
for all the world בעד כל הון שבעולם; בדיוק
give up the world לנטוש עולם הגשמיות
has the best of both worlds נהנה משני העולמות
he is all the world to her הוא הכל בשבילה, הוא כל עולמה
how goes the world with איך העניינים אצל, מה נשמע
make one's way in the world להצליח בחיים
man of the world איש העולם הגדול, רחב־אופקים, מכיר הליכות החיים
not for the world בשום אופן
on top of the world ברקיע השביעי
out of this world ⋆כביר, נפלא, שמיימי, לא מעלמא הדין
rise in the world להתקדם, לעלות
the next world העולם הבא
the whole world הכל, כל העולם
the world of today העולם הזה
the world to come העולם הבא
the New World העולם החדש
the Old World העולם הישן
the Third World העולם השלישי

thinks the world of her מחשיב אותה עד מאוד
this world העולם הזה
to the world *כליל, לחלוטין
what will the world say? מה יאמרו הבריות?
where/what/who in the world איפה/מה/מי לכל הרוחות
world of fashion עולם האופנה
world without end לעולם ועד, סלה
worlds apart שונים תכלית שינוי
World Bank הבנק העולמי
world-beater *n.* שיאן עולמי
world-class *adj.* מהטובים בעולם
worldliness *n.* גשמיות, ארציות
worldly *adj.* גשמי, חומרי, ארצי, של העולם הזה, חילוני
worldly-minded *adj.* שקוע בגשמיות
worldly wisdom תבונה בהליכות־עולם
worldly-wise *adj.* בקי בהליכות־עולם
world-old *adj.* משׁשת ימי בראשית
world power מעצמה עולמית
world-weary *adj.* קץ בחיים, קץ בעולם
worldwide *adv&adj.* בכל רחבי העולם; חובק עולם
worm (wûrm) *n.* תולעת, שילשול; תולעת־אדם, שפל, פחדן; תבריג, הברגה
worm of conscience מוסר־כליות
worm *v.* לתלע, להרחיק תולעים; לזחול, להזדחל, להתפתל, לחדור
worm one's way לפלס דרכו
worm oneself in להזדחל פנימה
worm out a secret לסחוט סוד
wormed his way into her favor מצא מסילות בליבה
worm-cast תלולית (של) שילשול
worm-eaten *adj.* אכול־תולעים, מתולע; *מיושן, שאבד עליו כלח
worm gear גלגל חלזוני
worm hole חור (שנוצר ע״י) תולעת
worm wheel גלגל חלזוני
wormwood *n.* לענה (צמח); מרירות, סבל
wormy *adj.* מתולע, תלוע; תולעי
worn *adj.* שחוק, בלוי; עייף, לאה
worn = pp of wear
worn-out *adj.* שחוק, בלה; עייף, סחוט
worried *adj.* מודאג, דואג
wor'risome (wûr'isəm) *adj.* מדאיג; מודאג
wor'ry (wûr'-) *v.* להדאיג, להציק, לנדנד; לדאוג; לחשוש; לנשוך, לקרוע בשיניים
don't worry אל דאגה
worry along להתקדם חרף הקשיים
worry at למשוך, לקרוע בשיניים; להציק; לשקוד, להתמיד ב־
worry out a problem לתקוף בעיה שוב ושוב עד לפיתרון
worry to death למות מרוב דאגה
worry *n.* דאגה, מקור־דאגה, צרה
worrying *adj.* אכול־דאגות; מדאיג
worse (wûrs) *adj&adv&n.* יותר גרוע, יותר רע; בצורה גרועה מ־; דבר גרוע
change for the worse שינוי לרעה
get worse (לגבי חולה) להחמיר מצבו
go from bad to worse להידרדר
make worse להחמיר (את המצב)
none the worse לא ניזק; לא פחות
the worse for wear שחוק עקב שימוש, בלה מרוב ימים; עייף, סחוט
worse off במצב יותר גרוע
wors'en (wûrs'-) *v.* להרע; להחמיר
wor'ship (wûr'-) *n.* פולחן, תפילה, הערצה, סגידה
his Worship כבודו, כבוד (־השופט)
worship *v.* להעריץ, לסגוד; להתפלל
worshiper *n.* מעריץ; מתפלל
worshipful *n.* מעריץ; נכבד, מכובד
worst (wûrst) *n&adj&adv.* מירע; מירעי; בצורה הגרועה ביותר
at worst במיקרה הכי גרוע
come off worst לנחול מפלה
do one's worst לעשות את הגרוע ביותר, להזיק ככל יכולתו; אדרבה!
get the worst of it לנחול מפלה
if worst comes to worst במיקרה הגרוע ביותר
in the worst way *עד מאוד
the worst of it is הגרוע מכל הוא־
worst *v.* לנצח, להביס
wor'sted (woos'tid) *n.* חוט צמר שזור; אריג צמר
wort (wûrt) *n.* תמצית לתת (לשיכר)
worth (wûrth) *adj.* שווה, ערכו; ראוי, כדאי; בעל רכוש שווי־
for all he is worth בכל יכולתו
for what it is worth בלי אחריות, איני ערב לכך
he is worth $1, 000, 000 הונו נאמד ב־000, 000, 1$
is worth it כדאי, שווה את המאמץ
is worth seeing כדאי לראותו

worth one's while כדאי, משתלם
worth *n.* ערך, חשיבות, שווי
of great worth רב־ערך, רב־חשיבות
50 cents' worth of sweets
ממתקים ב־50 סנטים
worthiness *n.* ערך, כדאיות, ראויות
worthless *adj.* חסר־ערך; נבזה, שפל
worthwhile *adj.* כדאי; משתלם
wor'thy (wûr'dhi) *adj.* ראוי, כדאי;
בעל ערך/חשיבות; הגון, מכובד, נכבד
praiseworthy ראוי לתהילה
worthy of ראוי ל־
worthy *n.* נכבד, אדם חשוב
would = pt of will (wood)
sit down, would you? התואיל
לשבת?
we would talk for hours נהגנו
לשוחח במשך שעות ארוכות
would heaven מי יתן, הלוואי
would that- הלוואי! לו!
would you (be kind) - התואיל ל־?
I would help you הייתי עוזר לך
I would rather הייתי מעדיף ל־
would-be *adj.* מתכוון להיות, עתיד
להיות, שואף להיות; מתיימר
wouldn't = would not
wouldst = (you) would
wound (wōōnd) *n&v.* פצע, מכה;
פגיעה, עלבון; לפצוע, לפגוע ב־
fatally wounded נפצע אנושות
rub salt into his wounds לזרות מלח
על פצעיו
wound = p of wind (wound)
wove = pt of weave
wo'ven = pp of weave
wow *n.* צלילים עולים ויורדים (ממקול
פגום); *הצלחה כבירה
wow *interj.* *נפלא, מצוין, ואו!
wpm = words per minute
wrack *n.* צמח־ים (שנפלט לחוף); הרס,
השמדה
go to wrack and ruin להיהרס
wraith *n.* רוח־מת; שלד־אדם
wran'gle *v.* להתווכח, לריב בקול
wrangle *n.* ויכוח, ריב קולני
wrangler *n.* איש ריב; קאובוי, בוקר
wrap *v.* לעטוף; לכרוך; לארוז
wrap oneself להתעטף, להתכרבל
wrap round לכרוך, לחבוק, לעטוף
wrap up לעטוף; להתעטף; לאפוף;
לסכם, לסיים (עיסקה)
wrap up! שתוק! בלום פיך!

wrapped in fog אפוף ערפל
wrapped in thought שקוע במחשבות
wrapped up in שקוע ראשו ורובו ב־,
כל מעייניו ב־; אפוף
wrap *n.* כיסוי, מעטה, מעיל, צעיף
under wraps מוסתר, בסוד
wrapper *n.* עטיפה; חלוק, מעטפת
wrapping *n.* עטיפה; אפיפה; מַעטף
wrap-up *n.* תקציר חדשות
wrath *n.* זעם, חימה, חרון־אף
wrathful *adj.* זועם
wreak *v.* לפרוק, לתת ביטוי, לעשות
wreak havoc לעשות שַמות
wreak one's anger לשפוך חמתו
wreak vengeance לקחת נקם
wreath *n.* זר, עטרה; טבעת, סליל
wreaths of smoke טבעות עשן
wreathe (rēdh) *v.* לעטוף, לאפוף,
להקיף; לקלוע (זר)
wreathe round לכרוך, ללפף;
להתחלזן, לנוע בטבעות חלזוניות
wreathed in smiles קורן חיוכים
wreck *n.* הרס, חורבן; ספינה שנטרפה;
שבר־כלי; הריסה; גרוטה
wreck *v.* להרוס; לנפץ (תיקוות)
wreckage *n.* הרס, חורבן; שרידים
wrecker *n.* הורס, מנתץ בניינים; מחלץ
תכולת ספינה שנטרפה
wren *n.* גידרון (ציפור־שיר)
wrench *n.* עיקום, פיתול; משיכה; נקע;
סבל, כאב; מפתח ברגים
throw a wrench לתקוע מקל בגלגלים
wrench *v.* לעקם; לפתל; למשוך; לנקוע
wrench facts לסלף עובדות
wrench it from his hands להוציא
זאת בכוח מתוך ידיו
wrench oneself לחלץ עצמו בכוח
wrench open לפתוח במשיכה עזה
wrest *v.* להוציא בכוח, למשוך; לסחוט,
להשיג בקושי; לעוות, לסלף
wres'tle (res'əl) *v.* להיאבק, להתגושש
wrestle him to the ground
להשכיבו ארצה תוך היאבקות
wrestle with a problem להתמודד
עם בעיה
wrestler *n.* מתאבק
wrestling *n.* היאבקות
wretch *n.* אומלל, מיסכן; חדל־אישים,
נבזה, שפל
wretch'ed *adj.* אומלל, מיסכן, עלוב;
רע; גרוע; נבזה, נקלה
wrick *v&n.* לנקוע קלות; נקע קל

wrig′gle *v.* להתפתל; לנוע בפיתולים; לחוש אי־נוחות; לנענע; לפרכס
wriggle one's way לפלס דרכו תוך התפתלויות
wriggle out of להיחלץ, להתחמק
wriggled in his chair התפתל בכיסאו
wriggle *n.* התפתלות; נענוע; פירכוס
wright *n.* חָרָשׁ, פועל, עושה
playwright מחזאי
wheelwright עושה גלגלים; חרש־אופן
wring *v&n.* לעקם, לסובב; ללחוץ; לסחוט; לחיצה; סחיטה
wring his hand ללחוץ את ידו
wring his heart לשבור את ליבו
wring his neck למלוק ראשו
wring one's hands להצמיד ידיו (בשעת צער), לספוק כפיו
wring out לסחוט, להוציא
wringer *n.* מעגילה, מכבש־כבסים
wringing-wet *adj.* ספוג־מים
wrin′kle *n.* קמט; קפל; תחבולה, רעיון מקורי, עצה טובה
wrinkle *v.* לקמט; להתקמט
wrinkle one's nose לעקם חוטמו
wrinkly *adj.* מקומט; מתקמט
wrist *n.* שורש היד, מיפרק כף־היד
wrist-band *n.* רצועת־יד, שרוולית
wrist′let *n.* רצועה למיפרק יד, רצועת־שעון; קישור, צמיד, חפת
wristlock *n.* לפיתת מיפרק־היד
wristwatch *n.* שעון־יד
writ *n.* צו, כתב
Holy Writ כתבי הקודש
write *v.* לכתוב; לרשום; לחבר
write away for להזמין בדואר
write down לכתוב, לרשום, להעלות על הנייר; להוריד מחיר, להפחית ערך
write him down as לתארו כ־
write in לפנות במיכתב, להזמין בכתב; להצביע בעד
write off למחוק, לבטל; להכיר כהפסד; לכתוב/לחבר במהירות, לשרבט
write off for להזמין בדואר
write out לרשום; לכתוב במלואו
write up לשבח (בביקורת); להשלים, לעדכן; לתאר בפרוטרוט
write up assets להעלות במידה מוגזמת את ערך הנכסים
written large ניכר באופן ברור, כתוב באותיות קידוש־לבנה
written on his face ניכר היטב בפניו
write-in *n.* הצבעה בעד (בכתב)
write-off *n.* דבר הרוס, גרוטה
writer *n.* כותב; סופר, מחבר; לבלר
writer's cramp עווית־סופרים
write-up *n.* ביקורת, מאמר, כתבה
writhe (rīdh) *v.* להתפתל, להתייסר
writing *n.* כתיבה; סופרות, מחברות; כתב־יד; יצירה
put in writing להעלות על הכתב
writing on the wall הכתובת על הקיר
writings כתבים
writing desk מכתבה, שולחן־כתיבה
writing materials מכשירי כתיבה
writing paper נייר מיכתבים
writ′ten = pp of write
wrong (rông) *adj.* לא־טוב, לא־נכון; לא־צודק, לא־הוגן, לא־ישר; לא־תקין, לא בסדר; טועה; מוטעה
caught on the wrong foot נתפס כשאינו מוכן
get on the wrong side of- לסור חינו בעיני־
in the wrong box במקום לא מתאים
on the wrong side of 50 מעל לגיל 50
out of bed on the wrong side קם על צידו השמאלי
wrong side צד הפוך (של בגד)
wrong side out (לגבי בגד) הפוך
wrong *adv.* באופן לא־טוב, בצורה לא־נכונה; באורח מוטעה, שלא כראוי
get it wrong להבין שלא כהלכה
go wrong לטעות; להשתבש, להיכשל; להסתיים ברע; להתקלקל; להידרדר
wrong *n.* רע; חטא, עוול; עבירה; טעות
do wrong לעשות עוול, לחטוא
in the wrong טועה; אחראי לטעות
know right from wrong להבחין בין טוב לרע
put him in the wrong להציגו כאחראי לטעות; להלביש עליו אשמה
suffer wrong להיגרם לו עוול
wrong *v.* להיות לא־הוגן כלפי; לגרום עוול ל־; לנהוג שלא בצדק
wrongdoer *n.* עושה רע, חוטא
wrongdoing *n.* עשיית־רע; חטא
wrongful *adj.* לא צודק; לא חוקי; מוטעה
wrong-headed *adj.* טועה, עקומות, עקשן
wrote = pt of write
wroth (rôth) *adj.* זועם, זועף
wrought (rôt) *adj.* עשוי, מעובד,

wry *adj.* מעוות, עקום; חמוץ, מר
wry face פנים חמוצים
wry smile חיוך מאולץ, חיוך מר
wurst *n.* נקניק
wych elm אולמוס (עץ)
wych hazel = witch hazel

מעוצב, מחושל
ought = p of work
*v*rought up מתוח, נרגש, נסער
wrought upon him פעל עליו, השפיע עליו
wrought iron ברזל מעובד (טהור)
wrung = p of wring

X

Xmas = christmas (kris′məs)
X ray *n.* קרן־רנטגן; צילום רנטגן, חוזי; טיפול הקרנה
X rays קרני־רנטגן, קרני־איקס
X-ray *v.* לצלם בקרני־רנטגן; להקרין קרני־רנטגן
xy′lonite′ (z-) *n.* צלולואיד, תאית
xy′lophone′ (z-) *n.* קסילופון, מקושית

x (eks) *n.* איקס, נעלם; פלוני
x *v.* לסמן ב־X; למחוק
xenon (zen′on) *n.* קסנון (גאז אדיש)
xen′opho′bia (z-) *n.* קסנופוביה, בעת־זרים
xerox (zē′roks) *n&v.* צילום (של) מיסמך; לצלם (מיסמכים)
Xerx′es (zûrk′zēs) *n.* אחשוורוש

Y

y = year, yard
yacht (yot) *n&v.* יאכטה; ספינת־מירוץ, ספינה קלה; לשייט/להתחרות ביאכטה
yacht club מועדון־שייט
yachting *n.* שיוט (ביאכטה)
yachtsman *n.* בעל יאכטה; שוחר־שייט
ya'hoo' *n.* יאהו, גס, נקלה, נתעב
yak *n.* יאק, שור טיבטי
yak *v&n.* *לפטפט, לקשקש; פיטפוט
yam *n.* באטאטה, תפוד מתוק
yam'mer *v.* *להתלונן, לבכות, לקטר; לפטפט, לקשקש
yank *v.* למשוך, לשלוף, לעקור
yank *n.* משיכה, שליפה, עקירה; *יאנקי
Yan'kee *n.* יאנקי, אמריקני צפוני
yap *v.* לנבוח קצרות; *לפטפט, לקשקש
yap *n.* נביחה חדה; פיטפוט, קישקוש
yard *n.* יארד (3 רגל); איסקריה, קורת־רוחב; חצר; מיגרש; מחסן
cattle-yard מיכלא, גדרת־בקר
shipyard מיספנה
the Yard הסקוטלאנד יארד
yard'age *n.* מידת היארדים
yard-arm *n.* זרוע־איסקריה
yard goods אריגים הנמכרים ביארדים
yard measure סרגל־יארד, סרט־יארד
yardstick *n.* סרגל־יארד; קנה־מידה; סטאנדארד (להערכה)
yarn *n.* מטווה; חוט טווי; סיפור
spin a yarn לספר/לבדות סיפור
yarn *v.* לספר סיפורים
yash'mak' *n.* צעיף, רעלה
yaw *v.* לסטות מהמסלול
yaw *n.* (זווית ה) סטייה
yawl *n.* ספינת־מיפרשים, מיפרשית; סירת־אונייה, יאול
yawn *v&n.* לפהק; להיפתח לרווחה, להיפער; פיהוק
yawp *v.* לצרוח; *לקשקש, לפטפט
yaws (yôz) *n.* פטלת (מחלה)
ye = the (dhē) ה־, הא הידוע
ye = you (yē) *pron.* אתם, אתן
yea (yā) *adv&n.* כן; אומר הן, מחייב
yeah (yc) *adv.* *כן
year *n.* שנה
all the year round במשך כל השנה
get on in years להזדקן, להזקין
he's 30 years of age הוא בן 30
man of years קשיש, בא בימים
old for his years מבוגר מכפי גילו
year by year שנה בשנה
year in, year out שנה־שנה, כל שנה
year of grace לספירת הנוצרים
yearbook *n.* שנתון, ספר שנה
year'ling *n.* בן שנה, בן שנתו
year-long *adj.* נמשך שנה, של שנה
yearly *adj&adv.* שנתי, בכל שנה; שנתית, אחת לשנה
yearn (yûrn) *v.* להתגעגע, להשתוקק, להיכסף, לערוג
yearning *n.* געגועים, כמיהה, כיסופים
year-round *adj.* מתחילת השנה ועד סופה
yeast *n.* שמרים
yeast cake עוגת שמרים
yeasty *adj.* של שמרים, תוסס
yell *v&n.* לצעוק; לצרוח; צעקה, צריחה; שאגות־עידוד
yel'low (-ō) *adj&n.* צהוב; *פחדן, מוג־לב
yellow *v.* להצהיב
yellow-bellied *adj.* *פחדן, מוג־לב
yellow fever קדחת צהובה
yellowish *adj.* צהבהב
yellow press עיתונות צהובה
yelp *v&n.* לנבוח, ליילל; נביחה, יללה
Yem'en *n.* תימן
Yem'enite' *adj.* תימנית
yen *n.* ין (מטבע יפני)
yen *n&v.* כיסופים, תשוקה; להשתוקק
yeo'man (yō'-) *n.* (בצי) סַמָּל, לבלר; איכר עצמאי, עובד אדמתו; משרת
Yeoman of the Guard שומר המלך
yeomanry *n.* מעמד האיכרים העצמאיים
yep *adv.* *כן
yes *adv&n.* כן, הן; תשובה חיובית
yeshi'va (-shē'-) *n.* ישיבה
yes man אומר הן, עונה אמן; יסמן
yes'terday' *adv&n.* אתמול

before yesterday שלשום
born yesterday לא נולד
אתמול, לא פתי
rday week לפני 8 ימים
ryear *n.* אשתקד; העבר
dv. עוד, עדיין; כבר; עד עתה;
בעתיד, לבסוף; בנוסף
s yet עד כה, עד עתה
did he eat yet? האם אכל כבר?
has never yet been late מעולם לא
איחר, עד כה טרם איחר
he has yet to- עליו עדיין ל-
nor yet יתירה מזו, ואף לא
not yet עוד לא, עדיין לא, טרם
she's yet more beautiful היא אף יפה
יותר
yet *conj.* אבל, אך, ואולם, ברם, עם זאת,
אפס
and yet ועדיין, ובכל זאת
he's stern yet honest הוא קשוח, עם
זאת הוגן
yet'i *n.* יטי, איש השלג הנתעב
yew (ū) *n.* טאקסוס (עץ)
Yid *n.* *יהודון
Yid'dish *n.* יידיש
yield (yēld) *v.* להניב, להפיק; לשאת
פרי; לוותר על; לתת, למסור; להעניק;
להיכנע; לא לעמוד בפני, לקרוס
yield a crop להניב יבול
yield a town to the enemy למסור
עיר לאויב (אגב כניעה)
yield ground לסגת
yield shelter להעניק מחסה
yield up the ghost למות
yield 9% לתת תשואה של 9%
yield *n.* תנובה, יבול; תשואה, תפוקה,
רווח, הכנסה
yielding *adj.* נכנע, כנוע, ותרן, צייתן
yip'pee *interj.* ייפי! יופי! קריאת
שימחה
yo'del *n&v.* יודל; יידלול; ליידלל
yodeler *n.* זַמר(ת) – יודלים
yo'ga *n.* יוגה
yo'gi (-gi) *n.* יוגי, מורה ליוגה
yo'gurt *n.* יוגורט
yoke *n.* עול; צמד־בקר; אסל; כתף־הבגד,
מותני־חצאית; קשר; שיעבוד
throw off the yoke לפרוק העול
under the yoke בעול, תחת שילטון
yoke of friendship קשרי־ידידות
yoke of oxen צמד־בקר
yoke *v.* לרתום בעול; לחבר, להצמיד

yokefellow *n.* בן־זוג, שותף
yo'kel *n.* איש־כפר, כפרי, בור
yolk (yōlk) *n.* חלמון־הביצה
yon = yonder
yon'der *adv&adj.* שָם, ההוא, שבמקום
ההוא; בכיוון ההוא, שמה
yore *n.* העבר הרחוק, לפנים
in days of yore בימים עברו
you (ū) *pron.* אתה, את, אתם; אותך,
אתכם; לך, לכם
you bet בטח, בוודאי
you can never tell לעולם אינך יודע,
לעולם אין לדעת
you fool! טיפש שכמותך!
you-all *pron.* אתם
you'd = you had/would (yood)
you'll = you will/shall (yool)
young (yung) *adj.* צעיר; בתחילתו,
בראשיתו; רענן; טרי; חסר־ניסיון; ירוק
the young הצעירים
the younger הצעיר, הבן
young and old מנער ועד זקן
young Mr. Smith מר סמית הצעיר,
מר סמית הבן
young *n-pl.* גורים, ולדות, צאצאים
with young הרה, מעוברת
youngish *adj.* צעיר למדיי
young'ster (yung'-) *n.* צעיר, נער
your (yoor) *adj.* שלך, שלכם
the house is on your left הבית נמצא
בצד שמאל שלך
Your Honor כבוד מעלתך
you're = you are (yoor)
yours (yoorz) *pron.* שלך, שלכם
a friend of yours אחד מידידיך
yours is the best car מכוניתך היא
הטובה ביותר
yours truly שלך בנאמנות (בסיום
מיכתב); אני, עבדך הנאמן
yourself' (yoor-) *pron.*
(את/ל־/ב־/מ־) עצמך
by yourself לבדך, בעצמך
enjoy yourself! ההנה, בלה יפה!
you are not yourself today
אינך כתמול שילשום, בריאותך לקויה
you yourself אתה בעצמך
youth (ūth) *n.* נעורים, שנות הנוער;
צעיר, נער; נוער, הדור הצעיר
youthful *adj.* צעיר, של נעורים, רענן
youth hostel אכסניית־נוער
you've = you have (yoov)
yowl *v&n.* ליילל, לייבב; יללה, יבבה

yo′yo *n.* יו־יו (צעצוע)
yuc′ca *n.* יוקה (צמח, פרח)
Yule *n.* (תקופת) חג המולד
Yule log ...ץ (למדורת) חג־המולד
Yule-tide *n.* תקופת חג־המולד

Z

za′ny *n&adj.* ליצן, מוקיון, טיפש; טיפשי
zeal *n.* קנאות, להיטות, התלהבות
zeal′ot (zel′-) *n.* קנאי, פנאטי
zeal′otry (zel′-) *n.* קנאות, פנאטיות
zeal′ous (zel′-) *adj.* קנאי, להוט, נלהב
ze′bra *n.* זברה
zebra crossing מעבר חציה
ze′bu (-bōō) *n.* זבו (בהמת־בית)
zed, zee *n.* שם האות Z
ze′nith *n.* זנית, צוהר, נקודת־קודקוד; שיא, פיסגה, גולת־הכותרת
ze′nithal *adj.* של זנית
zeph′yr (-fər) *n.* זפיר, רוח מערבית קלה
zep′pelin *n.* צפלין, ספינת־אוויר
ze′ro *n&v.* אפס, 0; לאפס
  absolute zero האפס המוחלט
  reach zero לרדת לאפס
  zero in לאפס (רובה), לכוון; להתרכז, להתמקד
zero hour שעת האפס, שעת השין
zest *n.* התלהבות, חשק; הנאה; טעם, תבלין; קליפת לימון/תפוז
  add/give zest to להוסיף טעם ל־
zestful *adj.* מתלהב, מלא־התלהבות
zig′zag′ *n.* זיגזאג
zigzag *adj&adv.* זיגזאגי, מזוגזג; בזיגזאג
zigzag *v.* לנוע בזיגזאג; להתפתל; לזגזג
zinc *n.* אבץ
zin′nia *n.* זינייה (צמח, פרח)
Zi′on *n.* ציון, ישראל
Zi′onism′ *n.* ציונות
Zi′onist *n.* ציוני
zip *n.* שריקה, צליף; מרץ, זריזות, פעלתנות; רוכסן, ריצ׳ראץ׳
zip *v.* לשרוק, לחלוף בשריקה; לרכוס ברוכסן
  zip open לפתוח (רוכסן)
  zip up/shut לרכוס, לסגור ברוכסן
zip code מיספר המיקוד
zip fastener רוכסן
zip′per *n.* רוכסן, ריצ׳ראץ׳
zip′py *adj.* נמרץ, זריז, פעלתני
zith′er (-dh-) *n.* ציתר (כלי־פריטה)
zo′diac′ *n.* זודיאק, גלגל־המזלות
zo•di′acal *adj.* של גלגל־המזלות
zom′bi *n.* זומבי, מת שקם לתחייה
zo′nal *adj.* אזורי
zone *n.* איזור; שטח, תחום; איזור דואר, איזור מיקוד
  residential zone איזור מגורים
zone *v.* לחלק לאיזורים; להקצות איזור ל־
zone defense הגנה איזורית
zoning *n.* חלוקה לאיזורים
zonked (zonkt) *adj.* ∗מסומם
zoo *n.* גן־חיות
zo′olog′ical *adj.* זואולוגי
zoological garden גן־חיות
zo•ol′ogist *n.* זואולוג
zo•ol′ogy *n.* זואולוגיה, תורת החי
zoom (zōōm) *v.* לנסוק אל־על; לנוע במהירות, לחלוף ביעף
  the price zoomed המחיר האמיר
  zoom in לעבור במהירות לצילום מקרוב
  zoom out לעבור במהירות לצילום מרחוק
zoom *n.* (קול) נסיקה מהירה
zoom lens עדשה מהירת־מיקוד
zo′ophyte′ *n.* זואופיט, חי־צמח, צימחיי
zounds (-z) *interj.* לעזאזל!
zucchi′ni (zōōkē′ni) *n.* קישוא
zy•mol′ogy *n.* תורת התסיסה

כתיב אמריקני וכתיב בריטי

בטבלה הבאה מפורטות קבוצות המילים העיקריו[illegible]
ישנו הבדל בין הכתיב האמריקני והכתיב הבריטי.

כתיב אמריקני	כתיב בריטי	דוגמאות: כתיב אמריקני	כתיב ב[illegible]
–or	–our	color honor	colour honour
–er	–re	center theater	centre theatre
–l–	–ll–	traveler jeweler	traveller jeweller
–ll–	–l–	skillful willful	skilful wilful
–ense	–ence	license defense	licence defence
–gment	–gement	abridgment judgment	abridgement judgement
–e–	–ae–	anemia eon	anaemia aeon
–ize	–ise	apologize capitalize	apologise capitalise
וכן מספר קטן של מלים אחרות כגון:		check gray	cheque grey

נספח למילון האנגלי־עברי

נספח זה כולל ערכים רבים שהשימוש בהם נעשה נפוץ לאחרונה, ואשר לא הובאו בגוף המילון האנגלי־עברי העדכני.

ABM טיל אנטי-בליסטי
ABS בלימה ללא נעילה
abseil *v&n.* להשתלשל בחבל, לעשות סנפלינג, ירידה בחבל
abuse *n.*
- animal abuse התעללות בבעלי חיים
- child abuse ניצול מיני של ילדים
abutter *n.* גובל, בר מיצרא
abuzz *adj.* מזמזם, נמרץ, פעיל
ac זרם חילופין, חשבון
AC/DC זרם חילופין וזרם ישר, דו-מיני
accelerometer *n.* מד תאוצה
acerbic *adj.* חריף, מריר, בוטה
achy *adj.* כואב, סובל כאבים
acidulate *v.* להחמיץ, לעשות חמצמץ
acrylic *n.* אקריליק, סיב אקרילי
action point הצעה לפעולה, נקודה לפעולה
action replay *n.* הילוך חוזר
action-packed *מלא אקשן, רווי פעולה
active duty שירות פעיל
acupressure *n.* לחיצה במחט
ad hominem לאדם, קשור לאדם מסויים, פונה לרגש ולא לשכל
ad litem לתביעה משפטית
ad personam לאדם, אישי
ad rem לעצם העניין
ad valorem ביחס לערך
ADC שליש צבאי, ממיר מאנלוגי לספרתי
add-on *n.* תוסף
added value ערך מוסף
adsorb *v.* לספוח, להצמיד אליו חומר
adsorption *n.* ספיחה
advance guard חיל חלוץ
advance man איש חלוץ, מכין ביקור
aerobic *adj.* אירובי, אווירני
AF איי אף (תדר)
affirmative action *n.* אפליה לחיוב
aficionado *n.* אוהד מושבע, חסיד
ageism *n.* אפלית זקנים
aggro *n.* *בריונות, צרה, קושי
AGM אסיפה כללית שנתית
AI בינה מלאכותית, תבונת מכונה, הזרעה מלאכותית
aide-memoire *n.* תזכורת, עוזר לזיכרון
ailing *adj.* חולני, במצב גרוע
air bag כרית אוויר (במכונית)
airbrush *n.* מרסס צבע
airer *n.* מיתקן איוורור
airhead *n.* בסיס נחיתה בשטח אויב, *טיפש, אידיוט
airshow *n.* מפגן אווירי
airwoman *n.* טייסת
airy-fairy *adj.* *לא מעשי, דמיוני, טיפשי
aka *adj.* ששמו גם, המכונה
algorithm *n.* אלגוריתם, תהליך פתרון בעיה
alienable *adj.* בר העברה (רכוש)
alive *adj.*
- alive and kicking חי וקיים
all-embracing *adj.* מקיף, חובק עולם
all-inclusive *adj.* כולל הכל
alternator *n.* מחולל זרם חילופין
alumni *n-pl.* בוגרי בית ספר
Alzheimer *n.* אלצהיימר (מחלה)
Amerasian *n.* אמריקני אסייתי
Americanize *v.* להפוך לאמריקני
Amharic *n.* אמהרית, אתיופית
amniocentesis *n.* בדיקת מי שפיר
amniotic fluid מי שפיר
amour propre כבוד עצמי
amphetamine *n.* אמפטמין (סם מרץ)
anchorman *n.* קריין רצף, מגיש, רץ אחרון
android *n.* רובוט (דמוי אדם)
anorectic *adj.* אנורקסי, *רזה מאוד
anorexia (nervosa) *n.* אנורקסיה, פחד מהשמנה, הרעבה עצמית
answering machine *n.* מזכירה אלקטרונית, משיבון

answerphone *n.* מזכירה אלקטרונית, משיבון
antidepressant *n.* נגד דיכאון
antilock *adj.* (בלימה) ללא נעילה
antiperspirant *adj.* נגד הזעה
antivenin *n.* נגד ארס
antiviral *adj.* אנטי-וירוס
apnea *n.* דום נשימה
apodictic *adj.* בדוק, בר הוכחה ברורה
apolitical *adj.* לא פוליטי
apologia *n.* אפולוגיה, סניגוריה, הגנה על דיעות
aponea *n.* דום נשימה
arboretum *n.* גן בוטני, משתלת עצים
area code *n.* איזור חיוג, קידומת
argy-bargy *n.* *ויכוח, מהומה, התנצחות
arm *n.*
- an arm and a leg *סכום הגון
- as long as your arm *ארוך ביותר
arm wrestling *n.* הורדת ידיים
armrest *n.* משענת זרוע, משענת יד
arrest of judgement עיכוב הליכים, הפסקת משפט
arriviste *n.* נדחק, שאפתן, מרפקן
arsehole *n.* *פי הטבעת, מטומטם, אידיוט
art deco אר דקו, סגנון באמנות
articled clerk מתמחה, סטזיר
artwork *n.* איורים
asap *adv.* בהקדם האפשרי
ASCII אסקי (תווי מחשב)
Ash Wednesday יום א׳ של לנט
asking *n.*
- for the asking רק תבקש, לכל דורש
aspen *n.* צפצפה (עץ)
assault course מסלול מכשולים
assembler *n.* אוסף, מרכיב, מסדר, אסמבלר (שפת מחשב)
athlete's foot פטרת הרגליים
attn = attention
au courant *adj.* מעודכן, בעניינים
audio frequency תדר שמע
autochthonous *adj.* ילידי, מקומי
autocross *n.* מירוץ מכוניות
autocue *n.* מקראה לקריין טלויזיה, טלפרומפטר
automotive *adj.* קשור לרכב
avian *adj.* של עופות
avionics *n.* אוויוניקה, אלקטרוניקת תעופה
avitaminosis *n.* חוסר ויטמינים
avizandum *n.* פרק זמן לעיון, שיקול נוסף
avulsion *n.* הפרדה, ניתוק, סחף פתאומי
awn *n.* מלען, זקן השיבולים
AWOL נפקד, נעדר
axilla *n.* בית השחי
axon *n.* ציר העצב
b & b *n.* לינה וארוחת בוקר
Babbitt *n.* מרוצה מעצמו, גשמי, קרתני, צר אופק
baby *n.*
- carry/hold the baby להיתקע עם הבעיה, לשאת באחריות
baby boom גידול בילודה
baby grand פסנתר קטן
backcomb *v.* לנפח שיער
backpack *n.* תרמיל גב
backrest *n.* מסעד, משענת גב
backslash *n.* קו נטוי הפוך
bad news *נודניק, טיפוס לא נעים, דבר מטריד
bad-mouth *v.* *להשמיץ, להלעיז
baddy *n.* *רע, רשע
bailout *n.* חילוץ ממצוקה, עזרה כספית
balancing act פעולה מאזנת, פעולה לריצוי מתנגדים
ballot paper פתק הצבעה
ballpark *n.* מגרש בייסבול, קרוב, בערך
banana *n.*
- go bananas *להשתגע, להיתקף חימה
banana skin קליפת בננה, מקור צרות, שגיאה
banana spilt גלידת בננה, ליפתן בננה
band-aid *n.* אגד מידבק, פתרון זמני
bankroll *v.* לממן
bankroll *n.* מזומנים, משאבים פיננסיים
bar chart/graph *n.* תרשים עמודות
bar code *n.* ברקוד
barbiturate *n.* תרופת הרגעה

barf *v&n.* *להקיא, הקאה
barfly *n.* *מבקר במסבאות
bargaining chip קלף מיקוח
barrier cream *n.* משחת עור
based *adj.* מבוסס על, נמצא ב-, מושבו ב-, פועל על
- land-based יבשתי
bathing costume בגד ים
beanfeast *n.* *מסיבה
beanpole *n.* מקל תומך לצמח, אדם גבוה
bear market שוק יורד, שוק מוכרים
beat-up *adj.* *מוכה, מרופט
beaver (away) *v.* לעבוד קשה
bedroll *n.* שק שינה, כלי-מיטה
beefburger *n.* קציצת בשר
beekeeper *n.* כוורן
beeper *n.* ביפר, איתורית, זימונית
beer belly/gut *כרס משתיית בירה
bellwether *n.* מוביל, מנהיג, משכוכית
benchmark *n.* סימן מדידה, אמת מידה, דוגמה, נקודת התייחסות
bender *n.* *הילולה, חינגה, הומו
berk *n.* *טיפש, מטומטם
bespectacled *adj.* מרכיב משקפיים
big bang המפץ הגדול
big dipper הדובה הגדולה, רכבת (בפארק)
big mouth פה גדול, פה מפטפט
big name בעל שם, מפורסם
big noise *אישיות, תותח כבד
big time *מצליח, חשוב, פרסום, הצלחה, מאוד, ביותר
big wheel גלגל ענק, *אישיות
bin liner שקית אשפה, שקית זבל
bind *n.* *מטרד, צרה, *קנוקנת
biodegradable *adj.* מתפרק ביולוגית
biz *n.* *ביזנס, עסק
black hole חור שחור (בחלל)
blackbird *n.* שחרור (ציפור), כושי חטוף
blackjack *n.* עשרים ואחד (מישחק)
bleeding *n.* דימום, *ארור
bleeding heart יפה נפש, רך לבב
blind corner סיבוב סמוי, פניית שדה-ראיה מוגבל

blooper *n.* *טעות גסה/אומללה
blow *v.*
- blow off *להוציא אוויר, להפליץ
blow dry ייבוש במייבש שיער
blusher *n.* סומק
BO ריח הגוף, קופה
bobble *n.* פון-פון, כדורון צמר, כישלון, טעות, פשלה
bod *n.* *ברנש, גוף
bodge *v.* *לקלקל, לפשל
bodice-ripping *adj.* רומנטי, מגרה
body language שפת הגוף
body search חיפוש על הגוף
body-building פיתוח הגוף
bon vivant/viveur אוהב חיים, הולל, בעל טעם טוב
bonce *n.* *ראש
bone china חרסינת עצמות
booking office קופה
bottle *v.*
- bottle out *לא לבצע, לסגת
bottom line השורה התחתונה, הגורם המכריע
boule *n.* בול (מישחק), סינט
bouncy *adj.* מלא חיים, קפיצי
bowel movement פעולת מעיים
bozo *n.* *טיפש, אידיוט
breakdancing *n.* ריקוד ברייקדנס
bridging loan הלוואת גישור
breech delivery לידת עכוז
broad-brush *adj.* כללי, מקיף
brown nosing *חנפנות, לקקנות
bulimia (nervosa) *n.* בולימיה (מחלה), אכילה והקאה
bulldog clip תפס קפיצי (לניירות)
bumbag *n.* *כיס חגורה, פאוץ'
bumf *n.* *ניירות, נייר טואלט
bumph *n.* *ניירות, נייר טואלט
bungee jumping קפיצת בנג'י
bunkhouse *n.* מעונות פועלים
bus shelter תחנת אוטובוס
busboy *n.* מנקה שולחנות
business card כרטיס עסק, כרטיס ביקור
bustier *n.* לסוטה הדוקה, חולצה צמודה
button *n.*
- a hot button נושא חם, נושא שנוי במחלוקת

butty *n.* סנדוויץ', כריך, פרוסה בחמאה, סירה נגררת, *חבר, ידיד
buzzword *n.* מלה פופולרית, שפה טכנית, סיסמה
byte *n.* בית (במחשבים), בייט
cack-handed *adj.* *איטר, שמאלי, מגושם
cagoule *n.* מעיל גשם
Cal קלוריה, קליפורניה
calculated *adj.* מחושב, מתוכנן, מכוון
camcorder *n.* מצלמת וידיאו
cannula *n.* צינורית
caoutchouc *n.* קאוצ'וק
capacitor *n.* קבל (באלקטרוניקה)
capias *n.* צו מעצר
captaincy *n.* מנהיגות, ראשות-קבוצה
cardamom *n.* הל, קרדמון
cardholder *n.* בעל כרטיס אשראי
cardiac arrest *n.* דום לב
cardiogram *n.* רישמת לב
cardiology *n.* רפואת הלב, קרדיולוגיה
caregiver *n.* מטפל
carfare *n.* דמי נסיעה
carpet bombing הפצצה כבדה
carpet slipper נעל בית
caseload *n.* עומס תיקים, מקרים לטיפול
cash card כרטיס כספומט
cash cow *פרה חולבת, עסק מכניס
cashew *n.* קשיו (אגוז)
catherine wheel גלגל זיקוקין די נור
caucasian *n.* קווקזי, לבן
cause *n.*
- show cause לבוא ולנמק בבי"ד
CD קומפקט דיסק, תקליטור, הג"א, הגנה אזרחית
cellphone *n.* טלפון סלולרי, פלפון
cellular phone טלפון סלולרי
center spread עמודי האמצע
central reservation שטח הפרדה (בכביש), רצועה מכוסה דשא
CEO נשיא, יו"ר, מנכ"ל
chaise longue כיסא משענת, מיטת שמש, ספת התפרקדות
champers *n.* *שמפנייה
charge card כרטיס אשראי
charged *adj.* מואשם, טעון, מלא

chat show תוכנית ראיונות, טוקשואו
check-in *n.* רישום כניסה, קבלה
cherry picker מנוף
chief inspector פקד (במשטרה)
chief justice נשיא בית משפט עליון
chipboard *n.* סיבית
chocoholic *n.* מכור לשוקולד
chuffed *adj.* *מרוצה, מבסוט
churn *v.*
- churn out ליצור הרבה
ciao *intrj.* *צ'או, ביי, שלום
cider press מסחטת תפוחים
cinematography *n.* הפקת סרטים
cladding *n.* ציפוי, כיסוי, מעטה
claw *v.*
- claw back לרכוש בחזרה
clear-out *n.* סילוק כללי, ניקיון כללי
clear-up *n.* ניקוי, פענוח פשעים
clearance order צו הריסה
cling film פלסטיק שקוף (לעטיפה)
clip *n.* קליפ, סרטון
clobber *n.* *בגדים, חפצים
cloze *n.* הכנסת מילה, תרגיל מילוי, מבחן מילוי
clued *adj.* מעודכן, מתמצא
clueless *adj.* *חסר-אונים, טיפשי
cluster-bomb פצצת מיצרר
co-own *v.* להיות שותף בבעלות
coachload *n.* נוסעי אוטובוס
codswallop *n.* *שטויות, חנטריש
coffee-table book ספר תמונות
cold cuts פרוסות בשר קרות
cold frame חממה להגנת צמחים
colophon *n.* סמל המוציא לאור
common denominator מכנה משותף
common stock מניות רגילות
compact disc תקליטור
con-trick *n.* *רמאות, הולכת שולל
conditioner *n.* קונדישנר, מייצב שיער
condo *n.* *בית משותף
conducted tour סיור מודרך
connate *adj.* מלידה, טבוע, בו-זמני
considered *adj.* שקול

extractor *n.* מסחטה, מסלק ריח רע, מאוורר
extraterrestrial *adj.* מהחלל החיצון, מחוץ לכדור הארץ, חייזר
extremis *n.*
- in extremis על סף המוות, בקשיים
eye contact קשר עין, מבט ישיר בעיניים
eyepatch *n.* רטייה, רטיית-עין
eyeshadow *n.* צבע, צללית עיניים
eyewitness account עדות ראייה
face cream קרם פנים, משחת פנים
factoid *n.* פריט חדשות, פריט מידע, עובדה מדומה
facultative *adj.* של כושר, עשוי להתרחש
faff *v&n.* *להתרגש, (להקים) מהומה
fair *adj.*
- fair dos *חלוקה הוגנת
- for fair *לגמרי
fairy godmother המלאך הטוב, האישה המושיעה
fallback *n.* נסיגה, עתודה, תחליף, לשעת חירום, מינימלי
fan heater מפזר חום (חשמלי)
fandango *n.* פנדאנגו (ריקוד), שטויות
fanny pack *תיק חגורה, פאוץ׳
fanzine *n.* עיתון-אוהדים, עיתון מעריצים
farouche *adj.*ביישן
fast track מסלול מהיר
fax *v&n.* (לשלוח) פקס, לפקסס
feasibility study מחקר ישימות הפרוייקט
fee simple עיזבון בלתי מוגבל
fee tail עיזבון מוגבל
feisty *adj.* תוקפני, שופע מרץ, רגיש
fellatio *n.* מין אוראלי
Ferris wheel גלגל ענק (ביריד)
Fertile Crescent הסהר הפורה, מדינות במזרח התיכון
fiddly *adj.* קשה, מורכב, מעייף
fiduciary *n.* נאמן, אפיטרופוס
fifth wheel גלגל חמישי, אדם מיותר, דבר מיותר
fighting fit כשיר להיאבק, בשיא הכושר
figure skating החלקה אמנותית
figurine *n.* פסלון
filtrate *v&n.* לסנן, ונסנין
fin de siecle סוף המאה התשע עשרה
finagle *v.* להשיג באמצעים עקיפים, לתחמן, להונות
finder *n.*
- finders keepers *כל המוצא הרי זה שלו
fine tuning תיאום עדין, כיוון עדין
fishnet stockings גרבי רשת
fixings *n-pl.* תוספות, אבזרים, קישוטים
flab *n.* שומן, מפלי בשר
flak jacket אפוד מגן, שכפ״ץ
flasher *n.* מאותת, פנס איתות, חושף אברי מינו
fleur-de-lis אירוס, חבצלת
flextime *n.* שעות עבודה גמישות
flipping *adj.* *ארור, מזופת, לעזאזל
floater *n.* צף, קול צף, מחליף עבודות, *שגיאה
floppy disk דיסקט, תקליטון
flub *v&n.* *לפשל, לקלקל, פשלה, עבודה גרועה
folding money *שטרות כסף
foodie *n.* *אנין טעם, ראשו ורובו באוכל
footsie *n.* *נגיעה ברגליים, מזמוז ברגל
forwarding address מען חדש
foundation course קורס הכנה
freebie *n.* *שי חינם
frisbee *n.* פריזבי, צלחת מעופפת
frisson *n.* ריגוש, רטט
frontman *n.* מנהיג, ראש, נציג, איש חיפוי, מגיש (תוכנית)
fruit machine מכונת הימורים
fry-up *n.* *מנת מזון מטוגן
full board פנסיון מלא
fund-raising *n.* מימון, התרמה, גיוס כסף
funky *adj.* *של פאנק, אופנתי, מדהים, לא רגיל, מדיף ריח עז
further education חינוך משלים
gang rape אונס קבוצתי
gangland *n.* עולם הפשע
genetic engineering הנדסה גנטית

gimlet eye מבט נוקב, עין חדה
gimp *v&n.* חוט, פתיל, *לצלוע, צולע, טיפש
giro *n.* העברה בנקאית
gismo/gizmo *n.* *מכשיר, פטנט
glitch *n.* *תקלה, פעולה לקויה
glitz *n.* *זוהר, צעקנות
globe-trot *v.* לסייר ברחבי העולם
goddamned *adj.* *ארור
goddess *n.* אלילה
gofer *n.* *שליח, רץ
gormless *adj.* *טיפשי, חסר-תבונה
gran *n.* *סבתא
gravel-blind *adj.* עיוור כמעט לגמרי
gravitas *n.* רצינות
gridlock *n.* פקק תנועה, קיפאון
grim reaper מוות, מלאך המוות
groschen *n.* גרושן (מטבע)
grosgrain *n.* אריג משי עבה
ground rule עיקרון בסיסי
groupie *n.* *אוהד, גרופי
grout *n.* מלט-אריחים, מישקע
growler *n.* קרחון קטן, *כלב
grubber *n.* *צובר, אוסף, מנכש
grunge *n.* לכלוך, מוסיקת גרנג'
guesstimate *n.* *הערכת-ניחוש
guide dog כלב נחייה
guidepost *n.* תמרור
guidon *n.* דגל, דגלון
gulley *n.* תעלה, ערוץ
gumshoe *n.* נעל גומי, *בלש
gunfight *n.* קרב יריות
gunge *n.* חומר דביק, זוהמה
gunlock *n.* ניצרה
gunplay *n.* חילופי יריות
gunship *n.* מסוק קרב חמוש
gutsy *adj.* *אמיץ, חמדן
hacker *n.* מקצץ, חודר למחשבים
hairstyle *n.* עיצוב שיער
half board חצי פנסיון
half measures צעדים לא מספיקים, פשרה מפוקפקת
halfway house פשרה, מחצית הדרך, מוסד שיקומי, פונדק
halogen lamp נורת הלוגן
halter-neck *adj.* קשור ברצועת צוואר
hand glass זכוכית מגדלת, ראי קטן
handbreadth *n.* טפח
handgrip *n.* ידית, תפיסה ביד
handheld *adj.* נאחז ביד, מחשב נישא
handlebar moustache שפם עבות, שפם דמוי הגה אופניים
hands-on *adj.* מתערב, מאפשר נגיעה בידיים, שימושי, מעשי
handset *n.* שפופרת טלפון
hang-glider *n.* גלשון
happenstance *n.* דבר מקרי
hardball *v&n.* *ללחוץ, לאלץ, שיטות בלתי מתפשרות, בייסבול
hatchet job *התקפה חריפה
hate mail מכתבי נאצה
haute couture אופנה עילית
haute cuisine טבחות משובחת
head-butt *v&n.* לנגוח, נגיחה
headboard *n.* לוח ראש-מיטה
headcount *n.* מספר הנפשות
headnote *n.* הערה בראש מסמך, סיכום, תמצית
headstand *n.* עמידת ראש
headwork *n.* מאמץ שכלי
health food מזון בריאות
health visitor אחות לביקורי בית
heartland *n.* לב האיזור
heist *v&n.* *לשדוד, שוד, גניבה
heliocentric *adj.* מתייחס לשמש כמרכז
helipad *n.* מינחת מסוקים
helix *n.* קו חלזוני
hell *n.*
- **hell on earth** גיהינום עלי אדמות
- **hell to pay** צרות צרורות

hellhole *n.* מקום בלתי נסבל
helpline *n.* שירות עזרה טלפוני
heptathlon *n.* קרב שבע
herbicide *n.* קוטל צמחים
heroine *n.* גיבורה, דמות ראשית
heroize *v.* להאדיר, לעשותו גיבור
HF תדירות גבוהה, חצי
hi-tech *n.* היי-טק, תעשייה עילית, טכנולוגיה עילית
hickey *n.* *מכשיר, סימן בעור
high five *היי-פייב, הבעת שמחה, טפיחת כפיים גבוהה
high ground עמדת יתרון
high tech היי-טק, תעשייה עילית, טכנולוגיה עילית
high-profile *n.* פרופיל גבוה, חשיפה תקשורתית

high-roller *n.* ‎*אוהב להמר, בזבזן
highlighter *n.* עט סימון, עט זוהר
histogram *n.* תרשים עמודות
hit man רוצח שכיר
HIV נגיף האיידס
hodgepodge *n.* בליל, ערבוביה
hokum *n.* ‎*רגשנות, חנטריש
holding operation השארת הסטטוס קוו
holdout *n.* עמידה איתנה, מסרב להשתתף
holier-than-thou *adj.* ‎*מתחסד
hols *n-pl.* ‎*ימי חופשה
home *adv.*
- **home and dry** המטרה הוגשמה, הגיע הבייתה בשלום
home match מישחק ביתי
homebody *n.* אוהב להישאר בבית, "אשרי יושבי ביתך"
homeowner *n.* בעל בית, דר בביתו
hominoid *adj.* דומה לאדם
homophobia *n.* שנאת הומוסקסואלים
honey pot כלי דבש, דבר מפתה
honorable mention ציון לשבח
hoof *v.*
- **hoof it** ‎*ללכת ברגל, לרקוד
hoofer *n.* ‎*רקדן מקצועי
hoosegow *n.* ‎*בית סוהר
horrendous *adj.* נורא, מזעזע
horse-trading *n.* מיקח וממכר
hostile witness עד עויין
hot-wire *v.* ‎*להתניע רכב בחוט, לעקוף המתנע
hotshot *n.* ‎*אישיות חשובה, מומחה, אדם מוכשר, קלע מצטיין
houmous *n.* חומוס
house husband עקרת בית (גבר)
houseboy *n.* משרת
howsoever *adv.* בכל דרך שהיא
hummus *n.* חומוס
humungous *adj.* ‎*כביר, ענקי
hungover *adj.* סובל מכאב ראש, סובל מחמרמורת
hunker *v.* להתיישב על העקבים
- **hunker down** להירתם, להתמסר
hunky-dory *adj.* ‎*מצויין, מעולה
hype *v&n.* ‎*לרמות, לקדם מכירות, פרסומת רעשנית, רמאות, מכור לסם, מזרק
- **hyped up** מלא מרץ (מזריקה)
hyper *adj.* ‎*היפראקטיבי, נמרץ
hyperactive *adj.* היפראקטיבי
hyperinflation *n.* אינפלציה גבוהה מאוד
hypertension *n.* מתח רב, לחץ דם גבוה
hyperventilate *v.* לנשום במהירות
hypoglycemia *n.* מיעוט סוכר בדם
icterus *n.* צהבת
identity crisis משבר זהות
identity parade מסדר זיהוי
idiot board ‎*מקראה (לקריין)
idiot savant ‎*מלומד אידיוט, מפגר בקי בשטח מסויים
iffy *adj.* ‎*לא ודאי, מפוקפק
ill fame שם רע, שימצה
ill feeling איבה, טינה
ill wind רוח רעה, מצב מבשר רע
ill-equipped *adj.* שלא צוייד כהלכה
ill-fitting *adj.* לא מתאים
ill-founded *adj.* לא מבוסס, חסר יסוד
ill-humored *adj.* מדוכא, בלי מצב רוח
ill-prepared *adj.* שלא הוכן כראוי
illiquid *adj.* לא נזיל (נכס)
illuminati *n-pl.* נאורים, ידענים
imaginings *n-pl.* דימיונות, פנטזיות
IMF קרן המטבע הבינלאומית
immunodeficiency *n.* ליקוי במערכת החיסון
immunology *n.* תורת החיסון
impassible *adj.* לא חש כאב, חסר רגשות
imperium *n.* כוח אבסולוטי
implode *v.* להתפוצץ כלפי פנים
impost *n.* מס, משקולת, כותרת העמוד
impro *n.* ‎*אילתור
improbity *n.* אי-הגינות, עוול
inalterable *adj.* שאין לשנותו
inbreathe *v.* לשאוף פנימה
inbuilt *adj.* מובנה, בנוי בתוכו
income support השלמת הכנסה
incomer *n.* נכנס, מהגר, פולש
incommensurable *adj.* לא בר השוואה, חסר מידה משותפת

indecent assault מעשה מגונה
indetermination *n.* חוסר החלטיות
index-linked *adj.* צמוד למדד
indie *adj.* *עצמאי
indurate *v.* להקשות, להקשיח
industrial action שביתה, עיצומים
industrial relations - יחסי עובד מעביד
inefficacious *adj.* לא יעיל כמצופה
inertia reel גלגילית חגורת בטיחות
inertia selling מכירת התמדה, דחיפת חומר לא מוזמן
infarct *n.* ריקמה מתה
infix *v.* לקבוע בפנים, לתחוב, לחרות, להכניס מוספית
infold *v.* לעטוף, לחבוק
infomercial *n.* תשדיר פרסומת תיעודי
informatics *n.* תורת איחסון המידע
information science תורת איחסון המידע
infotainment *n.* תשדיר מידע ובידור
infrangible *adj.* לא שביר, שאין להפירו
ingrate *adj.* כפוי טובה
inhalant *n.* חומר נשאף
inheritable *adj.* בר הורשה
inhospitality *n.* אי הסברת פנים
inhume *v.* לקבור
injured party הצד הנפגע
injury time זמן פציעות
ink-blot test מיבחן רורשך
ink-jet הזרקת דיו
innervate *v.* לספק בעצבים
innumerate *adj.* חסר כישורים בחשבון
inobservance *n.* היסח הדעת, אי קיום
inoculum *n.* תרכיב, חומר חיסון
input-output *n.* קלט-פלט
inspirator *n.* משאף, מנשים
inspirit *v.* להפיח חיים, לעודד
instant replay הקרנה חוזרת מיידית
institutionalize *v.* למסד, לאשפז, לגרום לתלות באחרים
instrument panel לוח מחוונים
insusceptible *adj.* לא רגיש, לא מושפע
intelpost *n.* דואר אלקטרוני, דואר בינלאומי
intensive care טיפול נמרץ
interactive *adj.* אינטראקטיבי, פועלים זה על זה, הידברותי
interbank *adj.* בין-בנקאי
interconnect *n.* להתחבר ביניהם
intercut *v.* לשלב צילומים שונים
interdepartmental *adj.* בין מחלקתי
interdisciplinary *adj.* בין תחומי
interface *n.* מימשק
interfaith *adj.* בין דתות
intergrowth *n.* צמיחה של זה בתוך זה
interior decoration עיצוב פנים
internalization *n.* הפנמה
internalize *v.* להפנים, לכלול הוצאות בפנים
internet *n.* אינטרנט, רשת מחשבים
internist *n.* מומחה למחלות פנימיות
interpersonal *adj.* (יחסים) בין אישיים
interplay *n.* פעולה הדדית
intersex *n.* אנדרוגינוס
intersexual *adj.* בין מיני, אנדרוגיני
interspace *v&n.* להכניס רווחים, רווח, מירווח
Intifada *n.* התקוממות, מרי
intrapreneur *n.* עובד-יזם
intrastate *adj.* של פנים המדינה
invasive *adj.* פולש, חודרני, מתפשט
involution *n.* מעורבות, סבך, סלסול פנימה
inward-looking *adj.* מסתכל פנימה, שקוע בעצמו, צר אופק
inweave *v.* לשזור זה בזה, לשלב
ionizer *n.* מיינן, מטהר האוויר
ipsissima verba המילים המדוייקות
IRA צבא אירי רפובליקני
iron-bound *adj.* קשה, קשוח, סלעי
ironist *n.* לגלגן, משתמש באירוניה
ISBN מיספר ספר

ischemia *n.* חוסר דם מקומי
islamize *v.* לאסלם, להפוך למוסלמי
island-hop *v.* לקפוץ מאי לאי
iso- (תחילית) שווה, באותו שיעור
isometric *adj.* של אותה מידה
isometrics *n-pl.* אימון שרירים
IVF הפרייה חוץ-גופית, הפריית מבחנה
jabberwocky *n.* דברי שטות, נאום קומי
jack *v&n.*
- jack in/up *לנטוש, לוותר על
jack plug תקע חד פיני
jack the lad *בטוח בעצמו, נמהר
jacket potato תפו"א אפוי עם הקליפה
jackhammer *n.* פטיש אוויר נייד
jacuzzi *n.* ג'קוזי, אמבט עיסוי
jam jar צנצנת ריבה, *מכונית
jeepers (creepers) וואו! (קריאה)
jelly bean סוכריית ג'לי
jelly roll עוגת רולדה
jet lag עייפות מטיסה
Jewry *n.* יהודים, יהדות
jink *v.* להתחמק, לזוז הצידה
jitterbug *n.* עצבני, פקעת עצבים
job sharing חלוקת העבודה
jobless *adj.* מובטל, מחוסר עבודה
jobsworth *n.* *פקיד קטנוני וקפדן
jock *n.* *סקוטי, רוכב על סוס, מגיש תקליטים, מגן אשכים
jockstrap *n.* מגן אשכים, *חסון
joint and several ביחד ולחוד
jojoba *n.* חוחובה (צמח תמרוקים)
joss stick מקל קטורת
ju-ju *n.* קמיע, קסם, כוח הקמיע
judgemental *adj.* שיפוטי
judoist *n.* לוחם ג'ודו
jugulate *v.* לסשף הגרון, לעצור (מחלה)
julienne *n.* רצועות ירקות (מאכל)
jump jet מטוס הממריא אנכית
jump leads כבלי התנעה
jump seat כיסא מתקפל במכונית
jump start התנעה בכבל
jumper cables כבלי התנעה
jumping jack צעצוע זיקוקין, בובת אדם קטנה
jumpsuit *n.* סרבל
junction box קופסת-צומת (לחשמל)
junior high school חטיבת ביניים
junk bond אג"ח גבוהות תשואה, אג"ח זבל
junk food אוכל דל-תזונה
junk mail דואר שאין לו דורש, חומר פרסומת
junkyard *n.* מגרש גרוטאות
jurassic *adj.* מתקופת היורה
jurat *n.* פקיד, שופט, נספח לתצהיר
kaftan *n.* גלימה, שמלה ארוכה
kamikaze *n.* קמקזי, מתאבד
karma *n.* קרמה, גורל, ייעוד
kazoo *n.* קאזו (כלי נגינה)
KB קילובייט, אלף בתים
keep-fit *n.* התעמלות, שמירת כושר
kerb-crawling *n.* נסיעה ליד המדרכה, הטרדת נשים עוברות
kerfuffle *n.* *מהומה, תכונה
keyboarder *n.* קלדנית, פסנתרן
keyhole surgery ניתוח מינימלי
keypad *n.* מקלדת זעירה
keypunch *n.* מנקבת
keystroke *n.* הקשה על מקש
keyword *n.* מילת מפתח
kHz קילוהרץ
kids' stuff דבר פשוט, מישחק ילדים
kinswoman *n.* קרובת משפחה
kirsch *n.* קירש, ברנדי דובדבנים
kiss *v.*
- kiss off *לפטר, להיפטר מ-, למות
knee jerk רפלקס הברך
knee-jerk *adj.* אוטומטי, צפוי, חזוי
knees-up *n.* *מסיבה, הילולה
knifepoint *n.* חוד הסכין
- at knifepoint באיומי סכין
knock-on effect השפעה עקיפה
knock-up *n.* חימום (לפני מישחק)
kook *n.* *קוקו, משוגע, תמהוני
kph קילומטרים לשעה, קמ"ש
Kraut *n.* *גרמני
la-di-da *n.* *סנוב, יומרני, גנדרן
lab animals חיות מעבדה
labor force כוח עבודה
labor pains צירי לידה, חבלי לידה
lace-up *adj.* (נעל) קשורה בשרוך

lacing *n.* קישוטי תחרה, קשירה בשרוך, מהילה בוויי״ש, *מכות
ladies' fingers במיה
ladyfinger *n.* עוגת ספוג דמוית אצבע
laid-back *adj.* *נינוח, לא מודאג
landing pad מינחת מסוקים
landline *n.* אמצעי תקשורת יבשתיים
lap of honor הקפת ניצחון
laptop *n.* מחשב נישא/נייד
lasagna *n.* לזניה (פסטה)
launder *v.*
- launder money *להלבין כסף
lavage *n.* שטיפה, שטיפת קיבה
lawmaker *n.* מחוקק
lawman *n.* איש חוק, שוטר, שריף
layperson *n.* הדיוט, לא מקצועי
lead time זמן ייצור מוצר
lead-free *adj.* נטול עופרת
league table טבלת הליגה
learning curve עקומת למידה, קצב ההתקדמות
leaseback *n.* החכרת הנכס למוכר
Lebanese *n.* לבנוני
leftie *n.* *שמאלני, איטר
lefty *n.* *שמאלני, איטר
leg-up *n.* עזרה, סיוע לגבור על קושי
legless *adj.* חסר רגליים, *שיכור
legroom *n.* מקום לרגליים
leisure center מרכז ספורט
leisurewear *n.* לבוש קל
lemon curd ריבת גבינה ולימון
lenitive *adj.* (סם) מרגיע
letter bomb מעטפת נפץ
letter of comfort כתב ערבות
letter-quality *adj.* איכותי למכתבי עסק
level pegging שוויון
Levi's *n-pl.* ליוייס (ג׳ינס)
libero *n.* ליברו (שחקן הגנה)
Libyan *n.* לובי, תושב לוב
lickspittle *n.* חנפן, מתרפס
life member חבר לכל החיים
life raft רפסודת הצלה
life sciences מדעי החיים, ביולוגיה
lifestyle אורח חיים
light industry תעשייה קלה
light-footed *adj.* קל רגליים
lightfast *adj.* יציב אור, לא דוהה
Limburger *n.* לימבורגר (גבינה)
limo *n.* *לימוזינה
line manager מנהל ישיר
line of vision קו ראייה
linefeed *n.* קידום נייר בשורה
liposuction *n.* שאיבת שומן
lithic *adj.* אבני, של אבן
little dipper דובה קטנה
live-in *adj.* דר עם בת הזוג, גר במקום עבודתו
lobbyist *n.* שדולן
lock *v.*
- lock horns להיאבק, להתמודד
lock step צעידה צמודה
locum *n.* ממלא מקום
log *v.*
- log in/on להתחיל העבודה
- log off לסיים העבודה במחשב
loge *n.* תא (בתיאטרון)
logo *n.* לוגו, סמל
loiter *v.*
- loiter with intent להסתובב למטרת פשע
lonely heart בודד, מחפש שותף
long-awaited *adj.* שחיכו לו זמן רב
long-dated *adj.* (אג״ח) ארוכות מועד
long-lasting *adj.* מאריך ימים
long-lost *adj.* שאבד לפני זמן רב
long-running *adj.* שנמשך זמן רב
long-stay *adj.* שוהה זמן רב
loose cannon גורם נזק שלא בכוונה
loose change כסף קטן
louche *adj.* ידוע לשמצה, ערמומי
love nest קן אוהבים
lovey *n.* *מותק, אהובה
lovey-dovey *adj.* *אוהב, ״קוצ׳י-מוצ׳י״
low life העולם התחתון
low-cut *adj.* (שמלה) עמוקת מחשוף
lowboy *n.* שידה נמוכה, שולחן נמוך
lox *n.* אילתית מעושנת, לקס, חמצן נוזלי
lumbar puncture הוצאת נוזל מהשדרה
lumpectomy *n.* הסרת גידול מהשד
luvvie *n.* *מותק, אהובה

machine code שפת מחשב
machismo *n.* מציואיזם, גבריות
macho *n.* מציו, גבר
macro *n.* מקרו, מיכלל, גדול, רחב
macroscopic *adj.* נראה לעין, בקנה-מידה רחב
mad cow disease מחלת הפרה המשוגעת
made-up *adj.* בדוי, לא-אמיתי, מאופר, מוכן, סלול
Maecenas *n.* מצנס, פטרון יצירה
mailshot *n.* שיגור דברי דואר רבים, הצפה בעלוני פרסומת
main line עורק ראשי, קו רכבת ראשי, *וריד להזרקת סם
mainframe *n.* מערכת מחשב
maitre d'hotel מלצר מלון ראשי
make *v.*
- make time למצוא זמן, *לחזר
makeover *n.* שינוי כללי, עיצוב מחדש
malarkey *n.* *שטויות, חנטריש
mammogram *n.* צילום שד
manhunt *n.* ציד אדם
manipulative *adj.* מניפולטיבי, נצלני
mantra *n.* מנטרה, מילה חוזרת
marginalize *v.* לדחוק אל השוליים, להתייחס בביטול
marital status מצב משפחתי
market basket סל קניות, סל לחישוב המדד
market economy כלכלת שוק
market share נתח שוק
marshland *n.* אדמת ביצות
martial arts ספורט הלחימה
mass destruction השמדה המונית
matrilineal *adj.* מצד האם
matron of honour שושבינת הכלה
mature student סטודנט מבוגר
max *v&n.* *(לעשות ה)מקסימום
maxilla *n.* עצם הלסת
maximalist *n.* מקסימליסט, דוחה פשרות, דוגל בתגובה נמרצת
mayo *n.* מיונז, מיונית
MB מגבייט, בוגר רפואה
MBA מסטר במינהל עסקים
McCoy *n.* *הדבר האמיתי
meal ticket תלוש ארוחה, מקור הכנסה, תומך כספי

meals on wheels משלוחי מזון לנזקקים
means test בדיקת אמצעים, בדיקת מצב כלכלי
media event אירוע תקשורתי
median strip רצועת הפרדה
medium dry חצי יבש (יין)
medium-range *adj.* לטווח בינוני
megabyte *n.* מגבייט, מיליון בתים
megaflop *n.* יחידת מהירות גבוהה, כישלון ענק
megalopolis *n.* עיר גדולה, עיר רבתי, עיר על פרווריה
melanin *n.* פיגמט כהה (בשיער)
melanoma *n.* גידול בעור
melt water מי הפשרה (של שלג)
meltdown *n.* היתוך, אסון, צניחת מניות
memory board לוח זיכרון, מיתקן איחסון נתיק
meniscus *n.* מניסקוס, סחוס הברך, עדשה קמורה-קעורה
mens rea כוונת פשע
menswear *n.* בגדי גברים
mental block מחסום נפשי
mental cruelty התאכזרות רוחנית
MEP חבר הפרלמנט האירופי
merchant bank בנק מסחרי
mere right זכות בעלמא
mesolithic *adj.* מסוליתי, מתקופת האבן האמצעית
mesomorph *n.* בעל גוף מוצק
mess kit ערכת כלי אוכל, מסטינג
methadone *n.* מתדון, סם הרדמה, תחליף סם
method acting משחק הזדהות עם הדמות
MHz מגהרץ
microchip *n.* שבב זעיר
microeconomics *n.* כלכלת הפרט
microgram *n.* מיליונית הגרם
mid-life *adj.* של גיל העמידה
middle school בי״ס לגילאי 9 - 13, חטיבת ביניים
midnight blue כחול כהה
midstream *n.* אמצע הנהר, אמצע הפעולה
mile *n.*
- miles away *שקוע במחשבות
milepost *n.* תמרור מייל (במרחק), ציון דרך, מאורע חשוב

military honors אותות כבוד צבאיים, מטחי כבוד
milk float מכונית לחלוקת חלב
millennium bug תקלת מחשב שנת אלפיים
milling *adj.* מתרוצץ הנה והנה
mind-set *n.* דפוס חשיבה, דעה מגובשת
minibar *n.* מיניבר, ארונית משקאות
minicab *n.* מונית
minicomputer *n.* מיני-מחשב
minimalist *n.* מינימליסט, דוגל בצמצום הפעילות , מתון פוליטית
miniskirt *n.* חצאית מיני
mirror finish מישטח מבהיק
misfeasance *n.* עבירה, שימוש לרעה בסמכות, מעילה בתפקיד
misstep *n.* צעד מוטעה, משגה
mistreat *v.* לנהוג בצורה רעה, להשחית
mixed bag מיגוון (דברים)
mixed economy משק מעורב, יוזמה פרטית וממלכתית
mixed grill בשר צלוי וירקות וכ׳
ml מיליליטר, מילים
mobile home קרוואן
mobile phone טלפון נייד
mod cons מיתקני נוחיות מודרני
modem *n.* מודם, חיבור מחשב וטלפון
monetarism *n.* מונטריזם, ויסות כמות הכסף
moniker *n.* *שם, כינוי
monism *n.* מוניזם, תורת האחדות בבריאה
monolingual *adj.* חד-לשוני
monomorphic *adj.* חד-צורתי
mononucleosis *n.* מונו, מחלת הנשיקה
monophonic *adj.* חד-קולי
moonscape *n.* נוף ירחי
morbid anatomy אנטומית רקמות חולות
morning after *כאב ראש (משתייה), חמרמורת
morning-after pill גלולת אחרי המשגל, גלולה למניעת הריון
morphing *n.* מורפינג, שינוי תמונה בשלבים
Morris chair כיסא נוח
Mother's Day יום האם, יום א׳ השני במאי
motherboard *n.* לוח אם (במחשב)
Mothering Sunday יום האם, יום א׳ הרביעי בלנט
motherland *n.* מולדת
motion sickness בחילת נסיעה
motor home קרון מגורים
motor racing מירוץ מכוניות
motormouth *n.* *פטפטן, ברברן
mountain *n.*
- move mountains הפך שמים וארץ, עשה כל מאמץ
mountain bike אופני הרים
mouse-colored *adj.* חום-אפרפר
moussaka *n.* מוסקה, חציל ובשר קצוץ וכ׳
mozzarella *n.* מוצרלה (גבינה)
mudflap *n.* מגן בוץ (לאופן)
muesli *n.* מוזלי (דייסת בוקר)
mugshot *n.* *תמונה (של פנים)
multi-access *n.* גישה בו-זמנית, גישה מכמה מסופים
multi-user *adj.* למשתמשים רבים, למשתמשים בו-זמנית
multicultural *n.* רב-תרבותי
multimedia *n.* מולטימדיה, רב-תקשורתי
multinational *adj.* רב-לאומי, חברה רב-לאומית
multiple sclerosis טרשת נפוצה
multiple-choice *adj.* לבחירת התשובה הנכונה
multiprocessing *n.* עיבוד בו-זמני, עיבוד נתונים רבים
murder *n.*
- get away with murder *לא לתת את הדין, לעשות כאוות נפשו
muscular dystrophy ניוון שרירים
musculature *n.* מערכת השרירים
music center מערכת רדיו טייפ וכ׳
musical director מנהל מוסיקלי
musicology *n.* מוסיקולוגיה, תורת המוסיקה
mutate *v.* לעבור מוטציה
mute button כפתור השתקה
myosotis *n.* זכריני (פרח)
naff *v.* הסתלק!, עוף!, חסר טעם, חסר ערך
nail-biting *adj.* מותח, גורם מתח

naivety *n.* נאיביות, תמימות
name *v.*
- name names להזכיר שמות (באישום)
nan *n.* לחם הודי, *סבתא
nana *n.* *טיפש, סבתא
nannying *adj.* *מפנק, דואג
nanosecond *n.* מיליארדית השנייה
nap hand עמדת זכייה, כדאיות להסתכן
napper *n.* *ראש, גולגולת
nappy rash פריחה בעור התינוק, פריחה באיזור המחותל
narcolepsy *n.* התקפי תרדמת
narcosis *n.* נרקוזה
narcoterrorism *n.* טרור סמים, פשיעת סמים
nares *n-pl.* נחיריים
narghile *n.* נרגילה
narrowcast *v&n.* לשדר לקהל יעד, שידור לקהל מצומצם
narthex *n.* מבוא, אכסדרה בכנסייה
natality *n.* ילודה, שיעור הילודה
natation *n.* (אמנות ה)שחייה
natatorial *adj.* של שחייה
natch *adv.* *בדרך הטבע, כמובן
nates *n-pl.* אחוריים, ישבן
Native American אינדיאני
native speaker דובר השפה מילדות
naysay *v.* לומר לא, להכחיש
Nazarene *n.* הנוצרי, איש נצרת
near *adv.*
- near the knuckle *על סף הגסות
nebbish *n.* *נעבעד, מסכן
nebulizer *n.* מרסס
necrology *n.* רשימת המתים, מודעת אבל
necropsy *n.* נתיחת גופה, אוטופסיה
necrosis *n.* מות רקמות
negativism *n.* נגטיביזם, כפירה במוסכמות, עמדה שלילית
Negritude *n.* כושיות, מעמד הכושי, תודעת התרבות הכושית
nelly *n.* *טיפש, איש נשי
- not on your nelly *לא ולא
nelson touch גישה חכמה לבעיה
neophobia *n.* ניאופוביה, שנאת החדש
neoteric *adj.* חדיש, מודרני
nephology *n.* תורת העננים
nephritic *adj.* של כליות
nerd *n.* *טיפש, טמבל
nervation *n.* מערך עורקי-העלה
nerve gas גאז עצבים
nervous wreck *לחוץ נפשית, עומד להתמוטט
nett *v.* (להרוויח) נטו
networker *n.* חבר ברשת מחשבים
neuron *n.* נוירון, תא עצב
neuropath *n.* חולה עצבים
newsbrief *n.* חדשה, מבזק חדשות
newsflash *n.* מבזק חדשות
newsman *n.* עיתונאי, כתב
nice *adj.*
- nice one/work *כל הכבוד
nickelodeon *n.* *אוטומט תקליטים
nidify *v.* לבנות קן
nightspot *n.* *מועדון לילה
nikkei *n.* ניקיי (מדד טוקיו)
nitty-gritty *n.* *העובדות לאשורן
no-fly zone איזור אסור לטיסות
no-no *n.* *דבר בלתי אפשרי
no-show *n.* שהזמין מקום ולא בא
nocuous *adj.* מזיק, רע
nonfeasance *n.* מחדל, אי עשייה
nookie *n.* *פעילות מינית
nowt *n.* *שום דבר, לא כלום
nuke *v&n.* *(להפעיל) נשק גרעיני
number cruncher *טוחן מספרים, מחשב חישובים
numbers game *פעולת חישוב, לוטו, עיסוק במספרים
numerology *n.* נומרולגיה, תורת המספרים, גימטרייה
numerus clausus מכסה מוגבלת של חברים
nutter *n.* *משוגע, תמהוני
obstruct justice שיבש הליכי משפט
occlude *v.* לסתום, לסגור, לספוג
OD *v&n.* (לקחת) מנת יתר (סם)
odds *n-pl.*
- shorten the odds לשפר הסיכויים
odometer *n.* מד-רחק
odontology *n.* אודונטולוגיה, רפואת שיניים
oeuvre *n.* יצירות אמנות, עבודות

off-line *adj.* לא מקוון (מחשב)
oik *n.* *אדם דוחה, אידיוט
old *n.*
- **an old one** בדיחה ידועה
oligopoly *n.* תחרות מוגבלת
omnifarious *adj.* מגוון, רב-גוני
on-line *adj.* מקוון (מחשב)
oncology *n.* אונקולוגיה, טיפול בגידולים
one-liner *n.* משפט קצר (וקולע)
one-off *adj.* חד-פעמי
one-parent *adj.* חד-הורי
oneiromancy *n.* פתרון חלומות
optimal *adj.* אופטימלי, נוח ביותר
orbicular *adj.* עגול, טבעתי, כדורי
oregano *n.* אורגנו (תבלין)
otitis *n.* דלקת האוזן
OTT *עובר כל גבול
outage *n.* הפסקת חשמל
outpace *v.* להתקדם מהר מ-
outplacement *n.* מציאת תעסוקה חדשה
overwrite *v.* לכתוב על, למחוק, לכתוב יותר מדי
ovine *adj.* כמו כבש, של כבשים
own goal גול עצמי, שער עצמי
PA הרשות הפלשתינית
pack drill טירטור בפקל צבאי
pager *n.* איתורית, ביפר
paid-up *adj.* ששולם במלואו, נפרע, *מסור לרעיון
Palestinian *n.* פלשתיני
palimony *n.* דמי פרידה (מבן-זוג)
palmtop *n.* מחשב כף-יד
panel beater פחח רכב
panic button לחצן מצוקה
paparazzi *n-pl.* פפרצי (צלמים)
paparazzo *n.* פפרצו, צלם-אורב
paralegal *n.* של משפטים
paramedic *n.* חובש
paranormal *adj.* מעבר לנורמלי
parfait *n.* פרפה (גלידה)
parkway *n.* כביש, שדרה, תחנת רכבת
parlay *v&n.* להמר בסכום הזכייה, לעלות בערכו, הימור
part exchange עיסקת חליפין, טרייד אין
part-way *adv.* בחלקו, בחלק מהדרך
party political תשדיר בחירות
party-poop *n.* *מקלקל מצב-רוח
passmark *n.* ציון עובר (בבחינה)
pathogen *n.* גורם מחלה
patrilineal *adj.* מצד האב
patsy *n.* *קורבן, מרומה, פתי
payback *n.* החזר כספי, תגמול, רווח אחרי ההשקעה
payout *n.* תשלום, פיצוי
pdq *מהר מאוד, מהר למדי
PE חינוך גופני
pea-brain *n.* *טיפש, קטן-מוח
pedal bin פח אשפה בעל דוושה
pedal pusher *רוכב אופניים
- **pedal pushers** מכנסי ברך
pedophile *n.* אוהב ילדים (סוטה)
pedophilia *n.* תאוות ילדים
peer group קבוצת גילאים שווים, קבוצת בני אותו מעמד
pellicle *n.* קרומית, קרום דק
pensile *adj.* תלוי
per contra בצד השני, בצד הנגדי
per se כשלעצמו, במהותו
percuss *v.* להקיש קלות (בבדיקה)
perdurable *adj.* נצחי, תמידי
perfect binding כריכת הדבקה
perfuse *v.* לרסס, לשפוך, להזרים
periapt *n.* קמיע
pericope *n.* קטע, פרשה
perinatal *adj.* סמוך מאוד ללידה
pernoctate *v.* בילה את הלילה
perpetual check שח תמידי
personal organizer יומן אישי
personal stereo ווקמן, דיסקמן
personnel carrier נגמ״ש
pertussis *n.* שעלת
pervious *adj.* חדיר, עביר, פתוח
petit four פטיפור (עוגייה)
PG לילדים בהדרכת הורים
phantom pregnancy הריון מדומה
phenom *n.* *פנומן, גאון
philogynist *n.* אוהב נשים
phone-tapping *n.* ציתות טלפוני
photofit *n.* קלסתרון
pic *n.* *תמונה, סרט קולנוע
picayune *n.* *חמישה סנט, חסר-ערך, נבזה, קטנוני
pick *v.*
- **pick up the tab** לקבל על עצמו לשלם
picklock *n.* פורץ מנעולים
pig *v.*
- **pig out** *זלול, לאכול כמו חזיר

pike *n.*
- come down the pike להופיע בשטח, להבחין בו
pill-popper *n.* *נוטל כדורים
pillow talk שיחה רומנטית במיטה
pillule *n.* גלולה, טבלית
pilose *adj.* שעיר, מכוסה שיער
pimping *adj.* קטן, חולני, קטנוני
PIN מספר סודי (בכספומט)
pin-down *n.* הכנסת ילדים למוסד
pipework *n.* צנרת
pissoir *n.* משתנה ציבורית
pistol-whip *v.* להכות באקדח
pix *n-pl.* *תמונות, סרטים
pixel *n.* פיקסל, נקודה במסך
pizzazz *n.* *מרץ, חיות
planish *v.* לרקע, לשטח, לרדד
plastic money *כרטיסי אשראי
plat *n.* חלקת אדמה, מפת שטח
platelet *n.* תרומבוציט, טסית הדם, תא מסייע להקרשה
playmaker *n.* רכז
plea bargain עיסקת טיעון
plug-ugly *n.* *בריון
pluvial *adj.* גשום, של גשם
politically correct לא פוגע פוליטית, טקטי, לא גזעני
polystyrene *n.* קלקר
Popsicle *n.* שלגון, ארטיק
post-natal *adj.* שלאחר הלידה
post-operative *adj.* שלאחר ניתוח
postage meter מכונת ביול
pot cheese גבינת קוטג'
potentiate *v.* לחזק, לאפשר
pound of flesh ליטרת הבשר, דרישה סחטנית
poverty line קו העוני
power cut הפסקת חשמל
PR יחסי ציבור
pragmatics *n-pl.* בלשנות, שימוש השפה
pratfall *n.* *נפילה על הישבן, כישלון מחפיר
prayer shawl טלית
pre-date *v.* להתרחש לפני
pre-plan *v.* לתכנן מראש
pre-prandial *adj.* לפני הארוחה
pre-tax *adj.* לפני מס
pre-teen *adj.* למטה מגיל 13
preference shares מניות בכורה
premed *n.* *תרופה לפני טיפול, קורס רפואה
premenstrual *adj.* קדם-וסתי
prep school מכינה, אולפנא
prepayment *n.* תשלום מקדמה
prepone *v.* להקדים התאריך
preppy *n.* *תיכוניסט, נער "צפוני"
presentment *n.* הצהרה, הצגת מידע
pressie/prezzie *n.* מתנה, שי
pretermit *v.* להשמיט, להפסיק
prex *n.* *נשיא (של מכללה)
price ring קבוצת קובעי מחיר
primaries *n-pl.* בחירות מקדימות
prime rate ריבית פריים
prioritize *v.* לתת עדיפות ל-
privatization *n.* הפרטה
privatize *v.* להפריט
pro-am *adj.* למקצוענים וחובבים
pro-choice *adj.* בעד הפלה מרצון
pro-life *adj.* נגד הפלות
process *n.*
- in process of time במרוצת הזמן
procumbent *adj.* אפיים ארצה, שוכב
prodigal son הסורר שחזר למוטב
professionalize *v.* למקצע
profit-taking מימוש רווחים
progeniture *n.* הולדה, צאצא
programmatic *adj.* פרוגרמטי, תוכניתי
promo *n.* *פרסומת, בקרוב, קטעים מסרט, תשדיר
prompt-note *n.* תזכורת לתשלום
prorate *v.* להקצות באופן יחסי
pseud *n.* *מזוייף, מתיימר
psychometric *adj.* פסיכומטרי
puffery *n.* האדרה, שבחים, ניפוח
puissant *adj.* חזק, כביר כוח
pump *v.*
- pump iron *להרים משקולות
pump-priming *n.* הכשרת המשאבה, שימון גלגלי העסק
punchy *adj.* חזק, בעל עוצמה
pup tent אוהל סיירים
pupillage *n.* מעמד התלמיד, התמחות בעריכת דין
puppet state מדינת חסות
pursy *adj.* מתנשף, בעל גוף
quick fix פתרון חפוז
quick-fire *adj.* (מענה) מהיר

quid *n.*
- quids in ברווח*
quorate *adj.* בעל מניין חוקי
raceway *n.* מסלול מירוץ, תעלה
radar trap מכמונת מהירות
rafting *n.* רפטינג (ספורט שייט)
rag-and-bone man סמרטוטר*
rags-to-riches *adj.* שהפך מעני לעשיר
rainmaker *n.* מצליחן (בעסקים)*
ram *v.*
- ram home להחדיר למוחו
ram-raid *n.* פריצה לחלון ראווה, פריצה בעזרת רכב
randomize *v.* לבחור באקראי
rangy *adj.* גבוה ורזה
rap sheet דו"ח מעצר
rapid transit תחבורה מהירה
rapporteur *n.* מכין דו"ח ועדה
rat-run *n.* מסלול עוקף פקקים*
ratbag *n.* אדם דוחה, חלאה*
razzmatazz *n.* הילולה, רעש, חנטריש*
re-route *v.* לשלוח בנתיב אחר
real live אמיתי, ממש*
real money טבין ותקילין
real time זמן אמת
real-life *adj.* אמיתי, לא דמיוני
reboot *v.* לתחל (מחשב) מחדש
recliner *n.* כיסא מנוחה, כיסא נוח
recognized *adj.* מוכר, מאושר
recommit *v.* להחזיר לוועדה
red alert כוננות שיא
red-pencil *v.* לצנזר, לתקן
redial *v.* לחייג שוב
reenact *v.* לשחזר, לחוקק מחדש
refer *v.*
- refer to drawer נא לפנות למושך, אין כיסוי לשיק
referral *n.* הפניה
reflation *n.* ביטול הדפלציה, השבת מחיר לרמה רצויה
reform school מוסד לעבריינים
reggae *n.* רגאיי (מוסיקה)
regnal *adj.* מלכותי, של שלטון
rehab *n.* שיקום, טיהור שם*
remise *v.* לוותר על תביעה
rent boy זונה ממין זכר
rent control תקנת שכירות
rent-a-crowd שכירת קהל*
repeat order הזמנה חוזרת
replevin *n.* שחרור סחורה מעוקלת
resect *v.* לחתוך, לקצץ
resit *v&n.* להיבחן שוב, בחינה נוספת, מועד ב'
rest in peace ינוח בשלום על משכבו
restart *v.* להתחיל מחדש
restricted area איזור מוגבל לזרים, איזור מהירות מוגבלת
restrictive practice הסכם עסקי מגביל
retinitis *n.* דלקת הרשתית
retrofit *v.* להשביח, לפתח
retry *v.* לשפוט מחדש
return visit ביקור גומלין
returnee *n.* חוזר (הביתה)
retype *v.* להדפיס מחדש
rev counter מונה סיבובים
reversing light אור הילוך אחורי
revisit *v.* לבקר שנית
rewind *v.* לגלגל (סרט) אחורה
rework *v.* לעבד שוב, לשנות
rhythm method פרישות בתקופת הביוץ, אי קיום יחסים
rial *n.* ריאל (מטבע אירני)
Richter scale סולם ריכטר
right *adj.*
- a right one טיפש, מטומטם*
ring main/circuit מעגל חשמלי
ring-pull *n.* טבעת משיכה (בפחית)
risk capital הון ספקולטיבי
road map מפת דרכים
road pricing היטל כבישים
road-holding *n.* אחיזת כביש (של רכב)
robotics *n-pl.* רובוטיקה, תורת הרובוטים
rocket launcher משגר טילים
role model איש למופת, מודל לחיקוי
ROM זיכרון קריאה בלבד
rooftop *n.* גג
- shout from rooftops להוציא כביסה מלוכלכת, לפרסם ברבים
room and board לינה וארוחות
root canal (טיפול) שורש
Rottweiler *n.* רוטוויילר (כלב)
rough copy טיוטה
rough justice יחס לא הוגן
rough ride שעה/חוויה קשה
roust *v.* לעורר, *לטרטר
roux *n.* תערובת שומן וקמח

roving eye לטישת עיניים (לאישה), התעסקות
rowhouse *n.* בית (בשורת בתים)
royal *adj.*
- royal road to דרך המלך ל-, שיטה להשיג בלי טרחה
rozzer *n.* *שוטר
RPG אר-פי-גיי (שפה/טיל)
rpm סיבובים לדקה
rt ימין, רדיו-טלפון
ruche *n.* סרט קישוט, שנץ
running repairs תיקונים שוטפים
running sore פצע מוגלתי
rupiah *n.* רופיה(מטבע אינדונזי)
rush *v.*
- rush one's fences לפעול בפזיזות
sad sack *לא יוצלח, בטלן
saddle horse סוס רכיבה
sadomasochist *n.* סדומזוכיסט
sae מעטפה מבוילת וממוענת
safe house מקום מיפגש, מיקלט
safety factor מרווח ביטחון
safety net רשת ביטחון
safflower *n.* חריע
saggy *n.* צנוח, נפול, שקוע
sailboard *n.* גלשן-מיפרש
salmonella *n.* סלמונלה, הרעלת מזון
SAM טיל קרקע אוויר
sangria *n.* סנגרייה (משקה ספרדי)
sarcoma *n.* סרקומה (גידול)
sauce *n.*
- sauce for the goose מה שטוב לזה טוב לזה
Saudi *adj.* של ערב הסעודית
save *v.*
- save appearances להפגין הופעה מכובדת
scam *v&n.* *להונות, למעול, תרמית, סיפור, שמועה
scanties *n-pl.* תחתוני אישה
scaredy-cat *n.* *פחדן
scathe *v&n.* לפגוע, להזיק, נזק
scattershot *adj.* אקראי, מקרי
schlock *adj.* *מאיכות גרועה, זבל
schmooze *v.* לשוחח, לפטפט
sci-fi *n.* מדע בידיוני
science park אתר למחקר מדעי
scoliosis *n.* עקמת עמוד השדרה
scoreline *n.* תוצאה, סך הנקודות
scorpion grass זיכריני (צמח)
scratch *v.*
- scratch along להתקיים איכשהו
screenwriter *n.* כותב תסריטים
screw-up *n.* *פשלה, בלגן
scumbag *n.* *חלאת-אדם, נמושה
scuttlebutt *n.* מיתקן שתייה, רכילות, שמועה
sealant *n.* חומר איטום
seaquake *n.* רעידת אדמה תת-ימית
second ballot בחירות חוזרות, הצבעה שנייה
second wind התאוששות, נשימה רגילה, מרץ חדש
second-guess *v.* *לנחש, לנבא, לשפוט בראייה לאחור
secondary school בי״ס תיכון, חטיבת ביניים
secretaire *n.* מכתבה
security blanket איפול ביטחוני, פריט הרגעה לילד
seedpearl *n.* פנינה זעירה
segue *v&n.* לעבור ללא הפסקה, מעבר רצוף משיר לשיר
self-destruct *adj.* משמיד עצמו
selfhood *n.* אישיות, ישות נפרדת
sell-off *n.* הפרטת חברה ממשלתית, מכירה כללית
selling point סגולה, יתרון
seltzer *n.* מי סודה
sequacious *adj.* עקבי, הגיוני
sequencer *n.* סקוונסר, מסדר מעקובת, התקן לרצף נכון
serial killer רוצח סדרתי
serio-comic *adj.* רציני-קומי
service area תחנת שירות, תחנת דלק, איזור שידורי התחנה
service book ספר תפילה
set-aside *n.* הקצאה, הפרשה
setting lotion נוזל לעיצוב שיער
seventh heaven (ב)רקיע השביעי
sex object אובייקט מיני, מושך מבחינה מינית
sex symbol סמל מין (אדם)
sexual harassment הטרדה מינית
SGT סמל, סרג׳נט
shake-out *n.* שידוד מערכות, רה-אירגון, מהפך
shaman *n.* שאמאן, רופא אליל

shambolic *adj.* *מבולגן
shareware *n.* תוכנה לבדיקה, תוכנה לתשלום עתידי
sharp end *חרטום הספינה, זירת הפעולה הישירה
shelf life חיי מדף (של פריט)
shell suit אימונית (אטימה)
shellfire *n.* אש ארטילרית
shift *v.*
- shift off להיפטר, להסיר האחריות
shimmy *v&n.* *לרטוט, תחתונית
shin-guard/-pad *n.* מגן שוק
shipboard *adj.* על סיפון האונייה
shoebox *n.* קופסת נעליים, מקום צר
shooting iron *נשק, אקדח
shopaholic *n.* *קונה כפייתי
shopping mall קניון, מרכז קניות
short fuse *מהירות-חימה
shotgun wedding *חתונה כפויה, חתונה חפוזה
shoulder pad כרית כתף
show trial משפט ראווה
show-stopper *n.* מופע מצליח
showground *n.* אתר תערוכה
shrink-wrap *v.* לעטוף בניילון צמוד, לניילן
sib *n.* אח, אחות, קרוב, שאר בשר
side-on *adj.* צידי, בצד הרכב
SIDS סינדרום מוות בעריסה
significant other בעל, אישה
sikh *n.* סיקי, של הסיקים (בהודו)
Silicon Valley עמק הסיליקון, מרכז תעשית היי-טק
silly season עונת הרכילות, עונת חדשות דלות
silviculture *n.* גידול עצים
simplistic *adj.* פשטני בצורה מעושה
sinful *adj.* חוטא, *ראוי לגינוי
singalong *n.* שירה בציבור
singer-songwriter *n.* זמר משורר
single cream שמנת רזה
singles bar בר לפנויים ופנויות
sinistral *adj.* שמאלי, לצד שמאל
Sinn Fein שין פיין, מפלגה לאומית אירית
sitcom *n.* קומדיית מצבים
situ *n.*
- in situ במקומו (המקורי)
slam dunk הטבעת כוח
slambang *adj.* *מלהיב, נמרץ
slammer *n.* *בית סוהר, חד גדיא
slave-bangle *n.* צמיד, צמיד-זרוע
slice of life סיפור מהחיים, תיאור חוויה יומיומית
slimline *adj.* רזה, לא משמין
slings and arrows התקפות
slinky *adj.* מתגנב, חמקמק, צמוד, הדוק, דק וחטוב
sloe-eyed *adj.* בעל עיני שזיף, שעיניו שחורות כחולות
slyboots *n.* *שובב, קונדס
smart card כרטיס אשראי, כרטיס בנק, כרטיס חכם
smart money קנס, שכר מומחה
smear test מישטח (בדיקה)
smoking gun/pistol עדות מפלילה, הוכחה ניצחת
snafu *adj.* *מבולגן, תוהו ובוהו
snail mail *דואר רגיל (איטי)
snake oil *תרופת שווא
snake pit מאורת נחשים
sniffer *n.* *אף, מריח, מסניף
snowmobile *n.* רכב שלג
sock *n.*
- blow one's socks off להדהים
soft touch *טרף קל, פרייאר
soft-back/-cover *adj.* רך-כריכה
soft-centered בעל מילוי רך, רך-לבב, רגיש
solar heater דוד שמש
solar panel קולט שמש (בחללית)
solatium *n.* פיצוי, דבר נחמה
solvent abuse שאיפת חומר נדיף, הרחת דבק
Song of Songs שיר השירים
soulmate *n.* ידיד נפש
sound bite קטע קצר מראיון
sound system מערכת קול, מערכת צלילים
soupy *adj.* כמו מרק, רגשני
sour cream שמנת חמוצה
sourdough *n.* מחמצת, שאור, מחפש זהב
space age עידן החלל
space walk הליכה בחלל, פעילות מחוץ לחללית
spacey *adj.* מרווח, רחב
spaghetti junction מחלף רב-מפלסי
spectator sport ספורט לצופים
speed bump פס האטה (בכביש)

spell-check *n.* בדיקת איות
spelling bee תחרות איות
sperm bank בנק זרע
spermicide *n.* קוטל זרע
sphincter *n.* שריר פי-הטבעת
spiffy *adj.* *מצויין, נאה
spike heel עקב גבוה
spin doctor *דובר פוליטי, פרשן תקשורת אוהד
spirograph *n.* רושם נשימות
spitting distance מרחק יריקה, מרחק קצר
splash guard מגן בוץ
spliff *n.* *סיגריית חשיש
split shift משמרת מפוצלת
spoiler *n.* ספוילר, מחזק אחיזת כביש, מונע העתקות, מרתק
sporting chance סיכוי-מה
sportscast *n.* שידור ספורט
spousal *adj.* של נישואים
spreadsheet *n.* גיליון אלקטרוני, טבלת מספרים
spring roll אגרול (חטיף סיני)
squaddie *n.* *טירון, טוראי
square shooter אדם הוגן
square-eyed *adj.* *מכור לטלוויזיה
squawk box *רמקול, אינטרקום
squeeze-box *אקורדיון
stablemate *n.* מאותו מקור/ארגון
staffer *n.* חבר צוות
stagehand *n.* עובד במה
stagflation *n.* סטגפלציה, סטגנציה ואינפלציה
stand *v.*
- stand on me *סמוך עלי
stand-up comedy הצגת יחיד, מופע סטנד-אפ
staple gun אקדח כליבים
star *n.*
- my stars! *חי נפשי!
start-up *n.* התחלה, פתיחה, חנוכה, התנעה, תחילי
stasis *n.* קיפאון, אי פעילות
stat *n.* סטטיסטיקה, *טרמוסטט
State Department משרד החוץ
state of the art השלב הנוכחי, של טכניקה מודרנית
statewide *adj.* ברחבי המדינה
station house תחנת משטרה
stationary bicycle אופני כושר
statist *n.* סטטיסטיקן, תומך בריכוזיות הממשל
statute-barred *adj.* שאין לאכוף אותו, מנוע עקב התיישנות
steady-going *adj.* מתון, מפוכח
steakhouse *n.* סטייקיה
stemware *n.* גביעי-קנה
stenosis *n.* היצרות
stenotypist *n.* כתבנית-קצרנית
step *v.*
- step out of line לעבור את הגבול, להתנהג שלא כראוי
stick shift מוט הילוכים
stickability *n.* *סבולת, התמדה
sticking point אבן נגף
still *adv.*
- still and all *בכל זאת
stir-fry *v.* לטגן אגב בחישה
stiver *n.* סטייבר, פרוטה
- not care a stiver לא אכפת כלל
stop light/lamp פנס בלימה
store card כרטיס אשראי ללקוח
strapped *adj.* חסר, דחוק ב-
straw *n.*
- draw the short straw לעלות בגורל
streetwise *adj.* מכיר את חיי העיר
stressed out *מותש, מולחץ
stretch marks סימני-עור
strike *v.*
- strike lucky להיות בר מזל
stringer *n.* *חורז, כתב, עיתונאי
strip club מועדון חשפנות
strip search חיפוש בלא בגדים
strongman *n.* מנהיג חזק
stun gun רובה הלם
styrofoam *n.* קלקר
subaqueous *adj.* תת-מימי, רפה
subrogate *v.* להחליף, להעביר זכויות לצד ג'
substance abuse שימוש רע בסמים
sui generis מסוגו, יחיד במינו
sui juris בגיר, ברשות עצמו
summary conviction הרשעה מהירה, פס"ד ללא חבר מושבעים
summer-weight *adj.* (בגד) קייצי
sumo *n.* סומו, היאבקות יפנית
sun dress שמלה קייצית
sun-kissed *adj.* שחומים בשמש
sunbed *n.* כיסא-/מיטת שיזוף
sunblock *n.* קרם הגנה נגד שמש
sunfast *adj.* לא דוהה בשמש

sunrise industry תעשייה מבטיחה
sunscreen *n.* מישחה נגד שמש
superable *adj.* שניתן להכניעו
supercomputer *n.* מחשב-על
superconductive *adj.* מוליך-על
superconductor *n.* מוליך-על
supergrass *n.* *מודיע משטרתי
superhighway *n.* כביש מהיר ביותר, העברת מידע מהירה
supermodel *n.* דוגמנית צמרת
superstore *n.* מרכול ענק
supply line קו אספקה
supply-side *n.* של הקלת המיסוי, עידוד ההשקעות והיצור
support price סובסידיה
supremo *n.* שליט, מנהל, בוס
surcease *v&n.* לסיים, סיום, הפסקה
surrender *v.*
- surrender to bail להופיע אחר הערבות, לבוא אחר שחרור ערבות
surrogate *n.* תחליף, פונדקאית
suspended sentence פס"ד מאסר על תנאי
suss *v&n.* *לחשוד, לחקור, להבין, ליידע, חשוד, חשד
swear *v.*
- swear blind *לטעון בכל תוקף
sweatpants *n-pl.* מכנסי טריינינג
sweatsuit *n.* חליפת טריינינג
taboret *n.* שרפרף, כיסא נמוך
tabula rasa דף חדש, לוח נקי
tacho(meter) *n.* מד מהירות
tad *n.* *ילד, כמות זעירה, מעט
take *v.*
- has what it takes *יש לו הנתונים ל-
take-up *n.* היענות, קבלה, הסכמה
talk show טוק שואו, תוכנית ראיונות
talking head *מגיש, שדרן
tank top חולצה חסרת שרוולים
tax break הנחה ממס
tax evasion העלמת מס
tax return הצהרת הכנסה, דו"ח מס
Tay-Sachs *n.* טיי סאקס (מחלה)
techie *n.* *מומחה לטכנולוגיה
techno *n.* טקנו (מוסיקה), שמוש בכלים אלקטרונים
tectonic *adj.* טקטוני, של מבנים
ted *v.* לפזר, לייבש קש
teeny-bopper *n.* *מעריצת פופ
telebanking *n.* בנקאות טלפונית
telecommute *v.* לעבוד דרך תקשורת
telecoms *n.* טלקומוניקציה
teleconference *n.* שיחת ועידה
telefax *n.* טלפקס
telegenic *adj.* פוטוגני בטלוויזיה
telekinesis *n.* טלקינסיס, הזזת חפצים מרחוק
telemarketing *n.* שיווק טלפוני
telemessage *n.* טלמסר
telesales *n-pl.* מכירות בטלפון
teletext *n.* טלטקסט, העברת טקסט בטלוויזיה
telethon *n.* טלטתרום
televiewer *n.* צופה טלוויזיה
telework *v.* לעבוד דרך תקשורת
telling-off *n.* *נזיפה, גערה
term paper עבודת גמר
testosterone *n.* טסטוסטרון, הורמון זכרי
Thai *n.* תאילנדי, תאילנדית
thalassic *adj.* של הים, ימי
theocentric *adj.* שאלוהים במרכזו
thick-skulled *adj.* טיפש
third age הגיל השלישי, זיקנה
thrift shop חנות יד שנייה
thrombocyte *n.* תרומבוציט, טסית הדם, תא מסייע להקרשה
throw rug שטיחון
time-frame *n.* מסגרת הזמן
timescale *n.* פרק זמן
tinnitus *n.* צלצול באוזניים
tinpot *adj.* *זול, עלוב, נחות
Titian *adj.* (שיער) ערמוני
toasty *adj.* חמים, נעים
toff *v.* *להתלבש בהידור
toffee *n.*
- can't for toffee *לא יכול כלל
tokenism *n.* סמליות, ייצוג סמלי
Tommy *n.* *טוראי בריטי
tonepad *n.* טונפד, תקשורת צליל
tonsillectomy *n.* ניתוח שקדים
top-level *adj.* עליון, רם מעלה
total recall זיכרון מושלם
tote bag סל קניות
touchpaper *n.* נייר הצתה
tough *v.*
- tough it (out) *לעמוד בכך

tow-colored *adj.* (שיער) בהיר
tow-headed *adj.* בהיר-שיער, פרוע-שיער
toyboy *n.* *מאהב צעיר
track record עבר, פועל, הישגים
trackball *n.* טרקבול, מזיז סמן
trad *adj.* (ג'אז) מסורתי
trade fair יריד מסחרי
trade secret סוד מקצועי
trade-off *n.* איזון, קיזוז, פשרה
traffic island אי תנועה
trail *v.*
- trail one's coat לחרחר ריב
trainload *n.* מיטען הרכבת, נוסעי הרכבת
tramway *n.* פסי חשמלית, מערכת חשמליות
tranche *n.* חלק, נתח, הכנסה ממניות
transceiver *n.* מקמ"ש, מקלט-משדר
transsexual *n.* טרנסקסואל, ששינה את מינו, מנותח-מין
traumatize *v.* לגרום לטראומה
triathlon *n.* קרב שלוש
trick cyclist להטוטן אופניים, פסיכיאטר
triste *adj.* עצוב, קודר
triturate *v.* לטחון, לכתוש, ללעוס
try *v.*
- try a fall with להתמודד עם
- try for size לבדוק התאמתו
tsp כפית, מלוא הכפית
tug of love *מאבק על ילד
tumble-dryer *n.* מייבש כביסה
tunnel vision ראיית מנהרה, ראייה צרת אופק
turf accountant סוכן הימורים
turn-on *n.* *מדליק (מינית)
tutti *adv.* כל כלי הנגינה ביחד
tux *n.* *טוקסידו, סמוקינג
twee *adj.* *חמוד, מעושה, מלוקק
typo *n.* *טעות דפוס, דפס
ultrasound *n.* אולטרה-סאונד, בדיקה תוך-גופית
ump *n.* *שופט (במישחק)
unbuild *v.* להרוס, לנתץ
unclassified *adj.* בלתי מסווג, בלמ"ס
uncloak *v.* לחשוף, לפשוט מעיל
unco *adj.* משונה, יוצא דופן, מאוד, זר, חדשות
underthings *n.* *בגדים תחתונים
underwhelm *v.* *לא להרשים
undescended *adj.* (אשך) טמיר
unexceptional *adj.* לא בלתי רגיל
unfazed *adj.* *לא מוטרד, אדיש
unfilial *adj.* לא יאה לבן
universal agent מיופה כוח כללי
unleaded *adj.* נטול-עופרת
unmet *adj.* (מטרה) שלא הוגשמה
unputdownable *adj.* *מרתק
unread *adj.* לא משכיל
unstinting *adj.* מפרגן, לא חוסך
upchuck *v.* *להקיא
upmarket *adv.* לכיוון השוק היקר
upwind *adv.* נגד כיוון הרוח
urea *n.* שתנן
uremia *n.* אורמיה, אשתנת
urethra *n.* שופכה
urinalysis *n.* בדיקת שתן
use-by date לשימוש עד תאריך
user-friendly *adj.* ידידותי למשתמש
usufruct *n.* מלוג, זכות שימוש
utility room מחסן, חדר שירות
Uzi *n.* עוזי (תת-מקלע)
Valium *n.* וליום (להרגעה)
valorize *v.* לייקר, לייצב מחיר
valuta *n.* ערך מטבע ביחס לאחר
vandyke beard זקן מחודד
varicella *n.* אבעבועות רוח
variole *n.* גממית (מאבעבועות)
vasodilation *n.* התרחבות כלי הדם
VCR מכשיר וידיאו
VDU מסוף, צג
veep *n.* *סגן נשיא
veggie *adj.* *צמחוני, ירק
Velcro *n.* סרטי הצמדה (בבגד)
velodrome *n.* אתר מרוצי אופניים
verism *n.* ריאליה, מציאותיות
versant *n.* שיפוע, מדרון
vice ring כנופית פשיעה
video nasty *סרט אימה/גס
videoconference *n.* שיחת ועידה בטלויזיה
videofit *n.* קלסתרון-מסך
videophone *n.* טלפון-צג
vincible *adj.* שאפשר לגבור עליו
vindictive damages פיצויי עונשין, פיצויים מעל לנזק
viniculture *n.* גידול גפנים
virtual reality מציאות מדומה

visual field שדה ראייה
vitro *n.*
- in vitro חוץ-גופי, במבחנה
voice box גרון
volplane *v&n.* לדאות, דאייה
vote *v.*
- vote off/out להדיח בהצבעה
vote of censure הצבעת אי אמון
wacko *n.* *משוגע, מטורף
wage slave שכיר (בתנאי עבדות)
walking-frame *n.* הליכון
Walkman *n.* ווקמן
wallchart *n.* תרשים-קיר
wally *n.* *טיפש, מטומטם
waltz *v.*
- waltz off with *לגנוב, לזכות בקלות
wanna(be) *n.* *רוצה (להיות)
war chest קרן מלחמה
wart *n.*
- warts and all *בלי להסתיר פגמים
waste disposal unit טוחן אשפה
Water-bearer *n.* מזל דלי
wave *n.*
- make waves *לעשות צרות, לעשות גלים, לעשות רוח
- wave down לסמן שיעצור
wax *v.*
- wax and wane לעבור תהפוכות
way *adv.*
- way back *לפני זמן רב, מזמן
way station ציון דרך
week-long *adj.* שנמשך שבוע
weigh *v.*
- weigh into *לתקוף, להיכנס ב-
weighbridge *n.* מאזני רכב
weight training אימון משקולות
well-adjusted *adj.* יציב מנטלית
wham *v&n.* *להלום, (קול) חבטה
whammy *n.* *השפעה רעה
wheel clamp סנדל רכב
whinge *v.* *לבכות, לקטר
whipsaw *v&n.* מסור, *לרמות
white goods מקררים, מכונות כביסה
whiz-kid *n.* ילד פלא, מבריק
wholefood *n.* מזון מלא, מזון מעובד מינימלית
whoosh *v.* לחלוף בשריקה
widget *n.* *אמצאה, מכשיר, פטנט
widow's peak שער הראש בצורת וי
wigwag *v.* *לנוע הנה והנה, לנפנף
wimp *n.* *חלשלוש, לא שווה
windsurf *v.* לגלוש בגלשן-מיפרש
wino *n.* *שתיין, אלכוהוליסט
witter *v.* *לפטפט, לקשקש
wodge *n.* *נתח, חתיכה הגונה
wog *n.* *זר, נוכרי, מחלה
women's lib *שיחרור האישה
woosh *v.* לחלוף בשריקה
word processor מעבד תמלילים
work surface משטח עבודה
workaholic *n.* *מכור לעבודה
workload *n.* עומס עבודה
world-shaking *adj.* עולמי, בעל חשיבות עליונה
WP מעבד תמלילים
wrong-foot *v.* *לסכל, להביך, לתפסו לא מוכן
X-rated *adj.* למבוגרים, פורנוגרפי
xerography *n.* זירוגרפיה, העתקת מסמכים
xylograph *n.* תגליף עץ
yardman *n.* גנן, חצרן
Yellow Pages דפי זהב
yellow streak *פחדנות
yob *n.* *אדם גס, חוליגן
yomp *v.* *לצעוד עמוס ציוד כבד
yonks *n-pl.* *עידן ועידנים
you and yours לך ולבני ביתך, אתה וכל אשר לך
yuck/yuk *intrj.* *איכס, מגעיל
yummy *adj.* *טעים, נהדר
yuppie *n.* *יאפי, מצליחן, מקצוען העובד בעיר
zap *v&n.* *להרוג, להרוס, להכות, לנוע במהירות, לעבור מערוץ לערוץ, לשנות, למחוק, מרץ
zapper *n.* *שלט-רחוק
zappy *adj.* *מלא מרץ, תוסס
Zeitgeist *n.* רוח הזמן
zero option הצעה לפירוק נשק
zilch *n.* *שום דבר, לא כלום
zillion *n.* *מיליונים, המון
zing *v&n.* *לחלוף בשריקה, מרץ
zit *n.* *פצעון
zizz *v&n.* *(לחטוף) תנומה קלה
zwieback *n.* צנים, עוגייה קלויה

• •

שמעון זילברמן

מילון
עברי — אנגלי
עדכני

מִלּוֹן עִבְרִי־אַנְגְלִי עַדְכָּנִי

THE UP-TO-DATE HEBREW-ENGLISH DICTIONARY

הַקְדָּמָה

הַתּוֹפָעוֹת הַשּׁוֹנוֹת שֶׁבְּעוֹלָמֵנוּ, וְהַחֲוָיוֹת שֶׁאָנוּ מִתְנַסִּים בָּהֶן חֲדָשִׁים לַבְּקָרִים, כּוֹפוֹת עָלֵינוּ מִדֵּי פַּעַם בְּפַעַם לִטְבּוֹעַ תַּחְדִּישִׁים לְשׁוֹנִיִּים, שֶׁאַט־אַט נִקְלָטִים בַּשָּׂפָה וְהוֹפְכִים לְנַחֲלַת הַכְּלָל. לְפִיכָךְ מִתְעוֹרֵר בְּכָל פֶּרֶק־זְמַן הַצּוֹרֶךְ לְעַדְכֵּן אֶת הַמִּלּוֹנִים וּלְשַׁבֵּץ בָּהֶם אֶת הַמּוּנָּחִים הַחֲדָשִׁים.

הַמִּלּוֹן הָעִבְרִי־אַנְגְלִי הָעַדְכָּנִי עוֹנֶה עַל דְּרִישָׁה זוֹ, שֶׁכֵּן הוּא כּוֹלֵל מִלִּים וּבִטּוּיִים שְׁכִיחִים, וְכֵן כָּאֵלֶּה שֶׁנִּתְחַדְּשׁוּ לָאַחֲרוֹנָה בַּלְּשׁוֹנוֹת הָעִבְרִית וְהָאַנְגְלִית בִּשְׂפַת הַיּוֹם־יוֹם, וּבִתְחוּמִים שׁוֹנִים כְּגוֹן בְּעַנְפֵי הָרְפוּאָה, הַסְּפּוֹרְט, הַמַּחְשְׁבִים וְעוֹד.

הַכְּתִיב וְהַנִּקּוּד שֶׁל הָעִבְרִית בַּמִּלּוֹן

חוֹלָם מְסוּמָּן כְּחוֹלָם מָלֵא. דּוּגְמָאוֹת: אוֹהֶל (וְלֹא אֹהֶל); חוֹק (וְלֹא חֹק) — לְמַעֵט מִלִּים סְפּוּרוֹת שֶׁהַכְּתִיב הֶחָסֵר רוֹוֵחַ בָּהֶן, כְּגוֹן: פֹּה, לֹא.

קָמַץ קָטָן מְסוּמָּן בְּדֶרֶךְ כְּלָל כְּחוֹלָם מָלֵא. דּוּגְמָאוֹת: אוֹפְנָה, עוֹצְמָה. אַךְ יֶשְׁנָן כַּמָּה מִלִּים בַּעֲלוֹת תְּנוּעָה זוֹ הַמְּשׁוּבָּצוֹת בַּמִּלּוֹן בִּשְׁנֵי הַמְּקוֹמוֹת הַמַּתְאִימִים. דּוּגְמָאוֹת: חָכְמָה, חוֹכְמָה; תָּכְנִית, תּוֹכְנִית.

קֻבּוּץ מְסוּמָן כְּשׁוּרוּק. דוּגְמָאוֹת: שׁוּתָּף (וְלֹא שֻׁתָּף); מְרוּבָּע (וְלֹא מְרֻבָּע).

חִירִיק מְסוּמָן לְפִי הַכְּלָלִים הַמָּסָרְתִּיִּים, דְּהַיְנוּ, חִירִיק קָטָן בָּא בְּלִי יוֹד אַחֲרָיו. דוּגְמָאוֹת: מְנַהֵל (וְלֹא מִינַהֵל); דִּבֵּר (וְלֹא דִּיבֵּר).

שְׁוָא נָח (וּבְמִלָּה לוֹעֲזִית כָּל שְׁוָא בַּעַל צְלִיל שֶׁל שְׁוָא נָח) אֵינוֹ מְסוּמָן. דוּגְמָאוֹת: נִכבַּשׁ, פוּנקצִיָּה, אַבּסטרַקטִי.

שִׁין יְמָנִית אֵינָהּ מְסוּמֶנֶת; שִׂין שְׂמָאלִית מְסוּמֶנֶת. דוּגְמָאוֹת: שֶׁטַח, רֹאשׁ; שַׂר, עָשָׂה.

דָּגֵשׁ בָּא רַק בָּאוֹתִיּוֹת בּ, כּ, פּ, תּ.

הַפּוֹעַל

הַפּוֹעַל הָעִבְרִי מוּבָא בְּצוּרַת גּוּף יָחִיד, זָכָר, עָבָר, נִסְתָּר. כָּךְ לְמָשָׁל הַמְחַפֵּשׂ אֶת הַמִּלָּה "אֶשָּׁמֵר" יְאַתֵּר אוֹתָהּ בָּעֵרֶךְ "נִשְׁמַר" (וְיַטֶּה אוֹתָהּ בְּהֶתְאֵם); כְּמוֹ כֵן יֵשׁ לְחַפֵּשׂ אֶת הַמִּלָּה "לָשֶׁבֶת" בָּעֵרֶךְ "יָשַׁב", וְכַדּוֹמֶה.

מִלִּים בְּבִנְיַן פּוּעַל (פֻּעַל) יֵשׁ לְחַפֵּשׂ בְּבִנְיַן פִּעֵל הַמַּתְאִים, וּלְהַטּוֹתָן בְּהֶתְאֵם. דוּגְמָאוֹת: "עוּבַּד" יֵשׁ לְחַפֵּשׂ בְּבִנְיַן פִּעֵל הַמַּתְאִים, דְּהַיְנוּ בָּעֵרֶךְ "עִבֵּד"; "חוּשְׁמַל" יֵשׁ לְחַפֵּשׂ בָּעֵרֶךְ "חִשְׁמֵל", כִּדְלְהַלָּן:

adapt, be adapted; electrify, be electrified.

רָאשֵׁי תֵּבוֹת

ז — זָכָר	נ — נְקֵבָה
ז"ר — זָכָר רִבּוּי	נ"ר — נְקֵבָה רִבּוּי
מ"ג — מִלַּת־גּוּף	פ — פּוֹעַל
מ"ח — מִלַּת־חִבּוּר	ש"מ — שֵׁם מִסְפָּר
מ"י — מִלַּת־יַחַס	ת — תּוֹאַר
מ"ק — מִלַּת־קְרִיאָה	תה"פ — תּוֹאַר הַפּוֹעַל

א

אָב ז	father, Av (month)
אַב הָעוֹרְקִים	aorta
אָב חוֹרֵג	stepfather
אָב קַדְמוֹן	ancestor
אַבָּא ז	dad, daddy, papa
אֶבְגֶּנִיקָה נ	eugenics
אִבֵּד פ	lose, exterminate
אָבַד פ	be lost/destroyed
אֲבֵדָה נ	loss, casualty
אֲבַדּוֹן ז	ruin, destruction
אָבְדָן ז	loss, destruction
אָבָה פ	want, desire
אַבְהוּת נ	fatherhood, paternity
אַבְהוּתִיּוּת נ	paternalism
אַבָהִי ת	fatherly, paternal
אַבּוּב ז	oboe, inner tube
אַבּוּב־רוֹפְאִים	stethoscope
אַבּוּבִית נ	small oboe, tubule
אַבּוּבָן ז	oboist
אָבוּד ת	hopeless, lost
אִבּוּד ז	loss, waste, ruin
אִבּוּד לָדַעַת	suicide
אֲבוֹי מ"ק	alas
אֶבוֹלוּצְיָה נ	evolution
אִבּוּן ז	petrifaction
אֵבוּס ז	trough, manger, rack
אָבוּס ת	fattened, stuffed
אִבּוּק ז	dusting
אֲבוֹקָדוֹ ז	avocado
אֲבוּקָה נ	torch
אַבְזֵם ז	buckle
אַבְזָר ז	accessory
אַבְחוֹמֶר ז	protoplasm
אַבְחַי ז	protozoon
אַבְחַיִּים ז"ר	protozoa
אִבְחֵן פ	diagnose
אַבְחָנָה, אִבְחוּן נ/ז	diagnosis
אַבְחָנָתִי ת	diagnostic
אִבְטֵחַ פ	secure, protect
אֲבַטִּיחַ ז	watermelon
אַבְטִיפּוּס ז	archetype
אַבְטָלָה נ	unemployment
אָבִיב ז	spring
אֲבִיבִי ת	spring-like, vernal
אֶבְיוֹן ז	pauper, beggar
אֲבִיּוֹנָה נ	libido
אֲבִיזָר ז	accessory, appurtenance
אָבִיךְ ת	hazy, misty
אַבִּיק ז	retort
אַבִּיר ז	knight
אַבִּירוּת נ	knighthood
אַבִּירִי ת	chivalrous
אֲבָל מ"ח	but, yet
אָבֵל ז	mourner
אֵבֶל ז	mourning, grief
אֲבֵלוּת נ	mourning
אֶבֶן נ	rock, stone
אִבֵּן פ	fossilize, petrify
אֶבֶן אֹכֶף	paperweight
אֶבֶן בֹּחַן	criterion
אֶבֶן בָּרָד	hailstone
אֶבֶן חוֹל	sandstone
אֶבֶן חֵן	precious stone
אֶבֶן יְקָרָה	gem, jewel
אֶבֶן כְּלָיוֹת	calculus
אֶבֶן מָרָה	gallstone
אֶבֶן מַשְׁחֶזֶת	grindstone
אֶבֶן נֶגֶף	obstacle
אֶבֶן סִיד	limestone
אֶבֶן פִּנָּה	cornerstone
אֶבֶן רֹאשָׁה	headstone
אֶבֶן רֵיחַיִם	millstone
אֶבֶן שׁוֹאֶבֶת	lodestone
אֶבֶן שִׁנַּיִם	scale, tartar
אֶבֶן שָׂפָה	curbstone
אַבְנֵט ז	girdle, sash
אַבְנִי ת	stony
אָבְנַיִם ז"ר	potter's wheel

אַבְנִית נ fur, scale
אַבְנָן ז lithium
אַבְּסוֹלוּטִי ת absolute
אַבְּסוּרְד ז absurdity
אַבְּסוּרְדִי ת absurd
אַבְּסְטְרַקְטִי ת abstract
אַבְּסְטְרַקְצְיָה נ abstraction
אַבְּסְצִיסָה נ abscissa
אָבַס פ fatten, stuff
אֲבַעְבּוּעָה נ blister, pimple
אֲבַעְבּוּעוֹת נ״ר smallpox
אֲבַעְבּוּעוֹת חוֹרֶף frostbite
אֲבַעְבּוּעוֹת רוּחַ chicken pox
אַבְעוֹרֶק ז aorta
אָבָץ ז zinc
אָבָק ז dust, powder
אֲבַק שְׂרֵפָה gunpowder
אִבֵּק פ dust, powder
אַבְקָה נ pollen, powder
אַבְקָן ז stamen
אַבְקַת אֲפִיָּה baking powder
אִבְקַת הַכַּפְתּוֹר buttonhole
אַבְקַת חָלָב milk-powder
אַבֶּקֶת רֵאוֹת silicosis
אֵבֶר ז limb, member
אֶבְרָה נ pinion
אַבְרוֹמָה נ bream
אַבְרֵךְ ז young man
אַבֶּרַצְיָה נ aberration
אַבְרָקַיִם ז״ר breeches
אַבְרָש ז heather
אַגַּב תה״פ apropos, by the way
אָגַד פ bind, tie
אֶגֶד ז bunch, bandage
אַגָּדָה נ fable, legend, myth
אַגָּדִי, אַגָּדָתִי ת fabulous, legendary, mythical
אֶגוֹ ז ego
אֶגוֹאִיזְם ז egoism
אֶגוֹאִיסְט ז egoist
אֶגוֹאִיסְטִי ת egoistic
אִגּוּד ז association, union
אֲגֻדָּה נ association, bundle
אֲגוּדָל ז thumb
אֱגוֹז ז nut
אֱגוֹז אֲדָמָה peanut
אֱגוֹז הוֹדוּ coconut
אֱגוֹז פִּיקָן pecan
אִגּוּף ז flanking
אֶגוֹצֶנְטְרִי ת egocentric
אָגוּר ת collected, hoarded
אֲגוֹרָה נ agora
אָגִיד ז gill
אֲגִירָה נ hoarding
אֶגֶל ז drop, bead
אֶגֶל טַל dewdrop
אֲגַם ז lake
אַגְמוֹן ז bulrush, reed
אֲגַמִית נ coot
אַגָּן ז basin
אַגַּן הַיְרֵכַיִם pelvis
אַגְנוֹסְטִי ת agnostic
אַגְנוֹסְטִיּוּת נ agnosticism
אַגָּס ז pear
אֲגַף ז department, flank
אִגֵּף פ flank, outflank
אָגַר פ hoard, store
אַגְרָה נ fee, toll
אֶגְרוֹן ז wordbook
אַגְרוֹנוֹמְיָה נ agronomy
אֶגְרוֹף ז fist
אִגְרוּף ז boxing
אֶגְרוֹפָן ז pugilist, boxer, knuckle-duster
אֲגַרְטֵל ז vase, bowl
אַגְרָן ז collector
אַגְרֶסִיבִי ת aggressive
אִגְרֵף פ box, clench fist
אַגְרָרִי ת agrarian
אִגֶּרֶת נ note, letter
אִגֶּרֶת אֲוִיר air letter
אִגֶּרֶת דוֹאַר letter-card
אִגֶּרֶת חוֹב bond, debenture
אֵד ז vapor, mist, steam
אַד הוֹק ad hoc
אֲדַגִּ'ו ז adagio
אִדָּה פ evaporate, vaporize
אַדְוָה נ ripple
אִדּוּי ז evaporation
אָדֹם ת red

אָדוֹם ז — ducat
אָדוֹן ז — master, Mister, sir
אָדוּק ת — devout, orthodox, pious, religious
אָדִי ת — steamy, vaporous
אָדִיב ת — polite, civil, courteous, kind,
אֲדִיבוּת נ — courtesy, kindness
אֵדִים ז״ר — steam, vapor
אֲדִיקוּת נ — piety
אַדִּיר ת — mighty
אָדִישׁ ת — apathetic, indifferent, nonchalant
אֲדִישׁוּת נ — apathy, indifference, nonchalance
אָדַם פ — be red, redden
אָדָם ז — human being, man
אָדָם הָרִאשׁוֹן — Adam
אֲדַמְדַּם ת — reddish
אֲדָמָה נ — earth, land, soil
אַדְמוּמִי ת — reddish
אַדְמוֹנִי ת — red-haired, ginger
אַדְמוֹנִית נ — peony
אַדְמִינִיסְטְרָטוֹר — administrator
אַדְמִינִיסְטְרַצְיָה — administration
אַדְמִירָל ז — admiral
אַדְמִירָלִיּוּת נ — admiralty
אַדֶּמֶת נ — rubella
אֶדֶן ז — sill, base
אֲדֹנוּת ת — lordship
אֲדָנִית נ — planter, window box
אֶדֶר ז — maple
אֲדָר ז — Adar (month)
אַדְּרַבָּה תה״פ — on the contrary
אִדְרָה — fishbone, herringbone
אַדְרִיכָל ז — architect
אַדְרִיכָלוּת נ — architecture
אַדְרִיכָלִי ת — architectural
אַדְרֶנָלִין ז — adrenalin
אַדֶּרֶת נ — overcoat
אִדֵּשׁ פ — neutralize
אַדְשׁוֹן ז — apathy
אַדְשׁוֹנִי ת — apathetic
אָהַב פ — like, love
אַהֲבָה נ — love
אֲהַבְהָבִים ז״ר — dalliance
אַהֲבַת בֶּצַע — avarice, greed
אַהֲבַת גְּוִיּוֹת — necrophilia
אַהֲבַת הַבְּרִיּוֹת — humanitarianism, altruism
אָהַד פ — sympathize
אַהֲדָה נ — favor, sympathy
אֲהָהּ מ״ק — alas
אָהוּב ת — beloved, darling, sweetheart
אָהוּד ת — beloved, liked
אָהִיל ז — lampshade
אוֹ מ״ח — or
אוֹאָזִיס ז — oasis
אוֹב ז — necromancy
אוֹבֵד ת — lost, stray
אוֹבֵד עֵצוֹת — helpless
אוֹבְּיֶקְט ז — object
אוֹבְּיֶקְטִיבִי ת — objective
אוֹבְּיֶקְטִיבִיּוּת נ — objectivity
אוֹבֶךְ ז — haze
אוּבָל ז — aqueduct
אוֹבֶּלִיסְק ז — obelisk
אוֹבְּסֶסְיָה נ — obsession
אוֹבֶרְדְרַפְט ז — overdraft
אוֹבֶרוֹל ז — overhaul
אוֹבֶרְטוּרָה נ — overture
אוֹגֵד ז — copula
אוּגְדָּה נ — division
אוֹגוּסְט ז — August
אוֹגֶן ז — brim, flange
אוֹגֵר ז — accumulator
אוֹגֵר (מכרסם) ז — hamster
אוּד ז — brand, firebrand
אוֹדָה נ — ode
אוֹדוֹת, עַל אוֹדוֹת — concerning
אוֹדְיוֹמֶטֶר ז — audiometer
אוֹדִיטוֹרְיוּם ז — auditorium
אוֹדִיסֵיָה נ — odyssey
אוֹדֶם ז — red, lipstick, ruby
אַוָּה, אַוַּת־נֶפֶשׁ נ — desire
אוֹהֵב ת — fond, lover
אוֹהֵד ז — fan
אֹהֶל ז — tent
אֹהֶל חַמְצָן — oxygen tent

אוֹהֶל קִרְקָס	big top
אוֹהֶל מוֹעֵד	tabernacle
אוֹהם ז	ohm
אַוָז ז	gander, goose
אַוזוּז ז	goose-step
אַוָזוֹן ז	gosling
אוֹזוֹן ז	ozone
אוֹזֶן נ	ear, handle
אוֹזְנִית נ	earphone
אוֹחַ ז	eagle-owl
אוֹטוֹ ז	auto
אוֹטוֹבּוּס ז	bus, coach
אוֹטוֹבְּיוֹגְרָפִי	autobiographical
אוֹטוֹבְּיוֹגְרַפְיָה	autobiography
אוֹטוֹגְרָף ז	autograph
אוֹטוֹדָפֶה ז	auto-da-fe
אוֹטוֹמָט ז	automaton
אוֹטוֹמָטִי ת	automatic
אוֹטוֹמַצְיָה נ	automation
אוֹטוֹנוֹמִי ת	autonomous
אוֹטוֹנוֹמְיָה נ	autonomy
אוֹטוֹסוּגֶסְטְיָה	autosuggestion
אוֹטוֹסְטְרָדָה נ	autostrada
אוּטוֹפִּי ת	utopian
אוּטוֹפְּיָה נ	utopia
אוֹטוֹפְּסְיָה נ	autopsy
אוֹטוֹקְרַטְיָה נ	autocracy
אוֹטוֹרִיטָה נ	authority
אוֹטִיזְם ז	autism
אוֹטִיסְטִי ת	autistic
אוֹטֶם ז	stoppage, obstruction
אוֹטַרְקְיָה נ	autarchy
אוֹי, אוֹיָה מ״ק	alas
אוֹי וַאֲבוֹי מ״ק	alas
אוֹיֵב ז	enemy, foe
אֱוִיל ז	fool, stupid
אֱוִילִי ת	stupid ,foolish
אֱוִילוּת נ	foolishness
אֲוִיר ז	air
אֲוִיר־אֲוִיר	air-to-air
אֲוִיר־קַרְקַע	air-to-ground
אֲוִירָאוּת נ	aviation
אֲוִירָה נ	air, atmosphere
אֲוִירוֹבָּטִיקָה נ	aerobatics
אֲוִירוֹדִינָמִיקָה	aerodynamics
אֲוִירוֹן ז	airplane
אֲוִירוֹנוֹטִיקָה נ	aeronautics
אֲוִירִי ת	aerial, airy
אֲוִירִיָה נ	air force
אוֹכֶל ז	food, meal
אוֹכֵל אָדָם	cannibal
אוֹכְלוּסִיָה נ	population
אוֹכְמָנִית נ	blackberry
אוּכָּף ז	saddle
אוּכַּף־הָרִים	col
אוּכָּפָן ז	saddler
אוֹכְרָה נ	ochre, ocher
אוּלְטִימָטוּם ז	ultimatum
אוּלְטְרָה ת	ultra
אוּלַי תה״פ	perhaps, maybe
אוֹלִיגַרְכְיָה נ	oligarchy
אוֹלִימְפִּי ת	Olympian
אוֹלִימְפִּיאָדָה נ	Olympiad
אוּלָם ז	hall
אוּלָם מ״ח	but, however
אוּלַם הִתְעַמְּלוּת	gymnasium
אוּלַם רִקּוּדִים	ballroom
אוּלְפָּן ז	atelier, studio
אוּלְפָּנָא ז	preparatory school
אוּלְקוּס ז	ulcer
אוֹלָר ז	penknife, pocketknife
אִוֶּלֶת נ	foolishness
אוֹם נ	nut
אוּ״ם ז	The U.N.
אוֹמְבּוּדְסְמָן ז	ombudsman
אוֹמְדָן ז	estimate, appraisal
אוּמָה נ	people, nation
אוּמְלָל ת	wretched, miserable
אוּמְלָלוּת נ	wretchedness
אוֹמֵן ז	trainer, foster-father
אוּמָן ז	craftsman, artisan
אוֹמְנָה נ	fosterage
אוּמָנוּת נ	workmanship, craft
אוֹמָנוּת, אָמָנוּת נ	art
אוּמְנָם תה״פ	indeed
אוֹמֶנֶת נ	governess, nurse
אוֹמֶץ, אוֹמֶץ־לֵב ז	courage
אוּמְצָה נ	beefsteak, steak
אוֹמֶר ז	speech, word
אוֹן ז	strength, power

אָוֶן ז wickedness, evil
אוֹנָאָה נ deception, fraud
אֲוַנגַרד ז avant-garde
אוּנָה נ lobe
אוֹנוֹמָטוֹפֵּיָה נ onomatopoeia
אוּנִיבֶרסִיטָה נ university
אוּנִיבֶרסָלִי ת universal
אוֹנִיָה נ ship
אוּנִיסוֹן ז unison
אוֹנִיַת הַדֶגֶל flagship
אוֹנִיַת־מִלחָמָה warship
אוֹנִיַת מִשמָר guard-ship
אוֹנִיַת־קִיטוֹר steamship
אוֹנִיַת־קְרָב battleship
אוֹנֵן פ masturbate
אוֹנָנוּת נ masturbation
אוֹנֶס ז rape, compulsion
אוֹנֵס ז rapist, violator
אוּנקִיָה נ ounce
אוּנקָל ז hook
אוֹסטְרָלִי ז Australian
אוֹסִילוֹסקוֹפּ ז oscilloscope
אוֹסִילָטוֹר ז oscillator
אוֹסמוֹזָה נ osmosis
אוֹסֶף ז collection
אוֹפֶה ז baker
אוֹפּוֹזִיצִיָה נ opposition
אוֹפּוּס ז opus
אוֹפּוֹסוּם ז opossum
אוֹפּוֹרטוּנִיזם ז opportunism
אוֹפּוֹרטוּנִיסט ז opportunist
אוֹפּטִי ת optic
אוֹפּטִימִי ת optimistic
אוֹפּטִימִיוּת נ optimism
אוֹפּטִימִיסט ז optimist
אוֹפּטִיקַאי ז optician
אוֹפּטִיקָה נ optics
אוֹפִי ז character, nature
אוֹפִּיוּם ז opium
אוֹפִיָנוּת נ idiosyncrasy
אוֹפיָנִי ת characteristic, typical
אוֹפָּל ז opal
אוֹפֶל ז darkness
אוֹפֶן ז mode, way, manner

אוֹפַן ז wheel
אוֹפנָה נ style, fashion, mode
אוֹפַנוֹעַ ז motorcycle
אוֹפַנוֹעָן ז motorcyclist
אוֹפנִיָה נ modification
אוֹפַנַיִם ז״ר bicycle
אוֹפַנָן ז cyclist
אוֹפֶנסִיבָה נ offensive
אוֹפנָתִי ת stylish, fashionable
אוֹפסֶט ז offset
אוֹפֵף ת ambient
אוֹפּצִיָה נ option
אוֹפֶק ז horizon
אוֹפקִי ת horizontal
אוֹפֶּרָה נ opera
אוֹפֶּרֶטָה נ operetta
אוֹפֶּרָטִיבִי ת operational
אוֹפֶּרִית נ operetta
אוֹצָר ז treasure
אוֹצַר מִלִים thesaurus, vocabulary
אוֹקוּנוֹס ז bass
אוֹקטָבָה נ octave
אוֹקטָגוֹן ז octagon
אוֹקטוֹבֶּר ז October
אוֹקטֶט ז octet
אוֹקטָן ז octane
אוֹקיָנוֹס ז ocean
אוֹקלִידִי ת Euclidean
אוֹקָרִינָה נ ocarina
אוֹר ז light
אוֹר ל־ on the eve of
אוֹר יוֹם daylight
אוֹר פ light up, shine
אַוָר ז vent
אוֹרֵב ז ambusher
אוֹרֵג ז weaver
אוֹרגַזמָה נ orgasm
אוֹרגִיָה נ orgy
אוֹרגָן ז organ
אוֹרגָנִי ת organic
אוֹרגָנִיזם ז organism
אוֹרדִינָטָה נ ordinate
אוֹרָה נ light
אוּרוָה נ stable

אוּרוֹלוֹגְיָה נ urology
אוּרְוָן ז stable boy/man
אִוְרוּר ז ventilation, airing
אוֹרוֹרָה נ aurora
אוֹרוֹת הַבִּימָה footlights, limelight
אוֹרֶז ז rice
אוֹרֵז ז packer
אוֹרֵחַ ז guest, visitor
אוֹרַח ז way, manner
אוֹרְחָה נ caravan
אוֹרָטוֹרְיָה נ oratorio
אוֹרִיגִינָלִי ת original
אוֹרְיֶנְטָלִי ת oriental
אוֹרְיֶנְטַצְיָה נ orientation
אַוְרִירִי ת airy
אוֹרִית נ radium
אוֹרֶךְ ז length
אוֹרֶךְ־רוּחַ patience
אוֹרְכִידֵיָה נ orchid
אוֹרְלוֹגִין ז clock
אוֹרלוֹן ז orlon
אוֹרָלִי ת oral
אוֹרֶן ז pine
אוֹרַנְג־אוּטַנְג ז orangutan
אוּרַנְיוּם ז uranium
אוֹרְנִיתוֹלוֹג ז ornithologist
אוֹרְנִיתוֹלוֹגְיָה נ ornithology
אוֹרְקוֹלִי ת audio-visual
אוֹרַקְל ז oracle
אִוְרֵר פ fan, ventilate
אוֹרתוֹגְרָפִי ת orthographic
אוֹרתוֹגְרַפְיָה נ orthography
אוֹרתוֹדוֹכְּסִי ת orthodox
אוֹרתוֹדוֹכְּסִיּוּת נ orthodoxy
אוֹרתוֹפֶּדִי ת orthopedic
אוֹרתוֹפֶּדְיָה נ orthopedics
אִוְשָׁה נ rustle, murmur
אוֹשֶׁק ז ammonia
אוֹשֶׁר ז happiness
אוֹשֵׁשׁ פ strengthen
אוֹת נ letter
אוֹת ז sign, signal, token
אוֹתָהּ מ״ג her
אוֹתוֹ מ״ג him

אוֹתִי מ״ג me
אוֹתְךָ מ״ג you
אוֹתָם מ״ג them
אוֹתָנוּ מ״ג us
אוֹתֶנְטִי ת authentic
אוֹתֵת פ signal
אָז תה״פ then
אַזְבֶּסְט ז asbestos
אַזְהָרָה נ caution, warning
אֵזוֹב moss, hyssop, marjoram
אֱזוֹבִי ת mossy
אֱזוֹבְיוֹן ז lavender
אֶזוֹטֶרִי ת esoteric
אִזּוּן ז balancing, balance
אֵזוֹר ז area, district, region, zone
אֲזוֹרִי ת regional, zonal
אֲזַי תה״פ then
אֲזִילָה נ exhaustion
אַזִּימוּת ז azimuth
אִזְכּוּר ז reference, mention
אִזְכֵּר פ refer
אַזְכָּרָה נ memorial service
אָזַל פ be exhausted
אָזְלַת יָד helplessness
אִזְמֵל scalpel, lancet, chisel
אִזֵּן פ balance
אַזְעָקָה נ alarm, alert
אָזֵק ז shackle
אֲזִקִּים handcuffs, manacles, shackles
אָזַר פ gird, put on
אִזְרוּחַ ז naturalization
אֶזְרָח ז citizen
אִזְרַח פ naturalize
אֶזְרָחוּת נ citizenship
אֶזְרָחִי ת civil, civilian
אָח brother, fireplace, hearth
אֶחָא ז brother
אָח חוֹרֵג stepbrother
אַחָאִים ז״ר siblings
אֶחָד ז one, single
אִחֵד פ unite, combine, join
אֶחָד בְּאַפְּרִיל All Fools' Day

אַחְדוּת נ	unity
אַחַד עָשָׂר	eleven
אֲחָדִים	several, some
אִחָה פ	sew/knit together
אָחוּ ז	lea, meadow, pasture
אִחוּד ז	unification
אַחֲוָה נ	brotherhood, fellowship, fraternity
אָחוּז ז	per cent
אָחוּז ת	seized
אֲחוּז אֵימָה	horror-stricken
אֲחוּזָה נ	estate, property
אָחוּי ת	mended, stitched
אִחוּי ז	stitching, fastening
אִחוּל ז	wish, congratulation
אָחוֹר ז	buttock, back, rear
אִחוּר ז	lateness, delay
אֲחוֹרָה תה״פ	back, backward(s)
אֲחוֹרִי ת	back, rear, hind
אֲחוֹרֵי הַקְּלָעִים	backstage
אֲחוֹרַיִם ז״ר	buttocks, behind
אֲחוֹרַנִי ת	back, hindmost
אֲחוֹרַנִּית תה״פ	backward(s)
אָחוֹת נ	nurse, sister
אָחוֹת חוֹרֶגֶת	stepsister
אָחַז פ	hold, grasp, catch
אַחְזָקָה נ	maintenance
אָחִיד ת	uniform
אֲחִידוּת נ	uniformity
אֲחִיזָה נ	hold, grasp, grip
אַחִים ז״ר	brethren
אַחְיָן ז	nephew
אַחְיָנִית נ	niece
אִחֵל פ	wish, congratulate
אַחְלָמָה ז	amethyst
אִחְסֵן פ	store
אַחְסָנָה, אִחְסוּן נ/ז	storage
אַחֵר ת	other ,another, else
אֵחַר פ	be late
אַחַר מ״י	after, behind
אַחַר־הַצָּהֳרַיִם	afternoon
אַחַר כָּךְ	then, afterwards
אַחְרַאי ת	accountable, in charge, liable, responsible
אַחֲרָה נ	stern
אַחֲרוֹן ת	final, last
אַחֲרֵי מ״י	after, behind
אַחֲרֵי כֵן	then, afterwards
אַחֲרָיוּת נ	responsibility
אַחֲרִית נ	end
אַחֶרֶת תה״פ	else, otherwise
אֲחַשְׁדַּרְפָּן ז	satrap
אֲחַשְׁתְּרָן ז	herald
אַחַת נ	one
אַחַת וּלְתָמִיד	once and for all
אַחַת עֶשְׂרֵה	eleven
אַט, אַט־אַט תה״פ	slowly
אֶטֶב ז	clip, fastener
אֶטֶב כְּבִיסָה	clothes-peg
אָטָבִיזְם ז	atavism
אֲטָבִיסְטִי ת	atavistic
אָטָד ז	bramble
אָטוֹל ז	atoll
אָטוּם ת	shut, closed, opaque
אָטוֹם ז	atom
אֲטוֹמִי ת	atomic
אִטִּי ת	slow
אִטִּיּוּת נ	slowness
אָטִים ת	airtight, sealed
אֲטִים־מַיִם	waterproof
אֲטִימָה נ	closing, sealing
אֶטִימוֹלוֹגְיָה נ	etymology
אֲטִימוּת נ	opacity
אִטְלִיז ז	butcher's shop
אַטְלַס ז	atlas
אָטַם פ	shut, seal
אֶטֶם ז	gasket, seal
אַטְמוֹסְפֵירָה נ	atmosphere
אַטְמוֹסְפֵירִי ת	atmospheric
אִטֵּר ת	left-handed
אִטְרִית נ	noodle
אִטְרִיּוֹת נ״ר	macaroni
אַטְרַקְצְיָה נ	attraction
אִי ז	island
אִי־אַלְמֻגִּים	coral island
אִי־אֶפְשָׁרוּת	impossibility
אִי־בְּהִירוּת	ambiguity
אִי־דִּיּוּק	inaccuracy
אִי־הֲבָנָה	misunderstanding

אִי־הַתְאָמָה disagreement
אִי־הִתְאַפְּקוּת incontinence
אִי־וַדָּאוּת uncertainty
אִי־חוּקִיּוּת illegitimacy
אִי־יְדִיעָה ignorance
אִי־יְכוֹלֶת inability
אִי־מוּסָרִיּוּת immorality
אִי־מִינִיּוּת asexuality
אִי־נֶאֱמָנוּת infidelity
אִי־נוֹחוּת discomfort
אִי־נְגִישׁוּת inaccessibility
אִי־נוֹרְמָלִיּוּת abnormality
אִי־נְעִימוּת inconvenience
אִי־סֵדֶר disorder, mess
אִי־סוֹבְלָנוּת intolerance
אִי־סְפִיקַת־לֵב heart failure
אִי־פּוּרִיּוּת infertility
אִי־צֶדֶק injustice
אִי־שְׂבִיעוּת־רָצוֹן discontent
אִי־תְּנוּעָה traffic island
אֵיבָה נ animosity, hostility, antagonism, hate, hatred
אִיבִּיס ז ibis
אֵיבָר ז limb, member, organ
אֵיבַר הַמִּין הַגַּבְרִי penis
אֵיבְרֵי הַמִּין genitals
אִיגְלוּ ז igloo
אֵיד ז distress, misfortune
אִיֵּד פ vaporize
אִידֵיאָה נ idea
אִידֵיאָה פִיקְס fixed idea
אִידֵיאוֹגְרַמָּה נ ideogram
אִידֵיאוֹלוֹג ז ideologist
אִידֵיאוֹלוֹגִי ת ideological
אִידֵיאוֹלוֹגְיָה נ ideology
אִידֵיאָל ז ideal
אִידֵיאָלִי ת idealistic
אִידֵיאָלִיזְם ז idealism
אִידֵיאָלִיזַצְיָה idealization
אִידֵיאָלִיסְט ז idealist
אִידְיוֹט ז idiot
אִידְיוֹטִי ת idiotic
אִידְיוֹטִיּוּת נ idiocy
אִידְיוֹם ז idiom
אִידְיוֹמָטִי ת idiomatic

אִידִילִי ת idyllic
אִידִילְיָה נ idyll
אִידִישׁ נ Jewish, Yiddish
אֵידְס ז AIDS, Aids
אִידָךְ, מֵ־ on the other hand
אַיָּה נ buzzard ,kite
אַיֵּה? תה"פ where
אי"ה = אִם יִרְצֶה הַשֵּׁם
אִיּוּד ז vaporization
אָיֹם ת terrible, fearful
אִיּוּם ז menace, threat
אִיּוֹן ז islet
אִיּוּן ז nullification
אִיּוּר ז illustration
אִיּוֹר ז misfire
אִיּוּת ז spelling, lettering
אֵיזֶה, אֵיזוֹ which, who, what
אֵיזֶהוּ, אֵיזוֹהִי which/who is
אִיזוֹבָּר ז isobar
אִיזוֹטוֹפּ ז isotope
אִיזוֹתֶרְם ז isotherm
אֵיזֶשֶׁהוּ מ"ג any
אִיטַלְיָה נ Italy
אִיטַלְקִי ת Italian
אִיטַלְקִית נ Italian
אֵיךְ תה"פ how
אֵיכוּת נ quality
אֵיכוּתִי ת qualitative
אֵיכְשֶׁהוּ תה"פ anyhow, somehow
אַיִל ז ram
אַיָּל ז deer, buck
אֱיָל ז power, strength
אֵיל בַּרְזֶל battering ram
אֵיל הוֹן tycoon
אֵיל נֵפְט oil king
אֵיל עִתּוֹנוּת press baron
אַיָּלָה נ doe
אִילוּזְיָה נ illusion
אִילוּסְטְרַצְיָה נ illustration
אֵילָךְ וְאֵילָךְ to and fro
אִילָן ז tree
אִילַן הַיַּחַס family tree
אִיֵּם פ threaten
אִיֵּם שַׁח פ check
אִימְבֶּצִילִי ת imbecile

אֵימָה נ	dismay, dread, fright, horror, terror
אִימָז׳ ז	image
אִימָם ז	imam
אִימפּוֹטֶנט ת	impotent
אִימפּוֹטֶנטִיוּת נ	impotence
אִימפּוּלס ז	impulse
אִימפּוּלסִיבִי ת	impulsive
אִימפּלִיקַציָה נ	implication
אִימפַּקט ז	impact
אִימפּרוֹבִיזַציָה	improvisation
אִימפֶּריאָלִיזם	imperialism
אִימפֶּריאָלִיסט	imperialist
אִימפֶּריָה נ	empire
אִימפּרֶסיוֹנִיזם	impressionism
אִימפּרֶסיוֹנִיסט	impressionist
אֵימַת, כָּל אֵימַת	whenever
אֵימָתַי תה״פ	when
אֵימְתָא דְצִבּוּרָא	stage fright
אֵימְתָנוּת נ	terrorism
אַיִן, אֵין תה״פ	there is not
אַיֵן פ	nullify
אֵין־אוֹנוּת	impotence
אֵין אוֹנִים	helpless
אֵין דָבָר	never mind
אֵין־סוֹף	infinity
אֵין־סוֹפִי	endless
אִינדוּקטִיבִי ת	inductive
אִינדוּקציָה נ	induction
אִינדִיאָנִי ת	Indian
אִינדִיבִידוּאָלִי	individual
אִינדִיבִידוּאָלִיזם, -לִיוּת	individualism
אִינדִיגוֹ ז	indigo
אִינדִיקָטוֹר ז	indicator
אִינדִיקַציָה נ	indication
אִינדֶקס ז	index
אִינוֶנטָר ז	inventory
אֵינוּת נ	nothingness
אִינטֶגרָל ז	integral
אִינטֶגרָלִי ת	integral
אִינטֶגרַציָה נ	integration
אִינטוּאִיטִיבִי ת	intuitive
אִינטוּאִיצִיָה נ	intuition
אִינטוֹנַציָה נ	intonation
אִינטִימִי ת	intimate
אִינטִימִיוּת נ	intimacy
אִינטֶלִיגֶנטִי ת	intelligent
אִינטֶלִיגֶנציָה, -טִיוּת נ	intelligence
אִינטֶלֶקט ז	intellect
אִינטֶלֶקטוּאָל, -אָלִי	intellectual
אִינטֶנסִיבִי ת	intensive
אִינטֶרוָל ז	interval
אִינטרוֹספֶּקציָה	introspection
אִינטרִיגָה נ	intrigue
אִינטֶרלוּד ז	interlude
אִינטֶרלוֹק ז	interlock
אִינטֶרמֶצוֹ ז	intermezzo
אִינטֶרנַציוֹנָל ז	the International
אִינטֶרֶס ז	interest
אִינטֶרֶסַנטִי ת	interested
אִינטֶרפּוֹל ז	Interpol
אִינטֶרקוֹם ז	intercom
אִינסוּלִין ז	insulin
אֵינסוֹפִי ת	infinite
אֵינסוֹפִיוּת נ	infinitude
אִינסטִינקט ז	instinct
אִינסטִינקטִיבִי	instinctive
אִינסטָלָטוֹר ז	plumber
אִינפוּזיָה נ	infusion
אִינפוֹרמָטִיבִי	informative
אִינפוֹרמַציָה נ	information
אִינפלַציָה נ	inflation
אִינפלַציוֹנִי	inflationary
אִינפַנטִילִי ת	infantile
אִינפַנטִילִיוּת	infantilism
אִינפֶקציָה נ	infection
אִינפרָה־אָדוֹם	infrared
אִינץ׳ ז	inch
אִינקוּבָטוֹר ז	incubator
אִינקוֹגנִיטוֹ תה״פ	incognito
אִינקוִיזִיטוֹר ז	inquisitor
אִינקוִיזִיציָה	inquisition
אִינֶרציָה נ	inertia
אִיסלָם ז	Islam
אֵיפֹה תה״פ	where

אֵיפָה נ — ephah (measure)
אֵיפָה וְאֵיפָה — partiality
אֵיפוֹא תה"פ — then
אֵיפוֹרְיָה נ — euphoria
אֵיפֶמִיזְם ז — euphemism
אֵיפְשֶׁהוּ תה"פ — anywhere
אִיקוֹנִין ז — icon
אֵיקָלִפְּטוּס ז — eucalyptus
אִיֵּר פ — illustrate
אַיָּר ז — illustrator
אִיָּר ז — Iyar (month)
אֵירוֹוִיזְיוֹן ז — Eurovision
אִירוֹנִי ת — ironic(al)
אִירוֹנְיָה נ — irony
אִירוּס ז — iris
אֵירוֹפָּה נ — Europe
אֵירוֹפִּי ת — European
אִירִי ז — Irishman
אִירִידְיוּם ז — iridium
אִירִיס ז — orris
אִירִית (שפה) נ — Irish
אִירָן נ — Iran
אִירָנִי ת — Iranian
אֵירַסְיָה נ — Eurasia
אִירַצְיוֹנָלִי ת — irrational
אִירַצְיוֹנָלִיּוּת — irrationality
אִישׁ ז — man, person
אִישׁ פ — man
אִישׁ בֵּינַיִם — middleman
אִישׁ־גּוּמִי — contortionist
אִישׁ־מְעָרוֹת — caveman
אִישׁ מַפְתֵּחַ — key man
אִישׁ עֲסָקִים — businessman
אִישׁ צָבָא — soldier
אִישׁ־צֶוֶת — crewman
אִישׁ־צְפַרְדֵּעַ — frogman
אִישׁ רוּחַ — intellectual
אִישׁוֹן ז — pupil, bull's-eye
אִישׁוּת נ — matrimony
אִישִׁי ת — personal
אִישִׁיּוּת נ — personality
אִישִׁית תה"פ — in person
אֵי־שָׁם תה"פ — somewhere
אִיֵּת פ — spell
אֵיתָן ת — firm, strong
אֵיתָנוּת נ — firmness
אֵיתָנֵי הַטֶּבַע — elements
אַךְ מ"ח — but, as soon as
אִכּוּל ז — corrosion
אִכּוּן ז — locating
אַכְזָב ת — deceptive
אִכְזֵב פ — disappoint
אַכְזָבָה נ — disappointment
אַכְזָרִי ת — cruel, brutal
אַכְזָרִיּוּת — brutality, cruelty
אֶכֶטִיס ז — agate
אָכִיל ת — eatable, edible
אֲכִילָה נ — eating
אָכִיף ת — enforceable
אֲכִיפָה נ — enforcement
אָכַל — eat, consume
אִכֵּל פ — consume, corrode
אֲכָל ז — canker
אִכְלוּס ז — populating
אַכְלָן ז — eater
אִכְלֵס פ — people, populate
אָכֵן תה"פ — indeed
אִכֵּן פ — locate
אַכְסַדְרָה נ — colonnade, porch
אִכְסוּן ז — accommodation
אִכְסֵן פ — accommodate, lodge
אַכְסְנַאי ז — hosteler
אַכְסַנְיָה נ — hostel, lodging
אַכְסַנְיַת נוֹעַר — youth hostel
אֶכְּסְקְלוּסִיבִי ת — exclusive
אָכַף פ — enforce
אִכֵּף פ — saddle
אִכְפַּת לִי — I care
אִכְפַּתִיּוּת נ — concern, care
אִכָּר ז — farmer, peasant
אֶכְרוֹעַ ז — anise
אַל תה"פ — not, do not
אֶל מ"י — to, into, towards
אֶל עָל — up
אֵל ז — God
אֶלָּא תה"פ — but, only
אַלִּבָּא תה"פ — according to
אַלְבּוֹם ז — album
אַלְבּוּמִין ז — albumen
אַלְבַּטְרוֹס ז — albatross

אַלְבִּינִיסְט ז	albino
אַלְגֶבְּרָאִי ת	algebraic
אַלְגֶבְּרָה נ	algebra
אַלֶגוֹרִי ת	allegorical
אַלֶגוֹרְיָה נ	allegory
אֶלֶגְיָה נ	elegy
אֶלֶגַנְטִי ת	elegant
אֶלֶגַנְטִיּוּת נ	elegance
אַלֶגְרוֹ ז	allegro
אַלֶגְרֶטוֹ ז	allegretto
אֵלָה נ	oak, goddess
אַלָּה נ	baton, club, cudgel
אֵלֶּה, אֵלּוּ מ"ג	these, those
אִלּוּ מ"ח	if
אֱלוֹהוּת נ	deity, Godhead
אֱלוֹהִי ת	divine, godlike
אֱלֹהִים, אֱלוֹהַּ ז	God
אָלוּחַ ת	septic
אִלּוּחַ ז	infection
אַלְוַי ז	aloe
אֱלוּל ז	Elul (month)
אִלּוּלֵא מ"ח	but for, if not
אֲלֻמָּה נ	sheaf
אֲלוּמִינְיוּם ז	aluminum
אַלּוֹן ז	oak
אֲלוּנְטִית נ	towel
אֲלוּנְקָה נ	stretcher
אַלּוּף ז	champion, general, major general
אַלּוּף־מִשְׁנֶה	colonel
אִלּוּף ז	taming, training
אִלּוּץ ז	constraint
אֶלַח ז	sepsis
אַלְחוּט ז	radio, wireless
אַלְחוּטָן ז	wireless operator
אִלְחוּשׁ ז	anesthesia
אִלְחֵשׁ פ	anesthetize
אַלְט ז	alto
אַלְטְרוּאִיזְם ז	altruism
אַלְטְרוּאִיסְט ז	altruist
אַלְטֶרְנָטִיבָה נ	alternative
אַלְטֶרְנָטִיבִי ת	alternative
אַלִּיבִּי ז	alibi
אַלְיָה נ	tail of sheep, lobe

אֶלִיטָה נ	elite
אֶלִיטִיזְם ז	elitism
אַלִיטֶרַצְיָה נ	alliteration
אֱלִיל ז	idol
אֱלִילוּת נ	idolatry
אֱלִילִי ת	pagan
אַלִּים ת	violent
אַלִּימוּת נ	violence
אֶלִימִינַצְיָה נ	elimination
אַלִּיפוּת נ	championship
אֶלִיפְּסָה נ	ellipse
אֶלִיפְּסִי ת	elliptic
אֶלִיקְסִיר ז	elixir
אַלְכּוֹהוֹל ז	alcohol
אַלְכּוֹהוֹלִי ת	alcoholic
אַלְכּוֹהוֹלִיזְם ז	alcoholism
אַלְכִּימַאי ז	alchemist
אַלְכִּימְיָה נ	alchemy
אֲלַכְסוֹן ז	diagonal
אֲלַכְסוֹנִי ת	diagonal
אַלְלָה ז	Allah
אִלֵּם ת	dumb, mute
אֵלֶם ז	silence, dumbness
אַלָּם ז	violent
אל"מ (אלוף משנה)	colonel
אַלְמוֹג ז	coral
אַלְמוֹן ז	widowhood
אַלְמוֹן (עץ) ז	alder
אַלְמוֹנִי ת	anonymous
אַלְמוֹנִיּוּת נ	anonymity
אַלְמָוֶת ז	immortality
אַלְמוֹתִי ת	immortal, deathless
אַלְמַיִם ז	dehydration
אִלְמָלֵא מ"ח	but for, if it weren't
אַלְמָן ז	widower
אַלְמָנָה נ	widow
אַלְמָנוּת נ	widowhood
אֶלֶמֶנְט ז	element
אֶלֶמֶנְטָרִי ת	elementary
אַלְמָנָךְ ז	almanac
אַלְמְנַת קַשׁ	grass widow
אַלְמַתֶּכֶת נ	nonmetal
אֶלַסְטִי ת	elastic
אֶלַסְטִיּוּת נ	elasticity

אֶלְסָר ז hazel
אִלֵּף פ train, tame
אֶלֶף ז thousand
אָלֶף נ Aleph, alpha
אָלֶף־בֵּית alphabet
אַלְפָא נ alpha
אַלְפְבֵּיתִי ת alphabetical
אַלפון ז alphabetical index
אַלְפִּינִיסְט ז Alpinist
אַלְפִּית נ thousandth
אִלְפָּס ז casserole, pan
אַלְפָּקָה נ alpaca
אִלֵּץ פ force, compel
אֶלֶקְטוֹר ז elector
אֶלֶקְטרוֹד ז electrode
אֶלֶקְטרוֹלִיזָה נ electrolysis
אֶלֶקְטרוֹמַגְנֵט ז electromagnet
אֶלֶקְטרוֹן ז electron
אֶלֶקְטרוֹנִי ת electronic
אֶלֶקְטרוֹנִיקָה נ electronics
אֶלֶקְטרוֹסְקוֹפ ז electroscope
אַלְקָלִי ז alkali
אַלֶרְגִי ת allergic
אַלֶרְגִיָה נ allergy
אִלְתּוּר ז improvisation
אִלְתִּית נ salmon
אִלְתֵּר פ improvise, ad-lib
אֵם נ mother
אִם מ״ח if, whether
אִם גַּם even if
אִם יִרְצֶה הַשֵּׁם God willing
אִם כִּי although
אִם כֵּן if so
אֵם בַּיִת matron
אֵם חוֹרֶגֶת stepmother
אֵם הַמַּרְגָּלִית mother-of-pearl
אִמָּא נ mother, ma, mamma
אֲמֶבָּה נ ameba
אַמְבּוּלַנְס ז ambulance
אַמְבָּט ז bathtub
אַמְבַּטְיָה נ bath, bathroom
אֲמֶבִּי ת amebic
אַמְבִּיוָלֶנְטִי ת ambivalent
אַמְבִּיוָלֶנְטִיּוּת נ ambivalence
אַמְבִּיצְיָה נ ambition
אֶמְבַּרְגוֹ ז embargo
אָמַד פ estimate, assess
אַמָּה נ cubit, ell, forearm, middle finger
אִמָּה נ matrix
אָמָה נ maidservant
אִמָּהוּת נ motherhood
אִמָּהִי ת motherly
אֵמוּ ז emu
אֲמוֹדַאי ז diver
אֶמוּלְסְיָה נ emulsion
אִמּוּם ז manikin, block, last
אֵמוּן ז trust, confidence
אִמּוּן ז training, practice
אֱמוּנָה נ belief, faith
אֱמוּנָה טְפֵלָה superstition
אַמּוֹנְיָה נ ammonia
אַמּוֹנִיט ז ammonite
אִמּוּנִית נ tracksuit
אִמּוּץ ז adoption, straining
אֶמוֹצְיָה נ emotion
אֶמוֹצְיוֹנָלִי ת emotional
אָמוֹק ז amok, amuck
אָמוּר ת stated
אָמוֹרְפִי ת amorphous
אִמּוּת ז verification
אֲמָזוֹנָה נ amazon
אָמִיד ת well-to-do
אֶמַיִל ז enamel
אָמִין ת authentic, believable, credible
אֲמִינוּת נ credibility
אֶמִיסְיָה נ emission
אַמִּיץ ת bold, brave, courageous
אָמִיר ז amir, emir
אָמִיר ז treetop
אֲמִירָה נ saying, statement
אֶמִירוּת נ emirate
אִמֵּל פ enamel
אִמְלֵל פ make miserable
אֲמַלְגָּמָה נ amalgam
אִמֵּן פ train, coach
אָמָן ז master, artist
אָמַן (בן) פ foster

אָמֵן מ״ק	amen
אֲמָנָה נ	treaty, pact
אַמְנוֹן וְתָמָר	pansy
אָמָנוּת נ	art
אָמָנוּתִי ת	artistic
אָמְנָם תה״פ	indeed
אַמְנֶסְיָה נ	amnesia
אֶמַנְצִיפַּצְיָה נ	emancipation
אַמְפּוּלָה נ	ampule
אַמְפִיבִּי ת	amphibious
אֶמְפִּירִי ת	empiric
אַמְפִיתֵאַטְרוֹן ז	amphitheater
אַמְפְּלִיטוּדָה נ	amplitude
אַמְפֶּר ז	ampere
אַמְפֶּרְסַנְד ז	ampersand
אִמֵּץ פ	adopt, strain
אַמְצָאָה נ	invention
אֶמְצַע ז	center, middle
אֶמְצָעוּת, בְּ-	by means of
אֶמְצָעִי ת	center, middle
אֶמְצָעִי ז	means
אֶמְצְעֵי מְנִיעָה	contraceptive, prophylactic
אָמַר פ	say, speak, state, tell
אֲמַרְגָּן ז	impresario
אִמְרָה נ	saying, flounce
אֶמֶרִיטוּס ת	emeritus
אֲמֶרִיקָנִי ז	American
אֲמַרְכָּל ז	administrator
אֲמַרְכָּלוּת נ	administration
אִמְרַת־כָּנָף	catchphrase
אֶמֶשׁ תה״פ	last night
אֱמֶת נ	truth
אִמֵּת פ	verify, confirm
אֲמִתָּה נ	axiom
אֲמִתּוּת נ	authenticity
אַמְתַּחַת נ	saddlebag, bag
אֲמִתִּי ת	authentic, real, true
אֲמִתִּיּוּת נ	authenticity
אַמְתָּלָה נ	excuse
אָנָּא מ״ק	come on, please
אַנאַלְפָבֵּיתִי ת	illiterate
אַנאַלְפָבֵּיתִיּוּת נ	illiteracy
אִנְבָּה נ	nit
אַנְגוֹרָה נ	angora
אַנְגְלוֹ-סַקְסִי	Anglo-Saxon
אַנְגְלִי ז	Englishman
אַנְגְלִיקָנִי ת	Anglican
אַנְגְלִית נ	English
אַנְגַרְיָה נ	corvée
אֲנַגְרָם ז	anagram
אֶנְדֶמִי ת	endemic
אַנְדַנְטֶה ז	andante
אַנְדְרוֹגִינוֹס ז	hermaphrodite
אַנְדְרוֹגִינִי ת	androgynous
אַנְדַרְטָה נ	monument
אַנְדְרָלָמוּסְיָה נ	disorder
אָנָה תה״פ	where, whither
אָנֶה וָאָנָה	to and fro
אִנָּה פ	cause, bring about
אָנוּ מ״ג	we
אָנוֹדָה נ	anode
אָנֹכִי מ״ג	I
אָנֹכִיּוּת נ	egoism
אָנֹכִיִּי ת	selfish
אֲנוֹמָלִי ת	anomalous
אֲנוֹמַלְיָה נ	anomaly
אֲנוֹנָה נ	annuity
אֲנוֹנִימִי ת	anonymous
אָנוּס ת	compelled, forced
אֹנֶס ז	compulsion, rape
אֲנוֹפֶלֶס ז	anopheles
אֲנוֹרְמָלִי ת	abnormal
אִנּוּשׁ ז	anthropomorphism
אָנוּשׁ ת	severe, mortal
אֱנוֹשׁ ז	man
אֱנוֹשׁוּת נ	humanity, mankind
אֱנוֹשִׁי ת	human
אֱנוֹשִׁיּוּת נ	humanism
אֶנְזִים ז	enzyme
אֲנָחָה נ	groan, sigh
אֲנַחְנוּ מ״ג	we
אַנְטַאַרְקְטִי ת	antarctic
אֲנָטוֹמִי ת	anatomical
אֲנָטוֹמְיָה נ	anatomy
אַנְטוֹנִים ז	antonym
אַנְטִיבְּיוֹטִי ת	antibiotic
אַנְטִיבְּיוֹטִיקָה נ	antibiotics

אַנְטִיגֶן ז	antigen
אַנְטִילוֹגָרִיתְם ז	antilogarithm
אַנְטִילוֹפָּה נ	antelope
אַנְטִיפַּתְיָה נ	antipathy
אַנְטִיקְלִימַקְס ז	anticlimax
אַנְטִישֵׁמִי ז	anti-Semite
אַנְטִישֵׁמִיּוּת נ	anti-Semitism
אַנְטִיתֶזָה נ	antithesis
אַנְטֶנָה נ	aerial, antenna
אַנְטְרֶסוֹל ז	entresol
אֲנִי מ"ג	I
אֲנִימַצְיָה נ	animation
אָנִין ת	dainty
אֲנִין טַעַם	epicure
אֲנָךְ ז	lead, plumb line
אֲנָכִי	perpendicular, vertical
אֲנַכְרוֹנִיזְם ז	anachronism
אֲנָלוֹגִי ת	analogical
אֲנָלוֹגְיָה נ	analogy
אֲנָלִיזָה נ	analysis
אֲנָלִיטִי ת	analytical
אֲנֶמוֹמֶטֶר ז	anemometer
אֲנֶמִי ת	anemic
אֲנֶמְיָה נ	anemia
אֲנָנָס ז	pineapple
אָנַס פ	rape, compel
אַנָּס ז	rapist
אַנְסַמְבְּל ז	ensemble
אֲנָפָה נ	egret, heron
אִנְפּוּף ז	nasalization
אֲנַפֶּסְט ז	anapest
אִנְפֵּף פ	nasalize
אַנְפְּפָנִי ת	nasal
אֶנְצִיקְלוֹפֶּדִי ת	encyclopedic
אֶנְצִיקְלוֹפֶּדְיָה נ	encyclopedia
אֲנֶקְדּוֹטָה נ	anecdote
אֲנָקָה נ	groan, sigh
אַנְקוֹל ז	hook
אַנְקוֹר ז	sparrow
אֶנֶרְגִּי ת	energetic
אֶנֶרְגְּיָה נ	energy
אֶנֶרְגְּיָה קִינֶטִית	kinetic energy
אֲנַרְכִי ת	anarchic
אֲנַרְכְיָה נ	anarchy
אֲנַרְכִיזְם ז	anarchism
אֲנַרְכִיסְט ז	anarchist
אִנֵּשׁ פ	humanize, personalize, personify
אַנְשׁוֹבִי ז	anchovy
אֲנָשִׁים ז"ר	people
אַנְתּוֹלוֹגְיָה נ	anthology
אַנְתְּרוֹפּוֹלוֹג ז	anthropologist
אַנְתְּרוֹפּוֹלוֹגְיָה נ	anthropology
אַנְתְּרָצִיט ז	anthracite
אַס (קלף) ז	ace
אֶס אוֹ אֶס!	SOS
אַסְדָּה נ	raft
אַסְדַּת־נְחִיתָה	landing craft
אָסוּךְ ז	oiler
אָסוֹן ז	disaster
אִסּוּף ז	collection, assemblage
אֲסוּפִי ז	foundling
אַסוֹצְיַאצְיָה נ	association
אָסוּר ת	forbidden, imprisoned
אִסּוּר ז	prohibition, ban
אִסְטְנִיס ת	fastidious
אַסְטֶרוֹאִיד ז	asteroid, minor planet
אַסְטְרוֹלוֹג ז	astrologer
אַסְטְרוֹלוֹגְיָה נ	astrology
אַסְטְרוֹנָאוּט ז	astronaut
אַסְטְרוֹנָאוּטִיקָה נ	astronautics
אַסְטְרוֹנוֹם ז	astronomer
אַסְטְרוֹנוֹמִי ת	astronomical
אַסְטְרוֹנוֹמְיָה נ	astronomy
אַסְטְרוֹפִיסִיקָה נ	astrophysics
אִסְטְרָטֶג ז	strategist
אִסְטְרָטֶגִי ת	strategic(al)
אִסְטְרָטֶגְיָה נ	strategy
אֲסִימוֹן ז	token
אַסִיסְטֶנְט ז	assistant
אָסִיף ז	harvest
אֲסֵפָה נ	gathering
אָסִיר ז	prisoner
אֲסִיר תּוֹדָה	grateful
אַסְיָתִי ת	Asian
אַסְכּוֹלָה נ	school of thought

אַסְכָּלָה נ broiler, grid, grill
אַסְכֶּמֶת נ integral
אַסְכָּרָה נ croup, diphtheria
אֵסֶל ז beam, yoke
אַסְלָה נ lavatory bowl, pan
אַסְלַת־רַחְצָה bidet
אָסָם ז granary, barn
אַסְמַכְתָּה נ support, voucher
אָסַף פ collect, gather, assemble
אֲסֵפָה נ meeting
אַסְפִּירִין ז aspirin
אַסְפַלְט ז asphalt
אִסְפְּלָנִית נ adhesive tape
אַסְפָן ז collector
אַסְפַן־בּוּלִים philatelist
אֲסַפְסוּף ז mob, rabble
אַסְפֶּסֶת נ alfalfa, lucerne
אַסְפָּקָה נ provision, supply
אַסְפֶּקְט ז aspect
אַסְפַּקְלַרְיָה נ mirror
אַסְפָּרָגוּס ז asparagus
אֶסְפְּרֶסוֹ ז espresso
אֶסְקִימוֹסִי ת Eskimo
אָסַר פ forbid, ban, arrest
אִסְרוּ־חַג day after holiday
אֶסְתֶּטִי ת esthetic
אֶסְתֶּטִיקָה נ esthetics
אֶסְתֶּטִיקָן ז esthete
אַסְתְּמָה נ asthma
אַסְתֵּר ז aster
אַף ז nose
אַף מ״ח also, even, too
אַף אֶחָד no one, none
אַף כִּי although
אַף עַל פִּי כֵן nevertheless
אַף עַל פִּי שֶׁ- although
אָפָה פ bake
אֲפוּדָה נ jumper, pullover, sweater
אֵפוֹא תה״פ then
אַפּוֹטְרוֹפּוֹס ז custodian, patron
אַפּוֹטְרוֹפְּסוּת נ guardianship
אַפּוֹטְרוֹפְּסִי ת custodial
אָפוּי ת baked
אִפּוּל ז blackout
אַפּוֹלוֹגֶטִיקָה נ apologetics
אֲפוּנָה נ pea
אִפּוּס ז zeroing
אֶפּוֹס ז epic
אַפּוֹסְטוֹל ז apostle
אַפּוֹסְטֶרְיוֹרִי a posteriori
אָפוּף ת wrapped
אִפּוּק ז restraint
אַפּוֹקָלִיפְּטִי ת apocalyptic
אַפּוֹקָלִיפְּסָה נ apocalypse
אַפּוֹקְרִיפִים ז״ר Apocrypha
אָפוֹר ת gray
אִפּוּר ז make-up
אַפּוֹתֵיאוֹזָה נ apotheosis
אֲפַזְיָה נ aphasia
אַפְטֶרְשֵׁיב ז aftershave
אֶפִּי ת epic
אַפִּי ת nasal
אֶפִּידֶמִי ת epidemic
אֶפִּידֶמְיָה נ epidemic
אֲפִיָּה נ baking
אֶפִּיזוֹדָה נ episode
אֶפִּיזוֹדִי ת episodic
אֲפִילוּ תה״פ even if, even
אֶפִּילוֹג ז epilogue
אֶפִּילֶפְּסִיָה נ epilepsy
אַפַּיִם אַרְצָה prostrate
אִפְיֵן פ characterize
אַפִּיפְיוֹר ז pope
אַפִּיפְיוֹרוּת נ papacy
אֲפִיפִית נ biscuit, wafer
אָפִיק ז channel
אֶפִּיקוֹרוֹס ז heretic
אֶפִּיקוֹרְסִי ת heretical
אֶפִּיקוֹרְסוּת נ heresy
אָפֵל ת dark
אִפֵּל פ darken, blackout
אֲפֵלָה נ darkness
אֲפִלּוּ תה״פ even if, even
אַפְלוּלִי ת dim
אַפְלוּלִיּוּת נ dimness
אַפְלָיָה נ discrimination
אַפְּלִיקַצְיָה נ applique

אֶפֶנְדִּי ז effendi
אַפֶּנְדִיצִיט ז appendicitis
אִפְנוּן ז modulation
אַפְנָיָה נ reference
אִפְנֵן פ modulate
אֶפֶס ז cipher, zero, nil, 0
אִפֵּס פ zero
אֶפֶס תה"פ but, yet
אַפְסוּת נ nullity, worthlessness
אַפְסִי worthless, insignificant
אַפְסָן ז nihilist
אַפְסְנָאוּת נ supply
אַפְסְנַאי ז quartermaster
אַפְסָנוּת נ nihilism
אַפְסָר ז halter, tether
אֶפְעֶה ז viper, adder, asp
אָפַף פ surround
אִפֵּק פ suppress
אֶפֶקְט ז effect
אֶפֶקְטִיבִי ת effective
אִפֵּר פ make up
אֵפֶר ז ash, ember
אֵפֶר הַגּוּף ashes
אֶפְרוֹחַ ז chick
אַ-פְּרוֹפּוֹ תה"פ apropos
אַפְרוּרִי ת grayish
אַפַּרְטְהַיְד ז apartheid
אַפִּרְיוֹן ז canopy, sedan
אַפְּרִיוֹרִי ת a priori
אַפְּרִיל ז April
אֲפַרְכֶּסֶת נ earpiece
אֲפַרְסְמוֹן ז persimmon
אֲפַרְסֵק ז peach
אֲפַרְפַּר ת grayish
אַפְרַקְדָן ת supine
אִפְשׁוּר ז enabling
אֶפְשָׁר תה"פ perhaps, possible
אִפְשֵׁר פ enable, let
אֶפְשָׁרוּת נ chance, possibility
אֶפְשָׁרִי ת possible
אַפָּתִי ת apathetic
אַפַּתְיָה נ apathy
אָץ פ rush, hurry
אֶצְבַּע נ digit, finger

אִצְבַּע פ finger
אֶצְבָּעוֹן ז thimble
אֶצְבְּעוֹנִי ת midget
אֶצְבְּעוֹנִית נ foxglove
אַצָּה נ alga
אַצְוָה נ batch
אִצּוּל ז ennoblement
אֲצֻלָּה נ nobility, peerage
אִצְטַבָּה נ shelf, ledge
אִצְטַגְנִין ז astrologer
אִצְטַדְיוֹן ז stadium
אֲצֶטוֹן ז acetone
אִצְטְלָה נ robe, cloak
אִצְטְרוֹבָּל ז acorn, cone
אִצְטְרוּבָּלִי ת pineal
אַצִּיל ז upper arm
אָצִיל ז noble
אֲצִילָה נ vesting
אֲצִילוּת נ nobility
אֲצִילִי ת courtly, noble
אֵצֶל מ"י at, beside, by, near
אָצַל פ delegate, bestow
אִצֵּל פ ennoble
אָצָן ז runner, sprinter
אֶצְעָדָה נ bracelet, bangle
אֶצְעֲדַת-קַרְסוֹל ז anklet
אֶקָ"ג ECG
אֶקְדָּח ז gun, pistol, revolver
אִקְדֵּם פ prelude
אֲקָדֶמַאי ז academic
אַקְדָּמָה נ prelude
אֲקָדֶמִי ת academic
אֲקָדֶמְיָה נ academy
אַקּוֹ ז ibex
אֶקְוָטוֹר ז equator
אֶקוֹלוֹגִי ת ecological
אֶקוֹלוֹגְיָה נ ecology
אֶקוּמֶנִי ת ecumenical
אֲקוֹנִיטוֹן ז aconite
אֲקוּסְטִי ת acoustic
אֲקוּסְטִיקָה נ acoustics
אָקוֹרְדְיוֹן ז accordion
אַקְוַרְיוּם ז aquarium
אֶקְזוֹטִי ת exotic

אֶקְזֶמָה נ — eczema
אַקְט ז — act
אַקְטוּאָלִי ת — current, actual
אַקְטוּאָלִיוּת נ — actuality
אַקְטוּאָר ז — actuary
אַקְטִיבִי ת — active
אַקְטִיבִיסְט ז — activist
אִקְלוּם ז — acclimation
אַקְלִים ז — climate
אַקְלִימָאוּת נ — climatology
אַקְלִימִי ת — climatic
אִקְלֵם פ — acclimate
אֶקְלֶקְטִי ת — eclectic
אֶקְסְהִיבִּיצְיוֹנִיזְם — exhibitionism
אֶקְסְטָזָה נ — ecstasy
אֶקְסְטָטִי ת — ecstatic
אֶקְסְטְרָה ת — extra
אַקְסִיוֹמָה נ — axiom
אֶקְסְפֶּרְטִיזָה נ — expertise
אֶקְסְפֶּרִימֶנְט ז — experiment
אֶקְסְפְּרֶס ת — express
אֶקְסְפְּרֶסְיוֹנִיזְם ז — expressionism
אֶקְסְקְלוּסִיבִי ת — exclusive
אַקְר ז — acre
אַקְרַאי ז — chance
אַקְרוֹבָּט ז — acrobat
אַקְרוֹבָּטִי ת — acrobatic
אַקְרוֹבָּטִיקָה נ — acrobatics
אַקְרוֹסְטִיכוֹן ז — acrostic
אֲקָרִית נ — mite
אֶקְרָן ז — screen
אָר ז — are
אָרַב פ — ambush, waylay
אַרְבֶּה ז — locust
אַרְבָּה נ — barge
אַרְבַּע, אַרְבָּעָה נ/ז — four
אַרְבַּע עֶשְׂרֵה נ — fourteen
אַרְבָּעָה עָשָׂר ז — fourteen
אַרְבָּעוֹן ז — tetrahedron
אַרְבָּעִים — forty
אָרַג פ — weave
אֶרֶג ז — fabric, material
אַרְגּוֹ ז — argot
אִרְגּוּן ז — organization
אַרְגּוֹן ז — argon
אִרְגּוּנִי ת — organizational
אַרְגָּז ז — box, chest
אַרְגָּמָן ז — crimson, purple
אַרְגְּמָנִי ת — purplish
אִרְגֵּן פ — organize
אַרְגָּעָה נ — all clear
אָרָד ז — bronze
אַרְדִּיכָל = אַדְרִיכָל
אָרָה פ — pick, gather
אֲרוּבָּה נ — chimney, flue
אֲרוּבַּת הָעַיִן — socket
אָרוּז ת — packed
אֶרוֹזְיָה נ — erosion
אֵרוּחַ ז — entertainment
אֲרוּחָה נ — meal
אֲרוּחַת בּוֹקֶר — breakfast
אֲרוּחַת בּוֹקֶר מְאוּחֶרֶת — brunch
אֲרוּחַת עֶרֶב — supper
אֲרוּחַת צָהֳרַיִם — lunch
אֶרוֹטִי ת — erotic
אֶרוֹטִיּוּת נ — eroticism
אָרוֹךְ ת — long, prolonged
אֲרוּכּוֹת תה"פ — at length
אֲרוֹמָה נ — aroma
אֲרוֹמָתִי ת — aromatic
אָרוֹן ז — cabinet, cupboard
אֲרוֹן הַבְּרִית — Ark of the Covenant
אֲרוֹן הַמֵּת — coffin, bier
אֲרוֹן־הַקּוֹדֶשׁ — Holy Ark
אָרוּס ז — fiance, bridegroom
אֲרוּסָה נ — betrothed, bride
אֵרוּסִין ז"ר — betrothal, engagement
אֵרוּעַ ז — event
אָרוּר ת — bloody, cursed
אֶרֶז ז — cedar
אָרַז פ — pack
אַרְזִית נ — larch
אֵרַח פ — entertain
אָרְחֵי פָּרְחֵי — tramps, bums
אַרְטִילֶרְיָה נ — artillery
אַרְטִיסְט ז — artist
אַרְטִישׁוֹק ז — artichoke
אָרִי ת — Aryan

אָרִיג ז	cloth, fabric, material
אֲרִיגָה נ	weaving
אַרְיֵה, אֲרִי ז	lion
אֲרִי־הַיָּם	sea lion
אַרְיָה נ	aria
אֲרִיזָה נ	packing, package
אָרִיחַ ז	flagstone, brick
אֲרִיךְ־נֶגֶן	long-playing
אֲרִיכוּת נ	length
אֲרִיכוּת יָמִים	longevity
אָרִיס ז	tenant
אֲרִיסוּת נ	tenancy
אֲרִיסטוֹקְרָט ז	aristocrat
אֲרִיסטוֹקְרָטִי ת	aristocratic
אֲרִיסטוֹקְרַטְיָה נ	aristocracy
אֲרִיתְמֶטִי ת	arithmetic
אֲרִיתְמֶטִיקָה נ	arithmetic
אָרַךְ פ	last, take time
אֶרֶךְ מוֹעֵד	long-term
אֶרֶךְ רוּחַ	patient
אַרְכָאִי ת	archaic
אַרְכָאִיזם ז	archaism
אַרְכָּה נ	extension, grace
אַרְכּוּבָה נ	crank
אַרְכּוֹף ז	stirrup
אַרְכֵיאוֹלוֹג ז	archaeologist
אַרְכֵיאוֹלוֹגִי ת	archaeological
אַרְכֵיאוֹלוֹגְיָה נ	archaeology
אַרְכִיב, אַרְכִיוֹן ז	archives
אַרְכִיבִּישׁוֹף ז	archbishop
אַרְכִיבָר ז	archivist
אַרְכִיטֶקְטוּרָה נ	architecture
אַרְכִימַנְדְרִיט ז	archimandrite
אַרְכִיפֶּלֶג ז	archipelago
אַרְכָנוּת נ	lengthening
אֲרַכְרַךְ ת	longish
אַרְמָדָה נ	armada
אַרְמָדִיל ז	armadillo
אַרְמוֹן ז	castle, palace
אַרְמִיָּה נ	army
אַרְנָב ז	rabbit
אַרְנָבִיָּה נ	warren
אַרְנֶבֶת נ	bunny, hare
אַרְנָה נ	mushroom
אַרְנוֹנָה נ	property tax
אַרְנָק ז	handbag, purse, bag, wallet
אֵרַס פ	be engaged
אֶרֶס ז	poison
אַרְסִי ת	poisonous, venomous
אַרְסִיוּת נ	poisonousness
אַרְסָן ז	arsenic
אֵרַע פ	happen, occur
אֵרָעוֹן ז	happening
אֲרָעִי ת	casual, temporary, impermanent, provisional
אֲרָעִיוּת נ	impermanence
אֲרָעִית תה״פ	temporarily
אֶרֶץ נ	earth, ground, land, country, state
אֶרֶץ חָסוּת	protectorate
אַרְצִי ת	earthbound, earthly, worldly
אַרְקָדִי ת	Arcadian
אֲרַקָּה נ	earth
אַרְקְטִי ת	arctic
אֲרֶשֶׁת נ	countenance
אֵשׁ נ	fire, flame
אֵשׁ אֲנִפִילָדִית	enfilade
אֵשׁ צוֹלֶבֶת	cross-fire
אֶשְׁבּוֹל ז	corn cob
אֶשֶׁד ז	waterfall
אִשָּׁה נ	lady, wife, woman
אַשְׁוָה נ	bobbin, reel, spool
אַשּׁוּחַ ז	fir tree
אִשּׁוּם ז	accusation
אִשּׁוּר ז	acknowledgement, confirmation, approval, assent
אַשּׁוּר ז	beech
אָשְׁיָה נ	foundation
אֶשֶׁךְ ז	testicle
אַשְׁכָּבָה נ	requiem, burial
אֶשְׁכּוֹל ז	bunch, cluster
אֶשְׁכּוֹלִית נ	grapefruit
אַשְׁכְּנַזִּי ת	European Jew
אֵשֶׁל ז	tamarisk
אַשְׁלָג ז	potash
אַשְׁלְגָן ז	potassium

אַשְׁלָיָה נ illusion, delusion
אָשֵׁם ת guilty
אָשָׁם ז guilt
אָשַׁם פ be guilty
אַשְׁמַאי ז sinner
אַשְׁמָה נ accusation, blame, guilt
אַשְׁמוּרָה נ watch
אֶשְׁנָב ז window
אֶשְׁנַב־יְרִי embrasure
אַשָּׁף ז wizard
אַשַּׁף מִטְבָּח chef
אַשְׁפָּה נ refuse, rubbish
אִשְׁפּוּז ז hospitalization
אִשְׁפֵּז פ hospitalize
אַשְׁפַּת חִצִּים quiver
אֶשְׁקָף ז porthole
אִשֵּׁר פ confirm, certify
אֲשֶׁר מ״ח who, which, that
אֲשֶׁר לְ– as to
אַשְׁרַאי ז credit
אַשְׁרָה נ visa
אִשְׁרוּר ז ratification
אַשְׁרֵי מ״ק happy is the man
אִשְׁרֵר פ ratify
אַשְׁרַת יְצִיאָה exit visa
אַשְׁרַת כְּנִיסָה entry visa
אֶשְׁתָּקַד תה״פ last year
אֵת (sign of direct object)
אֵת מ״י with
אַתְּ מ״ג you
אֵת ז spade, shovel
אֶתְגָּר ז challenge
אִתְגֵּר פ challenge

אַתָּה מ״ג you
אָתוֹן נ she-ass
אִתּוּר ז localization
אִתּוּת ז signaling
אִתִּי מ״ג with me
אֶתִּי ת ethical
אַתֵאִיזְם ז atheism
אַתֵאִיסְט ז atheist
אַתֵאִיסְטִי ת atheistic
אֶתִּיקָה נ ethics
אֶתִּיקֶטָה נ etiquette
אִתְּךָ, אִתְּכֶם מ״ג with you
אֶתְכֶם מ״ג you
אַתְלֵט ז athlete
אַתְלֵטִי ת athletic
אַתְלֵטִיקָה נ athletics
אַתְלֵטִיקָה קַלָּה light athletics, track and field
אַתֶּם, אַתֶּן מ״ג you
אֶתְמוֹל ז yesterday
אַתָּן ז tonic
אֶתְנוֹגְרַפְיָה נ ethnography
אֶתְנוֹלוֹגְיָה נ ethnology
אֶתְנַחְתָּא נ pause, caesura
אֶתְנִי ת ethnic
אֶתְנָע ז motivation
אֶתְנָן ז harlot's pay
אִתֵּר פ locate, localize
אֶתֶר ז ether
אֲתַר ז place, site
אֲתַר מַרְפֵּא spa
אַתְרָאָה נ alert, warning
אֶתְרוֹג ז citron
אַתָּת ז signaler

ב

בְּ– in, at, by
בָּא פ come, arrive, enter
בָּא ת coming, next
בָּא־כּוֹחַ representative, attorney, proxy
בָּאוֹבָּב ז baobab

בֵּאוּר ז explanation
בָּאוּשׁ ת stinking, putrid
בָּאוּת־כּוֹחַ representation
בֶּאֱמוּנָה תה״פ honestly
בְּאֶמְצָעוּת מ״י through
בֶּאֱמֶת תה״פ really, truly

בְּאַקְרַאי תה"פ	by chance
בֵּאֵר פ	explain
בְּאֵר נ	well
בְּאֵר אַרְטֶזִית	artesian well
בָּאַשׁ פ	stink, rot
בַּאֲשֶׁר לְ-	as for, as to, concerning
בָּאְשָׁת נ	halitosis
בָּבוּאָה נ	reflection, image
בַּבּוּן ז	baboon
בַּבּוֹנָג ז	camomile
בִּבְחִינַת תה"פ	in the sense of
בְּבֵרוּר תה"פ	clearly
בְּבַקָּשָׁה תה"פ	please
בְּבַת אַחַת תה"פ	all at once
בָּבַת עַיִן	apple of the eye
בָּגַד פ	betray
בֶּגֶד ז	garment: dress
בֶּגֶד־גוּף	cat suit, fleshing, leotard
בֶּגֶד־יָם	bathing suit, swim-suit
בְּגֶדֶר תה"פ	within the scope of
בִּגּוּד ז	clothing
בֶּגוֹנְיָה נ	begonia
בָּגָטֶלָה נ	bagatelle
בְּגִידָה נ	betrayal, treason
בְּגִין מ"י	because of
בָּגִיר ז	adult
בְּגִירוּת נ	adulthood
בִּגְלַל מ"י	on account of, because of
בְּגַפּוֹ תה"פ	alone
בָּגַר פ	grow up, mature
בַּגְרוּת נ	adulthood, manhood
בַּד ז	cloth, material
בַּדַּאי ז	liar
בָּדָד תה"פ	alone
בּוֹדֵד פ	isolate, insulate
בָּדָה פ	invent, fabricate
בִּדּוּד ז	isolation, insulation
בָּדוּחַ ת	amused
בָּדוּי ת	invented, fabricated
בִּדּוּי ז	fabrication
בֶּדוּוִי ז	bedouin
בְּדוֹלַח ז	crystal
בְּדוֹלְחִי ת	crystalline
בַּדּוֹן ז	tent, hut
בָּדוּק ת	tested, checked
בְּדוֹקֶת נ	censorship
בִּדּוּר ז	amusement, entertainment, fun, pastime
בְּדוּתָה נ	lie, fabrication
בָּדַח פ	amuse
בַּדְחִית נ	farce
בַּדְחָן ז	humorist, jester
בְּדִידוּת נ	loneliness, solitude
בְּדָיָה נ	lie, fabrication
בִּדְיוֹנִי ת	fictitious
בְּדִיּוּק תה"פ	exactly
בְּדִיחָה נ	jest, joke
בְּדִיחוּת נ	joy, merriment
בְּדִיל ז	tin
בְּדִימוֹס ת	retired
בְּדִיעֲבַד תה"פ	after the event
בְּדִיקָה נ	check, inspection, test
בָּדֵל פ	separate
בָּדָל ז	end, butt, stub
בַּדְלָן ז	isolationist, separatist
בַּדְלָנוּת נ	isolationism, separatism
בָּדַק פ	check, examine, inspect, test
בַּדָּק ז	censor
בֶּדֶק ז	repair, maintenance
בֶּדֶק בַּיִת	house repair
בִּדֵּר פ	entertain, amuse
בְּדֶרֶךְ כְּלָל תה"פ	generally, normally, usually
בַּדְרָן ז	entertainer
בָּהּ מ"ג	in her
בְּהַדְרָגָה תה"פ	gradually
בָּהָה פ	wonder
בָּהוּל ת	hasty, urgent
בְּהֶחְלֵט תה"פ	absolutely

בַּהַט ז	alabaster, porphyry
בְּהִילוּת נ	haste, hurry
בָּהִיר ת	bright, clear, fair
בְּהִירוּת נ	brightness, clarity
בְּהֶכְרֵחַ תה"פ	necessarily
בֶּהָלָה נ	rush, scare, panic
בִּהֵם פ	brutalize
בְּהֵמָה פ	beast, animal
בַּהֲמִי ת	brutish
בַּהֲמִיוּת נ	brutishness
בֶּהֱמַת־מַשָּׂא	beast of burden
בְּהֵן־צֶדֶק	honestly
בְּהֶסַּח־הַדַּעַת	abstractedly
בָּהַק פ	shine, glitter
בְּהֶקְדֵּם תה"פ	early
בַּהֶרֶת נ	bright spot
בַּהֶרֶת־קַיִץ	freckle
בְּהֶתְאֵם תה"פ	accordingly, by
בְּהֶתְאֵם לְ-	in accordance with, according to
בּוֹ מ"ג	in him
בּוֹ-זְמַנִּית	simultaneously
בּוֹא ז	coming, arrival
בּוֹאֶשׁ ז	skunk
בּוּבָּה נ	puppet, doll, effigy
בּוֹגֵד ז	traitor
בּוֹגְדָנִי ת	treacherous
בּוֹגְדָנוּת נ	treachery
בּוֹגֵר ז	graduate, adult
בּוֹגְדָנִי ת	treacherous
בּוֹדֵד ת	lonely, solitary
בּוֹדֵד פ	seclude, isolate
בּוּדְהִיזְם ז	Buddhism
בּוֹהֶמִי ת	bohemian
בּוֹהֶן נ	thumb, toe
בְּוַדַּאי תה"פ	certainly
בּוּז ז	scorn, contempt
בּוֹזֵז ז	plunderer
בּוֹחֵן ז	tester, examiner
בּוֹחַן ז	examination, test
בּוֹחֵר ז	elector, voter
בּוֹטֶה ת	harsh, biting
בּוּטִיק ז	boutique
בּוֹטֶן ז	peanut
בּוֹטָנִי ת	botanical
בּוֹטָנִיקָה נ	botany
בּוֹטָנִיקָן ז	botanist
בּוֹילֶר ז	boiler
בּוֹכְיָר ז	shuttle
בּוּכְנָה נ	piston
בּוּל ז	stamp, bull's-eye
בּוּל עֵץ	chump, log
בּוּלָאוּת נ	philately
בּוּלָאִי ת	philatelic
בּוּלַאי ז	philatelist
בּוּלְבּוּל ז	bulbul
בּוּלְבּוּס ז	bulb
בּוּלְבּוּסִי ת	bulbous
בּוּלְדּוֹג ז	bulldog
בּוּלָה נ	bull
בּוֹלֵט ת	prominent
בּוּלֶטִין ז	bulletin
בּוֹלֵל פ	mix, assimilate
בּוּלְמוּס ז	desire, mania
בּוֹלֶשֶׁת נ	secret police
בּוֹמְבַּסְטִי ת	bombastic
בּוּמֶרַנְג ז	boomerang
בּוּנְגָּלוֹ ז	bungalow
בּוֹנֶה ז	beaver, builder
בּוֹנוּס ז	bonus
בּוֹנְנוּת נ	insight
בּוּנְקֶר ז	bunker
בּוֹס ז	boss
בּוֹסֵס פ	tread, trample
בּוֹסֶר ז	unripe fruit
בּוּסְתָּן ז	garden, orchard
בּוּעָה נ	blister, bubble
בּוֹעֵר ת	burning, urgent
בּוּפָלוֹ ז	buffalo
בּוֹץ ז	mud, mire
בּוֹצִי ת	muddy
בּוּצִין ז	mullein
בּוּצִית נ	canoe, dinghy
בּוֹצֵר ז	vintager
בּוּקִיצָה נ	elm
בּוֹקְסֶר (כלב) ז	boxer
בּוֹקֵעַ ת	breaking, piercing
בּוֹקֶר ז	morning
בּוֹקֶר טוֹב	good morning

בּוֹקֵר ז	herdsman, cowboy
בּוֹקֶרֶת נ	cowgirl
בּוֹר ז	pit, hole, boron
בּוֹר שְׁפָכִים	cesspit
בּוּר ז	ignorant, illiterate
בּוֹרֵא ז	creator
בּוֹרֶג ז	bolt, screw
בּוֹרְגִי ת	spiral, screw-like
בּוּרְגָנוּת נ	bourgeoisie
בּוּרְגָנִי ז	bourgeois
בּוֹרְדָם ז	dysentery
בּוּרוּת נ	ignorance
בּוֹרֵחַ ז	runaway
בּוּרְלֶסְקָה נ	burlesque
בּוּרְנָס ז	burnoose, cowl, hood
בּוּרְסָה נ	stock exchange
בּוּרְסְקָאוּת נ	tanning
בּוּרְסְקִי ז	tanner
בּוֹרֵר ז	arbitrator
בּוֹרְרוּת נ	arbitration
בּוֹשׁ פ	be ashamed
בּוּשָׁה נ	disgrace, shame
בּוֹשֶׂם ז	perfume
בּוֹשֵׁשׁ פ	be late, tarry
בּוֹשֶׁת פָּנִים	shame
בָּז פ	despise, scorn
בַּז ז	falcon, hawk, loot
בֶּז' ז	beige
בִּזְבּוּז ז	waste
בִּזְבֵּז פ	spend, squander, waste
בַּזְבְּזָן ת	squanderer
בַּזְבְּזָנוּת נ	improvidence, prodigality
בַּזְבְּזָנִי ת	prodigal, wasteful
בְּזָדוֹן	deliberately, willfully
בָּזָה, בִּזָּה פ	despise, scorn
בִּזָּה נ	loot, pillage, plunder, spoil
בָּזוּי ת	despised
בִּזּוּי ז	despising
בְּזוֹל תה"פ	cheaply
בָּזוּקָה נ	bazooka
בִּזּוּר ז	decentralization

בָּזַז פ	plunder
בִּזָּיוֹן ז	shame, contempt
בָּזִיךְ ז	censer
בְּזִיל הַזּוֹל תה"פ	dirt cheap
בַּזְיָר ז	falconer
בַּזְיָרוּת נ	falconry
בַּזֶּלֶת נ	basalt
בָּזָק ז	lightning
בָּזַק פ	sprinkle
בָּזָר ז	bazaar
בִּזֵּר פ	decentralize
בַּחוּץ תה"פ	out
בָּחוּר ז	boy, youth
בַּחוּרָה נ	girl, maiden
בַּחֲזָרָה תה"פ	back
בְּחַיַּי מ"ק	upon my word
בְּחִילָה נ	nausea, revulsion
בְּחִינָה נ	examination, test, aspect, assay
-בִּבְחִינַת	as, like
בָּחִיר ת	chosen
בְּחִירָה נ	choice, selection
בְּחִירוֹת נ"ר	election
בְּחִירוֹת כְּלָלִיּוֹת	general election
בְּחִירוֹת מִשְׁנֶה	by-election
בְּחִישָׁה נ	mixing, stir
בָּחַל פ	abhor, loathe
בָּחַן פ	examine, scan, test
בְּחִנָּם תה"פ	free, for nothing
בָּחַר פ	choose, elect, pick, select
בַּחֲרוּת נ	youth, adolescence
בָּחַשׁ פ	stir
בַּחֲשַׁאי תה"פ	secretly
בַּחְשָׁה נ	ladle, paddle
בִּטֵּא פ	pronounce, express
בִּטָּאוֹן ז	organ, mouthpiece
בָּטוּחַ ת	certain, confident, safe, secure, sure
בִּטּוּחַ ז	insurance
בִּטּוּחַ חַיִּים	life insurance
בִּטּוּחַ לְאוּמִּי	National Insurance
בִּטּוּי ז	expression, phrase

בִּטּוּל ז abolition,
abrogation, annulment,
cancellation
בֶּטוֹן ז concrete
בֶּטוֹן מְזוּיָן ferroconcrete
בָּטַח פ trust, rely
בִּטַּח פ insure
בֶּטַח תה"פ certainly, sure
בְּטָחָה נ safety
בִּטָּחוֹן ז confidence,
safety, security, trust
בָּטָטָה נ sweet potato
בְּטִיחוּת נ safety, security
בְּטִישָׁה נ stamping, beating
בִּטֵּל פ abolish, abrogate,
call off, cancel
בָּטֵל ת idle, void, null
בַּטֶלְדְרֶס ז battle-dress
בַּטָּלָה נ idleness
בַּטַּלְיוֹן ז battalion
בַּטְלָן ז bum, idler
בַּטְלָנוּת נ idleness
בֶּטֶן נ abdomen, belly
בִּטֵּן פ line
בִּטְנָה נ lining
בַּטְנוּן ז contrabass,
double bass
בַּטְנוּנִית נ cello
בַּטֶּרְיָה נ battery
בָּטַשׁ פ trample, stamp
בִּי מ"ג in me
בִּיאָה נ coming, intercourse
בִּיב ז sewer, gutter
בֵּיבִּי־סִיטֶר baby-sitter
בִּיבְּלִיוֹגְרָף ז bibliographer
בִּיבְּלִיוֹגְרָפִי bibliographical
בִּיבְּלִיוֹגְרַפְיָה נ bibliography
בֵּיבָר ז zoo
בִּיבָר ז beaver
בֵּיגֶל'ה ז bagel
בִּיגַמְיָה נ bigamy
בִּיגָמִיסְט ז bigamist
בִּידֶה ז bidet
בִּיּוּב ז sewage, drainage
בִּיּוֹגְרָף ז biographer

בִּיּוֹגְרָפִי ת biographical
בִּיּוֹגְרַפְיָה נ biography
בְּיוֹדְעִין תה"פ knowingly
בִּיּוֹכִימְיָה נ biochemistry
בִּיּוּל ז stamping
בִּיּוֹלוֹג ז biologist
בִּיּוֹלוֹגִי ת biological
בִּיּוֹלוֹגְיָה נ biology
בִּיּוּם ז staging
בִּיּוּן ז intelligence
בִּיּוֹפִיסִיקָה נ biophysics
בִּיּוֹפְּסְיָה נ biopsy
בִּיּוּץ ז ovulation
בְּיוֹקֶר תה"פ expensive
בְּיוּרוֹקְרָט ז bureaucrat
בְּיוּרוֹקְרָטִי ת bureaucratic
בְּיוּרוֹקְרַטְיָה נ bureaucracy
בִּיּוּשׁ ז causing shame
בִּיּוּת ז domestication
בְּיוֹתֵר תה"פ most, very much
בִּיזוֹן ז bison
בְּיִחוּד תה"פ especially
בְּיַחַד תה"פ together
בְּיַחַס לְ- מ"י regarding
בִּיט ז bit
בִּיטוּמֶן ז bitumen
בִּיטְנִיק ז beatnik
בִּיֵּל פ stamp
בִּילְיַארְד ז billiards
בִּילְיוֹן ז billion
בִּילְיוֹנִית נ billionth
בִּיֵּם פ stage, direct
בִּימַאי ז stage manager
בִּימָה נ stage, platform
בֵּין מ"י between, among
בֵּין הָעַרְבַּיִם/הַשְּׁמָשׁוֹת
twilight, dusk
בֵּין יַבַּשְׁתִּי intercontinental
בֵּינָאִי ת medieval
בִּינְגוֹ ז bingo
בִּינָה נ wisdom, intellect
בֵּינוֹנִי ת middle, mediocre
intermediate, present
בֵּינוֹנִיּוּת נ mediocrity
בֵּינוֹת מ"י between, among

בֵּינַיִם ז״ר	middle
בֵּינַיְמִי ת	medieval
בֵּינלְאוּמִי ת	international
בֵּינלְאוּמִיּוּת	internationalism
בִּינָרִי ת	binary
בִּינַת־הַלֵּב	intuition
בֵּינְתַיִם תה״פ	for the time being, meanwhile
בְּיָעַף תה״פ	in a hurry
בֵּיסבּוֹל ז	baseball
בִּיסטרוֹ ז	bistro
בִּיסמוּת ז	bismuth
בִּיסקוִיט ז	biscuit
בִּיפְּלָן ז	biplane
בֵּיצָה נ	egg
בֵּיצָה רַכָּה	soft-boiled egg
בֵּיצַת־עַיִן	sunny-side up
בֵּיצִי ת	oval, egg-like
בֵּיצִיָּה נ	omelet, fried egg
בֵּיצִית נ	ovule
בִּיקִינִי ז	bikini
בִּירָה נ	beer, capital
בִּירִית נ	garter
בִּיש ת	bad
בִּיש־מַזָּל ת	unlucky
בִּיֵּש פ	put to shame
בִּישוֹף ז	bishop
בִּישוֹפוּת נ	bishopric
בַּיְשָׁן ת	diffident, shy, coy
בַּיְשָׁנוּת נ	diffidence
בַּיִת ז	home, house, stanza
בִּיֵּת פ	tame, domesticate
בֵּית אָב	family
בֵּית אָבוֹת	home for aged
בֵּית אוֹזֶן	earmuff
בֵּית אֲחִיזָה	handle
בֵּית־אֵל	bethel
בֵּית אֲסוּרִים	prison
בֵּית־בַּד	oil press
בֵּית בּוֹשֶת	brothel
בֵּית בְּלִיעָה	throat, gullet
בֵּית גִדּוּל	place of growth
בֵּית דוֹאַר	post office
בֵּית־דִין	court

בֵּית דִירוֹת	apartment house
בֵּית דְפוּס	printing press
בֵּית הַבְרָאָה	rest home
בֵּית הֶחָזֶה	chest, rib cage
בֵּית הַחלָמָה	convalescent home
בֵּית הַמִקְדָש	Temple
בֵּית הָעִירִיָּה	City Hall
בֵּית הַשֶּׁחִי	armpit
בֵּית זוֹנוֹת	brothel
בֵּית־זְכוּכִית	glasshouse
בֵּית־זִקוּק	refinery
בֵּית־חוֹלִים	hospital
בֵּית חוֹלֵי רוּחַ	lunatic asylum
בֵּית־חֲרוֹשֶת	factory
בֵּית יְצִיקָה	foundry
בֵּית־יְתוֹמִים	orphanage
בֵּית־כָּבוֹד	water closet
בֵּית כֶּלֶא	prison
בֵּית־כְּנֶסֶת	synagogue
בֵּית־כִּסֵא	water closet
בֵּית מִדְרָש	college, school
בֵּית מְחוֹקְקִים	legislature
בֵּית מַחֲסֶה	almshouse
בֵּית מִטבָּחַיִם	abattoir, slaughterhouse
בֵּית־מֶכֶס	custom house
בֵּית־מְלָאכָה	workshop
בֵּית־מָלוֹן	hotel
בֵּית־מִסחָר	shop, store
בֵּית־מַרגוֹעַ	rest home
בֵּית־מַרזֵחַ	tavern, inn
בֵּית־מֶרחָץ	bathhouse
בֵּית מִרקַחַת	pharmacy
בֵּית־מְשוּגָעִים	madhouse
בֵּית מִשמָר	guardhouse
בֵּית מִשפָּט	court of law
בֵּית מִשפָּט עֶליוֹן	high court
בֵּית נִבחָרִים	parliament
בֵּית נוּרָה	socket
בֵּית נְכוֹת	museum
בֵּית נְתִיבוֹת	train station
בֵּית סוֹהַר	jail, prison

בֵּית־סֵפֶר school
בֵּית סֵפֶר יְסוֹדִי elementary school
בֵּית־סֵפֶר תִּיכוֹן secondary school
בֵּית־עֲבוֹט pawnshop
בֵּית־עָלְמִין cemetery
בֵּית־עָם community center
בֵּית קְבָרוֹת graveyard, cemetery
בֵּית קִבּוּל receptacle
בֵּית קָפֶה café
בֵּית קֵרוּר icehouse
בֵּית שִׁמּוּשׁ lavatory, water closet
בֵּית תַּמְחוּי public kitchen
בֵּית תְּפִלָּה synagogue
בֵּיתִי ת domestic
בִּיתָן ז booth, cabin
בְּךָ, בָּךְ מ״ג in you
בִּכְבוֹדוֹ וּבְעַצְמוֹ he himself
בִּכְדִי תה״פ in vain
בָּכָה פ cry, weep
בִּכָּה פ lament, mourn
בְּכַוָּנָה תה״פ deliberately, on purpose
בְּכוֹחַ תה״פ potentially
בְּכוֹר ז firstborn
בְּכוֹרָה נ birthright, priority
בִּכּוּרָה נ early fruit
בִּכּוּרִים ז״ר first fruits
בְּכִי, בְּכִיָּה crying, weeping
בְּכִי טוֹב pretty well
בַּכְיָן ז crier, weeper
בָּכִיר ת senior, elder
בְּכָל אוֹפֶן in any case
בְּכָל זֹאת nevertheless
בְּכָל מִקְרֶה in any case
בִּכְלָל תה״פ at all, generally
בָּכֶם, בָּכֶן מ״ג in you
בִּכֵּר פ prefer
בַּל מ״ח not, do not
בַּל יְתוֹאַר past expression, indescribable

בְּלֹא תה״פ without
בְּלָאו הָכִי anyway
בַּלָּאט תה״פ stealthily
בְּלַאי ז amortization, wear
בִּלְבַד תה״פ mere, only, solely
בִּלְבַדִּי ת exclusive
בִּלְבּוּל ז confusion
בִּלְבֵּל פ bewilder, confuse
בָּלָגָן ז disorder
בַּלְדָּר ז courier
בַּלָּדָה נ ballad
בָּלָה פ be worn out
בִּלָּה פ spend time, wear out
בָּלֶה ת worn out
בַּלָּהָה נ horror, dread
בְּלוֹ ז excise
בְּלוֹאִים ז״ר rags
בְּלוּז ז blues
בַּלּוּט ז acorn
בַּלּוּטָה נ gland
בַּלּוּטוֹת הָרוֹק salivary glands
בַּלּוּטַת הַכְּרֵס pancreas
בַּלּוּטַת יוֹתֶרֶת־הַמּוֹחַ pituitary
בַּלּוּטַת־הַמִּין gonad
בַּלּוּטַת־הַתְּרִיס thyroid gland
בָּלוּי ת shabby, worn out
בִּלּוּי ז pastime, recreation
בָּלוּל ת mixed
בָּלוּם ת full, closed
בַּלּוֹן ז balloon, bubble
בְּלוֹנְדִּינִי נ blond
בְּלוֹף ז bluff
בְּלוֹק ז bloc, block
בְּלוֹרִית נ forelock
בִּלּוּשׁ ז search
בְּלוֹת נ change of life, menopause
בָּלַט פ protrude, bulge
בַּלֶט ז ballet
בֶּלֶטְרִיסְטִיקָה belles-lettres
בְּלִי מ״י without
בְּלִי סָפֵק no doubt
בְּלִי הֶרֶף incessantly

בְּלֵיזֶר ז blazer
בְּלִיָּה נ wearing out
בְּלִיטָה נ projection, bulge
בְּלִיל ז mixture
בְּלִילָה נ mixing
בְּלִימָה נ check, braking
בָּלִיסְטִי ת ballistic
בָּלִיסְטִיקָה נ ballistics
בַּלִּיסְטְרָה נ catapult
בְּלִיעָה נ swallowing
בְּלִיץ ז blitz
בָּלַל פ mix, mingle
בָּלַם פ brake, check, curb
בֶּלֶם ז back
בֶּלֶם ז brake
בֶּלֶם אֲוִיר air brake
בֶּלֶם־יָד hand brake
בְּלֶנְדֶר ז blender
בַּלְסָמוֹן ז balsam
בָּלַע פ swallow
בִּלַּע פ destroy, harm
בִּלְעָדִי ת exclusive
בִּלְעֲדֵי- מ״י without
בִּלְעָדִית תה״פ exclusively
בִּלְעָדִיּוּת נ exclusiveness
בִּלֵּף פ bluff
בָּלֶרִינָה נ ballerina
בָּלַשׁ, בִּלֵּשׁ פ search
בַּלָּשׁ ז detective
בַּלָּשׁוּת נ investigation
בַּלְשָׁן ז linguist, philologist
בַּלְשָׁנוּת נ linguistics, philology
בַּלְשָׁנִי ת lexical, linguistic, philological
בִּלְתִּי מ״י not, except
בִּלְתִּי אֶפְשָׁרִי impossible
בִּלְתִּי־חָדִיר impenetrable
בִּלְתִּי־חוּקִי illegal
בִּלְתִּי נִדְלֶה exhaustless, inexhaustible
בִּלְתִּי נִמְנָע inevitable, unavoidable
בִּלְתִּי נִסְבָּל intolerable

בִּלְתִּי רָגִיל unusual, extraordinary
בָּם מ״ג in them
בִּמְאוּת נ direction
בַּמַּאי ז director
בַּמְבּוּק ז bamboo
בְּמִדְבַּר (חומש) ז Numbers
בָּמָה נ podium, rostrum, stage
בִּמְהֵרָה תה״פ soon
בְּמוֹ- מ״ח with his own
בִּמּוּי ז direction
בֶּמוֹל ז flat
בְּמוּקְדָּם אוֹ בִּמְאוּחָר sooner or later
בְּמֵזִיד תה״פ intentionally, on purpose
בְּמָטוּתָא תה״פ please
בָּמְיָה נ okra
בִּמְיוּחָד תה״פ in particular
בְּמֵישָׁרִין תה״פ directly
בִּמְקוֹם תה״פ instead of
בְּמִקְרֶה תה״פ by chance, accidentally
בְּמֶשֶׁךְ מ״י during
בֵּן ז boy, child, son
בֶּן- ת aged
בֶּן־אָדָם man, person
בֶּן־אָח nephew
בֶּן־אַלְמָוֶת immortal
בֶּן־בַּיִת familiar
בֶּן־בְּלִיַּעַל villain
בֶּן־בְּרִית ally, Jew
בֶּן־גּוֹן nuance
בֶּן־גִּיל of the same age
בֶּן־דּוֹד cousin
בֶּן־זוּג companion, mate
בֶּן־זְמַנּוֹ contemporary
בֶּן־זְקוּנִים youngest son
בֶּן חוֹרֵג stepson
בֶּן־חוֹרִין freeborn
בֶּן־חַיִל brave man
בֶּן־חָסוּת protégé
בֶּן־טוֹבִים of good family
בֶּן־יוֹמוֹ day-old

בֵּן יָחִיד only child
בֶּן־כּוֹכָב asteroid
בֶּן־כִּלְאַיִם hybrid
בֶּן־לְוָיָה companion
בֶּן־מָוֶת deserving death
בֶּן־מִינוֹ of the same kind
בֶּן־עֲרוּבָּה hostage
בֶּן רֶגַע at once
בֶּן־תְּמוּתָה mortal
בֶּן־תַּעֲרוֹבֶת hybrid
בִּנְאוּם internationalization
בַּנָּאוּת נ building, masonry
בַּנַּאי ז builder, mason
בִּנְאֵם פ internationalize
בְּנִגּוּד לְ- as opposed to
בַּנְג'וֹ ז banjo
בָּנָה פ build, construct
בָּנוּ מ"ג in us
בְּנוֹגֵעַ לְ- מ"י apropos of
בָּנוּי ת built-up
בִּנּוּי ז construction
בֶּנְזִין ז benzine, petrol
בְּנִיָּה נ construction
בִּנְיָן ז building, construction, structure
בִּנְיַן־אָב precedent
בָּנָלִי ת banal
בָּנָלִיּוּת נ banality
בָּנָנָה נ banana
בַּנְק ז bank
בַּנְק דָּם blood bank
בַּנְקָאוּת נ banking
בַּנְקַאי ז banker
בַּנְקוֹמָט ז cash dispenser
בַּנְקְנוֹט ז bank note
בַּס ז bass
בִּסְבִיבָה תה"פ around
בְּסֵדֶר תה"פ all right
בְּסוֹמֶת נ aroma
בַּסּוֹן ז bassoon
בִּסּוּס ז basing, establishing
בָּסִיס ז base, basis, alkali
בְּסִיס אֲוִירִי air base
בְּסִיס טִילִים missile base

בְּסִיסִי ת basic
בְּסַךְ הַכֹּל all told, in all, altogether
בָּסַס פ trample, tread
בִּסֵּס פ establish, base
בִּעְבּוּעַ ז bubble
בַּעֲבוּר מ"י for
בִּעְבַּע פ bubble
בֶּעָבָר תה"פ before, in former times
בְּעַד מ"י pro, by, through
בְּעוֹד תה"פ after, while
בִּעוּר ז removal, clearing out
בְּעוּת ז horror, terror
בָּעַט פ kick
בְּעֶטְיוֹ מ"י because of
בַּעֲטָן ז kicker
בְּעָיָה נ problem, question
בְּעִיטָה נ kick
בְּעִיטָה חוֹפְשִׁית free kick
בְּעִיטַת־עוֹנְשִׁין penalty kick
בְּעִיטַת קֶרֶן corner kick
בְּעִילָה נ cohabitation
בְּעַיִן תה"פ clearly, in reality
בְּעַיִן יָפָה generously
בָּעִיר ת inflammable
בְּעֵירָה נ burning, combustion
בְּעָיָתִי ת problematic
בַּעַל ז husband, owner
בָּעַל פ have sexual intercourse
בַּעַל אוֹפִי man of character
בַּעַל אֶמְצָעִים man of means
בַּעַל בַּיִת householder, landlord
בַּעַל בְּרִית allied, ally
בַּעַל גוּף corpulent
בַּעַל דָּבָר person concerned
בַּעַל דֵּעָה קְדוּמָה biased
בַּעַל הוֹן capitalist
בַּעַל חוֹב debtor, creditor
בַּעַל־חוּלְיוֹת vertebrate
בַּעַל־חַיִּים animal
בְּעַל־כּוֹרְחוֹ reluctantly
בַּעַל מוּם invalid, disabled

בַּעַל מְלָאכָה craftsman
בַּעַל־מְנָיוֹת shareholder
בַּעַל מִקצוֹעַ craftsman
בַּעַל נִסָּיוֹן experienced
בְּעַל־פֶּה by heart
בַּעַל־קוֹמָה tall
בַּעַל־שִׂמחָה celebrator
בַּעַל־תְּפִלָּה cantor
בַּעֲלוּת נ ownership, possession
בַּעֲלִיל תה"פ clearly
בְּעָלִים ז"ר owner
בְּעַלְמָא unintentionally
בַּעֲלַת בַּיִת landlady
בע"מ = בְּעֵרָבוֹן מוּגבָּל Ltd.
בְּעֶצֶם תה"פ actually
בְּעַצמוֹ by oneself
בַּעֲקִיפִין תה"פ indirectly
בְּעִקָּר תה"פ mainly
בָּעַר פ burn
בִּעֵר פ remove, exterminate
בַּעַר ז ignoramus
בְּעֵרָבוֹן מוּגבָּל Ltd.
בַּעֲרוּת נ ignorance
בְּעֶרֶך תה"פ about, around
בַּעַת נ phobia
בַּעַת־חוּץ agoraphobia
בַּעַת־מַיִם hydrophobia
בַּעַת־סָגוּר claustrophobia
בְּעָתָה נ fear, horror
בְּפוּמבֵּי תה"פ in public
בְּפוֹעַל תה"פ actually, acting
בַּפְּטִיסְט ז Baptist
בִּפנֵי תה"פ in front of
בִּפנִים תה"פ inside, within
בְּפַרהֶסיָה תה"פ openly, in public
בִּפרוֹטרוֹט תה"פ in detail
בְּפֵרוּשׁ תה"פ clearly
בִּפרָט תה"פ particularly
בִּצבּוּץ ז sprouting
בִּצבֵּץ פ sprout, burst forth
בִּצָּה נ bog, marsh, swamp
בְּצוֹבֶר תה"פ in bulk, loose
בְּצַוְתָּא תה"פ together
בִּצוּעַ ז accomplishment, execution, performance
בִּצוּעִי ת executive
בִּצּוּר ז fortification
בַּצֹּרֶת נ drought
בָּצִילוּס ז bacillus
בְּצִיעָה נ slicing
בָּצִיר ז grape harvest, vintage
בָּצָל ז onion
בְּצִמצוּם תה"פ scantily, barely
בָּצַע פ cut, slice
בִּצַּע פ perform, achieve, carry out, commit, execute,
בֶּצַע ז gain, profit
בָּצֵק ז dough, paste
בְּצֵק עָלִים puff pastry
בְּצֵקִי ת doughy, pasty
בַּצֶּקֶת נ edema
בָּצַר פ harvest grapes
בִּצֵּר פ fortify
בִּצָּתִי ת marshy
בַּקבּוּק ז bottle
בַּקבּוּקוֹן ז phial, vial
בְּקַדַּחתָּנוּת תה"פ feverishly
בִּקּוּעַ ז splitting, fission
בִּקּוּר ז call, visit
בִּקּוּר נִמּוּסִין courtesy call
בִּקּוֹרֶת נ criticism, review
בִּקּוֹרֶת חֶשבּוֹנוֹת audit
בִּקּוֹרתִּי ת censorious, critical
בִּקּוֹרתִּיּוּת נ criticism
בִּקּוּשׁ demand
בְּקוֹשִׁי תה"פ barely, hardly, scarcely
בַּקטֶריוֹלוֹג bacteriologist
בַּקטֶריוֹלוֹגיָה bacteriology
בַּקטֶריוֹת bacteria
בָּקִי ת expert, familiar
בְּקִיאוּת נ skill, mastership
בְּקִיעַ ז crack, breach, gap
בְּקִיעָה נ splitting, breach
בַּקָּלָה נ cod, codfish
בְּקַלּוּת תה"פ easily

בָּקָלִיט ז Bakelite
בָּקַע פ cleave, split
בִּקַּע פ chop, cleave, split
בֶּקַע ז rupture
בִּקְעָה נ valley
בְּקִצּוּר in brief/briefly
בִּקְצָרָה in brief/briefly
בָּקָר ז cattle
בְּקַר־שְׁחִיטָה beef cattle
בִּקֵּר פ visit, call, criticize
בִּקֵּר חֶשְׁבּוֹנוֹת audit
בִּקְּרִי ת natural
בַּקָּר ז controller
בְּקֶרֶב מ"י among
בַּקָּרָה נ control
בְּקָרוֹב תה"פ soon
בְּקֵרוּב תה"פ nearly
בַּקָּרַת־אֵשׁ fire control
בִּקֵּשׁ פ ask, beg, seek
בַּקָּשָׁה נ application, request
בִּקְתָּה נ hut, shed
בָּר ז wilderness, open field
בַּר ז son, barroom
בַּר־בִּצּוּעַ achievable
בַּר־הַשְׁוָאָה comparable
בַּר־וִכּוּחַ arguable
בַּר־חֲרִישָׁה arable
בַּר־מַזָּל fortunate, lucky
בַּר מִנָּן deceased, corpse
בַּר־סַמְכָא authority
בַּר־עוֹנְשִׁין punishable
בַּר־קְיָמָא durable
בַּר־שִׁנּוּי alterable
בַּר־תְּבִיעָה actionable
בָּרָא פ create
בֵּרֵא פ deforest
בְּרָאבוֹ! מ"ק bravo
בָּרִאשׁ וּבָרִאשׁוֹנָה first and foremost
בְּרֵאשִׁית in the beginning
בְּרֵאשִׁית (חומש) ז Genesis
בַּרְבּוּר ז swan
בָּרַבִּים תה"פ in public
בַּרְבֶּקְיוּ ז barbecue
בַּרְבָּרִי ז barbarian
בַּרְבָּרִיּוּת נ barbarism
בָּרָד ז hail
בֶּרֶד ז dynamite
בַּרְדְּלָס ז cheetah
בַּרְדָּס ז cowl, hood
בָּרוּא ז creature
בֵּרוּא ז deforestation
בְּרוֹגֶז תה"פ on bad terms
בָּרוֹגְרָף ז barograph
בַּרְוָז ז duck
בַּרְוָזוֹן ז duckling
בְּרוּטוֹ ז gross
בְּרוּטָלִי ת brutal
בְּרוּטָלִיּוּת נ brutality
בָּרוּךְ ת blessed
בָּרוּךְ הַבָּא welcome
בְּרוֹם ז bromine
בָּרוֹמֶטֶר ז barometer
בָּרוֹמֶטְרִי ת barometric
בְּרוֹמִיד ז bromide
בָּרוֹן ז baron
בָּרוֹנוּת נ barony
בְּרוֹנְזָה נ bronze
בָּרוֹנִית נ baroness
בְּרוֹנְכִיטִיס ז bronchitis
בֶּרוּץ ז overflow, surplus
בָּרוֹק ז baroque
בְּרוֹקֶר ז broker
בָּרוּר ת obvious, clear, definite, distinct,
בֵּרוּר ז clarification
בְּרוּרוֹת תה"פ clearly
בְּרוֹשׁ ז cypress
בָּרוּת נ diet
בֶּרֶז ז faucet, tap
בֶּרֶז־שְׂרֵפָה hydrant
בְּרֵזִיָּה נ drinking fountain
בַּרְזֶל ז iron
בַּרְזִלִּי ת ferrous
בַּרְזְלָן ז ironworker
בָּרַח פ flee, run, bolt, escape
בָּרִי תה"פ certain, sure
בָּרִיא ת healthy, sound
בְּרִיאָה נ creation

בְּרִיאַת הָעוֹלָם the Creation
בְּרִיאוּת נ health
בְּרִיאוּתִי ת sanitary
בְּרִיגָדָה נ brigade
בְּרִיגָדִיר ז brigadier
בְּרִידְג' ז bridge
בְּרִיָּה נ creature, person
בַּרְיוּם ז barium
בִּרְיוֹן ז hooligan
בִּרְיוֹנוּת נ hooliganism
בְּרִיחַ ז bar, bolt, latch
בְּרִיחָה נ flight, escape
בְּרִיחַת מוֹחוֹת brain drain
בָּרִיטוֹן ז baritone
בְּרִיטִי ת British
בְּרִיטַנְיָה נ Britain
בְּרֵיכָה נ brood, clutch
בָּרִיקָדָה נ barricade
בְּרִית נ alliance, confederacy, treaty
בְּרִית מִילָה circumcision
בֶּרֶךְ נ knee
בֵּרַךְ פ bless, greet
בְּרָכָה נ blessing, greeting
בְּרֵכָה נ lake, pond, pool
בִּרְכַּת הַמָּזוֹן grace
בְּרֵכַת־שְׂחִיָּה swimming pool
בְּרַם תה"פ but, yet
בְּרַנְדִּי ז brandy
בַּרְנֵר ז burner
בַּרְנָשׁ ז fellow, guy
בִּרְסֵק פ tan
בֶּרֶץ ז herpes
בְּרָצוֹן תה"פ with pleasure
בִּרְצִינוּת תה"פ in earnest, earnestly, seriously
בָּרָק ז bolt, lightning
בָּרָקִיעַ הַשְּׁבִיעִי on cloud nine
בַּרְקִית נ glaucoma
בַּרְקָן ז thorn
בַּרְקָרוֹלָה נ barcarole
בָּרֶקֶת נ emerald

בָּרַר פ pick, select
בֵּרַר פ clarify
בְּרֵרָה נ alternative, choice
בַּרְרָן ז choosy, dainty, picky
בַּרְרָנִי ת selective
בְּרֵרַת קְנָס option of a fine
בֵּרֵשׁ פ brush
בִּשְׁבִיל מ"י for the sake of
בִּשּׁוּל ז cookery, cooking
בִּשּׂוּם ז perfuming
בְּשׁוּם אוֹפֶן on no account
בְּשׁוּם פָּנִים on no account
בְּשׂוֹרָה נ tidings
בָּשַׁל פ ripen
בִּשֵּׁל פ cook, stew
בָּשֵׁל ת ripe
בְּשֶׁל מ"י because of
בְּשֵׁלוּת נ maturity
בְּשֵׁם- on behalf of
בִּשֵּׂם פ perfume
בַּשָּׂם ז perfumer
בַּשָּׂמוּת נ perfumery
בַּזֶּלֶת נ basalt
בִּשְׁעַת תה"פ while, during
בְּשֶׁפַע תה"פ amply
בִּשֵּׂר פ augur, bring news
בָּשָׂר ז flesh, meat
בָּשָׂר וָדָם flesh and blood
בְּשַׂר־בָּקָר beef
בְּשַׂר־חֲזִיר pork
בְּשַׂר כֶּבֶשׂ mutton
בְּשַׂר־סוּס horse meat
בְּשַׂר־עֵגֶל veal
בְּשַׂר־צְבִי venison
בָּשָׂר קָצוּץ hash
בְּשַׂר־תּוֹתָחִים cannon fodder
בְּשָׂרִי ת carnal, meaty
בַּשְׂרָנִי ת fleshy
בַּת נ daughter, girl, aged
בַּת זוּג partner, spouse

בַּת־יַעֲנָה ostrich
בַּת צְחוֹק smile
בַּת קוֹל echo
בַּת שִׁיר muse
בְּתֵאָבוֹן תה״פ good appetite
בָּתָה נ waste land
בְּתוֹךְ מ״י among, in, amid
בְּתוּלָה נ virgin
בְּתוּלִי ת virginal
בְּתוּלִיּוּת נ virginity
בְּתוּלִים ז״ר hymen, maidenhead
בְּתוֹם לֵב in good faith
בִּתּוּק ז severing, splitting
בִּתּוּר ז severing, dissection
בְּתוֹרַת תה״פ like, as
בַּתְּחִלָּה תה״פ at first
בַּתִּיסְפֵירָה נ bathysphere
בְּתַכְלִית תה״פ absolutely
בִּתְנַאי שֶׁ- מ״ח provided
בְּתַפְקִיד תה״פ on duty
בִּתֵּק פ cut, split
בִּתֵּר פ cut, bisect, dissect
בֶּתֶר ז section, fistula

ג

גֵּא, גֵּאֶה ת proud
גָּאָה פ rise, grow, mount
גֵּאוֹגְרָף ז geographer
גֵּאוֹגְרָפִי ת geographical
גֵּאוֹגְרַפְיָה נ geography
גַּאֲוָה נ boast, pride
גְּאוּלָּה נ delivery, redemption, salvation
גֵּאוֹלוֹג ז geologist
גֵּאוֹלוֹגִי ת geological
גֵּאוֹלוֹגְיָה נ geology
גֵּאוֹמֶטְרִי ת geometric(al)
גֵּאוֹמֶטְרִיָּה נ geometry
גָּאוֹן ז genius
גְּאוֹנוּת נ genius
גְּאוֹנִי ת genius
גֵּאוֹפּוֹלִיטִיקָה נ geopolitics
גֵּאוֹפִיסִיקָה נ geophysics
גֵּאוֹצֶנְטְרִי ת geocentric
גֵּאוּת נ high tide
גַּאַוְתָן ת boastful
גַּאַוְתָנוּת נ arrogance
גָּאַל פ free, redeem
גַּב ז back
גַּבָּאוּת נ management of synagogue
גַּבַּאי ז manager of synagogue
גִּבֵּב פ heap, stack, pile up
גְּבָבָה נ straw, heap, pile
גָּבַהּ פ be high, rise, mount
גָּבָה פ collect
גִּבָּה פ back up
גַּבָּה נ eyebrow
גַּבְהוּת נ haughtiness, pride
גִּבּוּב ז piling up, heap
גָּבוֹהַּ ת high, tall
גְּבוֹהָה נ proud talk
גִּבּוּי ז backing, backup
גְּבוּל ז border, bound, boundary, frontier, limit
גִּבּוּל ז kneading
גִּבּוּן ז cheesemaking
גִּבּוֹר ז hero, strong man
גְּבוּרָה נ strength
גִּבּוּשׁ ז crystallization
גִּבֵּחַ ז bald in front
גַּבַּחַת נ baldness, nap
גַּבִּי ת dorsal
גְּבִיָּה נ collection
גְּבִילָה נ limitation
גָּבִין ז eyebrow
גְּבִינָה נ cheese
גְּבִינִי ת caseous
גָּבִיעַ ז cup, goblet, calyx
גְּבִיר ז rich man

גָּבִישׁ ז crystal
גְּבִישִׁי ת crystalline
גָּבַל פ abut, border, set a limit, knead
גַּבְלִית נ oriel
גִּבֵּן ז crookbacked, humpback, hunchback
גִּבֵּן פ curve, make cheese
גַּבְנוּן ז hump, hunch
גַּבְנוּנִי ת hunchbacked
גַּבְנוּנִיּוּת נ convexity
גֶּבֶס ז gypsum, plaster, cast
גִּבְעָה נ hill
גִּבְעוֹל ז stalk, stem
גִּבְעֹנֶת נ hillock, mound
גָּבַר פ be strong, overcome, increase, grow
גֶּבֶר ז man, male, cock
גַּבָּר ז dominant
גַּבַּרְדִּין ז gabardine
גַּבְרָא ז man
גַּבְרוּת נ manhood, masculinity, virility
גַּבְרִי ת male, manly, virile
גַּבְרִיּוּת נ manhood, masculinity, virility
גְּבֶרֶת נ lady, madam, mistress
גְּבַרְתָּן ז strong man
גִּבֵּשׁ פ crystallize
גַּבְשׁוּשִׁית נ hillock, mound
גִּבְתּוֹן ז ortolan
גַּג ז roof
גַּגּוֹן ז awning, roof rack
גַּד ז coriander
גָּדָה נ bank, brink
גְּדוּד ז battalion
גְּדוּדִי ת regimental
גָּדוֹל ת great, large , big
גִּדּוּל ז increase, growth, upbringing, raising, breeding, crop, tumor
גְּדוּלָּה נ greatness
גָּדוּם ת cut, amputated
גָּדוּעַ ת cut down, felled
גִּדּוּף ז curse, insult
גָּדוּר ת fenced, fenced off
גִּדּוּר ז fencing
גָּדוּשׁ ת packed, brimming
גְּדִי ז kid
גְּדִיל ז fringe, strand
גְּדִילָה נ growth, increase
גְּדִיעָה נ cutting down
גָּדִישׁ ז heap of corn
גָּדַל פ increase, grow
גִּדֵּל פ bring up, raise
גְּדַלְדַּל ת largish
גַּדְלוּת נ greatness
גָּדַם פ cut off, sever
גִּדֵּם ת one-armed
גֶּדֶם ז stump
גָּדַע פ cut off, fell, hew
גִּדֵּף פ curse, insult
גָּדֵר נ fence, limit
גֶּדֶר־שִׂיחִים hedge
גֶּדֶר תַּיִל barbed-wire fence
גָּדַר פ fence off, enclose
גְּדֵרָה נ pen
גָּדַשׁ פ heap, pile up
גֵּהָה נ remedy, cure
גִּהוּץ ז ironing
גִּהוּק ז belch, burp
גֵּהוּת נ hygiene
גֵּהוּתִי ת hygienic
גְּהִירָה נ stooping
גִּהֵץ פ iron, press
גִּהֵק פ belch, burp
גָּהַר פ stoop, bow down
גֵּו ז back
גּוֹאֵל ז deliverer, liberator, savior
גּוּאָשׁ gouache
גּוֹב ז den, pit
ג'וֹב ז job
גֹּבַהּ ז altitude, height, highness
גּוֹבֶה ז collector
גּוֹבַיְנָה נ collect
גּוֹבֵל ת adjoining
גּוֹבְתָּה נ hose

ג׳ודוֹ ז judo
גוֹדֶל ז size, greatness
גוֹדֶשׁ ז surplus, overflow
גְוָה נ hulk, hull, body
גוֹון ז coloration, variety
גוֹזֵז ז shearer
גוֹזָל ז nestling
גוּזמָה נ exaggeration
גוֹי ז nation, gentile
גוּיָבָה נ guava
גְוִיָה נ carcass, corpse
גְוִיל ז parchment
גְוִיעָה נ dying
גוֹל ז goal
גוּלגוֹלֶת נ cranium, head, skull
גוּלגוּלתִי ת cranial
גוּלָה נ marble, knob, ball
גוֹלָה נ exile, diaspora
גוֹלֶה ז exile
גוֹלֵל פ roll, unfold
גוֹלֵל ז tomb stone
גוֹלֶם ז robot, idiot, pupa, chrysalis
גוֹלמִי ת raw, crude
גוֹלמִיוּת נ crudeness
גוֹלף ז golf
גוּלָשׁ ז goulash
גוּלַת־הַכּוֹתֶרֶת coping-stone
גוֹמֶא ז papyrus
גוֹמֶד ז cubit
גוּמָה נ dent, dimple, hole
גוּמחָה נ niche
גוּמִי ז gum, rubber
גוּמִי לְעִיסָה chewing gum
גוּמִיָה נ rubber band
גוֹמֵל חֶסֶד benefactor
גוּמַת־חֵן dimple
גוֹוֶן ז color, hue, tinge
גִוֵון פ color, tint, shade
גוֹנג ז gong
ג׳וּנגֶל ז jungle
גוּנדָה נ company, battery
גוֹנדוֹלָה נ gondola
גוֹנדוֹלִיֶר ז gondolier
גוּנדָר ז company commander
גַוָנוּן, גוֹנִית ז/נ nuance
גוֹנֵן פ shelter, protect
גוֹסֵס ת dying
גָוַע פ die
גוֹעַל (נֶפֶשׁ) ז disgust
גוֹעֲלִי ת disgusting
גוֹעֵשׁ ת stormy
גוּף ז body, figure
גוּף רִאשׁוֹן first person
גוּפָה נ corpse
גוּפִיָה נ undershirt
גוּפִיף ז corpuscle
גוּפָנִי ת bodily, carnal, corporal, physical
גוֹפרָה נ sulfate
גוֹפרִית נ brimstone, sulfur
גוֹפרִיתִי ת sulfurous
גוֹפרִיתָנִי ת sulfuric
גוּץ ת short, dumpy
ג׳וֹקֶר ז joker
גוּר ז cub, puppy
גוֹרֵד שְׁחָקִים skyscraper
גוּרוּ ז guru
גוֹרִילָה נ gorilla
גוֹרָל ז destiny, fate, lot, luck
גוֹרָלִי ת critical, fatal
גוֹרָלִיוּת נ fatality
גוֹרֵם ז cause, factor
גוֹרֶן ז threshing floor
גוֹרֵר ז tugboat, tow truck
גוּשׁ ז block, lump, mass
גוּשׁ פּוֹלִיטִי bloc
גוּשפַּנקָה נ seal
גוֹתִי ת Gothic
גַז ז gas
גֵז ז clip, shearing, fleece
גָז פ disappear, pass away
גַז־מַדמִיעַ tear gas
גִזבָּר ז treasurer
גִזבָּרוּת נ treasury
גַזגַזִים ז״ר confetti
גִזָה נ fleece

גָּזָה נ gauze
גַּזּוֹז ז soda pop
גָּזוּז ת shorn, cut
גָּזוֹלִין ז gasoline
גְּזוּזְטְרָה נ balcony
גְּזוֹמֶת, גֶּזֶם pruned branches
גִּזּוּם ז trimming, pruning
גַּזּוֹמֶטֶר ז gas-meter
גָּזוּר ת cut, derived
גָּזַז פ cut, fleece, shear
גַּזֶּזֶת נ ringworm
גַּזִּי ת gaseous, gassy
גְּזִיזָה נ clipping, shearing
גְּזִיר ז clipping, log
גְּזִירָה נ cutting, shearing, derivation, differentiation
גָּזִית נ hewn stone
גָּזַל פ rob, plunder
גָּזֵל ז loot, robbery
גְּזֵלָה נ loot, robbery
גַּזְלָן ז bandit, robber
גַּזְלָנוּת נ robbery
גָּזַם, גִּזֵּם פ prune, trim
גַּזְמָן ז exaggerator
גֶּזַע ז breed, race, stump, trunk
גִּזְעִי ת racial, purebred
גִּזְעָן ז racialist, racist
גִּזְעָנוּת נ racialism, racism
גִּזְעָנִי ת racial
גָּזַר פ cut, clip, decree order, derive
גֶּזֶר ז carrot
גְּזַר־דִּין verdict
גְּזֵרָה נ edict, decree, law
גִּזְרָה נ figure, cut, sector
גִּזָּרוֹן ז etymology
גַּזָּרָן ז cutter
גָּח פ emerge, break out
גִּחוּךְ ז absurdity, giggle
גָּחוֹן ז belly
גָּחוּן ת bent over
גְּחִינָה נ stooping
גִּחֵךְ פ giggle
גַּחְכָּה נ burlesque
גַּחְלִילִית נ firefly, glowworm, lightning bug
גַּחֲלִית נ carbuncle
גַּחֶלֶת נ cinder, coal, ember
גַּחֲמָה נ caprice
גַּחֲמוֹן ז pyromaniac
גַּחֲמָנִי ת capricious
גָּחַן פ stoop, bend, bow
גֵּט ז divorce
גֶּטוֹ ז ghetto
גַּיְא ז valley
גִּיבּוֹן ז gibbon
גִ'יגוֹלוֹ ז gigolo
גִּיגִית נ tub
גִּיד ז sinew, tendon
גִ'יהָאד ז jihad
גֵּיהִנּוֹם ז hell
גִּיּוּס ז call-up, conscription, enlistment, mobilization, recruitment
גִּיּוּר ז proselytizing
גִּיּוֹרֶת נ converted Jewess
גֵּיזֶר ז geyser
גִּיחָה נ sally, sortie
גִּיטָרָה נ guitar
גִּיל ז age, joy
גִּיל הָעֲמִידָה middle age
גִּילַאי ז of the same age
גִּילְדָה נ guild
גִּילָה נ joy
גִּילְיוֹטִינָה נ guillotine
גִּימַטְרִיָּה נ value of letters
גִּימִיק ז gimmick
גִּימְנַסְיָה נ secondary school
גִ'ינְגִ'י ז ginger, sandy
גִ'ינְגֶל ז jingle
גִּינֵיאָלוֹגְיָה נ genealogy
גִּינֵיאָלוֹגִי ת genealogical
גִּינֵיקוֹלוֹג ז gynecologist
גִּינֵיקוֹלוֹגִי ת gynecological
גִּינֵיקוֹלוֹגְיָה נ gynecology
גִּיס ז brother-in-law
גִּיֵּס פ conscript, mobilize, enlist

גַּיִס ז column, corps, force
גֵּיס חֲמִשִׁי fifth column
גִּיסָא, מֵחַד גִּיסָא on the one hand
גִּיסָה נ sister-in-law
גִ'יפּ ז jeep
גִּיר ז chalk, gear
גִּיֵּר פ proselytize
גִּירוֹסְקוֹפּ ז gyroscope
גִּירִי ת chalky, cretaceous
גִּירִית נ badger
גִ'ירָפָה נ giraffe
גִּישָׁה נ access, approach
גֵּישָׁה נ geisha
גַּל ז wave, heap, shaft
גַּל הַפִּקּוֹת camshaft
גַּל עֲצָמוֹת bag of bones
גַּלַּאי ז detector
גַּלַּאי שֶׁקֶר lie detector
גַּלָּב ז barber
גִּלְגּוּל ז rolling, revolving, change, reincarnation
גִּלְגּוּל קוֹדֵם former incarnation
גִּלְגֵּל פ roll, revolve, turn
גַּלְגַּל ז wheel
גַּלְגַּל־הַמַּזָּלוֹת zodiac
גַּלְגַּל הַצָּלָה life buoy
גַּלְגַּל שִׁנַּיִם cogwheel
גַּלְגַּל תְּנוּפָה flywheel
גַּלְגִּלָּה נ pulley
גַּלְגְּלוֹן־סִלְסוּל curler
גַּלְגְּלוֹן־רוּחַ pin wheel
גַּלְגַּלַּיִם ז״ר scooter
גַּלְגִּלִּית נ roller skate
גַּלְגֶּלֶת נ block and tackle, pulley
גֶּלֶד ז scab, skin, crust
גְּלָדְיָאטוֹר ז gladiator
גְּלַדְיוֹלָה נ gladiolus
גֶּלֶדִּין ז gelatine
גַּלְדָּנִי ת leathery
גָּלָה פ go into exile
גִּלָּה פ detect, disclose, discover, find, reveal
גָּלָה נ gala
גְּלוֹבּוּס ז globe
גְּלוֹבָּלִי ת global
גִּלּוּחַ ז shave
גָּלוּי ת apparent, frank, open
גִּלּוּי ז discovery, revelation
גִּלּוּי דַּעַת manifesto
גִּלּוּי לֵב candor
גְּלוּי־לֵב candid
גִּלּוּי עֲרָיוֹת incest
גִּלּוּי־רֹאשׁ bareheadedness
גְּלוּי־רֹאשׁ bareheaded, hatless
גְּלוּיָה נ postcard
גְּלוּיוֹת תה״פ candidly, openly
גְּלוּיַת־דּוֹאַר postcard
גְּלוּלָה נ capsule, pill, tablet
גְּלוּלַת־מֶרֶץ pep pill
גְּלוּלַת־שֵׁנָה sleeping pill
גָּלוּם ת latent, embodied
גִּלּוּם ז embodiment
גָּלוֹן ז gallon
גִּלְוֵן פ galvanize
גַּלְוָנִי ת galvanic
גַּלְוָנִיּוּת נ galvanism
גְּלוֹסְקָמָה נ sarcophagus
גְּלוֹסַרְיוֹן ז glossary
גִּלּוּף ז carving, engraving
גְּלוּפַאי ז engraver
גְּלוּפָה נ printing block
גְּלוּפִין, בִּגְלוּפִין drunk
גְּלוּקוֹזָה נ glucose
גְּלוּקוֹמָה נ glaucoma
גָּלוּת נ banishment, exile
גִּלַּח פ shave
גַּלָּח ז priest
גֶ'לָטִינָה נ gelatine
גַּלִּי ת Gallic, wavy
גֶ'לִי ז jelly
גְּלִידָה נ ice cream
גִּלָּיוֹן ז sheet, newspaper
גִּלָּיוֹן אִשּׁוּם charge sheet

גַּלְיוּת נ waviness
גָּלִיל ז cylinder, roll, district, Galilee
גְּלִילָה נ roll, rolling
גְּלִילִי ת cylindrical
גְּלִימָה נ cloak, gown, robe
גְּלִיסַנְדוֹ ז glissando
גְּלִיצֶרִין ז glycerin
גְּלִיפָה נ engraving
גְּלִיש ז glissando
גְּלִישָׁה נ overflow, sliding, skiing
גַּלִית נ Gaelic
גָּלַל פ roll, furl
גְּלָלִים ז"ר droppings, dung
גִּלֵּם פ embody
גַּלְמוּד ת lonely
גַּלַנְטֶרְיָה נ haberdashery
גַּלְעֵד ז cairn, cromlech
גַּלְעִין ז pit, stone
גִּלְעֵן פ core, stone
גָּלַף, גִּלֵּף פ engrave, carve
גַּלָּף ז engraver, carver
גְּלַפְכּוֹל ז pantograph
גָּלַקְסִי ת galactic
גָּלַקְסְיָה נ galaxy
גָּלֶרָה נ galley
גָּלֶרְיָה נ gallery
גָּלַשׁ נ brim over, overflow, ski, slide
גִּלְשׁוֹן ז glider
גַּלְשָׁן ז surfer
גַּלֶּשֶׁת נ eczema
גַּם מ"ח also, and
גַּם אִם even if
גַּם כֵּן also, as well, too
גָּמָא פ swallow, gulp
גַּמָּאָן ז sprinter
גַּ'מְבּוֹרִי ז jamboree
גַּמְבִּיט ז gambit
גִּמְגּוּם ז stammer
גִּמְגֵּם פ stammer
גַּמְגְּמָן ז stammerer
גַּמָּד ז dwarf
גִּמֵּד פ reduce, dwarf
גַּמָּדִי ת dwarfish
גְּמוּל ז payment, reward
גָּמוּר ת complete, finished
גְּמוּר ז finish
גָּמַז פ criticize
גְּמִיאָה נ sipping, drinking
גְּמִילָה נ weaning, ripening
גְּמִילוּת חֶסֶד benefaction
גְּמִיעָה נ sipping, drinking
גָּמִישׁ ת elastic, flexible
גְּמִישׁוֹן נ stocking
גְּמִישׁוּת נ flexibility
גָּמָל ז camel
גְּמַל הַצֹּאן llama, alpaca
גְּמַל־שְׁלֹמֹה praying mantis
גָּמַל פ pay, retaliate, reward, wean
גִּמְלַאי ז pensioner
גִּמְלָה נ pension, benefit
גַּמְלָה נ gangway
גַּמְלוֹן ז gable, pediment
גַּמְלוֹנִי ת awkward, huge
גֻּמָּמִית נ hole, pockmark
גָּמַע פ drink, swallow, sup
גָּמַר פ end, finish
גֶּמֶר ז end, finish
גְּמַר הַגָּבִיעַ cup final
גְּמָרָא נ Talmud
גֵּן ז gene
גַּן ז garden, park
גַּן־חַיּוֹת zoo
גַּן־יְלָדִים kindergarten
גַּן־עֵדֶן paradise, heaven
גַּן שַׁעֲשׁוּעִים amusement park
גְּנַאי ז disgrace, shame
גָּנַב פ steal
גַּנָּב ז thief
גְּנֵבָה נ theft
- בִּגְנֵבָה furtively
גַּנְבָן ז pilferer
גַּנְגְּלִיוֹן ז ganglion
גַּנְגְּסְטֶר ז gangster
גַּנְגְּרֶנָה נ gangrene
גִּנְדֵּר פ dandify, adorn

גַּנְדְּרָן ז	dandy
גַּנְדְּרָנוּת נ	dandyism
גִּנָּה נ	garden
גִּנָּה פ	denounce, condemn, censure
גְּנוּ ז	gnu
גָּנוּב ת	stolen
גְּנוֹגֶנֶת נ	awning
גָּנוּז ת	hidden, latent
גִּנּוּי ז	censure, denunciation
גִּנּוּן ז	gardening
גַּנּוֹן ז	nursery school
גִּנּוּנִים	manners, etiquette
גֶּנוֹסִיד ז	genocide
גְּנוּת נ	disgrace
גָּנַז פ	hide, shelve, table
גִּנְזָךְ ז	archives
גַּנַּחַת נ	asthma
גָּנַח פ	groan
גֶּנֶטִי ת	genetic
גֶּנֶטִיקָה נ	genetics
ג׳נְטֶלְמֶן ז	gentleman
ג׳נְטֶלְמֶנִי ת	gentlemanly
גָּנִיוּס ז ־	genius
גְּנִיזָה נ	hiding, archives
גְּנִיחָה נ	groan
גֶּנִיטָלִי ת	genital
גַּנָּן ז	gardener
גַּנָּנוּת נ	gardening, horticulture
גַּנֶּנֶת נ	kindergarten teacher
גֶּנֶרָטוֹר ז	generator
גֶּנֶרָל ז	general
גֶּנֶרָלִיסִימוֹ ז	generalissimo
גַּס ת	abusive, coarse, crude, obscene, rough, common, rude, vulgar
גַּסּוּת נ	crudity, obscenity
גַּסּוּת רוּחַ	rudeness
ג׳סְטָה נ	gesture
גֶּסְטָפּוֹ ז	Gestapo
גַּסְטְרוֹנוֹמִי ת	gastronomic
גַּסְטְרוֹנוֹמְיָה נ	gastronomy
גְּסִיסָה נ	dying, agony
גָּסַס פ	be dying, expire
גִּעְגּוּעַ ז	quack
גַּעְגּוּעִים ז״ר	longing, yearning
גִּעְגַּע פ	quack
גָּעָה פ	low, moo, burst out
גְּעִיָּה נ	low, moo, weeping
גָּעַר פ	chide, rebuke, scold
גְּעָרָה נ	rebuke, reproach
גָּעַשׁ פ	storm
גַּעַשׁ ז	storm
גַּף ז	flight, limb, wing
גִּפּוּף ז	embrace, cuddle
גִּפּוּר ז	sulfurization
גֶּפֶן ז	vine
גִּפֵּף פ	embrace, cuddle
גִּפֵּר פ	sulfurize
גָּפְרִית = גּוֹפְרִית	
גַּפְרוּר ז	match
גֵּץ ז	spark
גֵּר ז	proselyte, convert
גָּר פ	dwell, live, abide
גֶּרֶב ז	stocking, sock
גָּרַב פ	wear stockings
גָּרָב ז	eczema
גְּרָבִיטַצְיָה נ	gravitation
גָּרֶבֶת נ	eczema, scabies
גִּרְגּוּר ז	gargle, gurgle
גַּרְגִּיר ז	berry, grain
גַּרְגִּירוֹן ז	granule
גִּרְגֵּר פ	gargle, gurgle
גַּרְגְּרָן ז	glutton
גַּרְגְּרָנוּת נ	gluttony
גַּרְגֶּרֶת נ	throat, windpipe
גֵּרֵד פ	scrape, scratch
גַּרְדּוֹם ז	gallows, scaffold
גַּרְדֶּנְיָה נ	gardenia
גָּרֶדֶת נ	scabies
גֵּרָה נ	cud
גֵּרָה פ	stimulate, irritate
גֵּרוּד ז	scrape, scratch
גָּרוֹד־בּוֹץ ז	scraper
גְּרוֹדֶת נ	filings, shavings
גֵּרוּז ז	greasing
גְּרוּטָה נ	junk, scrap iron

גְרוֹטֶסְקָה נ grotesque

גֵרוּי ז stimulation, itch

גָרוּם ת bony

גָרוֹן ז larynx, neck, throat

גֵרוֹנטוֹלוֹגְיָה נ gerontology

גְרוֹנִי ת guttural, laryngeal, throaty

גְרוֹס ז gross

גָרוּעַ ת bad

גֵרוּף ז sweeping, raking

גְרוֹפֶת נ gravel, silt

גָרוּר ת towed, trailer

גְרוֹר ז moraine

גֵרוּשׁ ז banishment, deportation

גָרוּשׁ, גְרוּשָׁה ת divorced

גֵרוּשִׁין ז"ר divorce

גֵרוּת נ proselytism

גֵרֵז פ grease, lubricate

גָרָז' ז garage

גַרְזֶן ז ax

גָרַט פ discard

גֵרֵט ז discard

גְרָטִיס תה"פ gratis

גֶרִיאַטְרִי ת geriatric

גֶרִיאַטְרִיקָה נ geriatrics

גֶרִיאַטְרִיקָן ז geriatrician

גְרִיגוֹרְיָנִי ת Gregorian

גְרֵידָא תה"פ alone, merely

גְרִיז ז grease

גְרִיל ז grill

גֵרִילָה נ guerrilla

גְרִימָה נ causing, causation

גְרִיס ז grits, groats

גְרִיסָה נ milling, crushing

גְרִיעָה נ decrease

גְרִיפָה נ sweeping, scouring

ג'רִיקָן ז jerrycan

גְרִירָה נ dragging, haul, tow, tug

גָרַם פ cause, bring about

גֶרֶם ז body, bone

גְרָם ז gram, gramme

גֶרֶם־שָׁמַיִם orb

גַרְמִי ת bony

גַרְמֵי הַשָּׁמַיִם heavenly bodies

גֶרְמָנִי ת German

גֶרְמָנִית נ German

גֶרַנְיוּן ז geranium

גְרָנִיט ז granite

גָרַס פ formulate, read, crush, grind, crunch

גִרְסָה נ version, text

ג'רְסִי ז jersey

גָרַע פ subtract, withdraw

גֵרָעוֹן ז deficit, lack

גַרְעִין ז grain, kernel, nucleus

גַרְעִינִי ת nuclear

גַרַעֶנֶת נ trachoma

גָרַף פ rake, sweep, scour

גְרָף ז graph, bedpan

גְרָפוֹלוֹג ז graphologist

גְרָפוֹלוֹגְיָה נ graphology

גְרָפִי ת graphic(al)

גְרָפִיט ז graphite

גְרָפִיקַאי ז graphic artist

גְרָפִיקָה נ graphics

גָרַר פ haul, pull, drag, tug

גְרָר ז drawing, carriage

גְרָרָה נ sledge, slide rule

גֵרֵשׁ פ expel, deport, banish, divorce, drive away

גֶרֶשׁ ז apostrophe

גָשׁוּם ת rainy

גִשׁוּם ז realization

גִשׁוּר ז bridging

גִשׁוּשׁ ז groping, searching

גָשׁוֹשׁ ז sounding line/rod

גָשִׁישׁ ז splint

גֶשֶׁם ז rain, shower

גִשְׁמָה נ drainpipe, gutter

גַשְׁמִי ת bodily, material, physical

גַשְׁמִיּוּת נ materialism

גֶשֶׁר ז bridge

גִשֵּׁר פ bridge

גְשָׁרָה נ bridge
גִשְׁרִית נ bridge
גִשֵׁשׁ פ feel, grope
גַשָׁשׁ ז tracker, pathfinder
גִשְׁתָה נ syphon
גַת ז sinus, wine press

ד

דָא עָקָא that is the trouble
דָאַב פ pine, be sad
דַאֲבוֹן ז sorrow, regret
דָאַג פ worry, care
דְאָגָה נ anxiety, care, concern, worry
דָאָה פ glide
דֵאוֹדוֹרַנְט ז deodorant
דָאוֹן ז glider, sail plane
דְאִיָה נ gliding
דֵאִיזְם ז deism
דֵאִיסְט ז deist
דִבָּה נ calumny, libel, slander
דָבוּק ת attached, glued
דִבּוּק ז evil spirit, obsession
דְבוּקָה נ group
דִבּוּר ז speech, talking
דַבּוּר ז hornet
דָבוּר ת spoken, said
דְבוֹרָה נ bee
דִבּוּרִי ת colloquial
דְבִיבוֹן ז raccoon
דָבִיק ת adhesive, gluey, sticky
דְבִיקוּת נ adhesiveness
דְבֵלָה נ fig cake
דִבְעוֹן ז tannin
דָבַק פ adhere, cling, stick
דֶבֶק ז adhesive, glue
דָבֵק ת adherent, clinging
דִבְקוֹן ז mistletoe
דְבֵקוּת נ adhesion, devotion
דִבְקִי ת sticky
דָבָר ז thing, something
– בִּדְבַר about, concerning
דְבַר מָה something
דִבֵּר פ say, speak, talk
דֶבֶר ז plague
דִבֵּר ז commandment, speech
דִבְרָה נ speech, parole
דִבְרֵי הַיָמִים נ history, Chronicles
דְבָרִים (חומש) Deuteronomy
דַבְּרָן ז speaker, talker
דַבְּרָנִי ת talkative
דְבַשׁ ז honey
דִבְשָׁה נ molasses, treacle
דַבֶּשֶׁת נ hump
דָג פ fish
דָג, דָגִים, דָגָה fish
דַג־הַחֶרֶב swordfish
דַג־הַפַּטִישׁ hammerhead
דַג זָהָב goldfish
דָג מָלוּחַ herring
דַג מֹשֶׁה רַבֵּנוּ plaice
דְגֵי רְקָק small fry
דִגְדֵג פ tickle
דַגְדְגָן ז clitoris
דִגְדוּג tickle
דָגוּל ת outstanding, excellent
דִגוּל ז presenting arms
דָגוּשׁ ת stressed
דָגִיג ז small fish
דְגִימָה נ sampling
דְגִירָה נ brooding, incubation
דֶגֶל ז banner, colors, flag
דָגַל פ advocate, stand for
דִגֵל פ raise the banner, present arms
דַגְלָן ז flagbearer
דֶגֶם ז pattern, sample, model
דָגָן ז cereal, corn, grain
דְגָנִיָה נ cornflower

דֶגֶנֶרָט ז degenerate
דָגַר פ brood, incubate, hatch
דָגֵשׁ ז emphasis, stress
דַד ז brisket, teat
דָדָה פ stumble, hop
דֶדוּקְטִיבִי ת deductive
דֶה יוּרֶה de jure
דֶה־לוּקס deluxe
דֶה פַקטוֹ de facto
דָהָה פ fade
דֵהֶה, דָהוּי ת faded
דֵהוּי ז fading, discoloration
דְהִיָה נ fading, discoloration
דְהַיְנוּ תה"פ namely, that is
דְהִירָה, דְהָרָה נ gallop
דַהְלִיָה נ dahlia
דָהַר פ gallop
דְהָרוּר ז canter, trot
דְהָרֵר פ canter, trot
דוֹ ז C, do
דוּ-הֲבָרִי dissyllabic
דוּ-חוֹדְשִׁי bimonthly
דוּ-יָדִי ambidextrous
דוּ-לְשׁוֹנִי bilingual
דוּ-מוֹקְדִי bifocal
דוּ-מִינִי bisexual
דוּ-מִפְלַגְתִּי bipartisan
דוּ-מַשְׁמָעוּת ambiguity
דוּ-מַשְׁמָעִי equivocal
דוּ-מַתַּכְתִּי bimetallic
דוּ-מַתַּכְתִּיוּת bimetallism
דוּ-סִטְרִי two-way
דוּ-עֶרְכִּי ambivalent
דוּ-עֶרְכִּיוּת ambivalence
דוּ-פַּרְצוּפִי double-faced, two-faced
דוּ-צְדָדִי bilateral
דוּ-קוֹמָתִי double-deck
דוּ-קִיּוּם coexistence
דוּ-קְרָב duel, match
דוּ-רַגְלִי biped
דוּ-שְׁבוּעִי biweekly
דוּ-שִׂיחַ dialogue
דוּ-שְׁנָתִי biennial
דוּ-תַחְמוֹצֶת dioxide
דוּ-תַחְמוֹצֶת הַפַּחְמָן carbon dioxide
דוּ-תַכְלִיתִי dual-purpose
דוּ-תְנוּעָה diphthong
דוֹאֵג ת anxious, apprehensive, worried
דוֹאֶה ז glider
דוּאֶט, דוּאִית ז/נ duet
דוֹאַר ז mail, post
דוֹאַר אֲוִיר airmail
דוֹאַר רָשׁוּם certified mail, registered mail/post
דוֹב, דוּבָּה ז/נ bear
דוֹב הַנְּמָלִים ant bear
דוֹבֵב פ cause to speak
דוּבְדְבָן ז cherry
דוּבָּה גְדוֹלָה Great Bear
דוּבּוֹן ז teddy bear
דוּבִּי ת bearish
דוֹבֵר ז spokesman
דוֹבְרָה נ raft, barge
דוּבְשָׁן, דוּבְשָׁנִית honey cake
דוּגִית נ canoe, dinghy
דוּגְמָה נ example, instance, pattern, sample
דוֹגְמָה נ dogma
דוֹגְמָטִי ת dogmatic, bigoted
דוֹגְמָטִיזְם ז dogmatism
דוּגְמָן, דוּגְמָנִית ז/נ model
דוּגְמָנוּת נ modeling
דוֹגֵר ז brooder
דוֹגְרָנִית ת broody
דוֹגֶרֶת נ brooder
דוֹד ז uncle
דוּד ז tank, boiler
דוּדָא ז mandrake
דוֹדָה נ aunt
דוֹדָן, דוֹדָנִית ז/נ cousin
דוֹדַן מִשְׁנֶה second cousin
דָוֶה ת sad, sick, mournful
דוֹהֶה ת fading
דוּוּחַ ז report
דוּזֶמֶר ז duet
דִוּחַ פ report
דו"חַ ז report, account

דוֹחֶה ת offensive, repulsive, ugly
דוּחַי ז amphibian
דוֹחַן ז millet
דוֹחַק ז congestion, pressure
דוֹחֵק ת urgent
דוּכִיפַת נ hoopoe
דוּכָן ז dais, platform, pulpit, rostrum, podium
דוּכָּס ז duke
דוּכָּסוּת נ duchy, dukedom
דוּכָּסִית נ duchess
דוֹלֶב ז plane tree
דוֹלְמֶן ז dolmen
דוֹלְפִין ז dolphin
דוֹלָר ז dollar
דוֹם מ"ק attention!
דוֹמֶה ת alike, like, similar, it seems that
דוּמִי ז quiet, silence
דוּמִיָּה נ quiet, silence
דוֹמִינוֹ ז dominoes
דוֹמִינְיוֹן ז dominion
דוֹמִינִיקָנִי ז Dominican
דוֹמִינַנְטָה נ dominant
דוֹמִינַנְטִי ת dominant
דוּמָם תה"פ in silence
דוֹמֵם ז dead matter inanimate, still, silent
דוֹמֶן ז manure, dung, muck
דוֹמַנִי it seems to me
דוֹמְעָנִי, דוֹמֵעַ ת tearful
דוֹנַג ז wax
דוֹנַג הָאוֹזֶן earwax
דוּנָם ז dunam
דוֹפִי ז blemish, stain, taint
דוּפְּלִיקָט ז duplicate
דוֹפֶן ז side, wall
דוֹפֶק ז pulse
דוֹצֶנְט ז docent
דוֹק ז film
דַּוְקָא תה"פ exactly so, for all that
דוֹקוּמֶנְט ז document
דוֹקוּמֶנְטָרִי ת documentary
דוּקָט ז ducat
דוֹקְטוֹר ז doctor
דוֹקְטוֹרָט ז doctorate
דוֹקְטְרִינָה נ doctrine
דוֹקְטְרִינֶר ז doctrinaire
דוּקְרָן ז sear, forked stick
דוּקְרָנִי ת barbed, prickly
דּוֹר ז generation, age
דּוּר ז circle, whorl
דַּוָּר ז postman, mailman
דּוּרֶגֶל ז bipod
דּוּרָה נ sorghum
דּוֹרוֹן ז gift, present
דּוֹרִי ת Doric
דּוֹרֵס ת killing, running over
דּוֹרְסָנִי ת predatory
דּוֹרֵשׁ ת preacher
דָּוֵשׁ פ pedal
דַּוְשָׁה נ pedal
דַּוְשַׁת הַדֶּלֶק accelerator
דָּחָה פ delay, postpone, repel, refuse, reject
דָּחוּי ת postponed, repelled
דִּחוּי ז delay, postponement
דָּחוּס ת compact, dense compressed, crowded
דָּחוּף ת urgent
דָּחוּק ת hard pressed, in need
דְּחִי ז failure, downfall
דְּחִיָּה נ delay, postponement, rejection
דָּחִיס ת compressible
דְּחִיסָה נ compression
דְּחִיסוּת נ density
דָּחִיף ז tappet
דְּחִיפָה נ boost, push, impulse, thrust
דְּחִיפוּת נ urgency
דְּחִיקָה נ push, pressing
דַּחְלִיל ז scarecrow
דָּחַס פ compress, cram, jam, squeeze, stuff
דַּחַף ז impetus, impulse, push, urge

דָּחַף פ push
דַּחֲפוֹנִי ת impulsive
דַּחְפּוֹר ז bulldozer
דָּחַק פ push, urge
דֹּחַק ז pressure, need, want
דֶּטוֹנָטוֹר ז detonator
דֶּטַנְט ז detente
דֶּטֶקְטוֹר ז detector
דֶּטֶרְגֶּנְט ז detergent
דֶּטֶרְמִינִיזְם ז determinism
דַּי תה״פ enough, sufficient
דִּיאַגְנוֹזָה נ diagnosis
דִּיאַגְנוֹסְטִי ת diagnostic
דִּיאַגְרַמָּה נ diagram
דִּיאֶז ז sharp
דִּיאֶטָה נ diet
דִּיאֶטֶטִי ת dietetic
דִּיאֶטִי ת dietary
דִּיאָלוֹג ז dialogue
דִּיאָלִיזָה נ dialysis
דִּיאָלֶקְט ז dialect
דִּיאָלֶקְטִי ת dialectal
דִּיאָלֶקְטִיקָה נ dialectic
דִּיאָלֶקְטִיקָן ז dialectician
דִּיאָפְרַגְמָה נ diaphragm
דִּיבִידֶנְד ז dividend
דִּיבִיזְיָה נ division
דִּיבֶּל ז dowel pin
דִּיבֶרְטִימֶנְטוֹ divertimento
דַּיָּג ז fisherman
דַּיִג ז fishing
דִּיגִיטָלִי ת digital
דִּיגְרָף ז digraph
דִּידִיטִי ז DDT
דִּידַקְטִי ת didactic
דִּידַקְטִיקָה נ didactics
דַּיָּה נ kite
דְּיוֹ ז ink
דְּיוֹטָה נ storey, floor
דֵּיוָלוּאַצְיָה נ devaluation
דִּיּוּן ז discussion, deliberation, hearing
דְּיוּנָה נ dune
דְּיוֹנוֹן ז cuttlefish
דִּיּוּנִי ת deliberative
דִּיּוּק ז exactness, accuracy, precision
דְּיוֹקָן ז portrait, image
דְּיוֹקְנָאוּת נ portraiture
דְּיוֹקְנַאי ז portraitist
דִּיּוּר ז accommodation, housing, lodging
דִּיּוּת ז diffusion
דְּיוֹתָה נ ink-bottle/well
דִּיזִינְפֶקְצְיָה נ disinfection
דִּיזֶל ז diesel
דִּיזֶנְטֶרְיָה נ dysentery
דַּיָּל ז steward
דִּילֶטַנְט ז dilettante
דִּילֶמָּה נ dilemma
דַּיֶּלֶת נ hostess, stewardess
דִּין ז judgment, sentence, verdict, law
דִּין וְחֶשְׁבּוֹן account
דַּיָּן ז (religious) judge
דִּינוֹזָאוּר ז dinosaur
דַּיָּנוּת נ office of judge
דִּינָמוֹ ז dynamo, generator
דִּינָמִי ת dynamic
דִּינָמִיּוּת נ dynamism
דִּינָמִיט ז dynamite
דִּינָמִיקָה נ dynamics
דִּינַסְטְיָה נ dynasty
דִּינָר ז dinar
דַּיְסָה נ gruel, porridge, mess
דִּיסוֹנַנְס ז dissonance
דִּיסְטַנְץ ז distance
דִּיסְפְּרוֹפּוֹרְצְיָה disproportion
דִּיסְק ז disc, disk
דִּיסְקוֹטֶק ז discotheque
דִּיסְקוּס ז discus
דִּיסְקֶט ז diskette
דִּיסְקְרֶטִי ת discreet
דִּיפוּזְיָה נ diffusion
דִּיפְטִיכוֹן ז diptych
דִּיפְלוֹמָה נ diploma
דִּיפְלוֹמָט ז diplomat
דִּיפְלוֹמָטִי ת diplomatic
דִּיפְלוֹמַטְיָה נ diplomacy

דִיפֶרֶנְצִיאָל ז differential
דִיפְרַקְצְיָה נ diffraction
דִיפְתוֹנְג ז diphthong
דִיפְתֶרְיָה נ diphtheria
דִיצָה נ joy
דִיֵק פ be accurate/precise
דָיֵק ז siege-wall, rampart
דִיקְט ז plywood
דִיקְטָט ז dictate
דִיקְטָטוֹר ז dictator
דִיקְטָטוּרָה נ dictatorship
דִיקְטָטוֹרִי ת dictatorial
דִיקְטָפוֹן ז dictaphone
דַיְקָן ז precise, punctual
דַיְקָנוּת נ accuracy, exactitude, exactness
דַיְקָנִי ת precise, exact
דִיקְצְיָה נ diction
דַיָר ז lodger, occupant, tenant
דִיר ז shed, sheep pen
דִיר־חֲזִירִים pigsty
דִירָה נ flat, apartment
דִירֶקְטוֹרְיוֹן ז directorate
דַיִשׁ ז threshing (time)
דִישָה נ threshing
דִישוֹן ז antelope
דְיֵת פ diffuse, ink
דִכָּא פ oppress, repress, subdue, suppress
דִכָּאוֹן ז dejection, depression
דִכְדוּךְ ז dejection
דִכְדֵךְ פ depress, deject
דִכּוּי ז oppression, suppression
דַל ת poor
דִלֵג, דָלַג פ jump, skip
דַלְגִית נ skipping rope
דִלְדוּל ז atrophy, impoverishment, degeneracy
דִלְדֵל פ impoverish, weaken
דָלָה פ draw, raise
דִלוּג ז skipping, omission
דָלוּחַ ת dirty, foul, muddy
דִלוּל ז thinning
דָלוּק ת burning
דַלוּת נ beggary, poverty
דָלַח פ dirty, make muddy
דְלִי ז bucket, pail
דַלְיָה נ dahlia
דְלִיָה נ drawing
דְלִיוֹת נ varicose veins
דָלִיל ת dilute, sparse, thin
דְלִילוּת נ sparsity
דְלִיפָה נ leakage, leak
דָלִיק ת combustible, inflammable
דְלִיקוּת נ inflammability
דַלַל פ become poor, dwindle
דִלֵל פ dilute, thin
דַלַעַת נ pumpkin, gourd
דָלַף פ drip, leak
דַלְפוֹן ז very poor
דֶלְפֵּק ז bar, counter
דֶלְפְּקָן ז counterman
דָלַק פ burn, chase, pursue
דֶלֶק ז fuel
דְלֵקָה נ fire, conflagration
דִלְקָמָן ת the following
דַלֶקֶת נ inflammation
דַלֶקֶת הָאֶדֶר pleurisy
דַלֶקֶת הָאַף rhinitis
דַלֶקֶת הַבֶּרֶךְ housemaid's knee
דַלֶקֶת הַגָרוֹן laryngitis
דַלֶקֶת הַגַתִים sinusitis
דַלֶקֶת הַוְרִידִים phlebitis
דַלֶקֶת זִיז פִּטְמִי mastoiditis
דַלֶקֶת חֲנִיכַיִם gingivitis
דַלֶקֶת הַכָּבֵד hepatitis
דַלֶקֶת הַכְּלָיוֹת nephritis
דַלֶקֶת הַלוֹעַ pharyngitis
דַלֶקֶת הַלַחְמִית conjunctivitis, pink eye
דַלֶקֶת הַמוֹחַ encephalitis
דַלֶקֶת הַמְעִי הַגַס colitis
דַלֶקֶת הַמְעַיִם enteritis
דַלֶקֶת הַמִפְרָקִים arthritis

דַּלֶּקֶת הַסִּמְפּוֹנוֹת bronchitis
דַּלֶּקֶת הָעוֹר dermatitis
דַּלֶּקֶת הָעַיִן ophthalmia
דַּלֶּקֶת־הַצֶּפֶק peritonitis
דַּלֶּקֶת הַקֵּבָה gastritis
דַּלֶּקֶת הַשָּׁדַיִם mastitis
דַּלֶּקֶת הַתּוֹסֶפְתָּן appendicitis
דַּלֶּקֶת חוּט הַשִּׁדְרָה myelitis
דַּלֶּקֶת עֲטִיפַת־רֵאוֹת pleurisy
דַּלֶּקֶת עֲצַבִּים neuritis
דַּלֶּקֶת קְרוּם הַמּוֹחַ meningitis
דַּלֶּקֶת רֵאוֹת pneumonia
דַּלֶּקֶת שַׁלְפּוּחִית־שֶׁתֶן cystitis
דַּלֶּקֶת־שְׁקֵדִים tonsillitis
דַּלַּקְתִּי ת inflammatory
דֶּלֶת נ door
דַּלַּת־הָעָם the poor
דֶּלְתָּה נ delta
דָּם ז blood
דֶּמָגוֹג ז demagogue
דֶּמָגוֹגִי ת demagogic
דֶּמָגוֹגְיָה נ demagoguery
דִּמְדּוּם ז dimness
דִּמְדּוּמִים ז״ר twilight
דַּמְדְּמָנִית נ red currant, bloodberry
דָּמָה פ be like, resemble
דִּמָּה פ fancy, imagine, liken, compare
דֶּמֶה ז dummy
דֶּמוֹגְרָפִי ת demographic
דֶּמוֹגְרַפְיָה נ demography
דִּמּוּי ז comparison, likeness, image, simile
דְּמוּי־ shaped, like, –form
דִּמּוּם ז bleeding, hemorrhage
דִּמּוּם אַף nosebleed
דֶּמוֹקְרָט ז democrat
דֶּמוֹקְרָטִי ת democratic
דֶּמוֹקְרַטְיָה נ democracy
דֶּמוֹקְרָטִיזַצְיָה democratization
דֶּמוֹרָלִיזַצְיָה demoralization
דְּמוּת נ figure, shape, image, form, character
דֳּמִי ז quiet, silence
דִּמְיוֹן ז fancy, imagination, likeness, resemblance, similarity
דִּמְיוֹנִי ת imaginary
דָּמִים ז״ר money, fee, blood
דְּמֵי־כִּיס pocket money
דְּמֵי מְזוֹנוֹת alimony
דְּמֵי מַפְתֵּחַ key money
דְּמֵי קְדִימָה earnest money, advance payment, deposit
דְּמֵי־שְׂכִירוּת hire
דְּמֵי־שְׁתִיָּה tip
דְּמֵי תִּוּוּךְ brokerage
דִּמְיֵן פ fancy, imagine
דָּמַם פ be silent/still
דִּמֵּם פ bleed
דִּמֵּם ז bleeding
דְּמָמָה נ silence, stillness
דַּמֶּמֶת נ hemophilia
דָּמַע פ shed tears
דֶּמַע, דִּמְעָה ז/נ tear
דַּמְפִּינְג ז dumping
דַּמְקָה נ draughts, checkers
דָּן פ discuss, deliberate, judge, punish
דַּן ז jerrycan
דְּנַן, דְּנָא מ״ג this
דֶּסְק ז desk
דִּסְקָה, דִּסְקוּס נ/ז disc, disk
דִּסְקִית נ washer, disk
דִּסְקִית זִהוּי identity disk
דֵּעָה נ opinion
דֵּעָה קְדוּמָה bias, prejudice
דְּעִיכָה נ fading, flickering
דָּעַךְ פ fade, die out
דַּעַת נ knowledge, mind
דַּעַת הַקָּהָל public opinion
דַּף ז page, leaf, sheet, plank
דִּפְדּוּף ז turning pages
דִּפְדֵּף פ turn pages
דַּפְדֶּפֶת נ notebook, notepad
דְּפוּס ז press, print, mold

דִּפּוּף ז pagination
דָּפוּק ת beaten
דָּפִיס ת printable
דֶּפִיצִיט ז deficit
דְּפִיקָה נ beat, knock, tap, blow
דֶּפְלַצְיָה נ deflation
דֶּפְלַצְיוֹנִי ת deflationary
דַּפְנָה נ daphne, bay, laurel
דַּפָּס ז printer, typographer
דַּפָּסוּת נ typography
דִּפֵּף פ paginate, page
דָּפַק פ knock, beat
דֶּפֶקְט ז defect
דֶּפֶקְטִיבִיּוּת נ defectiveness
דֶּצִיבֶּל ז decibel
דֶּצִיגְרָם ז decigram
דֶּצֶמְבֶּר ז December
דַּק ת slender, thin
דָּק פ examine
דִּקְדּוּק ז grammar, exactness
דִּקְדּוּקִי ת grammatical
דִּקְדּוּקֵי־עֲנִיּוּת hair-splitting
דִּקְדֵּק פ be strict/exact
דַּקְדְּקָן ז grammarian, meticulous person
דַּקָּה נ minute
דֶּקוֹלוֹנִיזַצְיָה decolonization
דֶּקוֹרָטוֹר ז decorator
דֶּקוֹרַצְיָה נ decoration
דַּקּוּת נ fineness, delicacy
דַּקְטִיל ז dactyl
דַּקִּיק ת very thin
דְּקִירָה נ prick, stab
דֶּקֶל ז date, palm
דִּקְלוּם ז declamation
דִּקְלוּמִי ת declamatory
דִּקְלֵם פ declaim, recite
דֵּקָן ז dean
דֶּקָנוּת נ deanery
דָּקַר פ prick, stab
דֶּקֶר ז pick, hoe, mattock
דִּקְרוּר ז prickle
דָּר פ dwell, live
דֵּרָאוֹן ז disgrace, shame
דִּרְבּוּן ז spur, stimulation
דִּרְבֵּן פ spur, urge, goad
דָּרְבָן ז quill, spur, goad
דַּרְבָּן ז porcupine
דָּרְבָנִית נ delphinium
דֶּרֶג ז degree, grade, level
דֵּרֵג פ gradate, grade, terrace
דַּרְגָּה נ degree, grade, rank, step
דַּרְגְּנוֹעַ ז escalator
דַּרְגָּשׁ ז couch, sofa, bunk
דִּרְדּוּר ז rolling, dispersing
דַּרְדַּק ז infant, child
דִּרְדֵּר פ roll, disperse
דַּרְדַּר ז thistle, thorn
דֵּרוּג ז grading, terracing
דְּרוּזִי ז Druze
דֶּרְוִישׁ ז dervish
דָּרוּךְ ת alert, ready, tense, cocked, drawn
דָּרוֹם ז south
דְּרוֹם־מִזְרָח southeast
דְּרוֹם־מִזְרָחִי southeastern
דְּרוֹם־מַעֲרָב southwest
דְּרוֹם־מַעֲרָבִי southwestern
דָּרוֹמָה תה"פ southward
דְּרוֹמִי ת southern
דְּרוֹר ז freedom, sparrow
דְּרוּשׁ ז sermon, speech
דָּרוּשׁ ת required, needed
דְּרַיְב־אִין ז drive-in
דְּרִיגָה נ gradation
דְּרִיכָה נ treading, cocking
דְּרִיכוּת נ suspense, vigilance, tension
דְּרִיסָה נ running over, trampling, treading
דְּרִיסַת־רֶגֶל foothold
דְּרִישָׁה נ claim, demand, request
דְּרִישַׁת שָׁלוֹם regards
דֶּרֶךְ נ way, path, road
דֶּרֶךְ מ"י by, through
דָּרַךְ פ tread, step, cock

דֶּרֶךְ אַגַּב by the way
דֶּרֶךְ־אֶרֶץ manners
דֶּרֶךְ הַחִווּי indicative mood
דֶּרֶךְ הַמֶּלֶךְ highway
דַּרְכּוֹן ז passport
דַּרְכִּיָּה נ pike
דַּרְכְּמוֹן ז drachma
דְּרָמָה נ drama
דְּרָמָטוּרְג ז dramaturge
דְּרָמָטִיזַצְיָה dramatization
דְּרָמָתִי ת dramatic
דְּרָמָתִיּוּת נ dramatics
דֶּרֶן ז grub
דָּרַס פ run over, trample
דְּרַסְטִי ת drastic
דְּרָקוֹן ז dragon
דְּרָקוֹנִי ת draconian
דָּרַשׁ פ claim, demand, require, preach, interpret
דְּרָשָׁה נ sermon, address
דַּרְשָׁן ז preacher
דַּרְשָׁנוּת נ homiletics
דָּשׁ פ thresh, deal repeatedly
דַּשׁ ז flap, lapel
ד"ש = דְּרִישַׁת שָׁלוֹם
דֶּשֶׁא ז lawn, grass
דִּשְׁדּוּשׁ ז treading, scuff
דִּשְׁדֵּשׁ פ tread, scuff
דִּשּׁוּן ז fertilization
דִּשֵּׁן פ fertilize
דֶּשֶׁן ז fertilizer, manure
דָּשֵׁן ת fertile, fat
דָּת נ religion, faith, law
דָּתִי ת religious, pious
דָּתִיּוּת נ religiousness, piety

ה

הַ–, הָ–, הֶ– the
הֲ–, הַ– interrogative (prefix)
הֵא הַיְּדִיעָה definite article
הֶאֱבִיד פ destroy
הֶאֱבִיק פ pollinate
הַאֲבָקָה נ pollination
הִתְאַבְּקוּת נ wrestling
הֶאְדִּים פ redden
הֶאְדִּיר פ glorify
הַאְדָּרָה נ glorifying
הַאוּמְנָם? is that so?
הֶאֱזִין פ listen
הַאֲזָנָה נ listening, auscultation
הֶאָח מ"ק hurray
הַאֲחָדָה נ unification, uniformity
הֵאָחֲזוּת נ settling, settlement
הֶאֱחִיד פ unify, standardize
הֵאֵט פ slow down
הָאָטָה נ slowing down
הֵאִיץ פ accelerate, hurry
הֵאִיר פ light, illuminate
הֶאֱכִיל פ feed
הַאֲכָלָה נ feeding
הַאֲלָהָה נ apotheosis, deification
הֶאֱלִיהַּ פ deify
הַאִם? is it?
הֶאֱמִין פ believe, trust
הֶאֱמִיר פ rise, soar
הַאֲמָנָה נ accreditation
הַאֻמְנָם? is that so?
הַאֲמָרָה נ rise, increase
הֶאֱנִישׁ פ personify
הַאֲנָשָׁה נ personification
הֶאֱפִיל פ darken, overshadow
הֶאֱפִיר פ turn gray
הַאֲפָלָה נ darkening, blackout
הַאֲפָרָה נ turning gray
הָאָצָה נ hurrying, acceleration
הֶאֱצִיל פ impart, inspire
הַאֲצָלָה ennobling, conferment
הֶאָרָה נ lighting, illumination

הַאֲרָחָה נ accommodation, hospitality
הֶאֱרִיךְ פ lengthen, elongate
הֶאֱרִיק פ earth
הַאֲרָכָה נ lengthening, prolongation, extension
הַאֲרָקָה נ earthing
הֶאֱשִׁים פ accuse, blame, charge with
הַאֲשָׁמָה נ charge, accusation
הֲבָאָה נ bringing
הֲבַאי ז nonsense
הַבְאָשָׁה נ stench, defamation
הִבְאִישׁ פ stink, defame
הִבְדִּיל פ distinguish, separate
הֶבְדֵּל ז difference, distinction
הַבְדָּלָה נ separation, distinction
הִבָּדְלוּת נ separation, isolation
הָבָה מ"ק let us
הִבְהֵב פ flicker, blink, singe, scorch
הִבְהוּב ז flickering, blink
הִבְהִיל פ alarm, frighten, fetch, summon, bring
הִבְהִיק פ blaze, shine, flash
הִבְהִיר פ brighten, clarify, make clear
הַבָּהֲלוּת נ fright
הֶבְהֵק ז blaze, flash
הַבְהָרָה נ clarification
הָבוּ פ give
הַבּוֹרֵא ז God
הִבְזִיק פ flash
הֶבְזֵק, הַבְזָקָה ז/נ flash
הִבְחִיל פ sicken, ripen
הִבְחִין פ tell apart, discern, discriminate, distinguish, notice, observe
הַבְחָנָה ז discrimination, discernment, distinction
הַבְחָרוּת נ election
הֶבֵּט ז aspect
הַבָּטָה נ glance, look

הַבְטָחָה נ pledge, promise
הִבְטִיחַ פ ensure, pledge, promise, make sure
הֵבִיא פ bring
הַבֵּיאַס קורפוס habeas corpus
הִבִּיט פ look
הֵבִיךְ פ bewilder, baffle, embarrass
הָבִיל ת steamy, hazy
הֵבִין פ understand
הֵבִיס פ defeat
הִבִּיעַ פ express
הַבַּיְתָה תה"פ home, homeward
הֲבָכָה נ bewildering
הִבְכִּיר פ ripen early
הֶבֶל ז vapor, nonsense
הַבְלָגָה נ restraint
הַבְלוּת נ folly, nonsense
הַבְלָטָה נ emphasis, prominence
הִבָּלְטוּת נ protrusion
הַבְלִי ת vain, futile
הִבְלִיג פ contain, restrain
הִבְלִיחַ פ flicker
הִבְלִיט פ emphasize, protrude
הֲבָלִים ז"ר nonsense
הִבְלִיעַ פ insert, conceal
הַבְלָעָה נ slurring over, elision, assimilation
הֲבָנָה נ understanding
הָבְנֶה ז ebony
הֲבָסָה נ defeat, rout
הַבָּעָה נ expression
הִבְעִיר פ set fire, burn
הִבְעִית פ terrify, frighten
הַבְעָרָה נ setting fire
הִבְקִיעַ פ break through
הַבְקָעָה נ breakthrough
הַבְרָאָה נ convalescence, recovery, recuperation
הַבְרָגָה נ screwing, thread
הֲבָרָה נ syllable
הֲבָרָה פְּתוּחָה open syllable
הַבָּרוֹן ז phonetics
הֲבָרוֹנִי ת phonetic

הַבְרָחָה נ contraband, smuggling, bolting
הֲבָרִי ת syllabic
הִבְרִיא פ convalesce, recover, recuperate
הִבְרִיג פ bolt, screw
הִבְרִיחַ פ bolt, smuggle, chase away
הִבְרִיךְ פ cause to kneel
הִבְרִיק פ glitter, polish, shine, cable, telegraph
הִבְרִישׁ פ brush
הַבְּרִית הַחֲדָשָׁה New Testament
הַבְרָקָה נ brilliancy, flashing, shining, glittering
הַבְרָשָׁה נ brush
הִבְשִׁיל פ maturate, ripen
הַבְשָׁלָה נ ripening, maturation
הָגָ"א/הֲגָנָה אֶזְרָחִית civil defense
הַגַּאי ז helmsman, navigator
הֲגָאִי ת phonetic
הֲגָבָה נ reaction, response
הַגְבָּהָה נ lifting, elevation
הֲגָבִי ת reactive
הִגְבִּיהַּ פ raise, lift
הִגְבִּיל פ limit, restrict
הִגְבִּיר פ amplify, strengthen
הַגְבָּלָה נ limitation
הַגְבָּרָה נ strengthening, intensification
הַגָּדָה נ telling, tale, narration, Haggada
הִגְדִּיל פ increase, augment
הִגְדִּיר פ define
הִגְדִּישׁ הַסְּאָה פ exaggerate
הַגְדָּלָה נ magnification, increase, enlargement
הַגְדָּרָה נ definition
הָגָה פ meditate, think, pronounce, utter
הֶגֶה ז sound, word, steering wheel, helm
הַגָּהָה נ proofreading
הַגְהָקָה נ burp
הָגוּי ת pronounced
הִגּוּי ז pronunciation
הָגוּן ת honest, decent, fair
הָגוּת נ meditation
הִגְזִים פ exaggerate, go too far
הַגְזָמָה נ exaggeration
הֵגִיב פ react, respond
הָגִיג ז thought
הִגִּיד פ say, tell
הִגִּיהַּ פ emend, proofread
הֲגִיָּה נ pronunciation
הִגָּיוֹן ז common-sense, logic
הֶגְיוֹנִי ת logical, reasonable, sensible
הֶגְיוֹנִיּוּת נ rationality
הַגְיָן ז logician
הֵגִיחַ פ sally forth
הֲגִינוּת נ candor, decency, honesty
הִגִּיעַ פ arrive, come, reach, attain, deserve
הֵגִיף פ shut, close, bolt
הֲגִירָה נ emigration
הִגִּישׁ פ present, offer, serve
הִגְלָה פ banish, deport, exile
הִגְלִיד פ form a crust
הַגְלָיָה נ deportation, exile
הֲגַם תה"פ although
הֶגְמוֹן ז bishop
הֶגְמוֹנְיָה נ hegemony
הִגְמִיד פ dwarf
הִגָּמְלוּת נ weaning
הֵגֵן פ protect, defend
הַגְנָבָה נ smuggling, insertion by stealth
הֲגַנָּה נ protection, defense
הֲגַנָּה עַצְמִית self-defense
הִגְנִיב פ insert stealthily
הֲגַנָּתִי ת defensive, protective
הַגָּעָה נ arrival
הִגְעִיל פ cause disgust

הַגְעָלָה נ rinsing in hot water
הֲגָפָה נ shutting, closing
הֵגֵר פ emigrate, immigrate
הִגְרִיל פ draw lots
הַגְרָלָה נ raffle, lottery
הִגָּרְרוּת נ being dragged
הַגָּשָׁה נ presentation, serving, submitting
הִגְשִׁים פ carry out/through, realize
הַגְשָׁמָה נ accomplishment, realization
הֵד ז echo, repercussion, reverberation
הִדְאִיג פ trouble, worry
הִדְבִּיק פ glue, stick, infect, overtake
הִדְבִּיר פ subjugate, disinfest
הַדְבָּקָה נ gluing, sticking, contagion, overtaking
הִדַּבְּקוּת contagion, infection
הַדְבָּרָה נ disinfestation
הִדָּבְרוּת נ rapprochement
הִדְגִּים פ demonstrate, exemplify, illustrate
הִדְגִּיר פ hatch, incubate
הִדְגִּישׁ פ emphasize, stress
הֶדְגֵּם ז pattern
הַדְגָּמָה נ illustration, demonstration
הַדְגָּשָׁה נ emphasis
הֲדָדִי ת reciprocal, mutual
הֲדָדִיּוּת נ mutuality, reciprocation
הִדְהֵד פ echo, resound
הִדְהוּד ז reverberation
הִדְהִים פ amaze, astonish
הִדְהִיר פ gallop
הֲדוֹם ז footstool, stool
הֶדוֹנִיזְם ז hedonism
הֶדוֹנִיסְט ז hedonist
הָדוּק ת tight
הִדּוּק ז tightening, fastening
הָדוּר ת adorned, elegant
הִדּוּר ז adornment, elegance
הֲדוֹרִים ז"ר obstacles
הֲדָחָה נ washing, rinsing
הַדָּחָה נ deposition, dismissal
הִדְחִיק פ repress
הִדָּחֲפוּת נ rush, being pushed
הַדְחָקָה נ repression, suppression
הִדָּחֲקוּת נ intrusion
הֶדְיוֹט ז layman, common
הֵדִיחַ פ rinse, wash
הִדִּיחַ פ dismiss, depose
הִדִּיף נ emit smell
הֲדִיפָה נ push, repulse
הֲדִיפַת כַּדּוּר shot put
הִדִּיר פ prohibit
הִדַּלְדֵּל פ be impoverished
הִדַּלְדְּלוּת נ impoverishment
הִדְלָה פ trellis
הִדְלִיף פ leak
הִדְלִיק פ light, ignite
הַדְלָפָה נ leaking
הַדְלָקָה נ lighting, kindling
הִדָּמוּת נ resemblance
הִדְמִים פ immobilize
הֶדָן ז resonator
הֲדַס ז myrtle
הִדֵּס פ hop, leap
הָדַף פ repel, repulse
הֶדֶף ז repulsion
הֶדֶף־אֲוִיר blast
הִדְפִּיס פ print, type
הַדְפָּסָה נ printing
הֵדֵק פ fasten, tie, tighten
הֵדַק פ grind, pulverize
הֶדֶק ז trigger, clip, clasp
הָדָר ז citrus, glory, pomp
הִדֵּר פ adorn, glorify
הַדְרָגָה נ gradation
– בְּהַדְרָגָה gradually
הַדְרָגָתִי ת gradual
הַדְרָגָתִיּוּת נ gradation
הִדַּרְדֵּר פ degenerate, deteriorate, roll down
הִדַּרְדְּרוּת נ deterioration
הִדְרִיג פ grade

הִדְרִיךְ פ guide, direct
הִדְרִים פ go south
הַדְרָכָה נ guidance
הַדְרָן מ״ק encore
הָהּ! הוֹ! מ״ק oh
הַהוּא, הַהִיא מ״ג that one
הֵהִין פ dare
הֶהְבִּיל פ steam
הָהֵם, הָהֵן מ״ג those
הוּא מ״ג he
הוֹאִיל פ agree, consent
הוֹאִיל וְ- since
הוּאַט פ be slowed down
הוֹאֵל נָא be so good
הוּבְטַח פ be promised
הוֹבִּי ז avocation, hobby
הוֹבִיל פ drive, lead, guide, conduct
הוֹבָלָה נ carriage, transportation
הוּבַן פ be understood
הוֹבְנֶה ז ebony
הוֹבְנִית נ ebonite
הוּבַס פ be defeated
הוּבַּע פ be expressed
הוּבְרַר פ be made clear
הוֹבָשָׁה נ dehydration
הוֹגֵה־דֵעוֹת philosopher
הוֹגִיעַ פ weary
הוֹגֵן ת fair, honest, just
הוֹגָעָה נ tiring, weariness
הוּגְרַל פ be raffled
הוֹד ז magnificence, glory
הוֹד מַעֲלָתְךָ Your Highness
הוּדְאַג פ be worried
הוֹדָאָה נ acknowledgement, admission, confession
הוּדְגַשׁ פ be emphasized
הוֹדָה פ confess, thank, admit, acknowledge
הוֹדּוּ נ India
הוֹדּוּ אֵירוֹפִּי ת Aryan, Indo-European
הוֹדוֹת לְ- thanks to
הוּדַח פ be deposed
הוֹדִי ת Indian
הוֹדָיָה נ thanksgiving
הוֹדִיעַ פ inform, notify, announce
הוֹדָעָה נ announcement, notice
הֶוָדְעוּת נ making known
הוֹדָעַת נִשּׂוּאִין banns
הִוָּה פ comprise, constitute
הוֹוֶה ז present
הִוּוּן ז capitalization
הוֹזֶה ז dreamer, visionary
הוֹזִיל פ cheapen
הוּזַל פ be reduced
הוֹזָלָה נ reduction in price
הוּזְנַח פ be neglected
הוּחְזַק פ be held
הוּחְלַט פ be decided
הוּחְמַר פ become serious
הוּחְרַם פ be confiscated
הוּחַשׁ פ be hastened
הוּטַב פ be improved
הוּטַל פ be thrown
הוֹטֶנְטוֹטִי ת Hottentot
הוּטַס פ be flown
הוּטְעָה פ be misled
הוּטְעַם פ be stressed
הוּטְרַד פ be bothered
הוֹי מ״ק woe, alas
הֲוִי ז manner of life
הֲוָיָה נ being, existence
הוּכָּה פ be hit/beaten
הוּכַח פ be proved
הוֹכָחָה נ demonstration, evidence, proof
הוֹכִיחַ פ admonish, demonstrate, prove, show
הוּכַן פ be prepared
הוּכְפַּל פ be multiplied
הוּכַּר פ be recognized
הוּכְרַח פ be forced
הוּכְשַׁר פ be made fit
הוּכְתַּר פ be crowned
הוֹל ז hall

הוֹלָדָה נ giving birth
הִוָּלְדוּת נ being born
הוֹלִיד פ beget, bring, cause
הוּלֶדֶת נ birth
הוֹלוֹגְרָף ז holograph
הוֹלִיךְ פ conduct, lead
הוֹלִיךְ שׁוֹלָל mislead
הוֹלֵךְ ז walker
הוֹלֵךְ לְ– is going to
הוֹלֵךְ רֶגֶל pedestrian
הוֹלָכָה נ transport, conducting
הוֹלָכַת שׁוֹלָל deception
הוֹלֵל ז profligate
הוֹלֵלוּת נ debauchery, profligacy
הוֹלֵם ת appropriate, suitable, becoming, fit
הוֹלַנְד נ Netherlands
הוֹלַנְדִּי ת Dutch
הוֹלַנְדִּית נ Dutch
הוֹמֶה ת noisy
הוֹמוֹ ז gay
הוֹמוֹ סַפִּיֶנְס Homo sapiens
הוֹמוֹגֶנִי ת homogeneous
הוֹמוֹגֶנִיּוּת נ homogeneity
הוֹמוֹגְרָף ז homograph
הוֹמוֹנִים ז homonym
הוּמוּס ז humus
הוֹמוֹסֶקְסוּאָל ז homosexual
הוֹמוֹסֶקְסוּאָלִיּוּת homosexuality
הוֹמוֹפוֹן ז homophone
הוּמוֹר ז humor
הוּמוֹרִיסְטִי ת humorous
הוֹמֵיאוֹפַּתְיָה נ homeopathy
הוּמָנִי ת humane
הוּמָנִיּוּת נ humanism
הוּמָנִיטָרִי ת humanitarian
הוּמָנִיסְט ז humanist
הוֹמֵרִי ת Homeric
הוּמַר פ be changed
הוּמַת פ be put to death
הוֹן ז capital, wealth
הוֹן חוֹזֵר working capital
הוֹן תוֹעָפוֹת great wealth

הוֹן פ capitalize
הוֹנָאָה נ deceit, fraud
הוֹנָה פ deceive, cheat
הוּנַח פ be laid down
הוּנַס פ be driven away
הוּנַף פ be hoisted
הוּנְצַח פ be perpetuated
הוּסְדַּר פ be settled
הוֹסִיף פ add, increase
הוּסְכַּם פ be agreed
הוּסְמַךְ פ be authorized
הוֹסָפָה נ addition, increase
הוּסַר פ be removed
הוֹעִיד פ destine
הוֹעִיל פ be useful, benefit
הוּעַם פ be dimmed
הִוָּעֲצוּת נ consultation
הוֹפִיעַ פ appear
הוֹפָעָה נ appearance
הוּפְעַל פ be activated
הוּפַץ פ be distributed
הוּפְצַץ פ be bombed
הוּפְקַד פ be deposited
הוּפְקַר פ be abandoned
הוּפַר פ be violated
הוּפְרַד פ be separated
הוּפְרַע פ be disturbed
הוּפְתַּע פ be surprised
הוּצָא פ be taken out
הוֹצָאָה נ taking out, expense, expenditure, publication
הוֹצָאוֹת הוֹן capital expenditure
הוֹצָאָה לְאוֹר publication
הוֹצָאָה לְפוֹעַל execution
הוּצַב פ be stationed
הוֹצִיא פ take out, draw, spend, publish
הוֹצִיא לָאוֹר bring to light, publish
הוּצַע פ be suggested
הוּצַף פ be flooded
הוּצַר פ be narrowed
הִוָּצְרוּת נ formation
הוּצַת פ be ignited

הוקוס פוקוס hocus-pocus
הוקי ז hockey
הוקי קֶרַח ice hockey
הוקִיעַ פ denounce, condemn
הוקִיר פ appreciate, respect
הוקַל פ be light
הוקַם פ be established
הוקַע פ be denounced/hanged
הוקָעָה נ denunciation, condemnation, exposure
הוקַף פ be surrounded
הוקָרָה נ respect, esteem
הורָאָה נ instruction, order, teaching, meaning
הורֵג ז killer
הורַד פ be lowered
הורָדָה נ taking down, decrease, lowering
הורֶה ז parent
הורָה נ hora (dance)
הורָה פ order, instruct, teach, show
הורוסקופ ז horoscope
הורוּת נ parentage, parenthood
הורִי ת parental
הוריד פ take down, reduce
הורים ז"ר parents
הוריק פ turn green
הוריקָן ז hurricane
הוריש פ bequeath
הורמון ז hormone
הורסָני ת destructive
הורַע פ worsen
הורָקָה נ becoming green
הורָשָׁה נ bequeathing
הושַב פ be returned
הושָבָה נ placing, seating
הושַג פ be obtained
הושָטָה נ extending, handing
הושיב פ seat, settle
הושיט פ extend
הושִיעַ פ help, save
הושַם פ be placed
הותִיר פ leave

הַזָּאָה נ sprinkling
הַזָּגָה נ glazing
הִזְדַגֵג פ glaze over
הִזְדַהָה פ identify oneself
הִזְדַהוּת נ identification
הִזְדַהֵם פ be infected
הִזְדַוֵג פ copulate, mate
הִזְדַוְגוּת נ copulation
הִזְדַיֵן פ arm
הִזְדַמֵן פ chance, happen
הִזְדַמְנוּת נ chance, opportunity, occasion
הִזְדַנֵב פ trail along, tail
הִזְדַעְזֵעַ פ be shocked
הִזְדַקֵן פ age, become old
הִזְדַקְנוּת נ ageing, aging, senescence
הִזְדַקֵף פ stand upright
הִזְדַקֵק פ need, have recourse
הִזְדַקְקוּת נ being in need
הִזְדַקֵר פ stand out
הִזְדָרֵז פ hurry up
הָזָה פ daydream, hallucinate
הִזָה פ sprinkle
הַזְהָבָה נ gilding
הִזְהִיב פ brown, gild
הִזְהִיר פ caution, warn
הַזְהָרָה נ warning
הֶזוּן חוזר feedback
הֲזָזָה נ moving, shifting
הֲזָיָה נ hallucination, daydream, fancy, delusion
הֵזִיז פ budge, move
הֵזִיחַ פ move, displace
הִזִיל פ shed, drop
הֵזִין פ nourish, feed
הֵזִיעַ פ perspire, sweat
הִזִיק פ damage, harm
הִזְכִּיר פ mention, remind
הַזְכָּרָה נ reminder, mention
הִזָּכְרוּת נ remembering
הִזְלִיף פ spray, sprinkle
הַזְלָפָה נ sprinkling
הֵזֵם פ refute, contradict
הֲזָמָה נ refutation

הִזְמִין פ book, call, invite, order, summon
הַזְמָנָה נ invitation, order
הֲזָנָה נ feeding, nutrition
הַזְנָחָה נ neglect, negligence
הִזְנִיחַ פ neglect, abandon
הִזְנִיק פ start off
הַזְנָקָה נ start
הַזָּעָה נ perspiration, sweat
הִזְעִיף פָּנִים פ scowl
הִזְעִיק פ summon, call
הַזְעָקָה נ alarm, summoning
הֶזֵּק ז damage, harm
הִזְקִין פ grow old, age
הִזָּקְקוּת נ need
הִזְרִים פ cause to flow
הִזְרִיעַ פ breed, inseminate
הִזְרִיק פ inject
הַזְרָמָה נ causing to flow
הַזְרָעָה נ sowing, insemination
הַזְרָקָה נ injection
הַחְבָּאָה נ hiding, concealing
הֶחְבִּיא פ conceal, hide
הֶחְבֵּר ז association
הַחְבָּרָה נ socialization
הֶחְדִּיר פ insert, instill
הַחְדָּרָה נ insertion, piercing
הֶחֱוָה קִדָּה bow, curtsey
הֶחֱוִיר פ pale, whiten
הַחוּצָה תה"פ out, outward(s)
הַחְוָרָה נ paleness, pallor
הַחְזָיָה נ visualization
הֶחֱזִיק פ hold, keep
הֶחֱזִיר פ bring back, give back, return, reply
הַחְזָקָה נ holding, maintaining
הֶחְזֵר ז return, reflex
הַחְזָרָה נ return, restoration
הַחְטָאָה נ miss
הֶחֱטִיא פ miss, cause to sin
הַחְיָאָה נ revival, recovery
הֶחֱיָה פ animate, enliven, revive, resurrect

הֵחִיל פ apply, enforce
הֵחִישׁ פ hasten, hurry, speed up, accelerate
הֶחְכִּים פ become/make wise
הֶחְכִּיר פ lease
הַחְכָּרָה נ lease, renting
הֵחֵל פ begin, start
הֶחֱלָה פ make sick
הֲחָלָה נ application
הַחְלָטָה נ decision, resolution
הֶחְלֵטִי ת definite, decisive
הֶחְלֵטִיּוּת נ decision, determination, resolution
הֶחְלֵטִית תה"פ definitely
הֶחֱלִיא פ make sick
הֶחֱלִיד פ rust
הֶחְלִיט פ decide, determine
הֶחֱלִים פ recover, convalesce
הֶחֱלִיף פ switch, alternate, barter, change, exchange
הֶחֱלִיף בְּעָלִים change hands
הֶחֱלִיק פ slide, smooth, slip, skate
הֶחֱלִישׁ פ weaken
הַחְלָמָה נ convalescence, recovery
הַחְלָפָה נ change, changing
הֶחָלְצוּת נ volunteering, helping, escape
הַחְלָקָה נ slide, slip, skiing, skating
הַחְלָשָׁה נ weakening
הֶחְמִיא פ compliment, flatter
הֶחֱמִיץ פ pickle, acidify, turn sour, miss
הֶחְמִיר פ worsen, be strict
הַחְמָצָה נ souring, missing
הַחְמָרָה נ aggravation, worsening, strictness
הֶחֱנָה פ park
הֶחֱנִיף פ flatter
הֶחֱנִיק פ strangle, stifle

הַחֲנָפָה נ flattery
הַחֲנָקוּת נ suffocation
הֶחְסִיר פ omit, subtract
הַחְסָנָה נ storage, storing
הֵחָפְזוּת נ hurry, haste
הֶחְצִין פ exteriorize
הַחְצָנָה נ externalization
הֶחֱרָה־הֶחֱזִיק אַחֲרָיו encourage, follow suit
הֶחֱרִיב פ destroy, ruin
הֶחֱרִיד פ terrify, startle
הֶחֱרִים פ boycott, confiscate
הֶחֱרִיף פ worsen, aggravate
הֶחֱרִישׁ פ be silent, deafen
הַחְרָמָה נ confiscation, boycott
הַחְרָפָה נ worsening
הַחְשָׁדָה נ casting suspicion
הֶחֱשָׁה פ be silent
הָחָשָׁה נ acceleration, speeding
הֶחְשִׁיב פ appreciate, respect
הֶחֱשִׁיד פ cast suspicion on
הֶחֱשִׁיךְ פ darken
הֶחְתִּים פ sign up, stamp
הַחְתָּמָה subscription, stamping
הֲטָבָה נ improvement, bonus
הִטְבִּיל פ christen, soak, dip
הִטְבִּיעַ פ drown, stamp, coin
הַטְבָּלָה נ dipping, baptism
הַטְבָּעָה נ drowning, stamping
הֲטָבַת הֶעְדֵּר תְּבִיעָה no claims bonus
הִטְגֵן פ fry
הִטָּה פ bend, divert, incline
הִטַּהֲרוּת נ purification
הֲטָחָה נ striking, knocking
הַטָּיָה נ bending, diversion
הֵטִיחַ פ strike, throw
הֵטִיל פ cast, throw, toss
הִטִּיל פ impose, put, lay
הִטִּיל חֵרֶם boycott
הֵטִיס פ fly
הִטִּיף פ preach, drop
הֵטֶל ז levy, tax
הֲטָלָה נ throw, projection
הֲטָלָה נ imposition, laying
הִטַּלְטֵל פ wander, be moved
הִטַּלְטְלוּת נ wandering
הִטְלִיא פ patch
הִטַּמְטֵם פ become stupid
הִטְמִין פ conceal, bury
הִטְמִיעַ פ assimilate
הַטְמָנָה נ concealing
הַטְמָעָה נ assimilation
הִטָּמְעוּת נ assimilation
הֲטָסָה נ flying
הַטְעָאָה נ sophistry
הִטְעָה פ mislead
הַטְעָיָה נ misleading
הִטְעִים פ emphasize, stress
הִטְעִין פ burden, charge, load
הַטְעָמָה נ emphasis, accent
הַטְעָנָה נ loading
הֲטָפָה נ preaching, lecture
הִטָּפְלוּת נ joining
הִטְפִּיס פ stereotype
הַטְרָדָה bothering, annoyance
הֶטֶרוֹגֵנִי ת heterogeneous
הֶטֶרוֹסֶקְסוּאָלִי ת heterosexual
הַטְרָחָה נ troubling
הִטְרִיד פ annoy, bother
הִטְרִיחַ פ trouble, bother
הַטְרָמָה נ anticipation
הִטְרִיף נ pronounce not kasher
הִטַּשְׁטֵשׁ פ be unclear/blurred
הִיא מ״ג she
הֵיאַךְ תה״פ how
הִיבִּיסְקוּס ז hibiscus
הִיבְּרִיד ז hybrid
הִיבְּרִידִיזַצְיָה hybridization
הִיגְיֶנָה נ hygiene
הִיגְיֶנִי ת hygienic
הֵידָד! מ״ק bravo, hooray
הִידְרָה נ hydra
הִידְרוֹאֶלֶקְטְרִי hydroelectric
הִידְרוֹלִי ת hydraulic
הִידְרוֹלִיקָה נ hydraulics
הִידְרוֹפּוֹנִיקָה hydroponics
הִידְרוֹפְלָן ז hydroplane

הִידְרָט ז hydrate
הִידְרַנְט ז hydrant
הָיָה פ be, exist, become
הָיָה לוֹ have
הִיוּלִי ת primeval
הַיּוֹם תה"פ today
הֱיוֹת נ being, to be
הֱיוֹת תה"פ since, as
הֵיטֵב תה"פ well
הֵטִיב פ improve, do good
הֵיכָל ז palace, temple
הֵיכָן תה"פ where
הֵילָךְ חוּקִי legal tender
הֵימִין פ turn right
הֵימֶנּוּ מ"ג from him/it
הִימְנוֹן ז anthem, hymn
הִינְדוּאִיזְם ז Hinduism
הַיְנוּ תה"פ that is, namely
הַיְנוּ הָךְ it's all one, it's all the same
הֵינִיק פ suckle
הִיסְטוֹרִי ת historic
הִיסְטוֹרְיָה נ history
הִיסְטוֹרְיוֹן ז historian
הִיסְטָמִין ז histamine
הִיסְטֶרִי ת hysterical
הִיסְטֶרְיָה נ hysteria
הִיפּוֹכוֹנְדְרְיָה hypochondria
הִיפּוֹפּוֹטָמוּס hippopotamus
הִיפּוֹתֵיזָה נ hypothesis
הִיפּוֹתֵיטִי ת hypothetical
הִיפִּי ז hippie, hippy
הִיפְּנוֹזָה נ hypnosis
הִיפְּנוֹטִי ת hypnotic
הִיפֶּרְבּוֹלָה נ hyperbole
הִיפֶּרְבּוֹלָה (עקומה) hyperbola
הֵירוֹאִי ת heroic
הִירוֹגְלִיף ז hieroglyph
הִירַרְכְיָה נ hierarchy
הֵישִׁיר פ go straight
הַיְשֵׁר תה"פ directly, straight
הַכָּאָה נ beating
הִכְאִיב פ hurt
הַכְבָּדָה נ burdening, troubling
הִכְבִּיד פ burden, make heavy
הִכְבִּיר מִלִּים be verbose
הִכָּה פ beat, hit, knock
הִכְהָה פ darken
הִכְוָה פ scald, burn
הִכְוִין פ adjust, tune
הִכּוֹן ז/פ alert, be ready
הֶכְוֵן ז tuning in
הַכְוָנָה נ direction, alignment
הִכְזִיב פ disappoint
הַכְחָדָה נ annihilation
הִכְחִיד פ annihilate
הִכְחִיל פ turn blue
הִכְחִישׁ פ contradict, deny
הַכְחָשָׁה נ contradiction, denial
הֲכִי מ"ח is it?, most
הֵכִיל פ contain
הֵכִין פ fix, prepare
הִכִּיר פ recognize, know, acquaint, acknowledge
הִכִּישׁ פ bite, sting
הַכְלָאָה נ hybridization
הִכְלִיא פ hybridize, crossbreed, interbreed
הִכְלִיב פ baste, stitch
הִכְלִיל פ generalize
הִכְלִים פ shame, insult
הִכְלִיר פ chlorinate
הַכְלָלָה נ generalization, inclusion
הַכְלָמָה נ causing shame
הַכְלָרָה נ chlorination
הִכְמִישׁ פ wither
הָכֵן תה"פ ready, on the alert
הֲכָנָה נ preparation
הִכְנִיס פ introduce, admit
הִכְנִיעַ פ subdue, subjugate
הַכְנָסָה נ admission, income
הַכְנָעָה נ submission
הִכָּנְעוּת נ surrender
הִכְסִיף פ gray, silver
הִכְעִיס פ anger, enrage
הִכְפִּיל פ double, multiply
הַכְפָּלָה נ multiplication
הֶכֵּר ז recognition

הַכָּרָה נ awareness, consciousness, recognition

הֶכֵּרוּת נ acquaintance

הַכְרָזָה נ proclamation

הֶכְרֵחַ ז necessity

הֶכְרֵחִי ת indispensable, necessary

הִכְרִיז פ declare, proclaim

הִכְרִיחַ פ coerce, compel, force

הִכְרִיעַ פ subject, decide

הִכְרִית פ destroy

הַכְרָעָה נ decision

הַכָּרַת טוֹבָה gratitude

הַכָּרָתִי ת conscious

הַכָּשָׁה נ bite, blow

הִכְשִׁיל פ cause to fail

הִכְשִׁיר פ qualify, train, prepare, make kasher

הַכְשָׁלָה נ causing failure

הִכָּשְׁלוּת נ failing, failure

הֶכְשֵׁר ז authorization, fitness, permit as kasher

הַכְשָׁרָה נ training, preparation, qualification

הַכְתָּבָה נ dictation

הִכְתִּיב פ dictate

הִכְתִּים פ blot, stain

הִכְתִּיף פ shoulder

הִכְתִּיר פ crown

הַכְתָּמָה נ staining

הַכְתָּפָה נ shouldering

הַכְתָּרָה נ coronation

הֲלֹא תה"פ is it not?, indeed

הָלְאָה תה"פ away, farther, forth, onwards

הֶלְאָה פ weary, tire

הִלְאִים פ nationalize

הַלְאָמָה נ nationalization

הִלְבִּין פ bleach, whiten

הִלְבִּישׁ פ clothe, dress

הַלְבָּנָה נ whitening

הַלְבָּשָׁה נ clothing

הִלָּה נ aura, corona, halo

הַלָּה מ"ג that one

הִלְהִיב פ inflame, excite

הַלּוֹ מ"ק hello

הַלְוָאָה נ loan

הַלְוַאי מ"ק I wish

הִלְוָה פ lend

הַלְוָיָה נ funeral

הִלּוּךְ ז walking, gait, gear

הָלוֹךְ וָשׁוֹב back and forth, to and fro

הִלּוּלָה נ merrymaking, spree

הֲלוֹם תה"פ hither, here

הָלוּם ת struck, smitten

הַלָּזֶה מ"ג that one

הִלְחִים פ solder

הִלְחִין פ compose

הַלְחָמָה נ soldering

הַלְחָנָה נ composition

הֶלְיוֹגְרָף ז heliograph

הֶלְיוּם ז helium

הֵלִיט פ veil, cover

הָלִיךְ ז procedure, action

הֲלִיכָה נ walk, going

הֲלִיכִי ת andante

הַלַּיְלָה תה"פ tonight

הֲלִימוּת נ suitability

הֵלִין פ accommodate, lodge

הֶלִיקוֹפְּטֶר ז helicopter

הָלַךְ פ go, walk

הִלֵּךְ פ walk about

הֵלֶךְ ז wanderer

הַלָּךְ, הַלְּכָן ז walker

הֲלָךְ־נֶפֶשׁ mood, temper

הֲלַךְ־רוּחַ mood

הֲלָכָה נ law, rule, theory

הִלְכָּךְ מ"ח therefore

הִלֵּל פ praise, acclaim, laud

הַלֵּל ז praise

הַלָּלוּ מ"ג these, those

הָלַם פ strike, blow, throb, fit, suit, become

הֶלֶם ז blow, shock

הֶלֶם חַשְׁמַלִּי electric shock

הַלְמוּת נ throb, beating

הֲלָנָה נ night's lodging

הֲלָנַת שָׂכָר delaying wages
הַלְעָזָה נ slandering
הַלְעָטָה נ feeding, stuffing
הִלְעִיג פ mock, deride
הִלְעִיז פ slander
הִלְעִיט פ feed, stuff
הֲלָצָה נ joke, jest
הַלְקָאָה נ beating, flagellation, flogging
הִלְקָה פ whip, flog
הֶלְקֵט ז capsule
הִלְשִׁין פ inform on
הַלְשָׁנָה נ informing
הֵם, הֵמָּה מ"ג they
הִמְאִיס פ make loathsome
הַמְבּוּרְגֶר ז hamburger
הִמְדִּיר פ bevel
הָמָה פ make noise, coo
הִמְהוּם ז murmur, rustle
הִמְהֵם פ hum, murmur
הֶמוֹגְלוֹבִּין ז hemoglobin
הֲמוּלָּה נ tumult, hustle
הָמוּם ת shocked, stunned
הָמוֹן ז crowd, mass
הִמּוּן ז popularization
הֲמוֹנִי ת common, vulgar
הֲמוֹנִיּוּת נ vulgarity
הֶמוֹפִילִי ז bleeder
הֶמוֹפִילְיָה נ hemophilia
הִמּוּר ז gamble, bet
הַמְחָאָה נ check
הַמְחָאַת דּוֹאַר postal order
הַמְחָזָה נ dramatization
הִמְחִיז פ dramatize
הִמְחִישׁ פ illustrate, realize
הַמְחָשָׁה נ realization
הִמְטִיר פ shower, rain
הִמְטִיר אֵשׁ bombard
הַמְטָרָה נ raining
הֶמְיָה נ coo, murmur, noise
הֵמִיט פ bring, cause
הֵמִיר פ convert, exchange
הֵמִיר דָּת renegade
הֵמִית פ kill
הַמְלָחָה נ salting
הַמְלָטָה נ giving birth
הִמָּלְטוּת נ escape
הִמְלִיחַ פ salt
הִמְלִיט פ give birth
הִמְלִיטָה עֵגֶל calve
הִמְלִיךְ פ crown
הִמְלִיץ פ recommend
הַמְלָכָה נ enthronement
הַמְלָצָה נ recommendation
הֵמַם פ confound, stun
הִמָּנְעוּת נ abstention, avoidance
הֵמֵס פ melt
הֲמַסָּה נ melting, solution
הַמְעָטָה נ reducing, diminishing, lessening
הִמָּעֲטוּת נ diminishing
הִמְעִיד פ cause to fall
הִמְעִיט פ reduce, diminish
הַמְצָאָה נ innovation, invention
הִמָּצְאוּת נ presence
הִמְצִיא פ invent, supply, provide
הֵמֵר פ bet, gamble, stake
הַמְרָאָה נ sublimation, take-off
הִמְרָה פ defy, disobey
הֲמָרָה נ exchange, change, commutation, conversion
הִמְרִיא פ take off, soar
הִמְרִיד פ cause to rebel
הִמְרִיץ פ stimulate, urge
הַמְרָצָה נ stimulation, encouragement, urging
הִמְשִׁיךְ פ carry on, continue
הִמְשִׁיל פ compare, liken
הֶמְשֵׁךְ ז continuance
הַמְשָׁכָה נ continuation
הִמָּשְׁכוּת נ attraction
הֶמְשֵׁכִיּוּת נ continuity
הֲמָתָה נ killing, execution
הִמְתִּין פ wait
הִמְתִּיק פ sweeten

הַמְתָּנָה נ	waiting
הַמְתָּקָה נ	sweetening
הֲמָתַת חֶסֶד	euthanasia
הֵן מ"ג	they
הֵן מ"ק	yes, surely
הֵן צֶדֶק	word of honor
הֲנָאָה נ	pleasure
הַנְבָּטָה נ	germination
הִנְבִּיט פ	germinate
הִנְגִּין פ	intonate
הַנְגָּנָה נ	intonation
הַנְגָּר ז	hangar
הַנְדָּסָה נ	engineering, geometry
הַנְדָּסִי ת	geometric(al)
הַנְדָּסַת הַמֶּרְחָב	stereometry
הִנֵּה מ"י	see, here is
הֵנָּה תה"פ	hither, here
הֵנָּה וָהֵנָּה	back and forth
הֵנָה פ	cause joy, please
הַנְהָגָה נ	leadership
הִנְהִיג פ	lead, introduce, make a custom
הַנְהָלָה נ	management, administration, directorate
הַנְהָלַת חֶשְׁבּוֹנוֹת	bookkeeping
הִנְהֵן פ	say yes, nod
הִנּוּמָה נ	bridal veil
הַנְזָלָה נ	liquefaction
הִנָּזְרוּת נ	abstinence
הֲנָחָה נ	reduction, discount
הַנָּחָה נ	assumption, laying, placing
הִנְחָה פ	direct, guide, lead
הַנְחָיָה נ	direction, guidance
הִנְחִיל פ	bequeath, impart
הִנְחִית פ	land
הַנְחָלָה נ	bequeathing, teaching, imparting
הַנְחָתָה נ	landing
הֵנִיא פ	argue out of, dissuade, prevent
הֵנִיב פ	produce, yield
הֵנִיד פ	move, shake
הֵנִיחַ פ	give rest
הִנִּיחַ פ	lay, place, let, assume, suppose
הֵנִיס פ	put to flight
הֵנִיעַ פ	move, stir
הֵנִיף פ	lift, wave, lever
הַנַּ"ל	the abovementioned
הִנְמִיךְ פ	lower
הַנְמָכָה נ	lowering
הֶנְמֵק ז	argumentation
הַנְמָקָה נ	argumentation
הִנְנוּ מ"ג	we are
הִנְנִי מ"ג	I am
הֶנֵעַ ז	motion, drive
הֶנֵעַ קִדְמִי	front-wheel drive
הֲנָעָה נ	moving, motivation
הִנְעִיל פ	shoe
הִנְעִים פ	make pleasant
הַנְעָלָה נ	shoes, footwear
הֲנָפָה נ	lifting, leverage, waving, hoisting
הִנְפִּיק פ	issue
הַנְפָּקָה נ	issue, emission
הַנְפָּשָׁה נ	animation
הֵנֵץ פ	sprout, bud
הָנֵץ הַחַמָּה	sunrise
הַנְצָחָה נ	commemoration, perpetuation
הִנְצִיחַ פ	commemorate, immortalize
הִנָּצְלוּת נ	saving, escape
הֲנָקָה נ	breast feeding
הִנָּשְׂאוּת נ	rising up
הַנְשָׁמָה נ	respiration
הִנָּתְקוּת נ	severance, cutting off, sundering
הַס מ"ק	quiet, silence
הֵסֵב פ	turn, endorse, recline, sit at table
הֵסֵב תְּשׂוּמֶת לֵב	call attention
הֶסֵּב ז	endorsement
הֲסָבָה נ	endorsement
הִסְבִּיר פ	explain
הֶסְבֵּר ז	explanation

הַסְבָּרָה נ explanation, information
הַסְבָּרָתִי ת explanatory
הֲסָגָה נ removing, removal
הִסְגִּיר פ extradite, betray, hand over
הֶסְגֵּר ז blockade, embargo, quarantine, parenthesis
הַסְגָּרָה נ betrayal, extradition, surrender
הֲסָגַת גְּבוּל encroachment, infringement
הִסְדִּיר פ regularize, arrange, settle
הֶסְדֵּר ז arrangement, settlement
הַסְדָּרָה נ settlement
הַסָּה פ silence
הַסְוָאָה נ camouflage
הִסְוָה פ camouflage, mask
הִסּוּס ז hesitation, scruple
הֶסַּח־הַדַּעַת absence of mind
הַסָּחָה נ diversion
הִסָּחֲפוּת being carried away
הֲסָטָה נ shifting
הִסִּיג גְּבוּל encroach, poach, trespass
הִסִּיחַ פ divert
הֵסִיט פ shift, remove
הִסִּיעַ פ drive, transport
הִסִּיק פ conclude, infer, heat up
הֵסִיר פ remove
הֵסִית פ instigate, incite
הִסְכִּים פ agree, approve, acquiesce, consent
הִסְכִּין פ be accustomed
הֶסְכֵּם ז accord, agreement, compact, contract, deal
הַסְכָּמָה נ acquiescence, agreement, assent, consent
הִסְלִים פ escalate
הַסְלָמָה נ escalation
הִסְמִיךְ פ authorize
הִסְמִיק פ blush, redden
הַסְמָכָה נ authorization
הַסְמָקָה נ blushing
הִסֵּס פ hesitate
הַסְסָן, הַסְסָנִי ז/ת hesitant
הַסְסָנוּת נ hesitancy
הַסְעָדָה נ catering
הַסָּעָה נ transportation, lift
הִסְעִיר פ cause a storm, agitate, enrage
הַסְפָּגָה נ saturation
הִסְפְּגוּת נ absorption
הֶסְפֵּד ז funeral oration
הִסְפִּיג פ saturate, soak
הִסְפִּיד פ eulogize, mourn
הִסְפִּיק פ be sufficient, suffice, manage, succeed
הֶסְפֵּק ז output, capacity
הַסְפָּקָה נ provision, supply
הַסָּקָה נ heating
הַסָּקָה מֶרְכָּזִית central heating
הֲסָרָה נ removal
הַסְרָטָה נ filming
הִסְרִיחַ פ stink
הִסְרִיט פ film, screen
הִסְתָּאֵב פ become corrupt
הִסְתָּאֲבוּת נ defilement
הִסְתַּבֵּךְ פ become complicated
הִסְתַּבְּכוּת נ complication
הִסְתַּבֵּר פ be evident/clear
הִסְתַּבְּרוּת נ probability, odds
הִסְתַּגֵּל פ adapt oneself
הִסְתַּגְּלוּת נ adaptation
הִסְתַּגֵּף פ mortify oneself
הִסְתַּגְּפוּת נ mortification
הִסְתַּגֵּר פ shut oneself up
הִסְתַּגְּרוּת נ seclusion
הִסְתַּדֵּר פ manage, be organized/arranged
הִסְתַּדְּרוּת נ organization
הֲסָתָה נ incitement, sedition
הִסְתּוֹבֵב פ circle, revolve, rotate, turn

הִסְתּוֹבְבוּת נ turning around
הִסְתּוֹדֵד פ confer secretly
הִסְתּוֹדְדוּת נ whispering
הִסְתּוֹפֵף פ visit often
הִסְתַּחְרֵר פ be dizzy, whirl
הִסְתַּיֵּג פ reserve oneself, have reservations
הִסְתַּיְּגוּת נ reservation
הִסְתַּיֵּד פ calcify
הִסְתַּיְּדוּת נ calcification
הִסְתַּיֵּם פ end, terminate
הִסְתַּיֵּעַ פ be helped/assisted
הִסְתִּיר פ conceal, hide
הִסְתַּכֵּל פ gaze, look, watch
הִסְתַּכְּלוּת נ looking
הִסְתַּכְּלוּתִי ת visual
הִסְתַּכֵּם פ add up to, amount
הִסְתַּכֵּן פ risk
הִסְתַּכְסֵךְ פ quarrel, dispute
הִסְתַּלְסֵל פ curl, wave
הִסְתַּלֵּק פ leave, beat it!
הִסְתַּלְּקוּת נ departure
הִסְתַּמֵּא פ be blind
הִסְתַּמֵּךְ פ rely on
הִסְתַּמְּכוּת נ reliance
הִסְתַּמֵּן פ be apparent
הִסְתַּמֵּר פ bristle
הִסְתַּנְוֵר פ be dazzled
הִסְתַּנֵּן פ filter, infiltrate
הִסְתַּנְּנוּת נ infiltration
הִסְתַּנְּפוּת נ affiliation
הִסְתָּעֵף פ branch
הִסְתַּעֲפוּת נ ramification
הִסְתָּעֵר פ assail, storm
הִסְתַּעֲרוּת נ attack, storm
הִסְתַּפֵּחַ פ be annexed
הִסְתַּפֵּק פ be satisfied
הִסְתַּפְּקוּת נ contentment
הִסְתַּפֵּר פ have a haircut
הֶסְתֵּר, בְּהֶסְתֵּר secretly
הִסְתַּרְבֵּל פ be cumbersome
הַסְתָּרָה נ concealment
הִסְתָּרְכוּת נ adhesion

הִסְתָּרֵק פ comb one's hair
הִסְתַּתֵּם פ be stopped up
הִסְתַּתֵּר פ hide oneself
הִסְתַּתְּרוּת נ hiding
הֶעֱבִיד פ employ
הֶעֱבִיר פ move, pass, transfer
הַעֲבָרָה נ transference
הֲעָדָה נ protest
הֶעֱדִיף פ prefer
הַעֲדָפָה נ preference
הֶעְדֵּר ז lack, absence
הֵעָדְרוּת נ absence
הֶעֱוָה פָּנָיו pull faces
הַעֲוָיָה נ grimace
הֵעֵז, הֵעִיז פ dare
הֶעָזָה נ daring, venture
הֶעֱטָה פ cover, envelop
הֵעִיב פ cloud
הֵעִיד פ testify, witness
הֵעִיף פ fly, throw out
הֵעִיף מַבָּט glance
הֵעִיק פ oppress, depress
הֵעִיר פ comment, remark, rouse, wake
הַעֲלָאָה נ lift, rise
הַעֲלָבָה נ insulting
הֵעָלְבוּת נ being insulted
הֶעֱלָה פ raise, lift
הֶעֱלִיב פ insult, offend
הֶעֱלִיל פ slander
הֶעֱלִים פ hide, conceal
הֶעֱלִים עַיִן overlook
הַעֲלָמָה נ concealing
הֵעָלְמוּת נ disappearance
הֵעֵם פ dim
הַעֲמָדָה נ erection
הַעֲמָדַת פָּנִים affectation, pretense
הֶעֱמִיד פ set up, appoint, establish, erect, stop
הֶעֱמִיד פָּנִים feign, pretend
הֶעֱמִיס פ burden, load
הֶעֱמִיק פ deepen

pause, cease-fire	הֲפוּגָה נ	loading	הַעֲמָסָה נ
overturned, upside down, reverse	הָפוּךְ ת	deepening	הַעֲמָקָה נ
turning over, reverse, opposite	הִפּוּךְ ז	response	הֵעָנוּת
intimidation	הַפְחָדָה נ	award, grant	הֶעֱנִיק פ
blowing	הֲפָחָה נ	punish	הֶעֱנִישׁ פ
frighten, scare, intimidate, terrify	הִפְחִיד פ	grant, bestowing	הַעֲנָקָה נ
lessen, reduce, diminish, subtract	הִפְחִית פ	punishing	הַעֲנָשָׁה נ
decrease, reduction	הַפְחָתָה נ	employ	הֶעֱסִיק פ
release, say	הִפְטִיר פ	employment	הַעֲסָקָה נ
discharge	הֶפְטֵר ז	flying	הָעָפָה נ
Haftarah	הַפְטָרָה נ	climb, strive up	הֶעְפִּיל פ
riddance	הִפָּטְרוּת נ	striving upwards	הַעְפָּלָה נ
ease, relieve	הֵפִיג פ	sadden	הֶעֱצִיב פ
blow, inspire	הֵפִיחַ פ	intensify	הֶעֱצִים פ
convertible, reversible	הָפִיךְ ת	trace	הֶעֱקִיב פ
revolution, conversion, overturning	הֲפֵיכָה נ	comment, note, remark	הֶעָרָה נ
convertibility	הֲפִיכוּת נ	pour, decant	הֶעֱרָה פ
drop, throw down	הִפִּיל פ	estimate, appreciate, appraise	הֶעֱרִיךְ פ
miscarry	הִפִּילָה עוּבָּר	go/get around, trick, cheat	הֶעֱרִים פ
appease, pacify	הֵפִיס פ	venerate, worship, adore	הֶעֱרִיץ פ
scatter, distribute	הֵפִיץ פ	appraisal, appreciation, estimate	הַעֲרָכָה נ
produce	הֵפִיק פ	alignment, deployment, forming up	הֵעָרְכוּת נ
cancel, break	הֵפֵר פ	cheating	הַעֲרָמָה נ
turn over, upset	הָפַךְ פ	admiration, adoration, worship	הַעֲרָצָה נ
contrary, opposite	הֵפֶךְ ז	enrich	הֶעֱשִׁיר פ
fickle, wayward	הֲפַכְפַּךְ ת	enrichment	הַעֲשָׁרָה נ
wonderful	הַפְלֵא וָפֶלֶא	copy, move	הֶעְתִּיק פ
cruise, sailing, voyage, exaggeration	הַפְלָגָה נ	entreat, shower	הֶעְתִּיר פ
discriminate	הִפְלָה פ	copy, duplicate	הֶעְתֵּק ז
abortion, miscarriage, dropping	הַפָּלָה נ	copy, copying	הַעְתָּקָה נ
ejection	הַפְלָטָה נ	easing, abatement	הֲפָגָה נ
amaze, surprise	הִפְלִיא פ	bombardment	הַפְגָּזָה נ
sail, exaggerate	הִפְלִיג פ	shell, bombard	הִפְגִּיז פ
discrimination	הַפְלָיָה נ	demonstrate	הִפְגִּין פ
eject, emit	הִפְלִיט פ	bring together	הִפְגִּישׁ פ
incriminate	הִפְלִיל פ	demonstration	הַפְגָּנָה נ
		demonstrative	הַפְגָּנָתִי ת
		bringing together	הַפְגָּשָׁה

הִפְלִיץ פ fart

הַפְלָלָה נ incrimination

הִפְנָה פ refer, turn, direct

הִפְנֵט פ hypnotize

הַפְנָיָה נ turning, referring

הִפְנִים פ internalize

הֶפֶּנִינְג ז happening

הַפְנָמָה נ introversion

הֶפְסֵד ז damage, loss

הִפְסִיד פ lose

הִפְסִיק פ break, cease, pause, stop

הֶפְסֵק ז stop, interruption

הַפְסָקָה נ break, intermission, pause

הַפְסָקַת אֵשׁ cease-fire

הִפְעִיל פ activate, actuate, operate

הַפְעָלָה נ activation

הֲפָצָה נ distribution

הִפְצִיץ פ bomb

הִפְצִיר פ entreat, implore

הַפְצָצָה נ bombardment

הַפְצָרָה נ entreaty, urging

הַפְקָדָה נ depositing

הֲפָקָה נ production

הִפְקִיד פ deposit, entrust

הִפְקִיעַ פ requisition

הִפְקִיר פ abandon, desert

הַפְקָעָה נ requisition

הֶפְקֵר ז ownerless property, anarchy, lawlessness

הַפְקָרָה נ abandonment

הֶפְקֵרוּת נ lawlessness

הֵפֵר פ violate, break

הַפְרָאָה נ fertilization

הַפְרָדָה נ separation

הִפָּרְדוּת נ separation

הִפְרָה פ fertilize

הֲפָרָה נ violation, breach

הַפְרָזָה נ exaggeration

הַפְרָחָה נ flying, flowering

הִפְרִיד פ segregate, separate

הַפְרָיָה נ fertilization

הִפְרִיז פ exaggerate

הִפְרִיחַ פ fly, flower

הִפְרִיךְ פ confute, disprove, refute

הִפְרִיעַ פ interfere, disturb, interrupt

הִפְרִישׁ פ set aside, excrete

הַפְרָכָה נ confutation, disproof

הַפְרָעָה נ interference, disturbance, interruption

הֶפְרֵשׁ ז difference

הַפְרָשָׁה נ excretion, setting aside, allocation

הֶפְרֵשִׁיּוּת ת differential

הַפְשָׁטָה נ abstraction

הִפְשִׁיט פ undress, strip

הִפְשִׁיל פ roll up

הִפְשִׁיר פ defrost, thaw

הַפְשָׁלָה נ rolling up

הַפְשָׁרָה נ melting, thaw

הִפְתִּיעַ פ surprise

הַפְתָּעָה נ surprise

הַצָּבָה נ stationing, placing, erecting, establishing

הִצְבִּיעַ פ point, vote

הַצְבָּעָה נ poll, vote, pointing, indicating

הַצָּגָה נ display, show, introducing

הַצִּדָּה תה"פ aside, sidewards

הִצְדִּיעַ פ salute

הִצְדִּיק פ justify

הַצְדָּעָה נ salute

הַצְדָּקָה נ justification

הִצְהִיב פ yellow

הִצְהִיר פ declare, state

הַצְהָרָה נ declaration, statement

הַצְהָרָה בִּשְׁבוּעָה affidavit

הִצְחִיחַ פ parch

הִצְחִין פ stink

הִצְחִיק פ amuse, make laugh

הַצְחָקָה נ causing laugh

הִצְטַבֵּר פ	accumulate	
הִצְטַבְּרוּת נ	accrual, accumulation	
הִצְטַדֵּק פ	apologize	
הִצְטַדְּקוּת נ	excuse	
הִצְטַוָּה פ	be ordered	
הִצְטוֹפֵף פ	crowd together	
הִצְטוֹפְפוּת נ	crowding	
הִצְטַחֵק פ	smile, chuckle	
הִצְטַיֵּד פ	be equipped	
הִצְטַיְּדוּת	equipping oneself	
הִצְטַיֵּן פ	be distinguished	
הִצְטַיְּנוּת נ	excellence	
הִצְטַיֵּר פ	be portrayed	
הִצְטַלֵּב פ	cross (oneself)	
הִצְטַלְּבוּת נ	crossing, intersection	
הִצְטַלֵּם פ	be photographed	
הִצְטַלֵּק פ	scar	
הִצְטַמְצֵם פ	limit oneself, be reduced	
הִצְטַמְצְמוּת נ	limitation	
הִצְטַמֵּק פ	shrivel	
הִצְטַמְּקוּת נ	shrinking	
הִצְטַנֵּן פ	catch cold, cool	
הִצְטַנְּנוּת נ	cold	
הִצְטַנֵּעַ פ	be modest	
הִצְטַנְּעוּת נ	modesty	
הִצְטַנֵּף פ	be wrapped	
הִצְטַנְּפוּת נ	wrapping	
הִצְטַעֲצֵעַ פ	preen oneself	
הִצְטַעֵר פ	be sorry, regret, grieve	
הִצְטַעֲרוּת נ	sorrow	
הִצְטָרֵד פ	be hoarse	
הִצְטָרֵךְ פ	be in need	
הִצְטָרְכוּת נ	need	
הִצְטָרֵף פ	join	
הִצְטָרְפוּת נ	joining	
הִצִּיב פ	place, set, station, establish	
הִצִּיג פ	perform, play, show, present, introduce	
הִצִּיל פ	rescue, save	
הַצִּילוּ! מ״ק	help!	

הִצִּיעַ פ	offer, propose, suggest
הֵצִיף פ	flood
הֵצִיץ פ	peep
הֵצִיק פ	annoy, bother, bully, harass, tease
הִצִּית פ	set fire, kindle
הֵצֵל פ	shade
הַצְלָבָה נ	crossbreeding
הַצָּלָה נ	rescue
הַצְלָחָה נ	success
הִצְלִיב פ	cross, interbreed
הִצְלִיחַ פ	succeed
הִצְלִיעַ פ	lame
הִצְלִיף פ	lash, whip
הַצְלָלָה נ	shading
הַצְלָפָה נ	whipping
הַצְמָדָה נ	linking, joining
הִצְמְדוּת נ	linkage
הַצְמָחָה נ	growing
הִצְמִיא פ	make thirsty
הִצְמִיד פ	couple, link
הִצְמִיחַ פ	cause to grow
הִצְמִיחַ קַרְנַיִם	cuckold
הִצְמִיחַ שִׁנַּיִם	cut one's teeth
הִצְמִית פ	annihilate
הֵצֵן פ	cool
הַצְנָחָה נ	airdrop
הִצְנִיחַ פ	drop, parachute
הִצְנִיעַ פ	conceal, hide
הַצְנָעָה נ	concealment
הֶצֵּעַ ז	supply, offer
הַצָּעָה נ	offer, proposal, suggestion
הִצְעִיד פ	lead, march
הַצָּעַת חוֹק	bill
הַצָּעַת מְחִיר	bid
הֵצֵף ז	dumping
הֲצָפָה נ	flooding
הִצְפִּין פ	hide, go north
הֲצָצָה נ	peep
הֵצֵר פ	narrow, limit
הֲצָרָה נ	narrowing
הִצָּרוּת נ	narrowing

הַצְרָחָה נ castling
הִצְרִיחַ פ castle
הִצְרִיךְ פ necessitate, need, require
הַצָּתָה נ ignition, kindling
הַצָּתָה בְּזָדוֹן arson
הֲקָאָה נ vomiting
הִקְבִּיל פ compare, parallel, welcome
הֶקְבֵּל ז parallelism
הַקְבָּלָה נ analogy, comparing, reception
הַקָּדוֹשׁ בָּרוּךְ הוּא God
הַקְבָּצָה נ grouping
הִקְדִּיחַ פ burn, scorch
הִקְדִּים פ be early, anticipate, introduce
הִקְדִּיר פ darken, cloud
הִקְדִּישׁ פ consecrate, dedicate, devote
הֶקְדֵּם, בְּהֶקְדֵּם soon
הַקְדָּמָה נ foreword, introduction, preface
הַקְדָּמִי ת preliminary
הֶקְדֵּשׁ ז consecration
הַקְדָּשָׁה נ consecration, dedication
הִקְהָה פ blunt, dull
הִקְהִיל פ assemble, summon
הַקָּזַת דָּם bloodletting
הִקְטִין פ lessen, reduce
הִקְטִיר פ burn incense
הַקְטָנָה נ reduction, lessening, diminution
הֶקְטָר ז hectare
הֵקִיא פ throw up, vomit
הִקִּיז דָּם let blood
הֵקִים פ establish, set up, found, raise
הִקִּיף פ circle, encircle, revolve, surround
הִקִּיף פ give credit, lend
הֵקִיץ פ awaken, arouse
הִקִּישׁ פ analogize, knock, beat, strike, tap

הֵקֵל פ alleviate, ease, facilitate, relieve
הֲקָלָה נ alleviation, easing, relief
הַקְלָטָה נ recording
הִקְלִיט פ record
הֲקָמָה נ establishment, setting up, erecting
הִקְמִיל פ blight, wither
הִקְנָה פ transfer, impart
הַקְנָטָה נ teasing, bullying
הַקְנָיָה נ transferring
הִקְנִיט פ tease, taunt
הִקְסִים פ captivate, charm, enchant, fascinate
הַקְסָמָה נ captivation
הֶקֵּף ז scope, circuit, circumference, perimeter
הַקְפָּאָה נ coagulation, freeze
הַקְפָּדָה נ strictness
הַקָּפָה נ credit, circuit, surrounding, revolution
הֶקֵּפִי ת circumferential, peripheral
הִקְפִּיא פ congeal, freeze
הִקְפִּיד פ be strict
הִקְפִּיץ פ bounce, shock
הַקְצָאָה נ allotment
הַקְצָבָה נ allocation, appropriation
הִקְצָה פ set aside, allot
הִקְצִיב פ allocate
הִקְצִיעַ פ plane
הִקְצִיף פ whisk, whip, provoke, anger
הַקְצָעָה נ planing
הַקְצָפָה נ whipping
הַקְרָאָה recitation, reading
הַקְרָבָה sacrifice, abnegation
הִקְרִיא פ read, recite
הִקְרִיב פ sacrifice, draw near
הִקְרִיחַ פ lose one's hair, become bald
הִקְרִין פ screen, radiate

הִקְרִישׁ פ clot, coagulate, congeal
הַקְרָמָה נ incrustation
הַקְרָנָה נ screening
הַקְרָשָׁה נ coagulation
הֶקֵּשׁ ז analogy, syllogism
הַקְשָׁבָה listening, attention
הִקְשָׁה פ harden, toughen, ask a question
הַקָּשָׁה נ knock, tap
הַקְשָׁחָה נ hardening
הִקְשִׁיב פ listen
הִקְשִׁיחַ פ harden, toughen
הֶקְשֵׁר ז context, relation
הַר ז mountain
הַר־גַּעַשׁ volcano
הֶרְאָה פ display, indicate, show
הֵרָאוּת נ visibility
הַרְבָּדָה נ stratification
הַרְבֵּה תה"פ many, much
הִרְבָּה פ do much, increase
הִרְבִּיךְ פ thicken
הִרְבִּיעַ פ mate
הִרְבִּיץ פ strike, hit, cause to lie down
הַרְבָּעָה נ mating
הַרְבָּצָה נ lying down
הָרַג פ kill
הֶרֶג ז killing, slaughter
הֲרֵגָה נ slaughter
הַרְגָּזָה נ angering
הִרְגִּיז פ anger, tease
הִרְגִּיל פ accustom
הִרְגִּיעַ פ becalm, calm, relieve, soothe
הִרְגִּישׁ פ feel, perceive
הֶרְגֵּל ז custom, habit
הַרְגָּעָה נ calming
הֵרָגְעוּת נ calming down
הַרְגָּשָׁה נ feeling, sensation, sense
הַרְדּוּף ז oleander
הִרְדִּים פ put to sleep, anesthetize
הַרְדָּמָה נ anesthesia
הֵרָדְמוּת נ falling asleep
הָרָה ת pregnant
הָרְתָה פ be pregnant
הַרְהָבָה נ audacity
הִרְהוּר ז thought
הִרְהִיב פ dare
הִרְהֵר פ think
הֶרוֹאִי ת heroic
הֶרוֹאִיּוּת נ heroism
הֶרוֹאִין ז heroin
הָרוּג ת slain, dead
הִרְוָה פ saturate
הַרְוָחָה נ ease, comfort
הִרְוִיחַ פ profit, earn
הָרוּס ת ruined
הִרְזָה פ reduce weight
הַרְזָיָה נ reducing weight
הַרְחָבָה נ expansion, broadening, widening
הֲרָחָה נ smelling
הִרְחִיב פ broaden, widen
הִרְחִיק פ remove, keep away, go far
הַרְחֵק תה"פ far
הַרְחָקָה נ removal
הַרְטָבָה נ wetting
הֵרָטְבוּת נ becoming wet
הִרְטִיב פ wet, moisten
הִרְטִיט פ thrill, vibrate
הֲרֵי מ"ק here is, look
הֲרִיגָה נ killing
הֵרָיוֹן ז pregnancy
הֵרִיחַ פ smell
הֵרִים פ lift, pick up, raise
הֲרֵינִי מ"ג I am
הֲרִיסָה נ destruction
הֵרִיעַ פ cheer, shout
הֵרִיץ פ dispatch, cause to run
הֵרִיק פ empty
הֶרְכֵּב ז composition
הַרְכָּבָה נ assembly, grafting, vaccination

הִרְכִּיב פ	assemble, give a ride, compose, graft, form, vaccinate
הִרְכִּין פ	bend, bow
הַרְכָּנָה נ	bowing, bending
הֲרָמָה נ	lift, elevation
הַרְמוֹן ז	harem
הַרְמוּן ז	harmonization
הַרְמוֹנִי ת	harmonious
הַרְמוֹנְיָה נ	harmony
הֶרְמֵטִי ת	hermetic
הִרְמֵן פ	harmonize
הֲרָמַת־מִשְׁקָלוֹת	weight lifting
הֵרְנִין לִבּוֹ	do one's heart good
הָרַס פ	destroy, ruin
הֶרֶס ז	ruin
הַרְסָנִי ת	destructive, ruinous
הֵרַע פ	harm, worsen
הַרְעָבָה נ	starving
הֲרָעָה נ	worsening
הִרְעִיב פ	starve
הִרְעִיד פ	cause to shake
הִרְעִיל פ	poison
הִרְעִים פ	thunder
הִרְעִיף פ	drip, heap on
הִרְעִישׁ פ	bomb, make noise
הַרְעָלָה נ	poisoning
הַרְעָלַת־דָּם	septicemia
הַרְעָלַת קֵבָה	food poisoning
הַרְעָשָׁה נ	bombardment
הֶרֶף פ	stop it!
הֶרֶף עַיִן	instant, moment
– כְּהֶרֶף עַיִן	in a trice
הִרְפָּה פ	leave, relax
הַרְפָּיָה נ	relaxing
הַרְפַּתְקָה נ	adventure
הַרְפַּתְקָן ז	adventurer
הַרְפַּתְקָנִי ת	adventurous
הֶרְץ ז	hertz
הַרְצָאָה נ	lecture, discourse
הִרְצָה פ	lecture
הֲרָצָה נ	running, dispatching
הִרְצִין פ	be serious
הַרְקָבָה נ	decay, rotting
הֵרָקְבוּת נ	decay, rotting
הֲרָקָה נ	emptying, depletion
הִרְקִיב פ	decay, rot
הִרְקִיד פ	make dance
הִרְקִיעַ פ	soar, rise high
הֲרָרִי ת	mountainous
הַרְשָׁאָה נ	authorization, permission, proxy
הִרְשָׁה פ	allow, let, permit
הִרְשִׁים פ	impress
הִרְשִׁיעַ פ	convict, condemn
הַרְשָׁמָה נ	registration
הַרְשָׁעָה נ	conviction
הַרְתָּחָה נ	boiling
הִרְתִּיחַ	boil
הִרְתִּיעַ פ	deter
הֵרָתְמוּת נ	being harnessed
הַרְתָּעָה נ	deterrence
הַשָּׂאָה נ	marrying off
הַשָּׁאָה נ	suggestion
הַשָּׁאָה עַצְמִית	autosuggestion
הִשְׁאִיל פ	lend
הִשְׁאִיר פ	leave
הַשְׁאָלָה נ	lending, metaphor
הַשְׁאָרָה נ	leaving
הִשָּׁאֲרוּת נ	staying, remaining
הֲשָׁבָה נ	restoring, returning
הֶשָּׁבוֹן ז	drawback, restitution
הַשְׁבָּחָה נ	betterment
הִשְׁבִּיחַ פ	improve
הִשְׁבִּיעַ פ	swear
הִשְׂבִּיעַ פ	satiate, sate
הִשְׂבִּיעַ רָצוֹן	please, satisfy
הִשְׁבִּית פ	lock out, stop work, terminate
הַשְׁבָּעָה נ	swearing in
הַשְׁבָּתָה נ	lockout
הֶשֵּׂג ז	achievement

הַשָּׂגָה נ attainment
overtaking, criticism
הַשְׁגָּחָה נ Providence,
supervision, attention
הַשְׁגָּחִי ת providential
הִשְׁגִּיחַ פ mind, watch,
supervise, take care of
הִשְׁגִּיר פ accustom, run in
הִשְׁהָה פ delay
הַשְׁהָיָה נ delay
הַשְׁוָאָה נ comparison
הַשְׁוָאַת הַחוֹרֶף/הַקַּיִץ
autumnal/vernal equinox
הַשְׁוָאָתִי ת comparative
הִשְׁוָה פ compare
הִשְׂחָה פ swim
הַשְׁחָזָה נ whetting
הִשְׁחִיז פ grind, sharpen,
whet
הִשְׁחִיל פ thread
הִשְׁחִים פ brown
הִשְׁחִיר פ blacken
הִשְׁחִית פ corrupt, destroy
הַשְׁחָלָה נ threading
הַשְׁחָמָה נ browning
הִשָּׁחֲקוּת נ being ground
הַשְׁחָרָה נ blackening
הַשְׁחָתָה נ destruction
הֲשָׁטָה נ floating
הִשִּׂיא פ marry off
הִשִּׂיא פ suggest
הֵשִׁיב פ reply, respond,
return, restore
הִשִּׂיג פ gain, get,
reach, overtake, grasp
הֵשִׁיט פ float, sail
הִשִּׁיל פ slough, discard
הִשִּׁיק פ launch, touch
הִשִּׁיר פ molt, shed
הַשְׁכָּבָה נ laying down
הִשְׁכִּיב פ lay down
הִשְׁכִּיחַ פ make forget
הִשְׂכִּיל פ be wise
הִשְׁכִּים פ rise early
הִשְׁכִּין שָׁלוֹם make peace

הִשְׂכִּיר פ hire out, let,
rent
הַשְׂכָּלָה נ knowledge,
learning, education, wisdom
הַשְׁכֵּם תה"פ early
הַשְׁכָּמָה נ early rising
הַשְׁכָּנַת שָׁלוֹם peacemaking
הַשְׂכָּרָה נ hire, renting
הִשְׁלָה פ delude
הַשְׁלָטָה נ imposition
הִשְׁלִיט פ impose, enforce,
appoint as ruler
הִשְׁלִיךְ פ cast, throw
הִשְׁלִים פ complement,
complete, make peace,
reconcile oneself
הִשְׁלִישׁ פ deposit
הַשְׁלָכָה נ projection, throw,
implication, effect
הַשְׁלָמָה נ completion, peace
making, reconciliation
הַשְׁלָשָׁה נ depositing
הֵשַׁם פ lay waste
הַשֵּׁם ז God
הַשֵּׁם יִשְׁמוֹר! God forbid!
הַשְׁמָדָה נ annihilation
הֶשְׁמֵט ז ellipsis
הַשְׁמָטָה נ elimination,
omission
הִשְׁמִיד פ annihilate,
destroy
הִשְׁמִיט פ omit, skip
הִשְׁמִין פ become fat
הִשְׁמִיעַ פ announce
הִשְׁמִיץ פ slander, defame
הַשְׁמָנָה נ growing fat
הַשְׁמָצָה נ slander
הַשָּׁנָה this year
הִשָּׁנוּת נ repetition
הִשְׂנִיא פ antagonize,
make hateful
הִשְׁנִיק פ throttle
הִשְׁעָה פ suspend
הַשְׁעָיָה נ layoff,
suspension

הִשְׁעִין פ lean against
הִשָּׁעֲנוּת נ reliance
הַשְׁעָרָה נ assumption, conjecture, guess
הִשְׁפִּיל פ abase, humiliate
הִשְׁפִּיעַ פ influence, affect
הַשְׁפָּלָה נ humiliation
הַשְׁפָּעָה נ effect, influence
הַשְׁקָאָה נ watering
הַשָּׁקָה נ launching
הִשְׁקָה פ irrigate, water
הַשְׁקָיָה נ irrigation, watering
הַשְׁקָטָה נ calming
הִשְׁקִיט פ calm, allay
הִשְׁקִיעַ פ invest, sink
הִשְׁקִיף פ view, look, watch
הַשְׁקָעָה נ investment
הַשְׁקָפָה נ view, opinion
הַשְׁקָפַת עוֹלָם outlook, view
הַשְׁרָאָה נ induction, inspiration
הַשְׁרָאִי ת inductive
הִשָּׂרְדוּת נ survival
הִשְׁרָה פ inspire, immerse
הַשָּׁרָה נ casting off
הִשְׁרִיץ פ spawn
הִשְׁרִיר פ validate
הִשְׁרִישׁ פ strike root
הַשְׁרָשָׁה נ striking roots
הַשָּׁרַת עָלִים defoliation
הִשְׁתָּאָה פ wonder
הִשְׁתָּאוּת נ wonder
הִשְׁתַּבֵּחַ פ be proud
הִשְׁתַּבֵּץ פ fit in
הִשְׁתַּבְּרוּת נ refraction
הִשְׁתַּבֵּשׁ פ go wrong, be mistaken, deteriorate
הִשְׁתַּגֵּעַ פ go mad
הִשְׁתַּדֵּךְ פ make a match
הִשְׁתַּדֵּל פ endeavor
הִשְׁתַּדְּלוּת נ attempt
הִשְׁתַּהָה פ be delayed
הִשְׁתּוֹבֵב פ make mischief
הִשְׁתַּוָּה פ be equal

הִשְׁתּוֹלֵל פ riot, run wild
הִשְׁתּוֹלְלוּת נ running wild
הִשְׁתּוֹמֵם פ marvel
הִשְׁתּוֹמְמוּת נ astonishment
הִשְׁתּוֹקֵק פ crave, wish, yearn
הִשְׁתּוֹקְקוּת נ craving
הִשְׁתַּזֵּף פ sunbathe, tan
הִשְׁתַּזְּפוּת נ sunbathing
הִשְׁתַּזֵּר פ be interwoven
הִשְׁתַּחֲוָה פ bow, prostrate oneself
הִשְׁתַּחֲוָיָה נ prostration
הִשְׁתַּחֵל פ pass through
הִשְׁתַּחֵק פ be rubbed/worn
הִשְׁתַּחְרֵר פ be freed
הִשְׁתַּחְרְרוּת freeing, release
הִשְׁתַּטָּה פ play the fool
הִשְׁתַּטֵּחַ פ prostrate oneself
הִשְׁתַּיֵּךְ פ belong, be related
הִשְׁתַּיְּכוּת נ belonging
הִשְׁתִּיל פ transplant
הִשְׁתִּין פ pee, urinate
הִשְׁתִּיק פ silence
הִשְׁתַּיֵּר פ be left, remain
הִשְׁתִּית פ base, found
הִשְׁתַּכַּח פ be forgotten
הִשְׁתַּכְלֵל פ improve
הִשְׁתַּכְלְלוּת נ perfection
הִשְׁתַּכֵּן פ settle in a home
הִשְׁתַּכְּנוּת נ settlement
הִשְׁתַּכְנֵעַ פ be convinced
הִשְׂתַּכֵּר פ earn
הִשְׁתַּכֵּר פ get drunk
הִשְׂתַּכְּרוּת נ earning
הִשְׁתַּכְּרוּת נ intoxication
הִשְׁתַּכְשֵׁךְ פ paddle, splash
הִשְׁתַּלֵּב פ fit in, integrate
הִשְׁתַּלְּבוּת נ integration
הַשְׁתָּלָה נ transplanting
הִשְׁתַּלְהֵב פ flare up
הִשְׁתַּלֵּט פ take control
הִשְׁתַּלְּטוּת נ taking control
הִשְׁתַּלֵּם פ perfect oneself, complete studies, pay

השתַלְמוּת נ	study	התאַבֵּן פ	fossilize
השתַלשֵל	develop, hang down	התאַבְּנוּת נ	fossilization
השתַלשְלוּת נ	development	התאַבֵּק פ	be covered with dust, wrestle
השתַמֵד פ	convert	התאַבְּקוּת נ	wrestling
השתַמֵט פ	evade	התאַגֵד פ	unite
השתַמְטוּת נ	evasion	התאַגְדוּת נ	association
השתַמֵעַ פ	be deduced	התאַגרֵף פ	box
השתַמֵר פ	be preserved	התאַגרְפוּת נ	pugilism
השתַמֵש פ	use, employ	התאַדָה פ	vaporize
הַשתָנָה נ	urination	התאַדוּת נ	vaporization
השתַנָה	change, be different	התאַדֵם פ	redden
השתַנוּת נ	change	התאַהֵב פ	fall in love
השתַנְצוּת נ	mitosis	התאַהֲבוּת נ	falling in love
השתַעבֵּד נ	be enslaved	התאַוָה	want, desire, crave
השתַעבְּדוּת נ	enslavement	התאַווּת נ	craving
השתַעֵל פ	cough	התאוֹנֵן פ	complain
השתַעֲמֵם פ	be bored	התאוֹרֵר פ	be ventilated
השתַעֲשַע פ	play, amuse oneself	התאוֹשֵש פ	recover
השתַפֵּך פ	be poured out	התאוֹשְשוּת נ	comeback
השתַפְּכוּת נ	effusion	התאַזֵן פ	be balanced
השתַפֵּעַ פ	slant, slope	התאַזֵר פ	gird oneself
השתַפֵּר פ	improve	התאַזרֵחַ פ	be naturalized
השתַפְּרוּת נ	improvement	התאַזרְחוּת נ	naturalization
השתַפשֵף פ	be rubbed	התאַחֵד פ	combine, unite
הַשתָקָה נ	silencing	התאַחֲדוּת נ	association
השתַקֵם פ	be rehabilitated	התאַחָה פ	be stitched
השתַקֵעַ פ	settle	התאַחוּת נ	joining, repair
השתַקְעוּת נ	immersion	התאַחֲזוּת נ	settlement
השתַקֵף פ	be reflected	התאַחֵר פ	be late
השתַקְפוּת נ	reflection	התאִים פ	fit, suit, match, adapt, adjust
השתַרבֵּב פ	be extended, be misplaced/mixed	התאַכזֵב פ	be disappointed
השתָרֵג פ	straggle	התאַכזֵר פ	be cruel
השתָרֵך פ	plod along	התאַכזְרוּת נ	cruelty
השתָרַע פ	extend, stretch	התאַכסֵן פ	lodge
השתָרֵר פ	dominate	התאַלמֵן פ	become widowed
השתָרֵש פ	strike root	הֶתאֵם ז	accordance
השתַתֵף פ	participate	התאַמבֵּט פ	take a bath
השתַתְפוּת נ	participation	הַתאָמָה	accord, agreement, adjustment, fitness
השתַתֵק פ	be silent	התאַמלֵל פ	be miserable
התאַבֵּד פ	commit suicide	התאַמֵן פ	train, practice
התאַבְּדוּת נ	suicide	התאַמֵץ פ	try, endeavor
התאַבֵּך פ	spiral up	התאַמְצוּת נ	effort
התאַבֵּל פ	mourn		

הִתְאַמֵּת פ come true
הִתְאַמְּתוּת נ verification
הִתְאַנָּה פ provoke, tease
הִתְאַנּוּת נ provocation
הִתְאַנַּח פ sigh, groan
הִתְאַסְלֵם פ become Moslem
הִתְאַסֵּף פ assemble, gather
הִתְאַפֵּק פ restrain oneself
הִתְאַפְּקוּת נ continence
הִתְאַפֵּר פ make up
הִתְאַפְשֵׁר פ be possible
הִתְאַקְלֵם פ acclimate
הִתְאַקְלְמוּת נ acclimation
הִתְאַרְגֵּן פ be organized
הִתְאַרְגְּנוּת נ organization
הִתְאָרֵחַ פ stay as guest
הִתְאָרְחוּת נ lodging
הִתְאָרֵךְ פ become long
הִתְאָרְכוּת נ extension
הִתְאָרֵס פ be engaged
הִתְאַשְׁכֵּל פ cluster
הִתְאַשֵּׁר פ be confirmed
הִתְבָּאֵר פ become clear
הִתְבַּגֵּר פ mature, grow up
הִתְבַּגְּרוּת נ adolescence
הִתְבַּדָּה פ be proved false
הִתְבַּדּוּת נ falsification
הִתְבַּדֵּחַ פ joke, be amused
הִתְבַּדְּחוּת נ joking, banter
הִתְבַּדֵּל פ isolate oneself
הִתְבַּדְּלוּת נ seclusion
הִתְבַּדְלַח פ crystallize
הִתְבַּדֵּר פ amuse oneself
הִתְבַּהֵם become brutalized
הִתְבַּהֵר פ brighten, clear
הִתְבַּהֲרוּת נ brightening
הִתְבּוֹדֵד פ retire, be alone
הִתְבּוֹדְדוּת נ seclusion
הִתְבּוֹלֵל פ assimilate
הִתְבּוֹלְלוּת נ assimilation
הִתְבּוֹנֵן פ contemplate, observe, watch
הִתְבּוֹנְנוּת נ meditation
הִתְבּוֹסֵס פ roll, wallow
הִתְבּוֹשֵׁשׁ פ be late

הִתְבַּזְבֵּז פ be wasted
הִתְבַּזָּה פ degrade oneself
הִתְבַּזּוּת נ humiliation
הִתְבַּטֵּא פ express oneself
הִתְבַּטְּאוּת נ expression
הִתְבַּטֵּל be cancelled, loaf
הִתְבַּטְּלוּת נ idling, self disparagement
הִתְבַּיֵּשׁ פ be ashamed
הִתְבַּיֵּת פ home
הִתְבַּלְבֵּל פ be confused
הִתְבַּלָּה פ wear out
הִתְבַּלֵּט פ be prominent
הִתְבַּלְּטוּת נ prominence
הִתְבַּסֵּם פ get drunk
הִתְבַּסֵּס פ settle, be based/founded
הִתְבַּסְּסוּת נ consolidation
הִתְבַּצֵּעַ פ be carried out
הִתְבַּצֵּר פ fortify oneself
הִתְבַּצְּרוּת נ fortification
הִתְבַּקֵּעַ פ split
הִתְבַּקֵּשׁ פ be asked/summoned
הִתְבָּרֵג פ be screwed
הִתְבָּרֵךְ פ be blessed
הִתְבָּרֵר פ turn out, become clear
הִתְבַּשֵּׁל פ cook, stew
הִתְבַּשֵּׂם פ perfume oneself
הִתְבַּשֵּׂר פ receive tidings
הִתְגָּאָה פ boast
הִתְגָּאוּת נ boasting
הִתְגַּבֵּב פ be piled up
הִתְגַּבֵּן פ curdle
הִתְגַּבֵּר פ overcome
הִתְגַּבְּרוּת נ increase
הִתְגַּבֵּשׁ פ crystallize
הִתְגַּבְּשׁוּת נ crystallization
הִתְגַּדֵּל פ be magnified
הִתְגַּדֵּר פ excel, boast
הִתְגַּהֵץ פ iron
הִתְגּוֹדֵד פ form groups
הִתְגּוֹלֵל פ roll, wallow
הִתְגּוֹנֵן פ defend oneself
הִתְגּוֹנְנוּת נ self defense

הִתְגּוֹרֵר פ dwell
הִתְגּוֹשֵׁשׁ פ wrestle
הִתְגּוֹשְׁשׁוּת נ wrestling
הִתְגַּיֵּס פ enlist, mobilize
הִתְגַּיֵּר פ become a Jew
הִתְגַּיְּרוּת נ proselytization
הִתְגַּלְגֵּל פ roll
הִתְגַּלָּה פ be revealed
הִתְגַּלּוּת נ revelation
הִתְגַּלֵּחַ פ shave
הִתְגַּלֵּם פ be embodied
הִתְגַּלְּמוּת נ embodiment, incarnation
הִתְגַּלַּע פ break out
הִתְגַּמֵּד פ be dwarfed
הִתְגַּנֵּב פ sneak, creep
הִתְגַּנְּבוּת moving stealthily
הִתְגַּנְדֵּר פ decorate oneself
הִתְגַּנְדְּרוּת נ showing off
הִתְגַּעְגֵּעַ פ long, yearn
הִתְגַּעְגְּעוּת נ longing
הִתְגָּרֵד פ scratch oneself
הִתְגָּרָה פ provoke, tease
הִתְגָּרוּת נ aggression, provocation
הִתְגַּרְמוּת נ ossification
הִתְגָּרֵשׁ פ divorce
הִתְגַּשֵּׁם פ be realized
הִתְגַּשְּׁמוּת נ realization
הִתְדַּיֵּן פ argue, litigate
הִתְדַּיְּנוּת נ litigation
הִתְדַּלְדֵּל פ dwindle, be impoverished/depleted
הִתְדַּפֵּק פ beat, knock
הִתְדַּרְדֵּר פ roll down, deteriorate, decline
הִתְהַדֵּק פ tighten
הִתְהַדֵּר פ decorate oneself, dress up, boast
הִתְהַוָּה פ be formed, be
הִתְהַוּוּת נ formation
הִתְהוֹלֵל פ behave wildly
הִתְהוֹלְלוּת נ revelry
הִתְהַלֵּךְ פ walk/move about
הִתְהַלֵּל פ boast

הִתְהַפֵּךְ פ turn over, capsize
הִתְהַרְמֵן פ harmonize
הִתְוַדָּה פ confess
הִתְוַדּוּת נ confession
הִתְוַדַּע פ introduce oneself
הִתְוָה פ mark, outline
הִתּוּךְ ז melting
הִתְוַכֵּחַ פ argue, debate
הִתּוּל ז ridicule, badinage
הִתּוּלִי ת humorous
הִתּוֹסֵף פ be added
הַתָּזָה נ sprinkling
הִתְחַבֵּא פ hide oneself
הִתְחַבֵּב פ be liked
הִתְחַבֵּט פ struggle
הִתְחַבֵּק פ embrace
הִתְחַבֵּר פ join, unite
הִתְחַדֵּד פ sharpen
הִתְחַדְּרוּת נ diffusion
הִתְחַדֵּשׁ פ renew
הִתְחַדְּשׁוּת נ renewal
הִתְחוֹלֵל פ take place, rage, be formed, whirl
הִתְחַוֵּר פ become clear
הִתְחַזָּה פ feign, pretend
הִתְחַזּוּת נ pretense
הִתְחַזֵּק פ strengthen
הִתְחַזְּקוּת נ strengthening
הִתְחַיֵּב פ pledge, undertake
הִתְחַיְּבוּת נ commitment, obligation, liability
הִתְחִיל פ begin, open, start
הִתְחַיֵּל פ enlist
הִתְחַכֵּךְ פ rub
הִתְחַכֵּם פ try to be too wise
הִתְחַכְּמוּת display of wisdom
הַתְחָלָה נ beginning, start
הִתְחַלָּה פ malinger
הִתְחַלְחֵל פ be shocked
הַתְחָלִי ת initial
הִתְחַלֵּף פ change
הִתְחַלְּפוּת נ alternation

הִתְחַלֵּק פ share, be divided, slip
הִתְחַמֵּם פ heat, warm up
הִתְחַמְּמוּת נ warming
הִתְחַמֵּץ פ turn sour
הִתְחַמְצֵן פ oxidize
הִתְחַמְצְנוּת נ oxidization
הִתְחַמֵּק פ evade, sneak
הִתְחַמְּקוּת נ evasion
הִתְחַנְחֵן פ coquet
הִתְחַנְחֲנוּת נ coquetry
הִתְחַנֵּךְ פ be educated
הִתְחַנֵּן פ beg, entreat
הִתְחַנְּנוּת נ entreating
הִתְחַנֵּף פ flatter, fawn
הִתְחַסֵּד פ feign piety
הִתְחַסְּדוּת נ hypocrisy
הִתְחַסֵּל פ be liquidated
הִתְחַסֵּן פ be immunized
הִתְחַסְפֵּס פ roughen
הִתְחַפֵּר פ entrench oneself
הִתְחַפְּרוּת נ entrenchment
הִתְחַפֵּשׂ פ disguise oneself
הִתְחַצֵּף פ be insolent
הִתְחַקָּה פ investigate
הִתְחַקּוּת נ tracing
הִתְחַרְבֵּן פ fail, be done
הִתְחָרָה פ compete, vie
הִתְחָרוּת נ competition
הִתְחָרֵז פ rhyme
הִתְחָרֵט פ regret, repent
הִתְחַשֵּׁב פ take into account, consider
הִתְחַשְּׁבוּת נ attention, consideration, regard
הִתְחַשְׁבֵּן פ settle accounts
הִתְחַשֵּׁל פ harden
הִתְחַשְׁמֵל פ be electrified
הִתְחַשֵּׁק פ feel like
הִתְחַתֵּן פ marry
הִתְיָאֵשׁ פ despair
הִתְיַבֵּשׁ פ dry
הִתְיַבְּשׁוּת נ drying
הִתְיַגֵּעַ פ be tired
הִתְיַדֵּד פ become friends
הִתְיַדְּדוּת נ fraternization
הִתְיַהֵד פ become a Jew
הִתִּיז פ sprinkle, behead
הִתְיַחֵד פ seclude oneself
הִתְיַחֲדוּת נ communion
הִתְיַחֵם פ rut
הִתְיַחֵס פ refer, regard, relate to, treat
הִתְיַחֲסוּת relation, bearing
הִתִּיךְ פ melt
הִתְיַמֵּר פ pretend, boast
הִתְיַסֵּר פ suffer
הִתְיָעֵץ פ consult
הִתְיָעֲצוּת נ consultation
הִתְיַפָּה פ preen
הִתְיַפֵּחַ פ sob
הִתְיַפְּחוּת נ sob
הִתְיַצֵּב פ stand, be stabilized, report
הִתְיַצְּבוּת נ stabilization
הִתְיַקֵּר פ rise in price
הִתְיַקְּרוּת rise in prices
הִתִּיר פ permit, allow, loosen, untie, release
הִתְיָרֵא fear, be afraid
הִתִּישׁ פ weaken
הִתְיַשֵּׁב פ settle, sit
הִתְיַשְּׁבוּת נ settlement
הִתְיַשֵּׁן פ become obsolete
הִתְיַשְּׁנוּת obsolescence
הִתְיַשֵּׁר פ straighten
הִתְיַתֵּם פ become orphaned
הִתְכַּבֵּד פ help oneself, be honored
הִתְכַּבְּדוּת ball
הַתָּכָה נ melting
הִתְכַּוֵּן פ intend, mean
הִתְכּוֹנֵן פ prepare oneself
הִתְכּוֹנְנוּת נ preparation
הִתְכּוֹפֵף פ bow, stoop
הִתְכַּוֵּץ פ shrink
הִתְכַּוְּצוּת נ contraction, shrinkage, spasm
הִתְכַּוְּצוּת שְׁרִירִים cramp
הִתְכַּחֵשׁ פ abjure, renounce

הִתְכַּחֲשׁוּת נ renunciation, repudiation, abjuration
הִתְכַּיְּבוּת נ ulceration
הִתְכַּנֵּס פ assemble
הִתְכַּסָּה פ be covered
הִתְכַּעֵס פ become angry
הִתְכַּעֵר פ become ugly
הִתְכַּרְבֵּל פ wrap up
הִתְכָּרֵס פ belly
הִתְכַּתֵּב פ correspond
הִתְכַּתְּבוּת נ correspondence
הִתְכַּתֵּשׁ פ fight
הִתְכַּתְּשׁוּת נ fight
הִתֵּל פ mock, joke, jest
הִתְלַבֵּט פ have doubts
הִתְלַבְּטוּת נ struggle, doubt
הִתְלַבֵּן פ become clear
הִתְלַבֵּשׁ פ dress
הִתְלָה פ suspend
הִתְלַהֵב פ get excited
הִתְלַהֲבוּת נ ardor, enthusiasm
הִתְלַהֵט פ burn, be hot
הִתְלַהֵק פ shoal
הִתְלַוָּה פ accompany
הִתְלוֹנֵן פ complain
הִתְלוֹצֵץ פ jest
הִתְלוֹצְצוּת נ jesting
הִתְלַחֵשׁ פ whisper
הַתְלָיָה נ suspension
הִתְלִיל פ steepen
הִתְלַכֵּד פ unite, rally
הִתְלַכְּדוּת נ uniting
הִתְלַכְלֵךְ פ become dirty
הִתְלַמֵּד פ teach oneself
הִתְלַקֵּחַ פ catch/take fire
הִתְלַקְּחוּת נ blaze
הִתְמַגֵּל פ fester, suppurate
הַתְמָדָה נ assiduity, diligence, persistence
הִתְמַהְמַהּ פ linger, tarry
הִתְמוֹגֵג פ melt
הִתְמוֹדֵד פ compete, contest
הִתְמוֹדְדוּת נ competition
הִתְמוֹטֵט פ collapse
הִתְמוֹטְטוּת נ breakdown, collapse
הִתְמוֹטְטוּת עֲצַבִּים nervous breakdown
הִתְמוֹסֵס פ melt, dissolve
הִתְמַזֵּג פ coalesce, merge, mingle, mix
הִתְמַזְּגוּת נ amalgamation, coalescence
הִתְמַזֵּל פ be lucky
הִתְמַזְמֵז פ dally, flirt
הִתְמַזְרְחוּת נ orientation
הִתְמַחָה פ practice, specialize
הִתְמַחוּת נ specialization
הִתְמִיד פ persist
הִתְמִיהַּ פ astonish
הִתְמַיֵּן פ be classified
הִתְמַכֵּר פ be addicted
הִתְמַכְּרוּת נ addiction
הִתְמַלֵּא פ fill, be full
הִתְמַלֵּט פ escape
הִתַּמֵּם פ feign simplicity
הִתְמַמֵּשׁ פ be realized
הִתְמַנָּה פ be appointed
הִתְמַסֵּד פ be established
הִתְמַסְמֵס פ be dissolved
הִתְמַסֵּר פ devote oneself, give oneself
הִתְמַסְּרוּת נ devotion
הִתְמַעֵט פ decrease
הִתְמַעֲטוּת נ decrease
הִתְמַעֵךְ פ be crushed
הִתְמַצֵּא פ be familiar with
הִתְמַצְּאוּת נ orientation
הִתְמַצָּה פ be exhausted
הִתְמַצֵּק פ solidify
הִתְמַקֵּד פ focus
הִתְמַקֵּחַ פ bargain, haggle
הִתְמַקְּחוּת נ bargaining
הִתְמַקֵּם פ be situated, settle oneself
הִתְמַקְצֵעַ פ specialize
הִתְמַקְצְעוּת specialization
הִתַּמֵּר פ billow, go up

הִתְמָרֵד פ rebel, revolt
הִתְמַרְמֵר פ resent
הִתְמַרְמְרוּת נ embitterment, grievance
הִתְמַשֵּׁךְ פ extend, continue
הִתְמַתֵּחַ פ stretch
הִתְמַתֵּן פ become moderate
הִתְנַבֵּא פ prophesy
הִתְנַגֵּב פ wipe oneself
הִתְנַגֵּד פ object, oppose, resist
הִתְנַגְּדוּת נ objection, opposition, resistance
הִתְנַגֵּשׁ פ clash, collide
הִתְנַגְּשׁוּת נ clash, collision
הִתְנַדֵּב פ volunteer
הִתְנַדְּבוּת נ volunteering
הִתְנַדְּבוּתִי ת voluntary
הִתְנַדְנֵד פ sway, swing
הִתְנַדְנְדוּת נ sway
הִתְנַדֵּף פ evaporate
הִתְנַדְּפוּת נ evaporation
הִתְנָה פ stipulate
הִתְנַהֵג פ behave
הִתְנַהֲגוּת נ bearing, behavior, conduct
הִתְנַהֲגוּתָנוּת behaviorism
הִתְנוֹדֵד פ sway, oscillate
הִתְנַוֵּט פ steer
הִתְנַוֵּן פ degenerate
הִתְנַוְּנוּת נ atrophy, decadence, degeneracy
הִתְנוֹסֵס פ be hoisted, wave
הִתְנוֹעֵעַ פ sway, move
הִתְנוֹפֵף פ flutter, wave
הִתְנוֹצֵץ פ glitter, sparkle
הִתְנַזֵּר פ abstain from
הִתְנַחֵל פ settle
הִתְנַחֲלוּת נ settlement
הִתְנַחֵם פ be consoled
הִתְנִיעַ פ start
הִתְנַכֵּל פ plot, scheme
הִתְנַכְּלוּת פ plotting
הִתְנַכֵּר פ estrange, renounce
הִתְנַכְּרוּת נ estrangement, renunciation
הִתְנַמְנֵם פ doze
הִתְנַסָּה פ experience
הַתְנָעָה נ starting
הִתְנַעְנֵעַ פ sway, shake
הִתְנַעֵר פ shake off
הִתְנַעֲרוּת נ shaking off
הִתְנַפֵּחַ פ bulge, swell
הִתְנַפְּחוּת נ swelling
הִתְנַפֵּל פ charge, attack, assault
הִתְנַפְּלוּת נ assault
הִתְנַפְנֵף פ flutter, wave
הִתְנַפֵּץ פ shatter, smash
הִתְנַפְּצוּת נ smash
הִתְנַצֵּחַ פ argue, dispute
הִתְנַצְּחוּת נ clash
הִתְנַצֵּל פ apologize
הִתְנַצְּלוּת נ apology
הִתְנַצֵּר פ become Christian
הִתְנַצְּרוּת נ christianization
הִתְנַקָּה פ clean oneself
הִתְנַקֵּז פ drain
הִתְנַקֵּם פ take revenge
הִתְנַקֵּשׁ פ attempt to kill
הִתְנַקְּשׁוּת assault, attempt
הִתְנַשֵּׂא פ rise, boast
הִתְנַשֵּׁם פ pant
הִתְנַשֵּׁף פ gasp
הִתְנַשְּׁפוּת נ gasp
הִתְנַשֵּׁק פ kiss
הִתְסִיס פ ferment, agitate
הַתְסָסָה נ fermentation
הִתְעַבָּה פ condense, thicken
הִתְעַבּוּת נ condensation
הִתְעַבֵּר פ become pregnant
הִתְעַגֵּל פ become round
הִתְעַדֵּן פ become delicate
הִתְעָה פ lead astray
הִתְעוֹדֵד פ cheer up
הִתְעוֹפֵף פ fly
הִתְעַוֵּר פ become blind
הִתְעוֹרֵר פ arise, wake up
הִתְעוֹרְרוּת נ awakening

התעות פ be contorted
התעטף פ wrap oneself
התעטש פ sneeze
התעטשות נ sneeze
התעיה נ misleading
התעיף פ become tired
התעכב פ tarry, delay
התעכל פ be digested
התעכלות נ digestion
התעלה פ rise, be above
התעלל פ ill-treat
התעללות נ abuse
התעלם פ disregard, overlook, ignore
התעלמות נ disregard
התעלס פ make love
התעלסות נ lovemaking
התעלף פ faint, swoon
התעלפות נ faint, swoon
התעמל פ exercise
התעמלות נ exercise, gymnastics
התעמעם פ become dimmed
התעמק פ think deeply
התעמקות נ deep study
התעמר פ ill-treat
התענג פ enjoy
התענה פ suffer
התענין פ be interested
התענינות נ interest
התענן פ become cloudy
התעסק פ occupy oneself, deal with, flirt
התעסקות נ engagement
התעצב פ become sad
התעצבן פ get irritated
התעצל פ be lazy
התעצם פ become strong
התעצמות נ strengthening
התעקל פ be twisted
התעקם פ curve, be bent
התעקש פ be stubborn
התעקשות נ insistence
התערב פ interfere, intervene, mix, bet
התערבב פ be mixed
התערבות נ interference, intervention, bet
התערבל פ be mixed
התערה פ strike roots
התערות נ striking roots
התערטל פ undress, strip
התערער be shaken
התערפל פ become vague
התעשר פ become rich
התעשרות נ enrichment
התעתד פ intend
התפאר פ boast, brag
התפארות נ boast
התפגר פ die
התפדר פ powder oneself
התפוטר פ be forced to resign
התפוצץ פ explode
התפוצצות נ blast, explosion
התפורר פ come apart, crumble
התפוררות נ disintegration
התפזר פ disperse
התפזרות נ dispersion
התפחם פ be electrocuted
התפטם פ cloy, cram
התפטר פ abdicate, quit, resign, get rid of
התפטרות נ resignation, abdication
התפיל פ desalinate
התפיס פ become reconciled/appeased
התפיסות נ conciliation
התפכח become sober
התפכחות נ disillusionment
התפלא פ marvel, wonder
התפלאות נ wonder
התפלג פ split, part
התפלגות נ split, parting
התפלה נ desalination
התפלח למסבה crash a party

הִתְפַּלֵּל פ pray
הִתְפַּלְמֵס פ argue, dispute
הִתְפַּלְמְסוּת נ arguing
הִתְפַּלְסֵף פ philosophize
הִתְפַּלְפֵּל פ sophisticate
הִתְפַּלְפְּלוּת נ casuistry
הִתְפַּלֵּץ פ be shocked
הִתְפַּלֵּשׁ פ roll, wallow
הִתְפַּנָּה פ have time
הִתְפַּנֵּק פ pamper oneself, indulge oneself
הִתָּפְסוּת נ being caught
הִתְפַּעֵל פ admire, be impressed, marvel
הִתְפַּעֲלוּת נ admiration
הִתְפָּעֵם פ be excited
הִתְפַּצֵּל פ be split
הִתְפַּצְּלוּת נ splitting
הִתְפַּקֵּד פ be numbered
הִתְפַּקֵּחַ פ become clever
הִתְפַּקֵּעַ פ burst
הִתְפַּקְּעוּת נ rupture
הִתְפַּקֵּר פ become immoral
הִתְפָּרֵד פ be separated
הִתְפַּרְחֵחַ פ behave like a hooligan
הִתְפַּרְכֵּס פ preen oneself
הִתְפַּרְנֵס פ make a living
הִתְפָּרֵס פ deploy
הִתְפַּרְסֵם פ become famous, be published
הִתְפָּרַע פ run wild, cause a disturbance
הִתְפָּרְעוּת נ going wild
הִתְפָּרֵץ פ barge in, burst
הִתְפָּרְצוּת נ outbreak, outburst
הִתְפָּרֵק פ come apart
הִתְפַּרְקֵד פ lie on the back
הִתְפָּרֵשׁ פ be interpreted
הִתְפַּשֵּׁט פ undress, strip, spread out
הִתְפַּשְּׁטוּת נ undressing, expansion, spreading
הִתְפַּשֵּׁר פ compromise

הִתְפַּשְּׁרוּת נ compromise
הִתְפַּתָּה פ be seduced
הִתְפַּתֵּחַ פ develop
הִתְפַּתְּחוּת נ development
הִתְפַּתְּחוּתִי ת developmental
הִתְפַּתֵּל פ twist, wind
הִתְקַבֵּל פ be received
הִתְקַבְּלוּת נ acceptance
הִתְקַבֵּץ פ assemble, gather
הִתְקַדֵּם פ make progress, advance
הִתְקַדְּמוּת נ advance, advancement, progress
הִתְקַדֵּשׁ פ become holy
הִתְקַדְּשׁוּת נ sanctification
הִתְקַהֵל פ assemble, gather
הִתְקַהֲלוּת נ congregation
הִתְקוֹטֵט פ quarrel
הִתְקוֹטְטוּת נ quarreling
הִתְקוֹמֵם פ rebel, rise up
הִתְקוֹמְמוּת נ rebellion, revolt, uprising
הִתְקַיֵּם פ exist, live, take place, come true
הִתְקִין פ install, arrange, establish
הִתְקִיף פ attack
הִתָּקְלוּת נ encounter
הִתְקַלֵּחַ פ take a shower
הִתְקַלֵּס פ mock, scoff
הִתְקַלֵּף פ peel, shell
הִתְקַלְקֵל פ be spoiled
הִתְקַמֵּט פ crease, crumple, wrinkle
הֶתְקֵן ז device, apparatus
הֶתְקֵן תּוֹךְ־רַחְמִי intrauterine device
הִתְקַנֵּא פ envy
הַתְקָנָה נ installation, preparation, arranging
הֶתְקֵף ז attack, access
הֶתְקֵף לֵב heart attack
הַתְקָפָה נ attack
הִתְקַפֵּל פ fold, retreat
הַתְקָפַת־בָּזָק blitz

הַתקָפַת־נֶגֶד counterattack
הִתקַצֵף פ become angry
הִתקַצֵר פ shorten
הִתקָרֵב פ approach, approximate
הִתקָרבוּת נ approach, approximation
הִתקָרֵחַ פ become bald
הִתקָרֵר פ cool
הִתקָררוּת נ cooling
הִתקָרֵשׁ פ congeal
הִתקַשָׁה פ harden, toughen
הִתקַשַׁח פ stiffen
הִתקַשֵׁט פ adorn oneself
הִתקַשֵׁר פ communicate, contact, get in touch
הִתקַשׁרוּת נ connection
הֶתֵּר ז permission
הַתרָאָה נ warning
הִתרָאָה פ see each other
הִתרָאוּת נ exhibitionism
הִתרַבֵּד פ stratify
הִתרַבְּדוּת נ stratification
הִתרַבָּה increase, multiply
הִתרַבּוּת נ increase
הִתרַברֵב פ brag
הִתרַברְבוּת נ boast
הִתרַגֵּז פ become angry
הִתרַגֵּל פ get used to
הִתרַגֵּשׁ פ be excited
הִתרַגְּשׁוּת נ excitement
הִתרָה פ caution, warn
הַתָּרָה נ untying, loosening, releasing
הִתרוֹמֵם פ rise
הִתרוֹמְמוּת נ rising
הִתרוֹמְמוּת רוּחַ high spirits
הִתרוֹעַ פ associate
הִתרוֹפֵף פ loosen
הִתרוֹצֵץ פ bustle, run around
הִתרוֹצְצוּת נ rushing around
הִתרוֹקֵן פ empty
הִתרוֹקְנוּת נ emptying
הִתרוֹשֵׁשׁ פ become poor
הִתרוֹשְׁשׁוּת נ impoverishment
הִתרַחֵב פ broaden
הִתרַחֲבוּת נ expansion
הִתרַחֵץ פ wash, bathe
הִתרַחֵק פ keep away, go far
הִתרַחֲקוּת נ keeping away
הִתרַחֵשׁ פ come about, occur, happen
הִתרַחֲשׁוּת נ occurrence
הִתרַטֵּב פ become wet
הִתרִים פ get him to contribute
הִתרִיס פ defy, challenge
הִתרִיעַ פ protest against
הִתרַכֵּז פ center, concentrate
הִתרַכְּזוּת נ concentration
הִתרַכֵּך פ soften
הַתרָמָה נ collecting contributions
הַתרָסָה נ defiance, challenge, objection
הִתרַסֵּן פ control oneself
הִתרַסֵּק פ crash
הִתרַסְּקוּת נ crash
הַתרָעָה נ protest
הִתרַעֵם פ resent
הִתרַעֲמוּת נ grumbling
הִתרַעֲנֵן פ be refreshed
הִתרַפֵּא פ be cured
הִתרַפְּאוּת נ healing
הִתרַפָּה פ loosen, slacken
הִתרַפֵּס פ bow and scrape
הִתרַפְּסוּת נ bootlicking
הִתרַפֵּק פ cuddle, hug
הִתרַצָּה פ be reconciled
הִתרַצּוּת נ conciliation
הִתרַקֵּם פ be formed
הִתרַשֵּׁל פ be negligent
הִתרַשֵּׁם פ be impressed
הִתרַשְּׁמוּת נ impression
הִתרַתֵּחַ פ be angry
הִתרַתֵּך פ weld
הַתָּשָׁה נ attrition

ו

ו– and

וָאדִי ז wadi, wady

וְאִלּוּ מ"ח but, however

וּבְכֵן מ"ח so, well

וגו', וְגוֹמֵר etc., and so on

וִדֵּא פ authenticate, make certain, make sure, verify

וַדָּאוּת נ certainty

וַדַּאי ת safe, sure

וַדָּאִי ת certain

וִדָּה פ confess

וִדּוּא ז authentication, verification

וִדּוּי ז confession

וָדִי נ wadi, wady

וִדֵּעַ פ introduce to

וָו ז hook

וּולְגָּרִי ת vulgar

וּולְגָּרִיּוּת נ vulgarity

וולונטָרִי ת voluntary

וולט ז volt

וָוִית נ small hook

וּולְקָנִי ת igneous, volcanic

ווקי־טוקי walkie-talkie

ווקָלִי ת vocal

וָזָה נ vase

וָזִיר ז vizier, minister

וָזֶלִין ז vaseline

וָט ז watt

וֶטוֹ ז veto

וֶטֶרִינָר ז veterinarian

וַי מ"ק woe, alas

וִיאוֹלָה נ viola

וִיבְּרָטוֹר ז vibrator

וִיבְּרַצְיָה נ vibration

וִידֵיאוֹ ז video

וִיזָה נ visa

וִיזוּאָלִי ת visual

וִיטָמִין ז vitamin

וִילָה נ villa

וִילוֹן ז blind, curtain

וִילוֹנִית נ valance

וִיסְקִי ז whisky

וַיִּקְרָא (חומש) Leviticus

וִירוּס ז virus

וִירטוּאוֹז ז virtuoso

וִירטוּאוֹזִיוּת נ virtuosity

וִירָלִי ת viral

וכד', וְכַדּוֹמֶה and the like

וכו', וְכוּלֵי etc., et cetera

וִכּוּחַ ז argument, debate, discussion, dispute

וַכְּחָן ז polemical person

וַכְּחָנוּת נ polemics

וַכְּחָנִי ת controversial, argumentative

וְכִי? is it? is there?

וָלֹא תה"פ otherwise

וָלָד ז child, embryo

וַלְדָנִית נ prolific mother

וִלֵּן פ curtain

וַלְס ז waltz

וַנְדָלִיּוּת נ vandalism

וֶנוּס נ Venus

וָנִיל ז vanilla

וִסּוּת ז regulation

וְסִית ת regular

וָסָל ז vassal

וֶסֶת נ menstruation

וִסֵּת פ regulate

וַסָּת ז regulator

וַסַּת־חוֹם thermostat

וַעַד ז committee

וִעֵד פ invite, summon

וָעֶד תה"פ forever

וַעֲדָה נ committee

וַעֲדָה מַתְמֶדֶת steering committee

וַעֲדַת־מִשְׁנֶה subcommittee

וְעִידָה נ conference, congress, convention
וָפֶל ז waffle
וָקוּם ז vacuum
וֶקטוֹר ז vector
וֶרֶד ז rose
וַרְדִינוֹן ז attar
וְרַדְרַד ת pinkish
וָרוֹד, וַרְדִי ת pink, rosy
וַרְיָאנְט ז variant
וַרְיָאצְיָה נ variation
וְרִיד ז vein
וְרִידִי ת venous
וֶשֶׁט ז esophagus
וְתוּ לֹא and no more
וִתּוּר ז surrender, giving up
וָתִיק ת veteran
וֶתֶק ז period of service
וִתֵּר פ yield, give up, renounce
וַתְּרָן ז lenient, compliant
וַתְּרָנוּת נ leniency, indulgence

ז

זְאֵב ז wolf
זְאֵבִי ת wolfish
זְאֵב־הַיָּם hake
זְאֵב־עֲרָבוֹת coyote
זַאֲטוּט ז urchin
זֹאת מ״ג it, that, this
זֹאת אוֹמֶרֶת that is to say
זָב פ ooze, flow, drip
זְבָדָה נ butterfat
זְבוּב ז fly
זְבוּב הַבַּיִת housefly
זְבוּבוֹן ז small fly
זִבּוּל ז manuring
זְבוּרִית נ marginal land
זִבּוּרִית נ ballast
זָבַח פ slaughter
זֶבַח ז sacrifice
זָבִיל ז bomb-holder
זַבָּל ז dustman
זִבֵּל פ manure, fertilize
זֶבֶל ז manure, refuse, rubbish, trash
זֶבֶל פָּרוֹת dung
זִבְלִית נ scarab
זַבָּן ז salesman
זַבָּנִית נ saleswoman
זַבָּנוּת נ salesmanship
זֶבְּרָה נ zebra
זַגָּג ז glass-cutter, glazier
זִגֵּג פ glass, glaze
זֶגֶג ז enamel
זַגָּגוּת נ glazing
זִגּוּג ז glazing, icing
זְגוּגִי ת glassy
זְגוּגִית נ glass, enamel
זֵד ז wicked, evildoer
זָדוֹן ז malice, wickedness
זְדוֹנִי ת malicious
זֶה מ״ג it, that, this
זֶה עַתָּה just now
זָהָב ז gold
זְהַבְהַב ת golden
זֶהָבִי ז goldsmith
זַהֲבָן ז oriole
זֵהֶה ת equal, identical, same
זִהָה פ identify
זֶהוּ מ״ג this is, that's it!
זָהוֹב ת golden
זִהוּי ז identification
זִהוּם ז contamination
זְהוֹרִית נ orlon, rayon
זֶהוּת נ identity
זָהִיר ת careful, cautious

זְהִירוּת נ care, caution
זִהֵם פ pollute
זָהַר פ shine, glow
זַהֲרוּר ז glimmer, glow
זוֹ מ״ג this
זוֹאוֹלוֹג ז zoologist
זוֹאוֹלוֹגִי ת zoological
זוֹאוֹלוֹגְיָה נ zoology
זוֹב דָם bleeding
זִוֵּג פ pair, match
זוּג ז brace, couple, pair
זוּגוֹת מְעוֹרָבִים mixed doubles
זוּגָה נ wife
זוּגִי ת binary, even
זֶוֶד ז kit
זוֹדִיאַק ז zodiac
זוּהֲמָה נ filth, dirt
זוֹהַר ז brilliance, shine
זוֹהַר קוֹטְבִי aurora
זִוּוּג ז pairing, matching
זוֹחֵל ז reptile
זוּטָא ת tiny, small
זוּטָה נ bagatelle, miniature
זוּטָר ת junior
זִוּוּג ז sex
זָוִית נ angle
זָוִית הָאוֹפֶק azimuth
זָוִית חַדָּה acute angle
זָוִיתוֹן ז square
זָוִיתִי ת angular
זוֹךְ ז purity, clarity
זוֹכֶה ז winner
זוֹל ת cheap
זוֹלֵל ת gluttonous, voracious
זוֹלְלוּת נ voracity
זוֹלְלָן ז glutton, phagocyte
זוּלַת מ״י except
זוּלַת ז fellow man
זוּלְתָן ז altruist
זוּלְתָנוּת נ altruism
זוּלְתָנִי ת altruistic
זוֹמֵם ת scheming
זוֹנָה נ harlot, hooker, prostitute, slut, whore
זוֹנַת-צַמֶּרֶת courtesan
זְוָעָה נ atrocity, horror
זוֹעֵם ת angry
זַוְעָתִי ת horrible
זוֹקֶן ז old age
זוֹרֵר פ sneeze
זֵוֵת פ angle
זָז פ budge, move, stir
זָח פ boast, brag
זָחוּחַ ת arrogant
זָחִיחַ ת sliding, movable
זְחִיחוּת נ movability, pride, arrogance
זְחִילָה נ crawl, creeping
זָחַל פ creep, crawl
זַחַל ז larva, grub, caterpillar
זַחֲלִי ת larval
זַחְלָם ז halftrack
זַחְלָן ז crawler, toady
זִיבָה נ gonorrhea
זִיג ז jacket, blazer
זִיגְזַג ז zigzag
זִיו ז brightness, luster
זִיּוּן ז arming
זִיּוּף ז fake, forgery
זִיז ז projection, bracket
זִיחַ ז indentation
זִיל הַזוֹל very cheap
זִים ז gill
זַיִן ז arms, penis
זִיֵּן פ arm
זִיעַ ז movement, tremor
זִיֵּף פ forge, counterfeit
זִיף ז bristle
זִיפְזִיף ז coarse sand
זִיפִי ת bristly
זַיְפָן ז counterfeiter, forger
זַיְפָנוּת נ forging
זִיפַת ת bad, lousy
זִיק ז gleam, spark

arena, battlefield, ring, scene	זִירָה נ
calender, mangle	זִירָה נ
olive	זַיִת ז
olive	זֵיתִי, זֵיתָנִי ת
pure, transparent	זַךְ ת
innocent, worthy	זַכַּאי ת
win, be fortunate	זָכָה פ
acquit, exonerate	זִכָּה פ
crediting, acquittal	זִכּוּי ז
purification	זִכּוּךְ ז
glass	זְכוּכִית נ
magnifying glass	זְכוּכִית מַגְדֶּלֶת
chimney	זְכוּכִית עֲשָׁשִׁית
remembered	זָכוּר ת
purity	זַכּוּת נ
right, credit	זְכוּת נ
franchise	זְכוּת בְּחִירָה
suffrage	זְכוּת הַצְבָּעָה
copyright	זְכוּת יוֹצְרִים
win, gaining	זְכִיָּה נ
concession	זִכָּיוֹן ז
remembrance	זְכִירָה נ
purify, cleanse	זִכֵּךְ פ
male, masculine	זָכָר ז
recall, remember	זָכַר פ
memory	זֵכֶר ז
association	זִכְרָה נ
memory	זִכָּרוֹן ז
of blessed memory	זִכְרוֹנוֹ לִבְרָכָה, ז"ל
memoirs	זִכְרוֹנוֹת
masculinity	זַכְרוּת נ
manly	זַכְרִי ת
forget-me-not	זִכְרִינִי נ
drip, flow	זָלַג פ
thin-bearded	זַלְדְּקָן ת
sprinkling	זִלּוּף ז
contempt, scorn	זִלְזוּל ז
disregard, underrate	זִלְזֵל פ
twig, sprig	זַלְזַל ז
dripping	זְלִיגָה נ
gluttony	זְלִילָה נ
eat greedily	זָלַל פ

ooze, sprinkle	זָלַף פ
sprinkle, spray	זִלֵּף פ
lechery, incest	זִמָּה נ
invitation, summons	זִמּוּן ז
branch, twig	זְמוֹרָה נ
buzz, hum	זִמְזוּם ז
hum, buzz, drone	זִמְזֵם פ
buzzer	זַמְזָם ז
available	זָמִין ת
availability	זְמִינוּת נ
nightingale	זָמִיר ז
muzzle	זְמָם ז
devise, scheme	זָמַם פ
time, season, term	זְמַן ז
summon, invite	זִמֵּן פ
tempo	זִמְנָה נ
provisional, temporary	זְמַנִּי ת
temporality	זְמַנִּיּוּת נ
temporarily	זְמַנִּית תה"פ
prune, trim	זָמַר
sing	זִמֵּר פ
singer	זַמָּר, זַמֶּרֶת ז/נ
singing, song, tune	זֶמֶר ז
crooner	זַמַּר שִׁירֵי־נְשָׁמָה
singing	זִמְרָה נ
feed, nourish	זָן פ
kind, sort, species	זַן ז
adulterer, lecher	זַנַּאי ז
tail	זָנָב ז
dock, tail, destroy the rear	זִנֵּב פ
pigtail, ponytail	זְנַב־סוּס
caudal	זְנָבִי ת
small tail	זְנַבְנָב ז
hangover	זְנַבַת הַסְּבִיאָה
ginger	זַנְגְּבִיל ז
be a harlot	זָנָה פ
cutting off	זִנּוּב ז
prostitution	זְנוּנִים ז"ר
dart, start, blast-off, take-off	זִנּוּק ז
harlotry, prostitution	זְנוּת נ

זָנַח פ forsake, neglect
זֶנִית נ zenith
זִנֵּק פ jump, leap, dash
ז'אנר ז genre
זָע פ budge, move
זֵעָה נ perspiration, sweat
זָעוּם ת scanty, paltry
זָעוּף ת angry
זַעֲזוּעַ ז blow, shock
זַעֲזוּעַ-מוֹחַ concussion
זִעְזַע פ shock, shake
זָעִיר ת petty, tiny
זְעֵיר-אַנְפִּין miniature
זָעַם פ be angry
זַעַם ז fury, rage
זָעַף פ glower, lower
זַעַף ז anger, fury
זָעֵף ת angry
זְעַפְרָן ז saffron
זָעַק פ scream, shout
זְעָקָה נ clamor, cry, scream, shout
זַעֲרוּרָה נ miniature
זַעֲרוּרִי ת tiny, minute
זִפּוּת ז asphalting
זֶפֶק ז craw, crop, maw
זַפֶּקֶת נ goiter
זֶפֶת נ pitch, tar
זִפֵּת פ asphalt, tar
זַפָּת ז pitch worker
זִקָּה נ tie, link, relation, connection
זְקוּנִים ז״ר old age
זָקוּף ת erect, upright
זָקוּק ת in need of, require
זִקּוּק ז refining, distillation
זִקּוּקִין-דִּי-נוּר fireworks
זִקּוּקִית נ rocket
ז'קֶט ז jacket
זָקִיף ז guardsman, picket, sentinel, stalagmite
זְקִיפָה נ charging
זְקִיפוּת נ erectness
זִקִּית נ chameleon
זָקֵן ז old man, old, aged
זָקַן פ become old, age
זָקָן ז beard
זְקַן-תַּיִשׁ goatee
זִקְנָה נ age, old age
זְקַנְקַן ז small beard
זָקַף פ straighten, erect, raise up, lift
זְקִפָּה נ erection
זִקֵּק פ distill, refine
זָר ז alien, foreign, stranger
זֵר ז garland, wreath
זָרָא ז disgust, stomachful
זַרְבּוּבִית נ muzzle, snout, spout
ז'רגוֹן ז jargon
זֶרֶד ז twig, sprig
זֵרָה פ scatter, spread
זֵרוּז ז urging, spurring
זָרוּעַ ת sown, scattered
זְרוֹעַ ז arm, forearm
זְרוֹעַ הַמִּיקְרוֹפוֹן boom
זָרוּת נ strangeness
זֵרֵז פ urge, hurry up
זָרָז ז catalyst
זַרְזִיף ז shower, raindrop
זַרְזִיר ז starling, grayhound
זִרְזֵף פ drip, mizzle
זָרַח פ shine
זַרְחָה נ phosphate
זַרְחוֹרָנוּת phosphorescence
זַרְחָן ז phosphorus
זַרְחָנִי ת phosphoric
זְרִיָּה נ sprinkling
זָרִיז ת adroit, nimble, agile, skillful
זְרִיזוּת נ skill, agility
זְרִיחָה נ sunrise, dawn
זְרִיחַת הַשֶּׁמֶשׁ sunrise
זָרִים ת streamlined
זְרִימָה נ flow
זָרִיעַ ז seedtime
זְרִיעָה נ sowing

זריקה נ — hypodermic, injection, throw, toss
זריקה חופשית — free throw
זריקת-פטיש — throwing the hammer
זרם ז — current, flow, stream, torrent
זרם פ — stream, flow
זרם חלופין — alternating current

זרנוק ז — fire-hose, hose
זרניך ז — arsenic
זרע פ — seed, sow
זרע ז — seed, semen, sperm
זרעון ז — spermatozoon
זרעי ת — seedy
זרק פ — throw, toss
זרקור ז — projector, searchlight, spotlight
זרת נ — little finger, pinkie, pinky

ח

חב פ — owe, incur debt
חבב פ — love, like
חבב פ — be fond of, like
חבה נ — affection, liking, love
חבוב ז — liking
חבוט ז — beating, castigation
חבוט ת — beaten
חבוי ת — hidden, latent
חבול ת — beaten, wounded
חבוץ ז — churning
חבוק ת — hugged
חבוק ז — embrace, hug
חבור ז — addition, annexation, connection, composition, essay
חבור ז — counterfoil, stub
חבורה נ — bruise
חבורה נ — group, company
חבוש ז — quince
חבוש ת — tied, bandaged, imprisoned, worn, wearing
חבות נ — liability, debt
חבט פ — beat, strike, club
חבטה נ — blow, stroke
חביב ת — lovable, amiable
חביבות נ — amiability
חביון ז — hiding place
חביונת נ — keg

חבילה נ — bundle, pack, package, parcel
חביצה נ — custard, pudding
חבישה נ — bandaging, wearing a hat, imprisonment
חבית נ — barrel, cask
חביתה נ — omelet
חביתית פ — pancake, blintze
חבל פ — bruise, wound, pawn, pledge
חבל פ — damage, harm
חבל ז — cordage, rigging
חבל ז — rope, cord, district
חבל מ"ק — alas, it's a pity
חבל הטבור — umbilical cord
חבל-כביסה — clothesline
חבלבל ז — bindweed, convolvulus
חבלה נ — bruise, injury
חבלה נ — sabotage
חבלי-לדה — throes, labor, birth pangs
חבלן ז — sapper, saboteur
חבלנות נ — sabotage
חבץ שמנת פ — churn
חבצלת נ — lily
חבק ז — girth, cinch
חבק, חבק פ — hug, embrace

חָבַר פ unite, associate
חִבֵּר פ join, tie, connect, add, write, compose
חֶבֶר ז company, league
חָבֵר ז fellow, member, friend, companion
חֲבֵר־מוֹעָצָה councilor
חֶבֶר מוּשְׁבָּעִים jury
חֲבַרְבּוּר ת brindled
חֶבְרָה נ company, corporation, society
חֶבְרָה גְּבוֹהָה high society
חֶבְרֶ'ה, חֲבַרְיָה friends
חֲבֵרוּת נ membership
חִבְרוּת נ socialization
חֶבְרוּתִי ת sociable
חֶבְרוּתִיּוּת נ sociability
חֲבֵרִי ת friendly
חֶבְרְמָן ז jolly fellow
חִבְרֵת פ socialize
חֶבְרַת בִּטּוּחַ insurance company
חֶבְרָתִי ת social
חָבַשׁ פ bandage, dress, wear a hat, imprison
חַבְתָּן ז cooper
חָג פ circle, go round
חַג ז holiday, festival
חַג הָאוּרִים Festival of Lights
חַג הַבְּשׂוֹרָה Annunciation
חַג הַמּוֹלָד Christmas
חַג הַסֻּכּוֹת Feast of Tabernacles
חַג הַשָּׁבוּעוֹת Pentecost
חַג' ז Hajj
חָגָב ז grasshopper
חָגַג פ celebrate
חָגוּ ז ravine, cleft
חָגוּר ת girded, belted
חֲגוֹר ז accouterments, personal equipment
חֲגוֹרָה נ belt, girdle, baldric
חֲגוֹרַת הַצָּלָה life belt
חֲגוֹרַת צְנִיעוּת chastity belt
חֲגִיגָה נ celebration
חֲגִיגִי ת festive, solemn
חֲגִיגִיּוּת נ solemnity
חֲגִירָה נ girding
חָגְלָה נ partridge
חָגַר פ gird, wear a belt
חִגֵּר ת lame
חִגְּרוּת נ lameness, limping
חַד ת acute, sharp
חָד פ pose a riddle
חַד־ one–, uni–
חַד־מִינִי unisexual
חַד־סִטְרִי one-way
חַד־צְדָדִי unilateral
חַד־שִׂיחַ monologue, soliloquy
חַד־שְׁנָתִי annual
חַד־תָּאִיִּים protozoa
חַדְגּוֹנִי ת monotonous
חַדְגּוֹנִיּוּת נ monotony
חִדֵּד פ sharpen
חִדּוּד ז point, edge
חִדּוּד ז sharpening, wit
חַדּוּדִי ת conical
חֲדוּדִית נ cone, pyramid
חֶדְוָה נ joy, happiness
חַדּוֹפַן ז wheelbarrow
חָדוּר ת penetrated, full of
חִדּוּשׁ ז innovation, renewal, resumption
חַדּוּת נ sharpness
חֲדִילָה נ cessation
חָדִיר ת penetrable
חֲדִירָה נ penetration, pervasion
חֲדִירוּת נ penetrability
חָדִישׁ ת modern
חֲדִישׁוּת נ modernity
חָדַל פ cease, stop
חָדֵל ת ceasing
חֲדַל־אִישִׁים worthless man
חִדָּלוֹן ז cessation
חַדָּף ז shrew

חֵדֶק ז proboscis, trunk, snout
חִדְקוֹנִית נ weevil
חָדַר פ penetrate, pervade
חֶדֶר ז room, chamber, apartment
חֲדַר אוֹכֶל dining room
חֲדַר־אוֹרְחִים guest room
חֲדַר הִתְאוֹשְׁשׁוּת recovery room
חֲדַר־חוֹשֶׁךְ darkroom
חֲדַר־מִטּוֹת bedroom
חֲדַר מֵתִים mortuary, morgue
חֲדַר־שְׁטִיפָה scullery
חֲדַר־שֵׁנָה bedroom, dormitory
חַדְרוֹן ז alcove, cabinet, cubicle
חַדְרָנִית נ chambermaid
חִדֵּשׁ פ resume, renew, invent, discover
חָדָשׁ ת new, recent
חָדָשׁ בְּתַכְלִית brand-new
חֲדָשָׁה נ news, novelty
חֲדָשׁוֹת נ״ר news
חַדְשָׁן ז innovator, modernist
חַדְשָׁנוּת נ modernism
חַדְשָׁנִי ת modernistic
חַקְלָאוּת נ farming
חַקְלַאי ז farmer, rancher
חוֹב ז debt
חוֹב אָבוּד bad debt
חוֹבֵב ת lover, amateur
חוֹבְבָן ז dabbler, amateur, dilettante
חוֹבְבָנוּת נ dilettantism
חוֹבְבָנִי ת amateurish
חוֹבָה נ debit, duty, obligation
חוֹבֵל ז seaman, sailor
חוֹבְלָנִי ת destructive
חוֹבְצָה נ buttermilk
חוֹבֵר ז magician

חוֹבֶרֶת נ booklet, pamphlet, brochure
חוֹבֵשׁ ז dresser, medical assistant
חוֹבֶשֶׁת נ wound dressing
חוּג ז circle, sphere, range
חוֹגֵג ז celebrant
חוּגָה ז dial
חוֹגְלָה נ partridge
חוֹגֵר ז enlisted man
חוֹד ז point, barb, edge
חוֹדֵר ת penetrating
חוֹדֵר שִׁרְיוֹן armor-piercing
חוֹדֶשׁ ז month
חוֹדֶשׁ חַמָּה calendar month
חוֹדְשִׁי ת monthly
חַוָּה נ farm, ranch
חָוָה פ experience
חִוָּה פ pronounce, state
חִוּוּי ז statement, indication
חָווּי ת experienced
חִוּוּר דָּם leukemia
חוֹזֶה ז contract, prophet
חוֹזִי ת contractual
חוֹזֶק ז intensity, strength
חוֹזְקָה נ strength
חוֹזֵר ז circular
חוֹזֵר בִּתְשׁוּבָה penitent, repentant sinner
חוּזְרָר ז mountain ash, rowan
חוֹחַ ז thistle, briar
חוֹחִית נ goldfinch
חוּט ז cord, string, thread
חוּט הַשִּׁדְרָה spinal cord
חוּט חַשְׁמַל electric wire
חוֹטֵא ז sinner
חוֹטֵב ז hewer, carver
חוֹטֵב עֵצִים woodcutter
חוּטִי ת stringy
חוֹטֶם ז nose
חוֹטְמִי ת nasal

חוטמית נ marsh mallow
חוטמית תַּרבּוּתית hollyhock
חוּטָנִי ת stringy
חוֹטֵף ז kidnapper
חוֹטֵף מָטוֹס hijacker
חוֹטֶר ז offshoot, scion, shoot, stick, rod
חֲוָיָה נ experience
חֲוִילָה נ villa
חֲוָיָתִי ת impressive
חוֹכָא וּאִטלוּלָה derision, laughing stock
חוכמָה, חָכמָה נ wisdom
חוֹכֵר ז leaseholder, lessee
חו״ל, חוּץ לָאָרֶץ abroad
חוֹל ז sand
חוֹל ז workaday, secular
חוֹלֵב ז milker, dairyman
חוֹלֶבֶת נ milch cow
חוֹלֶד ז mole
חוּלדָּה נ rat
חוֹלֶה ת ill, patient, sick
חוֹלֵה נְפִילָה epileptic
חוֹלֵה רוּחַ insane, mad
חוֹלִי ז sickness, illness
חוֹלִי ת sandy
חוּלִיגָן ז hooligan
חוּלִיגָנִיוּת נ hooliganism
חוּליָה נ link, vertebra
חוּלִין ז״ר secularism
חוֹלִירָע cholera
חוֹלִית נ dune
חוֹלֵל פ create, produce, do
חוֹלָם O (Hebrew vowel)
חוֹלמָנִי ת dreamy
חוֹלָנִי ת morbid, sick
חוֹלָנִיוּת ז morbidity
חוֹלֵץ ז pincers, extractor
חוֹלֵץ־פְּקָקִים corkscrew
חוּלצָה נ blouse, shirt
חוּלצַת־טִי T-shirt
חוּלשָׁה נ weakness
חוֹם ז fever, heat, temperature, warmth
חוּם ת brown
חוֹמָה נ wall
חומוּס ז chickpea dish
חוֹמֶט ז lizard
חוּמִית נ calorie, calory
חוֹמֵס ז robber
חוּמעָה נ dock, sorrel
חוֹמֶץ ז vinegar
חוּמצָה נ acid
חוּמצִיוּת נ acidity
חוּמצַת בּוֹר boric acid
חוּמצַת חָלָב lactic acid
חוּמצַת כְּלוֹר hydrochloric acid
חוּמצַת נְמָלִים formic acid
חוּמצַת קַרבּוֹל carbolic acid
חוֹמֶר ז clay, material, matter, stuff
חוֹמֶר גֶּלֶם raw material
חוֹמֶר נֶפֶץ explosive
חוּמרָה נ austerity, severity
חוֹמרָה נ hardware
חוֹמרִי ת material
חוֹמרִיוּת נ materialism
חוֹמרָנוּת נ materialism
חוּמָּשׁ ז Pentateuch
חוֹמֶשׁ ז fifth, five years
חוּנטָה נ junta
חוֹנֵן פ endow, bestow
חוֹסֵם עוֹרקִים tourniquet
חוֹסֶן ז strength, power
חוֹסֶר ז deficiency, lack
חוֹסֶר אֶלַח asepsis
חוֹסֶר יַצִּיבוּת instability
חוֹסֶר כְּאֵב analgesia
חוֹסֶר כּוֹחַ־גַּברָא impotence
חוֹסֶר מִשקָל weightlessness
חוֹסֶר נִסָּיוֹן inexperience
חוֹף ז beach, shore, coast
חוּפָּה נ canopy, wedding ceremony

חופי ת coastal
חופמי ז plover
חופזה נ hurry, haste
חופן ז handful
חופף ת covering, overlapping, congruent
חופפות נ congruity
חופש ז freedom, liberty
חופשה נ leave, vacation
חופשי ת free, irreligious
חופשיות נ freedom
חוץ ז outside, out
חוץ לארץ abroad
חוץ מזה moreover
חוץ מן apart from, aside from, except, save
חוצב ז quarryman
חוצה, חוצה זוית bisector
חוצן ז bosom, lap
חוצפה נ impertinence, impudence, insolence
חוצפן ז impudent, insolent
חוצפנות נ impertinence
חוק ז act, law, regulation, rule, statute
חוק-עזר עירוני bylaw
חוק ז rung, transom
חוקה נ constitution
חוקי ת lawful, legal, legitimate
חוקיות נ legality, legitimacy
חוקן ז enema
חוקק פ legislate
חוקר ז inquirer, researcher, investigator
חוקת הכנסיה canon law
חוקתי ת constitutional
חוקתיות constitutionality
חור ז aperture, hole
חור ת pale
חור ז marl, chalky soil
חוּר פ become pale
חוּר פ make pale, clarify
חורב ז drought, aridity
חורבה נ ruined house
חורבן ז ravage, ruin
חורג ת step–, aberrant
חורון ז paleness
חורור ת palish
חורורי ת palish
חורמה נ extermination
חורף ז winter
חורפה נ blade, edge
חורפי ת wintry
חורפן ז mink
חורק ת creaky, grating
חורשה, חורש נ/ז grove, wood, copse
חוש ז sense
חוש הומור sense of humor
חושחש ז bitter orange
חושי ת sensory
חושך ז darkness
חושך מצרים inky darkness
חושם ז fool, dolt
חושן ז breastplate
חושני ת carnal, sensual
חושניות נ sensualism
חושפני ת revealing
חושק ת lover, lustful
חושש ת afraid
חוששני I'm afraid
חות-דעת opinion
חותך ת decisive
חותל ז wrapper, gaiter
חותלת נ gaiter, puttee, legging
חותם seal, stamp, imprint
חותם ז signer
חותמת נ seal, stamp
חותן ז father-in-law
חותנת נ mother-in-law
חזאות נ meteorology
חזאי ז weatherman
חזה ז breast, chest
חזה פ foresee, see, watch
חזוי ז prediction

חָזוֹן ז prophecy, vision
חִזּוּק ז intensification, strengthening
חִזּוּר ז courtship
חִזּוּרִים ז"ר addresses, advances
חֲזוֹרֶת נ refrain
חֲזוּת נ appearance, vision
חֲזוּתִי ת visual
חֲזוּתִי־שְׁמִיעָתִי audiovisual
חֲזָזִית נ acne, lichen
חֲזִי ת pectoral
חֲזִיָּה נ bra, vest, brassiere, waistcoat
חִזָּיוֹן vision, drama, play
חָזִיז ז bolt, flash, thunderbolt
חֲזִיר ז hog, pig, swine
חֲזִיר בָּר boar
חֲזִיר יָם cavy, guinea pig
חֲזִירָה נ sow
חֲזִירוֹן ז piggy
חֲזִירוּת נ swinishness
חֲזִירִי ת hoggish, piggish, swinish
חֲזִירִית נ king's evil, scrofula
חֲזִית נ front, facade
חֲזִיתִי ת frontal
חֲזִית־הַפְּנִים home front
חַזָּן ז cantor
חַזָּנוּת נ office of cantor
חָזָק ת strong, powerful
חָזַק פ become strong
חִזֵּק פ strengthen, reinforce, fortify
חֹזְקָה נ strength
חֶזְקָה נ power
חֲזָקָה נ right of possession, holding
חָזַר פ come/be back, return, repeat
חָזַר בּוֹ regret, withdraw
חִזֵּר פ court, woo

חֲזָרָה נ rehearsal, repetition, return
חֲזַרְזִיר ז piggy
חֲזַרְזָר ז gooseberry
חִזְרָן bamboo, cane
חַזֶּרֶת (מחלה) נ mumps
חֲזֶרֶת נ horseradish
חַח ז nose ring, swivel
חָט ז tusk, incisor
חֵטְא ז sin, fault
חַטָּא ז sinner
חָטָא פ sin, transgress
חִטֵּא disinfect, sterilize
חֲטָאָה נ sin
חַטָּאת נ sin offering
חָטַב פ cut, chop wood
חִטֵּב פ sculpt, carve
חִטָּה נ wheat
חִטּוּא ז disinfection
חָטוּב ת well shaped, carved
חִטּוּב ז carving, sculpture
חִטּוּט ז scratching, searching, carping
חֲטוֹטֶרֶת נ hump, hunch
חִטּוּי ז disinfection
חָטוּף ת snatched, abducted, quick, sudden
חָטַט פ dig, bore, scratch
חִטֵּט פ scratch, snoop
חֲטָט ז blackhead, pimple
חַטְטָן ז faultfinder, nosy
חַטְטָנוּת נ faultfinding
חַטְטָנִי ת snooping, carping
חֲטֶטֶת נ furunculosis
חֲטִיבָה נ brigade, section
חֲטִיבָתִי ת brigade
חֲטִיף ז snack
חֲטִיפָה נ abduction, hijack, snatch
חָטַף פ snatch, grab, highjack, kidnap, abduct
חַטְפָן ז snatcher
חַי ת live, living, alive, vivid
חֵי נַפְשִׁי! upon my life!

חַיֵּב פ compel, bind,
charge, debit, convict
חַיָּב ת should, bound,
must, owe, debtor,
obliged, guilty
חִיֵּג פ dial
חִידָה נ puzzle, riddle
חִידוֹן ז quiz
חִידוֹנַאי ז quizmaster
חַיְדַק ז microbe,
germ, animalcule
חָיָה, חַי פ live, exist
חִיָּה פ give life, revive
חַיָּה נ animal, beast
חִיּוּב ז debit, conviction,
approval, affirmation
חִיּוּבִי ת affirmative,
positive, favorable
חִיּוּג ז dialing
חִיּוּךְ ז smile
חִיּוּל ז enlistment
חִיּוּנִי ת essential, vital,
indispensable, necessary
חִיּוּנִיּוּת נ vitality
חִיּוּת נ animation,
liveliness, vitality
חַיְזֶרַע ז spermatozoon
חַיָּט ז tailor
חִיֵּט פ sew, tailor
חַיָּטוּת נ tailoring
חַיִּים ז״ר life
חַיֵּי עוֹלָם eternal life
חִיֵּךְ פ smile
חַיְּכָן ז smiler
חַיְּכָנִי ת smiling
חַיָּל ז soldier, pawn
חַיִל ז strength, power,
army, force, corps
חֵיל אֲוִיר air force
חֵיל הַיָּם navy
חֵיל הַנְדָּסָה engineering
force
חֵיל חִמּוּשׁ ordnance corps
חַיִל סָדִיר regular
חֵיל פָּרָשִׁים cavalry
חֵיל קֶשֶׁר signal corps
חֵיל רַגְלִים infantry
חֵיל שִׁרְיוֹן armored corps
חֵיל תּוֹתְחָנִים artillery
חֲיַל-שׁוֹקוֹלָדָה carpet-knight
חִיֵּל פ enlist, mobilize
חֵיל ז moat, bulwark
חִיל ז fear, trembling
חַיָּלִי ת soldierly
חַיֶּלֶת נ woman soldier
חַיְנוֹעַ ז stroboscope
חַיְעַד ז everlasting
חַיִץ ז barrier, buffer,
partition, screen
חִיֵּץ פ partition, screen off
חִיצוֹן ת outer, external
חִיצוֹנִי ת external, outward
חִיצוֹנִיּוּת נ exterior
חֵיק ז bosom, lap
חִירִיק ז ee, (Hebrew vowel)
חִישׁ תה״פ quick, quickly
חִישָּׁה נ sensation, sense
חַיְשָׁן ז sensor
חַיְשָׁן ז hesitant
חַיַּת טֶרֶף beast of prey
חַיַּת כִּיס marsupial
חַיַּת שַׁעֲשׁוּעִים pet
חַיָּתִי ת beastly
חַיָּתִיּוּת נ animalism
חֵךְ ז palate
חֵךְ שָׁסוּעַ cleft palate
חִכָּה פ wait, expect
חַכָּה נ fishing rod, fishhook
חִכּוּךְ ז friction, rubbing
חָכוּר ת hired, leased
חִכְחֵךְ פ clear one's
throat
חִכִּי ת palatal
חֲכִירָה נ lease, tenancy
חָכַךְ, חִכֵּךְ פ rub, scratch
חָכַךְ בְּדַעְתּוֹ hesitate
חַכֶּכֶת נ eczema
חַכְלִילִי ת reddish
חָכַם פ become wise
חָכָם ת wise, clever

חֲכָמָה נ wise woman
חָכְמָה נ wisdom
חָכְמַת־הַיָּד palmistry, chiromancy
חָכַר פ lease, hire, let
חֵל ז moat, bulwark
חָל פ apply, be due, fall on, occur
חֶלְאָה נ scum, filth
חָלָב ז milk
חָלַב פ milk
חֲלֵב־הַדָּג milt
חֵלֶב ז tallow, fat, grease
חַלְבָה נ halvah
חֶלְבּוֹן ז albumen, protein, egg white
חֶלְבּוֹנִי ת albuminous
חֲלָבִי ת lactic, milky
חַלְבָן ז milkman
חַלְבָנוּת נ dairy farming
חָלַד פ become rusty
חֶלֶד ז world, this life
חִלָּדוֹן ז wheat rust
חָלָה פ be ill, fall sick
חִלָּה פָנָיו beg, entreat
חַלָּה נ halla, twist bread
חָלוּד ת rusty
חֲלוּדָה נ rust
חָלוּט ת boiled, absolute
חִלּוּט ז forfeiture
חִלּוּל ז desecration, profanity
חָלוּל ת hollow
חִלּוּל הַשֵּׁם blasphemy
חִלּוּל הַקּוֹדֶשׁ sacrilege
חֲלוֹם ז dream
חֲלוֹם בְּהָקִיץ daydream
חֲלוֹם־בַּלָּהוֹת nightmare
חֲלוֹמִי ת dreamlike
חִלּוּן ז secularization
חַלּוֹן ז window
חַלּוֹן־רַאֲוָה show-window
חַלּוֹנוֹת גְּבוֹהִים higher-ups
חִלּוֹנִי ת lay, secular
חִלּוֹנִיּוּת נ secularism

חֲלוֹף ז vanishing, ephemeral
חִלּוּף ז exchange, reverse
חִלּוּף חוֹמָרִים metabolism
חֲלוּפָה נ alternative
חִלּוּפִי ת alternative
חִלּוּפֵי גַבְרֵי reshuffle
חִלּוּפִין ז״ר alternation
חִלּוּפִית נ ameba
חִלּוּץ ז extrication, recovery
חִלּוּץ עֲצָמוֹת physical drill
חָלוּץ ז pioneer, forward
חָלוּץ מֶרְכָּזִי center forward
חֲלוּצִי ת pioneer
חֲלוּצִיּוּת נ pioneering
חָלוּק ז gown, robe, tunic
חָלוּק ת disagreeing
חִלּוּק ז division
חַלּוּק אֶבֶן pebble
חֲלוּקָה נ distribution, division, partition
חִלּוּקֵי דֵעוֹת disagreement
חָלוּשׁ ת weak, feeble
חָלוּת נ application
חִלָּזוֹן ז snail
חֶלְזוֹנִי ת spiral
חִלְחוּל ז percolation, penetration
חַלְחוּל ז percolator
חַלְחֹלֶת נ rectum
חִלְחֵל פ penetrate, percolate
חַלְחָלָה נ trembling, horror
חָלַט פ brew, scald, pour boiling water on
חֲלִיבָה נ milking
חָלִיד ת rusty, corrosive
חֲלִיטָה נ brew, scalding
חָלִיל ז flute, fife
חָלִילָה מ״ק God forbid!
חָלִילָה, וְחוֹזֵר חֲלִילָה again and again
חֲלִילוֹן ז piccolo
חֲלִילִית נ flute, recorder
חֲלִילָן ז flautist

חָלִיף ת changeable, commutable
חֲלִיפָה נ suit
חֲלִיפוֹת תה"פ alternately
חֲלִיפִין ז"ר barter, change, exchange
חֲלִיפַת מִכְתָּבִים correspondence
חֲלִיצָה נ battle-dress, removal, taking off
חָלִיק ת divisible
חֲלִיק ז slur
חֲלִישׁוּת נ weakness
חֲלִישׁוּת דַּעַת confusion
חֵלְכָּאִים ז"ר wretched, poor
חִלֵּל פ profane, desecrate, play the flute
חָלָל ז space, cosmos, hollow, dead, slain
חָלָל חִיצוֹן outer space
חֲלָלִית נ spaceship
חָלַם פ dream
חֶלְמוֹן ז yolk
חֶלְמוֹנָה נ egg brandy
חֶלְמוֹנִי ת yolky, ginger
חַלָּמִישׁ ז flint
חַלָּמִישִׁי ת flinty
חֶלְמִית נ mallow
חִלֵּן פ laicize, secularize
חָלַף פ pass by, vanish
חִלֵּף פ change, replace
חֵלֶף ז spare part
חֵלֶף מ"י in return for
חַלָּף ז butcher's knife
חַלְפָן ז moneychanger
חַלְפָנוּת נ money-changing
חָלַץ פ remove, take off, draw, pull out
חִלֵּץ פ free, deliver, remove, rescue, extricate
חֲלָצַיִם ז"ר loins, waist
חָלַק פ divide, share, allot
חָלַק עַל differ, disagree
חִלֵּק פ divide, distribute, give out, partition

חָלָק ת smooth, blank
חֵלֶק ז part, portion, share, piece
חֵלֶק הָאֲרִי lion's share
חֶלְקָה נ plot, lot, portion
חֲלַקּוֹת נ"ר flattery
חֶלְקִי ת partial
חֶלְקֵי חִלּוּף spare parts
חֶלְקֵי־הַדִּבּוּר parts of speech
חֶלְקִיּוּת נ partiality
חֶלְקִיק ז particle
חֶלְקִית תה"פ partially
חֲלַקְלַק ת slippery, smooth
חֲלַקְלַקָּה נ ice rink, rink
חֲלַקְלַקּוֹת נ"ר flattery
חַלָּשׁ ת weak, feeble
חָלַשׁ פ become weak
חָלַשׁ עַל dominate, command
חַלָּשׁוּת נ weakness
חַלַּת־דְּבַשׁ honeycomb
חָם ז father-in-law
חַם ת warm, hot
חַם מֶזֶג hot-blooded
חֶמְאָה נ butter
חָמַד פ covet, desire
חָמַד לָצוֹן joke
חֶמֶד ז charm, grace
חֶמְדָּה נ desire, love
חַמְדָן ז greedy, covetous
חַמְדָנוּת נ cupidity, greed, covetousness
חַמְדָנִי ת lustful, covetous
חֵמָה נ anger, fury, rage
חַמָּה נ sun
חָמוּד ת charming, cute
חֲמוּדוֹת נ"ר grace, beauty
חֲמוּלָה נ clan
חִמּוּם ז warming, heating
חָמוּם ת hot, heated
חֲמוּם־מוֹחַ hotheaded
חֲמוּם־מֶזֶג hot-tempered
חָמוּץ ת acid, sour
חִמּוּץ ז souring
חֲמוּצִים ז"ר pickles

חַמּוּק ז curve, bend
חַמּוּקִים ז"ר hips, thighs
חֲמוּקִית ז slip
חֲמוֹר ז ass, donkey
חָמוּר ת serious, severe, grave, strict
חֲמוֹר־יָם haddock
חֲמוֹרִי ת asinine
חִמּוּשׁ ז armament
חָמוּשׁ ת armed, equipped
חָמוֹת נ mother-in-law
חָמִים ת warm
חֲמִימוּת נ warmth
חַמִּין ז hot water, cholent
חֲמִיצָה נ borscht
חֲמִיצוּת נ acidity
חֲמִישָׁה, חֲמִשָּׁה ז five
חֲמִישִׁי ת fifth
חֲמִישִׁיָּה נ quintet, quintuplets
חֲמִישִׁית נ fifth
חָמַל פ have pity, spare
חֶמְלָה נ pity, mercy
חִמֵּם פ heat, warm
חֲמָמָה נ glasshouse, greenhouse, hothouse
חַמָּנִית נ sunflower
חָמַס פ rob, destroy
חָמָס ז corruption, violence
חַמְסִין ז heat wave, sirocco
חַמְסָן ז robber, predator
חַמְסָנוּת נ robbery
חָמַץ פ become sour, ferment
חִמֵּץ פ make sour, leaven
חָמֵץ ז leavened bread
חִמְצָה נ chickpea
חִמְצוּן ז oxidization
חַמְצִיץ ז wood-sorrel
חֲמַצְמַץ ת acidulous, sourish
חַמְצָן ז oxygen
חִמְצֵן פ oxidize
חַמְצָנִי ת oxygenic
חַמֶּצֶת נ acidosis
חָמַק פ sneak, slip away
חֲמַקְמַק ת elusive
חַמְקָן ז slippery, evasive
חַמְקָנוּת נ evasiveness
חֵמָר ז asphalt, clay
חָמַר פ foam, seethe
חִמֵּר פ drive a donkey
חַמָּר ז donkey driver
חַמְרָה נ red loam
חַמְרָן ז aluminum
חָמְרָן ז materialist
חָמְרָנוּת נ materialism
חָמְרָנִי ת materialistic
חָמֵשׁ נ five
חִמֵּשׁ פ equip, arm
חֲמֵשׁ עֶשְׂרֵה נ fifteen
חֲמִשָּׁה, חֲמִישָׁה ז five
חֲמִשָּׁה נ staff, stave
חֲמִשָּׁה עָשָׂר ז fifteen
חֲמִשִּׁי ת fifth
חֲמִשִּׁים fifty
חַמְשִׁיר ז limerick
חַמְשִׁית נ quintet
חֲמִשִּׁית נ fifth
חֵמֶת נ skin bottle
חֵמֶת־חֲלִילִים bagpipes
חֵמֶת־מַיִם water skin
חֵן ז grace, charm, favor
חֵן חֵן thank you
חִנְגָּא נ feast, merrymaking
חָנָה פ camp, encamp, park
חִנָּה נ henna
חִנּוּט ז mummification
חָנוּט ז mummy
חִנּוּךְ ז education
חֲנֻכָּה נ Festival of Lights, inauguration
חִנּוּכִי ת educational
חֲנֻכִּיָּה נ Hanukka lamp
חֲנֻכַּת בַּיִת housewarming
חַנּוּן ת merciful, gracious
חֶנְוָנִי ז shopkeeper, storekeeper
חֲנֻפָּה נ flattery
חָנוּק ת choked, strangled
חֲנוּת נ shop, store, fly

חֲנוּת מַכּוֹלֶת grocery
חָנַט פ embalm, mummify
חֲנָיָה, חֲנִיָּה נ parking
חֶניוֹן ז car park, campground
חֲנִיטָה נ embalmment, mummification
חָנִיךְ ז apprentice, trainee
חֲנִיכוּת נ apprenticeship
חֲנִיכַיִם ז״ר gums
חֲנִינָה נ amnesty, pardon
חֲנִיפָה נ flattery
חֲנִיקָה נ strangling
חֲנִית נ spear, lance
חֲנִיתַאי ז spearman
חָנַךְ פ inaugurate, train
חִנֵּךְ פ bring up, educate
חִנָּם תה״פ free, gratis, for nothing, in vain
חָנַן פ pity, pardon, bestow, grant
חִנָּנִי ת graceful, attractive, charming
חִנָּנִיּוּת נ gracefulness
חִנָּנִית נ daisy
חָנַף פ flatter
חָנֵף ת flatterer, hypocrite
חַנְפָן ז flatterer, sycophant
חָנַק, חִנֵּק פ strangle, suffocate, asphyxiate
חֶנֶק ז strangulation, suffocation, asphyxia
חַנְקָה נ nitrate
חַנְקָן ז nitrogen
חַנְקָנִי ת nitric, nitrogenous
חַנְקָתִי ת nitrous
חָס פ pity, spare
חַס וְחָלִילָה God forbid!
חַס וְשָׁלוֹם God forbid!
חֶסֶד ז favor, charity, benevolence
חָסָה פ find shelter, take refuge, trust
חַסָּה נ lettuce
חָסוּד ת graceful, hypocritical

חָסוּי ת sheltered, guarded protected, restricted
חִסּוּי ז shelter, refuge
חָסוּךְ ת saved, spared
חִסּוּל ז annulment, liquidation, elimination
חָסוּם ת impassable, blocked, muzzled
חִסּוּם ז forging, tempering
חִסּוּן ז immunization, vaccination
חָסוֹן ת stout, strong, lusty, stocky
חִסּוּר ז subtraction
חָסוּת נ aegis, auspices, patronage
חַסְחוּס ז cartilage
חָסִיד ז adherent, fan, follower, pious, Hasid
חֲסִידָה נ stork
חֲסִידוּת נ piety, virtue
חָסִיל ז locust
חֲסִילוֹן ז shrimp
חֲסִימָה נ barring, blocking, restriction
חָסִין ת immune, proof
חֲסִין אֵשׁ fireproof
חֲסִין פְּצָצוֹת bombproof
חֲסִין קְלִיעִים bulletproof
חֲסִינוּת נ immunity
חָסַךְ פ save, economize, spare, withhold
חִסָּכוֹן ז saving, economy
חֶסְכוֹנִי ת economical
חַסְכָן ז thrifty, saver
חַסְכָנוּת נ thrift, saving, economy
חַסְכָנִי ת frugal, thrifty
חִסֵּל פ put an end to, liquidate, cancel, annul
חֲסַל מ״ק stop!, that's all
חַסְלָן ז liquidator
חָסַם פ block, bar, stop
חֶסֶם ז block, obstruction
חַסָּם ז tourniquet

חִסֵּן פ immunize, proof, vaccinate
חִסְפּוּס ז roughness
חִסְפֵּס פ rough, roughen
חַסֶּפֶת נ pellagra
חַסָּקָה נ surfboat
חָסֵר ת lacking, wanting, short of, less, minus
חָסַר פ lack, miss, want, be deficient, be absent
חִסֵּר פ subtract, deduct
חֶסֶר ז deficiency disease
חֲסַר־אוֹנִים helpless
חֲסַר־בָּסִיס baseless
חֲסַר־דְאָגוֹת carefree
חֲסַר־דָּם anemic
חֲסַר־דַּעַת witless
חֲסַר־הַבָּעָה deadpan
חֲסַר־הַכָּרָה unconscious
חֲסַר־זָנָב acaudal
חֲסַר־יֶשַׁע helpless
חֲסַר־לֵב heartless
חֲסַר־מַזָּל unfortunate
חֲסַר־מַטָּרָה aimless
חֲסַר־מִין asexual
חֲסַר־נִסָּיוֹן inexperienced
חֲסַר־נְשִׁימָה breathless, out of breath
חֲסַר־עֵרֶךְ worthless
חֲסַר־שַׁחַר groundless
חֲסַר־תַּקְדִּים unprecedented
חִסָּרוֹן ז disadvantage, deficiency, defect
חַף ז tooth of a key
חַף (מִפֶּשַׁע) ת blameless, guiltless, innocent
חֻפָּה ז bract
חָפָה פ cover, overlap
חִפָּה פ cover, protect
חִפָּה נ hood, bonnet
חָפוּז ת hasty, hurried
חָפוּי ת covered, wrapped
חֲפוּי רֹאשׁ ashamed
חִפּוּי ז cover, protection, covering up for

חָפוּן ת handful
חִפּוּשׂ ז search, quest
חִפּוּשִׁית נ beetle
חִפּוּשִׁית־זֶבֶל scarab
חִפּוּשִׁית־פַּרְעֹה scarab
חָפוּת ת rolled up (sleeve)
חַפּוּת נ innocence
חָפַז פ hasten, hurry
חִפָּזָה נ haste, hurry
חִפָּזוֹן ז haste, hurry, rush
חֲפִי ז bib
חֲפִיזוּת נ celerity
חֲפִיסָה נ pack, packet
חֲפִיסַת קְלָפִים deck
חֲפִיפָה נ overlapping, congruence, shampooing
חֲפִיר ז ditch
חֲפִירָה נ trench, ditch, digging, excavation
חָפַן פ cup, take a handful
חָפַף פ overlap, be congruent, wash the hair
חֲפַף ז pumice
חֲפָפִית נ rash, eczema
חָפֵץ פ desire, want, wish
חֵפֶץ ז article, commodity, object, thing, desire
- בְּחֵפֶץ לֵב with pleasure
חֵפֶץ־נוֹי knickknack
חֶפְצִיּוּת נ caprice
חָפַר פ dig, excavate
חַפָּר ז digger, sapper
חַפְרוּר ז mattock
חֲפַרְפֶּרֶת נ mole
חִפֵּשׂ פ look for, search, seek, disguise
חָפַת פ roll up, turn up
חֵפֶת ז fold, cuff, tuck
חֵפֶת הַמָּנוֹעַ bonnet, hood
חֵץ ז arrow
חֲצָאִית נ skirt
חֲצָאִית סְקוֹטִית kilt
חָצַב פ quarry, chisel, hew, carve, cut
חָצָב ז squill

חַצֶּבֶת נ measles
חָצָה פ bisect, cross, divide, halve
חָצוּב ת hewn, quarried
חֲצוּבָה נ easel, tripod
חָצוּי ת halved, bisected
חָצוּף ת impertinent, cheeky, impudent, insolent, saucy
חֲצוֹצְרָה נ bugle, trumpet
חֲצוֹצְרָן ז bugler, trumpeter
חֲצוֹת נ midnight, midday
חֲצִי ז half, semi–, middle
חֲצִי־אֱמֶת half-truth
חֲצִי־אִי peninsula
חֲצִי־גְמָר semifinal
חֲצִי־כַּדּוּר hemisphere
חֲצִי־סַהַר crescent
חֲצִי־פֶּנִי halfpenny
חֲצִי־שְׁנָתִי biannual, biyearly, semiannual
חֲצִיבָה נ stonecutting, quarrying, hewing
חֲצִיָּה נ bisection, halving, crossing
חֶצְיוֹן ז median
חָצִיל ז aubergine, eggplant
חֲצִיפוּת נ insolence
חֲצִיצָה נ partitioning, separating, screening
חָצִיר ז hay, fodder, forage
חָצָץ ז rubble, gravel
חָצַץ פ partition, separate
חָצַץ שִׁנָּיו pick teeth
חצצר פ trumpet, bugle
חָצֵר נ courtyard, yard
חֲצֵרִים נ״ר premises
חַצְרָן ז janitor, courtier
חֵק, חֵיק ז bosom
חִקָּה פ imitate, copy
חִקּוּי ז imitation, mimicry
חִקּוּיִי ת mimic
חִקּוּק ז carving, enactment
חִקּוּר ז investigation
חָקִי ז khaki
חַקְיָן ז imitator, mimic
חַקְיָנוּת נ imitation
חַקְיָנִי ת imitative
חֲקִיקָה נ legislation, engraving, carving
חֲקִירָה נ inquiry, research, investigation
חֲקִירָה צוֹלֶבֶת/נֶגְדִּית cross-examination
חַקְלָאוּת נ agriculture
חַקְלָאִי ת agricultural
חַקְלָאִי ז farmer
חָקַק פ legislate, enact, engrave, carve
חָקַר פ inquire, investigate, explore
חֵקֶר ז inquiry, study
חַקְרָן ז inquirer, examiner
חַקְרָנוּת נ examining
חַקְרָנִי ת inquisitive
חֶרֶב נ sword, saber
חָרַב פ be ruined, dry up
חָרֵב ת destroyed, ruined
חֶרֶב פִּיפִיּוֹת two-edged sword
חָרָבָה נ dry land
חַרְבּוֹן ז failure, fizzle
חִרְבֵּן פ spoil, blow, shit
חָרַג פ deviate, digress
חַרְגּוֹל ז grasshopper
חָרַד פ tremble, be afraid, be worried
חָרֵד ת anxious, fearful, afraid, pious, religious
חֲרָדָה נ alarm, anxiety, worry, trembling
חֲרֵדִי ת devout, pious
חַרְדָּל ז mustard
חָרָה פ be angry, resent
חָרוּב ז carob
חָרוּז ז bead, rhyme, verse
חָרוּז ת rhymed
חֲרוּז־תְּנוּעָה assonance
חָרוּט ת engraved, carved

חָרוּט ז	cone
חֲרוּטִי ת	conic, conical
חָרוּךְ ת	singed, scorched
חָרוּל ז	thorn, thistle
חֵרוּם ז	emergency
חָרוּם ת	blunt
חֲרוּמַף ז	flat-nosed
חָרוֹן, חֲרוֹן־אַף ז	wrath
חֲרוֹסֶת נ	mixture (eaten on Passover night)
חֵרוּף ז	curse, blasphemy
חֵרוּף נֶפֶשׁ	mortal danger
חָרוּץ ת	industrious, diligent, utter, complete
חָרוּק ת	indented, notched
חֵרוּק ז	grinding, indenting
חֵרוּק שִׁנַּיִם	fury, rage
חָרוּר ת	full of holes
חָרוּשׁ ת	plowed, furrowed
חֲרוֹשֶׁת נ	industry, manufacture
חֲרוֹשְׁתָּן ז	industrialist, manufacturer
חָרוּת ת	carved, engraved
חֵרוּת נ	freedom, liberty
חָרַז פ	rhyme, string
חָרְזָן ז	versifier, rhymester
חַרְזָנוּת נ	doggerel
חִרְחוּר ז	provocation, incitement, grunt
חִרְחוּר רִיב	instigation
חִרְחֵר פ	stir up (quarrel), clear the throat, grunt
חַרְחֲרָן ז	instigator
חָרַט פ	carve, engrave, etch, chisel
חָרָט ז	etcher, carver, turner, engraver
חֶרֶט ז	stylus, scriber
חֲרָטָה נ	remorse, penitence, repentance
חַרְטוֹם ז	beak, bill, prow
חַרְטוֹם הַסְּפִינָה	prow, bow
חַרְטוֹמָן ז	snipe, woodcock
חָרָטוּת נ	turnery, engraving
חֲרִי־אַף	wrath, anger
חָרִיג ז	exception
חָרִיג ת	exceptional, deviating, irregular
חֲרִיגָה נ	digression, deviation, exception
חֲרִיזָה נ	rhyming, versification, stringing
חָרִיט ז	handbag, purse
חֲרִיטָה נ	turnery, engraving
חֲרִיכָה נ	scorching
חָרִיעַ ז	safflower
חָרִיף ת	acrid, acrimonious, acute, hot, keen, sharp
חֲרִיפָה נ	hibernation
חֲרִיפוּת נ	sharpness, acrimony, acuity
חָרִיץ ז	crack, notch, slot, ditch, groove
חֲרִיץ חָלָב	cheese
חֲרִיצָה נ	cutting, deciding
חֲרִיצַת דִּין	verdict
חָרִיצוּת נ	diligence, skill
חֲרִיקָה נ	creak, grating
חָרִיר ז	small hole
חָרִישׁ ז	plowing (season)
חֲרִישָׁה נ	plowing
חֲרִישִׁי ת	silent, quiet
חֲרִיתָה נ	engraving, etching
חָרַךְ פ	burn, char, scorch, sear, singe
חֲרַךְ ז	lattice, crevice
חָרֶלֶת נ	hives
חֵרֶם ז	anathema, boycott, ban, excommunication, taboo
חָרְמָה נ	annihilation
חֶרְמֵשׁ ז	reaphook, scythe
חֶרֶס ז	potsherd, shard, clay
חַרְסִינָה נ	china, porcelain
חַרְסִית נ	red soil, clay
חָרַף פ	winter, hibernate
חֶרֶף מ״י	despite, in spite of
חֵרֵף פ	curse, insult, blaspheme
חֵרֵף נַפְשׁוֹ	risk one's life

חֶרְפָּה נ disgrace, shame
חִרְפּוּשִׁית נ scarab
חָרַץ פ cut, notch, groove, decide, determine
חָרַץ דִּין adjudicate
חָרַץ לָשׁוֹן intend to harm
חַרְצוֹב ז ganglion, nerve center
חַרְצוּבָּה נ chain, shackle
חַרְצִית נ chrysanthemum
חַרְצָן ז pip, stone, kernel
חֶרֶק ז insect
חָרַק פ creak, grate, gnash
חָרָקִירִי ז harakiri
חַרְקָן ז entomologist
חַרְקָנוּת נ entomology
חַרְקָנִי ת creaky
חֶרֶשׁ תה"פ secretly, silently
חֵרֵשׁ ז deaf
חָרַשׁ פ plow, plough
חָרַשׁ רָעָה devise evil
חָרָשׁ ז craftsman, artisan
חָרַשׁ־נְחוֹשֶׁת coppersmith
חֵרֵשׁ־אִלֵּם deaf-mute
חֵרְשׁוּת נ deafness
חַרְשָׁף, חוּרְשָׁף ז artichoke
חָרַת פ engrave, carve
חֲרָתָה, חֶרֶת נ printing ink
חָשׁ פ feel, sense, rush, hurry, hasten
חֲשַׁאי ז quiet, silence
– בַּחֲשַׁאי secretly
חֲשָׁאִי ת secret
חֲשָׁאִיּוּת נ secrecy
חָשַׁב פ think, mean, intend
חִשֵּׁב פ calculate, reckon, compute, figure
חַשָּׁב ז accountant
חֶשְׁבּוֹן ז account, reckoning, arithmetic, bill, invoice
חֶשְׁבּוֹן אִינְטֶגְרָלִי integral calculus
חֶשְׁבּוֹן דִּיפֶרֶנְצִיאָלִי differential calculus
חֶשְׁבּוֹן נֶפֶשׁ heart-searching
חֶשְׁבּוֹן עוֹבֵר וָשָׁב current account
חֶשְׁבּוֹנָאוּת נ accountancy
חֶשְׁבּוֹנַאי ז accountant
חֶשְׁבּוֹנִי ת arithmetical
חֶשְׁבּוֹנִיָּה נ counting frame, abacus
חַשְׁבָן ז arithmetician
חִשְׁבֵּן פ calculate, reckon
חָשַׁד פ suspect
חֲשָׁד, חֲשֵׁד ז suspicion
חַשְׁדָן, חַשְׁדָנִי ז/ת suspicious
חַשְׁדָנוּת נ suspicion
חָשָׁה פ be silent/still
חָשׁוּב ת important
חִשּׁוּב ז computation, calculation, reckoning
חָשׁוּד ת suspicious, suspected
חָשׁוּךְ ת dark, obscure
חָשׂוּךְ ת lacking
חֲשׂוּךְ־בָּנִים childless
חֲשׂוּךְ־מַרְפֵּא incurable
חִשּׁוּל ז forging, strengthening
חֶשְׁוָן ז Heshvan (month)
חָשׂוּף ת exposed, bare, bleak
חִשּׂוּף ז laying bare, exposure, uncovering
חִשּׁוּק ז hoop, ring, rim
חָשׁוּק ת desired, beloved
חִשּׁוּר ז hub, spoke
חֲשִׁיבָה נ cerebration, thinking, reckoning
חֲשִׁיבוּת נ importance
חָשִׁיל ת malleable
חֲשִׁילוּת נ malleability
חֲשִׂיפָה נ exposure, laying bare, revelation
חָשִׁישׁ ז hashish
חָשַׁךְ פ become dark
חָשְׁכוּ עֵינָיו be stunned
חָשַׂךְ פ withhold, spare
חֲשֵׁכָה נ darkness

חָשַׁל פ anneal, harden, forge, temper, shape
חִשְׁמוּל ז electrification
חַשְׁמַל ז electricity
חִשְׁמֵל פ electrify
חַשְׁמַלָּאוּת נ electricity
חַשְׁמַלַּאי ז electrician
חַשְׁמַלּוֹרִי ת photoelectric
חַשְׁמַלִּי ת electric
חַשְׁמַלִּית נ tram, trolley, street car
חַשְׁמָן ז cardinal
חָשַׂף פ lay bare, uncover, disclose, expose, reveal
חַשְׂפָנוּת נ striptease
חַשְׂפָנִית נ stripper
חָשַׁק פ desire, covet, crave
חִשֵּׁק פ hoop, gird, fasten
חֵשֶׁק ז desire, lust, appetite, pleasure
חַשְׁקָנוּת נ desire, passion
חַשְׁקָנִי ת desirous, amorous
חַשְׁרָה נ gathering
חָשַׁשׁ פ be afraid, fear, worry, be anxious
חֲשָׁשׁ ז anxiety, fear
חֲשַׁשׁ ז hay, chaff
חַשְׁשָׁן, חַשְׁשָׁנִי ז/ת hesitant, apprehensive
חַשְׁשָׁנוּת נ hesitation
חַת ז fear, terror
– עָשׂוּי לִבְלִי חָת fearless, dauntless
חָתָה פ rake, stir, gather
חִתּוּי ז raking, gathering
חָתוּךְ ת cut, cut up
חִתּוּךְ ז cut, cutting, etching, carving, section
חִתּוּךְ הַדִּבּוּר articulation, diction
חִתּוּל ז diaper, napkin
חָתוּל, חֲתוּלָה ז/נ cat
חֲתוּלִי ת feline, catty
חָתוּם ת stamped, sealed, signed, closed, subscriber
חִתּוּם ז sealing, stamping
חִתּוּן ז marrying off
חֲתֻנָּה נ wedding
חָתִיךְ ז handsome boy
חֲתִיכָה נ bit, lump, piece, pretty girl
חֲתִימָה נ signature, end, sealing, subscription
חֲתִימַת זָקָן trace of a beard
חֲתִירָה נ rowing, effort, undermining, subversion
חָתַךְ פ cut, intersect
חֲתָךְ ז cut, section, wound
חֲתָךְ־רוֹחַב cross-section
חִתֵּל פ diaper, bandage, wrap up
חֲתַלְתּוּל ז kitten
חָתַם פ seal, sign, stamp, complete, finish, close
חָתָן ז bridegroom, groom, son-in-law, prize winner
חִתֵּן פ marry off, wed
חָתַר פ row, paddle, strive, undermine, subvert
חַתְרָנוּת נ subversion
חַתְרָנִי ת subversive

ט

טאוּט ז sweeping
טֵאטֵא פ sweep
טֵאטוּא ז sweep
טָב, טָבָא ת good
טָבוּ ז taboo, Land Registry Office
טְבוּל ז dipping, baptism
טָבוּל ת dipped, immersed

טַבּוּלָטוֹר ז	tabulator
טָבוּעַ ת	sunk, drowned, engraved, marked, coined
טִבּוּעַ ז	drowning, sinking
טַבּוּר ז	navel, bellybutton, hub, center
טַבּוּרִי ת	navel, radial
טֶבַח ז	carnage, kill, massacre, slaughter
טָבַח פ	slaughter, kill
טַבָּח ז	cook, chef, butcher
טַבָּחוּת נ	cooking, cuisine
טְבִיחָה נ	slaughter
טֶבטוֹנִי ת	Teutonic
טְבִילָה נ	baptism, dipping, immersion
טְבִילַת אֵש	baptism of fire
טָבִין וּתְקִילִין	good money
טְבִיעָה נ	drowning, sinking, stamping, impression
טְבִיעַת אֶצְבָּעוֹת	fingerprint
טְבִיעַת עַיִן	deep insight
טָבַל פ	immerse, dip
טַבְלָה נ	table, plate, board
טַבְלִית נ	lozenge, tablet
טַבְלָן ז	grebe, loon
טַבְלָר ז	tabulator
טָבַע פ	drown, sink, stamp, impress, coin
טִבֵּעַ פ	drown, sink
טֶבַע ז	nature, character
טִבְעוֹנוּת נ	naturalism
טִבְעוֹנִי ז	naturist
טִבְעִי ת	natural, physical
טִבְעִיּוּת נ	naturalism
טַבַּעַת נ	ring, seal
טַבַּעְתִּי ת	ringed, annular
טִבְעֲתָן ז	naturalist
טִבְעֲתָנוּת נ	naturalism
טַבָּק ז	tobacco
טַבָּקַאי נ	tobacconist
טֵבֵת ז	Tevet (month)
טִגּוּן נ	frying
טִגֵּן פ	fry
טִגְנִית נ	fritter
טֵה, תֵּה ז	tea
טָהוֹר ת	chaste, clean, pure
טִהוּר ז	purge, purification
טָהַר פ	be clean/pure
טִהֵר פ	purify, purge
טָהֳרָה נ	purity, cleansing
טַהֲרָן ז	purist
טַהֲרָנוּת נ	purism
טַוַּאי ז	spinner, weaver
טַוַּאי הַמֶּשִׁי	silkworm
טוֹאָלֶט ז	toilet
טוֹב ת	good, kind, fair, nice, pleasant, fine
- הַטּוֹב בְּיוֹתֵר	best
- טוֹב יוֹתֵר	better
טוֹב תה"פ	well, good
טוּב, טוֹב ז	goodness
טוֹב לֵב	good-hearted, kindhearted
טוּב לֵב	kindness
טוֹבָה נ	benefit, favor, kindness, welfare
- לְטוֹבַת	in favor of
טוּבָּה נ	tuba
טוּבִין ז"ר	goods
טוֹבְלָן ז	plunger
טוֹבְעָנִי ת	boggy, marshy
טוּגָנִים ז"ר	chips, French fries
טָוָה פ	spin, weave
טוֹהַר ז	purity, chastity
טִוּוּחַ ז	range finding
טְוָח ז	range
טִוַּח פ	(find the) range
טְוַח אֵשׁ	gunshot
טְוַח שְׁמִיעָה	earshot
טוֹחֵן ז	miller
טוֹחֶנֶת נ	molar tooth
טוֹטָלִי ת	total
טוֹטָלִיטָרִי ת	totalitarian
טוֹטָלִיטָרִיּוּת	totalitarianism
טוֹטֶפֶת נ	phylactery, tress
טְוִיָּה נ	spinning
טוּמְאָה נ	impurity, pollution

טוּמְטוּם hermaphrodite, fool
טוֹן ז ton, tone
טוֹנָה נ ton
טוּנָה נ tuna
טוֹנָז' ז tonnage
טוֹנִיקָה נ tonic
טוֹנָלִי ת tonal
טַוָּס ז peacock
טוֹסְט ז toast
טוֹסְטֶר ז toaster
טַוֶּסֶת נ peahen
טוֹעֶה ת mistaken
טוֹעֵן ז plaintiff, claimant
טוֹעֵן לַכֶּתֶר pretender, challenger, contender
טוֹפּוֹגְרָפִי ת topographical
טוֹפּוֹגְרַפְיָה נ topography
טוֹפִי ז toffee, toffy
טוֹפֶס ז form, copy
טוֹפֶס בַּקָּשָׁה application form
טוֹפֶר ז claw, talon
טוֹקָטָה נ toccata
טוּקָן ז toucan
טוֹקְסִין ז toxin
טוּר ז column, progression, row, line, file
טוּר הַנְדָּסִי geometric progression
טוּר חֶשְׁבּוֹנִי arithmetic progression
טוּרַאי ז private, private soldier
טוּרַאי רִאשׁוֹן lance corporal
טוּרָאִים ז״ר rank and file
טוּרְבִּינָה נ turbine
טוּרְדָנִי ת troublesome, worrying, bothersome
טוֹרַח ז trouble, bother
טוֹרְט ז tart, pie
טוּרִי ת arranged in a row
טוֹרֵיאָדוֹר ז toreador
טוּרִיָּה נ hoe, wide hoe
טוּרִית נ drill
טוֹרְנָדוֹ ז tornado
טוּרְנִיר ז tournament
טוֹרְסוֹ ז torso
טוֹרֵף ת carnivore, predator
טוֹרְפֶּדוֹ ז torpedo
טוֹרְפָנִי ת preying
טוּרְקִי ת Turkish
טוּרְקִיז ז turquoise
טוּשׁ ז Indian ink
טָח פ plaster, coat, smear
טַחַב ז damp, humidity
טְחָב ז moss, bryophyte
טָחוּב ת damp, moist, humid
טְחוֹל ז milt, spleen
טָחוּן ת ground
טְחוֹרִים ז״ר hemorrhoids, piles
טְחִינָה נ grinding, crushing
טָחַן פ grind, mill, crush
טֶחָן ז miller
טַחֲנָה נ mill
טַחֲנַת־רוּחַ windmill
טֶטָנוּס ז lockjaw, tetanus
טִיב ז quality, nature
טִיֵּב פ improve, better
טִיגְרִיס ז tiger
טִיּוּב ז improvement
טִיּוּחַ ז plastering, coating
טִיּוּט ז drafting
טְיוּטָה נ draft, rough copy
טְיוּטָן ז copyholder
טִיּוּל ז journey, tour, walk, trip, excursion
טֵיוֹן ז teapot
טִיחַ ז plaster
טִיֵּחַ פ plaster, coat
טַיָּח ז plasterer
טַיָּחוּת נ plastering
טִיט ז clay, loam, mud
טִיֵּט פ draft
טִיֵּל פ tour, walk, go on a trip
טַיָּל ז tourist, rambler
טִיל ז missile, rocket

טִיל מוּנְחֶה	guided missile	טֶכְנִיקוֹלוֹר ז	technicolor
טִילָאוּת נ	rocketry	טִכֵּס פ	arrange, organize
טִילְיָה נ	linden	טִכֵּס עֵצָה	seek advice
טַיֶּלֶת נ	promenade, walkway	טַכְסִיס ז	tactic, stratagem
טִין ז	silt, clay, mud	טַל ז	dew
טִינָה נ	animosity, grudge	טְלַאי ז	patch
טַיִס ז	flying, aviation	טֶלֶגְרָמָה נ	telegram
טַיָּס ז	airman, aviator, pilot	טֶלֶגְרָף ז	telegraph
טַיַּס־חָלָל	astronaut	טִלְגְרֵף פ	telegraph, cable, wire
טִיסָה נ	flight, flying	טֶלֶגְרָפִי ת	telegraphic
טִיסָה בְּמִבְנֶה	formation flying	טֶלֶגְרַפְיָה נ	telegraphy
טִיסָן ז	flying model	טָלֶה ז	lamb
טַיֶּסֶת נ	squadron	טָלוּא ת	patchy, speckled
טֵיפּ ז	tape	טֶלֶוִיזְיָה נ	television
טִיפּ ז	tip	טֶלֶוִיזְיָה בִּכְבָלִים	cable TV
טַיְפוּן ז	typhoon	טָלוּל ת	dewy, bedewed
טִיפּוּס ז	sort, type	טִלְטוּל ז	moving, sway, carrying, wandering
טִיפוּס ז	typhus	טִלְטֵל פ	move, transfer, shake, hurl, swing
טִיפוּס־הַבְּהָרוֹת	typhus	טַלְטַל ז	connection rod
טִיפוּס־הַמֵּעַיִם/־הַבֶּטֶן	typhoid	טַלְטֵלָה נ	hurling, throwing
טִיפּוּסִי ת	typical, characteristic	טַלִּיסְמָה נ	talisman
טִיק ז	teak, tic	טַלִּית נ	praying shawl
טִירָה נ	castle, palace	טְלָלִים ז״ר	dew drops
טַיָּרָה נ	kite	טֶלֶמֶטְרְיָה נ	telemetry
טִירוֹן ז	novice, tyro, recruit, beginner	טֶלֶסְקוֹפּ ז	telescope
טִירוֹנוּת נ	novitiate, basic training	טֶלֶסְקוֹפִּי ת	telescopic
טִירָן ז	tyrant	טֶלֶף ז	hoof
טִכּוּס ז	arranging	טֶלֶפוֹן ז	telephone
טִכּוּס עֵצָה	seeking advice	טֶלֶפוֹנָאוּת נ	telephony
טֶכְנַאי ז	technician	טֶלֶפוֹנַאי ז	operator, telephonist
טֶכְנוֹלוֹג ז	technologist	טֶלֶפוֹנִי ת	telephonic
טֶכְנוֹלוֹגִי ת	technological	טֶלֶפוֹנִית תה״פ	by telephone
טֶכְנוֹלוֹגְיָה נ	technology	טִלְפֵּן פ	call, telephone
טֶכְנוֹקְרָט ז	technocrat	טֶלֶפְּרוֹמְפְּטֶר ז	teleprompter
טֶכְנִי ת	technical	טֶלֶפְּרִינְטֶר ז	teleprinter
טֶכְנִיּוֹן ז	technical school	טֶלֶפַּתִי ת	telepathic
טֶכְנִיּוּת נ	technicality	טֶלֶפַּתְיָה נ	telepathy
טֶכְנִיקָה נ	technique	טַלְק ז	talc
		טֶלֶקְס ז	telex
		טָמֵא פ	be contaminated

טָמֵא ת	unclean, impure, defiled, contaminated
טִמֵּא פ	contaminate, defile, profane
טֶמְבֶּר ז	timbre
טָמוּן ת	concealed, buried
טמטום	stupidity, dullness, making stupid
טִמְטֵם פ	stupefy, make dull
טמיון ז	treasury
– יָרַד לטמיון	go down the drain
טְמִיעָה נ	assimilation
טָמִיר ת	hidden, latent
טָמַן פ	conceal, bury
טֶמפּוֹ ז	tempo
טַמפּוֹן ז	tampon
טֶמפֶּרָטוּרָה נ	temperature
טֶמפֶּרָמֶנט ז	temperament
טֶנֶא ז	wicker basket
טַנבּוּר ז	tambourine
טַנגוֹ ז	tango
טַנגֶנס ז	tangent
טַנדוּ תה"פ	in two, together
טֶנדֶר ז	pickup truck, van
טִנּוּף ז	filth, dirt
טִנּוֹפֶת נ	filth, dirt
טֶנוֹר ז	tenor
טֶנִיס ז	tennis
טֶנִיס-שוּלחָן	ping-pong
טִנֵּף פ	dirty, make filthy
טַנק ז	tank
טַס ז	salver, tray
טָס פ	fly
טֶסט ז	driving test, test
טַסִית נ	small tray
טָעָה פ	err, mistake
טָעוּן ת	charged, loaded, requiring, needing
טִעוּן ז	argument, pleading
טָעוּת נ	error, mistake
טָעוּת דפוּס	misprint
טָעוּת פְרוֹידִיסטִית	Freudian slip
טְעִיָּה נ	erring, mistaking
טָעִים ת	delicious, tasteful, tasty
טְעִימָה נ	gustation, taste
טְעִינָה נ	loading, charging
טַעַם ז	flavor, taste, reason, cause, stress
טָעַם פ	taste, experience
טַעֲמָן ז	taster
טָעַן פ	allege, claim, maintain, load, charge
טַעֲנָה נ	argument, claim
טַף ז	small children
טִפָּה נ	drop, a little
טִפָּה מָרָה	liquor, drink
טִפּ-טִפָּה	a little
טִפּוּחַ ז	care, cultivation, fostering, nursing
טִפּוּל ז	care, treatment
טָפוּל ת	joined, connected
טְפוּלָה נ	affix
טִפּוֹנֶת נ	droplet
טִפּוּס ז	ascent, climbing
טַפּוּת נ	infancy, babyhood
טֶפַח ז	span, handbreadth
טָפַח פ	strike, pat, slap
טִפַּח פ	cultivate, foster, cherish, nurture
טְפָחָה נ	coping, roof beam
טַפֶּט ז	wallpaper
טִפְטוּף ז	dripping, dropping
טִפְטֵף פ	drip, drop
טַפְטֶפֶת נ	dropper, pipette
טַפִּי ז	dropper, pipette
טְפִיחָה נ	pat, slap, strike
טַפִּיט ז	wallpaper
טַפִּיל ז	parasite
טַפִּילוּת נ	parasitism
טַפִּילִי ת	parasitic(al)
טִפִּין-טִפִּין	bit by bit
טְפִיפָה נ	mincing walk
טַפִּיר ז	tapir
טָפַל פ	attribute, ascribe, attach, paste, stick
טִפֵּל פ	handle, tackle, care for, look after

טָפֵל ת additional, subordinate, secondary
טַפְלֵי־עוֹף giblets
טִפֵּס פ climb, scale, ascend
טַפְסָן ז climber, creeper
טַפְסָן ז molder, form maker
טַפְסָנוּת נ scaffolding
טִפֵּף פ walk mincingly
טִפֵּשׁ ז fool, stupid
טִפְּשׁוֹן ז stupid
טִפְּשׁוּת נ folly, stupidity
טִפְּשִׁי ת foolish, silly, stupid
טַקְט ז tact
טִקְטוּק ז ticking, tick
טַקְטִי ת tactful, tactical
טַקְטִיקָה נ tactics
טִקְטֵק פ tick
טֶקֶס ז ceremony, ritual
טֶקְסְט ז text
טֶקְסְטִיל ז textile
טִקְסִי ת ceremonious, ritual
טִקְסִיּוּת נ ritualism
טְרָאוּמָה נ trauma
טְרָגֶדְיָה נ tragedy
טְרָגִי ת tragic, tragical
טְרָגִיּוּת נ tragedy
טְרָגִיקוֹמֶדְיָה נ tragicomedy
טְרָגִיקוֹמִי ת tragicomic
טֵרַד פ drive away, expel, trouble, annoy, distress
טִרְדָה נ trouble, bother, care, concern, nuisance
טַרְדָן nuisance, bothersome
טַרְדָנִי ת bothersome
טַרְדָנוּת נ nuisance, bother
טָרָה נ tare
טֵרוּד ז bother, banishment
טָרוּד ת busy, occupied, preoccupied, banished
טְרוּט ת bleary-eyed
טְרוּטָה נ trout
טְרוֹם־ מ"ח pre–, before
טְרוֹמְבּוֹן ז trombone
טְרוֹמִי ת prefabricated
טְרוּנְיָה נ complaint
טֵרוּף ז madness, insanity, confusion, scrambling
טָרוּף ת confused, mixed
טְרוֹפִּי ת tropical
טֶרוֹר ז terror
טֶרוֹרִיזְם ז terrorism
טֶרוֹרִיסְט ז terrorist
טַרְזָן ז dandy, foppish
טָרַח פ bother, trouble, take pains
טִרְחָה נ bother, inconvenience, trouble
טַרְחָן ז nuisance, annoying
טַרְחָנוּת נ bothering
טִרְטוּר ז rattle, noise, chug
טִרְטֵן פ straddle
טִרְטֵר פ rattle, chug
טָרִי ת fresh
טְרִיגוֹנוֹמֶטְרְיָה trigonometry
טְרִיוֹ ז trio
טְרִיּוּת נ freshness, novelty
טְרִיז ז wedge
טְרִיזִי ת wedged, wedgy
טֶרִיטוֹרְיָאלִי ת territorial
טֶרִיטוֹרְיָה נ territory
טְרִיל ז trill
טְרִילְיוֹן ז trillion
טֶרִילִין ז terylene
טְרִימֶסְטֶר ז trimester
טְרִיפָה נ shuffle, mixing
טְרִיק ז trick
טְרִיקָה נ slam, banging
טְרִיקוֹ ז tricot, textile
טְרִית נ sardine
טְרָכוֹמָה נ trachoma
טִרְלוּל, טִרְלֵל ז/פ trill
טֶרֶם, בְּטֶרֶם מ"ח ere, before
טֶרְמִיט ז termite
טֶרְמִינוֹלוֹגְיָה terminology
טֶרְמִינָל ז terminal
טְרֶמְפּ ז hitchhike, lift
טְרַמְפּוֹלִינָה נ trampoline
טְרֶמְפִּיסְט ז hitchhiker
טְרַנְזִיסְטוֹר ז transistor

טְרַנס ז trance
טְרַנספוֹרמָטוֹר transformer
טֶרָסָה נ terrace
טְרַסט ז trust
טְרַסט מוֹחוֹת brain trust
טָרַף פ devour, prey upon, shuffle, mix, scramble
טְרֵף forbidden, not kasher
טֶרֶף ז prey, food
טָרָף ז leaf, blade
טִרפֵּד פ torpedo
טַרפֶּדֶת נ torpedo boat
טְרֵפָה נ not kasher food
טֵרָפוֹן ז delirium
טְרַפֶּז ז trapeze
טֶרפֶּנטִין ז turpentine
טֶרצָה נ third
טָרַק פ slam, bang
טְרַקטוֹר ז tractor
טְרַקלִין ז living room, salon
טֶרֶש ז stone, rock, boulder
טַר"ש = טוּרַאי רִאשוֹן
טָרֶשֶׁת נ sclerosis, arteriosclerosis
טִשטוּש ז blurring, erasing
טִשטֵש פ blur, erase, make indistinct, cover up

י

יָאֶה ת becoming, fit, proper
יָאָה פ be suitable, fit
יְאוֹר ז river, the Nile
יֵאוּש ז despair, despondency
יָאוּשָׁן ז pessimist
יָאוּת, כַּיָאוּת תה"פ properly
יִאֵשׁ פ cause despair
יִבֵּא פ import
יִבֵּב פ sob, whimper
יְבָבָה נ sobbing, whimper
יְבוּא ז import, importation
יִבּוּא ז import, importation
יְבוּאָן ז importer
יִבּוּב ז sobbing, wailing
יְבוּל ז crop, yield, produce
יִבּוּל ז weeding
יִבּוּם ז levirate marriage
יִבּוּשׁ ז drying, draining
יְבוֹשֶׁת נ dryness
יַבחוּשׁ ז gnat, mosquito
יִבֵּל פ weed, grow corns
יַבְלִית נ couch grass
יַבְלָנִי ת callous, warty
יַבֶּלֶת נ callus, corn, wart
יַבַּלתִּי ת corny, warty
יָבָם ז husband's brother
יִבֵּם פ marry one's brother's widow
יְבָמָה נ sister-in-law
יָבֵשׁ ת dry, arid
יָבֵשׁ פ dry, dry up
יִבֵּשׁ פ dry, drain
יַבָּשָׁה נ dry land, land
יַבְשׁוּת נ dryness, aridity
יַבֶּשֶׁת נ continent, dry land
יַבַּשְׁתִּי ת continental
יָגוּאָר ז jaguar
יָגוֹן ז grief, sorrow
יָגוֹר פ fear, be afraid
יְגִיעַ כַּפַּיִם fruit of one's work
יְגִיעָה נ effort, labor, toil
יָגֵעַ ת tired, weary
יָגַע פ be tired/weary, work, labor, toil
יֶגַע ז effort, labor, toil, weariness, exhaustion
יָד נ arm, hand, handle, monument, share, portion
יָד אַחַת agreement, accord
יָד חוֹפְשִׁית blank check
יָדָה, יִדָּה פ throw, cast

יָדָה נ cuff
יִדּוּי ז throwing, hurling
יְדוֹנִית נ muff, handcuff
יָדוּעַ ת known, certain
יָדוּעַ לְשִׁמְצָה infamous
יְדוּעָה בַּצִּבּוּר common-law wife
יִדּוּעַ ז identification
יָדִי ת manual
יָדִיד ז friend, fellow, pal
יְדִידוּת נ friendship, amity
יְדִידוּתִי ת friendly, amiable
יְדִיעָה נ knowledge, news
יְדִיעוֹן ז bulletin
יִידִישׁ נ Yiddish
יָדִית נ handle
יָדְנִי ת manual
יָדַע פ know, be aware of
יִדַּע פ cause to know
יֶדַע ז knowledge
יֶדַע-עַם folklore
יִדְּעוֹנִי ז magician, wizard
יַדְעָן ז scholar, erudite
יַדְעָנוּת נ knowledge
יָהּ ז God, the Lord
יְהֵא, יְהִי let there be
יְהַב ז burden, load
יִהֵד פ convert to Judaism
יַהֲדוּת נ Jewry, Judaism
יַהֲדוּת הַתְּפוּצוֹת Diaspora, the Dispersion
יִהוּד ז converting to Judaism
יְהוּדִי ז Jew, Jewish
יְהוּדִיָּה נ Jewess
יָהִיר ת arrogant, boastful, proud
יְהִירוּת נ arrogance
יַהֲלוֹם ז diamond
יַהֲלוֹמָן ז diamond merchant, diamond cutter
יַהֲלוֹמָנוּת נ diamond trade
יוֹבֵל ז jubilee, anniversary
יוּבַל ז stream, rivulet

יוֹבֶשׁ ז aridity, dryness
יוֹגֵב ז farmer
יוֹגָה נ yoga
יוֹגוּרְט ז yogurt
יוֹד (יסוד כימי) ז iodine
יוּדָאִיקָה נ Judaica
יוֹדֶל ז yodel
יוֹדֵעַ ת knowing, acquainted
יוֹהֲרָה נ arrogance, pride
יוֹזֵם ז initiator, promoter
יוֹזְמָה enterprise, initiative
יוֹחֲסָה נ relation
יוּטָה נ jute
יוֹלֶדֶת נ woman in confinement
יוּלִי ז July
יוּלִיאָנִי (לוח) ת Julian
יוֹם ז day, time
יוֹם רִאשׁוֹן Sunday
יוֹם שֵׁנִי Monday
יוֹם שְׁלִישִׁי Tuesday
יוֹם רְבִיעִי Wednesday
יוֹם חֲמִישִׁי Thursday
יוֹם שִׁשִּׁי Friday
יוֹם הַדִּין day of reckoning
יוֹם הוּלֶדֶת birthday
יוֹם הָעַצְמָאוּת Independence Day
יוֹם הַשָּׁנָה anniversary
יוֹם זִכָּרוֹן remembrance day
יוֹם חוֹל weekday
יוֹם טוֹב holiday
יוֹם יוֹם daily, day by day
יוֹם כִּפּוּר Day of Atonement
יוֹמוֹן ז daily, newspaper
יוֹמִי ת daily
יוֹמְיוֹמִי ת daily, ordinary
יוֹמִית תה"פ daily, by day
יוֹמָם תה"פ daily, by day
יוֹמָם וָלַיְלָה night and day
יוֹמָן ז daybook, diary, journal, log book

יוֹמָנַאי ז	diarist
יוּמְרָה נ	pretension
יוּמְרָנוּת	pretentiousness
יוּמְרָנִי ת	pretentious
יָוֵן ז	mire, mud
יוֹן ז	pigeon, ion
יִוֵּן פ	hellenize
יוֹנָה נ	dove, pigeon
יוֹנוֹסְפֵירָה נ	ionosphere
יְוָנִי ת	Grecian, Greek
יוּנִי ז	June
יוֹנִי ת	of a dove
יוֹנִי (סגנון) ת	Ionic
יוֹנִיזַצְיָה נ	ionization
יְוָנִית נ	Greek
יוֹנֵק ז	mammal, suckling
יוֹנֵק־הַדְּבַשׁ	hummingbird
יוֹנַת־דּוֹאַר	homing pigeon, carrier pigeon
יוֹעֵץ ז	adviser, counselor, consultant
יוֹעֵץ מִקְצוֹעִי	vocational counselor
יוֹעֵץ מִשְׁפָּטִי (לממשלה)	attorney general
יֹפִי ז	beauty
יוּפִּיטֶר ז	Jupiter
יוֹצֵא ת	outgoing, departing
יוֹצֵא צָבָא	liable for army service
יוֹצֵא דֹּפֶן	unusual, odd
יוֹצֵא מִן הַכְּלָל	unusual, extraordinary
יוֹצֵר ז	creator, maker
יֹקֶר ז	expensiveness
יֹקֶר הַמִּחְיָה	cost of living
יוּקְרָה נ	prestige
יוּקְרָתִי ת	prestigious
יוֹקֶשֶׁת נ	minelayer
יוֹרֵד ז	emigrant
יוֹרֵד־יָם	sailor, seaman
יוֹרֶה ז	first rain, shooter
יוֹרָה נ	boiler, cauldron
יוֹרוֹדוֹלָר ז	Eurodollar
יוּרִידִי ת	juridical
יוֹרֵשׁ ז	heir, successor
יוֹרֵשׁ־עֶצֶר	crown prince, heir to the throne
יוֹרֶשֶׁת נ	heiress
יוֹשֵׁב ז	inhabitant, resident
יוֹשֵׁב קְרָנוֹת	idler, loafer
יוֹשֵׁב־רֹאשׁ	chairman
יֹשֶׁן ז	oldness, antiquity
יֹשֶׁר ז	straightness, equity
יוֹתֵר תה"פ	more, more than
– בְּיוֹתֵר	most, very much
יוֹתֵר מִדַּי	too much/many
יוֹתֶרֶת הַכָּבֵד	lobe of the liver
יָזוּם ת	initiated, conceived
יָזוּם ז	initiating
יִזְכּוֹר ז	memorial prayer
יָזַם פ	initiate, plan
יַזָּם ז	initiator
יָזְמָה נ	enterprise
יֶזַע ז	sweat, perspiration
יַחַד, יַחְדָּיו תה"פ	together
יִחֵד פ	set apart, allocate, assign
יִחוּד ז	singularity, setting aside, uniqueness
– בְּיִחוּד	especially
יִחוּדִי ת	exclusive
יִחוּדִיּוּת נ	exclusiveness
יִחוּל ז	expectation, hope
יִחוּם ז	rut, heat
יִחוּס ז	ancestry, lineage, ascription, attribution
יִחוּר ז	cutting, offshoot
יָחִיד ת	single, sole, only, singular, alone
יָחִיד וּמְיֻחָד ת	unique
יְחִידָה נ	unit
יְחִידוּת נ	uniqueness
יְחִידִי ת	alone, single
יְחִידָנִי ת	individual
יִחֵל פ	hope, expect
יָחַם, יִחֵם פ	rut
יַחְמוּר ז	fallow deer

יחס פ attribute, ascribe, attach, assign, refer
יחס ז attitude, relation, proportion, treatment
יחס־כבוד deference
יחס הקנין genitive, possessive case
יחסה נ case
יחסות נ relativity
יחסי ת comparative, proportional, relative
יחסי מין intercourse
יחסי צבור public relations
יחסיות נ relativity
יחסים ז״ר relations
יחסית תה״פ comparatively, relatively, proportionally
יחסן ז privileged, man of good family
יחסנות נ haughtiness
יחף ת barefoot
יחפות נ barefootedness
יחפן ז barefooted, tramp
יטב פ be good/pleasing
יין wine
ייני ת winy, wine-colored
יינן ז vintner, wine maker
יי״ש ז brandy, arrack
יכול ת able, capable
יכול פ can, may, be able
יכול ל־ overcome
יכולני I can
יכולת נ ability, power, capability, competence
יכטה נ yacht
יכיח ת demonstrable, provable
ילד ז child, son, boy
ילד פ bear, have a baby
ילד פ deliver, help bear
ילד פלא infant prodigy
ילדה נ girl, daughter
ילדון ז child, little boy
ילדות נ childhood
ילדותי ת boyish, childish
ילדותיות נ infantilism
ילוד ת baby, child
ילוד אשה mortal, human
ילוד ז newborn, infant
ילודה נ birth rate
יליד ז native, born, son
ילל פ howl, wail, weep
יללה נ howl, lament
ילפת נ lichen
ילק ז locust larva
ילקוט ז bag, satchel, compilation, anthology
ים ז sea, ocean
ימאות נ seamanship
ימאי ז sailor, seaman
ימבוס ז iamb
ימבי ת iambic
ימה תה״פ westwards
ימה נ lake, closed sea
ימות, ימים ז״ר days
ימי ת marine, nautical
ימי הבינים Middle Ages
ימי קדם ancient times
ימיה נ fleet, navy
ימין ז right, right hand
ימינה תה״פ (to the) right
ימיני ת right, right-handed
יממה נ a day and a night
ימני ת right, rightist
ימרה נ pretension
ימרנות pretentiousness
ימרני ת pretentious
ינואר ז January
ינון ז ionization
ינוקא ז baby, child-Rabbi
יניקה נ sucking, suction
ינן פ ionize
ינק פ suck, absorb
ינקות נ babyhood, infancy
ינשוף ז owl
ינשופי ת owlish
יסד פ establish, found
יסד פ establish, found

יֶסֶד ז tonic
יִסּוּד ז establishing
יְסוֹד ז basis, element, foundation, ground
יְסוֹדִי ת basic, elementary, fundamental, thorough
יְסוֹדִיּוּת נ thoroughness
יִסּוּף ז revaluation
יִסּוּרִים ז"ר agony, anguish, suffering, torture
יַסְמִין ז jasmine
יַסְעוּר ז petrel
יֶסֶף (במוסיקה) ז coda
יָסַף פ continue, add
יִסֵּר פ afflict, torment
יָעַד פ assign, designate
יִעֵד פ appoint, destine, intend, earmark
יַעַד ז aim, destination, goal, purpose, target
יָעֶה ז dustpan, scoop, shovel
יִעוּד ז designation, destiny, appointment
יָעוּד ת designated, assigned
יִעוּל ז making efficient
יִעוּץ ז advice, consultation, counsel
יִעוּר ז afforestation
יָעִיל ת efficient, effective
יְעִילוּת נ efficiency
יִעֵל פ make efficient
יָעֵל ז chamois, mountain-goat
יַעֲלַת חֵן charming woman
יָעֵן ז ostrich
יַעַן (כִּי) because
יָעֵף ת tired, weary
יְעָף ז hurry, volley
יָעַץ, יִעֵץ פ advise
יַעַר ז forest, jungle
יִעֵר פ afforest
יַעְרָה נ honeycomb, honeysuckle
יַעֲרִי ת wooded, sylvan

יַעֲרָן ז forester
יַעֲרָנוּת נ forestry
יַפַּאי ז beautician, decorator
יָפֶה ת beautiful, lovely, pretty, nice
יָפֶה תה"פ well, properly
יָפָה פ be beautiful
יִפָּה פ beautify, adorn
יִפָּה כּוֹחוֹ authorize
יְפֵה־נֶפֶשׁ noble-minded
יְפֵה־תֹּאַר good-looking
יְפֵהפֶה ת beauteous, beautiful
יְפֵהפִיָּה נ beauty
יִפּוּי ז beautification
יִפּוּי כּוֹחַ power of attorney, proxy
יַפָּן נ Japan
יַפָּנִי Japanese
יַפָּנִית נ Japanese
יָצָא come out, go out, get out, emerge, leave
יָצָא לָאוֹר come to light
יָצָא מִדַּעְתּוֹ lose one's mind
יָצְאָה נִשְׁמָתוֹ die
יִצֵּא פ export
יַצְאָנִית נ prostitute
יִצֵּב פ stabilize
יִצֵּג פ represent
יְצוּא ז export
יִצּוּא ז exportation
יְצוּאָן ז exporter
יִצּוּב ז stabilization
יִצּוּג ז representation
יִצּוּגִי ת representative
יָצוּל ז beam, pole, shaft
יְצוּל־הַמִּשְׁקָפַיִם bow
יָצוּעַ ז couch, bed
יָצוּק ת cast, molten
יְצוּר ז creature
יִצּוּר ז manufacture, production
יְצוּר אֱנוֹשׁ human being

going out, exit, departure, emergence יְצִיאָה נ
cost יְצִיאוֹת נ״ר
Exodus יְצִיאַת מִצְרַיִם
stable, steady יַצִּיב ת
standing, posture יְצִיבָה נ
balance, constancy, stability יַצִּיבוּת נ
gallery, balcony יָצִיעַ ז
casting, pouring יְצִיקָה נ
creature, creation יְצִיר ז
creation, formation, work of art יְצִירָה נ
creativity יְצִירָתִיּוּת נ
cast, pour יָצַק פ
cast iron, pig iron, fondant יֶצֶקֶת נ
create, form, produce, generate יָצַר פ
manufacture יִצֵּר פ
instinct, urge, drive, impulse יֵצֶר ז
the old Adam יֵצֶר הָרַע
manufacturer יַצְרָן ז
productive יַצְרָנִי ת
wine cellar/press יֶקֶב ז
burn, glow יָקַד פ
burning יְקוֹד ז
cosmos, universe יְקוּם ז
raising of price יִקּוּר ז
hyacinth יַקִּינְטוֹן ז
awakening יְקִיצָה נ
dear, beloved יַקִּיר ז
darling, honey יַקִּירִי
dear, expensive, precious יָקָר ת
be dear/precious יָקַר פ
make dear, increase the price יִקֵּר פ
honor, dignity יְקָר ז
valuable יְקַר־עֵרֶךְ
dearness יַקְרוּת נ
profiteer יַקְרָן ז
fear, be afraid יָרֵא פ
fearing, afraid יָרֵא ת
God-fearing יְרֵא־שָׁמַיִם
fear, awe, dread יִרְאָה נ
reverence יִרְאַת כָּבוֹד
jerboa יַרְבּוּעַ (מכרסם) ז
yard יַרְד ז
go/come down, descend, fall, emigrate יָרַד פ
annoy, torment יָרַד לְחַיָּיו
be lost יָרַד לְטִמְיוֹן
become poor יָרַד מִנְּכָסָיו
Jordan יַרְדֵּן ז
fire, shoot יָרָה פ
cataract יָרוֹד (מחלה) ז
low, inferior, poor יָרוּד ת
interception יֵרוּט ז
green יָרוֹק ת
evergreen יְרוֹק־עַד ת
duckweed יְרוֹקָה, יְרוֹקֶת נ
heritage, inheritance, legacy יְרוּשָּׁה נ
Jerusalem יְרוּשָׁלַיִם נ
moon יָרֵחַ ז
month יֶרַח ז
honeymoon יֶרַח דְּבַשׁ
monthly יַרְחוֹן ז
lunar יַרְחִי ת
intercept יֵרֵט פ
shooting, firing יְרִי ז
adversary, opponent, rival יָרִיב ז
rivalry יְרִיבוּת נ
bazaar, fair יָרִיד ז
descent, fall, going down, decline, decrease, emigration יְרִידָה נ
shot, shooting יְרִיָּה נ
sheet, tent-cloth, curtain, hanging, fly יְרִיעָה נ
spitting יְרִיקָה נ
hip, thigh, loin יָרֵךְ נ
loins יַרְכָּה נ
stern, end, rear, hindpart, abutment יַרְכָה נ
stern יַרְכְּתֵי־הַסְּפִינָה
spit, expectorate יָרַק פ

יָרָק ז green herbs, foliage
יָרָק ז vegetable
יְרַק־עָלֶה chlorophyll
יְרָקוֹת ז״ר greens,
vegetables
יֵרָקוֹן ז chlorosis
יְרַקּוּת נ greenness
יַרְקָן ז greengrocer
יַרְקָנוּת נ greengrocery
יְרַקְרַק ת greenish
יָרַשׁ פ inherit, take
possession of
יֵשׁ תה״פ there is/are
יֵשׁ לִי I have
יֵשׁ ז being, existence
יָשַׁב פ sit, sit down,
dwell, reside, stay,
יָשַׁב רֹאשׁ preside
יִשֵּׁב פ settle, adjust,
set, place, solve
יַשְׁבָן ז behind,
buttocks,
bottom
יָשׁוּב ת seated, sitting
יִשּׁוּב ז settlement,
population, explaining
יִשּׁוּב דַּעַת composure
יִשּׁוּבִי ת of a settlement
יִשּׂוּם ז application
יְשׁוּעָה נ salvation, help
יֵשׁוּעִי ת Jesuit
יִשּׁוּר ז straightening,
alignment, rectification
יִשּׁוּר שִׁנַּיִם orthodontics
יֵשׁוּת being, entity
יְשִׁיבָה נ sitting, meeting,
session, dwelling, yeshiva
יָשִׂיג ת available
יָשִׂים ת applicable
יְשִׁימוֹן ז waste, desert
יְשִׂימוּת נ applicability
יָשִׁיר ת direct, directly
יְשִׁירוֹת תה״פ directly,
straight
יָשִׁישׁ ז old man

יִשֵּׂם פ apply,
bring into force
יָשֵׁן ת asleep, sleeping
יָשַׁן פ sleep
יִשֵּׁן פ put to sleep
יָשָׁן ת old, ancient
יֶשְׁנָהּ there is, she is
יֶשְׁנוֹ there is
יַשְׁנוּנִי ת sleepy, drowsy
יְשָׁנוּת נ oldness
יֶשְׁנָם there are
יַשְׁנָן ז sleeper
יֶשַׁע ז salvation, help
יָשְׁפֵה (אבן טובה) ז jasper
יָשָׁר ת straight, direct,
right, honest, candid
יָשַׁר פ be straight/just
יִשֵּׁר פ straighten, align
יִשְׂרָאֵל נ Israel
יִשְׂרְאֵלִי ת Israeli
יְשָׁרוּת נ straightness
יָתֵד נ peg, pin, spike,
wedge, metric foot
יַתּוּךְ ז tongs
יָתוֹם ז orphan
יִתּוּר ז excess, pleonasm
יַתּוּשׁ ז mosquito, gnat
יָתִיר ת superfluous, extra
יִתָּכֵן תה״פ perhaps, maybe
– הֲיִתָּכֵן? is it possible?
– לֹא יִתָּכֵן it is
impossible
יִתָּכְנוּת נ possibility
יִתֵּם פ (make an) orphan
יַתְמוּת נ orphanhood
יֶתֶר ז remainder, excess,
surplus, hypotenuse
יֶתֶר ת superfluous,
excessive, extra
יֶתֶר עַל כֵּן moreover
יִתְרָה נ balance, remainder
יִתְרוֹן ז advantage,
profit, benefit, gain
יִתְרוֹנִי ת advantageous
יִתְרוּת נ superiority

כ

כְּ־ as, like, about
כָּאַב פ ache, hurt
כְּאֵב ז ache, pain
כְּאֵב בֶּטֶן bellyache
כְּאֵב גַּב backache
כְּאֵב לֵב heartache
כְּאֵב רֹאשׁ headache
כְּאֵב שִׁנַּיִם toothache
כָּאוּב ת aching, painful
כְּאִלּוּ תה"פ as if, as though
כָּאָמוּר תה"פ as aforesaid
כָּאן תה"פ here
כַּאֲשֶׁר מ"ח when, while, as
כַּבָּאוּת נ fire fighting
כַּבַּאי ז fire fighter, fireman
כָּבֵד פ be heavy, be hard
כָּבֵד ת heavy, weighty
כָּבֵד ז liver
כִּבֵּד פ honor, respect
כְּבַד־שְׁמִיעָה hard of hearing
כְּבֵדוּת נ weight, heaviness
כָּבָה פ put out, go out
כִּבָּה פ extinguish
כָּבוֹד ז dignity, honor, respect, magnitude
– בְּכָבוֹד רַב yours respectfully
כִּבּוּד ז honoring, respect, refreshments, sweeping
כִּבּוּד אָב וָאֵם filial piety
כְּבוּדָּה נ luggage, burden
כָּבוּי ת extinguished
כִּבּוּי ז extinguishing, turning off
כִּבּוּי אוֹרוֹת blackout, lights out
כָּבוּל ז peat, turf
כָּבוּל ת fettered, tied
כִּבּוּס ז washing, laundering
כָּבוּשׁ ת conquered, occupied, preserved, pickled
כִּבּוּשׁ ז conquest, occupation, subjection
כְּבוּשִׁים ז"ר pickles
כְּבִידָה נ gravitation
כִּבְיָכוֹל תה"פ as it were
כְּבִילָה נ tying, chaining
כָּבִיס ת washable
כְּבִיסָה נ washing, laundry
כְּבִיסוּת נ washability
כַּבִּיר ת huge, gigantic, enormous, tremendous
כְּבִישׁ ז road, highway
כְּבִישׁ רָאשִׁי highway
כֶּבֶל ז cable, chain
כִּבֵּל פ tie, fetter, chain
כַּבְלָר ז jointer, splicer
כְּבֵנָה נ hairpin, brooch
כָּבַס פ launder, wash
כִּבֵּס פ launder, wash
כְּבָסִים laundry, washing
כְּבָר תה"פ already
כָּבַר פ sift, riddle
כְּבָרָה נ riddle, screen, sieve
כִּבְרַת דֶּרֶךְ a distance
כִּבְרַת אֶרֶץ plot of land
כֶּבֶשׂ ז sheep
כֶּבֶשׁ ז ramp, gangplank
כָּבַשׁ פ conquer, subdue, preserve, pickle
כָּבַשׁ לֵב captivate
כָּבַשׁ פָּנָיו בַּקַּרְקַע hide one's face
כִּבְשָׂה נ ewe
כִּבְשָׁן ז crematorium, furnace, kiln

כְּגוֹן תה"פ such as, for example, e.g.
כַּד ז pitcher, jar, jug
כַּד חָלָב churn
כְּדַאי ת advisable, worthwhile
כְּדָאִיּוּת נ advisability
כִּדְבָעֵי תה"פ well, properly
כַּדּוֹמֶה תה"פ and the like
כִּדּוּם ז dredge
כַּדּוּר ז ball, bullet, sphere, tablet, pill
כַּדּוּר בֵּינַיִם jump ball
כַּדּוּר־בָּסִיס baseball
כַּדּוּר הָאָרֶץ earth
כַּדּוּר־יָד handball
כַּדּוּר נַפְטָלִין camphor ball
כַּדּוּר־עָף volleyball
כַּדּוּר פּוֹרֵחַ balloon
כַּדּוּר־שֶׁלֶג snowball
כַּדּוּרִי ת spherical, round
כַּדּוּרֶגֶל ז football, soccer
כַּדּוּרַגְלָן ז soccer player
כַּדּוּרִית נ ball, corpuscle
כַּדּוּרִית לְבָנָה leukocyte
כַּדּוּרְסַל ז basketball
כַּדּוּרְסַלָּן basketball player
כַּדּוֹרֶת נ bowls, bowling
כְּדֵי (לְ־) so as to, in order to
כַּדְכֹּד ז jacinth
כִּדְלַהֲלָן תה"פ as follows
כִּדְלְקַמָּן תה"פ as follows
כִּדֵּר פ make round
כִּדְרוּר, כִּדְרֵר ז/פ dribble
כֹּה תה"פ so, such, here, now
כָּהָה פ be dark, grow dim
כֵּהֶה ת dark, dim, faint
כְּהוּא זֶה a little
כְּהֹגֶן תה"פ well, properly
כָּהוּי ת dark, dim, faint
כְּהֻנָּה נ office, term of service, priesthood
כֵּהוּת נ darkness, dimness

כַּהֲלָכָה תה"פ well, properly
כָּהֵנָּה וְכָהֵנָּה so much more
כַּהֶלֶת נ alcoholism
כִּהֵן פ hold office
כְּהֶרֶף עַיִן in a flash
כּוֹאֵב ת painful, sore
כּוֹבֶד ז weight, heaviness
כּוֹבֶסֶת נ laundress
כּוֹבַע ז cap, hat
כּוֹבַע גֶּרֶב stocking cap
כּוֹבַע הַנָּזִיר nasturtium
כּוֹבָעוֹן ז condom, sheath
כּוֹבָעָן ז hatter
כּוֹבֵשׁ ז conqueror
כָּוָה פ burn, scorch, scald
כַּוָּה נ port, hatchway
כּוֹהֶל ז alcohol
כּוֹהֶל מְפוּגָל denatured alcohol
כּוֹהֲלִי ת alcoholic
כּוֹהֵן ז priest
כִּוּוּן ז direction, aim
כִּוּוּנִי ת directional
כִּוּוּץ ז constriction, shrinking
כּוֹזֵב ת false
כּוֹחַ ז force, power, strength
כּוֹחַ אָדָם manpower
כּוֹחַ גַּבְרָא sexual potency
כּוֹחַ גַּרְעִינִי nuclear capabilities
כּוֹחַ הַמְּשִׁיכָה gravity
כּוֹחַ סוּס horsepower
כּוֹחוֹת יַבָּשָׁה land forces
כּוֹחַל ז kohl
כּוֹחַל־כְּבִיסָה blueing
כּוֹחָנִי ת potential
כְּוִיָּה נ blister, burn
כָּוִיץ ת contractible
כּוּךְ ז niche, catacomb
כּוֹכָב ז Mercury, star
כּוֹכַב הַצָּפוֹן polestar
כּוֹכַב יָם starfish
כּוֹכַב לֶכֶת planet

כּוֹכַב נוֹפֵל meteor
כּוֹכַב קוֹלנוֹעַ film star
כּוֹכַב שָׁבִיט comet
כּוֹכַב שֶׁבֶת fixed star
כּוֹכָבוֹן ז asterisk
כּוֹכָבִי ת astral, stellar
כּוֹכָבִית נ asterisk
כּוֹלֵל ת including, inclusive, all-out, general
כּוֹלְלָנִי ת global, total
כּוֹלֶסְטֶרוֹל ז cholesterol
כּוֹלֶרָה נ cholera
כּוֹמֶר ז clergyman, curate, priest
כּוּמְתָּה נ beret
כִּוֵּן פ aim, direct
כַּוָּנָה נ aim, intention, meaning, purpose
כִּוּנּוּן ז adjustment
כּוֹנֵן פ adjust, tune, wind
כּוֹנֵן פ found, set up
כּוֹנָן ז rack
כַּוָּן ז tuner
כּוֹנְנוּת נ alert, vigilance
כּוֹנָנִית סְפָרִים bookcase
כַּוֶּנֶת נ regulator, adjuster
כּוֹנֵס (נְכָסִים) official receiver
כּוֹנֶרֶת נ viola
כַּוֶּנֶת נ sight
כּוֹס נ glass, owl
כּוֹס־רוּחַ cupping-glass
כּוּסְבָּר ז coriander
כּוֹסִית נ small glass
כּוּסֶּמֶת נ buckwheat, spelt
כּוּסְפָּה נ oil-cake
כּוֹעֵס ת angry
כּוֹפֶה ת compulsive
כּוֹפֵל ת multiplier
כּוֹפֵף פ bend, bow, stoop
כּוֹפֶר ז ransom, asphalt
כּוֹפֵר ז heretic, atheist
כּוּפְתָּה נ dumpling
כִּוּוּץ ז shrinking
כִּוֵּץ פ contract, shrink

כּוּר ז melting pot, furnace
כּוּר אֲטוֹמִי atomic pile, reactor
כּוּר הִתּוּךְ blast furnace
כּוּרְדִּי ז Kurd
כּוֹרֶה ז miner
כּוֹרַח ז inevitability
כּוֹרֵיאוֹגְרָף ז choreographer
כּוֹרֵיאוֹגְרַפְיָה choreography
כּוֹרֵךְ סְפָרִים binder
כּוֹרְכָן ז binder
כּוֹרָל ז chorale
כּוֹרֵם ז vinegrower
כַּוָּרָן ז apiarist
כַּוָּרָנוּת נ apiculture
כּוּרְסָה נ armchair
כַּוֶּרֶת נ beehive, hive, apiary
כּוֹרֶת ז trunk, stump
כּוֹשׁ ז spindle
כּוּשִׁי ז black, colored, Negro
כּוּשִׁית נ Negress
כּוֹשֵׁל ת failing, abortive
כּוֹשֶׁר ז ability, fitness, power, skill
כּוֹשְׁרָה נ chance
כּוֹתֵב ז writer
כּוּתֹנֶת נ shirt
כּוּתֹנֶת לַיְלָה nightgown
כּוֹתֶל ז wall
כּוֹתֶל מַעֲרָבִי Wailing Wall
כּוּתְנָה נ cotton
כּוֹתֶפֶת נ epaulette, shoulder strap
כּוֹתֶרֶת נ caption, headline, title
כּוֹתֶרֶת הָעַמּוּד capital
כּוֹתֶרֶת הַפֶּרַח corolla
כָּזַב, כִּזֵּב פ lie, deceive
כָּזָב ז lie, deceit
כַּזְבָן ז liar
כַּזַּיִת ז small amount
כָּח פ spit phlegm

כָּחַד פ hide, deny, disown
כָּחוֹל ת blue
כָּחוּשׁ ת thin
כִּחְכֵּחַ פ clear one's throat
כִּחֵל, כָּחַל פ blue
כָּחָל ז kohl, eye shadow
כְּחָל ז udder
כְּחַלְחַל ת bluish
כָּחַשׁ פ become thin/lean
כִּחֵשׁ פ deny, lie
כַּחַשׁ ז deceit, lying
כִּי מ"ח because, since, as
כִּי אִם but, except, only
כַּיָּאוּת תה"פ well, properly
כִּיב ז ulcer
כִּיבִי ת ulcerous
כִּידוֹן ז bayonet, lance
כִּיּוּב ז ulceration
כִּיּוּל ז calibration
כַּיּוֹם תה"פ currently, now
כֵּיוָן תה"פ because, since
כַּיּוֹצֵא בּוֹ and the like
כִּיּוֹר ז basin, sink
כִּיּוּר ז modeling, molding
כִּיּוֹרֶת נ plasticine
כִּיחַ ז phlegm
כִּיחָה נ expectoration
כִּיֵּל פ calibrate, measure, gauge
כִּילַי ז miser, mean
כֵּילַף ז hatchet
כִּימַאי ז chemist
כִּימִי ת chemical
כִּימְיָה נ chemistry
כִּימְיָה אוֹרְגָּנִית organic chemistry
כִּימְיָה אִי־אוֹרְגָּנִית inorganic chemistry
כִּימִיקָלִים ז"ר chemicals
כִּינִין ז quinine
כִּיס ז pocket, sac
כַּיָּס ז pickpocket, cutpurse
כִּיֵּס פ pick pockets
כִּיס אֲוִיר air pocket
כִּיס הָאֲשָׁכִים scrotum
כִּיס הַמָּרָה gall bladder
כִּיסָן ז dumpling
כִּיסְתָּה נ cyst
כֵּיף ז fun, enjoyment
כִּיֵּף פ have fun
כֵּיצַד תה"פ how
כִּיֵּר פ mold, model
כִּירָה נ stove
כִּירוֹמַנְטְיָה נ palmistry
כִּירוּרְג ז surgeon
כִּירוּרְגִי ת operative
כִּירוּרְגְיָה נ surgery
כִּירַיִם ז"ר stove
כִּישׁוֹר ז distaff, spindle
כָּךְ תה"פ so, thus
כִּכֵּב פ feature, star
כָּכָה תה"פ so, thus
כָּכָה־כָּכָה so-so
כָּכוּב ת starred
כִּכָּר נ square, circle
כִּכַּר לֶחֶם loaf
כִּכְלוֹת הַכֹּל after all
כֹּל, כָּל ז all, any, every, each, the whole
כָּל אֶחָד each
כָּל הַכָּבוֹד! well done!, good effort
כָּל־יָכוֹל all-powerful, almighty, omnipotent
כָּל כָּךְ so, so much
כָּל עוֹד as long as
כָּל שֶׁכֵּן let alone
כֶּלֶא ז jail, prison
כָּלָא פ jail, imprison
כִּלְאַחַר יָד offhanded, perfunctorily
כַּלַּאי ז jailor, warden
כִּלְאַיִם ז"ר hybrid, crossing
כֶּלֶב ז dog
כִּלֵּב פ stitch
כֶּלֶב גִּשּׁוּשׁ bloodhound
כֶּלֶב יָם seal
כֶּלֶב נָהָר otter
כֶּלֶב צַיִד hound

כֶּלֶב שׁוֹטֶה mad dog
כֶּלֶב שְׁמִירָה watchdog
כַּלְבָּה נ bitch
כַּלְבִּי ת canine, dog-like
כְּלַבְלָב ז puppy, doggie
כַּלְבָן ז dog-trainer
כַּלֶּבֶת נ hydrophobia, rabies
כַּלַבְתָּא נ shrew
כָּלָה פ end, run out
כִּלָּה פ finish, destroy, exhaust, consume
כַּלָּה נ bride, daughter-in-law
כִּלָּה נ canopy, mosquito net
כָּלֶה ת transitory, yearning
כִּלְהַלָּן תה"פ as follows
כָּלוּא ת imprisoned
כְּלוּב ז cage
כְּלוּב עוֹפוֹת aviary
כָּלוּל ת included
כְּלוּלוֹת נ"ר wedding
כְּלוּם ז something, aught
כְּלוּם? תה"פ is it (not)?
- לֹא כְלוּם nothing
כְּלוֹמַר תה"פ i.e., id est, namely, that is
כְּלוֹנָס ז pole, stilt, pale
כֶּלַח, אָבַד עָלָיו כֶּלַח become obsolete
כְּלוֹר ז chlorine
כְּלוֹרוֹפוֹרם ז chloroform
כְּלוֹרוֹפִיל ז chlorophyll
כְּלוֹרִיד ז chloride
כְּלוֹת־הַנֶּפֶשׁ yearning
כִּלַי ז miser, mean
כְּלִי ז apparatus, gadget, appliance, instrument, tool, utensil, vessel
כְּלֵי בַּרְזֶל ironware
כְּלֵי דָם blood vessel
כְּלֵי הַקָּשָׁה percussion instruments
כְּלֵי הַתִקְשׁוֹרֶת media
כְּלֵי זֶמֶר musical instruments
כְּלֵי חֶרֶס earthenware
כְּלֵי חַרְסִינָה chinaware
כְּלֵי כֶּסֶף silverware
כְּלֵי מִטְבָּח kitchenware
כְּלֵי מִטָּה bedclothes
כְּלֵי מִלְחָמָה arms
כְּלִי נְגִינָה musical instrument
כְּלֵי קֶשֶׁת string instruments
כְּלִי רֶכֶב vehicle
כְּלִי שַׁחְמָט chessman
כְּלֵי שׁוּלְחָן tableware
כַּלִיא־בָּרָק lightning conductor/rod
כְּלִיב ז staple
כְּלִיאָה נ imprisonment
כְּלִיבָה נ stitching, clamp
כִּלְיָה נ kidney
כְּלָיָה נ extermination
כִּלָּיוֹן ז extermination
כִּלָּיוֹן חָרוּץ utter destruction
כִּלְיוֹן עֵינַיִם yearning
כָּלִיל תה"פ completely, entirely, totally
כְּלִילִי ת coronary
כָּלִיף ז caliph
כָּלִיפוּת נ caliphate
כַּלֵּךְ מ"ק go, get out
כִּלְכּוּל ז maintenance
כִּלְכֵּל פ feed, maintain
כַּלְכָּל ז steward
כַּלְכָּלָה נ economics, economy
כַּלְכָּלִי ת economic
כַּלְכְּלָן ז economist
כָּלַל פ comprise, contain, include
כְּלָל ז regulation, rule, total, whole, society
- בִּכְלָל in general
כְּלָל לֹא not at all

כְּלָלוּת נ generality
כְּלָלִי ת common, general
כְּלָלִיּוּת נ generality
כְּלָלִית תה"פ by and large, generally
כְּלִמָּה נ shame, disgrace
כַּלָּנִית נ anemone, windflower
כִּלְעוּמַּת שֶׁ- just as
כְּלַפֵּי מ"י toward, towards
כְּלַשְׁהוּ ז whatever, any
כִּמְדוּמֶה it seems
כִּמְדוּמַנִי it seems to me
כַּמָּה תה"פ few, several, some
כַּמָּה? how much/many?
כָּמַהּ פ yearn, long
כָּמֵהַּ ת yearning, longing
כְּמֵהָה נ truffle
כְּמוֹ תה"פ as, like, such as
כְּמוֹ כֵן likewise
כַּמּוּבָן תה"פ certainly, of course
כִּמּוּי ז quantification
כַּמּוֹן ז cumin
כָּמוּס ת secret, hidden
כְּמוּסָה נ cachet, capsule
כְּמוּרָה נ clergy, priesthood
כָּמוּשׁ ת withered
כְּמוֹת תה"פ as, like
כַּמּוּת נ amount, lot, quantity
כַּמּוּתִי ת quantitative
כְּמִיהָה longing, yearning
כְּמִטַּחֲוֵי תה"פ within the range of
כְּמִישָׁה נ withering
כַּמְנוֹן ז anise
כִּמְעַט תה"פ about, all but, almost, approximately, closely, nearly
כִּמֵּר פ braise
כָּמַשׁ פ wither
כִּמָּשׁוֹן ז blight

כֵּן תה"פ yes, so, thus
כֵּן ת honest, frank
כַּן ז mount, pedestal
כַּן־צִיּוּר easel
כַּן־שִׁגּוּר launching pad
כַּן־תּוֹתָח gun carriage
כִּנָּה פ name, nickname
כִּנָּה נ louse
כַּנָּה נ stand, easel
כִּנּוּי ז nickname
כִּנּוּי הַשֵּׁם pronoun
כִּנּוּן ז establishing, founding
כִּנּוּס ז gathering, assembly, conference
כָּנוּעַ ת submissive
כְּנוּפְיָה נ band, gang
כִּנּוֹר ז fiddle, violin
כֵּנוּת נ sincerity
כִּנְיוֹן ז nomenclature
כִּנִּים ז"ר lice
כְּנִימָה נ aphid, greenfly
כְּנִימַת מָגֵן scale insect
כְּנִיסָה נ admission, entrance, entry
כְּנִיעָה נ capitulation, submission, surrender
כִּנֶּמֶת נ lousiness
כִּנֵּן פ adjust, wind
כַּנָּן ז capstan
כַּנֶּנֶת נ winch
כָּנַס פ assemble, collect
כִּנֵּס פ convene, summon
כֶּנֶס ז meeting, rally
כְּנֵסִיָּה נ church
כְּנֶסֶת נ Knesset
כָּנָף wing, fender
כַּנָּר ז violinist, fiddler
כִּנֵּר פ fiddle
כַּנִּרְאֶה תה"פ apparently
כִּנַּת הָעֶרְוָה crab louse
כַּנָּרִית נ canary
כֵּס מַלְכוּת throne
כִּסֵּא ז chair, seat
כִּסֵּא גַּלְגַּלִּים wheelchair

כִּסֵּא הַיּוֹשֵׁב־רֹאשׁ chair
כִּסֵּא חַשְׁמַל electric chair
כִּסֵּא מִתְקַפֵּל camp chair, campstool
כִּסֵּא נוֹחַ easy chair
כִּסָּה פ cover
כָּסוּחַ ת mown, cut off
כִּסּוּחַ ז cutting off
כִּסּוּי ז blanket, cover, covering, lid
כִּסּוּי־מִטָּה bedspread
כָּסוּף ת argent, gray, silvery
כִּסּוּפִים ז״ר yearning
כְּסוּת נ garment, cover,
כָּסַח, כִּסַּח פ mow, cut down
כְּסָיָה נ glove, mitten
כְּסִיחָה נ mowing
כְּסִיל ז fool, Orion
כְּסִילוּת נ foolishness
כְּסִיסָה נ biting, gnawing
כִּסְכֵּס פ scrub
כַּסְכֶּסֶת נ washboard
כֶּסֶל ז foolishness
כִּסְלֵו ז Kislev (month)
כִּסְנוֹעַ ז rocking chair
כָּסַס פ gnaw, bite
כֶּסֶף ז silver, money
כַּסָּף ז silversmith
כֶּסֶף קָטָן change
כַּסְפִּי ת financial, monetary, pecuniary
כַּסְפִּית נ mercury, quicksilver
כַּסְפִּיתָנִי ת mercurial
כַּסֶּפֶת נ deposit safe, safe
כֶּסֶת נ quilt, pillow
כָּעוּס ת angry
כִּעוּר ז ugliness
כָּעוּר ת ugly
כְּעֵין תה״פ like, sort of
כַּעַךְ ז roll, bagel
כִּעְכַּע, כִּעְכּוּעַ פ/ז cough

כַּעַס ז anger
כָּעַס פ be angry
כַּעֲסָן ת irascible, pettish
כִּעֵר פ make ugly, uglify
כַּף נ palm, spoon
כֵּף ז cape, cliff, rock
כַּף־אַשְׁפָּה dustpan
כַּף־הַמֹּאזְנַיִם scale
כַּף־יָד palm
כַּף־נַעַל shoehorn
כִּפָּה נ canopy, cap, dome, skullcap
כַּפָּה נ palm, paw
כָּפָה פ enforce, compel
כָּפוּי ת forced, compelled
כְּפוּי־טוֹבָה ungrateful
כָּפוּל ת multiplied, double
כְּפוּלָה נ duplicate, multiple
כָּפוּף ת subordinate, subject, bent, bowed
כִּפּוּף ז bending, bend
כִּפּוּר ז atonement, pardon
כְּפוֹר ז frost
כְּפוֹרִי ת frosty
כָּפוּת ת tied, bound
כְּפַח ת very tall
כְּפִי תה״פ as, according to
כְּפִי הַנִּרְאֶה seemingly
כְּפִיָּה נ coercion, forcing, compulsion
כִּפְיוֹן ז epilepsy
כְּפִיּוּת נ coercion
כְּפִיּוּת טוֹבָה ingratitude
כָּפִיל ז double
כְּפִילָה נ multiplying
כְּפִילוּת נ duplication, duplicity, duality
כָּפִיס ז rafter, beam
כָּפִיף ת pliable, pliant, flexible
כְּפִיפָה נ bending, flexion
– בִּכְפִיפָה אַחַת together
כְּפִיפוּת נ pliancy, subordination

כְּפִיר ז young lion
כְּפִירָה נ denial, atheism, disbelief, heresy
כַּפִּית נ teaspoon, spoon
כְּפִיתָה נ binding, tying
כְּפִיָּתִי ת coercive, compulsory
כְּפִיָּתִיּוּת נ compulsiveness
כָּפַל פ multiply, double
כֶּפֶל ז multiplication, duplication, doubling
כִּפְלַיִם תה"פ twice, double
כָּפָן ז hunger, famine
כָּפַף פ bend, bow, curve
כֶּפֶף ז bend, bending
כְּפָפָה נ glove, mitten
כָּפַר פ disbelieve, deny
כִּפֵּר פ atone, pardon, expiate, forgive
כְּפָר ז village
כַּפָּרָה נ atonement, pardon
כְּפָרוֹן ז hamlet
כַּפְרִי ת rustic, rural
כַּפְרִיּוּת נ rusticity
כַּפְרָן ז denier, unbeliever
כָּפַת פ bind, tie
כִּפַּת־גַּג dome
כַּפְתּוֹר ז button, knob, bud
כַּפְתּוֹר־חֲפָתִים cuff link
כַּפְתּוֹר־פַּעֲמוֹן bell push
כִּפְתּוּר נ buttoning
כִּפְתֵּר פ button
כַּר ז cushion, pillow, meadow, grassland
כַּר־מִרְעֶה meadow
כָּרָאוּי תה"פ well, properly
כַּרְבֹּלֶת נ cockscomb, crest
כִּרְבֵּל פ wrap up, muffle
כְּרֶגַע תה"פ now
כָּרָגִיל תה"פ as usual
כָּרָה פ dig up, mine
כָּרָה אוֹזֶן call attention
כֵּרָה נ feast, banquet
כְּרוּב ז cabbage, cherub
כְּרוּב־הַקֶּלַח kohlrabi

כְּרוּבִית נ cauliflower
כְּרוּז ז proclamation
כָּרוֹז ז auctioneer, crier, announcer, herald
כָּרוּי ת dug, mined
כְּרַוְיָה נ caraway
כָּרוּךְ ת bound, wrapped, involved, attached
כְּרוּכִית נ strudel
כְּרוֹם ז chrome, chromium
כְּרוֹמוֹזוֹם ז chromosome
כְּרוֹמָטִי ת chromatic
כְּרוֹנוֹלוֹגִי ת chronological
כְּרוֹנוֹלוֹגְיָה נ chronology
כְּרוֹנִי ת chronic
כְּרוֹנִיקָה נ chronicle
כָּרוּת ת cut off
כְּרָזָה נ banner, placard, poster
כַּרְטִיס ז card, ticket
כַּרְטִיס אַשְׁרַאי credit card
כַּרְטִיס בִּקּוּר calling card, visiting card
כַּרְטִיס נִקּוּב punch card
כַּרְטִיסִיָּה נ season ticket
כַּרְטִיסָן ז conductor, ticket collector
כַּרְטֶסֶת נ card index
כְּרִיָּה נ digging, mining
כָּרִיזְמָה נ charisma
כָּרִיזְמָטִי ת charismatic
כָּרִיךְ ז sandwich
כְּרִיכָה נ binding, winding
כְּרִיכָה רַכָּה paperback
כְּרִיכִיָּה נ bindery
כְּרִיעָה נ kneeling
כָּרִישׁ ז shark
כָּרִית נ cushion, pillow
כָּרִית דְּיוֹ ink-pad
כָּרִית כְּרִיעָה hassock
כְּרִיתָה נ amputation, cutting down
כְּרִיתוּת נ divorce
כְּרִיתַת בְּרִית making an agreement

כְּרִיתַת שַׁד mastectomy
כָּרַךְ פ bind, wrap, wind, tie, connect, combine
כֶּרֶךְ ז volume, bunch
כְּרַךְ ז town, city
כַּרְכּוֹב ז cornice, rim, edge
כַּרְכּוֹם ז crocus, saffron
כִּרְכּוּר ז dance, caper
כִּרְכֵּר פ dance, caper
כַּרְכָּר ז top
כִּרְכָּרָה נ cab, carriage, coach
כַּרְכֶּשֶׁת נ intestine, rectum
כֶּרֶם ז vineyard
כַּרְמִין ז carmine
כָּרֵס נ belly, abdomen
כִּרְסוּם ז gnawing, nibble
כַּרְסוֹם ז milling instrument
כִּרְסֵם פ gnaw, nibble, chew, mill
כַּרְסְתָנִי ת big-bellied, paunchy
כָּרַע פ kneel, bow down
כֶּרַע ז leg
כַּרְפַּס ז celery, parsley
כֶּרֶץ ז hookworm
כְּרֵשָׁה, כַּרְתִּי נ/ז leek
כָּרַת פ cut down/off, fell, destroy, amputate
כָּרַת בְּרִית make an agreement
כָּרֵת ז excommunication
כִּשּׁוּף ז magic, spell
כַּשּׁוּרָה תה"פ well, properly
כִּשּׁוּרִים ז"ר qualifications
כְּשׁוּת נ hops
כַּשִּׁיל ז heavy ax
כָּשִׁיר ת eligible, qualified
כְּשִׁירוּת נ qualification
כִּשְׁכּוּשׁ ז wagging
כִּשְׁכֵּשׁ פ wag
כָּשַׁל פ fail, stumble
כֶּשֶׁל ז failure, mistake
כִּשָּׁלוֹן ז failure, fiasco

כְּשֵׁם שֶׁ- תה"פ just as
כִּשֵּׁף פ bewitch, charm
כְּשָׁפִים ז"ר magic
כָּשֵׁר ת fit, proper, valid, allowed, kasher
כִּשְׁרוֹן ז ability, aptitude, talent
כִּשְׁרוֹנִי ת able, talented
כַּשְׁרוּת נ fitness, validity
כַּת נ caste, clique, sect, group, faction, party
כָּתַב פ write, register
כְּתָב ז handwriting, writing, document
כַּתָּב ז correspondent, reporter
כְּתַב אַשְׁמָה charge sheet
כְּתַב בְּרַיל braille
כְּתַב הָאֲמָנָה credentials
כְּתַב הַחַרְטוּמִים hieroglyphs
כְּתַב הַיְתֵדוֹת cuneiform
כְּתַב יָד handwriting, manuscript, script
כְּתַב עֵת periodical
כְּתַב פְּלַסְתֵּר lampoon
כַּתָּבָה נ reportage, report, correspondence
כְּתָבִי ת graphic(al)
כִּתְבֵי הַקֹּדֶשׁ Bible, Scripture, Holy Writ
כְּתָבִים ז"ר writings
כַּתְבָן ז typist, penman
כַּתְבָנוּת נ typing
כַּתְבָנִית נ typist
כִּתָּה נ class, classroom, grade, section, sect
כָּתוּב ת written
כְּתֻבָּה נ marriage contract
כְּתֹבֶת address, inscription
כְּתֹבֶת קַעֲקַע tattoo
כָּתֹם ת orange
כִּתּוּף ז shouldering
כִּתּוּר ז surrounding
כָּתוּשׁ ת ground, crushed
כְּתוֹשֶׁת נ pulp

כָּתוּת ת — pounded, crushed
כְּתוּת ז — beating, crushing
כְּתוּת רַגְלַיִם — tiring walk
כְּתִיב ז — spelling
כְּתִיבָה נ — writing
כְּתִיבָה תַּמָּה — calligraphy, copperplate writing
כְּתִיבִי ת — orthographic
כְּתִישָׁה נ — crushing, pounding
כְּתִיתָה — crushing, schnitzel
כֶּתֶם ז — blot, mark, stain, taint
כָּתֵף נ — shoulder
כִּתֵּף פ — shoulder
כַּתָּף ז — carrier, porter
כְּתֵפָה נ — brace, suspender
כְּתֵפָה נ — epaulette, shoulder strap
כְּתֵפִיָּה נ — cape, suspender
כְּתֵפִיּוֹת נ"ר — braces
כְּתוֹנֶת נ — shirt
כֶּתֶר ז — crown
כִּתֵּר פ — encircle, surround
כָּתַשׁ פ — pestle, crush
כָּתַת פ — pound, crush
כִּתֵּת פ — beat, pound
כִּתֵּת רַגְלָיו — trudge
כִּתַּת יוֹרִים — firing squad
כִּתָּתִי ת — sectarian
כִּתָּתִיּוּת נ — sectarianism

לְ- מ"י — to, for, towards
לֹא תה"פ — no, not
לֹא הֶגְיוֹנִי — illogical
לֹא וָלֹא — definitely not
לֹא חוּקִי — illegal
לֹא יִצְלַח — awkward
לֹא יְאוּמַן — incredible
לֹא כָּל שֶׁכֵּן — let alone
לֹא כְלוּם — nothing
לֹא מוּסָרִי — immoral
לֹא מַעֲשִׂי — impractical
לֹא נוֹחַ — inconvenient
לֹא נָכוֹן — incorrect
לֹא קָרִיא — illegible
לֹא רֶלֶוַנְטִי — irrelevant
לֹא רִשְׁמִי — informal
לֵאֶה ת — tired
לָאו תה"פ — no, not
- בְּלָאו הָכֵי — anyhow
לָאו דַוְקָא — not necessarily
לָאו נָפְקָא מִנַּהּ — it makes no odds
לְאוֹם ז — nation, people
לְאוּמִי ת — national, nationalist
לְאוּמִיּוּת נ — nationalism, nationality
לְאוּמָנוּת נ — chauvinism, nationalism
לְאוּמָנִי ת — chauvinistic, nationalistic
לְאוֹרֶךְ- מ"י — along
לֵאוּת נ — weariness
לְאַחַר מִכֵּן — afterwards, after that
לָאַחֲרוֹנָה — lately, newly, recently
לְאַט תה"פ — slowly
לָאַט פ — speak slowly
לְאַלְתַּר תה"פ — immediately
לֵאמוֹר תה"פ — that is to say
לְאָן? תה"פ — where
לֵב ז — heart
לֵבָב ז — heart
לִבֵּב פ — fascinate, attract
לְבָבִי ת — cordial, hearty
לְבָבִיּוּת נ — cordiality
לְבַד תה"פ — alone, by oneself
לֶבֶד ז — felt
לִבֵּד פ — combine, laminate

לְבַדּוֹ alone, by oneself

לִבָּה נ heartwood, core

לִבָּה פ inflame, kindle

לָבָה נ lava

לִבּוּב ז fascination

לִבּוּבִית נ bib

לָבוּד ת combined, laminated

לִבּוּי ז inflaming

לִבּוּן ז whitening, purifying, clarifying

לְבוֹנָה נ frankincense

לַבּוּרְנוּם ז laburnum

לְבוּשׁ ז garment, dress

לָבוּשׁ ת dressed

לָבֶטַח תה"פ surely

לֶבֶט ז difficulty, trouble

לְבָטִים ז"ר pains, trouble

לָבִיא ז lion

לְבִיאָה נ lioness

לְבִיבָה נ pancake

לָבִיד ז plywood

לְבִישָׁה נ dressing, wearing

לָבִישׁ ת wearable

לְבַל תה"פ lest, so as not

לַבְלָב ז pancreas

לִבְלֵב פ bloom, sprout

לִבְלוּב ז blooming

לַבְלָר ז amanuensis, clerk

לַבְלָרוּת נ office work

לָבָן ת white

לֶבֶן ז sour milk

לִבֵּן פ whiten, bleach, purify, clarify

לְבַנְבַּן ת off-white, whitish

לְבָנָה נ moon

לְבֵנָה נ brick

לִבְנֶה ז birch, styrax

לַבְנוּן ז bleak

לְבָנוֹן נ Lebanon

לְבַנוּנִי ת whitish

לַבְנוּת נ whiteness

לְבַנְט ז Levant

לְבַנְטִינִי ת Levantine

לֶבֶּנִיָּה נ sour milk

לְבָנִים ז"ר linen, underclothes

לַבְנִין ז cabbage butterfly

לְבַסוֹף תה"פ finally

לַבְקָן ז albino

לַבְקָנוּת נ albinism

לִבְרִית נ book, libretto

לָבַשׁ פ wear, put on

לְגַבֵּי מ"י regarding

לָגוּנָה נ lagoon

לֶגָטוֹ תה"פ legato

לִגְיוֹן ז legion

לִגְיוֹנַאי ז legionary

לִגְיוֹנֶר ז legionary

לֶגִיטִימִי ת legitimate

לֶגִיטִימִיּוּת נ legitimacy

לְגִימָה נ drink, gulp, sip

לָגִין ז jar, jug

לִגְלֵג פ mock, sneer

לַגְלְגָן ז mocker

לִגְלוּג ז mockery, sneer

לֶגָלִי ת legal

לֶגָלִיּוּת נ legality

לֶגָלִיזַצְיָה legalization

לָגַם פ sip, drink, gulp

לִגְמְרֵי תה"פ altogether, completely, entirely

לֵדָה נ birth, childbirth

- לִפְנֵי הַלֵּדָה antenatal

לֵדַת־חֲתָךְ Caesarean section

לְדוּגְמָה תה"פ for instance

לְדִידִי מ"ג for my part

לָהּ מ"ג her

לָה (צליל) ז A, la

לְהָאָה נ uvula

לַהַב ז blade, edge

לְהַבָּא תה"פ in the future

לְהַבְדִּיל not to mention

לֶהָבָה נ blaze, flame

לַהֲבִיוֹר ז flame-thrower

לַהַג ז garrulity, wordiness

לִהֵג פ prattle

לַהֲגָנוּת נ prattle

לְהַדַּ"ם completely untrue
לַהַג ז prattle
לָהוּט ת eager, keen
לָהוּט ז blaze, burning
לְהוֹצִיא תה"פ excluding
לַהַט ז ardor, fervency, heat
לָהַט פ burn, blaze, flame
לַהֲטוּט ז jugglery, trick
לַהֲטוּטִים ז"ר legerdemain
לַהֲטוּטָן ז conjuror, juggler
לַהֲטוּטָנוּת נ jugglery
לְהַטֵּט פ juggle
לָהִיט ז hit
לְהִיטוּת נ avidity, zeal
לְהַכְעִיס תה"פ out of spite
לְהַלָּן below, as follows
לָהֶם, לָהֶן מ"ג them
לְהֶפֶךְ on the contrary
לַהַק ז group, wing
לַהֲקָה נ group, band
לְהִתְרָאוֹת מ"ק so long, au revoir
לוֹ מ"ג him
לוּ מ"ח if only, Oh that
לְוַאי ז accompaniment
- הַלְוַאי if only, I wish
לוֹבִּי ז lobby
לוֹבֶן ז whiteness
לוּבְנָן ז sponge cake
לוֹג ז log (liquid measure)
לוֹגִי ת logical
לוֹגִיסְטִי ת logistic
לוֹגִיסְטִיקָה נ logistics
לוֹגִיקָה נ logic
לוֹגִיקָן ז logician
לוֹגָרִיתְם ז logarithm
לוֹגָרִיתְמִי ת logarithmic
לוּדָר ז gladiator
לָוָה פ borrow
לִוָּה פ escort, accompany
לוֹהֵט ת hot, burning
לוֶֹה ז borrower, debtor
לִוּוּחַ ז tabulation
לִוּוּי ז accompaniment, escort
לוּז ז hazel, almond
לוּחַ ז plank, board, plate, table
לִוַּח פ tabulate
לוּחַ בַּקָּרָה control panel
לוּחַ הַסַּל backboard
לוּחַ זְמַנִּים timetable, schedule
לוּחַ כִּתָּה blackboard
לוּחַ מוֹדָעוֹת billboard, notice board
לוּחַ סְפָרוֹת dial
לוּחַ שַׁחְמָט chessboard
לוּחַ שָׁנָה calendar
לוּחַ שָׁעוֹן dial
לוּחִית נ tablet, plate
לוּחִית זִהוּי license plate
לוֹחֵם ת belligerent, fighter, warrior
לוֹחֵם גֵּרִילָה guerrilla
לוֹחֵם שְׁוָרִים bullfighter
לוֹחְמָה נ warfare, fighting
לוֹחְמָה זְעִירָה guerrilla war
לוֹחֲמוּת נ belligerency
לוּט ת enclosed
לוֹט ז cover, envelope
לוֹטוֹ ז lotto
לוֹטוּס ז lotus
לֵוִי ז Levite
לוֹיָאלִי ת loyal
לוֹיָאלִיּוּת נ loyalty
לְוָיָה נ funeral, escort
לַוְיָן ז satellite
לִוְיַת חֵן ornament
לִוְיָתָן ז leviathan, whale
לוֹכְסָן ז slant, oblique
לוֹכְסָנִי ת oblique
לוּל ז coop, hen-coop
לוּל־פְּעוֹטוֹת pen, playpen
לוּלֵא מ"ח but for, if it weren't

לוּלָאָה נ	buttonhole, loop, noose
לוּלָב ז	palm branch
לוּלָב ז	bolt
לוּלְיָן ז	acrobat
לוּלְיָנוּת נ	acrobatics
לוּלְיָנִי ת	spiral
לוּלָן ז	poultry keeper
לוּמבָּגוֹ ז	lumbago
לוֹמֵד ז	learner
לֶוַנטִינִי ת	Levantine
לוֹעַ ז	pharynx, mouth
לוֹעַ הָאֲרִי	antirrhinum, snapdragon
לוֹעַ הַר־גַּעַשׁ	crater
לוֹעֲגָנִי ת	derisive
לוֹעֲזִי ת	foreign, stranger
לוֹעֲזִית נ	foreign language
לוֹעִי ת	guttural
לוּף ז	arum
לוֹקָלִי ת	local
לוֹקָלִיזַצְיָה נ	localization
לוּקסוּס ז	luxury
לוֹרד ז	lord
לוּתְרָנִי ת	Lutheran
לִזְבֵּז ז	frame, rim
לִזְבֶּזֶת נ	gunnel
לְזוּת שְׂפָתַיִם	slander
לַח ת	damp, humid, moist, wet
לֵחַ ז	moisture
לֵחָה נ	mucus, phlegm
לְחוּד תה"פ	alone, separately
לָחוּץ ת	pressed
לַחוּת נ	damp, humidity
לְחִי נ	cheek, jaw
לְחַיִּים	cheers!
לְחִיכָה נ	lapping, licking
לְחִימָה נ	fighting
לַחְיוֹן ת	melodic
לְחִיץ ז	button, push button
לְחִיצָה נ	pressing, urging
לְחִיצַת־יָד	handshake
לְחִישָׁה נ	whisper
לָחַךְ פ	lap, lick
לִחֵךְ פ	lick, graze, chew
לַחְלוּחַ ז	moisture
לַחְלוּחִי ת	moist, dampish
לַחְלוּחִיּוּת נ	moisture
לַחְלוּחִית נ	moisture, damp
לַחֲלוּטִין תה"פ	entirely, absolutely, completely
לַחֲלוּפִין תה"פ	alternatively
לִחְלַח פ	humidify, moisten
לָחַם פ	fight, make war
לְחָם ז	solder
לֶחֶם ז	bread
לֶחֶם הָאֵלִים	ambrosia
לֶחֶם הַקּוֹדֶשׁ	Blessed Sacrament, the Host
לֶחֶם חוֹק	daily bread
לַחְמִית נ	conjunctiva
לַחְמָנִיָּה נ	roll, bun
לַחַן ז	melody, tune
לָחַץ פ	press, oppress, squeeze, stress
לַחַץ ז	pressure, stress
לַחַץ דָּם	blood pressure
לַחְצָנִית נ	press-stud
לָחַשׁ פ	whisper
לַחֲשׁוּשׁ ז	whisper, murmur
לַחַשׁ ז	whisper, spell
לַחְשָׁן ז	whisperer, prompter
לָט פ	wrap up, cover
לְטָאָה נ	lizard
לְטוֹבַת-	on behalf of
לִטּוּף ז	caress, patting
לִטּוּשׁ ז	polishing, honing
לָטִינִי ת	Latin
לָטִינִית נ	Latin
לָטִיף ת	cuddlesome
לְטִיפָה נ	caress, patting
לְטִישָׁה נ	polishing, honing
לִטֵּף פ	caress, pet, stroke
לָטַשׁ, לִטֵּשׁ פ	polish, hone
לִטֵּשׁ יְדִיעוֹת	brush up
לָטַשׁ עֵינַיִם	stare
לִי מ"ג	me
לִיאָנָה נ	liana

ליבידו ז libido
ליבְּרָה נ pound
ליברֶטו ז libretto
ליבֶּרָל ז liberal
ליבֶּרָלִי ת liberal
ליבֶּרָלִיוּת נ liberalism
ליבֶּרָלִיזַציָה liberalization
ליגָה נ league
ליגָטוּרָה נ ligature
לְיַד מ״י beside, by
לִידֵי מ״י to (the hands of)
לֵידִי נ lady
ליזול ז lysol
לֵיזֶר ז laser
ליטוּרגִי ת liturgical
ליטוּרגִיָה נ liturgy
לַיטמוֹטִיב ז leitmotif
ליטֶר ז liter
ליטרָה נ pound
לַילָה, לֵיל ז night
לֵיל שַׁבָּת Friday night
לֵילִי nightly, nocturnal
לִילִית נ owl
לִילָך ז lilac
לימוּזִין נ limousine
לימוֹן ז lemon
לימוֹנָדָה נ lemonade
לִימפָה נ lymph
לִימפָתִי ת lymphatic
לִינָה נ lodging, staying the night
לַינוֹטַיפּ ז linotype
לינוֹלֵיאוּם ז linoleum
לינץ' ז lynch
ליף ז fiber
ליפִי ת fibrous
ליפּסטיק ז lipstick
לֵיצָן ז jester, clown
לֵיצָנוּת נ buffoonery
ליקוִידַציָה נ liquidation
לֵיקוֹמִיָה נ leukemia
לֵיקוֹצִיט ז leukocyte
ליקֶר ז liqueur
לירָה נ pound
לירִי ת lyric(al)
לִירִיוּת נ lyricism
לִירִיקָה נ lyrics
לַיִשׁ ז lion
לִישָׁה נ kneading
לֵית תה״פ there is not
- בדלית בְּרֵרָה as there is no choice
ליתוֹגרָף ז lithograph
ליתוֹגרָפִי ת lithographic
ליתוֹגרַפיָה נ lithography
ליתיוּם ז lithium
לְךָ, לָךְ מ״ג you
לִכאוֹרָה תה״פ apparently, seemingly
לכבוד to
לָכַד פ capture, catch, trap
לִכֵּד פ unite, combine
לַכָּה נ varnish, lacquer
לִכּוּד ז unity, consolidation
לְכִידָה נ capture
לְכָל הַיוֹתֵר תה״פ at best, at most
לְכָל הַפָּחוֹת תה״פ at least
לִכלוּך ז dirt, filth
לִכלֵך פ dirty
לַכלְכָן ז dirty person
לָכֶם, לָכֶן מ״ג you
לָכֵן תה״פ accordingly, hence, so, therefore
לִכסֵן פ turn aside
לַכסָנִית נ lozenge
לֶכֶשׁ ז bast, raffia
לֶכֶת going
לְכַתְּחִלָּה תה״פ at first
לְלֹא without
לְלֹא דִחוּי immediately
לָמַד פ learn, study
לָמַד בְּעַל פֶּה learn by heart
לִמֵּד פ instruct, teach
לָמֵד ת learning, taught
לְמַדַּי תה״פ enough, rather, sufficiently, quite
לַמדָן ז scholar
לַמדָנוּת נ scholarship

לָמָה תה"פ why, wherefore
לָמָה (גמל-צאן) נ llama
לָמָה (נזיר טיבטי) ז lama
לִמּוּד ז learning, study, teaching, stave
לְמוּד נִסָּיוֹן experienced
לִמּוּדִי ת didactic, instructive, tutorial
לַמּוֹכָ"ז to bearer
לֶמוּר ז lemur
לְמָחֳרָת תה"פ on the following day
לְמַטָּה תה"פ beneath, below, down, under
לָמִיד ת teachable
לְמִידָה נ learning
לְמִידוּת נ teachability
לְמַכְבִּיר much, profusely
לְמַעֵט תה"פ excluding
לְמַעְלָה תה"פ above, up, upward, upwards
לְמַעְלָה מִן beyond
לְמַעַן מ"ח on behalf of, for the sake of
לְמַעַן הַשֵּׁם for goodness' sake
לְמַעֲשֶׂה תה"פ actually, in (point of) fact
לְמַפְרֵעַ תה"פ retroactively
לְמַרְבֵּה הַמַּזָּל fortunately
לַמְרוֹת תה"פ despite, in spite of, notwithstanding
לְמָשָׁל תה"פ for instance
לְמִשְׁעִי תה"פ cleanly
לַנְדְרוֹבֶר ז land rover
לָן פ lodge, stay overnight
לָנוּ מ"ג us
לֶנְט ז Lent
לֶנְטוֹ תה"פ lento
לָנֶצַח תה"פ forever
לֶס ז loess
לֶסְבִּיּוּת נ lesbianism
לֶסְבִּית ת lesbian
ל.ס.ד. (סם) LSD
לַסּוֹ ז lasso

לְסוּטָה נ bodice, tunic, blouse
לִסְטִים ז robber
לִסְטֵם פ rob
לְסֵרוּגִין תה"פ alternately
לֶסֶת נ jaw
לְעֵבֶר מ"י toward, towards
לָעַג פ mock, ridicule, scorn, sneer
לַעַג ז derision, mockery, scorn
לַעֲגָנִי ת deriding, mocking
לָעַד תה"פ forever
לְעוֹלָם for good, forever
לְעוֹלָם וָעֶד forever
לְעוֹלָם לֹא תה"פ never
לְעוּמַת תה"פ compared with, against, opposite
לָעוּס ת chewed
לַעַז ז libel, slander
לַעֲזָאזֵל! מ"ק blow it!, confound it!, damn it!, (by) hell!
לְעִיזָה נ libel, slander
לְעֵיל תה"פ above, before
לְעִיסָה נ chewing
לְעֵלָּא וּלְעֵלָּא the best
לִעְלַע פ stammer
לַעֲנָה נ wormwood, absinth, bitterness
לָעַס פ chew
לְעֵרֶךְ תה"פ about, nearly
לְעֵת תה"פ when, at the time
לְעִתִּים תה"פ sometimes
לְעִתִּים קְרוֹבוֹת often
לְעִתִּים רְחוֹקוֹת seldom
לָפוּף ת coiled, wrapped
לִפּוּף ז coil, winding
לִפּוּת ז flavoring
לָפוּת ת grasped, embraced
לְפָחוֹת תה"פ at least
לְפִי מ"י according to, by
לַפִּיד ז torch
לְפִיכָךְ hence, therefore
לְפִיתָה נ grasp, clinch

לִפְנוֹת בּוֹקֶר at sunrise
לִפְנוֹת עֶרֶב at sunset
לִפְנֵי מ״י before, in front of
לִפְנֵי הַסְפִירָה B.C.
לִפְנֵי הַצָּהֳרַיִם before noon
לִפְנֵי כֵן תה״פ before
לְפָנִים תה״פ before, in the past, formerly
לִפְנִים מִשּׁוּרַת הַדִּין leniently, indulgently
לִפְעָמִים תה״פ at times, sometimes, occasionally
לָפַף פ wind, wrap round
לִפֵּף פ wind, wrap round
לִפְרָקִים תה״פ sometimes
לָפַת פ clutch, grasp
לִפֵּת פ flavor, garnish
לֶפֶת נ turnip
לִפְתָּן ז dessert, pudding
לְפֶתַע (פִּתְאוֹם) suddenly
לֵץ ז joker, jester
לָצוֹן ז jesting, banter
לִצְמִיתוּת תה״פ forever
לָקָה פ be stricken
לָקוֹחַ ז client, customer
לִקּוּט ז gathering
לָקוּי ת defective, faulty
לִקּוּי ז blemish, fault
לִקּוּי מְאוֹרוֹת eclipse
לָקוֹנִי ת laconic
לָקוֹנִיּוּת נ laconism
לִקּוּק ז licking
לְקוּת נ defectiveness
לָקַח פ take, accept
לֶקַח ז lesson
לָקַט פ gather, pick
לִקֵּט פ gather, collect
לֶקֶט ז gleanings, collection, anthology
לַקְטוֹז ז lactose
לַקְטָן ז collector, eclectic
לְקִיחָה נ taking
לְקִיטָה נ collecting
לְקִיקָה נ lick
לִקְלוּק ז lap, licking
לִקְלֵק פ lap, lick
לַקְמוּס ז litmus
לְקַמָּן תה״פ below, further
לֶקְסִיקָה נ lexis
לֶקְסִיקוֹן ז lexicon
לָקַק, לִקֵּק פ lick
לַקְקָן ז sweet-tooth
לִקְרַאת תה״פ towards
לַקְרוֹס ז lacrosse
לָרִאשׁוֹנָה for the first time
לְרַבּוֹת תה״פ including
לַרְגּוֹ תה״פ largo
לְרֶגֶל תה״פ owing to, on the occasion of
לָרוֹב תה״פ mostly, usually
לָרִיק תה״פ in vain
לָשׁ פ knead
לְשַׁד ז marrow, sap, fat, juice, vigor
לְשָׁדִי ת fat, juicy
לַשָּׁוְא תה״פ in vain
לָשׁוֹן נ language, tongue
לְשׁוֹן הַקּוֹדֶשׁ Hebrew
לְשׁוֹן הָרָע slander, gossip
לְשׁוֹן יַבָּשָׁה cape
לְשׁוֹן יָם inlet
לְשׁוֹנָאוּת נ philology
לְשׁוֹנַאי ז linguist
לְשׁוֹנִי ת lingual, linguistic
לְשׁוֹנִית נ reed
לִשְׁכָּה נ agency, bureau, chamber, office
לִשְׁכַּת עֲבוֹדָה labor exchange
לִשְׁלֶשֶׁת נ droppings, guano
לֶשֶׁם ז opal
לְשֵׁם מ״י for the sake of
לְשֶׁעָבַר תה״פ formerly
לְתוֹךְ מ״י into
לִתּוּת ז malting
לֶתֶת ז malt
לַתָּת ז maltster

מ-, מֶ- מ״י from, of, than
מַאֲבוּס ז manger, crib
מַאֲבָק ז combat, struggle, fight, anther
מַאֲבֵק ז spray gun
מַאֲגָר ז reservoir, store
מַאֲדֶה ז carburetor
מַאְדִים ז Mars
מֵאָה ש״מ hundred
מֵאָה שָׁנָה century, centenary
מְאַהֵב ז admirer, lover
מַאֲהָל ז encampment
מְאוּבָּן ז fossil
מְאוּבָּק ת dusty
מְאוּגָּד ת tied, associated
מְאוֹד תה״פ very much
מְאוּדֶּה ת steamed
מְאוֹהָב ת in love
מַאֲוַויִים ז״ר wishes
מְאוּורָר ת ventilated, airy
מְאוּזָּן horizontal, balanced
מְאוּחָד ת united
מְאוּחֶה ת united, stitched
מְאוּחְסָן ת stored
מְאוּחָר ת late
מְאוּיָּד ת steamed
מְאוּיָּשׁ ת manned
מְאוּכְזָב ת disappointed
מְאוּכְלָס ת populated
מְאוּכָּף ת saddled
מְאוּלָּף ת trained, tame
מְאוּלָּץ ת constrained, forced
מְאוּלְתָּר ת ad-lib, improvised, impromptu
מְאוּם, מְאוּמָה ז something
מְאוּמָּן ת trained
מְאוּמָּץ ת adopted, forced
מֵאוּן ז refusal, refusing
מֵאוֹן ז percentile

מְאוּנָּך ת perpendicular, vertical, upright
מְאוּנְקָל ת hooked
מָאוּס ת loathsome, repulsive
מְאוּס ת repulsiveness, loathing, abomination
מָאוֹץ ז dash, sprint
מְאוּפְיָן ת characterized
מְאוּפָּל ת darkened, blacked out
מְאוּפָּס ת zeroed
מְאוּפָּק reserved, restrained
מְאוּפָּר ת made up
מְאוּצְבָּע ת digitate, fingered
מְאוּקְלָם ת acclimatized
מָאוֹר ז light, lighting
מְאוּרְגָּן ת organized
מְאוּרָה נ den, hole, lair
מְאוֹרָס ת betrothed, engaged
מְאוֹרָע ז event, incident, affair, occurrence
מְאַוְורֵר ז fan, ventilator
מְאוּשָּׁר ת happy, approved
מְאוּשָּׁשׁ ת firm, strong
מְאוּתָּר ת localized
מְאוֹתֵת ז signaler
מֵאָז תה״פ since then
מַאֲזִין ז listener
מְאַזֵּן ת offsetting
מַאֲזָן ז balance (sheet)
מַאֲזַן הַכּוֹחוֹת balance of power
מַאֲזַן הַתַּשְׁלוּמִים balance of payments
מַאֲזַן מִסְחָרִי balance of trade
מַאֲזֵנָה נ level
מֹאזְנַיִם ז״ר balance, (pair of) scales

מַאֲזֶנֶת נ	aileron
מַאֲחוֹזֶת סְפָרִים	bookend
מֵאָחוֹר תה"פ	from behind
מֵאֲחוֹרֵי מ"י	behind
מַאֲחָז ז	handle, settlement
מַאֲחֵז ז	holder, paper clip
מְאֻחָר ת	late
מֵאַחַר שֶׁ- תה"פ	since, as
מַאי ז	May
מַאי נָפְקָא מִנַּהּ?	what's the difference?
מְאַיֵּד ז	carburetor
מֵאִידָךְ (גִּיסָא)	on the other hand
מֵאֵימָתַי?	since when?
מֵאַיִן?	wherefrom?
מֵאֵין כָּמוֹהוּ	peerless
מְאִיסָה נ	loathing, disgust
מְאִיץ ז	accelerator
מֵאִיר ת	shining
מְאַיֵּר ז	illustrator
מְאִית ת	hundredth
מַאֲכוֹלֶת אֵשׁ	combustion
מְאַכְזֵב ת	disappointing
מַאֲכָל ז	food, meal
מְאַכֵּל ת	corrosive
מַאֲכֶלֶת נ	knife
מְאַלְחֵשׁ (סם) ז	anesthetic
מְאַלְחֵשׁ (רופא)	anesthetist
מֵאֵלָיו	by itself/himself
מְאַלֶּמֶת	reaper and binder, binder
מְאַלֵּף ז	tamer, trainer
מְאַלֵּף ת	instructive
מַאֲמִין ז	believer
מְאַמֵּן ז	coach, trainer
מַאֲמָץ ז	effort, endeavor
מַאֲמָר ז	article, essay
מַאֲמָר רָאשִׁי	leading article
מֵאֵן פ	refuse
מָאן דְּהוּ	someone
מָאַס פ	despise, detest, abhor, reject
מָאֶסְטְרוֹ ז	maestro
מְאַסֵּף ז	rearguard, slow public vehicle
מַאֲסָר ז	arrest, imprisonment
מַאֲסַר עוֹלָם	life imprisonment
מַאֲפֶה ז	pastry
מַאֲפִיָּה נ	bakery
מַאפְיָה נ	Mafia
מְאַפְיֵן ז	characteristic
מַאֲפֵרָה נ	ashtray
מַאֲרָב ז	ambuscade, ambush
מַאֲרָג ז	weave
מְאַרְגֵּן ז	organizer
מְאָרֵחַ ז	host
מְאָרַחַת נ	hostess
מַאֲרֵךְ ז	extension rod
מַאֲשִׁים ת	accusatory, accuser, prosecutor
מַאֲשֵׁכָה נ	scrotum
מֵאֵת מ"י	from, by
מָאתַיִם ש"מ	two hundred
מַבְאִישׁ ת	stinking
מְבַדֵּד ז	insulator
מִבְדֶּה ז	fiction
מִבְדּוֹק	dock, shipyard
מִבְדּוֹק צָף	floating dock
מְבַדֵּחַ ת	amusing, funny
מְבַדֵּק ז	tester
מִבְדָּק ז	audit, checkup
מַבְהִיל ת	frightful
מַבְהִיק ת	shining, brilliant
מַבְהֵן ז	space bar, thumb piece
מִבְהָק	highlight
מָבוֹא ז	foreword, introduction, preface, entrance, passage
מְבוֹאָר ת	explained
מְבוּגָּר	adult, grown-up
מְבוֹדָד ת	isolated, insulated, secluded
מְבוּדָּח ת	amused
מְבוֹהָל ת	frightened
מְבוּזְבָּז ת	wasted

מְבוּטָא ת pronounced
מְבוּטָח ז insured
מְבוּטָל ת canceled, annulled, insignificant
מָבוֹי ז alley, passage
מָבוֹי סָתוּם blind alley, dead end, cul-de-sac,
מְבוּיָל ת stamped
מְבוּיָם ת staged
מְבוּיָשׁ ת shamed
מְבוּיָת ת tame, domesticated
מָבוֹךְ ז labyrinth, maze
מְבוּכָה ז embarrassment, bewilderment, confusion, perplexity
מַבּוּל ז deluge, flood
מְבוּלְבָּל ת confused
מְבוּלְגָּן ת in utter disorder
מְבוּסָּם ת drunk, tipsy
מְבוּסָס ת established, based
מַבּוּעַ ז spring, fountain
מְבוּצָּע ת performed
מְבוּצָּר ת fortified
מְבוּקָּר checked, controlled
מְבוּקָּשׁ ת wanted, required
מְבוּרְדָּס ת hooded
מְבוֹרָג ת unscrewed
מְבוֹרָךְ ת blessed
מְבוֹרָר ת selected
מְבוּשִׁים ז״ר privates, genitals
מְבוּשָּׁל ת cooked
מְבוּשָּׂם ת perfumed, scented
מְבוּתָּר ת cut up, cleft
מַבְזֵק ז shaker, castor, flash
מִבַּחוּץ תה״פ externally
מַבְחִיל ת nauseous
מִבְחָן ז examination, test, trial, audition
מַבְחֵן ז tester
מִבְחַן בַּד film test
מַבְחֵנָה נ test tube
מִבְחָר ז assortment, choice, selection

מַבְחֵשׁ ז ladle
מַבָּט ז gaze, look, view
מַבָּט חָטוּף ז glance
מִבְטָא ז accent, pronunciation
מִבְטָח ז trust, reliance
מְבַטֵּחַ ז insurer
מִבֵּין תה״פ from
מֵבִין ת understanding, expert, connoisseur
מְבִינוּת נ understanding
מֵבִישׁ ת disgraceful, shameful
מִבַּיִת תה״פ from within
מַבְלֵט ז die
מִבְּלִי מ״י without, lacking
מִבְּלִי מֵשִׂים involuntarily, unintentionally
מַבְלִיג ת restrained
מַבְלֵל ז mixer
מִבַּלְעֲדֵי מ״י except, save
מִבְנֶה ז construction, structure, formation
מִבְנִי ת structural
מַבְסוּט ת contented
מַבָּע expression
מִבַּעַד לְ- מ״י through
מִבְּעוֹד יוֹם before sunset
מַבְעִית ת frightful
מַבְעֵר ז burner
מִבִּפְנִים תה״פ from within
מְבַצֵּעַ ז performer
מִבְצָע ז achievement, operation, feat
מַבְצֵעָה נ slicer
מִבְצָעִי ת operational
מִבְצָר ז fortress, fort, stronghold
מְבַקֵּר ז comptroller, controller, critic, caller, visitor
מְבַקֵּר הַמְּדִינָה state comptroller
מְבַקֵּר חֶשְׁבּוֹנוֹת auditor
מְבַקֵּשׁ ת asking, applicant

מִבְרָא ז clearing, glade
מִבְרָאָה נ rest house, convalescent home
מִבְּרֵאשִׁית תה"פ from the beginning
מַבְרֵג ז screwdriver
מַבְרָח ז contraband goods
מַבְרִיא ז convalescent, healthful
מַבְרִיחַ smuggler
מַבְרִיק ת brilliant, bright, shining
מִבְרָץ ז spillway
מִבְרָק ז cable, telegram
מִבְרָקָה נ telegraph
מִבְרֶשֶׁת נ brush
מִבְרֶשֶׁת שִׁנַּיִם toothbrush
מִבְרֶשֶׁת שֵׂעָר hairbrush
מְבַשֵּׁל, מְבַשֶּׁלֶת ז/נ cook
מִבְשָׁלָה נ brewery
מִבְשָׂמָה נ perfumery
מְבַשֵּׂר ז herald, messenger
מְבַשֵּׂר טוֹב auspicious
מִבְתָּר ז cutting
מָג ז magician
מַגֵּב ז windscreen wiper, wiper
מִגְבָּה ז height, elevation
מַגְבֵּהַ ז jack
מִגְבּוֹל ז diapason, range
מַגְבִּיל ז determiner
מַגְבִּיר ת strengthening
מַגְבִּיר קוֹל megaphone
מַגְבִּית נ money raising
מִגְבָּלָה נ limitation, limit, restriction
מִגְבָּע ז top hat
מִגְבַּעַת נ hat
מַגְבֵּר ז amplifier
מַגֶּבֶת נ towel
מֶגֶד ז sweetness
מַגְדִּיר ז definer, guide
מִגְדָּל ז tower
מְגַדֵּל ז grower, raiser
מִגְדַּל מַיִם water tower
מִגְדַּל פַּעֲמוֹן belfry, campanile
מִגְדַּל פִּקּוּחַ control tower
מִגְדַּל קִדּוּחַ derrick
מִגְדַּלּוֹר ז lighthouse
מִגְדָּנִיָּה נ confectionery
מְגַדֵּף ת abusive, insulter
מַגְהֵץ ז flatiron, iron
מַגְהֵץ־אֵדִים steam iron
מְגוֹאָל ת soiled
מַגּוֹב ז rake
מָגוֹב ז reactor
מְגוּבָּב ת heaped, stacked
מְגוּבָּשׁ ת crystallized
מְגוּבְּנָן ת humpbacked
מְגוּדָּל ת large, adult
מְגוּדָּר ת fenced, enclosed
מְגוּהָץ ת ironed, smart
מְגוּוָּן ת diverse, colorful
מְגוּחָךְ ת grotesque, ridiculous, stupid
מְגוּיָּד ת veined, sinewy
מְגוּיָּס ז conscript, recruit, mobilized
מְגוּל ז suppuration
מְגוּלְגָּל ת rolled
מְגוּלֶּה ת uncovered, visible
מְגוּלְוָן ת galvanized
מְגוּלָּח ת shaven
מְגוּלָּל ת rolled up
מְגוּלְעָן ת stoned
מְגוּלָּף ת engraved
מְגוּמְגָּם unclear, stammered
מְגוּמָּם ת pockmarked
מְגוּוָן ז assortment, variety
מְגוּנְדָּר ת dandified
מְגוּנֶּה ת improper, indecent, shameful
מָגוֹף ז sluice, stopper
מְגוּפָה נ bung, plug, stopper
מְגוּפָּר ת sulfurized
מָגוֹר ז fear, terror

מְגוּר ז defeat, routing
מְגוּרָב ת stockinged
מְגוּרֶה ת stimulated
מְגוּרִים ז״ר dwelling, lodging, residence
מְגוֹרָשׁ ת exiled, expelled
מְגוּשָּׁם ת awkward, clumsy
מִגְזָזַיִם ז״ר shears
מַגָּזִין ז magazine, periodical
מִגְזָר ז sector
מַגְזֵרָה נ cutters, saw
מִגְזָרַיִם ז״ר wirecutters
מַגָּח ז ram, goring
מֶגָטוֹן ז megaton
מָגִי ת magic(al)
מֵגִיב ת reactive, reactor
מַגִּיד ז preacher
מַגִּיד עֲתִידוֹת fortune teller
מַגִּיהַּ ז proofreader
מַגְיָה נ magic
מַגְיָה שְׁחוֹרָה black magic
מַגִּיעַ ת arriving, deserves
מַגִּישׁ ת waiter, server
מַגָּל ז reaping-hook, sickle
מִגֵּל פ suppurate
מַגְלֵב ז whip, lash
מְגַלֶּה ז discoverer
מְגִלָּה נ roll, scroll
מְגַלֵּה מוֹקְשִׁים mine detector
מַגְלוּל ז tape measure
מֶגָלוֹמָן ז megalomaniac
מְגַלֵּחַ ז shaver, razor
מֶגָלִית ז megalith
מַגְלֵף ז carving knife
מַגְלֵשׁ ז skid
מַגְלֵשָׁה נ chute, slide
מִגְלָשַׁיִם ז״ר skis, runners, launchers
מְגִלַּת יוּחֲסִין family tree
מְגַמְגֵּם ז stammerer
מְגַמָּה נ tendency, trend, aim, direction

מְגַמָּתִי ת tendentious
מְגַמָּתִיּוּת tendentiousness
מָגֵן ז defense, shield
מָגֵן ז defender, fullback, back
מָגֵן דָּוִד Star of David, hexagram
מְגַנֶּה ת condemnatory
מִגְנוּט ז magnetization
מַגְנוֹלְיָה נ magnolia
מִגְנוֹר ז lampshade
מַגְנֶזְיוּם ז magnesium
מַגְנֵט ז magnet
מִגְנֵט פ magnetize
מַגְנֵטִי ת magnetic
מַגְנֵטִיּוּת נ magnetism
מַגְנִיּוּן ז magnesium
מִגְנָן ז fortification
מִגְנָנָה נ defensive
מַגְנֶסְיָה נ magnesia
מְגִנַּת לֵב sorrow, grief
מָגֵס ז bowl, tureen
מַגָּע ז contact, touch
מַגְעִיל ת disgusting, nasty
מַגָּף ז boot
מַגֵּפָה נ epidemic, pestilence, plague
מֶגָפוֹן ז megaphone
מַגְפֵּר ז sulfur sprayer
מַגַּפְתִּי ת epidemic, pestilent
מִגֵּר פ defeat, rout
מַגְרֵד ז grater, scraper
מַגְרֶדֶת נ currycomb
מְגֵרָה נ drawer
מְגָרֶה ת stimulating, itching, exciting
מַגְרֵסָה נ crusher, mill
מִגְרָע ז groove, fault
מִגְרָעָה נ recess, niche
מִגְרַעַת נ disadvantage, fault, defect
מַגְרֶעֶת נ plane
מַגְרֵפָה נ rake
מִגְרָר ז trailer

מִגְרָרָה נ sleigh, sledge
מִגְרֶרֶת נ grater
מִגְרָשׁ ז field, plot, pitch
מִגְרַשׁ גּוֹלְף golf course
מִגְרַשׁ חֲנָיָה car park
מִגְרַשׁ טֶנִיס tennis court
מִגְרַשׁ מִשְׂחָקִים playground
מַגָּשׁ ז salver, tray
מִגָּשָׁה נ wharf, quay
מַד ז measure, gage
מַד־אוֹר photometer
מַד־אַמְפֶּר ammeter
מַד־גּוֹבַהּ altimeter
מַד־זְמַן chronometer
מַד־חַשְׁמַל electrometer, electricity-meter
מַד־טְוָח range finder
מַד־כּוֹבֶד barometer
מַד־לַחוּת hygrometer
מַד־לַחַץ manometer
מַד־מְהִירוּת speedometer
מַד־מַיִם water meter
מַד־נֶשֶׁם spirometer
מַד־צַעַד pedometer
מַד־רוּחַ anemometer
מַד־רוֹחַק telemeter
מַד־רוּם altimeter
מַד־רַעַשׁ seismograph
מַד־שֶׁטַח planimeter
מַד־שֶׁמַע audiometer
מַד־תַּיִל wire gauge
מִדְאָה ז gliding field
מִדַּבֵּק ת contagious
מַדְבִּיק מוֹדָעוֹת billposter
מַדְבִּיר ת exterminator
מַדְבִּיר חֲרָקִים insecticide
מִדַּבֵּק ת contagious
מַדְבֵּקָה נ sticker
מִדְבָּר ז desert, wilderness
מְדַבֵּר ז first person
מִדְבָּרִי ת desert
מִדְגֶּה ז fish breeding
מַדְגִּים ז demonstrator, illustrative
מִדְגָּם ז design, sample
מִדְגָּר ז brood, clutch
מַדְגֵּרָה נ incubator
מַדְגֶּשֶׁם ז rain gauge
מָדַד פ measure
מַדָּד ז index
מַדַּד הַמְּחִירִים לַצַּרְכָן consumer price index
מַדַּד יוֹקֶר הַמִּחְיָה cost of living index
מִדָּה נ degree, measure, type, disposition
מַדְהִים ת amazing
מְדוּבְלָל ת sparse, thin
מָדוּד ת measured
מְדוּדוֹת תה״פ deliberately
מַדְוֶה ז pain, affliction
מֶדוּזָה נ jellyfish
מַדּוּחַ ז seduction
מְדוּיָּק ת accurate, exact, precise
מְדוּיָּת ת inky
מָדוֹךְ ז ramrod, pestle
מְדוּכָּא ת dejected, depressed
מְדוּכְדָּךְ ת dejected
מְדוֹכָה נ canister, mortar
מְדוּלְדָּל ת dangling, loose
מְדוּמֶּה ת imaginary, simulated, seeming
מָדוֹן ז quarrel, dispute
מַדּוּעַ תה״פ why
מְדוּפְלָם ת certificated
מְדוּקְדָּק ת accurate
מָדוֹר ז department, branch, section
מְדוּרָג ת graded
מְדוּרָה נ bonfire, flame
מְדוּרַת־קוּמְזִיץ campfire
מְדוּשַּׁן עוֹנֶג self-satisfied
מִדּוֹת נ״ר ethics
מַדְזָוִית ז protractor
מַדְזֶרֶם ז ammeter
מַדְחוֹם ז thermometer
מַדְחָן ז parking meter
מַדְחֵס ז compressor

מַדְחֵף ז airscrew, propeller
מִדֵּי תה"פ whenever
מִדֵּי יוֹם בְּיוֹמוֹ every day
מִדֵּי פַּעַם occasionally
מִדַּי, יוֹתֵר מִדַּי too much
מַדְיָארִי ז Magyar
מָדִיד ת measurable
מַדִּיד ז gage, gauge
מְדִידָה נ measurement
מֶדְיוּם ז medium
מַדִּיחַ ז seducer, enticer
מֵדִיחַ כֵּלִים dishwasher
מֶדִיטַצְיָה נ meditation
מַדִּים ז"ר livery, uniform
מְדִינָאוּת נ diplomacy, statesmanship
מְדִינַאי ז diplomat, politician, statesman
מְדִינָאִי ת diplomatic
מְדִינָה נ state, country
מְדִינִי ת political
מְדִינִיּוּת ז policy
מְדִינַת חַיִץ buffer state
מְדִינַת חָסוּת dependency
מְדַיֵּק ת punctual
מְדַכֵּא ת depressing
מְדַכְדֵּךְ ת depressing
מַדְלֶה ז derrick, crane
מֶדַלְיָה נ medal
מֶדַלְיוֹן ז medallion
מַדְלֵק ז lighter
מָדָם נ madame
מְדַמֶּה ת imaginative
מִדְמֶה ז dummy
מַדְמֶה ז simulator
מְדַמֵּם ת bleeding
מַדְמֵנָה נ dunghill, dump
מְדָנִים ז"ר quarrel
מַדָּע ז science
מַדָּע בִּדְיוֹנִי science fiction
מַדָּעִי ת scientific
מַדָּעֵי הַחֶבְרָה social sciences

מַדָּעֵי הַטֶּבַע natural sciences, philosophy
מַדָּעֵי הָרוּחַ arts, humanities
מַדְעֵךְ ז fader
מַדְעָן ז scientist
מַדָּף ז shelf
מִדֵּף פ shelve
מַדְפִּיס ז printer
מַדְפֵּן ז disk harrow
מֻדְפָּס ז printed matter
מַדְפֶּסֶת נ printer
מַדְפֶּסֶת שׁוּרוֹת line printer
מְדַקְדֵּק ז grammarian, punctual, accurate
מְדַקְלֵם ז reciter
מַדְקֵר ז awl, piercer
מַדְקֵרָה נ stab, stabbing
מֶדֶר ז bevel
מְדַרְבֵּן ת pushing, urging
מַדְרָג ז terrace
מִדְרֵג פ terrace
מַדְרֵגָה נ stair, step, degree, level
מִדְרוֹן ז slope
מַדְרִיגָל ז madrigal
מַדְרִיךְ ז guide, educator
מַדְרִים ת southbound
מִדְרָךְ ז step, foothold
מִדְרָכָה נ pavement, sidewalk
מִדְרָס ז foot support
מִדְרָסָה נ doormat, mat
מִדְרָשׁ ז learning, study
מִדְרָשָׁה נ academy, college
מִדְשָׁאָה נ lawn
מַדְשִׁיא ת grassy
מִדַּת הַדִּין strict justice
מִדַּת הַלַּח liquid measure
מִדַּת הָרַחֲמִים leniency
מַה, מָה, מֶה what, some
מַה בֶּצַע? of what avail?
מַה שֶּׁהָיָה הָיָה let bygones be bygones

מַה שְּׁלוֹמְךָ? how do you do?, how are you?
מְהַבְהֵב ת flickering
מְהַבִּיל ת steamy
מַהֲגוֹנִי ז mahogany
מְהַגֵּר ז emigrant, immigrant
מַהֲדוּרָה נ edition
מַהְדִּיר ז editor, reader
מְהַדֵּק ז clip, fastener, paper clip, stapler
מַהֲדֵר ז repeater
מְהַדְרִין ז״ר religious
מַהוּ מ״ג what is he/it?
מְהוּגָן ת honest, proper
מָהוֹד ז resonator
מְהוּדָּק ת closefitting, tight, fastened
מְהוּדָּר ת elegant, fancy
מְהוּהַ ת shabby, worn out
מָהוּל ת mixed, blended, diluted, circumcised
מְהוּלָּל ת praised
מְהוּמָה נ riot, confusion
מְהוּפָּךְ ת upside down, reverse
מְהוּפְּנָט ת hypnotized
מְהוּקְצָע ת polished, planed
מְהוּרְהָר ת abstracted, pensive, thoughtful
מַהוּת נ nature, being
מַהוּתִי ת essential
מַהִי מ״ג what is she/it?
מֵהֵיכָן תה״פ where from?
מְהִילָה נ mixing, dilution
מְהֵימָן ת credible, reliable, faithful
מְהֵימָנוּת נ reliability, trust, faithfulness
מָהִיר ת quick, rapid, fast, swift
מְהִירוּת נ celerity, speed, velocity
מָהַל פ mix, adulterate
מַהֲלוּמָה נ blow
מַהֲלָךְ ז move, step, walk, journey, gear
מַהֲלָכִים ז״ר access
מְהַלֵּל ת laudatory
מַהֲמוֹרָה נ pit, pitfall
מְהַמֵּר ז gambler, bettor
מְהַנְדֵּס ז engineer
מְהַנֶּה ת enjoyable, pleasing
מְהַסֵּס ת hesitant
מַהְפָּךְ ז revolution, tropic
מַהְפֵּכָה ז revolution
מַהְפְּכָן ז revolutionary
מַהְפְּכָנִי ת revolutionary
מְהַפְנֵט ז hypnotist
מַהֵר תה״פ fast, quick, quickly, soon
מִהֵר פ hurry, hasten
מַהֲרָג'ה ז maharaja
מְהֵרָה מה״פ quickly, soon
מְהַרְהֵר ת meditative
מַהֲתַלָּה נ joke, comedy
מוּאַזִּין ז muezzin
מוּאָר ת lit, lighted
מוּאָרָךְ ת prolonged
מוּבָאָה ז quotation
מוּבְדָּל ת separated
מוּבְהָק ת clear, obvious, indubitable, outstanding
מוּבְחָר ת choice, selected
מוּבְטָח ת promised
מוּבְטָחֲנִי I am sure
מוּבְטָל ת unemployed
מוּבִיל ז mobile
מוֹבִיל ז carrier, conveyor, conductor
מוֹבִיל מַיִם aqueduct, water conduit
מוֹבָל ז conduit, duct
מוּבְלָע ת mingled, slurred
מוּבְלַעַת נ enclave
מוּבָן ז meaning, sense
מוּבָן ת understood
מוּבָן מֵאֵלָיו of course
מוּבְנֶה ת built-in

מובנות נ intelligibility, comprehensibility
מובס ת defeated, routed
מוברח ת smuggled, barred
מוג־לב ת coward
מוגבל ת finite, limited
מוגבר ת intensified
מוגדל ת enlarged
מוגדר ת defined, definite
מוגזם ת exaggerated
מוגלה נ pus
מוגלית נ pustule
מוגלתי ת abscessed
מוגמר ת completed
מוגן ת protected, safe, secure
מוגף ת closed, shut
מוגש ת offered, presented
מוגשם ת realized
מודאג ת upset, worried
מודגם ת illustrated
מודגש ת emphasized
מודד ז surveyor, meter
מודה נ mode, fashion
מודה ת thankful, grateful
מודול ז module
מודולציה נ modulation
מודולרי ת modular
מודוס ז mode, modus
מודח ת deposed, expelled
מודחק ת repressed
מודיע ז informer
מודיעין ז״ר intelligence, information
מודיפיקציה modification
מודל ז model
מודע ת aware, conscious
מודע ז acquaintance
מודעה נ advertisement, ad, bill, notice
מודעות נ awareness, consciousness
מודפס ת printed
מודרטו תה״פ moderato
מודרך ת guided
מודרני ת modern
מודרניות נ modernity
מודרניזם ז modernism
מודרניזציה modernization
מודרניסט ז modernist
מוהל ז sap, juice
מוהל ז circumciser
מוהר ז bride price
מוז ז banana
מוזאיקה נ mosaic
מוזג ז barman, bartender
מוזגת נ barmaid
מוזה נ muse
מוזהב ת gilded
מוזז ת removed, shifted
מוזיאון ז museum
מוזכר ת mentioned
מוזל ת cheaper, reduced
מוזמן ת guest, invited
מוזן ת fed
מוזנח ת neglected
מוזר ת eccentric, odd, peculiar, queer, strange
מוזרות נ eccentricity, peculiarity
מוח ז brain, mind
מוח גדול cerebrum
מוח קטן cerebellum
מוחי ת cerebral
מוחזק ת held, maintained
מוחזר ת returned, restored
מוחכר ת leased, hired
מוחלט ת absolute, definite, thorough
מוחץ ת crushing
מוחצן ת extrovert
מוחק ז eraser
מוחרב ת destroyed
מוחרם banned, confiscated
מוחרת, מחרת תה״פ the following day
מוחש ת perceptible, tangible, concrete
מוחשות נ perceptibility

מוּחָשִׁי ת perceptible, tangible, concrete
מוּחָשִׁיוּת נ perceptibility
מוֹט ז beam, pole, rod, bar, staff
מוּטָב תה"פ rather, had better/best
מוּטָב ז beneficiary
מוּטְבָּל ת dipped, baptized
מוֹטָה נ pole, yoke
מוּטָּה נ spread, span
מוּטֶּה ת inclined, slanted
מוֹטוֹ ז motto
מוֹטוֹרִי ת motor
מוֹטֵט פ shake, overthrow
מוֹטִיב ז motif, motive
מוֹטִיבַצְיָה נ motivation
מוֹטִית נ small rod, stick
מוֹטֶל ז motel
מוּטָל ת imposed, inflicted, thrown, placed
מוּטָס ת airborne
מוּטְעֶה ת mistaken
מוּטְעָם ת stressed
מוּטַצְיָה נ mutation
מוּטְרָד ת troubled, worried
מוּטְרָם ת anticipatory
מוּטַת־כְּנָפַיִם wingspan, wingspread
מוֹך ז down, cotton wool fluff
מוּכֶּה ת beaten, afflicted
מוֹכָ"ז ז bearer
מוּכָח ת proven
מוּכְחָד ת exterminated
מוֹכִי ת fluffy
מוֹכִיחַ ת admonitory, preacher, reprover
מוּכְלָא ת crossbred
מוּכָן ת prepared, ready
מוּכְנָס ת inserted
מוֹכֵס ז tax collector, customs-officer
מוֹכְסָן ז tax collector
מוּכְסָף ת silver-plated
מוּכְפָּל double, multiplied
מוֹכֵר ז seller, vendor
מוּכָּר ת acknowledged, known, recognized
מוֹכֵר סְפָרִים bookseller
מוּכְרָח ת must, compelled, forced, obliged
מוּכְרָע ת decided
מוּכְשָׁר ת able, capable, competent, kasher
מוּכְתָּב ת dictated
מוּכְתָּר ת crowned, titled
מוּכְתָּר ז village leader
מוּל מ"י against, in front of, opposite, versus
מו"ל ז publisher
מוּלְאָם ת nationalized
מוֹלָד ז birth, new moon
מוֹלֶדֶת נ homeland, motherland
מו"לוּת נ publishing
מוּלְחָם ת soldered, welded
מוֹלְטוֹ תה"פ molto
מוּלְטִימִילְיוֹנֶר ז multimillionaire
מוֹלִיד ז father, progenitor
מוֹלִיךְ ז conductor
מוֹלִיךְ ת conductive
מוֹלִיךְ שׁוֹלָל deceitful
מוֹלִיכוּת נ conductivity
מוֹלֶקוּלָה נ molecule
מוֹלֶקוּלָרִי ת molecular
מוּלִית נ mullet
מוֹלֶךְ ז Moloch
מוּם ז defect, deformity
מוּמְחֶה ת expert, skillful, specialist
מוּמְחָז ת dramatized
מוּמְחִיוּת נ skill
מוּמְיָה נ mummy
מוּמְלָץ ת advisable, recommended
מוֹמֶנְט ז moment
מוֹמֶנְטוּם ז momentum
מוּמָס ת dissolved, melted

מוּמָר ז apostate, convert, proselyte, renegade
מוּמָת ת executed, slain
מונגולואִיד ת mongolian
מוֹנֶה ז counter, gauge
מוֹנֶה גַיגֶר Geiger counter
מוּנהָג ת led, introduced
מונוגַמיָה נ monogamy
מונוגרַמָה נ monogram
מונוגרַפיָה נ monograph
מונוטוֹנִי ת monotonous
מונוטוֹנִיוּת נ monotony
מונולוֹג ז monologue
מונולִית ז monolith
מונולִיתִי ת monolithic
מונומָן ז monomaniac
מונומֶנטָלִי ת monumental
מונומַניָה נ monomania
מונופול ז monopoly
מונופולִיסט ז monopolist
מונופולִיסטִי monopolistic
מונוֹקל ז monocle
מונותֵיאִיזם ז monotheism
מונותֵיאִיסט ז monotheist
מוֹנָח ז term
מוּנָח ת put, placed, lying
מוּנחֶה ת guided
מונטָז' ז montage
מוֹנִיטִין ז"ר goodwill, fame
מוֹנִיטָרִי ת monetary
מוֹנִים ז"ר times, –fold
מוּנִיצִיפָּלִי ת municipal
מוֹנִית נ cab, taxi
מונסוּן ז monsoon
מוֹנֵעַ ת preventive
מוֹנַרך ז monarch
מוֹנַרכִיָה נ monarchy
מוּס ז mousse
מוּסָב ת endorsed, endorsee
מוּסבָּר ת explained
מוּסגָר ת parenthetic, extradited, handed over
מוֹסָד ז institution, institute, establishment
מוֹסָדִי ת institutional
מוּסוֶה ת masked, disguised, camouflaged
מוּסִיקַאי ז musician
מוּסִיקָה נ music
מוּסִיקָה קָלַסִית classical music
מוּסִיקָה קָמֶרִית chamber music
מוּסִיקוֹל ז music hall
מוּסִיקָלִי ת musical
מוּסָך ז garage
מוּסַך מְטוֹסִים hangar
מוּסכָּם ת agreed, accepted
מוּסכָּמָה נ convention
מוּסלְמִי ז Moslem
מוּסמָך ת authoritative, authorized, certified
מוסמָך לְמַדְעֵי הַטֶבַע Master of Science
מוסמָך לְמַדְעֵי הָרוּחַ Master of Arts
מוּסָף ז supplement
מוּסָף ת added ,additional
מוּספִית נ affix
מוּסָק ת heated, concluded
מוֹסֵר ז giver, informer
מוּסָר ז moral, ethics
מוּסַר הַשֵׂכֶל moral, lesson
מוּסַר כְּלָיוֹת contrition
מוּסרָט ת filmed, screened
מוּסָרִי ת moral, ethical
מוּסָרִיוּת נ moralism, morality
מוּסְרָן ז moralist
מוּסְרָנוּת נ moralism
מוּסְרָנִי ת moralistic
מוּסתָר ת hidden
מוּעָב ת cloudy
מוּעֳבָר ת transferred
מוֹעֵד ז time, term, holiday, festival
מוּעָד ת warned, habitual, dangerous, directed
מוּעָדָה נ destination
מוֹעֲדוֹן ז club

מוֹעֲדוֹן לַיְלָה nightclub
מוּעָט ת small, few, little
מוֹעִיל ת beneficial, profitable, useful
מוּעֲמָד ז applicant, candidate
מוּעֲמָדוּת נ candidacy, candidature
מוֹעֵן ז sender
מוּעָף ת flown
מוֹעָצָה נ device, counsel
מוֹעָצָה נ council, board
מוֹעֶצֶת הַבִּטָּחוֹן Security Council
מוֹעֶצֶת הַמְנַהֲלִים board
מוֹעֶצֶת עִיר corporation
מוּעָקָה נ distress, burden
מוּעֲשָׁר ת enriched
מוֹעֲרָךְ ת estimated, valued
מוּפְלָא ת wonderful
מוּפְלָג ת distant, very
מוּפְלֶה ת separated, favored
מוּפְנֶה ת directed, turned
מוּפְנָם ת introverted
מוּפְסָק ת stopped, ceased
מוֹפָע ז show, appearance, event, phase
מוּפְעָל activated, operated
מוּפָץ ת distributed
מוּפְצָץ ת bombed, shelled
מוּפָק ת produced, derived
מוּפְקָד ת deposited
מוּפְקָע ת requisitioned, confiscated, exorbitant
מוּפְקָר ת abandoned, lawless, licentious
מוּפְקֶרֶת נ prostitute
מוּפְרָד ת separated
מוּפְרֶה ת fertilized
מוּפְרָז ת exaggerated, inordinate, exorbitant
מוּפְרָךְ ת refuted, contradicted, groundless
מוּפְרָע ת disturbed
מוּפְרָעוּת נ disturbance
מוּפְשָׁט ת abstract
מוּפְשָׁטוּת נ abstraction
מוּפְשָׁל ת rolled up
מוּפְשָׁר ת thawed, melted
מוֹפֵת ז model, paragon, pattern, miracle, proof
מוֹפְתִי ת exemplary, ideal
מוּפְתָּע taken aback, surprised
מוֹץ ז chaff, husk
מוֹצָא ז ancestry, descent, origin, source, exit
מוּצָא ת taken out
מוֹצֵא ז finder, locator
מוֹצָאֵי שַׁבָּת Saturday night
מוּצָב ת stationed, placed
מוּצָב ז post, position
מוּצָג ז exhibit
מוּצְדָק ת justified
מוּצְהָר ת declared
מוֹצִיא לָאוֹר publisher
מוֹצִיא לְפוֹעַל executive
מוּצָל ת shadowy
מוּצְלָב ת crossbred
מוּצְלָח ת successful
מוּצְנָע ת hidden, concealed
מוּצָע ת proposed, offered
מוּצַעַת ת (bed) made
מוּצָף ת flooded
מוֹצֵץ ז comforter, pacifier
מוּצָק ת solid, hard
מוּצָקוּת נ hardness, solidity
מוּצָר ז product
מוֹק ז gaiter, puttee
מוֹקֵד ז focus, fire
מוֹקְדִי ת focal
מוּקְדָם ת early
מוּקְדָשׁ ת dedicated
מוֹקָה ז mocha
מוּקְטָן ת reduced
מוּקְיוֹן ז buffoon, clown
מוּקְיוֹנִי ת clownish
מוֹקַיִם ז"ר leggings

מוקִיר ת respectful

מוקְלָט ת recorded

מוקָם ת erected

מוקָסִין ז moccasin

מוקְסָם ת fascinated

מוקָע ת exposed, condemned

מוקָף ת surrounded, encircled, hyphenated

מוקְפָּא ת frozen

מוקְצָב ת allocated

מוקְצֶה ת set apart, allotted, untouchable

מוקֵש ז mine, obstacle

מוקְשַאי ז miner

מוֹר ז myrrh

מוֹרָא ז fear, awe, dread

מוֹרַג ז threshing sledge

מורְגָל ת accustomed, used

מורְגָש ת felt, perceivable

מוֹרֵד ז rebel

מוֹרָד ז slope, decline, incline, descent

מורָד ת lowered

מוֹרֶה ז teacher

מוֹרָה ז teacher, razor

מוֹרֵה דֶרֶך guide

מורְחָב ת widened, enlarged

מוֹרַחַת נ palette knife

מוֹרָטוֹריוּם ז moratorium

מוֹרֵינָה נ moraine

מוֹרֶך (־לֵב) ז cowardice

מורְכָּב ת complex, complicated, compound, composed, consisting

מורְכָּבוּת נ complexity, intricacy

מוֹרָל ז morale

מוּרָם ת raised, elevated

מורס ז Morse

מורמוֹנִי ז Mormon

מורָן ז viburnum

מורסָה נ abscess

מורעָב ת starved

מורעָל ת poisoned

מורפולוגִי ת morphological

מורפולוגְיָה נ morphology

מורפיום ז morphine

מורפֵימָה נ morpheme

מורָק ת emptied

מוֹרָשָה נ legacy, inheritance, heritage

מורשֶה ת permissible

מורשֶה ז representative, deputy, delegate

מורשון ז parliament

מורשונִי ת parliamentary

מורשָע ת convicted, guilty

מורתָּח ת boiled

מוֹרַת־רוּחַ discontent, dissatisfaction

מוּשָא ז object

מוּשָא עָקִיף indirect object

מוּשאָל ת lent, metaphorical

מוֹשָב ז seat, session, sitting, settlement, residence, dwelling

מוֹשָב אֲחוֹרִי back seat, pillion

מוּשָב ת returned, restored

מוֹשָבָה נ colony, province, settlement, village

מושבָע ת sworn, avowed

מושבָע ז juror

מושבָת ת locked out

מוּשָג ז conception, idea, notion

מוּשָג ת obtained, attained

מושחָז ת sharpened, honed

מושחָל ת threaded

מושחָר ת blackened

מושחָת ת corrupt, spoiled

מוּשָט ת extended, floated

מוֹשִיעַ ז savior, helper

מוֹשֵך ת attractive

מוֹשְכָה נ rein

מושכות נ"ר reins, bridle

מושכָּל ז concept, idea

מושכָּל רִאשוֹן axiom

מושכָּר ת rented, let

מוֹשֵל ז ruler, governor

snowy	מוּשׁלָג ת
complete, perfect	מוּשׁלָם ת
destroyed	מוּשׁמָד ת
defamed	מוּשׁמָץ ת
humiliated	מוּשׁפָּל ת
influenced	מוּשׁפָּע ת
musk	מוּשׁק ז
watered	מוּשׁקֶה ת
invested	מוּשׁקָע ת
rooted	מוּשׁרָשׁ ת
transplanted	מוּשׁתָּל ת
death	מָוֶת ז
fitted, adjusted	מוּתאָם ת
tensor	מוֹתֵחַ ז
cliffhanger	מוֹתחָן ז
loin, hip, waist	מוֹתֶן ז
molten	מוּתָּך ת
conditioned	מוּתנֶה ת
jacket	מוֹתנִיָּה נ
loins, waist	מוֹתנַיִם ז״ר
battle-dress	מוֹתנִית נ
sweetheart, honey	מוֹתֶק ז
excess, remainder	מוֹתָר ז
allowed, permitted, permissible	מוּתָּר ת
luxury	מוֹתָרוֹת ז״ר
kill	מוֹתֵת פ
altar	מִזבֵּחַ ז
dump, tip, refuse heap, garbage	מִזבָּלָה נ
mixture, nature, temperament	מֶזֶג ז
mix, pour, blend	מָזַג פ
amalgamate, merge, blend	מִזֵּג פ
weather	מֶזֶג אֲוִיר
glassworks	מִזגָּגָה נ
temperamental	מִזגִּי ת
air-conditioner	מַזגָן ז
senescent	מִזדַּקֵּן ת
sprinkler, sprayer	מַזֶּה ז
starving	מְזֵה־רָעָב
bright, brilliant, cautionary	מַזהִיר ת
clutch	מַזּוֹג ז
poured, mixed	מָזוּג ת
amalgamation, mixing, fusion, merger	מִזּוּג ז
air-conditioning	מִזּוּג אֲוִיר
frosted, glazed	מְזוּגָּג ת
baggage, kitbag	מִזוָד ז
valise, suitcase	מִזוָדָה נ
pantry, larder	מְזָוֶה ז
identified	מְזוֹהֶה ת
contaminated, infected, dirty	מְזוֹהָם ת
paired, coupled	מְזוּוָג ת
angular	מְזוּוֶה ת
doorpost, mezuza	מְזוּזָה נ
gatepost	מְזוּזַת הַשַּׁעַר
crude oil	מָזוּט ז
armed	מְזוּיָּן ת
forged, affected, counterfeit, false	מְזוּיָּף ת
bevel	מְזוִית ז
masochism	מָזוֹכִיזם ז
masochist	מָזוֹכִיסט ז
masochistic	מָזוֹכִיסטִי ת
purified	מְזוּכָּך ת
ready, prepared	מְזוּמָן ת
cash, cash in hand, ready money	מְזוּמָנִים ז״ר
food	מָזוֹן ז
alimony	מְזוֹנוֹת ז״ר
tailed	מְזוּנָּב ת
nutritive	מְזוֹנִי ת
shocked, alarmed	מְזוּעזָע ת
tarry, lousy, bad	מְזוּפָּת ת
bearded	מְזוּקָן ת
refined, distilled	מְזוּקָּק ת
remedy, bandage	מָזוֹר ז
major	מָזוֹר ז
winnowed	מְזוֹרֶה ת
quick, hurrying	מְזוֹרָז ת
quay, pier, jetty, wharf	מֵזַח ז
sled, sleigh	מִזחֶלֶת נ
famished	מְזֵי־רָעָב
consonance	מְזִיג ז

מְזִיגָה נ mixture, blending, pouring
מֵזִיד, בְּמֵזִיד willfully
מַזִּין ת nutritious
מַזִּיעַ ת sweaty
מְזַיֵּף forger, counterfeiter
מַזִּיק ז harmful, hurtful, injurious, pest
מַזְכִּיר ז secretary
מַזְכִּירוּת נ secretariat
מַזְכָּ"ל ז secretary general
מִזְכָּר ז memorandum
מַזְכֶּרֶת נ keepsake, souvenir, remembrance
מַזָּל ז luck, fortune
מַזַּל אַרְיֵה Leo
מַזַּל בְּתוּלָה Virgo
מַזַּל גְּדִי Capricorn
מַזַּל דָּגִים Pisces
מַזַּל דְּלִי Aquarius
מַזַּל טָלֶה Aries
מַזַּל מֹאזְנַיִם Libra
מַזַּל סַרְטָן Cancer
מַזַּל עַקְרָב Scorpio
מַזַּל קֶשֶׁת Sagittarius
מַזַּל שׁוֹר Taurus
מַזַּל תְּאוֹמִים Gemini
מַזָּל טוֹב congratulations
מַזְלֵג ז fork
מַזְלֵג חַשְׁמַלִּי immersion heater
מַזְלֵף ז sprinkler, sprayer, watering pot
מְזִמָּה נ conspiracy, scheme, plot, design
מִזְמוּז ז softening, necking, lovemaking
מַזְמוּט ז fun, flirtation
מִזְמוֹר ז song, hymn, psalm
מִזְמֵז פ flirt, make love
מַזְמִין ת inviting
מִזְּמַן תה"פ long ago
מַזְמֵרָה נ pruning shears
מִזְנוֹן ז buffet, cupboard, restaurant, bar

מִזְנוֹנַאי ז buffet attendant
מַזְנִיק ז starter
מַזְנֵק ז spout
מִזְעוּר ז minimization
מְזַעְזֵעַ ת appalling, shocking, terrible
מַזְעֵק ז alarm bell
מִזְעֵר פ minimize
מִזְעָר תה"פ little, least
מִזְעָרִי ת minimal
מִזְעֶרֶת נ miniature
מְזַקֵּק ז distiller, refiner
מִזְקָקָה נ refinery, distillery
מַזְרֵבָה נ spool
מִזְרוֹן ז mattress
מִזְרוֹן אֲוִיר air mattress
מִזְרָח ז east
– הַמִּזְרָח הַתִּיכוֹן the Middle East
מִזְרָחָה תה"פ eastwards
מִזְרָחִי ת eastern, oriental
מִזְרְחָן ז orientalist
מִזְרָן ז mattress
מַזְרֵעָה נ drill, sowing machine
מַזְרֵק ז gun, syringe, injector
מִזְרָקָה נ fountain
מָחָא (כַּף) פ clap, applaud
מְחָאָה נ protest
מַחֲבוֹא ז hiding place
מַחֲבוֹאִים hide-and-seek
מַחְבּוֹשׁ ז detention
מַחְבֵּט ז bat, racket carpet-beater
מַחְבֵּט זְבוּבִים flyswatter
מַחְבֵּטָה נ flail
מְחַבֵּל ז terrorist, destroyer, saboteur
מַחְבֵּצָה נ churn
מְחַבֵּר ז author, writer
מַחְבֵּר ז connector, joint
מַחְבָּר ז joint
מְחַבְּרוּת נ authorship

מַחְבֶּרֶת נ copybook
מַחֲבַת נ frying pan, pan
מַחְגֵר ז escapement
מֵחַד (גִיסָא) on the one hand
מְחַדֵּד ז pencil sharpener
מֶחְדָּל ז omission, failure
מֵחָדָשׁ תה"פ anew
מְחַדֵּשׁ ז innovator, inventor
מָחָה פ erase, wipe, mash, protest
מִחָה פ protest, wipe
מְחוּבָּר ת connected, joined
מָחוֹג ז hand, pointer
מְחוֹג הַדַּקּוֹת minute hand
מְחוֹג הַשְּׁנִיּוֹת second hand
מְחוֹג הַשָּׁעוֹת hour hand
מְחוּגָה נ compasses, dividers, calipers
מְחוּדָּד ת pointed, sharp
מְחוּדָּשׁ ת renovated, renewed
מֶחְוָה נ gesture
מַחֲוֶה ז pointer, indicator
מְחוּוָּר ת clear, clarified
מָחוֹז ז county, district
מְחוֹז־חֵפֶץ destination
מְחוֹזִי ת district
מְחוּזָּק ת reinforced
מְחוּטָּא ת sterile, disinfected
מְחוּטָּב ת well-shaped
מְחוּיָּב ת obliged, bound
מְחוּיַּב הַמְּצִיאוּת ת vital, inevitable
מְחוּיָּבוּת נ commitment
מְחוּיָּל ת mobilized
מָחוֹךְ ז corset, stays
מְחוּכָּם ת clever, wise
מָחוֹל ז dance, dancing
מָחוּל ת forgiven
מְחוֹלֵל ז generator, performer, dancer
מְחוּלָּק ת divided, dividend
מְחוּמָּם ת heated

מְחוּמְצָן ת oxidized
מְחוּמָּשׁ ת pentagon
מַחֲוָן ז index, indicator
מְחוּנָּךְ educated, well-bred
מְחוֹנָן ת gifted, talented
מְחוּסָּל ת finished, done
מְחוּסָּן ת immune
מְחוּסְפָּס ת abrasive, rough
מְחוּסָּר ת lacking
מְחוּפֶּה ת covered
מְחוּפָּשׂ ת disguised, masked
מִחוּץ תה"פ outside
מִחוּץ לַתְּחוּם out of bounds
מְחוּצָּף ת impudent, insolent
מְחוֹקֵק ז lawgiver, legislator
מְחוּרְבָּן ת lousy, bad
מְחוֹרָז ת rhymed, strung
מְחוֹרָר ת full of holes
מֵחוֹשׁ ז ache, pain
מָחוֹשׁ ז feeler, antenna
מְחוּשָּׁב ת calculated
מְחוּשָּׁל ת forged
מְחוּשְׁמָל ת electrified
מְחוּתָּךְ ת articulate, cut
מְחוּתָּן ז father of son- or daughter-in-law
מַחֲזָאוּת נ dramatics
מַחֲזַאי ז dramatist, dramaturge, playwright
מַחֲזֶה ז play, scene, sight, spectacle, view
מִחְזוּר ז recycling
מַחֲזוֹר ז cycle, period, circulation, circuit, turnover, prayer-book
מַחֲזוֹר הַדָּם blood stream
מַחֲזוֹרִי ת circulatory, cyclic, periodic(al)
מַחֲזוֹרִיּוּת נ recurrence
מַחֲזִיק ז holder
מַחֲזִיק מַפְתְּחוֹת key-ring
מַחֲזִירוֹר ז reflector
מַחֲזִירוֹר־כְּבִישׁ cat's eye
מַחֲזֶמֶר ז musical

מִחְזֵר פ recycle
מְחַזֵּר ת courting, suitor, wooer
מַחְזֵר ז reflector
מַחַט נ needle, stylus
מָחַט פ clean, trim, snuff
מְחַטֵּא ז antiseptic, disinfectant
מַחְטָנִי ת coniferous
מְחִי, בִּמְחִי יָד at one blow
מְחִיאוֹת כַּפַּיִם applause
מְחַיֵּב ת binding, obliging, positive
מִחְיָה נ living, subsistence
מְחִילָה נ forgiveness, pardon, absolution
מְחִיצָה נ partition, screen
מָחִיק ת erasable
מְחִיקָה נ deletion, erasure
מְחִיר ז cost, price
מְחִירוֹן ז price list
מְחִית נ mash, puree
מַחְכִּיר ז lessor
מָחַל פ forgive, pardon
מַחְלָבָה נ dairy
מַחֲלָה נ ailment, disease, illness, sickness
מְחִלָּה נ tunnel, burrow
מַחְלוֹקֶת נ quarrel, dispute
מַחֲלִיא ת sickening
מַחֲלִים ת convalescent
מַחֲלִיף ת substitute
מַחֲלִיקַיִם ז"ר skates
מַחֲלִיקָן ז skater
מַחְלֵף ז commutator, changer, converter
מֶחְלָף ז interchange
מַחְלָפָה נ plait, tress
מַחְלֵץ ז corkscrew
מַחְלָצוֹת נ"ר fine garments
מְחַלֵּק ז divider, divisor
מַחְלָקָה ז department, class, platoon
מַחְלַקְתִּי ת departmental
מַחֲלַת הַפֶּה וְהַטְּלָפַיִם foot-and-mouth disease
מַחֲלַת יָם seasickness
מַחֲלַת לֵב heart disease
מֵחַם ז samovar
מַחֲמָאָה נ compliment, flattery
מַחְמָד ז sweetheart
מַחְמוֹשֶׁת נ staff, stave
מַחְמִיר ת austere, strict
מַחֲמַצִּים ז"ר pickles
מֵחֲמַת מ"י because of
מַחֲנָאוּת נ camping
מַחֲנֶה ז camp, encampment
מַחֲנֶה רִכּוּז concentration camp
מַחֲנִיק ת stuffy
מְחַנֵּךְ ז educator
מַחֲנָק ז suffocation
מַחְסֶה ז refuge, cover, shelter
מַחֲסוֹל ז liquidation
מַחְסוֹם ז block, barrier barricade, muzzle, gag
מַחְסוֹר ז shortage, want
מַחְסָן ז warehouse, store
מַחְסַן נֶשֶׁק arsenal
מַחְסְנָאוּת נ storekeeping
מַחְסְנַאי ז storekeeper
מַחְסָנִית נ magazine
מְחַסֵּר ז subtracting
מַחְפּוֹרֶת נ trench, dugout
מַחְפִּיר ת disgraceful, shameful
מַחְפֵּר ז dredge, bulldozer
מָחַץ פ crush, wound
מַחַץ ז blow, wound
מַחְצָב ז mineral
מַחְצָבָה נ quarry
מֶחֱצָה נ half
מֶחֱצָה עַל מֶחֱצָה fifty-fifty
מְחִצָּה נ partition, screen
מַחֲצִית נ half, half time
מַחְצֶלֶת נ mat
מַחְצֵצָה נ toothpick

מְחַצְצֵר ז trumpeter, bugler

מָחַק פ delete, erase

מַחַק ז eraser, rubber

מְחַקֶּה ז imitator, mimic

מֶחְקָר ז research, study

מָחָר תה"פ tomorrow

מַחֲרָאָה נ latrine, W.C.

מַחֲרוֹזֶת נ necklace, collar, string, chain

מְחַרְחֵר ז inciter, provoker

מַחֲרֵטָה נ lathe

מַחֲרִיב ז destroyer

מַחֲרִיד ת shocking, terrible

מַחֲרִישׁ ת deafening, silent

מְחָרֵף ת blasphemous

מַחֲרֵשָׁה נ plow, plough

מָחֳרָתַיִם תה"פ the day after tomorrow

מַחְשֵׁב ז computer

מִחְשֵׁב פ computerize

מְחַשֵּׁב ז calculator

מַחֲשָׁבָה נ thought

מַחְשׂוֹף ז exposure, neckline

מַחְשָׁךְ ז darkness

מְחַשְׁמֵל ת electrifying

מַחְתָּה נ censer, poker, shovel, thurible

מַחְתֵּךְ ז cutter

מַחְתֵּכָה נ slicer

מַחְתֶּרֶת נ underground

מַחְתַּרְתִּי ת underground

מָט פ totter, stagger

מַט ז mate, checkmate

מַט סַנְדְלָרִים fool's mate

מֶטְאוֹר ז meteor

מֶטֶאוֹרוֹלוֹג ז meteorologist

מֶטֶאוֹרוֹלוֹגִי meteorological

מֶטֶאוֹרוֹלוֹגְיָה נ meteorology

מֶטֶאוֹרִי ת meteoric

מֶטֶאוֹרִיט ז meteorite

מַטְאֲטֵא ז broom

מְטַאטֵא ז sweeper, dustman

מֶטַבּוֹלִי ת metabolic

מֶטַבּוֹלִיזְם ז metabolism

מַטְבֵּחַ ז slaughter

מִטְבָּח ז kitchen

מִטְבָּחוֹן ז kitchenette

מַטְבִּיל ז dipper, Baptist

מַטְבֵּעַ ז coin, currency, form, type, formula

מִטְבָּעָה נ mint

מַטְבְּעָנוּת נ numismatics

מַטְבַּעַת נ die

מָטָדוֹר ז matador

מִטָּה נ bed, couch, cot

מַטָּה תה"פ downward, down

מַטֶּה ז headquarters, staff, stick, rod

מִטָּה דוּ-קוֹמָתִית bunkbed

מַטֶּה כְּלָלִי general staff

מִטָּה כְּפוּלָה double bed

מִטָּה מִתְקַפֶּלֶת camp bed

מַטֵּה קֶסֶם wand

מְטוּאטָא ת swept

מִטּוּב ז optimization

מְטוּגָּן ת fried

מַטְוֶה ז yarn

מְטוֹהָר ת purged, purified

מִטְוָח ז shooting range

מַטְוִיָּה נ spinning mill

מְטוּטֶלֶת נ pendulum

מְטוּיָּח ת plastered

מַטּוֹל ז projector

מְטוּלָּא ת patched

מְטוּלָּל ת dewy

מַטְלָן ז projectionist

מַטְלְנוֹעַ ז movie projector

מְטוּמְטָם ת stupid, fool

מְטוּנָּף ת filthy, nasty

מָטוֹס ז aircraft, airplane

מְטוֹס יָם seaplane

מְטוֹס יֵרוּט interceptor

מְטוֹס סִילוֹן jet plane

מְטוּפָּח ת nursed, cherished, well-groomed

מְטוּפָּל ת burdened

מְטוּפָּשׁ ת stupid, foolish

מְטוֹרָף ת crazy, insane

מְטוּשְׁטָשׁ ת dim, blurred

מַטָּח ז salvo, volley

מְטַחֲוֵי קֶשֶׁת	bowshot
מַטְחֵנָה נ	grinder, mill, mincing machine, mincer
מְטִיל ז	bar, bullion, ingot
מְטַיֵּל ז	tourist, walker
מַטִּיף ז	preacher
מַטָּלָה נ	mission, task
מֶטַלּוּרג ז	metallurgist
מֶטַלּוּרגִי ת	metallurgical
מֶטַלּוּרגְיָה נ	metallurgy
מְטַלְטֵל ת	portable
מְטַלְטְלִים ז״ר	chattels, movables
מַטְלִית נ	cloth, rag
מַטְמוֹן ז	treasure
מֶטָמוֹרפוֹזָה	metamorphosis
מַטָּס ז	flight
מַטָּע ז	plantation
מַטְעֶה ת	deceptive
מִטַּעַם תה״פ	on behalf of
מַטְעַמִּים ז״ר	delicatessen
מִטְעָן ז	baggage, cargo, freight, luggage, charge
מַטְעֵן ז	charger
מַטָּעָן ז	planter
מַטְפֶּה ז	fire extinguisher
מֶטָפוֹרָה נ	metaphor
מֶטָפוֹרִי ת	metaphorical
מִטְפַּחַת נ	handkerchief
מַטְפֵטֵף ז	dropper
מֶטָפִיסִי ת	metaphysical
מֶטָפִיסִיקָה נ	metaphysics
מְטַפֵּל ז	attendant
מְטַפֶּלֶת נ	nurse, nursemaid
מְטַפֵּס ז	creeper, climber
מִטְפָּסִים ז״ר	climbing irons
מָטָר ז	rain, shower
מֶטֶר ז	meter
מְטַר אֵשׁ	barrage
מְטַר שְׁאֵלוֹת	barrage of questions
מִטְרָד ז	annoyance, nuisance, bother
מַטָּרָה נ	aim, end, goal, object, purpose, target
מֶטְרוֹ ז	metro
מַטְרוֹנָה נ	matron, lady
מֶטְרוֹנוֹם ז	metronome
מֶטְרוֹפּוֹלִין ז	metropolis
מֶטְרִי ת	metric
מֶטֶרְיָאלִיזם ז	materialism
מֶטֶרְיָאלִיסט ז	materialist
מֶטְרִיאַרכָלִי ת	matriarchal
מִטְרִיָּה נ	umbrella
מַטְרִיצָה נ	die, matrix
מַטְרֵף ז	eggbeater, whisk
מַטְרֵק ז	knocker
מִטַּת מֵת	bier
מִי מ״ג	who, whom
מִי (צליל) ז	E, mi
מֵי בּוֹשֶׂם	perfume
מֵי דְבַשׁ	mead
מֵי חַמְצָן	hydrogen peroxide
מֵי מֶלַח	brine
מֵי מְנוּחוֹת	still waters
מֵי סוֹדָה	carbonated water, soda water
מֵי קוֹלוֹן	eau de cologne
מֵי רַגְלַיִם	urine
מֵי שׁוֹפְכִין	sewage water
מְיַגֵּעַ ת	tiring, tiresome
מִיגְרֶנָה נ	migraine, megrim
מִיָּד תה״פ	at once, without delay, quickly, soon, immediately
מִידֵי מ״ח	from
מִיָּדִי ת	immediate
מִיָּדִיּוּת נ	immediacy, urgency
מֵידָע ז	information
מִיהוּ מ״ג	who is he
מְיוּאָשׁ ת	desperate
מְיוּבָּל ת	horny, warty
מְיוּבָּשׁ ת	dried, desiccated
מְיוּדָּד ת	friendly
מְיוּדָּע ז	acquaintance
מְיוּזָּע ת	sweaty, perspiring
מְיוּחָד ת	particular, specific, special

מְיוּחָדוּת נ particularity, speciality, uniqueness
מְיוּחָל ת hoped, expected
מְיוּחָם ת rutted, in heat
מְיוּחָס ת highborn, privileged, wellborn, ascribed, attributed
מְיוּמָן ת skillful, skilled
מְיוּמָנוּת נ skill, dexterity
מִיוּן ז classification, classifying, sorting
מָיוֹנִית נ mayonnaise
מְיוּסָר ת agonized
מְיוּעָד ת designate, intended, designed
מְיוּעָר ת afforested
מְיוּפֶּה ת beautified, authorized, empowered
מְיוּפֵּה כּוֹחַ charge d'affaires, proxy
מְיוּצָא ת exported
מְיוּצָג ת represented
מְיוּצָר ת manufactured, made
מְיוּשָׁב ת seated, calm, sedate, inhabited
מְיוּשָׁן ת antiquated, out-of-date, sleepy
מְיוּשָׁר ת straightened
מְיוּתָם ת orphaned, isolated
מְיוּתָּר ת needless, unnecessary, superfluous
מִיזַנְתְרוֹפּ ז misanthrope
מִיזַנְתְרוֹפִּי ת misanthropic
מִיזַנְתְרוֹפְּיָה נ misanthropy
מֵיזָע ז sweater
מֵיטָב ז best
מֵיטִיב ז benefactor
מֵיכָל ז container, tank
מֵיכָלִית נ tanker
מִיל ז mile
מֵילָא מ"ק never mind
מְיַלֵּד ז obstetrician
מְיַלְּדוּת נ midwifery, obstetrics
מְיַלֶּדֶת נ midwife
מִילָה נ circumcision
מֵילָה נ ash
מִילִיגְרָם ז milligram
מִילְיוֹן ז million
מִילְיוֹנִית ת millionth
מִילְיוֹנֶר ז millionaire
מִילִיטַנְטִי ת militant
מִילִיטָרִיזְם ז militarism
מִילִיטָרִיסְט ז militarist
מִילִילִיטֶר ז milliliter
מִילִימֶטֶר ז millimeter
מִילִיצְיָה נ militia
מִילְיַרְד ז milliard, billion
מִילְקְבָּר ז milk-bar
מִילְקְשֵׁיק ז milk shake
מַיִם ז"ר water
מֵימָה נ hydrate
מֵימִי ת aquatic, aqueous, watery
מֵימִיָּה נ canteen, water bottle
מֵימִיּוּת נ wateriness
מִיָּמִים תה"פ long since
מִיָּמִים יָמִימָה annually
מַיְמִין ת turning right
מֵימָן ז hydrogen
מֵימְרָה נ aphorism, saying, maxim, proverb
מַיֶּמֶת נ dropsy
מִין ז kind, sort, type, sex, species, class, heretic, gender
מִיֵּן פ classify, sort
מַיְּנָן ז classifier, sorter
מִינוּאֶט ז minuet
מִינוּס מ"י less, minus
מִינוֹר ת minor
מִינוֹרִי ת minor
מִינוּת נ heresy
מִינִי ת sexual, venereal
מִינְיָאטוּרָה נ miniature
מִינְיָאטוּרִי ת miniature
מִינִיבּוּס ז minibus
מִינִיּוּת נ sexuality
מִינִימוּם ז minimum

מִינִימָלִי ת minimal
מִינִיסְטֶר ז minister
מִינִיסְטֶרְיוֹן ז ministry
מִינֶסְטרוֹנֶה נ minestrone
מִינְק ז mink
מֵינֶקֶת נ wet nurse
מִינָרֶט ז minaret
מִינֶרָל ז mineral
מִינֶרָלוֹג ז mineralogist
מִינֶרָלוֹגְיָה נ mineralogy
מִינֶרָלִי ת mineral
מְיַסֵּד ז founder
מִיסָה נ mass
מִיסְטִי ת mystic(al)
מִיסְטִיּוּת נ mysticism
מִיסְטִיפִיקַצְיָה mystification
מִיסְטִיקָה נ mystique
מִיסְטִיקָן ז mystic
מִיסְיוֹן ז mission
מִיסְיוֹנִי ת missionary
מִיסְיוֹנֶר ז missionary
מְיָעֵץ ת advisory,
adviser, consultant
מֵיפָּע ז concert, recital
מִיץ ז juice, squash
מִיץ תַּפּוּחִים cider
מֵיצָב ז status
מְיַצֵּב ז stabilizer, fin
מְיַצֵּג ת representing
מִיצוּר ז composition, opus
מִיקָה נ mica
מִיקִי מָאוּז mickey mouse
מִיקְסֶר ז mixer
מִיקְרוֹבִּיוֹלוֹגְיָה microbiology
מִיקְרוֹמֶטֶר ז micrometer
מִיקְרוֹן ז micron
מִיקְרוֹסְקוֹפּ ז microscope
מִיקְרוֹסְקוֹפִּי ת microscopic
מִיקְרוֹפוֹן ז microphone
מִיקְרוֹפוֹן שָׁתוּל bug
מִיקְרוֹפִילְם ז microfilm
מִיקְרוֹפִישׁ ז microfiche
מִיקְרוֹקוֹסְמוֹס ז microcosm
מֵירַב ז maximum
מֵירַבִּי ת maximal

מִישֶׁהוּ מ"ג anybody, anyone,
somebody, someone
מִישׁוֹר ז plain, plane
מִישׁוֹרִי ת plane, level
מִישׁוֹרֶת נ platform
מְיַשֵּׁר ז rectifier
מֵישָׁרִים justice, directly
מִיתָד ז dowel pin
מִיתָה נ death, execution
מִיתָה חֲטוּפָה sudden death
מִיתַת נְשִׁיקָה easy death
מִיתוֹלוֹג ז mythologist
מִיתוֹלוֹגִי ת mythological
מִיתוֹלוֹגְיָה נ mythology
מִיתוֹס ז myth
מֵיתָר ז chord, cord,
catgut, string, tendon
מֵיתְרֵי הַקּוֹל vocal chords
מָךְ ז poor, Mach
מַכְאוֹב ז pain, ache
מַכְאִיב ת painful, sore
מִכָּאן תה"פ hence, from here
מַכְבֶּה ת extinguisher
מַכְבֵּה אֵשׁ fireman
מַכְבֵּנָה נ brooch, hair-grip,
hairpin
מַכְבֵּנוֹת נ"ר curling-pins
מִכְבָּסָה נ laundry
מִכְבָּר ז grill
מַכְבֵּשׁ ז press, roller
מַכְבֵּשׁ הַדְּפוּס printing press
מִכְּדֵי תה"פ more than
מַכָּה נ hit, stroke, blow
מְכוּבָּד ת honorable,
respected, respectable
מְכוּבָּדוּת נ respectability
מְכוּדָּן ת bayoneted
מִכְוָה נ burn, scald
מְכוּוָּן ת aimed, directed,
intentional, deliberate
מְכוּוָּץ ת shrunken
מִכּוֹחַ תה"פ by virtue of
מְכוּכָּב ת starred
מְכוּלָה נ container
מְכוּלְכָּל ז dependant

מַכּוֹלֶת נ — grocery
מָכוֹן ז — institute
מְכוֹן יוֹפִי — beauty parlor
מִכּוּן ז — automation, mechanization
מַכְוֵן ז — tuner, regulator
מְכוֹנָאוּת נ — mechanics
מְכוֹנַאי ז — machinist, mechanic
מְכוֹנָה נ — machine
מְכוּנֶה ת — named, called, nicknamed, alias
מְכוֹנִית נ — car, vehicle
מְכוּנָם ת — lousy
מְכוֹנֵן ז — founder
מְכוּנָס ת — gathered in
מְכוּנָס בְּעַצְמוֹ — introvert
מְכוּנָף ת — winged
מְכוֹנַת אֱמֶת — lie detector
מְכוֹנַת חִשּׁוּב — calculator
מְכוֹנַת הִדּוּק — stapler
מְכוֹנַת יְרִיָּה — machine-gun
מְכוֹנַת כְּבִיסָה — washer, washing-machine
מְכוֹנַת כְּתִיבָה — typewriter
מְכוֹנַת סְרִיגָה — knitting-machine
מְכוֹנַת צִלּוּם — photocopier
מְכוֹנַת תְּפִירָה — sewing machine
מְכוּסֶּה ת — covered
מְכוֹעָר ת — nasty, ugly
מְכוּפָּל ת — multiplied
מְכוּפְתָּר ת — buttoned up
מָכוּר ת — sold, addicted
מְכוּרְבָּל ת — wrapped up
מְכוֹרָה נ — homeland
מְכוּרְכָּם ת — yellow, saffron
מִכְוֶרֶת נ — apiary
מַכּוֹשׁ ז — hoe, pickax
מְכוּתָּר ת — surrounded
מִכְחוֹל ז — brush, paintbrush
מִכֵּיוָן שֶׁ- מ"ח — because
מֵכִיל ת — containing
מְכִינָה — preparatory school

מַכִּיר ת — acquainted, acquaintance, friend
מָכִיר ת — salable, saleable
מְכִירָה נ — selling, sale
מְכִירָה פּוּמְבִּית — auction
מְכָל ז — container, tank
מְכַל גָּז — gasholder
מְכַל הַדָּחָה — cistern
מִכְלָאָה נ — pen, fold
מַכְלֵב ז — stapler
מִכְלָב ז — stitch, tack
מִכְלוֹל ז — generality, total
מְכָלִית נ — tanker
מְכָלִית נֵפְט — oil tanker
מִכְלָל ז — perfection
מִכְלָלָה — college, university
מִכָּל מָקוֹם — anyway
מַכָּ"ם ז — radar
מִכְמוֹרֶת נ — fishing net
מִכְמַנִּים ז"ר — treasures
מִכֵּן פ — automate, mechanize
מְכַנֶּה ז — denominator
מְכָנִי ת — mechanical
מְכָנִיּוּת נ — mechanism
מְכָנִיזְם ז — mechanism
מַכְנִיס ת — profitable
מַכְנִיס אוֹרְחִים — hospitable
מַכְנִיף ת — winged
מֶכָנִיקָה נ — mechanics
מִכְנָס ז — breech
מִכְנָסַיִם ז"ר — trousers, pants, breeches
מֶכֶס ז — customs, duty, tax
מִכְסֶה ז — cap, cover, lid
מִכְסָה נ — norm, quota
מַכְסֵחָה נ — lawn-mower, mower
מַכְסִיף ת — gray, silvery
מַכְפִּיל ז — multiplier
מַכְפֵּלָה נ — product
מַכְפֶּלֶת נ — hem
מָכַר פ — sell, betray
מֶכֶר ז — sale, merchandise
מַכָּר ז — acquaintance
מִכְרֶה ז — mine, pit

מִכְרֵה זָהָב goldmine
מִכְרֵה פֶּחָם coalmine
מִכְרוּעַ ז curtsy, curtsey
מִכְרָז ז bid, tender
מַכְרִיז ז announcer
מַכְרִיעַ ת decisive
מְכַרְסֵם ז rodent, nibbling
מִכְשׁוֹל ז obstacle
מִכְשׁוּר ז instrumentation
מַכְשִׁיר ז appliance, gadget, instrument, tool
מַכְשִׁיר שְׁמִיעָה hearing aid
מַכְשִׁירֵי כְּתִיבָה writing materials, stationery
מַכְשִׁירָן ז tool operator
מַכְשֵׁלָה נ obstacle
מְכַשֵּׁף ז magician, wizard
מְכַשֵּׁפָה נ witch
מִכְתָּב ז letter
מַכְתֵּב ז stylus, scriber
מִכְתַּב אַשְׁרַאי letter of credit
מִכְתָּבָה נ desk
מִכְתָּם ז epigram
מַכְתֵּשׁ ז crater, mortar
מַכַּת חוֹם heat stroke
מַכַּת יַעַף volley
מַכַּת שֶׁמֶשׁ sunstroke
מָל פ circumcise
מָלֵא ת abundant, full
מָלֵא חַיִּים lively
מָלֵא פ be full, overflow
מְלָאוֹ לִבּוֹ dare
מִלֵּא פ fill, keep, fulfill
מִלֵּא הַבְטָחָה keep a promise
מִלֵּא יָדָיו authorize
מִלֵּא מָקוֹם replace
מַלְאֶה ת tiresome
מְלֵאוּת נ fullness
מְלַאי ז supply, stock
מַלְאָךְ ז angel, messenger
מְלָאכָה נ work, labor, craft
מְלָאכוּתִי ת artificial
מְלָאכוּתִיּוּת נ artificiality
מַלְאָכִי ת angelic
מְלֶאכֶת מַחֲשֶׁבֶת masterwork
מְלֶאכֶת יָד handicraft
מְלַבֵּב ת attractive
מִלְּבַד apart from, besides
מַלְבּוּשׁ ז garment, clothing
מַלְבִּין ז bleacher
מַלְבִּין פָּנִים insulting
מַלְבֵּן oblong, rectangle
מַלְבֵּנִי ת rectangular
מִלְּבַר תה"פ from outside
מִלְגָּה נ grant, stipend, scholarship, award
מִלְּגוֹ תה"פ from inside
מַלְגֵּז ז pitchfork
מַלְגֵּזָה נ forklift truck
מְלַגְלֵג ת ironic(al)
מִלָּה נ word
מִלָּה בְּמִלָּה literally
מִלָּה נֶגְדִּית antonym
מִלָּה נִרְדֶּפֶת synonym
מִלָּה שְׁאוּלָה loan word
מַלְהִיב ת exciting
מְלוֹא ז fullness, capacity
מְלוֹא הַיָּד handful
מְלוֹא קוֹמָתוֹ full height
מִלּוּאָה נ filling, inlay
מִלּוּאִים ז"ר army reserve
מְלוּבָּן ת white-hot
מְלוּבָּשׁ ת dressed, clad
מְלוֹג ז usufruct
מֶלוֹדִי ת melodic
מֶלוֹדְיָה נ melody
מֶלוֹדְרָמָה נ melodrama
מֶלוֹדְרָמָתִי ת melodramatic
מַלְוֶה ז lender
מִלְוֶה, מִלְוָה ז/נ loan
מְלַוֶּה ז accompanist, escort
מְלוּוָּח ת tabular
מָלוּחַ ת salted, salty
מְלַוַּחַת נ tabulator
מִלּוּט ז escape, ejection
מִלּוּי ז stuffing, filling, fulfillment, refill
מִלּוּי מָקוֹם replacement
מְלוּטָּשׁ ת honed, polished

מְלוּכָּד ת united
מְלוּכָה נ kingdom, kingship
מְלוּכְלָךְ ת dirty, filthy
מְלוּכָן ז monarchist
מְלוּכָנוּת נ monarchism
מְלוּכָנִי ת monarchic, monarchistic, royalist
מִלּוּלִי ת literal
מְלוּכְסָן ת oblique, slanting
מְלוּמָד ז learned, scholar
מִלּוֹן ז dictionary
מָלוֹן ז hotel
מֶלוֹן ז melon
מִלּוֹנָאוּת נ lexicography
מְלוֹנָאוּת נ hotelkeeping
מִלּוֹנַאי ז lexicographer
מִלּוֹנָאִי ת lexical
מְלוֹנַאי ז hotelier, hotelkeeper
מְלוּנָה נ kennel
מְלוֹנוֹעַ ז motel
מַלָּח ז sailor, seaman
מֶלַח ז salt
מָלַח פ salt
מְלֵחָה נ salt marsh
מְלִחוּת נ salinity
מִלְחִי, מָלֵחַ ת salty
מִלְחִיָּה נ salt cellar
מַלְחִין ז composer
מְלַחֵךְ פִּנְכָּא bootlicker
מַלְחֵם ז soldering iron
מִלְחָמָה נ war, battle
מִלְחֶמֶת אֶזְרָחִים civil war
מִלְחֶמֶת הֲתָשָׁה war of attrition
מִלְחֶמֶת שְׁוָרִים bullfight
מִלְחַמְתִּי ת belligerent, militant, warlike
מִלְחַמְתִּיּוּת נ bellicosity, militancy
מֶלְחָצַיִם ז״ר clamp, vise
מַלְחֶצֶת נ clamp
מְלַחַת נ saltpeter, niter
מֶלֶט ז cement, mortar
מַלְט ז malt

מִלֵּט פ deliver, save, rescue, cement
מִלְטָשָׁה נ polishing workshop
מַלְטֶשֶׁת נ grinding wheel
מָלִיא ז filled vegetable
מְלִיאָה נ plenum
מָלִיחַ ז herring
מְלִיחָה נ salting
מְלִיחוּת נ salinity
מְלִיל ז dumpling
מֵלִיץ יוֹשֶׁר advocate
מְלִיצָה נ figure of speech, high-flown phrase
מְלִיצִי ת high-flown, florid
מְלִיקָה נ wringing the neck
מְלִית נ stuffing, filling,
מִלִּית נ particle
מֶלֶךְ ז king, ruler
מָלַךְ פ reign, rule
מִלְכֵּד פ booby-trap
מַלְכָּה נ queen
מַלְכֹּדֶת נ snare, trap
מַלְכוּת נ kingdom
מַלְכוּתִי ת kingly, majestic, royal
מְלָכִים (בתנ"ך) Kings
מַלְכַּת יוֹפִי beauty queen
מִלְּכַתְּחִלָּה from the start
מֶלֶל ז frill, fringe, hem
מֶלֶל ז talk, verbosity
מִלֵּל פ say, speak, utter
מַלְלָן ת voluble
מַלְלָנוּת נ volubility
מַלְמָד ז goad, prod
מְלַמֵּד ז religious teacher
מִלְמוּל ז muttering, murmur
מִלְּמַטָּה תה״פ from below
מִלְמֵל פ mutter, murmur
מַלְמָלָה נ fine cloth, muslin
מֶלַנְכּוֹלִי ת melancholic
מֶלַנְכּוֹלְיָה נ melancholy
מִלְעֵיל תה״פ penultimate
מִלְעֵילִי ת penultimate
מַלְעָן ז husk, awn, beard
מְלָפְפוֹן ז cucumber

מֶלְצַר ז waiter, barman
מֶלְצָרוּת נ serving
מֶלְצָרִית נ waitress
מָלַק פ wring the neck
מִלְקָה ז ecliptic
מַלְקוֹחַ ז plunder, loot
מַלְקוֹשׁ ז last rain
מַלְקוֹת נ"ר flogging, flagellation, whipping
מֶלְקָחַיִם ז"ר forceps, pincers, pliers, tongs
מֶלְקָחִית נ pincette
מֶלְקַחַת נ pliers
מִלְקָט ז collection
מַלְקֵט ז pincette
מַלְקֶטֶת נ pincers, tweezers
מָלַרְיָה נ malaria
מִלְרַע תה"פ ultimate accent
מַלְשִׁין ז informer
מַלְשִׁינוּת נ informing
מִלַּת הַגּוּף pronoun
מִלַּת חִבּוּר conjunction
מִלַּת יַחַס preposition
מִלַּת קְרִיאָה interjection
מִלַּת קִשּׁוּר conjunction
מִלַּת שְׁאֵלָה interrogative
מֶלְתָּחָה נ wardrobe, cloakroom
מֶלְתָּחָן cloakroom attendant
מַלְתָּעָה נ premolar, jaw
מַמְאִיר ת cancerous, malignant, pernicious
מֶמְבְּרָנָה נ membrane
מַמְּגוּרָה נ barn, granary
מֵמַד ז dimension
מְמַדִּי ת dimensional
מְמוּגָּל ת abscessed
מְמוּגָּף ת booted
מְמוּדְרָג ת terraced
מְמוּזָּג ת temperate, airconditioned
מְמוּזְלָג ת forked
מְמוּחְשָׁב ת computerized
מְמוּיָּן ת classified, sorted
מְמוּכָּן ת mechanized

מִמּוּל תה"פ opposite
מְמוּלָּא ת stuffed, filled
מְמוּלָּח ת salty, shrewd
מְמוּלְכָּד ת booby-trapped
מְמוּמָּן ת financed
מְמוּמָּשׁ ת realized
מִמּוּן ז financing
מָמוֹן ז money
מָמוֹנַאי ז financier
מְמוּנֶּה ז in charge, appointed, custodian
מְמוּנָּע ת motor, motorized
מְמוּסָּד ת established
מְמוּסְפָּר ת numbered
מְמוּצָּע ז average, mean
מְמוּקָּם ת placed, situated
מְמוּקָּשׁ ת mined
מְמוֹרָט ת polished
מְמוּרְטָט ת shabby, worn
מְמוּרְמָר ת embittered
מֶמוֹרַנְדּוּם ז memorandum
מִמּוּשׁ ז realization
מְמוּשָּׁךְ ת prolonged
מְמוּשְׁכָּן ת pawned, mortgaged
מְמוּשְׁמָע ת disciplined
מְמוּשְׁקָף ת spectacled
מָמוּתָה נ mammoth
מְמוּתָּק ת sweetened
מִמְזָג ז mixture, blend
מַמְזֵר ז bastard
מַמְזֵרוּת נ bar sinister, bastardy, illegitimacy
מַמְזֵרִי ת bastard, shrewd
מְמַחֶה ז assignor, blender
מִמְחָטָה נ handkerchief
מִמְטָר ז shower
מַמְטֵרָה נ sprinkler
מַמִּיט שׁוֹאָה calamitous
מִמֵּילָא תה"פ in any case
מְמַיֵּן ז sorter
מְמַיֶּנֶת נ sorting machine
מָמִישׁ ת realizable
מֵמִית ת lethal
מִמְּךָ, מִמֵּךְ מ"י from you
מִמְכָּר ז sale

מְמַלֵּא מָקוֹם ת — acting, substitute
מִמְלָחָה נ — saltshaker
מַמְלָכָה נ — kingdom, realm
מַמְלַכְתִּי ת — state, of state
מַמְלַכְתִּיּוּת נ — statehood
מִמֵּן פ — finance
מִמֶּנָּה מ״י — from her
מִמֶּנּוּ מ״י — from him, from us
מִמֶּנִּי מ״י — from me
מֵמֵס ת — solvent
מִמְסָד ז — establishment
מִמְסָךְ ז — cocktail
מְמַסְפֵּר ז — numerator
מִמְסָר ז — relay
מִמְסָרָה נ — transmission gear
מִמַּעַל תה״פ — above
מִמְצָא ז — finding
מְמַצֶּה ת — thorough
מַמְצִיא ז — innovator, inventor, discoverer
מִמְרָאָה נ — airstrip
מַמְרֶה ת — indocile, disobedient, rebellious
מִמְרָח ז — spread
מִמְרֵחַ ז — spreader
מִמְרַחַת נ — jam
מַמְרִיץ ת — stimulant, urging
מַמְרֵס ז — blender
מַמָּשׁ ז — reality, substance
מַמָּשׁ תה״פ — really, just, actually, in fact
מִמֵּשׁ פ — realize, execute
מַמָּשׁוּת נ — actuality, reality, substance
מַמָּשִׁי ת — actual, real
מַמָּשִׁיּוּת נ — reality
מִמְשָׁךְ בַּנְקָאִי — draft
מְמַשְׁכֵּן ז — mortgagor
מִמְשָׁל ז — administration, government, rule
מֶמְשָׁלָה נ — cabinet, government, rule
מֶמְשֶׁלֶת מַעֲבָר — caretaker government
מֶמְשֶׁלֶת מִעוּט — minority government
מֶמְשֶׁלֶת צְלָלִים — shadow cabinet
מֶמְשַׁלְתִּי ת — governmental
מִמְתָּח ז — span
מַמְתָּק ז — candy, sweet
מַמְתֵּק ז — sweetener
מִן מ״י — from, of, than
מָן ז — manna
מִן הַדִּין — it is proper
מִן הַסְּתָם — probably
מִן הָרָאוּי — it is proper
מְנָאֵף ז — adulterer
מְנָאֵץ ת — blasphemous
מִנְבָּטָה נ — seed bed
מַנְגּוֹ ז — mango
מַנְגִּינָה נ — tune, melody
מְנַגֵּן ז — musician, player
מַנְגָּן ז — manganese
מַנְגָּנוֹן ז — mechanism, machinery, staff, personnel
מְנַדֵּב ז — contributor
מִנְגָּע ת — contagious
מַנְדּוֹלִינָה נ — mandolin
מַנְדָּט ז — mandate
מַנְדָּטוֹרִי ת — mandatory
מַנְדְּרִיל ז — mandrill
מַנְדָּרִינָה נ — tangerine
מָנָה פ — count, number
מִנָּה פ — appoint, allot, nominate, assign
מָנָה נ — course, dish, dose, dosage, quotient, portion, ration, share
מִנְהָג ז — custom, habit
מַנְהִיג ז — captain, chief, commander, leader
מַנְהִיג הַמִּעוּט — minority leader
מַנְהִיגוּת נ — leadership
מִנְהָל ז — administration, management
מְנַהֵל ז — director, manager, boss, principal
מְנַהֵל חֶשְׁבּוֹנוֹת — bookkeeper

foreman מְנַהֵל עֲבוֹדָה
directorate מִנְהָלָה נ
directorship מְנַהֲלוּת נ
administrative מִנְהָלִי ת
tunnel מִנְהָרָה נ
despised מְנוּאָץ ת
opposed, contradictory, contrary מְנוּגָּד ת
played מְנוּגָּן ת
infected מְנוּגָּע ת
shaking the head מְנוֹד רֹאשׁ
outcast, ostracized מְנוּדֶּה ז
villain, ugly מְנוּוָל ז
degenerate מְנוּוָן ת
suffering from a cold, catarrhal מְנוּזָּל ת
rest, peace, deceased, the late מָנוֹחַ ז
terminology, nomenclature מִנּוּחַ ז
rest, peace מְנוּחָה נ
log מָנוֹט ז
appointment, nomination, subscription מִנּוּי ז
subscriber, counted מָנוּי ז
firmly decided מָנוּי וְגָמוּר
manometer מָנוֹמֶטֶר ז
sleepy, drowsy מְנוּמְנָם ת
well-bred, civil, polite, courteous מְנוּמָּס
reasoned, argued מְנוּמָּק ת
spotted, mottled מְנוּמָּר ת
freckled מְנוּמָּשׁ ת
dosage מִנּוּן ז
escape, refuge מָנוֹס ז
bolt, flight מְנוּסָה נ
experienced מְנוּסֶּה ת
phrased, styled מְנוּסָּח ת
prevented, unable מָנוּעַ ת
engine, motor מָנוֹעַ ז
motorization מִנּוּעַ ז
motorized, motor מְנוֹעִי ת
lever, crane מָנוֹף ז
crane operator מְנוֹפַאי ז
sifted, clean מְנוּפֶּה ת

bombastic, inflated, swollen מְנוּפָּח ת
shattered, carded מְנוּפָּץ ת
fledged, plumed מְנוֹצֶה ת
beaten, defeated מְנוּצָּח ת
exploited מְנוּצָּל ת
punched, riddled מְנוּקָּב ת
vocalized, dotted מְנוּקָּד ת
boom, warp beam מָנוֹר ז
lamp מְנוֹרָה נ
sunray lamp מְנוֹרָה כְּחוּלָה
blowy, drafty מְנוּשָּׁב ת
dispossessed מְנוּשָּׁל ת
disconnected מְנוּתָּק ת
abbey, convent, monastery מִנְזָר ז
coin words מִנֵּחַ פ
compere, guide מַנְחֶה ז
present, gift, afternoon prayer מִנְחָה נ
consolatory מְנַחֵם ת
guesser, diviner מְנַחֵשׁ ז
buffer, absorber מַנְחֵת ז
landing field מִנְחָת ז
heliport מִנְחַת מַסּוֹקִים
mantissa מַנְטִיסָה נ
mental מֶנְטָלִי ת
mentality מֶנְטָלִיּוּת נ
dropper מַנְטֵף ז
of, from, since מִנִּי מ״י
share, stock מְנָיָה נ
counting מְנִיָּה נ
off the cuff מִנֵּיהּ וּבֵיהּ
preferred stock מְנָיוֹת בְּכוֹרָה
where form, how מִנַּיִן תה״פ
counting, ten מִנְיָן ז
avoidable, preventable מָנִיעַ ת
motivation, motive מֵנִיעַ ז
prevention מְנִיעָה נ
fan מְנִיפָה ז
manipulation מָנִיפּוּלַצְיָה נ
manifesto מָנִיפֶסְט ז
manicure מָנִיקוּר ז

מָנֵירִיזם ז	mannerism
מַנכָּ"ל ז	director-general
מִנֵן פ	dose, apportion
מִנסָרָה נ	lumber-mill, sawmill, prism
מִנסַרתִּי ת	prismatic
מָנַע פ	prevent, stop
מֶנַע ז	prevention
מִנֵעַ פ	motorize
מַנעוּל ז	lock, padlock
מִנעָל ז	shoe, footwear
מַנעַמִּים ז"ר	pleasures
מְנַעֲנֵעַ ז	shaker, key
מְנַעֵר ז	shaker
מַנפֵּטָה נ	cotton gin
מַנפֵּק ז	dispenser
מַנפֵּק כֶּסֶף	cash dispenser
מֵנֵץ ת	in bud
מְנַצֵחַ ז	conductor, victor, victorious, winner
מְנַצֵל ז	exploiter
מְנַקֵב ז	punch, perforator
מְנַקֵב כַּרטִיסִים	cardpunch
מְנַקֵד ז	vocalizer
מְנַקֶה ז	cleaner
מַנקִין ז	manikin
מְנַקֵר ז	porger
מְנַשֵׁך ז	bite
מְנַשֵׁל ז	dispossessor
מִנשָׁר ז	manifesto
מְנַת מִשׂכָּל	intelligence quotient
מְנַת קְרָב	iron ration
מֶנתָּה נ	mint
מֶנתּוֹל ז	menthol
מְנַתֵּחַ ז	surgeon
מְנַתֵּחַ מַעֲרָכוֹת	systems analyst
מְנַתְּחוּת נ	surgery
מַס ז	duty, levy, tax
מַס הַכנָסָה	income tax
מַס עוֹבֵד	corvee
מַס עִזָבוֹן	inheritance tax
מַס עָקִיף	indirect tax
מַס עֶרֶך מוּסָף	VAT, value added tax
מַס רְכוּשׁ	capital levy
מַס שְׂפָתַיִם	lip service
מַסַאי ז	essayist
מֵסֵב ת	sitting, reclining, endorser
מֵסַב ז	bearing
מֵסַב כַּדוּרִיוֹת	ball bearing
מִסבָּאָה נ	alehouse, bar, barroom, pub, tavern
מְסִבָּה נ	banquet, party
מְסִבּוֹת נ"ר	circumstances
מִסָבִיב תה"פ	about, around
מֵסְבִיר פָּנִים	hospitable
מִסבָּנָה נ	soap factory
מְסִבַּת עִתּוֹנָאִים	press conference
מֶסֶג ז	alloy, amalgam
מִסגָד ז	mosque
מְסַגנֵן ז	stylist, editor
מַסגֵר ז	locksmith, fitter
מִסגֵר פ	frame
מַסגְרוּת נ	locksmith's work
מַסגֵרִיָה נ	locksmith's shop
מִסגֶרֶת נ	frame, framework, rim, compass, borders
מַסָד ז	basis, foundation
מִסֵד פ	establish
מִסדָר ז	parade, order
מִסדַר זִהוּי	identification parade
מִסדְרוֹן ז	corridor
מַסדֶרֶת	typesetting machine
מַסדֶרֶת שׁוּרוֹת	linotype
מַסָה נ	trial, test, essay, disquisition, mass
מְסוֹאָב ת	filthy, corrupt
מְסוּבָב ז	rotated, effect
מְסוּבסָד ת	subsidized
מְסוּבָּך ת	complicated, intricate, involved
מְסוּגָל ת	able, capable, can
מְסוּגנָן ת	styled, edited
מְסוּגָר ת	closed, locked

מְסוּדָר ת tidy, neat, arranged, settled
מַסוֶה ז disguise, mask
מְסוּוָג ת classified
מְסוּחרָר ת giddy
מִסוּי ז taxation
מְסוּיָג ת reserved
מְסוּיָד ת whitewashed
מְסוּיָם ת certain, known
מְסוּכָּם ת summed up
מְסוּכָּן ת dangerous, perilous, risky
מְסוּכסָך ת quarreling, in conflict, at odds
מְסוּכָּר ת candied
מְסוּלסָל ת curly, flowery
מְסוּלָע ת rocky
מְסוּלָף ת false, distorted
מְסוּמָל ת marked, symbolized
מְסוּמָם ת poisoned, drugged
מְסוּמָן ת marked
מְסוּמָר ת nailed, bristly
מְסוּנדָל ת sandaled
מְסוּנוָר ת dazzled
מְסוּנָן ת strained, filtered
מְסוּנָף ת affiliated
מְסוּנקָף ת syncopated
מַסוֹעַ ז conveyor
מְסוֹעָף ramified, branched
מָסוֹף ז terminal
מְסוּפָּח ת annexed, attached
מְסוּפָּק ת doubtful
מְסוּפְקַנִי I doubt
מְסוּפָּר told, (hair) cut
מְסוּפרָר ת numbered
מַסוֹק ז helicopter
מְסוּקָס ז knotty, knotted
מַסוֹר ז saw
מָסוּר ת devoted
מְסוּרַב עֲלִיָה refusenik
מְסוּרבָּל ת awkward, clumsy
מְסוֹרָג ת latticed, barred
מַסוֹרִית נ fretsaw
מְסוֹרָס castrated, distorted
מְסוֹרָק ת combed, carded
מָסוֹרֶת נ tradition
מָסוֹרתִי ת traditional
מָסוֹרתִיוּת traditionalism
מְסוּתָת ת hewn, chiseled
מַסָז׳ ז massage
מַסָז׳יסט ז masseur
מִסחוּר ז commercialization
מַסחֵט ז squeezer
מַסחֵטָה נ wringer
מִסחָר ז commerce, trade
מִסחֵר פ commercialize
מִסחָרִי ת commercial, mercantile
מְסַחרֵר ת dizzying, giddy
מַסטוּל ת drugged, drunk
מַסטִיק ז chewing gum
מַסִיבִי ת massive
מַסִיבִיוּת נ massiveness
מֵסִיחַ ת talking
מֵסִיחַ ת distracting
מָסִיס ת dissoluble, soluble
מְסִיסוּת נ dissolubility, solubility
מְסַיֵעַ ת auxiliary, helpful
מַסִיק ז stoker, concluder
מָסִיק ז olive harvest
מְסִירָה נ handing over, delivery, transmission
מְסִירוּת נ devotion
מֵסִית ת inciter, seditious
מָסַך פ pour, blend, mix
מָסָך ז curtain, screen
מָסָך אֵש barrage
מָסַך הַבַּרזֶל Iron Curtain
מָסָך עָשָן smoke screen
מַסֵכָה נ mask, disguise
מִסכָּה נ cocktail
מִסכֵּן ת miserable, poor
מִסכֵּנוּת נ misery
מִסכֶּרֶת נ sugar bowl
מַסכֵּת ז stethoscope
מַסֶכֶת נ web, tractate, chapter, set
מַסֵכַת גַז gas mask

מַסֵּכַת חַמְצָן oxygen mask
מַסֶּכְתָּא נ tractate
מְסִלָּה נ track, path, groove
מַסְלוּל ז orbit, path, track, course, trajectory
מַסְלוּל הַמְרָאָה airstrip
מַסְלוּל מֵרוֹץ racetrack
מַסְלוּלִי ת orbital
מִסְלָקָה נ clearinghouse
מְסִלַּת בַּרְזֶל railroad
מִסְמָךְ ז document
מִסְמָכִי ת documentary
מְסַמֵּן ז marker
מִסְמֵס פ melt, dissolve
מַסְמֵר ז nail, peg
מִסְמֵר פ nail
מְסַמֵּר שֵׂעָר hair-raising
מַסְמֶרֶת נ pin, rivet
מְסַנְוֵר ת dazzling
מְסַנֵּן ז filter
מְסַנֶּנֶת נ strainer, colander
מְסַנֶּנֶת קָפֶה percolator
מַסָּע ז march, travel, voyage, campaign, move
מַסַּע דִּלּוּגִים shuttle
מַסָּע מְזֹרָז forced march
מַסַּע צְלָב crusade
מִסְעַד הַכִּסֵּא back
מִסְעָדָה נ restaurant
מִסְעֲדָן ז caterer
מִסְעֶדֶת רֶכֶב drive-in
מִסְעָף ז road junction
מַסְפֵּג ז blotter
מִסְפֵּד ז lament, wailing
מִסְפּוֹא ז fodder, forage, provender
מִסְפּוּר ז numeration
מַסְפִּיק ת enough, adequate, sufficient
מִסְפָּנָה נ dock, dockyard, shipyard
מְסַפֵּק ת gratifying, satisfactory, supplier
מְסַפֵּר ז story teller, narrator, narrative
מִסְפָּר ז number, figure, digit, some, a few
מִסְפָּר זוּגִי even number
מִסְפָּר יְסוֹדִי cardinal number
מִסְפָּר רִאשׁוֹנִי prime number
מִסְפָּר שָׁלֵם integer
מִסְפֵּר פ numerate, number
מִסְפָּרָה נ barber's shop
מִסְפָּרִי ת numerical, numeral
מִסְפָּרַיִם ז״ר scissors
מָסַק פ pick olives
מֶסְקָלִין ז mescaline
מַסְקָנָה נ conclusion, inference, deduction
מַסְקָנִי ת deductive, inferential
מִסְקָר ז review
מָסַר פ give, hand over, deliver, transmit, betray
מֶסֶר ז message
מַסְרֵגָה נ knitting-needle
מַסְרֵטָה נ movie camera
מְסַרְטֵן ז carcinogen
מַסְרִיחַ ת stinking
מַסְרִיט ז projectionist
מַסְרֵק ז comb
מַסְרֵקָה נ card
מִסְתַּבֵּר תה״פ it seems
מִסְתּוֹר ז hiding place
מִסְתּוֹרִי ת mysterious
מִסְתּוֹרִין ז mystery
מִסְתַּיֵּג ז reserved
מִסְתַּכֵּל ז onlooker, watcher
מִסְתַּכֵּן ת venturesome
מַסְתֵּם ז stopper, plug
מִסְתַּמָּא תה״פ probably
מִסְתַּנֵּן ז infiltrator
מִסְתַּפֵּק ת content
מִסְתַּפֵּק בְּמוּעָט abstemious
מְסַתֵּת ז stonecutter
מַעְבָּדָה נ laboratory
מַעַבְדָּתִי ת laboratorial
מַעֲבֶה ז thickness, depth
מְעַבֶּה ז condenser
מַעֲבוֹט ז pawnshop

מַעְבּוֹרַאי ז ferryman
מַעְבּוֹרֶת נ ferry
מַעְבּוֹרֶת חָלָל space shuttle
מַעֲבִיד ז boss, employer
מַעֲבִיר ז conveyer
מַעֲבָר ז pass, passage, transition, transit, aisle
מַעֲבַר חֲצִיָּה pedestrian crossing
מֵעֵבֶר לְ- מ"י beyond
מַעְבָּרָה ferry, transit camp
מַעְגִּילָה נ calender, wringer, mangle, roller
מַעְגָּל ז circle, circuit, cycle, ring
מַעְגַּל קְסָמִים vicious circle
מַעֲגָן ז anchorage
מָעַד פ stumble, totter
מַעַד ז gambit, slipping
מַעֲדָן ז delicacy, dainty
מַעֲדַנִיָּה נ delicatessen
מַעְדֵּר ז hoe, pickax
מָעָה נ coin, grain
מְעוּבָּד ת processed, adapted
מְעוּבֶּה ת thickened, dense
מְעוּבֶּרֶת ת pregnant
מְעוּגָּל ת round, curved
מְעוֹדֵד ת encouraging
מְעוּדְכָּן ת up-to-date
מְעוּדָּן ת delicate, graceful
מְעוּוָּת ת distorted, deformed
מָעוֹז ז fort, stronghold, fortress, shelter
מִעוּט ז minority, little, minimum,
מָעוֹט ז catapult
מִעוּט דָּם anemia
מִעוּט חוֹם hypothermia
מְעוּטָּף ת wrapped
מְעוּטָּר ת crowned, adorned
מְעוּיָּן ז diamond, lozenge, rhomb, rhombus
מָעוּךְ ת crushed, squeezed
מִעוּךְ ז crushing, squeezing
מְעוּכָּב ת delayed
מְעוּכָּל ת digested
מְעוּלֶּה ת excellent
מֵעוֹלָם (לֹא) תה"פ never
מְעוּלָּף ת fainting
מְעוּמְלָן ת starched
מְעוּמְעָם ת dim, hazy
מָעוֹן ז residence, dwelling
מְעוּנֶּה ת tortured, afflicted
מְעוֹנוֹעַ ז caravan
מְעוּנְיָן ת interested
מְעוּנְיָנוּת נ interest
מְעוּנָּן ת cloudy
מָעוֹף ז flight, vision
מְעוֹפֵף ת flying, winged
מְעוּפָּשׁ ת moldy, stinking
מְעוּצָּב ת shaped, molded
מְעוּצְבָּן ת nervous, fidgety
מְעוּצֶּה ת woody, wooden
מְעוּקָּב ת cubic, cube
מְעוּקָּל ת confiscated
מְעוּקָּם ת curved, crooked
מְעוּקָּר ת sterile
מְעוֹרָב ת mixed, involved
מְעוּרְבָּב ת mixed
מְעוֹרָבוּת נ involvement
מְעוּרֶה ת rooted, mixed
מְעוּרְטָל ת naked, bare
מְעוּרָם ת heaped, stacked
מְעוּרְעָר ת shaken, mad
מְעוּרְפָּל ת ambiguous, hazy, foggy, misty, vague
מְעוּרָק ת veined
מְעוֹרֵר ת stimulant, awaking
מְעוּשָּׂב ת weeded, grassy
מְעוּשֶּׂה ת artificial
מְעוּשָּׁן ת smoked
מְעוּשָּׂר ז decagon, tithed
מָעוֹת נ"ר money, coins
מָעַט פ decrease, diminish
מִעֵט פ reduce, lessen
מְעַט ת few, little, some
מַעֲטֶה ז covering, wrap
מַעֲטָפָה נ envelope
מַעֲטֶפֶת חַלּוֹן window envelope

מְעִי ז intestine
מְעִי גַּס colon
מְעִי עִוֵּר appendix
מְעִידָה נ stumble
מְעִיכָה נ squeezing, crushing, crumpling
מְעִיל ז coat, robe, cloak
מְעִיל גֶּשֶׁם raincoat
מְעִיל זָנָב cutaway
מְעִילָה נ embezzlement, treachery, peculation
מֵעַיִם ז"ר bowels, guts, entrails
מַעְיָן ז fountain, spring
מְעַיֵּן ז reader, browser
מֵעֵין תה"פ like, resembling
מְעִיָּנָה נ colic
מְעַיֵּף ת tiresome
מֵעִיק ת burdensome
מָעַךְ פ crush, squash, squeeze, press
מְעַכֵּב ת delaying, hindering
מָעַל פ embezzle, peculate
מַעַל ז treachery, above
מֵעַל מ"י above, over
מַעֲלֶה ז acclivity, ascent, rise, slope
מַעֲלָה נ degree, merit, advantage, step, stair
מַעְלָה תה"פ up, upward
מַעֲלֵה גֵרָה ruminant
מַעֲלִית נ elevator, lift
מַעֲלָל ז action, deed
מַעֲלַת כְּבוֹדוֹ his honor
מֵעִם מ"י from
מַעַ"מ VAT, value added tax
מַעֲמָד ז class, state, rank, status, position, posture
מַעֲמָדִי ת class
מַעֲמָדִיּוּת ת class behavior
מַעֲמָס ז burden, load
מַעֲמָסָה נ burden, load
מַעֲמַקִּים ז"ר depths, bottom
מַעַן ז address
מִעֵן פ address
מְעֻנָּג ת delightful
מַעֲנֶה ז answer, reply
מְעַנְיֵן ת interesting
מַעֲנִית נ furrow
מַעֲנָק ז allowance, award, grant, bonus, scholarship
מַעֲפוֹרֶת נ overall, apron
מַעְפִּיל ז climber, daring
מְעַצֵּב ת fashioner, molder
מְעַצְבֵּן ת irritating, getting on the nerves
מַעֲצָד ז plane, spokeshave
מַעְצוֹר ז brake, check, obstacle, hindrance
מַעֲצִיב ת sad, saddening
מְעַצֵּם ז intensifier
מַעֲצָמָה נ (world) power
מַעֲצָר ז apprehension, detention, arrest, custody
מַעֲקָב ז follow-up
מַעֲקֶה ז balustrade, banister, parapet, rail
מַעֲקֵה בִּטָּחוֹן crash barrier
מַעֲקוֹבֶת נ sequence
מַעֲקוֹף ז traffic island
מַעֲקָף ז bypass, detour
מְעַקְצֵץ ת itchy
מַעֲרָב ז west
מְעַרְבֵּב ז mixer
מַעֲרָבָה תה"פ westward(s)
מְעַרְבּוֹלֶת נ eddy, whirlpool
מַעֲרָבוֹן ז western
מַעֲרָבִי ת western
מְעַרְבֵּל ז (cement) mixer
מַעֲרָגֹלֶת נ rolling mill
מְעָרָה נ cave
מַעֲרֶה ז bare place, glade
מַעֲרוֹךְ ז rolling pin
מַעֲרֶכֶת נ constitution, system
מַעֲרַכְתִּי ת constitutional, systemic
מַעֲרֻמִּים ז"ר nakedness
מַעֲרוּפְיָה נ clientele

מַעֲרִיב ז evening prayer
מַעֲרִיךְ ת appreciative, assessor, exponent
מַעֲרִיץ ז admirer, fan, worshiper
מַעֲרָךְ ז alignment, array, layout, formation
מַעֲרָכָה נ campaign, battle, array, act, set, order
מַעֲרָכָה מַחֲזוֹרִית periodic table
מַעַרְכוֹן ז one-act play, curtain raiser
מַעֲרֶכֶת נ editorial board, system, set
מַעֲרֶכֶת הִלּוּכִים gear
מַעֲרֶכֶת הַשֶּׁמֶשׁ solar system
מְעַרְעֵר ז appellant
מַעֲרֶפֶת נ guillotine
מַעַשׂ ז action, deed
מַעֲשֶׂה ז act, action, deed, story, tale
מַעֲשֵׂה בְּרֵאשִׁית creation
מַעֲשֵׂה נִסִּים miracle
מַעֲשֵׂה סְדוֹם sodomy, pederasty
מַעֲשֵׂה קוּנְדֵס practical joke, mischief
מַעֲשִׂי ת practical
מַעֲשִׂיָּה נ anecdote, tale
מַעֲשִׂיּוּת נ practicality
מְעַשֵּׁן ז smoker
מַעֲשֵׁנָה נ chimney, stack, funnel
מַעֲשֵׂר ז tenth, tithe
מֵעֵת לְעֵת from time to time, 24 hours
מַעְתִּיק ז copier, copyist
מַעְתָּק ז shift, facsimile
מַפָּאוּת נ cartography
מַפַּאי ז cartographer
מִפְּאַת מ"י owing to, because
מַפְגִּין ז demonstrator
מַפְגִּיעַ, בְּמַפְגִּיעַ vigorously, decidedly

מִפְגָּן ז rally, demonstration
מִפְגָּן אֲוִירִי flyover
מִפְגָּע ז nuisance, obstacle
מְפַגֵּר ת backward, mentally defective
מִפְגָּשׁ ז meeting (place)
מִפְדֶּה ז ransom money
מַפָּה נ map, tablecloth
מִפָּה פ map
מְפוֹאָר ת glorious, magnificent
מְפוּגָּל ת denatured, spoiled
מְפוּזָּר ת scattered, absent-minded
מַפּוּחַ ז bellows
מַפּוּחוֹן ז accordion
מַפּוּחִית־יָד accordion
מַפּוּחִית־פֶּה harmonica
מְפוּחְלָץ ת stuffed
מְפוּחָם ת carbonized, sooty
מְפוּטָּם ת stuffed, fatted
מְפוּטָּר ת fired, dismissed
מִפּוּי ז cartography, mapping
מְפוּיָּח ת sooty
מְפוּיָּס ת appeased, pacified
מְפוּכָּח ת sober-minded
מְפוּלָּג ת divided, segmented
מְפוּלָּד ת steely
מְפוּלָּס ת leveled, paved
מְפוּלְפָּל ת peppery, sophistic
מְפוּלָּשׁ ת open
מַפּוֹלֶת נ collapse, fall, avalanche, landslide
מָפוֹן ז atlas
מְפוּנֶּה ז evacuee, cleared
מְפוּנָּק ת pampered, spoilt
מְפוּסְטָר ת pasteurized
מְפוּסָּל ת sculptured, carved
מְפוּסְפָּס ת striped, barred
מְפוּסָּק ת punctuated, parted
מְפוּצֶּה ת compensated
מְפוּצָּל ת forked, split
מְפוּקְפָּק ת doubtful, dubious, questionable

מְפוֹרָד ת scattered, loose

מְפוֹרָז ת demilitarized

מְפוּרְזָל ת shod, ironclad

מְפוֹרָט ת detailed

מְפוּרְכָּס ת made-up, painted

מְפוּרְסָם ת celebrated, famous, well-known

מְפוֹרָק ת dismantled, taken apart, liquidated

מְפוֹרָר ת crumbled

מְפוֹרָשׁ ת explicit, explained, specific

מְפוּשָׂק ת astride, apart

מְפוּתָּח ת developed

מְפוּתָּל ת curved, winding

מַפָּח ז blow, frustration

מַפַּח נֶפֶשׁ disappointment

מַפָּחָה נ smithy, forge

מַפְטִיר ז Haftarah reader

מַפִּיּוֹן ז serviette stand

מַפִּיּוֹנֶת נ doily, serviette

מֵפִיץ ז distributor

מֵפִיק ז producer

מַפִּיק ז aspirate

מֵפִיר שְׁבִיתָה strikebreaker

מַפִּית נ napkin, doily

מַפָּל ז fall, waterfall

מַפַּל מַיִם cascade, cataract, waterfall

מְפַלֵּג ז distributor

מִפְלָג ז department

מִפְלָגָה נ party

מִפְלַגְתִּי ת party

מִפְלַגְתִּיּוּת נ party spirit

מַפָּלָה נ defeat, downfall

מַפְלֶה ת discriminating

מַפְלֵחַ בֵּיצִים egg slicer

מַפְלֵט ז exhaust, ejector

מִפְלָט ז refuge, asylum

מֻפְלָא ת marvelous

מִפְלָס ז level, storey

מִפְלַס הַיָּם sea level

מְפַלֵּס ז leveler

מְפַלֶּסֶת נ road grader

מִפְלֶצֶת נ monster

מִפְלַצְתִּי ת monstrous

מִפְלַשׂ מַיִם culvert

מִפְנֶה ז turn, change

מִפְּנֵי שֶׁ- מ״י because

מִפְּנֵי מָה why

מַפְסִידָן ז loser

מַפְסֶלֶת נ chisel, gouge

מַפְסֵק ז switch, cutoff

מִפְסָק ז cesura

מַפְעִיל ז operator

מִפְעָל ז concern, plant, work, deed, enterprise

מִפְעָם ז tempo

מִפַּעַם לְפַעַם occasionally

מַפָּץ ז smashing

מְפַצֶּה ת compensatory

מַפְצֵחַ ז nutcracker

מַפְצִיץ ז bomber

מְפַקֵּד ז captain, commander, commandant

מִפְקָד ז census, parade

מִפְקָדָה נ headquarters

מְפַקֵּחַ ז inspector, supervisor, superintendent

מִפְקָחָה נ inspectorate

מִפְקָחוּת נ inspectorate

מַפְקִיד ז depositor

מַפְקִיעַ ז profiteer

מְפַקְפֵּק ת dubious, incredulous, uncertain

מֵפֵר שְׁבִיתָה blackleg

מְפַרְגֵּן ת ungrudging

מַפְרֵדָה נ centrifuge, separator

מַפְרֵט ז plectrum

מִפְרָט ז specification

מַפְרִיד ז dash, (–)

מַפְרִיס ת hoofed, ungulate

מְפַרְנֵס ז breadwinner

מַפְרֵסָה נ slicer

מְפַרְסֵם ז advertiser

מִפְרָעָה נ advance payment

מִפְּרֵעִי ת retroactive

מִפְּרֵעִית retroactively

מִפְרָץ ז bay, gulf

מִפְרָצוֹן ז cove, creek
מִפְרָק ז joint, articulation
מְפָרֵק liquidator, receiver
מִפְרַק אֶצְבַּע knuckle
מַפְרֶקֶת נ nape, neck
מִפְרָשׂ ז sail
מְפָרֵשׁ ז commentator
מִפְרָשִׂית sailing ship
מִפְשׂוֹל ז pullover
מִפְשָׂעָה נ groin, crotch
מִפְשָׂק ז leapfrog
מְפַשֵּׁר ז mediator
מַפְשֵׁר ז defroster
מַפַּת שׁוּלְחָן tablecloth
מְפַתֶּה ז seducer, tempting
מַפְתֵּחַ ז key, clef, index
מִפְתֵּחַ פ key, index
מִפְתָּח ז opening, aperture
מְפַתֵּחַ ז carver, developer
מַפְתֵּחַ בְּרָגִים spanner, wrench
מַפְתְּחָן ז indexer
מַפְתִּיעַ ת surprising
מִפְתָּן ז threshold
מִפְתָּק ז gate
מָצָא פ find, discover, get
מָצָא חֵן find favor
מָצְאָה יָדוֹ afford
מְצָאי ת inventory
מַצָּב ז circumstance, condition, position, state
מַצַּב רוּחַ mood
מַצֵּבָה נ gravestone, tombstone
מַצָּבָה נ strength
מִצְבּוֹר, מִצְבָּר ז dump
מִצְבָּטַיִם ז״ר pince-nez
מַצְבִּיא ז commander
מַצְבִּיעַ ז voter, pointer
מִצְבָּעָה נ dye-works
מַצְבֵּר accumulator, battery
מַצֶּבֶת זִכָּרוֹן cenotaph
מַצָּג ז display, exposition
מִצָּד ז pillbox, stronghold
מֵצַד shunt, catch, lock
מִצַּד אֶחָד on the one hand

מְצַדֵּד ז supporter, advocate
מְצָדִית נ pillbox
מִצָּה פ extract, exhaust
מַצָּה נ matzah, unleavened bread, quarrel
מִצְהָר ז declaration, manifest, meridian
מֶצוֹ־סוֹפְּרָן mezzo-soprano
מְצוּבְרָח ת moody
מָצוֹד ז hunt, chase
מְצוֹדֵד ת fascinating
מְצוּדָה נ castle, fortress
מִצְוָה נ commandment, precept, good act
מְצוּחְצָח ת polished
מָצוּי ת common, available
מִצּוּי ז extraction, exhaustion, draining
מְצוּיָּד ת equipped, armed
מְצוּיָּן ת brilliant, excellent, outstanding, remarkable, splendid
מְצוּיָּץ ת tufted, tasseled
מְצוּיָּר ת drawn
מְצוּלָּב ת crisscross, crossed, cruciform
מְצוּלָה נ abyss, deep water
מְצוּלָּם ת photographic, photographed, pictorial
מְצוּלָּע ז polygon
מְצוּלָּק ת scarred
מְצוּמְצָם ת narrow, scarce, limited, reduced, scanty
מְצוּמָּק ת shriveled
מְצוּמָּת ת pickled
מְצוּנָּן ת chilled, cooled
מְצוּעַ ז averaging, mean
מְצוּעָף ת veiled
מְצוּעְצָע ת flamboyant, ornate, flowery
מָצוֹף ז buoy, float, ball-cock
מְצוּפֶּה ת coated, expected
מָצוּץ ת sucked
מָצוּץ מִן הָאֶצְבַּע false

מָצוֹק ז cliff
מִצּוּק ז solidification
מְצוּקָה נ hardship, distress
מָצוֹר ז siege, blockade
מְצוֹרָע ז leper
מְצוֹרָף ת enclosed, pure
מֵצַח ז brow, forehead
מִצְחִיָּה, מִצְחָה נ eye-shade
מַצְחִיק ת funny, amusing
מִצְחָף ז manuscript, codex
מְצַחְצֵחַ נְעָלַיִם shoeblack
מִצְטַבֵּר ת accumulative
מִצְטַדֵּק ת apologetic
מִצְטַלֵּב ת crossing
מִצְטַעֵר ת sorry
מְצִיאָה נ bargain, find
מְצִיאוּת נ existence, actuality, reality
מְצִיאוּתִי ת real, realistic
מְצִיאוּתִיּוּת נ realism
מַצִּיג ז exhibitor
מַצִּיָּה נ cracker
מַצִּיל ז lifeguard, saver
מְצִיצָה נ suck, suction
מְצִיצָן ז peeping Tom
מֵצִיק ת bothersome
מַצִּית ז lighter, arsonist
מֵצֵל ת shady
מִצְלָב ז crossing
מְצִלָּה נ bell, chime
מַצְלִיחַ ת successful
מַצְלִיף ז whip, lashing
מַצְלֵל ז tuning fork
מַצְלֵמָה נ camera
מַצְלֵמָה נִסְתֶּרֶת candid camera
מַצְלֵף ז swatter
מְצַלְצְלִים ז"ר coins, money
מְצִלְתַּיִם ז"ר cymbals
מַצְמֵד ז clutch
מִצְמוּץ ז blink, wink
מְצַמֵּא ת thirsty
מַצְמִיחַ שֵׂעָר hair-restorer
מִצְמֵץ פ blink, wink
מְצַמְצֵם ת reducing, limiting
מִצְמָת ז junction

מַצְנֵחַ ז parachute
מַצְנֵם ז toaster
מַצְנֵן ז radiator
מִצְנֶפֶת נ bonnet, miter, turban, headdress
מַצָּע ז platform, bedding
מִצַּע פ find the average
מִצְעָד ז march, parade
מִצְעַד הַפִּזְמוֹנִים hit parade
מְצַעֵר ת distressing, sad
מִצְעָר ז smallness, trifle
מְצַפֶּה ת expectant
מִצְפֶּה ז watchtower, lookout, observatory
מַצְפּוּן ז conscience
מַצְפּוּנִי ת conscientious
מַצְפֵּן ז compass
מָצַץ פ suck
מַצֵּץ ז pacifier, comforter
מִצֵּק פ firm, solidify
מַצֶּקֶת נ dipper, ladle
מֵצַר ז isthmus, strait
מֵצֵר ת narrowing, sorry
מֶצֶר ז boundary, border
מַצְרֵב ז searing iron
מִצְרִי ת Egyptian
מִצְרַיִם נ Egypt
מִצְרָךְ ז commodity, article, grocery, item
מִצְרָנִי ת adjacent
מַצְרֵף ז crucible
מִצְרָף ז montage
מִצְרַף תְּמוּנוֹת photomontage
מִצְרֶפֶת נ combination
מִצְרֶפֶת תִּינוֹק crawlers, creepers
מַצֵּת ז plug, igniter
מַק ז rot, decay
מַקָּב ז punch, perforator
מַקְבִּיל ת corresponding, parallel
מַקְבִּילוֹן ז parallelepiped
מַקְבִּילַיִם ז"ר parallel bars
מַקְבִּילִית נ parallelogram
מִקְבָּע ז fixation, mount

מִקְבָּץ ז group, cluster
מִקְבֶּצֶת נ gathering
מַקַבְּרִי ת macabre
מַקֶּבֶת נ hammer, mallet
מִקֵּד פ focus
מַקֵּד ז cutter
מַקְדֵּחַ ז borer, bit, drill
מַקְדֵּחָה נ drill
מַקְדַּחַת יָד brace and bit
מְקַדֵּם ז coefficient
מִקְדָּם ז handicap, introduction, head start
מִקְדָּמָה נ advance
מִקְדָּמִי ת preliminary
מִקְדָּשׁ ז temple, shrine
מַקְהֵלָה נ choir, chorus
מְקוּבָּל ת accepted, customary, cabalist
מְקוּבָּץ ת gathered
מַקּוֹד ז center punch
מִקּוּד ז post code, zip code, focusing
מְקוּדָּשׁ ת holy, hallowed
מְקוּדֶּשֶׁת ת betrothed
מִקְוֶה ז ritual bath, pool
מְקוּוֶּה ת hoped, expected
מְקוּוְקָו ת lined, striped
מִקּוּחַ ז bargaining
מְקוּטָּע ת cut, discontinuous
מַקּוֹל ז gramophone, phonograph, record player
מְקוּלָּל ת cursed, damned
מְקוּלָּף ת peeled, shelled
מְקוּלְקָל bad, spoiled, broken, out of order
מִקּוּם ז location, placing
מָקוֹם ז place, room, space
מְקוֹם גֵּאוֹמֶטְרִי locus
מְקוּמָּט ת wrinkled, creased
מְקוֹמִי ת local
מְקוּמָּר ת convex, arched
מְקוֹנֵן ז mourner
מְקוּעָר ת concave
מַקּוּף ז beat
מְקוּפָּח ת deprived, denied
מְקוּפָּל ת folded
מְקוּצָּץ ת cut, curtailed
מְקוּצָּר abridged, shortened
מָקוֹר ז source, origin
מַקּוֹר ז beak, bill
מְקוֹרָב ת familiar, friend
מְקוֹרֶה ת roofed
מְקוּרְזָל ת curled, curly
מְקוֹרִי ת genuine, original
מְקוֹרִיּוּת נ originality
מְקוֹרָר ת chilled, cooled
מִקּוּשׁ ז mine laying
מַקּוֹשׁ ז gong, knocker, clapper, drumstick
מְקוּשָּׁט ת adorned, decorated
מַקּוֹשִׁית נ xylophone
מְקוּשְׁקָשׁ ת scribbled
מְקוּשְׂקָשׂ ת scaly
מְקוּשָּׁר ת connected, tied
מְקוּשָּׁת ת arched
מִקָּח ז buying, purchase
מִקָּח וּמִמְכָּר bargaining
מִקַּח טָעוּת bad purchase
מִקְטוֹרָה נ cardigan
מִקְטוֹרֶן ז (smoking) jacket
מִקְטָע ז segment
מַקְטֵפָה נ picking machine
מִקְטָר ז censer, thurible
מִקְטֶרֶת נ pipe
מַקְיָאבֶלִי Machiavellian
מַקִּיף ת comprehensive, all-out, surrounding
מֵקִיץ ת awakening
מַקִּישׁ ת knocking
מַקֵּל ז stick, rod, staff
מֵקֵל ת lenient
מַקְלֵב ז clothes tree
מִקְלֶדֶת נ keyboard
מַקְלֶה ז toaster
מַקְלוֹת סִינִיִּים chopsticks
מִקְלַחַת נ shower
מִקְלָט ז shelter, asylum
מַקְלֵט רַדְיוֹ radio set
מִקְלָע ז machine-gun
מַקְלְעָן ז machine-gunner

מִקְלַעַת נ braid, plait, slingshot, catapult
מַקְלֵף ז parer, peeler
מַקְלֵפָה נ peeling machine
מִקֵּם פ locate, localize
מְקַמֵּץ ת frugal, sparing, thrifty, saver
מִקְמֶרֶת נ arcade
מְקַנֵּא ת envious, jealous
מִקְנֶה ז cattle, property
מִקְנָה נ purchase, price
מַקְסִי ז maxi
מַקְסִים ת attractive, charming, fascinating
מַקְסִימוּם ז maximum
מַקְסִימָלִי ת maximal
מֶקְסִיקָנִי ת Mexican
מִקְסָם ז magic, attraction
מַקָּף ז hyphen
מִקֵּף פ hyphen, hyphenate
מִקְפָּא ז jelly, aspic
מַקְפִּא ז freezer
מִקְפָּה נ gruel
מַקְפָּה נ skimmer
מַקְפִּיא דָם bloodcurdling
מַקְפִּיד ת strict, meticulous
מִקְפִּית נ gelatine
מַקְפֵּצָה נ diving board, springboard
מִקְצָב ז beat, rhythm
מִקְצָבִי ת rhythmic(al)
מִקְצֶה ז detail, heat
מִקְצוֹעַ ז calling, profession, subject
מַקְצוּעָה נ plane
מִקְצוֹעִי ת professional
מִקְצוֹעָן ז professional
מִקְצוֹעָנוּת professionalism
מַקְצִיף ת foamy, frothy
מַקְצֵף ז whisk, beater
מַקְצֵף בֵּיצִים eggbeater
מַקְצֵפָה נ cake mixer
מַקְצֵץ ז cleaver, chopper
מַקְצֵצָה נ chopping machine
מַקְצֵרָה נ harvester, reaper

מִקְצָת נ somewhat, a little
מַקָּק ז cockroach
מֶקֶק ז gangrene, rot
מִקְרָא ז Bible, reading, calling, text, legend
מִקְרָאָה נ anthology, reader
מִקְרָאִי ת biblical, scriptural
מִקְרֶבֶת נ telescope
מִקְרֶה ז case, occurrence, occasion, chance, event
מִקְרֵה גְבוּל borderline case
מִקָּרוֹב תה"פ recently
מַקְרוֹקוֹסְמוֹס ז macrocosm
מִקְרִי ת accidental, casual, occasional, random
מִקְרִיּוּת נ chance
מַקְרִיחַ ת bald
מַקְרִין ת horned, radiant
מַקְרֵן ז radiator, projector
מִקְרֶצֶת נ lump of dough
מְקַרְקְעִין ז"ר real property
מְקָרֵר ז refrigerator
מְקָרֵר הַקְפָּאָה deepfreeze
מַקָּשׁ ז key
מִקֵּשׁ פ mine, plant mines
מִקְשָׁה נ marrow field, one-piece work
מִקְשָׁה אַחַת of one piece
מַקְשֶׁה ת hardening
מַקְשִׁיב ת attentive
מַקְשָׁן, מַקְשֶׁה ז questioner
מְקַשְׁקֵשׁ ת prattler
מְקַשֵּׁר ז connecting, liaison officer, messenger
מְקַשֵּׁר יְמָנִי inside right
מְקַשֵּׁר שְׂמָאלִי inside left
מִקְשֶׁת ז arcade
מַקֶּשֶׁת נ mine layer
מַר ת acrimonious, bitter
מַר ז Mister, Mr.
מַר נֶפֶשׁ embittered
מַרְאֶה ז appearance, scene, sight, view
מַרְאָה נ mirror

מַרְאֵה־מָקוֹם cross-reference
מְרַאְיֵן ז interviewer
מַרְאִית נ appearance, sight
– לְמַרְאִית עַיִן apparently
מֵרֹאשׁ תה"פ in advance, ahead, beforehand
מְרַאֲשׁוֹת נ"ר head rest
מַרְבֵּ פ/ז maximize, maximum
מַרְבָד ז carpet
מַרְבַד קְסָמִים magic carpet
מִרְבָּד ז stratum
מַרְבֶּה תה"פ much, great
מַרְבֵּה־רַגְלַיִם millepede
מַרְבִּי ת maximal, maximum
מַרְבִּית נ most, majority
מִרְבָּץ ז deposit, stratum
מַרְבֵּק ז fattening stable
מַרְגּוֹעַ ז rest, repose
מְרַגֵּל ז spy
מַרְגְּלוֹת נ"ר foot, bottom
מַרְגָּלִית נ pearl, gem
מַרְגֵּמָה נ mortar, catapult
מַרְגָּנִית נ pimpernel
מַרְגָּרִינָה נ margarine
מַרְגֵּשׁ ת exciting
מַרְגָּשׁ ז feeling
מֶרֶד ז mutiny, uprising, rebellion, revolt
מָרַד פ rebel, revolt
מַרְדֶּה ז baker's shovel
מִרְדֶּה ז honey collected
מַרְדּוּת נ punishment
מַרְדִּים ת drowsy, narcotic, anesthetist
מַרְדָן ז rebel
מַרְדָנוּת נ rebelliousness
מַרְדָנִי ת rebellious
מַרְדֵּעַ ז goad
מַרְדַּעַת נ saddle cloth
מִרְדָּף ז chase, pursuit
מָרָה פ disobey, rebel
מָרָה נ bile, gall
מָרָה שְׁחוֹרָה melancholia
מְרוּאְיָן ת interviewed
מֵרוּב ז maximization
מְרוּבֶּה ת much, numerous
מְרוּבָּע ז quadrangle, quadrilateral, square
מְרוּגָּז ת angry
מְרוּגָּשׁ ת excited, emotional
מָרוּד ת very (poor)
מְרוּדָּד ת flattened
מְרוּהָט ת furnished
מְרוּוָּח ת capacious, roomy, spacious, ample
מָרוּחַ ת spread, smeared
מְרוּחַ ז spreading
מִרְוָח ז distance, space, room, clearance
מְרוּחָק ת remote, distant
מָרוּט ת plucked, polished
מֵרוּט ז polishing, honing
מְרוּטָּשׁ ת torn, shredded
מְרוּכָּז ת compact, concentrated, centered
מְרוּכָּךְ ת softened
מָרוֹם ז height, sky
מְרוּמֶּה ת deceived, misled
מְרוּמָּז ת hinted, implied
מְרוֹמָם ת high, exalted
מְרוּסָּן ת restrained
מְרוּסָּס ת sprayed
מְרוּסָּק ת crushed, minced
מְרוּעֲנָן ת refreshed
מְרוּעָף ת imbricate, tiled
מְרוּפָּד ת upholstered
מְרוּפָּט ת shabby, tattered
מְרוּפָּשׁ ת muddy, miry
מֵרוֹץ ז race, running
מֵרוֹץ הַחִמּוּשׁ arms race
מֵרוֹץ מִכְשׁוֹלִים obstacle race
מֵרוֹץ סוּסִים horse race
מֵרוֹץ שְׁלִיחִים relay race
מְרוּצָה נ running
מְרוּצֶּה ת satisfied, pleased
מְרוּצּוּת נ complacency
מְרוּצָּף ת paved, floored
מְרוּצַת הַזְּמַן passage of time

מֵרוּק ז polishing, cleansing, purification
מְרוּקָן ת empty, drained
מְרוּקָע ת beaten, flat
מָרוֹר ז bitter herb
מְרוֹרִים ז"ר bitterness
מְרוּשָׁל ת negligent, untidy
מְרוּשָׁע ת vicious, cruel
מְרוּשָׁשׁ ת impoverished
מְרוּשָׁת ת reticulate
מָרוּת נ authority, rule
מְרוּתָּח ת boiled
מְרוּתָּךְ ת welded
מְרוּתָּק ת confined, bound
מַרְזֵב ז eaves, gutter, drainpipe
מָרַח פ spread, daub, smear
מֶרְחָב ז space, expanse
מֶרְחַב מִחְיָה living space
מֶרְחָבִי ת spatial
מַרְחִיק ת going far
מַרְחִיק לֶכֶת far-reaching
מַרְחִיק רְאוּת farseeing
מָרְחָן ז dauber
מֶרְחָץ ז bath
מֶרְחַץ דָּמִים blood-bath
מֶרְחָק ז distance, remote place
מַרְחֶשְׁוָן Marheshvan (month)
מַרְחֶשֶׁת נ frying pan
מֵרוּט ז polishing
מָרַט פ pluck, pull out
מָרַט עֲצַבִּים irritate
מֵרֵט פ pluck, polish
מַרְטֵט ז vibrator
מַרְטִינִי ז martini
מְרִי ז mutiny, disobedience
מְרִיא ז fatted ox
מְרִיבָה נ quarrel, broil
מְרִידָה נ revolt, mutiny
מֶרִידִיאָן ז meridian
מַרְיוֹנֶטָה נ marionette
מְרִיחָה נ smearing, daub
מָרִיחוּאָנָה נ marijuana
מְרִיטָה נ plucking
מְרִיטַת עֲצַבִּים nerve-racking
מֵרִים ז lifting, dactyl
מֵרִים מִשְׁקָלוֹת weight lifter
מָרִימְבָּה נ marimba
מָרִינָה נ marina
מֶרִינוֹ ז merino
מְרִיצָה נ wheelbarrow
מָרִיר ת bitter
מְרִירוּת נ acrimony, bitterness, grief
מָרִישׁ ז beam, rafter
מָרִית נ spatula, trowel
מֵרְכָאוֹת ז"ר inverted commas
מֵרְכָאוֹת כְּפוּלוֹת inverted commas, quotation marks
מֶרְכָּב ז mount, chassis, body, fuselage
מֶרְכָּבָה נ carriage, chariot
מֵרְכָה נ quotation mark
מִרְכּוּז ז centralization
מַרְכּוֹל ז supermarket
מַרְכֹּלֶת נ merchandise
מֶרְכָּז ז center
מִרְכֵּז פ centralize
מְרַכֵּז ז organizer
מֶרְכַּז הַכּוֹבֶד center of gravity
מֶרְכָּז קְהִילָתִי community center
מֶרְכָּזִי ת central
מֶרְכָּזִיָּה, מִרְכֶּזֶת נ telephone exchange
מֶרְכָּזִיּוּת נ centrality
מֶרְכְּזָנִית נ operator
מַרְכִּיב ז component
מִרְמָה נ fraud, deceit
מַרְמוֹזֶט ז marmoset
מַרְמוּטָה נ dormouse, marmot
מַרְמֶלָדָה נ marmalade
מִרְמָס ז trampling
מָרָן ז our teacher, rabbi
מְרַנֵּן ת gladdening
מַרְס ז March, Mars
מַרְסֵס ז atomizer, sprayer
מַרְסֵק ז masher

מֶרַע ז worst, evildoer
מֵרֵעַ ז companion, friend
מִרְעֶה ז pasture, browse
מַרְעוֹם ז fuse
מַרְעִים ת thunderous
מַרְעִית נ flock, pasture
מְרַעֲנֵן ת refreshing
מַרְפֵּא ז cure, remedy
מְרַפֵּא ת curative, healer
מְרַפֵּא שִׁנַּיִם dentist
מִרְפָּאָה נ clinic, dispensary, infirmary
מרפְּאַת נָשִׁים antenatal clinic
מַרְפֵּדִיָּה upholsterer's shop
מִרְפֶּסֶת נ balcony, porch
מַרְפֵּק ז elbow
מִרְפֵּק פ elbow
מַרְפְּקָן ז thruster, pusher
מְרַפְרֵף נ superficial
מֶרֶץ ז energy, vigor
מֶרְץ ז March
מִרְצָדָה נ mobile
מַרְצֶה ז lecturer
מֵרָצוֹן of one's free will
מְרַצֵּחַ ז murderer, killer
מַרְצִיפָּן ז marzipan
מַרְצֵעַ ז awl, gimlet
מִרְצָף ז paving
מְרַצֵּף ז tiler, tile layer
מִרְצֶפֶת נ flagstone, paving stone, pavement
מָרָק ז soup
מֶרֶק ז putty
מֵרַק, מֵרֵק פ polish, scour
מַרְקוֹעַ ז biscuit, wafer
מִרְקַחַת נ jam, mixture
מָרָקִיָּה נ soup bowl
מִרְקָם ז fabric, texture
מַרְקִיז ז marquis
מַרְקְסִיזְם ז Marxism
מַרְקְסִיסְט ז Marxist
מִרְקָע ז screen
מַרְקֵקָה נ cuspidor, spittoon
מֵרֵר פ embitter, distress
מֵרַר בִּבְכִי weep bitterly
מְרֵרָה נ gall, bitterness
מַרְשׁ ז march
מַרְשׁ אֵבֶל dead march
מַרְשָׁל ז marshal
מַרְשִׁים ת impressive
מִרְשָׁם ז prescription, receipt, recipe, sketch registration, register
מִרְשָׁמָה נ registry
מַרְשְׁמֶלוֹ ז marshmallow
מִרְשַׁעַת נ shrew, bitch
מָרַת נ Mrs., madam
מָרָתוֹן ז marathon
מַרְתֵּחַ ז boiler
מַרְתִּיעַ ת deterrent
מַרְתֵּף ז cellar, basement
מְרַתֵּק ת arresting, thrilling, exciting
מַשָּׂא ז burden, cargo, load, prophecy, vision
מַשָּׂא וּמַתָּן negotiation
מַשָּׂא נֶפֶשׁ ideal, longing
מַשְׁאֵבָה נ pump
מַשְׁאַבִּים ז״ר resources
מַשְׁאִיל ז lender
מַשָּׂאִית נ lorry, truck
מַשָּׂאִית רְכִינָה tip-truck
מִשְׁאָל ז poll, referendum
מִשְׁאַל עַם plebiscite
מִשְׁאָלָה נ request, wish
מַשְׁאֵף ז inhaler
מִשְׁאֶרֶת נ kneading trough
מַשְׂאַת נֶפֶשׁ ideal
מַשָּׁב ז blow, breeze, gust
מַשְׂבִּיעַ ת satisfying
מַשְׂבִּיעַ רָצוֹן satisfactory
מִשְׁבֶּצֶת נ square
מַשְׁבֵּר ז crisis
מִשְׁבָּר ז breaker, wave, billow
מִשְׂגָּב ז fortress, safety
מִשְׁגֶּה ז mistake, error
מַשְׁגּוֹחַ ז monitor
מִשְׁגּוֹר ז consignment

מַשְׁגִּיחַ ז inspector, supervisor, overseer
מִשְׁגָּל ז intercourse, coitus
מְשַׁגֵּעַ ת maddening
מַשְׁגֵּר ז launcher
מְשַׂגְשֵׂג ת prosperous
מַשְׂדֵּדָה נ harrow
מִשְׁדָּר ז broadcast, program
מַשְׁדֵּר ז transmitter
מָשָׁה פ draw out, fish up
מַשֶּׁהוּ ז something, aught
מַשּׂוֹא פָּנִים partiality, bias
מַשּׂוּאָה נ beacon, smoke signal, fire signal
מִשְׁוָאָה נ equation
מָשׁוֹב ז feedback
מְשׁוּבָה נ mischief, folly
מְשׁוּבָּח ת excellent, praised
מְשׁוּבָּע ז heptagon
מְשׁוּבָּץ ת checked, inlaid
מְשׁוּבָּשׁ ת faulty, full of mistakes, in bad condition
מְשׁוּגָּע ז crazy, insane, mad
מְשׁוּדָּר ת broadcast, on the air, transmitted
מַשְׁוֶה ז equator, equalizer
מָשׁוּחַ ת anointed, smeared
מְשׁוּחָד ת prejudiced, biased
מְשׁוּחְרָר ת free, released
מְשׁוּחְרָר בַּעֲרֵבוּת out on bail
מָשׁוֹט ז oar, paddle
מְשׁוֹטַאי ז oarsman
מְשׁוֹטֵט ז wanderer, rambler
מָשׁוּךְ ת drawn, pulled
מְשׂוּכָה נ hurdle, hedge
מְשׁוּכְלָל ת elaborate, perfect, regular
מְשׁוּכָּן ת housed
מְשׁוּכְנָע ת convinced
מָשׁוּל ת like, compared
מְשׁוּלָּב ת integrated, linked, combined
מְשׁוּלְהָב ת excited, aflame
מְשׁוּלָּח ז envoy, sent away
מְשׁוּלָּל ת deprived, lacking

מְשׁוּלָּשׁ ז triangle, triple
מִשּׁוּם שֶׁ- because
מְשׁוּמָּד ז convert, apostate
מְשׁוּמָּן octagon, lubricated
מְשׁוּמָּר ת preserved
מְשׁוּמָּשׁ ת used, secondhand
מַשְׁוָן ז equator
מְשׁוּנֶּה ת bizarre, odd, eccentric, queer, strange
מַשְׁוָנִי ת equatorial
מְשׁוּנָּן ת toothed, jagged
מְשׁוּנָּץ ת lacy
מְשׁוּסֶּה ת incited, roused
מְשׁוּסָּע ת interrupted, torn
מְשַׁוֵּעַ ת crying
מְשׁוּעְבָּד ת mortgaged, enslaved, oppressed
מְשׁוּעֲמָם ת bored
מְשׁוֹעָר ת hypothetical, supposed, estimated
מָשׁוֹף ז rasp, file
מְשׁוּפֶּה ת planed, polished
מְשׁוּפָה נ wire cleaner
מְשׁוּפָּם ת moustached
מְשׁוּפָּע ת slanting, sloping, inclined, abundant
מְשׁוּפָּץ ת repaired, restored
מְשׁוּפָּר ת improved, bettered
מְשׁוּפְשָׁף ת rubbed, worn, experienced
מְשַׁוֵּק ז marketer
מְשׁוּקָּם ת rehabilitated
מְשׁוּקָּע ת immersed, sunk
מְשׁוּקָּץ ת repulsive
מַשּׂוֹר ז saw
מְשׂוּרָה נ measuring cup
מְשׁוּרְוָל ת sleeved
מְשׁוּרְטָט ת drawn, sketched
מְשׁוּרְיָן ת armored, armor-plated, earmarked
מְשׁוֹרֵר ז poet
מְשׁוֹרָשׁ ת uprooted
מְשׁוּרְשָׁר ת concatenate
מַשְׁוֶרֶת נ stirrup
מִשּׁוּשׁ ז touching, feeling

מָשׁוֹשׁ ז antenna
מָשׂוֹשׂ ז gladness, joy
מְשׁוֹשָׁה נ aerial, antenna
מְשׁוּשֶׁה ז hexagon
מִשּׁוּשִׁי ת tactual
מְשׁוּתָּף ת common, joint
מְשׁוּתַּף מֶרְכָּז concentric
מְשׁוּתָּק ת paralyzed, palsied
מְשׁזָר ז intertwining
מָשַׁח פ anoint, oil, smear
מִשְׁחָה נ cream, salve
מִשְׂחֶה ז swimming (race)
מִשְׁחוֹלֶת נ pull-through
מַשְׁחֵז ז sharpener
מַשְׁחֵזָה נ grinding machine
מַשְׁחֶזֶת נ grinder
מִשְׁחָטָה נ abattoir
מַשְׁחִית corrupter, destroyer
מִשְׂחָק נ acting, game, performance, play
מִשְׂחַק הַרְכָּבָה jigsaw puzzle
מִשְׂחַק זוּגוֹת doubles
מִשְׂחַק חוּץ away match
מִשְׂחַק יְלָדִים piece of cake, child's play
מִשְׂחַק לִיגָה league match
מִשְׂחַק מַזָּל game of chance
מִשְׂחַק מִלִּים pun
מְשַׂחֵק ז actor, player
מְשַׁחְרֵר ז liberator
מִשְׁחַת שִׁנַּיִם toothpaste
מַשְׁחֶתֶת נ destroyer
מִשְׁטָח ז surface, plane
מַשְׂטֵמָה נ hatred, enmity
מִשְׁטָר ז regime, rule
מִשְׁטָר צְבָאִי martial law
מִשְׁטָרָה נ police,
מִשְׁטָרָה צְבָאִית military police, m.p.
מִשְׁטַרְתִּי ת police
מֶשִׁי ז silk
מַשִּׂיג ז reacher, objector
מָשִׁיחַ ז Messiah
מְשִׁיחָה נ anointment, cord
מְשִׁיחִי ת messianic
מְשִׁיחִיּוּת נ messianism
מָשִׁיט ז oarsman
מִשְׁיִי ת silken
מְשִׁיכָה נ attraction, draw, dragging, pull
מְשִׁיכַת חֶבֶל tug-of-war
מְשִׁיכַת יֶתֶר overdraft
מְשִׂימָה נ assignment, mission, task
מַשִּׁיק ז tangent
מַשִּׁיר עָלִים defoliant
מַשְׁיֶרֶת נ slop bowl
מָשִׁישׁ ת touchable, palpable
מָשַׁךְ פ drag, draw, pull
מֶשֶׁךְ ז duration
מֶשֶׁךְ זְמַן period of time
מִשְׁכָּב ז bed, lying
מִשְׁכַּב זָכָר homosexuality
מַשְׁכּוֹן ז pawn, pledge
מִשְׁכּוּן ז pawning
מַשְׁכּוֹנַאי ז pawnbroker
מַשְׂכֹּרֶת נ salary, wage
מַשְׂכִּיל ז scholar, intellectual, learned
מַשְׁכִּים ז early riser
מַשְׂכִּיר ז renter, lessor
מַשְׂכִּית נ locket, ornament
מִשְׂכָּל ז intelligence
מִשְׁכֵּן mortgage, pawn, pledge
מִשְׁכָּן ז dwelling place
מְשַׁכְנֵעַ ת convincing
מַשְׁכַּנְתָּה נ mortgage
מְשַׁכֵּר ת intoxicating
מָשָׁל ז allegory, fable, proverb, parable, example
מָשַׁל פ rule, govern
מַשְׁלֵב ז drive
מִשְׁלֶבֶת נ monogram
מַשְׁלֶה ת delusive, illusive
מִשְׁלוֹחַ ז shipment, sending
מִשְׁלַח יָד calling, occupation
מִשְׁלַחַת נ delegation, expedition, mission
מִשְׁלָט ז commanding post

מִשְׁלֵי (בתנ"ך) Proverbs
מְשָׁלִי ת allegorical
מַשְׁלִים ת complementary, supplementary
מַשְׁלֶפֶת נ hemstitch
מְשַׁלְשֵׁל ז laxative, aperient
מַשְׂמְאִיל ת turning left
מִשְׁמוּשׁ ז touching, feeling
מְשַׂמֵּחַ ת gladdening
מַשְׁמִיץ ת calumnious, slanderous, defaming
מַשְׁמַנִּים ז"ר delicacies
מִשְׁמָע ז hearing
מַשְׁמָע ז meaning, sense
מִשְׁמַע פ discipline
מַשְׁמָעוּת נ meaning, sense, purport, significance
מַשְׁמָעוּתִי ת meaningful, significant
מַשְׁמָעִי ת significant
מִשְׁמַעַת נ discipline
מִשְׁמַעְתִּי ת disciplinary
מְשַׁמֵּר ת conserving
מִשְׁמָר ז escort, guard
מִשְׁמָר אֶזְרָחִי militia
מִשְׁמַר כָּבוֹד guard of honor
מִשְׁמֶרֶת נ shift, guard, watch, custody
מִשְׁמֶרֶת לַיְלָה night shift
מְשַׁמֶּרֶת נ strainer
מִשְׁמֵשׁ ז apricot
מִשְׁמֵשׁ פ feel, touch
מְשַׁמֵּשׁ ת serving
מִשְׁנֶה ז twice, double, vice–, sub–, second
מִשְׁנָה נ Mishnah, doctrine
מִשְׁנֶה זְהִירוּת great care
מִשְׁנֶה לְמֶלֶךְ viceroy
מִשְׁנִי ת secondary
מַשְׁנֵק ז choke, throttle
מְשִׁסָּה נ loot, plunder
מְשַׁעְבֵּד ז enslaver
מִשְׁעוֹל ז path, alley
מְשַׁעֲמֵם ת boring, dull
מִשְׁעָן ז support, stay
מִשְׁעָן, מַשְׁעֵנָה ז/נ support, staff, brace
מִשְׁעֶנֶת נ staff, stick, support, rest, arm
מִשְׁעֶנֶת קָנֶה רָצוּץ broken reed
מִשְׂעֶרֶת נ brush
מְשַׁעֲשֵׁעַ ת entertaining, amusing, funny
מִשְׁפָּחָה נ family
מִשְׁפַּחַת הָעַכָּבִישִׁים arachnid, arachnidan
מִשְׁפַּחְתִּי ת domestic, family, familial
מִשְׁפַּחְתִּיּוּת נ intimacy
מִשְׁפָּט ז judgement, trial, case, sentence
מִשְׁפַּט לִינְץ' lynch law
מִשְׁפָּט צְבָאִי court martial
מִשְׁפָּט קָדוּם prejudice
מִשְׁפָּטִי ת judicial, legal
מִשְׁפָּטִים ז"ר law, laws
מִשְׁפָּטָן ז jurist
מִשְׁפְּטָנוּת נ jurisprudence
מַשְׁפִּיל ז anapest, humiliating, derogatory
מַשְׁפֵּךְ ז funnel
מְשַׁפְשֵׁף ת rubbing, abrasive
מִשְׁפֶּת ז hot plate
מֶשֶׁק ז farm, economy
מַשָּׁק ז noise, rustle, noncommissioned officer
מֶשֶׁק בַּיִת household
מַשְׁקֶה ז beverage, drink, liquor, watering
מַשְׁקֶה חָרִיף strong drink
מִשְׁקוֹלֶת נ weight, plummet
מַשְׁקוֹף ז crossbar, lintel
מִשְׁקִי ת economic
מַשְׁקִיעַ ז investor
מַשְׁקִיף ז observer, onlooker
מִשְׁקָל ז weight, rhyme
מִשְׁקָל בֵּינוֹנִי middleweight
מִשְׁקַל זְבוּב flyweight
מִשְׁקָל כָּבֵד heavyweight
מִשְׁקָל מָצוּעַ welterweight

מִשְׁקַל נוֹצָה featherweight
מִשְׁקַל סְגוּלִי specific gravity
מִשְׁקַל קַל lightweight
מִשְׁקַל תַּרְנְגוֹל bantam weight
מִשְׁקַל תַּת־כָּבֵד light heavyweight
מִשְׁקָע ז deposit, precipitate, sediment
מִשְׁקָעִים ז״ר precipitation
מִשְׁקָף ז monocle
מַשְׁקֵף ז oscilloscope
מִשְׁקָפַיִם ז״ר glasses, spectacles, bifocals
מִשְׁקְפֵי חוֹטֶם pince-nez
מִשְׁקְפֵי שֶׁמֶשׁ sunglasses
מִשְׁקֶפֶת נ binoculars
מִשְׂרָד ז department, ministry, office, bureau
מִשְׂרַד הָאוֹצָר Treasury
מִשְׂרַד הַחוּץ Foreign Office
מִשְׂרַד הָעֲבוֹדָה Ministry of Labor
מִשְׂרַד הַפְּנִים Home Office, Ministry of the Interior
מִשְׂרָדִי ת ministerial
מִשְׂרָדְנוּת נ bureaucracy
מִשְׂרָדְנִי ת bureaucratic
מִשְׂרָה נ job, post, position
מַשְׁרוֹקִית נ whistle
מְשַׂרְטֵט ז draftsman
מִשְׂרַעַת נ amplitude
מִשְׂרָפָה נ crematorium
מִשְׂרֶפֶת נ incinerator
מְשָׁרֵת ז servant
מְשָׁרֵת רָאשִׁי butler
מְשָׁרֶתֶת נ maidservant
מִשֵּׁשׁ פ feel, grope
מִשְׁתֶּה ז banquet, feast
מִשְׁתּוֹקֵק ת anxious, longing
מִשְׁתָּלָה נ plant nursery
מִשְׁתַּמֵּט ז evader, truant
מִשְׁתַּמֵּשׁ ז user
מַשְׁתֵּן ז urinal, urine pot
מִשְׁתָּנָה נ urinal
מִשְׁתַּנֶּה ז variable
מְשַׁתֵּף פְּעוּלָּה collaborator
מִשְׁתַּתֵּף ז participant
מַשְׁתֵּק ז silencer
מֵת ת dead, deceased, dying
מֵת פ die, perish
מִתְאַבֵּד ז suicide
מְתַאֲבֵן ז appetizer
מִתְאַבֵּק ז wrestler
מִתְאַגְרֵף ז boxer, pugilist
מַתְאִים ת appropriate, fit, suitable, becoming
מַתְאִימוֹן ז concordance
מַתְאֵם ז adapter
מִתְאָם ז symmetry
מִתְאַמֵּן ז trainee
מִתְאַפֵּק ת continent
מִתְאָר ז contour, outline
מִתְבַּגֵּר ת adolescent
מִתְבּוֹדֵד ת recluse, hermit
מִתְבּוֹלֵל ת assimilative
מִתְבּוֹנֵן ת observer
מִתְבַּטֵּל ז idler
מִתְבַּיֵּשׁ ת ashamed
מִתְבַּיֵּת ת homing
מִתְבָּל ז ketchup
מַתְבֵּן ז barn, hayloft
מֶתֶג ז switch, button, bit, bacillus
מִתֵּג פ bridle, switch
מִתְגַּנֵּב ת furtive
מִתְגּוֹשֵׁשׁ ז wrestler
מִתְגַּיֵּס ז recruit
מִתְגָּרֶה ת aggressive
מִתְדַּיֵּן ז litigant
מִתְהַלֵּךְ ת ambulatory
מְתוֹאָם ת coordinated, symmetrical, aligned
מְתוֹאָר ת described
מְתוֹאֲרָךְ ת dated
מְתוּבָּל ת seasoned, spicy
מֶתוֹדָה נ method
מֶתוֹדִי ת methodical

מְתוֹדִיקָה נ	method
מִתְוָה נ	outline, sketch
מָתוּחַ ת	tense, tight, stretched, nervous
מְתוּחַ עוֹר הַפָּנִים	face lift
מְתוּחְכָּם ת	sophisticated
מְתַוֵּךְ ז	arbitrator, broker, mediator
מִתּוֹךְ מ"י	out of, since
מְתוּכְנָן ת	planned
מְתוּכְנָת ת	programmed
מְתוּלָּע ת	maggoty, wormy
מְתוּלְתָּל ת	curly
מְתוֹם ז	perfection
מְתוּמָן ז	octagon
מָתוּן ת	moderate, temperate, mild, slow
מִתּוּן ז	recession, moderation, slowness
מְתוּן-מְתוּן תה"פ	gently
מְתוּסְבָּךְ ת	suffering from a complex
מְתוּסְכָּל ת	frustrated
מְתוֹעָב ת	abominable
מְתוֹפֵף ז	drummer
מָתוֹק ת	sweet
מִתּוּק ז	sweetening
מְתוּקָּן ת	repaired, proper
מְתוּקְנָן ת	standardized
מְתוּרְבָּת ת	civilized, cultured, domesticated
מְתוּרְגָּל ת	trained
מְתוּרְגָּם ת	translated
מְתוּרְגְּמָן ז	dragoman, interpreter
מְתוּרְשָּׁם ת	sketched
מָתַח פ	stretch, strain, extend, pull his leg
מָתַח בִּקּוֹרֶת פ	criticize
מֶתַח ז	voltage, tension, suspense, horizontal bars
מַתְחֵחָה נ	cultivator
מַתְחִיל ז	beginner
מִתְחַכֵּם ת	joking, clever, affecting wisdom

מִתְחַלֶּה ת	malingerer
מִתְחַלֵּף ת	changeable
מִתְחַלֵּק ת	divisible
מִתְחָם ז	defined area, site
מִתְחַמֵּק ת	evasive
מִתְחַנְחֵן ת	coquettish
מִתְחַסֵּד ז	hypocrite
מִתְחָרֶה ז	competitor, rival
מִתְחַשֵּׁב ת	considerate
מִתַּחַת תה"פ	beneath, under
מָתַי מ"ש	when
מִתְיַהֵד ת	convert to Judaism
מִתְיַוֵּן ת	Hellenist
מָתִיחַ ת	elastic, extensible
מְתִיחָה נ	hoax, stretch
מְתִיחוּת נ	stress, tension
מְתִיחַת בִּקּוֹרֶת	criticism
מְתֵי מִסְפָּר	few people
מְתִים ז"ר	people
מְתִינוּת נ	moderation, patience, temperance
מִתְיַסֵּר ת	anguished
מְתִיקָה נ	sweet, candy
מְתִיקוּת נ	sweetness
מַתִּירָנוּת נ	permissiveness
מַתִּירָנִי ת	permissive
מִתְיַשֵּׁב ז	settler, colonist, reconcilable, compatible
מִתְכַּבֵּס ת	washable
מִתְכַּוֵּן ת	intentional
מַתְכּוֹן	prescription, recipe
מִתְכַּוְנֵן ת	adjustable
מַתְכּוֹנֶת נ	standard, proportion, amount
מִתְכַּלֶּה ת	expendable
מְתַכְנֵן ז	planner
מְתַכְנֵת ז	programmer
מַתֶּכֶת נ	metal
מִתְכַּתֵּב ז	correspondent
מַתַּכְתִּי ת	metallic
מַתְלֶה ז	hanger
מִתְלֶה ז	suspension, rack
מִתְלוּל ז	escarpment, scarp
מִתְלוֹנֵן ז	complainant
מַתְלֵם ז	drill

מִתְלַמֵּד ז learner
מִתְלַקֵּחַ ת inflammable
מָתֵמָטִי ת mathematical
מָתֵמָטִיקָאִי ז mathematician
מָתֵמָטִיקָה נ mathematics
מַתְמִיד ת assiduous, diligent, ceaseless
מַתְמִיהַּ ת surprising
מִתְמָד ז buttress, brace
מִתְמַכֵּר (לסמים) ז addict
מַתְמֵר ז transducer
מֵתָן ז methane
מִתֵּן פ moderate, temper
מַתָּן ז giving, present
מִתְנַגֵּד ז objector, opponent
מַתְנֵד ז oscillator
מִתְנַדֵּב volunteer
מַתָּנָה נ gift, present
מִתְנַוֵּן ת decadent, degenerate, degenerative
מִתְנַחֵל ז settler
מִתְנַיֵּעַ ת mobile
מַתְנֵעַ ז starter
מִתְנַצֵּל ת apologetic
מִתְנַקֵּשׁ ז assassin
מִתְנַשֵּׂא ת rising, arrogant
מָתְנֶת נ lumbago
מְתַסְכֵּל ת frustrating
מַתְעֶה ת misleading
מִתְעַכֵּל ת digestible
מִתְעַמֵּל ז gymnast
מִתְעַנְיֵן ת interested
מִתְעַקֵּשׁ ת insistent
מִתְעָרֵב ז bettor
מִתְפָּאֵר ת boastful
מִתְפַּלֵּל ז prayer
מִתְפַּלְסֵף ז philosophizer
מִתְפָּרָה נ sewing workshop
מִתְפַּתֵּל ת winding
מָתַק פ be sweet
מִתֵּק פ sweeten
מֶתֶק ז sweetness
מַתָּק ז circuit breaker
מִתְקַבֵּל ת acceptable
מִתְקַדֵּם ת advanced, avant-garde, progressive
מִתְקוֹמֵם ת up in arms, insurgent, rebel
מַתְקִיף ז attacker, raider
מַתְקִית נ glycerin
מְתַקֵּן ז mender, reformer
מִתְקָן ז apparatus, device, appliance, installation
מִתְקָף ז impulse
מִתְקָפָה נ offensive
מִתְקַפֵּל ת collapsible
מְתַקְתַּק ת sweetish
מְתַרְגֵּם ז translator
מִתְרַחֵץ ז bather
מַתְרִים ז fund raiser
מִתְרָס ז barricade
מִתְרַפֵּס ת servile
מִתְרַשֵּׁל ת negligent
מַתָּת נ gift, present

נ

נָא מ״ק please, pray
נָא ת rare, raw, half-done
נֶאֱבַד פ be lost
נֶאֱבַק פ fight, struggle, wrestle
נֹאד ז water skin, water bag
נָאֶה ת becoming, fine, nice, good-looking, handsome
נֶאֱהָב ת beloved, lovely
נָאוֶה ת beautiful, pretty
נְאוּם ז address, speech
נֵאוֹן ז neon
נִאוּף ז adultery
נִאוּץ ז blasphemy, cursing
נָאוֹר ת enlightened
נְאוֹרוּת נ enlightenment

נָאוֹת פ — agree, consent
נָאוֹת ת — proper, decent, fit
נְאוֹת מִדְבָּר — oasis
נָאוֹתוּת נ — propriety
נֶאֱחַז פ — cling, be held
נֶאֱטַם פ — be sealed
נָאִיבִי ת — naive
נָאִיבִיוּת נ — naivete
נֶאֱכַל פ — be eaten
נֶאֱלָח ת — dirty, contaminated
נֶאֱלָם ת — dumbfounded, silent
נֶאֱלָץ ת — forced, compelled
נָאַם פ — deliver a speech
נֶאֱמַד פ — be estimated
נֶאֱמָן ת — devoted, faithful, loyal, trustee
נֶאֱמָנוּת נ — allegiance, loyalty, trusteeship
נֶאֱמַר פ — be said
נֶאֱנַח פ — groan, sigh
נֶאֱנַס פ — be forced, raped
נֶאֱנַק פ — sigh, groan
נֶאֱסַף פ — be collected
נֶאֱסַר פ — be arrested, imprisoned, forbidden
נָאַף פ — commit adultery
נַאֲפוּפִי ת — adulterous
נַאֲפוּפִים ז״ר — adultery
נָאַץ פ — blaspheme, abuse
נָאָצָה נ — blasphemy, abuse
נָאצִי ז — Nazi
נָאצִיזם ז — Nazism
נֶאֱצָל ת — ennobled
נָאַק פ — sigh, groan
נְאָקָה נ — sigh, groan
נָאקָה נ — female camel
נֶאֱרַג פ — be woven
נֶאֱרַז פ — be packed
נֶאֱשָׁם ז — accused, culprit, defendant
נִבָּא פ — forecast, foretell, predict, prophesy
נִבְאַשׁ פ — stink
נָבַב פ — hollow
נֶבֶג ז — spore
נִבְדָּל ת — offside, separate, different, distinct
נִבְדָּלוּת נ — difference
נִבְדַּק פ — be tested, checked
נִבְהַל פ — be frightened
נְבוּאָה נ — prediction, prophecy
נְבוּאִי ת — prophetic
נָבוּב ת — hollow, empty
נִבּוּי ז — prediction
נָבוֹךְ — confused, bewildered
נִבּוּל פֶּה — obscenity
נָבוֹן ת — wise, intelligent
נִבְזֶה ת — contemptible, mean
נִבְזוּת נ — meanness
נִבְזִי ת — despicable, nasty
נָבַח פ — bark
נַבְחָן ז — dog, barker
נִבְחָן ז — candidate, examinee
נִבְחַן פ — be examined
נִבְחָר ת — chosen, elect, picked, representative
נִבְחֶרֶת נ — (selected) team
נֶבֶט ז — bud, sprout
נָבַט פ — germinate, sprout
נִבַּט פ — look, be seen
נָבִיא ז — prophet
נְבִיאִי ת — prophetic
נְבִיאִים (בתנ"ך) — Prophets
נְבִיבוּת נ — hollowness
נְבִיחָה נ — barking, bark
נְבִיטָה נ — germination, sprouting
נְבִילָה נ — withering
נְבִירָה נ — burrowing, carping
נֶבֶךְ ז — depth, nadir
נֵבֶל ז — harp, lyre
נָבָל ז — blackguard, villain, rascal, rogue, scoundrel
נָבַל פ — wither, decay
נִבֵּל פ — dirty, soil
נִבֵּל פִּיו — talk obscenely
נַבְלַאי ז — harpist
נְבֵלָה נ — carcass, carrion
נְבָלָה נ — outrage, evil

be curbed, checked נִבְלַם פ
be swallowed נִבְלַע פ
be built נִבְנָה פ
result, stem, flow, gush forth נָבַע פ
be kicked נִבְעַט פ
ignorant, silly נִבְעָר ת
be frightened נִבְעַת פ
be unable, beyond נִבְצַר פ
be split, broken נִבְקַע פ
burrow, carp נָבַר פ
be created נִבְרָא פ
be screwed נִבְרַג פ
vole, field mouse נַבְרָן ז
chandelier נִבְרֶשֶׁת נ
be saved, redeemed נִגְאַל פ
wipe, dry נִגֵּב פ
south, the Negev נֶגֶב ז
southwards נֶגְבָּה תה"פ
be against נָגַד, נִגֵּד פ
resistor, sergeant, sergeant-major נַגָּד ז
against, opposite נֶגֶד מ"י
counterclockwise נֶגֶד הַשָּׁעוֹן
antitank נֶגֶד טַנְקִים
antiaircraft נֶגֶד מְטוֹסִים
opposite, contrary נֶגְדִּי ת
be cut off נִגְדַּע פ
shine, glow נָגַהּ פ
drying, wipe נִגּוּב ז
contrast, antithesis, opposition נִגּוּד ז
disappear, vanish נָגוֹז פ
be rolled, lifted נָגוֹל פ
butting, goring נִגּוּחַ ז
melody, tune נִגּוּן ז
infected נָגוּעַ ת
robbed נִגְזָל ת
cut, derived, determined, destined נִגְזָר ת
derivative נִגְזֶרֶת נ
gore, butt נָגַח, נִגֵּחַ פ
butting נַגָּח, נַגְחָן ז
negative נֶגָטִיב ז
negative נֶגָטִיבִי ת

leader, director, governor, rector, rich man נָגִיד ז
goring, header נְגִיחָה נ
music, playing, melody, stress, accent נְגִינָה נ
intermezzo נְגִינַת בֵּינַיִם
bite, biting נְגִיסָה נ
touch, connection נְגִיעָה נ
infection נְגִיעוּת נ
virus נָגִיף ז
viral נְגִיפִי ת
accessible, approachable נָגִישׁ ת
oppression נְגִישָׂה נ
accessibility נְגִישׁוּת נ
be revealed נִגְלָה פ
be weaned נִגְמַל פ
end, finish נִגְמַר פ
player נַגָּן ז
play נִגֵּן פ
be stolen נִגְנַב פ
be hidden, stored נִגְנַז פ
bite off נָגַס פ
touch נָגַע פ
be moved נָגַע עַד לִבּוֹ
infect, afflict נִגַּע פ
plague, disease נֶגַע ז
strike, smite נָגַף פ
be beaten, defeated נִגַּף פ
obstacle, plague נֶגֶף ז
carpenter נַגָּר ז
flow, drip, stream נִגַּר פ
carpentry נַגָּרוּת נ
carpenter's shop נַגָּרִיָּה נ
be caused נִגְרַם פ
be diminished נִגְרַע פ
be dragged, towed נִגְרַר פ
approach, accost, draw near, begin, start נִגַּשׁ פ
oppress, persecute נָגַשׂ פ
wall, heap נֵד ז
roam, shake, lament נָד פ
donate נָדַב, נִדֵּב פ
charity, alms נְדָבָה נ
layer, course נִדְבָּךְ ז

נַדְבָן ז philanthropist

נַדְבָנוּת נ philanthropy

נִדְבַּק פ stick, be infected

נִדְבַּר פ talk, agree

נָדַד פ roam, wander

נָדְדָה שְׁנָתוֹ couldn't sleep

נִדָּה פ anathematize, expel, banish, excommunicate

נִדָּה נ menstruating woman

נִדְהַם פ be amazed, surprised

נְדוּדִים ז"ר wandering

נְדוּדֵי שֵׁנָה insomnia

נִדּוּי ז anathema, ban, excommunication

נָדוֹן, נִדּוֹן ת sentenced, accused, discussed, topic

נְדוּנְיָה נ dower, dowry

נָדוֹשׁ ת banal, hackneyed, trite, threshed

נִדָּח ת remote, banished

נִדְחָה פ be postponed, rejected, refused

נִדְחַק פ intrude, push

נָדִיב ת generous, donor

נְדִיב לֵב bounteous

נְדִיבוּת נ generosity

נְדִיבוּת לֵב benevolence

נְדִידָה נ wandering

נָדִיף ת volatile

נְדִיפוּת נ volatility

נָדִיר ז nadir

נָדִיר ת infrequent, rare

נְדִירוּת נ infrequency, rarity, scarcity

נְדִישׁוּת נ banality

נִדְכָּא ת depressed

נַדָּל ז centipede

נִדְלָה פ be exhausted, drawn out, raised

נַדְלָ"ן real property

נִדְלַק פ be lit, catch fire

נָדַם פ be silent

נִדְמֶה apparently, it seems

נָדָן ז scabbard, sheath

נִדְנֵד פ sway, swing, nag

נַדְנֵדָה נ swing, seesaw

נִדְנוּד ז rocking, nagging

נֹדֶף ז waft

נָדַף פ spread, disperse

נִדָּף ת scattered, blown

נִדְפַּס פ be printed

נִדְפַּק פ be beaten

נִדְקַר פ be stabbed

נֶדֶר ז vow

נָדַר פ vow

נִדְרַךְ פ be trodden, cocked

נִדְרַס פ be run over

נִדְרָשׁ ת wanted, required

נָהַג פ drive, conduct, lead, be accustomed, used to, treat, behave

נֶהָג ז driver

נֶהַג מוֹנִית cabdriver

נֶהָגוּת נ driving

נֶהְדַּף פ be repelled

נֶהְדָּר ת wonderful, glorious

נָהָה פ follow, long for

נִהוּג ז driving, conducting

נָהוּג ת customary, usual

נִהוּל ז administration, management, conducting

נִהוּל חֶשְׁבּוֹנוֹת/סְפָרִים bookkeeping, accounting

נְהִי ז lamentation

נְהִיגָה נ driving

נְהִיָּה נ following, wailing

נִהְיָה פ be, become, happen

נְהִימָה נ roar, growling

נְהִיקָה נ braying, heehaw

נָהִיר ת clear, bright

נְהִירָה נ flowing, streaming

נְהִירוּת נ clarity, lucidity

נִהֵל פ administer, manage, run, lead, conduct

נִהֵל סְפָרִים keep books

נָהַם פ roar, growl

נְהָמָה נ roar, growl

נֶהֱנָה פ enjoy, benefit

נֶהֱנְתָן ז hedonist

נֶהֱנְתָנוּת נ hedonism

נַהֲפוֹךְ הוּא	on the contrary
נֶהְפַּךְ פ	turn, be inverted
נָהַק פ	bray, heehaw
נָהָר ז	river, stream
נָהַר פ	stream, throng
נֶהֱרַג פ	be killed
נְהָרָה נ	light, brightness
נֶהֱרַס פ	be ruined
נוּ מ"ק	you see, come on!
נוֹאָל ת	foolish
נוֹאֵם ז	orator, speaker
נוֹאֵף ז	adulterer
נוֹאֶפֶת נ	adulteress
נוֹאָשׁ ת	desperate, hopeless, despairing
נוֹאָשׁוֹת תה"פ	desperately
נוּבוֹרִישׁ ז	new rich
נוֹבֶל ז	Nobel
נוֹבֶלָה נ	novel(ette)
נוֹבֶלִיסט ז	novelist
נוֹבֶמְבֶּר ז	November
נוֹבֵעַ ת	flowing, gushing, stemming, resulting
נוֹגֵד ת	contrasting, contrary
נוֹגְדָן ז	antibody
נוּגֶה ת	sad, gloomy
נוֹגַהּ ז	light, glory, Venus
נוֹגֵעַ ת	touching
נוֹגֵעַ בַּדָּבָר	interested
נוֹגֵשׂ ז	oppressor, pressing
נַוָּד ז	nomad, vagabond
נוֹדֵד ת	wanderer, migratory
נַוָּדוּת נ	vagrancy
נוּדִיזְם ז	nudism
נוּדִיסְט ז	nudist
נוּדְנִיק ז	nagger
נוֹדָע ת	known, famous
נָוֶה ז	dwelling place
נְוֵה קַיִץ	summer resort
נוֹהַג ז	habit, custom
נוֹהֶה ת	follower
נוֹהַל ז	procedure
נוֹהֳלִי ת	procedural
נִוּוּט ז	navigation
נִוּוּל ז	ugliness, deformity
נִוּוּן ז	atrophy, decadence
נוֹזֵל ז	fluid, liquid
נוֹזְלִי ת	fluid, liquid
נוֹחַ ת	easy, pleasant, comfortable, convenient
נוֹחַ לוֹ שֶׁ-	it is better to
נוֹחַ לִכְעוֹס	hot-tempered
נוֹחוּת נ	convenience, ease
נוֹחִיּוּת נ	comfort, convenience, toilet
נוֹחַם ז	consolation
נִוֵּט פ	navigate, steer
נַוָּט ז	pilot, navigator
נוֹטֶה ת	disposed, tending
נַוָּטוּת נ	navigation
נוֹטֵר ז	guard, grudging
נוּטְרִיָּה נ	coypu
נוֹטַרְיוֹן ז	notary
נוֹטָרִיקוֹן ז	acronym
נוֹי ז	ornament, beauty
נוֹירוֹזָה נ	neurosis
נוֹירוֹטִי ת	neurotic
נוֹירוֹלוֹג ז	neurologist
נוֹירוֹלוֹגְיָה נ	neurology
נוֹירִיטִיס ז	neuritis
נוֹירַלְגְיָה נ	neuralgia
נוֹירַסְתֶּנְיָה נ	neurasthenia
נוֹכֵחַ ת	present, second person
נוֹכַח פ	be convinced
נוֹכַח מ"י	opposite, facing
נוֹכְחוּת נ	attendance, presence
נוֹכְחִי ת	present, current
נוֹכֵל ז	scoundrel, crook
נוֹכְלוּת נ	roguery, fraud
נוֹכְרִי ז	foreigner, alien
נִוֵּל פ	make ugly, deform
נוֹל ז	loom
נוֹל יָד	hand loom
נוֹלָד ת	born
נוֹלַד פ	originate, be born
נַוָלוּת נ	ugliness
נוֹמִינָטִיב ז	nominative
נוֹמִינָלִי ת	nominal

נוּמִיסְמָטִיקָה נ numismatics
נוּמֶרָטוֹר ז numerator
נוּמֶרַצְיָה נ numeration
נָוַן פ atrophy, degenerate
נוֹנְקוֹנְפוֹרְמִיזְם nonconformity
נוֹסַד פ be founded
נוֹסַח ז version, manner
נוּסְחָה נ formula
נוֹסְטַלְגִי ת nostalgic
נוֹסְטַלְגְיָה נ nostalgia
נוֹסֵעַ ז traveler, passenger
נוֹסֵעַ סָמוּי stowaway
נוֹסַף פ be added
נוֹסָף ת additional, extra, another
נוֹסָף עַל in addition to
נוֹעַ ז movement, motion
נוֹעַד פ meet, assemble, be designed, destined
נוֹעָז ת brave, bold
נוֹעַם ז grace, pleasantness
נוֹעַץ consult, take advice
נוֹעַר ז youth, boys
נוֹף ז landscape, scene, scenery, sight, view
נוֹפֶךְ ז turquoise, garnet
נוֹפֶךְ מִשֶּׁלוֹ personal touch
נוֹפֵף פ flourish, brandish
נוֹפֶשׁ ז rest, recreation
נוֹפֵשׁ ת resting, vacationer
נוֹפֶת נ liquid honey
נוֹפֶת צוּפִים sweetness
נוֹצָה נ feather, plume
נוֹצִי ת feathery
נוֹצִית נ badminton
נוֹצֵץ ת shining, sparkling
נוֹצַר פ be created, formed
נוֹצְרִי ת Christian
נוֹצַת צַוָּאר hackle
נוֹקָאאוּט ז knockout
נוֹקֵב ת penetrating
נוֹקֵד ז shepherd
נוֹקְדָן ז pedant
נוֹקְדָנוּת נ pedantry
נוֹקְטוּרְן ז nocturne

נוֹקְמָנִי ת vengeful
נוֹקֵר ז cock, firing pin
נוּקְשֶׁה ת hard, rigid, stiff
נוּקְשׁוּת נ rigidity
נוֹרָא ת awesome, horrible, terrible, very much
נוּרָה נ lamp, light bulb
נוֹרָה פ be shot
נוֹרְוֶגִי ת Norwegian
נוֹרְוֶגְיָה נ Norway
נוֹרְוֶגִית נ Norse
נוּרִית נ buttercup
נוֹרְמָה נ norm, quota
נוֹרְמָלִי ת normal
נוֹרְמָלִיּוּת נ normality
נוֹרְמָלִיזַצְיָה normalization
נוּרַת הַבְהוּב blinker
נוּרַת חַשְׁמַל bulb, incandescent lamp
נוּרַת נֵאוֹן fluorescent lamp
נוּרַת פְלֶשׁ flashbulb
נוֹשֵׂא ז carrier, subject, theme, topic
נוֹשֵׂא גְיָסוֹת troop carrier
נוֹשֵׂא כֵּלִים armor bearer
נוֹשֵׂא מִכְתָּבִים mailman
נוֹשֵׂאת מְטוֹסִים aircraft carrier, flattop
נוֹשָׁב ת inhabited, settled
נוֹשֶׁה ז creditor, claimant
נוֹשָׁן ת ancient, old
נוֹתֵב ת tracer
נוֹתָר ת remainder, remnant
נוֹתַר פ remain, be left
נִזְהַר פ take care
נְזוֹל ז liquefaction
נִזּוֹן פ be fed, nourished
נָזוּף ת reprimanded
נִזּוֹק פ be damaged, hurt
נָזִיד ז pottage, broth
נָזִיל ת liquid
נְזִילָה נ leak, flow
נְזִילוּת נ liquidity, fluidity
נְזִיפָה נ reprimand, rebuke
נְזִיקִין ז"ר damages, torts

נָזִיר ז hermit, monk, friar

נְזִירָה נ nun

נְזִירָה רָאשִׁית abbess

נְזִירוּת נ monasticism

נִזְכַּר פ call to mind, recall, be mentioned

נָזַל פ flow, drip, leak

נָזַל פ liquefy

נַזֶּלֶת נ catarrh, cold

נֶזֶם ז nose ring

נִזְעָם ת angry, furious

נִזְעַק פ be summoned, called

נָזַף פ censure, chide, rebuke, reproach

נֶזֶק ז damage, harm

נִזַּק פ be hurt, damaged

נִזְקַק פ be in need of

נִזְקָק ת needy, poor

נֵזֶר ז crown, diadem

נָזַר פ abstain from

נִזְרַע פ be sown

נִזְרַק פ be thrown, cast

נָח פ lie, rest, repose

נֶחְבָּא פ hide, be hidden

נֶחְבַּט פ be beaten, struck

נֶחְבַּל פ be injured

נֶחְבַּשׁ פ be bandaged, dressed, imprisoned

נָחָה פ lead, guide

נִחוּם ז consolation

נָחוּץ ת essential, necessary, vital

נְחוּצוֹת נ״ר desiderata

נָחוּשׁ ת hard, adamant

נִחוּשׁ ז guess, conjecture

נְחוֹשֶׁת נ copper

נְחוּשְׁתִּי ת copper, cupreous

נְחֻשְׁתַּיִם ז״ר fetters, gyves

נָחוּת ת inferior, low

נְחוּת דַּרְגָּה inferior

נֶחְטַף פ be kidnapped

נָחִיל ז swarm

נְחִיצוּת נ necessity

נְחִישׁוּת נ vigorousness

נָחִיר ז nostril, spout

נְחִירָה נ snore, snorting

נְחִירַיִם ז״ר nostrils

נְחִיתָה נ disembarkation, landing, alighting

נְחִיתוּת נ inferiority

נְחִיתַת אוֹנֶס forced landing

נַחַל ז stream, brook, river

נַחַל אַכְזָב wadi

נָחַל פ inherit, take possession, have, get

נַחַ״ל ז Nahal, branch of Israel Army

נֶחֱלַד פ rust

נַחֲלָה נ heritage, estate

נַחֲלִיאֵלִי ז wagtail

נֶחֱלַץ פ be delivered, escape, get out, pioneer

נֶחֱלַשׁ פ be weak, weaken

נִחֵם פ comfort, condole, console, solace

נִחַם פ regret, repent

נֶחְמָד ת lovely, cute, nice

נֶחָמָה נ comfort, consolation, solace

נֶחַן פ be blessed, gifted, pardoned, granted amnesty

נֶחֱנַךְ פ be inaugurated

נֶחֱנַק פ suffocate

נֶחֱסַךְ פ be saved, spared

נֶחֱסַם פ be closed, blocked

נֶחְפַּז פ hasten, rush

נֶחְצַב פ be hewn, quarried

נֶחֱצָה פ be halved

נֶחְקַק פ be carved, enacted

נֶחְקַר פ be investigated

נָחַר פ snore

נֶחֱרַב פ be destroyed

נֶחֱרַד פ be terrified

נַחֲרָה נ snore, snort

נֶחֱרַךְ פ be scorched, singe

נַחֲרָן ז snorer

נֶחֱרַץ פ be determined

נֶחֱרָצוֹת תה״פ absolutely

נֶחֱרַשׁ פ be plowed

נֶחֱרַת פ be engraved

נַחֵשׁ פ	guess, conjecture
נָחָשׁ ז	snake, serpent
נֶחְשַׁב פ	be considered
נֶחְשַׁד פ	be suspected
נַחְשׁוֹל ז	breaker, wave
נַחְשׁוֹן ז	pioneer, daring
נְחָשִׁי ת	snaky
נֶחְשָׁל ת	backward
נֶחְשַׂף פ	be exposed
נָחַת פ	land, alight
נָחָת ז	marine
נַחַת ז	flat
נַחַת נ	quiet, satisfaction
נַחַת זְרוֹעוֹ	power, blow
נַחַת רוּחַ	satisfaction
נַחְתּוֹם ז	baker
נֶחְתַּךְ פ	cut, be decided
נֶחְתַּם פ	end, be sealed
נַחֶתֶת נ	landing craft
נְטַאי ז	bias
נִטְבַּח פ	be massacred
נִטְבַּל פ	be dipped
נִטְבַּע פ	be coined, stamped
נָטָה פ	tend, turn, lean
נָטָה לָמוּת	be dying
נֶטוֹ ז	net
נָטוּי ת	extended, leaning
נָטוּל ת	deprived, lacking
נְטוּל יְסוֹד	groundless
נָטוּעַ ת	planted
נָטוּרָלִיזְם ז	naturalism
נָטוּרָלִיסְט ז	naturalist
נָטוּרָלִיסְטִי ת	naturalistic
נָטוּשׁ ת	abandoned
נִטְחַן פ	be ground, milled
נְטִיָּה נ	inclination, tendency, conjugation
נְטִילָה נ	taking, receiving
נְטִילַת יָדַיִם	washing hands
נְטִיעָה נ	planting, plant
נָטִיף ז	drop, stalactite
נְטִיף קֶרַח	icicle
נְטִירָה נ	bearing a grudge
נְטִישָׁה נ	abandonment
נָטַל פ	take, remove
נָטַל יָדַיִם	wash hands
נִטַּל פ	be taken, removed
נֵטֶל ז	burden, load
נַטְלָה נ	washing jug
נִטְמָא פ	be profaned
נִטְמַן פ	be hidden, buried
נִטְמַע פ	assimilate
נָטַע פ	plant, implant
נִטַּע פ	be planted
נֶטַע ז	plant, seedling
נִטְעַן פ	be loaded, claimed
נָטַף פ	drip, drop, flow
נֶטֶף ז	drop
נִטְפַּל פ	stick, cling to
נָטַר פ	guard, keep, watch, bear a grudge
נִטְרוּל ז	neutralization
נִטְרֵל פ	neutralize
נִטְרַף פ	be torn, rent, declared not kasher
נִטְרֵק פ	form an acronym
נִטְרַק פ	slam
נָטַשׁ פ	desert, forsake, quit, abandon
נִטַּשׁ פ	be abandoned, extend
נֵיאוֹלִיתִי ת	neolithic
נֵיאוֹקְלַסִי ת	neoclassical
נִיב ז	accent, dialect, idiom, phrase, fang, tusk, canine tooth
נִיבוֹן ז	phrase-book
נִיבִי ת	phrasal, dialectic
נִיד ז	motion, movement
נִיֵּד פ	make changeable
נַיָּד ת	movable, portable
נַיָּדוּת נ	locomotion, mobility, portability
נַיֶּדֶת נ	patrol
נַיֶּדֶת מִשְׁטָרָה	patrol car
נִיהִילִיזְם ז	nihilism
נִיהִילִיסְט ז	nihilist
נִיוּאַנְס ז	nuance
נִיּוּחַ ז	immobilization
נְיֹרֶת נ	cardboard
נַיָּח ת	static, stationary

נֵיח פ immobilize
נִיחָא תה"פ well, good, OK
נִיחוֹחַ ת pleasant
נִיחוֹחִי ת aromatic
נִיחוֹחִיוּת נ fragrance
נִיחוּתָא נ calm, ease
נִיטרוֹגלִיצֶרִין nitroglycerin
נֵיטרוֹן ז neutron
נִיטרָט ז nitrate
נֵיטרָלִי ת neutral
נֵיטרָלִיוּת נ neutrality
נַילוֹן ז nylon
נִים ת sleepy, asleep
נִימבּוּס ז nimbus
נִימָה נ capillary, hair, thread, tune, tone
נִימוּס ז civility, politeness, courtesy
נִימוּסִי ת polite, courteous
נִימִי ת capillary
נִימִיוּת נ capillarity
נִימפָה נ nymph
נִימפוֹמַנִיָה נ nymphomania
נִימפוֹמָנִית נ nymphomaniac
נִין ז great grandson
נִיסָן ז Nisan (month)
נִיעַ ז motion, stir
נִיצוֹץ ז spark, gleam
נִיקוֹטִין ז nicotine
נִיקֶל ז nickel
נִיר ז plowed field
נְיָר ז paper, document
נְיַר זְכוּכִית sandpaper
נְיַר טוּאָלֶט toilet paper
נְיַר סוֹפֵג blotting paper
נְיַר עֵרֶך securities
נְיַר פֶּחָם carbon paper
נְיַר שָׁמִיר emery paper
נִירוָנָה נ nirvana
נְיָרִי ת papery
נַיֶרֶת נ paperwork
נָכֵא ת depressed, dejected
נְכָאִים ז"ר depression
נִכבָּד ז dignitary, notable, honorable, venerable

נִכבָּדוֹת praise
נִכבָּדִי Dear Sir
נִכבָּה פ be extinguished
נִכבַּל פ be bound, chained
נִכבַּש פ be conquered
נֶכֶד ז grandson, grandchild
נֶכדָה נ granddaughter
נָכֶה ז cripple, disabled, invalid
נִכָּה פ deduct, discount
נְכֵה רוּחַ dejected
נִכוָה פ be burnt, scalded
נְכוֹחָה תה"פ straight
נִכּוּי ז deduction, discount
נָכוֹן ת correct, right, true, ready
נְכוֹנָה תה"פ correctly, truly
נְכוֹנוּת נ readiness
נִכּוּר ז alienation, estrangement
נִכּוּשׁ ז weeding
נָכוּת נ invalidism, disability, incapacity
נָכַח פ attend, be present
נִכחַד פ be annihilated
נִכָּיוֹן ז discount
נִכלָא פ be imprisoned
נִכלַל פ be included
נִכלָם ת ashamed
נִכמְרוּ רַחֲמָיו have pity
נִכנַס come in, enter
נִכנַע פ capitulate, give in, surrender, yield
נִכנָעוּת נ submissiveness
נֶכֶס ז asset, property
נִכסֵי דְלָא נָיְדֵי real estate
נִכסֵי צֹאן בַּרזֶל inalienable goods
נִכסַף פ yearn, long for
נִכפֶּה ז epileptic
נִכפָּה פ be compelled
נִכפּוּת נ epilepsy
נִכפַּל פ be doubled
נִכפָּל ז multiplicand
נִכפַּף פ bow, be bent

נִכְפַּת פ	be tied, bound
נֵכָר ז	foreign country
נִכָּר ת	considerable, recognized, can be seen
נִכֵּר פ	alienate, estrange
נִכְרָה פ	be dug, mined
נָכְרִי ז	foreigner, alien
נִכְרַךְ פ	be bound, attached
נִכְרַת פ	be cut off, felled
נֶכֶשׁ פ	weed
נִכְשַׁל פ	fail, stumble
נִכְתַּב פ	be written
נִכְתַּם פ	be stained, soiled
נִלְאָה פ	be tired, wearied
נִלְבָּב ת	lovely, cordial
נִלְהָב ת	enthusiastic, ardent, fervent
נִלְוָה פ	accompany, escort
נָלוֹז ת	perverse, crooked
נִלְחַם פ	fight, wage war
נִלְחַץ פ	be pressed
נְלִיזָה נ	perversion
נִלְכַּד פ	be captured, seized
נִלְמַד פ	be studied, taught
נִלְעָג ת	ridiculous, absurd
נִלְקַח פ	be taken
נָם פ	sleep, slumber
נִמְאָס ת	despised, loathed
נִמְאַס לִי	I'm fed up
נִמְדַּד פ	be measured
נִמְהַל פ	be mixed, diluted
נִמְהָר ת	hasty, rash
נָמוֹג פ	melt, vanish
נָמוּךְ ת	low, short, humble
נִמּוֹל ת	circumcised
נִמּוּק ז	reason, argument
נְמוּשׁוֹת נ"ר	worthless people
נִמְזַג פ	be mixed, poured
נִמְחָה פ	be erased, wiped
נִמְחֶה ז	assignee
נִמְחַל פ	be forgiven
נִמְחַץ פ	be crushed
נִמְחַק פ	be deleted
נְמִיָּה נ	ichneumon, marten
נְמִיכוּת	lowness, shortness
נְמִיסָה נ	melting
נִמְכַּר פ	sell, be sold
נָמָל ז	harbor, port
נְמַל תְּעוּפָה	airport
נִמְלָא פ	be full
נְמָלָה נ	ant
נִמְלַח פ	be salted
נִמְלַט פ	escape, run, flee
נִמְלַךְ פ	think over, consult
נִמְלָץ ת	ornate, bombastic
נִמְנָה פ	be counted
נִמְנוּם ז	doze, nap
נִמְנֵם פ	doze, take a nap
נַמְנְמָנִי ת	sleepy, dozy
נִמְנַע פ	avoid, refrain
נִמְנָע ת	impossible, abstainer
נָמַס פ	melt, dissolve, thaw
נִמְסַךְ פ	be mixed, poured
נִמְסַר פ	be given, handed over, notified, informed
נִמְעַךְ פ	be pressed, squash
נִמְעָן ז	addressee
נִמְצָא פ	be found, existing
נִמֵּק פ	give reasons, argue
נָמַק פ	rot, decay, pine
נֶמֶק ז	gangrene, rot
נִמֵּר פ	mottle, spot
נָמֵר ז	tiger, leopard
נְמֵרָה נ	tigress
נִמְרַח פ	be spread, smeared
נְמֵרִי ת	tigerish
נִמְרָץ ת	vigorous, energetic
נִמְרָצוֹת תה"פ	vigorously
נֶמֶשׁ ז	freckle
נִמְשַׁךְ פ	continue, be pulled
נִמְשָׁךְ ת	continuous
נִמְשַׁל פ	resemble, be like
נִמְתָּח ת	elastic, stretched
נִנּוֹחַ ת	relaxed
נִנּוֹחוּת נ	relaxation
נַנָּס ז	dwarf, midget
נַנָּסִי ת	dwarfish, small
נִנְעַל פ	lock, be locked
נִנְעַץ פ	be inserted

ננקט פ be taken (measures)
נָס פ flee, escape, bolt
נֵס ז banner, flag, miracle
נֵס הָרוּחַ weather vane
נָסַב פ surround, turn, assemble, gather
נְסִבָּה נ circumstance
נִסְבָּל ת bearable, endurable, tolerable
נְסִבָּתִי ת circumstantial
נַסְגָן ז reactionary
נַסְגָנוּת נ reaction
נַסְגָנִי ת recessive
נִסְגַר פ close, shut
נִסְדַק פ crack, be cracked
נִסָה פ attempt, test, try
נָסוֹג ת regressive, retrogressive
נָסוֹג פ retreat, withdraw
נִסוּחַ ז formulation, phrasing, wording
נָסוֹט פ be shifted
נִסוּי ז experiment, test
נִסוּיִי ת experimental
נִסוּךְ ז libation
נָסוּךְ ת covered, spread
נְסוֹרֶת ז sawdust
נִסַח פ formulate, draft
נֻסַח ז extract, text
נַסָח draftsman, formulator
נִסְחַב פ be dragged, drawn
נִסְחַט פ be squeezed
נִסְחַף פ be swept
נִסִי ת miraculous
נְסִיגָה נ regression, retreat, withdrawal
נַסְיוּב ז serum
נִסָיוֹן ז attempt, trial, experience, experiment
נִסְיוֹנִי ת experimental
נִסְיוֹנִיוּת נ empiricism
נָסִיךְ ז prince
נְסִיךְ הַכֶּתֶר crown prince
נְסִיכָה נ princess
נְסִיכוּת נ principality

נַסָּן ז experimenter
נַסָּנוּת נ experimentation
נְסִיעָה נ journey, travel
נְסִיקָה נ vertical takeoff
נְסִירָה נ sawing
נָסַךְ, נִסֵּךְ פ pour
נֶסֶךְ ז libation
נִסְלַח פ be pardoned
נִסְלַל פ be paved
נִסְמָךְ ת supported
נָסַע פ go, travel, journey
נִסְעָר ת stormy, excited
נִסְפַּג פ be absorbed
נִסְפַּד פ be mourned
נִסְפָּה פ be killed, fall, die
נִסְפָּח ז appendix, supplement, attache
נִסְפַּח פ attached, added
נִסְפַּר פ be numbered
נָסַק פ rise, ascend, climb
נֶסֶק ז sharp
נִסְקַל פ be stoned
נִסְקַר פ be reviewed
נָסַר, נִסֵּר פ saw
נִסַּר פ be sawn
נַסָּר פ sawyer
נֶסֶר ז board, plank
נִסְרַג פ be knitted
נִסְרַק פ be combed, searched
נִסְתַּם פ be blocked, filled
נִסְתָּר ת third person, hidden, concealed
נָע פ move, stir, shake, wander, roam
נֶעְדָּר ת absent, lacking, missing, devoid of
נַעֲוֶה ת distorted, crooked
נַעֲוֵה לֵב crook, swindler
נָעוּל ת barred, locked, shod
נָעוּץ ת inserted, fixed
נֵעוֹר פ awaken, arouse
נִעוּר ז shaking off
נְעוּרִים ז״ר boyhood, youth
נְעֹרֶת נ chaff
נֶעֱזַב פ be abandoned, left

נֶעֱזַר פ be helped, aided
נֶעֱטַף פ be wrapped
נְעִילָה נ adjournment, locking, wearing shoes
נָעִים ת agreeable, lovely, pleasant
נְעִימָה נ melody, tune
נְעִימוּת נ pleasantness
נְעִימִי ת melodic
נְעִיצָה נ inserting, fixing, sticking in, stab
נְעִירָה נ bray, shaking off
נֶעְכָּר ת dejected, gloomy
נַעַל נ shoe, boot
נַעַל בַּיִת slipper
נָעַל פ adjourn, bar, lock, shut, close, wear shoes
נֶעֱלָב ת insulted, offended
נַעֲלֶה ת high, supreme, lofty, exalted, sublime
נֶעְלָם ת unknown, hidden
נֶעְלַם פ vanish, disappear
נָעַם פ be pleasant, sweet
נֶעֱמַד פ stand, stop, halt
נֶעֱנַד פ be worn, decorated
נַעֲנָה, נַעֲנָע נ mint
נַעֲנָה פ consent, agree, be answered, afflicted
נִעְנוּעַ ז movement, shake
נִעְנַע פ shake, move, stir
נֶעֱנַשׁ פ be punished
נַעַץ ז drawing pin, tack, thumbtack
נָעַץ פ insert, stick in
נֶעֱצַב פ sadden
נֶעֱצַר פ stop, halt, be detained, arrested
נֶעֱקַד פ be bound, trussed
נֶעֱקַף פ be overtaken
נֶעֱקַץ פ be stung, bitten
נֶעֱקַר פ be uprooted
נַעַר ז boy, lad, youth
נָעַר פ shake, bray, heehaw
נִעֵר פ shake, beat (carpet)
נִעֵר חוֹצְנוֹ פ repudiate
נַעֲרָה נ girl, maid
נַעֲרוּת נ boyhood, youth
נַעֲרִי ת boyish
נֶעֱרַךְ פ be estimated, prepared, aligned, edited
נֶעֱרַם פ pile up, bank up
נֶעֱרַף פ be decapitated
נַעֲרָץ ת respected, admired
נַעֲרַת גוֹגוֹ go-go girl
נַעֲרַת טֶלֶפוֹן call girl
נַעֲרַת־שַׁעַר cover girl
נַעֲשָׂה פ be made, done, turn into, become
נֶעְתַּק פ be copied, shifted, removed, displaced
נֶעְתַּר פ grant a request
נִפְגַּם פ be spoiled, impaired
נִפְגָּע ז casualty, injured
נִפְגַּשׁ פ meet, encounter
נִפְדָּה פ be redeemed
נִפָּה פ debug, sieve, sift
נָפָה נ sieve, district
נָפוֹג פ weaken
נָפוּחַ ת inflated, swollen
נִפּוּחַ ז inflation, blowing up, exaggeration
נִפּוּי ז sifting, selecting
נָפוּל ת fallen
נַפּוֹלֵיאוֹנִי ת Napoleonic
נְפוֹלֶת נ fallout
נָפוֹץ ת widespread, rife, scattered, distributed
נִפּוּץ ז shattering, smash
נִפּוּק ז issue
נָפַח פ blow, puff, breath
נָפַח נַפְשׁוֹ breathed his last
נִפֵּחַ פ blow, inflate, fan, exaggerate
נֶפַח ז bulk, volume
נַפָּח ז smith, blacksmith
נִפְחָד ת afraid, scared
נַפָּחוּת נ smithery
נַפָּחִיָּה נ forge, smithy
נִפְחַס פ flatten
נִפֵּט פ gin, card, beat

נֵפְט פ oil, petroleum, kerosene
נֶפְטוּן ז Neptune
נַפְטָלִין ז mothball
נִפְטַר פ die, get rid of, go away, depart, be freed
נִפְטָר ז deceased
נְפִיחָה נ blowing, fart
נְפִיחוּת נ swelling
נָפִיל ז giant
נְפִילָה נ fall, collapse
נָפִיץ ת explosive
נְפִיצָה נ dispersion
נְפִיצוּת נ distribution
נָפַל פ fall, die, drop, happen, occur
נֵפֶל ז abortion
נִפְלָא ת admirable, marvelous, wonderful
נִפְלָאוֹת ז״ר wonders
נִפְלַט פ escape, be emitted
נַפָּלְם ז napalm
נִפְנָה פ turn, be removed
נִפְנוּף ז waving, flapping
נִפְנֵף פ flourish, wave
נִפְנֶפֶת נ flounce, furbelow
נִפְסָד ת harmful, worthless
נִפְסַל פ be disqualified
נִפְסַק פ pause, cease, stop
נִפְעָל ת passive
נִפְעָם ת moved, amazed
נִפְעַר פ gape open
נַפָּץ ז detonator
נֶפֶץ ז explosion
נִפֵּץ פ shatter, smash
נִפְצַע פ be injured, wounded
נִפֵּק פ issue, equip
נִפְקָד ת missing, absentee, enumerated, counted
נִפְקָדוּת נ absenteeism
נַפְקָנִית נ prostitute
נִפְקַח פ be opened
נִפְרַד פ depart, separate
נִפְרָד ת different, separate
נִפְרַט פ be changed (money)
נִפְרַם פ ravel, be untied
נִפְרַס פ deploy, be sliced
נִפְרַע פ be paid, repaid
נִפְרַץ פ be broken, burst
נִפְרַק פ be unloaded
נִפְרַשׂ פ be spread out
נָפַשׁ פ rest, vacation
נֶפֶשׁ ז mind, soul, spirit
נַפְשִׁי ת mental, psychic, spiritual
נִפְשָׁע ת sinful, mean
נִפְתָּה פ be tempted, enticed
נַפְתּוּל ז meander, struggle
נִפְתַּח פ open
נִפְתַּל פ twist, be twined
נִפְתַּר פ be solved
נֵץ ז hawk
נִצַּב פ stand
נִצָּב ז perpendicular, upright, commander, extra
נִצַּב הַחֶרֶב hilt
נִצּוֹד פ be captured, hunted
נִצּוּחַ conducting, direction
נִצּוּל ז exploitation, utilization
נִצּוֹל ז survivor, rescued
נְצוֹלֶת נ salvage, utility
נָצוּר ת locked, besieged
נִצַּח פ win, overcome, defeat, conduct, direct
נֶצַח ז eternity
נִצָּחוֹן ז triumph, victory
נִצְחִי ת eternal, infinite
נִצְחִיּוּת נ eternity
נַצְחָנוּת נ polemics
נְצִיב ז governor, commissioner, pillar
נְצִיבוּת נ commission
נָצִיג ז agent, delegate, representative
נְצִיגוּת נ representation
נְצִילוּת נ efficiency
נָצִיץ ז mica
נִצֵּל פ exploit, abuse, utilize, take advantage

נִצַּל פ survive, be rescued
נִצְלָה פ broil, roast
נַצְלָנוּת נ exploitation
נַצְלָנִי ת exploiting
נִצְמַד פ adhere, cling
נִצָּן ז bud
נִצְנוּץ ז sparkle, flash
נִצְנֵץ פ sparkle, twinkle
נַצְנַצִּים ז״ר sequins
נָצַר פ guard, preserve, keep, lock, close
נִצֵּר פ Christianize
נֵצֶר ז offspring, sprout, scion, shoot
נִצְרָה נ safety catch
נַצְרוּת נ Christianity
נִצְרָךְ ת needy, in need of
נִצְרָכוּת נ need, indigence
נִצַּת פ be ignited, kindled
נָקַב פ name, state, specify, bore, perforate
נִקֵּב פ bore, punch, riddle
נֶקֶב ז hole, aperture
נִקְבֵּב פ perforate
נְקֵבָה נ female
נִקְבָּה נ tunnel
נִקְבּוּב ז perforation
נַקְבּוּבִי porous, perforated
נַקְבּוּבִיּוּת נ porosity
נַקְבּוּבִית נ pore
נְקֵבִי ת female, feminine
נַקְבָנִית נ punch typist
נִקְבַּע פ be determined, fixed, placed, agreed
נִקְבַּץ פ gather, assemble
נִקְבַּר פ be buried
נִקֵּד פ dot, vocalize, punctuate, point
נֶקֶד ז dot, coccus
נֶקֶד שַׁרְשֶׁרֶת streptococcus
נִקְדֵּד פ draw a dotted line
נִקְדּוּד drawing dotted lines
נִקְדַּח פ be bored, drilled
נַקְדָן ז vocalizer, pedant
נַקְדָנוּת נ pedantry

נִקְדַּשׁ פ be hallowed
נִקָּה פ clean, cleanse
נִקְהַל פ gather, assemble
נָקוּב ת pierced, riddled, punched, named, nominal
נִקּוּב נ perforation, punch
נָקוֹד ת spotted, speckled
נִקּוּד ז vocalization
נְקוּדָה נ dot, full stop, period, point, spot
נְקוּדָה וּפְסִיק semicolon, ;
נְקוּדַת בִּקֹּרֶת checkpoint
נְקוּדַת הִתּוּךְ melting point
נְקוּדַת חֵן beauty spot
נְקוּדַת מַבָּט point of view
נְקוּדַת מִשְׁעָן fulcrum
נְקוּדַת רְאוּת aspect
נְקוּדַת תּוֹרְפָּה foible
נְקוּדָתַיִם (:) colon
נִקְוָה פ be collected, gather
נִקּוּז ז draining, drainage
נִקּוּי ז cleaning
נִקּוּר ז jabbing, peck
נִקֵּז פ drain
נָקַט פ take (steps), adopt
נִקְטַל פ be killed, slain
נִקְטַף פ be picked, plucked
נָקִי ת clean, neat, tidy
נִקָּיוֹן ז cleanliness
נִקְיוֹן כַּפַּיִם impeccability
נְקִיּוּת נ cleanliness
נְקִיטָה נ taking (measures)
נְקִיעָה נ dislocation
נְקִיפָה נ precession
נְקִיפַת מַצְפּוּן remorse, compunction, qualm
נָקִיק ז crevice, cranny
נְקִירָה נ peck
נְקִישָׁה נ click, knock, tap
נָקַל ת easy
נִקְלֶה ת contemptible, base
נִקְלָה פ be roasted
נִקְלַט פ be absorbed, understood, strike roots
נִקְלַע פ chance, be thrown

נָקַם פ avenge, revenge
נָקָם ז revenge
נְקָמָה נ revenge, vengeance
נַקְמָנוּת נ revenge
נַקְמָנִי ת revengeful
נִקְמַת דָּם vendetta
נִקְנָה פ be bought, acquired
נַקְנִיק ז sausage
נַקְנִיקִיָּה hot dog, sausage
נִקְנַס פ be fined
נֶקַע ז sprain, dislocation
נָקַע פ be sprained
נָקַף פ tap, knock, beat
נָקַף אֶצְבַּע lift a finger
נָקְפָה שָׁנָה a year passed
נִקְפָּא פ be frozen, freeze
נִקְצַץ פ be cut, chopped
נִקְצַר פ be reaped
נִקֵּר פ peck, pick, jab
נֶקֶר ז puncture, hole
נַקָּר ז woodpecker
נִקְרָא פ be called, read
נִקְרַב פ come near, approach, be sacrificed
נִקְרָה נ crevice, hole
נִקְרָה פ chance, meet
נִקְרַם פ form a crust
נַקְרָן ז picking, carping
נִקְרַע פ be torn, ripped
נִקְרַשׁ פ congeal, freeze
נָקַשׁ פ knock, tap, beat
נִקְשַׁר פ be tied, connected
נֵר ז candle, suppository candela, candlepower
נִרְאָה פ be seen, visible
נִרְאֶה ת apparent, visible, probably, it seems
נִרְגָּז ת angry, enraged
נַרְגִּילָה נ hookah
נִרְגַּם פ be stoned
נִרְגָּן ת complaining
נִרְגָּנוּת נ grumbling
נִרְגַּע פ calm down, relax
נִרְגָּשׁ ת moved, excited
נֵרְדְּ ז spikenard
נִרְדַּם פ fall asleep
נִרְדָּף ת chased, persecuted
נִרְדָּפוּת נ synonymy
נִרְחָב ת spacious, wide
נִרְחַץ פ be washed
נִרְטַב פ become wet
נִרְכַּס פ button, be clasped
נִרְכַּשׁ פ be acquired
נִרְמוּל ז normalization
נִרְמַז פ be hinted, alluded
נִרְמֵל פ normalize
נִרְמַס פ be trodden, trampled
נִרְעַד פ shake, tremble
נִרְעָשׁ ת excited, upset
נִרְפָּא פ heal, recover
נִרְפֶּה ת slack, lazy, idle
נִרְצָה פ be accepted, atoned
נִרְצַח פ be murdered
נִרְצַע פ be pierced, bored
נִרְקַב פ rot, decay
נַרְקוֹזָה נ narcotic
נַרְקוֹטִי ת narcotic
נַרְקוֹמָן נ drug addict, junky, junkie
נַרְקִיס ז amaryllis, daffodil, narcissus
נַרְקִיסִיּוּת נ narcissism
נַרְקִיסִיסְט ז narcissist
נִרְקַם פ be embroidered, devised, formed, shaped
נִרְשַׁם פ be recorded
נַרְתִּיק ז sheath, case
נַרְתִּיק הָאֶקְדָּח holster
נַרְתִּיקָה נ vagina
נִרְתַּם פ be harnessed
נִרְתַּע פ recoil, flinch, startle, spring back
נִרְתֵּק פ sheathe
נָשָׂא פ carry, bear, endure, raise, lift
נָשָׂא אִשָּׁה marry
נָשָׂא וְנָתַן negotiate
נָשָׂא פְּרִי bear fruit
נִשָּׂא פ be carried, borne, raised, elevated, marry

נִשָּׂא ת high, exalted, lofty
נִשְׁאַב פ be pumped, drawn
נִשְׁאַל פ be asked, borrowed
נִשְׁאַף פ be inhaled
נִשְׁאַר פ remain, stay
נָשַׁב פ blow, breathe, puff
נָשֵׁב פ blow
נִשְׁבָּה פ be captured
נִשְׁבַּע פ swear, take an oath
נִשְׁבַּע לַשֶּׁקֶר perjure
נִשְׁבַּר פ break, be broken
נִשְׂגָּב פ lofty, sublime, beyond understanding
נִשְׁגָּר ז consignee
נִשְׁדַּד פ be robbed
נַשְׁדּוּר ז ammonia
נִשְׁדַּף פ be blighted, burnt
נָשָׁה פ claim a debt
נָשׂוּא ז predicate
נָשׂוּא ת carried, borne
נְשׂוּא פָּנִים venerable
נִשּׂוּאֵי תַּעֲרוֹבֶת mixed marriage
נִשּׂוּאִים ז"ר marriage, wedding
נִשּׂוּאִים אֶזְרָחִיִּים civil marriage
נְשׂוּאָה נ married woman
נְשׂוּאִי ת predicative
נְשׁוֹבֶת נ chaff
נָשׂוּי ת married
נִשּׁוּל ז dispossession
נִשּׁוֹם ז taxpayer, assessed
נְשׁוֹפֶת נ filings
נְשׁוֹרֶת נ fallout, molt
נִשְׁזַר פ be twined, twisted
נִשְׁחַט פ be butchered
נִשְׁחַק פ erode, be pounded
נִשְׁחָת ת corrupt, spoilt
נִשְׁטַף פ wash, be rinsed
נָשִׁי ת effeminate, feminine, womanlike
נָשִׂיא ז president
נְשִׂיאָה נ carrying
נְשִׂיאוּת נ presidency
נְשִׂיאוּתִי ת presidential

נְשִׁיבָה נ blowing, puffing
נְשִׁיָּה נ oblivion
נִשָּׁיוֹן ז amnesia
נָשִׁיּוּת נ effeminacy, femininity, womanhood
נְשִׁיכָה נ bite, biting
נָשִׁים נ"ר women, ladies
נְשִׁימָה נ breath, breathing, respiration
נְשִׁיפָה נ blow, exhalation
נְשִׁיקָה נ kiss
נָשִׁיר ת deciduous
נָשִׁיר ז molting season
נְשִׁירָה נ dropping out
נְשִׁית נ sciatica
נָשַׁךְ פ bite
נֶשֶׁךְ ז usury, interest
נִשְׁכַּב פ lie down, fall
נִשְׁכַּח פ be forgotten
נַשְׁכָנִי ת biter, biting
נִשְׂכָּר ת let, hired, gaining
נֶשֶׁל ז sloughing, fall
נָשַׁל פ drop, fall, remove
נִשֵּׁל פ dispossess
נִשְׁלַח פ be sent, transmitted
נִשְׁלַל פ be denied, deprived
נִשְׁלַם פ be completed
נִשְׁלַשׁ פ triple
נָשַׁם פ breathe, pant, gasp
נָשַׁם לִרְוָחָה feel relief
נֶשֶׁם ז respiration
נִשְׁמַד פ be destroyed
נְשָׁמָה נ soul, spirit
נִשְׁמַט פ drop, be omitted
נִשְׁמַע פ obey, be heard
נִשְׁמַר פ be kept, take care
נִשְׁנָה פ recur, be repeated
נִשְׁעַן פ lean, recline, depend on, rely on
נָשַׁף פ blow, breathe
נָשַׁף בְּעָרְפּוֹ breathe down his neck
נֶשֶׁף ז ball, party
נֶשֶׁף מַסֵּכוֹת masked ball
נֶשֶׁף רִקּוּדִים ball, dance

be sentenced, judged, tried נִשְׁפַּט פ
small party נִשְׁפִּיָה נ
spill, be poured נִשְׁפַּךְ פ
kiss נָשַׁק, נִשֵּׁק פ
arms, weapon נֶשֶׁק ז
gunsmith, armorer נַשָּׁק ז
armory, arsenal נַשָּׁקִיָּה נ
be weighed נִשְׁקַל פ
be seen, reflected, appear, overlook נִשְׁקַף פ
fall, drop, be shed נָשַׁר פ
eagle, vulture נֶשֶׁר ז
soak, be immersed נִשְׁרָה פ
eaglet נִשְׁרוֹן ז
aquiline נִשְׁרִי ת
be scratched נִשְׂרַט פ
burn, be burnt נִשְׂרַף פ
tracker, pilot נַתָּב ז
defendant, respondent, claimed נִתְבָּע ז
be demanded, sued נִתְבַּע פ
tracking, routing נִתּוּב ז
analysis, operation, surgery נִתּוּחַ ז
appendectomy נִתּוּחַ הַתּוֹסֶפְתָּן
נִתּוּחַ לֵב פָּתוּחַ open-heart surgery
plastic surgery נִתּוּחַ פְּלַסְטִי
Caesarean section נִתּוּחַ קֵיסָרִי
autopsy נִתּוּחַ שֶׁלְּאַחַר הַמָּוֶת
operative נִתּוּחִי ת
given, placed, situated, datum נָתוּן ת
data נְתוּנִים ז״ר
demolition, smashing נִתּוּץ ז
disconnection, separation, severance נִתּוּק ז
jump, bounce, caper נִתּוּר ז
be sprayed, squirted נִתַּז פ
ricochet, sprinkle נֶתֶז ז
analyze, cut, dissect, operate נִתַּח פ
cut, chunk, piece נֵתַח ז

be fixed, delimited נִתְחַם פ
analyst נַתְחָן ז
analytical נַתְחָנִי ת
path, way, lane נָתִיב ז
air lane נְתִיב אֲוִיר
operable נָתִיחַ ת
fuse נָתִיךְ ז
subject, citizen נָתִין ז
giving, granting נְתִינָה נ
nationality, citizenship נְתִינוּת נ
detachable, removable, separable נָתִיק ת
separability נְתִיקוּת נ
ricochet נְתִיר ז
alloy נֶתֶךְ ז
melt, pour down נִתַּךְ פ
hang, be hanged נִתְלָה פ
be supported נִתְמַךְ פ
give, grant, let, allow, put, fix, place נָתַן פ
pay for נָתַן אֶת הַדִּין
pay attention נָתַן דַּעְתּוֹ
given, be possible, placed, put on נִתַּן פ
feasible נִתַּן לְבִצּוּעַ
abhorrent, loathsome, abominable נִתְעָב ת
be led astray נִתְעָה פ
be seized, grasped נִתְפַּס פ
be sewn נִתְפַּר פ
smash, destroy, demolish, shatter נָתַץ, נִתֵּץ פ
break, sever, cut, disconnect, detach נִתֵּק פ
be cut off, severed נִתַּק פ
switch, severance נֶתֶק ז
bump into, meet, encounter, stumble נִתְקַל פ
be stuck נִתְקַע פ
jump, leap, hop נִתֵּר פ
niter, soda נֶתֶר ז
caustic soda נֶתֶר מַאֲכָל
be contributed נִתְרַם פ
sodium נַתְרָן ז

ס

seah (measure) סְאָה נ
go too far הִגְדִּישׁ הַסְּאָה -
defilement, soiling סֵאוּב ז
sauna סָאוּנָה נ
grandfather סָבָא, סַבָּא ז
great-grandfather סָבָא רַבָּא
drink to excess סָבָא פ
go round, encircle, סָבַב פ
 revolve, rotate, turn
cause, surround סִבֵּב פ
pinion, cogwheel סַבֶּבֶת נ
cause, reason סִבָּה נ
circuit, round, סִבּוּב ז
 revolution, rotation, turn
rotary סִבּוּבִי ת
sabotage סַבּוֹטָז' ז
tangled, complicated סָבוּךְ ת
complication, סִבּוּךְ ז
 confusion, entanglement
stamina, endurance סְבוֹלֶת נ
soap סַבּוֹן ז
soaping סִבּוּן ז
soapy סַבּוֹנִי ת
soap holder סַבּוֹנִיָּה נ
thinking, holding סָבוּר ז
I think, methinks סְבוּרַנִי
drinking, boozing סְבִיאָה נ
around, round סָבִיב תה"פ
surroundings, סְבִיבָה נ
 environment, neighborhood
about, around בִּסְבִיבוֹת -
swivel סְבִיבוֹל ז
top, whipping top סְבִיבוֹן ז
environmental סְבִיבָתִי ת
ragwort, groundsel סַבְיוֹן ז
easily entangled סָבִיךְ ת
entanglement סְבִיכוּת נ
passive, tolerable סָבִיל ת
passivity, סְבִילוּת נ
 tolerability, stamina

reasonable, logical סָבִיר ת
reasonability סְבִירוּת נ
embroil, complicate סִבֵּךְ פ
entanglement, thicket סְבַךְ
lattice, grill סְבָכָה נ
warbler סִבְכִּי ז
suffer, tolerate סָבַל פ
porter, carrier סַבָּל ז
suffering, סֵבֶל ז
 affliction, burden, load
porterage סַבָּלוּת נ
patience סַבְלָנוּת נ
patient סַבְלָנִי ת
soap סִבֵּן פ
subsidize סִבְסֵד פ
subsidization סִבְסוּד ז
think, suppose סָבַר פ
hope, appearance סֵבֶר ז
hospitality סֵבֶר פָּנִים יָפוֹת
opinion, conjecture סְבָרָה נ
unfounded view סְבָרַת כֶּרֶס
grandmother סַבְתָּא נ
causal סִבָּתִי ת
causality סִבָּתִיּוּת נ
worship, adore סָגַד פ
eh (Hebrew vowel) סֶגּוֹל ז
violet סָגֹל ז
adaptation סִגּוּל ז
characteristic, סְגֻלָּה נ
 virtue, attribute, trait
specific סְגֻלִּי ת
penance, סִגּוּף ז
 self-mortification
shut, barred, closed סָגוּר ת
enough סַגִּי תה"פ
blind, ironic סַגִּי נְהוֹר
 language, euphemism
worship, bowing סְגִידָה נ
adaptable סָגִיל ת
adaptability סְגִילוּת נ

shackle סָגִיר ז

closing, shutting סְגִירָה נ

cadre, corps, staff סֶגֶל ז

adapt, adjust סִגֵּל פ

elliptic, oval סְגַלְגַּל ת

violet סֶגָלִית נ

deputy, vice סְגַן ז

(first) lieutenant סֶגֶן ז

lieutenant colonel סְגַן אַלּוּף

second lieutenant סֶגֶן מִשְׁנֶה

style סִגְנוֹן ז

styling סִגְנוּן ז

stylistic סִגְנוֹנִי ת

lieutenancy סְגָנוּת נ

stylize, style סִגְנֵן פ

stylist סַגְנָן ז

alloy סִגְסֵג פ

alloy סַגְסוֹגֶת נ

afflict, mortify סִגֵּף פ

ascetic סַגְפָן ז

asceticism סַגְפָנוּת נ

close, shut, block סָגַר פ

lock, bolt, shutter סֹגֶר ז

heavy rain סַגְרִיר ז

rainy, cold סַגְרִירִי ת

pillory, stocks סַד

cracked, cleft סָדוּק ת

cracking סִדּוּק ז

arranged, in order סָדוּר ת

arrangement, settlement, prayer book, typesetting, fixing סִדּוּר ז

ordinal, serial סִדּוּרִי

sadism סָדִיזְם ז

sheet סָדִין ז

sadist סָדִיסְט ז

sadistic סָדִיסְטִי ת

regular סָדִיר ת

regularity סְדִירוּת נ

anvil, breech block סַדָּן ז

workshop, forge סַדְנָה נ

crack סָדַק, סִדֵּק פ

crack, crevice, cleft, fissure סֶדֶק ז

haberdasher סִדְקִי ז

haberdashery, notions סִדְקִית נ

arrange, order סָדַר פ

arrange, put in order, settle, set type, fix, get even with סִדֵּר פ

order, arrangement סֵדֶר ז

type, setup type סְדָר ז

typesetter סַדָּר ז

agenda סֵדֶר יוֹם

apple-pie order סֵדֶר מוֹפְתִי

sequence, series סִדְרָה נ

serial סִדְרוֹן ז

sequencing סִדְרוּר ז

typesetting סַדָּרוּת נ

usher, steward סַדְרָן ז

ushering סַדְרָנוּת נ

sequential סִדְרָתִי ת

moonlit סָהוּר ת

moon, crescent סַהַר ז

moonstruck, sleepwalker, somnambulist סַהֲרוּרִי ת

sleepwalking סַהֲרוּרִיּוּת נ

noisy סוֹאֵן ת

drunkard, drinker סוֹבֵא ז

revolve, rotate, go round, turn, encircle סוֹבֵב פ

rotary, traffic circle סוֹבָה

subtropical סוּבְּטְרוֹפִּי ת

soviet סוֹבְיֶטִי ת

bran סוּבִּין ז"ר

subjective סוּבְּיֶקְטִיבִי ת

subjectivity סוּבְּיֶקְטִיבִיּוּת

calf, thicket סוֹבֶךְ ז

suffering סוֹבֵל ת

sublimation סוּבְּלִימַצְיָה נ

toleration סוֹבְלָנוּת נ

tolerant סוֹבְלָנִי ת

subsidy סוּבְּסִידְיָה נ

sovereign סוּבֶּרֶנִי ת

sovereignty סוּבֶּרֶנִיּוּת נ

brand, category, class, kind, sort, type סוּג ז

sort, classify סִוֵּג פ

סוּגְיָה נ	problem, issue, question, topic	סוֹל ז	sol, G
סוּגֶסטיָה נ	suggestion	סוֹלָא, לא יְסוּלָא	invaluable
סוּגַר ז	cage, muzzle	סוֹלֵד ת	pug nose, snub, feeling disgust
סוֹגֵר ז	bracket, parenthesis	סוֹלוֹ ז	solo
סוֹגְרַיִם ז״ר	parentheses	סוֹלְחָנוּת נ	forgiveness
סוֹד ז	secret	סוֹלְחָנִי ת	forgiving
סוֹדָה נ	soda, soda water	סוּלטָן ז	sultan
סוֹדָה לִשְׁתִיָה	bicarbonate	סוֹלִידִי ת	solid
סוֹדִי ת	secret, clandestine	סוֹלִידָרִיוּת נ	solidarity
סוֹדִי בְּיוֹתֵר	top secret	סוֹלְיָה נ	sole
סוֹדִיוּת נ	secrecy	סוֹלִיסט ז	soloist
סוֹדֵר ת	ordinal, serial	סוֹלְלָה נ	battery, dike, embankment, rampart
סוּדָר ז	scarf, shawl	סוּלָם ז	ladder, scale
סְוֶדֶר ז	sweater	סוֹלמִיזַצְיָה נ	solmization
סוֹדְרָן ז	index file	סוֹלָן ז	soloist
סוֹהֵר ז	jailor, warden	סוֹלָנוּם ז	nightshade, solanum
סִווּג ז	classification	סוֹלְפֶג׳ ז	solfeggio
סוֹחֲפָנִי ת	erosive	סוּלפָה נ	sulfa
סוֹחֵר ז	merchant, trader	סוּלפָט ז	sulfate
סוֹחֵר בַּדִים	mercer	סוּלפִיד ז	sulfide
סוֹטֶה ת	aberrant, pervert, deviating, divergent	סוֹלָרִי ת	solar
סוֹטָה נ	faithless wife	סוֹלֶת ז	semolina, fine flour
סוֹיָה נ	soy, soya	סוּמָא ז	blind man
סְוִיטָה נ	suite	סוֹמֵך ז	prop, supporter
סוּכָּה נ	sukkah, thatched booth, hut, arbor	סוֹמֶק ז	blush, redness
סוּכּוֹת	Sukkoth, Feast of Tabernacles	סוֹנָטָה נ	sonata
סוֹכֵך ז	awning, umbrella, sunshade, umbel	סוֹנֶטָה נ	sonnet
סוֹכֵן ז	agent	סוּס ז	horse, knight
סוֹכֵן הִמּוּרִים	bookie, bookmaker	סוּס הַיְאוֹר	hippopotamus
סוֹכְנוּת נ	agency	סוּס יָם	walrus
סוֹכֶנֶת נ	housekeeper	סוּס מֵרוֹץ	racehorse
סוּכָּר ז	sugar	סוּס (משקה) ז	licorice
סוּכַּר פֵּרוֹת	dextrose	סוּסָה נ	mare
סוּכָּרִי ת	sugary	סוּסוֹן ז	pony, small horse
סוּכָּרִיָה נ	candy, sweet	סוּסוֹן יָם	sea horse
סוּכָּרִיָה עַל מַקֵל	lollipop	סוּסִי ת	equine, horsy
סוּכָּרִיוֹת חֲמוּצוֹת	acid drops	סוֹעֵד ז	diner
סוּכָּרִיַת גוּמִי	gum drop	סוֹעֵר ת	stormy, excited
סוּכֶּרֶת נ	diabetes	סוֹף ז	end, finish
		סוֹף כָּל סוֹף	at last
		סוֹף סוֹף	at last, after all
		סוּף ז	bulrush, reed

סוֹפְגָנִי ת	absorbent	סְחָבָה נ	floor cloth, mop, rag, shabby dress
סוּפְגָנִיָּה נ	doughnut	סַחֲבָן ז	pilferer
סוּפָה נ	storm, gale, gust	סַחֶבֶת נ	procrastination, red tape
סוֹפִי ת	final, ultimate	סָחוּט ת	squeezed, tired
סוֹפִיזְם ז	sophism	סְחוּס ז	cartilage
סוֹפִיסְט ז	sophist	סְחוּסִי ת	cartilaginous
סוֹפִית ז	suffix	סְחוֹפֶת נ	deposit, sediment, alluvium, silt
סוֹפִית תה"פ	finally	סְחוֹר סְחוֹר	roundabout, indirectly, around
סוּפְלֶה נ	souffle	סְחוֹרָה נ	goods, ware, merchandise, stock
סוֹפֵר ז	author, writer	סָחַט פ	blackmail, exact, wring, squeeze
סוֹפֵר צְלָלִים	ghostwriter	סַחְטָן ז	blackmailer
סוֹפְרוּת נ	authorship	סַחְטָנוּת נ	blackmail
סוּפֶּרְמֶן ז	superman	סְחִי ז	rubbish, refuse
סוֹפְּרָנוֹ ז	descant, soprano	סְחִיבָה נ	drag, pilfering
סוֹפְשָׁבוּעַ ז	weekend	סְחִיטָה נ	blackmail, squeezing, wringing
סוּפַת בָּרָד	hailstorm	סְחִיפָה נ	erosion, sweeping
סוּפַת חוֹל	sandstorm	סָחִיר ת	negotiable
סוּפַת רְעָמִים	thunderstorm	סַחְלָב ז	orchid
סוּפַת שֶׁלֶג	snowstorm	סָחַף פ	carry away, wash, sweep, erode
סוּפַת שֶׁלֶג עַזָּה	blizzard	סַחַף ז	erosion, silt
סוּפָתִי ת	stormy, gusty	סָחַר פ	trade, deal in
סוֹצְיָאלִי ת	social	סַחַר ז	commerce, trade
סוֹצְיָאלִיזְם ז	socialism	סַחַר חוּץ	foreign trade
סוֹצְיָאלִיסְט ז	socialist	סַחַר חֲלִיפִין	barter
סוֹצְיוֹלוֹגִי ת	sociological	סַחַר מֶכֶר	trading, dealing
סוֹצְיוֹלוֹגְיָה נ	sociology	סַחַר סוּסִים	horse trade
סוֹצְיוֹלוֹג ז	sociologist	סַחַר פְּנִים	home trade
סוֹקֵר ז	reviewer	סְחָרוּר ז	spin
סַוָּר ז	docker, stevedore, longshoreman	סְחַרְחוֹרֶת נ	dizziness, giddiness, vertigo
סוֹר, חָזַר לְסוּרוֹ	revert to bad habits	סְחַרְחַר ת	dizzy, indirect
סוּרוֹ רָע	of bad nature	סְחַרְחֵרָה נ	roundabout, carousel, merry-go-round
סוֹרֵג ז	bars, grating, grid, lattice, knitter	סְחְרֵר פ	dizzy, make giddy
סוּרֵיאָלִיזְם ז	surrealism	סֶט ז	set
סוּרֵיאָלִיסְט ז	surrealist	סָטָה פ	digress, deviate
סוּרִי ת	Syrian	סְטָו ז	porch, colonnade
סוּרְיָה נ	Syria		
סוֹרֵר ת	indocile, stubborn, rebellious		
סוֹתֵר ת	contradictory		
סָח פ	say, tell, speak		
סָחַב פ	drag, tug, pull, draw, steal, pilfer		

סְטוֹאִי ת stoical
סְטוֹאִיוּת נ stoicism
סְטוֹאִיקָן ז stoic
סְטוּדְיוֹ ז atelier, studio
סְטוּדֶנְט ז student
סְטוֹפֶּר ז stopwatch
סְטָז' ז training period
סְטָטוּס ז status
סְטָטִי ת static
סְטָטִיסְטִי ת statistical
סְטָטִיסְטִיקָה נ statistics
סְטָטִיסְטִיקָן ז statistician
סְטָטִיקָה נ statics
סְטִיגְמָה נ stigma
סְטִיָּה נ aberration, deviation, digression
סָטִין ז satin
סָטִיף ת pockmarked
סְטִיפֶּנְדְיָה נ grant, stipend
סְטֵיק ז steak
סְטֵיק בָּשָׂר ז beefsteak
סָטִיר ז satyr
סְטִירָה נ slap
סָטִירָה נ satire
סָטִירִי ת satirical
סָטִירִיקָן ז satirist
סְטַנְדַּרְד ז standard
סְטַנְדַּרְטִי ת standard
סְטֶנְסִיל ז stencil
סְטַנְצָה נ stanza
סָטַף פ scar, scarify
סְטָקָטוֹ תה"פ staccato
סָטַר פ slap
סְטְרָטוֹסְפֵירָה נ stratosphere
סְטֶרֵיאוֹ ז stereo
סְטֶרֵיאוֹטִיפּ ז stereotype
סְטֶרֵיאוֹמֶטְרִיָה stereometry
סְטֶרֵיאוֹסְקוֹפּ ז stereoscope
סְטֶרֵיאוֹפוֹנִי ת stereophonic
סְטֶרִילִי ת sterile
סְטֶרִילִיזַצְיָה sterilization
סְטְרִיפְּטִיז ז striptease
סְטְרֶפְּטוֹמִיצִין ז streptomycin
סְטְרֶפְּטוֹקוֹקוּס ז streptococcus
סְטֶתוֹסְקוֹפּ ז stethoscope

סֵיאַנְס ז seance
סִי ז B, ti, si
סִיב ז fiber
סִיבִי ת fibrous
סִיבִּיר נ Siberia
סִיבִית נ fiber board
סִיג ז base metal, dross
סְיָג ז fence, barrier
סִיגָר ז cigar
סִיגָרִיָּה נ cigarette
סִיד lime, whitewash, plaster
סִיֵּד פ whitewash
סַיָּד ז whitewasher
סִיד כָּבוּי slaked lime
סַיָּדוּת נ whitewashing
סִידָן ז calcium
סַיְדֶר ז cider
סִיּוּד ז whitewashing
סִיּוּט ז nightmare
סִיּוּם ז completion, finish, end, termination
סִיּוֹמֶת נ suffix
סִיוָן ז Sivan (month)
סִיּוּעַ ז aid, assistance, support, help
סִיּוּף ז fencing
סִיּוּר ז patrol, tour visit, reconnaissance
סְיָח ז colt, foal
סְיָחָה נ filly
סִיט ז span
סִיטוּאַצְיָה נ situation
סִיטוֹנַאי ז wholesaler
סִיטוֹנוּת נ wholesale
סִיטוֹנִי ת wholesale
סִיכָה נ lubrication, oiling
סִילוֹ ז silo
סִילוּאֶט ז silhouette
סִילוֹגִיזְם ז syllogism
סִילוֹן ז jet, squirt
סִילִיקָט ז silicate
סִיֵּם פ end, terminate
סִימְבּוֹל ז symbol
סִימְבּוֹלִי ת symbolic(al)

symbiosis סִימְבִּיוֹזָה נ
simultaneous סִימוּלְטָנִי ת
simultaneity סִימוּלְטָנִיוּת
symmetric(al) סִימֶטְרִי ת
symmetry סִימֶטְרִיָה נ
mark, sign, omen, signal, symbol סִימָן ז
exclamation mark סִימַן קְרִיאָה
question mark סִימַן שְׁאֵלָה
landmark סִימָנוֹף ז
bookmark סִימָנִיָה נ
mark, sign סִימָנִית נ
symposium סִימְפּוֹזְיוֹן ז
symphonic סִימְפוֹנִי ת
symphony סִימְפוֹנְיָה נ
symptom סִימְפְּטוֹם ז
nice, sympathetic סִימְפָּתִי
sympathy סִימְפַּתְיָה נ
China סִין ז
syndicate סִינְדִיקָט ז
synod סִינוֹד ז
synonym סִינוֹנִים ז
sine, sinus סִינוּס ז
sinusitis סִינוּסִיטִיס ז
Sinai סִינַי ז
Chinese סִינִי, סִינִית
synchronization סִינְכְּרוּן ז
synchronous סִינְכְּרוֹנִי ת
synchronism סִינְכְּרוֹנִיזְם ז
synchronization סִינְכְּרוֹנִיזַצְיָה נ
synchronize סִנְכְּרֵן פ
syncope סִינְקוֹפָּה נ
synthesis סִינְתֶזָה נ
synthetic סִינְתֶטִי ת
groom, horseman, ostler, stableboy סַיָס ז
swift, swallow סִיס ז
systematic סִיסְטֶמָטִי ת
slogan, password, watchword סִיסְמָה נ
seismograph סֵיסְמוֹגְרָף ז
seismology סֵיסְמוֹלוֹגְיָה נ
seismic סֵיסְמִי ת

help, aid, assist סִיֵעַ פ
assistant סַיָע ז
faction סִיעָה נ
factional סִיעָתִי ת
fencing, sword, rapier, saber סַיִף ז
fencer סַיָף ז
fence סִיֵף פ
end, final section סֵיפָא ז
siphon, syphon סִיפוֹן ז
syphilis סִיפִילִיס ז
gladiolus סִיפָן ז
knot סִיקוּס ז
robber, bandit סִיקָרִיקוֹן ז
pot סִיר ז
fleshpot, luxury סִיר בָּשָׂר
pressure cooker סִיר לַחַץ
chamber pot סִיר לַיְלָה
patrol, tour, reconnoiter, visit סִיֵר פ
patrol, scout סַיָר ז
boating סַיָרוּת נ
boatman סַיָרַאי ז
boat, dinghy סִירָה נ
syrup סִירוֹפ ז
reconnaissance סַיָרוּת נ
siren סִירֶנָה נ
battle-cruiser, reconnaissance patrol סַיֶרֶת נ
lifeboat סִירַת הַצָלָה
motorboat סִירַת מָנוֹעַ
steamboat סִירַת קִיטוֹר
lubricate, oil, grease סָךְ פ
crowd, procession סָךְ ז
amount, sum סַךְ ז
sum, total סַךְ הַכֹּל
blinder, blinker סַךְ עֵינַיִם
pin, clip, brooch סִכָּה נ
chance, prospect סִכּוּי ז
odds סִכּוּיִים ז״ר
cover, thatching סִכּוּךְ ז
covered, thatched סָכוּךְ ת
frustration, foiling סִכּוּל ז
scholastic סְכוֹלַסְטִי ת
amount, sum סְכוּם ז

סְכוּם ז sum, summing up
סַכּוּ"ם ז cutlery
סִכּוּן ז risk, endangering
סִכּוּת, סְכִיָּה נ prognosis
סְכִיזוֹפְרֶנִי ת schizophrenic
סְכִיזוֹפְרֶנְיָה schizophrenia
סְכֵימָה נ scheme, sketch
סְכֵימָתִי ת schematic
סַכִּין ז knife
סַכִּין גִּלּוּחַ blade, razor
סַכִּין הַמַּחֲרֵשָׁה colter
סַכִּינַאי ז robber, stabber
סָכַך, סִכֵּך פ cover, thatch, screen
סְכָך ז thatch, cover
סְכָכָה נ shed, covered yard
סִכֵּל פ frustrate, thwart
סָכָל ת fool, stupid
סִכְלוּת נ folly, foolishness
סִכֵּם פ sum up, add up
סִכֵּן פ endanger, risk
סַכָּנָה נ danger, peril, risk
סִכְסוּךְ ז conflict, quarrel
סִכְסֵךְ פ intrigue, incite, arouse quarrels, stir up
סַכְסְכָן ז quarrel-monger
סַכְסְכָנוּת נ trouble making
סֶכֶר ז dam, sluice gate
סָכַר פ dam, close, shut
סִכֵּר, סִכְרֵר פ sugar, candy
סָכָרִין ז saccharin
סִכַּת בִּטָּחוֹן safety pin
סִכַּת רֹאשׁ hairpin
סַל ז basket
סַל נְצָרִים wicker basket
סַל־קַל ז carrycot, bassinet
סָלָא פ value, estimate
סָלַד פ feel disgust at
סֶלָה מ"ק selah, forever
סָלוּל ת paved
סִלּוּם ז modulation
סָלוֹן ז living room, salon
סְלוֹן יוֹפִי beauty parlor
סִלּוּף ז distortion, perversion
סִלּוּק ז elimination, removal, payment
סִלּוּקִין ז"ר clearing
סָלַח פ pardon, forgive,
סַלָּח, סַלְחָן ז forgiver
סַלְחָנוּת נ forgiveness
סַלְחָנִי ת forgiving
סָלָט ז salad
סַלְטָה נ somersault
סְלִידָה נ aversion, disgust
סָלִיחַ ת excusable, forgivable, pardonable
סְלִיחָה נ pardon
סְלִיחָה! excuse me!
סְלִיל ז coil, spool , reel
סְלִיל הַשְׁרָאָה induction coil
סְלִילָה נ paving (of roads)
סְלִילִי ת spiral
סְלִיק ז cache
סָלַל פ pave, build (roads)
סִלֵּם פ modulate
סַלְמוֹן ז salmon
סָלָמִי ז salami
סָלָמַנְדְּרָה נ salamander, newt
סְלָנְג ז slang
סִלְסוּל ז curl, wave, trill
סִלְסוּל תְּמִידִי permanent (wave)
סַלְסִלָּה נ small basket, paper cup
סִלְסֵל פ curl, wave, trill
סֶלַע ז boulder, rock
סֶלַע הַמַּחֲלוֹקֶת bone of contention
סַלְעִי ת rocky
סַלְעִית נ wheatear
סִלֵּף פ distort, falsify
סַלְפִית נ falsetto
סַלְפָן ז distorter
סֶלֶק ז beet
סִלֵּק פ eliminate, remove, pay, send away
סַלְקָה נ natural
סֶלֶקְטִיבִי ת selective
סֶלֶקְטִיבִיּוּת נ selectivity

סלקנית נ borscht
סלקציה נ selection
סלרי ז celery
סם ז drug, poison, medicine
סם חיים healing drug
סם מות deadly poison
סמא פ blind, dazzle
סמבה נ samba
סמבוק ז elder
סמדר ז blossom, bud
סמוי ת concealed, latent
סמוי ז blinding
סמוך ת close, near, adjacent
סמוך, סמוכה ז/נ prop, support, brace, stay
סמוכין ז"ר evidence, proof, support, reference
סמול ז symbolization
סמום ז drugging, poisoning
סמון ז marking
סמוק ת red, crimson
סמוקינג ז dinner jacket
סמור ז bristling, nailing
סמור ז ferret, weasel
סמטה נ alley, alleyway, lane, boil, furuncle
סמיטריילר ז semitrailer
סמיך ת dense, thick
סמיכה נ support, leaning
סמיכות נ proximity, nearness, density
סמיכות לרבנות Rabbinical ordination
סמינר ז seminary
סמיר ת bristly, stiff
סמך, בן סמך authority
סמך פ support, trust, depend, count, rely on
סמך ידו authorize, approve
סמכות נ authority
סמכותי ת authoritative
סמכותיות authoritativeness
סמל ז sergeant
סמל ראשון staff sergeant
סמל תורן duty sergeant

סמל ז symbol, emblem, badge, image, mark, sign
סמל פ symbolize, signify
סמלי ת symbolic(al)
סמליות נ symbolism
סמם פ poison, drug
סממן ז savor, spice, drug, flavor, perfume
סמן פ mark, indicate
סמן ז marker
סמנטי ת semantic
סמנטיקה נ semantics
סמסטר ז semester
סמפונות ז"ר bronchi
סמפור ז semaphore
סמר פ bristle, stiffen
סמר פ harden, stiffen
סמרור ז riveting
סמרטוט ז cloth, rag
סמרטוטי ת ragged, base
סמרטוטר ז old-clothesman
סמרר פ rivet
סנאי ז squirrel
סנגור ז defender, advocate, defense counsel
סנגוריה נ defense
סנגר פ defend
סנדויץ' ז sandwich
סנדל ז sandal, plaice, sole
סנדלי אצבע flip-flops
סנדלר ז cobbler, shoemaker
סנדלרות נ shoemaking
סנדק ז godfather
סנה ז bush, bramble
סנהדרין נ Sanhedrin, ancient tribunal
סנוב ז snob
סנוביות נ snobbery
סנוור ז dazzle, blinding
סנון ז filtering, sifting
סנונית נ martin, swallow
סנוקרת נ punch, blow
סנור פ dazzle, blind
סנור ז apron, pinafore

סַנְוֵרִים ז״ר blindness
סַנְוֶרֶת נ visor
סָנַט פ mock, tease, vex
סֶנְט ז cent
סֶנָט ז senate
סֶנָטוֹר ז senator
סֶנָטוֹרְיוּם ז sanatorium
סֶנְטִיגְרַם ז centigram
סֶנְטִימֶטֶר ז centimeter
סֶנְטִימֶנְט ז sentiment
סֶנְטִימֶנְטָלִי ת sentimental
סֶנְטִימֶנְטָלִיּוּת sentimentality
סַנְטֵר ז chin
סָנִיטַצְיָה נ sanitation
סָנִיטָר ז hospital orderly
סָנִיטָרִי ת sanitary
סֶנִילִי ת senile
סֶנִילִיּוּת נ senility
סְנִיף ז branch
סְנִיקָה נ delivery
סִנֵּן פ strain, filter, sift
סֶנְסוּאָלִיזְם ז sensualism
סֶנְסַצְיָה נ sensation
סֶנְסַצְיוֹנִי ת sensational
סִנֵּף פ affiliate, annex
סְנַפִּיר ז fin, flipper
סְנַפִּירִית נ hydrofoil
סִנְקֵף פ syncopate
סַנְקְצְיָה נ sanction
סִנָּר ז apron, pinafore
סַסְגוֹנִי ת colorful, multicolored, variegated
סַסְגוֹנִיּוּת נ variegation
סַסְקוֹלִי ת polyphonic
סָעַד פ dine, feast, support
סַעַד ז support, aid, welfare
סְעוּדָה נ meal, feast
סָעִיף ז article, clause, paragraph, branch
סַעַף ז distribution
סַעֶפֶת נ impetigo, manifold
סָעַר פ storm, rage
סְעָרָה, סַעַר נ/ז storm, gale
סַף ז threshold, doorstep
- עַל סַף on the brink/verge
סַף הַחַלּוֹן window sill
סָפַג פ absorb, blot, take
סְפָּגֶטִי ז spaghetti
סָפַד פ mourn, bewail
סַפָּה נ couch, sofa
סָפוּג ת saturated, soaked
סְפוֹג ז sponge
סְפוֹגִי, סְפוֹגָנִי ת spongy
סִפּוּחַ ז annexation, attachment
סִפּוּן ז deck, ceiling
סִפּוּנַאי deck hand
סְפּוֹנְטָנִי ת spontaneous
סְפּוֹנְטָנִיּוּת נ spontaneity
סִפּוּק ז satisfaction, gratification, supplying
סִפּוּר ז tale, story
סָפוּר ת numbered, counted
סְפוּרִים ת few, some
סְפּוֹרָדִי ת sporadic
סְפּוֹרְט ז sport, sports
סְפּוֹרְטַאי ז sportsman
סְפּוֹרְטִיבִי ת sport, sports
סְפּוֹרְטִיבִיּוּת נ sportsmanship
סִפּוּרִי ת narrative
סִפֹּרֶת נ fiction, prose
סִפֵּחַ פ annex, attach
סֶפַח ז addendum, stub
סַפַּחַת נ parasite
סֶפְּטֶמְבֶּר ז September
סְפִיגָה נ absorption, taking
סְפִיגוּת נ absorbability
סָפִיחַ ז aftergrowth
סָפִין ז panel
סְפִינָה נ ship
סְפִינְקְס ז sphinx
סְפִינַת אֲוִיר blimp, airship, dirigible
סְפִינַת מַשָּׂא freighter
סְפִינַת גְּרָר tugboat
סְפִינַת רַחַף hovercraft, hydrofoil
סְפִיקָה נ clapping, supply, capacity, flow
סָפִיר ת countable

סַפִּיר ז sapphire
סְפִירָה נ counting, count
סְפֵירָה נ sphere
סְפִירָה לְאָחוֹר countdown
סְפִּירְט ז spirit, alcohol
סְפִּירִיטוּאָלִיזְם spiritualism
סְפִּירִיטוּאָלִיסְט spiritualist
סְפִּירָלִי ת spiral
סְפִירַת דָּם blood count
סְפִירַת מְלַאי stocktaking
סֵפֶל ז cup, beaker, mug
סִפְלוֹן, סַפְלוּל ז small cup
סָפַן פ panel, roof, hide
סַפָּן ז sailor, seaman
סְפָנָה נ stowage, hold
סַפָּנוּת נ seamanship
סַפְסָל ז bench
סִפְסֵר פ speculate, profiteer
סַפְסָר ז speculator, profiteer
סַפְסָרוּת נ speculation, profiteering
סַפְסָרִי ת speculative
סְפֶּצְיָאלִי ת special
סְפֶּצְיָאלִיסְט ז specialist
סְפֶּצִיפִי ת specific
סְפֶּצִיפִית תה"פ specifically
סָפֵק ז doubt
סָפַק פ clap
סִפֵּק פ please, gratify, satisfy, supply
סַפָּק ז supplier
סְפֶּקוּלָטִיבִי ת speculative
סְפֶּקוּלַנְט ז speculator
סְפֶּקוּלַצְיָה נ speculation
סְפֵקוֹת נ doubt
סְפֶּקְטְרוּם ז spectrum
סְפֶּקְטְרוֹסְקוֹפ ז spectroscope
סַפְקָן ז skeptic, doubter
סַפְקָנוּת נ skepticism, doubt
סָפַר פ count, number
סִפֵּר פ tell, relate, narrate, cut hair, trim
סַפָּר ז barber, hairdresser

סְפָר ז frontier, border
סֵפֶר ז book, volume
סֵפֶר כִּיס pocketbook
סֵפֶר לִמּוּד textbook
סֵפֶר עִיּוּן/יַעַן/עֵזֶר reference book
סֵפֶר תּוֹרָה Torah, Pentateuch
סְפָרַד נ Spain
סְפָרַדִּי ז Spanish, Spaniard, Sephardi
סְפָרַדִּית נ Spanish, Ladino
סִפְרָה נ cipher, digit, number, figure, numeral
סִפְרוֹן ז booklet
סִפְרוּר ז numeration
סַפָּרוּת נ hairdressing
סִפְרוּת נ literature
סִפְרוּת יָפָה belles-lettres
סִפְרוּתִי ת literary
סָפָרִי ז safari
סְפְּרֵי ז spray
סִפְרֵי הַבְּשׂוֹרָה Gospel
סִפְרִיָּה נ library
סִפְרִיָּה נַיֶּדֶת bookmobile
סִפְרִיַּת הַשְׁאָלָה circulating library, lending library
סִפְרִיַּת עִיּוּן reference library
סַפְרָן ז librarian
סַפְרָנוּת נ librarianship
סִפְרֵר פ number
סִפְרָתִי ת digital
סְצֵינָה נ scene
סְצֵינַרְיוֹ ז scenario
סְקוֹטְשׁ ז Scotch
סִקּוּל ז stone removal
סְקְוֶנְצְיָאלִי ת sequential
סְקוּפּ ז scoop
סִקּוּר ז covering, review
סְקוֹרֶת נ review
סְקֶט ז roller skate, skate
סֶקְטוֹר ז sector
סְקִי ז ski
סְקִילָה נ stoning (to death)
סְקִיצָה נ sketch

סְקִירָה נ review, survey
סָקַל פ stone (to death)
סִקֵּל פ remove stones
סְקָלָה נ scale
סְקְלֶרוֹסִיס ז sclerosis
סְקַנְדָל ז scandal
סֶקְס ז sex
סֶקְסוּאָלִי ת sexual
סַקְסוֹפוֹן ז saxophone
סֶקְסְטַנְט ז sextant
סֶקְסִי ת sexy
סֶקְסאַפִּיל sex appeal
סְקֶפְּטִי ת skeptical
סָקַר פ survey, review, scan
סִקֵּר פ survey, cover
סֶקֶר ז reconnaissance, review, survey
סִקְרֵן פ arouse curiosity
סַקְרָן ת curious, inquisitive
סַקְרָנוּת נ curiosity
סְקֶרְצוֹ ז scherzo
סָר פ move, go away, depart, come in, drop in
סַר וְזָעֵף dejected
סֵרֵב פ decline, refuse
סִרְבּוּל ז clumsiness, heaviness, making awkward
סִרְבֵּל פ make clumsy
סַרְבָּל ז overall
סָרְבָן ז objector, recalcitrant, stubborn
סָרְבַן מִלְחָמָה conscientious objector
סָרְבָנוּת נ stubbornness
סָרַג פ knit, plait, lace
סִרְגֵּל פ rule, draw lines
סַרְגֵּל ז ruler
סַרְגֵּל חִשּׁוּב slide rule
סָרָד ז grill
סַרְדִּין ז sardine
סָרָה נ slander, falsehood
סִרְהֵב פ urge, importune
סֵרוּב ז refusal
סָרוּג ת knitted
סֵרוּגִי ת alternate
סָרוּחַ ת stinking, sprawling, stretched
סֵרוּס ז castration, distortion
סָרוּק ת combed, carded
סָרַח פ stink, smell, sin, sprawl, spread out
סֶרַח ז excess, train
סִרְחוֹן ז stink, stench
סֶרֶט ז cinema, film, movie, picture, ribbon, band, strap, tape
סֶרֶט זָעִיר microfilm
סֶרֶט כָּחוֹל blue film
סֶרֶט מַגְנֶטִי magnetic tape
סֶרֶט מִדָּה tape measure
סֶרֶט מְצוּיָּר cartoon
סֶרֶט קוֹלְנוֹעַ motion picture
סֶרֶט שַׁרווּל armband
סִרְטוֹן ז short, filmstrip
סַרְטָן ז cancer, crab
סַרְטַן הַדָּם leukemia
סַרְטָנִי ת cancerous
סָרִיג ז rack, lattice, grille, grid
סָרִיג לְצַלָּחוֹת plate rack
סְרִיגָה נ knitting
סֵרְיָה נ series
סָרִיס ז eunuch, castrated
סְרִיקָה נ combing, carding
סִרְכּוּזִי ת centrifugal
סִרְכֶּזֶת נ centrifuge
סֶרֶן ז axle, captain
סֶרֶנָדָה נ serenade
סֵרֵס פ castrate, distort
סַרְסוּר ז middleman, agent, pimp, pander, procurer
סִרְסֵר פ mediate
סַרְסָרוּת נ mediation
סַרְעַף ז thought
סַרְעֶפֶת נ diaphragm
סִרְפָּד ז nettle
סִרְפֶּדֶת נ nettle rash
סָרַק, סֵרַק פ comb, card
סְרָק ז emptiness, neutral

סַרְקוֹפָג ז sarcophagus
סַרְקָזְם ז sarcasm
סַרְקַסְטִי ת sarcastic
סָרַר פ disobey, rebel
סְתַגְּלָן ז opportunist
סְתַגְּלָנוּת נ opportunism
סְתַגְרָנוּת נ introversion
סְתַגְרָנִי ת introverted
סְתָו ז autumn, fall
סְתָוִי ת autumnal
סָתוּם ת blocked, stopped, obscure, vague, fool
סִתְוָנִית נ colchicum
סָתוּר ת unkempt, refuted
סִתּוּת ז stone cutting
סְתִימָה נ closing, blocking, filling
סְתִירָה נ confutation, contradiction, destruction
סָתַם פ close, block, stop
סָתַם שֵׁן fill a tooth
סָתַם הַגּוֹלֵל put an end to
סְתָם ז just like that, mere
סֶתֶם ז cork, plug, stopper
סְתָמִי ת undefined, vague, neutral, indefinite
סְתָמִיּוּת נ vagueness, generality, uncertainty
סָתַר פ refute, destroy
סֵתֶר ז hiding place
סְתַרְשָׁף ז flash eliminator
סִתֵּת פ chisel, cut stones
סַתָּת ז stonecutter
סַתָּתוּת נ stonecutting

ע

עָב ז cloud
עָבַד פ work, labor, worship
עִבֵּד פ adapt, cultivate
עִבֵּד נְתוּנִים process data
עֶבֶד ז slave, servant
עַבְדוּת נ bondage, slavery
עַבְדְּקָן ז thick-bearded man
עָבֶה, עָב ת thick, fat
עָבָה פ thicken, condense
עִבּוּד ז adaptation, processing, cultivation
עֲבוֹדָה נ labor, work
עֲבוֹדָה זָרָה idolatry
עֲבוֹדָה סוֹצְיָאלִית social work
עֲבוֹדַת אֲדָמָה agriculture
עֲבוֹדַת יָד handiwork
עֲבוֹדַת פֶּרֶךְ hard labor
עֲבוֹט ז pawn, pledge
עִבּוּי ז condensation, thickening
עֲבוּר מ"י for
עִבּוּר ז pregnancy, conception
עִבּוּרָהּ שֶׁל עִיר suburbs
עָבוֹת ת bushy, dense, thick
– לֹא עָבוֹת cloudless
עֲבוֹת ז rope, tie, cable
עָבַט פ pawn, borrow, lend
עָבִיד ת workable
עָבִיט ז bedpan, chamber pot
עָבִיר ת passable
עֲבִירָה נ crossing, passing
עֲבִירוּת נ passability
עָבַר פ move, pass, cross, sin, commit a crime
עִבֵּר פ make pregnant, intercalate (a year/month)
עָבָר ז past, past tense
עֵבֶר ז side
עֲבֵרָה נ offense, sin, foul
עֶבְרָה נ anger, fury, wrath
עִבְרוּת נ hebraization
עִבְרִי ז Hebrew
עֲבַרְיָן ז offender, sinner
עֲבַרְיָנוּת נ delinquency
עִבְרִית נ Hebrew
עִבְרֵת, עִבְרֵר פ hebraize

עָבַשׁ, עִבֵּשׁ פ mold
עָבֵשׁ ת moldy, stale
עָג פ draw a circle
עָגַב פ make love, lust
עֲגָבוֹת נ״ר buttocks
עַגְבָנוּת נ coquetry, lust
עַגְבָנִיָּה נ tomato
עַגֶּבֶת נ syphilis
עָגָה נ slang, dialect
עִגּוּל ז circle, rounding off
עָגוֹל ת round, circular
עִגּוּלִי ת round, circular
עָגוּם ת sad, gloomy
עִגּוּן ז desertion of wife
עֲגוּנָה נ abandoned wife
עָגוּר ז crane
עֲגוּרָן ז crane, derrick
עָגִיל ז eardrop, earring, catkin
עֲגִילוּת נ roundness
עֲגִינָה נ anchorage
עֵגֶל ז calf
עִגֵּל פ round off, roll
עֲגַלְגַּל ת round, roundish
עֲגָלָה נ cart, wagon, coach, pram, carriage
עֶגְלָה נ heifer
עֲגָלָה גְּדוֹלָה Big Dipper
עֶגְלוֹן ז carter, coachman
עֶגְלַת יָד wheelbarrow
עַגְמוּמִי ת sad, sorrowful
עָגַן פ anchor, moor
עִגֵּן פ desert a wife
עַד מ״י till, until, up to
עַד ז eternity
עֵד ז witness
עַד כֹּה as yet, hitherto
עַד מְאוֹד very much
עֵד רְאִיָּה eyewitness
עֵדָה נ congregation, community, group
עָדָה פ wear, adorn oneself
עִדּוּד ז encouragement
עִדּוּן ז refinement, delight
עִדּוּר ז hoeing, digging
עֵדוּת נ evidence, testimony, witness
עֲדִי ז jewel, adornment
עָדִין ת delicate, gentle, mild, tender, fine
עֲדַיִן תה״פ still, yet
עֲדַיִן לֹא not yet
עֲדִינוּת נ delicacy, refinement, tenderness
עָדִיף ת preferable, better
עֲדִיפוּת נ priority, preference
עֲדִירָה נ hoeing, digging
עִדִּית נ cream, best, good soil
עִדְכּוּן ז updating
עִדְכֵּן פ update
עַדְכָּנִי ת up-to-date
עַדְלָיָדַע נ Purim carnival
עִדֵּן פ refine, make tender
עֵדֶן ז Eden, paradise
עִדָּן ז era, period, epoch
עִדָּנָא דְרִתְחָא hour of anger
עֶדְנָה נ pleasure, delight
עָדַר, עִדֵּר פ dig, hoe
עֵדֶר ז flock, herd
עֶדְרִי ת gregarious
עֲדָשָׁה נ lentil, lens
עֲדָשׁוֹת מַגָּע contact lenses
עֲדָתִי ת communal
עֲדָתִיּוּת נ communal segregation
עוֹבֵד ז worker, employee
עוֹבֵד אֱלִילִים heathen
עוֹבֵד מְדִינָה civil servant
עוֹבֵד סוֹצְיָאלִי social worker
עוּבְדָה נ fact
עוּבְדָתִי ת factual
עוֹבִי ז thickness
עוֹבִי הַקּוֹרָה inner details
עוּבָּר ז embryo, fetus
עוֹבֵר ת passing, transient
עוֹבֵר אוֹרַח passerby
עוֹבֵר בָּטֵל senile
עוֹבֵר וָשָׁב current account

עוֹבֵר לַסּוֹחֵר legal tender
עוּבָּרִי ת fetal
עוֹבֶשׁ ז mold
עוּגָב ז organ
עוֹגֵב ז lover, philanderer
עוּגָבָאי ז organist
עוּגָה נ cake
עוּגִיָּה נ cookie, cooky
עוֹגֶל ז roundness
עוֹגְמַת נֶפֶשׁ sorrow, grief
עוֹגֶן ז anchor, armature
עוֹד תה"פ more, yet, still
– בְּעוֹד שֶׁ- while, whereas
עוֹד מְעַט soon, later
עוֹד פַּעַם again, once more
עוֹדֵד פ encourage
עוֹדֶף ז change, rest, surplus, balance, excess
עוֹדֵף ת surplus, extra
עָוָה פ distort, grimace
עָווֹן ז sin, crime, offense
עִוּוּת ז distortion, deformity
עוֹז ז strength, courage
עוֹזֵר ז assistant, helper, auxiliary, helpful
עוּזְרָד ז haw, hawthorn whitethorn
עוֹזֶרֶת נ housemaid, maid
עוֹטְפָן ז folder
עֲוָיָה נ grimace
עוֹיֵן ת unfriendly, hostile
עוֹיְנוּת נ hostility, animus
עֲוִית נ spasm, convulsion
עֲוִית סוֹפְרִים writer's cramp
עֲוִיתִי ת convulsive
עוֹכֵר יִשְׂרָאֵל wicked, villain
עוֹל ז yoke, burden
עָוֶל ז injustice, wrong
עוּל יָמִים boy, youngster
עַוְלָה נ injustice, wrong
עוֹלֵב ת insulting
עוֹלֶה ז immigrant
עוֹלָה נ burnt offering
עוֹלֵה רֶגֶל pilgrim
עוֹלֵל, עוֹלָל ז baby, infant

עוֹלֵל פ do (wrong), ill-treat
עוֹלֵלוֹת gleanings, tidbits
עוֹלָם ז world, eternity
עוֹלָם הַבָּא/הָאֱמֶת afterlife
עוֹלָם תַּחְתּוֹן underworld
עוֹלָמִי ת universal, worldly, wonderful
עוֹלָמִית תה"פ forever
עוֹלֶשׁ ז chicory, endive
עוֹמֵד ת standing
עוֹמֵד לְ- about to, going to
עוֹמֶס ז load, burden
עוֹמֶק ז depth, profundity
עוֹמֶר ז swath, sheaf of corn
עוֹנֶג ז pleasure, delight
עוֹנָה נ period, season, term
עוֹנִי ז poverty, poorness
עוֹנֵן ז fortuneteller
עוֹנֶשׁ ז punishment, penalty
עוֹנֶשׁ מָוֶת capital punishment
עוֹנָתִי ת seasonal, periodic
עוֹף ז bird, fowl
עוֹף טוֹרֵף bird of prey
עוֹפוֹת ז"ר poultry
עוֹפֶל ז citadel, castle
עוֹפֵף פ fly
עוֹפֶר ז fawn, young deer
עוֹפְרִית נ plumbago
עוֹפֶרֶת נ lead
עוּצְבָּה נ regiment
עוֹצֶם ז power, strength
עוֹצְמָה נ strength, force
עוֹצֵר ז regent, ruler
עוֹצֶר ז curfew
עוֹצֵר נְשִׁימָה breathtaking
עוֹקֵב ת consecutive
עָקְבָה נ deceit, provocation
עוּקְבָּה נ group, cohort
עוֹקְדָן ז classeur; file
עוּקָה נ sump
עוֹקֵף ת circuitous
עוֹקֶץ ז sting
עוֹקֶץ הָעַקְרָב heliotrope
עוֹקְצָנוּת נ sarcasm

עוֹקְצָנִי ת biting, sarcastic
עִוֵּר ז/פ blind
עִוֵּר צְבָעִים colorblind
עוֹר ז leather, skin, hide
עוֹר גְּדִי kidskin
עוֹר דּוֹב bearskin
עוֹר כֶּבֶשׂ lambskin
עוֹר צְבִי deerskin
עוֹרֵב ז crow, raven
עוֹרֵב הַנְּחָלִים magpie
עוֹרְבָא פָּרַח nonsense
עוֹרֵג ת amatory
עִוָּרוֹן ז blindness
עִוְרוֹן מִלִּים alexia
עוֹרִי ת leathery
עוֹרֵךְ ז editor
עוֹרֵךְ דִּין lawyer, advocate
עוֹרֵךְ מִשְׁנֶה sub-editor
עָרְלָה נ foreskin, prepuce
עָרְמָה נ cunning, wisdom
עוֹרֶף ז neck, rear, nape, occiput, home front
עָרְפִּי ת rear, occipital
עוֹרְפִּית נ checkrein
עוֹרֶק ז artery, vein
עוֹרְקִי ת arterial
עוֹרֵר פ arouse, wake up
עוֹרֵר ז appellant, claimant
עֹשֶׁק ז robbery, oppression
עֹשֶׁר ז richness, wealth
עִוֵּת פ distort, pervert
עֹתֶק ז copy, duplicate
עוֹתֵר ז petitioner
עֵז, עִזָּה נ goat
עַז ת strong, fierce, sharp, intense
עֲזָאזֵל ז Azazel, hell
עָזַב פ leave, abandon
עִזָּבוֹן ז inheritance, legacy
עָזוּב ת abandoned, deserted
עֲזוּבָה נ disorder, neglect
עַזּוּת (-מֵצַח) נ insolence
עֲזִיבָה נ departure, leaving
עַזְפָּן, עַז־פָּנִים ז impudent
עֵזֶק ז cringle
עָזַר פ help, aid, assist
עֵזֶר ז help, assistance
עֵזֶר כְּנֶגְדּוֹ helpmate, wife
עֶזְרָה נ help, assistance
עֲזָרָה נ Temple court
עֶזְרָה רִאשׁוֹנָה first aid
עֶזְרַת נָשִׁים women's gallery
עָט פ swoop, pounce, dart
עֵט ז pen
עֵט כַּדּוּרִי ball-point pen
עֵט לוֹרד felt-tip pen
עֵט נוֹבֵעַ fountain pen
עָטָה פ wrap oneself, put on
עָטוּי ת dressed, wrapped
עָטוּף ת wrapped, enveloped
עָטוּר ת adorned, crowned
עִטּוּר ז decoration, medal
עִטּוּרֶת נ vignette
עִטּוּשׁ, עֲטִישָׁה ז/נ sneeze
עֲטִי, בַּעֲטִיוֹ owing to
עָטִין ז brisket, udder
עֲטִיפָה נ cover, wrapping
עֲטִיפַת סֵפֶר dust jacket
עֲטַלֵּף ז bat
עָטַף פ wrap, envelop, coat
עִטֵּר פ decorate, ornament, adorn, garnish, crown
עֲטָרָה נ crown, wreath, garland, diadem, corona
עִטְרָן ז tar, resin
עִי חֳרָבוֹת heap of ruins
עִיּוּן ז study, perusal, consideration
עִיּוּנִי ת theoretical, speculative
עִיּוּר ז urbanization
עַיִט ז vulture, eagle
עִיטָה נ swoop, charge
עָיַן פ hate, be hostile
עִיֵּן פ consider, study, read, peruse, reflect
עַיִן נ eye, stitch, bud, color, spring, fountain
עַיִן אֶלֶקְטְרוֹנִית electric eye
עַיִן הָרָע evil eye

cat's eye	עֵין חָתוּל
eyepiece, ocular	עֵינִית נ
tired, weary	עָיֵף ת
tire, weary	עָיַף פ
weariness	עֲיֵפוּת, עֲיֵפָה נ
urbanize	עִיֵּר פ
young donkey	עַיִר ז
city, town	עִיר נ
capital	עִיר בִּירָה
seaport	עִיר נָמָל
small town	עֲיָרָה נ
nakedness, naked	עֵירוֹם ז
municipal, urban	עִירוֹנִי ת
municipality	עִירִיָּה נ
asphodel	עִירִית נ
Iraq	עִירָק נ
Iraqi	עִירָקִי ת
delay, hinder, stop	עִכֵּב פ
delay, inhibition	עַכָּבָה נ
lien	עִכָּבוֹן ז
spider	עַכָּבִישׁ ז
mouse	עַכְבָּר ז
rat	עַכְבְּרוֹשׁ ז
mousy	עַכְבָּרִי ת
delay, hindrance	עִכּוּב ז
buttock, rump	עַכּוּז ז
digestion	עִכּוּל ז
digestive, peptic	עִכּוּלִי ת
heathen, pagan	עַכּוּ"ם ז
cloudy, turbid, muddy, dejected	עָכוּר ת
fouling, spoiling	עֲכִירָה נ
digest	עִכֵּל פ
anklet	עֶכֶס ז
tinkle (with anklets)	עִכֵּס פ
muddy, befoul, spoil	עָכַר פ
slightly turbid	עַכַרְוּרִי ת
now	עַכְשָׁו, עַכְשָׁיו תה"פ
tarantula	עַכְשׁוּב ז
current, actual	עַכְשָׁוִי ת
on, over, above	עַל מ"י
about, concerning	עַל אוֹדוֹת
let alone, all the more so	עַל אַחַת כַּמָּה וְכַמָּה
superhuman	עַל אֱנוֹשִׁי

despite, although	עַל אַף
thoroughly	עַל בּוּרְיוֹ
about, regarding	עַל דְּבַר
supernatural	עַל טִבְעִי
beside, near	עַל יַד
by, through	עַל יְדֵי
against his will	עַל כּוֹרְחוֹ
in any case	עַל כָּל פָּנִים
therefore	עַל כֵּן
not at all	עַל לֹא דָבָר
in order to	עַל מְנָת
easily	עַל נְקַלָּה
on the basis of	עַל סְמַךְ
orally, by heart	עַל פֶּה
according to	עַל פִּי
generally	עַל פִּי רוֹב
across, over, on	עַל פְּנֵי
supersonic	עַל קוֹלִי
because	עַל שׁוּם
superlative, superb, supreme	עִלָּאִי ת
insult, offend	עָלַב פ
affront, insult	עֶלְבּוֹן ז
lisper, stammerer	עִלֵּג ת
lisp	עִלְּגוּת ז
go up, ascend, rise, cost, immigrate	עָלָה פ
go up in flames	עָלָה בָאֵשׁ
manage, succeed	עָלָה בְיָדוֹ
raise, elevate	עִלָּה פ
leaf, sheet	עָלֶה ז
cause, pretext	עִלָּה נ
sepal	עֲלֵה גָבִיעַ
petal	עֲלֵה כּוֹתֶרֶת
fig leaf, cover	עֲלֵה תְאֵנָה
poor, wretched	עָלוּב ת
foliage, leafage	עַלְוָה נ
prodigy, genius, elevation, buoyancy	עִלּוּי ז
likely, liable	עָלוּל ת
hidden, unknown	עָלוּם ת
hiding	עִלּוּם ז
incognito	- בְּעִלּוּם שֵׁם
youth	עֲלוּמִים ז"ר
bulletin, leaflet	עָלוֹן ז

עַלְוָנִי ת leafy
עִלּוּף ז fainting, swoon
עֲלוּקָה נ leech, vampire
עֲלוּת נ cost
עֲלוֹת הַשַּׁחַר daybreak
עָלַז פ rejoice, be merry
עֲלָטָה נ darkness
עֱלִי ז pestle, pistil
עִלִּי ת upper, top, higher
עֲלֵי־דַפְנָה bay leaves
עֲלִיָּה נ immigration, rise, ascent, going up, attic
עֲלִיָּה לְרֶגֶל pilgrimage
עֶלְיוֹן ת chief, superior, supreme, upper, lofty
עֶלְיוֹנוּת נ ascendancy, supremacy, superiority
עַלִּיז ת cheerful, gay
עַלִּיזוּת נ gaiety, joy, fun
עֲלִילָה נ calumny, libel, story, plot, deed, act
עֲלִילוּת נ likelihood
עֲלִילַת דָּם blood libel
עֲלִילָתִי ת containing a plot
עֲלִיצוּת נ gaiety, joy
עִלִּית נ elite
עֲלִיַּת גַּג attic, garret, loft
עֶלֶם ז lad, youth, boy
עַלְמָה נ Miss, damsel, girl
עָלַס, עָלַץ פ exult, rejoice
עִלְעוּל ז browsing, leafing
עִלְעֵל פ leaf, turn pages
עַלְעָל ז bract, leaflet
עַם ז people, nation, folk
עַם הָאָרֶץ ignoramus
עִם מ"י with, together, by
עִם זֶה, עִם זֹאת yet, still
עָמַד פ stand, rise, halt, stop, cease, remain
עָמַד לְ־ be going to
עָמַד עַל כָּךְ insist
עִמֵּד פ page, paginate
עֶמְדָּה נ attitude, position, post, station, posture
עִמָּדִי מ"י with me, by me

עֶמְדַּת זִנּוּק starting post
עֶמְדַּת מַפְתֵּחַ key position
עֶמְדַּת מִקּוּחַ bargaining position
עִמּוּד ז pagination, paging
עַמּוּד ז page, column, pillar, pole, post
עַמּוּד הַקָּלוֹן pillory
עַמּוּד הַשִּׁדְרָה spinal column
עַמּוּד הַשַּׁחַר dawn, daybreak
עַמּוּד מַעֲקֶה baluster
עַמּוּדָה נ column
עָמוּם ת dim, unclear, dull
עָמוּס ת loaded, burdened
עָמוֹק ת deep, profound
עֲמוּקוֹת תה"פ profoundly
עִמּוּת ז clash, conflict, comparison, confrontation
עָמִיד ת resistant, –proof
עֲמִידָה נ standing
עֲמִידוּת נ resistance
עָמִיל ז commission agent
עֲמִילוּת נ commission
עֲמִילָן ז starch
עֲמִילָנִי ת starchy
עָמִיר ז sheaf, swath
עָמִית ז colleague, friend
עַמְּךָ common people
עָמָל ז labor, toil, misery
עָמַל פ work, labor, toil
עָמֵל ז workman, laborer
עַמָּלָה נ commission, fee
עִמְלֵן פ starch
עָמַם, עִמֵּם פ dim, darken
עַמָּם ז muffler, dimmer
עַמְמוֹר ז dimmer
עֲמָמִי ת popular, folksy
עֲמָמִיּוּת נ popularity
עָמַס פ load
עִמְעוּם ז dimming
עִמְעֵם פ damp, dim
עַמְעָם ז silencer, muffler
עַמְעֶמֶת נ damper
עָמַק פ be deep, profound
עֵמֶק ז valley, dale

עֲמקוּת נ depth, profundity
עַמקָן ז deep thinker
עִמֵת פ confront, contrast
עֵנָב ז grape
עָנַב פ tie, fasten
עֲנָבָה נ berry
עִנבֵי שוּעָל currants
עִנבָּל ז clapper, uvula
עִנבָּר ז amber
עִנֵג פ please, delight
עָנַד פ wear (jewels/medals)
עָנָה פ reply, respond
עִנָה פ torment, torture
עָנָו, עָנָיו ת humble, modest
עָנוֹג ת tender, delicate
עִנוּג ז delight, joy
עֲנָוָה נ humility, modesty
עִנוּי ז torment, torture
עַנוְתָן ת humble, meek
עָנִי ת poor, pauper
עֲנִיבָה נ necktie, tie, loop
עֲנִידָה נ wearing (medals)
עֲנִיוּת נ poverty, misery
עִניָן ז affair, business
עִניֵן פ concern, interest
עִניָנִי ת relevant, practical, businesslike
עָנִיש ת punishable
עֲנִישָה נ punishment
עָנָן, עֲנָנָה ז/נ cloud
עֲנַן עֲרֵמָה cumulus
עַנְנֵי נוֹצָה cirrus
עַנְנֵי צָעִיף nimbus
עָנָף ז branch, bough
עָנֵף ת extensive, ramified
עֲנַפנָף ז twig
עֲנָק ז giant, necklace
עֲנָקִי ת huge, gigantic
עֲנָקִית נ giantess
עָנַש פ punish, penalize
עַסַאי, עַסיָן ז masseur
עִסָה פ massage
עִסָה נ dough
עִסוּי ז massage
עִסוּק ז business, occupation
עָסוּק ת busy, occupied
עָסִיס ז juice
עֲסִיסִי ת juicy, succulent
עֲסִיסִיוּת נ succulence
עֵסֶק ז business, concern
עָסַק פ engage in, deal
עִסקָה נ transaction, deal
עִסקִי ת businesslike
עַסקָן ז public worker
עַסקָנוּת נ public business, dealings, activity
עִסקַת חֲבִילָה package deal
עִסַת נְיָר papier-mâché
עָף פ fly
עִפוּש ז mold, stench
עַפיָן ז anchovy
עֲפִיפוֹן ז kite
עִפעוּף ז winking, blinking
עִפעֵף פ wink, blink
עַפעַף ז eyelid
עָפָץ ז gallnut
עִפֵּץ פ tan
עָפָר ז earth, dust
עֲפָרָה נ earth, ore
עִפָּרוֹן ז pencil
עֶפרוֹן גִיר crayon
עֶפרוֹנִי ז lark
עֵץ ז tree, wood, log
עֵץ מַחַט conifer
עֵץ תְלִיָה gibbet, gallows
עֶצֶב ז grief, sorrow, pain
עָצָב ז nerve
עִצֵב פ shape, form, mold
עֶצבּוֹנִית נ ruscus, briar
עַצְבוּת נ sadness, grief
עֲצַבִּים ז"ר nerves
עִצבֵּן פ make nervous
עַצבָּנוּת נ nervousness
עַצבָּנִי ת nervous, jumpy
עַצֶבֶת נ neurosis, sorrow
עֵצָה נ advice, counsel
עָצוּב ת sad, unhappy
עִצוּב ז shaping, forming, molding, fashioning
עָצוּם ת enormous, immense

עֲצוּמָה נ petition
עֲצוּמִים ז״ר sanctions
עָצוּר ת detained, restrained
עִצּוּר ז consonant
עִצּוּרִי ת consonantal
עֲצִי ת arboreal, wooden
עָצִים ת intensive
עָצִיץ ז flowerpot, planter
עָצִיר ז prisoner
עֲצִירָה נ halt, stop
עֲצִירוּת נ constipation
עָצֵל ת lazy
עַצְלָן ז lazy, idler, sloth
עַצְלוּת, עַצְלָנוּת נ laziness
עֲצַלְתַּיִם נ״ר laziness
עָצַם פ shut, become strong
עֶצֶם נ/ז bone, thing, object
עֶצֶם הָאֲחוֹרַיִם aitch-bone
עֶצֶם הַבְּרִיחַ collarbone
עֶצֶם הַזְּרוֹעַ humerus
עֶצֶם הֶחָזֶה sternum
עֶצֶם הַיָּרֵךְ femur
עֶצֶם הַלֶּסֶת cheekbone
עֶצֶם הָעוֹקֶץ coccyx
עֶצֶם הָעָצֶה sacrum
עֶצֶם הַקַּרְסוֹל tarsal
עֶצֶם הַשֶּׁכֶם scapula
עֶצֶם הַשִּׁכְמָה shoulder blade
עֶצֶם כַּף־הַיָּד metacarpal
עֶצֶם כַּף־הָרֶגֶל metatarsal
עַצְמָאוּת נ independence
עַצְמָאִי ת independent
עַצְמוֹ מ״ג himself
עַצְמִי ת personal, self–
– הֲגָנָה עַצְמִית self-defense
עַצְמִיּוּת נ individuality
עַצְמִית נ object glass
עַצְמָם מ״ג themselves
עָצַר פ arrest, apprehend, detain, check, halt, stop
עִצֵּר פ press, constipate
עֹצֶר ז regency, stoppage
עֲצֶרֶת נ meeting, assembly
עָקֵב ז heel, footstep, trace, track, trail, rear

עֵקֶב תה״פ because, owing to
עָקַב פ follow, track, trace
עִקֵּב פ cube
עִקְבָה נ trace, wake
עִקְבִי ת consistent
עִקְבִיּוּת נ consistence
עָקַד פ bind, tie, truss
עֲקֵדָה נ sacrifice, binding
עָקוֹב מִדָּם ת bloody, gory
עָקוּד ת bound, tied
עָקוֹד ת striped, spotted
עִקּוּל ז confiscation, attachment, bend, curve
עָקוּם ת bent, curved
עִקּוּם ז bending, twisting
עֲקוּמָה נ graph, curve
עִקּוּף ז circumvention
עָקוּר ז displaced person
עִקּוּר ז castration, sterilization, uprooting
עָקִיב ת consequential
עֲקִיבוּת נ consistence
עָקִיף ת indirect
עֲקִיפָה נ circumvention, bypassing, overtaking
עֲקִיצָה נ sting, sarcasm, gibe, jeer, dig
עֲקִירָה נ uprooting, extraction, moving
עִקֵּל פ confiscate, attach
עִקֵּל ת bowlegged
עֲקַלְקַל ת winding, twisty
עֲקַלָּתוֹן ת winding, twisty
עִקֵּם פ bend, curve, distort
עַקְמוּמִיּוּת נ crookedness
עַקְמוּמִית נ curvature
עַקְעַק ז magpie
עָקַף פ bypass, circumvent, evade, overtake, pass
עָקַץ פ sting, be sarcastic, jeer, utter gibes at
עִקְצוּץ ז itch, prickle
עִקְצֵץ פ itch, prickle
עָקַר פ uproot, extract, pull out, remove, move

עִקֵּר פ castrate, sterilize

עָקָר ת barren, impotent, infertile, sterile

עִקָּר ז element, essential, principle, basis, dogma

עַקְרָב ז scorpion

עַקְרַבּוּת ז tarantula

עִקָּרוֹן ז principle

עֶקְרוֹנִי ת principled

עֶקְרוֹנִית תה"פ in principle

עֲקָרוּת נ sterility

עִקָּרִי ת basic, main, chief

עֲקֶרֶת בַּיִת housewife

עִקֵּשׁ ת stubborn, perverted

עִקְּשׁוּת נ stubbornness

עַקְשָׁן ת stubborn, obstinate

עַקְשָׁנוּת נ obstinacy

עֵר ת awake, conscious, vigilant, watchful

עֲרַאי ז chance, temporary

עֲרָאִי = אֲרָעִי ת temporary

עָרַב פ guarantee, go bail, be responsible, pledge, be pleasant, sweet, be dark

עֵרֵב פ mix, involve

עָרֵב ז guarantor, warrantor

עָרֵב ת responsible, sweet, tasty, delicious

עֶרֶב ז evening, eve

עֶרֶב שַׁבָּת Friday night

עֵרֶב ז weft, woof, mixture

עֲרָב נ Arabia

עֵרֶב רַב mob, riffraff

עִרְבֵּב פ mix, confuse

עַרְבָּב ז mixer

עֲרָבָה נ willow, desert, wilderness, steppe, plain

עֲרֵבָה נ tub, kneading tub

עִרְבּוּב ז mixing, mixture

עִרְבּוּבְיָה נ disorder, mess

עִרְבּוּל ז mixing

עֵרָבוֹן ז earnest money, guarantee, pawn, pledge

עֲרֵבוּת נ bail, guarantee

עֲרֵבוּת נ sweetness

עֲרָבִי ז Arab, Arabian

עֲרָבִית נ Arabic

עַרְבִית נ evening prayer

עַרְבָּל ז whirlpool, mixer

עִרְבֵּל פ mix, blend

עֲרַבֶּסְקָה נ arabesque

עֲרַבְרָב ז potpourri

עָרַג פ yearn, long

עֶרְגָּה נ yearning, longing

עִרְגּוּל ז rolling

עִרְגֵּל פ roll

עַרְדָּל ז galosh, overshoe

עֵרָה פ pour, decant, empty, expose, transfuse

עֵרוּב ז mixing

עֲרֻבָּה נ guarantee, surety

עֲרוּגָה נ bed, flower bed

עֶרְוָה נ nakedness, genitals

עֵרוּי ז infusion, pouring

עֵרוּי דָּם blood transfusion

עָרוּךְ ת prepared, ready, arranged, set, edited

עָרוֹם ת bare, naked

עָרוּם ת sly, shrewd, cunning

עָרוּץ ז canyon, channel

עֵרוּת נ wakefulness

עִרְטוּל ז stripping

עַרְטִילַאִי ת nude, abstract

עִרְטֵל פ strip, denude

עֲרִיכָה נ arraying, arrangement, editing

עֲרִיכַת דִּין advocacy, law

עָרִיס ז espalier, pergola

עֲרִיסָה נ cradle

עֲרִיפָה נ decapitation

עָרִיץ ז despot, tyrant

עָרִיצוּת despotism, tyranny

עָרִיצִי ת despotic

עָרִיק ז renegade, deserter

עֲרִיקָה desertion, defection

עֲרִירִי ת childless, lonely

עָרַךְ פ array, arrange, lay, hold, make, prepare, edit

עֵרֶךְ ז value, price, worth, degree, order, set, entry

עַרְכָּאָה נ legal instance
עֶרְכִּיּוּת נ valence, valency
עָרֵל ת uncircumcised
עֲרַל־לֵב stubborn, stupid
עֲרַל־שְׂפָתַיִם stammerer
עָרַם פ pile up, heap
עֲרֵמָה נ heap, pile, stack
עַרְמוּמִי ת crafty, sly
עַרְמוּמִיּוּת נ cunning
עַרְמוֹן ז chestnut
עַרְמוֹנִי ת chestnut, auburn
עַרְמוֹנִיּוֹת נ"ר castanets
עַרְמוֹנִית נ prostate
עֵרָנוּת נ alertness, vigilance
עֵרָנִי ת alert, vigilant
עַרְסָל ז hammock
עִרְעוּר ז appeal, protest, subversion, undermining
עִרְעֵר פ appeal, undermine, shake, upset, subvert
עַרְעָר ז juniper
עָרַף פ decapitate, behead
עֲרָפָד ז vampire
עִרְפּוּל ז misting, ambiguity
עַרְפִּיחַ ז smog
עֲרָפֶל ז fog, mist
עִרְפֵּל פ obscure, make vague
עַרְפִלִּי ת misty, vague
עַרְפִלִּית נ nebula
עַרְפִלִּיּוּת נ fog, mistiness
עַרְצוֹן ז erosion
עָרָק ז arrack
עָרַק פ desert, defect
עַרְקָה נ lash, thong
עַרְקָנוּת נ escapism
עֲרָר ז appeal, protest
עָרַר פ appeal, contest
עֶרֶשׂ ז bed, cradle
עֶרֶשׂ דְּוַי sickbed
עָשׁ ז moth
עֵשֶׂב ז grass, herb, weed
עִשֵּׂב פ weed
עֶשְׂבּוֹנַאי ז herbalist
עִשְׂבּוֹנִי ת herbaceous

עִשְׂבִּיָּה נ herbarium
עָשָׂה פ commit, do, make
עָשָׂה עַצְמוֹ pretend
עָשָׂה צְרָכָיו defecate
עָשָׂה שַׁמּוֹת play havoc
עָשׂוּי ת done, made, likely
עָשׁוּן ז smoking
עָשׁוּק ת exploited, robbed
עָשׂוֹר ז decade, ten
עֶשׂוֹרִי ת decimal, metric
עֲשִׂיָּה נ doing, making
עָשִׁיר ת wealthy, rich
עֲשִׂירִי ת tenth
עֲשִׂירִיָּה נ tenth, ten (NIS)
עֲשִׂירִית ת tenth, tithe
עָשַׁן, עָשֵׁן פ smoke
עָשָׁן ז smoke
עָשֵׁן ז smoky, smoking
עַשְׁנָן ז smoker, fumitory
עָשַׁק פ exploit, subdue, rob
עִשֵּׁר פ make rich, enrich
עִשֵּׂר פ tithe
עֶשֶׂר, עֲשָׂרָה נ/ז ten
-עֶשְׂרֵה, -עָשָׂר נ/ז -teen
עִשָּׂרוֹן ז tenth
עֶשְׂרוֹנִי ת decimal
עֶשְׂרִים twenty
עֲשֶׂרֶת הַדִּבְּרוֹת Decalogue, Ten Commandments
עֲשָׁשִׁית נ lamp, lantern
עַשֶּׁשֶׁת נ caries
עֶשְׁתּוֹנוֹת ז"ר thoughts
– אִבֵּד עֶשְׁתּוֹנוֹתָיו be confused, become nervous
עֵת נ time, season, period
עִתֵּד פ prepare, make ready
עַתָּה תה"פ now
עֲתוּדַאי ז reservist
עֲתוּדָה נ reserve
עֲתוּדוֹת נ"ר reserves
עִתּוּי ז timing
עִתּוֹן ז newspaper, paper
עִתּוֹן מְצֻיָּר comic
עִתּוֹנָאוּת נ journalism
עִתּוֹנָאִי ת journalistic

עִתּוֹנַאי ז journalist, reporter
עִתּוֹנוּת נ press
עִתּוּק ז shunting
עִתִּי ת periodical
עָתִיד ז future
עָתִיד ת ready, prepared, be going to, destined
עֲתִידוֹת נ״ר future
עַתִּיק ת ancient, archaic
עַתִּיק יוֹמִין old, ancient
עַתִּיקוּת נ antiquity
עַתִּיקוֹת נ״ר antiquities
עָתִיר ת rich, abundant
עֲתִירָה נ petition, plea
עִתֵּק פ shunt, switch, shift
עַתָּק פ shunter
עָתָק ז pride, arrogance
עֲתֶרֶת נ richness, plenty
עִתֵּת פ time

פ

פֵּאָה נ edge, side, facet, corner, sideburns
פֵּאָה נוֹכְרִית wig
פֵּאוֹן ז polyhedron, polygon
פָּאוּנָה נ fauna
פֵּאֵר פ decorate, glorify
פְּאֵר ז pomp, glory, splendor, magnificence
פְּאֵרָה נ medal
פַּאֲתֵי עִיר outskirts
פֶבְּרוּאָר ז February
פִּבְרוּק ז fabrication
פַבְּרִיקַצְיָה נ fabrication
פִּבְרֵק פ fabricate
פַּג ז premature baby, unripe fig
פָּג פ expire, melt, vanish
פָּגוֹט ז bassoon
פִּגּוּל ז stench, filth
פִּגּוּם ז scaffold
פָּגוּם ת faulty, spoiled, defective, blemished
פָּגוּעַ ת hit, afflicted
פִּגּוּעַ ז attack, hit, blow
פָּגוֹצִיט ז phagocyte
פִּגּוּר ז lag, backwardness, retardation, arrears
פָּגוֹשׁ ז bumper, fender
פָּגָז ז cannonball, shell
פִּגְיוֹן ז bayonet, dagger
פְּגִימָה נ defect, spoiling
פָּגִיעַ ת vulnerable
פְּגִיעָה נ affront, offense, injury, attack, blow, hit
פְּגִיעוּת נ vulnerability
פְּגִישָׁה נ appointment, meeting, encounter, date
פִּגֵּל פ spoil, denature
פְּגָם ז blemish, blot, defect, fault, flaw
פָּגַם פ spoil, blemish
פָּגָן ז pagan
פָּגָנִיּוּת נ paganism
פָּגַע פ hit, hurt, strike, injure, harm, insult
פֶּגַע ז mishap, trouble
פֶּגַע רַע nuisance, plague
פִּגֵּר פ fall behind, lag, be slow, be backward
פֶּגֶר ז corpse, carrion, carcass, carcase
פַּגְרָה נ holiday, vacation
פָּגַשׁ פ meet, encounter
פֵּד ז pad, sanitary napkin
פֶּדָגוֹג ז pedagogue
פֶּדָגוֹגִי ת pedagogical
פֶּדָגוֹגְיָה נ pedagogy
פָּדָה פ redeem, ransom, release, save, free
פָּדוּי ת redeemed, ransomed

פדומטר ז pedometer
פדות נ redemption, deliverance, liberty
פדחת נ forehead
פדיה נ ransom, redemption
פדיון ז ransom, redemption, proceeds, turnover
פדיקור ז pedicure
פדיקוראי ז pedicurist
פדנט ז pedant
פדנטי ת pedantic
פדנטיות נ pedantry
פדר פ powder
פדרטיבי ת federative
פדרלי ת federal
פדרליזם ז federalism
פדרציה נ federation
פה תה"פ here
פה ז mouth, opening
פה אחד unanimously
פה ז F, fa
פהוק, פהיקה ז/נ yawn
פהק פ yawn
פהקת נ yawning, the gapes
פואמה נ poem
פוביה נ phobia
פובליציסט ז publicist
פוגג פ weaken, relieve
פוגה נ fugue
פוגה נ lull, rest, pause
פוגרום ז massacre, pogrom
פודגרה נ gout
פודינג ז pudding
פודל ז poodle
פודרה נ face powder
פודריה compact, powder box
פוזה נ pose, posture
פוזל ת cross-eyed, squint-eyed
פוזמק ז stocking, sock
פוחד ת afraid
פוחז ת reckless, rash
פוחח ת shabby, tattered
פוחלץ ז stuffed animal
פוחת (והולך) ת diminishing

פוטואלקטרי ת photoelectric
פוטוגני ת photogenic
פוטומונטז' ז photomontage
פוטומטר ז photometer
פוטוסינתזה photosynthesis
פוטוריזם ז futurism
פוטית נ halibut, brill
פוטנציאל ז potential
פוטנציאלי ת potential
פוטנציה נ potency, force
פוטש ז potash
פוטש ז putsch
פוי מ"ק pooh, faugh
פויה ז foyer
פויליון ז pavilion
פוך ז eye shadow, down
פול ז bean, broad bean
פולג ז migraine, megrim
פולובר ז pullover
פולחן ז cult, worship
פולחני ת ritual
פוליגון ז polygon
פוליגמיה נ polygamy
פוליו ז folio
פוליו ז polio
פוליטביורו ז Politburo
פוליטורה varnish, lacquer
פוליטי ת political
פוליטיזציה politicization
פוליטיקאי ז politician
פוליסה נ policy
פוליסה זמנית cover note
פוליסת בטוח insurance policy
פוליפ ז polyp
פוליפוני ת polyphonic
פוליפים ז"ר adenoids
פוליתיאיזם ז polytheism
פולמוס ז controversy
פולמוסי ת argumentative, contentious, controversial
פולמוסן ז disputant
פולמוסני ת disputatious
פולמיקה נ polemics
פולקלור ז folklore

פוֹלֵשׁ ז invader
פּוּמְבִּי נ publicity
פּוּמְבִּי ת overt, public
פּוּמָה נ cougar, puma
פּוּמִית נ mouthpiece
פּוֹמְפּוֹן ז pompon
פּוּמְפִּיָה נ grater
פּוּנְדָה נ bandoleer, belt
פּוֹנְדָן ז fondant
פּוּנְדָק ז inn, tavern
פּוּנְדְקַאי ז innkeeper, host
פוֹנוֹלוֹגְיָה נ phonology
פוֹנֶטִי ת phonetic
פוֹנֶטִיקָה נ phonetics
פוֹנֶטִיקָן ז phonetician
פּוֹנִי ז pony
פוֹנֶמָה נ phoneme
פוֹנֶמִי ת phonemic
פוֹנֶמִיקָה נ phonemics
פוּנְקְצְיָה נ function
פוּנְקְצְיוֹנָלִי ת functional
פוּנְקְצְיוֹנָלִיוּת functionalism
פוּנְקְצְיוֹנֶר ז functionary
פוֹסְפוֹר ז phosphorus
פוֹסְפָט ז phosphate
פּוֹסֵק ז arbiter, decider
פּוֹעֵל ז worker, laborer
פּוֹעַל ז verb, work, action
פּוֹעַל יוֹצֵא transitive verb
פּוֹעַל עוֹמֵד intransitive verb
פּוֹעֳלִי ת verbal
פּוֹפ ז pop
פּוֹפּוּלָרִי ת popular
פּוֹפּוּלָרִיוּת נ popularity
פּוֹפְּקוֹרְן ז popcorn
פּוֹצֵץ פ explode, blow up
פוֹקוּס ז focus
פוֹקְסְטְרוֹט ז foxtrot
פּוֹקֶר ז poker
פּוּר ז lot
פּוֹר ז head start
פּוֹרֶה ת fertile, prolific
פוֹרוּם ז forum
פוּרוּנְקוּל ז furuncle
פּוֹרֵחַ פ flourishing, flying

פוֹרְטֶה ת forte
פוֹרְטִיסִימוֹ תה"פ fortissimo
פּוֹרְטְרֶט ז portrait
פּוֹרִיּוּת נ fertility, productivity
פּוּרִיזְם ז purism
פּוּרִיטָנִי puritan
פּוּרִיטָנִיּוּת נ puritanism
פּוּרִים ז Purim
פוֹרְמוּלָה נ formula
פוֹרְמָט ז format
פוֹרְמִיקָה נ Formica
פוֹרְמָלִי ת formal
פוֹרְמָלִיּוּת נ formality
פוֹרְמָלִיזְם ז formalism
פוֹרְמָלִין ז formalin
פּוֹרְנוֹגְרָפִי ת pornographic
פּוֹרְנוֹגְרַפְיָה נ pornography
פּוּרְנִיר ז veneer
פּוֹרֵעַ ז rioter, riotous
פּוּרְעָנוּת trouble, calamity
פּוֹרְפִיר ז porphyry
פּוֹרְפָן ז buttonhook
פּוֹרֵץ ז burglar
פּוּרְקָן ז relief, outlet
פּוֹרֵר פ crumble
פּוֹרֵשׁ ז dissenter
פּוּרְתָּא נ a little, bit
פּוֹשֶׁה ת pervasive
פּוֹשֵׁט יָד beggar, pauper
פּוֹשֵׁט עוֹר profiteer
פּוֹשֵׁט רֶגֶל bankrupt
פּוֹשֵׁעַ ז criminal, sinner
פּוֹשֵׁר ת lukewarm, tepid
פּוֹשְׁרוּת נ tepidity
פּוֹשְׁרִין ז"ר lukewarm water
פּוֹת ז vulva, vagina
פּוֹתֶה ת foolish, silly
פּוֹתְחָן ז can opener
פּוֹתְחַן בַּקְבּוּקִים bottle opener
פּוֹתַחַת נ master key, passkey
פּוֹתֵת פ crumble, flake
פָּז ז gold, pure gold
פָּזָה נ phase
פִּזּוּם ז humming, singing

פִּזּוּר ז	dispersal, scattering, squandering
פִּזּוּר נֶפֶשׁ	absent-mindedness
פְּזוּרָה נ	Diaspora
פִּזֵּז פ	caper, dance, leap
פָּזִיז ת	hasty, reckless
פְּזִיזוּת נ	impetuosity, haste
פְּזִילָה נ	squint, desire
פָּזַל פ	squint, desire, want
פָּזֶל ז	jigsaw puzzle
פַּזְלָן ז	squinter, cross-eyed
פִּזֵּם פ	hum, sing
פִּזְמוֹן ז	song, refrain, burden
פִּזְמוֹנַאי ז	songwriter
פִּזֵּר פ	disperse, scatter, diffuse, squander, disband
פַּזְרָן ת	lavish, spendthrift
פַּזְרָנוּת נ	squandering
פַּח ז	metal sheet, can, tin, trap, snare, pitfall
פַּח אַשְׁפָּה	can, dustbin
פַּחַד ז	fear, fright, awe
פָּחַד, פִּחֵד פ	fear, be afraid
פַּחְדָן ז	coward, timorous
פַּחְדָנוּת נ	cowardice
פֶּחָה ז	pasha, governor
פַּחוֹן ז	shack, tin hut
פָּחוּס ת	flattened, oblate
פָּחוּת ת	inferior, less
פָּחוֹת תה"פ	less, minus
פָּחוֹת אוֹ יוֹתֵר	more or less
פִּחוּת נ	devaluation
פַּחַז ז	rashness, haste
פַּחֲזָנוּת נ	rashness, haste
פַּחֲזָנִית נ	cream puff
פֶּחָח ז	tinsmith, tinker
פֶּחָחוּת נ	tinsmith's work
פֶּחָחִיָּה נ	tinware shop
פְּחִיסוּת נ	oblateness
פַּחִית נ	can, small tin
פְּחִיתָה נ	decrease, reduction
פְּחִיתוּת כָּבוֹד	disrespect
פִּחְלוּץ ז	taxidermy
פִּחְלֵץ פ	stuff skins
פִּחֵם פ	carbonize, blacken
פֶּחָם ז	coal, charcoal
פַּחַם אֶבֶן	anthracite
פַּחְמָה נ	carbonate
פִּחְמוּן ז	carbonization
פַּחְמֵימָה נ	carbohydrate
פַּחְמֵימָן ז	hydrocarbon
פַּחְמָן ז	carbon
פִּחְמֵן פ	carbonize
פַּחְמָנִי, פַּחְמָתִי ת	carbonic
פַּחֶמֶת נ	anthrax
פָּחַס פ	flatten, compress
פָּחַת פ	lessen, diminish
פִּחֵת פ	devaluate, decrease
פְּחָת ז	amortization, depreciation, waste
פַּחַת נ	trap, pit, snare
פַּט ז	stalemate
פִּטְדָה ז	topaz
פָטָה מוֹרגָנָה	mirage
פְּטוֹטֶרֶת נ	petiole, stalk
פִּטּוּם ז	stuffing, fattening
פָּטוּר ת	free, exempt
פָּטוּר מִמֶּכֶס	duty-free
פְּטוֹר ז	exemption, release
פִּטּוּרִים ז"ר	dismissal, discharge
פַּטְיוֹ ז	patio
פַּטֵּיפוֹן ז	gramophone, phonograph, record player
פֶּטִיצְיָה נ	petition
פְּטִירָה נ	death, decease
פַּטִּישׁ ז	hammer, cock
פֶּטִישׁ ז	fetish
פַּטִּישׁ אֲוִיר	air hammer
פֶּטֶל ז	raspberry
פָטָלִי ת	fatal
פָטָלִיּוּת נ	fatalism
פָטָלִיסְט ז	fatalist
פִּטֵּם פ	cram, fatten, cloy
פְּטָם ז	fattened livestock
פִּטֹּם ז	tip (on citron)
פִּטְמָה נ	nipple, teat
פָּטֶנְט ז	patent, device
פִּטְפּוּט ז	babble, chatter
פִּטְפֵּט פ	blabber, chatter

פַּטְפְּטָן ז chatterbox
פַּטְפְּטָנוּת נ chatter
פַּטְפֶּטֶת נ chatter, blabber
פָּטַר פ dismiss, exempt
פִּטֵּר פ discharge, dismiss, fire, sack
פֶּטֶר ז firstborn
פֶּטְרוֹכִימִיקָל ת petrochemical
פַּטְרוֹל ז patrol
פִּטְרוּל ז patrolling
פֶּטְרוֹלֵיאוּם ז petroleum
פַּטְרוֹן ז patron
פַּטְרוֹנוּת נ patronage
פֶּטְרוֹסִילְיָה נ parsley
פַּטְרִיאַרְךְ ז patriarch
פַּטְרִיאַרְכְיָה נ patriarchy
פַּטְרִיאַרְכָלִי ת patriarchal
פִּטְרִיָּה נ mushroom, fungus
פַּטְרִיּוֹט ז patriot
פַּטְרִיּוֹטִי ת patriotic
פַּטְרִיּוֹטִיּוּת נ patriotism
פִּטְרֵל פ patrol
פֶּטֶרֶת הַפֶּה thrush
פִּי הַטַּבַּעַת rectum, anus
פֵּיאוֹדָלִי ת feudal
פֵּיאוֹדָלִיּוּת נ feudalism
פֵּיאוֹדָלִיזְם ז feudalism
פִיאַסְקוֹ ז fiasco
פֵיבוֹרִיט favorite
פִיבֶּרְגְלָס ז fiberglass
פִּיגָ'מָה נ pajamas
פִּיגְמֶנְט ז pigment
פִּיָּה נ mouthpiece, aperture
פֵיָה נ fairy
פִּיּוּט ז hymn, poetry
פִּיּוּטִי ת poetical, lyrical
פִּיּוּס ז appeasement, pacification, propitiation
פְיוֹרְד ז fiord
פִּיחַ ז soot, lampblack
פִּיַּח פ soot
פַּיְטָן ז poet, hymnologist
פִּיל ז elephant
פִּילֶגֶשׁ נ concubine, mistress

פִּילַגְשׁוּת נ concubinage
פִילדמַרְשָׁל ז field marshal
פִילֶה ז fillet
פִילְהַרְמוֹנִי ת philharmonic
פִילוֹלוֹג ז philologist
פִילוֹלוֹגִי ת philological
פִילוֹלוֹגְיָה נ philology
פִּילוֹן ז young elephant
פִילוֹסוֹף ז philosopher
פִילוֹסוֹפִי ת philosophical
פִילוֹסוֹפְיָה נ philosophy
פִילְטֶר ז filter
פִילִיבַּסְטֶר ז filibuster
פִילַנְתְּרוֹפ ז philanthropist
פִילַנְתְּרוֹפִי ת philanthropic
פִילַנְתְּרוֹפְיָה philanthropy
פִּימָה double chin
פִּין ז pin, penis
פִּינְג-פּוֹנְג ז table tennis
פִּנְגְוִין ז penguin
פִינְגָ'ן ז coffee cup
פִינָלֶה ז finale
פִינַנְסִי ת financial
פִינְצֶטָה נ pincette
פַּיִס ז lottery, lot
פִּיֵּס פ appease, propitiate
פִיסְטוּלָה נ fistula
פִיסִי ת physical
פִיסִיוֹלוֹג ז physiologist
פִיסִיוֹלוֹגִי ת physiological
פִיסִיוֹלוֹגְיָה נ physiology
פִיסִיוֹתֶרַפְיָה נ physiotherapy
פִיסִיוֹתֶרַפִּיסְט physiotherapist
פִיסִיקָאִי ז physicist
פִיסִיקָה נ physics
פִיסִיקָלִי ת physical
פַּיְּסָנוּת נ conciliation
פַּיְּסָנִי ת conciliatory
פִיסְקָלִי ת fiscal
פִּיף ז fringe, tuft, tassel
פִּיפִּי ז urine, piss, pee
פִּיצָה נ pizza
פִּיצֶרְיָה נ pizzeria
פִּיק בִּרְכַּיִם trembling
פִּיקָה נ cap, kneecap, cam

פיקולו ז — piccolo
פיקט ז — piquet
פיקטיבי ת — fictitious
פיקנטי ת — piquant
פיקנטיות נ — piquancy
פיקניק ז — picnic
פיקציה נ — fiction
פיר ז — shaft, pit, well
פירה ז — mash, puree
פירט ז — pirate
פירטיות נ — piracy
פירמה נ — firm
פירמידה נ — pyramid
פיתון ז — python
פך ז — jar, jug, vessel
פכה פ — flow, gush, bubble
פכח ת — sober
פכחון, פכחות ז/נ — sobriety
פכית נ — jar, small can
פכפוך ז — bubble, gush, flow
פכפך פ — bubble, gush, flow
פכר פ — break, clasp
פלא ז — wonder, miracle
פלאי ת — miraculous
פלבל פ — roll eyes, goggle
פלג ז — stream, brook, rivulet, faction, sect
פלג פ — split, divide
פלג־צל — penumbra
פלגה נ — group, detachment
פלגיאט ז — plagiarism
פלגלג ז — brook, rivulet
פלגמטי ת — phlegmatic
פלגנות נ — factionalism
פלגני ת — divisive, separatist, schismatic
פלגרה נ — pellagra
פלד פ — steel
פלדה נ — steel
פלדי ת — steely
פלה, פלה פ — delouse
פלואור ז — fluorine
פלואוריד ז — fluoride
פלוג ז — split, separation
פלוגה נ — group, company
פלוגתא נ — dispute, conflict
פלוגתי ת — company
פלוח ז — slicing, piercing
פלוטו ז — Pluto
פלומה נ — down, fluff
פלומתי ת — downy, fluffy
פלונטר ז — tangle
פלוני ת — someone, so-and-so
פלוס ז — plus, advantage
פלוס ז — leveling, paving
פלורה נ — flora
פלורליזם ז — pluralism
פלח פ — slice, split, pierce
פלח ז — slice, segment
פלח ז — fellah, farmer
פלחה נ — farming
פלט פ — emit, discharge
פלט ז — output
פלטה נ — dish, dental plate
פלטה נ — remnant, remains
פלטפורמה נ — platform
פליאה נ — wonder, surprise
פליז ז — brass
פליזי ת — brassy
פליט ז — fugitive, refugee
פליטה נ — emission, ejecting
פליטת פה — slip of the tongue
פליטת קולמוס — clerical error
פלילי ת — criminal
פלינדרום ז — palindrome
פליקן ז — pelican
פלירט ז — flirtation
פלירטט פ — flirt
פלישה נ — intrusion, invasion
פלך ז — distaff, spindle, district, province
פלל פ — believe, expect
פלמודה נ — bonito
פלמוני ת — someone, so-and-so
פלמינגו ז — flamingo
פלמנקו ז — flamenco
פלנטה נ — planet
פלנטריום ז — planetarium
פלנל ז — flannel
פלנלית נ — flannelette

פִּלֵּס פ level, straighten, pave a way
פַּלָּס ז engineer, sapper
פֶּלֶס ז balance, scale
פֶּלֶס מַיִם spirit level
פַלְסֶט ז falsetto
פְּלַסְטִי ת plastic
פְּלַסְטִיּוּת נ plasticity
פְּלַסְטֶלִינָה נ plasticine
פְּלַסְמָה נ plasma
פְּלַסְתֵּר ז fraud, deceit
פִּלְפּוּל ז dispute, casuistry
פִּלְפֵּל פ argue, chop logic
פִּלְפֵּל ז/פ pepper
פִּלְפֵּל אָדוֹם cayenne
פִּלְפֵּל אַנְגְּלִי allspice
פִּלְפֵּל יָרוֹק green pepper
פַּלְפְּלָן ז casuist, sophist
פַּלְפְּלָנוּת נ casuistry
פַּלְפְּלָנִי ת casuistic
פִּלְפֶּלֶת נ capsicum, paprika
פְּלָצוּר, פְּלָצֵר ז/פ lasso
פַּלָּצוּת נ horror, shock
פָּלַשׁ פ invade, intrude
פְלֶשׁ ז flash
פָּמוֹט ז candlestick
פֶמִינִיזְם ז feminism
פֶמִינִיסְט ז feminist
פָּמַלְיָה נ entourage, retinue
פַּמְפְלֶט ז pamphlet
פֶּן מ״י lest, or else
פַּן ז face, facet, aspect
פְּנַאי ז leisure, free time
פַּנְדָּה נ panda
פָּנָה פ turn, refer, apply
פָּנָה עוֹרֶף turn one's back
פִּנָּה פ clear, vacate
פִּנָּה נ corner
פָּנוּי ת available, free, vacant, unmarried
פִּנּוּי ז evacuation
פֶּנוּמְבְּרָה נ penumbra
פֶנוֹמֶן ז phenomenon
פֶנוֹמֶנָלִי ת phenomenal
פִּנּוּק ז pampering

פָּנוֹרָמָה נ panorama
פָּנוֹרָמִי ת panoramic
פֶּנְטָגוֹן ז pentagon
פֶּנְטְהָאוּז ז penthouse
פַּנְטוֹגְרָף ז pantograph
פַּנְטוֹמִימָה נ pantomime
פָּנָטִי ת fanatic
פָּנָטִיּוּת נ fanaticism
פַנְטַסְטִי ת fantastic
פַנְטַסְיָה נ fantasy
פֶּנִי ז penny
פְּנֵי הַיָּם sea level
פְּנִיָּה נ application, appeal, bend, curve, turn
פְּנִים ז inside, interior
פָּנִים ז״ר/נ״ר face, front, façade, appearance
פָּנִים אֶל פָּנִים face to face
פְּנִימַאי ז boarder, inmate
פְּנִימָה תה״פ inside, within
פְּנִימוֹן ז inner tube
פְּנִימִי ת internal, interior
פְּנִימִיָּה נ boarding school
פְּנִימִיּוּת נ inwardness
פְּנִינָה נ pearl
פְּנִינִי ת pearly
פְּנִינִיָּה נ guinea fowl
פֶּנִיצִילִין ז penicillin
פָּנִיקָה נ panic
פְּנִיַּת פַּרְסָה U-turn
פִּנְכָּה נ platter, dish
פָּנֶל ז baseboard, panel
פָּנָס ז lamp, lantern, headlamp, black eye
פָּנָס קֶסֶם magic lantern
פֶּנְסְיָה נ pension
פֶּנְסְיוֹן ז boarding house
פֶּנְסְיוֹנֶר ז pensioner
פַּנְצֶ׳ר ז puncture
פִּנֵּק פ pamper, spoil
פִּנְקָס ז blotter, book, notebook, pad, ledger
פִּנְקְסָן ז bookkeeper
פִּנְקְסָנוּת נ bookkeeping
פַּנְקְרֵיאָס ז pancreas

פֶּנֶת, פַּנְתָּה ז/נ upper, vamp
פִּנַּת אוֹכֶל dinette
פַּנְתֵּיאוֹן ז pantheon
פַּנְתֵּיאִיזְם ז pantheism
פַּנְתֵּר ז panther
פַּס ז stripe, bar, rail
פִּסְגָּה נ top, apex, climax, crest, peak, summit
פִּסָּה נ piece, strip, shred
פִּסּוּל ז sculpture, engraving
פָּסוּל ת unfit, disqualified
פְּסוּל ז flaw, fault, defect
פִּסּוּלִי ת sculptural
פְּסֹלֶת נ garbage, litter
פָּסוּק ז verse, sentence
פִּסּוּק ז punctuation
פְּסוּקִית נ clause
פְּסוֹקֶת נ part, parting
פָּסַח פ omit, pass, skip
פָּסַח עַל שְׁתֵּי הַסְּעִפִּים waver, hesitate
פֶּסַח ז Passover
פִּסֵּחַ ז lame, halting
פַּסְחָא ז Easter
פִּסְחוּת נ lameness
פִּסְטוּר ז pasteurization
פַּסְטוֹרָלָה נ pastoral
פַּסְטוֹרָלִי ת pastoral
פֶסְטִיבָל ז festival
פִּסְטֵר פ pasteurize
פַּסִּיב ז passive, assets
פַּסִּיבִי ת passive
פַּסִּיבִיּוּת נ passivity
פָּסִיג ז cotyledon
פְּסִיגִי ת cotyledonous
פְּסֵידוֹ ת pseudo
פְּסֵידוֹנִים ז pseudonym
פַּסְיוֹן ז pheasant
פְּסִיחָה נ skipping, omitting
פְּסִיכוֹאֲנָלִיזָה psychoanalysis
פְּסִיכוֹאֲנָלִיטִי psychoanalytic
פְּסִיכוֹדֶלִי ת psychedelic
פְּסִיכוֹזָה נ psychosis
פְּסִיכוֹטֶכְנִי psychotechnical
פְּסִיכוֹלוֹג ז psychologist
פְּסִיכוֹלוֹגִי psychological
פְּסִיכוֹלוֹגְיָה נ psychology
פְּסִיכוֹפָּת ז psychopath
פְּסִיכוֹתֶרַפְּיָה psychotherapy
פְּסִיכִי ת psychical
פְּסִיכִיאַטוֹר ז psychiatrist
פְּסִיכִיאַטְרִי ת psychiatric
פְּסִיכִיאַטְרִיָּה נ psychiatry
פְּסִילָה נ invalidation, disqualification
פְּסִילִים ז״ר images, idols
פֶּסִימִי ת pessimistic
פֶּסִימִיּוּת נ pessimism
פֶּסִימִיסְט ז pessimist
פְּסִיס ז lath, board, beam
פְּסִיסִית נ lath, board
פְּסִיעָה נ step, pace
פְּסֵיפָס ז mosaic
פְּסִיק ז comma, (,)
פְּסִיקָה נ verdict, decision
פָּסַל פ disqualify, reject, invalidate, chisel, carve
פִּסֵּל פ hew, sculpt, carve
פַּסָּל ז sculptor
פֶּסֶל ז statue, sculpture
פֶּסֶל חָזֶה bust
פַּסְלוֹן ז statuette
פַּסָּלוּת נ sculpture
פְּסַנְתֵּר ז piano
פְּסַנְתֵּר כָּנָף grand piano
פְּסַנְתְּרָן ז pianist
פְּסַנְתְּרָנוּת נ piano playing
פָּסַע פ step, pace, walk
פַּסְפּוֹרְט ז passport
פִּסְפֵס פ miss the target
פָּסַק פ stop, cease, rule, decide, judge
פִּסֵּק פ punctuate
פְּסָק ז decision
פְּסַק דִּין sentence, verdict
פְּסַק זְמַן timeout
פִּסְקָה נ clause, paragraph
פַּסְקוֹל ז sound track
פַּסְקָנוּת נ decisiveness
פַּסְקָנִי ת decisive, definite

פָּעָה פ baa, bleat
פָּעוֹט ז baby, infant, tot
פָּעוֹט ת tiny, small, petty
פָּעוֹטוֹן ז nursery
פָּעוּל ז passive, creature
פְּעוּלָּה נ act, action, deed, doing, operation
פְּעוּלַּת גּוֹמְלִין interaction
פְּעוּלַּת תַּגְמוּל reprisal
פָּעוּר ת open, agape
פְּעִיָּה נ bleat, baa
פָּעִיל ת active
פְּעִילוּת נ activity
פְּעִימָה נ stroke, beating
פָּעַל פ do, work, act, make
פַּעֲלוּל ז effect, gimmick
פַּעַלְתָּן ז active person
פַּעַלְתָּנוּת נ activity
פָּעַם פ beat, throb, strike
פַּעַם נ time, beat, footstep
פַּעַם אַחַת one time, once
פְּעָמָה נ beat
פַּעֲמוֹן ז bell
פַּעֲמוֹנִיָּה נ glockenspiel
פַּעֲמוֹנִית נ campanula, bellflower
פַּעֲמוֹנָר ז ringer
פַּעֲמַיִם תה"פ twice
פְּעָמִים תה"פ sometimes
פִּעְנוּחַ ז deciphering
פִּעְנַח פ decipher, solve
פִּעְפּוּעַ ז diffusion, osmosis
פִּעְפַּע פ penetrate, pervade
פָּעַר פ open wide, gape
פַּעַר ז gap
פַּפִּירוּס ז papyrus
פַּפְּרִיקָה נ paprika
פָּץ פ spread, be scattered
פָּצָה פ open
פִּצָּה פ compensate, indemnify, recompense
פִּצּוּחַ ז cracking, fission
פִּצּוּי ז compensation, damages, indemnity
פִּצּוּל ז splitting
פִּצּוּל הָאִישִׁיּוּת schizophrenia
פָּצוּעַ ת injured, wounded
פִּצּוּץ explosion, blowing up
פָּצַח פ open, begin
פִּצַּח פ crack, break open
פְּצִיחָה נ cracking, opening
פַּצְיֶנְט ז patient
פְּצִיעָה נ wound, injury
פַּצִּיפִיזְם ז pacifism
פַּצִּיפִיסְט ז pacifist
פְּצִיץ ז shrapnel, ricochet
פְּצִירָה נ file, filing
פִּצֵּל פ split, divide
פֶּצֶלֶת נ feldspar
פָּצַע פ wound, injure, hurt
פֶּצַע ז wound, cut, injury
פֶּצַע לַחַץ bedsore
פִּצְעוֹן ז pimple
פִּצְעֵי בַּגְרוּת acne
פִּצְפֵּץ פ shatter, smash
פַּצָּץ ז detonator
פְּצָצָה נ bomb, bombshell
פְּצָצָה מְמוּלְכֶּדֶת booby trap
פְּצָצַת אָטוֹם atomic bomb
פְּצָצַת זְמַן time bomb
פְּצָצַת מֵימָן H-bomb
פְּצָצַת עוֹמֶק depth charge
פְּצָצַת עָשָׁן smoke bomb
פְּצָצַת תַּבְעֵרָה firebomb
פָּצַר פ file, entreat
פָּק פ totter, tremble
פָּקַד פ order, command, count, number, haunt
פִּקֵּד פ order, command
פַּקָּד נ chief inspector
פִּקָּדוֹן ז deposit, pledge
פִּקָּה נ cap, kneecap, cam
פָּקוּד ז man, soldier
פִּקּוּד ז command
פְּקוּדָּה נ order, decree, command, warrant
פְּקוּדֵי ת command
פְּקוּדַּת קֶבַע standing order
פִּקּוּחַ ז care, control, inspection, supervision

פִּקּוּחַ נֶפֶשׁ	saving of life
פָּקוּלְטָה נ	faculty
פָּקוּק ת	plugged, corked
פָּקַח פ	open, be watchful
פִּקֵּחַ פ	supervise, oversee
פִּקֵּחַ ת	clever, shrewd, smart, not blind
פַּקָּח ז	inspector, supervisor
פִּקָּחוֹן ז	seeing, vision
פִּקְּחוּת נ	cleverness, acumen
פַּקָּחוּת נ	superintendence
פִּקְּחִי ת	clever, intelligent
פָּקִיד ז	clerk, official
פְּקִיד קַבָּלָה	desk clerk
פְּקִידוֹן ז	minor official
פְּקִידוּת נ	office work, office workers, class
פְּקִידוּתִי ת	clerical, office
פְּקִימָה נ	tacking, diversion
פְּקִיעָה נ	expiration, crack
פָּקִיר ז	fakir
פְּקִיקָה נ	stopping, corking
פָּקַם פ	tack, change course
פַּקְסִימִילָה ז	facsimile
פָּקַע פ	expire, split
פְּקַעַת נ	bulb, coil, spool
פְּקַעְתִּי ת	bulbous
פִּקְפּוּק ז	doubt, scruple
פִּקְפֵּק פ	doubt, hesitate
פַּקְפְּקָן ז	skeptic, hesitant
פְּקָק ז	cork, bung, cap, plug, stopper
פָּקַק פ	cork, plug, bung
פְּקַק תְּנוּעָה	traffic jam
פַּקֶּקֶת נ	thrombosis
פֶּקֶרס ז	jumper, sweater
פִּקַּת הַבֶּרֶךְ	patella, kneecap
פִּקַּת הַגַּרְגֶּרֶת	Adam's apple
פַּר ז	bull
פֶּרֶא ז	barbarian, savage
פֶּרֶא־אָדָם	rude person, wild
פְּרָאוּת ז	savagery, wildness
פְּרָאִי ת	barbarous, savage, violent, wild
פָּרַבּוֹלָה	parabola, parable
פַּרְבָּר, פַּרְבָּרִים ז	suburb, outskirts, environs
פְּרָג, פֶּרֶג ז	poppy
פַּרְגּוֹד ז	screen, curtain
פַּרְגּוֹל ז	whip, lash
פַּרְגִּית נ	chicken
פְּרַגְמָטִי ת	pragmatic
פְּרַגְמָטִיּוּת נ	pragmatism
פִּרְגֵּן פ	not grudge, grant
פֵּרֵד פ	separate, decompose
פֶּרֶד, פִּרְדָּה ז/נ	mule
פְּרֵדָה נ	departure, parting
פָּרָדוֹקְס ז	paradox
פָּרָדוֹקְסָלִי ת	paradoxical
פָּרָדִיגְמָה נ	paradigm
פַּרְדֵּס ז	orchard, garden, citrus plantation
פַּרְדְּסָן ז	citrus grower
פַּרְדְּסָנוּת נ	citrus growing
פָּרָה נ	cow
פָּרָה פ	be fertile, fruitful
פָּרָה חוֹלֶבֶת	milch cow
פְּרֶהִיסְטוֹרִי ת	prehistorical
פְּרֶהִיסְטוֹרְיָה נ	prehistory
פִּרְסְיָה נ	publicity
פְּרוֹבוֹקָטִיבִי ת	provocative
פְּרוֹבוֹקַצְיָה נ	provocation
פְּרוֹבִיזוֹרִי ת	provisory
פְּרוֹבִינְצְיָאלִי ת	provincial
פְּרוֹבִינְצְיָה נ	province
פְּרוֹבְּלֶמָתִי ת	problematical
פְּרוֹגְנוֹזָה נ	prognosis
פְּרוֹגְרֶסִיבִי ת	progressive
פֵּרוּד ז	separation, split
פְּרוּדָה נ	molecule
פְּרוֹדוּקְטִיבִי ת	productive
פְּרוֹדוּקְטִיבִיּוּת	productivity
פָּרוֹדְיָה נ	parody, burlesque
פַּרְוָה נ	fur
פֵּרוּז ז	demilitarization
פְּרוֹזָאִי ת	prosaic
פִּרוּזָג ז	turquoise
פְּרוֹזְדוֹר ז	corridor, hall
פְּרוֹזְדוֹר הַלֵּב	auricle
פְּרוֹזָה נ	prose

פְּרוּט ז specification, changing money, detailing
פְּרוֹטֶאִין ז protein
פְּרוּטָה נ small coin, penny
פְּרוֹטוֹזוֹאָה ז״ר protozoa
פְּרוֹטוֹזוֹאוֹן ז protozoon
פְּרוֹטוֹמָה נ bust
פְּרוֹטוֹן ז proton
פְּרוֹטוֹפְּלַסְמָה נ protoplasm
פְּרוֹטוֹקוֹל minutes, protocol
פְּרוֹטֶסְט ז protest
פְּרוֹטֶסְטַנְטִי ז Protestant
פְּרוֹטֶסְטַנְטִיּוּת Protestantism
פְּרוֹטֶקְצְיָה נ favoritism
פְּרוֹטֶקְשֶׁן ז protection
פְּרוּטְרוּט ז change, detail
פְּרוֹיֶקְט ז project
פָּרוֹכֶת נ curtain
פְּרוֹלוֹג ז prologue
פְּרוֹלֶיטָרִי ת proletarian
פְּרוֹלֶיטַרְיוֹן ז proletariat
פַּרְוָן ז furrier, fur seller
פָּרוּס ת sliced, deployed
פְּרוּסָה נ slice
פְּרוֹסְטָטָה נ prostate
פְּרוֹסְפֶּקְט ז prospectus
פָּרוּעַ ת wild, disheveled
פָּרוּף ת buttoned, fastened
פְּרוֹפָּגַנְדָּה נ propaganda
פְּרוֹפּוֹרְצְיָה נ proportion
פְּרוֹפּוֹרְצְיוֹנָלִי proportional
פְּרוֹפִיל ז profile
פְּרוֹפֶּלֶר ז propeller
פְּרוֹפֶסוֹר ז professor
פְּרוֹפֶסוּרָה נ professorship
פָּרוּץ ת broken open, wanton
פְּרוֹצֶדוּרָה נ procedure
פְּרוּצָה נ prostitute, harlot
פֵּרוּק ז dismantling, liquidation, unloading
פֵּרוּק נֶשֶׁק disarmament
פֵּרוּר ז crumb, crumbling
פַּרְוָר = פַּרְבָּר ז suburb
פֵּרוּשׁ ז interpretation, annotation, commentary

פָּרוּשׁ ת abstemious, chaste
פְּרוּשׁ (צִיפּוֹר) ז chaffinch
פֵּרוֹת ז״ר fruits
פְּרוֹתֶיזָה נ prosthesis
פֵּרֵז פ demilitarize
פְּרָזָה נ phrase
פִּרְזוּל ז shoeing horses
פְּרָזוֹת תה״פ unwalled, open
פָּרָזִיט ז parasite
פָּרָזִיטִי ת parasitical
פִּרְזֵל פ shoe horses
פְּרַזְּל סוּסִים farrier
פֶּרַח ז flower, novice
פָּרַח פ flourish, blossom, spread over, fly
פְּרַח טַיִס air cadet
פִּרְחוֹנִי ת flowery, ornate
פִּרְחָח ז hooligan, ruffian
פִּרְחָחוּת נ hooliganism
פָּרַט פ change money, play, harp, strum
פֵּרֵט פ specify, detail, itemize
פְּרָט ז detail, element, item, individual, unit
פֶּרֶט ז change, odd number
פְּרָט לְ- except, save
פְּרָטִי ת private, particular
פְּרָטִיּוּת נ privacy
פַּרְטִיזָן partisan, guerrilla
פַּרְטִיטוּרָה נ score
פָּרָטִיפוּס ז paratyphoid
פַּרְטִית נ part
פְּרֶטֶנְסְיָה נ pretension
פְּרִי ז fruit, result
פְּרִיבִילֶגְיָה נ privilege
פְרִיגָטָה נ frigate
פָּרִיד ת separable
פְּרִידָה נ departure, parting
פְּרִיָּה וּרְבִיָּה propagation
פְּרִיוֹדִי ת periodical
פִּרְיוֹן ז productivity
פְּרִיחָה נ bloom, flowering, prosperity, rash
פְּרִיט ז article, item

פְּרִיטָה נ changing money, playing, harping
פָּרִיטֶטִי ת parity
פָּרִיךְ ת crisp, brittle
פְּרִיכוּת נ brittleness
פְּרִימָדוֹנָה נ prima donna
פְּרִימוּס ז primus
פֶּרִימֶטֶר ז perimeter
פְּרִימִיטִיבִי ת primitive
פְּרִינְצִיפּ ז principle
פְּרִינְצִיפְּיוֹנִי ת principled
פְּרִיסָה slicing, deployment
פְּרִיסְמָה נ prism
פֶּרִיסְקוֹפּ ז periscope
פְּרִיעָה נ disheveling, ruffle, payment
פְּרִיפָה נ safety pin
פֶּרִיפְרָזָה נ periphrasis
פֶּרִיפֶרְיָה נ periphery
פָּרִיץ ז robber, landowner
פְּרִיצָה נ break-in, burglary
פְּרִיצוּת נ licentiousness
פְּרִיצַת דֶּרֶךְ breakthrough
פָּרִיק ת detachable
פְּרִיקָה נ unloading
פְּרִיקַת עוֹל licentiousness
פָּרִיר ת crumbly
פָּרִישׂ ת spreadable
פְּרִישָׂה נ spreading
פְּרִישָׁה נ retirement
פְּרִישׁוּת נ abstinence
פֶּרֶךְ ז oppression, crushing
פִּרְכָה נ refutation
פִּרְכּוּס ז adornment, make-up
פִּרְכֵּס פ adorn, make up
פְּרֶלוּד ז prelude
פְּרֶלִימִינָרִי ת preliminary
פַּרְלָמֶנְט ז parliament
פַּרְלָמֶנְטָרִי ת parliamentary
פָּרַם פ unstitch, unravel
פָּרָמֶטֶר ז parameter
פְּרֶמְיָה נ premium
פְּרֶמְיֶרָה נ premiere
פָּרֶנְהַיְט ז Fahrenheit
פָּרָנוֹיָה נ paranoia

פִּרְנֵס פ maintain, support
פַּרְנָס ז chief, leader
פַּרְנָסָה נ maintenance, living, support
פְרַנְצִיסְקָנִי ת Franciscan
פְרַנְק ז franc
פָּרַס פ cut, slice, deploy
פְּרָס ז award, prize, reward
פֶּרֶס ז bearded vulture
פַּרְסָה נ farce
פַּרְסָה horseshoe, hoof
פַּרְסָה שְׁסוּעָה cloven hoof
פִּרְסוּם ז advertising, fame, reputation, publication
פִּרְסוֹמֶת נ advertising, publicity
פֶּרְסוֹנָל ז personnel
פְּרֶסְטִיזָ'ה נ prestige
פַּרְסִית נ Iranian, Persian
פִּרְסֵם פ advertise, publicize, publish
פֶּרְסְפֶּקְטִיבָה נ perspective
פְרֶסְקוֹ ז fresco
פָּרַע פ pay, defray, ruffle, dishevel, riot
פֵּרָעוֹן ז repayment
פַּרְעוֹשׁ ז flea
פְּרָעוֹת נ״ר pogrom
פָּרַף פ button, fasten
פִּרְפּוּר ז spasm, convulsion
פֶּרְפוֹרַצְיָה נ perforation
פַּרְפּוֹרֶת נ crumb cake
פָּרָפִין ז paraffin
פַּרְפַּר ז butterfly
פִּרְפֵּר פ struggle, shake
פָּרָפְרָזָה נ paraphrase
פַּרְפֶּרֶת נ dessert
פָּרַץ פ break, burst, erupt
פֶּרֶץ ז outflow, gush, gap
פִּרְצָה נ breach, break, gap
פַּרְצוּף ז face
פַּרְצוּפִי נ facial
פַּרְצָנִי ת impulsive
פָּרַק פ unload, free, vent
פָּרַק עוֹל become lawless

פֵּרֵק פ take apart, disjoint, dismantle, liquidate
פֶּרֶק ז chapter, joint
פַּרְק ז park
פְּרַק ז cutaway, frock-coat
פְּרַקְדָן תה״פ supine, on back
פְּרַקְטִי ת practical
פְּרַקְטִיקָה נ practice
פְּרַקְלִיט ז advocate, attorney, barrister
פְּרַקְלִיטוּת נ advocacy
פְּרַקְמַטְיָה נ goods, wares
פְּרֶרוֹגָטִיבָה נ prerogative
פָּרַשׂ פ stretch, spread out
פָּרַשׁ פ retire, withdraw
פֵּרֵשׁ פ annotate, comment, explain, say explicitly
פָּרָשׁ ז horseman, knight
פָּרָשָׁה נ affair, case, section, portion
פָּרָשׁוּת נ horsemanship
פַּרְשָׁן ז commentator
פַּרְשָׁנוּת נ commentary
פָּרָשַׁת אֲהָבִים love affair
פָּרָשַׁת דְּרָכִים crossroads
פָּרָשַׁת מַיִם watershed
פְּרַת־יָם manatee, sea cow
פָּרַת־מֹשֶׁה־רַבֵּנוּ ladybird
פָּשׁ פ relax, rest
פָּשָׂה פ spread, pervade
פָּשׁוּט simple, plain, simply, just like that
פִּשּׁוּט ז simplification
פְּשׁוּט ז simple meaning
פִּשּׂוּק ז opening, straddle
פִּשּׁוֹשׁ ז warbler
פָּשַׁט פ take off, undress, raid, stretch, extend
פָּשַׁט יָד beg
פָּשַׁט עוֹר skin, profiteer
פָּשַׁט רֶגֶל go bankrupt
פִּשֵּׁט פ simplify
פְּשָׁט ז literal meaning
פַּשְׁטוּת נ simplicity
פַּשְׁטִידָה נ pie, pastry
פַּשְׁטִידִית נ patty
פַּשְׁטָנוּת נ simpleness
פַּשְׁטָנִי ת simple, plain
פָשִׁיזְם ז fascism
פָּשִׁיט ת extensive
פְּשִׁיטָא תה״פ of course
פְּשִׁיטָה נ raid, inroad
פְּשִׁיטַת רֶגֶל bankruptcy
פָשִׁיסְט ז fascist
פְּשִׁיעָה נ crime, offense
פִּשֵּׁל פ spoil, blow, bungle
פַּשְׁלָה נ botch, bungle
פָּשַׁע פ commit a crime, sin
פֶּשַׁע ז crime, sin, felony
פֶּשַׂע ז step, brink, verge
פִּשְׁעִי ת criminal
פִּשְׁפּוּשׁ ז search, scrutiny
פִּשְׁפֵּשׁ ז bedbug, bug
פִּשְׁפָּשׁ ז wicket
פִּשְׁפֵּשׁ פ search, scrutinize
פִּשֵּׂק פ open wide, straddle
פִּשֵּׁר פ reconcile, mediate
פֵּשֶׁר ז meaning, explanation
פְּשָׁרָה נ compromise
פַּשְׁרָן ז compromiser
פַּשְׁרָנוּת נ reconcilability
פַּשְׁרָנִי ת compromising
פִּשְׁתָּה נ flax
פִּשְׁתָּן ז flax, linen
פִּשְׁתָּנִי ת flaxen
פַּת נ bread, slice, piece
פִּתְאוֹם תה״פ suddenly
פִּתְאוֹמִי ת abrupt, sudden
פַּתַּאי ז seducer
פִּתְגָּם ז saying, aphorism, adage, apothegm, epigram, byword, maxim, proverb
פִּתְגָּמִי ת proverbial
פִּתָּה פ seduce, tempt
פִּתָּה נ pitah, flat bread
פָּתוּחַ פ open
פִּתּוּחַ ז development, engraving,
פִּתּוּי ז allurement, temptation, seduction

פְּתוֹל ז twist, curve, bend
פָּתוֹלוֹג ז pathologist
פָּתוֹלוֹגִי ת pathological
פָּתוֹלוֹגְיָה נ pathology
פָּתוֹס ז pathos
פְּתוֹת ז crumb
פָּתַח פ open, start, begin
פִּתַּח פ develop, engrave
פֶּתַח ז aperture, doorway, entrance, door, gate
פֶּתַח דָּבָר introduction
פַּתָּח ז ah (Hebrew vowel)
פִּתְחוֹן פֶּה excuse, pretext
פָּתֶטִי ת pathetic
פֶּתִי ז simpleton, fool
פִּתָּיוֹן ז bait, decoy
פְּתַיּוּת נ credulity, folly
פָּתִיחַ ז indentation, introduction, preface
פְּתִיחָה נ opening, start
פְּתִיחוּת נ openness
פְּתִיל ז cord, fuse, lace, string, thread
פְּתִילָה נ candlewick, wick, suppository
פְּתִילִיָּה נ paraffin stove
פָּתִיר ת solvable
פְּתִירָה נ solution, solving
פְּתִירוּת נ solubility
פְּתִית ז crumb, flake
פְּתִית שֶׁלֶג snowflake
פִּתֵּל פ wind, twist, curve
פְּתַלְתּוֹל ת winding, twisty
פֶּתֶן ז cobra
פֶּתַע תה"פ suddenly
פִּתְפּוּתֵי בֵּיצִים nonsense
פֶּתֶק, פִּתְקָה ז/נ note, slip
פֶּתֶק הַצְבָּעָה ballot
פָּתַר פ solve, interpret
פִּתְרוֹן ז answer, solution
פַּתְשֶׁגֶן ז conspectus
פָּתַת פ crumble, crumb

צֵא פ get out!, scram!
צֶאֱלִים ז"ר shadow, acacia
צֶאֱלוֹן ז poinciana
צֹאן נ"ר sheep, flock, herd
צֹאן מַרְעִית flock, fold
צֶאֱצָא ז descendant, progeny, offspring
צָאר ז czar, tzar, tsar
צֵאת going out, departure
צָב ז tortoise, turtle
צָבָא ז army, military, host
צָבָא פ assemble, throng
צְבָא הֲגַנָּה לְיִשְׂרָאֵל Israel Defense Forces
צְבָא הַשָּׁמַיִם heavenly bodies
צְבָא קֶבַע regular army
צְבָאִי ת martial, military
צְבָאִים ז"ר deer
צְבָאָנוּת נ militarism
צְבָאָנִי ת militaristic
צָבָה פ swell, distend
צָבֶה ת swollen
צָבוּעַ ת painted, hypocrite
צָבוֹעַ ז hyena
צִבּוּר ז public, community, pile, heap
צִבּוּרִי ת common, public
צָבַט פ nip, pinch, clamp
צְבִי ז deer, gazelle, buck, stag, glory
צִבְיוֹן ז color, tint, nature
צְבִיטָה נ nip, pinch
צְבִיעָה נ coloration, painting, dyeing
צְבִיעוּת נ hypocrisy
צְבִיר ז group, cluster
צָבִיר ת accumulative
צְבִירָה נ accumulation

צֶבַע ז color, paint, dye, tint, hue
צָבַע פ paint, color, dye
צַבָּע ז painter, dyer
צֶבַע מָגֵן protective coloring
צֶבַע שֶׁמֶן oil-color
צֶבַע שֵׂעָר hair-dye
צִבְעוֹנִי ת chromatic, colorful, colored
צִבְעוֹנִי ז tulip
צִבְעוֹנִיּוּת נ colorfulness
צַבָּעוּת נ painting
צִבְעִי ת chromatic
צִבְעָן ז pigment
צָבַר פ accumulate, hoard, store, collect, amass
צֶבֶר ז heap, pile, mass
צַבָּר, צַבָּרָה ז cactus, prickly pear, sabra
צְבָת נ pincers, tongs
צִבְתָן ז earwig
צַג ז display
צַד ז side, page, party
צָד פ hunt, capture, catch
צִדֵּד פ side, support, back
צְדָדִי ת lateral, incidental
צִדּוּד ז siding, supporting
צְדוּדִית נ profile
צְדוֹן ז broadside
צִדּוּק ז justification
צְדוֹקִי ז Sadducee
צִדִּי ת side, lateral
צְדִידָה נ leeway
צְדִיָּה נ evil intent, malice
צַדִּיק ת just, righteous, pious, virtuous, Rabbi
צֶדַע ז temple
צֶדֶף ז shell, nacre
צִדְפָּה נ clam, oyster
צִדְפִּי ת nacreous
צָדַק פ be right, correct
צִדֵּק פ justify, exonerate
צֶדֶק ז justice, honesty, righteousness, Jupiter

צְדָקָה נ alms, charity
צַדֶּקֶת נ righteous woman
צַדְרָה נ tarpaulin
צָהַב פ yellow, turn yellow
צְהַבְהַב ת yellowish
צַהֶבֶת נ jaundice
צָהוֹב ת yellow
צָהוּב ת angry, inimical
צָהַל פ rejoice, exult, neigh
צַהַ"ל I.D.F.
צָהֳלָה נ exultation, neigh, whinny
צָהֳרוֹן ז midday newspaper
צָהֳרַיִם ז"ר noon, midday
צַו ז decree, edict, order
צַו עַל תְּנַאי order nisi
צַו קְרִיאָה call-up
צוֹאָה נ excrement, dung
צַוָּאָה נ testament, will
צַוָּאר ז neck, throat
צַוַּאר הַבַּקְבּוּק bottleneck
צַוַּאר הָרֶחֶם cervix
צַוָּארוֹן ז collar
צוֹבֶר ז bulk, pile, heap
צוֹדֵד פ capture, captivate
צוֹדֵק ת just, right
צִוָּה פ command, order,
צוֹהֵל ת joyful, exultant
צוֹהַר ז window, skylight, fanlight, zenith
צִוּוּי ז order, command, imperative
צָוַח פ scream, bellow
צְוָחָה נ shout, scream, yell
צַוְחָן ז screamer
צְוִיחָה נ shout, scream
צוֹלֵל ז diver, frogman
צוֹלְלוּת נ sonority
צוֹלְלָן ז submarine crew member
צוֹלֶלֶת נ submarine
צוֹלֵעַ ת lame, limping, halt
צוֹם ז fast
צוֹמֵחַ ת growing, flora
צוֹמֶת ז crossroads, juncture

צוֹמֶת מִישׁוֹרִי level crossing
צוֹנֵן ת chilly, cold, cool
צוֹנְנִים ז״ר cold water
צוֹעֲנִי ז gipsy, gypsy
צוֹעֵר ז cadet, assistant
צוּף ז honeydew, nectar
צוֹפֶה ז scout, boy scout, watcher, spectator
צוֹפִיּוּת נ scouting
צוֹפֶן ז code
צוֹפֵף פ press, compact
צוֹפָר ז horn, siren
צוֹצֶלֶת נ wild pigeon
צוּק ז cliff, promontory
צוֹר ז flint
צוּר ז rock, cliff, fortress
צוּר יִשְׂרָאֵל God
צוּר מַחֲצַבְתּוֹ origin
צוֹרֵב ת burning, scalding
צוּרָה נ form, shape, manner, expression
צוֹרֶךְ ז necessity, need, requirement
צוֹרֵם, צוֹרְמָנִי ת dissonant, harsh, grating, strident
צוֹרָן ז silicon
צוּרָן ז morpheme
צוּרָנִי, צוּרָתִי ת formal
צוֹרֶנֶת נ silicosis
צוֹרֵף ז goldsmith
צוֹרְפוּת נ goldsdmith's craft
צוֹרֵר ז enemy, oppressor
צֶוֶת ז crew, panel, team
צֶוֶת אֲוִיר air crew
צֶוֶת קַרְקַע ground crew
צַוְתָּא נ company, together
צוֹתֵת פ eavesdrop, wiretap, listen in
צְזוּרָה נ cesura
צַח ת white, pure, clear
צַחוּן ת stinking, reeking
צְחוֹק ז laughter, laugh
צְחוֹק בְּצַד joking apart
צָחוֹר ת white

צַחוּת נ purity, lucidity
צַחוּת הַלָּשׁוֹן eloquence
צַחֲזוּת נ clairvoyance
צַחֲזָן ז clairvoyant
צָחִיחַ ת arid, parched
צְחִיחוּת נ dryness, aridity
צָחַן פ stink, reek
צַחֲנָה נ stink, stench
צחצוּחַ ז polishing
צחצוּחַ חֲרָבוֹת saber rattling
צִחְצֵחַ פ brush, polish
צָחַק פ laugh, smile, grin
צחקוּק ז giggle, chuckle
צחקֵק פ giggle, chuckle
צִטּוּט ז quotation, citation
צִטֵּט פ cite, quote
צִי ז fleet, navy, armada
צִיאָנִיד ז cyanide
צִיבִילִיזַצְיָה נ civilization
צִיבִית נ celluloid
צִיֵּד פ equip, furnish, provide, supply, outfit
צַיָּד ז hunter
צַיִד ז hunting, chase, game
צֵידָה נ provisions, supplies
צֵידָנִית נ picnic box
צִיָּה נ dryness, desert
צִיּוּד ז equipment, outfit
צִיּוּן ז mark, note, remark
צִיּוּן דֶּרֶךְ landmark
צִיּוּן לְשֶׁבַח citation, commendation
צִיּוֹן נ Zion, Israel
צִיּוֹנוּת נ Zionism
צִיּוֹנִי ז Zionist
צִיּוּץ ז cheep, twitter
צִיּוּר ז painting, picture
צִיּוּר קִיר fresco, mural
צִיּוּר שֶׁמֶן oil painting
צִיּוּרִי ת picturesque, descriptive, figurative
צִיּוּת ז obedience, obeying
צִ׳יזְבָּט ז tall story
צִיטָטָה נ quotation, citation
צִילִינְדֶר ז cylinder, top hat

צִיֵּן פ mark, signify, specify, point out, note

צִינוֹק dungeon, prison cell

צִינִי ת cynical

צִינִיּוּת נ cynicism

צִינִיקָן ז cynic

צִיסְטָה נ cyst, sac

צִיפָּה נ pulp, flesh, floating, buoyancy

צִ'יפְּס ז chips

צִיץ ז blossom, flower, diadem, feather

צִיֵּץ פ twitter, cheep

צִיצָה נ frill, tuft, tassel

צִיצִית נ forelock, fringe, zizith, fringed garment

צִיקָדָה נ cicada

צִיקוֹרְיָה נ chicory, endive

צִיקְלוֹן ז cyclone

צִיקְלָמָט ז cyclamate

צִיר ז axis, axle, pivot, hinge, pole, delegate, messenger, sauce, juice

צִיֵּר פ draw, paint, describe

צַיָּר ז artist, painter

צִיר יַד הַסֶּרֶן kingpin

צֵירֶה ז eh (Hebrew vowel)

צִירוּס ז cirrus

צִירוּת נ legation

צִירֵי לֵדָה birth pangs

צַיְּרָנִי ת descriptive

צִיֵּת פ obey, heed

צַיְּתָן ת obedient, docile

צַיְּתָנוּת נ obedience

צֵל ז shadow, shade, shelter

צְלָב ז cross, crucifix

צָלַב פ crucify

צְלַב הַקֶּרֶס swastika

צִלְבּוֹן ז dagger, cross

צַלְבָן ז crusader

צָלָה פ broil, grill, roast

צֶ'לוֹ ז cello

צָלוּב ת crucified, Jesus

צְלוֹחִית נ small bottle, phial, vial, flask

צָלוּי ת roast, roasted

צָלוּל ת clear, limpid

צֶלּוּלוֹאִיד ז celluloid

צֶלּוּלוֹזָה נ cellulose

צִלּוּם ז photograph, picture, photography

צִלּוּם מִקָּרוֹב close-up

צְלוֹפָח ז eel

צֶלּוֹפָן ז cellophane

צָלוּק ת scarred

צָלַח פ cross, pass, succeed, prosper

צָלֵחַ, צְלֵחָה ת successful

צִלְחָה נ migraine, headache

צַלַּחַת נ dish, plate, platter, saucer

צַלַּחַת מְעוֹפֶפֶת flying saucer

צָלִי ז barbecue, roast

צְלִיבָה נ crucifixion

צְלִיָּה נ roast, roasting

צְלִיחָה נ crossing (water)

צְלִיל ז sound, tone, note

צְלִיל חִיּוּג dial tone

צְלִילָה נ dive, diving

צְלִילוּת נ clarity, lucidity

צְלִילוּת דַּעַת presence of mind

צְלִילִיּוּת נ resonance

צַלְיָן ז pilgrim

צְלִיעָה נ limp, limping

צְלִיף ז crack, whiplash

צְלִיפָה נ sniping, shooting

צָלַל פ dive, sink, plunge

צְלָלִי ת shadowy, shady

צְלָלִים ז"ר shadows

צְלָלִית נ silhouette

צִלֵּם פ photograph, film

צַלָּם ז cameraman, photographer

צֶלֶם ז icon, idol, image

צַלְמָוֶת ז inky darkness

צֶ'לָן ז cellist

צֶלְסְיוּס Celsius, centigrade

צֵלָע נ rib, side

צָלַע פ limp, halt, be lame

צַלְעוֹן ז polygon
צַלְעִית נ chop
צַלָּף ז marksman, sharpshooter, sniper
צָלַף פ snipe
צָלָף ז caper
צַלָּפוּת נ sniping
צִלְצוּל ז ringing, call, ring
צִלְצֵל פ ring, telephone
צִלְצָל ז harpoon, cymbal
צָלַק פ scar
צַלֶּקֶת נ scar, mark
צַלָ"ש = צִיּוּן לְשֶׁבַח ת
צָם פ fast
צָמֵא פ/ת thirsty, be thirsty
צָמָא, צִמָּאוֹן ז thirst
צְמֵא דָם ת bloodthirsty
צֶ'מְבָּלוֹ ז harpsichord
צֶמֶג ז rubber
צַמְגַמַג ת adhesive, sticky
צֶמֶד ז brace, pair, couple
צִמֵּד פ attach, link, couple
צֶמֶד חֶמֶד lovely pair
צִמְדָּה נ duet
צַמָּה נ braid, plait, bun
צָמוֹג ת sticky
צָמוּד ת attached, clinging, closefitting, linked
צִמּוּד ז homograph, homonym
צָמוּק פ shriveled, dry
צִמּוּק ז raisin, anecdote
צִמּוּת נ pickling
צֶמַח ז plant, growth
צָמַח פ grow, sprout, shoot
צִמַּח פ grow, sprout
צִמְחוֹנוּת נ vegetarianism
צִמְחוֹנִי ת vegetarian
צִמְחִי ת vegetable
צִמְחִיָּה נ flora, vegetation
צְמִיג ז tyre, tire
צָמִיג ת viscous, tough
צְמִיגוּת נ viscosity
צְמִיגִי ת viscous, sticky
צָמִיד ז bracelet, bangle, armlet, lid, cover
צְמִידוּת נ linking, coupling
צְמִיחָה נ growth, growing
צָמִיר ת woolly
צָמִית ת permanent (serf)
צְמִיתוּת נ permanence
צֶמֶנְט, צִמֶּנְט ז/פ cement
צִמְצוּם ז reduction, diminishing, penury
צַמְצָם ז diaphragm, shutter
צִמְצֵם פ decrease, reduce, diminish, limit, restrict
צָמֵק, צָמַק פ shrivel, dry
צַמֶּקֶת נ cirrhosis
צֶמֶר ז wool
צֶמֶר גֶּפֶן cotton
צֶמֶר גֶּפֶן מָתוֹק candyfloss, cotton candy
צֶמֶר פְּלָדָה steel wool
צַמְרוֹן ז poodle
צַמְרִי ת woolen, woolly
צְמַרְמֹרֶת נ shiver, shudder
צַמֶּרֶת נ top, treetop, leadership
צָמַת פ pickle, oppress
צֶמֶת עֹרֶף pigtail
צֵן, צִנִּים ז thorn
צִנָּה נ chill, cold, shield
צְנוֹבָר ז pine, pine cone
צָנוּם ת thin, lean, skinny
צְנוֹן ז radish
צִנּוּן ז cooling, chilling
צְנוֹנִית נ small radish
צָנוּעַ ת decent, humble, modest, meek
צָנוּף ת wrapped, rolled up
צִנּוֹר ז hose, pipe, tube, canal, drain, duct
צִנּוֹר הָעִכּוּל alimentary canal, digestive system
צִנּוֹרָה נ darning needle, knitting needle, needle
צִנּוֹרִית נ crochet hook, pastry roll
צֶנְזוֹר ז censor
צֶנְזוּרָה נ censorship

צִנְזֵר פ bowdlerize, censor
צָנַח פ parachute, sag, drop
צַנְחָן ז parachutist, paratrooper
צֶנְטְרִיפוּגָה נ centrifuge
צֶנְטְרִיפוּגָלִי ת centrifugal
צֶנְטְרִיפֶּטָלִי ת centripetal
צֶנְטְרָלִיזְם ז centralism
צְנִיחָה נ parachuting, fall
צְנִיחָה חוֹפְשִׁית free fall, skydiving
צְנִים ז rusk, toast
צָנִין, צְנִינִים ז thorn
צְנִיעוּת נ modesty, chastity
צָנִיף ז headdress, turban
צְנִיפָה נ neigh, whinny
צְנִירָה נ crochet, knitting
צִנִּית נ podagra, gout
צִנֵּן פ cool, chill
צֶנַע ז austerity, modesty
צִנְעָה נ privacy, secrecy
צָנַף פ wrap, roll up, neigh
צִנְצֶנֶת נ jar, flask, bottle
צַנָּר ז pipe layer
צַנֶּרֶת נ piping, pipe system
צִנְתּוּר ז catheterization
צַנְתָּר ז catheter, pipe, pastry tube
צָעַד פ march, pace, step
צַעַד ז footstep, pace, move
צְעָדָה נ march, walk
צְעִידָה נ march, walk
צָעִיף ז scarf, shawl, veil
צָעִיר ת young, junior, lad
צְעִירָה נ young woman
צְעִירוּת נ youth
צָעַף פ veil, cover
צַעֲצוּעַ ז toy, plaything
צִעְצַע פ ornament, adorn
צָעַק פ yell, cry, scream
צְעָקָה נ cry, scream, shout
צַעֲקָנוּת נ flamboyance, shouting, noisiness
צַעֲקָנִי ת flamboyant, showy, noisy, vociferous
צַעֲקָן ז shouter, vociferous
צַעַר ז sorrow, grief, pain
צִעֵר פ cause sorrow, grieve, sadden
צַעַר בַּעֲלֵי חַיִּים prevention of cruelty to animals
צָף ת buoyant, floating
צָף פ float, buoy
צָפַד פ shrivel, dry up
צַפְדִּינָה נ scurvy
צַפֶּדֶת נ lockjaw, tetanus
צָפָה פ watch, foresee
צִפָּה פ anticipate, expect, hope, wait, coat, plate
צִפָּה נ cover, bed cover
צָפוּי ת expected, foreseen, liable, destined
צִפּוּי ז coating, plating
צָפוֹן ז north
צָפוּן ת hidden, concealed
צְפוֹן־מִזְרָח northeast
צְפוֹן־מִזְרָחִי northeastern
צְפוֹן־מַעֲרָב northwest
צְפוֹן־מַעֲרָבִי northwestern
צָפוֹנָה תה"פ northward
צְפוּנוֹת נ"ר secrets
צְפוֹנִי ת northern
צָפוּף ת crowded, dense
צִפּוּף crowding, compacting
צִפּוֹר נ bird
צִפּוֹר נוֹדֶדֶת bird of passage
צִפּוֹר נֶפֶשׁ pupil of the eye
צִפּוֹר שִׁיר songbird
צִפּוֹרִית נ birdie
צִפֹּרֶן נ fingernail, nail, clove, carnation, pink
צִפֹּרֶן עֵט nib
צִפָּרְנֵי הֶחָתוּל marigold
צִפּוֹרְנִית נ campion
צִפְחָה נ shale, slate
צַפַּחַת נ cruse, jar, flask
צָפִיד ת stiff, rigid
צְפִיָּה נ watching, observation, viewing

צְפִיָּה נ anticipation, expectancy, hope
צַפִּיחִית נ wafer, cake
צְפִיפוּת נ density, crowding, congestion
צָפִיר ז goat, kid
צְפִירָה נ blast, hooting, whistle, siren
צִפִּית נ pillowcase, slip
צָפַן פ hide, conceal
צִפֵּן פ code, encode
צֶפַע, צִפְעוֹנִי ז viper
צִפֵּף פ press, congest
צִפְצוּף ז whistle, hooting, contempt, disregard
צִפְצֵף פ whistle, twitter, scorn, disregard
צַפְצָפָה נ poplar
צַפְצֵפָה נ whistle
צֶפֶק ז peritoneum
צַפֶּקֶת נ peritonitis
צָפַר פ hoot, honk, whistle
צַפָּר ז ornithologist, birdman, bird keeper
צַפְרָא ז morn, morning
צְפַרְדֵּעַ נ frog
צִפָּרוֹנוּת נ caprice
צִפָּרוֹנִי ת capricious
צַפָּרוּת נ ornithology, bird keeping
צַפְרִיר ז zephyr, morning breeze
צָץ פ appear, sprout up
צֶ'ק ז check, cheque
צִקְלוֹן ז bag, knapsack
צַר ת narrow
צָר פ shape, form, mold, besiege, surround,
צַר ז enemy, persecutor
צַר אוֹפֶק narrow-minded
צַר לִי I am sorry
צַר עַיִן envious, grudging
צָרַב פ burn, sear, scald
צָרֶבֶת נ heartburn
צָרֶדֶת נ hoarseness
צָרָה נ affliction, trouble, misfortune, distress
צָרָה צְרוּרָה serious trouble
צָרוּד ת hoarse, husky
צָרוּעַ ת leprous
צָרוּף ת pure, refined
צֵרוּף ז combination, joining, refining
צֵרוּף מִלִּים idiom
צֵרוּף מִקְרִים coincidence
צְרוֹר ז bundle, batch, bunch
צְרוֹר יְרִיּוֹת burst of fire
צְרוֹר פְּרָחִים bouquet
צָרוּת נ narrowness
צָרוּת אוֹפֶק, צָרוּת מוֹחִין narrow-mindedness
צָרוּת עַיִן envy, grudge
צָרַח פ shout, scream, yell
צַרְחָן ז screamer
צַרְחָנִי ת screaming
צַ'רְטֶר ז charter
צֳרִי ז balm, balsam
צְרִיבָה נ burn, scorching,
צְרִידוּת נ hoarseness
צְרִיחַ ז castle, tower, rook, turret
צְרִיחָה נ shout, scream, shriek, yell
צָרִיךְ ת must, should, need, necessary
צְרִיכָה נ consumption
צְרִימָה נ stridency, grating, dissonance
צְרִיף ז cottage, hut, shack
צְרִיפָה נ purification, refining
צְרִיפוֹן ז hovel, small hut
צְרִיר ז dissonance, discord
צָרַךְ פ consume, use, require, need
צַרְכָן ז consumer
צַרְכָנוּת נ consumption
צַרְכָנִיָּה נ cooperative shop
צָרַם פ be strident, grate
צִרְעָה נ hornet, wasp

צָרַעַת נ leprosy
צָרַף פ purify, refine
צֵרַף פ combine, unite, add, join, annex
צָרְפַת נ France
צָרְפָתִי, צָרְפָתִית French
צִרְצוּר ז chirping, chirp
צִרְצֵר פ chirp, cheep
צְרָצַר ז cricket
צָרַר פ pack, bind, parcel, oppress, persecute
צִתּוּת נ eavesdropping, listening-in, wiretapping
צַתְרָה נ savory

קָאוּבּוֹי ז cowboy
קָאוֹלִין ז kaolin
קָאָק ז daw, jackdaw
קָאַת, קָאָת נ pelican
קַב ז crutch, stilt, kab, small measure
קַבָּב ז kebab, kabob
קִבֵּב פ curse, blaspheme
קֵבָה נ stomach
קִבּוּל ז capacity, reception, acceptance, perception
קַבּוּלִית נ jerrycan
קִבֹּלֶת נ capacity, volume
קָבוּעַ ת fixed, steady, regular, constant
קִבּוּעַ ז fixation, installing
קְבוּעָה נ fitments, fixture
קִבּוּץ ז gathering, kibbutz, communal settlement
קִבּוּץ גָלֻיּוֹת ingathering of the exiles
קְבוּצָה נ band, group, team, collective settlement
קִבּוּצִי ת collective, communal, common
קִבּוּצִיּוּת נ collectivism
קְבוּצָנוּת נ collectivism
קְבוּצַת כּוֹכָבִים constellation
קְבוּצָתִי ת collective
קָבוּר ת buried
קְבוּרָה נ burial, burying
קִבֹּרֶת נ biceps
קַבְיָה נ guinea pig
קָבִיל ת admissible, acceptable
קְבִילָה נ complaint
קְבִילוּת נ admissibility, acceptability
קַבִּינָה נ cabin
קַבִּינֶט ז cabinet
קְבִיעָה נ fixing, installing, verdict, decision
קְבִיעוּת נ regularity, constancy, permanence
קֵבִית נ cavity, ventricle
קֳבָל תה"פ in front of
קֳבָל עַם publicly, overtly
קַבָּל ז condenser, capacitor
קָבַל פ complain
קִבֵּל פ obtain, receive, get, take, accept
קִבֵּל עַל עַצְמוֹ undertake
קִבֵּל פָּנִים welcome
קַבָּלָה נ receipt, reception, acceptance, cabala,
קַבְּלָן ז contractor, entrepreneur, pieceworker
קַבְּלָן מִשְׁנֶה subcontractor
קַבְּלָנוּת נ piecework, contracting
קַבְּלָנִי ת piecework
קַבָּלַת פָּנִים welcome
קֶבֶס ז nausea, disgust
קַבְּסְתָּנִי ת disgusting
קֶבַע ז permanence, regularity

קָבַע פ fix, install, appoint, determine

קִבָּעוֹן ז fixation, fixture

קִבֵּץ, קָבַץ פ gather, assemble, collect, rally

קַבְּצָן ז beggar, cadger

קַבְּצָנוּת נ beggary, poverty

קַבְקָב ז clog, patten

קָבַר פ bury

קֶבֶר ז tomb, grave

קִבָּר ז coarse flour

קַבְּרָן ז undertaker, gravedigger

קַבָּרֶט ז cabaret

קַבַּרְנִיט ז skipper, captain

קֵבָתִי ת gastric

קַד, קָדַד פ curtsy, bow

קִדָּה נ bow, curtsy, curtsey

קָדוּחַ ת drilled, bored

קִדּוּחַ ז drilling, boring

קָדוּם ת ancient, old

קִדּוּם ז advance, advancement, promotion

קְדוּמִית נ protozoon

קְדוּמָנִי ת frontal, advance

קִדּוֹמֶת נ dialing code, prefix

קְדוֹרָנִי ת gloomy, dark

קְדוֹרַנִּית תה"פ gloomily

קָדוֹשׁ ת holy, sacred, saint

קִדּוּשׁ ז sanctification, consecration, Kiddush

קְדוֹשׁ מְעוּנֶּה martyr

קִדּוּשׁ הַשֵּׁם martyrdom

קְדוּשָּׁה נ holiness, sacredness, sainthood

קִדּוּשִׁין ז"ר marriage

קָדַח פ bore, drill, suffer from fever, heat

קֶדַח ז bore, diameter

קַדַּחַת נ ague, fever

קַדַּחַת הַבִּצּוֹת malaria

קַדַּחַת הַשִּׁגָּרוֹן rheumatic fever

קַדַּחַת הַשַּׁחַת hay fever

קַדַּחְתָּנִי ת feverish, hectic

קָדֶט ז cadet

קָדִי ז cadi

קְדִיחָה נ boring, drilling

קָדִים ז east, east wind

קָדִימָה תה"פ ahead, onwards, forward, on

קָדִימָה! let's go! come on!

קְדִימָה נ priority, preference, precedence

קַדִּישׁ ז Kaddish (prayer recited by mourners)

קָדַם פ precede, come before

קִדֵּם ז advance, promote

קִדֵּם פָּנָיו welcome, greet

קֶדֶם ז east, ancient times

קְדַם- pre–, ante–

קִדְמָה נ forecourt, apron

קִדְמָה נ advance, progress

קֵדְמָה תה"פ eastwards

קַדְמוֹן ת aboriginal, ancestor, ancient

קַדְמוֹנוּת נ antiquity

קַדְמוֹנִי ת ancient, primeval

קַדְמוֹנִיּוֹת נ antiquity

קַדְמוּת נ previous position

קִדְמִי ת frontal, forward

קְדֶנְצְיָה נ tenure, office

קָדֶנְצָה נ cadenza, cadence

קָדַר פ darken, be gloomy

קַדָּר פ potter

קָדֶר ז cadre

קְדֵרָה נ pot, casserole

קַדָּרוּת נ pottery

קַדְרוּת נ gloom, depression

קַדְרִיל ז quadrille

קָדַשׁ פ be holy, hallowed

קִדֵּשׁ פ consecrate, sanctify, betroth, recite Kiddush

קִדֵּשׁ מִלְחָמָה declare war

קִדֵּשׁ שֵׁם שָׁמַיִם be a martyr

קְדֵשָׁה נ prostitute, harlot

קֵהֶה ת blunt, dull, obtuse

קָהָה פ blunt, become dull

קָהוּי ת blunt, dull

קֵהוּת נ bluntness, numbness
קָהַל פ gather, assemble
קָהָל ז audience, crowd, public, congregation
קְהִלָּה נ parish, community, congregation, assembly
קְהִלִיָּה נ commonwealth, republic
קְהִלָּתִי ת communal
קַו ז line
קַו אוֹרֶךְ meridian, longitude
קַו גְבוּל borderline
קַו הַמַּשְׁוֶה equator
קַו נָטוּי oblique, slash
קַו רוֹחַב latitude
קוֹאוֹפֶּרָטִיב ז cooperative
קוֹאוֹפֶּרָטִיבִי ת cooperative
קוֹאוֹרְדִינָטָה נ coordinate
קוֹאוֹרְדִינַצְיָה נ coordination
קוֹאָלִיצְיָה נ coalition
קוֹאָלִיצְיוֹנִי ת coalition
קוּבָּה נ hut, tent, brothel
קוּבּוּץ ז oo (Hebrew vowel)
קוּבִּיָּה נ cube, dice, die
קוּבִּיוּסְטוּס ז gambler
קוּבִּיּוֹת נ"ר dice
קוּבִּיזְם ז cubism
קוֹבַּלְט ז cobalt
קוּבְלָנָה נ complaint
קוֹבַע ז helmet
קוּבַּעַת נ chalice, font, stoup, goblet, cup
קוֹבֶץ ז file, collection
קוֹבְּרָה נ cobra
קוֹד ז code
קוֹדֵד פ code, encode
קוֹדֵד פ code, encode
קוֹדָה נ coda
קוֹדֵחַ ת feverish
קוֹדֵם ת preceding, prior, previous, former
קוֹדֶם תה"פ previously, before
קוֹדֶם כֹּל to begin with, first of all

קוֹדֶקְס ז code, codex
קוֹדְקוֹד ז head, pate, skull, top, vertex
קוֹדֵר ת gloomy, somber, sullen, morose, dark
קוֹדֶשׁ ז holiness, sanctity
קוֹדֶשׁ לְ- dedicated to
קוֹדֶשׁ קֳדָשִׁים holy of holies
קִוָּה פ expect, hope
קְוֻצַּת שֵׂעָר lock, curl
קְוֹרוּם ז quorum
קוֹזָק ז cossack
קוֹטֶב ז pole
קוֹטֶב צְפוֹנִי North Pole
קוֹטְבִי ת polar
קוֹטְבִיּוּת נ polarity
קוֹטֶג' ז cottage
קוֹטֵל חֲרָקִים insecticide
קוֹטֶן ז smallness, littleness, little finger
קוֹטַנְגֶּנְס ז cotangent
קוֹטֶר ז diameter
קוֹטֶר פְּנִימִי caliber
קַוִּי ת linear
קַוְיָאר ז caviar
קְוִינְטֶט ז quintet, quintette
קוֹל ז sound, voice, noise, vote
– בְּקוֹל aloud
קוֹל קוֹרֵא manifesto, appeal
קוֹלָב coat hanger, hanger, clothes tree
קוֹלֶג' ז college
קוֹלֶגָה ז colleague
קוּלָּה נ leniency
קוֹלוֹנְיָאלִי ת colonial
קוֹלוֹנְיָאלִיזְם ז colonialism
קוֹלוֹנְיָאלִיסְט ז colonialist
קוֹלוֹנְיָה נ colony
קוֹלוֹנֶל ז colonel
קוֹלוֹת צָפִים floating vote
קוֹלָז' ז collage
קוּלִי ז coolie
קוֹלִי ת acoustic, sonic, vocal

קוֹלְיָס ז mackerel, scomber
קוֹלִית נ femur, thighbone
קוּלְמוּס ז quill pen
קוֹלָן ז tuning fork
קוֹלְנוֹעַ ז cinema, movie
קוֹלְנוֹעַ רֶכֶב drive-in
קוֹלְנוֹעִי ת movie, film
קוֹלָנִי ת vociferous, noisy, boisterous, loud
קוֹלָנִיּוּת נ noisiness
קוֹלֶס ז stalk, stem
קוֹלֵעַ ת hitting, fit, apt
קוֹלֶקְטִיבִי ת collective
קוֹלָר ז collar
קוֹלְרַבִּי ז kohlrabi
קוֹם ז curd
קוֹמְבַּיְן ז combine
קוֹמְבִּינִיזוֹן slip, combination
קוֹמְבִּינַצְיָה נ combination
קוֹמֶדְיָה נ comedy
קוֹמָה נ floor, storey, story, height
קוֹמוֹדוֹר ז commodore
קוּמוּלוּס ז cumulus
קוֹמוּנָה נ commune
קוֹמוּנִיזְם ז communism
קוֹמוּנִיסְט ז communist
קוֹמוּנִיקַצְיָה communication
קוּמְזִיץ ז campfire picnic
קוֹמִי ת comic, comical
קוֹמִיסְיוֹן ז commission
קוֹמִיסָר ז commissar
קוֹמִיקָאִית נ comedienne
קוֹמִיקָן ז comedian, comic
קוֹמֵם פ rebuild, restore, arouse against, raise
קוֹמְמִיּוּת נ independence
קוֹמַנְדוֹ ז commando
קוֹמְפּוֹזִיטוֹר ז composer
קוֹמְפּוֹזִיצְיָה נ composition
קוֹמְפּוֹסְט ז compost
קוֹמְפְּלִימֶנְט ז compliment
קוֹמְפְּלִיקַצְיָה נ complication
קוֹמְפַּקְטִי ת compact
קוֹמְפְּרֶסוֹר ז compressor
קוֹמֶץ ז handful, small quantity
קוּמְקוּם ז kettle
קוֹמַת קַרְקַע first floor, ground floor
קוֹמַת מַרְתֵּף basement
קַוָּן ז lineman
קוֹנְגְרֶס ז congress
קוֹנְדוֹם ז condom
קוֹנְדוֹמִינְיוֹן ז condominium
קוֹנְדִיטָאוּת נ confectionery
קוֹנְדִיטוֹרְיָה נ confectionery
קוֹנְדֶנְסָטוֹר ז condenser
קוּנְדֵס ז prankster, mischievous person
קוּנְדֵסוּת נ prank, mischief practical joke
קוֹנֶה ז buyer, client, customer, purchaser
קוֹנוּס ז cone
קוֹנְטוּר ז contour
קוֹנְטַקְט ז contact
קוֹנְטֶקְסְט ז context
קוֹנְטְרַבַּס ז contrabass
קוּנְטְרֵס ז pamphlet, booklet
קוֹנְטְרַסְט ז contrast
קוֹנְטְרַפּוּנְקְט ז counterpoint
קוֹנִי ת conic, conical
קוֹנְיָאק ז cognac, brandy
קוֹנְכִיָּה נ conch, shell
קוֹנֵן פ mourn, lament
קוֹנְסוּל ז consul
קוֹנְסוֹלִידַצְיָה נ consolidation
קוֹנְסוּלְיָה נ consulate
קוֹנְסוּלָרִי ת consular
קוֹנְסוֹרְצְיוּם ז consortium
קוֹנְסְטִיטוּצְיָה נ constitution
קוֹנְסְטִיטוּצְיוֹנִי constitutional
קוֹנְסְטֶלַצְיָה נ constellation
קוֹנְסְטַנְטָה נ constant
קוֹנְסְטְרוּקְטִיבִי ת constructive
קוֹנְסִילְיוּם נ consultation
קוֹנְסֶנְסוּס ז consensus
קוֹנְסְפֶּקְט ז conspectus

קוֹנסֶרבָטִיבִי ת conservative
קוֹנסֶרבִים ז"ר conserves
קוֹנסֶרבָטוֹריוֹן conservatoire
קוֹנפֶדֶרַציָה נ confederacy
קונפורמיזם ז conformity
קונפורמיסט ז conformist
קונפטי ז confetti
קונפיגורַציָה configuration
קונפֶקציָה נ confection
קונצֶפציָה נ conception
קונצרט ז concert
קונצ'רטו ז concerto
קונצֶרטִינָה נ concertina
קונצרן ז concern
קונקורדַנציָה נ concordance
קונקורס ז competition
קונקלָבָה נ conclave
קונקרֶטִי ת concrete
קוסינוס ז cos, cosine
קוסֵם ז magician, wizard
קוסמוס ז cosmos
קוסמופוֹלִיט ז cosmopolitan
קוסמֶטִי ת cosmetic
קוסמֶטיקָה נ cosmetics
קוסמי ת cosmic
קוף ז ape, monkey
קוף הַמַחַט eye of a needle
קופַאי ז cashier, banker
קופָּה ז fund, cash, bank, till, booking office
קופָּה קְטַנָה petty cash
קופָּה רושֶמֶת cash register
קופטי ז Coptic
קופי ת apish, simian
קוֹפִי ז skimmings, scum
קופידון ז Cupid
קופִיף ז little monkey
קופיץ ז chopper, cleaver
קופיקה נ kopeck
קופָל ז padlock
קופסָה נ box, can, canister
קופסִית נ capsule, small box
קופסַת גַפרוּרים matchbox
קופסַת סִיגָריות cigarette case
קופַּת תַגמוּלים pension fund

קוֹץ ז thistle, thorn
קוֹצֵב לֵב pacer, pacemaker
קוֹצִי ת thorny, prickly
קוֹצִיץ ז acanthus
קוֹצָנִי ת thorny, prickly
קוֹצֵץ צִפּוֹרנַיִם clippers
קוֹצֵר ז reaper, harvester
קוֹצֶר ז brevity, shortness
קוֹצֶר יָד helplessness
קוֹצֶר רְאִיָה myopia
קוֹצֶר רוּחַ impatience
קוֹקָאִין ז cocaine
קִוקֵד פ draw a line of dots and dashes
קוֹקָה קוֹלָה coca-cola
קִוקֵו פ hatch, shade
קִוקוּד ז drawing a line of dots and dashes
קִוקוּו ז hatching, shading
קוֹקוֹס ז coconut
קוֹקֶטִי ת coquettish
קוֹקֶטִיוּת נ coquetry
קוֹקטֵיל ז cocktail
קוּקִיָה נ cuckoo
קוּר ז cobweb, spider's web
קוֹר ז chill, cold
קוֹר רוּחַ composure
קוֹרֵא ז partridge, reader
קוּרְאָן ז Koran
קוֹרבֶטָה נ corvette
קוֹרבָּן ז sacrifice, victim
קוֹרדוּרוֹי ז corduroy
קוֹרָה נ beam, log, rafter, girder, spar
קוֹרוֹזִיָה נ corrosion
קוֹרוֹת נ"ר history, annals, events, memorials
קוֹרֶט ז particle, grain
קוּרטוֹב ז bit, drop, touch
קְוַרטֶט ז quartet
קוֹרטִיזוֹן ז cortisone
קוּרֵי עַכָּבִיש cobweb
קוּריוֹז ז curiosity, amusing event
קוֹרִינתִי ת Corinthian

קוֹרָל ז coral
קוֹרְמוֹרָן ז cormorant
קוֹרֵן ת shining, radiant
קוֹרְנִית נ cornet
קוֹרָנִית נ thyme
קוּרְנָס ז drop hammer, drop press, sledgehammer
קוֹרְנְפְלוֹר ז cornflour
קוּרְס ז course, rate, price
קוֹרְסֶט ז corset
קוּרְסִיב ז italics
קוּרְסִיבִי ת cursive
קוֹרֶסְפּוֹנְדֶנְצְיָה נ correspondence
קוֹרְפּוֹרָל ז corporal
קוֹרַץ פ be formed, shaped
קוּרְקְבָן ז gizzard, crop
קוֹרַת גַג shelter
קוֹרַת הַשַעַר goalpost
קוֹרַת רוּחַ contentment, satisfaction, pleasure
קוֹשִי ז difficulty, hardness
קוּשְיָה נ question, problem
קוֹשֵר ז rebel, conspirator
קוֹשֵש פ gather straw
קוֹתֶל ז fat meat, wall
קוֹתֶל חֲזִיר bacon, ham
קִזוּז ז setoff, offset, compensation
קָזוּס בֶּלִי casus belli
קִזֵז פ set off, cancel, compensate, reduce
קָזֵאִין ז casein
קָזִינוֹ ז casino
קַחְוָן ז anthemis
קַט ת small, little
קִטֵב פ polarize
קָטֵגוֹר ז prosecutor
קָטֵגוֹרִי ת categorical
קָטֵגוֹרְיָה נ category, prosecution
קִטוּב ז polarization
קָטוּם ת cut, truncated
קָטוֹן פ be small, diminish
קָטוֹן ת small, young, little
קָטוּעַ ת cut off, truncated, interrupted, fragmentary
קִטוּעַ ז lopping off, cutting off, amputation
קָטוּף ת picked, plucked
קָטוּר ז complaining
קְטוֹרֶת נ incense
קְטָטָה נ affray, broil, altercation, quarrel
קְטִימָה נ lopping off
קָטִין ז minor, under age
קְטִינוּת נ minority, nonage
קְטִיעָה נ amputation
קָטִיף ז fruit picking season
קְטִיפָה נ plush, velvet
קְטִיפָתִי ת velvety
קָטֶכִיסִיס ז catechism
קָטַל פ kill, slaughter
קֶטֶל ז carnage, slaughter
קָטָלָב ז arbutus
קִטְלֵג פ catalog
קָטָלוֹג ז catalog
קִטְלוּג ז cataloging
קָטָלִיז ז catalysis
קָטָלִיזָטוֹר ז catalyst
קַטְלָנִי ת deadly, lethal, murderous, destructive
קָטַם פ cut off, truncate
קָטָן ת little, small, insignificant, small boy
קָטֵן ת growing smaller
קַטְנוּנִי ת petty, trivial, narrow-minded
קַטְנוּנִיוּת נ pettiness, narrow-mindedness
קַטְנוֹעַ motor scooter, scooter
קַטְנוּת נ littleness, smallness, childhood
קְטַנְטַן ת tiny, very small
קִטְנִית נ legume
קָטַסְטְרוֹפָה נ catastrophe
קָטַסְטְרוֹפִי ת catastrophic
קָטַע פ amputate, cut off
קִטֵּע פ chop, lop off, cut

קֶטַע ז piece, section, segment, portion, part, paragraph, excerpt
קִטֵּעַ ז amputee, cripple
קָטַף פ pick, pluck
קָטָקוֹמְבָּה נ catacomb
קָטַקְלִיזְם ז cataclysm
קָטַקְלִיסְטִי ת cataclysmic
קַטָּר ז engine, locomotive
קִטֵּר פ burn incense, complain, bellyache
קַטָּרַאי נ engine driver
קַטְרָב ז cotter, cotter pin, linchpin
קִטְרֵג פ charge, accuse, prosecute, complain
קִטְרוּג פ charge, accusation, prosecution, denunciation
קָטָרַקְט ז cataract
קֶטְשׁוּפּ ז catsup, ketchup
קִיא vomit
קִיבִּיצֶר ז kibitzer
קִיבֶּרְנֶטִיקָה נ cybernetics
קִיוִי (עוֹף) ז kiwi
קִיוִית נ pewit, lapwing
קִיּוּם ז being, existence, subsistence, fulfillment
קִיּוֹסְק ז kiosk, buffet
קַיִט ז summer vacation
קִיֵּט פ vacation, spend the summer holidays
קִיטְבַּג ז kit bag
קִיטוֹר ז steam, vapor, smoke
קַיְטָן ז summer vacationer
קַיְטָנָה נ summer resort
קִיטְשׁ ז kitsch
קִיכְלִי ז thrush, ouzel
קִילוֹ ז kilo
קִילוֹגְרַם ז kilogram
קִילוֹהֶרְץ ז kilocycle
קִילוֹוָאט ז kilowatt
קִילוֹלִיטֶר ז kiloliter
קִילוֹמֶטֶר ז kilometer
קִיֵּם פ fulfill, carry out, maintain, confirm, hold

קַיָּם ת existing, present, extant, alive, effective
קְיָם, קְיָמָא ז existence, duration, durability
קִימָה נ rising, standing up
קִינָה נ lament, dirge, elegy
קִינֶטִי ת kinetic
קִינֶטִיקָה נ kinetics
קִיסוֹס ז ivy
קֵיסָם ז splinter, sliver
קֵיסָר ז emperor, Caesar
קֵיסָרוּת נ empire
קֵיסָרִי ת imperial, royal, Caesarean
קִיפוֹן ז mullet
קַיִץ ז summer
קִיצוֹנִי ת radical, extreme, extremist, outside
קִיצוֹנִיּוּת נ extremism, radicalism
קֵיצִי ת summery, summer
קִיק ז castor oil seed
קִיקָיוֹן ז castor oil plant
קִיקָיוֹנִי ת ephemeral
קִיר ז wall
קִיתוֹן ז jug, ewer
קַל ת easy, simple, light, swift
קַל דַּעַת ת fickle, frivolous, light-minded
קַל וָחוֹמֶר let alone
קַל עֵרֶךְ unimportant
קְלָאוּסְטְרוֹפוֹבְּיָה נ claustrophobia
קַלְגַּס ז soldier
קַלְדָנִית נ typist
קָלָה פ roast, toast
קָלָה (צֶמַח) נ calla
קִלּוּחַ ז squirt, jet, flow
קָלוּט ת taken in, absorbed
קָלוּי ת roasted, toasted
קַלְוִינִיזְם ז Calvinism
קָלוֹן ז dishonor, shame
קָלוּעַ ת twisted, plaited
קִלּוּס ז praise, scorn

קָלוּף ז	peeling, paring	קָלִיפְּסוֹ ז	calypso
קָלוּף ת	peeled, pared	קְלִישֶׁה, קְלִישָׁאָה נ	cliché
קָלוֹקֵל ת	corrupt, spoilt, inferior, poor, bad	קְלִישׁוּת נ	thinness, slack
קָלוֹרְיָה נ	calorie, calory	קִלֵּל פ	curse, damn, swear
קָלוּשׁ ת	thin, sparse, slack, scanty, weak	קְלָלָה נ	curse, imprecation
קַלּוּת נ	agility, ease, facility, lightness	קַלְמָר ז	pencil case
קַלּוּת דַּעַת/רֹאשׁ	frivolity, recklessness	קִלֵּס פ	praise, scorn
קָלַח, קִלֵּחַ פ	flow, stream, squirt, gush, shower	קֶלֶס ז	praise, scorn
קֶלַח ז	stalk, stem, head (of cabbage)	קְלַסִּי ת	classic, classical
קַלַּחַת נ	saucepan, pot, commotion, turmoil	קְלַסִּיּוּת נ	classicism
קָלַט פ	absorb, take in, understand, comprehend	קְלַסִּיקוֹן ז	classicist
קֶלֶט ז	input, reception center	קְלַסְתֵּר פָּנִים ז	features, face, countenance
קִלְטוּר ז	cultivation	קְלַסְתְּרוֹן ז	identikit
קִלְטֵר פ	cultivate	קָלַע פ	braid, plait, weave, shoot, hit
קַלְטֶרֶת נ	cultivator	קֶלַע ז	bullet, slug, shot
קַלֶּטֶת נ	cassette	קַלָּע ז	marksman
קָלִי ז	roasted grain	קַלָּעוּת נ	marksmanship
קָלִיבֶּר ז	caliber	קִלֵּף פ	peel, pare, shell
קָלִיד ז	key	קָלַף פ	peel, pare, shell
קָלֵידוֹסְקוֹפ ז	kaleidoscope	קְלָף ז	parchment, card
קָלֵידוֹסְקוֹפִּי ת	kaleidoscopic	קְלִפָּה	crust, peel, shell, skin, rind, shrew
קְלִיָּה נ	roasting, toasting	קְלֶפְּטוֹמָן ז	kleptomaniac
קְלִיטָה נ	absorption, taking in, understanding	קְלֶפְּטוֹמַנְיָה נ	kleptomania
קָלִיל ת	light, nimble	קַלְפִּי נ	ballot box, polls
קְלִילוּת נ	lightness	קַלְפָן ז	gambler
קְלִימַקְס ז	climax	קַלְפָנוּת נ	gambling
קְלַיְנְט ז	client, customer	קְלִפַּת הַגּוֹלָם	cocoon
קְלַיֶּנְטוּרָה נ	clientele	קְלִפַּת עֵץ	bark
קְלִינִי ת	clinical	קְלַץ' ז	clutch
קְלִינִיקָה נ	clinic	קִלְקוּל ז	spoiling, damage, upset, corruption, sin
קָלִיעַ ז	bullet, slug, missile, projectile	קִלְקֵל פ	spoil, damage, impair, corrupt, sin
קְלִיעָה נ	weaving, plaiting, shooting, sniping	קַלְקָלָה נ	failure, bad behavior, misconduct
קָלִיף ת	easily peeled	קְלַרִינֶט ז	clarinet
		קְלֵרִיקָלִי ת	clerical
		קְלַרְנִית נ	clarinet
		קְלַרְנִיתָן ז	clarinetist
		קָלַשׁ פ	thin, loosen
		קִלְשׁוֹן ז	fork, pitchfork
		קַלַּת נ	fruit basket

קַלְתִּית נ tartlet
קָם פ get up, rise
קָם ז enemy, foe
קָמָה נ standing corn
קִמּוּחַ ז flouring
קִמּוּט ז creasing, fold
קִמּוּם ז reconstruction, restoration
קִמּוּץ ז thrift, economy
קָמוּץ ת clenched, closed
קָמוּר ז arched, convex
קִמּוּר ז arching, vault
קֶמַח ז flour, meal
קֶמַח תִּירָס cornflour
קִמַּח פ flour, dredge
קִמָּחוֹן ז mildew, mold
קִמְחִי ת floury
קִמֵּט פ crease, crinkle, crumple, fold, wrinkle
קֶמֶט ז crease, crinkle, crumple, fold, wrinkle
קַמְטָר ז chest of drawers
קְמִילָה נ withering
קָמֵיעַ ז amulet, cameo, charm, talisman
קְמִיצָה נ ring finger
קְמִירוּת נ convexity
קָמַל פ wither, dry up
קָמֵל ת withered, faded
קָמֶלְיָה (פרח) נ camellia
קִמְעָה נ a bit, a little
קִמְעָה קִמְעָה bit by bit
קִמְעוֹנַאי ז retailer
קִמְעוֹנוּת נ retail
קִמְעוֹנִי ת retail
קַמְפּוּס ז campus
קַמְפוֹר ז camphor
קֶמְפִּינג ז camping
קָמַץ ז ah (Hebrew vowel)
קָמַץ פ take a handful, shut
קִמֵּץ פ save, economize
קָמְצוּץ ז pinch, touch, a bit
קַמְצָן ת closefisted, miser, parsimonious, stingy
קַמְצָנוּת נ stinginess

קַמְצָנִי ת miserly, mean
קִמֵּר, קָמַר פ arch, vault
קִמְרוֹן ז arch, dome, vault
קִמְרוֹן הָרֶגֶל instep
קֵן ז nest
קִנֵּא פ envy, be jealous
קַנָּא ז jealous, zealous
קִנְאָה נ envy, jealousy
קַנָּאוּת נ fanaticism, zeal
קַנַּאי ז bigot, fanatic
קַנָּאִי ת jealous, zealous
קַנַּבּוֹס ז cannabis, hemp
קֶנְגּוּרוּ ז kangaroo
קָנָדִי ת Canadian
קָנָה פ buy, purchase, get, gain, acquire, possess
קָנֶה ז cane, rod, stick, reed, windpipe, trachea
קְנֵה מִדָּה criterion, scale, standard
קְנֵה סוּכָּר sugar cane
קְנֵה רוֹבֶה barrel
קִנּוּחַ ז wipe, cleaning
קִנּוּחַ סְעוּדָה dessert
קָנוּי ת bought, purchased
קִנּוּן ז nesting, penetrating
קָנוֹן ז canon
קָנוֹנִי ת canonical
קְנוּנְיָה נ collusion, plot, conspiracy, intrigue
קְנוֹקֶנֶת נ tendril, bine
קִנַּח פ wipe, eat dessert
קַנְטוֹ ז canto
קַנְטוֹן ז canton
קִנְטוּר ז taunt, teasing
קַנְטָטָה נ cantata
קַנְטִינָה נ canteen
קִנְטֵר פ vex, annoy, tease
קַנְטָר ז crowbar, pole, rod
קַנְטְרִיקְלַבּ country club
קַנְטְרָן ז teaser, annoying
קַנְטְרָנוּת נ annoyance
קַנְטְרָנִי ת vexing, annoying
קָנִיבָּל ז cannibal, maneater
קָנִיבָּלִי ת cannibalistic

קָנִיבָּלִיּוּת נ cannibalism
קְנִיָּה נ purchase, buy, bargain, acquisition
קְנִיָּה בְּתַשְׁלוּמִים hire purchase
קַנְיוֹן ז canyon
קַנְיָן ז buyer, purchaser
קִנְיָן ז purchase, property, ownership
קִנָּמוֹן נ cinnamon
קִנֵּן פ nestle, build a nest, dwell, penetrate
קְנָס ז fine, penalty
קָנַס פ fine, sentence
קָנַסְטָה נ canasta
קַנְצְלֶר ז chancellor
קַנְקַן ז jar, jug, amphora, coffeepot, teapot
קַנְקַן (רִקּוּד) ז cancan
קִנְרֵס ז artichoke
קַסְדָּה נ helmet
קַסְדַּת מָגֵן crash helmet
קָסוּם ת magic, charmed
קַסֶּטָה נ cassette, cartridge
קְסִילוֹפוֹן ז xylophone
קֶסֶם ז charm, fascination, magic, enchantment, spell
קָסַם פ fascinate, charm
קֵסָם פ toothpick, sliver
קְסַרְקְטִין ז barracks
קֶסֶת נ inkbottle, inkwell
קָעוּר ת concave
קְעוֹרֶת נ syncline
קְעִירוּת, קִעוּר נ/ז concavity
קַעֲקוּעַ נ tattoo, destruction
קַעֲקַע ז tattoo
קִעְקַע פ tattoo, destroy
קִעֵר ת make concave
קַעַר, קַעֲרוֹן ז concavity
קְעָרָה נ basin, bowl, dish
קַעֲרוּרִי ת concave
קַעֲרִית נ small bowl
קָפָא פ freeze, congeal
קִפָּאוֹן ז freeze, deadlock
קָפֵאִין ז caffeine
קִפֵּד פ cut, truncate

קַפְדָן ת strict, severe, pedant, impatient
קַפְדָנוּת נ strictness, severity, impatience
קַפְדָנִי ת austere, strict, severe, pedantic
קָפֶה ז coffee, cafe
קָפֶה הָפוּךְ coffee with milk
קָפֶה נָמֵס instant coffee
קִפָּה פ remove scum, skim
קִפָּה ז scum, skimmings
קָפוּא פ frozen, iced, congealed
קִפּוֹד ז hedgehog
קִפּוּחַ ז deprivation, injustice, discrimination
קִפּוּי ז scum, skimming
קִפּוּל ז crinkle, fold
קְפַזְנָב ז springtail
קִפַּח פ deprive, discriminate
קִפֵּחַ ת very tall, lanky
קַפְטָן ז caftan, kaftan
קָפֶטֶרְיָה נ cafeteria
קְפִיאָה נ freezing, solidifying, congealing
קְפִידָה נ strictness
קַפִּיטוֹל ז Capitol
קַפִּיטָל ז capital
קַפִּיטָלִיזְם ז capitalism
קַפִּיטָלִיסְט ז capitalist
קַפִּיטָלִיסְטִי ת capitalistic
קְפִיץ ז spring
קְפִיצָה נ bounce, caper, jump, leap, spring
קְפִיצָה מְשֻׁלֶּשֶׁת hop step and jump
קְפִיצִי ת elastic, springy
קְפִיצִיּוּת נ springiness
קְפִיצַת גֹּבַהּ high jump
קְפִיצַת הַדֶּרֶךְ short cut
קְפִיצַת רֹחַק broad jump, long jump
קִפֵּל פ fold, double, include
קֶפֶל ז fold, pleat
קַפֶּלָה נ chapel

קַפְלֵט ז hairpiece, wig
קַפֶּנְדַרְיָא נ short cut
קַפְסוּלֶת נ cachet, capsule
קָפַץ פ spring, bounce, caper, jump, leap, vault
קִפֵּץ פ jump, leap, caper
קַפְצוֹן ז cap
קִפְצֵץ פ caper, jump, leap
קַפֶּצֶת נ trampoline
קַפְרִיזָה נ caprice
קַפְּרִיזִי ת capricious
קַפְּרִיצִ'יוֹ caprice, capriccio
קַפְרִיסִין נ Cyprus
קֵץ ז end, termination
קֵץ הַיָּמִים doomsday
קָץ פ loathe, detest, abhor, wake up
קָצַב פ allot, allocate, apportion, assign, ration
קִצֵּב פ ration, allot
קַצָּב ז butcher
קֶצֶב ז rhythm, tempo, meter, rate, pace
קִצְבַּאי ז pensioner
קִצְבָּה נ allowance, grant, pension,
קִצְבָּה שְׁנָתִית annuity
קַצָּבוּת נ butchery
קִצְבִּי ת rhythmical
קָצֶה נ border, brim, brink, edge, end, extremity
קָצוּב ת fixed, allotted, allocated, rhythmical
קִצּוּב ז rationing
קִצְבָּה נ allowance
קְצוּנָה נ officers' class, commissioned rank
קִצּוּץ ז cutting, truncation, chopping, reducing
קָצוּץ ת cut off, truncate, chopped, minced
קִצּוּר ז abbreviation, abridgment, brevity, shortening, summary
קֶצַח ז fennel
קָצִין ז officer
קְצִין קָשׁוּר liaison officer
קְצִין תּוֹרָן orderly officer
קְצִינוּת נ officers' rank
קְצִיפָה נ cream, frosting
קְצִיפַת חֶמְאָה butter frosting
קָצִיץ נ meat loaf
קְצִיצָה נ croquette, cutlet, fish ball, fish cake
קָצִיר ז harvest
קְצִיר דָּמִים death toll
קְצִירָה נ harvesting, reaping
קָצַף פ be angry, furious
קֶצֶף ז foam, froth, lather, anger, fury, wrath
קַצֶּפֶת נ frosting, icing, whipped cream
קָצַץ,קִצֵּץ פ chop, dice, truncate, curtail, reduce
קָצַר פ reap, harvest, be short
קִצֵּר פ abridge, shorten, be brief, short
קָצָר ת short, brief, concise
קֶצֶר ז short circuit
קְצַר יָד helpless, powerless
קְצַר מוֹעֵד short-dated, short-term
קְצַר רְאִיָּה/רְאוּת myopic, nearsighted, shortsighted
קְצַר רוּחַ impatient
קִצְרֵדֶשׁ ז combine
קְצָרוֹת briefly, in short
קַצְרָן ז stenographer
קַצְרָנוּת נ shorthand, stenography
קְצַרְצַר ת very short
קַצֶּרֶת נ asthma
קְצָת תה"פ bit, little, some
קָקָאוֹ ז cocoa
קָקָדוּ ז cockatoo
קָקוֹפוֹנְיָה נ cacophony
קַקְטוּס ז cactus
קַר ת cold, chilly, cool
קַר מֶזֶג cold-tempered

קַר רוּחַ composed, cool
קָרָא ז squash
קָרָא פ call, name, read, cry, shout, proclaim
קָרָא לַסֵּדֶר call to order
קָרָאִי ז Karaite
קָרַב פ approach, come near
קֵרַב פ draw near, show friendship
קְרָב ז battle, fight, combat, match
קְרַב עֶשֶׂר decathlon
קֶרֶב ז interior, inside
- בְּקֶרֶב among, inside
- מִקֶּרֶב from, from among
קִרְבָה נ adjacency, nearness, proximity, kinship, affinity, relation
קַרְבּוּרָטוֹר ז carburetor
קְרָבִי ת battle, fighting
קְרָבִיּוּת נ fighting spirit
קְרָבַיִם ז״ר bowels, entrails
קָרְבָּן ז victim, sacrifice
קֶרֶד ז fur
קֵרֵד פ comb, scrape
קַרְדָּה נ thistle
קַרְדֹּם ז ax, axe, adze
קַרְדִּיוֹלוֹג ז cardiologist
קַרְדִּיוֹלוֹגְיָה נ cardiology
קְרֶדִיט ז credit
קָרָה פ happen, occur, chance, come about
קֵרָה פ roof, make a roof
קָרָה נ frost, cold
קָרוּא ז guest, invited
קָרוֹב ת approximate, close, near, related, relative
- בְּקָרוֹב soon, shortly
קָרוֹב לְוַדַּאי probably
קֵרוּב ז drawing near, nearness, proximity
- בְּקֵרוּב approximately
קֵרוּי ז roofing
קְרוּם ז crust, skin, membrane
קְרוּם ת cream, creme
קְרוּמִי ת membranous
קְרוּמִית נ membrane
קָרוֹן ז car, cart, coach, wagon, waggon
קָרָוָן ז caravan
קְרוֹן מֵת hearse
קְרוֹן רַכֶּבֶת car, carriage
קָרוֹנַאי ז coachman, carter
קְרוֹנִית נ cart, trolley
קֶרוֹסִין ז kerosene
קָרוּסֶלָה נ merry-go-round, carousel, roundabout
קָרוּעַ ת torn, tattered
קְרוּפְּיֶה ז croupier
קָרוּץ ת formed, shaped
קְרוֹקֶט ז croquet
קֵרוּר ז cooling, freezing
קָרוּשׁ ת jellified, solid, coagulated, congealed
קִרְזוּל ז curling, waving
קִרְזֵל פ curl, wave
קֶרַח ז ice
קֵרֵחַ ת bald, bare
קָרְחָה נ bald place, clearing
קַרְחוֹן ז glacier, iceberg
קֵרְחוּת נ baldness
קָרַחַת נ baldness, bald spot
קָרַחַת יַעַר glade, clearing
קָרָט ז carat
קָרָטֶה ז karate
קַרְטוֹגְרָף ז cartographer
קַרְטוֹגְרַפְיָה נ cartography
קַרְטוֹן ז cardboard, pasteboard
קַרְטֶל ז cartel
קִרְטֵם פ cut, nip, truncate
קִרְטַע פ fidget, limp, leap
קֶרִי ז pollution, emission
קְרִי ז should be read as
קָרִיא ת legible, readable
קְרִיאָה נ call, cry, naming, reading, appeal
קְרִיאוּת נ legibility, readability

קְרִיאַת בֵּינַיִם	interjection
קִרְיָה נ	city, town, district, campus
קְרִיזָה נ	crisis, shock
קְרִיטִי ת	critical, crucial
קְרִיטֶרְיוֹן ז	criterion
קְרִימִינוֹלוֹג ז	criminologist
קְרִימִינוֹלוֹגְיָה נ	criminology
קַרְיָן ז	announcer, reader
קִרְיֵן פ	announce
קָרִין ז	keel
קְרִינָה נ	radiation
קְרִינוֹלִינָה נ	crinoline
קְרִינוּת נ	radiance
קַרְיָנוּת נ	announcing
קְרִיסָה נ	collapse, fall, cave-in, kneeling
קְרִיסְטָל ז	crystal
קְרִיעָה נ	tear, rending
קְרִיצָה נ	wink, blinking
קְרִיקֶט ז	cricket
קָרִיקָטוּרָה נ	caricature, cartoon
קָרִיקָטוּרִיסְט ז	cartoonist caricaturist
קָרִיר ת	chilly, cool
קַרְיֶרָה נ	career
קְרִירוּת נ	coolness
קַרְיֶרִיסְט ז	careerist
קְרִישׁ ז	aspic, jelly
קְרִישׁ דָּם	blood clot
קְרִישָׁה נ	jellying
קְרִישׁוּת נ	coagulation
קְרֶם ז	cream, creme
קָרַם פ	crust over, form a crust
קְרֶמָטוֹרְיוּם ז	crematorium
קֶרָמִיקָה נ	ceramics
קָרָמֶל ז	caramel
קְרֶמְלִין ז	Kremlin
קָרֶמֶת נ	diphtheria
קָרַן פ	shine, radiate
קֶרֶן נ	fund, capital, horn, beam, ray, corner
קֶרֶן אוֹר	ray of light, beam
קֶרֶן אַנְגְּלִית	cor anglais, English horn
קֶרֶן הַצְּבִי	antler, dubious enterprise
קֶרֶן הַשֶּׁפַע	cornucopia, horn of plenty
קֶרֶן נֶאֱמָנוּת	trust fund
קֶרֶן קַיֶּמֶת לְיִשְׂרָאֵל	Jewish National Fund
קֶרֶן שֶׁמֶשׁ	sunbeam
קַרְנָבָל ז	carnival
קַרְנְזוֹל ז	diagonal
קַרְנִי ת	horny
קַרְנֵי רֶנְטְגֶן	X rays
קַרְנִית ז	cornea
קַרְנַף ז	rhinoceros, rhino
קֶרֶס ז	barb, hook, clasp
קָרַס פ	fall, collapse, cave in, kneel, buckle
קַרְסוֹל ז	ankle
קַרְסוּלִית נ	gaiter
קָרַע פ	rend, rip, tear
קֶרַע ז	rent, tear, shred
קְרֶפּ ז	crape, crepe
קַרְפָּדָה נ	toad
קַרְפִּיוֹן ז	carp
קַרְפִּיף, קַרְפֵּף ז	enclosure
קָרַץ פ	wink, form, shape, cut out, divide dough
קָרַץ לוֹ	attract, fascinate
קֵרְצוּף ז	scraping, currying
קַרְצִית נ	tick
קִרְצֵף פ	brush, scrape, curry
קַרְצֶפֶת נ	currycomb
קִרְקוּר ז	cackle, cluck, crowing, croaking
קִרְקָס ז	circus
קַרְקַע נ	ground, land, soil
קִרְקַע פ	ground
קַרְקַע־אֲוִיר	ground-to-air
קַרְקָעִי ת	soil, ground
קַרְקָעִית נ	bottom, base, bed
קִרְקֵף פ	scalp, behead, decapitate
קַרְקֶפֶת נ	scalp, head, pate

קִרְקֵר פ cackle, cluck, crow, croak, destroy
קֵרֵר פ chill, cool
קֶרֶשׁ ז board, plank, batten
קֶרֶשׁ בְּצִיעָה breadboard
קֶרֶשׁ גִּהוּץ ironing board
קֶרֶשׁ קְפִיצָה springboard, diving board
קַרְשֵׁי הַבִּימָה the boards
קְרֶשֶׁנְדוֹ תה"פ crescendo
קֶרֶת נ city, town
קַרְתָּנוּת נ provincialism
קַרְתָּנִי ת provincial
קַשׁ ז straw
קַשָּׁב ז listener, monitor
קֶשֶׁב ז attention, listening
קָשָׁה פ harden, be difficult
קָשֶׁה ת difficult, arduous, hard, rough, rigid, tough, severe, serious
קְשֵׁה הֲבָנָה slow-witted
קְשֵׁה לִכְעוֹס slow to anger
קָשֶׁה מְנָשׂוֹא insupportable
קְשֵׁה עוֹרֶף ת bullheaded, stubborn, obstinate
קְשֵׁה תְּפִיסָה slow-witted
קִשּׁוּא ז squash, marrow, courgette, zucchini
קָשׁוּב ת attentive
קַשְׂוָה נ valve, shell
קָשׁוּחַ ת hard, callous, rigid, stern, tough
קְשׁוּחַ לֵב hardhearted
קִשּׁוּט ז adornment, decoration, ornament
קִשּׁוּטִי ת decorative, ornamental
קִשּׁוּי ז hardening
קָשׁוּר ת bound, tied, connected, related
קִשּׁוּר ז binding, tying, connection, ribbon
קַשּׁוֹשֶׁת נ splint
קָשׁוֹת hard words
קַשְׂוַת הַצִּדְפָּה clamshell
קִשֵּׁט פ decorate, ornament, adorn
קַשָּׁט פ decorator
קַשְׁיוּת נ hardness, rigidity
קַשְׁיוּת עוֹרֶף obstinacy
קָשִׁיחַ ת hard, rigid
קְשִׁיחוּת נ stiffness, hardness, rigidity
קְשִׁירָה נ tying, binding
קְשִׁירַת קֶשֶׁר conspiracy
קָשִׁישׁ ת old, aged
קְשִׁישׁוּת נ old age
קַשִּׁית נ straw
קִשְׁקוּשׁ ז ringing, tinkling, scribble, nonsense
קִשְׁקֵשׁ פ rattle, tinkle, scribble, prattle
קַשְׂקַשׂ ז scale
קִשְׂקֵשׂ פ scale, remove scales
קַשְׂקַשִּׂי ת scaly
קַשְׁקְשָׁן ז chatterbox
קַשְׂקַשִּׂים ז"ר dandruff, scales
קַשְׂקֶשֶׂת ז dandruff, scale
קָשַׁר פ tie, bind, join, fasten, conspire, plot
קִשֵּׁר פ associate, bond, connect, tie, join
קֶשֶׁר ז tie, connection, knot, conspiracy, plot, joint, bond, relation,
קֶשֶׁר גוֹרְדִי Gordian knot
קַשָּׁר ז signaler, signalman, liaison
קַשָּׁרוּת נ liaison, signaling
קִשְׁרִי ת nodal
קַשְׁרִיר ז nodule
קָשַׁשׁ פ gather straw
קֶשֶׁת נ arc, arch, bow, rainbow
קֶשֶׁת פֶּחָם carbon arc
קַשָּׁת ז bowman, archer
קִשֵּׁת פ arch
קַשָּׁתוּת נ archery
קַשְׁתִּי נ arched, vaulted
קַשְׁתִּית נ iris

קַשְׁתָּנִית נ bow
קַת נ butt, handle, haft
קָתֶדְרָה נ cathedra, chair
קָתֶדְרָלָה נ cathedral
קָתוֹד, קָתוֹדָה ז/נ cathode
קָתוֹלִי ת Catholic
קָתוֹלִיוּת נ Catholicism
קָתֶטֶר ז catheter
קָתְרוֹס ז guitar, lute
קָתְרוֹסָן ז lutanist

ר

רָאָה פ see, watch, look, perceive, understand
רֵאָה נ lung
רַאֲוָה נ show, display
רָאוּי ת deserving, worthy, proper, suitable, fit
רֶאוֹרְגָנִיזַצְיָה reorganization
רְאוּת נ eyesight, vision
רַאַוְתָן ז ostentatious, showy, exhibitionist
רַאַוְתָנוּת נ ostentation, showiness, exhibitionism
רַאַוְתָנִי ת ostentatious, showy, exhibitionistic
רְאִי ז mirror
רְאִיָּה נ eyesight, sight, seeing, looking, vision
רְאָיָה נ proof, evidence
רֵאָיוֹן ז appointment, interview
רִאיוּן ז interviewing
רְאִיוּת נ visibility
רִאְיֵן פ interview
רְאִינוֹעַ ז cinema, movies
רְאִיַּת הַנּוֹלָד foresight, prescience
רְאִיקוֹלִי ת audiovisual
רְאִיָּתִי ת visual
רְאֵם ז oryx, antelope
רֹאשׁ ז head, top, leader, chief, start, beginning
רֹאשׁ גֶּשֶׁר bridgehead
רֹאשׁ הַטֶּקֶס master of ceremonies, emcee
רֹאשׁ הַתּוֹרֶן masthead
רֹאשׁ חֹדֶשׁ new moon, first day of month
רֹאשׁ חוֹף beachhead
רֹאשׁ חֵץ arrowhead
רֹאשׁ לַהַק group captain
רֹאשׁ מֶמְשָׁלָה prime minister, premier
רֹאשׁ מִנְזָר abbe, abbot
רֹאשׁ עִיר mayor
רֹאשׁ קְבוּצָה captain
רִאשׁוֹן ת first, former
רִאשׁוֹנָה תה"פ first, firstly, in the first place
רִאשׁוֹנִי ת first, original
רִאשׁוֹנִיּוּת נ originality
רָאשׁוּת נ leadership, head, headship
רָאשׁוּת מֶמְשָׁלָה premiership
רָאשׁוּת עִיר mayoralty
רָאשִׁי ת chief, primary, main, major, principal
רָאשֵׁי תֵּבוֹת acronym, abbreviation, initials
רֵאשִׁית נ beginning, start
רֵאשִׁית תה"פ firstly
רָאשָׁן ז tadpole
רָב פ quarrel, fight, dispute
רַב ז rabbi, teacher
רַב ת much, many, numerous, large, strong, poly–
רַב תה"פ enough, sufficiently
רַב־אֵיבָר polynomial
רַב־אַלּוּף general
רַב־אָמָן grand master
רַב־חוֹבֵל captain

all-important רַב־חֲשִׁיבוּת
chef, murderer רַב־טַבָּחִים
corporal רַב־טוּרַאי
multilingual רַב־לְשׁוֹנִי
best seller רַב־מֶכֶר
sergeant major, first sergeant רַב־סַמָּל
major רַב־סֶרֶן
valuable, precious, important רַב־עֶרֶךְ
superintendent רַב־פַּקָּד
chaplain רַב צְבָאִי
all-round, versatile, multilateral רַב־צְדָדִי
multiform רַב־צוּרוֹת
polygon רַב־צַלְעוֹן
polyphonic רַב־קוֹלִי
impressive, imposing רַב־רוֹשֶׁם
symposium רַב־שִׂיחַ
multipurpose, general-purpose רַב־שִׁמּוּשִׁי
all-purpose רַב־תַּכְלִיתִי
stain, blot, taint רְבָב ז
ten thousand רְבָבָה נ
one of ten thousand equal parts רְבָבִית נ
colorful, multicolored, variegated רַבְגּוֹנִי ת
variety, variegation רַבְגּוֹנִיּוּת נ
laminate, stratify line (with paper) רִבֵּד פ
multiply, propagate, increase, be numerous רָבָה פ
increase, enlarge, breed, raise, bring up רִבָּה פ
jam רִבָּה נ
ten thousand רִבּוֹא נ
stratification רִבּוּד ז
stratified, laminated רָבוּד ת
increase, large number of, propagation, breeding, raising, plural רִבּוּי ז

lord, master רִבּוֹן ז
God רִבּוֹנוֹ שֶׁל עוֹלָם
sovereignty רִבּוֹנוּת נ
sovereign רִבּוֹנִי ת
rebus רֶבּוּס ז
quadrangle, square רִבּוּעַ ז
square רָבוּעַ ת
quadratic רִבּוּעִי ת
lying, couchant רָבוּץ ת
novelty, advantage רְבוּתָא נ
gentlemen רַבּוֹתַי
rabbi, teacher, Mr. רַבִּי ז
major scale רֶבִּיב ז
rain, shower רְבִיבִים ז״ר
necklace רָבִיד ז
increase, reproduction, propagation רְבִיָּה נ
revue רֶבְיוּ ז
revision רֶבִיזְיָה נ
revisionism רֶבִיזְיוֹנִיזְם ז
revisionist רֶבִיזְיוֹנִיסְט ז
thickening רְבִיכָה נ
many, plural רַבִּים ז״ר
quarter רְבִיעַ ז
copulation, mating, rainy season רְבִיעָה נ
fourth רְבִיעִי ת
quadruplets, quartet רְבִיעִיָּה נ
quarter רְבִיעִית נ
fourthly רְבִיעִית תה״פ
lying, couching רְבִיצָה נ
interest רִבִּית נ
compound interest רִבִּית דְּרִבִּית/מִצְטַבֶּרֶת
usury, excessive interest רִבִּית קְצוּצָה
rabbi, champion רַבָּן ז
rabbinate רַבָּנוּת נ
rabbinical רַבָּנִי ת
our rabbis רַבָּנָן ז״ר
great-grandfather רַבְסַב ז
rhubarb רַבָּס ז
fourth, quarter רֶבַע ז
quarterfinal רֶבַע גְּמָר

רִבַּע פ square, quadruple, multiply by four
רִבֵּעַ ז great-grandchild
רִבְעוֹן ז quarterly
רְבִיעִית נ quartet
רָבַץ פ lie, couch, brood
רִבְצָל ז capsule
רַבְרְבָן ז boastful
רַבְרְבָנוּת נ boastfulness
רַבְרְבָנִי נ boastful
רַבָּתִי ת large, capital
רֶגֶב ז clod, lump of earth
רַגְבוּבִית נ small clod
רֶגְבִּי ז football, rugby
רָגוּ ז ragout
רָגוּז ת angry, irate
רִגּוּז ז anger, indignation
רִגּוּל ז espionage, spying
רֶגוּלָטוֹר ז regulator
רֶגוּלַצְיָה נ regulation
רֶגוּלָרִי ת regular
רִגּוּן ז complaint, grumble
רָגוּעַ ת calm, relaxed
רִגּוּשׁ ז emotion, agitation, excitement, ecstasy
רְגוּשִׁי ת emotional
רְגוּשִׁיּוּת נ emotionalism
רָגַז פ be angry, enraged
רַגְזָן ז ill-tempered, irate
רַגְזָנוּת נ bad temper, anger
רָגִיל ת accustomed, used to, ordinary, common, usual
רְגִילוּת נ habit, custom
רְגִימָה נ stoning
רְגִיעָה נ relaxation, quiet
רָגִישׁ ת sensitive, touchy
רְגִישׁוּת נ sensitivity
רִגֵּל פ spy
רֶגֶל נ foot, leg, holiday
- לְרֶגֶל owing to, because
רַגְלוּל ז footwork
רַגְלִי ז pedestrian, pawn, infantryman, on foot
רָגַם, רִגֵּם פ stone, mortar
רַגָּם ז mortarman, gunner
רָגַע פ be calm, relax
רֶגַע ז instant, moment, second
רִגְעִי ת momentary, instantaneous
רִגְעִיּוּת נ instantaneousness
רֶגְרֶס ז regress, regression
רֶגְרֶסִיבִי ת regressive
רֶגֶשׁ ז feeling, sentiment
רָגַשׁ פ storm, be excited
רִגֵּשׁ פ excite, enrapture
רִגְשִׁי ת sentimental, emotional
רַגְשָׁנוּת נ sentimentalism
רַגְשָׁנִי ת sentimental
רִדֵּד פ flatten, roll out
רָדָה פ tyrannize, rule, remove, unload
רָדוּד ת low, shallow
רִדּוּד ז flattening
רָדוּם ת drowsy, sleepy, slumberous, dormant
רַדְיָאטוֹר ז radiator
רַדְיָאלִי ת radial
רָדוּף ת persecuted, pursued
רְדִיד ז scarf, shawl, veil
רַדְיוֹ ז radio
רַדְיוֹאַקְטִיבִי ת radioactive
רַדְיוֹאַקְטִיבִיּוּת radioactivity
רְדִיָּה נ removal (of honey)
רַדְיוּם ז radium
רַדְיוּס ז radius
רָדִים ת sleepy, somnolent
רְדִימוּת נ somnolence
רְדִיפָה נ chase, pursuit, persecution
רָדִיקָל ז radical
רַדִּיקָלִי ת radical
רַדִּיקָלִיּוּת נ radicalism
רַדָּם ז narcotic
רַדֶּמֶת נ lethargy, stupor
רָדַף פ persecute, chase, pursue
רָדָר ז radar
רֶה־אִרְגּוּן ז reorganization

רַהַב ז arrogance, boasting

רָהוּט ת cursive, fluent

רִהוּט furniture, furnishing

רִהֵט פ furnish

רַהֲטָן ז trotter

רָהִיט, רְהִיטִים ז furniture

רְהִיטָה נ fluency, trot

רְהִיטוּת נ fluency, trot

רוֹאֶה ז seer, spectator

רוֹאֵה חֶשְׁבּוֹן accountant, auditor

רוֹב ז most, majority, plenty, abundance

רוֹב רוּבּוֹ chiefly, mostly

רוֹבָאוּת נ rifle shooting

רוֹבַאי ז rifleman

רוֹבֶד ז stratum, layer

רוֹבֶה ז rifle, gun

רוֹבּוֹט ז robot

רוּבָּל ז rouble

רוּבָּנִי ת of the majority

רוֹבַע ז quarter, section

רוֹגֵז, רוֹגְזָנִי ת angry, irate

רוֹגֶז ז anger, rage, wrath

רוֹגְזָה נ anger, concern

רוֹגְלִית נ trailing vine

רוֹגֶם ז cairn, dolmen

רוֹגְנָה נ intrigue

רוֹגֵעַ ת calm, tranquil

רוֹדָן ז autocrat, despot, dictator, tyrant

רוֹדָנוּת נ dictatorship, autocracy, despotism

רוֹדָנִי ת authoritarian, despotic, dictatorial

רוֹדֵף ז persecutor, pursuer

רוֹדֵף בֶּצַע avaricious

רָוָה פ drink one's fill

רִוָּה פ saturate, quench

רָוֶה ת saturated, quenched

רִוּוּחַ ז spacing

רוֹוֵחַ ת current, widespread

רָווּי ת saturated, sodden

רוֹזֶטָה נ rosette

רוֹזְמָרִין ז rosemary

רוֹזֵן ז baron, count, earl

רוֹזֶנֶת נ countess, baroness

רוֹזְנוּת נ barony, earldom

רוּחַ נ wind, air, spirit, mind, soul, ghost

רֶוַח ז profit, gain, interval, space, relief

רָוַח פ feel relief, be current, widespread

רִוַּח פ space, ventilate

רוּחַ הַקּוֹדֶשׁ holy spirit

רוּחַ פְּרָצִים draft

רוּחַ קַלָּה breeze

רוּחַ רְפָאִים specter

רוֹחַב ז breadth, width

רוֹחַב לֵב magnanimity, generosity

רוֹחְבִּי ת lateral, transverse

רְוָחָה נ relief, welfare

רִוְחִי ת profitable

רִוְחִיּוּת נ profitability

רִוְחֵי הוֹן capital gains

רְוָחִים ז"ר earnings, profits, gain

רוּחָנִי ת mental, spiritual

רוּחָנִיּוּת נ spirituality

רוֹחַק ז distance

רוֹטֶב ז sauce, gravy

רוּטִינָה נ routine

רוֹטַצְיָה נ rotation

רוֹטַצְיוֹנִי ת rotary, rotatory

רְוָיָה נ saturation, fill

רִוָּיוֹן ז saturation, orgasm

רוֹךְ ז tenderness, softness

רוֹכֵב ז rider, jockey, graft

רוֹכֵב אוֹפַנַּיִם cyclist

רוֹכֵל ז hawker, peddler, pedlar

רוֹכְלוּת נ peddling, hawking

רוֹכְסָן ז zipper

רוֹלָדָה נ roll

רוּלֶטָה ז roulette

רוּם ז altitude, height, highness, rum

רוֹם ז altitude, height

רוֹמָאִי, רוֹמִי ת Roman
רוּמְבָּה נ rumba
רוֹמְבּוּס ז diamond, lozenge, rhomb, rhombus
רוֹמֵז ת allusive
רוֹמַח ז lance
רוֹמֵם פ raise, lift, lift, praise, glorify
רוֹמְמוּת נ elevation, majesty
רוֹמְמוּת רוּחַ high spirits
רוֹמָן ז love affair, love story, novel, romance
רוֹמַנְטִי ת romantic
רוֹמַנְטִיקָה נ romanticism
רוֹמַנְטִיּוּת נ romanticism
רוֹן ז song, singing, music
רוּסִי, רוּסִית Russian
רוּסְיָה נ Russia
רוֹעַ, רוֹעַ-לֵב ז wickedness
רוֹעֶה ז herdsman, shepherd, pastor, leader
רוֹעֵה זוֹנוֹת pimp, pander
רוֹעִית נ pastoral
רוֹעֵם ת thunderous
רוֹעֵץ ז obstacle, boomerang
רוֹעֵשׁ ת boisterous, loud, noisy, clamorous
רוֹפֵא ז doctor, physician
רוֹפֵא אֱלִיל quack doctor, witch doctor
רוֹפֵא בְּהֵמוֹת veterinary surgeon
רוֹפֵא יְלָדִים pediatrician
רוֹפֵא כְּלָלִי general practitioner
רוֹפֵא נָשִׁים gynecologist
רוֹפֵא עוֹר dermatologist
רוֹפֵא עֲצָמוֹת osteopath
רוֹפֵא רַגְלַיִם podiatrist
רוֹפֵא שִׁנַּיִם dentist
רוֹפֵס ת weak, soft
רוֹפֵף ת loose, weak, shaky
רוֹפֵף פ weaken, loosen
רַוָּץ ז jockey, rider
רוֹצֶה ת willing

רוֹצֵחַ ז assassin, murderer
רוֹצַחַת נ murderess
רוֹצְחָנִי ת murderous
רוֹק ז saliva, spit, rock
רַוָּק ז bachelor, celibate, single, unmarried
רַוָּקָה נ bachelor girl, maid, spinster
רַוָּקוּת נ celibacy, bachelorhood
רוֹקֵחַ ז druggist, chemist, dispenser, pharmacist, apothecary
רוֹקְחוּת נ pharmacy
רוֹקֵם ז embroiderer, deviser
רוֹקֵן פ empty
רוֹקֶנְרוֹל ז rock ‘n‘ roll
רֶוֶרס ז reverse
רוֹשׁ ז hemlock, poison
רוֹשֶׁם ז effect, impression
רוֹשֵׁם ז recorder, registrar
רוֹשֵׁשׁ פ impoverish
רוֹתֵחַ ת boiling, furious
רוֹתְחִין ז״ר boiling water
רוֹתֶם ז broom, furze
רָז ז secret, mystery
רָזֶה ת skinny, slender, thin, slim, lean
רָזָה פ thin, become thin, lose weight
רָזוֹן ז thinness, leanness
רֶזוֹנַנְס ז resonance
רְזִיָּה נ thinning, losing weight
רֶזֶרְבָה נ reserve
רֶזֶרְבִי ת spare, reserve
רָחַב פ broaden, widen
רָחָב ת broad, wide, spacious, ample, roomy
רְחַב אוֹפֶק broad-minded
רְחַב גֶּרֶם big-boned
רְחַב יָדַיִם spacious, roomy
רְחַב לֵב ת magnanimous, generous, benevolent
רְחָבָה נ square, platform

רַחֲבוּת נ width, breadth, extent, generosity
רַחֲבַת הָעוֹנשִׁין penalty area
רְחוֹב ז street, road
רַחוּם ת merciful, clement
רָחוּם ת beloved
רִחוּף ז hovering, flying
רָחוּץ ת washed
רָחוֹק ת distant, far, remote
רִחוּק ת distance, remoteness
רִחוּק מָקוֹם distance
רְחוֹק רְאוּת farsighted
רֵחַיִם ז״ר mill, millstone
רְחִיפָה נ hovering, flying
רָחִיץ ת washable
רְחִיצָה נ washing, ablution
רְחִישָׁה נ moving, stirring
רָחֵל, רְחֵלָה נ ewe, sheep
רִחֵם פ pity, have mercy
רֶחֶם ז uterus, womb
רָחָם ז Egyptian vulture
רַחְמִי ת uterine
רַחֲמִים ז״ר pity, mercy compassion, clemency
רַחֲמָן ת clement, merciful
רַחֲמָנָא לִצְלַן God forbid!
רַחֲמָנוּת נ mercy, compassion
רַחֶמֶת נ metritis
רָחַף פ shake, tremble
רִחֵף פ hover, fly, flutter
רַחֶפֶת, רַחֲפָה נ hydrofoil, air cushion vehicle, hovercraft
רָחַץ פ wash, bathe
רַחְצָה נ washing, bathing
רַחְרוּחַ ז smell
רָחַק פ be far, distant, remote, keep far from
רִחְרוּחַ ז smelling, sniffing
רִחְרֵחַ פ nose, smell, sniff
רַחַשׁ ז noise, whisper, stir, rustle, sizzle, thought
רָחַשׁ פ move, stir, swarm, sizzle, frizzle, feel
רַחֲשׁוּשׁ ז rustle, thought

רַחַת נ racket, spatula
רָטוֹב ת damp, humid, wet
רִטּוּט ז vibration
רִטּוּן ז growl, grumbling
רֵטוֹרִי ת rhetorical
רֵטוֹרִיקָה נ rhetoric
רִטּוּשׁ ז retouching, tearing to pieces, crushing
רִטּוּשׁ ז retouch
רָטוּשׁ ת torn, crushed, split
רֶטֶט ז thrill, vibration, trembling, shaking
רַטָּט ז vibrator
רִטֵּט פ tremble, vibrate
רַטֶּטֶת נ Parkinson's disease
רְטִיבוּת נ damp, moisture
רְטִיָּה נ bandage, compress
רָטַן פ grumble, growl
רַטְנָן ז grumbler
רֶטְרוֹאַקְטִיבִי ת retroactive
רֶטְרוֹאַקְטִיבִיוּת retroactivity
רֶטְרוֹאַקְטִיבִית retroactively
רֶטְרוֹסְפֶּקְטִיבִי retrospective
רִטֵּשׁ פ tear to pieces, shred, rip, retouch
רֵיאָלִי ת actual, real
רֵיאָלִיוּת נ reality
רֵיאָלִיזְם ז realism
רֵיאָלִיסְט ז realist
רֵיאָלִיסְטִי ת realistic
רֵיאַקְטוֹר ז reactor
רֵיאַקְצְיָה נ reaction
רֵיאַקְצְיוֹנֶר ז reactionary
רִיב ז altercation, dispute, quarrel, argument
רִיבָּאוּנְד ז rebound
רִיבָה נ girl, lass, wench
רִיבְיֶרָה נ riviera
רֵיהַבִּילִיטַצְיָה rehabilitation
רֵיחַ ז odor, scent, smell
רֵיחַ נִיחוֹחַ fragrance
רֵיחָן ז basil
רֵיחָנִי ת fragrant, aromatic
רֵימָטִיזְם ז rheumatism
רִיס ז eyelash

ריפות נ״ר grits, groats
רִיצָה נ run, running, race
ריצ'רץ' ז zipper
רֵיק ת empty, vacant, blank
ריק ז emptiness, vacuum
- לָרִיק in vain
רֵיקָא ת fickle, vain, rake
רֵיקוּת נ emptiness, vacancy
רֵיקָם תה״פ empty-handed
רֵיקָנוּת נ emptiness, vacancy
ריר ז saliva, spit, mucus
רירי ת mucous, salivary
רירני ת mucous
רֵישָׁא ז beginning
ריתמוס ז rhythm
ריתמי ת rhythmical
רַךְ ת mild, soft, tender
רַךְ לֵב/לֵבָב coward, timid
רָכַב פ ride, mount
רֶכֶב ז car, vehicle, graft, upper millstone
רַכָּב ז charioteer, rider
רַכֶּבֶל ז cable car, cable railway, funicular
רַכֶּבֶת נ railway, train
רַכֶּבֶת (בגרב) נ ladder
רַכֶּבֶת תַּחְתִּית metro, subway, underground
רָכוּב ת mounted, riding
רְכוּבָּה נ stirrup
רִכּוּז ז concentration
רִכּוּזִי ת centralized
רִכּוּזִיּוּת נ centralization
רִכּוּךְ ז softening
רָכוּן ת bending, stooping
רָכוּס ת buttoned, fastened
רְכוּשׁ ז capital, property
רְכוּשׁ שׁוֹטֵף current assets
רְכוּשָׁן ז capitalist
רְכוּשָׁנוּת נ capitalism
רְכוּשָׁנִי ת capitalistic
רַכּוּת נ mildness, softness
רַכּוֹת kind words, gently
רִכֵּז פ concentrate, focus
רַכָּז ז organizer, play maker

רַכֶּזֶת נ switchboard
רְכִיב ז component
רְכִיבָה נ ride, riding
רַכִּיכָה נ mollusc, mollusk
רָכִיל ז slanderer, gossip
רְכִילַאי ז slanderer, gossip
רְכִילוּת נ slander, gossip
רָכִין ת bent, tipping
רכיסה buttoning, fastening
רְכִישָׁה נ acquirement, acquisition, purchase
רִכֵּךְ פ soften
רַכֶּכֶת נ rachitis, rickets
רִכֵּל, רָכַל פ gossip, peddle
רַכְלָן ז gossip
רַכְלָנוּת נ gossip
רָכַן פ stoop, bend, lean
רָכַס פ button, fasten
רֶכֶס ז range, ridge, button, clasp, cuff link
רִכְפָּה נ mignonette
רַכְרוּכִי ת softy, weak
רַכְרוּכִיּוּת נ softness, weakness, instability
רַכְרַךְ ת softish, delicate
רָכַשׁ פ acquire, gain, get
רֶכֶשׁ ז purchase of arms
רֶלֶוַנְטִי ת relevant
רֶלֶוַנְטִיּוּת נ relevancy
רֶלִיף ז relief
רָם ת high, lofty, loud
רָם דֶּרֶג high-level
רַם לֵב/לֵבָב haughty, proud
רַם מַעֲלָה important person
רַם קוֹמָה high, tall
רַמָּאוּת נ cheat, deceit, deception, fraud
רַמַּאי ז cheat, deceiver, swindler
רָמָה פ throw, hurl, cast
רִמָּה פ cheat, deceive, lie, swindle, trick
רָמָה נ height, plateau, level, standard
רִמָּה נ maggot, worm

רִמּוֹן ז grenade, pomegranate
רָמוּס ת trampled, trodden
רָמַז, רָמֵז פ hint, beckon, allude, imply, wink
רֶמֶז ז hint, allusion, clue, cue, suggestion
רַמְזוֹר ז traffic light
רַמְטְכָּ"ל Chief of Staff, commander in chief
רָמִי ז rummy
רְמִיָּה נ deceit, cheating
רְמִיזָה נ allusion, hint, wink, insinuation
רְמִיסָה נ trample, treading
רַמָּן ז grenadier
רָמַס פ stamp, trample
רֶמֶץ ז ash, cinders, embers
רַמְקוֹל ז loudspeaker
רֶמֶשׂ ז insect
רָמַשׂ פ creep, crawl
רַמְשִׁית נ serenade
רָמַת חַיִּים standard of living
רַן פ sing, chant
רִנָּה נ song, singing, joy
רִנּוּן ז singing, song, gossip
רֶנְטַבִּילִי ת lucrative, profitable
רֶנְטַבִּילִיּוּת נ lucrativeness
רֶנְטְגֶן ז Roentgen
רֶנְטָה נ rent
רִנֵּן פ sing, gossip, talk about, slander
רְנָנָה נ song, singing, joy
רֶנֶסַנְס ז renaissance
רִסּוּן ז restraint, curbing
רִסּוּס ז dusting, spraying, atomizing, sprinkling
רִסּוּק ז crushing, mashing, mincing, pounding
רֶסִיטָל ז recital
רְסִיס ז chip, splinter, fragment, shrapnel, drop
רֶסֶן ז bridle, curb, rein, restraint
רִסֵּן פ curb, restrain, check, bridle
רִסֵּס פ spray, atomize, sprinkle, dust
רִסֵּק פ mash, mince, crush, pound, smash, shatter
רֶסֶק ז mash, sauce
רֶסֶק תַּפּוּחִים applesauce
רַע ת bad, wicked, evil
רַע ז wickedness, evil
רַע לֵב wicked, heartless
רַע מֶזֶג ill-tempered
רֵעַ ז friend, companion
רָעֵב ת hungry, famished
רָעָב, רְעָבוֹן ז hunger, famine, starvation
רָעֵב פ be hungry, starve
רַעַבְתָנוּת נ voracity, hunger, greed, gluttony
רָעַד פ shake, shiver, tremble, shudder
רַעַד, רְעָדָה ז/נ tremble, shaking, shivering
רַעֲדוּד ז tremolo
רָעָה פ browse, graze, pasture, lead, guide
רָעָה נ evil, wickedness, wrong, trouble
רָעוּל ת veiled, covered
רָעוּעַ ת shaky, weak, unstable, ramshackle
רִעוּף ז tiling, imbrication
רֵעוּת נ friendship
רְעוּת רוּחַ vanity, folly
רְעִי ז dung, droppings
רְעִידָה נ tremble, shiver
רְעִידַת אֲדָמָה earthquake
רַעְיָה נ wife, spouse
רְעִיָּה נ grazing, pasturing, browsing
רַעְיוֹן ז concept, idea, notion, thought
רַעְיוֹנִי ת conceptual, ideological, notional
רְעִילוּת נ toxicity

רְעִיעוּת נ dilapidation, shakiness, weakness
רַעַל ז poison, venom
רְעָלָה נ veil
רַעֲלִי ת poisonous, toxic
רַעֲלָן ז toxin
רַעֲלָן נֶגְדִּי antitoxin
רַעֲלָנִי ת toxic
רַעֶלֶת נ toxicosis
רַעֶלֶת דָּם toxemia
רַעַם ז thunder, roar
רָעַם פ thunder, roar
רַעְמָה נ mane
רַעֲנָן ת fresh, refreshed
רִעֲנוּן ז refreshing
רִעֲנֵן פ freshen, refresh
רַעֲנַנּוּת נ freshness, vigor
רָעַף פ drip, drop, drizzle
רַעַף ז tile, slate, shingle
רִעֵף פ tile, imbricate
רַעָפָן ת tiler
רָעַץ פ shatter, break
רַעַשׁ ז earthquake, noise, din, commotion, tumult
רָעַשׁ פ make a noise, storm
רַעֲשִׁי ת seismic
רַעֲשָׁן ז rattler, clapper
רַעֲשָׁנִי ת noisy, sensational
רַף ז crossbar, shelf
רִפֵּא, רָפָא פ cure, heal
רִפֵּד פ pad, upholster
רַפָּד ז upholsterer
רַפָּדוּת נ upholstery
רָפֶה ת weak, loose, slack
רָפָה פ weaken, become lax
רִפָּה פ slacken, loosen
רִפָּה יָדַיִם discourage
רְפוּאָה נ medicine, remedy, drug, cure, healing
רְפוּאִי ת clinical, medical
רֶפּוּבְּלִיקָה נ republic
רֶפּוּבְּלִיקָנִי ת republican
רִפּוּד ז upholstery, padding
רָפוּי ת lax, loose, slack
רִפּוּי ז therapy, cure
רִפּוּי בְּהֶלֶם shock therapy
רִפּוּי בְּמַחְטִים acupuncture
רִפּוּי עוֹר dermatology
רִפּוּי עֲצָמוֹת osteopathy
רִפּוּי רַגְלַיִם podiatry
רִפּוּי שִׁנַּיִם dentistry
רַפּוֹרְט ז report, ticket
רֶפּוֹרְטַזָ'ה נ reportage
רֶפוֹרְמָה נ reform
רֶפוֹרְמִי ז reformist
רֶפוֹרְמַצְיָה נ reformation
רָפִיא ת remediable, curable
רְפִיאוּת נ curability
רְפִיד ז lining, cushion
רְפִידָה נ lining, carpet
רַפְיָה נ bast, raffia
רִפְיוֹן ז weakness, laxity, slack, looseness
רֶפְלֶקְטוֹר ז reflector
רֶפְלֶקְס ז reflex
רָפַס פ be weak, soft
רַפְסוֹדַאי ז raftsman
רַפְסוֹדָה נ raft
רַפְסוֹדְיָה נ rhapsody
רַפָּף ז laxative
רָפַף פ be weak, shaky
רְפָפָה נ lath, lattice work
רֶפְּרוֹדוּקְצְיָה נ reproduction
רִפְרוּף ז hovering, flutter, browsing, glancing
רֶפְּרֶזֶנְטָטִיבִי representative
רֶפְּרֶזֶנְטַצְיָה representation
רֶפֶּרְטוּאָר ז repertory
רֶפְּרִיזָה נ reprise
רִפְרֵף ז hover, flutter, browse, glance
רַפְרֶפֶת נ blancmange, custard, pudding
רֶפֶשׁ ז mud, mire
רֶפֶת נ cow shed, barn
רַפְתָּן ז cowman, dairyman
רָץ פ run, rush
רָץ ז runner, courier, envoy, bishop, halfback
רִצֵּד פ jump, dance, flicker

רָצָה פ desire, want, wish
רִצָּה פ appease, pacify, repay, serve sentence
רָצוּי ת acceptable, desirable, welcome
רִצּוּי ז placating, serving
רָצוֹן ז desire, will, wish
רְצוֹן טוֹב goodwill
רְצוֹנִי voluntary, volitional
רְצוּעָה נ band, ribbon, strip, strap, tape
רְצוּעַת עַזָּה Gaza Strip
רָצוּף ת paved, consecutive, successive, continuous, attached, enclosed
רִצּוּף ז paving, tiling
רָצוּץ ת broken, crushed, exhausted, tired
רֶצַח ז murder, assassination
רָצַח נ murder, kill
רֶצַח עַם genocide
רַצְחָנִי ת murderous
רְצִידִיב ז recidivism
רְצִיָּה נ will, volition
רַצְיוֹנָלִי ת rational
רַצְיוֹנָלִיזְם ז rationalism
רְצִיחָה נ murder
רְצִינוּת נ seriousness
רְצִינִי earnest, serious, severe, grave
רָצִיף ת consecutive, continuous, successive
רָצִיף נ dock, quay, pier, wharf, platform
רְצִיפוּת נ continuity
רָצַע פ bore, pierce
רַצְעָן ז shoemaker, cobbler, saddler, leather worker
רֶצֶף ז sequence, continuity
רַצָּף ז tiler, paver
רִצֵּף פ tile, pave
רִצְפָּה נ floor
רֶצֶפְט ז receipt
רָצַץ, רִצֵּץ פ crush, shatter
רַק תה"פ only, but, except

רָקַב פ rot, decay
רָקָב, רִקָּבוֹן ז decay, rot
רִקְבּוּבִי ת containing humus
רִקְבּוּבִית נ humus, rot, decay
רָקַד, רִקֵּד פ dance
רַקְדָן, רַקְדָנִית ז/נ dancer
רַקְדָנִית בֶּטֶן belly dancer
רַקָּה נ temple
רָקוּב ת decayed, rotten
רִקּוּד ז dance, dancing
רִקּוּד עַם folk dance
רֶקְוִיאֶם ז requiem
רִקּוּעַ ז flattening, beating, hammering, thin sheet
רָקַח פ concoct, mix, dispense, compound
רַקָּחוּת נ pharmacy
רַקֶּטָה נ rocket
רֶקְטוּם ז rectum
רֶקְטוֹר ז rector
רִקְמָה נ embroidery
רָקִיעַ ז heaven, sky
רְקִיעָה נ stamping, striking
רְקִיעוּת נ ductility
רָקִיק ז wafer, biscuit
רְקִיקָה נ spitting
רָקַם פ embroider, form, shape, design, devise
רִקְמָה נ embroidery, tissue
רֶקַע ז background
רָקַע פ stamp, tread, beat, flatten, hammer out
רִקַּע פ flatten, hammer out, beat out
רַקֶּפֶת נ cyclamen, primrose
רָקַק פ spit, expectorate
רְקָק ז bog, swamp, mire
– דְּגֵי רְקָק little people, small potatoes
רְקָקִית נ spittoon, cuspidor
רָר פ salivate, drool, slaver
רָשׁ ת poor, beggar, pauper
רַשַּׁאי ת entitled, allowed
רִשּׁוּי ז license, licensing
רִשּׁוּל ז negligence, neglect

רִשּׁוּם ז registration, recording, drawing, mark
רָשׁוּם ת registered, recorded
רְשׁוּמָה נ record
רְשׁוּמוֹת נ"ר official gazette
רְשׁוּמֶת נ sketch, motto
רִשּׁוּשׁ ז impoverishment
רְשׁוּת ז permission, license, ownership, property
רָשׁוּת נ authority, territory
רְשׁוּת הַיָּחִיד private domain
רְשׁוּת הָרַבִּים common domain
רִשּׁוּת ז netting, network
רִשָּׁיוֹן ז license, permit
רִשְׁיוֹן נְהִיגָה driver's license
רְשִׁימָה נ list, report
רְשִׁימָה שְׁחוֹרָה blacklist
רַשְׁלָן ז negligent, sloven
רַשְׁלָנוּת נ neglect, negligence, carelessness
רַשְׁלָנִי ת neglectful, lazy
רָשַׁם פ write, list, record, register, draw, note
רַשָּׁם ז registrar
רְשַׁם־לַחַץ ז barograph
רִשְׁמָה נ graph
רַשַּׁמְזְמָן ז chronograph
רִשְׁמִי ת formal, official
רִשְׁמִיּוּת נ formality
רִשְׁמִית תה"פ officially
רַשְׁמָן ז clerk, reporter
רְשַׁמְקוֹל ז tape recorder
רָשַׁע פ sin, do wrong
רָשָׁע ת wicked, evil, villain
רֶשַׁע ז wickedness, villainy
רִשְׁעוּת נ wickedness, malice
רֶשֶׁף ז flash, spark
רִשְׁרוּשׁ ז murmur, rustle
רִשְׁרֵשׁ פ murmur, rustle
רֶשֶׁת נ net, network, screen
רִשֵּׁת פ net, reticulate
רֶשֶׁת חֲנוּיוֹת chain stores
רִשְׁתִּית נ retina
רָתוּחַ ת boiled
רִתּוּךְ ז welding, soldering
רָתוּם ת harnessed, fastened
רִתּוּק ז binding, connecting, chaining, confinement
רָתַח פ boil, be furious
רְתָחָה, רְתִיחָה נ boiling, fury
רַתְחָן ז hot-tempered man
רְתִימָה נ harnessing
רְתִיעָה נ recoil, flinching
רִתֵּךְ פ weld, solder
רַתָּךְ ז welder, solderer
רַתָּכוּת נ welding
רָתַם פ harness, bind
רִתְמָה נ harness
רֶתַע ז recoil, recoiling
רֶתֶק ז clip, hook
רִתֵּק פ bind, chain, connect, confine
רֶתֶת, רֶתֶת ז tremble, clonus

ש

שֶׁ- = אֲשֶׁר that, which, who
שָׁאַב פ pump, obtain, derive
שַׁאֲבָק ז vacuum cleaner
שָׁאַג פ roar, bellow, shout
שְׁאָגָה נ roar, bellow, shout
שָׁאוּב ת pumped, derived
שָׁאוּל ת borrowed, loaned, lent
שְׁאוֹל ז Sheol, hell, grave
שָׁאוֹן ז din, noise, tumult
שְׂאוֹר ז leaven
שְׁאָט נֶפֶשׁ repulsion, disgust
שְׁאִיבָה נ pump, drawing obtaining, deriving
שְׁאִילָה נ borrowing, asking
שְׁאִילְתָּה נ interpellation

שְׁאִיפָה נ aim, ambition, aspiration, inhalation
שָׁאִיר ז relative, survivor
שָׁאַל פ ask, question, borrow
שְׁאֵלָה נ problem, question
שְׁאֵלוֹן ז questionnaire
שַׁאֲנָן ת tranquil, calm, serene, complacent
שַׁאֲנַנוּת נ calm, tranquility
שָׁאַף פ strive, aim, inhale
שְׁאַפְתָן, שַׁאֲפָן ז ambitious
שְׁאַפְתָנִי ת ambitious
שְׁאַפְתָנוּת נ ambitiousness
שְׁאָר ז rest, remainder
שְׁאָר רוּחַ inspiration
שְׁאֵר ז relative, kinsman
שְׁאֵר בָּשָׂר next of kin
שְׁאֵרִית נ remainder, remnant, rest
שְׂאֵת נ tumor
שָׁב פ return, come back, repeat, do again
שָׂב ז old man
שַׁבַּאי ז captor
שְׁבָב ז splinter, chip, sliver, shaving
שִׁבֵּב פ plane, splinter, sliver, chip
שָׁבָה פ capture, captivate
שְׁבוֹ ז agate
שִׁבּוּב פ planing, splintering
שְׁבּוּט ז turbot
שָׁבוּי ז captive, prisoner of war
שִׁבֹּלֶת נ ear of corn, eddy
שִׁבֹּלֶת שׁוּעָל oats
שָׁבוּעַ ז week
שְׁבוּעָה נ oath
שְׁבוּעוֹן ז weekly
שָׁבוּעוֹת Shavuoth, Feast of Weeks, Pentecost
שְׁבוּעִי ת weekly
שְׁבוּעַיִם ז״ר fortnight
שְׁבוּעַת הָרוֹפְאִים Hippocratic oath
שְׁבוּעַת שֶׁקֶר perjury
שִׁבּוּץ ז setting, inlay, placing, posting
שָׁבוּר ת broken
שְׁבוּר לֵב heartbroken
שִׁבּוּשׁ ז mistake, error, disorder, confusion
שִׁבוּת נ return, repatriation
שִׁבַּח פ praise, laud, improve
שֶׁבַח ז praise, acclaim, improvement, increment
שֵׁבֶט ז tribe, clan, stick, rod, staff, scepter
שְׁבָט ז Shevat (month)
שִׁבְטִי ת tribal
שְׁבִי ז captivity, prisoners
שָׁבִיב ז gleam, spark
שְׁבִיָּה נ capture, capturing
שְׁבִיל ז path, lane, course
שְׁבִיל הַזָּהָב golden mean
שְׁבִיל הֶחָלָב Milky Way
שְׁבִילָה נ parting, runner
שָׁבִיס ז hair net, coif
שְׂבִיעוּת, שְׂבִיעָה נ satiety
שְׂבִיעוּת רָצוֹן satisfaction, content
שְׁבִיעִי ת seventh
שְׁבִיעִית נ seventh, Sabbatical year
שָׁבִיר ת breakable, brittle, fragile
שְׁבִירָה נ breaking, shattering, refraction
שְׁבִירוּת נ fragility
שְׁבִיתָה נ strike
שְׁבִיתָה כְּלָלִית general strike
שְׁבִיתָה פְּרָאִית wildcat strike
שְׁבִיתַת הָאָטָה go-slow strike
שְׁבִיתַת נֶשֶׁק armistice
שְׁבִיתַת רָעָב hunger strike
שְׁבִיתַת שֶׁבֶת sit-down strike
שְׂבָכָה נ grid, lattice, net
שְׂבָכַת שְׂפִיתָה fire bars, grate
שַׁבְּלוּל ז snail, cochelea

mold, pattern שַׁבְּלוֹנָה נ
trite, hackneyed שַׁבְּלוֹנִי ת
satisfied, satiated, sated, full שָׂבֵעַ ת
content, satisfied שְׂבַע רָצוֹן
satiety, fullness שֹׂבַע ז
be satisfied, sated, satiated, eat enough שָׂבַע פ
seven שֶׁבַע, שִׁבְעָה נ/ז
seventeen שְׁבַע עֶשְׂרֵה נ
seventeen שִׁבְעָה עָשָׂר ז
seventy שִׁבְעִים ש"מ
septet שַׁבְעִית נ
sevenfold שִׁבְעָתַיִם תה"פ
apoplexy, convulsion שָׁבָץ ז
checker, inlay, set, place, grade, post שִׁבֵּץ פ
die, pass away שָׁבַק חַיִּים
break, shatter, smash, fracture שָׁבַר, שִׁבֵּר פ
break, fragment, fraction, rupture, hernia שֶׁבֶר ז
hope שֵׂבֶר, שִׂבֵּר פ/ז
make it clear שִׁבֵּר הָאֹזֶן
broken man שֶׁבֶר כְּלִי
improper fraction שֶׁבֶר מְדוּמֶה
cloudburst שֶׁבֶר עָנָן
decimal fraction שֶׁבֶר עֶשְׂרוֹנִי
windbreak שַׁבְרוּחַ ז
heartbreak שִׁבְרוֹן לֵב
particle, splinter שַׁבְרִיר ז
upset, make errors, spoil, disrupt, confuse שִׁבֵּשׁ פ
vane, weather vane שַׁבְשֶׁבֶת נ
Sabbath, Saturday שַׁבָּת נ
strike, rest, cease שָׁבַת פ
sitting, anise, dill שֶׁבֶת נ
Saturn שַׁבְּתַאי ז
complete rest שַׁבָּתוֹן נ
sabbatical שַׁבַּתִּי ת
sabbatarian שַׁבַּתָּן נ
be high, strong שָׂגַב פ
greatness, loftiness שֶׂגֶב ז

sin unintentionally שָׁגַג פ
unintentional sin שְׁגָגָה נ
unintentionally – בִּשְׁגָגָה
err, make a mistake, be engrossed in שָׁגָה פ
grow, prosper שָׂגָה פ
incorrect, wrong שָׁגוּי ת
maddening שִׁגּוּעַ ז
usual, fluent שָׁגוּר ת
launching, sending, dispatching שִׁגּוּר ז
lofty, enormous שַׂגִּיא ת
error, mistake, blunder שְׁגִיאָה נ
lofty, enormous שַׂגִּיב ת
fixed idea, fancy, obsession, caprice שִׁגָּיוֹן
obsessive שִׁגְיוֹנִי ת
fluency, habit שְׁגִירוּת נ
lie with, rape שָׁגַל, שִׁגֵּל פ
tenon, spline, slip שֶׁגֶם ז
join, tenon, mortise שִׁגֵּם פ
madden, drive crazy שִׁגַּע פ
insanity, lunacy, madness, mania שִׁגָּעוֹן ז
megalomania שִׁגְעוֹן הַגַּדְלוּת
insane, mad, crazy שִׁגְעוֹנִי ת
consign, send, ship, dispatch, launch שִׁגֵּר פ
offspring, young שֶׁגֶר ז
convention, routine שִׁגְרָה נ
rheumatism שִׁגָּרוֹן ז
rheumatic שִׁגְרוֹנִי ת
ambassador שַׁגְרִיר ז
ambassadress שַׁגְרִירָה נ
embassy שַׁגְרִירוּת נ
ambassadorial שַׁגְרִירִי ת
conventional, usual, customary שִׁגְרָתִי ת
boom, flourish, prosper, thrive שִׂגְשֵׂג פ
prosperity, boom שִׂגְשׂוּג ז
demon, devil, ghost שֵׁד ז
breast שַׁד, שָׁדַיִם ז
field training שְׂדָאוּת נ

שָׂדַד פ	harrow, plow
שָׁדַד פ	rob, plunder, ravage
שָׂדֶה ז	field, ground
שִׁדָּה נ	cabinet, dresser, chest of drawers, highboy
שְׂדֵה בּוּר	fallow
שְׂדֵה מוֹקְשִׁים	minefield
שְׂדֵה פֶּחָם	coalfield
שְׂדֵה קְרָב	battlefield
שְׂדֵה רְאִיָּה	field of vision
שְׂדֵה תְּעוּפָה	airfield
שֵׁדָה נ	mischievous fairy
שָׁדוּד ת	robbed, plundered
שִׂדּוּד ז	harrowing, plowing
שִׂדּוּד מַעֲרָכוֹת	reshuffle, complete change, reform
שִׁדּוּךְ ז	match, betrothal
שִׁדּוּל ז	persuasion, coaxing
שְׁדוּלָּה נ	lobby
שֵׁדוֹן ז	elf, imp, sprite
שֵׁדוֹנִי ת	elfin, elfish
שָׁדוּף ת	blighted, empty
שִׁדּוּר ז	broadcasting, broadcast, transmission
שַׁדַּי ז	the Almighty
שֵׁדִי ת	devilish, demoniacal
שְׁדִידָה נ	robbing, plunder
שִׁדֵּךְ פ	match, arrange a marriage, arbitrate
שַׁדְּכָן ז	matchmaker, stapler
שַׁדְּכָנוּת נ	matchmaking
שִׁדֵּל פ	persuade, tempt
שַׁדְּלָן ז	lobbyist
שַׁדְּלָנוּת נ	lobbyism
שָׁדַף פ	blight, blast
שִׁדָּפוֹן ז	blight
שִׁדֵּר פ	broadcast, transmit
שַׁדָּר ז	broadcaster
שֶׁדֶר ז	broadcast, message
שְׂדֵרָה נ	avenue, boulevard, column, rank, circle
שִׁדְרָה נ	spine, backbone
שִׁדְרִית נ	keel
שַׁדְרָן ז	broadcaster, transmitter, announcer

שֶׂה ז/נ	lamb, sheep
שָׁהָה פ	stay, live, linger
שָׁהוּי ת	delayed, slow
שִׁהוּק ז	hiccup, hiccough
שְׁהוּת נ	interval, pause, time, leisure
שְׁהִי ז	rest, pause
שְׁהִיָּה נ	delay, sojourn, stay, interruption
שִׁהֵק פ	hiccup, hiccough
שְׁוָא ז	schwa
שָׁוְא ז	lie, untruth, vanity
- לַשָּׁוְא	in vain
שׁוֹאֵב ז	pumper, drawer
שׁוֹאֵב אָבָק	vacuum cleaner
שׁוֹאָה נ	disaster, calamity, catastrophe, holocaust
שְׁוָאִי ת	vocalized by schwa
שׁוֹאֵל ז	borrower, questioner
שׁוּב תה"פ	again, anew, back
שׁוּב פַּעַם	again, once more
שׁוֹבֵב פ	restore, refresh
שׁוֹבָב ת	mischievous, wild
שׁוֹבָבוּת נ	mischief, misbehavior
שׁוֹבָבִי ת	mischievous, wild
שׁוֹבֶה ז	captor
שׁוֹבֵה לֵב	fascinating
שׁוֹבִינִיזְם ז	chauvinism
שׁוֹבִינִיסְט ז	chauvinist
שׁוֹבָךְ, שׁוֹבֶךְ ז	dovecote
שׁוֹבֶל ז	train, trail, wake
שׁוֹבַע ז	satiety, fullness
שׁוֹבְעָה נ	satiety, fullness
שׁוֹבֵר ז	voucher, receipt
שׁוֹבֵר גַּלִּים	breakwater
שׁוֹבֵר רוּחַ	windbreak
שׁוֹבֵת ז	striker
שׁוֹגֵג ת	unintentional sinner
- בְּשׁוֹגֵג	unintentionally
שׁוֹגֵר ז	consignor
שׁוֹד ז	robbery, plunder
שׁוֹד יָם	piracy
שׁוֹדֵד ז	bandit, robber
שׁוֹדֵד דְּרָכִים	highwayman

pirate שודד יָם
equal, same, worth שָׁוֶה ת
be equal, like, worth שָׁוָה פ
compare, equalize שִׁוָּה פ
fifty-fifty שָׁוֶה בְּשָׁוֶה
indifferent שְׁוֵה נֶפֶשׁ
equivalent שְׁוֵה עֵרֶךְ
equilateral שְׁוֵה צְלָעוֹת
isosceles שְׁוֵה שׁוֹקַיִם
onyx שֹׁהַם ז
systematization שִׁוּוּט ז
value, worth שׁוֹוִי ז
equalization, parity שִׁוּוּי ז
equal rights שִׁוּוּי זְכוּיוֹת
equilibrium, שִׁוּוּי מִשְׁקָל
balance
marketing שִׁוּוּק ז
bribe, bribery שׁוֹחַד ז
pit, ditch, trench שׁוּחָה נ
talk, discuss שׂוֹחַח פ
butcher, slaughterer שׁוֹחֵט ז
seeker, lover, cadet שׁוֹחֵר ז
whip, scourge שׁוֹט ז
systematize שִׁוֵּט פ
fool, silly, stupid שׁוֹטֶה ת
roam, rove, wander שׁוֹטֵט פ
vagrancy, wandering שׁוֹטְטוּת
skiff, canoe שׁוּטִית
current, fluent, שׁוֹטֵף ת
swift, flowing, running
constable, cop, שׁוֹטֵר ז
policeman
detective שׁוֹטֵר חֶרֶשׁ
military שׁוֹטֵר צְבָאִי
policeman
traffic שׁוֹטֵר תְּנוּעָה
policeman
equality שִׁוְיוֹן ז
indifference שִׁוְיוֹן נֶפֶשׁ
egalitarian שִׁוְיוֹנִי ת
braggart, swank שְׁוִיצָר ז
marketable שָׁוִיק ת
hirer, renter שׂוֹכֵר ז
margin, edge שׁוּל, שׁוּלַיִם ז
table, desk, board שֻׁלְחָן ז
set table, שֻׁלְחָן עָרוּךְ
code of Jewish laws
dressing table שֻׁלְחַן טוּאָלֶט
changing money שֻׁלְחָנוּת נ
moneychanger שֻׁלְחָנִי ז
sultan שׁוּלְטָן ז
domineering שׁוּלְטָנִי ת
marginal שׁוּלִי ת
apprentice שׁוּלְיָה ז
margin, edge, שׁוּלַיִם ז״ר
brim, hem, fringes
objector, denier שׁוֹלֵל ת
mislead שׁוֹלָל, הוֹלִיךְ שׁוֹלָל
objection, denying שׁוֹלְלוּת נ
mine sweeper שׁוֹלַת מוֹקְשִׁים
garlic, something שׁוּם ז
nothing שׁוּם דָּבָר (לא)
mole, valuation, שׁוּמָה נ
assessment, appraisal
it's incumbent שׁוּמָה עַל-
upon–, one must, should
empty, desolate שׁוֹמֵם ת
adiposity, fatness שׁוּמָן ז
fat שׁוּמָן ז
fatty, adipose שׁוּמָנִי ת
hearer, listener שׁוֹמֵעַ ז
guard, keeper, שׁוֹמֵר ז
watchman
law-abiding שׁוֹמֵר חוֹק
bodyguard שׁוֹמֵר רֹאשׁ
fennel שׁוּמָר ז
watchman's booth שׁוֹמְרָה נ
Samaria שׁוֹמְרוֹן ז
Samaritan שׁוֹמְרוֹנִי ז
sesame שׁוּמְשׁוּם ז
sesame cookie שׁוּמְשְׁמָנִית נ
enemy, foe שׂוֹנֵא ז
different, unlike שׁוֹנֶה ת
difference שׁוֹנוּת נ
sundries שׁוֹנוֹת, שׁוֹנִים
difference, שׁוֹנִי ז
distinction, variance
various, sundry שׁוֹנִים ת
cliff, reef שׁוּנִית נ
wild cat שׁוּנָר, שׁוּנָרָה ז/נ

שָׁוַע פ — cry, cry out, shout
שׁוֹעַ ז — noble, magnate, rich
שַׁוְעָה נ — cry, outcry
שׁוּעָל ז — fox
שׁוּעָלִי ת — foxy, vulpine, sly
שׁוֹעֵר ז — porter, gatekeeper, goalkeeper, goalie
שׁוֹפֵט ז — judge, referee
שׁוֹפֵט קַו — linesman, lineman
שׁוֹפֵט שָׁלוֹם — Justice of the Peace, magistrate
שׁוֹפְטוּת נ — justiceship
שׁוֹפְטִים (בתנ"ך) — Judges
שׁוֹפִין ז — file
שׁוֹפְכָה נ — penis
שׁוֹפְכִין, שׁוֹפְכִים ז"ר — sewage
שׁוֹפֵעַ ת — affluent, abundant, plentiful, flowing
שׁוֹפָר ז — ram's horn, shofar, trumpet, mouthpiece
שׁוּפְרָא דְשׁוּפְרָא — the best
שׁוּפֶּרְסַל ז — supermarket
שׁוּק ז — market(place), bazaar
שָׁוַק פ — market
שַׁוָּק ז — marketer
שׁוֹק ז — shank, shin, thigh, leg, calf, side, shock
שׁוּק פִּשְׁפְּשִׁים — flea market
שׁוּק שָׁחוֹר — black market
שׁוֹקָה נ — shinbone, tibia
שׁוֹקוֹלָדָה נ — chocolate
שׁוֹקִית נ — fibula
שׁוֹקַע ז — draft
שׁוֹקֵק ת — bustling, noisy
שׁוֹקֶת נ — trough
שַׁוָּר ז — ropedancer
שׁוֹר ז — bull, ox
שׁוֹר הַבָּר — buffalo
שׁוּרָה נ — line, row, file, rank, series
שׁוּרוֹן נ — lined sheet
שׁוּרוּק ז — oo (Hebrew vowel)
שׁוֹרֵק, שׁוֹרְקָנִי ת — sibilant
שׁוֹרֵר פ — sing, write poetry
שׁוֹרֶר ז — navel, bellybutton

שׁוֹרֶשׁ ז — root, source
שׁוֹרֶשׁ הַיָּד — carpus, wrist
שׁוֹרֶשׁ הָרֶגֶל — tarsus
שׁוֹרֶשׁ מְעוּקָּב — cube root
שׁוֹרֶשׁ מְרוּבָּע — square root
שׁוֹרְשׁוֹן ז — radical, rootlet
שׁוֹרְשִׁי ת — radical, fundamental, deep-rooted
שׁוֹרְשִׁיּוּת נ — fundamentality
שׁוּשׁ ז — licorice
שׁוֹשְׁבִין ז — best man, friend
שׁוֹשְׁבִינָה נ — bridesmaid
שׁוֹשֶׁלֶת נ — dynasty, genealogy
שׁוֹשָׁן ז — lily, rosette
שׁוֹשַׁנָּה נ — rose, erysipelas
שׁוֹשַׁנִּי ת — roseate, rosy
שׁוֹשֶׁנֶת נ — rosette
שׁוֹשַׁנַּת הָרוּחוֹת — compass card
שׁוֹשַׁנַּת יָם — sea anemone
שׁוּתָּף ז — companion, partner
שׁוּתָּף לְפֶשַׁע — accomplice
שׁוּתָּפוּת נ — partnership
שׁוֹתֵק ת — silent
שָׁזוּף ת — tanned, suntanned
שִׁזּוּף ז — tan, suntan
שָׁזוּר ת — interwoven, twined
שָׁזִיף ז — plum, prune
שְׁזִירָה נ — interweaving
שִׁזֵּף, שָׁזַף פ — tan, brown
שֶׁזֶף סוּכָּר — caramel
שָׁזַר פ — twine, interweave
שִׁדְרָה נ — cob, spine
שַׁח ת — bent, bowed, stooping
שַׁח ז — chess, check, Shah
שָׂח פ — say, walk, stroll
שִׁחֵד פ — bribe
שָׂחָה פ — swim
שָׁחָה פ — bow, stoop, bend
שִׁחוּד ז — bribing, bribery
שָׁחוּחַ ת — bent down, bowed
שָׁחוּט ת — slaughtered
שָׁחוּם ת — brown, swarthy
שְׁחוּמַת עוֹר — brunette
שָׁחוּן ת — hot, dry
שָׁחוּף ת — consumptive

שָׁחוּק ת	worn, crushed
שְׂחוֹק ז	laughter, game, play
שָׁחוֹר ת	black, dark
שְׁחוֹר ז	blackness
שִׁחְזוּר ז	reconstruction
שִׁחְזֵר פ	reconstruct, restore
שְׁחִי, שֶׁחִי ז	armpit
שָׁחַט פ	butcher, slaughter
שָׁחִיד ת	bribable, venal
שְׂחִיָּה נ	swimming, swim
שְׁחִיטָה	butchery, slaughter
שָׁחִיל ת	extension (table)
שְׁחִין ז	boils, scabies
שַׂחְיָן ז	swimmer
שָׁחִיף ז	fingerboard, lath
שְׁחִיקָה נ	attrition, erosion, grinding
שְׂחִיַּת גַּב	backstroke
שְׂחִיַּת חָזֶה	breaststroke
שְׂחִיַּת חֲתִירָה	crawl
שְׂחִיַּת כֶּלֶב	dog paddle
שְׂחִיַּת פַּרְפָּר	butterfly
שְׁחִיתוּת נ	corruption, abuse
שַׁחַל ז	lion
שַׁחֲלָה נ	ovary
שִׁחְלֵף, שִׁחְלוּף פ/ז	reexchange
שַׁחַם ז	granite
שְׁחַמְחַם ת	brownish
שַׁחְמָט ז	chess
שַׁחְמְטַאי ז	chess player
שַׁחֶמֶת נ	cirrhosis
שַׁחַף ז	gull, seagull
שַׁחֲפָנִי ת	consumptive, tubercular
שַׁחֶפֶת נ	consumption, tuberculosis, TB
שַׁחֶפֶת הָרֵאָה	phthisis
שַׁחֲצָן ז	arrogant, haughty
שַׁחֲצָנוּת נ	arrogance, vanity
שַׁחֲצָנִי ת	arrogant, haughty
שָׂחַק פ	laugh, scorn
שִׂחֵק פ	play, act, perform
שָׁחַק פ	grind, pulverize, crush, wear out
שַׁחַק ז	detritus, powder
שְׁחָקִים ז"ר	heavens, sky
שַׂחְקָן ז	actor, artist, player
שַׂחְקַן שָׂדֶה	fielder
שַׂחְקָנוּת נ	acting
שַׂחְקָנִית נ	actress
שַׁחַר ז	dawn, daybreak
שִׁחֵר פ	seek, search, love
שִׁחֵר לְטֶרֶף	prowl
שִׁחְרוּר ז	acquittal, liberation, release
שַׁחֲרוּר ז	blackbird
שַׁחֲרוּת נ	youth, boyhood
שְׁחַרְחַר ת	dark, blackish
שְׁחַרְחוֹר ת	brunette, dark
שַׁחֲרִית נ	morning prayer, matinee, morning
שִׁחְרֵר פ	free, liberate, release, exempt
שַׁחַת נ	hay, grave, pitfall
שִׁחֵת פ	spoil, waste, ruin
שָׁט פ	sail, float, wander
שָׁטָה פ	fool, ridicule, mock
שִׁטָּה (עֵץ) נ	acacia
שָׁטוּחַ ת	flat, flattened
שִׁטּוּחַ ז	flattening
שְׁטוּחַ רֶגֶל	flat-footed
שִׁטּוּי ז	fooling, mocking
שְׁטוּיוֹת נ"ר	rubbish, nonsense
שָׁטוּף ת	flooded, washed, addicted to, full of
שִׁטּוּר ז	policing
שְׁטוּת נ	nonsense, folly
שְׁטוּתִי ת	absurd, foolish
שָׁטַח פ	spread, stretch out
שִׁטַּח פ	flatten, hammer out
שֶׁטַח ז	area, zone, surface
שֶׁטַח הֶפְקֵר	no man's land
שִׁטְחָה נ	facet
שִׁטְחִי ת	superficial, shallow, perfunctory
שִׁטְחִיּוּת נ	platitude, superficiality
שָׁטִיחַ ז	carpet, rug

שְׁטִיחַ קִיר arras
שְׁטִיחוֹן ז mat, small carpet
שְׁטִיחוּת נ flatness
שְׁטִיפָה נ rinse, washing, flooding, flushing
שְׁטִיפַת מוֹחַ brainwashing
שְׁטִיפוּת נ addiction, avidity
שָׂטַם פ hate, dislike
שָׂטָן ז Satan, devil, fiend
שִׂטְנָה נ hatred, denunciation
שְׂטָנִי ת devilish, fiendish, satanic, demoniacal
שטעון ז transshipment
שטען פ transship
שָׁטַף פ rinse, wash, flood
שֶׁטֶף נ fluency, flow, current, stream, flood
שֶׁטֶף דָּם hemorrhage
שִׁטָּפוֹן ז flood, inundation
שְׁטָר ז bill, promissory note
שְׁטַר בַּנְקָאִי bank note
שְׁטַר חֲלִיפִין bill of exchange
שְׁטַר מִטְעָן bill of lading
שְׁטַר מֶכֶר bill of sale
שְׁטַר קִנְיָן deed of covenant
שטרודֶל ז strudel
שְׁטָרוֹת לְפֵרָעוֹן bills payable
שְׁטָרוֹת לְקַבֵּל bills receivable
שְׁטֶרְלִינְג ז sterling
שַׁי ז gift, present
שִׂיא ז summit, peak, apex, climax, record, acme
שֵׂיבָה נ old age, gray hair
שִׁיבָה נ return
שֶׂיָה נ lamb
שִׁיּוּט ז cruise, rowing, sail
שִׁיּוּךְ ז attribution, ascription, connection
שִׁיּוּף ז filing, abrasion
שִׁיּוּר ז remainder, remnant
שֵׁיזָף ז jujube
שִׂיחַ ז bush, shrub, talk
שִׂיחַ וָשִׂיג business, talks
שִׂיחָה נ chat, conversation, dialogue, talk, call
שִׂיחוֹן ז conversation book
שַׁיִט ז cruise, navigation
שָׁיַט פ cruise, sail, row
שַׁיָּט פ rower, oarsman
שִׁיטָה נ system, manner, method
שַׁיָּטוּת נ oarsmanship
שַׁיֶּטֶת נ fleet, flotilla
שִׁיטָתִי ת systematic, methodical
שִׁיטָתִיּוּת נ system, method
שִׁיֵּךְ פ ascribe, connect
שַׁיָּךְ ת belong, belonging, pertinent, relevant
שֵׁייךְ ז sheik, sheikh
שַׁיָּכוּת נ pertinence, relevancy, belonging
שֵׁיכוּת נ sheikhdom
שִׁילִינְג ז shilling
שִׂימָה נ putting, placing
שִׁימְפַּנְזֶה ז chimpanzee
שִׂימַת לֵב regard, attention
שִׁיעִי ת Shiite
שִׁיֵּף פ file, rasp, abrade
שִׁיפָה נ phloem
שִׁיפוֹן ז rye
שִׁיר ז poem, song
שִׁיר הַשִּׁירִים Canticles
שִׁיר זָהָב sonnet
שִׁיר לֶכֶת march
שִׁיר עַם folk song
שִׁיר עֶרֶשׂ lullaby
שִׁיר רוֹעִים bucolic, pastoral
שִׁיֵּר פ leave, leave over
שִׁירָאִים ז״ר fine silk
שִׁירָה נ poetry, singing
שִׁירָה בְּצִבּוּר community singing
שַׁיָּרָה נ caravan, convoy
שִׁירוּב ז syrup
שִׁירוֹן נ song book
שִׁירִי ת poetical, lyrical
שְׁיָרִים, שִׁירַיִם ז״ר leavings, leftovers, remains, scraps
שִׁירַת הַבַּרְבּוּר swan song
שַׁיִשׁ ז marble

שֵׁישִׁי ת marmoreal
שַׁיִת ז thorn bush
שֵׂךְ, שִׂכִּים ז thorn, prickle
שָׁכַב פ lie, lie down, sleep
שֶׁכֶב ז lower millstone
שִׁכְבָה נ layer, stratum, coat
שַׁכְבָנִית נ harlot
שָׁכוּב ת lying
שָׁכוּחַ ת forgotten, forsaken
שְׁכוּחַ אֵל Godforsaken
שֶׂכְוִי ז cock, grouse
שִׁכּוּךְ ז calming, mitigation
שִׁכּוּל, שְׁכוֹל ז bereavement
שַׁכּוּל ת bereaved, bereft
שִׂכּוּל ז transposition, crossing, metathesis
שִׁכּוּן ז housing, lodging
שְׁכוּנָה נ neighborhood, quarter, suburb
שְׁכוּנוֹת עוֹנִי slums
שִׁכּוֹר ז drunk, drunkard
שָׂכוּר ת rented, hired
שָׁכַח פ forget, forsake
שִׁכַּח פ make forget, forget
שִׁכְחָה נ forgetfulness
שִׁכָּחוֹן ז amnesia, oblivion
שַׁכְחָן ז forgetful
שַׁכְחָנוּת נ forgetfulness
שַׁכַּחַת נ amnesia
שְׁכִיב מְרַע dying, very ill
שְׁכִיבָה נ lying
שְׁכִיבַת סְמִיכָה push-up
שְׂכִיּוֹת חֶמְדָּה treasures
שָׁכִיחַ ת common, frequent
שְׁכִיחוּת נ frequency
שְׁכִינָה נ God, inspiration
שָׂכִיר ז hired worker, wage earner
שְׂכִיר חֶרֶב mercenary
שְׂכִירָה נ renting, hiring
שְׂכִירוּת נ hire, rent, lease
שְׂכִירוּת מִשְׁנֶה sublease
שָׁכַךְ פ abate, subside, calm
שִׁכֵּךְ פ appease, allay, mitigate, placate, soothe

שֵׂכֶל ז brains, intellect, intelligence, wisdom
שֵׂכֶל יָשָׁר common sense
שָׁכֹל פ lose one's children
שִׁכֵּל פ bereave, kill (son)
שִׂכֵּל פ cross, transpose
שִׁכְלוּל ז elaboration, improvement, perfection
שִׂכְלוּן ז rationalization
שִׂכְלִי ת intellectual, mental, rational
שִׁכְלֵל פ elaborate, perfect
שִׂכְלֵן פ rationalize
שִׂכְלְתָן ז rationalist
שִׂכְלְתָנוּת נ rationalism
שִׂכְלְתָנִי ת rationalistic
שְׁכֶם, שֶׁכֶם ז shoulder
שְׁכֶם אֶחָד as one man
שִׁכְמָה נ shoulder blade
שִׁכְמִיָּה נ cape
שָׁכֵן ז neighbor
שָׁכַן פ live, dwell, abide
שִׁכֵּן פ house, lodge, billet
שִׁכְנוּעַ ז persuasion
שְׁכֵנוּת נ neighborhood, vicinity, proximity
שִׁכְנֵעַ פ convince, persuade
שִׁכְפּוּל ז duplication
שִׁכְפֵּל פ duplicate
שַׁכְפֶּלֶה נ mimeograph
שָׂכַר פ hire, rent, lease
שָׂכָר ז wages, salary, pay
שֶׂכֶר ז charter
שֵׁכָר ז ale, beer
שִׁכֵּר פ intoxicate, inebriate
שְׂכַר דִּירָה rent
שְׂכַר סוֹפְרִים royalty
שִׁכָּרוֹן ז henbane
שִׁכְרוּת נ drunkenness, intoxication
שַׁכֶּרֶת נ dipsomania
שִׁכְשׁוּךְ פ splash, paddling
שִׁכְשֵׁךְ פ splash, paddle
שִׁכְתֵּב פ rewrite
שִׁכְתּוּב ז rewriting

שֶׁל מ״י of, belonging to
שָׁל ז scarf, shawl
שִׁלֵּב פ combine, join, fit, attach, interlace
שָׁלָב ז phase, stage, rung
שַׁלְבֶּקֶת נ herpes
שַׁלְבֶּקֶת חוֹגֶרֶת shingles
שֶׁלֶג ז snow
שַׁלְגּוֹן ז ice-lolly
שִׁלְגִיָּה נ Snow-white
שִׁלְגִית נ sled, sleigh
שֶׁלֶד ז frame, framework, skeleton
שַׁלְדָּג ז kingfisher
שִׁלְדָה נ chassis, skeleton
שָׁלָה פ draw out, fish out
שֶׁלָּהּ מ״ג her, hers
שִׁלְהֵב פ inflame, kindle, arouse, excite
שִׁלְהוּב ז inflaming, kindling
שַׁלְהֶבֶת נ flame, fire
שִׁלְהֵי ז״ר end, conclusion
שֶׁלָּהֶם מ״ג their, theirs
שֶׁלּוֹ מ״ג his
שָׁלֵו ת calm, quiet, tranquil
שְׂלָו ת quail
שִׁלּוּב ז combining, linking, connecting, interlacing
שָׁלוּב ת combined, joined, connected, interlaced
שְׁלוּבֵי זְרוֹעַ arm in arm
שְׁלוּבִית נ roll, pretzel
שְׁלוּגִית נ slush
שַׁלְוָה נ calm, peace, quiet, tranquility
שָׁלוּחַ ת sent, extended, stretched out, messenger
שִׁלּוּחַ ז sending, dismissal, launching, banishment
שְׁלוּחָה נ extension, range, siding, branch, shoot
שִׁלּוּט ז making signposts
שְׁלוּלִית נ pool, puddle
שָׁלוֹם ז peace, safety, quiet
שָׁלוֹם! מ״ק goodbye, shalom
שְׁלוֹם בַּיִת family peace
שִׁלּוּם ז payment, reward
שְׁלוּמִיאֵל ז bum, worthless
שִׁלּוּמִים ז״ר reparations
שָׁלוּף ת drawn, unsheathed
שְׁלוּקָה נ boiled (egg)
שִׁלּוּשׁ ז Trinity, tripling
שָׁלוֹשׁ, שְׁלוֹשָׁה נ/ז three
שְׁלוֹשׁ עֶשְׂרֵה נ thirteen
שְׁלוֹשָׁה עָשָׂר ז thirteen, baker's dozen
שְׁלוֹשִׁים ש״מ thirty
שְׁלוֹשַׁעַר ז hat trick
שְׁלוֹשְׁתַּיִם תה״פ thrice
שֶׁלַח ז rawhide, weapon
שָׁלַח פ send, transfer, ship, dismiss, stretch
שָׁלַח יָד steal, embezzle
שָׁלַח יָד בְּנַפְשׁוֹ commit suicide
שִׁלַּח פ send, dismiss, fire, sack, launch
שַׁלְחוּף ז blister, sac, cyst
שַׁלְחוּפִית נ vesicle, sac
שָׁלַט פ master, reign, rule, govern, command
שִׁלֵּט פ fix signposts
שֶׁלֶט ז sign, signpost
שֶׁלֶט גִּבּוֹרִים coat of arms
שַׁלָּט רָחוֹק remote control
שִׁלְטוֹן ז reign, rule, government, power
שִׁלְטוֹנוֹת ז״ר authorities
שֶׁלִּי מ״ג mine, my
שְׁלִיבָה נ linking, joining
שְׁלִיגָה נ snowfall
שִׁלְיָה נ afterbirth, placenta
שְׁלִיָּה נ drawing out
שָׁלִיחַ ז messenger, envoy, delegate, emissary
שְׁלִיחַ יֵשׁוּ Apostle
שְׁלִיחַ צִבּוּר cantor
שְׁלִיחוּת נ mission, errand
שַׁלִּיט ז ruler, sovereign

command, control, dominance, mastership — שְׁלִיטָה נ
embryo, fetus — שְׁלִיל ז
denial, negation, deprivation, rejection — שְׁלִילָה נ
negative — שְׁלִילִי ת
negativeness — שְׁלִילִיּוּת נ
unlucky, bum — שְׁלִים־מַזָּל
drawing out, unsheathing — שְׁלִיפָה נ
third — שָׁלִישׁ ז
aide, aide-de-camp, adjutant, trustee — שָׁלִישׁ ז
triplet, tertiary — שִׁלִּישׁוֹן ז
adjutancy — שָׁלִישׁוּת נ
third — שְׁלִישִׁי ת
triplet, trio — שְׁלִישִׁיָּה נ
thirdly — שְׁלִישִׁית תה"פ
your, yours — שֶׁלְּךָ, שֶׁלָּךְ מ"ג
your, yours — שֶׁלָּכֶם, -כֶן מ"ג
osprey — שָׁלָךְ ז
falling of leaves — שַׁלֶּכֶת נ
spoil, plunder, loot — שָׁלָל ז
negate, deprive, deny, revoke, plunder — שָׁלַל פ
blaze of color — שְׁלַל צְבָעִים
pay, repay, requite — שִׁלֵּם פ
paymaster, payer — שַׁלָּם ז
complete, full, entire, perfect, whole — שָׁלֵם ת
end, be completed — שָׁלַם פ
requital — שִׁלֵּם ז
bribe, bribery — שַׁלְמוֹנִים ז"ר
perfection, integrity, entirety — שְׁלֵמוּת נ
peace offering — שְׁלָמִים ז"ר
our, ours — שֶׁלָּנוּ מ"ג
draw, unsheathe — שָׁלַף פ
stubble — שֶׁלֶף ז
cyst, sac, bladder, balloon — שַׁלְפּוּחִית נ
boil, blanch — שָׁלַק פ
treble, triple, multiply/divide by 3 — שִׁלֵּשׁ פ
great-grandson — שִׁלֵּשׁ ז

file, row of three — שְׁלָשָׁה נ
diarrhea, earthworm, lowering — שִׁלְשׁוּל ז
the day before yesterday — שִׁלְשׁוֹם תה"פ
tripartite — שְׁלָשִׁי ת
trio — שְׁלָשִׁית נ
lower, drop, suffer from diarrhea — שִׁלְשֵׁל פ
chain, cable — שַׁלְשֶׁלֶת נ
family tree, pedigree — שַׁלְשֶׁלֶת יוּחֲסִין
name, noun, title, fame — שֵׁם ז
there, yonder, ibid. — שָׁם תה"פ
lay, place, put, set — שָׂם פ
thwart, frustrate — שָׂם לְאַל
mind, note, notice — שָׂם לֵב
put an end to — שָׂם קֵץ לְ-
pseudonym — שֵׁם בָּדוּי
famous person — שֵׁם דָּבָר
pronoun — שֵׁם הַגּוּף
ineffable name — שֵׁם הַמְּפוֹרָשׁ
surname — שֵׁם מִשְׁפָּחָה
synonym — שֵׁם נִרְדָּף
noun — שֵׁם עֶצֶם
common noun — שֵׁם עֶצֶם כְּלָלִי
proper noun — שֵׁם עֶצֶם פְּרָטִי
gerund — שֵׁם פּוֹעֲלִי
Christian name, first name, forename — שֵׁם פְּרָטִי
collective noun — שֵׁם קִבּוּצִי
disrepute — שֵׁם רָע
lest, maybe — שֶׁמָּא מ"ח
valuing, assessing — שַׁמָּאוּת נ
actuary, assessor, appraiser, estimator — שַׁמַּאי ז
left, left hand — שְׂמֹאל ז
leftward — שְׂמֹאלָה תה"פ
left, left-handed — שְׂמָאלִי ת
left-handedness — שְׂמָאלִיּוּת נ
leftism — שְׂמָאלָנוּת נ
leftist — שְׂמָאלָנִי ז
religious persecution, pogroms — שְׁמָד ז
convert, baptize — שִׁמֵּד פ

שַׁמָּה נ desolation, ruin
שָׁמָּה תה"פ there, yonder
שָׁמוּט ת dropping, falling, hanging loosely
שִׁמּוּן ז lubrication, oiling
שְׁמוֹנֶה, שְׁמוֹנָה נ/ז eight
שְׁמוֹנָה עָשָׂר ז eighteen
שְׁמוֹנֶה עֶשְׂרֵה נ eighteen, standing prayer
שְׁמוֹנִים ש"מ eighty
שְׁמוּעָה נ rumor, gossip
שָׁמוּר ת guarded, kept, preserved, reserved
שִׁמּוּר ז conservation, preservation, watching
שְׁמוּרָה נ reservation, reserve, eyelid, guard
שִׁמּוּרִים ז"ר conserves
שִׁמּוּשׁ ז use, service
שִׁמּוּשִׁי ת handy, practical, useful, usable, applied
שִׁמּוּשִׁיּוּת utility, usability
שְׁמוֹת (חומש) ז Exodus
שָׂמֵחַ ת glad, happy, merry
שָׂמַח פ be glad, rejoice
שִׂמַּח פ gladden, make merry
שִׂמְחָה נ joy, happiness, celebration, festivity
שִׂמְחַת תורה Rejoicing of the Torah (holiday)
שָׁמַט פ drop, let fall, leave, be dislocated
שְׁמִטָּה נ fallow year, dropping, leaving
שֵׁמִי ת Semite, nominal
שְׂמִיכָה נ blanket, quilt
שָׁמַיִם ז"ר heaven, sky
שְׁמֵימִי celestial, heavenly
שְׁמִינִי ת eighth
שְׁמִינִי עֲצֶרֶת eighth day of Succoth (holiday)
שְׁמִינִיָּה נ octave, octet
שְׁמִינִית נ eighth
שָׁמִיעַ ת audible
שְׁמִיעָה נ hearing, listening
שְׁמִיעוּת נ audibility
שְׁמִיעָתִי ת auditory, aural
שָׁמִיר ז emery, thistle
שְׁמִירָה נ protection, watch, keeping, guarding
שָׁמִישׁ ת serviceable, usable
שְׁמִישׁוּת נ usability
שִׁמְכּוּר ז resale
שִׂמְלָה נ dress, garment
שִׂמְלַת נֶשֶׁף ball dress
שִׂמְלָנִית נ skirt
שָׁמֵם ת desolate, waste
שְׁמָמָה נ wilderness, desert, desolation
שִׁמָּמוֹן ז dejection, boredom
שְׂמָמִית נ gecko, spider
שָׁמַן פ fatten, become fat
שִׁמֵּן פ lubricate, oil
שָׁמֵן ת fat, adipose, stout
שֶׁמֶן ז oil, olive oil
שֶׁמֶן דָּגִים cod liver oil
שֶׁמֶן זַיִת olive oil
שֶׁמֶן סִיכָה lubricant
שֶׁמֶן פשתים linseed oil
שֶׁמֶן קִיק castor oil
שַׁמְנוּנִי ת oily, fat, greasy
שַׁמְנִי ת containing oil, oily
שְׁמָנִי ת nominal, of a noun
שְׁמַנְמַן ת fat, chubby, dumpy
שְׁמַנְמַנָּה, שְׁמֵנָה ת buxom
שַׁמֶּנֶת נ cream
שָׁמַע פ hear, listen, obey
שֵׁמַע ז hearing, rumor
שַׁמְפּוּ ז shampoo
שַׁמְפַּנְיָה נ champagne
שֶׁמֶץ ז particle, bit, touch
שִׁמְצָה נ disgrace, disrepute
שָׁמַר פ guard, keep, watch
שִׁמֵּר פ conserve, pickle, cure, can, preserve
שְׁמַרְחוֹם ז thermos
שְׁמַרְטַף ז baby-sitter
שְׁמָרִים ז"ר yeast, lees
שַׁמְרָן ז conservative
שַׁמְרָנוּת נ conservatism

both of them	שְׁנֵיהֶם	conservative	שַׁמְרָנִי ת
secondary, binary	שְׁנִיוֹנִי ת	serve, attend, use	שִׁמֵּשׁ פ
dualism, duplicity	שְׁנִיוּת נ	attendant, caretaker	שַׁמָּשׁ ז
two	שְׁנַיִם ז	sun	שֶׁמֶשׁ נ
twelve	שְׁנֵים עָשָׂר ז	windowpane, glazing	שִׁמְשָׁה נ
dentures	שִׁנַּיִם תּוֹתָבוֹת	solar, sunny	שִׁמְשִׁי ת
mockery, byword	שְׁנִינָה נ	parasol, sunshade	שִׁמְשִׁיָּה נ
sharpness, acuity	שְׁנִינוּת נ	tooth, ivory	שֵׁן נ
schnitzel	שְׁנִיצֶל ז	wisdom tooth	שֵׁן־בִּינָה
scarlatina	שָׁנִית נ	dandelion	שֵׁן־הָאֲרִי
again, secondly	שֵׁנִית תה"פ	incisor	שֵׁן חוֹתֶכֶת
dandelion	שִׁנָּן ז	milk/baby tooth	שֵׁן חָלָב
memorize, repeat, inculcate, sharpen	שִׁנֵּן פ	grinder, molar	שֵׁן טוֹחֶנֶת
		cliff, crag	שֵׁן סֶלַע
gird (one's loins)	שִׁנֵּס פ	clove	שֵׁן־שׁוּם
chance	שַׁנְסָה נ	hate, dislike	שָׂנֵא פ
vanilla	שֶׁנֶף ז	hate, hatred	שִׂנְאָה נ
cord, lace, ribbon	שְׂנֶץ ז	reprise	שְׁנָאִי ז
choke, throttle	שִׁנֵּק פ	transformer	שַׁנַּאי ז
graduate, calibrate	שִׁנֵּת פ	misanthropy	שִׂנְאַת הַבְּרִיּוֹת
mark, notch	שֶׁנֶת נ	study, teach, repeat	שָׁנָה פ
light year	שְׁנַת אוֹר	change, alter	שִׁנָּה פ
almanac, annual, yearbook, age bracket	שְׁנָתוֹן ז	sleep, sleeping	שֵׁנָה נ
		year	שָׁנָה נ
annual, yearly	שְׁנָתִי ת	leap year	שָׁנָה מְעֻבֶּרֶת
rob, plunder, spoil	שָׁסָה פ	ivory, enamel	שֶׁנְהָב ז
incite, instigate	שִׁסָּה פ	hateful, disliked	שָׂנוּא ת
inciting, setting on	שִׁסּוּי ז	repeated, studied	שָׁנוּי ת
cloven, cleft, split	שָׁסוּעַ ת	controversial	שָׁנוּי בְּמַחֲלוֹקֶת
splitting, tearing to pieces, interruption	שִׁסּוּעַ ז	alteration, change, amendment, modification	שִׁנּוּי ז
rend, rip, interrupt	שִׁסַּע פ	biting, sharp, acute	שָׁנוּן ת
cleft, split	שֶׁסַע ז	repetition, memorizing, teaching	שִׁנּוּן ז
schizophrenia	שַׁסַעַת נ		
tear, rend, split	שִׁסֵּף פ	transshipment	שִׁנּוּעַ ז
loquat, medlar	שֶׁסֶק ז	strangulation	שִׁנּוּק ז
valve	שַׁסְתּוֹם ז	snorkel	שְׁנוֹרְקֶל ז
enslave, mortgage	שִׁעְבֵּד פ	beggar, cadger	שְׁנוֹרֶר ז
bondage, mortgage, subjection, slavery	שִׁעְבּוּד ז	beg, cadge, sponge	שְׁנוֹרֵר פ
		lean years	שְׁנוֹת מַחְסוֹר
hour, time, while	שָׁעָה נ	replant	שִׁנְטַע פ
short while	שָׁעָה קַלָּה	scarlet, vermilion	שָׁנִי ז
heed, listen, notice	שָׁעָה פ	second, other	שֵׁנִי ת
wax	שַׁעֲוָה נ	dental	שִׁנִּי ת
waxen	שַׁעֲוִי ת	second	שְׁנִיָּה נ

שַׁעֲוִית נ	stencil
שִׁעוּל ז	cough
שָׁעוּן ת	supported, leaning
שָׁעוֹן ז	clock, watch
שְׁעוֹן חוֹל	sandglass
שְׁעוֹן יָד	wrist watch
שְׁעוֹן מְעוֹרֵר	alarm clock
שְׁעוֹן עֶצֶר	stopwatch
שְׁעוֹן קַיִץ	daylight saving time
שַׁעֲוָנִיָּה נ	stencil
שְׁעוֹנִית נ	passion flower
שַׁעֲוָנִית	oilcloth, linoleum
שְׁעוּעִית נ	bean
שִׁעוּר ז	lesson, measure, rate, size, proportion
שִׁעוּר הַיְלוּדָה	birthrate
שִׁעוּר קוֹמָה	stature, caliber
שְׂעוֹרָה נ	barley, sty
שִׁעוּרֵי בַּיִת	homework
שַׁעֲוַת הָאֹזֶן	earwax
שָׁעוֹת נוֹסָפוֹת	overtime
שָׁעַט פ	stamp, run, gallop
שְׁעָטָה נ	stamping, gallop
שַׁעַטְנֵז ז	mixture of wool and linen
שָׂעִיר ת	hairy, hirsute
שָׂעִיר ז	billy goat, satyr
שָׂעִיר לַעֲזָאזֵל	scapegoat
שֹׁעַל ז	step, bit of land
שַׁעֶלֶת נ	whooping cough
שַׁעַם ז	cork
שְׁעָמוּד ז	baptism, conversion
שִׁעֲמוּם ז	boredom, dullness
שִׁעֲמֵם פ	bore, weary
שַׁעֲמָנִית נ	linoleum
שָׁעָן ז	watchmaker
שְׁעָנוּת נ	horology, watchmaking
שֵׂעָר	hair
שְׂעַר סוּס	horsehair
שַׁעַר ז	gate, goal, title page, rate, price
שִׁעֵר פ	guess, suppose, believe, imagine
שַׁעַר חֲלִיפִין	rate of exchange
שַׂעֲרָה נ	hair
שִׁעֲרוּךְ ז	revaluation
שַׁעֲרוּרִי ת	scandalous
שַׁעֲרוּרִיָּה נ	scandal, outrage
שַׁעֲרוּרָן ז	scandalmonger
שִׁעֲרֵר פ	scandalize
שַׁעֲשׁוּעַ ז	amusement, fun, entertainment, game,
שִׁעֲשֵׁעַ פ	amuse, entertain
שְׁעַת הָאֶפֶס	zero hour
שְׁעַת חֵרוּם	emergency
שְׁעַת כּוֹשֶׁר	chance
שִׁעְתּוּק ז	reproduction
שִׁעְתֵּק פ	reproduce
שִׁפֵּד פ	spit, stab, pierce
שָׁפָה פ	slant, slope, decant
שִׁפָּה פ	smooth, plane, indemnify
שִׁפָּה פ	hem, hemstitch
שָׂפָה נ	lip, language, bank, shore, margin, edge
שָׂפָה שְׁסוּעָה	harelip
שַׁפּוּד ז	spit, skewer
שִׁפּוּט	judgment, refereeing
שִׁפּוּטִי ת	judicial
שָׁפוּי ת	sane, sound
שִׁפּוּי ז	indemnification, indemnity, slope, tilt
שִׁפּוּי ז	hemstitch
שָׁפוּךְ ת	poured, spilt
שְׁפוֹכֶת נ	debris, detritus
שִׁפּוּלִים ז"ר	lower part
שִׁפּוּלֶת נ	baseboard, panel
שִׁפּוּעַ ז	acclivity, slope, incline, slant, tilt
שָׁפוּף ת	stooping, bent
שְׁפוֹפֶרֶת נ	tube, receiver
שִׁפּוּץ ז	renovation, repair
שִׁפּוּר ז	improvement
שִׁפְחָה נ	maid servant, slave
שָׁפַט פ	judge, referee
שְׂפִי ת	labial
שְׁפִיּוּת נ	sanity

judgment, trial שְׁפִיטָה נ
pouring, spilling שְׁפִיכָה נ
bloodshed שְׁפִיכוּת דָּמִים
talus שָׁפִיעַ ז
horned viper שְׁפִיפוֹן ז
amnion, fetus' sac שָׁפִיר ז
well, fine, OK שַׁפִּיר תה"פ
dragonfly שַׁפִּירִית נ
labium שָׂפִית נ
putting on fire שְׁפִיתָה נ
pour, spill, shed שָׁפַךְ פ
estuary, outfall שֶׁפֶךְ ז
sewage שְׁפָכִים ז"ר
abject, base, mean שָׁפָל ת
be low, humiliated שָׁפַל פ
low condition, ebb שֵׁפֶל ז
lowland, plain שְׁפֵלָה נ
abjection, baseness שִׁפְלוּת נ
terrier שַׁפְלָן ז
moustache, whiskers שָׂפָם ז
catfish שְׂפַמְנוּן ז
rabbit, cony, bunny שָׁפָן ז
guinea pig שְׁפַן נִסְיוֹנוֹת
warren שְׁפַנִיָּה נ
bunny girl שְׁפַנְפַנָּה נ
abundance, plenty שֶׁפַע ז
flow, abound in, brim over, slant שָׁפַע פ
slant, slope, tilt שִׁפֵּעַ פ
influenza, flu שַׁפַּעַת נ
reoperate שִׁפְעֵל פ
renovate, overhaul שִׁפֵּץ פ
be good, well, fair שָׁפַר פ
improve, better שִׁפֵּר פ
decorator שַׁפָּר ז
scour, scrape, rub שִׁפְשׁוּף ז
scrub, rub, scrape שִׁפְשֵׁף פ
doormat שְׁפַשֶּׁפֶת נ
put on the fire שָׁפַת פ
mother tongue שְׂפַת אֵם
beach שְׂפַת הַיָּם
lipstick שְׂפָתוֹן ז
lisp, labialization שְׂפָתוּת נ
labial, lingual שְׂפָתִי ת
lips שְׂפָתַיִם נ"ר

flow, stream שֶׁצֶף ז
wrath, fury שֶׁצֶף קֶצֶף
sack, sackcloth, bag שַׂק ז
sandbag שַׂק חוֹל
sleeping bag שַׂק שֵׁנָה
check, cheque שֶׁק ז
almond, tonsil שָׁקֵד ז
persevere, persist שָׁקַד פ
almond shaped שְׁקֵדִי ת
almond שְׁקֵדִיָּה נ
diligent, assiduous שַׁקְדָן ת
assiduity, diligence, perseverance שַׁקְדָנוּת נ
diligent, studious שָׁקוּד ת
drink, potion שִׁקּוּי ז
elixir, philter שִׁקּוּי פֶּלֶא
balanced, equal שָׁקוּל ת
consideration שִׁקּוּל ז
rehabilitation שִׁקּוּם ז
absorbed, sunken שָׁקוּעַ ת
sinking, outlay שִׁקּוּעַ ז
transparent, clear שָׁקוּף ת
X-ray examination שִׁקּוּף ז
slide שְׁקוּפִית נ
abhorrence שִׁקּוּץ ז
be calm, quiet, still שָׁקַט פ
quiet, silent, still שָׁקֵט ת
quiet, silence, calm שֶׁקֶט ז
diligence שְׁקִידָה נ
flamingo שְׁקִיטָן ז
weighing שְׁקִילָה נ
saddlebags, panniers שַׂקִּים
decline, sinking, setting, sunset שְׁקִיעָה נ
transparency שְׁקִיפוּת נ
small bag שַׂקִּיק, שַׂקִּית ז/נ
lust, avidity שְׁקִיקָה נ
weigh, consider שָׁקַל פ
shekel שֶׁקֶל ז
NIS שֶׁקֶל חָדָשׁ, שַׁ"ח
deliberation שַׁקְלָא וְטַרְיָא
weighting שִׁקְלוּל ז
canteen שֶׁקֶם ז
rehabilitate שִׁקֵּם פ
sycamore שִׁקְמָה נ

שַׁקְנַאי ז pelican
שָׁקַע פ sink, set, decline, be absorbed, engrossed
שִׁקַּע פ sink, insert, drive
שֶׁקַע ז depression, dent, hollow, socket
שְׁקַעֲרוּרִי ת concave
שְׁקַעֲרוּרִיּוּת נ concavity
שֶׁקֶף ז perspective, view
שִׁקֵּף פ reflect, mirror
שִׁקֵּץ פ loathe, detest
שֶׁקֶץ ז unclean insect, rake
שִׁקְצָה נ non-Jewish girl
שָׁקַק פ bustle, run about
שֶׁקֶר ז lie, untruth, fib
שִׁקֵּר פ lie, swindle, cheat
שִׁקְרִי ת false, untrue
שַׁקְרָן ז liar
שַׁקְרָנוּת נ lying, mendacity
שִׁקְשׁוּק ז noise, rustle, fear
שִׁקְשֵׁק פ rumble, tremble
שַׂר ז minister, head, chief
שַׂר צָבָא general, commander
שָׁר פ sing, praise, laud
שָׁרָב ז hot weather, broiler
שִׁרְבֵּב פ stretch, extend, misplace, put incorrectly
שִׁרְבּוּב ז extending, misplacing, confusion
שִׁרְבּוּט, שִׁרְבֵּט ז/פ scribble
שְׁרָבִי ת very hot
שַׁרְבִיט ז scepter, wand, rod
שַׁרְבִיטַאי ז drum major
שַׁרְבִיטָאִית drum majorette
שְׁרַבְרָב ז plumber
שְׁרַבְרָבוּת נ plumbing
שִׁרְגּוּן ז reorganization
שִׁרְגֵּן פ reorganize
שָׂרַד פ survive, remain
שְׂרָד ז service, ministerial
שָׂרָה פ contend, struggle
שָׁרָה פ dip, soak, immerse
שַׁרְווּל ז sleeve, arm
שַׁרְווּל רוּחַ wind sock
שַׁרְווּלִית נ cuff

שָׁרוּי ת soaked, dipped, in a state of, is
שְׂרוֹךְ ז lace, string
שְׂרוֹךְ נַעַל shoelace
שָׂרוּעַ ת outstretched, lying
שָׂרוּף ת burnt, ardent
שֵׁרוּשׁ ז uprooting, erasing
שֵׁרוּת ז service, serving
שֵׁרוּת מְדִינָה civil service
שֵׁרוּת צְבָאִי military service
שֵׁרוּתִים ז"ר water closet, convenience, lavatory,
שָׂרַט פ scratch, abrade
שִׂרְטוּט ז blueprint, sketch, drawing, designing
שִׂרְטוֹן ז reef, sandbank
שִׂרְטֵט פ draw, sketch
שַׂרְטָט ז designer, draftsman
שֶׂרֶטֶת נ cut, scratch
שָׂרִיג ז tendril, twig
שָׂרִיד ז remnant, survivor, residue, vestige
שְׁרִיָּה נ soaking, dipping
שִׁרְיוּן ז earmarking, securing
שִׁרְיוֹן ז armor, mail, armored force
שִׁרְיוֹן סַנְטֵר beaver
שִׁרְיוֹן קַשְׂקַשִּׂים coat of mail
שִׁרְיוֹנַאי, שִׁרְיוֹנֵר ז soldier of the armored force
שִׁרְיוֹנִית נ armored car
שְׂרִיטָה נ abrasion, scratch
שְׁרִימְפּ ז shrimp
שִׁרְיֵן פ armor, earmark
שֶׁרִיף ז sheriff
שְׁרִיצָה נ infestation
שְׁרִיקָה נ whistle, blast
שְׁרִיקַת בּוּז catcall
שְׁרִיר, שָׁרִיר ז muscle
שָׁרִיר ת valid, effective
שְׁרִירוּת (לֵב) נ arbitrariness
שְׁרִירוּתִי ת arbitrary
שְׁרִירִי ת muscular
שָׂרָךְ ז fern
שֵׂרֵךְ פ lace, pull, drag

שָׂרַךְ פ twist, go astray
שַׁרְלָטָן ז charlatan
שַׂרְעַף, שַׂרְעַפִּים ז thought
שָׂרַף פ burn, consume
שָׂרָף ז seraph, angel
שְׂרָף ז resin, frankincense
שְׂרֵפָה נ fire, combustion
שְׁרַפְרַף ז footstool, stool
שְׂרֵפַת מֵת cremation
שָׁרַץ פ abound, swarm, teem
שֶׁרֶץ ז insects, swarming creatures, villain
שָׁרַק פ whistle, catcall
שָׂרַר פ reign, dominate
שְׂרָרָה נ authority, rule
שֵׁרֵשׁ פ uproot, exterminate
שִׁרְשׁוּר ז concatenation
שַׁרְשׁוּר ז tapeworm
שִׁרְשֵׁר פ concatenate, link
שַׁרְשֶׁרֶת נ chain
שֵׁרֵת פ serve, act as
שָׁרָת serviceman, caretaker
שֵׁשׁ, שִׁשָּׁה נ/ז six
שָׂשׂ פ be glad, rejoice
שָׂשׂ לַקְרָב bellicose
שֵׁשׁ־בֵּשׁ ז backgammon
שֵׁשׁ עֶשְׂרֵה נ sixteen
שִׁשָּׁה עָשָׂר ז sixteen
שָׂשׂוֹן ז joy, rejoicing
שִׁשִּׁי ת sixth
שִׁשִּׁיָּה נ sextuplets, sextet, group of six
שִׁשִּׁים ש״מ sixty
שִׁשִּׁית נ sixth
שֵׁת ז buttocks, bottom
שָׁת פ put, place, lay, set
שְׁתַדְּלָן ז intercessor
שְׁתַדְּלָנוּת נ intercession, pleading, lobbyism
שָׁתָה פ drink
שָׁתוּי ת drunk, intoxicated
שִׁתּוּךְ ז corrosion
שָׁתוּל ת planted
שִׁתּוּף ז participation, joining, sharing
שִׁתּוּף פְּעֻלָּה collaboration, cooperation
שֻׁתָּפָה נ partnership, firm
שִׁתּוּפִי ת cooperative
שִׁתּוּק ז paralysis, apoplexy
שִׁתּוּק הָרַגְלַיִם paraplegia
שִׁתּוּק יְלָדִים infantile paralysis, polio
שְׁתִי ז warp
שְׁתִי וָעֵרֶב length and breadth, cross
שְׁתִיָּה נ drink, drinking
שָׁתִיךְ ת corrodible
שָׁתִיל ז seedling, plant
שְׁתִילָה נ planting
שְׁתַּיִם נ two
שְׁתֵּים עֶשְׂרֵה נ twelve
שַׁתְיָן ז alcoholic, drinker
שְׁתִיקָה נ silence
שִׁתִּית נ sextet
שְׁתִיתָה נ bleeding, oozing
שָׁתֵךְ פ corrode, eat, rust
שָׁתַל פ plant
שִׁתֵּל פ graft
שְׁתַלְטָן ז domineering
שְׁתַלְטָנוּת נ domineering
שַׁתְלָן ז nurseryman
שְׁתַמְטָן ז evader, shirker
שְׁתַמְטָנוּת evasion, shirking
שֶׁתֶן ז urine
שִׁתֵּף פ join, associate, cause to take part
שִׁתֵּף פְּעֻלָּה collaborate, cooperate
שַׁתְּפָן ז socialist
שַׁתְּפָנוּת נ socialism
שַׁתְּפָנִי ת socialistic
שָׁתַק פ be silent, quiet
שִׁתֵּק פ paralyze, silence
שַׁתְקָן ז silent, taciturn, reticent
שַׁתְקָנוּת נ quietism, reticence, taciturnity
שַׁתְקָנִי ת taciturn
שָׁתַת פ flow, bleed, ooze

ת

תָא ז cell, box, cabin, compartment, cubicle
תָא גָזִים gas chamber
תָא דוֹאַר post office box, P.O.B.
תָא הַקְפָּאָה freezer
תָא טֶלֶפוֹן booth, call box, phonebooth
תָא מֶלְתָחָה locker
תָא צְלִילָה caisson
תָאֵב ת desirous, craving
תַאַבְדָע ת curious
תֵאָבוֹן ז appetite
תַאֲגִיד ז corporation
תְאוֹ ז buffalo
תַאֲוָה נ lust, passion
תֵאוּם ז coordination
תָאוּם ת symmetrical
תְאוֹם ז twin
תְאוֹמֵי סִיאָם Siamese twins
תְאוֹמִים twins
תְאוֹמִים זֵהִים identical twins
תָאוֹן ז pigeonhole
תְאוּנָה נ accident, mishap
תַאֲוָנוּת נ passion, lust
תְאוּנַת דְרָכִים road accident
תְאוּצָה נ acceleration
תֵאוּר ז description, account
תְאוּרָה נ illumination, lighting
תֵאוּרִי ת descriptive
תְאוֹרֶת נ collation
תַאֲוַת רֶצַח blood lust
תַאַוְתָן ז voluptuary
תַאַוְתָנוּת נ lust, passion
תַאַוְתָנִי ת lustful, lewd
תַאֲחוּז ז percentage
תַאֲחִיזָה נ cohesion

תָאִי ת cellular
תָאִים ת symmetrical
תְאִימוּת נ symmetry
תָאִיר ת figured
תָאִית נ cellulose
תָאַם פ match, fit, suit, correspond, agree
תֵאֵם פ coordinate, correlate, harmonize
תְאֵנָה נ fig
תַאֲנִיָה נ mourning, grief
תָאַר פ encompass, encircle
תֵאֵר פ describe, portray, narrate, outline, draw
תַאֲרִיד ז date
תַאֲרִיכוֹן ז date stamp
תְאֵרִית נ figure
תַאֲרֵך פ date
תֵבָה נ box, case, crate, word, bar, measure
תַבְהֵלָה נ panic
תַבְהֵלָן ז scaremonger, alarmist
תְבוּאָה נ corn, grain, crop, produce, yield
תִבּוּל ז seasoning, flavoring
תְבוּנָה נ intelligence, reason, understanding, wisdom, wit
תְבוּנָתִי ת intelligent
תְבוּסָה נ beating, defeat
תְבוּסָן ז defeatist
תְבוּסָנוּת נ defeatism
תְבוּסָנִי ת defeatist
תְבוּסְתָן ז defeatist
תְבוּסְתָנוּת נ defeatism
תַבְחִין ז diagnosis
תְבִיעָה נ demand, claim, action, suit, prosecution
תְבִיעָה מִשְפָּטִית lawsuit

תִּבֵּל פ flavor, season, spice
תֵּבֵל נ universe, world
תֶּבֶל ז spice, flavoring
תְּבַלּוּל ז cataract
תִּבְלֵט פ emboss
תַּבְלִיט ז relief
תַּבְלִיט נָמוּךְ bas-relief
תַּבְלִיל ז batter
תַּבְלִין ז condiment, spice, flavoring, seasoning
תֶּבֶן ז straw
תִּבֵּן פ mix with straw
תִּבְנוּן ז bastion
תַּבְנִית נ model, mold, shape, form, pattern
תַּבְנִיתִי ת structural
תָּבַע פ claim, demand, require, prosecute, sue
תַּבְעֵרָה נ fire, burning, conflagration
תַּבְצוּר ז blockhouse
תִּבְרֵג פ thread, cut screws
תַּבְרוּאָה נ sanitation
תַּבְרוּאִי ת sanitary
תַּבְרוּאָן ז sanitarian
תַּבְרוּאָנוּת נ sanitation
תַּבְרוּאָנִי ת sanitary
תִּבְרוּג ז threading (screws)
תַּבְרִיג פ thread
תַּבְשִׁיל ז cooked food, dish, stew
תֵּבַת דּוֹאַר mailbox, postbox, post office box
תֵּבַת הִלּוּכִים gearbox
תֵּבַת לַחוּת humidor
תֵּבַת מִכְתָּבִים mailbox
תֵּבַת נְגִינָה barrel organ
תֵּבַת נֹחַ Noah's ark
תֵּבַת פַּנְדּוֹרָה Pandora's box, source of trouble
תָּג ז badge, label, tag, apostrophe, serif
תִּגְבּוּר פ reinforcing
תִּגְבֹּרֶת נ reinforcement

תִּגְבֵּר פ reinforce
תְּגוּבָה נ reaction, response
– אֵין תְּגוּבָה! no comment!
תְּגוּבָן ז reactor
תְּגוּבַת שַׁרְשֶׁרֶת chain reaction
תַּגְזִיר ז clipping, cutting
תִּגְלַחַת נ shaving, shave
תַּגְלִיף ז carving, engraving, relief
תַּגְלִית נ discovery
תַּגְמוּל ז reprisal, reward, recompense, retaliation
תַּגְמִיר ז finish
תִּגְמֵר פ finish
תָּגַר פ bargain, peddle
תָּגָר ז merchant, trader
תִּגָּר ז quarrel, dispute
– קָרָא תִּגָּר complain
תִּגְרָה נ quarrel, affray
תִּגְרֹלֶת נ raffle, lottery
תַּגְרָן ז merchant, pedlar
תַּגְרָנוּת נ bargaining, peddling, haggling
תִּדְגֹּרֶת נ incubation
תַּדְהֵמָה נ amazement, astonishment, stupor
תַּדְחִית נ moratorium
תָּדִיר ת frequent, regular, often
תְּדִירוּת נ frequency
תִּדְלוּק ז refueling
תִּדְלֵק פ fuel, refuel
תַּדְמִית נ image
תַּדְפִּיס ז printout
תֶּדֶר ז frequency
תִּדְרוּךְ ז brief, briefing
תַּדְרִיג ז echelon
תַּדְרִיךְ ז brief, briefing
תִּדְרֵךְ פ brief
תֵּה ז tea
תִּהֵד פ resonate
תָּהָה פ wonder, be amazed
תְּהוּדָה נ repercussion, echo, resonance

תְּהוֹם נ abyss, chasm, depth
תְּהוֹם הַנְשִׁיָּה oblivion
תְּהוֹמִי ת abysmal, deep
תְּהִיָּה נ wonder, amazement
תְּהִלָּה נ praise, acclaim
תַּהֲלוּכָה נ procession, parade, cavalcade
תַּהֲלִיךְ ז process
תַּהֲלִילָה נ psalmody
תְּהִלִּים Psalms
תְּהַלֵּל פ psalmodize
תַּהְפּוּכָה נ perversion, change, vicissitudes
תָּו ז sign, label, note
תּוֹאֵם ת fit, suitable, harmonious, agreeable
תּוֹאַם ז accord, symmetry
תּוֹאֲמָן ז conformist
תּוֹאֲמָנוּת נ conformism
תּוֹאֲנָה נ pretext, excuse
תּוֹאַר ז title, degree, form, appearance
תּוֹאַר הַפּוֹעַל adverb
תּוֹאַר הַשֵּׁם adjective
תּוֹאֳרִי ת adjectival
תּוֹבָה נ hull
תּוֹבָלָה נ transport
תּוֹבֵעַ ז claimant, prosecutor, plaintiff
תּוֹבֵעַ מְחוֹזִי district attorney
תּוֹבְעָנָה נ claim, action
תּוֹבָר ז loop
תּוֹבָרָה נ rosette
תּוֹבַת הַטַּנְק hull
תּוּגָה נ sorrow, grief
תּוֹדָה נ thanks, gratitude, acknowledgment
תּוֹדָה רַבָּה! Thank you!
תּוֹדָעָה נ consciousness
תּוֹדַעְתִּי ת conscious
תִּוָּה פ sketch, outline
תֹּהוּ ז nothingness
- עָלָה בַּתֹּהוּ fail utterly
תֹּהוּ וָבֹהוּ chaos

תִּוּוּי ז sketching, outlining
תִּוּוּךְ ז arbitration, mediation, brokerage
תּוֹחֵב אַפּו meddler, nosy
תּוֹחֶלֶת נ expectation, hope
תּוֹחֶלֶת חַיִּים life expectancy
תְּוַי ז outline, sketch, plan
תְּוֵי פָּנִים features
תְּוִיָּה נ drawing
תַּוְיָן ז score writer
תָּוִית נ label, tab, tag
תּוֹךְ, תָּוֶךְ ז inside, center, middle, interior, midst
תּוֹךְ הַלֶּחֶם crumb
תּוֹךְ כְּדֵי while, during
תִּוֵּךְ פ arbitrate, mediate, intermediate
תּוֹכָחָה נ admonition, rebuke, exhortation, reprimand
תּוֹכֵחָה נ punishment
תּוֹכַחְתִּי ת homiletic
תּוּכִּי ז parrot
תּוֹכִי ת internal, immanent
תּוֹכִיּוּת נ immanence
תּוֹכֵן ז astronomer
תּוֹכֶן ז contents, subject matter, substance
תַּוְכָן ז broker, mediator
תּוֹכְנָה נ software
תּוֹכְנִיָּה נ program, prospectus
תּוֹכְנִית נ plan, program, project, scheme
תּוֹכְנִית אָב master plan
תּוֹכְנִית לִמּוּדִים curriculum, syllabus
תּוֹכְנִיתִי ת planned
תּוֹכְנִיתָן ז programmer
תּוֹלָדָה נ outcome, result, upshot, consequence
תּוֹלָדוֹת נ״ר annals, history
תּוֹלְדוֹת חַיִּים life story, curriculum vitae
תּוֹלַעֲנָה נ mahogany
תּוֹלַעַת, תּוֹלֵעָה נ worm, larva

תּוֹלַעַת מֶשִׁי silkworm
תּוֹלַעַת סְפָרִים bookworm
תּוֹם ז innocence, purity, perfection, end, finish
תּוֹם לֵב bona fides
תּוּמָּה נ innocence, honesty
תּוֹמֵךְ ת supporter, backer
תּוֹמֶר ז date palm
תּוּנְפָּן ז kettledrum
תּוֹסֵס ת fermenting, active, lively
תּוֹסָף ז additive, foresail
תּוֹסֶפֶת נ annex, appendage, addition, increase
תּוֹסֶפֶת יוֹקֶר cost of living bonus
תּוֹסֶפְתָּן ז appendix
תּוֹעֵבָה נ abhorrence, abomination, ugly act
תּוֹעֶה ת stray, lost
תּוֹעֶלֶת נ advantage, benefit, profit, use
תּוֹעַלְתִּי ת expedient, useful, profitable
תּוֹעַלְתִּיּוּת נ expedience, usefulness, utility
תּוֹעַלְתָּן ז utilitarian
תּוֹעַלְתָּנוּת נ utilitarianism
תּוֹעָפוֹת נ״ר height, power
- הוֹן תּוֹעָפוֹת much money
תּוֹף ז drum
תּוֹף הָאוֹזֶן eardrum
תּוֹף הַכִּיּוֹר kettledrum
תּוֹף מִרְיָם tambourine
תּוֹף צַד side drum
תּוּפִּי ת drum-like
תּוּפִין ז biscuit, cookie
תּוּפִית נ diaphragm
תּוֹפֵס ת holder, applicable
תּוֹפֵס מָשׁוֹט oarsman
תּוֹפֵס קֶשֶׁת archer
תּוֹפָעָה נ phenomenon
תּוֹפֵף פ drum
תּוֹפֵר ז sewer, tailor
תּוֹפֶרֶת נ seamstress
תּוֹפֶת נ hell, booby trap
תּוֹצָא ז effect
תּוֹצָאָה נ consequence, outcome, result
תּוֹצָר ז product
תּוֹצָר לְוַאי by-product
תּוֹצֶרֶת נ manufacture, product, produce
תּוֹקֵעַ ז trumpeter
תּוֹקֶף ז force, validity
- בְּתוֹקֶף vigorously
תּוֹקְפָן aggressor
תּוֹקְפָנוּת נ aggression
תּוֹקְפָנִי ת aggressive
תּוֹר ז queue, line, turn, turtledove
תּוֹר הַזָּהָב golden age
תּוּרְגְמָן ז translator
תּוֹרָה נ doctrine, teaching, law, Pentateuch, Torah
תּוֹרָה שֶׁבִּכְתָב Bible
תּוֹרָה שֶׁבְּעַל פֶּה Talmud
תּוֹרֵם ז contributor, donor
תּוֹרֵם דָּם blood donor
תּוּרְמוּס ז lupine
תּוֹרֶן ז mast, pole
תּוֹרָן ז person on duty
תּוֹרָנוּת נ turn of duty
תּוֹרָנִי ת religious, of the Torah, scholar
תּוֹרְנִית נ axle, main shaft
תּוֹרֶף ז blank (of a bill)
תּוֹרְפָּה נ weakness, foible
תּוֹרָשָׁה נ heredity
תּוֹרַשְׁתִּי ת atavistic, hereditary
תּוֹרַשְׁתִּיּוּת נ atavism, heredity
תּוֹשָׁב ז inhabitant, resident, settler
תּוֹשַׁב סְפָר borderer
תּוֹשָׁב קַדְמוֹן aborigine
תּוֹשֶׁבֶת נ chassis, base
תּוּשִׁיָּה נ presence of mind, resource, wisdom

תּוּת ז mulberry
תּוּת סְנֶה raspberry
תּוּת שָׂדֶה strawberry
תּוֹתָב ת fixed, artificial
תּוֹתֶבֶת נ prosthesis
תּוֹתָח ז cannon, gun
תּוֹתְחָן ז bombardier, artilleryman, gunner
תּוֹתְחָנוּת gunnery, artillery
תַּזְגִּיג ז enamel
תְּזוּזָה נ shift, movement
תְּזוּנַאי ז dietitian
תְּזוּנָה נ diet, dietetics, nourishment, nutrition
תְּזוּנָתִי ת dietetic, dietary, nutritive
תְּזָזִית נ madness, delirium
תִּזְכּוֹרֶת נ reminder, memorandum
תַּזְכִּיר ז memorandum
תִּזְמוּן ז timing
תִּזְמוֹנֶת נ synchronism
תִּזְמוּר ז orchestration
תִּזְמוֹרֶת נ band, orchestra
תִּזְמוֹרֶת כְּלֵי הַקָּשָׁה steel band
תִּזְמוֹרֶת כְּלֵי נְשִׁיפָה brass band
תִּזְמוֹרֶת רִקּוּדִים dance band
תִּזְמוֹרְתִּי ת instrumental, orchestral
תִּזְמֵן פ time
תִּזְמֵר פ orchestrate
תַּזְקִיק ז distillation
תַּזְרִים נ flow
תַּזְרִים מְזוּמָנִים cash flow
תַּזְרִיק hypodermic, hypo, injection
תָּחַב פ insert, thrust
תַּחְבּוּלָה נ device, ruse, strategy, trick
תַּחְבּוּלָן ז schemer, wily
תַּחְבּוּלָנִי ת wily, ingenious
תַּחְבּוּרָה נ communication, transport, traffic
תַּחְבּשֶׁת נ bandage, dressing, compress
תַּחְבּשֶׁת הִיגְיֶנִית pad, sanitary napkin/towel
תַּחְבִּיב ז hobby, avocation
תַּחְבִּיר ז syntax
תַּחְבִּירִי ת syntactic
תִּחְבֵּל פ scheme, contrive, devise, plot
תַּחְבְּלָן ז inventive, crafty
תַּחְבְּלָנוּת נ inventiveness, cunning, tactics
תַּחְבְּלָנִי ת wily, crafty
תְּחַגָּה נ festival
תַּחְדִּישׁ ז new word, new term
תָּחוּב ת inserted, thrust
תָּחוּחַ ת loose, plowed
תִּחוּחַ ז plowing, crushing
תְּחוּלָה נ incidence, effect, enforcement
תְּחוּם ז bound, border, limit, boundary, area
תִּחוּם ז demarcation, fixing limits, delimitation
תְּחוּשָׁה נ feeling, sense, perception, sensation
תְּחוּשָׁתִי ת sensational
תַּחֲזוּקָה נ maintenance
תַּחֲזוֹרֶת נ reconstruction
תַּחֲזִית forecast, spectrum
תַּחֲזִית מֶזֶג הָאֲוִיר weather forecast
תִּחְזֵק פ maintain
תָּחַח, תִּחַח פ break up, loosen, crumble, plow
תְּחִיבָה נ insertion, sticking in, thrusting
תְּחִיָּה נ renaissance, revival, resurrection
תְּחִיחוּת נ looseness
תְּחִימָה נ demarcation
תִּחְכּוּם ז sophistication
תִּחֵל פ prime, initiate
תֶּחֶל ז primer
תִּחְלֵב פ emulsify

תְּחִלָּה תה"פ first
תְּחִלָּה נ start, beginning
תַּחֲלוּאָה נ morbidity
תַּחֲלוּאִי ת morbid
תחלוף ז substitution
תַּחֲלוּפָה נ substitution, replacement, change
תְּחִלִּי ת initial
תַּחֲלִיב ז emulsion
תַּחֲלִיף ז backup, alternative, substitute
תְּחִלִּית נ prefix
תִּחְלֵף פ substitute
תָּחַם, תִּחֵם פ delimit, demarcate, set limits
תַּחְמוֹצֶת נ oxide
תַּחְמוֹשֶׁת נ ammunition, arms, munitions
תַּחְמִיץ ז silage, ensilage, marinade
תַּחְמִישׁ ז cartridge
תַּחְמָס ז falcon
תִּחְמֵץ פ oxidize
תְּחִנָּה נ plea, supplication
תַּחֲנָה נ base, station, stop
תַּחֲנַת אוטובוסים bus stop
תַּחֲנַת דֶּלֶק filling station, petrol station
תַּחֲנַת כּוֹחַ power station
תַּחֲנַת מוֹנִיּוֹת cab rank, taxi stand
תַּחֲנוּן ז plea, supplication
תַּחְפּוֹשֶׂת נ disguise
תִּחְפֵּשׂ פ dress up, disguise
תַּחֲצָה נ crosswalk
תְּחִקָּה נ legislation
תַּחְקִיר ז investigation, debriefing
תַּחְקִירָן ז investigator
תִּחְקֵר פ debrief
תְּחִקָּתִי ת legislative
תִּחֵר, תַּחֲרָה פ compete, vie
תַּחֲרָה, תַּחֲרִים נ/ז lacework
תַּחֲרוּת נ contest, match, competition, rivalry
תַּחֲרוּתִי ת competitive
תַּחְרִיט ז engraving, etching
תַּחַשׁ ז dachshund, badger
תִּחְשֵׁב פ calculate
תַּחְשִׁיב ז calculation
תַּחַת מ"י under, beneath, in place of, instead
תַּחַת ז bottom
תַּחְתּוֹן ת lower
תַּחְתּוֹנִים ז"ר underpants, drawers, panties
תַּחְתּוֹנִית נ camisole, slip, petticoat
תַּחְתִּי ת lower
תַּחְתִּית נ bottom, foot, saucer, subway
תֵּיאוֹלוֹג ז theologian
תֵּיאוֹלוֹגִי ת theological
תֵּיאוֹלוֹגְיָה נ theology
תֵּיאוֹקְרַטְיָה נ theocracy
תֵּיאוֹרֶטִי ת theoretical
תֵּיאוֹרֶטִיקָן ז theoretician
תֵּיאוֹרְיָה נ theory
תֵּיאַטְרוֹן ז theater
תֵּיאַטְרוֹנִי ת theatrical
תֵּיאַטְרָלִי ת theatrical
תֵּיאַטְרָלִיּוּת נ theatricality
תֵּיאִיזְם ז theism
תֵּיאִיסְט ז theist
תִּיּוּל ז wiring
תֵּיוֹן ז teapot
תִּיּוּק ז filing
תִּיּוּר ז sightseeing, tour
תֵּיזָה נ thesis
תִּיכוֹן ת middle, central, central, median
תִּיכוֹנִי ת middle, central
תַּיִל ז wire, filament
תַּיִל דוֹקְרָנִי barbed wire
תֵּימָן נ Yemen
תֵּימָנִי ת Yemenite
תִּימָרָה נ column (of smoke)
תִּינוֹק ז baby, infant, babe
תִּינוֹק מַבְחֵנָה test-tube baby

תִּינוֹקִי ת babyish, infantile, childish
תִּינוֹקֶת נ baby (girl)
תִּיק ז bag, wallet, brief, case, briefcase, file, dossier, portfolio
תִּיֵק פ file
תַּיָּק, תַּיֶּקֶת ז/נ filing clerk
תֵּיקוּ ז draw, tie, stalemate
תִּיקִיָּה נ filing cabinet
תִּיקָן ז cockroach
תַּיָּר ז tourist, sightseer
תִּיֵּר פ tour
תִּירוֹשׁ ז must, new wine
תַּיָּרוּת נ tourism
תִּירָס ז corn, maize
תַּיִשׁ ז he-goat, billy-goat
תֵּיתֵי לוֹ Blessed be he
תַּךְ ז stitch, seam
תָּכוֹל ת azure, sky blue
תְּכוּלָה נ content, capacity
תְּכוּנָה נ attribute, trait, quality, character, astronomy, commotion
תָּכוּף ת successive, frequent
תְּכוּפוֹת often, frequently
תְּכִיפוּת נ frequency, succession
תְּכָכִים ז״ר intrigues
תַּכְכָן ז intriguer
תַּכְכָנוּת נ intriguing
תַּכְלִיל ז score
תַּכְלִית נ end, purpose, object, aim, point
–בְּתַכְלִית completely
תַּכְלִיתִי ת purposeful
תַּכְלִיתִיּוּת נ purposefulness
תְּכֵלֶת נ azure, sky blue
תֶּכֶן ז design
תָּכַן, תִּכֵּן פ measure, plan
תִּכְנוּן ז planning, design
תִּכְנוּן הַמִּשְׁפָּחָה family planning

תִּכְנוּת ז programming
תָּכְנִית, תּוֹכְנִית נ program, plan, project, scheme
תִּכְנֵן פ plan, scheme, plot
תִּכְנֵת פ program
תַּכְסִיס ז strategy, tactic, stratagem, trick
תַּכְסִיסִי ת strategical, strategic, tactical
תַּכְסִיסָן ז tactician
תַּכְסִיסָנוּת נ strategy, tactics
תָּכַף פ come frequently
תֶּכֶף ז frequency
תֵּכֶף תה״פ immediately, soon
תֵּכֶף וּמִיָּד immediately
תַּכְרִיךְ ז robe, bundle
תַּכְרִיכִים ז״ר shroud
תַּכְשִׁיט ז jewel, ornament, mischievous, naughty
תַּכְשִׁיטִים ז״ר jewelry
תַּכְשִׁיטָן ז jeweler
תַּכְשִׁיר ז preparation
תַּכְתֹּבֶת נ correspondence
תַּכְתִּיב ז dictate, dictation
תֵּל ז mound, bank, heap
תְּלָאָה נ hardship, trouble
תַּלְאוּבָה נ aridity, suffering
תִּלְבֹּשֶׁת ז dress, clothing
תִּלְבֹּשֶׁת אֲחִידָה uniform
תַּלְבִּיד ז plywood
תָּלָה פ hang, suspend, ascribe, attribute, pin
תָּלָה הַקּוֹלָר בְּ– pin, blame
תָּלוּי ת hanged, suspended, depending, dependent
תָּלוּי תה״פ that depends
תָּלוּי וְעוֹמֵד undecided
תְּלוּי ז hanger, suspender
תְּלוּל ז lob, steepening
תָּלוּל ת abrupt, steep, high
תְּלוּלִית נ hillock, mound
תְּלוּם ז furrowing
תְּלוּן ז hillock, knoll
תְּלוּנָה נ complaint

תְּלוּעַ ת wormy, maggoty
תִּלּוּעַ ז removing worms
תָּלוּשׁ ת plucked, picked, torn off, detached
תְּלוּשׁ ז coupon, counterfoil
תְּלוּשׁ מַשְׂכּוֹרֶת pay slip
תְּלוּת נ dependence
תְּלִי ז quiver, hanger, peg
תְּלִיָּה נ hanging, scaffold
תִּלְיוֹן ז medallion, pendant
תְּלִילוּת נ steepness
תַּלְיָן hangman, executioner
תָּלִישׁ ת detachable
תְּלִישָׁה נ tearing out, plucking, detaching
תְּלִישׁוּת נ detachment, aloofness, remoteness
תַּלְכִּיד ז conglomerate, concretion, aggregate
תִּלֵּל פ lob, loft, mound
תְּלָלָה נ chute
תֶּלֶם ז drill, furrow
תִּלֵּם פ furrow, ridge
תַּלְמוּד ז Talmud, learning
תַּלְמוּד תּוֹרָה religious school
תַּלְמוּדִי ת Talmudic
תַּלְמִיד ז pupil, student
תַּלְמִיד חָכָם learned, scholar
תִּלַּע פ worm, remove worms
תַּלְקִיט ז digest
תָּלַשׁ פ pick, pluck, tear
תִּלֵּת פ triangulate
תְּלַת־אוֹפַן tricycle
תְּלַת־מְמַדִּי three-dimensional, three-D
תְּלַת־שְׁנָתִי triennial
תִּלְתּוּל ז curling, waving
תַּלְתַּל ז curl, lock
תִּלְתֵּל פ curl, wave
תַּלְתַּלּוֹן ז tendril
תִּלְתָּן ז clover
תָּם ת innocent, simple, naive, honest
תַּם פ finish, be exhausted
תֶּמֶד ז mead, cheap wine

תָּמַהּ פ wonder, be surprised
תָּמֵהַּ ת wondering, surprised
תְּמַהּ ז wonder, surprise
תִּמָּהוֹן ז wonder, surprise, astonishment
תִּמְהוֹנִי ת queer, eccentric
תְּמֵהַנִי I wonder
תָּמוּהַּ ת strange, puzzling
תַּמּוּז ז Tammuz (month)
תְּמוּטָה נ collapse, cave-in
תִּמּוּךְ ז support, bracing
תִּמּוּכִין ז״ר backing
תְּמוּכָה נ support, prop
תְּמוֹל ז yesterday
תְּמוֹל שִׁלְשׁוֹם formerly
תְּמוּנָה photograph, picture
תְּמוּנָתִי, תְּמוּנִי ת pictorial
תְּמוּרָה נ change, value, apposition, permutation
תְּמוּרַת in exchange for
תַּמּוּת נ integrity
תְּמוּתָה נ mortality, death
תְּמוּזֹגֶת נ constitution
תַּמְזִיג ז mixture, blend
תַּמְחוּי ז public kitchen
תַּמְחִיר cost accounting
תַּמְחִירָן ז cost accountant
תִּמְחִית נ expertise
תָּמִיד תה״פ always
תְּמִידוּת נ permanence, constancy, continuity
תְּמִידִי ת abiding, permanent, perpetual
תְּמִיהָה נ wonder, surprise
תְּמִיכָה נ backing, help, maintenance, support
תָּמִים ת artless, innocent, naive, entire, whole
תְּמִימוּת נ innocence, naivety, integrity
תְּמִימוּת דֵּעִים unanimity
תָּמִיר ת high, tall, erect
תְּמִירוּת נ tallness
תָּמַךְ פ maintain, support, back, uphold, help

תַּמְלוּג ז royalty
תַּמְלַחַת נ salts, brine
תַּמְלִיל ז text, libretto
תְּמָנוּן ז octopus
תַּמְנוּעַ ז parry, preventive medicine
תְּמָנְיוֹן ז octahedron
תְּמִנִית נ octet, octette
תִּמְנַע פ parry
תְּמָנָעָה נ preventorium
תְּמָנָעִי ת prophylactic
תְּמִסָּה נ solution
תְּמְסוֹרֶת נ transmission
תִּמְסָח ז crocodile
תַּמְסִיר ז communiqué, handout, announcement
תַּמְצוּת ז summarizing
תַּמְצִית נ essence, summary, precis, abstract, gist
תַּמְצִיתִי ת concise, pithy
תַּמְצִיתִיּוּת נ concision, conciseness, pithiness
תִּמְצֵת פ summarize, abstract
תָּמָר ז date, palm
תָּמַר פ permute
תָּמֵר פ rise, go up
תָּמָרְהִינְדִּי ז tamarind
תַּמְרוּט ז lacquer, varnish
תִּמְרוֹן ז maneuver
תִּמְרוּן ז maneuvering
תַּמְרוּק ז cosmetics, make-up
תַּמְרוּקִיָּה נ perfumery
תַּמְרוּקָן ז cosmetician
תַּמְרוּר ז signpost, road sign, traffic sign
תִּמְרוּר ז erecting signposts
תַּמְרוּרִים ז"ר bitterness
תַּמְרִיץ stimulus, incentive
תִּמְרֵן פ maneuver
תַּמְשִׁיחַ ז fresco
תַּן ז jackal
תְּנַאי ז condition, term, state, stipulation
תְּנַאי מוּקְדָּם prerequisite
תְּנָאִים ז"ר engagement
תְּנְגּוֹדֶת נ resistance
תִּנְגּוּן ז instrumentation
תִּנְגֵּן פ orchestrate
תָּנָה פ tell, relate, mourn
תְּנוּבָה נ yield, produce, crop
תְּנוּדָה נ vibration, oscillation, movement
תְּנוּחָה נ pose, position
תְּנוּךְ ז lobe, ear lobe
תְּנוּמָה נ doze, slumber, nap
תְּנוּעָה נ movement, motion, move, traffic, vowel
תְּנוּפָה נ leverage, lifting, momentum, swing
תַּנּוּר ז oven, stove
תֶּנַח ז cadence, cadenza
תַּנְחוּמִים ז"ר consolation, comfort, condolence
תַּנִּין ז alligator, crocodile
תְּנְיָנִי ת secondary
תַּנַ"ךְ ז Bible
תַּנַ"כִי ת biblical
תְּנֶע ז momentum
תֶּנַע ז motif, motive
תֶּנַע תּוֹאַר leitmotif
תַּנְעוֹלֶת נ footwear
תַּנְעוּמָה ז euphony
תַּנְצְבָּ"ה R.I.P.
תַּנְשֶׁמֶת נ owl
תִּסְבּוֹכֶת נ complication
תִּסְבּוֹלֶת נ bearing capacity
תַּסְבִּיךְ ז complex
תַּסְבִּיךְ נְחִיתוּת inferiority complex
תַּסְבִּיר ז prospectus
תַּסְדִּיר ז arrangement
תְּסוּגָה נ regression, withdrawal, retreat
תָּסוּס ת fermented
תִּסּוּף ז revaluation
תְּסִיסָה נ fermentation, agitation, excitement
תִּסְכּוּל ז frustration
תַּסְכִּית ז sketch, radio play
תִּסְכֵּל פ frustrate

syndrome תִּסְמוֹנֶת נ
symptom תַּסְמִין ז
ferment, effervesce, be agitated, excited תָּסַס פ
enzyme, ferment תַּסָס ז
revaluate תִּסֵּף פ
haircut תִּספּוֹרֶת נ
revue תִּסקוֹרֶת נ
review, survey תַּסקִיר ז
hairdo, coiffure תִּסרוֹקֶת נ
scenario, script תַּסרִיט ז
scenarist תַּסרִיטַאי ז
abominate, despise תִּעֵב פ
traffic תַּעֲבוּרָה נ
document תִּעֵד פ
go astray, lose way תָּעָה פ
abhorrence, disgust תִּעוּב ז
choreography תְּעוּגָה נ
documentation תִּעוּד ז
certificate, document, report card תְּעוּדָה נ
documentary תְּעוּדִי ת
matriculation certificate תְּעוּדַת בַּגרוּת
identity card תְּעוּדַת זֶהוּת
documentary תְּעוּדָתִי ת
drainage, canalization תִּעוּל
daring, courage תְּעוּזָה נ
aviation, flight תְּעוּפָה נ
pressure תְּעוּקָה נ
angina pectoris תְּעוּקַת הַלֵּב
industrialization תִּעוּשׁ ז
going astray תְּעִיָּה נ
canalize, lay sewers תִּעֵל פ
canal, channel, drain, trench, ditch תְּעָלָה נ
antic, prank, whim תַּעֲלוּל ז
mischievous תַּעֲלוּלָנִי ת
mystery, secret תַּעֲלוּמָה נ
propaganda תַּעֲמוּלָה נ
propagandist תַּעֲמוּלָתִי ת
attitude, pose תַּעֲמִיד ז
agitator, campaigner, propagandist תַּעַמְלָן ז
campaigning תַּעַמְלָנוּת נ

pleasure, delight תַּעֲנוּג ז
hedonism תַּעֲנוּגָנוּת נ
fast, fasting תַּעֲנִית נ
employment תַּעֲסוּקָה נ
power, strength תַּעֲצוּמָה נ
paraphrase תַּעֲקִיף
razor, sheath תַּעַר ז
mixture, blend תַּעֲרוֹבֶת נ
exhibition תַּעֲרוּכָה נ
tariff, price תַּעֲרִיף ז
industrialize תִּעֵשׁ פ
industry, manufacture תַּעֲשִׂיָּה נ
industrialist, manufacturer תַּעֲשִׂיָּן ז
industrialism תַּעֲשִׂיָּנוּת נ
industrial תַּעֲשִׂיָּתִי ת
deceit, illusion תַּעְתּוּעַ
transcription תַּעְתּוּק
transcription, transliteration תַּעְתִּיק
deceive, cheat תִּעְתַּע פ
transliterate תִּעְתֵּק פ
scenery, decor תַּפאוּרָה נ
decorator תַּפאוּרָן ז
glory, splendor תִּפאֶרֶת נ
expiration, expiry תְּפוּגָה נ
potato תַּפּוּד ז
orange תַּפּוּז ז
orange תָּפוּז ת
swollen תָּפוּחַ ת
apple תַּפּוּחַ, תַּפּוּחַ-עֵץ ז
potato תַּפּוּחַ אֲדָמָה
apple dumpling תַּפּוּחַ בִּגְלִימָה
orange תַּפּוּחַ זָהָב
doubt, scruple תְּפוּנָה נ
occupied, busy, reserved, engaged תָּפוּס ת
pommel, handle תְּפוּס ז
displacement, tonnage, occupancy תְּפוּסָה נ
drumming תִּפּוּף ז
distribution, circulation, dispersion תְּפוּצָה נ

תְּפוּקָה נ production, yield, output, turnout

תָּפוּר ת sewn, sewn up

תִּפְזֹרֶת נ bulk, loose cargo

תָּפַח פ swell, rise

תְּפִיחָה נ swelling, souffle

תְּפִיחוּת נ swell, tumescence

תְּפִיחִית נ souffle

תָּפִיס ת perceptible

תְּפִיסָה נ capture, seizure, outlook, understanding

תְּפִיסוּת נ perceptibility

תְּפִיסָתִי ת conceptual

תְּפִירָה needlework, sewing

תָּפֵל ת insipid, tasteless, vapid

תְּפִלָּה נ prayer, phylactery

תִּפְלוּת נ folly, foolishness

תְּפֵלוּת נ tastelessness, vapidity, insipidity

תְּפִלִּין נ"ר phylacteries

תַּפְנוּק ז spoiling, pleasure

תַּפְנִית נ turn, change

תֶּפֶס ז catch, pawl

תָּפַס פ capture, catch, grasp, grip, seize, comprehend, understand

תִּפְעוּל ז operation

תִּפְעוּלִי ת operational

תִּפְעֵל פ operate, activate

תָּפַף פ drum, beat

תַּפָּף ז drummer

תִּפְקֵד פ function

תִּפְקוּד ז functioning

תִּפְקוּדִי ת functional

תַּפְקִיד ז function, role, part, duty, office

תָּפַר, תִּפֵּר פ sew, stitch

תֶּפֶר ז seam, stitch

תִּפְרֹשֶׂת נ sails

תִּפְרַחַת נ inflorescence, rash

תַּפְרִיט ז diet, menu

תַּפְרָן ז beggar, broke

תָּפַשׂ = תָּפַס פ seize, grasp

תַּפְשׁוּעָה נ criminality

תַּצְבִּיר ז concretion

תַּצְהִיר ז declaration, deposition, affidavit

תְּצוּגָה נ display, show

תְּצוּרָה נ formation

תִּצְלֹבֶת נ crossing, hybrid

תַּצְלוּם picture, photograph

תַּצְלִיל ז chord

תַּצְלִיל שָׁבוּר arpeggio

תַּצְפִּית ז observation, lookout, forecast

תִּצְרֹכֶת נ consumption

תַּצְרוּם ז discord, cacophony

תַּקְבּוּלִים ז"ר receipts

תַּקְבֹּלֶת נ parallelism

תַּקְדִּים ז precedent

תִּקְוָה נ hope, expectation

תִּקּוּל ז tackle

תָּקוּל ת out of order

תְּקוּמָה נ recovery, revival

תִּקּוּן ז repair, reform, amendment, correction

תָּקוּעַ ת stuck, inserted

תְּקוּפָה נ age, period, era, season, time, cycle

תַּקּוּפוֹן ז periodical

תְּקוּפַת הַבְּרוֹנְזָה/הָאָרָד Bronze Age

תְּקוּפַת הַבַּרְזֶל Iron Age

תְּקוּפַת הַמַּעֲבָר change of life, menopause

תְּקוּפָתִי ת periodical

תְּקוּצָה נ satiety

תְּקוּרָה נ overhead expenses

תַּקִּין ת normal, regular, correct, proper

תְּקִינָה נ standardization

תַּקִּינוּת נ normality, regularity, propriety

תְּקִיעָה נ blowing, blast, insertion, sticking in

תְּקִיעַת כַּף handshake

תַּקִּיף ת firm, strong, stern

תְּקִיפָה נ assault, attack

תַּקִּיפוּת נ firmness, resolve
תִּקֵּל פ tackle
תַּקָּלָה נ accident, mishap, obstacle, fault, hitch
תַּקְלִיט ז record
תַּקְלִיטוֹן ז diskette
תַּקְלִיטִיָּה נ record library
תִּקֵּן פ correct, mend, repair, fix, reform
תֶּקֶן ז norm, standard
תַּקָּנָה נ regulation, rule
תַּקָּנוֹן ז regulations, code
תִּקְנוּן ז standardization
תִּקְנִי ת standard, normal
תִּקְנֵן פ standardize
תָּקַע פ blow, sound, stick, insert, thrust, push
תֶּקַע ז plug
תָּקַף פ attack, assault
תָּקֵף ת valid, in force
תְּקֵפוּת נ validity
תִּקְצֵב פ budget
תִּקְצוּב ז budgeting
תַּקְצִיב ז budget, allocation
תַּקְצִיבִי ת budgetary
תַּקְצִיר ז summary, brief
תִּקְצֵר פ summarize, digest
תֶּקֶר ז flat tire, puncture
תִּקְרָה נ ceiling
תִּקְרֹבֶת נ refreshments
תַּקְרִישׁ ז thrombosis
תַּקְרִית נ incident, accident
תִּקְשׁוֹרֶת נ communication
תִּקְשׁוֹרֶת פְּנִים intercom
תִּקְשׁוֹרְתִּי ת communicative
תַּקְשִׁיט ז ornament, decoration, requisite
תַּקְשִׁיר ז civil service regulations
תִּקְתּוּק ז tick, typing
תִּקְתֵּק פ tick, tap, type
תָּר פ tour, travel, survey
תַּרְבּוּשׁ ז fez, tarboosh
תַּרְבּוּת נ civilization, culture
תִּרְבּוּת נ cultivating, civilizing, taming
תַּרְבּוּתִי ת civil, cultural
תַּרְבִּיךְ ז ragout, stew
תַּרְבִּית נ culture, breeding
תִּרְבֵּת פ civilize, cultivate, domesticate
תִּרְגּוּל ז practice, exercise
תִּרְגֹּלֶת נ drill, exercise
תַּרְגּוּם, תִּרְגּוּם ז translation
תִּרְגֹּשֶׁת נ ecstasy, orgasm
תַּרְגִּיל ז drill, exercise
תַּרְגִּימָה נ sweets
תִּרְגֵּל פ drill, practice
תִּרְגֵּם פ translate
תֶּרֶד ז spinach
תַּרְדֵּמָה נ sleep, lethargy
תַּרְדֶּמֶת נ coma
תָּרוֹג ת yellowish green
תַּרְוָד ז dipper, ladle
תְּרוֹמְבּוֹזָה נ thrombosis
תְּרוּמָה נ contribution, donation, offering
תְּרוּעָה נ blare, blast, alarm, shout, cheer
תְּרוּפָה נ cure, drug, medicine, remedy
תְּרוּפָתִי ת medical
תֵּרוּץ ז excuse, pretext
תִּרְזָה נ linden, birch
תַּרְחִיף ז suspension
תַּרְחִיץ ז lotion
תַּרְטִיט ז vibrato
תְּרֵי עָשָׂר minor prophets
תְּרִיס ז shutter, shield
תְּרֵיסָר ז dozen, twelve
תְּרֵיסַרְיָן ז duodenum
תִּרְכּוּב ז vaccination
תִּרְכֹּבֶת נ compound
תַּרְכּוֹס ז sideboard
תַּרְכִּיב ז inoculation, serum, vaccine
תַּרְכִּיז ז concentrate
תָּרַם פ contribute, donate
תֶּרֶם ז therm

תֶּרְמוֹס ז thermos
תֶּרְמוֹסְטָט ז thermostat
תֶּרְמוֹסְטָטִי ת thermostatic
תֶּרְמִי ת thermal
תֶּרְמְיוֹן ז thermion
תַּרְמִיל ז cartridge case, pod, shell, bag
תַּרְמִיל גַּב knapsack
תַּרְמִית נ fraud, deceit
תִּרְמֵל פ pod, produce pods
תַּרְנְגוֹל ז cock, rooster
תַּרְנְגוֹל־בָּר grouse
תַּרְנְגוֹל־הוֹדוּ turkey
תַּרְנְגוֹלֶת נ chicken, hen
תַּרְנְהוֹד ז turkey
תַּרְסִיס ז spray
תַּרְעוֹמֶת נ resentment, grievance, grudge
תַּרְעֵלָה נ poison
תְּרַפְּיָה נ therapy
תְּרָפִים ז"ר household idols
תֵּרֵץ פ explain, reply
תַּרְקוֹמֶת נ embroidery
תַּרְשִׁים ז design, diagram, sketch, graph, plan
תַּרְשִׁים זְרִימָה flowchart
תַּרְשִׁישׁ ז aquamarine, beryl
תִּרְשֵׁם פ design, sketch
תַּרְתֵּי ש"מ two
תַּרְתֵּי מַשְׁמָע double meaning
תַּשׁ פ weaken, be feeble
תִּשְׁבָּחוֹת נ"ר praise, acclaim
תַּשְׁבֵּץ crossword puzzle
תַּשְׁדִּיר ז program, broadcast
תַּשְׁדִּיר פִּרְסוֹמֶת commercial
תְּשׁוּאָה proceeds, yield
תְּשׁוּאוֹת נ"ר cheers, applause, ovation
תְּשׁוּבָה נ answer, reply, response, retort
תְּשׂוּמָה נ input
תְּשׂוּמֶת לֵב attention, care

תְּשׁוּעָה נ salvation, help
תְּשׁוּקָה נ desire, lust
תְּשׁוּקָתִי ת lustful, erotic
תְּשׁוּרָה נ present, gift
תָּשׁוּשׁ ת weak, exhausted
תִּשְׁחוֹרֶת נ youth, boyhood
תַּשְׁטִיף ז gargle
תְּשִׁיעִי, תְּשִׁיעִית ת/נ ninth
תְּשִׁישׁוּת נ weakness, fatigue
תִּשְׁלוֹבֶת נ gearing, linkage
תַּשְׁלוּם ז payment, reward
תַּשְׁלִיל ז negative
תַּשְׁמִישׁ ז utensil, article, sexual intercourse
תִּשְׁנוּן ז rehearsal
תֵּשַׁע, תִּשְׁעָה נ/ז nine
תִּשְׁעָה עָשָׂר ז nineteen
תִּשְׁעִים ש"מ ninety
תְּשַׁע עֶשְׂרֵה נ nineteen
תִּשְׁעָתַיִם תה"פ ninefold
תַּשְׁקוֹפֶת נ perspective
תַּשְׁקִיף ז forecast
תֶּשֶׁר ז tip
תִּשְׁרֵי ז Tishri (month)
תַּשְׁרִיר ז validation
תַּשְׁרִית נ tincture
תַּשְׁתִּית נ infrastructure
תַּת־ sub–, under–
תַּת־אַלּוּף brigadier, brigadier general
תַּת־אֱנוֹשִׁי subhuman
תַּת־הַכָּרָה subconscious
תַּת־מוּדָע unconscious
תַּת־מֵימִי underwater
תַּת־מַקְלֵעַ submachine gun
תַּת־קַרְקָעִי underground
תַּת־שַׂר deputy minister
תַּת־תְּזוּנָה malnutrition, undernourishment
תַּת־תִּקְנִי substandard
תַּתּוֹן הַמּוֹחַ pituitary gland
תִּתּוֹרָה, תִּתּוֹרֶת נ brim, rim

....